LAS MIL
Y UNA NOCHES
**

Clásicos Universales Planeta

LAS MIL Y UNA NOCHES

**

Traducción, introducción y notas de
Juan Vernet
catedrático de la Universidad de Barcelona

PLANETA

Còrsega, 273-279, 08008 Barcelona (España)
Diseño de la colección: Helena Rosa-Trias
Realización de la cubierta: Manuel Vizuete
Ilustración de la cubierta: dibujo indopersa (foto © Aisa)
Quinta edición en esta presentación: agosto de 2001
Depósito Legal: B. 31.745-2001
ISBN 84-08-01783-7 (tomo 2)
ISBN 84-08-01797-7 obra completa
Impresión: T. G. Soler, S. A.
Encuadernación: Argraf Encuadernación, S. L.
Printed in Spain - Impreso en España

SUMARIO

Págs.

Págs.

LAS MIL Y UNA NOCHES

HISTORIA DE HASIB KARIM AL-DIN

Se cuenta que en lo más antiguo del tiempo, y en las edades más remotas, vivía un sabio griego llamado Daniel. Tenía estudiantes y discípulos, y los sabios de Grecia estaban sometidos a sus órdenes y confiaban en su saber. Sin embargo, no tenía descendencia masculina. Una de las noches, al pensar en ello, rompió a llorar porque no tenía ningún hijo que pudiese heredar su saber. Pensó que Dios (¡glorificado y ensalzado sea!) acepta las plegarias de los que a Él se dirigen, que no hay porteros suficientes para vigilar las puertas de su generosidad; que concede sin cuento a quien le place, y que nunca desatiende al pedigüeño, sino al contrario, lo colma de bienes y favores. Rezó a Dios (¡ensalzado sea el Generoso!) para que le concediese un hijo que pudiera sucederle y que lo colmase de favores. Después regresó a su casa, cohabitó con su mujer y ésta quedó encinta aquella misma noche.

Sahrazad se dio cuenta de que amanecía e interrumpió el relato para el cual le habían dado permiso.

Cuando llegó la noche *cuatrocientas ochenta y tres*, refirió:

—Me he enterado, ¡oh rey feliz!, de que algunos días después, el sabio tuvo que embarcar: la nave naufragó, y todos sus libros se perdieron en el mar; él consiguió subirse a un madero de la nave y salvar sólo cinco hojas de los manuscritos, que se perdieron. Al regresar a su casa metió dichas hojas en un cofre y lo cerró. Como la gravidez de su mujer era ya manifiesta, le dijo: «Has de saber que la hora de mi muerte está próxima, que se acerca el momento de mi tránsito del mundo de lo terreno al de lo eterno; tú estás embarazada y es posible que cuando des a luz después de mi muerte, sea un varón; si es así, ponle el nombre de Hasib Karim al-Din; críalo y dale una buena educación. Cuando sea mayor y te pregunte: "¿Qué herencia me ha dejado mi padre?", le entregas estas cinco hojas. Una vez las haya leído y comprendido su significado, será el sabio mayor de su tiempo». Se despidió de la esposa, sufrió un estertor y abandonó el mundo, para pasar a la misericordia de Dios (¡ensalzado sea!). Sus familiares y amigos lo lloraron. Después lo lavaron, salieron provisionalmente para enterrarlo, y regresaron a su casa.

Al cabo de pocos días, la esposa dio a luz un hermoso niño, al que puso de nombre Hasib Karim al-Din, tal como le recomendara su difunto esposo. Apenas hubo dado a luz, mandó comparecer a los astrólogos, los cuales calcularon la posición de los astros respecto al ascendente y al nadir. Después le dijeron: «¡Mujer! Has de saber que este recién nacido vivirá muchos días, pero sólo después de haber pasado un grave peligro en plena juventud; si se salva, adquirirá la ciencia y la sabiduría». Los astrólogos se marcharon a sus quehaceres. La madre lo amamantó durante dos años, y después lo destetó. Al cumplir los cinco años, lo llevó a una escuela para que aprendiese algo, pero no lo consiguió. Lo sacó entonces de la escuela para que aprendiera un oficio, pero no tuvo mayor éxito ni consiguió que saliese de sus manos trabajo alguno. Por todo ello, la madre lloraba. Las gentes le decían: «¡Que se case! Tal vez así se preocupe de su esposa y aprenda un oficio». La madre lo prometió con una muchacha y lo casó. Pero transcurrió cierto tiempo sin que el joven aprendiese ningún oficio. Tenía unos vecinos que eran leñadores. Acudieron a la madre y le dijeron: «Compra un asno, una cuerda y un hacha para tu hijo. Vendrá con nosotros al monte, hará leña, nos repartiremos los beneficios y podrá emplear su parte en subvenir a vuestras necesidades». La madre se alegró muchísimo al oír la proposición de los leñadores, y compró para su hijo el asno, la cuerda y el hacha; condujo a éste ante los leñadores, se lo confió y les recomendó que tuviesen cuidado de él. Le dijeron: «No te preocupes por este mozo: nuestro Señor lo proveerá, pues es el hijo de nuestro jeque». Le tomaron consigo, se marcharon al monte, cortaron leña, cargaron sus asnos, regresaron a la ciudad, vendieron la leña e invirtieron el beneficio en atender a las necesidades de la familia. El segundo y el tercer días cargaron sus asnos y se marcharon a hacer leña. Durante bastante tiempo siguieron llevando esta vida.

Cierto día en que salieron a hacer leña, les sorprendió una lluvia torrencial; corrieron a refugiarse en una gran cueva. Hasib Karim al-Din se separó del grupo y se sentó, solo, en uno de los rincones de la misma; al golpear automáticamente el suelo con el hacha, oyó que debajo de ésta sonaba a hueco. Al comprobarlo, excavó durante un rato y descubrió una losa redonda, provista de una anilla. Al verla, se alegró y llamó a todos los leñadores.

Sahrazad se dio cuenta de que amanecía e interrumpió el relato para el cual le habían dado permiso.

Cuando llegó la noche *cuatrocientas ochenta y cuatro,* refirió:

—Me he enterado, ¡oh rey feliz!, de que éstos acudieron, y al ver la losa se apresuraron a levantarla. Debajo encontraron una puerta y la abrieron: hallaron un pozo lleno de miel de abejas. Un leñador dijo a los otros: «Este pozo está lleno de miel; lo único que hemos de hacer es ir a la ciudad, regresar con recipientes, meter la miel en ellos, venderla y repartirnos el beneficio. Uno de nosotros debe quedarse aquí para custodiar el hallazgo». Hasib Karim al-Din propuso: «Yo me quedaré, y lo vigilaré hasta que regreséis y traigáis los recipientes». Dejaron a Hasib Karim al-Din vigilando el pozo, se marcharon a la ciudad, regresaron con los recipientes, los llenaron de miel, los cargaron en los asnos, volvieron a la ciudad y vendieron la miel. Luego volvieron por segunda vez al pozo, y así hicieron durante cierto tiempo: vendían en la ciudad, regresaban al pozo, recogían la miel, y Hasib Karim al-Din se quedaba guardando el pozo. Cierto día se dijeron: «Hasib Karim al-Din es quien ha encontrado el pozo; mañana regresará a la ciudad y nos hará la reclamación correspondiente para cobrar el importe de la miel. Dirá: "Yo soy quien la descubrió". El único modo de evitarlo consiste en meterlo en el pozo, sacar la miel que queda y abandonarlo dentro. Así morirá de pena, sin que nadie se entere».

Todos se pusieron de acuerdo sobre lo que había que hacer. Reanudaron el camino y no se detuvieron hasta llegar al pozo. Dijeron: «¡Hasib! Baja al pozo y llénanos los recipientes con la miel que en él queda». Hasib se metió en él, les llenó los recipientes con la miel que quedaba, y les dijo: «¡Subidme! ¡Ya no queda nada!» Nadie le contestó: cargaron los asnos, se marcharon a la ciudad y lo abandonaron, solo, en el pozo. Hasib empezó a pedir auxilio, a llorar y a decir: «¡No hay fuerza ni poder sino en Dios, el Altísimo, el Grande! ¡Moriré de pena!» Esto es lo que se refiere a Hasib Karim al-Din.

He aquí ahora lo que hicieron los leñadores. Al llegar a la ciudad vendieron la miel y se dirigieron a ver a la madre de Hasib; llegaron llorando, y le dijeron: «¡Ojalá puedas sobrevivir muchos años a tu hijo Hasib!» «¿Cuál ha sido la causa de su muerte?» «Estábamos sentados en la cima del monte y empezó a llover a mares. Corrimos a una cueva para ponernos a cubierto de aquel aguacero; de repente, el asno de tu hijo se desbocó y corrió hacia el río; el muchacho salió en pos de él para cogerlo; pero en el valle había un lobo muy grande, que despedazó a tu hijo y devoró al asno.» La madre, al oír las palabras de los leñadores, se abofeteó el rostro, se cubrió la cabeza de polvo y se vistió de luto. Los leñadores le llevaban de comer y de beber todos los días.

Esto es lo que hace referencia a su madre.

He aquí lo referente a los leñadores. Abrieron tiendas, se transformaron en comerciantes y no pararon de comer, beber, reírse y divertirse.

En cuanto a Hasib Karim al-Din, rompió a llorar y a sollozar. Mientras estaba sentado así, en el fondo del pozo, le cayó encima un gran escorpión. Se puso de pie y lo mató. Después reflexionó y se dijo: «Si el pozo estaba lleno de miel, ¿de dónde viene este escorpión?» Se incorporó e inspeccionó el lugar a derecha e izquierda; descubrió un hilo de luz por el lugar en que había caído el animal. Sacó el cuchillo, y con él empezó a ampliar el agujero hasta dejarlo del tamaño de una ventana. Salió por él y anduvo un cierto tiempo por el interior, hasta llegar a un enorme vestíbulo. En él tropezó con una gran puerta de hierro negro, que tenía una cerradura de plata; encima de la cerradura había una llave de oro. Se acercó a la puerta, miró a través del agujero de la llave y vio que dentro había mucha luz. Cogió la llave, abrió la puerta, pasó al interior y anduvo un rato hasta llegar a un gran estanque, en el cual relucía algo parecido al agua; siguió andando y vio que se trataba de una elevada colina de crisolita verde, encima de la cual había un trono de oro, incrustado de piedras de todas clases...

Sahrazad se dio cuenta de que amanecía e interrumpió el relato para el cual le habían dado permiso.

Cuando llegó la noche *cuatrocientas ochenta y cinco*, refirió:

—Me he enterado, ¡oh rey feliz!, de que alrededor de éste había sitiales: unos eran de oro; otros, de plata, y otros, en fin, de topacio. Al llegar junto a los sitiales, los contó y vio que eran doce mil. Subió hasta el trono, que estaba levantado en el centro de los sitiales, se sentó en él y se dedicó a admirar aquel estanque y los sitiales allí instalados y así permaneció hasta que lo invadió el sueño y se quedó dormido. Se despertó al oír resoplar, silbar y un gran barullo; abrió los ojos y vio que los sitiales habían sido ocupados por grandes serpientes, cada una de las cuales medía cien codos. Aterrado, empezó a tragar saliva; desesperando de escapar vivo, advirtió que los ojos de las serpientes brillaban como brasas mientras estaban instaladas en sus sitiales. Miró hacia el estanque y descubrió que estaba lleno de serpientes pequeñas, en tal cantidad, que sólo Dios (¡ensalzado sea!) hubiese podido apreciar su número. Al cabo de un rato apareció una serpiente enorme, del tamaño de un mulo, y en su dorso iba una bandeja de oro, en cuyo centro había una serpiente, que relucía como el cristal. Tenía un rostro humano y hablaba de un modo elocuente. Al aproximarse a Hasib Karim al-Din, lo saludó. El muchacho le devolvió el saludo. Una de las serpientes instaladas en un sitial se acercó a la bandeja, cogió a la serpiente que iba en ella y la colocó en un sitial. La recién llegada se dirigió a las demás en su lengua, y todas bajaron de sus sitiales y se postraron ante ella. Les hizo un gesto y se sentaron. A continuación, la serpiente dijo a Hasib Karim al-Din: «No temas nada de nosotras, joven. Yo soy la reina y la sultana de las serpientes». El corazón de Hasib Karim al-Din se tranquilizó al oír estas palabras. La reina pidió a aquellas serpientes que sirviesen algo de comer. Llevaron manzanas, uvas, granadas, pistachos, almendras, nueces y plátanos. Lo colocaron delante de Hasib Karim al-Din. La reina de las serpientes añadió: «¡Bien venido, joven! ¿Cómo te llamas?» «Me llamo Hasib Karim al-Din.» «¡Hasib! Come de estos frutos, pues no tenemos ningún otro alimento. No temas nada malo por nuestra parte.» Hasib, al oír las palabras de la serpiente, comió hasta hartarse y loó a Dios (¡ensalzado sea!). Cuando hubo satisfecho su apetito, quitaron los manteles que tenía delante. La reina de las serpientes dijo: «¡Hasib! Infórmame de dónde eres, quién te ha traído hasta este lugar y qué te ha sucedido». Hasib le explicó todo lo que había ocurrido a su padre, su propio nacimiento y cómo su madre lo había llevado a la escuela cuando tenía cinco años, sin conseguir que aprendiese nada; cómo, luego, trató de darle un oficio y le compró un asno, con lo que se convirtió en leñador; cómo había encontrado el pozo de miel y cómo lo habían abandonado sus compañeros, los leñadores, en el interior; cómo había caído el escorpión, al que había matado, y cómo había ampliado la hendidura por la que se había deslizado el animal, con lo cual logró salir del pozo y alcanzar una puerta de hierro, que había abierto y que le permitió llegar hasta la reina de las serpientes, con la que estaba hablando. Añadió: «Ésta es mi historia, desde el principio hasta el fin. ¡Sólo Dios sabe lo que me ocurrirá después de todo esto!» La reina de las serpientes, una vez hubo oído el relato de Hasib Karim al-Din desde el principio hasta el fin le dijo: «Sólo te han de ocurrir cosas buenas».

Sahrazad se dio cuenta de que amanecía e interrumpió el relato para el cual le habían dado permiso.

Cuando llegó la noche *cuatrocientas ochenta y seis,* refirió:

—Me he enterado, ¡oh rey feliz!, de que [la reina de las serpientes prosiguió:] «Yo, Hasib, quiero que te quedes conmigo cierto tiempo para que te pueda contar mi historia e informarte de las cosas prodigiosas que me han sucedido.» «De buen grado haré lo que me mandes.»

La reina explicó: «Sabe, Hasib, que en la ciudad de El Cairo vivía un rey de Israel que tenía un hijo llamado Buluqiya. Este rey era sabio, asceta; estaba siempre inclinado sobre los libros de ciencia. Al enfermar, cuando le llegó la hora de la muerte, acudieron a visitarlo los magnates del reino para saludarlo. Cuando éstos hubieron llegado a su lado y lo hubieron saludado, les dijo: "¡Súbditos míos! Sabed que se acerca el momento de mi marcha de esta vida a la última. No tengo nada que recomendaros, salvo a mi hijo Buluqiya; cuidaos de él". Luego añadió: "Doy fe de que no hay más dios que el Dios"[1]. A continuación sufrió un estertor y se separó de este mundo, para ir a parar a la misericordia de Dios. Lo prepararon, lo lavaron y lo enterraron con gran solemnidad. Entonces nombraron sultán a su hijo Buluqiya. Éste era justo con sus súbditos, y bajo su gobierno, el pueblo vivió tranquilo. Un día abrió los tesoros de su padre para examinarlos: entró en uno de los almacenes y encontró una puerta; la abrió y pasó a un pequeño camerino en el cual había una columna de mármol blanco, y, sobre ella, una caja de ébano. Buluqiya la cogió, la abrió y encontró en su interior un cofrecito de oro. Lo abrió y halló un mensaje. Lo leyó: era la descripción de Mahoma (¡Dios lo bendiga y lo salve!), que iba a ser enviado al fin de los tiempos como señor de los primeros y de los últimos profetas. Buluqiya, al leer este libro y reconocer las bellas cualidades de nuestro señor Mahoma (¡Dios le bendiga y le salve!) notó que su corazón quedaba prendado de él. Reunió a los grandes del reino de Israel —brujos, sacerdotes y monjes—, les habló de aquel escrito y se lo leyó. Les dijo: "¡Gentes! Es necesario que desenterremos a mi padre y lo quememos". "¿Por qué hemos de quemarlo?" "Me ha ocultado este escrito, no me lo ha mostrado. Lo ha extraído de la Torá y de

[1] Profesión de fe musulmana.

los escritos de Abrahán; lo ha guardado en su tesoro y no ha hablado a nadie de ello." "¡Rey nuestro! Tu padre ya ha muerto, y ahora es polvo. A Dios incumbe juzgarlo. No lo saques de su tumba." Buluqiya, al oír las palabras de los grandes de Israel, se dio cuenta de que no lo dejarían apoderarse del cuerpo de su padre. Se marchó, pues, a ver a su madre y le dijo: "¡Madre mía! He visto, en el tesoro de mi padre, un escrito que contiene la descripción de Mahoma (¡Dios le bendiga y le salve!). Se trata del Profeta que será enviado al fin del tiempo. Mi corazón ha quedado prendado de él y deseo ponerme en viaje por los países con el fin de encontrarlo. Si no consigo hallarlo moriré de pena, pues siento un profundo afecto por él". Se quitó el traje, se puso un manto y unos zuecos y añadió: "¡Madre mía! No te olvides de mí en las plegarias". La mujer rompió a llorar y le dijo: "¿Cuál va a ser nuestra situación después de tu partida?" "Soy incapaz de esperar, y he confiado mis cosas y las tuyas a Dios (¡ensalzado sea!)."

»Salió como peregrino hacia Damasco, sin que se enterase de ello ninguno de sus súbditos. Llegó a la orilla del mar, vio una embarcación, subió a bordo con los demás pasajeros y navegó hasta llegar a una isla. Desembarcó en la isla como los demás pasajeros. Se separó del grupo, se sentó bajo un árbol, el sueño se apoderó de él y se durmió. Al despertarse regresó al buque para reembarcar, pero vio que la nave ya había zarpado. La isla estaba poblada de serpientes tan grandes como camellos o palmeras, que cantaban a Dios, todopoderoso y excelso, y rogaban por Mahoma (¡Dios lo bendiga y lo salve!), proclamando la unidad de Dios, alabándolo. Buluqiya, al verlo, se admiró en grado sumo.»

Sahrazad se dio cuenta de que amanecía e interrumpió el relato para el cual le habían dado permiso.

Cuando llegó la noche *cuatrocientas ochenta y siete*, refirió:

—Me he enterado, ¡oh rey feliz!, de que [la reina de las serpientes prosiguió:] «Los reptiles, al ver a Buluqiya, se reunieron en torno de él. Uno de ellos le preguntó: "¿Quién eres? ¿De dónde vienes? ¿Cuál es tu nombre? ¿Adónde vas?" "Me llamo Buluqiya y soy israelita. He emprendido un viaje, sin dirección fija, por amor a Mahoma (¡Dios lo bendiga y lo salve!), al que busco. ¿Quiénes sois vosotras, nobles criaturas?" "Somos habitantes del infierno. Dios (¡ensalzado sea!) nos ha creado para que atormentemos a los infieles." "¿Y por qué estáis aquí?" "Has de saber, Buluqiya, que, dado el mucho hervor que reina en el infierno, éste respira dos veces al año: una, en invierno, y otra, en verano. Los grandes calores son consecuencia de su ebullición: al expulsar el vapor nos saca de sus entrañas, y cuando inspira, nos reabsorbe." "¿Hay en el infierno serpientes de mayor tamaño que el vuestro?" "Nosotras salimos con el escape del vapor infernal gracias a que somos pequeñas. En el infierno hay serpientes por encima de cuya nariz podría pasearse la mayor de nosotras sin que lo notase." "Pero vosotras rezáis a Dios e invocáis la bendición sobre Mahoma. ¿Cómo tenéis conocimiento de Mahoma, al que Dios bendiga y salve?" "¡Buluqiya! El nombre de Mahoma está grabado en la puerta del Paraíso. Dios ha creado todas las cosas: Paraíso e Infierno, cielo y tierra, a causa de Mahoma (¡Dios lo bendiga y lo salve!), y ha asociado el nombre del Profeta al suyo propio en todos los lugares. Por eso nosotras amamos a Mahoma, a quien Dios bendiga y salve." Buluqiya amó aún más a Mahoma y tuvo mayores deseos de encontrarlo, al oír las palabras de las serpientes.

»Se despidió de éstas y se puso en marcha hasta llegar a la orilla del mar; encontró una nave anclada junto a la costa de la isla. Embarcó en ella con los demás pasajeros, y navegaron ininterrumpidamente hasta llegar a otra isla. Desembarcó en ella, anduvo un rato y tropezó con serpientes grandes y chicas, cuyo número sólo Dios podía conocer. Entre ellas había una serpiente, blanca como el cristal, que estaba sentada en una bandeja de oro; dicha bandeja iba a lomos de una serpiente parecida a un elefante: se trataba de la reina de las serpientes, y era yo, Hasib.»

Hasib preguntó a la reina de las serpientes: «¿Y qué contestaste a Buluqiya?» «¡Hasib! Al ver a Buluqiya, lo saludé y éste me devolvió el saludo. Le pregunté: "¿Quién eres? ¿Cuál es tu asunto? ¿De dónde vienes? ¿Adónde vas? ¿Cómo te llamas?" "Soy un israelita, me llamo Buluqiya y estoy viajando por amor a Mahoma (¡Dios lo bendiga y lo salve!); voy en su búsqueda, pues me he enterado de sus virtudes en un libro revelado." Y luego me preguntó: "Y tú, ¿quién eres? ¿Qué asuntos tienes? ¿Quiénes son estas serpientes que están a tu alrededor?" "Buluqiya: yo soy la reina de las serpientes. Si llegas a reunirte con Mahoma, al que Dios bendiga y salve, salúdalo de mi parte." Buluqiya se despidió de mí, embarcó en una nave y viajó hasta llegar a Jerusalén. En esta ciudad vivía un hombre que poseía todas las ciencias, que dominaba la Geometría, la Astronomía, las Matemáticas, la magia natural y las ciencias del espíritu. Había leído la Torá, los Evangelios, los Salmos y los rollos de Abrahán. Se llamaba Affán. En uno de sus libros constaba que todo aquel que se pusiese el anillo de Salomón podría mandar a los hombres, a los genios, a los pájaros, a los animales y a todos los seres creados. Había leído, en un libro, que al morir nuestro señor Salomón, había sido depositado en un ataúd, que transportaron más allá de los siete mares. El anillo había quedado puesto en su dedo, y ningún hombre ni genio había podido apoderarse de él, ni ningún navegante había podido atravesar, con su buque...»

Sahrazad se dio cuenta de que amanecía e interrumpió el relato para el cual le habían dado permiso.

Cuando llegó la noche *cuatrocientas ochenta y ocho*, refirió:

—Me he enterado, ¡oh rey feliz!, de que [la reina de las serpientes prosiguió: «...nadie había podido atravesar] los siete mares que habían cruzado con el ataúd. En otro libro había hallado la descripción de una hierba que, al exprimirla y untarse los pies con su jugo, permitía andar a pie sobre la superficie de cualquiera de los mares creados por Dios (¡ensalzado sea!), sin mojarse. Pero nadie puede obtener esa hierba si no está con él la reina de las serpientes. Buluqiya, al llegar a Jerusalén, se sentó en un lugar para adorar a Dios (¡ensalzado sea!). Mientras estaba inclinado adorando a Dios, se acercó a él Affán y lo saludó. Él le devolvió el saludo. Luego Affán observó a Buluqiya y vio que estaba leyendo la Torá y que estaba sentado adorando a Dios. Se acercó a él y le dijo: "¡Oh, hombre! ¿Cómo te llamas? ¿De dónde vienes? ¿Adónde vas?" "Me llamo Buluqiya, vengo de El Cairo y he emprendido el viaje en busca de Mahoma, al que Dios bendiga y salve." "¡Acompáñame a mi casa y serás mi huésped!" "¡De buen grado!"

»Affán cogió a Buluqiya de la mano, lo condujo a su casa, lo trató con toda clase de consideraciones y después le dijo: "¡Infórmame, hermano mío, de tu historia! ¿Quién te ha dado a conocer a Mahoma —al que Dios bendiga y salve— para llegar a inclinar tu corazón hacia él, para inducirte a ponerte en viaje, y precisamente por este camino?" Buluqiya le explicó toda la historia desde el principio hasta el fin. Affán casi perdió la razón al oír sus palabras, y se admiró muchísimo de lo ocurrido. Después dijo a Buluqiya: "Llévame ante la reina de las serpientes, y yo te reuniré con Mahoma —al que Dios bendiga y salve—. Está aún muy lejos la época de la aparición de Mahoma. Cuando nos hayamos apoderado de la reina de las serpientes, la meteremos en una jaula e iremos a ver con ella las hierbas que crecen en los montes; cuando pasemos al lado de una hierba, ésta hablará y nos explicará sus propiedades gracias al poder de Dios (¡ensalzado sea!). Yo he leído en los libros que existe una planta que tiene la siguiente virtud: quien la coge, la exprime y se embadurna los pies con su jugo, puede andar por todos los mares que ha creado Dios (¡ensalzado sea!), sin mojarse los pies. Una vez tengamos en nuestro poder a la reina de las serpientes, ella nos conducirá hasta esa hierba. Al encontrarla, la arrancaremos, la exprimiremos y recogeremos su jugo. Después pondremos en libertad a la reina de las serpientes, y nos untaremos los pies con dicho líquido. Así cruzaremos los siete mares y llegaremos a la tumba de nuestro señor Salomón. Cogeremos el anillo que tiene en el dedo y tendremos el poder que tenía nuestro señor Salomón; así conseguiremos nuestro propósito. Después nos internaremos por el mar de las Tinieblas, beberemos el agua de la vida y Dios nos hará inmortales hasta el fin del tiempo, y así podremos reunirnos con Mahoma, al que Dios bendiga y salve".

»Buluqiya, al oír las palabras de Affán, replicó: "¡Affán! Yo te llevaré junto a la reina de las serpientes, y te mostraré el lugar en que se encuentra". Affán hizo una caja de hierro y cogió dos copas: una la llenó de vino, y otra, de leche. Affán y Buluqiya se pusieron en marcha y anduvieron de noche y de día hasta llegar a la isla en que vivía la reina de las serpientes. Desembarcaron en ella y la recorrieron. Affán depositó la caja en el suelo, hizo una trampa y colocó las dos copas: la llena de vino y la llena de leche. Después se alejaron de la caja y se ocultaron durante un rato. La reina de las serpientes se acercó a la caja, contempló las dos copas, y cuando percibió el olor de la leche, se apeó del lomo de la serpiente que la transportaba, salió de la bandeja, se metió en la caja, se acercó a la copa que contenía el vino y lo bebió; una vez hubo concluido, la cabeza le dio vueltas y se quedó dormida. Affán, al verlo, se acercó a la caja y dejó encerrada en ella a la reina de las serpientes. Después, él y Buluqiya la cogieron y se marcharon. La reina, al despejarse, vio que se encontraba en el interior de una jaula de hierro, que era transportada en la cabeza de un hombre que iba al lado de Buluqiya. La reina de las serpientes, al ver a aquél, le dijo: "¿Es ésta la recompensa de quien no ha hecho daño a los hombres?" Buluqiya contestó: "¡Nada temas de nosotros, reina de las serpientes! Jamás te haremos daño. Pero queremos que nos indiques cuál es la hierba que, una vez cogida y exprimida, aquel que se unta los pies con su jugo puede recorrer todos los mares que Dios (¡ensalzado sea!) ha creado, sin mojarse. Una vez hayamos encontrado dicha hierba, la cogeremos, te devolveremos a tu puesto y te pondremos en libertad". Affán y Buluqiya condujeron a la reina de las serpientes hacia los montes en que crecían las hierbas, y pasaron revista a todas ellas; cada hierba rompió a hablar y a informarles de sus distintas propiedades con el permiso de Dios (¡ensalzado sea!). Mientras estaban recorriendo los prados, las plantas iban hablando a derecha e izquierda, explicando sus propiedades. De pronto, una hierba empezó a decir: "Todo aquel que me coge, me exprime, guarda mi jugo y se unta los pies, puede cruzar todos los mares que Dios (¡ensalzado sea!)

ha creado, sin mojarse la planta de los pies". Affán, al oír el discurso de la hierba, se quitó la caja de la cabeza, cogió la planta en cantidad suficiente, la hizo pedazos, la exprimió, recogió el jugo, lo colocó en dos botellas y las guardó; el líquido restante lo emplearon para embadurnarse los pies. Buluqiya y Affán cogieron de nuevo a la reina de las serpientes, anduvieron de día y de noche, la dejaron en la isla de la que la habían sacado, y Affán abrió la puerta de la caja. La reina salió de su interior y, una vez fuera, les preguntó: "¿Qué vais a hacer con el jugo?" "Nos untaremos los pies hasta haber cruzado los siete mares y llegado a la tumba de nuestro señor Salomón y cogido el anillo que tiene en el dedo." "¡Ojalá no consigáis quitárselo!" "¿Por qué?" "Dios (¡ensalzado sea!) concedió este anillo a Salomón como un don especial, ya que le había rogado, diciendo: '¡Señor mío! ¡Perdóname! ¡Dame un señorío que nadie, después de mí, tenga!'[2] Dios no os ha dado, pues, el anillo a vosotros. Os hubiese sido más útil haber cogido una hierba que estaba entre las demás y que hace inmortal a aquel que la come, hasta el momento en que suene el primer trompetazo del día del juicio. Con la que habéis cogido no alcanzaréis vuestro propósito." Al oír estas palabras, ambos se arrepintieron en grado sumo y siguieron su camino.»

Sahrazad se dio cuenta de que amanecía e interrumpió el relato para el cual le habían dado permiso.

Cuando llegó la noche *cuatrocientas ochenta y nueve,* refirió:

—Me he enterado, ¡oh rey feliz!, de que [la reina de las serpientes prosiguió:] «Esto es lo que a ellos se refiere.

»He aquí lo que hace referencia a la reina de las serpientes. Al llegar ésta junto a sus huestes, vio que se encontraban en mal estado: las fuertes se habían debilitado, y las débiles habían muerto. Las serpientes se alegraron mucho de volver a ver a su reina, se reunieron a su alrededor y le preguntaron: "¿Qué te ha ocurrido? ¿Dónde has estado?" La reina les refirió todo lo que le había sucedido con Affán y Buluqiya. Después reunió a sus tro-

[2] Cf. *El Corán,* 38, 34.

pas y se marchó con ellas al Monte Qaf, en el cual invernaba, mientras que el estío lo pasaba en el lugar en que la había encontrado Hasib Karim al-Din. La serpiente concluyó: «¡Hasib! Ésta es mi historia, y lo que a mí me ha sucedido».

Hasib quedó muy admirado de las palabras de la serpiente. Después dijo: «Desearía de tu generosidad que mandases a alguno de tus servidores que me sacara de nuevo a la superficie de la tierra para poderme reunir con mi familia». «¡Hasib! No puedes marcharte de nuestro lado hasta que llegue el invierno. Entonces vendrás con nosotras al Monte Qaf: contemplarás las colinas, las arenas, los árboles y los pájaros que loan al Dios Único, Todopoderoso; verás los *marid*, los *efrit* y los genios, cuyo número sólo Dios conoce». Hasib Karim al-Din se quedó preocupado, meditabundo, al oír las palabras de la reina de las serpientes. Le dijo: «Cuéntame qué es lo que ocurrió a Affán y Buluqiya cuando se separaron de ti y se marcharon. ¿Cruzaron los siete mares? ¿Llegaron a la tumba de nuestro señor Salomón? Si llegaron a ella, ¿lograron o no coger el anillo?»

La reina refirió: «Has de saber que cuando Affán y Buluqiya se separaron de mí, se embadurnaron los pies con aquel jugo y se marcharon andando sobre la superficie del mar, admirando todas sus maravillas. Viajaron sin descanso de mar en mar, y así atravesaron los siete mares. Una vez los hubieron cruzado, llegaron a una montaña muy alta, que remontaba por los aires y que era toda ella de esmeralda. En la cima había una fuente de agua corriente; todo el polvo era almizcle. Al llegar a este lugar, se alegraron mucho y exclamaron: "¡Hemos conseguido nuestro deseo!" Siguieron su camino hasta llegar a un monte altísimo; lo atravesaron y descubrieron a lo lejos una caverna de aquel mismo monte recubierta por una gran cúpula que irradiaba luz. Al distinguir la cueva, se dirigieron hacia ella. Entraron y vieron un trono de oro, cuajado de toda clase de joyas. Alrededor había una serie de sitiales cuyo número sólo Dios (¡ensalzado sea!) era capaz de conocer. Vieron al señor Salomón durmiendo encima del trono, vestido con una túnica de seda verde, bordada en oro, que tenía incrustadas las joyas más preciosas, y con la mano derecha apoyada en el pecho. El anillo, puesto en uno de los dedos, despedía un brillo tal, que superaba al de todas las gemas que había en el lugar. Affán enseñó a Buluqiya conjuros y encantamientos, y le dijo: "Recita estos conjuros y no interrumpas los mismos hasta que me haya apoderado del anillo". Affán se acercó al solio. De pronto apareció una enorme serpiente por debajo del trono, emitiendo un terrible silbido, que hizo temblar todo el lugar, y, arrojando chispas por la boca, dijo a Affán: "¡Si no retrocedes, morirás!" El sabio estaba absorto en la recitación de los conjuros, y no se preocupó de la serpiente. Ésta resopló ferozmente, hasta el punto de que casi incendió el lugar, y exclamó: "¡Ay de ti! ¡Si no vuelves atrás, te abraso!" Buluqiya, al oír estas palabras, salió de la cueva. Affán no se preocupó y siguió avanzando hacia el señor Salomón, alargó su mano, tocó el anillo y quiso hacerlo resbalar del dedo. Pero la serpiente sopló encima de él y lo abrasó, transformándolo en un montón de cenizas. Esto es lo que a él se refiere.

»He aquí lo que hace referencia a Buluqiya. Al darse cuenta de lo ocurrido, cayó desmayado.»

Sahrazad se dio cuenta de que amanecía e interrumpió el relato para el cual le habían dado permiso.

Cuando llegó la noche *cuatrocientas noventa,* refirió:

—Me he enterado, ¡oh rey feliz!, de que [la reina de las serpientes prosiguió:] «El Señor (¡excelso sea en su excelsitud!) mandó a Gabriel que bajara a la tierra antes de que la serpiente soplara sobre él. Descendió rápidamente y encontró a Buluqiya desmayado, y a Affán, incinerado por el aliento de la serpiente. Gabriel se acercó al primero, lo hizo volver en sí, y cuando hubo recuperado el sentido, lo saludó y le preguntó: "¿Desde dónde vinisteis a este lugar?" Buluqiya le contó toda la historia desde el principio al fin. A continuación añadió: "Yo sólo vine a este lugar por causa de Mahoma, al que Dios bendiga y salve. Affán me explicó que aquél será enviado al fin de los tiempos, y que sólo conseguiría reunirse con él quien viviera hasta entonces; que nadie viviría tanto a menos que bebiese el agua de la vida, y que ésta no se puede conseguir si no es utilizando el anillo de Salomón (¡sobre el cual sea la paz!). Yo lo he acompañado hasta aquí, donde ha ocurrido esto; él está aquí quemado, y yo, no. Desearía que me informases sobre Mahoma: ¿cuándo vivirá?" Gabriel le replicó: "Buluqiya: sigue tu camino, pues el tiempo de Mahoma aún está lejos". Gabriel subió inmediatamente al cielo. Buluqiya empezó a llorar amargamente y a arrepentirse de lo que había hecho; meditó en las palabras: "¡Ojalá nadie consiga apoderarse del anillo!", y quedó perplejo y llorando. Descendió del monte y anduvo sin cesar hasta que se aproximó a la orilla del mar. Se sentó un rato en ella para admirar el monte, los mares y las islas. Pasó la noche en aquel sitio, y al amanecer se untó los pies con el jugo que habían sacado de la planta, y se internó en el mar, andando durante días y noches y admirando los terrores, los prodigios y las exquisiteces que encierra. Avanzó sin cesar por la superficie de las aguas, y así llegó a una isla que parecía ser el Paraíso. Buluqiya puso pie en ella y admiró sus bellezas. La recorrió; era una isla grande, cuyo polvo era azafrán; sus guijarros, jacintos y gemas preciosas; su maleza, jazmines; crecían en ella los árboles más hermosos, los arrayanes más brillantes y perfumados. Tenía fuentes de agua corriente; sus maderas eran de áloe de Comor y de Sumatra; sus juncos, cañas de azúcar, y a su alrededor, rosas, narcisos, jazmines, claveles, lilas y violetas. Todo ello, con sus formas y colores característicos; los pájaros gorjeaban en sus ramas; sus trinos eran melodiosos. La isla era amplia, poseía abundantes bienes y encerraba en sí toda clase de bellezas y hermosuras: los pájaros cantaban con trinos más puros que los de las cuerdas del laúd; los árboles eran altísimos; sus arbustos hablaban; sus ríos corrían mansamente, y el agua suave de las fuentes salía a borbotones; las gacelas jugaban; las terneras vagaban, y los pájaros que cantaban sobre las ramas habrían podido consolar al amante más afligido. Buluqiya se admiró de encontrarse en aquella isla y se dio cuenta de que había perdido el camino que había seguido hasta entonces con Affán. Paseó por la isla y la contempló hasta la tarde. Una vez hubo caído la noche, trepó a un árbol elevado para dormir en su copa.

Meditaba acerca de las bellezas del lugar cuando, de repente, el mar se encrespó, y salió de él un animal enorme, el cual lanzó un alarido que hizo temblar a todos los de la isla. Buluqiya, sentado en lo alto de la copa del árbol, lo observó y comprobó que se trataba de una bestia gigantesca; al cabo de un momento empezaron a salir del mar, en pos de él, bichos de todas clases; en la pata de cada uno de ellos había una piedra preciosa, que iluminaba tanto como una antorcha: la claridad de las joyas era tal, que llegaron a iluminar la isla como si fuese de día. Al cabo de un rato acudió de toda la isla un número de animales que sólo Dios puede evaluar. Buluqiya los examinó y vio las fieras del desierto: leones, panteras, leopardos y otras clases de animales terrestres. Las fieras de tierra avanzaron hasta reunirse con las del mar, en la costa de la isla, y empezaron a hablar hasta la llegada de la aurora. Al amanecer se separaron, y cada una de ellas se marchó a sus quehaceres. Buluqiya, al verlas, se asustó. Bajó de la copa del árbol, se acercó a la orilla del mar, se untó los pies con el jugo que llevaba y volvió a internarse en el océano y a avanzar por su superficie día y noche, hasta llegar a un monte altísimo, a cuyo pie se extendía un valle sin fin, constituido por piedras de magnetita llenas de fieras: leones, liebres y panteras. Buluqiya subió al monte y paseó por él de un lugar a otro, hasta que cayó la tarde; entonces se sentó en uno de sus picachos, junto al mar. Empezó a comer peces secos que el mar había arrojado a la playa. Mientras estaba sentado tomando este alimento, se precipitó sobre él una enorme pantera, que quiso despedazarlo. Buluqiya, al ver que el animal se disponía a destriparlo, se untó los pies con el jugo que tenía y se internó por el tercer mar, huyendo de la fiera. En medio de una noche tenebrosa, pues era noche cerrada, y envuelto en un furioso huracán, emprendió la marcha por la superficie de las aguas. Anduvo sin parar hasta llegar a otra isla. Puso pie en ella y vio que tenía árboles verdes y secos. Cogió algunos de sus frutos, comió y dio gracias a Dios (¡ensalzado sea!); recorrió el lugar hasta la caída de la tarde.»

Sahrazad se dio cuenta de que amanecía e interrumpió el relato para el cual le habían dado permiso.

Cuando llegó la noche *cuatrocientas noventa y una*, refirió:

—Me he enterado, ¡oh rey feliz!, de que [la reina de las serpientes prosiguió: «Buluqiya recorrió el lugar...] y durmió allí. Al amanecer exploró sus regiones y las recorrió durante diez días, al cabo de los cuales regresó a orillas del mar, se untó los pies y se internó en el cuarto mar. Avanzó de día y de noche hasta llegar a otra isla: su suelo era de arena, blanca, estéril; en ella no había ningún árbol ni sembrado. La recorrió durante un rato y vio que en ella anidaban los sacres. Al darse cuenta de ello, se untó los pies e inició el recorrido del quinto mar. Avanzó sobre las aguas de día y de noche hasta llegar a una pequeña isla, cuyo suelo y cuyas montañas parecían ser de cristal; en ella se encontraban los filones de los cuales se extrae el oro y los árboles más magníficos que había visto en el curso de su viaje; sus flores eran de color de oro. Buluqiya puso pie en la isla y la recorrió hasta la caída de la tarde. Cuando la noche desplegó sus tinieblas, las flores iluminaron el lugar como si fuesen luceros. Buluqiya se admiró mucho y exclamó: "¡Las flores que hay en esta isla son aquellas que, cuando el sol las seca, caen al suelo, el viento las arrastra y las reúne debajo de las piedras, y se transforman en el elixir que sirve para fabricar el oro!" Pasó la noche en aquel lugar, y al amanecer, al salir el sol, se untó los pies con el jugo que tenía y se internó por el sexto mar. Anduvo día y noche hasta llegar a otra isla. Puso pie en ella y la recorrió durante un rato. Observó que se componía de dos montes, recubiertos por muchísimos árboles, cuyos frutos parecían cabezas humanas colgadas por los cabellos; descubrió otra clase de árboles cuyos frutos eran pájaros colgados por los pies; otros árboles ardían como el fuego y daban unos frutos parecidos al áloe; si caía una parte de aquellos frutos, inmediatamente se quemaba. Unos frutos reían, y otros, lloraban. Buluqiya descubrió numerosos portentos en aquella isla. Regresó a la orilla del mar, y viendo un gran árbol, se sentó a su pie hasta la caída de la tarde. Cuando se hizo de noche, se subió a la copa y empezó a meditar en las obras de Dios. Mientras pensaba en ello, el mar se agitó y salieron las sirenas: cada una de ellas llevaba en la mano una joya, que iluminaba tanto como una antorcha. Avanzaron hasta llegar al pie del árbol. Se sentaron, jugaron, bailaron y disfrutaron bajo la mirada de Buluqiya. Siguieron así, sin dejar de jugar, hasta la llegada de la aurora: entonces volvieron a sumergirse en el mar. Buluqiya quedó muy admirado de ellas, descendió de la copa del árbol, se untó los pies con el jugo que tenía y se internó por el séptimo mar. Avanzó ininterrumpidamente durante dos meses enteros, sin ver montes, ni islas, ni tierras, ni valles, ni costas, hasta el fin de aquel mar. Tenía un hambre tan intensa, que cogía los peces y se los comía. En este estado siguió andando hasta llegar a una isla con numerosos árboles y abundantes ríos. Puso pie en ella y empezó a recorrerla y a examinarla a derecha e izquierda. Era cerca del mediodía. Avanzó hasta encontrar un manzano. Extendió la mano para coger y comer, cuando una persona gritó desde el mismo: "¡Si te acercas a este árbol y comes algo de él, te partiré en dos mitades!" Buluqiya se fijó en quien hablaba: era un hombre que tenía cuarenta codos de altura (según los codos en uso en aquella fecha). Al verlo, se asustó muchísimo y se abstuvo de tocar el árbol. Buluqiya le preguntó: "¿Por qué me impides comer de este árbol?" "Porque tú eres un hombre, y tu padre Adán olvidó el pacto hecho con Dios, le desobedeció y comió de este árbol." "¿Quién eres? ¿A quién pertenece esta isla? ¿De quién es este árbol? ¿Cómo te llamas?" "Me llamo Sarahiya. Este árbol y la isla pertenecen al rey Sajr; yo soy uno de sus criados, y me ha encargado de la custodia de la isla." A continuación, Sarahiya preguntó a Buluqiya: "¿Quién eres? ¿De dónde vienes a este país?" Buluqiya le contó toda su historia, desde el principio hasta el fin. Sarahiya replicó: "¡No temas!" En seguida le sirvió alimento, y Buluqiya comió hasta hartarse. Después se despidieron, y Buluqiya anduvo sin parar durante diez días. Cruzó montes y arenales hasta que descubrió una nube de polvo flotando en el aire. Avanzó en la dirección de donde provenía y oyó voces, gritos y un gran tumulto. Se acercó al lugar de donde llegaban, y así alcanzó un gran valle, cuya longitud era de dos meses. Miró hacia el lugar de donde venían los gritos y vio hombres a caballo que combatían y derramaban su sangre, que formaba un verdadero río. Su voz parecía la del trueno; empuñaban lanzas, espadas, barras de hierro, arcos, venablos; sostenían una enconada batalla. Buluqiya se asustó muchísimo.»

Sahrazad se dio cuenta de que amanecía e interrumpió el relato para el cual le habían dado permiso.

Cuando llegó la noche *cuatrocientas noventa y dos*, refirió:

—Me he enterado, ¡oh rey feliz!, de que [la reina de las serpientes prosiguió:] «Mientras él se mantenía a la expectativa, los combatientes lo vieron, se contuvieron y suspendieron el combate. Un grupo de ellos se le acercó y quedó admirado de su forma. Un caballero avanzó y le preguntó: "¿Qué cosa eres? ¿De dónde vienes? ¿Adónde vas? ¿Cómo has podido encontrar el camino y llegar a nuestro país?" "Soy uno de los hijos de Adán; llego, errante, por amor a Mahoma, que Dios bendiga y salve. Pero he perdido el camino." El caballero le explicó, mientras sus compañeros se admiraban de la forma y de las palabras del visitante: "Nosotros no hemos visto jamás a un hijo de Adán, ni ninguno de ellos ha llegado a nuestra tierra". Buluqiya le preguntó: "¿Qué clase de criaturas sois vosotros?" "Somos genios." "¡Caballero! ¿Cuál es la causa de vuestra guerra? ¿Dónde está vuestra morada? ¿Cuál es el nombre de esta tierra y de este valle?" "Nuestra morada está en la Tierra Blanca. Dios (¡ensalzado sea!) nos manda venir cada año a esta región para combatir a los genios incrédulos." "¿Dónde está la Tierra Blanca?" "Detrás del Monte Qaf, a una distancia de setenta y cinco años de viaje. Esta tierra se llama de Saddad b. Ad, y nosotros venimos a ella para combatir. No tenemos más ocupación que la de loar y santificar a Dios. Nuestro rey se llama Sajr. Ahora debes acompañarnos para que él te vea y te contemple." Los genios transportaron a Buluqiya a su morada. Éste vio grandes tiendas de seda verde en un número tal que sólo Dios (¡ensalzado sea!) puede conocerlo; entre ellas había una de seda roja, que tenía una anchura de mil codos: sus cuerdas eran de tela azul, y sus pivotes, de oro y de plata. Buluqiya se quedó admirado ante ella. Lo acompañaron hasta introducirlo en la tienda: era la del rey Sajr. Avanzaron hasta llegar ante éste. Buluqiya clavó la vista en el rey, que estaba sentado en un gran trono de oro rojo, incrustado de perlas y aljófares. A la derecha del rey estaban los genios, y a su izquierda, los sabios, emires, grandes del reino y demás personalidades. El rey Sajr, al verlo, mandó que entrasen. Se presentaron ante su soberano, y Buluqiya avanzó, lo saludó y besó el suelo ante sus manos. El rey Sajr le devolvió el saludo y le dijo: "Acércate a mí, hombre". Buluqiya se aproximó hasta él. Entonces el rey ordenó que le colocasen una silla a su lado, y los servidores lo hicieron así. Sajr le ordenó que se sentase en la silla. Buluqiya se sentó. El rey le preguntó: "¿Qué clase de ser eres?" "Soy un hijo de Adán; soy un israelita." "Cuéntame tu historia y refiéreme todo lo que te ha ocurrido. ¿Cómo has llegado hasta esta tierra?"»

Sahrazad se dio cuenta de que amanecía e interrumpió el relato para el cual le habían dado permiso.

Cuando llegó la noche *cuatrocientas noventa y tres*, refirió:

—Me he enterado, ¡oh rey feliz!, de que [la reina de las serpientes prosiguió:] «Buluqiya explicó al rey todos sus viajes, desde el principio hasta el fin, y Sajr quedó admirado de sus palabras. A continuación, ordenó a los sirvientes que extendiesen los manteles. Los pusieron, colocaron platos de oro rojo, platos de plata y platos de bronce. Unos contenían cincuenta camellos hervidos; otros, veinte; otros, cincuenta cabezas de ganado; había allí mil quinientos servicios. Buluqiya, al ver aquello, quedó completamente admirado. Seguidamente, los genios empezaron a comer, y Buluqiya los acompañó hasta quedar harto, y a continuación dio gracias a Dios (¡ensalzado sea!). Inmediatamente después se llevaron los guisos y sirvieron las frutas. Luego alabaron todos a Dios (¡ensalzado sea!) y rezaron por su profeta Mahoma, al que Él bendiga y salve. Buluqiya quedó boquiabierto al oírles citar el nombre de Mahoma. Dijo al rey Sajr: "Quiero hacerte algunas preguntas". "¡Pregunta lo que desees!" "¡Rey! ¿Quiénes sois? ¿Cuál es vuestro origen? ¿Cómo podéis conocer a Mahoma, al que Dios bendiga y salve, hasta el punto de rezar por él y quererlo?" El rey Sajr le contestó: "¡Buluqiya! Dios (¡ensalzado sea!) ha creado el fuego en siete estratos, uno encima de otro; entre cada uno de ellos hay un abismo de mil años de distancia. Ha dado al primero el nombre de Chahanna, y lo ha destinado para los creyentes en rebeldía que hayan muerto sin arrepentirse. El segundo se llama Laza, y lo ha destinado a los incrédulos; el tercero se denomina Chahim, y está destinado a Gog y Magog; el cuarto, Sair, lo ha destinado a los secuaces de Iblis; el quinto, Saqar, está preparado para aquellos que descuidan la plegaria; el sexto se llama al-Mutama, y está destinado a los judíos y cristianos, el séptimo se llama al-Hawiya, y en él arderán los hipócritas. Tales son los siete estratos". Buluqiya observó: "¿La Chahanna constituye el menor de todos sus castigos, ya que se encuentra en la parte superior?" "Sí; es el menor de todos, a pesar de que en ella se encuentran mil montes de fuego; cada uno de éstos tiene setenta mil valles de fuego; cada valle, setenta mil ciudades de fuego; cada ciudad, setenta mil fortalezas de fuego; cada fortaleza, setenta mil casas de fuego; cada casa, setenta mil sitiales de fuego, y cada sitial, setenta mil clases de tormento. ¡Oh, Buluqiya! En cada uno de los siete estratos de fuego no hay tormentos más ligeros que en los otros, ya que la Chahanna se encuentra en el primer piso. El número y clase de tormentos de esas capas sólo lo conoce Dios (¡ensalzado sea!)." Buluqiya cayó desmayado al oír las palabras del rey Sajr. Al volver en sí, rompió a llorar y exclamó: "¡Oh, rey! ¿Cuál será nuestra suerte?" "¡Buluqiya! No temas, y sabe que todo aquel que ama a Mahoma no se quemará en el fuego, y se salvará de éste gracias al Profeta (¡Dios lo bendiga y lo salve!). El fuego huirá delante de todos aquellos que pertenezcan a su religión. Dios ha creado del fuego. Las primeras criaturas que Él puso en la Chahanna fueron dos seres pertenecientes a su ejército. Uno de ellos se llamó Jalit, y el otro, Malit. Dio a Jalit la figura de león, y a Malit, la de lobo. La cola de Malit estaba hecha a la manera de una hembra: tenía un color moteado. La cola de Jalit tenía la contextura de un varón; ésta poseía la forma de una serpiente; aquélla, la de una tortuga; la longitud de la cola de Jalit era de veinte años de camino. Dios (¡ensalzado sea!) mandó que las dos colas se uniesen, y de ello nacieron serpientes y escorpiones, cuya morada es el fuego, pues Dios atormenta, por su medio, a los que envía al infierno. Las serpientes y los escorpiones se reprodujeron y se multiplicaron. Luego Dios (¡ensalzado sea!) mandó que las colas de Jalit y Malit se uniesen y cohabitasen por segunda vez. Se reunieron, cohabitaron y la cola de Jalit fecundó la cola de Malit, la cual tuvo siete varones y siete hembras, que fueron desarrollándose hasta hacerse mayores. Entonces se unieron varones y hembras, que obedecieron al padre, salvo uno, que se rebeló y fue convertido en gusano; este gusano es Iblis, a quien Dios maldiga. Iblis había sido un arcángel de Dios, a Quien sirvió hasta el punto de ser elevado al cielo, colocado junto al Clemente y transformado en jefe de los arcángeles."»

Sahrazad se dio cuenta de que amanecía e interrumpió el relato para el cual le habían dado permiso.

Cuando llegó la noche *cuatrocientas noventa y cuatro,* refirió:

—Me he enterado, ¡oh rey feliz!, de que [el rey Sajr prosiguió:] «"Al crear Dios a Adán (¡sobre él sea la paz!), mandó a Iblis que se prosternase, pero éste se negó a hacerlo. Dios (¡ensalzado sea!) lo desterró y le maldijo. Iblis, al reproducirse, dio origen a los demonios. Los seis varones que nacieron antes que él, dieron origen a los genios creyentes, y nosotros somos de su estirpe. Tal es nuestro origen, Buluqiya." Buluqiya se admiró de las palabras del rey Sajr. A continuación dijo: "¡Rey! Desearía que ordenaras a uno de tus sirvientes que me llevara a mi país". "No podemos hacerlo, a menos que nos lo mande Dios (¡ensalzado sea!); pero si quieres marcharte de nuestro lado, mandaré que acuda ante ti uno de mis corceles. Montarás en su lomo, y le ordenaré que te conduzca hasta los confines de mis Estados; una vez te encuentres en éstos, hallarás a las gentes del rey Barajiya. Al ver el caballo lo reconocerán, te harán descender de su lomo y nos lo devolverán. No podemos hacer nada más." Buluqiya, al oír estas palabras, se puso a llorar, y replicó: "¡Haz lo que quieras!" El rey mandó que le llevasen el caballo. Lo condujeron ante él, y colocaron a Buluqiya encima. Le recomendaron: "¡No te bajes de la silla, ni des golpes ni incites a gritos al corcel! Si hicieses esto, te mataría. No dejes de cabalgar en silencio hasta que se detenga. Entonces, baja del lomo y sigue tu camino." "¡De buen grado!", replicó Buluqiya. Montó a caballo, cabalgó un buen rato entre las tiendas y siguió su marcha hasta pasar por las cocinas del rey Sajr. Buluqiya se fijó en las calderas colgadas: en cada una había cincuenta camellos, mientras el fuego llameaba por debajo. El viajero, al ver tales vasijas y contemplar su tamaño, quedó completamente admirado de ello, mientras las contemplaba. El rey, al ver que Buluqiya miraba la cocina con interés, creyó que tenía hambre y ordenó que le acercasen dos camellos asados. Así lo hicieron, y los ataron detrás de él, a la grupa del caballo. Se despidieron, y éste viajó hasta llegar al confín de los dominios del rey Sajr. El caballo se detuvo, y Buluqiya se apeó y se sacudió el polvo del viaje. Unos hombres se acercaron, examinaron el caballo, lo reconocieron, se hicieron cargo de él y se pusieron en marcha junto a Buluqiya, hasta llegar al rey Barajiya. Buluqiya, al presentarse ante el rey, lo saludó. Barajiya le devolvió el saludo. Estaba sentado en un magnífico pabellón, rodeado por todas sus tropas, paladines y reyes de los genios, que se extendían a derecha e izquierda. El rey mandó a Buluqiya que se acercase. Le obedeció. Después le ordenó que se sentase a su lado y fueron extendidos los manteles: el rey Barajiya se encontraba en la misma situación que Sarj. Cuando sirvieron los guisos, comieron, y Buluqiya lo hizo también hasta quedar harto, después de lo cual dio las gracias a Dios (¡ensalzado sea!). El rey preguntó a su huésped: "¿Cuándo te has separado del rey Sarj?" "Hace dos días." "¿Sabes cuál es la distancia que has recorrido en ese par de días? Has hecho un trayecto de setenta meses."»

Sahrazad se dio cuenta de que amanecía e interrumpió el relato para el cual le habían dado permiso.

Cuando llegó la noche *cuatrocientas noventa y cinco*, refirió:

—Me he enterado, ¡oh rey feliz!, de que [el rey Barajiya prosiguió:] «"Al montar a caballo, éste ha sabido en seguida que eras un hijo de Adán, se ha asustado y tratado de tirarte de su lomo. Por eso le han puesto por lastre ese par de camellos." Buluqiya, al oír las palabras del rey Barajiya, se admiró y dio gracias a Dios (¡ensalzado sea!) por haberlo salvado. El rey Barajiya añadió: "Cuéntame todo lo que te ha ocurrido y cómo has llegado a este país". Buluqiya le refirió todo lo que le había acontecido y cómo había viajado hasta llegar al país en que se encontraba. El rey se admiró mucho al oír sus palabras. Buluqiya permaneció a su lado dos meses.»

Hasib, al oír el relato de la reina de las serpientes, se admiró mucho y le dijo: «Desearía que tu bondad y amabilidad ordenase a uno de tus servidores que me condujese a la faz de la tierra, para poder reunirme con mi familia.» La reina de las serpientes replicó: «Hasib Karim al-Din: has de saber que si regresas a la superficie de la tierra, te reúnes con tu familia y entras en un baño y te lavas, yo moriré en cuanto termines de limpiarte, pues esto será la causa de mi muerte». «¡Te juro que no entraré en un baño mientras viva! Si tengo necesidad de lavarme, lo haré en mi casa.» «¡Aunque me lo juraras cien veces, no te daría crédito jamás! Esto no puede ser. Has de saber que tú, hijo de Adán, no eres digno de confianza. Tu padre, Adán, hizo una promesa a Dios y la rompió, a pesar de que Éste (¡ensalzado sea!) lo había moldeado en arcilla cuarenta días y había hecho que los ángeles se postraran ante él. Después de todo esto, Adán faltó y rompió el pacto, contrariando la orden de su Señor.» Hasib se calló al oír estas palabras, rompió a llorar y así permaneció durante diez días. Después le dijo: «Refiéreme lo que sucedió a Buluqiya al cabo de los dos meses de permanecer junto al rey Barajiya».

La reina de las serpientes refirió: «Sabe, Hasib, que al cabo de los dos meses de estar con el rey Barajiya, se despidió de él y empezó a recorrer la tierra de día y de noche, hasta llegar a un monte muy elevado. Se encaramó a él, y al llegar a la cima halló un ángel muy grande que, sentado, glorificaba a Dios (¡ensalzado sea!) y bendecía a Mahoma. Ante el ángel había una tabla, con una parte escrita en blanco y otra en negro; la estaba contemplando, con las alas extendidas: una hacia Oriente, y la otra, hacia Occidente. Buluqiya se acercó a él y lo saludó. El ángel le devolvió el saludo y le preguntó: "¿Quién eres? ¿De dónde vienes? ¿Adónde vas? ¿Cómo te llamas?" "Soy un hombre y pertenezco al pueblo israelita. Viajo por amor a Mahoma, al que Dios bendiga y salve, y me llamo Buluqiya." "¿Qué te ha sucedido para venir a parar a esta tierra?" Le refirió todo lo que le había sucedido y lo que había visto en su viaje. El ángel se quedó pasmado al oír las palabras de Buluqiya. Éste le preguntó: "Ahora dime tú qué es lo que está escrito en esta tabla y qué haces aquí. ¿Cómo te llamas?" "Me llamo Miguel, y estoy encargado de hacer que se sucedan los días y las noches. Tal es mi trabajo hasta el día del juicio." Buluqiya, al oír estas palabras, quedó muy admirado del aspecto, contextura y grandes dimensiones del ángel. Se despidió de éste y viajó de noche y de día, hasta llegar a una gran pradera; cruzó por ella y encontró siete ríos y muchos árboles. El viajero quedó boquiabierto ante una pradera tan grande; recorrió sus lindes y tropezó con un árbol altísimo, a cuyo pie se encontraban cuatro ángeles. Buluqiya se acercó a ellos y observó su forma: uno tenía el aspecto propio de un hombre; el segundo parecía un animal salvaje; el tercero era un pájaro, y el cuarto tenía la forma de un toro[3]. Estaban ocupados en loar a Dios (¡ensalzado sea!). Iban diciendo: "¡Señor mío! ¡Dueño mío! ¡Patrón mío! ¡Por tu verdad y por la gloria de tu profeta Mahoma, al que Dios bendiga y salve! ¡Perdona a cada uno de los seres que has creado a semejanza mía, y sé misericordioso con ellos! Tú eres poderoso sobre todas las cosas". Buluqiya quedó pasmado al oír estas palabras y se alejó de ellos, y anduvo noche y día, hasta llegar al Monte Qaf. Subió a su cima y encontró en ella un gran ángel, sentado, que estaba loando y santificando a Dios, al tiempo que rezaba por Mahoma (¡Dios lo bendiga y lo salve!). Se dio cuenta de que el ángel cerraba y abría las manos, las plegaba y las extendía. Mientras hacía esto, Buluqiya se

[3] Los símbolos de los cuatro evangelistas.

acercó y lo saludó. El ángel le devolvió el saludo y le preguntó: "¿Quién eres? ¿De dónde vienes? ¿Adónde vas? ¿Cómo te llamas?" "Soy un israelita, un hombre, y me llamo Buluqiya. Viajo por amor a Mahoma, a quien Dios bendiga y salve. Mas he perdido el camino." Le refirió todo lo que le había ocurrido, y al terminar le preguntó: "Y tú, ¿quién eres? ¿Qué monte es éste? ¿Qué significa este trabajo que haces?" El ángel replicó: "Sabe, Buluqiya, que éste es el Monte Qaf, que rodea al mundo. Tengo en mi poder, aquí abajo, toda la tierra creada por Dios, y cuando Éste (¡ensalzado sea!) quiere que pase algo en el mundo, ya un terremoto, ya una sequía, ya un año de prosperidad, o de guerras, o de paz, me manda que lo haga. Yo permanezco aquí en mi puesto. Sabe que mi mano sujeta las raíces de la Tierra".»

Sahrazad se dio cuenta de que amanecía e interrumpió el relato para el cual le habían dado permiso.

Cuando llegó la noche *cuatrocientas noventa y seis*, refirió:

—Me he enterado, ¡oh rey feliz!, de que [la reina de las serpientes prosiguió:] «Buluqiya preguntó: "¿Ha creado Dios en el Monte Qaf alguna región distinta de ésta en la que te encuentras?" "¡Sí! Ha creado una tierra blanca como la plata, cuya extensión sólo Él conoce; la habitan ángeles cuya comida y bebida la constituyen las loas y la santificación de Dios; la continua plegaria por Mahoma, a quien Dios bendiga y salve. Todos los viernes se reúnen en este monte y rezan a Dios durante toda la noche hasta que llega la mañana, y los beneficios de estas loas, santificaciones y sacrificios, los entregan a los pecadores que pertenecen a la nación de Mahoma (¡Dios le bendiga y le salve!) y a todo aquel que cumple con la ablución del viernes. Así actuarán hasta el día de la resurrección." Buluqiya preguntó al ángel: "¿Ha creado Dios más montes detrás del de Qaf?" "Sí; detrás del Monte Qaf hay una cordillera que tiene una longitud de quinientos años de viaje, cubierta de nieve y hielo, la cual rechaza los calores de la Chahanna para proteger el mundo; si no fuese por esa cordillera, el mundo quedaría abrasado por el calor de la Chahanna. Detrás del Monte Qaf hay cuarenta países, cada uno de los cuales es cuarenta veces más grande que nuestro mundo: unos son de oro; otros, de plata, y otros de jacinto. Cada uno de los países de esas regiones tiene un color propio; Dios los ha poblado de ángeles, cuyo único trabajo consiste en loar, santificar, exaltar y cantar su gloria; rezan a Dios por la nación de Mahoma —al que Dios bendiga y salve—, y no conocen ni a Eva ni a Adán, ni el día ni la noche. Sabe, Buluqiya, que la tierra consta de siete estratos, superpuestos uno encima de otro, y que Dios ha creado un ángel, cuyo poder y características sólo Él, todopoderoso y excelso, conoce. Dicho ángel soporta las siete tierras sobre sus espaldas. Debajo de él, Dios ha colocado una piedra; bajo ésta, un toro; bajo el toro, un pez, y debajo de éste, un mar inmenso. Dios (¡ensalzado sea!) informó a Jesús (¡sobre él sea la paz!) de la existencia de este pez, y Jesús rogó: '¡Señor mío! ¡Permíteme ver ese pez de modo bien claro!' Dios mandó a uno de sus ángeles que llevase a Jesús junto al pez para que lo viese. El ángel fue a buscar a Jesús, lo tomó consigo y lo transportó al mar en el que se encontraba el pez. Le dijo: '¡Contempla, Jesús, el pez!' Jesús miró, pero no lo vio. Inmediatamente después, el pez pasó ante Jesús, rápido como el relámpago. Jesús, al verlo, cayó desmayado. Al volver en sí, Dios se mostró ante él y le dijo: '¡Jesús! ¿Has visto el pez? ¿Te has dado cuenta de su longitud y de su anchura?' Respondió: '¡Señor mío! ¡Por tu poder y tu gloria! No lo he visto, pues ha pasado ante mí una luz inmensa cuya longitud era la de tres días de marcha. Ignoro qué es lo que puede ser tal resplandor'. Dios le replicó: '¡Jesús! El relámpago que ha cruzado ante ti y cuya longitud era de tres días, es la cabeza del toro. Sabe, Jesús, que cada día creo cuarenta peces como ése'". Buluqiya quedó perplejo al oír tales palabras sobre el poder de Dios. Preguntó al ángel: "¿Qué es lo que Dios ha puesto debajo del mar en el que nada el pez?" "Debajo del mar se encuentra una inmensa cámara de aire; bajo ésta, el fuego, y bajo el fuego, una enorme serpiente, que se llama Falaq. Si no fuese porque dicha serpiente teme a Dios (¡ensalzado sea!), engulliría todo lo que tiene encima: aire, fuego y el ángel, con todo lo que sostiene, sin que éste se diera cuenta."»

Sahrazad se dio cuenta de que amanecía e interrumpió el relato para el cual le habían dado permiso.

Cuando llegó la noche *cuatrocientas noventa y siete*, refirió:

—Me he enterado, ¡oh rey feliz!, de que [el ángel prosiguió:] «"...Dios (¡ensalzado sea!), al crear la serpiente la inspiró: 'Quiero confiarte un depósito en custodia. ¡Guárdalo!' La serpiente replicó: 'Haz lo que quieras'. Dios prosiguió: '¡Abre la boca!'. La abrió, y Dios metió la Chahanna en su vientre. Le dijo: 'Guarda la Chahanna hasta el día del juicio'. Cuando llegue éste, Dios ordenará a sus ángeles que marchen con cadenas y arrastren con ellas la Chahanna hasta el lugar del juicio. Allí, Dios (¡ensalzado sea!) ordenará a la Chahanna que abra sus puertas. Las abrirá, y de ellas saldrán chispas más grandes que los montes". Al oír las palabras que pronunciaba el ángel, Buluqiya rompió a llorar amargamente. Se despidió de él y se marchó en dirección a Occidente, hasta llegar junto a dos seres que estaban sentados junto a una puerta enorme y cerrada. Al aproximarse vio que uno tenía el aspecto de un león, y el otro, el de un toro. Los saludó, y los animales le devolvieron el saludo. Ambos le preguntaron: "¿Qué cosa eres? ¿De dónde vienes? ¿Adónde vas?" "Soy un hijo de Adán —replicó Buluqiya—, y estoy viajando por amor a Mahoma, al que Dios bendiga y salve. Pero he perdido mi camino". Luego preguntó él a su vez: "¿Quiénes sois? ¿Qué significa esta puerta ante la cual os encontráis?" "Somos los guardianes de la puerta que estás contemplando. Nuestro único trabajo consiste en loar y santificar a Dios y en rezar por Mahoma, al que Dios bendiga y salve". Buluqiya, al oír tales palabras, se admiró y preguntó: "¿Qué es lo que hay detrás de esa puerta?" "No lo sabemos." "¡Por la verdad de vuestro Señor, el Excelso! ¡Abrid la puerta para que pueda ver qué hay detrás!" "No podemos abrirla nosotros ni ninguna de las criaturas; sólo el fiel Gabriel, el Seguro, puede hacerlo." Buluqiya, al oír tales palabras, se humilló ante Dios (¡ensalzado sea!) y rogó: "¡Señor mío! Envíame a Gabriel, el Seguro, para que me abra esta puerta y pueda ver lo que hay en su interior". Dios escuchó su plegaria y mandó a Gabriel, el Seguro, que bajase a la tierra y abriese la puerta en que confluyen los dos mares, para que Buluqiya lo viese. El ángel descendió al lado de Buluqiya, lo saludó, se colocó al lado de la puerta y la abrió. Inmediatamente después, le dijo: "¡Cruza esta puerta, pues Dios me ha mandado que te la abriese!" Buluqiya pasó al otro lado y empezó a andar. Gabriel cerró la puerta y subió al cielo. El viajero encontró detrás de la puerta un mar inmenso: una mitad era de agua salada, y la otra, de agua dulce. Bordeando el mar había dos montes de rojos rubíes. Emprendió el camino hasta alcanzar dichos montes. Vio que estaban poblados de ángeles, dedicados a loar y santificar a Dios. Buluqiya los saludó, y ellos le devolvieron el saludo. Les preguntó qué era aquel mar y qué representaban los dos montes. Le replicaron: "Este sitio está debajo del Trono. Este mar es el que transmite las mareas a todos los mares del mundo. Nosotros dividimos sus aguas y las repartimos por las distintas regiones: las saladas las canalizamos hacia las tierras salobres, y las dulces, hacia regiones de agua potable. Esos dos montes los ha creado Dios (¡ensalzado sea!) para conservar estas aguas. Esto es lo que se nos ha mandado hacer hasta el día del juicio". Luego le preguntaron a él: "¿De dónde vienes? ¿Adónde vas?" Buluqiya les contó su historia desde el principio hasta el fin. Después les preguntó por el camino que debía seguir. Le dijeron: "Cruza por encima de las aguas de este mar". Buluqiya tomó parte del jugo que aún le quedaba, se untó los pies, se despidió de ellos y se puso a andar, de día y de noche, sobre la superficie del mar. Mientras iba andando tropezó con un hermoso joven, que también cruzaba la superficie de las aguas. Se acercó a él y lo saludó. El joven le devolvió el saludo. Al alejarse de él, descubrió a cuatro ángeles que cruzaban la superficie de las aguas raudos como relámpagos cegadores. Buluqiya siguió avanzando y se detuvo en medio de su camino. Una vez llegaron ante él, los saludó y les dijo: "Por la verdad del Todopoderoso y Excelso, quiero preguntaros: ¿Cómo os llamáis? ¿De dónde venís? ¿Adónde vais?" Uno de ellos le replicó: "Me llamo Gabriel". El segundo dijo: "Y yo Israel". El tercero manifestó: "Y yo Micael". Y el cuarto concluyó: "Y yo Azrael". Los cuatro ángeles añadieron: "En la región de Oriente ha aparecido un enorme dragón, que ha derruido mil ciudades y ha devorado a sus habitantes. Dios (¡ensalzado sea!) nos ha mandado que vayamos a su encuentro, lo capturemos y lo arrojemos a la Chahanna". Buluqiya quedó absorto ante ellos al ver su fuerte contextura, y siguió viajando noche y día, según su costumbre, hasta llegar a una isla. Puso pie en ella y la recorrió durante un rato.»

Sahrazad se dio cuenta de que amanecía e interrumpió el relato para el cual le habían dado permiso.

Cuando llegó la noche *cuatrocientas noventa y ocho*, refirió:

—Me he enterado, ¡oh rey feliz!, de que [Buluqiya] «tropezó con un hermoso muchacho, cuyo rostro desprendía luz. Al aproximarse a él vio que estaba sentado junto a dos mausoleos, llorando y sollozando. Se acercó más a él y lo saludó. Él le devolvió el saludo. Buluqiya le preguntó entonces: "¿Qué te sucede? ¿Cómo te llamas? ¿Qué significan estas dos tumbas aquí construidas y junto a las cuales te hallas sentado? ¿Por qué lloras?" El joven se dirigió a Buluqiya sollozando tan amargamente, que dejó empapado el vestido de lágrimas. Respondió: "Sabe, ¡oh, hermano mío!, que tengo una historia prodigiosa, un relato extraordinario. Pero querría que te sentases a mi lado para que me contaras lo que has visto durante tu vida y me informases de la causa que te ha traído a este lugar, así como de tu nombre y adónde te diriges. Después, yo te contaré mi historia". Buluqiya se sentó al lado del joven y le refirió desde el principio hasta el fin todo lo que le había ocurrido en el viaje. Le explicó que, una vez muerto su padre, había abierto la puerta, y entrado en un saloncito, donde encontró la caja que contenía el libro con la descripción de Mahoma (¡Dios le bendiga y le salve!); le hizo notar que su corazón había quedado prendado de aquél, y que se había puesto en viaje por su amor, y le refirió todo lo que había acaecido hasta llegar a su lado. Luego añadió: "Éste es mi relato completo, pero Dios es más sabio, y yo ignoro qué es lo que me ocurrirá después". El joven, al oír estas palabras, suspiró y dijo: "¡Pobre de ti! ¿Qué es lo que has visto durante tu vida? Sabe, Buluqiya, que yo he contemplado a nuestro señor Salomón cuando aún estaba en vida; he visto cosas innumerables y sin cuento. Mi historia es maravillosa, y mi relato, prodigioso. Querría que permanecieras aquí para poder contarte mi vida y explicarte por qué permanezco en este lugar".»

Hasib, al oír las palabras que pronunciaba la serpiente, se quedó admirado y dijo: «¡Reina de las serpientes! ¡Te conjuro, en nombre de Dios, a que me pongas en libertad y mandes a uno de tus criados que me saque a la faz de la tierra! Te juro que nunca en la vida entraré en un baño». «No lo haré jamás. No creo en tu juramento.» Al oír estas palabras, rompió a llorar, y todas las serpientes derramaron lágrimas por él y empezaron a interceder ante su reina en favor de Hasib. Le decían: «Te pedimos que mandes a una de nosotras que lo saque a la superficie de la tierra: él te jura que no entrará en un baño en toda su vida». La reina de las serpientes, que se llamaba Yamlija[4], al oír lo que le decían se acercó a Hasib y le hizo prestar juramento. Luego ordenó a una serpiente que lo sacase a la superficie de la tierra. La serpiente se acercó a él para sacarlo fuera, pero Hasib rogó a la reina: «Me gustaría que terminaras de contarme la historia del muchacho que estaba sentado al lado de Buluqiya, aquel al que encontró entre las dos tumbas». La reina prosiguió:

«Sabe, Hasib, que Buluqiya se sentó junto al muchacho y le refirió toda la historia, desde el principio hasta el fin, para que el otro, a su vez, le contase la suya, le explicase lo que le había ocurrido a lo largo de su vida y le refiriese por qué estaba sentado entre los dos mausoleos.»

Sahrazad se dio cuenta de que amanecía e interrumpió el relato para el cual le habían dado permiso.

Cuando llegó la noche *cuatrocientas noventa y nueve*, refirió:

—Me he enterado, ¡oh rey feliz!, de que [la reina de las serpientes prosiguió:] «El joven le replicó: "¡Qué

[4] Nombre que la tradición musulmana da también a uno de los durmientes de la cueva de Éfeso. Cf. *El Corán*, 18, 8-25.

maravilla has visto, desgraciado! Yo he contemplado al señor Salomón en su propia época, y he visto prodigios innumerables que no se pueden contar. Sabe, hermano mío, que mi padre era un rey llamado Tigmus, que gobernaba en la región de Kabul y a los Banu Sahlan, una tribu de diez mil valientes, cada uno de los cuales, a su vez, administraba cien ciudades, cien fortalezas, con sus correspondientes murallas; mi padre era señor de siete sultanes, quienes le llevaban las riquezas de Oriente y de Occidente. Era recto en sus actos, y Dios (¡ensalzado sea!) le había concedido todo esto y le había dado un gran imperio; pero no tenía ningún hijo. El deseo de toda su vida había sido el que Dios le concediese un hijo varón a quien poder dejar su imperio al morir.

»"Cierto día interrogó a los sabios, a los astrólogos, a los entendidos en horóscopos y les dijo: 'Haced las observaciones y determinad mi ascendente. ¿Me concederá Dios, en el transcurso de mi vida, un hijo varón a quien poder legar mi reino?' Los astrólogos abrieron los libros, hicieron el cálculo del ascendente y descendente y averiguaron su signo. Le dijeron: '¡Oh, rey! Tú tendrás un hijo varón, pero éste sólo nacerá de la hija del rey de Jurasán'. Tigmus se alegró mucho al oír estas palabras, y dio tales riquezas a los astrólogos y a los sabios, que no se pueden contar ni enumerar, y ellos se marcharon a sus quehaceres.

»"El rey tenía un gran visir, que era un hábil caballero y un gran paladín, cuyo valor equivalía al de mil caballeros. Se llamaba Ayn Zar. El rey le dijo: '¡Oh, visir! Quiero que te prepares para emprender un viaje al país del Jurasán, con el fin de que pidas, como esposa, para mí, a la hija de su rey, Bahrawan', y explicó a su visir Ayn Zar lo que le habían dicho los astrólogos. Éste, al oír las palabras de su rey, salió al momento e hizo los preparativos para el viaje. Luego marchó de la ciudad con las tropas, con los héroes y los soldados. Esto es lo que hace referencia al visir.

»"He aquí ahora lo que se refiere al rey Tigmus. Preparó mil quinientas cargas de seda, gemas, perlas, jacintos, oro, plata y piedras preciosas, y dispuso una gran cantidad de objetos para la boda. Lo colocó todo a lomos de camellos y mulos, y lo consignó a su visir Ayn Zar. Escribió una carta que decía: 'La paz al rey Bahrawan: Sabe que hemos reunido a los astrólogos, a los sabios y a los entendidos, quienes nos han dicho que tendremos un hijo varón sólo en el caso de que nos casemos con tu hija. Por ello he dispuesto que el visir Ayn Zar vaya a verte llevándote multitud de objetos para la boda. El visir me representa en todo este asunto, y le he confiado la conclusión del contrato de bodas. Espero de tu benevolencia que atiendas al visir en sus deseos, que son los míos propios, sin demora ni dilación. El bien que le hagas, será bien venido. No me contraríes en esto. Sabe, rey Bahrawan, que Dios me ha concedido el señorío de Kabul y el gobierno de los Banu Sahlan y que me ha dado un gran imperio. Una vez me haya casado con tu hija, tú y yo seremos soberanos por igual, y yo te enviaré cada año riquezas que te bastarán. Esto es lo que de ti espero'.

»"El rey Tigmus selló la carta y se la entregó a su visir, ordenándole que se pusiera en camino hacia el Jurasán. El visir viajó sin descanso hasta llegar a las inmediaciones de la ciudad del rey Bahrawan. Informaron a éste de la llegada del visir del rey Tigmus. Al oírlo, dispuso que los emires se preparasen para la recepción, se preocupó de las comidas y bebidas y demás asuntos, incluyendo el forraje para los caballos. Luego ordenó que salieran al encuentro del visir Ayn Zar. Cargaron los fardos y emprendieron la marcha hasta llegar ante éste. Colocaron los fardos en el suelo, se apearon los soldados y se saludaron unos y otros. Permanecieron en aquel sitio durante diez días, comiendo y bebiendo. Después montaron a caballo y se dirigieron a la ciudad. El rey Bahrawan salió al encuentro del visir del rey Tigmus, lo saludó, lo cogió de la mano y lo acompañó a la ciudadela. El visir ofreció en seguida al rey los fardos, los regalos y todas las riquezas, y además le entregó la carta. El soberano la cogió, la leyó y se dio cuenta de lo que quería decir, pues entendió su significado. Se alegró mucho por ello, y dispensó al mensajero una magnífica acogida. Le dijo: '¡Pide lo que desees! Si el rey Tigmus me pidiera mi propia vida, se la daría'. El rey Bahrawan se marchó en aquel mismo momento a ver a su hija, a su madre y a sus parientes, les explicó el asunto y les pidió consejo. Le respondieron: 'Haz lo que desees'".»

Sahrazad se dio cuenta de que amanecía e interrumpió el relato para el cual le habían dado permiso.

Cuando llegó la noche *quinientas*, refirió:

—Me he enterado, ¡oh rey feliz!, de que [el joven prosiguió:] «"El rey regresó junto a Ayn Zar y le comunicó que su deseo sería complacido. El visir permaneció al lado de Bahrawan dos meses, al cabo de los cuales dijo a éste: 'Desearíamos que nos hicieses don de aquello que nos ha traído hasta aquí, pues regresaríamos a nuestro país'. El soberano replicó: '¡De buen grado!' Mandó que se preparase la boda y se dispusiese el equipo. Así se hizo. Después ordenó comparecer a los visires, a todos los príncipes y a los grandes del reino. Acudieron todos. Mandó luego llamar a los monjes y a los sacerdotes y éstos también se presentaron, y celebraron el matrimonio de la hija de Bahrawan con el rey Tigmus. El rey Bahrawan preparó los objetos necesarios para el viaje, y entregó tales regalos, presentes y gemas a su hija, que apenas se pueden describir. Mandó cubrir de alfombras y engalanar del modo más hermoso las calles de la ciudad: el visir Ayn Zar y la hija del rey Bahrawan emprendieron el viaje de regreso. Tigmus, al enterarse de esto, mandó preparar la fiesta y engalanar su ciudad. Luego consumó el matrimonio con la hija de Bahrawan rompiendo su virginidad. Pocos días después la princesa quedó en estado y transcurridos los meses correspondientes dio a luz un hijo varón que se parecía a la luna en la noche del plenilunio. El rey, al saber que su esposa había dado a luz un varón, se alegró muchísimo y mandó buscar a los sabios, a los astrólogos y a los expertos en predicciones. Les dijo: 'Deseo que determinéis el ascendente y el descendente de este recién nacido, y que me digáis qué es lo que le ocurrirá durante su vida'. Los sabios y los astrólogos determinaron el ascendente y el descendente y vieron que se trataba de un muchacho que sería feliz si lograba superar en su juventud, a los quince años, algunas contrariedades: si conseguía seguir viviendo después de esta edad, gozaría de un gran bienestar y sería un rey poderoso, más importante que su padre: su felicidad sería inmensa, aniquilaría a sus enemigos y tendría una vida feliz. ¡Dios es el más sabio! El rey se alegró mucho al oír esto, le dio el nombre de Chansah y lo entregó a las nodrizas y a las amas. Su crianza fue feliz. Cuando cumplió los cinco años, el padre le enseñó a leer y empezó por el Evangelio. Después lo instruyó en el arte de la guerra y aprendió el manejo de la lanza y de la espada antes de cumplir los siete años; dedicado a la caza y a la pesca, convirtióse en un paladín en todos los ejercicios propios de la caballería. Su padre se alegraba muchísimo cada vez que oía hablar de su habilidad en todas las artes de la guerra.

»"Cierto día, el rey Tigmus ordenó a sus soldados que montasen a caballo para salir de caza y de pesca. Le obedecieron, y el rey y su hijo Chansah montaron en sus corceles y empezaron a recorrer campiñas y desiertos dedicados a su deporte favorito, hasta que, al atardecer del tercer día, el príncipe se lanzó en pos de una gacela de color admirable, que corría delante de él. Al ver que la gacela huía, se empeñó en seguirla y aceleró la marcha en pos de la presa, acompañado por siete esclavos de Tigmus, quienes, al ver a su señor lanzado detrás del animal, espolearon a sus corceles de carrera y lo siguieron. Corrieron sin descanso hasta llegar junto al mar, y entonces todos se precipitaron sobre la gacela para cogerla. El animal, para escapar, se arrojó al agua."»

Sahrazad se dio cuenta de que amanecía e interrumpió el relato para el cual le habían dado permiso.

Cuando llegó la noche *quinientas una,* refirió:

—Me he enterado, ¡oh rey feliz!, de que [el joven prosiguió:] «"Había en ésta una embarcación de pescadores, y la gacela saltó a su interior. Chansah y los esclavos se apearon de los corceles, subieron a la barca y se apoderaron de la gacela. Al disponerse a volver a la costa, el príncipe descubrió una gran isla y dijo a los mamelucos que le acompañaban: 'Desearía llegar hasta la isla'. 'Oír es obedecer', replicaron. Se dirigieron con la barca hacia aquel lugar. Al llegar, desembarcaron y la recorrieron. Después regresaron a la barca, subieron a ella y, llevando siempre consigo la gacela, se dirigieron hacia la tierra de la que habían salido. Pero cayó la tarde, se extraviaron en el mar, y el viento, que empezó a soplar, arrastró la nave hacia el interior del océano. Durmieron hasta el amanecer, y al despertarse no reconocieron el sitio en que se encontraban, y siguieron navegando. Esto es lo que a ellos se refiere.

»"He aquí ahora lo que hace referencia al rey Tigmus, padre de Chansah. Al no ver a su hijo y creer que lo había perdido, ordenó a los soldados que se dividieran en grupos y que cada uno siguiese un camino distinto. Emprendieron la búsqueda del hijo del rey, y una sección llegó a la orilla del mar y encontró al mameluco que se había quedado al cuidado de los caballos. Se acercaron a él y le preguntaron por su dueño y por los otros seis mamelucos. Les refirió lo que había sucedido. Tomando con ellos al mameluco y el caballo, regresaron junto al rey y le explicaron todo. El soberano, al oír tales palabras, rompió a llorar amargamente y, arrojando la corona que llevaba en la cabeza, se mordió las manos de arrepentimiento. En seguida escribió numerosas cartas y las envió a todas las islas del mar; reunió cien navíos, embarcó en ellos su ejército y mandó que recorrieran el mar en busca de su hijo Chansah. Luego, tomando consigo el resto del ejército y de las tropas, regresó a su ciudad muy apenado. La madre, al enterarse de lo ocurrido, se abofeteó la cara e inició el duelo. Esto es lo que a ellos se refiere.

»"He aquí lo que hace referencia a Chansah y a los mamelucos que lo acompañaban. Siguieron perdidos por el mar, y quienes los buscaban recorrieron aquellas aguas durante diez días sin encontrarlos. Entonces regresaron ante el rey y le explicaron lo sucedido. Entretanto, un viento huracanado arrastró la embarcación hasta una isla, Chansah y los seis mamelucos desembarcaron y recorrieron aquel lugar hasta llegar a una fuente de agua corriente, situada en su centro. Cerca de ésta divisaron un hombre que estaba sentado. Se acercaron a él, lo saludaron, y el hombre les devolvió el saludo. Luego les habló en una lengua que se parecía al gorjeo de los pájaros. Chansah se admiró mucho al oír tal lenguaje. Aquel hombre se volvió a derecha e izquierda, y mientras ellos seguían boquiabiertos, se partió en dos mitades, y cada una de ellas se fue en una dirección distinta. Mientras ellos permanecían inmóviles, se les acercaron hombres de todas clases en innumerable cantidad: aparecían por todas las laderas del monte, y al llegar a la fuente, cada uno de ellos se partía en dos y se acercaba a Chansah y a los mamelucos para devorarlos. El príncipe, al ver que aquellos hombres se disponían a comérselos, huyó, junto con sus mamelucos, perseguido por aquellos hombres, que lograron devorar a tres de sus acompañantes. Los otros tres, con Chansah, consiguieron subir a la barca y empujar ésta hacia el centro del mar. Navegaron noche y día sin saber adónde los llevaba la nave: habían matado a la gacela, y de ella se alimentaban. Los vientos los empujaron a otra isla que tenía árboles, ríos, frutos y jardines; los frutos eran de todas clases, y los ríos corrían al pie de los árboles: parecía que la isla era un paraíso. Chansah se admiró al ver aquella isla, y preguntó a los mamelucos: '¿Cuál de vosotros desembarcará para darnos noticia de cómo es?' Uno de los mamelucos se ofreció: 'Yo iré a ver de qué se trata y os traeré informes'. Chansah replicó: 'Eso no puede ser. Desembarcad los tres y averiguad qué hay en la isla, mientras yo espero vuestro regreso en la barca'. Chansah hizo desembarcar a los tres esclavos para que fuesen de descubierta."»

Sahrazad se dio cuenta de que amanecía e interrumpió el relato para el cual le habían dado permiso.

Cuando llegó la noche *quinientas dos,* refirió:

—Me he enterado, ¡oh rey feliz!, de que [el joven prosiguió:] «"Saltaron a tierra, la recorrieron por Levante y Poniente y no encontraron a nadie. Después avanzaron hacia el centro y hallaron una ciudadela de mármol blanco, cuyos edificios eran de cristal purísimo. En el centro había un jardín con toda clase de frutos secos y frescos, y que es imposible describir; también había aromas de todas clases. La fortaleza encerraba árboles frondosos y frutales; en sus ramas cantaban los pájaros. En el centro de los árboles se encontraba una gran alberca, a cuya orilla se erguía un magnífico pabellón, repleto de sillas, que rodeaban un trono de oro rojo con incrustaciones de gemas y jacintos. Los mamelucos, al ver la belleza de la ciudadela y del jardín, los recorrieron de derecha a izquierda, pero no encontraron a nadie. Salieron de la ciudadela y regresaron junto a Chansah, al que informaron de lo que habían visto. Cuando Chansah, el hijo del rey, hubo oído el informe, les dijo: 'He de ver personalmente tal ciudadela'. El príncipe desembarcó y se marchó con los tres mamelucos. Llegaron a la ciudadela y entraron en ella. Chansah se quedó admirado de la belleza del lugar. Recorrieron el jardín, comieron sus frutos y no descansaron. Al atardecer se dirigieron a las sillas, y Chansah se sentó en el trono colocado en el centro, y a cuyos lados estaban dispuestas las sillas. Una vez sentado, el príncipe empezó a meditar y a llorar, por hallarse separado del solio de su padre, alejado de su país, de sus conciudadanos y de sus parientes. A su lado lloraban los tres mamelucos. Mientras así estaban, se oyó un enorme tumulto que procedía del mar; se volvieron en aquella dirección y vieron más monos que langostas hay en una de sus nubes. La isla y la ciudadela pertenecían a las monas, las cuales, al ver la barca en que había llegado Chansah, la habían hundido junto a la orilla del mar y habían marchado al encuentro del príncipe, que se encontraba sentado en su ciudadela."»

La reina de las serpientes dijo: «Todo esto, Hasib, pertenece al relato que hizo a Buluqiya el muchacho que estaba sentado entre las dos tumbas». Hasib le preguntó: «¿Y qué hizo Chansah con las monas?»

La reina de las serpientes prosiguió:

«El príncipe se había sentado en el trono, mientras sus esclavos permanecían a derecha e izquierda. La llegada de estos animales los llenó de terror. Una multitud de monas se adelantó, se acercó al trono en que estaba sentado el príncipe y besó el suelo ante él; luego, poniendo la mano en el pecho permanecieron un instante inmóviles. En seguida llegó otro grupo, que llevaba dos gacelas: las sacrificaron, las llevaron a la fortaleza, las desollaron, las hicieron pedazos y las asaron hasta que estuvieron a punto para ser comidas. Entonces las colocaron en bandejas de oro y plata, extendieron los manteles e hicieron señas a Chansah y a sus compañeros para que comiesen. El príncipe bajó del trono y cenó en compañía de las monas y de los mamelucos, hasta que quedó harto. Luego las monas quitaron los manteles y sirvieron las frutas. Comieron éstas y dieron gracias a Dios (¡ensalzado sea!). Chansah preguntó a las monas más viejas: "¿Quiénes sois? ¿A quién pertenece este lugar?" Le contestaron por señas: "Sabe que este lugar pertenecía a nuestro señor Salomón, hijo de David (¡sobre ambos sea la paz!). Venía aquí una vez al año para contemplarlo, y después se marchaba".»

Sahrazad se dio cuenta de que amanecía e interrumpió el relato para el cual le habían dado permiso.

Cuando llegó la noche *quinientas tres,* refirió:

—Me he enterado, ¡oh rey feliz!, de que [la reina de las serpientes prosiguió:] «Las monas añadieron: "Sabe, ¡oh rey!, que tú eres desde ahora nuestro sultán, que nosotras estamos a tu servicio. Come y bebe, pues haremos todo lo que nos mandes". Las monas se levantaron, besaron el suelo ante él, y cada una de ellas se marchó a sus quehaceres. Chansah durmió en el trono, y los mamelucos pasaron la noche en las sillas que había a su alrededor. Al día siguiente llegaron los cuatro ministros principales de los monos, acompañados por su séquito: fueron llenando la sala, disponiéndose en ella hilera tras hilera. Los ministros se acercaron e indicaron a Chansah que los rigiese con justicia. Después mandaron a los demás monos que se retirasen, y sólo quedaron los que estaban asignados al servicio del rey. Luego aparecieron otros monos trayendo perros que parecían caballos, con las cabezas sujetas por cadenas. El príncipe quedó admirado del tamaño de los perros. Los ministros de los monos le hicieron señal de que montase y los siguiese. Chansah y sus tres mamelucos montaron en los perros, y, rodeados por el ejército de los monos, se pusieron en camino. Parecían una nube de langostas: unos iban a pie, y otros montados en los perros; el príncipe estaba boquiabierto ante lo que veía. Pasaron por la orilla del mar, y Chansah, al darse cuenta de que su barca había sido hundida, se volvió a los ministros de los monos y les preguntó: "¿Dónde está la barca que había aquí?" Le contestaron: "Sabe,

¡oh rey!, que en cuanto llegaste a nuestra isla, supimos que ibas a ser nuestro sultán, y temiendo que quisieras escaparte cuando nos presentáramos ante ti, hundimos la barca". Chansah, al oír tales palabras, se volvió a los mamelucos y les dijo: "Ya no tenemos medio que nos impulse a escapar de estos monos. Tendremos paciencia, puesto que así lo ha decretado Dios (¡ensalzado sea!)". Siguieron caminando hasta llegar a la orilla de un río, junto al cual se encontraba un monte muy elevado. El príncipe lo observó y vio que en él había numerosísimos ogros. Volviéndose a los monos, les preguntó: "¿Quiénes son esos ogros?" Le contestaron: "Sabe, ¡oh, rey!, que esos ogros son nuestros enemigos y que venimos a combatirlos". Chansah se admiró de ellos y del gran tamaño que tenían: montaban en caballos, y unos tenían cabezas de toro, y otros, de camellos. Los ogros, al ver el ejército de los monos, se lanzaron al ataque hasta llegar a la orilla del río, y empezaron a arrojar piedras tan grandes como columnas, con lo que hicieron una gran mortandad. El príncipe, al ver que los ogros vencían a los monos, gritó a sus mamelucos: "¡Sacad los arcos y las flechas! ¡Lanzad dardos hasta que los matéis y los alejéis de nosotros!" Hicieron lo que les mandaba su señor, y una gran calamidad cayó sobre los monstruos, pues mataron a muchos y los derrotaron; los vencidos se dieron a la fuga. Los monos, al ver lo que había hecho Chansah, se metieron en el río y, guiados por éste, persiguieron a los ogros hasta que los perdieron de vista, después de infligirles un duro castigo. Siguieron en pos de ellos, hasta llegar a un monte muy elevado. Chansah lo contempló y vio una lápida de mármol, en la que estaba escrito: "Sabe, ¡oh, tú, que has llegado a esta tierra!, que eres sultán de esos monos, que no puedes escaparte de ellos a menos que pases al lado oriental de este monte, lo cual representa una marcha de tres meses, durante los cuales cruzarás entre fieras, ogros, *marids* y *efrits*. Después llegarás al océano que circunda al ecúmene; si pasas por el lado occidental, lo cual representa una marcha de cuatro meses, irás a parar al principio del Valle de las Hormigas, y penetrarás en él. No estarás a salvo de dichos animales hasta que alcances un monte elevado, que arde como el fuego y que mide diez días de marcha".»

Sahrazad se dio cuenta de que amanecía e interrumpió el relato para el cual le habían dado permiso.

Cuando llegó la noche *quinientas cuatro*, refirió:

—Me he enterado, ¡oh rey feliz!, de que [Chansah siguió leyendo en la lápida:] «"Llegarás entonces a un gran río, cuya corriente es tan veloz que deslumbra la vista. Dicho río se seca todos los sábados. A su orilla hay una ciudad cuyos habitantes son todos judíos, que niegan la fe de Mahoma; entre ellos no hay ningún musulmán. En todo su país no hay más ciudades. Mientras tú permanezcas con los monos, éstos vencerán a los ogros. Sabe que esta lápida la ha escrito Salomón, hijo de David (¡sobre ambos sea la paz!)." Después de leer aquello, el príncipe rompió a llorar amargamente y, volviéndose hacia sus mamelucos, les explicó lo que en ella había escrito. Montó de nuevo, y el ejército de los monos cerró filas a su alrededor y se pusieron en marcha, muy contentos por la victoria que habían obtenido sobre sus enemigos, y regresaron a su ciudadela. Chansah permaneció en ésta, como sultán de los monos, durante un año y medio. Al cabo de este tiempo ordenó a sus soldados que se dispusieran para salir de caza y de pesca. Montaron a caballo el príncipe, los mamelucos y los monos, y recorrieron campiñas y desiertos y no pararon de ir de lugar en lugar hasta que Chansah reconoció el Valle de las Hormigas, que señalaba la lápida de mármol. Al verlo, ordenó echar pie en tierra en aquel lugar. Descabalgaron los monos y permanecieron allí, comiendo y bebiendo durante diez días. Una noche, el príncipe llamó aparte a sus mamelucos y les dijo: "Vamos a huir. Cruzaremos el Valle de las Hormigas y nos dirigiremos a la Ciudad de los Judíos. Tal vez Dios nos libre de estos monos y podamos seguir nuestro camino". Le contestaron: "Oír es obedecer". Esperaron a que hubiese transcurrido parte de la noche, y entonces el príncipe y los mamelucos se incorporaron, tomaron sus armas —espadas, puñales y demás útiles de guerra— y se pusieron a andar desde las primeras horas de la noche hasta la aurora. Los monos, al despertarse, no encontraron a Chansah ni a sus mamelucos y se dieron cuenta de que se les habían escapado. Un grupo montó a caballo y emprendió el camino oriental, mientras que otro grupo, también montado, se internaba por el Valle de las Hormigas. Éste descubrió al príncipe y a sus mamelucos, que se internaban en el Valle, por lo cual aceleraron la marcha. Chansah y sus mamelucos los descubrieron a su vez, y apretaron la marcha. Apenas había transcurrido una hora cuando ya los monos los atacaban e intentaban darles muerte. Pero de repente aparecieron las hormigas, que salieron de debajo del suelo como una nube de langosta; cada una de ellas tenía el tamaño de un perro. Al ver a los monos se lanzaron contra ellos y se comieron unos cuantos; los monos mataron gran cantidad de hormigas, pero la victoria fue de éstas; una sola hormiga podía lanzarse contra un mono, atenazarlo con las mandíbulas y partirle en dos mitades, mientras que sólo un grupo de diez monos podía montarse en una hormiga, dominarla y partirla en dos. El combate, encarnizadísimo por ambos bandos, duró hasta la caída de la tarde; al oscurecer, Chansah y sus mamelucos escapaban por el fondo del Valle.»

Sahrazad se dio cuenta de que amanecía e interrumpió el relato para el cual le habían dado permiso.

Cuando llegó la noche *quinientas cinco,* refirió:

—Me he enterado, ¡oh rey feliz!, de que [la reina de las serpientes prosiguió:] «Al amanecer, los monos volvieron a dar alcance al príncipe. Éste, al verlos, gritó a sus mamelucos: "¡Atacadlos con las espadas!" Desenvainaron y cargaron contra los monos, que se acercaban a derecha e izquierda. Un mono gigantesco, con unos caninos que parecían los colmillos de un elefante, arremetió contra uno de los mamelucos y, de un mordisco, lo partió en dos. Los monos cargaron en tromba contra Chansah, pero éste consiguió huir hacia el fondo del Valle, en el cual distinguió un gran río, en cuya orilla había una cantidad enorme de hormigas. Éstas, al ver que el príncipe se acercaba, lo rodearon. Un mameluco, con la espada, partió una hormiga en dos. El ejército de las hormigas, al ver esto, cerró filas en torno al mameluco y lo mató. Mientras ocurría esto, los monos descendían de la cima del monte y volvían a cercar a Chansah, el cual al ver la obstinación con que lo perseguían, se desnudó y se arrojó al río. Lo mismo hizo el último esclavo que le quedaba. Nadaron hasta llegar al centro de la corriente. Chansah distinguió un árbol en la orilla opuesta, extendió la mano hacia una de sus ramas, la agarró, tiró de ella y subió a la orilla. En cambio, la corriente pudo más que el mameluco y lo arrastró hacia el monte, contra el cual quedó destrozado. El príncipe se quedó solo en tierra firme: escurrió sus vestidos y los secó al sol, mientras entre monos y hormigas se desarrollaba un encarnizado combate. Después, los monos se retiraron hacia su país. Esto es lo que se refiere a los monos y a las hormigas.

»He aquí ahora lo referente a Chansah. Lloró hasta la llegada de la tarde. Entonces entró en una cueva y se instaló en ella, lleno de terror y desesperado por la pérdida de sus esclavos. Pasó la noche en ella, hasta la llegada de la aurora. Entonces se puso en marcha y anduvo noches y días comiendo únicamente yerbas. Así llegó a un monte, que ardía como si fuese de fuego. Cruzó por él hasta llegar a un río que se secaba todos los sábados. Se dio cuenta de que era un río muy grande en cuya orilla había una populosa ciudad: la ciudad de los judíos, aquella que estaba descrita en la lápida. Permaneció en el lugar en que se encontraba, hasta la llegada del sábado, hasta que el río se secó. Lo cruzó y llegó a la ciudad, en la que no vio a nadie. La recorrió hasta llegar a la puerta de una casa. La abrió y entró: sus ocupantes permanecían mudos. Les dijo: "Soy un extranjero hambriento". Le dijeron por señas: "Come y bebe, pero no hables". Se sentó con ellos, comió, bebió y durmió allí aquella noche. Al anochecer, el dueño de la casa lo saludó, le dio la bienvenida y le preguntó: "¿De dónde vienes? ¿Adónde vas?" Chansah rompió a llorar al oír las palabras del judío, le refirió su historia y le habló de la ciudad de su padre. El judío quedó admirado y le replicó: "Jamás hemos oído hablar de esa ciudad. Sólo hemos oído decir a las caravanas de comerciantes, que hay un país llamado el Yemen". El príncipe le dijo: "Ese país del que te han hablado los comerciantes, ¿está lejos de aquí?" "Los caravaneros aseguran que desde su país hasta aquí tardan dos años y tres meses." "¿Cuándo llega la caravana?" "El año próximo".»

Sahrazad se dio cuenta de que amanecía e interrumpió el relato para el cual le habían dado permiso.

Cuando llegó la noche *quinientas seis,* refirió:

—Me he enterado, ¡oh rey feliz!, de que [la reina de las serpientes prosiguió:] «Al oír estas palabras, el príncipe rompió a llorar amargamente y se entristeció por lo que les había ocurrido a él y a sus mamelucos, por encontrarse separado de su padre y de su madre y por todo lo sucedido en el curso del viaje. El judío lo animó: "¡No llores, muchacho! ¡Quédate con nosotros hasta que llegue la caravana, y te enviaremos con ella hacia tu país!" El príncipe aceptó y se quedó con el judío dos meses; todos los días recorría las callejas de la ciudad. En cierta ocasión en que, como de costumbre, paseaba de un lado para otro, oyó a un pregonero que decía: "¿Quién quiere ganar mil dinares y una esclava hermosa, de portentosa belleza, trabajando para mí desde la mañana hasta el mediodía?" Nadie le contestó. Chansah, al oír las palabras del pregonero, se dijo: "Si el trabajo no fuera peligroso, el anunciante no ofrecería mil dinares y una esclava hermosa por un trabajo que sólo dura desde la mañana hasta el mediodía". El príncipe se acercó al pregonero y le dijo: "Yo haré ese trabajo". Al oírlo, lo tomó consigo y lo condujo a una casa magnífica. Entraron los dos, y el príncipe se dio cuenta de que se encontraba en un hogar de persona acomodada. Había allí un comerciante judío, sentado en una silla de ébano. El pregonero se quedó en pie delante de él y le dijo: "¡Comerciante! Hace ya tres meses que pregono en la ciudad y sólo me ha contestado este joven". El comerciante, al oír las palabras del pregonero, dio la bienvenida a Chansah, lo tomó consigo, lo hizo entrar en una magnífica habitación y ordenó a los esclavos que le diesen de comer. Extendieron los manteles y sirvieron toda suerte de guisos. El comerciante y el príncipe comieron y se lavaron las manos. Después sirvieron los sorbetes y bebieron. Luego el comerciante se incorporó, entregó a Chansah una bolsa con mil dinares e hizo entrar una esclava preciosa, guapísima. Le dijo: "Coge esta esclava y el dinero, a cambio del trabajo que harás". El príncipe lo cogió e hizo sentarse a la esclava a su lado. El comerciante le dijo: "Mañana harás el trabajo". Después se marchó de la habitación, y Chansah pasó aquella noche con la joven. Al día siguiente, por la mañana, se marchó al baño. El comerciante mandó a sus esclavos que le llevasen una túnica de seda. Le entregaron un magnífico manto, lo esperaron a que saliera del baño, le pusieron el manto y lo acompañaron de nuevo a la casa. El comerciante ordenó a sus esclavos que le llevasen el arpa, el laúd y los sorbetes, y así lo hicieron. Pusiéronse a beber, a jugar y a divertirse, hasta que hubo transcurrido la mitad de la noche. Entonces el comerciante se retiró a su habitación, y Chansah estuvo con la esclava hasta el amanecer. Fue al baño, y al regresar de éste, se le acercó el comerciante, el cual le dijo: "Quiero que me hagas el trabajo". "¡Oír es obedecer!", replicó el príncipe. El comerciante mandó a los esclavos que le llevasen dos mulas. Así lo hicieron. Montó en una de ellas y ordenó a Chansah que hiciera lo mismo con la otra. Le obedeció. El príncipe y el comerciante cabalgaron hasta el mediodía, hora a la cual llegaron a un monte muy alto, cuya cima se perdía en las nubes. El comerciante descabalgó y ordenó a Chansah que hiciese lo mismo. Dio a éste un cuchillo y una cuerda, y le dijo: "Quiero que sacrifiques esta mula". El príncipe se remangó los vestidos, se acercó a la mula, le ató las cuatro patas con la cuerda y la tumbó en el suelo; cogió el cuchillo, la degolló y le cortó las cuatro patas y la cabeza, con lo cual quedó transformada en un montón de carne. El comerciante dijo entonces: "Te mando que le abras el vientre y te introduzcas en él. Yo lo coseré y tú te quedarás dentro. Permanecerás en él una hora y me irás explicando todo lo que veas en su interior". Chansah abrió el vientre del animal, se metió en él y el comerciante lo cosió, lo abandonó y se alejó...»

Sahrazad se dio cuenta de que amanecía e interrumpió el relato para el cual le habían dado permiso.

Cuando llegó la noche *quinientas siete*, refirió:

—Me he enterado, ¡oh rey feliz!, de que [la reina de las serpientes prosiguió: «El comerciante se alejó] ocultándose en un recoveco del monte. Al cabo de un rato cayó sobre la mula un pájaro enorme, la agarró y remontó el vuelo hasta la cima del monte. Quiso comérselo, mas el príncipe, al darse cuenta de las intenciones del animal, abrió el vientre de la mula y salió. El pájaro se asustó al verlo, levantó el vuelo y se marchó. Chansah se puso en pie, empezó a mirar a derecha e izquierda y no vio a nadie: sólo había allí cadáveres de hombres que se habían secado al sol. Al descubrirlos, se dijo: "¡No hay fuerza ni poder sino en Dios, el Altísimo, el Grande!" Miró hacia el pie del monte y descubrió al comerciante, que lo estaba observando. Al verlo, le gritó: "¡Échame las piedras que están a tu alrededor y te indicaré el camino para bajar!" Chansah le arrojó cerca de doscientas piedras: eran jacintos, crisolitas y piedras preciosas. Luego el príncipe le dijo: "¡Muéstrame el camino y volveré a echarte piedras otra vez!" El comerciante recogió las piedras, las cargó en la mula que había montado y se marchó sin contestarle. Chansah se quedó solo en la cima. Pidió auxilio a Dios y rompió a llorar. Permaneció en él durante tres días, al cabo de los cuales empezó a andar. Recorrió el monte durante dos meses comiendo hierbas. Anduvo sin interrupción hasta llegar a sus estribaciones. Una vez en su falda, descubrió a lo lejos un valle repleto de árboles, frutos y pájaros. Loó a Dios, el Único, el Todopoderoso, y se alegró muchísimo al reconocer dicho valle. Se dirigió hacia él, andando sin descanso durante una hora, hasta llegar a una hondonada por la que corría un torrente; siguiendo el curso de éste, llegó al valle que había visto y lo examinó a derecha e izquierda. Sin dejar de mirar a todas partes, llegó a un palacio muy alto, que se remontaba por los aires.

»Se acercó, y al llegar a la puerta encontró a un anciano de buen aspecto, cuyo rostro irradiaba luz. Tenía en la mano un bastón de jacinto y permanecía junto a la puerta del palacio. El príncipe se acercó a él y lo saludó. El anciano le devolvió el saludo, le dio la bienvenida y le dijo: "¡Siéntate, hijo mío!" Chansah se sentó junto a la puerta. El jeque le preguntó: "¿Por dónde has llegado a esta tierra, que jamás ha pisado un hijo de Adán? ¿Adónde vas?" El príncipe rompió a llorar amargamente al oír las palabras del anciano, pues recordó lo mucho que había sufrido; el llanto lo ahogaba. El jeque lo consoló: "¡Hijo mío! Deja de llorar, pues laceras mi corazón". Fue a buscar algo de comer, se lo puso delante y lo invitó: "Come". Chansah comió hasta quedar harto y dio gracias a Dios (¡ensalzado sea!). Luego el jeque insistió: "¡Hijo mío! Quiero que me cuentes tu historia y me refieras lo que te ha ocurrido". El príncipe se echó a llorar y le contó todo lo que le había sucedido, desde el principio de sus aventuras hasta su llegada allí. El viejo se admiró muchísimo al oír el relato. Chansah le preguntó: "Quiero que me informes de quién es el dueño de este valle y a quién pertenece este magnífico palacio". "Sabe, hijo mío —replicó el viejo—, que el valle y todo lo que contiene, así como este palacio y sus dependencias, pertenecen a Salomón, hijo de David (¡sobre ambos sea la paz!). Yo me llamo el jeque Nasr, rey de los pájaros. Sabe que el señor Salomón me ha confiado este palacio..."»

Sahrazad se dio cuenta de que amanecía e interrumpió el relato para el cual le habían dado permiso.

Cuando llegó la noche *quinientas ocho*, refirió:

—Me he enterado, ¡oh rey feliz!, de que [el jeque Nasr prosiguió: «"Salomón] me ha enseñado el lenguaje de los pájaros y me ha nombrado gobernador de todos los que hay en el mundo. Una vez al año vienen los pájaros a este alcázar. Yo les paso revista y después se van. Ésta es la causa de que yo viva aquí." Chansah lloró amargamente al oír las palabras del jeque Nasr. Le dijo: "¡Padre mío! ¿De qué medio me valdré para regresar a mi país?" "Sabe, ¡oh, hijo mío!, que estás en las inmediaciones del Monte Qaf y que no puedes marcharte hasta que lleguen los pájaros. Yo te confiaré a uno de ellos, que te conducirá a tu país. Quédate conmigo en este alcázar, come, bebe y distráete en estos lugares, hasta que lleguen los pájaros." El príncipe se quedó con el anciano y se dedicó a recorrer el valle, a comer sus frutos, a distraerse, reírse y jugar. Vivió en la más muelle de las vidas hasta que llegaron los pájaros, procedentes de sus domicilios, para rendir visita al jeque Nasr. Éste, cuando supo que llegaban las aves se puso de pie y dijo al príncipe: "¡Chansah! Coge estas llaves y abre las habitaciones del alcázar. Puedes ver lo que contienen, excepción hecha de tal departamento: guárdate de abrirlo. Si me desobedeces, lo abres y entras, jamás conseguirás ningún bien". Hizo esta recomendación al príncipe, insistió en ella y se marchó a recibir a los pájaros. Éstos, al ver al jeque Nasr, se acercaron a él y le fueron besando las manos, especie tras especie. Esto es lo que hace referencia al jeque Nasr.

»He aquí ahora lo referente a Chansah. Se puso en pie, empezó a recorrer el alcázar y visitó todas las habitaciones hasta llegar a aquella que el jeque Nasr le había prohibido abrir. Miró la puerta de la habitación y quedó admirado, puesto que tenía una cerradura de oro. Se dijo: "Esta habitación es más hermosa que todas las otras. ¡Ojalá supiera qué hay en ella y qué ha impulsado al jeque a prohibirme la entrada! He de entrar y ver qué es lo que contiene. Lo que está destinado al siervo, debe cumplirse". Alargó la mano, abrió la puerta de la habitación y entró. Vio que tenía un gran estanque, y que al lado de éste había un pabellón pequeño, construido de oro, plata y cristal; las ventanas eran de rubí; el suelo, de berilo verde; esmeraldas y gemas engarzadas en él, hacían las veces del mármol. En el centro se levantaba un surtidor de oro, lleno de agua, y alrededor de él, figuras de animales y pájaros, de oro y plata; el agua salía de su interior. Al soplar el viento y penetrar por sus oídos, cada una de estas figuras cantaba con la voz propia de la especie que representaba. Al lado del surtidor había un gran salón, en el cual se encontraba un enorme trono de rubíes, con perlas y gemas incrustadas. Encima había un palio de seda verde, cuajado de aljófares y piedras valiosísimas: tenía unas cincuenta brazas de anchura, y debajo del mismo había una sala en la que se guardaba el tapete que había pertenecido a Salomón (¡sobre él sea la paz!). Chansah vio que aquel alcázar estaba rodeado por un gran jardín que tenía árboles, frutas y riachuelos. En torno al mismo había sembrados de rosas de color, mirtos, rosas blancas y toda clase de olorosas flores. Cuando soplaba el céfiro, los árboles cimbreaban sus ramas. El príncipe comprobó que en aquel jardín había árboles de todas las especies y frutos secos y frescos, y que todo ello estaba contenido en aquel departamento. Al comprobarlo, quedó maravillado y empezó a recorrer el jardín y el pabellón, admirando todos los prodigios que contenían. Miró la alberca y descubrió que sus guijarros eran piedras preciosas, aljófares de gran valor, gemas incomparables. En el departamento vio gran cantidad de cosas.»

Sahrazad se dio cuenta de que amanecía e interrumpió el relato para el cual le habían dado permiso.

Cuando llegó la noche *quinientas nueve*, refirió:

—Me he enterado, ¡oh rey feliz!, de que [Chansah] «entró en el pabellón y subió al trono, que estaba colocado sobre una plataforma situada en el lado del surtidor; pasó al gabinete que había encima y durmió un rato en él. Al despertarse empezó a andar, salió por la puerta de la habitación y se sentó en una silla que había delante de la misma. Estaba admirado de lo hermoso del lugar. Entonces llegaron tres pájaros, que parecían palomos; se posaron al lado del estanque, jugaron un rato, se quitaron las plumas que llevaban puestas y se transformaron en tres muchachas que parecían lunas: en todo el mundo no había otras iguales. Se metieron en la alberca, nadaron, jugaron y se rieron. Al verlas, Chansah quedó pasmado de su hermosura, de su belleza, de la perfección de sus proporciones. Salieron del agua y empezaron a recorrer y contemplar el jardín. El príncipe, al verlas salir, casi perdió el conocimiento: se puso de pie y avanzó para alcanzarlas. Al llegar cerca, las saludó y ellas le devolvieron el saludo. Las interrogó: "¿Quiénes sois, hermosas señoras? ¿De dónde venís?"

»La pequeña replicó: "Venimos de los reinos de Dios (¡ensalzado sea!) para distraernos en este lugar". El príncipe, pasmado de su belleza, dijo a la pequeña: "Ten compasión de mí, sé indulgente conmigo e interésate por mi estado y por lo que me ha ocurrido en mi vida". "¡No importunes y sigue tu camino!" Chansah lloró desconsoladamente al oír aquellas palabras, exhaló profundos suspiros y recitó estos versos:

> Ella se me mostró, en el jardín, con un vestido verde, y los cabellos sueltos.
> Le pregunté: "¿Cómo te llamas?" Me contestó: "Yo soy aquella que tuesta el corazón de los enamorados sobre brasas".
> Me quejé a ella de la pasión que me afligía. Me contestó: "Te quejas, sin saberlo, a una piedra".
> Le dije: "Si tu corazón es una piedra, sabe que Dios ha hecho brotar agua purísima de las piedras".

»Las jóvenes se rieron al oír los versos del príncipe, jugaron, cantaron y se entretuvieron. El joven les llevó algunos frutos: comieron, bebieron y pasaron la noche en compañía de Chansah. Al día siguiente, por la mañana, se pusieron los vestidos de plumas, tomaron el aspecto de aves y levantaron el vuelo para dirigirse a sus ocupaciones. El príncipe estuvo a punto de perder el conocimiento al ver que se transformaban en pájaros y que desaparecían de su vista; lanzó un grito terrible y cayó desmayado. Así permaneció durante todo el día. Mientras él estaba tumbado en el suelo, el jeque Nasr, que había vuelto de su reunión con los pájaros, empezó a buscar a Chansah para confiárselo a las aves y devolverlo así a su país. Al no encontrarlo, sospechó en seguida que había entrado en la habitación prohibida. El jeque había dicho a los pájaros: "Tengo conmigo un joven al que los hados han traído a esta tierra desde un país lejano. Quiero que lo toméis con vosotros y lo conduzcáis a su patria". Le habían contestado: "Oír es obedecer".

»El jeque Nasr buscó sin descanso a Chansah hasta llegar a la puerta de la habitación que le había prohibido abrir. La halló abierta. Entró y vio al príncipe desmayado, tendido al pie de un árbol. Le llevó un poco de agua perfumada, le roció la cara, recuperó el conocimiento y miró...»

Sahrazad se dio cuenta de que amanecía e interrumpió el relato para el cual le habían dado permiso.

Cuando llegó la noche *quinientas diez,* refirió:

—Me he enterado, ¡oh rey feliz!, de que [el joven miró] «a derecha e izquierda. Al ver que sólo estaba el anciano a su lado, aumentó su pesar y recitó estos versos:

> Se mostró como la luna llena en la noche feliz; extremidades delicadas, cintura esbelta.
> Tiene unas pupilas que cautivan, con su magia, el entendimiento; su boca compite con el rubí encarnado de la rosa.
> Sus negros cabellos resbalan por la espalda. ¡Ten cuidado! ¡Ten cuidado con las serpientes que están en sus bucles!
> A pesar de la suavidad de las formas, su corazón es más duro que la roca con el amante.
> Lanza las flechas de sus miradas con el arco de sus cejas; hace blanco y no yerra, aunque tire lejos.
> ¡Oh, su belleza! Sobrepuja a toda la hermosura y no tiene rival entre los seres creados.

»El jeque Nasr, al oír estos versos, le dijo: "¡Hijo mío! ¿No te había dicho que no abrieses la puerta de la habitación y que no entrases? ¡Cuéntame qué es lo que has visto! Refiéreme tu historia y dame a conocer lo que te ha ocurrido". El príncipe se lo contó todo y le informó de lo que le había ocurrido con las tres muchachas mientras él había estado allí. El jeque, al oír sus palabras, le dijo: "Sabe, hijo mío, que esas muchachas son hijas de genios. Cada año vienen a este lugar, juegan y se divierten hasta la caída de la tarde, y después regresan a su país". "¿Dónde está su país?", preguntó Chansah. "En verdad, hijo mío, no lo sé. Pero ven conmigo, ten valor y yo te enviaré a tu país con los pájaros. ¡Aleja de ti ese amor!" El príncipe dio un grito al oír aquellas palabras y cayó desmayado. Al volver en sí, replicó: "¡Padre mío! Yo no puedo regresar a mi país hasta que me haya desposado con esas muchachas. Sabe, padre mío, que no volveré a acordarme de mi familia aunque tenga que morir a tu lado". Lloró y añadió: "Yo me contento con ver la cara de la que amo, aunque sólo sea una vez al año". Exhaló unos suspiros y recitó:

¡Ojalá el espectro del amado no apareciese de noche ante el amante! ¡Ojalá esta pasión no hubiese sido creada para los hombres!
Si no estuviese en llamas mi corazón por haberte recordado, tampoco resbalarían por mi mejilla las lágrimas.
Yo hago que el corazón tenga paciencia de día y de noche, mientras mi cuerpo se consume con el fuego del amor.

»El príncipe se arrojó a los pies del jeque Nasr, se los besó y le dijo: "¡Ten misericordia de mí, y Dios la tendrá de ti! ¡Ayúdame en mis dificultades, y Él te ayudará!" El jeque replicó: "¡Hijo mío! ¡Por Dios! No conozco a esas muchachas y no sé cuál es su país. Si te has enamorado de una de ellas, quédate conmigo para volver a verlas dentro de un año, pues volverán en este mismo día del próximo año. Cuando esté próxima su llegada, te esconderás en el jardín, debajo de un árbol. Al posarse junto a la alberca, se pondrán a nadar, a jugar y se alejarán de sus vestidos. Coge entonces el que pertenezca a aquella a la que amas. Cuando lo vean, saltarán a tierra para vestirse. Aquella a la que quites el vestido, te dirá con palabras dulces, y sonriendo amablemente: 'Dame el vestido, hermano mío, para que pueda vestirme y taparme'. Si escuchas sus palabras y se lo entregas, jamás llegarás a conseguir tu deseo, puesto que se lo pondrá, se marchará al lado de sus familiares y no volverás a verla nunca más. Pero si te apoderas del vestido y lo conservas en tu poder, colocándotelo debajo del brazo, y no se lo entregas hasta que yo regrese de la reunión de los pájaros, os pondré de acuerdo y te mandaré a tu país en su compañía. Esto es lo único que puedo hacer por ti, hijo mío".»

Sahrazad se dio cuenta de que amanecía e interrumpió el relato para el cual le habían dado permiso.

Cuando llegó la noche *quinientas once,* refirió:

—Me he enterado, ¡oh rey feliz!, de que [la reina de las serpientes prosiguió:] «El corazón del príncipe se tranquilizó al oír las palabras del anciano, y permaneció con éste otro año, durante el cual contaba los días transcurridos en espera del regreso de los pájaros. Próxima ya la fecha, el jeque Nasr dijo a Chansah: "Obra según te he recomendado con los vestidos de las muchachas: yo voy a recibir a los pájaros". "¡Oír es obedecer, padre mío!", replicó el príncipe. El jeque salió al encuentro de los pájaros. Una vez se hubo marchado, Chansah entró en el jardín y se escondió debajo de un árbol, en donde no podían verlo. Permaneció así el primero, el segundo y el tercer días, sin que apareciesen las muchachas. Estaba intranquilo, lloraba, y los gemidos brotaban de su corazón entristecido. No paró de llorar hasta perder el conocimiento. Al cabo de un rato volvió en sí y empezó a mirar el cielo, la tierra y el estanque. Su corazón palpitaba violentamente. En esto aparecieron en los aires tres pájaros que parecían palomos, aunque del tamaño de águilas. Se posaron junto al estanque, se volvieron a derecha e izquierda, y, no viendo a ningún ser humano ni a ningún genio se quitaron los vestidos, se metieron en el estanque y empezaron a jugar, a reírse y a solazarse desnudas, de tal modo que parecían lingotes de plata. La mayor de ellas dijo: "Temo, hermanas mías, que haya alguien oculto en ese pabellón". La mediana replicó: "¡Hermana! ¿No sabes que es de la época de Salomón y que no han entrado en él genios ni hombres?" La pequeña intervino, riendo: "¡Por Dios, hermanas! Si hay alguien oculto en ese lugar, es sólo para raptarme a mí". Jugaron y rieron mientras el corazón de Chansah palpitaba por el exceso de pasión; oculto debajo del árbol, las veía sin ser visto por ellas. Nadaron hasta llegar al centro del estanque, con lo que se alejaron de sus vestidos. El príncipe se puso de pie, corrió velozmente y cogió el vestido de la pequeña, aquella de la cual se había enamorado su corazón y que se llamaba Samsa. Las muchachas se volvieron y vieron a Chansah. El corazón les latió desacompasadamente, se metieron bajo el agua y se acercaron a la orilla. Comprobaron que el rostro del príncipe era como el de la luna en una noche de plenilunio.

»Le preguntaron: "¿Quién eres? ¿Cómo has llegado hasta este lugar para robar el vestido de la señora Samsa?" "Acercaos a mí y os contaré lo que me ha ocurrido." La señora Samsa interrogó: "¿Cuál es tu historia? ¿Por qué has cogido mis ropas? ¿Cómo es que me has reconocido entre mis hermanas?" "¡Luz de mis ojos! Sal del agua para que te cuente mi historia. Te referiré todo lo que me ha ocurrido y te explicaré cómo te conozco." "¡Señor mío! ¡Luz de mis ojos y fruto de mi corazón! Dame el vestido para que me pueda tapar e iré junto a ti." "¡Hermosa señora! No puedo darte el vestido, pues el amor me mataría. No te lo entregaré hasta que llegue el jeque Nasr, rey de los pájaros." La señora Samsa, al oír estas palabras, replicó al príncipe: "Si no me quieres dar el vestido, aléjate un poco para que puedan salir mis hermanas a la orilla, vestirse y darme algo con que taparme". "Oír es obedecer", replicó Chansah. Se dirigió hacia el pabellón y entró. La hermana mayor de la señora Samsa dio a ésta un pedazo de su vestido, con el cual no podía levantar el vuelo, y se lo puso. La señora Samsa se mostró como si fuera la luna cuando sale o una gacela cuando retoza, y echó a andar hasta llegar al lado del príncipe. Lo halló sentado en el trono. Lo saludó, se sentó cerca de él y le dijo: "¡Rostro hermoso! Tú eres aquel que me ha matado y que se ha matado a sí mismo. Pero cuéntanos lo que te ha ocurrido para que sepamos tu historia". Chansah rompió a llorar al oír estas palabras de la señora Samsa, y las lágrimas calaron sus vestidos. La joven, al darse cuenta de que estaba enamorado de ella, se puso de pie, lo cogió de la mano, lo hizo sentar a su lado y le secó las lágrimas con su propia manga, diciendo: "¡Rostro hermoso! Deja de llorar y refiéreme qué es lo que te ha ocurrido". El príncipe le explicó lo que le había sucedido y lo que había visto.»

Sahrazad se dio cuenta de que amanecía e interrumpió el relato para el cual le habían dado permiso.

Cuando llegó la noche *quinientas doce,* refirió:

—Me he enterado, ¡oh rey feliz!, de que «la señora Samsa, al oír sus palabras, suspiró y le dijo: "¡Señor mío! Si estás enamorado de mí, devuélveme mis vestidos para que me los ponga. Iré, con mis hermanas, a ver a mi familia y le explicaré que te has enamorado de mí. Después regresaré a tu lado y te llevaré a mi país". El príncipe lloró a lágrima viva al oír estas palabras, y replicó: "¿Es que Dios te permite darme muerte injustamente?" "¡Señor mío! ¿A causa de qué he de matarte?" "En cuanto te pongas el traje, te irás de mi lado y yo moriré al instante." La señora Samsa y sus hermanas rompieron a reír al oír estas palabras. La joven dijo: "¡Tranquilízate! ¡Alegra tus ojos, pues he de casarme contigo!" Se inclinó hacia él, le abrazó, le estrechó contra el pecho y le besó entre los ojos y en la mejilla; permanecieron abrazados una hora. Después se separaron y se sentaron en el trono. La hermana mayor salió del pabellón y se dirigió al jardín: cogió algunos frutos y plantas olorosas y se los llevó. Comieron, bebieron, disfrutaron, rieron y jugaron. El príncipe era muy bello, esbelto y bien proporcionado. La señora Samsa le dijo: "¡Amigo mío! Te juro por Dios que te quiero con un gran amor y que jamás me separaré de ti". El joven se tranquilizó al oír sus palabras, se echó a reír y siguieron jugando. En esto apareció el jeque Nasr, que regresaba de su reunión con los pájaros. Cuando llegó, todos se pusieron de pie, lo saludaron y le besaron las manos. El jeque les dio la bienvenida. Después los invitó a sentarse, y así lo hicieron. Nasr dijo a la señora Samsa: "Este joven te ama apasionadamente. Trátalo bien en nombre de Dios, pues es un personaje importante, hijo de reyes; su padre gobierna el país de Kabul y posee un vasto imperio". La señora Samsa, al oír estas palabras, replicó: "Oír tu orden es obedecerla". Luego besó la mano del jeque Nasr y permaneció de pie delante de él. El jeque le dijo: "Si lo que dices es verdad, júrame en nombre de Dios que no lo traicionarás jamás en la vida". La muchacha prestó juramento solemne de no traicionarlo jamás y de casarse con él. Luego añadió: "Sabe, jeque Nasr, que no me apartaré jamás de su lado". Una vez la señora Samsa hubo jurado, el jeque dijo a Chansah: "¡Loado sea Dios, que os ha puesto de acuerdo!" El príncipe se alegró muchísimo. Él y la señora Samsa se quedaron tres meses con el jeque Nasr comiendo, bebiendo, jugando y riendo.»

Sahrazad se dio cuenta de que amanecía e interrumpió el relato para el cual le habían dado permiso.

Cuando llegó la noche *quinientas trece,* refirió:

—Me he enterado, ¡oh rey feliz!, de que «transcurrido este tiempo, la señora Samsa dijo: "Quiero que nos marchemos a tu país y que te cases conmigo. Viviremos allí". "¡Oír es obedecer!", contestó el príncipe. Éste pidió consejo al jeque Nasr, diciendo: "Queremos ir a mi país", y le explicó todo lo que le había dicho la señora Samsa. El jeque le contestó: "Idos, pues, y cuida de ella". "Oír es obedecer", concluyó el príncipe. La joven pidió su vestido, diciendo al jeque: "Dile que me entregue mi vestido para que pueda ponérmelo". El jeque intervino: "¡Dale el vestido!" El príncipe replicó: "¡Oír es obedecer!", y fue corriendo al pabellón, regresó con el vestido y se lo entregó a la joven. Ella lo cogió y se lo puso. Luego dijo a Chansah: "Súbete en mi espalda, cierra los ojos y tápate los oídos para que no oigas la música de las esferas que giran mientras vamos volando. Cógete bien a las plumas de mi vestido y procura no caerte". El príncipe se subió a horcajadas. Estaba ya a punto de remontar el vuelo, cuando el anciano dijo a la muchacha: "¡Espera! Voy a describirte el país de Kabul, pues temo que os equivoquéis de camino". Ella permaneció quieta mientras le describía el país y le recomendaba a Chansah. Ambos se despidieron de él, y Samsa saludó a sus hermanas y les dijo: "Volved junto a la familia y explicadle lo que me ha ocurrido con el príncipe". Levantó el vuelo en seguida, veloz como los vientos o el relámpago, mientras sus hermanas se elevaban con otro rumbo, para informar a su familia de lo que había sucedido a la señora Samsa con Chansah.

»La señora Samsa voló sin interrupción desde la mañana hasta la noche, llevando siempre a Chansah en sus espaldas. Al atardecer distinguió en la lontananza un valle cuajado de árboles y riachuelos. Dijo al príncipe: "Quiero descender en ese valle para pasar la noche entre sus árboles y sus plantas". "¡Haz lo que te plazca!", replicó el príncipe. Perdió altura, se posó en el valle, y

Chansah saltó a tierra y la besó entre los ojos. Permanecieron sentados una hora junto al río. Después se incorporaron y recorrieron el valle observando lo que contenía y comiendo sus frutos. No se cansaron de corretear hasta la noche. Entonces se colocaron debajo de un árbol y durmieron hasta el día siguiente. La señora Samsa se levantó y dijo al príncipe que subiera de nuevo en su espalda. Así lo hizo, y la joven se remontó en seguida, volando sin parar desde la mañana hasta el mediodía. Mientras recorrían el camino, descubrieron la región que el jeque Nasr les había descrito. La señora Samsa, al darse cuenta de ello, descendió hasta un prado amplio, bien sembrado, en el cual pastaban las gacelas y había fuentes de agua corriente, frutos olorosos y amplios riachuelos. Al tocar tierra, Chansah saltó al suelo y la besó entre los ojos. Ella le dijo: "¡Amado mío! ¡Consuelo de mis ojos! ¿Sabes la distancia que hemos recorrido?" "¡No!" "¡Treinta meses de viaje!" "¡Loado sea Dios, que nos ha salvado!", exclamó el príncipe. Se sentaron el uno al lado del otro y comieron, bebieron, jugaron y se divirtieron. De pronto aparecieron dos mamelucos. Uno de ellos era el que se había quedado al cuidado de los caballos cuando Chansah había subido a la barca de los pescadores, y el otro pertenecía al grupo que lo había acompañado de caza y de pesca. Al ver al príncipe lo reconocieron, lo saludaron y le dijeron: "Con tu permiso, correremos al lado de tu padre para darle la buena nueva de tu llegada". El príncipe replicó: "Id e informad a mi padre. Después traed tiendas de campaña, pues permaneceremos en este lugar durante siete días para poder descansar y dar tiempo a que salga el cortejo a recibirnos. Entraremos acompañados de un séquito de honor".»

Sahrazad se dio cuenta de que amanecía e interrumpió el relato para el cual le habían dado permiso.

Cuando llegó la noche *quinientas catorce*, refirió:

—Me he enterado, ¡oh rey feliz!, de que «los dos esclavos volvieron junto al rey y le dijeron: "¡Enhorabuena, rey del tiempo!" Tigmus, al oír las palabras de sus dos esclavos, les preguntó: "¿Por qué me dais la enhorabuena? ¿Es que ha vuelto mi hijo Chansah?"

"Sí: tu hijo ha dejado de estar ausente, está cerca de ti, en el prado de Kirani." El soberano se alegró muchísimo al oír las palabras de sus dos mamelucos, y cayó desmayado a causa de la gran alegría que experimentó. Al volver en sí, ordenó al visir que diese un traje de corte a cada uno de los mamelucos y que les entregase una cantidad de dinero. Les dijo: "Tomad estas riquezas como recompensa por la buena noticia que me habéis traído, sea falsa o verdadera". Los dos mamelucos le replicaron: "Nosotros no mentimos. Acabamos de estar a su lado; lo hemos saludado y besado las manos, y nos ha ordenado que le llevemos tiendas, ya que permanecerá en el prado de Kirani durante siete días, hasta el momento en que vayan los visires y los grandes del reino a recibirlo". "Y, ¿cómo se encuentra mi hijo?" "Está con una hurí. Parece que ambos se hayan escapado del paraíso." El rey, al oír tales palabras, mandó tocar tambores y trompetas, y la buena noticia se difundió. Luego despachó mensajeros en todas las direcciones de la ciudad, para dar la grata nueva a la madre de Chansah y a las mujeres de los emires, de los visires y de los grandes del reino. Los mensajeros se dispersaron por la capital e informaron a las gentes del regreso del príncipe. El rey Tigmus preparó las tropas y los soldados y emprendió el camino hacia el prado de Kirani. Chansah seguía sentado junto a la señora Samsa. Las tropas se acercaron al príncipe, el cual se puso de pie y salió a su encuentro. Los soldados, al reconocerlo, descabalgaron, se acercaron a él, lo saludaron y le besaron las manos. Chansah siguió pasando revista a las tropas hasta llegar ante su padre. El rey Tigmus, al ver a su hijo, se arrojó a sus brazos desde el lomo del caballo, lo abrazó y lloró copiosamente. Después volvió a montar, y lo mismo hizo el príncipe, mientras los soldados se colocaban a ambos lados. Reanudaron la marcha y llegaron junto al río, en donde descabalgaron las tropas y los soldados; levantaron las tiendas y los pabellones e izaron los estandartes. Repicaron los tambores y las flautas; los címbalos y las trompetas tocaron. El rey Tigmus mandó a los tapiceros que levantasen una tienda de seda roja para la señora Samsa. Hicieron lo que les habían mandado, y la señora Samsa se quitó el traje de plumas, se dirigió a la tienda y se instaló en ella. Mientras estaba allí, el rey Tigmus y su hijo Chansah acudieron a saludarla. La joven, al ver a Tigmus, se puso de pie y besó el suelo ante él. El rey se sentó, y colocó a su hijo a la derecha y a la señora Samsa a la izquierda. Dio la bienvenida a ésta e interrogó al príncipe: "¡Cuéntame qué te ha ocurrido durante tu ausencia!" Le refirió todo lo que le había sucedido, desde el principio hasta el fin. El rey, al oír las palabras de su hijo, se admiró muchísimo y, dirigiéndose a la señora Samsa, exclamó: "¡Loado sea Dios, que ha hecho que me reunieses con mi hijo! Esto, realmente, es un favor inmenso"[5].»

Sahrazad se dio cuenta de que amanecía e interrumpió el relato para el cual le habían dado permiso.

Cuando llegó la noche *quinientas quince,* refirió:

—Me he enterado, ¡oh rey feliz!, de que [el rey prosiguió:] «"Quiero que me pidas lo que te apetezca, para que yo pueda honrarte ofreciéndotelo." La señora Samsa dijo: "Deseo que me construyas un palacio en el centro de un jardín, al pie del cual corran las aguas". "¡Oír es obedecer!" Mientras así hablaban, apareció la madre de Chansah acompañada por las mujeres de los emires, de los visires y de los grandes de la ciudad. El joven, al verla, salió de la tienda para recibirla: estuvo abrazado a ella durante una hora. La madre derramó lágrimas de alegría y recitó estos versos:

La alegría ha cargado sobre mí hasta el punto
de que el mucho gozo me ha hecho llorar.
¡Oh, ojos! Las lágrimas han pasado a constituir
tu naturaleza: lloras de alegría y de pena.

»El uno se quejó al otro de lo mucho que lo había hecho sufrir la separación y el dolor. Más tarde, el padre se trasladó a su tienda, y la madre y Chansah fueron a la tienda de éste, en la cual se sentaron a conversar. Mientras hablaban se presentaron los mensajeros, que anunciaron la llegada de la señora Samsa. Dijeron a la

[5] Cf. *El Corán,* 27, 16; 35, 29; 42, 21.

madre del príncipe: "Samsa viene hacia aquí, pues desea saludarte". La madre se puso de pie y salió a recibirla; la saludó, y ambas estuvieron reunidas durante una hora. Después, las dos, acompañadas por las mujeres de los emires y de los magnates del reino, se dirigieron a la tienda de la señora Samsa. Entraron en ella y se sentaron. Entretanto, el rey Tigmus repartió regalos pródigamente y honró a sus súbditos, pues estaba muy contento por el regreso de su hijo.

»Permanecieron en aquel lugar durante diez días, comiendo, bebiendo y pasando la más tranquila de las vidas. Al cabo de este plazo, el rey mandó a sus tropas que montasen a caballo y se dirigiesen a la ciudad. El rey y los soldados lo hicieron así. Los visires y los chambelanes se distribuyeron a su derecha e izquierda y marcharon sin descanso hasta entrar en la capital. La madre de Chansah y la señora Samsa se dirigieron a su domicilio. La ciudad se engalanó magníficamente, sonaron los tambores y los címbalos, y la ciudad se vistió de joyas y tapices; extendieron brocados preciosos debajo de los cascos de los caballos. Los magnates se alegraron, hicieron regalos, los espectadores quedaron estupefactos, y los pobres y desamparados fueron alimentados. Celebraron grandes fiestas durante diez días, y la señora Samsa se alegró muchísimo al ver todo aquello. Después, el rey Tigmus mandó en busca de los albañiles, arquitectos y sabios, y les ordenó que construyesen un palacio en aquel jardín. Contestaron que obedecerían; empezaron los preparativos para construir el alcázar, y lo terminaron del mejor modo posible. Chansah, al enterarse de la construcción del palacio, dijo a los artífices que le llevaran una columna de mármol blanco, que la excavasen e hiciesen un hueco en forma de caja. Ellos obedecieron. El príncipe cogió el vestido de vuelo de la señora Samsa, lo colocó en el interior de la columna, lo enterró en los fundamentos del alcázar y ordenó a los albañiles que encima construyesen las bóvedas que debían sostener el palacio. Una vez terminado éste, lo tapizaron: era un magnífico alcázar en medio del jardín, a cuyo pie corrían los riachuelos. El rey Tigmus ordenó entonces que se celebraran las bodas de Chansah. Las fiestas fueron magníficas: jamás se habían visto otras iguales. Condujeron a la señora Samsa a aquel palacio, y después, cada uno de los presentes se marchó a sus quehaceres. La señora Samsa aspiró el olor del traje de plumas...»

Sahrazad se dio cuenta de que amanecía e interrumpió el relato para el cual le habían dado permiso.

Cuando llegó la noche *quinientas dieciséis,* refirió:

—Me he enterado, ¡oh rey feliz!, de que [«la señora Samsa aspiró el olor del traje de plumas] con el cual había volado, y descubrió el lugar en que estaba. Deseó volverlo a tener, pero esperó hasta mediada la noche, hasta que Chansah estuvo sumido en el sueño. Entonces se levantó, se dirigió hacia la columna sobre la que reposaban las bóvedas y cavó a su alrededor hasta alcanzar la columna en la cual estaba encerrado el vestido: quitó el sello de plomo que lo cerraba, sacó el traje y levantó el vuelo al momento. Fue a posarse en lo más alto del palacio y gritó a las gentes: "Quiero que vayáis a buscar a Chansah para que pueda despedirme de él". Informaron a éste, el cual corrió hacia ella. Vio que estaba encima de la azotea del palacio y que tenía puesto el vestido de plumas. Le dijo: "¿Cómo has hecho esto?" "¡Amado mío! ¡Regocijo de mis ojos y fruto de mi corazón! ¡Por Dios! Te quiero muchísimo y me ha alegrado enormemente el conducirte hasta tu país, trasladarte a tu tierra, haber conocido a tu padre y a tu madre. Si tú me amas de la manera que yo te amo, irás a buscarme a la Ciudadela de las Gemas, a Takni." Levantó el vuelo y fue a reunirse con sus familiares.

»Chansah, al oír las palabras de la señora Samsa, estuvo a punto de morir de dolor y cayó desmayado. Fueron a buscar a su padre y le informaron de todo. El soberano marchó al alcázar, entró a ver a su hijo y lo encontró tendido en el suelo. Tigmus rompió a llorar, pues comprendió que el príncipe estaba verdaderamente enamorado de la señora Samsa. Le roció el rostro con agua de rosas y volvió en sí. Al ver a su padre junto a él, rompió a llorar por encontrarse separado de su esposa. El soberano le preguntó: "¿Qué es lo que te ha ocurrido, hijo mío?" "Sabe, ¡oh, padre!, que la señora Samsa es hija de genios, y que yo la amo, estoy enamorado de ella y me gusta su belleza. Yo tenía su vestido, sin el cual ella no podía volar. Se lo cogí y lo oculté en una columna que tenía forma de cofre, puse un sello de plomo encima y la coloqué en los fundamentos del palacio. Ella ha removido todo, lo ha cogido, se lo ha puesto y ha levantado el vuelo. Después se ha posado encima de la azotea y me ha dicho: 'Te quiero muchísimo y me ha alegrado enormemente el hacerte llegar a tu país, el trasladarte a tu tierra y el haberte reunido con tu padre y con tu madre. Si tú me amas de la manera que yo te amo, vendrás a buscarme a la Ciudadela de las Gemas, a Takni'. Seguidamente ha levantado el vuelo y ha emprendido su camino." El rey Tigmus replicó: "¡Hijo mío! No te preocupes por eso: reuniremos a los mejores comerciantes y a los grandes viajeros de este país y les preguntaremos dónde está dicha ciudadela. Cuando lo sepamos nos dirigiremos a ella e iremos en busca de la familia de la señora Samsa, con la esperanza de que Dios (¡ensalzado sea!) te la devuelva". El rey salió inmediatamente, mandó comparecer a sus cuatro ministros y les dijo: "Reunid a todos aquellos ciudadanos que se dediquen al comercio y a los viajes, y preguntadles por Takni, la Ciudadela de las Gemas. A todo aquel que conozca la ciudadela e indique su camino le entregaréis cincuenta mil dinares". Los visires, al oír estas palabras, contestaron: "¡Oír es obedecer!" Se marcharon inmediatamente e hicieron lo que les había mandado el rey: empezaron a interrogar a los comerciantes y viajeros acerca de dónde estaba la Ciudadela de las Gemas, Takni. Ninguno de ellos supo dar noticias. Regresaron ante el soberano y lo informaron de ello. El rey, al oír sus palabras, se puso en pie y mandó que llevasen a su hijo, Chansah, magníficas concubinas y esclavas que sabían tocar los instrumentos y bellísimas cantoras tales y como sólo las poseen los reyes, para ver si así olvidaba el amor de la señora Samsa. Le llevaron lo que había ordenado. Después el rey despachó correos y espías a todos los países, islas y comarcas, para que se informasen de dónde estaba la Ciudadela de las Gemas, Takni. Hicieron pesquisas durante dos meses, pero nadie les supo dar razón. Regresaron junto al rey y lo informaron del resultado. El soberano rompió a llorar amargamente y fue a ver a su hijo, al cual encontró sentado entre las concubinas, las esclavas y las tocadoras de arpa, cítara y demás instrumentos, que no conseguían consolarlo por la pérdida de la señora Samsa. Le explicó: "¡Hijo mío! No he hallado a nadie que conozca tal ciudadela. Te daré una esposa más hermosa que Samsa". Chansah, al oír estas palabras, rompió a llorar, las lágrimas invadieron sus ojos y recitó estos versos:

> He perdido la paciencia y he conservado el amor:
> el exceso de éste ha hecho enfermar mi cuerpo.
> ¿Cuándo me reunirá el tiempo con Samsa? El
> fuego de la separación ha carcomido mis
> huesos.

»Existía una gran enemistad entre el rey Tigmus y el rey de la India. El primero había atacado al segundo y había matado a sus hombres y robado sus riquezas. El rey de la India se llamaba Kafid; tenía soldados, ejércitos, campeones, y disponía de mil paladines, cada uno de los cuales gobernaba mil tribus, y cada una de éstas podía movilizar cuatro mil caballeros. Dicho rey tenía cuatro ministros, a cuyas órdenes estaban reyes, grandes, príncipes, emires y numerosas tropas. Gobernaba mil ciudades, y en cada una de ellas tenía mil fortalezas. Era un rey poderoso, cuyos ejércitos llenaban la totalidad de la tierra. Cuando el rey Kafid, soberano de la India, se enteró de que el rey Tigmus se encontraba preocupado por el amor de su hijo y que había abandonado el gobierno y el reino hasta el punto de que sus ejércitos habían perdido su potencia mientras que él vivía preocupado y apenado a causa del amor de su hijo, reunió a los ministros, emires y magnates de su reino y les dijo: "¿Es que no sabéis que el rey Tigmus ha atacado nuestro país, ha matado a mi padre y a mis hermanos y se ha apoderado de nuestras riquezas? ¿Hay alguno de vosotros al que no haya matado algún pariente, o le haya arrebatado sus bienes, o robado sus rentas, o aprisionado a sus familiares? Hoy he oído decir que se encuentra preocupado a causa del amor de su hijo Chansah, que su ejército se ha debilitado. Es el momento de vengarnos. Preparaos para salir a su encuentro, disponed las armas para el ataque. No vaciléis, pues vamos a atacarle: mataremos a él y a su hijo y nos apoderaremos de su país".»

Sahrazad se dio cuenta de que amanecía e interrumpió el relato para el cual le habían dado permiso.

Cuando llegó la noche *quinientas diecisiete,* refirió:

—Me he enterado, ¡oh rey feliz!, de que «al oír estas palabras, le contestaron: "¡Oír es obedecer!" Empezaron sus preparativos y se dedicaron exclusivamente a aprestar las armas y las provisiones: durante tres meses reunieron los ejércitos, y cuando éstos estuvieron completos, cuando los soldados y los paladines estuvieron preparados, sonaron los tambores, tocaron las trompetas e izaron los estandartes y las banderas. El rey Kafid se puso al frente de los soldados, y sus ejércitos avanzaron hasta llegar a los confines del país de Kabul, que era el Estado del rey Tigmus. Al entrar en él lo saquearon, maltrataron a sus moradores, degollaron a las personas importantes e hicieron prisioneros a los plebeyos. La noticia llegó a oídos del rey Tigmus, el cual se encolerizó y reunió a los grandes del reino, a los ministros y a los príncipes de sus Estados. Les dijo: "¿Sabéis que Kafid ha invadido nuestro territorio? Lo está ocupando y busca la guerra. Viene con un ejército, campeones y soldados en tal cantidad, que sólo Dios sabe su número. ¿Qué opináis?" "¡Rey del tiempo! Creemos que debemos salir a combatirlo: lucharemos contra él y lo expulsaremos de nuestro territorio." "¡Preparaos para la guerra!" Mandó que les entregaran cotas de malla, corazas, yelmos, espadas y todas esas armas de guerra que aniquilan a los campeones y destruyen a los jefes de las tropas. Los soldados, las compañías y los paladines se concentraron; se dispusieron para el combate e izaron las banderas; redoblaron los tambores, sonaron las trompetas, los címbalos y las flautas. El rey Tigmus avanzó, al frente de su ejército, al encuentro del rey Kafid. La marcha continuó sin descanso hasta llegar a las inmediaciones donde se encontraba el invasor. Tigmus acampó en un valle llamado Zahran, situado en la frontera de Kabul. Allí escribió una carta, que envió al rey Kafid con un mensajero del ejército. Decía: "Te hacemos saber, rey Kafid, que has obrado como un miserable. Si fueses rey, hijo de rey, no habrías hecho tal cosa, ni invadido mi país, ni robado los bienes de sus habitantes, ni maltratado a mis súbditos. ¿Es que no sabes que todo esto constituye una iniquidad por tu parte? Si yo hubiese sabido que ibas a atacar mi reino, te habría salido al encuentro antes de que pudieses llegar a él; te habría impedido invadirlo. Vuelve atrás, deja de proceder mal y no pasará nada. Pero si no te retiras, te habrás de enfrentar conmigo a lanzazos en el campo de batalla". Selló la carta, se la entregó a un oficial de sus tropas y lo despachó en compañía de unos espías, para que éstos obtuvieran informes. El soldado tomó la misiva y corrió al encuentro del rey Kafid. Al acercarse adonde se encontraba distinguió, desde lejos, las tiendas levantadas: eran de seda de raso, coronadas por banderas de seda azul. Entre las tiendas había una enorme, de seda roja, alrededor de la cual se encontraba un gran ejército. Avanzó hasta ésta, preguntó de quién era y se le contestó: "Es la tienda del rey Kafid". Vio que en el centro de la misma había un hombre sentado en un trono con gemas incrustadas, y junto a él estaban los visires, los emires y los grandes del reino. Mostró la carta que llevaba, y un grupo de los soldados del rey Kafid le salió al encuentro, se hizo cargo de la misiva y se la llevó al rey. Éste la tomó, y al leerla comprendió lo que quería decir y escribió la contestación: "Hacemos saber al rey Tigmus que estamos resueltos a tomar venganza, a lavar la afrenta, a arruinar su reino, rasgar los velos, matar a los grandes y cautivar a los pequeños. Mañana apareceré para luchar en la palestra, y te haré conocer la guerra y la lanza". Selló la carta y se la entregó al mensajero del rey Tigmus. Éste la cogió y se fue.»

Sahrazad se dio cuenta de que amanecía e interrumpió el relato para el cual le habían dado permiso.

Cuando llegó la noche *quinientas dieciocho*, refirió:

—Me he enterado, ¡oh rey feliz!, de que [el mensajero] «al llegar, besó el suelo ante su rey, le entregó el mensaje y lo informó de lo que había visto. Dijo: "He visto caballeros, héroes e infantes innumerables, cuyo número es imposible evaluar; sus fuerzas son incontables". El rey leyó la carta, comprendió lo que quería decir y montó en cólera. Mandó a su visir, Ayn Zar, que tomase mil caballeros y atacase al ejército del rey Kafid, al mediar la noche, que cayese en medio de sus soldados y que los matase. El visir contestó: "¡Oír es obedecer!" Montó a caballo y salió con sus tropas al encuentro del rey Kafid, el cual tenía un visir llamado Gatrafán. Le ordenó que montase a caballo, que tomase cinco mil jinetes, saliese al encuentro del ejército del rey Tigmus, lo atacara y matase a sus soldados. Gatrafán hizo lo que le mandaba Kafid, y avanzó con sus tropas contra el rey Tigmus. Cabalgaron hasta medianoche, y recorrieron la mitad del camino. Entonces, el visir Gatrafán cargó contra Ayn Zar. Chocaron los hombres y se inició una violenta batalla. Combatieron unos con otros hasta el amanecer, hora a la cual los soldados del rey Kafid habían sido derrotados y volvieron grupas, iniciando la huida. El rey, al verlo, se encolerizó y les dijo: "¡Ay de vosotros! ¿Qué os ha ocurrido para llegar a perder a vuestros héroes?" "¡Rey del tiempo! —replicaron—. Una vez hubo montado a caballo el visir Gatrafán, nos dirigimos en busca del rey Tigmus. Marchamos sin cesar hasta mediar la noche y recorrer la mitad del camino. Entonces encontramos a Ayn Zar, el visir del rey Tigmus, quien nos salió al encuentro con soldados y héroes. La batalla se desarrolló junto al río Zahrán, y, sin saber cómo, nos encontramos en medio de sus tropas, frente por frente. Combatimos con ardor desde mediada la noche hasta la aurora. Murieron muchísimos hombres. El visir Ayn Zar empezó a chillar ante los elefantes y los hirió. La fuerza de los golpes asustó a los animales, que derribaron a los caballeros y se dieron a la fuga, de tal modo que nadie podía ver nada por la gran cantidad de polvo levantado. La sangre corría a raudales. Si nosotros no hubiésemos llegado aquí como fugitivos, todos habríamos muerto." Al oír estas palabras, el rey Kafid exclamó: "¡Que el sol no os bendiga! ¡Que se enfade con vosotros y os cubra de ignominia!"

»El visir Ayn Zar volvió al lado del rey Tigmus y le explicó lo sucedido. El soberano lo felicitó por haber escapado con vida, se alegró muchísimo y mandó que redoblasen los timbales y tocasen las trompetas. Después contó las bajas de su ejército y vio que le habían matado cien de sus más valientes y resueltos caballeros. El rey Kafid, por su parte, preparaba a sus soldados, milicias y ejércitos, y avanzaba hacia el centro del campo. Se alinearon fila tras fila y formaron en un fondo de quince filas, en cada una de las cuales había diez mil caballeros. Tenía, además, trescientos héroes montados en elefantes, y había elegido a los más valientes y audaces. Izaron banderas y estandartes mientras redoblaban los timbales y tocaban las trompetas; los paladines avanzaban en busca del combate. El rey Tigmus había dispuesto su ejército fila tras fila en un fondo de diez. Cada una de ellas tenía diez mil caballeros; disponía, además, de cien héroes que cabalgaban a ambos lados de él. Una vez alineadas las tropas, los caballeros avanzaron, los ejércitos acudieron al encuentro, y la superficie de la tierra resultó pequeña para contener a tantos caballos. Resonaban los tambores y los timbales, las flautas, las trompetas y los añafiles, y los oídos ensordecían ante el relinchar de los caballos y los gritos de los hombres. El polvo se levantó por encima de las cabezas, y el encarnizado combate duró desde el principio del día hasta la llegada de las tinieblas. Entonces los ejércitos se separaron y volvieron a sus campamentos.»

Sahrazad se dio cuenta de que amanecía e interrumpió el relato para el cual le habían dado permiso.

Cuando llegó la noche *quinientas diecinueve*, refirió:

—Me he enterado, ¡oh rey feliz!, de que «el rey Kafid pasó revista a sus tropas y vio que había perdido cinco mil hombres, por lo cual se encolerizó. El rey Tigmus pasó también revista a sus tropas y comprobó que había perdido tres mil de sus más valientes caballeros, por lo cual se indignó muchísimo. Al día siguiente, el rey Kafid salió al campo de batalla e hizo lo mismo que el día anterior: ambos reyes estaban resueltos a alcanzar la victoria. El rey Kafid gritó a sus tropas: "¿Quién de vosotros saldrá a la palestra para abrir la puerta de la guerra y del combate?" Un campeón, llamado Barkik, se adelantó montado en un elefante: era un héroe magnífico. Avanzó, bajó del lomo del elefante, besó el suelo ante el rey Kafid y le pidió permiso para salir a luchar. Luego volvió a montar en el animal, lo condujo al campo y gritó: "¿Hay quien quiera batirse conmigo? ¿Quién combate? ¿Quién lucha?" El rey Tigmus, al oír esto, se volvió hacia sus soldados y les dijo: "¿Quién de vosotros luchará con ese campeón?" Inmediatamente se destacó de las filas un caballero montado en un gran corcel, se dirigió al rey, besó el suelo ante él y le pidió permiso para iniciar el combate. Salió al encuentro de Barkik, y al llegar éste, le dijo: "¿Quién eres tú que te atreves a medirte conmigo solo? ¿Cómo te llamas?" "Me llamo Gadanfar b. Kahil." "He oído hablar de ti cuando estaba en mi país. ¡Vamos! ¡Lucharemos entre las filas de los héroes!" Gadanfar, al oír estas palabras, sacó una maza de hierro que llevaba debajo del muslo, mientras Barkik empuñaba la espada. Lucharon encarnizadamente. Al cabo de un rato, Barkik dio un mandoble a Gadanfar que fue a perderse en el yelmo, sin causarle el menor daño. Gadanfar, al recibir el golpe, replicó con un mazazo que hizo caer el cuerpo de su enemigo encima del elefante. Inmediatamente se presentó otra persona, que le preguntó: "¿Quién eres tú para haber matado a mi hermano?", y, cogiendo un venablo, lo lanzó contra Gadanfar; lo alcanzó en el muslo y se clavó en la cota. El héroe, al verlo, desenvainó la espada y, de un mandoble, partió en dos mitades a su enemigo, que cayó muerto en el suelo en medio de un charco de sangre. Luego, Gadanfar se retiró para presentarse al rey Tigmus. Kafid, al ver aquello, gritó a sus soldados: "¡Acudid a la palestra! ¡Combatid contra sus caballeros!" El rey Tigmus también acudió con sus tropas y sus soldados y lucharon encarnizadamente. Los caballos relinchaban contra los caballos, los hombres gritaban contra los hombres, las espadas se desenvainaban, y todos los caballeros famosos avanzaban; los caballeros marchaban frente a los caballeros, y los cobardes huían del lugar en que se daban cita las lanzas; los timbales redoblaban, y las trompetas sonaban. Los hombres oían únicamente el tumultuoso griterío y el chocar de las armas. Allí murieron muchísimos héroes, y el combate continuó hasta que el sol descendió de la cúpula del firmamento. Entonces el rey Tigmus se retiró con sus tropas y sus milicias y volvió a su campamento, lo mismo que el rey Kafid. El primero pasó revista a sus hombres y vio que había perdido cinco mil caballeros, y que cuatro banderas habían sido despedazadas. Al comprobarlo, se indignó muchísimo. Kafid pasó también revista a sus hombres y vio que había perdido seiscientos de sus más valientes paladines, y que nueve banderas habían sido desgarradas. Se suspendió el combate durante tres días, al cabo de los cuales el rey Kafid escribió una carta, que envió con un mensajero de su ejército, dirigida a un rey que se llamaba Faqun al-Kalb. El mensajero partió. Kafid lo llamaba, pues era pariente suyo por parte de madre. Cuando Faqun se hubo enterado de lo que ocurría, reunió su ejército y sus milicias y se dirigió al lugar en que se encontraba el rey Kafid.»

Sahrazad se dio cuenta de que amanecía e interrumpió el relato para el cual le habían dado permiso.

Cuando llegó la noche *quinientas veinte,* refirió:

—Me he enterado, ¡oh rey feliz!, de que «mientras el rey Tigmus estaba tranquilamente sentado, se le presentó un mensajero y le dijo: "He visto que se levantaba una nube de polvo en la lejanía, que ascendía hasta lo más alto del aire". El rey Tigmus ordenó a un grupo de sus soldados que saliesen en descubierta para ver de qué se trataba. Marcharon para cumplir la orden, y luego regresaron y dijeron: "¡Oh, rey! Hemos visto la nube de polvo; al cabo de un rato el aire lo ha dispersado, y hemos podido contar siete banderas, debajo de cada una de las cuales marchaban tres mil caballeros; se dirigía hacia el campamento del rey Kafid". Cuando el rey Faqun al-Kalb llegó ante Kafid, lo saludó y le preguntó: "¿Qué te ocurre? ¿Qué significa esta batalla en la que te encuentras?" Kafid contestó: "¿Es que no sabes que el rey Tigmus es mi enemigo, el asesino de mis hermanos y de mi padre? He venido a combatirlo y a vengarme". "¡Que el Sol te bendiga!" El rey Kafid tomó consigo al rey Faqun al-Kalb, lo condujo a su tienda y se alegró mucho de su llegada. Esto es lo que hace referencia al rey Tigmus y al rey Kafid.

»He aquí ahora lo que se refiere a Chansah. Durante dos meses no vio a su padre ni permitió que entrase a hacerle compañía ninguna de las concubinas que estaban a su servicio. Todo ello lo llenó de una gran inquietud. Preguntó a uno de los de su séquito: "¿Qué le ocurre a mi padre que no viene a verme?" Le explicaron lo que le había ocurrido con el rey Kafid. El príncipe dijo: "¡Traedme mi corcel para que vaya a reunirme con mi padre!" "Oír es obedecer", le contestaron. Le llevaron el corcel, y cuando lo tuvo delante, el príncipe se dijo: "Yo estoy preocupado por mis cosas. Lo mejor será que monte en mi caballo y me dirija a la ciudad de los judíos. Una vez llegue a ella, Dios hará que encuentre al comerciante que me tomó a sueldo para trabajar. Tal vez haga conmigo lo que hizo la primera vez. Nadie sabe dónde se encuentra la felicidad". Montó a caballo y, tomando consigo mil jinetes, se puso en camino.

»Las gentes decían: "Chansah va a reunirse con su padre para combatir a su lado". Cabalgaron sin descanso hasta la caída de la tarde. Entonces acamparon en una gran pradera y pernoctaron en ella. Una vez se hubieron dormido y el príncipe hubo comprobado que todos los soldados dormían, se levantó sigilosamente, se puso el cinturón, montó en su corcel y emprendió el camino de Bagdad, ya que había oído decir a los judíos que cada dos años llegaba una caravana de Bagdad. El príncipe se decía: "Cuando llegue a Bagdad, me incorporaré a la caravana hasta llegar a la ciudad de los judíos". Resuelto a ello, emprendió el camino. La tropa, al despertarse y no encontrar a Chansah ni a su corcel, montaron a caballo y empezaron a buscarlo por todas partes sin encontrar ni rastro de él. Corrieron a reunirse con su padre y lo informaron de lo que había hecho su hijo. El soberano se encolerizó de un modo terrible. Arrojó la diadema de su cabeza y exclamó: "¡No hay fuerza ni poder sino en Dios! ¡He perdido a mi hijo mientras el enemigo me acosa!" Los príncipes y los ministros le aconsejaron: "¡Ten paciencia, rey del tiempo! ¡La paciencia trae consigo la felicidad!"

»Chansah, por su parte, estaba triste, preocupado, por

encontrarse separado de su padre y de su amada; tenía el corazón herido, los ojos derramaban lágrimas, y permanecía insomne noche y día. A su vez, el padre, cuando se enteró de que había perdido todas sus tropas y milicias, abandonó el campo de batalla a su enemigo y regresó a la capital. Entró en ella, cerró las puertas, fortificó las murallas y huyó delante del rey Kafid. Éste se presentaba una vez al mes para plantear batalla. Permanecía al pie de sus muros durante siete noches y ocho días, y después se retiraba con las tropas a su campamento para curar a los hombres que estaban heridos. Los habitantes de la capital del Tigmus se dedicaban —en cuanto el enemigo se retiraba de sus muros— a arreglar las armas, fortificar y construir catapultas. El rey Tigmus y el rey Kafid continuaron esta guerra durante siete años sin interrupción.»

Sahrazad se dio cuenta de que amanecía e interrumpió el relato para el cual le habían dado permiso.

Cuando llegó la noche *quinientas veintiuna,* refirió:

—Me he enterado, ¡oh rey feliz!, de que «esto es lo que a ellos se refiere.

»He aquí lo que hace referencia a Chansah. Recorrió tierras y desiertos sin interrupción, y cada vez que llegaba a una ciudad preguntaba por la Ciudadela de las Gemas, Takni. Nadie sabía darle razón. Le replicaban: "¡Jamás hemos oído tal nombre!" Preguntó después por la Ciudad de los Judíos, y un comerciante le dijo que estaba en los confines orientales del ecúmene, y añadió: "Ven con nosotros este mes a la ciudad de Mizraqán, que se encuentra en la India. Desde ésta seguiremos hacia Jurasán; desde aquí nos dirigiremos a la ciudad de Simaún, y luego al Jwarizm. La Ciudad de los Judíos se encuentra muy cerca de esta región, pues sólo hay un año y tres meses de camino". Chansah esperó a que la caravana se pusiese en marcha, se unió a ella y así llegó a Mizraqán. Al entrar en ella empezó a preguntar por la Ciudadela de las Gemas, Takni, pero nadie pudo informarlo. De nuevo se puso en camino la caravana, y él volvió a incorporarse a ella hasta llegar a la India. Entraron en una ciudad y preguntó por la Ciudadela de las Gemas, Takni, pero nadie le supo dar noticia. Le contestaron: "¡Jamás hemos oído tal nombre!" Tuvo que soportar enormes fatigas durante el viaje, tan grandes, que las más pequeñas fueron el hambre y la sed. Partieron de la India y viajaron ininterrumpidamente hasta llegar al país del Jurasán, rindiendo viaje en Simaún. Entró en ésta y preguntó por la Ciudad de los Judíos. Le dieron informes y le describieron el camino. Reanudó la marcha noche y día hasta llegar al sitio en que había huido de los monos. Siguió viajando día y noche hasta alcanzar el río en cuya orilla se encontraba la Ciudad de los Judíos. Se sentó al borde del río y esperó a que llegase el sábado y se secase por la voluntad de Dios (¡ensalzado sea!). Entonces lo cruzó y se dirigió al domicilio del judío en cuya casa se había hospedado por primera vez. Saludó a él y a toda la gente de la casa. Se alegraron mucho de volverlo a ver, le dieron de comer y de beber y luego le preguntaron: "¿Dónde has estado todo este tiempo?" Les contestó: "En el reino de Dios (¡ensalzado sea!)". Pasó la noche en aquella casa, y al día siguiente recorrió la ciudad. Encontró a un pregonero, que gritaba: "¡Oh, hombres! ¿Quién de vosotros quiere ganar mil dinares y una hermosa esclava por el trabajo de sólo medio día?" Chansah gritó: "¡Yo haré el trabajo!" El pregonero le dijo: "¡Sígueme!" Lo siguió hasta llegar a la casa del comerciante judío, el mismo ante quien lo había conducido la primera vez. El pregonero dijo al dueño de la casa: "Este muchacho hará el trabajo que deseas". El comerciante exclamó: "¡Bien venido!" Lo tomó consigo, lo introdujo en una habitación y le dio de comer y de beber. El príncipe comió y bebió. El comerciante le entregó los mil dinares y la hermosa esclava; y el joven pasó con ésta la noche. Al día siguiente por la mañana tomó la esclava y los dinares y los entregó al judío en cuya casa había pernoctado la primera vez. Luego regresó al domicilio de su patrón, montaron ambos a caballo y marcharon hasta llegar al pie de un monte altísimo, que se perdía en los aires. El comerciante sacó una cuerda y un cuchillo y dijo a Chansah: "¡Sacrifica ese caballo!" El príncipe tendió al animal, le ató las patas con la cuerda, lo degolló, lo desolló, le cortó las patas y la cabeza y le hendió el vientre conforme le mandaba el comerciante. Después, éste dijo a Chansah: "¡Métete en el vientre del caballo para que yo lo cosa y tú quedes en su interior! Dime todo lo que veas dentro. Éste es el trabajo por el cual te he pagado el sueldo". El príncipe se introdujo en el vientre del caballo, el comerciante cosió el corte, y luego, alejándose del animal, fue a esconderse. Al cabo de un rato apareció un pájaro enorme, lanzóse en picado, agarró el caballo y se remontó con él hasta las nubes, para posarse en la cima del monte. Una vez se hubo detenido en ella, quiso comerse el caballo. Cuando Chansah se dio cuenta de ello, abrió el vientre, salió, asustó al pájaro y éste remontó el vuelo, siguiendo su camino. El príncipe se incorporó, miró al comerciante y lo vio allá abajo, al pie del monte, tan pequeño que parecía un gorrión. Le preguntó: "¿Qué quieres, comerciante?" "¡Échame algunas de esas piedras que están a tu alrededor, y te mostraré el camino para que puedas descender!" "¡Tú eres aquel que se portó tan mal conmigo hace cinco años! Sufrí hambre y sed, soporté grandes fatigas y numerosos riesgos. Me has vuelto a traer a este lugar porque buscas mi muerte. ¡Por Dios que nada he de echarte!" A continuación, el príncipe cogió el camino que conducía hasta el jeque Nasr, rey de los pájaros.»

Sahrazad se dio cuenta de que amanecía e interrumpió el relato para el cual le habían dado permiso.

Cuando llegó la noche *quinientas veintidós,* refirió:

—Me he enterado, ¡oh rey feliz!, de que [el príncipe] «anduvo día y noche sin parar, llorando, con el corazón triste. Cuando tenía hambre, comía las plantas de la tierra, y cuando tenía sed bebía el agua de los ríos. Así llegó hasta el alcázar del señor Salomón. Encontró al jeque Nasr sentado junto a su puerta. Se acercó a él y le besó las manos. El jeque Nasr le dio la bienvenida y lo saludó. Después le preguntó: "¡Hijo mío!" ¿Qué es lo que te ha ocurrido para volver a este lugar? Te habías ido de aquí con la señora Samsa, contento y sin preocupaciones". El príncipe rompió a llorar y le explicó todo lo que había hecho la señora Samsa en el momento en que despegó. "Ella —dijo— añadió: 'Si me amas ven a buscarme a la Ciudadela de las Gemas, Takni'". El jeque se admiró de ello y exclamó: "¡Por Dios, hijo mío, que no sé dónde está! ¡Juro por el señor Salomón que jamás, en mi vida, he oído el nombre de esa ciudadela!" El príncipe inquirió: "¿Qué he de hacer? Moriré de amor y pasión". El jeque Nasr replicó: "Espera a que vengan los pájaros. Les preguntaremos si saben dónde está Takni, la Ciudadela de las Gemas. Tal vez alguno de ellos lo sepa". El corazón de Chansah se tranquilizó, entró en el palacio y se dirigió a la habitación donde se hallaba el estanque en que había visto a las tres muchachas. Permaneció algún tiempo con el jeque Nasr. Mientras estaba sentado como de costumbre, éste exclamó: "¡Hijo mío! Se aproxima la época de la llegada de los pájaros". El príncipe se alegró mucho al oír aquello. Habían transcurrido pocos días cuando las aves hicieron acto de presencia. El jeque Nasr se dirigió al joven y le dijo: "¡Hijo mío! ¡Apréndete estos nombres y acude a ver a los pájaros!" Las aves se fueron acercando, especie tras especie, y saludaron a Nasr. El jeque les preguntó por Takni, la Ciudadela de las Gemas. Contestaron: "¡Jamás, en nuestra vida, hemos oído hablar de ella!" Chansah rompió a llorar; suspiró y cayó desmayado. El jeque llamó a un gran pájaro y le dijo: "Conduce a este muchacho al país de Kabul". Luego le describió la región y el camino que a ella conducía. El pájaro replicó: "¡Oír es obedecer!" El príncipe montó en el dorso del ave y el jeque le dijo: "Ten cuidado y procura que el aire no te haga inclinarte, pues serías despedazado por el viento; tápate los oídos para que ni la música de las esferas celestes ni el rugido de los mares los perjudique". Aceptó los consejos de Nasr. El pájaro despegó con él, se remontó por los aires y voló con él día y noche. Luego fue a posarse junto al rey de las fieras, que se llamaba Sah Badri. El pájaro dijo al príncipe: "Hemos perdido el camino que conduce a tu país y que nos ha descrito el jeque Nasr". Se disponía a reanudar el vuelo, cuando el príncipe le dijo: "Vete a tus quehaceres y abandóname en esta tierra para que muera en ella o pueda regresar a mi país". El pájaro lo dejó ante el rey de las fieras, Sah Badri, y se fue a sus quehaceres. Éste lo interrogó diciendo: "¡Hijo mío! ¿Quién eres? ¿De dónde vienes con este gran pájaro? ¿Cuál es tu historia?" El príncipe se lo refirió todo desde el principio hasta el fin. El rey de las fieras se admiró de su relato y exclamó: "¡Juro por el señor Salomón que no conozco dicha Ciudadela, pero honraremos a todo aquel que nos dé informes, y te enviaremos a ella!" El príncipe lloró amargamente y esperó un poco hasta que el rey de las fieras, Sah Badri, se acercó para decirle: "Ven, hijo mío. Coge estas tabletas y aprende lo que contienen. Cuando lleguen las fieras, las interrogaremos sobre esa Ciudadela".»

Sahrazad se dio cuenta de que amanecía e interrumpió el relato para el cual le habían dado permiso.

Cuando llegó la noche *quinientas veintitrés,* refirió:

—Me he enterado, ¡oh rey feliz!, de que «al cabo de un rato empezaron a llegar las fieras, especie tras especie, y fueron saludando al rey Sah Badri. Éste les preguntó por la Ciudadela de las Gemas, Takni. Le contestaron todas: "No sabemos nada de esa Ciudadela ni hemos oído citarla". El príncipe rompió a llorar y a arrepentirse por no haberse marchado con el pájaro que lo había traído hasta allí desde la residencia del jeque Nasr. El rey de las fieras le dijo: "¡Hijo mío! No te apenes. Tengo un hermano mayor, el rey Simaj, que fue prisionero del rey Salomón por haberse sublevado contra éste. Él y el jeque Nasr son más viejos que cualquier genio. Tal vez sepa algo de esa ciudad, pues gobierna a los genios de este país". El rey de las fieras hizo montar al príncipe en el lomo de una de ellas y envió con él una carta de recomendación a su hermano. El animal empezó a correr en aquel mismo momento y avanzó durante días y noches, llevando a Chansah, hasta llegar a los dominios del rey Simaj. Entonces se detuvo en un lugar solitario, alejado de donde estaba el rey. El príncipe bajó del lomo del animal y siguió a pie hasta llegar ante el rey Simaj. Le besó las manos y le entregó la carta. La leyó, entendió su significado, le dio la bienvenida y le dijo: "¡Por Dios, hijo mío! ¡No he visto ni oído hablar de esa ciudadela jamás en mi vida!" Chansah empezó a llorar y a suspirar. El rey Simaj pidió: "Cuéntame tu historia y dime quién eres, de dónde vienes y adónde vas". Le explicó todo lo que le había sucedido, desde el principio hasta el fin, y el soberano quedó muy admirado. Le dijo: "¡Hijo mío! Creo que ni el mismo rey Salomón llegó a ver o a oír hablar de tal ciudadela durante su vida. Sin embargo, conozco a un ermitaño que vive en el monte. Es muy anciano. Le obedecen todos los pájaros, fieras y genios de todas las especies, ya que no ceja en la recitación de letanías contra los reyes de los genios, hasta el punto de que le obedecen a la fuerza, dada la gran eficacia de los ritos y embrujos que posee. Todos los pájaros y todas las fieras están a su servicio. Yo me rebelé contra el señor Salomón y fui su prisionero, pero quien me venció fue ese monje, con sus tretas sin par, con sus encantamientos y con sus embrujos. Así permanecí a su servicio. Sabe que él ha recorrido todas las regiones y todos los climas; conoce todos los caminos, las comarcas, las provincias, las fortalezas y las ciudades. Creo que no hay lugar que desconozca. Te voy a enviar a su lado. Tal vez él pueda guiarte a esa ciudadela. Si él no te indica dónde está, nadie podrá hacerlo, ya que es a él a quien obedecen todos los pájaros, las fieras y los genios. Todos acuden a su lado. Gracias al poder de sus embrujos, ha logrado hacerse un bastón en tres pedazos, que planta en el suelo. Si recita conjuros ante el primero, sale de él carne y sangre; si los recita ante el segundo, sale leche; si los recita ante el tercero, brota trigo y cebada. Después saca el bastón del suelo y regresa a su convento, que se llama "Monasterio del Diamante". Este monje-mago hace con sus manos cosas prodigiosas. Es brujo, mago, taimado, intrigante, malvado, y se llama Yagmus. Posee todas las fórmulas mágicas y conjuros. Es necesario que te envíe a él con un gran pájaro que tiene cuatro alas".»

Sahrazad se dio cuenta de que amanecía e interrumpió el relato para el cual le habían dado permiso.

Cuando llegó la noche *quinientas veinticuatro*, refirió:

—Me he enterado, ¡oh rey feliz!, de que «el rey Simaj lo hizo subir a un pájaro enorme que tenía cuatro alas, cada una de las cuales medía treinta codos hachimíes. Tenía patas parecidas a las del elefante, y volaba sólo dos veces al año. El rey Simaj tenía un vasallo llamado Timsún, que cada día robaba dos dromedarios del Iraq para despedazarlos y dárselos a comer a aquel pájaro. En cuanto Chansah se hubo colocado encima, el rey Simaj ordenó al animal que lo condujese ante el monje Yagmus. El pájaro lo sujetó en su dorso y emprendió la marcha con él, avanzando días y noches hasta llegar al Monte de las Ciudadelas y del Convento del Diamante. El príncipe se apeó al lado del convento y vio que Yagmus, el monje, estaba en el interior de la iglesia rezando. Se acercó a él, besó el suelo y permaneció erguido. El monje le dijo: "¡Bien venido seas, hijo mío!; eres extraño en este país, y tu patria queda lejos. Cuéntame cuál es el motivo de tu venida a este lugar". Chansah rompió a llorar y le contó toda su historia, desde el principio hasta el fin. El monje quedó extraordinariamente admirado al oírlo, y le dijo: "¡Por Dios, hijo mío! Jamás en mi vida he oído hablar de esa ciudadela ni he conocido a quien de ella haya oído hablar o la haya visto, pese a que yo ya vivía en la época de Noé, el Profeta de Dios, y que desde entonces hasta que el rey Salomón, hijo de David, se hizo cargo del poder, goberné a las fieras, a los pájaros y a los genios. Creo que ni el mismo Salomón ha oído hablar de tal ciudadela. Pero ten paciencia, hijo mío, hasta que acudan los pájaros, las fieras y los genios vasallos. Los interrogaré. Tal vez alguno de ellos pueda informarnos y darnos alguna noticia. Dios (¡ensalzado sea!) te facilitará las cosas". El príncipe permaneció algún tiempo con el monje. Mientras él estaba allí, acudieron los pájaros, las fieras y los genios en tropel. El príncipe y el monje les preguntaron por la Ciudadela de las Gemas, Takni, pero ninguno dijo: "Yo la he visto" o "Yo he oído hablar de ella". Todos decían: "No he visto esa ciudadela ni he oído hablar de ella". Chansah lloraba, sollozaba y suplicaba a Dios (¡ensalzado sea!). Mientras se encontraba en esta situación, apareció un pájaro que cerraba el grupo de las aves. De color negro y recia contextura, en cuanto descendió de lo más alto de la atmósfera fue a besar la mano del monje. Éste le preguntó por Takni, la Ciudadela de las Gemas. El pájaro contestó: "¡Monje! Nosotros vivimos detrás del Monte Qaf, en una montaña de cristal situada en una tierra grande. Yo y mis hermanos éramos polluelos, y mi padre y mi madre salían cada día a buscar su sustento y el nuestro. En cierta ocasión se marcharon y permanecieron ausentes siete días, durante los cuales padecimos un hambre atroz. Al octavo día regresaron llorando. Les preguntamos: '¿Qué es lo que ha motivado vuestra ausencia?' Contestaron: 'Nos ha salido al encuentro un *marid*, que nos ha raptado y conducido a Takni, la Ciudadela de las Gemas, para llevarnos ante el rey, Sahlán. Éste, al vernos, ha querido matarnos. Pero le hemos dicho: 'Tenemos polluelos pequeños. ¡Sálvanos de la muerte!' Si mi padre y mi madre estuviesen aún vivos, darían informes, sin duda, de la ciudadela". Chansah lloró amargamente al oír estas palabras, y dijo al monje: "Deseo que ordenes a este pájaro que me conduzca al nido de su padre y de su madre, en el Monte de Cristal, situado detrás del Monte Qaf". El eremita dijo al pájaro: "¡Oh, pájaro! Quiero que obedezcas a este muchacho en todo lo que te mande". "¡Oír es hacer caso de lo que tú dices!", replicó el pájaro. Éste hizo subir al príncipe en su dorso y remontó el vuelo. Voló sin interrupción días y noches, hasta llegar al Monte de Cristal. Descendió en él, se detuvo un rato y luego, haciéndolo subir de nuevo a su lomo, se remontó por los aires y voló durante dos días sin interrupción, hasta llegar a la tierra en la que se encontraba el nido de sus padres.»

Sahrazad se dio cuenta de que amanecía e interrumpió el relato para el cual le habían dado permiso.

Cuando llegó la noche *quinientas veinticinco,* refirió:

—Me he enterado, ¡oh rey feliz!, de que [el pájaro] «descendió en él y dijo: "¡Chansah! Éste es el nido en que estuvimos". El príncipe rompió a llorar amargamente y dijo al pájaro: "Quiero que me lleves a la región que recorrían tu padre y tu madre para conseguiros el sustento". "¡Oír es obedecer, Chansah!", replicó el pájaro. Lo cogió, se remontó con él y cruzó los cielos durante siete noches y ocho días, hasta llegar a un monte muy elevado. Hizo descender al príncipe de su lomo y le dijo: "Detrás de este monte no conozco ningún país". Chansah, vencido por el sueño, durmió en la cima de la montaña. Al despertarse vio un relámpago a lo lejos que iluminaba, con su luz, el horizonte. Este resplandor y el relámpago lo dejaron perplejo, sin darse cuenta de que se trataba de la luz de la fortaleza que él buscaba. Estaba separado de ella por una distancia de dos meses; era de jacinto rojo, y sus casas, de oro amarillo; tenía mil torres de metales preciosos que surgían del Océano de las Tinieblas, y por ello se llamaba la Ciudadela de las Gemas, Takni, puesto que estaba construida con piedras y metales preciosos. Era una gran fortaleza, su rey se llamaba Sahlán, y era el padre de las tres muchachas. Esto es lo que se refiere a Chansah.

»He aquí lo que hace referencia a la señora Samsa. Ésta, al huir del lado de Chansah, corrió junto a sus padres y les explicó lo que le había ocurrido con el príncipe; les refirió su historia y los informó de que él había recorrido la Tierra y visto sus maravillas; les dijo que él la amaba y que ella le correspondía, y les contó lo que había sucedido entre ambos. El padre y la madre, al oír estas palabras, le replicaron: "Dios no te permite obrar así con él". El padre refirió el asunto a sus vasallos, los *marid* de los genios, y les dijo: "¡Aquel de vosotros que vea un hombre, que me lo traiga!" La señora Samsa informó a su madre que Chansah estaba enamorado de ella, y le dijo: "No hay más remedio: Él ha de venir, ya que yo, cuando remonté el vuelo desde el techo del castillo de su padre, le dije: 'Si es que me amas, ven a buscarme a Takni, la Ciudadela de las Gemas'".

»Chansah, al ver aquel relámpago deslumbrador, marchó en aquella dirección para ver de qué se trataba. La señora había enviado a uno de sus servidores a hacer cierto trabajo al Monte Qarmus. Mientras éste se dirigía hacia dicho lugar, vio a lo lejos un hombre. Entonces se acercó y lo saludó. Chansah se asustó ante aquel ser, pero le devolvió el saludo. El siervo le preguntó: "¿Cuál es tu nombre?" "¡Me llamo Chansah! Soy el prisionero de un hada llamada señora Samsa, pues me he prendado de su belleza y de su hermosura. La amo con locura. Pero ella ha huido de mi lado después de haberla introducido en el alcázar de mi padre." Le refirió todo lo que le había ocurrido con ella. El príncipe, mientras hablaba al *marid,* lloraba. El siervo, al ver que Chansah lloraba, se apiadó de él y le dijo: "¡No llores! Has conseguido tu deseo. Sabe que ella te quiere muchísimo y que ha contado a su padre y a su madre que tú la amas. Todos los que viven en la ciudadela te aprecian; conque tranquilízate y deja de llorar". El *marid* lo colocó encima de sus hombros y lo condujo hasta la Ciudadela de las Gemas, Takni. Envió un mensajero al rey Sahlán, a la señora Samsa y a la madre de ésta, para informarlos de la llegada de Chansah. Cuando los mensajeros los informaron, todos se alegraron muchísimo. El rey Sahlán mandó a sus servidores que salieran al encuentro de Chansah, y él y todos sus criados, *efrits* y *marids,* acudieron a recibir al príncipe.»

Sahrazad se dio cuenta de que amanecía e interrumpió el relato para el cual le habían dado permiso.

Cuando llegó la noche *quinientas veintiséis,* refirió:

—Me he enterado, ¡oh rey feliz!, de que «cuando el rey Sahlán, padre de la señora Samsa, llegó junto a Chansah, lo abrazó. Éste besó las manos del rey, el cual mandó que diesen al príncipe un traje de Corte, de seda, de distintos colores, bordado en oro y con incrustaciones de joyas. Luego le puso una corona jamás vista por los reyes humanos, y le entregó un enorme caballo, sacado de los cuadros de los genios. El príncipe montó en él, y los servidores lo hicieron a su derecha y a su izquierda. Él y el rey avanzaron en el centro de un inmenso cortejo, hasta llegar a la puerta del alcázar. Entonces se apearon el rey y Chansah: se hallaban en un magnífico palacio, cuyas paredes estaban construidas con aljófares, rubíes y las gemas más preciosas. El cristal, la crisolita y las esmeraldas formaban su suelo. El príncipe se admiraba de todo y lloraba, mientras el rey y la madre de la señora Samsa secaban sus lágrimas y le decían: "Deja de llorar y no te entristezcas. Comprende que has conseguido lo que deseabas". Al llegar al centro del palacio salieron a recibirlo hermosas muchachas, esclavos y pajes. Lo hicieron sentar en un bello lugar y se quedaron de pie dispuestos a servirlo. El príncipe se encontraba perplejo ante la belleza de aquel sitio: las paredes se habían construido con toda clase de metales y con las más preciosas gemas. El rey Sahlán se dirigió a la sala del trono y ordenó a los esclavos y pajes que llevasen ante él a Chansah para sentarlo a su lado. Fueron por él y lo hicieron entrar. El rey se puso de pie y lo hizo sentar en su estrado, junto a él. A continuación llevaron las mesas, comieron y bebieron y luego se lavaron las manos. Después se presentó la madre de la señora Samsa, saludó al príncipe y le dio la bienvenida diciéndole: "Has conseguido tu deseo después de muchas fatigas. Puedes cerrar los ojos al insomnio. ¡Loado sea Dios que te ha salvado!" Inmediatamente después corrió al lado de su hija, la señora Samsa, y la condujo ante Chansah. Al llegar ante éste lo saludó, le besó las dos manos y bajó la cabeza, avergonzada de encontrarse ante él y ante su padre y su madre. Luego acudieron sus hermanas, aquellas que la habían acompañado al alcázar del jeque Nasr; besaron las manos del príncipe y lo saludaron. La madre de la señora Samsa le dijo: "¡Sé bien venido, hijo mío! Mi hija ha obrado mal contigo, pero no la reprendas por lo que te ha hecho, pues ha sido por lo mucho que nos quiere". El príncipe, al oír aquello, exhaló un grito y cayó desmayado. El rey se admiró de lo que ocurría. Le rociaron la cara con agua de rosas, mezclada con almizcle y algalía. Volvió en sí, miró a la señora Samsa y exclamó: "¡Loado sea Dios que me ha hecho conseguir mi deseo, que ha apagado mi fuego hasta el punto de no quedar rescoldos en mi corazón!" La señora Samsa le dijo: "Te has salvado del fuego, Chansah. Pero ahora querría que me contases qué es lo que te ha ocurrido después de mi marcha. ¿Cómo has conseguido llegar hasta aquí a pesar de que la mayoría de los genios no conocen la Ciudadela de las Gemas, Takni? Nosotros no reconocemos a ningún rey, y nadie conoce ni ha oído hablar del camino que conduce a este lugar". El príncipe le explicó todo lo que le había ocurrido y cómo había conseguido llegar. Le refirió lo sucedido entre su padre y el rey Kafid, y lo mucho que había sufrido en el camino, los peligros y los prodigios que había visto. Y añadió: "Todo esto ha sido por tu causa, señora Samsa". La madre le contestó: "Has conseguido tu deseo, y la señora Samsa es una esclava que te regalamos". Al oír esto, el príncipe se alegró mucho. La reina siguió: "Si Dios (¡ensalzado sea!) quiere, el próximo mes celebraremos las fiestas de vuestra boda. Después te marcharás a tu país y te daremos mil *marid,* de los que son nuestros servidores. Si concedes permiso, al más insignificante de ellos, para que mate al rey Kafid y a sus gentes, lo hará en un abrir y cerrar de ojos. Cada año te mandaremos más gente; bastará con que ordenes a uno de ellos que aniquile a todos tus enemigos, para que así lo haga..."»

Sahrazad se dio cuenta de que amanecía e interrumpió el relato para el cual le habían dado permiso.

Cuando llegó la noche *quinientas veintisiete,* refirió:

—Me he enterado, ¡oh rey feliz!, de que [la madre de Samsa prosiguió: «"...un solo *marid* aniquilará a todos tus enemigos] desde el primero hasta el último." Luego, el rey Sahlán se sentó en el trono y mandó a los grandes del reino que preparasen una gran fiesta y engalanasen la ciudad durante siete días, con sus noches. Contestaron que le iban a obedecer y se marcharon al momento para iniciar los preparativos de las fiestas. Éstas duraron dos meses, al cabo de los cuales se celebró la solemne boda de la señora Samsa con el príncipe. Resultaron unas fiestas como nunca se habían visto otras semejantes. Luego condujeron a Chansah hasta la señora Samsa. Vivió con ella durante dos años en la más feliz y regalada de las vidas, comiendo y bebiendo. Luego dijo a la señora Samsa: "Tu padre prometió enviarme a mi país, siempre y cuando permanezcamos un año allí y otro aquí". "¡Oír es obedecer!", replicó su mujer. Al caer la tarde, la joven fue a ver a su padre y le recordó lo que le había dicho Chansah. El rey lo aprobó: "¡De acuerdo! Mas espera hasta principios de mes, para que preparemos vuestros servidores". La joven refirió al príncipe lo que le había dicho su padre, y aquél esperó el plazo fijado. Cuando se cumplió éste, el rey Sahlán permitió a sus vasallos que se marchasen y sirviesen a la señora Samsa y Chansah hasta llegar al país de éste. Prepararon un magnífico trono de oro rojo, con incrustaciones de perlas y aljófares, coronado por un palio de seda verde recamada con toda clase de colores y repujados de las más preciosas gemas; todos los que lo veían quedaban absortos. Chansah y la señora Samsa subieron al trono y eligieron cuatro vasallos para que lo transportasen. Cada uno lo tomó por un lado, y levantaron el trono. La señora Samsa se despidió de su madre, de su padre, de sus hermanas y de sus familiares. El rey montó a caballo al lado de Chansah. Los servidores que llevaban la litera se pusieron en marcha, y el rey Sahlán los acompañó hasta el mediodía. Entonces, los servidores dejaron la litera en el suelo, se apearon de nuevo, se despidieron unos de otros, y el rey recomendó al príncipe que cuidase de la señora Samsa y, a la vez, encareció a sus vasallos que los protegiesen. Mandó a éstos que levantasen de nuevo el trono, la señora Samsa y Chansah se despidieron de nuevo, y el soberano regresó a su palacio. El rey había regalado a su hija trescientas esclavas bellísimas, y a Chansah, trescientos mamelucos que eran hijos de los genios. Se subieron todos en la litera, y los cuatro servidores la transportaron volando entre el cielo y la tierra, recorriendo cada día la distancia de treinta meses. De este modo prosiguieron el viaje ininterrumpidamente durante diez días. Uno de los vasallos conocía el país de Kabul, y al verlo mandó que descendiesen en la gran ciudad que se encontraba en él. Era la capital del rey Tigmus, y en ella descendieron...»

Sahrazad se dio cuenta de que amanecía e interrumpió el relato para el cual le habían dado permiso.

Cuando llegó la noche *quinientas veintiocho*, refirió:

—Me he enterado, ¡oh rey feliz!, de que [los genios descendieron en la capital del rey Tigmus] «llevando a Chansah y a la señora Samsa.

»El rey Tigmus había sido derrotado por sus enemigos, y tuvo que huir para refugiarse en su capital, donde quedó estrechamente cercado por el rey Kafid. Había pedido la paz a éste, pero no la había conseguido. Tigmus se dio cuenta de que no tenía medio alguno para salvarse del rey Kafid, y resolvió ahorcarse para morir y librarse de aquellas dificultades y penas. Se despidió de los visires y de los emires y entró en su palacio para saludar por última vez a todas las personas de su harén. Todos sus súbditos lloraban, sollozaban, gritaban y guardaban luto. Mientras ocurría todo esto, llegaron los vasallos al alcázar que se encontraba en el interior de la ciudadela. Chansah les mandó que depositasen la litera en el centro de la sala de audiencias, y así lo hicieron. La señora Samsa, el príncipe, las esclavas y los mamelucos se apearon. Se dieron cuenta de que los habitantes de la ciudad sufrían un terrible asedio y pasaban grandes penalidades. El príncipe dijo a la señora Samsa: "¡Amada de mi corazón! ¡Mira en qué circunstancias se encuentra mi padre!" Cuando la princesa vio el lamentable estado en que se encontraban su padre y sus súbditos, dijo a los servidores que atacasen violentamente al ejército de los sitiadores y que los matasen. Y añadió: "¡Que no quede ni uno solo!" El príncipe mandó a uno de los vasallos, muy fuerte, llamado Qaratas, que le trajese, encadenado, al rey Kafid. Los vasallos fueron a buscar a éste llevando consigo la litera. Marcharon sin descanso hasta dejar la plataforma en el suelo; pusieron encima una tienda y esperaron la medianoche. Entonces atacaron al rey Kafid y a sus tropas y los aniquilaron. Unos siervos cogían ocho o diez hombres de los que iban montados en los elefantes, remontaban el vuelo por los aires con ellos y los dejaban caer: quedaban despedazados en el aire. Otros destrozaban las tropas con mazas de hierro. El siervo llamado Qaratas se dirigió en un instante a la tienda del rey Kafid, atacó a éste mientras estaba sentado en el lecho, lo raptó y se remontó con él por los aires. El prisionero chillaba de miedo. Voló sin descanso hasta depositarlo en la plataforma, delante del príncipe. Éste mandó a cuatro vasallos que levantasen la plataforma y la tuviesen suspendida en el aire. El rey Kafid apenas había tenido tiempo de abrir los ojos cuando se vio suspendido entre el cielo y la tierra. Empezó a abofetearse la cara y a admirarse de lo que le ocurría. Esto es lo que hace referencia al rey Kafid.

»He aquí lo que se refiere al rey Tigmus. Poco faltó para que muriese de alegría al ver a su hijo. Lanzó un grito penetrante y cayó desmayado. Le rociaron el rostro con agua de rosas. Al volver en sí se abrazaron padre e hijo y lloraron copiosamente. El rey Tigmus no sabía que los vasallos estaban combatiendo al rey Kafid. Samsa se dirigió hacia el rey, padre de Chansah, le besó las manos y le dijo: "¡Señor mío! Sube a lo más alto de tu alcázar y verás el combate que sostienen los vasallos de mi padre". El rey Tigmus subió a lo más alto del palacio. Él y la señora Samsa se sentaron para contemplar el ataque de sus vasallos. Éstos atacaban a todo lo largo y ancho del ejército enemigo: unos golpeaban con barras de hierro a los elefantes y a quienes los montaban, aplastándolos de tal modo que era imposible distinguir a los hombres de los animales; otros se acercaban a un grupo de fugitivos, y con un solo grito caían muertos; otros cogían unos veinte caballeros, se remontaban con ellos por los aires y los dejaban caer al suelo, en donde se hacían pedazos. Entretanto, Chansah, su padre y su esposa, presenciaban el combate.»

Sahrazad se dio cuenta de que amanecía e interrumpió el relato para el cual le habían dado permiso.

Cuando llegó la noche *quinientas veintinueve,* refirió:

—Me he enterado, ¡oh rey feliz!, de que «el rey Kafid también lo veía desde lo alto de la plataforma, y lloraba. La batalla duró dos días, y los vasallos exterminaron hasta el último enemigo. Entonces, Chansah mandó que le acercasen la plataforma, la bajasen al suelo y la depositasen en el centro de la ciudadela del rey Tigmus. La llevaron e hicieron lo que les había mandado su señor, el rey Chansah. A continuación el rey Tigmus mandó a un vasallo, llamado Simwal, que cogiese al rey Kafid y lo encerrase, cargado de cadenas y grillos, en la Torre Negra. Simwal cumplió lo que se le había mandado. El rey Tigmus mandó que redoblaran los timbales y envió mensajeros a la madre de Chansah. Corrieron ante ella y la informaron de que su hijo había regresado y había realizado tales hechos. Ella se alegró mucho, montó a caballo y corrió a su lado. Chansah, al verla, la estrechó contra su pecho, y la mujer cayó desmayada por la mucha alegría. Le rociaron el rostro con agua de rosas, y al volver en sí lo abrazó y lloró de satisfacción. Cuando la señora Samsa se enteró de su llegada, fue a verla. La saludó, y ambas se abrazaron durante un rato. Después se sentaron a hablar. El rey Tigmus abrió las puertas de la ciudad, envió mensajeros a todas las comarcas y éstos difundieron en ellas las buenas noticias. Empezaron a llegar presentes y regalos; los emires, las tropas y los príncipes de las distintas regiones acudieron a saludarlo y a felicitarlo por la victoria y por la salvación de su hijo. Este estado de cosas duró cierto tiempo: las gentes acudían a verlo llevando regalos y grandes presentes. Después, el rey mandó que se celebrase por segunda vez la boda solemne de la señora Samsa, ordenó que se engalanase la ciudad, y la esposa fue conducida ante Chansah vistiendo preciosos trajes y joyas. El príncipe consumó el matrimonio y regaló a su esposa cien hermosas esclavas para su servicio. Al cabo de algunos días, la señora Samsa fue a visitar al rey Tigmus e intercedió por el rey Kafid. Le dijo: "Ponlo en libertad para que pueda volver a su país. Si te causa algún daño, mandaré a uno de mis vasallos que lo rapte y te lo traiga". "Oír es obedecer", replicó el rey. Mandó a Simwal que condujese al rey Kafid ante él. Llegó con cadenas y grillos y besó el suelo ante Tigmus. Éste ordenó que le quitasen los grillos y así lo hicieron. A continuación le hizo montar en un caballo malformado y le dijo: "La reina Samsa ha intercedido por ti. ¡Vete a tu país! Si vuelves a atacarme, ella ordenará a uno de sus vasallos que te traiga aquí de nuevo". El rey Kafid volvió a su país en el peor de los estados...»

Sahrazad se dio cuenta de que amanecía e interrumpió el relato para el cual le habían dado permiso.

Cuando llegó la noche *quinientas treinta,* refirió:

—Me he enterado, ¡oh rey feliz!, de que [el rey Kafid volvió a sus Estados] «y Chansah, su padre y la señora Samsa, vivieron en la más dulce, feliz y agradable vida, en la alegría más completa.

»Todo esto es lo que contó el muchacho sentado entre las dos tumbas a Buluqiya. A continuación añadió: "Yo soy Chansah, aquel que ha visto todo esto, amigo mío, Buluqiya". Éste se admiró del relato. Luego, Buluqiya, el viajero por amor a Mahoma (¡Dios lo bendiga y lo salve!), preguntó a Chansah: "¡Amigo mío! ¿Qué significan estas dos tumbas? ¿Por qué estás sentado entre ambas? ¿Por qué lloras?" Chansah le contestó: "Sabe, Buluqiya, que nosotros vivimos en la más dulce y feliz de las vidas y en la alegría más completa. Pasábamos un año en nuestro país, y otro en la Ciudadela de las Gemas, Takni. Siempre íbamos sentados en la plataforma, y los siervos la trasladaban volando entre el cielo y la tierra". Buluqiya preguntó: "¡Amigo mío! ¡Chansah! ¿Cuál es la distancia que separaba la ciudadela de vuestro país?" El príncipe contestó: "Cada día recorríamos una distancia de treinta meses, y llegábamos a la ciudadela en diez días. Este estado de cosas prosiguió durante diez años. Ocurrió que en uno de los viajes que hacíamos como de costumbre, llegamos a este lugar e hicimos descender en él la plataforma para recrearnos en esta isla. Nos colocamos en la orilla de este río, comimos y bebimos. La señora Samsa dijo: 'Quiero bañarme en este lugar'. Ella y sus esclavas se quitaron los vestidos, se metieron en el agua y nadaron. Yo me paseaba por la orilla del río dejando que las esclavas jugasen con la señora Samsa. De repente apareció un gran tiburón, uno de los animales del mar, y mordió a mi esposa en una pierna. Ella dio un grito y cayó muerta en el acto. Las esclavas salieron del río, huyendo de aquel tiburón y dirigiéndose a la tienda. Después, algunas esclavas la cogieron y la condujeron, muerta, a la tienda. Al verla, caí desmayado. Me rociaron el rostro con agua. Al volver en mí rompí a llorar y ordené a los vasallos que cogiesen la plataforma y la llevasen a sus familiares, informándoles de lo que había ocurrido a la señora Samsa. Los vasallos fueron a presentarse a sus familiares y los informaron de lo que le había sucedido. Poco tiempo después, sus familiares llegaron a este lugar, la lavaron, la amortajaron, la enterraron y celebraron los funerales. Quisieron que yo me fuese con ellos a su país, pero dije a su padre: 'Quiero pedirte que me abras una fosa al lado de la de Samsa; haré de ésta mi tumba. Tal vez cuando muera seré enterrado en ella'. El rey Sahlán dio orden a sus vasallos de que hicieran lo que yo deseaba. Después se marcharon de mi lado y me dejaron solo aquí, sollozando y llorando por ella. Tal es mi historia y la causa de que yo viva entre estas dos tumbas". Luego recitó estos versos:

Desde que os habéis ausentado, señores, la cosa
ya no es la cosa; aquel vecino amable ya no es
vecino.
Ni el amigo al cual, en su época, había tratado,
es ya amigo, ni las luces dan ya luz para mí.»

Sahrazad se dio cuenta de que amanecía e interrumpió el relato para el cual le habían dado permiso.

Cuando llegó la noche *quinientas treinta y una,* refirió:

—Me he enterado, ¡oh rey feliz!, de que «Buluqiya se admiró muchísimo de las palabras de Chansah y dijo: "¡Por Dios! Creía haber recorrido y dado la vuelta a buena parte de la Tierra; mas, ¡por Dios!, que al oír tu relato he olvidado todo lo que he visto". A continuación dijo a Chansah: "Espero de tu generosidad y de tu favor, amigo mío, que me indiques el camino de la salvación". Chansah se lo mostró. Buluqiya se despidió de él y se marchó.»

Todo este relato fue lo que contó la reina de las serpientes a Hasib Karim al-Din. Éste le preguntó: «¿Cómo es que sabes estas historias?» Le contestó: «Sabe, ¡oh, Hasib!, que yo envié a Egipto, hace veinticinco años, una gran serpiente que llevaba una carta de salutación a Buluqiya, para que se la entregase a éste. La serpiente se marchó y la llevó a Bint Samuj. Ésta tenía una hija en la tierra de Egipto. Cogió la carta y se marchó hasta Egipto. Preguntó a las gentes por Buluqiya y le indicaron por dónde debía ir. Cuando llegó ante él y lo vio, lo saludó y le entregó la carta. Él la leyó y comprendió su significado. Luego preguntó a la serpiente: "¿Vienes de parte de la reina de las serpientes?" Contestó: "Sí". Le dijo: "Quiero acompañarte a ver a la reina de las serpientes, pues tengo algo que pedirle". "¡Oír es obedecer!", respondió la mensajera. Lo tomó consigo y lo condujo hasta llegar ante Bint Samuj, su madre. Lo confió a ésta y se despidió de ella. Se marcharon, y la serpiente le dijo: "¡Cierra los ojos!" Los cerró. Al abrirlos se vio en este monte en el cual me encuentro. La serpiente lo acompañó ante aquella que le había entregado la carta y la saludó. Le preguntó: "¿Has entregado la misiva a Buluqiya?" "Sí, se la he entregado y él ha venido conmigo. Aquí está." Buluqiya se adelantó, saludó a aquella serpiente y la interrogó acerca de la reina de las serpientes. Le contestó: "La reina de las serpientes se ha marchado, con sus ejércitos y sus tropas, al Monte Qaf. Cuando llega el verano, regresa siempre a esta región. Al marcharse al monte me nombra su lugarteniente, hasta que vuelve. Si tienes algún deseo, dímelo y lo satisfaré". Buluqiya le replicó: "Quiero que me traigas aquellas plantas que hacen que aquel que las exprime y bebe su zumo, ni enferma, ni encanece, ni muere". La serpiente le contestó: "¡No te las traeré hasta que no me hayas explicado lo que te ha ocurrido desde el momento en que te separaste de la reina y te marchaste con Affán a la tumba del señor Salomón!" Buluqiya le contó toda su historia desde el principio hasta el fin, y le refirió en detalle lo que había sucedido a Chansah. A continuación añadió: "Satisface mi deseo para que pueda regresar a mi país". La serpiente exclamó: "¡Juro por el señor Salomón que no conozco el camino que conduce hasta esa hierba!" Luego dijo a la serpiente que había conducido a Buluqiya: "¡Llévalo de nuevo a su país!" "Oír es obedecer", replicó. Le dijo: "¡Cierra los ojos!" Los cerró, y al volverlos a abrir Buluqiya se encontró en el Monte al-Muqattam. Echó a andar hasta llegar a su casa.»

Cuando la reina de las serpientes regresó del Monte Qaf, su lugarteniente acudió a saludarla y le dijo: «Buluqiya te saluda», y a continuación le refirió todo lo que éste le había contado, es decir, lo que había visto en sus viajes y su encuentro con Chansah. Después, la reina de las serpientes dijo a Hasib Karim al-Din: «Ésa es quien me ha dado a conocer esta historia, Hasib». Éste le dijo: «¡Reina de las serpientes! ¡Cuéntame qué es lo que ocurrió a Buluqiya cuando llegó a Egipto!» Le refirió: «Sabe, Hasib, que cuando Buluqiya se separó de Chansah, viajó de día y de noche hasta llegar a un gran mar. Se untó los pies con el jugo que tenía y cruzó la superficie de las aguas hasta llegar a una isla cubierta de árboles y con abundantes ríos y frutos: parecía el Paraíso. Recorrió la isla y encontró un árbol enorme, cuyas hojas semejaban las velas de un barco. Se acercó a él y vio que debajo había un mantel extendido, y sobre éste, toda clase de guisos, exquisitos. En la copa del árbol había un gran pájaro de perlas y esmeraldas verdes; los pies eran de plata, y el pico, de un rojo rubí; las gemas más preciosas formaban sus plumas. Loaba a Dios (¡ensalzado sea!) y rezaba por Mahoma (¡Él lo bendiga y lo salve!)».

Sahrazad se dio cuenta de que amanecía e interrumpió el relato para el cual le habían dado permiso.

Cuando llegó la noche *quinientas treinta y dos*, refirió:

—Me he enterado, ¡oh rey feliz!, de que «Buluqiya, al ver aquel enorme pájaro, le preguntó: "¿Quién eres? ¿A qué te dedicas?" Le contestó: "Yo soy uno de los pájaros del Paraíso. Sabe, amigo mío, que Dios (¡ensalzado sea!) expulsó a Adán del Paraíso, y con él salieron cuatro hojas con las cuales tapaba sus vergüenzas. Estas hojas cayeron al suelo: una de ellas se la comió un gusano, que se transformó en el gusano de seda; la segunda se la comió una gacela, que se transformó en la gacela de almizcle; la tercera se la comió una abeja, y desde entonces dio miel; la cuarta cayó en la India y dio origen a las especies. Yo, por mi parte, he recorrido toda la Tierra, hasta que Dios me concedió este lugar y en él me instalé. Los santones y los jefes religiosos vienen todos los viernes a este lugar para visitarme; comen estos frutos y son los huéspedes de Dios (¡ensalzado sea!). Así los invita todos los viernes por la noche. Después, los manteles son llevados al Paraíso. Estos guisos nunca se consumen ni se alteran". Buluqiya comió de ellos, y, una vez hubo terminado, dio las gracias a Dios (¡ensalzado sea!). Entonces apareció al-Jadir (¡sobre él sea la paz!). Buluqiya le salió al encuentro, lo saludó y quiso marcharse, mas el pájaro le dijo: "¡Siéntate, Buluqiya, en presencia de al-Jadir (¡sobre él sea la paz!)!" Buluqiya se sentó y al-Jadir le dijo: "¡Cuéntame quién eres y refiéreme toda tu historia!" Buluqiya le relató lo que le había sucedido, desde el principio hasta el fin, hasta el momento en que había llegado al sitio en que se encontraba sentado ante Jadir. Después le preguntó: "¡Señor mío! ¿Cuál es la distancia que separa este lugar de Egipto?" Le contestó: "¡Noventa y cinco años!" Buluqiya, al oír estas palabras, rompió a llorar. En seguida se arrojó a besar la mano de al-Jadir y le dijo: "Líbrame de tanta distancia y Dios te recompensará, ya que yo estoy a punto de morir y no tengo escapatoria". Al-Jadir le dijo: "Pide a Dios (¡ensalzado sea!) que me permita conducirte hasta Egipto antes de que te mueras". Buluqiya rompió a llorar y se humilló ante Dios (¡ensalzado sea!). Él aceptó su plegaria e inspiró a al-Jadir (¡sobre él sea la paz!), quien lo condujo a su familia. Al-Jadir (¡sobre él sea la paz!) dijo a Buluqiya: "¡Levanta la cabeza! Dios ha aceptado tu plegaria y me ha inspirado el que te conduzca a Egipto. Cógete bien a mí y cierra los ojos". Buluqiya se colgó de al-Jadir (¡sobre él sea la paz!), se agarró a él y cerró los ojos. Al-Jadir dio un paso, y después dijo a Buluqiya: "¡Abre los ojos!" Al abrirlos se encontró ante la puerta de su casa. Dio la vuelta para despedirse de al-Jadir (¡sobre él sea la paz!), pero no encontró ni sus huellas.»

Sahrazad se dio cuenta de que amanecía e interrumpió el relato para el cual le habían dado permiso.

Cuando llegó la noche *quinientas treinta y tres,* refirió:

—Me he enterado, ¡oh rey feliz!, de que «Buluqiya entró en la casa. Su madre, al verlo, dio un grito terrible, y de la gran alegría que experimentó cayó desmayada. Le rociaron el rostro con agua hasta que volvió en sí. En cuanto hubo recuperado el conocimiento lo abrazó y lloró a torrentes. Buluqiya tan pronto lloraba como reía. Sus familiares, parientes y amigos, acudieron a felicitarlo por haberse salvado. La noticia se difundió por todo el país, y le llegaron regalos desde todas las regiones. Los tambores redoblaron; las trompetas sonaron, y se alegraron todos muchísimo. Después, Buluqiya les refirió toda su historia, los informó de todo lo que le había sucedido y cómo al-Jadir lo había dejado en la puerta de su casa. Se admiraron mucho y rompieron a llorar hasta desahogarse.»

Esto fue lo que la reina de las serpientes contó a al-

Hasib Karim al-Din. Éste se admiró de todo, pero rompió a llorar y dijo a la reina de las serpientes: «¡Quiero regresar a mi país!» «Temo, ¡oh, Hasib!, que cuando llegues a tu patria faltes a la promesa, rompas el juramento que has hecho y entres en un baño.» El joven le juró solemnemente: «¡Jamás en mi vida entraré en un baño!» La reina dijo a una serpiente: «Haz salir a la superficie de la tierra a Hasib Karim al-Din». Lo llevó de un lado para otro hasta dejarlo en la superficie de la tierra, junto a la boca de un pozo abandonado. El joven se puso a andar hasta llegar a la ciudad. Se dirigió hacia su casa al atardecer, cuando el sol amarilleaba. Llamó a la puerta, y su madre le abrió. Al ver a su hijo dio un grito de alegría y se arrojó en sus brazos, llorando. Al oír el llanto, salió la esposa y vio a su marido. Lo saludó, le besó las manos y todos se alegraron muchísimo. Entraron en su casa. Una vez Hasib se hubo sentado e instalado entre su familia, preguntó por los leñadores que trabajaban con él y que se habían marchado, dejándolo en la cisterna. La madre le dijo: «Vinieron a verme y me dijeron: "Un lobo se ha comido a tu hijo en el Valle". Ahora son comerciantes y tienen riquezas y tiendas, y la vida les es fácil. Cada día nos traen de comer y de beber, y así han hecho hasta ahora». Dijo a su madre: «Mañana irás a verlos y les dirás: "Hasib Karim al-Din ha regresado de su viaje. Venid a verlo y a saludarlo".» Al amanecer, la madre fue a recorrer las casas de los leñadores y les dijo lo que le había encargado su hijo. Los leñadores cambiaron de color al oír estas palabras, y contestaron: «¡Oír es obedecer!», y cada uno de ellos le dio un vestido de seda, bordado en oro, diciéndole: «Da esto a tu hijo para que se lo ponga, y dile: "Mañana vendrán a verte"». «¡Oír es obedecer!», replicó la mujer. Luego regresó junto a su hijo, le explicó lo ocurrido y le entregó lo que le habían dado. Esto es lo que hace referencia a Hasib Karim al-Din.

He aquí ahora lo que se refiere a los leñadores. Éstos reunieron a un grupo de comerciantes y les explicaron lo que les ocurría con Hasib Karim al-Din. Les preguntaron: «¿Qué hacemos ahora?» Los comerciantes replicaron: «Cada uno de vosotros debe entregarle la mitad de lo que posee y de sus esclavos». Todos estuvieron de acuerdo con esta opinión. Cada uno de ellos tomó la mitad de sus bienes y acudieron a verlo. Lo saludaron, le besaron las manos y se lo entregaron, diciendo: «Esto proviene de tu generosidad. Estamos en tu poder». Hasib los aceptó y les dijo: «Lo pasado, pasado está. Así estaba decretado por Dios (¡ensalzado sea!), y lo predestinado se realiza, por más precauciones que se tomen». Le dijeron: «Acompáñanos a pasear por la ciudad, e iremos al baño». «He prestado juramento de que jamás en la vida entraré en el baño.» «Ven, pues, a ver nuestras cosas y serás nuestro huésped.» «¡Oír es obedecer!», replicó él. Se marchó con ellos a su casa, y cada uno lo hospedó durante una noche. Esta situación duró siete noches. Hasib era rico y tenía fincas y tiendas. Reunió a los comerciantes de la ciudad y les explicó todo lo que le había sucedido y lo que había visto. Se convirtió en uno de los hombres de negocios más importante. En esta situación vivió algún tiempo.

Cierto día salió a pasear por la ciudad, y al pasar por delante de la puerta de un baño, que pertenecía a un amigo suyo, éste lo vio; corrió hacia él, lo saludó, lo abrazó y le dijo: «¡Hónrame entrando y tomando un baño para que yo pueda hacerte los honores de la hospitalidad!» Le replicó: «¡He jurado no entrar jamás en la vida en el baño!» El bañista exclamó: «¡Que mis tres mujeres queden repudiadas por triple repudio si tú no entras conmigo en el baño y te lavas!» Hasib Karim al-Din le dijo: «Así, amigo mío, ¿quieres que mis hijos queden huérfanos y arruinar mi casa cargando mis espaldas con un pecado?» El bañista se arrojó a los pies de Hasib Karim al-Din, los besó y le dijo: «Por lo que más quieras, te pido que entres en el baño. ¡Que el pecado caiga sobre mis espaldas!» Acudieron todos los operarios del baño y todos los clientes que en él había: rodearon a Hasib Karim al-Din, lo metieron en el edificio, le quitaron los vestidos y lo arrojaron al baño. En cuanto lo metieron, Hasib se puso a un lado, se colocó junto a la pared y vertió el agua sobre su cabeza. De repente se lanzaron sobre él veinte hombres, exclamando: «¡Síguenos! ¡Estás en deuda con el sultán!» Enviaron a uno de ellos a informar al visir del sultán. El hombre se marchó y lo informó. El visir montó a caballo, y, acompañado por sesenta mamelucos, fue al baño. Se reunió con Hasib Karim al-Din, al cual saludó amablemente, dio al bañista cien dinares y mandó que ofreciesen a Hasib un caballo para que montase en él. El visir y Hasib montaron, y lo mismo hizo la escolta. Los acompañaron hasta llegar al alcázar del sultán. El visir y Hasib se apearon y se sentaron. Pusieron los manteles, comieron y bebieron, y después se lavaron las manos. El visir le regaló dos trajes de Corte, cada uno de los cuales valía cinco mil dinares. Le dijo: «Sabe que Dios ha tenido misericordia de nosotros y nos ha hecho el favor de enviarte. El sultán está a punto de morir comido por la lepra. Los libros nos han indicado que su vida está en tus manos».

Hasib se admiró de lo que ocurría. Él, el visir y los cortesanos cruzaron las siete puertas del palacio hasta llegar ante el rey. Éste se llamaba Karazdán y era soberano de los persas y de los Siete Climas. Tenía a su servicio cien sultanes, que se sentaban en tronos de oro rojo, y diez mil héroes, cada uno de los cuales tenía a sus órdenes cien lugartenientes y cien verdugos, con la espada y el hacha en la mano. El rey estaba adormecido y tenía la cara envuelta en un lienzo; gemía a causa de la enfermedad. Al ver aquello, Hasib Karim al-Din quedó perplejo, pues el rey Karazdán le inspiraba mucho respeto. Besó el suelo ante él y rogó por su salud. A continuación se le acercó el gran visir, que se llamaba Samhur; le dio la bienvenida y lo hizo sentar en un trono de oro, a la diestra del rey Karazdán.

Sahrazad se dio cuenta de que amanecía e interrumpió el relato para el cual le habían dado permiso.

Cuando llegó la noche *quinientas treinta y cuatro*, refirió:

—Me he enterado, ¡oh rey feliz!, de que pusieron los manteles, comieron, bebieron y se lavaron las manos. Después, el visir Samhur se puso de pie. Todos los allí presentes se incorporaron en señal de respeto. El visir se acercó a Hasib Karim al-Din y le dijo: «Todos nosotros estamos a tu servicio. Te daremos todo lo que pidas. Si pidieras la mitad del reino, te la entregaríamos, ya que la curación del rey está en tus manos». Lo cogió de la mano, lo condujo ante el rey y le destapó la cara ante el muchacho. La observó y vio que la enfermedad había alcanzado su apogeo. Quedó muy admirado. El visir se inclinó sobre la mano del joven y la besó; después dijo: «Te pedimos que cures a este rey. Te daremos lo que pidas. Esto es lo que de ti necesitamos». Hasib contestó: «Sí; ciertamente yo soy hijo de Daniel, el profeta de Dios, pero no tengo nada de su ciencia. Me obligaron a practicar la medicina durante treinta días, pero no pude aprender nada. ¡Cuánto desearía saber algo de dicha ciencia para poder curar al rey!» El visir le dijo: «No nos entretengas con tus palabras. Aunque se reuniesen todos los sabios de Oriente y de Occidente, tú serías el único capaz de curar al rey». «¿Cómo he de curarlo, si yo no conozco ni su enfermedad ni la manera de curarla?» «¡Tú sabes perfectamente cuál es su medicina! El remedio lo constituye la reina de las serpientes, y tú sabes el lugar en que está, la has visto, has estado con ella.» Al oír Hasib estas palabras, se dio cuenta de que todo esto era consecuencia de su entrada en el baño. Empezó a arrepentirse cuando ya de nada le servía el arrepentimiento. Les dijo: «¿La reina de las serpientes? Yo no la conozco ni he oído ese nombre en toda mi vida».

El visir le replicó: «No niegues que la conoces, pues yo tengo pruebas de que has pasado dos años con ella». «Ni la conozco, ni la he visto, ni he oído hablar de ella hasta este momento.»

El visir mandó que le diesen un libro, lo abrió, empezó a calcular y leyó: «La reina de las serpientes se reunirá con un hombre, que permanecerá con ella dos años. Después se separará de ella y saldrá a la superficie de la tierra. Si entra en un baño, el vientre se le volverá negro». A continuación dijo a Hasib: «¡Mírate el vientre!» Él se lo miró y vio que estaba negro. Hasib les dijo: «¡Mi vientre está negro desde el día en que me dio a luz mi madre!» «He tenido apostados en cada baño tres mamelucos para que observasen a todos los que entraban, viesen cómo tenían el vientre y me informasen. Cuando tú has entrado en el baño, se fijaron en tu vientre; al ver que era negro, me han enviado un mensajero con la noticia, cuando ya desesperábamos de encontrarte. Sólo necesitamos que nos muestres el lugar por el que has salido a la superficie. Luego puedes marcharte a tus quehaceres, pues nosotros podremos apoderarnos de la reina de las serpientes y tenemos a alguien que nos la puede traer.»

Hasib se arrepintió mucho de haber entrado en el baño; pero de nada le servía ya el arrepentimiento. Los príncipes y los visires insistieron para que les diese informes de la reina de las serpientes, hasta que agotaron todos los argumentos, pues él se obstinaba: «No he visto eso ni he oído hablar de ello». Harto ya, el visir mandó llamar al verdugo. Lo condujeron ante él y le ordenó que quitase los vestidos a Hasib y que lo apalease duramente. Así lo hizo, hasta dejarlo en un estado próximo a la muerte. El visir le dijo: «Tenemos la prueba de que tú conoces el lugar en que está la reina de las serpientes. ¿Por qué lo niegas? Muéstranos el sitio por el cual saliste, y márchate de nuestro lado. Tenemos una persona que se apoderará de ella y no recibirás ningún daño». Luego lo trató con suavidad, y mandó que le diesen un traje de Corte, bordado en oro y cuajado de gemas. Hasib obedeció la orden del ministro y le dijo: «Te mostraré el sitio por el que salí». El visir se alegró muchísimo al oír estas palabras. Él, Hasib y todos los emires montaron a caballo y se pusieron en camino, precedidos por el ejército. Viajaron sin interrupción hasta que llegaron al monte. Hasib los hizo entrar en la cueva, llorando y suspirando. Los emires y los visires echaron pie a tierra y siguieron detrás del joven, hasta llegar al pozo por el cual había salido. El visir se acercó, se sentó, fumigó el lugar, pronunció conjuros, leyó encantamientos, sopló y balbució, pues era un mago experto, un brujo que conocía las ciencias del espíritu y otras. Al terminar el primer conjuro, leyó el segundo y luego el tercero. Cuando se terminaban los sahumerios, añadía más al fuego. Luego añadió: «¡Sal, reina de las serpientes!» Las aguas del pozo disminuyeron y se abrió una puerta enorme: detrás de ella se oyó un tumulto espantoso, semejante a un trueno, hasta el punto de que parecía que el pozo se iba a derrumbar. Todos los presentes cayeron desmayados, y algunos murieron. Por el pozo salió una serpiente tan grande como un elefante. Sus ojos echaban chispas que parecían brasas. Llevaba en el dorso una bandeja de oro rojo, con incrustaciones de perlas y de aljófares. En la bandeja iba una serpiente que iluminaba el lugar; su rostro parecía el de un ser humano, y hablaba con elocuencia: era la reina de las serpientes. Se volvió a derecha e izquierda, y su mirada fue a clavarse en Hasib Karim al-Din. Le dijo: «¿Dónde está el juramento que me hiciste y la palabra que empeñaste de no entrar jamás en un baño? Pero no hay treta que nos libre de lo predestinado, ni hay modo de huir de lo que se lleva escrito en la frente. Dios ha decretado que mi vida tenga fin por tu mano. Dios lo ha dispuesto así, y quiere que yo sea muerta para que el rey Karazdán se cure de su enfermedad». La reina de las serpientes rompió a llorar amargamente, y Hasib empezó a sollozar al ver sus lágrimas. Cuando el maldito visir Samhur vio a la reina de las serpientes, alargó la mano para cogerla. Ella le dijo: «¡Detén tu mano, maldito! De lo contrario, soplaré y te transformaré en un montón de ceniza». Dirigiéndose a Hasib, añadió: «Acércate, cógeme con tu mano y ponme en ese plato que tenéis ahí; luego colócatelo en la cabeza, pues mi muerte ha de venir por tu mano: así está decretado desde la eternidad, y no hay subterfugio que pueda evitarlo».

Hasib la cogió, la colocó en el plato y puso éste encima de su cabeza: el pozo volvió a su primitivo estado. Se pusieron en camino, llevando Hasib en la cabeza el plato en el que iba la reina de las serpientes. Mientras recorrían el camino, la reina le dijo en secreto: «¡Hasib! Escucha el consejo que voy a darte. Si has faltado a la promesa, has roto el juramento y has hecho estas cosas, es porque te estaba predestinado desde la eternidad». «Oír es obedecer. ¿Qué es lo que me mandas, reina de las serpientes?» «Cuando llegues a casa del visir, éste te dirá: "¡Degüella a la reina de las serpientes y córtala en tres pedazos!" Niégate y no lo hagas. Dile: "Yo no sé degollar", a fin de que sea él, con su propia mano, quien me sacrifique y haga de mí lo que desea. Una vez me haya matado y cortado en pedazos, llegará un mensajero del rey Karazdán, pues éste le dirá que acuda. Colocará mi carne en una marmita de bronce, y antes de marcharse junto al rey, la pondrá encima del horno. Te dirá: "Enciende fuego debajo de esta marmita hasta que salga la espuma de la carne. Cuando rebose la espuma, cógela, ponla a enfriar en una botella y espera hasta que esté fresca. Entonces te la bebes y desaparecerán todos los dolores de tu cuerpo. Cuando rebose la segunda espuma recógela, colócala en otra botella y espera que regrese de ver al rey para bebérmela y curar así mi enfermedad de riñones". Te dará las dos botellas y se marchará a ver al rey. En cuanto se haya ido, aviva el fuego debajo de la marmita hasta que rebose la espuma primera. Recógela y guárdala en una botella; pero no la bebas, pues si la bebieses no obtendrías nada de bueno. Cuando rebose la segunda espuma, colócala en la segunda botella, espera que se enfríe y guárdala para bebértela. Cuando el visir regrese de visitar al rey y te pida la segunda botella, le darás la primera y aguardarás para ver lo que le sucede.»

Sahrazad se dio cuenta de que amanecía e interrumpió el relato para el cual le habían dado permiso.

Cuando llegó la noche *quinientas treinta y cinco,* refirió:

—Me he enterado, ¡oh rey feliz!, de que [la reina de las serpientes prosiguió:] «Luego beberás de la segunda botella: entonces tu corazón pasará a ser la sede de la sabiduría. Luego sacas la carne, la pones en un plato de bronce y se la das a comer al rey. Una vez le haya llegado al vientre, tápale el rostro con un pañuelo y espera hasta el mediodía, hasta que se le refresque el vientre. Después le das algo de beber. Quedará sano como estaba antes, y se habrá curado de su enfermedad gracias al poder de Dios (¡ensalzado sea!). Escucha este consejo que te doy, y guárdalo con todo cuidado».

Siguieron el camino sin interrupción, hasta llegar a casa del visir. Éste dijo a Hasib: «¡Entra conmigo en casa!» Una vez hubieron entrado el visir y Hasib, los soldados se separaron, y cada uno se fue a sus quehaceres. Hasib se quitó de la cabeza el plato en que estaba la reina de las serpientes. El visir le dijo: «¡Degüella a la reina de las serpientes!» Él replicó: «Yo no sé degollar, y jamás en mi vida he degollado a nadie. Si quieres, hazlo tú mismo con tu propia mano». El visir Samhur cogió a la reina de las serpientes del plato en que se encontraba, y la degolló. Al verlo, Hasib rompió a llorar amargamente. Samhur se rió de él y le dijo: «¡Tonto! ¡Llorar por la muerte de una serpiente!» Después, el visir la cortó en tres pedazos, que colocó en una marmita de bronce; luego se sentó para esperar que se cociese la carne. Mientras estaba sentado, llegó un mameluco de parte del rey y le dijo: «El rey te manda llamar. Acude en seguida». El visir contestó: «¡Oír es obedecer!» Se incorporó, entregó a Hasib dos botellas, y le dijo: «Aviva el fuego en que está la marmita hasta que salga la primera espuma de la carne. Una vez haya salido, recógela de encima de la carne y colócala en una de estas botellas. Espera hasta que se enfríe y bébetela. Una vez la hayas bebido, tu cuerpo se curará y no te quedará ningún dolor ni enfermedad. Cuando rezume la segunda espuma, colócala en la otra botella y guárdala. Cuando la carne esté a punto, saca la marmita del fuego y guárdala hasta que yo regrese de ver al rey; la beberé, ya que padezco de dolor en los riñones, y es posible que al beberla se me cure». El visir se marchó a ver al rey, después de haber hecho a Hasib estas recomendaciones. Éste avivó el fuego debajo de la marmita, hasta que rebosó la primera espuma. La recogió y la colocó en una de las botellas, que guardó; siguió avivando el fuego, hasta que rebosó la segunda: la recogió y la colocó en la otra botella; también la guardó. Cuando la carne estuvo cocida, apartó la marmita del fuego y se sentó a esperar al visir. Éste, al regresar de ver al rey, preguntó a Hasib: «¿Qué has hecho?» «He realizado el trabajo.» «¿Qué has hecho de la primera botella?» «Acabo de beberme el contenido.» «¡Pero tu cuerpo no ha cambiado en nada!» «Noto que mi cuerpo arde desde la cabeza hasta los pies, como si tuviera fuego.» El taimado visir Samhur se calló el secreto, y para engañar a Hasib, le dijo: «Dame la otra botella. Voy a beber su contenido. Tal vez me cure y me libre de esta enfermedad que tengo en los riñones». El visir se bebió el contenido de la primera botella, se le cayó de la mano y se hinchó: en él se hizo verdad aquel refrán: «El que cava una fosa para su amigo, cae en ella». Al ver aquello, Hasib se admiró y tuvo miedo de beber de la segunda botella. Pensó en la recomendación de la serpiente, y se dijo: «Si el contenido de la segunda fuese perjudicial, al visir no le hubiera apetecido». Se confió a Dios (¡ensalzado sea!) y se lo bebió. Apenas lo había tragado cuando Dios (¡ensalzado sea!) inundó su corazón con todas las fuentes de la sabiduría, le abrió los ojos a la ciencia y experimentó una gran alegría y bienestar. Cogió la carne que estaba en la marmita, la colocó en un plato de bronce y salió de casa del visir. Levantó la cabeza hacia el cielo y vio los siete cielos y todo lo que contenían, hasta el árbol del Loto del extremo confín[6]; entendió la revolución de las esferas: Dios se lo había desvelado. Observó los planetas y las estrellas fijas, y entendió cómo se realizaba la marcha de los astros. Contempló el aspecto de las tierras y de los mares, y de ello dedujo la Geometría, la Astrología, la ciencia de las esferas, la Aritmética y todo lo relacionado con ellas, y comprendió el mecanismo de los eclipses de Sol y de Luna. Miró a la tierra y vio las minas, plantas y árboles; conoció todas sus propiedades y beneficios, y de ello dedujo la Medicina, la magia natural y la Química, así como la fabricación del oro y de la plata.

No paró de andar hasta llegar al palacio del rey Karazdán. Entró y besó el suelo ante éste, diciéndole: «¡Que tu cabeza permanezca salva y sobreviva al visir Samhur!» El rey se encolerizó terriblemente al enterarse de la muerte de su visir, y lloró desconsolado; los visires, los emires y los grandes del reino lo acompañaron en el llanto. El rey Karazdán dijo: «Hace un momento que el visir Samhur estaba a mi lado gozando de una magnífica salud. Se marchó con objeto de ver si la carne estaba ya cocida para traérmela. ¿Cuál ha sido la causa de su muerte? ¿Qué desgracia le ha ocurrido?» Hasib contó al rey todo lo que había ocurrido a su visir, desde el momento en que bebió el contenido de la botella hasta que

[6] Cf. *El Corán*, 53, 14.

se hinchó y reventó. El rey se entristeció muchísimo y dijo a Hasib: «¿Qué me ocurrirá después de la muerte de Samhur?» «¡No te preocupes, oh, rey del tiempo! Yo te curaré en tres días, y no dejaré en tu cuerpo ni huella de la enfermedad.» El pecho del rey Karazdán se dilató y dijo a Hasib: «Hace ya muchos años que quiero curarme de esta enfermedad». Hasib fue por la marmita, la colocó ante el rey, sacó un pedazo de carne de la reina de las serpientes, se la dio a comer a Karazdán y lo tapó; le extendió sobre la cara un pañuelo, se sentó a su lado y le mandó dormir. Durmió desde el mediodía hasta la puesta del sol: el pedazo de carne circuló por su vientre. Entonces lo despertó, le dio algo de beber y le mandó que se volviese a dormir. Durmió toda la noche, hasta la mañana. Al amanecer hizo con él lo mismo que había hecho el día anterior, y así hasta que se hubo comido los tres pedazos de carne en tres días. La piel del rey se secó, y después se le desprendió por completo. El soberano empezó a transpirar, el sudor le corrió desde la cabeza hasta los pies y quedó curado. En su piel no quedó ni huella de la enfermedad. Después, Hasib le dijo: «Es necesario que ahora vayas al baño». Lo llevó al baño, se lavó y lo hizo salir. Su cuerpo parecía una vara de plata, tan sano como antes y gozando de mejor salud que la que había tenido hasta entonces. A continuación se puso el traje más precioso, se sentó en el trono y permitió a Hasib Karim al-Din que se sentase con él. Éste se colocó a su lado. El rey mandó que extendiesen los manteles y fueron extendidos. Los dos comieron, bebieron y se lavaron las manos. Después ordenó que sirviesen las bebidas. Las llevaron y bebieron. Luego, todos los emires, visires, soldados, grandes del reino y personas principales acudieron a felicitarlo por haber recuperado la salud y el bienestar. Redoblaron los tambores, la ciudad se engalanó, y cuando todos estuvieron reunidos ante el soberano para felicitarlo, les dijo: «¡Visires, príncipes, grandes del reino! Éste es Hasib Karim al-Din, el que me ha curado de la enfermedad. Sabed que lo nombramos nuestro gran visir en sustitución del visir Samhur».

Sahrazad se dio cuenta de que amanecía e interrumpió el relato para el cual le habían dado permiso.

Cuando llegó la noche *quinientas treinta y seis*, refirió:

—Me he enterado, ¡oh rey feliz!, de que [el rey prosiguió:] «Quien lo ama, me ama; quien lo honra, me honra; quien lo obedece, me obedece.» Le contestaron: «Oír es obedecer». Se pusieron todos en pie y acudieron a besar la mano de Hasib Karim al-Din. Lo saludaron y lo felicitaron por haber sido nombrado visir. Después, el rey le dio un precioso traje tejido en oro rojo, cuajado de perlas y aljófares; el más pequeño de éstos costaba cinco mil dinares. Le regaló trescientos mamelucos, trescientas muchachas que parecían lunas, trescientas esclavas abisinias y quinientas mulas cargadas de riquezas. Le dio asimismo bestias de carga, ganado, búfalos y vacas en tal cantidad, que es imposible describirlo. Después mandó a los visires, emires, magnates, grandes del reino y plebeyos, que le hiciesen regalos. Hasib Karim al-Din montó en un caballo, y, seguido por los emires, visires, grandes del reino y todas las tropas, se dirigió al palacio que le había asignado el rey. Se sentó en un trono, y los emires y los ministros se adelantaron y lo felicitaron por haber sido nombrado visir. Todos se pusieron a su servicio. La madre experimentó una gran alegría y lo felicitó por el nombramiento. Sus familiares también acudieron a darle la enhorabuena por haber salido con bien y haber sido nombrado ministro. Después acudieron sus compañeros, los leñadores, y lo felicitaron por el cargo que acababa de obtener. Él volvió a montar a caballo y se dirigió al alcázar del visir Samhur. Lo selló, se incautó de todo lo que contenía y se lo llevó a su casa.

Él, que había sido un ignorante que no sabía ni leer ni escribir, se convirtió en un sabio que conocía todas las ciencias, por voluntad de Dios. La fama de su sabiduría y de su ciencia se difundieron por todos los países, y fue conocido por la inmensa profundidad de su saber en Medicina, Astronomía, Geometría, Astrología, Química, magias natural y espiritual y todas las demás ciencias.

Cierto día preguntó a su madre: «¡Madre! Mi padre Daniel era un sabio excelso. Dime qué libros y qué otras cosas ha dejado». La madre, al oír aquellas palabras, le llevó la caja en que su padre había depositado las cinco hojas que le quedaban de los libros que perdiera en el mar. Le dijo: «De todos los libros de tu padre sólo han quedado las cinco hojas que están en este cofre». Lo abrió, cogió las cinco hojas, las leyó y dijo: «¡Madre! Estas hojas forman parte de un libro. ¿Dónde está el resto?» «Tu padre emprendió un viaje por mar con todos sus libros. La nave naufragó con él, y los libros se perdieron. Dios (¡ensalzado sea!) lo salvó del naufragio, pero de todos sus libros no quedaron más que estas cinco hojas. Tu padre regresó con ellas del viaje y me dijo: "Tal vez des a luz a un hijo varón. Coge estas hojas y guárdalas. Cuando sea mayor, si pregunta por lo que he dejado, dile: 'Tu padre sólo ha dejado esto'".»

Hasib Karim al-Din supo todas las ciencias y se dedicó a comer, a beber y a darse la vida más muelle y cómoda, hasta que se le presentó el destructor de las delicias, el separador de los amigos.

Esto es lo último que sabemos de la historia de Hasib b. Daniel. ¡Que Dios tenga misericordia de él! ¡Dios es más sabio!

HISTORIA DE ALADINO Y LA LÁMPARA MARAVILLOSA[1]

SAHRAZAD se dio cuenta de que amanecía e interrumpió el hermoso relato.

Cuando llegó la noche *quinientas catorce* (*a*), Dunyazad dijo:

—¡Hermana! Si no duermes, cuéntanos una de tus bellas historias con la cual podamos distraernos del insomnio de esta noche.

El rey intervino:

—Que sea el relato de Aladino y la lámpara maravillosa.

Sahrazad replicó:

—¡De mil amores! Me he enterado, ¡oh rey del tiempo!, de que en una ciudad de China vivía un pobre sastre. Tenía un hijo, llamado Aladino, el cual, desde pequeño, fue un pilluelo y un tunante. Al cumplir los diez años, su padre quiso enseñarle un oficio, pero como era pobre y no podía gastar dinero para hacerlo instruir en un arte, carrera o profesión, lo llevó a su tienda para enseñarle el oficio de sastre. Mas como el muchacho era un tunante, que únicamente estaba acostumbrado a jugar con los muchachos del barrio, tan pronto como se sentaba en la tienda, esperaba que su padre saliese de ella con cualquier motivo o para ver a un cliente; entonces Aladino corría a los jardines a reunirse con los demás granujillas de su edad. Ésta era su conducta. Además, no

[1] Este cuento falta en las ediciones corrientes de *Las mil y una noches*. Aquí se traduce a partir de la edición de Zotenberg (cf. *Introducción*, p. XIII).

obedecía a sus progenitores ni aprendía oficio alguno. El padre cayó enfermo a consecuencia del dolor y la pena que le causaban las picardías de su hijo, y murió. Y Aladino siguió comportándose de la misma manera. Su madre, entonces, al ver que su hijo era un pillastre que nunca serviría de nada, vendió la tienda y todo lo que contenía y se dedicó a hilar algodón, a fin de mantenerse ella y al pillo de su hijo Aladino. Éste, tan pronto como se vio libre de la rígida tutela del padre, se hizo más fresco y granuja, y acudía a su casa únicamente a las horas de comer. La pobre y desdichada madre vivió de lo que sus manos hilaban hasta que Aladino cumplió los quince años.

Sahrazad se dio cuenta de que amanecía e interrumpió el hermoso relato.

Cuando llegó la noche *quinientas quince* (*a*), refirió:

—Me he enterado, ¡oh rey del tiempo!, de que cierto día en que el muchacho estaba sentado en el barrio jugando con los amigotes, se acercó un derviche magrebí y se detuvo a contemplar con interés a Aladino, sin preocuparse de sus compañeros. El derviche procedía de los países más remotos de Occidente, y era un mago capaz, con sus artes, de colocar una montaña encima de otra, era astrólogo. Cuando hubo observado a Aladino a su sabor, se dijo: «Este muchacho es el que me interesa. He salido de mi país en su búsqueda». Llevó aparte a uno de los muchachos y lo interrogó acerca de Aladino: de quién era hijo, y de todas las circunstancias que a él se referían. Luego se acercó a él, se lo llevó aparte y le dijo: «¡Hijo mío! ¿Eres tú hijo de fulano, el sastre?» «Sí, señor mío. Pero mi padre hace tiempo que murió.» El magrebí, al oír esto, abrazó a Aladino, lo besó, y un mar de lágrimas rodó por sus mejillas. El muchacho se quedó admirado al ver lo que le sucedía al magrebí, y le preguntó: «¿Qué te hace llorar, señor mío? ¿Dónde conociste a mi padre?» El extranjero, con voz triste y entrecortada, exclamó: «¡Hijo mío! ¿Cómo me haces tal pregunta después de haberme dicho que tu padre, mi hermano, ha muerto? Porque tu padre era mi hermano. Yo iba de regreso a mi país, después de una larga ausencia, contento porque tenía la esperanza de verlo y hallar consuelo a su lado, y tú me acabas de decir que ha muerto. Pero la sangre no me engaña. Tú eres el hijo de mi hermano, y yo te habría reconocido entre todos los muchachos, aunque tu padre, cuando yo me marché, aún no se había casado».

Sahrazad se dio cuenta de que amanecía e interrumpió el hermoso relato.

Cuando llegó la noche *quinientas dieciséis* (*a*), refirió:

—Me he enterado, ¡oh rey del tiempo!, de que [el magrebí prosiguió:] «Ahora me falta la alegría y el consuelo que esperaba encontrar, después de mi ausencia, junto a tu padre, al que quería ver antes de morir. La separación me ha abrumado, pero no hay modo de escapar a la realidad ni argucia que exima del Secreto de Dios (¡ensalzado sea!).» Y añadió: «¡Hijo mío! Tú eres el único consuelo que me queda ahora. Tú sustituyes a tu padre, pues eres su sucesor, y quien tiene un descendiente no ha muerto, hijo mío». Sacó diez dinares y se los entregó a Aladino: «¡Hijo mío! ¿Dónde está vuestra casa? ¿Dónde está tu madre, la mujer de mi hermano?» Aladino cogió el dinero y le mostró el camino de su casa. El mago añadió: «Hijo mío, coge este dinero, dáselo a tu madre, salúdala de mi parte y dile que tu tío ha vuelto de su viaje por el extranjero. Si Dios quiere, mañana iré a vuestra casa para saludarla, ver el lugar en que ha vivido mi hermano y contemplar su tumba». Aladino besó la mano del magrebí y se fue corriendo, lleno de alegría, a buscar a su madre. Estaba contento y le dijo: «¡Madre mía! Te traigo la buena noticia de que mi tío ha regresado de su viaje y te manda saludos». La mujer replicó: «¡Hijo mío! ¿Es que te burlas de mí? ¿Quién es tu tío? ¿De dónde has sacado un tío con vida?» «¡Cómo, madre! ¿Me dices que no tengo tíos ni parientes vivos? Ese hombre es mi tío. Me ha abrazado, me ha besado llorando y me ha encargado que te lo refiriese.» «Sí, hijo. Sé que tenías un tío, pero murió y no sé que tengas otro.»

Sahrazad se dio cuenta de que amanecía e interrumpió el hermoso relato.

Cuando llegó la noche *quinientas diecisiete* (*a*), refirió:

—Me he enterado, ¡oh rey del tiempo!, de que al día

siguiente, el magrebí salió y empezó a buscar a Aladino, ya que su corazón no estaba dispuesto a dejarlo escapar. Mientras recorría las callejuelas de la ciudad tropezó con el muchacho, que estaba jugando, como era su costumbre, con los demás tunantes. Lo cogió de la mano, lo abrazó, lo besó y, sacando dos dinares de su bolsa, le dijo: «Ve junto a tu madre, dale estos dos dinares y dile: "Mi tío quiere cenar con nosotros; toma estos dos dinares y haz una buena cena". Pero, ante todo, muéstrame otra vez el camino de vuestra casa». Aladino contestó: «De buen grado, tío», y, andando delante de él, le enseñó el camino que conducía a su domicilio. El magrebí lo dejó y se fue a sus asuntos. Aladino entró en su casa, informó a su madre, le entregó los dos dinares y le dijo: «Mi tío quiere cenar con nosotros».

La madre del muchacho salió inmediatamente al mercado, compró todo lo necesario, regresó a su domicilio y empezó a preparar la cena. Pidió a sus vecinos que le prestasen los platos y la vajilla que necesitaba. Al llegar la hora de la cena, dijo a Aladino: «¡Hijo mío! La cena ya está preparada. Es posible que tu tío no conozca el camino de la casa. Ve a recibirlo en la calle». «De buen grado.» Mientras hablaban llamaron a la puerta. Aladino salió, la abrió y encontró al mago magrebí, acompañado por un criado que llevaba comidas y frutos. Aladino los hizo entrar, pero el criado se marchó a sus quehaceres, y el magrebí corrió a saludar a la madre del muchacho y rompió a llorar. Le preguntó: «¿En qué sitio acostumbraba sentarse mi hermano?» La madre de Aladino se lo indicó, y el visitante se dirigió a él, se prosternó y empezó a besar el suelo, diciendo: «¡Ah! ¡Qué desgracia y qué mala suerte he tenido al perderte, hermano mío, arteria de mis ojos!» Siguió llorando y lamentándose, hasta el punto de que la madre de Aladino se convenció de que verdaderamente era su cuñado. El llanto y los sollozos hicieron que se desmayara. La mujer lo levantó del suelo y le dijo: «De nada sirve el que te mates».

Sahrazad se dio cuenta de que amanecía e interrumpió el hermoso relato.

Cuando llegó la noche *quinientas dieciocho* (*a*), refirió:

—Me he enterado, ¡oh rey del tiempo!, de que empezó a consolarlo, lo hizo sentar, y, una vez hubo ocupado ella su sitio, antes de que pusiese la mesa, le refirió: «¡Mujer de mi hermano! No te admires de que no me hayas visto ni conocido durante todo el tiempo en que estuviste casada con mi difunto hermano. Hace ya cuarenta años que dejé este país, que me ausenté de mi patria, para emprender viaje hacia la India, el Sind y el país de los árabes. Crucé Egipto, y durante cierto tiempo viví en una gran ciudad, una de las maravillas del mundo. Luego continué el viaje hacia el remoto Occidente, donde estuve treinta años. Cierto día en que estaba sentado, ¡oh mujer de mi hermano!, empecé a pensar en mi terruño, en mi patria y en mi hermano, aumentaron mis ganas de verlo y empecé a llorar y a sollozar por estar tan lejos y tan separado de él. Finalmente, mi ansia de volverlo a ver me impulsó a emprender el viaje hacia esta tierra, que es mi lugar de nacimiento, mi patria chica, con el fin de ver nuevamente a mi hermano. Me dije: "¡Oh, hombre! ¡Cuánto tiempo hace que estás ausente de tu patria y de tu país! Tienes un solo hermano. ¡Vamos! ¡Emprende el viaje y ve a verlo antes de morir! ¿Quién puede conocer las vicisitudes de la fortuna y las alternativas del destino? Sería una gran desgracia morir sin haber visto de nuevo a mi hermano. ¡Loado sea Dios! Él te ha concedido grandes riquezas, y, en cambio, quizá tu hermano se encuentre en una situación angustiosa y pobre. Tú podrías volver a verlo y ayudarle". Me incorporé en seguida y me preparé para el viaje. Leí la *Fatiha*[2] después de la oración del viernes, me embarqué y llegué a esta ciudad tras muchas fatigas, antes de que el Señor (¡glorificado y ensalzado sea!) me dejase ver vuestros lares. Entré en la ciudad, y mientras recorría ayer sus calles vi a mi sobrino, Aladino, que jugaba con los muchachos, y, ¡por el Gran Dios, oh mujer de mi hermano!, mi corazón se partió desde el momento en que lo contemplé, pues la sangre siente inclinación por la sangre. Decíame el corazón que aquél era

[2] **Primera azora de *El Corán*.**

mi sobrino; todas mis fatigas y penas desaparecieron en cuanto lo vi, y casi eché a volar de alegría. Cuando él me informó de que mi hermano había sido acogido en el seno de Dios (¡ensalzado sea!), me desmayé a causa de la mucha pena y tristeza. Tal vez Aladino te haya explicado el dolor que se apoderó de mí. Sólo he encontrado algo de consuelo en el muchacho, como sucesor que es del difunto, ya que quien deja posteridad, no muere».

Sahrazad se dio cuenta de que amanecía e interrumpió el hermoso relato.

Cuando llegó la noche *quinientas diecinueve* (*a*), refirió:

—Me he enterado, ¡oh rey del tiempo!, de que cuando vio llorar a la madre de Aladino, el magrebí se volvió hacia el muchacho para darle ocasión de que olvidase a su esposo y tener motivo de consolarla y llevar a buen término su plan. Le dijo: «¡Hijo mío, Aladino! ¿Qué oficio has aprendido? ¿En qué te ocupas? ¿Haces algo que os permita vivir a ti y a tu madre?» Aladino, lleno de vergüenza, enrojeció y bajó la cabeza. La madre replicó: «¿De qué? No sabe nada. ¡Jamás he visto a un muchacho tan fresco como éste! Se pasa todo el día jugando con los muchachos desocupados del barrio que son iguales a él. Su padre (¡oh, qué pena!) murió por su causa. Y yo, desgraciada de mí, me fatigo noche y día hilando algodón para poder conseguir dos mendrugos de pan para ambos. A veces me dan intenciones de cerrarle la puerta, no abrírsela más y dejar que se gane el sustento y viva por su cuenta. Yo ya soy vieja y no tengo fuerzas para ganar el sustento de un joven así. ¡Dios mío! Tengo que trabajar para vivir cuando necesito quien me sustente». El magrebí dijo al muchacho: «¡Sobrino! ¿Por qué te portas así? ¡Esto es una vergüenza, impropia de hombres de tu temple! Tienes entendimiento, hijo mío, y eres hijo de gentes de bien. Es humillante que tu anciana madre tenga que sustentarte. Eres ya un hombre, y has de pensar en el modo de vivir. Hijo mío, fíjate en los maestros de oficios, que gracias a Dios son muchos en nuestro país, y escoge el arte que más te guste. Yo te colocaré; así, cuando seas mayor, podrás vivir de tu oficio. Es posible que no te guste el oficio de tu padre. Si es así, escoge otro, el que te plazca. Dime cuál te gusta y yo te ayudaré en todo lo que pueda, hijo». Al ver que Aladino callaba, comprendió que no le gustaba ningún oficio, salvo el de ser un vago. Añadió: «¡Hijo de mi hermano! No te quiero cansar. Si no quieres aprender un oficio, te abriré una tienda de comerciante de telas preciosas; te enseñaré a conocer a la gente, tomarás y darás, venderás y comprarás y serás célebre en toda la ciudad». Aladino se alegró mucho al oír que su tío quería hacer de él un comerciante, ya que estaba convencido de que todos los comerciantes visten trajes bonitos y elegantes. Miró a su tío, se echó a reír e inclinó la cabeza; con este lenguaje de circunstancias quería significar que aceptaba.

Sahrazad se dio cuenta de que amanecía e interrumpió el hermoso relato.

Cuando llegó la noche *quinientas veinte* (*a*), refirió:

—Me he enterado, ¡oh rey del tiempo!, de que el magrebí lo entendió así: que deseaba ser comerciante. Le dijo: «Al aceptar que te haga comerciante y te abra una tienda, demuestras ser un hombre. Si Dios quiere, mañana te llevaré al zoco y te compraré un hermoso vestido de comerciante; después te buscaré una tienda y cumpliré la promesa que te he hecho». La madre de Aladino seguía teniendo algunas dudas acerca de que el magrebí fuese su cuñado; pero cuando le oyó prometer a su hijo que le abriría una tienda de comerciante con telas, capital y demás, convencióse de que en realidad lo era, pues un extraño no haría tal cosa con su hijo. Amonestó a éste para que dejase las vaciedades que llenaban su cabeza, se hiciese un hombre y obedeciera a su tío como si fuese su padre; insistió en que recuperase el tiempo que había perdido en travesuras con sus compañeros. Después, la madre de Aladino se levantó, preparó la mesa, puso la cena y se sentaron a comer y a beber. El magrebí hablaba con Aladino de asuntos de negocio y cosas parecidas y aquella noche no tuvo sueño el muchacho a causa de su mucha alegría. El magrebí, al ver que era una hora avanzada, se marchó a su casa y les prometió que regresaría por la mañana para ir a buscar con Aladino un corte de traje de comerciante.

En efecto, al día siguiente, llamó a la puerta, y la madre del joven le abrió. No quiso entrar; se limitó a preguntar por Aladino para llevárselo al mercado. Salió el muchacho, dio los buenos días al tío y le besó la mano. Éste lo cogió, se marchó con él al mercado, entró en una tienda de telas y pidió un vestido completo de comerciante, de los más caros. El mercader le mostró varios. El magrebí dijo a Aladino: «Escoge, hijo mío, el que más te guste». El muchacho se alegró mucho al ver que su tío lo dejaba escoger, eligió uno, y el magrebí pagó su importe. Luego llevó al baño a Aladino. Se bañaron, bebieron un jarabe, el muchacho se puso el traje nuevo y, muy alegre y satisfecho, se acercó a su tío, le dio las gracias, le besó la mano y le agradeció su generosidad.

Sahrazad se dio cuenta de que amanecía e interrumpió el hermoso relato.

Cuando llegó la noche *quinientas veintiuna* (*a*), refirió:

—Me he enterado, ¡oh rey del tiempo!, de que al salir del baño, el tío lo condujo al zoco de los comerciantes y le dijo que viese cómo se compraba y vendía. «Hijo mío, es necesario que te familiarices con la gente, especialmente con los mercaderes, para que aprendas de ellos cómo se realizan los negocios, ya que éste va a ser tu oficio.» Lo llevó también a ver la ciudad, las mezquitas y todos los lugares de esparcimiento. Después entraron en una tienda en que servían guisos, y les dieron de comer con vajilla de plata. Comieron y bebieron hasta hartarse. Salieron a pasear, y el magrebí enseñó a Aladino las grandes avenidas y los edificios públicos, y entraron en el palacio del sultán, en donde le mostró todos los lugares importantes y hermosos. Después lo llevó al hotel de los comerciantes extranjeros, en el cual se hospedaba. Algunos de los comerciantes invitaron a cenar al magrebí. Aceptaron, se sentaron a la mesa, y el magrebí les dijo: «Éste es el hijo de mi hermano. Se llama Aladino». Después de comer y beber, y habiendo llegado la noche, llevó al joven a casa de la madre. La pobre mujer, cuando vio que su hijo parecía un comerciante, perdió la razón de alegría y empezó a dar las gracias al magrebí por su generosidad: «¡Cuñado! Toda mi vida no será bastante para darte las gracias y alabarte por el bien que has hecho a mi hijo». «¡Cuñada! Siempre he sido bondadoso, y éste es mi hijo. Para mí constituye un deber el ocupar el puesto de su padre. Ten confianza.» «Ruego a Dios, por la gloria de los santos antiguos y modernos, que te preserve y te dé larga vida, cuñado, para que puedas proteger a este muchacho huérfano y que él siempre te obedezca, esté a tus órdenes y haga únicamente aquello que le mandes.» «¡Mujer de mi hermano! Aladino es un hombre inteligente, desciende de padres honrados. Espero que Dios haga de él el sucesor de su padre y sea tu consuelo. Únicamente me apena el que mañana sea viernes, pues no podré abrirle la tienda, ya que los viernes casi todos los comerciantes, después de la oración, salen a los jardines y paseos. Pero, si Dios quiere, el sábado, si así lo decide el Creador, haremos nuestro trabajo. Sin embargo, mañana vendré a veros y saldré con Aladino para enseñarle los jardines y las avenidas que hay fuera de la ciudad. Es posible que aún no los conozca; verá a los comerciantes y a los grandes personajes que van a pasear por allí, y así los conocerá, y ellos lo conocerán.»

Sahrazad se dio cuenta de que amanecía e interrumpió el hermoso relato.

Cuando llegó la noche *quinientas veintidós* (*a*), refirió:

—Me he enterado, ¡oh rey del tiempo!, de que el magrebí se marchó, pasó la noche en su domicilio, y al día siguiente fue a casa del sastre y llamó a la puerta. Aladino estaba muy contento con el vestido que llevaba y por los favores que había recibido el día anterior: baño, comida, bebida y trato con la gente. Estuvo pensando que por la mañana vendría su tío para llevarlo a visitar los jardines. Por eso no pudo pegar un ojo en toda la noche, esperando que se hiciera de día. En cuanto oyó que llamaban a la puerta, salió corriendo como una centella y la abrió; era su tío, que lo abrazó, lo besó, lo cogió de la mano y se marcharon juntos. «¡Sobrino! —le dijo—, hoy te enseñaré algo que no has visto jamás en tu vida», y empezó a bromear con él y a decirle cosas agradables. Salieron por la puerta de la ciudad, y el magrebí empezó a cruzar los jardines y a mostrarle las mejores avenidas y los grandes y maravillosos palacios.

Cada vez que veían un pabellón, una quinta o un alcázar, el magrebí se paraba y preguntaba a Aladino: «¿Te gusta, hijo mío?» Aladino creía volar en alas de la fantasía, al ver aquellas cosas jamás soñadas. Estuvieron visitando lugares hasta que se fatigaron. Entraron en un gran jardín que alegraba el ánimo y tranquilizaba la vista. Los surtidores brotaban entre flores, y las aguas salían de las bocas de leones hechos de cobre amarillo que parecía oro. Se sentaron al lado de una alberca y descansaron un rato, mientras Aladino, muy contento, bromeaba con su tío y se solazaba con él... como si fuese su verdadero tío.

El magrebí, al cabo de un rato, se puso de pie, se quitó el cinturón, sacó una bolsa llena de comida, frutas y otras cosas, y dijo a Aladino: «¡Hijo de mi hermano! Tienes hambre. Ven y come lo que te apetezca». Aladino se acercó y comió, acompañado por el magrebí. Comieron con gusto, les sentó bien y descansaron. El magrebí le dijo: «¡Sobrino! Ponte en pie, si es que ya has descansado; andaremos un poco e iremos más adelante». Aladino se incorporó, y estuvieron paseando de jardín en jardín hasta que los hubieron visto todos y llegaron al pie de un monte muy elevado. Aladino, que jamás en su vida había salido de la puerta de la ciudad y nunca había andado tanto, dijo al magrebí: «¡Tío! ¿Adónde nos dirigimos? Hemos dejado atrás todos los jardines, y delante tenemos un monte. Si falta mucho camino no tendré fuerzas para andar, pues me caigo de fatiga. Delante de nosotros ya no hay jardines. Dejémoslo y volvamos a la ciudad». «Hijo mío: éste es el camino. Los jardines aún no se han terminado, ya que nosotros vamos a ver un jardín como no lo tienen ni los mismos reyes. Todos los jardines que hemos visto no son nada en comparación con éste. Reúne todas tus fuerzas para andar, pues gracias a Dios eres un hombre.» Empezó a animar a Aladino con buenas palabras y le refirió historias portentosas, falsas y verdaderas, hasta que llegaron al lugar que le interesaba y por el cual había abandonado los países de Occidente y se había dirigido a China. Cuando hubieron llegado, el magrebí dijo: «¡Hijo de mi hermano! Siéntate y descansa, pues éste es el lugar al que veníamos. Ahora, y si Dios quiere, te haré ver cosas tan prodigiosas como no las ha visto persona alguna en el mundo; nadie ha contemplado lo que tú vas a ver».

Sahrazad se dio cuenta de que amanecía e interrumpió el hermoso relato.

Cuando llegó la noche *quinientas veintitrés* (*a*), refirió:

—Me he enterado, ¡oh rey del tiempo!, de que [el magrebí prosiguió:] «Ahora descansa, busca unos leños y unas astillas secos para poder encender el fuego. Te mostraré algo, sobrino, que no te costará nada». Aladino ardió en deseos de ver lo que iba a hacer su tío. Olvidó la fatiga, se levantó en el acto y empezó a reunir pequeños leños y madera seca, hasta que el magrebí le dijo: «Ya basta, sobrino». Entonces sacó del bolsillo una caja, la abrió y cogió de ella el incienso que necesitaba: lo encendió, lo difundió, y pronunció exorcismos y palabras ininteligibles. Tinieblas, sacudidas y convulsiones de la tierra precedieron a la aparición de una hendidura en la misma. Aladino, asustado, trató de huir. El brujo magrebí, al ver que quería escapar, se puso rojo de ira, pues todos sus esfuerzos quedarían frustrados si Aladino se iba. Ambicionaba obtener un tesoro que sólo podía abrir este muchacho. Al ver que se disponía a huir, se incorporó, levantó la mano y le dio un golpe en la cabeza que casi le hizo saltar los dientes. Aladino cayó sin sentido en el suelo, mas a poco volvió en sí, gracias a las artes mágicas del magrebí, y rompió a llorar, diciendo: «¡Tío! ¿Qué es lo que he hecho para merecer este golpe?» El magrebí, con el deseo de atraérselo, le dijo: «¡Hijo mío! Yo quiero hacer de ti un hombre. No me desobedezcas, pues soy tu tío y es como si fuese tu padre. Haz lo que te diga, y dentro de poco olvidarás dolores y fatigas al ver cosas prodigiosas». La tierra, que se había abierto delante del mago, mostraba en su interior una losa de mármol con una anilla de cobre fundido. El magrebí se volvió a Aladino y le dijo: «Si haces lo que te voy a decir, serás más rico que todos los reyes juntos. Por esto, hijo mío, es por lo que te he pegado; aquí se encuentra un tesoro consignado a tu nombre, y tú, en cambio, querías despreciarlo y huir. Ahora presta atención, mira cómo he abierto la tierra con mis exorcismos y mis conjuros».

Sahrazad se dio cuenta de que amanecía e interrumpió el hermoso relato.

Cuando llegó la noche *quinientas veinticuatro* (*a*), refirió:

—Me he enterado, ¡oh rey del tiempo!, de que [el magrebí prosiguió:] «Debajo de la piedra que tiene la anilla está el tesoro de que te he hablado. Pon tu mano en el aro y levanta la losa, ya que ningún hombre, aparte de ti, puede abrirla; nadie puede poner el pie en el interior del tesoro, pues está reservado para ti. Pero es necesario que oigas atentamente lo que te voy a enseñar y que no dejes escapar ni una sola letra de mis palabras. Todo esto, hijo mío, es por tu bien, ya que el tesoro es enorme. Los reyes de la tierra no tienen nada parecido, y este tesoro nos pertenece a los dos». El pobre Aladino olvidó la fatiga, el golpe y el llanto, y quedó estupefacto ante las palabras del magrebí. Se alegró al pensar que iba a ser tan rico, que los reyes serían unos pobres al lado de él. «Tío —contestó—, mándame todo lo que quieras, pues obedeceré tus órdenes.» «Sobrino. Tú eres para mí como un hijo, y aún más por el hecho de ser el hijo de mi hermano. Tú eres mi heredero y mi sucesor, hijo.»

Se acercó a él, lo besó y continuó: «¿Para quién sirven mis fatigas, hijo mío? Todas te benefician a ti, pues con ellas te harás un hombre riquísimo. No me desobedezcas en nada. Coge esa anilla y levántala tal como te he dicho». «¡Tío! Esa anilla es muy pesada para mí; yo solo no puedo levantarla. Acércate y ayúdame a tirar de ella, pues yo soy muy pequeño.» «Sobrino, si yo te ayudo no podremos hacer nada, y nuestra fatiga será en vano. Pon la mano en la anilla, tira y se levantará en el acto. Ya te he dicho que nadie más que tú puede tocarla. En el momento de tocarla pronuncia tu nombre, el de tu padre y el de tu madre, y en seguida se levantará sin que notes el peso.» El muchacho se animó, hizo lo que le había dicho el magrebí y levantó la losa con toda facilidad; en cuanto hubo pronunciado los nombres de su padre y de su madre, tal como le había dicho el brujo, la losa se levantó y la echó a un lado…

Sahrazad se dio cuenta de que amanecía e interrumpió el hermoso relato.

Cuando llegó la noche *quinientas veinticinco* (*a*), refirió:

—Me he enterado, ¡oh rey del tiempo!, de que apareció un subterráneo con una puerta, a la que se llegaba por una escalera de unos doce peldaños. El magrebí le dijo: «¡Aladino! Fíjate y haz exactamente todo lo que te voy a decir; no te olvides de nada. Baja con mucho cuidado al fondo del subterráneo; una vez abajo encontrarás un lugar dividido en cuatro partes: en cada una de ellas verás cuatro jarrones de oro y otros objetos de oro y plata; no los toques ni cojas nada de ellos; sigue adelante hasta llegar al cuarto compartimiento, y procura que tu ropa no toque los jarrones ni las paredes; no te detengas ni un momento, pues si lo hicieras, inmediatamente te metamorfosearías y te transformarías en una piedra negra. Al llegar al cuarto compartimiento verás una puerta: ábrela, y pronuncia los nombres que has dicho al levantar la losa. Entra: te encontrarás en un jardín, adornado con árboles y frutos. Avanza cincuenta codos por el camino que tengas delante: llegarás a un salón, del cual arranca una escalera de unos treinta peldaños. Fíjate en el techo…»

Sahrazad se dio cuenta de que amanecía e interrumpió el hermoso relato.

Cuando llegó la noche *quinientas veintiséis* (*a*), refirió:

—Me he enterado, ¡oh rey del tiempo!, de que [el magrebí prosiguió:] «…verás que de él cuelga una lámpara. Cógela, vuelca el aceite que contiene y colócala en tu seno sin preocuparte por tus vestidos, ya que no tiene verdadero aceite. Al regresar puedes cortar de los árboles lo que te apetezca, pues serán de tu propiedad mientras conserves la lámpara en la mano». Al terminar de hablar, el magrebí se sacó un anillo del dedo y lo colocó en uno de los dedos de Aladino. Le dijo: «¡Hijo mío! Este anillo te salvará de todo peligro o miedo que pudiera sorprenderte, siempre que cumplas todo lo que te he dicho. Vamos, baja, ten valor, sé resuelto y no temas, pues ya eres un hombre y no un niño. Dentro de poco tendrás tal fortuna, que serás la persona más rica del mundo». Aladino decidióse al fin: bajó al subterráneo y encontró las cuatro salas, en cada una de las cuales había cuatro jarrones de oro. Las cruzó, tal como le había indicado el magrebí, con todo cuidado y diligencia, y se internó en el jardín. Avanzó hasta llegar al pabellón, subió por la escalera, entró en la sala, encontró la lámpara, la apagó, vertió el aceite que contenía y la guardó en su seno. Luego bajó al jardín, y empezó a admirar los árboles, poblados de pájaros, que ensalzaban con sus trinos al Creador, el Grande, y que no había visto a la ida. Los árboles daban como frutos valiosísimas piedras preciosas, de todas las formas y colores: verdes, blancas, amarillas, rojas, etc. Brillaban más que los rayos del sol al mediodía. Eran indescriptibles, y ni en el tesoro del rey más rico de la Tierra se habría encontrado ni una sola que se pudiese comparar con aquéllas.

Sahrazad se dio cuenta de que amanecía e interrumpió el hermoso relato.

Cuando llegó la noche *quinientas veintisiete* (*a*), refirió:

—Me he enterado, ¡oh rey del tiempo!, de que Aladino contempló aquellas maravillas, que lo dejaban perplejo y le robaban el entendimiento. Observándolas bien advirtió que los tales frutos eran grandes piedras preciosas: esmeraldas, diamantes, jacintos, perlas y otras gemas que dejaban absorto. Como el muchacho no había visto jamás en su vida estas cosas, y aún no tenía la edad suficiente para reconocer el valor de aquellas pedrerías, creyó que eran de vidrio o de cristal. Llenó de ellas sus bolsillos y empezó a buscar uvas, higos u otros frutos, fuesen comestibles o no. Al parecer, todos eran de vidrio, y empezó a meterse en el bolsillo todas las variedades de frutos que daban los árboles, incapaz de reconocer su precio. Como no conseguía realizar su deseo de comer, se dijo: «Recogeré todos estos objetos de vidrio y jugaré con ellos en casa». Fue cortándolos y guardándoselos en los bolsillos y en el seno hasta que no le cupieron más; siguió cortando y los sujetó en el cinturón, y mientras lo hacía dijo que los pondría en su casa como adorno, pues creía que eran de vidrio, según se ha dicho.

Después apresuró la marcha por el temor que le inspiraba su tío el magrebí. Cruzó las cuatro estancias, recorrió el subterráneo, sin preocuparse de los jarrones de oro, a pesar de que habría podido coger al regreso lo que hubiese querido. Llegó a la escalera, subió por ella, y cuando ya le faltaba poco —el último peldaño, que era más alto que los demás restantes y que no podía subir solo por lo cargado que iba—, dijo al magrebí: «¡Tío! Dame la mano y ayúdame a subir». «¡Hijo mío! Dame la lámpara, y al quitarte ese lastre, quedarás más ligero.» «Tío, la lámpara no me pesa en absoluto. Dame la mano, y cuando haya subido te entregaré la lámpara.» El brujo magrebí, a quien sólo le interesaba la lámpara, insistió al muchacho para que se la diera, mas él se negó, pues como se la había colocado en el fondo del vestido y tenía encima las bolsas de piedras preciosas, no llegaba con la mano. El mago seguía insistiendo, pero el muchacho no podía...

Sahrazad se dio cuenta de que amanecía e interrumpió el hermoso relato.

Cuando llegó la noche *quinientas veintiocho* (*a*), refirió:

—Me he enterado, ¡oh rey del tiempo!, de que [...el muchacho no podía,] por lo cual el magrebí se enfadó, sin que Aladino pudiera complacerlo. El mago se cegó al ver que no conseguía su deseo, pese a que el muchacho le decía sinceramente que se la entregaría en cuanto saliese del subterráneo. El magrebí, creyendo que Aladino no quería darle la lámpara, se enfureció más, perdió la esperanza de obtenerla y, haciendo conjuros y exorcismos, arrojó incienso en el fuego. La losa se levantó por sí sola y cerró la salida por la fuerza de la magia. El suelo quedó cubierto por la lápida como antes, y Aladino se quedó debajo sin poder salir.

Aquel mago era extranjero, y no era pariente de Aladino, como había dicho; fingió serlo con el único fin de obtener la lámpara por medio del muchacho, única persona que podía sacarla a la luz. El maldito magrebí cerró el suelo sobre Aladino y lo abandonó para que muriese de hambre. Aquel hombre era un hechicero de África, del más lejano Occidente. Desde pequeño había sido aficionado a la magia y a todas las ciencias ocultas, pues la ciudad de Ifriqiyya era célebre por el cultivo de estas ciencias, y en dicha ciudad estuvo estudiando desde su más tierna edad. Había llegado a dominar todas las ciencias ocultas, y gracias a los grandes conocimientos adquiridos tras cuarenta años de exorcismos y conjuros, había llegado a descubrir, cierto día, que al fin de las ciudades de China había una, llamada Al-Qalas, en la cual se conservaba un tesoro tan fabuloso como no podría soñar ninguno de los reyes del mundo. Lo más maravilloso era que en dicho tesoro había una lámpara prodigiosa, y que aquel que la poseyera no tendría en la Tierra rival, ni en riqueza ni en poder. El rey más poderoso de la Tierra no tendría ni siquiera una fracción del poder o de la riqueza que implicaban la posesión de tal lámpara.

Sahrazad se dio cuenta de que amanecía e interrumpió el hermoso relato.

Cuando llegó la noche *quinientas veintinueve* (*a*), refirió:

—Me he enterado, ¡oh rey del tiempo!, de que al descubrir esto el magrebí gracias a su ciencia, y comprobar que dicho tesoro sólo podía ser sacado a la luz por un muchacho llamado Aladino, de pobre origen y que vivía en dicha ciudad, hizo inmediatamente los preparativos para el viaje a China, conforme hemos explicado, y siguió tal conducta con Aladino porque pensó que gracias al muchacho llegaría a poseer la lámpara. Pero sus esfuerzos resultaron vanos, y perdió la esperanza de conseguirla. Entonces se propuso matar a Aladino, y gracias a su magia cerró la tierra encima del muchacho. ¡Pero no hay quien mate al Eterno! Con esto quería también evitar que Aladino saliese de allí con la lámpara. Inmediatamente emprendió el camino de regreso a su país, lleno de tristeza, pues había perdido toda esperanza de conseguir su deseo. Esto es lo que se refiere al hechicero.

He aquí lo que hace referencia a Aladino. Tan pronto como se hubo cerrado el suelo, empezó a llamar a gritos a su supuesto tío para que le diese la mano y poder así salir de allí. Mas al ver que no le contestaba nadie, comprendió que aquel hombre le había tendido una trampa y que no era su tío, sino un embustero y un brujo. Aladino desesperó de la vida y reconoció, apenado, que no tenía modo de salir a la superficie. Empezó a llorar y a sollozar por lo que le había ocurrido. Al cabo de un rato se incorporó y bajó para ver si Dios (¡ensalzado sea!) le facilitaba una puerta por donde salir. Miró a derecha e izquierda, pero sólo vio tinieblas y cuatro paredones que lo rodeaban, ya que el magrebí, con su magia, había cerrado todas las puertas, incluso la del jardín en que había estado Aladino, para que no pudiese encontrar un sitio por el que salir a la superficie, y precipitar así su muerte. Aladino lloró aún más fuerte y gimió con más intensidad al ver que todas las puertas, incluso la del jardín, estaban cerradas, pues había esperado encontrar algún consuelo en el interior. Al no hallar paso, gritó y lloró como el que ha perdido toda esperanza y, volviendo atrás, se sentó en los peldaños de la escalera del subterráneo por los cuales había entrado.

Sahrazad se dio cuenta de que amanecía e interrumpió el hermoso relato.

Cuando llegó la noche *quinientas treinta* (*a*), refirió:

—Me he enterado, ¡oh rey del tiempo!, de que [Aladino se sentó en la escalera del subterráneo.] Pero cuando Dios (¡sea ensalzado y alabado!) quiere que algo suceda, dice «sé» y es. Él es quien, en medio de la angustia, hace nacer la alegría. Cuando Aladino iba a descender al subterráneo, el hechicero magrebí le puso un anillo en el dedo diciéndole: «Este anillo te salvará de toda angustia, preocupación y pesar; alejará de ti todas las calamidades, y será tu auxiliar dondequiera que estés». Todo esto había ocurrido por un decreto de Dios (¡ensalzado sea!), para que fuese la causa de la salvación de Aladino. Mientras estaba sentado, sollozando y llorando, habiendo perdido ya toda esperanza de escapar con vida, mientras era presa de la pena y de una fuerte tristeza, empezó a retorcerse las manos, tal como es costumbre en el afligido, y a levantarlas pidiendo la intercesión de Dios. Clamaba: «¡Atestiguo que no hay más Dios que Tú, el Único, el Grande, el Todopoderoso, el Victorioso, el que da la vida y la muerte, el que hace y resuelve las cosas, el que soluciona los problemas y las dificultades! Me basta Contigo, pues eres el mejor de los intercesores. Atestiguo que Mahoma es tu esclavo y tu enviado. ¡Dios mío! Por la gracia que aquél goza junto a Ti, ¡sálvame de mi aflicción!»

Mientras así oraba, iba mostrando su pena con retorcimientos de manos y otros gestos. En uno de estos movimientos frotó el anillo, e inmediatamente se irguió ante él un esclavo, que le dijo: «Heme aquí. Tu esclavo está delante. Pide todo lo que desees, pues yo sirvo a quien tiene en la mano el anillo, el anillo de mi señor». Aladino quedó estupefacto contemplándolo. Parecía uno de los genios de nuestro señor Salomón, y estaba de pie ante él. Su aspecto terrorífico lo asustó, pero cuando oyó decir al esclavo: «Pide todo lo que desees pues yo soy tu esclavo ya que el anillo de mi señor está en tu mano», recuperó el aliento y meditó en las palabras que le había dicho el magrebí al entregarle el anillo. Se alegró mucho, animóse y le dijo: «¡Esclavo del señor del anillo! Quiero que me saques a la superficie». Tan pronto como acabó de pronunciar estas palabras, abrióse la tierra, y Aladino se encontró junto a la puerta del tesoro, fuera, en la superficie del mundo. Veíase de nuevo al aire libre, después de haber permanecido tres días bajo tierra, sentado en el tesoro, en medio de tinieblas. La luz del día y los rayos del sol le dieron en el rostro y le fue imposible abrir los ojos: tuvo que abrirlos un poco y volverlos a cerrar hasta que pudieron soportar la luz y desprenderse de las tinieblas.

Sahrazad se dio cuenta de que amanecía e interrumpió el hermoso relato.

Cuando llegó la noche *quinientas treinta y una* (*a*), refirió:

—Me he enterado, ¡oh rey del tiempo!, de que cuando pudo abrir bien los ojos, comprobó que estaba sobre la superficie de la tierra. Se alegró mucho, y quedó maravillado al comprobar que estaba sobre la puerta del tesoro, al cual había descendido al abrirla el hechicero magrebí. Esta puerta ajustaba exactamente, y la tierra estaba tan nivelada a su alrededor, que era imposible descubrir que hubiese allí alguna puerta. Su admiración iba en aumento, y llegó a creer que se encontraba en un lugar distinto, pues no pudo reconocer que estaba en el mismo sitio hasta haber encontrado el lugar en que encendieron el fuego con la leña y las astillas, el sitio en que el brujo magrebí había incensado y exorcizado. Aladino miró a derecha e izquierda y vio los jardines a lo lejos. Observó el camino, reconoció que era el mismo de la ida y dio gracias a Dios (¡ensalzado sea!), que lo había sacado de aquel subterráneo y librado de la muerte cuando ya había perdido la esperanza de salvarse. Se incorporó, empezó a seguir el camino de la ciudad, que ya conocía, entró en la misma, se dirigió a su casa y se presentó a su madre. Al verla, fue tal su alegría por encontrarse a salvo, que cayó al suelo desmayado por el miedo y la fatiga sufridos, por la gran satisfacción que experimentaba y por el hambre.

Su madre estaba triste desde el momento en que él la dejó, y lloraba y sollozaba. Cuando lo vio entrar se alegró mucho, pero al ver que caía desmayado en el suelo se entristeció de nuevo; mas esto no le impidió correr hacia él, rociarle el rostro con agua y pedir a sus vecinos algunos perfumes, que le dio a oler. Al cabo de poco volvió en sí. Le pidió que le diese algo de comer, y le dijo: «¡Madre! Hace tres días que no como nada». La mujer le preparó algo con lo que tenía y se lo sirvió: «¡Hijo mío! Come y reponte. Cuando hayas descansado me contarás qué te ha sucedido. No te lo pregunto ahora, pues estás fatigado».

Sahrazad se dio cuenta de que amanecía e interrumpió el hermoso relato.

Cuando llegó la noche *quinientas treinta y dos* (*a*), refirió:

—Me he enterado, ¡oh rey del tiempo!, de que Aladino comió y bebió, y cuando hubo descansado y recuperado el aliento dijo: «¡Ah, madre! Tendría perfecto derecho a quejarme de ti por haberme entregado a ese hombre maldito, que quería perderme y matarme. Sabe que he visto la muerte con mis propios ojos, y a ello me ha elevado ese maldito hombre al cual tú creías mi tío. Si no hubiese sido por Dios (¡ensalzado sea!), que me ha salvado de sus manos, tú y yo, madre, habríamos sido sus víctimas, dado el mucho bien que el condenado había prometido hacerme y el mucho afecto en que aparentaba tenerme. Sabe, madre, que es un malvado mago magrebí, embustero, artero, taimado, hipócrita. No creo que los demonios que están debajo del suelo puedan compararse con él. ¡Confúndalo Dios en todos los libros! Oye, madre, lo que hizo conmigo este maldito, pues todo lo que te voy a decir es la pura verdad. Repara en cómo ha mentido el condenado, en lo que han quedado las promesas que había hecho de otorgarme toda clase de favores, en el cariño que aparentaba tenerme... Todo lo hizo para poder darme muerte. ¡Gracias a Dios, que me ha salvado! Escucha todo lo que ha hecho este maldito...»

Y refirió todo a su madre, mientras lloraba de alegría: le contó desde el momento en que lo había dejado; cómo el magrebí lo había llevado al monte en que estaba oculto el tesoro, los exorcismos, etc. Y prosiguió: «Luego, madre, me dio un golpe que me hizo perder el conocimiento; fui presa de gran miedo cuando se abrió la tierra a mis pies gracias a su magia; temblé cuando vi los truenos, mientras oscurecía por el incienso y los conjuros. El miedo me empujaba a la huida, y cuando él vio que me disponía a escapar, me injurió y me pegó, pues una vez abierto el tesoro él no podía descender por sí mismo, ya que lo abrió ante mí por venir consignado a mi nombre, no al suyo. Él, como brujo experto, sabía que este tesoro debía abrirse ante mí y ser de mi propiedad».

Sahrazad se dio cuenta de que amanecía e interrumpió el hermoso relato.

Cuando llegó la noche *quinientas treinta y tres* (*a*), refirió:

—Me he enterado, ¡oh rey del tiempo!, de que [Aladino prosiguió:] «Después de haberme pegado volvió a tratarme bien para que descendiese en busca del tesoro que había abierto, y alcanzase su deseo. Antes de hacerme bajar me puso en el dedo un anillo, que se quitó de la mano. Ya abajo, encontré cuatro habitaciones llenas de oro, plata y otras cosas, que sobraban para mí, pues el maldito me había recomendado no tocar nada. Luego fui a salir a un jardín con grandes árboles, cuyos frutos hacían volar la fantasía: todos eran, madre, de cristales policromos. Cuando llegué al pabellón en que se hallaba esta lámpara, la cogí en seguida, la volqué y vertí el líquido que contenía.» Aladino sacó la lámpara que guardaba en el pecho y se la enseñó a su madre, así como también las piedras preciosas que había recogido en el jardín. Eran dos grandes bolsas, llenas de unas gemas como ningún rey del mundo podía soñar; pero Aladino, que no conocía su valor, creía que eran de vidrio. Siguió hablándole a su madre: «Después de haber cogido la lámpara me marché y me dirigí a la puerta del tesoro, desde la cual llamé al maldito magrebí que fingía ser mi tío, para que me diese la mano y me ayudase a salir fuera, pues yo iba cargado de cosas que me pesaban y no podía subir por mí mismo. No quiso ayudarme y me dijo: "Dame la lámpara y luego te daré la mano y te sacaré". Como había puesto la lámpara en el fondo del vestido y las bolsas encima, no llegaba a alcanzarla para poder dársela. Le dije: "Tío, no puedo darte la lámpara; cuando esté fuera te la entregaré". Pero él no me quería sacar, pues su intención era coger la lámpara y después cerrar el suelo para que pereciera, que es lo que hizo al fin. Esto es lo que me ha sucedido, madre, con ese infame hechicero». Aladino le refirió toda la historia hasta terminar y empezó a injuriar indignado y furioso al magrebí diciendo: «¡Ah! ¡Maldito mago! ¡Sucio, malvado, cruel, inhumano, artero, hipócrita, impío!»

Sahrazad se dio cuenta de que amanecía e interrumpió el hermoso relato.

Cuando llegó la noche *quinientas treinta y cuatro* (*a*), refirió:

—Me he enterado, ¡oh rey del tiempo!, de que la madre añadió: «Sí, hijo mío. Es un descreído e hipócrita, que aniquila a las gentes con su magia. Pero demos gracias a Dios (¡ensalzado sea!) por haberte salvado de los engaños y de las añagazas de ese maldito hechicero, del que llegué a creer que era en verdad tu tío». Como el muchacho llevaba tres días sin pegar un ojo, se fue a la cama y durmió. Lo mismo hizo su madre.

Aladino estuvo durmiendo hasta el día siguiente a mediodía. Al despertarse pidió algo de comer, pues estaba hambriento. Su madre le dijo: «¡Hijo mío! No tengo nada que darte, pues todo lo que tenía te lo comiste ayer. Aguarda un poco, pues tengo algunos hilados; iré a venderlos al zoco, y con lo que me den compraré algo de comer». «¡Madre! Guarda los hilados, no los vendas. Dame la lámpara que traje; la venderé, y con lo que me den compraré para los dos. Creo que la lámpara vale más que los hilados.» La madre le llevó la lámpara, pero al ver que estaba muy sucia le dijo: «Aquí está la lámpara, hijo mío; pero está sucia. Si la lavamos y le sacamos brillo, podremos venderla a mejor precio». Cogió un poco de arena y empezó a frotar la lámpara. Apenas había dado una pasada cuando apareció un genio de aspecto horripilante, de una estatura tan enorme que parecía un gigante. Le dijo: «¡Di lo que quieres de mí! Soy tu esclavo; soy el esclavo de quien tiene en la mano esta lámpara; mas no soy el único, pues la lámpara maravillosa que ves en tu mano tiene muchos esclavos». La madre de Aladino, al ver aquella horrorosa figura fue presa del miedo, se le trabó la lengua y no pudo hablar, ya que no estaba acostumbrada a ver espectros semejantes.

Sahrazad se dio cuenta de que amanecía e interrumpió el hermoso relato.

Cuando llegó la noche *quinientas treinta y cinco* (*a*), refirió:

—Me he enterado, ¡oh rey del tiempo!, de que [la madre] cayó desmayada. Aladino, que estaba de pie algo alejado y que ya había visto al genio del anillo en el subterráneo, en cuanto oyó las palabras que el genio dirigía a su madre, corrió a coger la lámpara que ésta tenía en la mano y dijo: «¡Esclavo de la lámpara! Tengo hambre. Quiero que me traigas guisos tan exquisitos que estén por encima de la imaginación». El genio estuvo ausente un abrir y cerrar de ojos, y volvió con una preciosa mesa, grande, de plata purísima; en ella había doce platos con guisos variados, todos de excelente calidad, dos copas de plata y dos botellas de auténtico vino añejo, y, además, pan blanco como la nieve. La colocó delante de Aladino y se marchó. El muchacho roció con agua de rosas el rostro de su madre y le dio a oler los mejores perfumes hasta que volvió en sí, y le dijo: «Madre, incorpórate, pues vamos a comer estos alimentos que Dios (¡ensalzado sea!) nos ha facilitado». Al ver una mesa de plata tan grande, la mujer quedó maravillada y preguntó a su hijo: «¡Hijo mío! ¿Quién ha sido la generosa persona que ha acudido a remediar nuestra hambre y nuestra pobreza? Le debemos un gran beneficio. Está claro que el sultán, enterado de nuestra situación, nos ha enviado esto». «Madre, no es éste el momento de hacer preguntas. Ven, vamos a comer, pues tenemos hambre.» Se sentaron a la mesa y comieron. La madre de Aladino comió cosas que en su vida había probado. Comieron con excelente apetito, pues estaban hambrientos, y aquellos manjares eran propios de reyes. Además, ignoraban su precio, pues nunca habían visto cosas semejantes. Después de hartarse, aún les sobró para la cena y para el día siguiente. Luego se lavaron las manos y se sentaron a hablar.

La madre de Aladino preguntó: «¡Hijo mío! Explícame ahora lo que ha ocurrido con el esclavo-genio; gracias a Dios ya hemos comido, hemos quedado satisfechos y no puedes decirme que tengas hambre». Aladino le refirió todo lo que le había sucedido con el esclavo desde el momento en que ella cayó desmayada de terror. La mujer se maravilló mucho y le dijo: «¡Luego, es cierto que los genios se muestran a los hombres! Yo, hijo mío, jamás en mi vida había visto uno. Creo que éste es el mismo que te salvó cuando estabas en el tesoro». «No era éste, madre. El esclavo que se te ha aparecido es siervo de la lámpara.» «¿Cómo es eso, hijo mío?» «Este esclavo no tiene la misma forma que el del anillo; el que has visto, es siervo de la lámpara.»

Sahrazad se dio cuenta de que amanecía e interrumpió el hermoso relato.

Cuando llegó la noche *quinientas treinta y seis (a)*, refirió:

—Me he enterado, ¡oh rey del tiempo!, de que [la madre preguntó:] «Entonces, ¿ese maldito que se me ha aparecido y casi me ha hecho morir de terror es siervo de la lámpara?» «Sí.» «Hijo mío, por la leche que te he dado de mamar, te ruego que te deshagas de la lámpara y del anillo, ya que causan un miedo enorme. Yo no podría soportar verlos de nuevo. Además, se ha prohibido a los hombres tener tratos con ellos, pues el Profeta (¡Dios lo bendiga y lo salve!) nos ha puesto en guardia contra los genios.» «Madre, tus palabras son órdenes para mí, pero las que acabas de pronunciar, no. Me es imposible desprenderme de la lámpara o del anillo. Tú has visto el favor que nos han hecho cuando estábamos hambrientos. Sabe, madre, que, cuando descendí en busca del tesoro, el embustero del brujo magrebí no me pidió ni el oro ni la plata de que estaban repletas las cuatro salas, sino únicamente que le llevase la lámpara, pues él conocía bien sus propiedades. Si no hubiese conocido su importancia, jamás se habría tomado tantas molestias y fatigas, ni hubiese venido desde su país hasta el nuestro para buscarla, ni me habría encerrado cuando yo no le entregué la lámpara. Madre, necesitamos guardar y conservar con cuidado esta lámpara, ya que constituye nuestro medio de vida y nuestra riqueza. No podemos mostrársela a nadie. Lo mismo ocurre con el anillo; no puedo quitármelo del dedo, pues si no hubiera sido por él, no me habrías vuelto a ver con vida, pues habría muerto enterrado junto al tesoro. ¿Cómo puedo quitármelo de la mano? ¿Quién sabe las desgracias, fatigas, acontecimientos y calamidades que puede depararme el tiempo, y de los cuales puede salvarme el anillo? Mas, por complacerte, esconderé la lámpara y no volverás a verla jamás.» La madre consideró que su hijo tenía razón. «Hijo mío, haz lo que quieras. Por mi parte, no deseo volver a verlos, ni quiero contemplar nuevamente la terrorífica imagen que vi.»

Sahrazad se dio cuenta de que amanecía e interrumpió el hermoso relato.

Cuando llegó la noche *quinientas treinta y siete* (*a*), refirió:

—Me he enterado, ¡oh rey del tiempo!, de que Aladino y su madre tuvieron para dos días con los alimentos que les había llevado el genio. Cuando se hubo terminado la comida, Aladino cogió uno de los platos que le había llevado el esclavo. Era de oro puro, mas el muchacho no lo sabía. Se dirigió al mercado, y lo vio un judío más malicioso que el diablo. El muchacho le ofreció el plato, y cuando el judío lo hubo contemplado, se retiró con Aladino a un rincón para que nadie lo viese. Lo examinó bien y comprobó que era de oro puro. Pero ignoraba si Aladino conocía o no su precio. Le preguntó: «¡Señor mío! ¿Por cuánto vendes el plato?» «Tú sabes lo que vale», le contestó. El judío permaneció indeciso sobre lo que había de dar a Aladino, ya que éste le había dado una respuesta de experto. De momento pensó en pagarle poco, mas temió que el muchacho conociese el precio; luego pensó darle mucho, pero se dijo: «Tal vez sea un ignorante que desconoce su valor». Se sacó del bolsillo un dinar de oro y se lo entregó. Aladino se marchó corriendo en cuanto tuvo el dinar en la mano, y el judío comprobó así que el muchacho desconocía el precio del plato. Por eso se arrepintió de haberle dado un dinar de oro en vez de una moneda de sesenta céntimos. Aladino no se entretuvo. Fue al panadero, compró pan, cambió su dinar y regresó junto a su madre, a la que entregó el pan y el cambio. «Madre, ve y compra lo que necesitemos.» Ésta se levantó, fue al mercado y adquirió todo lo que necesitaban; después comieron y reposaron.

Aladino, cada vez que se le terminaba el dinero, cogía uno de los platos y se lo llevaba al judío, el cual los adquiría a un precio irrisorio. Habría querido rebajar algo, pero como la primera vez le dio un dinar, temió que si le bajaba el precio se marchase el muchacho a venderlos a otro, y él perdiese tan magnífica ganancia. Aladino le siguió vendiendo plato tras plato, hasta que sólo le quedó la mesa en la cual había traído los platos el esclavo. Como ésta era muy grande y pesada, fue por el judío, lo llevó a su casa y se la mostró. Al ver el tamaño, le entregó diez dinares, y el muchacho los tomó. Aladino y su madre fueron comiendo con los diez dinares hasta que éstos se terminaron. Entonces, el muchacho sacó la lámpara y la frotó: inmediatamente apareció el esclavo de la vez anterior...

Sahrazad se dio cuenta de que amanecía e interrumpió el hermoso relato.

Cuando llegó la noche *quinientas treinta y ocho* (*a*), refirió:

—Me he enterado, ¡oh rey del tiempo!, de que el esclavo le dijo: «Pide, señor mío, lo que desees, pues yo soy tu esclavo, soy esclavo del dueño de la lámpara». Aladino le ordenó: «Tengo hambre y quiero que me traigas una mesa igual que me trajiste anteriormente». En un abrir y cerrar de ojos, el esclavo le llevó una mesa igual a la anterior, sobre la cual había doce magníficos platos con los guisos más exquisitos, así como botellas de vino excelente y pan blanco. La madre de Aladino salió al darse cuenta de que su hijo se disponía a frotar la lámpara, pues no quería ver nuevamente al genio. Al cabo de un rato volvió a entrar, contempló la mesa llena de platos de plata y de exquisitos guisos, cuyo aroma se esparcía por toda la casa. Quedó pasmada. Aladino le dijo: «Fíjate, madre, ¡y tú que me decías que tirase la lámpara! Contempla los beneficios que nos reporta». «Hijo mío, que Dios multiplique los bienes que te concede, pero yo no quiero verla.» Se sentaron a la mesa, comieron y bebieron hasta hartarse y guardaron lo que les sobró para el día siguiente. Cuando se les hubo terminado, Aladino escondió debajo de su vestido uno de los platos y salió en busca del judío para vendérselo. El destino quiso que pasase junto a la tienda de un orfebre, hombre de bien, pío y temeroso de Dios.

Cuando el anciano orfebre vio a Aladino, le dijo: «Hijo mío, ¿qué es lo que quieres? Son ya muchas las veces que te veo pasar por aquí y tener tratos con ese judío, al cual le das algo. Creo que ahora llevas algún objeto y vas en su busca para vendérselo. ¿No sabes, hijo mío, que procuran adquirir los bienes de los musulmanes, de los que creen en el único Dios (¡ensalzado sea!), a precio regalado, y que siempre engañan a los creyentes? En especial ese judío, con el que tienes tratos y en cuyas manos has caído, es un bribón. Si posees algo, hijo mío, y quieres venderlo, muéstramelo sin temor, pues te pagaré lo que Dios (¡ensalzado sea!) manda». Aladino mostró el plato al jeque, y éste lo examinó, lo pesó en la balanza y preguntó a Aladino: «¿Era como éste el que vendiste al judío?» «Sí, era exacto y de la misma forma.» «¿Cuánto te pagaba?» «Un dinar.»

Sahrazad se dio cuenta de que amanecía e interrumpió el hermoso relato.

Cuando llegó la noche *quinientas treinta y nueve (a)*, refirió:

—Me he enterado, ¡oh rey del tiempo!, de que [el jeque exclamó:] «¡Ah! ¡Maldito sea el que engaña a los siervos de Dios (¡ensalzado sea!)!» Miró a Aladino y añadió: «Hijo mío, ese judío ladrón te ha estafado y se ha burlado de ti, ya que esto es de plata purísima; lo he pesado, y he visto que vale sesenta dinares. Si quieres aceptar su importe, tómalo». El viejo orfebre contó los sesenta dinares, y Aladino los aceptó y le dio las gracias por haberle descubierto el engaño del judío. Así, cada vez que terminaba el importe de un plato, le llevaba otro. Con ello fueron enriqueciéndose, pero no dejaron de vivir modestamente, sin grandes dispendios.

El muchacho dejó de ser un gandul y de tratar con los jovenzuelos, y empezó a frecuentar a los hombres de bien. Cada día iba al zoco de los mercaderes, trataba con los mayoristas y detallistas y se informaba de la situación de los negocios, de los precios de las mercancías y de otras muchas cosas. Iba también al mercado de los orfebres y al de los joyeros, y en éste se entretenía contemplando las piedras preciosas. Entonces pudo comprobar que el contenido de las dos bolsas que había llenado con los frutos de los árboles durante su visita al tesoro no eran ni de vidrio ni de cristal, sino que se trataba de piedras preciosas; se percató de que poseía unas riquezas tales como nunca las tendría el más poderoso de los reyes. Examinó todas las gemas que había en el zoco de los joyeros, y vio que la mayor de ellas no podía compararse con la más pequeña de las suyas. Todos los días iba al zoco de los joyeros, trababa nuevos conocimientos, hacía amigos y les preguntaba por las ventas y las compras, por las adquisiciones y las cesiones, por lo caro y lo barato.

Cierto día por la mañana, después de haberse levantado y vestido, salió, según su costumbre, y se dirigió al mercado de los joyeros. Mientras paseaba, oyó al pregonero anunciar: «¡Por orden del dispensador de mercedes, el rey del tiempo, el señor de la época! ¡Todo el mundo cerrará sus almacenes y tiendas y entrará en sus domicilios, pues la señora Badr al-Budur, hija del sultán, quiere ir al baño! ¡Todo aquel que desobedezca la orden será condenado a muerte, y su sangre caerá sobre su cuello!» Aladino sintió deseos de contemplar a la hija del sultán. Se dijo: «Todos hablan de su gran hermosura y belleza. Mi mayor deseo consiste en verla».

Sahrazad se dio cuenta de que amanecía e interrumpió el hermoso relato.

Cuando llegó la noche *quinientas cuarenta* (*a*), refirió:

—Me he enterado, ¡oh rey del tiempo!, de que Aladino empezó a pensar cómo se las arreglaría para ver a la señora Badr al-Budur. Y llegó a la conclusión de que lo mejor sería colocarse detrás de la puerta del baño, a fin de poder verle la cara en el momento en que entrase. Poco antes de la hora fijada, corrió al baño y se escondió detrás de la puerta. Nadie podía verlo en el sitio en que estaba. Salió la hija del sultán, atravesó las calles y llegó al baño. Al entrar levantó el velo que le cubría la cara y se vio un rostro que parecía el sol brillando o una perla única. Era tal como dijo uno de sus descriptores:

> Mujer en cuyos párpados se cosecha el elixir de la magia, en cuyas mejillas se recoge la rosa.
> Las tinieblas de la noche están formadas por la oscuridad de sus cabellos, la cual se esfuma ante la luz de su frente.

Levantó el velo que le cubría la cara y Aladino, al contemplarla, exclamó: «¡Verdaderamente su forma constituye un canto de alabanza al Gran Creador! ¡Gloria a Aquel que la ha creado y la ha adornado con tanta belleza y hermosura!» El muchacho perdió su fuerza, su razón quedó confusa, su vista, turbada, y el amor hizo presa en su corazón. Regresó a su casa y, aturdido, se presentó a su madre. Ésta le dirigió la palabra, pero él no le hizo caso. Le acercó la comida, mas él siguió como inconsciente. La madre le preguntó entonces:

«¡Hijo mío! ¿Qué te ha ocurrido? ¿Te duele algo? Dime qué es lo que te ha pasado. Te estás portando de un modo desacostumbrado, pues te hablo y no me contestas». Aladino había creído hasta entonces que todas las mujeres eran como su madre. Había oído hablar de la hermosura de la señora Badr al-Budur, la hija del sultán, pero hasta entonces no supo qué era la belleza. Volviéndose hacia su madre, le dijo: «¡Déjame!» La madre le insistió para que comiese, y él se acercó, comió un poco y fue a tumbarse en la cama. Toda la noche estuvo esperando que llegara la aurora. Al día siguiente permaneció en el mismo estado, y la madre no sabía qué hacer, pues no tenía idea de lo que le había ocurrido. Pensó que tal vez se encontrase enfermo. «¡Hijo mío! Si sientes algún dolor o alguna cosa, dímelo, para que vaya a buscar el médico. Hoy se encuentra en esta ciudad un médico del país de los árabes al que ha enviado a buscar el sultán. Tiene fama de ser muy experto. Si estás enfermo, iré y lo llamaré.»

Sahrazad se dio cuenta de que amanecía e interrumpió el hermoso relato.

Cuando llegó la noche *quinientas cuarenta y una* (*a*), refirió:

—Me he enterado, ¡oh rey del tiempo!, de que Aladino, al ver que su madre se disponía a ir a buscar al médico, le contestó: «¡Madre! Estoy bien; no me encuentro enfermo. Yo creía que todas las mujeres eran igual que tú, pero ayer vi a la señora Badr al-Budur, hija del sultán, cuando iba al baño». Le explicó todo lo que le había ocurrido y añadió: «Es posible que hayas oído pregonar: "Que nadie abra su tienda ni permanezca en la calle, porque la señora Badr al-Budur va a ir al baño". Yo la he visto tal como es, pues cuando llegó a la puerta de éste, se quitó el velo que le cubría la cara. Al contemplar su figura, al ver su noble forma, he sentido por ella un gran amor, y la pasión me ha traspasado todos los miembros; ya no podré tener reposo hasta conseguirla. Por eso pienso pedirla en legítimo matrimonio al sultán, su padre». La madre creyó que su hijo había perdido la razón. «¡Hijo mío! ¡Dios te proteja! Está claro que has perdido la razón. ¡Vamos! Reponte y no seas loco.» «Ni he perdido la razón, ni soy un loco, ni tus palabras pueden cambiar para nada mis intenciones. No podré descansar si no obtengo la sangre de mi corazón, a la hermosa Badr al-Budur. Quiero pedirla por esposa a su padre el sultán.» «¡Hijo mío! ¡Por tu vida! ¡No hables de esa manera! Alguien podría oírte y decir que estás loco. Olvida eso. ¡Vaya por Dios! ¡Ir a pedirla al sultán! No sé cómo harías la petición, si es que hablas en serio. ¿Y a quién mandarías a pedirla?» «¿Quién iba a hacer semejante petición? Tú estás aquí, ¿y quién me es más fiel que tú? Deseo que tú, personalmente, hagas la petición.» «¡Hijo mío! ¡Dios me libre de ello! ¿Acaso crees que he perdido la razón como tú? ¡Quítate esa idea de la cabeza! Piensa. ¿De quién eres hijo? De un sastre, el más pobre e ínfimo de los sastres que viven en esta ciudad. Yo, tu madre, procedo también de una familia muy pobre. ¿Cómo me he de atrever a pedir en matrimonio a la hija del sultán, a aquella a la que su padre no quiere casar ni con los hijos de los reyes ni de los sultanes, a no ser que tengan el mismo grado de poder, de rango y de nobleza? Basta que estén un poquito por debajo de él para que los rechace.»

Sahrazad se dio cuenta de que amanecía e interrumpió el hermoso relato.

Cuando llegó la noche *quinientas cuarenta y dos* (*a*), refirió:

—Me he enterado, ¡oh rey del tiempo!, de que Aladino dejó que su madre acabara de hablar. Entonces dijo: «¡Madre! Sé todo lo que has dicho y estoy convencido de ello. Sé que soy hijo de pobres, pero eso no altera en modo alguno mi resolución. Te ruego, ya que soy tu hijo y tú me quieres, que me hagas este favor, pues en caso contrario me perderás, ya que si no obtengo a la amada de mi corazón la muerte repentina se apoderará de mí. Sea como fuere, soy tu hijo». La madre lloró de pena y argumentó: «¡Hijo mío! Soy tu madre y no tengo más hijo ni más amor que tú. Mi mayor deseo lo constituye el hacerte feliz y el casarte. Pero si quieres contraer matrimonio, te buscaré a una muchacha que sea de nuestra condición y sangre. En seguida me preguntará si tienes oficio, tierras, negocio o jardín de que vivir. Si yo no puedo contestar a gentes pobres como nosotros, ¿cómo he de atreverme, hijo, a pedir a la hija del rey de la China, que no tiene quien pueda precederla o seguirla? Piensa en ello. ¿Y quién la pide? El hijo de un sastre. Sé perfectamente que si hablase de esto nos vendría la mayor desgracia, pues nos expondríamos a un gran peligro ante el sultán, y tal vez nos costase la vida a los dos. Y yo misma, ¿cómo podría atreverme a correr ese riesgo y a tener tal desvergüenza? ¡Hijo mío! ¿De qué modo podría pedir para ti a la hija del sultán? ¿Cómo podría llegar ante él? Y si me interrogaran, ¿qué les respondería? Lo más probable es que creyeran que estoy loca. Supón que llegase ante el soberano: ¿qué regalo le ofrecería a Su Majestad?»

Sahrazad se dio cuenta de que amanecía e interrumpió el hermoso relato.

Cuando llegó la noche *quinientas cuarenta y tres* (*a*), refirió:

—Me he enterado, ¡oh rey del tiempo!, de que [la madre prosiguió:] «Es cierto que el sultán es magnánimo y no despide a nadie que vaya a pedirle justicia, clemencia, protección o dones. Es generoso y concede sus beneficios al allegado y al extraño. Pero estos dones los da a quien se los merece o a quien le ha servido en la guerra o en la defensa del país. Dime ahora tú: ¿qué es lo que has hecho por el sultán o por el reino hasta el punto de merecer tal favor? Además no estás a la altura de la gracia que pides, y no es posible que el rey te conceda lo que solicitas. Quien se presenta al sultán y le pide favores necesita, por su parte, ofrecerle algo, como tú has dicho, que sea conveniente a Su Majestad. ¿Cómo te es posible pensar en presentarte a él y pedirle la mano de su hija, sin llevar ningún regalo digno de él?» «¡Madre mía! Hablas con razón y piensas lógicamente. Yo tendría que haber reflexionado en todo lo que tú me has hecho pensar, pero, madre, el amor por la hija del sultán, por la señora Badr al-Budur, ha penetrado hasta lo más profundo de mi corazón y no podré reposar si no la consigo. Me has hecho meditar en algo que había olvidado, y esto es lo que me incita ahora a pedirle, por tu mediación, a la hija. Tú, madre mía, me has dicho: "¿Qué regalo puedes ofrecer al sultán, de acuerdo con lo que es costumbre entre las gentes?" Pero el caso es que yo tengo un presente y un regalo que, según creo, ni los mismos reyes tienen algo igual o que se le pueda comparar.»

Sahrazad se dio cuenta de que amanecía e interrumpió el hermoso relato.

Cuando llegó la noche *quinientas cuarenta y cuatro* (*a*), refirió:

—Me he enterado, ¡oh rey del tiempo!, de que [Aladino prosiguió:] «Lo que yo creía que eran vidrios o cristales son piedras preciosas, y sospecho que todos los reyes del mundo juntos no tienen nada que pueda compararse con la más pequeña de mis piedras. He tratado con los joyeros, y he comprendido que son gemas de un valor inmenso: son las que traje del tesoro en las bolsas. Si quieres hacerme el favor... Tenemos un plato de porcelana china; tráemelo. Lo llenaré a rebosar con estas joyas, y lo llevarás como regalo al sultán. Estoy seguro de que con ello te será fácil el asunto, podrás presentarte delante de él y exponerle mi deseo. Si tú no me ayudas a conseguir a la señora Badr al-Budur, puedes estar convencida de que moriré. No te preocupes por el regalo: son piedras de un valor inmenso. Serénate, madre. He ido muchas veces al mercado de los joyeros y he visto que éstos vendían piedras a precios altísimos, inconcebibles, a pesar de que no eran ni la cuarta parte de hermosas que las nuestras. Como lo he visto, estoy seguro de que mis gemas valen una cantidad fabulosa. Vamos, madre, haz lo que te he dicho y tráeme el plato de porcelana china que te he pedido. Colocaremos en él las joyas y veremos qué tal quedan».

La madre le llevó el plato de porcelana, mientras se decía: «Ahora veremos si es verdad o no lo que dice mi hijo de estas joyas». Colocó el plato delante de Aladino, y éste sacó las gemas de las bolsas y empezó a alinearlas en él. Colocó piedras de todas las clases, hasta dejarlo lleno. Entonces la madre dirigió la mirada al plato, pero no pudo fijar la vista en él, a causa de los rayos de luz, el brillo y el resplandor que irradiaban aquellas gemas. Quedó aturdida, aunque no acababa de creer que su precio fuese tan elevado. Pensó que tal vez era cierto lo que decía su hijo, y que ningún rey tenía gemas iguales. Aladino se volvió hacia ella y le dijo: «Has visto, madre, que éste es un gran regalo, propio de un sultán. Estoy seguro de que te recibirá con mucho honor y te tratará con todos los miramientos. Ahora, ya no tienes ninguna excusa. Haz el favor de coger el plato e ir a palacio». «Sí, hijo mío. El regalo es de un gran valor, de mucho precio; tal como has dicho, nadie posee una cosa comparable; pero, ¿quién tiene el valor de presentarse al sultán y de pedir a su hija Badr al-Budur? Yo no me siento capaz, cuando me pregunte: "¿Qué quieres?", de contestar: "A tu hija". Sabe, hijo mío, que mi lengua se trabará. Pero supongamos que, por voluntad de Dios, me armo de valor y le digo: "Quiero emparentarme contigo mediante el matrimonio de tu hija, la señora Budur, con mi hijo Aladino". En el momento en que lo haga sospecharán que estoy loca y me expulsarán entre afrentas y burlas, además de que correremos peligro de muerte. A pesar de todo, hijo mío, sacaré fuerzas de flaqueza por complacerte. Pero si el rey me recibe y me trata con atención por el regalo que le llevo, y después le pido...»

Sahrazad se dio cuenta de que amanecía e interrumpió el hermoso relato.

Cuando llegó la noche *quinientas cuarenta y cinco* (*a*), refirió:

—Me he enterado, ¡oh rey del tiempo!, de que [la madre prosiguió: «Si le pido] al sultán el matrimonio de su hija, él me preguntará, según es costumbre entre la gente: "¿Qué posesiones tienes? ¿A cuánto ascienden tus ingresos?" ¿Qué he de contestarle? Tal vez, hijo mío, me lo pregunte antes de pedir informes tuyos». Aladino le replicó: «El sultán no te dirá eso cuando vea el tamaño de las gemas. Por consiguiente, no es necesario que pienses en lo que no va a ocurrir. Vamos, ve y pídele su hija para mí. Ofrécele estas joyas y no te esfuerces en hacerme difícil la cosa antes de tiempo. Ya sabes que tengo la lámpara, y, con ella, todo cuanto pida. Tengo la esperanza de que con ella podré satisfacer al sultán si me pide algo».

Aladino y su madre pasaron toda la noche hablando de lo mismo. Al llegar el día, su madre estaba animada por lo que le había explicado su hijo acerca de las virtudes y utilidad de la lámpara, que facilitaba todo lo que se le pedía. Aladino, al ver que su madre se había resuelto, temió que hablase de la lámpara a la gente. Le dijo: «¡Madre! Guárdate de hablar con nadie de esa lámpara y de sus virtudes, pues ella constituye nuestro bien. Presta atención y no digas nada de ella para que no la perdamos, pues entonces se acabaría nuestro bienestar». «No temas nada, hijo mío.» Cogió el plato con las gemas y salió inmediatamente para poder entrar en la audiencia antes de que se aglomerase la gente. Envolvió el plato en una servilleta, se dirigió con él a palacio y llegó a la sala de la audiencia cuando aún no estaba llena. Vio entrar al visir y a algunos grandes del reino, y poco después la sala quedó llena de ministros, grandes del reino, cortesanos, emires y nobles. Luego entró el sultán; los ministros, los cortesanos, los grandes y demás personas se quedaron de pie, y el soberano se sentó en el trono; los cortesanos estaban con los brazos cruzados, en espera de que les mandara sentarse. Les ordenó que ocupasen su sitio, y cada uno se instaló en el que le correspondía. Presentaron al sultán las peticiones, y éste fue resolviendo todos los asuntos sobre la marcha, hasta que se terminó la audiencia. Entonces el sultán se levantó y se dirigió a sus habitaciones particulares, mientras se marchaban todas las personas que estaban en la sala.

Sahrazad se dio cuenta de que amanecía e interrumpió el hermoso relato.

Cuando llegó la noche *quinientas cuarenta y seis* (*a*), refirió:

—Me he enterado, ¡oh rey del tiempo!, de que la madre de Aladino, que había llegado de las primeras, encontró un sitio en el que colocarse; pero como nadie le había dirigido la palabra para presentarla al sultán, se quedó allí hasta que terminó la audiencia y el soberano se levantó, entró en sus habitaciones particulares, y todas las personas que estaban allí se retiraron. La madre de Aladino, al ver que el sultán se levantaba del trono y se dirigía a sus habitaciones, se marchó a su casa. Al verla con el plato en la mano, su hijo creyó que le había ocurrido algo, y no quiso preguntarle nada. Ella misma lo informó de lo ocurrido, y terminó diciendo: «¡Gracias sean dadas a Dios, hijo mío, que me ha dado valor! Hoy he conseguido un sitio en la audiencia, a pesar de no haber podido hablar al sultán. Mañana, si Dios (¡ensalzado sea!) lo quiere, volveré y le hablaré. Hoy han sido muchas las personas que no han podido hablar con él. Está tranquilo, hijo, que mañana sin falta le hablaré, para complacerte. Y lo que tenga que ser, será».

Aladino se alegró mucho al oír las palabras de su madre, y empezó a contar, impaciente, las horas que faltaban para hacer la petición. A la mañana siguiente, la madre de Aladino se levantó y se dirigió con el plato a la audiencia del sultán; pero vio que estaba cerrada la sala. Preguntó a la gente, y le contestaron: «El sultán sólo concede audiencia tres días por semana». No tuvo más remedio que volver a su casa. Acudía a la audiencia todos los días, y cuando estaba abierta permanecía en ella, de pie, hasta que se terminaba, y luego regresaba a su casa. Los restantes días encontraba la sala cerrada. Hizo esto durante una semana. El sultán la veía en cada sesión. El último día permaneció de pie, como de costumbre, hasta el final de la recepción, sin atreverse a adelantarse o hablar. El sultán se levantó para dirigirse a sus habitaciones particulares. El gran visir estaba a su lado. El soberano, volviéndose hacia éste, le dijo: «¡Visir! Hace seis o siete días que en cada audiencia veo a esta vieja que viene aquí trayendo algo debajo de sus ropas. ¿Sabes, visir, de qué se trata y qué es lo que quiere?» «¡Nuestro señor, el sultán! Las mujeres tienen pocas entendederas y quizás ésta venga a quejarse ante ti de su esposo o de alguno de sus familiares.» El sultán, no satisfecho de la contestación del visir, le mandó que si aquella mujer volvía otra vez a la audiencia, se la presentase inmediatamente. El visir, saludando, contestó: «¡Oír es obedecer, señor!»

Sahrazad se dio cuenta de que amanecía e interrumpió el hermoso relato.

Cuando llegó la noche *quinientas cuarenta y siete* (*a*), refirió:

—Me he enterado, ¡oh rey del tiempo!, de que la madre de Aladino se había acostumbrado ya a aquello e iba cada día a la audiencia: entraba y se colocaba en pie delante del sultán. La espera la fatigaba muchísimo, pero con tal de complacer a Aladino, cualquier fatiga le parecía ligera. Cierto día en que llegó a la audiencia como de costumbre, se quedó de pie delante del sultán. Éste, al verla, dijo al visir: «Ésa es la mujer de la que te hablé. Haz que venga a mi presencia. Veremos cuál es su petición y satisfaremos su necesidad». El ministro presentó a la madre de Aladino ante el sultán. La mujer hizo una reverencia, le deseó larga vida y toda suerte de felicidades, y besó el suelo ante él. El sultán le dijo: «¡Mujer! Hace muchos días que te veo en la audiencia sin decirme nada. Dime si necesitas algo, para poder complacerte». Ella besó el suelo de nuevo y le dijo: «¡Sí, por la vida de tu cabeza, rey del tiempo! Necesito algo, pero antes concédeme tu perdón para que pueda exponer mi súplica al oído de nuestro señor el sultán, pues es posible que tu Majestad considere absurda mi petición». El sultán, generoso por temperamento, le concedió el perdón y mandó que saliesen inmediatamente todos los que estaban con él. Se quedó solo con el gran visir. Entonces le dijo: «Di lo que deseas, pues estás bajo la protección de Dios (¡ensalzado sea!)» «¡Rey del tiempo! ¡Pido también tu perdón!» «Lo tienes. ¡Dios te perdone!» «¡Sultán, señor! Tengo un hijo llamado Aladino. Cierto día oyó que el pregonero mandaba que nadie abriese las tiendas ni saliese a las calles de la ciudad, porque la señora Badr al-Budur, hija de nuestro señor el sultán, iba al baño. Mi hijo, al oírlo, quiso contemplarla y se escondió en un lugar desde el que podía verla perfectamente sin ser visto: se colocó detrás de la puerta de la casa de baños. Cuando ella llegó pudo verla a su talante, más de lo que deseaba. Desde entonces, rey del tiempo, no ha vivido. Me ha rogado que la pidiese en matrimonio a tu Majestad, y yo no he podido quitarle esta idea de la cabeza, ya que el alma se ha apoderado de su corazón hasta el punto de decirme: "¡Madre! Si no obtengo mi deseo, no cabe duda de que moriré". Pido a tu Majestad que sea generoso y nos perdone a mí y a mi hijo esta demanda tan atrevida, y que no nos castigue».

El rey se echó a reír y le preguntó: «¿Qué es lo que traes en ese paquete?» La madre de Aladino, al ver que el sultán se reía y no se enfadaba por sus palabras, sino que le hacían gracia, abrió la servilleta y le ofreció el plato de las gemas. En cuanto hubo quitado la servilleta, toda la sala quedó iluminada como por candelabros y arañas. El rey quedó aturdido ante los rayos que desprendían las gemas y empezó a admirar el tamaño, volumen y hermosura de las mismas.

Sahrazad se dio cuenta de que amanecía e interrumpió el hermoso relato.

Cuando llegó la noche *quinientas cuarenta y ocho* (*a*), refirió:

—Me he enterado, ¡oh rey del tiempo!, de que [el rey,] estupefacto, exclamó: «¡Jamás hasta ahora había visto piedras comparables a éstas en hermosura, tamaño y belleza! Creo que en mi tesoro no tengo ninguna que se pueda comparar con ellas». Volviéndose hacia su visir, le preguntó: «¿Qué dices, visir? ¿Has visto en tu vida gemas semejantes a éstas?» «¡Jamás las he visto, señor nuestro, sultán! Y no creo que en el tesoro de mi señor, el rey, se encuentre una que sea igual a la más pequeña de éstas.» «Quien me ha regalado estas piedras, ¿no merece ser el esposo de mi hija, Badr al-Budur? Creo que nadie lo merece más que él.» La lengua del visir se trabó de pena al oír aquello. Experimentaba un gran pesar, puesto que el rey le había prometido casar a Badr al-Budur con su hijo. Al cabo de un momento contestó: «¡Rey del tiempo! ¡Sea generosa tu Majestad conmigo! Me tienes prometido que la señora Badr al-Budur se casará con mi hijo. Tu Majestad debe ser lo suficientemente magnánima para concederme un plazo de tres meses, y, si Dios quiere, el regalo que le hará mi hijo será mayor que éste». El rey sabía que esto era imposible no sólo para su ministro, sino incluso para el rey más poderoso. Quiso hacer uso de su generosidad y le concedió un plazo de tres meses, conforme le había pedido. Volviéndose a la madre de Aladino, le dijo: «Dile a tu hijo que queda prometido a mi hija, pero que, siendo necesario preparar el equipo y las cosas imprescindibles, tendrá que esperar tres meses». La madre aceptó la respuesta, dio las gracias al sultán, hizo los votos augurales por él, y se marchó.

Llena de alegría voló, más que corrió, hasta llegar y entrar en su casa. Su hijo Aladino se puso contento al ver su cara sonriente, y de un modo especial porque volvía en seguida, sin la tardanza de los días anteriores; además, no llevaba el plato. «Si Dios quiere, madre, me traes una magnífica noticia. Las maravillosas gemas han surtido efecto. Habrás sido recibida por el sultán, éste se habrá mostrado generoso contigo y habrá escuchado tu petición.» La madre le explicó todo: cómo la había acogido el sultán, y cómo él y el visir se habían admirado del número y tamaño de las piedras; finalmente, cómo le había dicho que su hija quedaba prometida a Aladino. «Pero, hijo mío, el visir le ha hablado en voz baja antes de que me hiciese la promesa. Después de haberle hablado éste en secreto, me ha prometido que el matrimonio se celebrará dentro de tres meses. Temo que el visir prepare algo que haga cambiar el pensamiento del rey.»

Sahrazad se dio cuenta de que amanecía e interrumpió el hermoso relato.

Cuando llegó la noche *quinientas cuarenta y nueve* (*a*), refirió:

—Me he enterado, ¡oh rey del tiempo!, de que Aladino, al oír las palabras de su madre y que el sultán se había comprometido para el cabo de tres meses, se alegró mucho y se tranquilizó. Dijo: «El sultán ha hecho la promesa para dentro de tres meses. Es un largo plazo, pero yo estoy muy contento». Dio las gracias a su madre y rogó a Dios que le concediese toda clase de bienes por las fatigas que había pasado, y añadió: «¡Por Dios, madre! Tengo la sensación de que he estado en la tumba y de que tú me has sacado de ella. Alabo a Dios (¡ensalzado sea!) porque me ha convencido de que no hay en el mundo persona más rica o feliz que yo».

Aladino esperó que transcurrieran dos de los tres meses. Cierto día, a la hora de la puesta del sol, la madre de Aladino salió al mercado para comprar aceite. Vió que todos los zocos estaban cerrados, que la ciudad entera estaba engalanada y que la gente había colocado velas y flores en las ventanas. Los oficiales y soldados iban a caballo, formando cortejo con las antorchas y candelabros encendidos. Admirada de tanta pompa y ornato, entró en una tienda de aceites que estaba abierta, compró el aceite que necesitaba y preguntó al dueño: «¡Por vida tuya, tío! Dime qué es lo que hoy ocurre en la ciudad para que las gentes hayan puesto tantos adornos. Los zocos y todas las casas están engalanadas, y las tropas, formadas». «¡Mujer! Tú no debes de ser de esta ciudad, ¿verdad?» «Sí, soy de aquí.» «¿Eres de esta ciudad y no te has enterado de que el hijo del gran visir se casa esta noche con la señora Badr al-Budur, hija del sultán? El novio se halla ahora en el baño, y ésa es la causa de que las tropas estén formadas, en espera de que salga para escoltarlo a palacio, junto a la hija del sultán.» La madre de Aladino quedó consternada y perpleja. ¿Cómo daría a su hijo esta noticia desgarradora, cuando el pobre esperaba hora tras hora que transcurrieran los tres meses? Volvió en seguida a su casa, y dijo a Aladino: «¡Hijo mío! Quiero informarte de un asunto, pero me apena hacerlo porque te entristecerá». «¡Dime de qué se trata!» «El sultán ha faltado a la promesa que te había hecho de darte a su hija la señora Badr al-Budur. Esta noche la casará con el hijo del visir. Ya te dije que me dio muy mala espina que le hablara al sultán al oído delante de mí.» «¿Y cómo te has enterado de que el hijo del visir celebra esta noche su boda con la señora Badr al-Budur, la hija del sultán?» La madre le explicó que cuando salió a comprar aceite vio la ciudad engalanada, y los oficiales y grandes del reino formados en espera de que el hijo del visir saliese del baño, ya que aquella noche se celebraría la boda. Al oírlo, Aladino se puso febril de pena, pero al poco rato, acordándose de la lámpara, se alegró y dijo a su madre: «¡Por tu vida, madre! Creo que el hijo del visir no disfrutará con ella como imagina. No hablemos más de esto y prepáranos la comida. Después de cenar me encerraré en mi habitación un momento, hasta encontrar la solución».

Sahrazad se dio cuenta de que amanecía e interrumpió el hermoso relato.

Cuando llegó la noche *quinientas cincuenta* (*a*), refirió:

—Me he enterado, ¡oh rey del tiempo!, de que en efecto, Aladino entró en su estancia, cerró la puerta, sacó la lámpara y la frotó; el esclavo compareció en el acto. «¡Pide lo que desees! Soy tu esclavo; yo y todos los esclavos de la lámpara somos los servidores de aquel que tiene esta lámpara en su mano.» «¡Oye! Pedí al sultán que me diese en matrimonio a su hija. Él me la concedió, señalándome un plazo de tres meses. Pero no ha mantenido su promesa, sino que la ha entregado al hijo del visir, el cual se propone esta noche unirse con ella. Te mando, si es que eres un siervo fiel de la lámpara, que esta noche, cuando veas juntos en el lecho al novio y a la novia, los traigas en su cama hasta aquí. Eso es todo.» «¡Oír es obedecer! Si deseas alguna otra cosa, mándame cuanto quieras.» «Sólo deseo lo que te he dicho.» El esclavo se marchó y Aladino salió a terminar de cenar con su madre. Al llegar la hora en que el esclavo debía estar de vuelta, se levantó, entró en su habitación y, al cabo de poco tiempo, el esclavo compareció con los dos novios metidos en la cama. Al verlos, Aladino se alegró muchísimo. Dijo al esclavo: «Saca a este criminal de aquí y llévalo a dormir al retrete». El esclavo condujo en el acto al hijo del visir al retrete, pero antes de salir le sopló y lo dejó paralizado, en una situación lamentable. A continuación el esclavo volvió junto a Aladino y le dijo: «¿Necesitas algo más? ¡Dímelo!» «Vuelve mañana para recogerlos y llevarlos a su habitación.» «Oír es obedecer.» El esclavo se marchó. Aladino no daba crédito a sus ojos. A pesar de que ardía de amor, desde hacía tiempo, por la señora Badr al-Budur, al ver a ésta en su casa supo guardar con ella las normas de la buena educación y le dijo: «¡Hermosa señora! No creas que te he hecho traer aquí para ofender tu honor. ¡Dios me guarde! Ha sido para no permitir que otro goce de ti, ya que tu padre, el sultán, me dio palabra de casarme contigo. Está, pues, tranquila y segura».

Sahrazad se dio cuenta de que amanecía e interrumpió el hermoso relato.

Cuando llegó la noche *quinientas cincuenta y una* (*a*), refirió:

—Me he enterado, ¡oh rey del tiempo! de que la princesa, al verse en una casa tan humilde y oír las palabras de Aladino, se llenó de terror y de miedo; quedó estupefacta y le fue imposible contestar a Aladino. Éste se desnudó, colocó la espada entre él y la princesa y durmió a su lado en la misma cama sin hacerle ninguna violencia, ya que sólo quería impedir su matrimonio con el hijo del visir. La señora Badr al-Budur pasó la peor noche de su vida. El hijo del visir permaneció en el retrete sin poderse mover, por el pánico que le había causado el esclavo. A la mañana siguiente, éste se presentó sin que Aladino tuviese necesidad de frotar la lámpara.

Le dijo: «¡Señor mío! Si deseas algo, mándamelo, pues lo haré con gusto». «Llévalos donde estaban.» El esclavo hizo lo que le había mandado Aladino en un abrir y cerrar de ojos. Transportó y colocó en su habitación del serrallo al hijo del visir y a la señora Badr al-Budur, tal como estaban, muertos de miedo al verse trasladados de un sitio a otro sin saber quién lo hacía. Apenas el esclavo los dejó en su habitación, el sultán acudió a ver a su hija. El hijo del visir, al oír que se abría la puerta, se levantó de la cama, pues creyó que el único que podía entrar era el sultán. Esto lo molestó mucho, ya que habría querido calentarse un poco, pues aún no había tenido tiempo de reponerse del frío que cogió en el retrete. Se levantó y se vistió.

Sahrazad se dio cuenta de que amanecía e interrumpió el hermoso relato.

Cuando llegó la noche *quinientas cincuenta y dos* (*a*), refirió:

—Me he enterado, ¡oh rey del tiempo!, de que el soberano entró en la habitación de su hija Badr al-Budur, la besó entre los ojos, le dio los buenos días y le preguntó si estaba contenta de su esposo. La princesa no le contestó: se limitó a mirarlo airada. El padre insistió varias veces, pero ella no respondió ni una sola palabra. El sultán salió de su habitación y fue a ver a su esposa para informarle de lo que había ocurrido con la señora Badr al-Budur. La reina, para que el sultán no se enfadara con la princesa, le dijo: «¡Oh, rey del tiempo! Esto es la costumbre de la mayoría de las recién casadas al día siguiente a la boda. Están avergonzadas y disimulan de esta forma. No la reprendas. Dentro de unos días volverá a su estado habitual y hablará con la gente. Ahora la vergüenza, ¡oh, rey!, le impide explicarse. Voy a ir a verla».

La reina se levantó, se vistió y fue a visitar a su hija, la señora Badr al-Budur. Se acercó a ella, le dio los buenos días y la besó entre los ojos. Mas la princesa no dijo nada. La reina pensó: «Debe de haberle ocurrido algo portentoso para que esté turbada de esta forma». Le preguntó: «¡Hija mía! ¿Cuál es el motivo de este estado? Dime qué es lo que te ha pasado para que no me contestes». La señora Badr al-Budur levantó la cabeza: «¡No me reprendas, madre! Mi obligación consistía en salir a tu encuentro con el máximo respeto y cortesía, ya que tú me has honrado al venir aquí. Pero confío en que escuches la causa de mi conducta. Esta noche ha sido para mí la peor de mi vida. Apenas nos habíamos acostado, madre, cuando alguien, cuyo aspecto ni siquiera conozco, cogió el lecho y nos transportó a un lugar oscuro, sucio y pobre». Siguió explicándole todo lo que le había ocurrido; cómo le habían arrebatado al novio, y cómo otro muchacho sustituyó a aquél, colocó la espada entre ambos y permaneció con ella hasta por la mañana. Luego añadió: «Entonces volvió el que nos había transportado y nos trajo de nuevo a nuestra habitación. Nos acababa de dejar cuando entró mi padre, el sultán. Tal vez se haya enfadado conmigo, pero tengo la esperanza de que tú se lo explicarás todo y de que él no me castigará ni me reñirá por no haberle contestado».

Sahrazad se dio cuenta de que amanecía e interrumpió el hermoso relato.

Cuando llegó la noche *quinientas cincuenta y tres* (*a*), refirió:

—Me he enterado, ¡oh rey del tiempo!, de que la reina dijo entonces: «¡Hija mía! Guárdate de repetir esto delante de nadie, para que no digan que la hija del sultán ha perdido la razón. Has hecho bien en no decírselo a tu padre, y ¡ten cuidado! Ten cuidado, hija mía, y no se lo cuentes a nadie». «¡Madre! Te he hablado en pleno uso de mis facultades mentales; no he perdido la razón. Eso es lo que me ha ocurrido; y si no me crees, pregúntale a mi novio.» «¡Vamos, hija mía! Quítate de la cabeza esas fantasías, ponte tus trajes y contempla las fiestas que en tu honor se celebran en la ciudad, y la alegría que reina en nuestros dominios con motivo de tu boda. Escucha los tambores y los cantos, mira los adornos que se han puesto para alegrarte, hija mía.» La reina mandó comparecer inmediatamente a las camareras, las cuales vistieron y arreglaron a la señora Badr al-Budur. La reina se fue a ver al sultán y le dijo que la princesa había pasado una noche de pesadillas y visiones. Y añadió: «No le riñas por no haberte contestado». Luego mandó llamar en secreto al hijo del visir y le preguntó acerca de lo sucedido, para ver si era cierto o no lo que le había dicho su hija. El novio, que tenía miedo de perder a la novia, aparentó la más perfecta ignorancia: «¡Señora! No tengo ni idea de lo que me dices». La reina quedó convencida de que su hija había sido víctima de pesadillas y sueños. Las fiestas continuaron durante aquel día: las bailarinas, bailaron; los cantores, cantaron, y todos los instrumentos de música, tocaron. La reina, el visir y el hijo de éste se esforzaron en mantener animada la fiesta, con el fin de alegrar a la señora Badr al-Budur y apartar la pena que la embargaba. Hicieron todo cuanto pudiera ser causa de alegría, para distraerla de sus pensamientos. Pero ella seguía callada, pensativa y meditabunda, al recordar lo que le había ocurrido aquella noche. Desde luego, lo peor le había ocurrido al hijo del visir, que se vio obligado a dormir en el retrete. Pero él lo había desmentido y procuró olvidarlo, pues temía perder a la esposa y el honor, y, sobre todo, porque sabía que todo el mundo lo envidiaba, al ver la gran suerte que había tenido con su ascenso de rango y, además, por la gran belleza de la señora Badr al-Budur.

Aladino salió aquel día y vio el regocijo que reinaba en la ciudad y en el palacio. Rió a gusto al oír a la gente que hablaba del gran honor y de la mucha suerte que había tenido el hijo del visir, pues se había convertido en yerno del sultán, y en su honor se hacían aquellas fiestas. El muchacho se dijo: «¡Pobres de vosotros! Lo envidiáis porque no sabéis lo que le ha ocurrido esta noche». Al llegar la noche, Aladino entró en su habitación, frotó la lámpara, y el esclavo compareció en el acto.

Sahrazad se dio cuenta de que amanecía e interrumpió el hermoso relato.

Cuando llegó la noche *quinientas cincuenta y cuatro* (*a*), refirió:

—Me he enterado, ¡oh rey del tiempo!, de que Aladino le mandó que le llevase a la hija del sultán con su novio, de idéntica forma que la noche anterior, antes de que el hijo del visir le arrebatase la virginidad. Hizo con éste lo mismo que la noche anterior: lo cogió, lo puso a dormir en el retrete y lo dejó paralizado de terror y de miedo. Aladino colocó la espada entre él y la señora Badr al-Budur, y se durmió. Por la mañana volvió a comparecer el esclavo y trasladó a los novios a su habitación. Aladino estaba muy contento por lo que hacía al hijo del visir.

El sultán, al levantarse por la mañana, fue a visitar a su hija, para ver si lo recibía como el día anterior. Tan pronto como se hubo despertado, se levantó, se vistió, fue al alcázar de su hija y abrió la puerta. El hijo del visir se levantó inmediatamente, saltó de la cama y empezó a vestirse, mientras las costillas le crujían de frío, pues el esclavo acababa de dejarlos en el mismo instante en que entraba el sultán. Éste se acercó a su hija, que seguía en la cama. Levantó el embozo, le dio los buenos días, la besó entre los ojos y le preguntó cómo se encontraba. La muchacha había enarcado las cejas, no le contestó nada y clavó en él una mirada furibunda. El sultán se enfadó al no recibir contestación, pensó que algo debía de haberle ocurrido y, desenvainando la espada, le dijo: «¿Qué es lo que te ha ocurrido? ¡O me lo explicas o ahora mismo te quito la vida! ¿Es así como me respetas y me honras? ¡Te dirijo la palabra y tú no me contestas!» La muchacha, al ver a su padre encolerizado y con la espada desenvainada, quedó aterrorizada, y, levantando la cabeza, dijo: «¡Noble padre! No te enfades conmigo ni te precipites en tu enojo, ya que el modo de comportarme tiene disculpa. Oye lo que me ha ocurrido. Es seguro que me perdonarás y que tu Majestad se mostrará indulgente conmigo, como es tu costumbre, dado el afecto en que me tienes, cuando hayas oído el relato de lo que me ha ocurrido estas dos últimas noches». Y le explicó todo a su padre, añadiendo: «¡Padre mío! Si no me crees, pregunta a mi novio y él informará a tu Majestad de todo, ya que no sé lo que han hecho con él al separarlo de mi lado, ni sé dónde lo han puesto».

Sahrazad se dio cuenta de que amanecía e interrumpió el hermoso relato.

Cuando llegó la noche *quinientas cincuenta y cinco* (*a*), refirió:

—Me he enterado, ¡oh rey del tiempo!, de que el sultán se entristeció, y sus ojos se llenaron de lágrimas. Enfundó la espada, se acercó a ella, la besó y le dijo: «¡Hija mía! ¿Por qué no me lo dijiste la noche pasada para que yo pudiera defenderte del tormento y del susto que has pasado esta noche? Ánimo; ponte en pie y procura olvidar eso, pues esta noche pondré guardias para que te protejan y no te vuelva a ocurrir lo mismo». El sultán volvió a su alcázar y mandó llamar urgentemente al visir. Cuando hubo llegado, le preguntó: «¿Qué piensas, visir, de este asunto? ¿Te ha explicado tu hijo lo que les ha ocurrido?» «¡Rey del tiempo! No he visto a mi hijo ayer ni hoy.» El sultán le refirió todo lo que le había contado su hija, y añadió: «Deseo que te enteres, a través de tu hijo, de si es verdad, ya que es posible que mi hija, a causa del miedo, no sepa qué es lo que le ha ocurrido, pese a que creo que me ha dicho la verdad».

El visir se marchó, mandó llamar a su hijo y le preguntó si todo lo que le había contado el sultán era o no verdad. El muchacho contestó: «¡Padre mío! ¡Visir! ¡La señora Badr al-Budur está lejos de mentir! Todo lo que ha dicho es cierto. Para nosotros han sido las dos noches más nefastas, en vez de ser las noches de la felicidad y de la alegría. Pero lo que me ha ocurrido a mí es mucho peor, pues yo, en vez de dormir en la cama con mi esposa, he pasado la noche en el retrete de un lugar sombrío, aterrorizador, maloliente, y con las costillas encogidas de frío». Le explicó todo lo ocurrido y terminó: «¡Noble padre! Te ruego que hables con el sultán para que me libre de este matrimonio. Para mí constituye un gran honor ser el yerno del sultán, y mucho más teniendo en cuenta que el amor de la señora Badr al-Budur ha hecho mella en mi corazón, pero no tengo fuerzas para soportar una sola noche más como las dos pasadas».

Sahrazad se dio cuenta de que amanecía e interrumpió el hermoso relato.

Cuando llegó la noche *quinientas cincuenta y seis* (*a*), refirió:

—Me he enterado, ¡oh rey del tiempo!, de que el visir se entristeció y se afligió, pues deseaba aumentar el rango de su hijo y engrandecerlo haciéndolo yerno del sultán; se quedó pensativo y perplejo ante este asunto sin saber qué hacer, pues le era muy penoso aceptar que se disolviese el matrimonio después de haber rezado a los diez santos para que llegase a ser realidad. Exclamó: «¡Hijo mío! Ten paciencia y veremos lo que ocurre la próxima noche. Pondremos guardias para que os protejan, no perderás este gran honor que sólo tú has alcanzado». El visir regresó al lado del sultán, para confirmarle que era cierto lo que le había dicho la señora Badr al-Budur. El sultán le replicó: «Pues si es así, no necesitamos la boda». El soberano ordenó que cesaran las fiestas inmediatamente y que se anulase la boda. Los habitantes de la ciudad se admiraron de este hecho tan extraordinario, y más cuando vieron que el visir y su hijo salían del serrallo tan afligidos y encolerizados, que daban pena. Se preguntaron: «¿Qué ha ocurrido? ¿Por qué se ha anulado la boda y se ha disuelto el matrimonio?» Pero nadie supo la causa, aparte Aladino, quien se reía para sus adentros. El matrimonio quedó anulado. El sultán y el visir habían olvidado ya la promesa que hicieran a la madre de Aladino, y ni siquiera sospechaban quién era el promotor de lo ocurrido.

Aladino esperó a que hubiesen pasado los tres meses para que pudiera celebrarse su matrimonio con la señora Badr al-Budur, según la promesa del sultán. En cuanto terminó el plazo, envió a su madre ante el sultán para que le exigiera el cumplimiento de lo prometido. La madre del joven se dirigió al serrallo. El sultán, al entrar en la audiencia y ver a la madre de Aladino en pie delante de él, recordó que tres meses antes le había prometido casar a su hija con su hijo. Volviéndose al visir le dijo: «¡Visir! Ésta es la mujer que me regaló las gemas y a la que nosotros dimos palabra para cumplirla a los tres meses. Que se presente ante mí». El visir llevó a la mujer a presencia del sultán. Ella lo saludó, y le deseó mucho poder y eterno bienestar. El sultán le preguntó qué era lo que deseaba. «¡Rey del tiempo! Hace tres meses me prometiste que al término de este plazo casarías a mi hijo Aladino con tu hija la señora Badr al-Budur.» El rey se quedó perplejo ante tal petición, y muy en particular al ver que la madre de Aladino tenía el aspecto de una pobre, una de las personas más ínfimas. Pero el regalo que le había hecho era de un valor inmenso, incalculable. Volviéndose al visir le preguntó: «¿Cuál es tu opinión? Realmente, yo le he dado mi palabra, aunque, por otra parte, está bien claro que se trata de gentes pobres, no de personas distinguidas».

Sahrazad se dio cuenta de que amanecía e interrumpió el hermoso relato.

Cuando llegó la noche *quinientas cincuenta y siete* (*a*), refirió:

—Me he enterado, ¡oh rey del tiempo!, de que la envidia mataba al visir, y más aún la tristeza que sentía por lo ocurrido a su hijo. Pensó: «¿Cómo un ser así ha de casarse con la hija del sultán, mientras mi hijo se ve privado de este honor?» Contestó: «¡Señor mío! Eso es fácil. Lo mejor es alejar a este pretendiente, pues no conviene a tu Majestad dar en matrimonio la hija a un hombre que no sabemos quién es». El sultán preguntó: «¿Y cómo podremos alejarlo si yo le he dado mi palabra, y la palabra de un rey es sagrada?» «¡Señor mío! Mi consejo es el siguiente: pídele cuarenta platos de oro puro, repletos de gemas como las que te trajo aquel día, y, además, que cuarenta esclavos y otras tantas esclavas te traigan los platos.» «¡Por Dios, visir! Tu consejo es certero, ya que no podrá obtenerlo, y así podremos librarnos de él.» Dirigiéndose a la madre de Aladino, le dijo: «Ve y dile a tu hijo que mantengo la promesa que le hice, siempre que pueda hacer un regalo de bodas a mi hija. Le pido cuarenta platos de oro puro, llenos de gemas idénticas a las que me trajiste. Me los entregarán cuarenta esclavas, que vendrán acompañadas por cuarenta esclavos a su servicio. Si tu hijo puede enviar esto, yo lo casaré con mi hija».

La madre de Aladino regresó a su casa, moviendo la cabeza y diciendo: «¿De dónde sacará mi pobre hijo esos platos y las piedras preciosas? Para las piedras y los platos supongamos que vuelva al tesoro y los recoja de los árboles, a pesar de que no creo que pueda hacerlo... Pero admitamos que lo haga. Mas, ¿de dónde sacará las esclavas y los esclavos?» Siguió hablando consigo misma hasta llegar a su casa. El joven estaba esperándola. Cuando llegó ante él, le dijo: «¡Hijo mío! ¿No te había dicho que no pensases en conseguir a la señora Badr al-Budur? Es algo imposible para gentes como nosotros». «Cuéntame qué es lo que ocurre.» «¡Hijo mío! El sultán me ha recibido muy bien, según su costumbre. Aparentemente estaba bien dispuesto hacia nosotros; he hablado con él en tu nombre y le he dicho: "El tiempo que fijaste ya ha transcurrido, y tu Majestad ha de disponer el matrimonio de tu hija, la señora Badr al-Budur, con mi hijo Aladino". El sultán se ha vuelto hacia tu enemigo, el maldito visir, y le ha hablado. Éste le ha contestado en voz baja, y entonces el soberano me ha dado la contestación.» Explicó a Aladino lo que le había pedido, y añadió: «¡Hijo mío! Pide que le des una contestación inmediata, pero yo creo que no tenemos nada que responder».

Sahrazad se dio cuenta de que amanecía e interrumpió el hermoso relato.

Cuando llegó la noche *quinientas cincuenta y ocho* (*a*), refirió:

—Me he enterado, ¡oh rey del tiempo!, de que Aladino se echó a reír y dijo a su madre: «¡Madre mía! ¿Eres tú quien dices que no tenemos nada que contestar y que el asunto es de difícil solución? Tranquilízate.

Trae algo para que podamos comer, y luego, si Dios quiere, tendrás la respuesta. El sultán me ha pedido algo que considera imposible, lo mismo que tú, para apartarme de la señora Badr al-Budur. Pero en realidad ha pedido lo menos que yo podía pensar. Vamos, ve a buscar algo de comer y déjame para que yo traiga la contestación». La madre se marchó al mercado a comprar lo que necesitaba, y Aladino entró en su habitación, cogió la lámpara y la frotó; el esclavo apareció en el acto. «Pide, señor mío, lo que desees.» «He pedido en matrimonio a la hija del sultán, pero éste me exige cuarenta platos de oro puro, cada uno de los cuales ha de pesar diez *artal*[3]. Deben estar llenos de las gemas que hay en el jardín del tesoro, y cuarenta esclavas han de llevar los respectivos platos, y cada una de ellas irá acompañada por un criado, o sea, en total, cuarenta criados. Quiero que me traigas todo esto.» «¡Oír es obedecer, señor mío!» Desapareció, y al cabo de un momento reapareció con las cuarenta esclavas, cada una de ellas acompañada por un esclavo, que llevaba en la cabeza un plato de oro puro lleno de valiosísimas gemas. Los colocó delante de Aladino y le dijo: «Esto es lo que me has pedido. Dime si necesitas algo más o deseas algún otro servicio». «De momento, nada más. Cuando lo necesite te volveré a llamar.»

El esclavo desapareció, y al cabo de un rato volvió la madre de Aladino. Entró en su casa, vio los esclavos y las jóvenes y se quedó maravillada. Exclamó: «¡Todo esto procede de la lámpara! ¡Dios la conserve en poder de mi hijo!» Antes de que se quitase el vestido de calle, Aladino le dijo: «¡Madre! Ha llegado el momento de actuar. Coge todo lo que ha pedido el sultán, y antes de que éste se retire a sus habitaciones particulares, preséntate a él, para que vea que puedo conseguir todo lo que me pida y aún más. Así sabrá que el visir le engaña, ya que entre ambos creen haberme puesto en un aprieto».

Aladino se levantó, abrió la puerta e hizo salir a las jóvenes y a los esclavos de dos en dos. Cada esclava lle-

[3] Plural de *ratl.* Medida ponderal árabe de valores muy variados.

vaba al lado a su criado. Ocuparon todo el barrio, y la madre de Aladino se colocó delante. Al ver un espectáculo tan portentoso, todos los vecinos salieron a contemplar la belleza y hermosura de las jóvenes, cuyos vestidos estaban tejidos en oro y llevaban gemas incrustadas. El más modesto de aquellos vestidos valía miles de dinares. Al fijarse en los platos vieron que desprendían rayos cuya luz era más intensa que la del sol. Cada uno de ellos estaba cubierto por un pedazo de tela, bordado en oro e incrustado de piedras valiosísimas.

Sahrazad se dio cuenta de que amanecía e interrumpió el hermoso relato.

Cuando llegó la noche *quinientas cincuenta y nueve* (*a*), refirió:

—Me he enterado, ¡oh rey del tiempo!, de que todo el barrio admiró aquel espectáculo. La madre de Aladino precedía la comitiva, y los esclavos y esclavas la seguían en perfecto orden. Los transeúntes se detenían a contemplar aquello y alababan al gran Creador. Llegaron al palacio, y la madre de Aladino entró con ellos en él. Los funcionarios, los chambelanes y los jefes del ejército quedaron mudos de admiración ante un espectáculo que no habían visto nunca en su vida, y muy especialmente al ver a las esclavas, cada una de las cuales cautivaba el entendimiento de todos los seres, ya fuesen chambelanes, jefes del ejército del sultán o hijos de los magnates. Quedaron boquiabiertos ante los costosos vestidos que llevaban y los platos que transportaban en la cabeza, en los cuales no podían fijar la vista por los muchos destellos y rayos que desprendían. Los maestros de ceremonia corrieron a advertir al sultán de lo que ocurría, y éste dio orden de que entrasen en la audiencia.

La madre de Aladino entró la primera, y cuando se hubieron colocado delante del sultán, lo saludaron todos a una con la máxima educación y elegancia; le desearon el máximo poder y toda clase de bienestar, se quitaron los platos de la cabeza y los colocaron delante del soberano; después levantaron los tapetes que los cubrían y se quedaron de pie con las manos juntas. El sultán fue presa de gran estupor, quedó perplejo ante la hermosura de las esclavas, que estaba por encima de toda descripción, y casi perdió la razón al ver los platos de oro llenos de gemas que deslumbraban la vista. No acertaba a comprender cómo se había podido reunir todo aquello en una hora. Mandó que las esclavas trasladasen los platos al alcázar de la señora Badr al-Budur. Así lo hicieron las jóvenes. A continuación, la madre de Aladino se adelantó y dijo al sultán: «¡Señor mío! Esto es muy poco en comparación de la gran nobleza de la señora Badr al-Budur. Ella merece bastante más». El sultán se volvió al visir y le preguntó: «¿Qué dices, visir? Quien en tan poco tiempo ha podido reunir tal riqueza, ¿no merece ser el yerno del sultán, y que la hija de éste sea su esposa?» El visir estaba más admirado que el sultán ante tal prodigio, pero seguía muriéndose de envidia, y ésta iba en aumento al ver que el soberano estaba satisfecho del regalo y las arras. No pudiendo negar la verdad ni decir al sultán que Aladino no era merecedor de su hija, para evitar que el sultán diese en matrimonio a su hija Badr al-Budur buscó una argucia. «¡Señor mío! Todos los tesoros del mundo no pueden compararse ni con una uña de tu hija Badr al-Budur. Tu Majestad ha sobrevalorado esto.»

Sahrazad se dio cuenta de que amanecía e interrumpió el hermoso relato.

Cuando llegó la noche *quinientas sesenta* (*a*), refirió:

—Me he enterado, ¡oh rey del tiempo!, de que el sultán comprendió en seguida que aquellas palabras eran dictadas por la envidia. Volviéndose a la madre de Aladino, le dijo: «¡Mujer! Ve a tu hijo y dile que acepto su regalo y que mantengo mi promesa. Mi hija será su esposa, y él será mi yerno. Dile que venga aquí para que yo lo conozca, pues de mí sólo ha de recibir honores y atenciones. Esta misma noche empezarán las fiestas nupciales. Haz que venga en seguida, sin demora». La madre de Aladino regresó a su casa tan rápidamente que el viento casi no la alcanzaba, volaba de alegría para dar la buena noticia a su hijo, pues veía a éste en camino de convertirse en yerno del sultán. En cuanto a éste, al marcharse la madre de Aladino dio por concluida la audiencia, entró en el alcázar de la señora Badr al-Budur y mandó que las jóvenes trajeran los platos, para examinarlos junto con su hija. Al tenerlos delante, la señora Badr al-Budur contempló las gemas y quedó absorta. Exclamó: «¡No creo que en los tesoros que hay en el mundo se encuentre ni una sola de estas gemas!» Las examinó detenidamente, admiró su belleza y hermosura y comprendió que todo venía de su nuevo novio y que se lo había enviado para halagarla. Como estaba apenada y entristecida por lo ocurrido con el anterior —el hijo del visir—, se alegró mucho y se regocijó al ver las gemas y la belleza de las esclavas. El padre, al contemplar su alegría y ver que olvidaba las preocupaciones y las penas, también se alegró, y le preguntó: «¡Hija mía! ¡Señora Badr al-Budur! ¿Te gusta todo esto? Creo que este novio es más guapo que el hijo del visir. Si Dios quiere, hija mía, serás muy feliz con él». Esto es lo que hace referencia al sultán.

He aquí lo que se refiere a Aladino. Cuando la madre llegó a la casa, iba tan alegre que se reía. Al verla así, estuvo seguro de que le llevaba una buena noticia. Le dijo: «¡Alabado sea Dios eternamente! He conseguido mi deseo». «¡Buenas noticias, hijo mío! Tranquiliza tu corazón y alégrate, pues has alcanzado lo que querías. El sultán ha aceptado tu presente como regalo de boda y arras de la señora Badr al-Budur. Ella es tu novia, y esta noche, hijo mío, se celebrará la ceremonia nupcial y consumarás la boda con la princesa. El sultán ha hecho público que tú eres su yerno, y ha añadido: "Las nupcias se celebrarán esta noche". Además, me ha dicho: "Ve a buscar a tu hijo; que venga aquí para que yo lo conozca y lo reciba con todo respeto y ceremonia". Hijo mío, ha terminado mi misión. Lo que queda por hacer es cosa tuya.»

Aladino se acercó a su madre, le besó la mano, le dio las gracias y multiplicó las manifestaciones de agradecimiento por sus favores. Luego entró en su alcoba, cogió la lámpara y la frotó. El esclavo se presentó inmediatamente: «¡Heme aquí! ¡Pide lo que desees!» «Quiero que me lleves a un baño que no tenga par en el mundo; tráeme una túnica y vestidos de Corte de un valor tal que ni los reyes los tengan parecidos.» «¡Oír es obedecer!» El genio lo cogió y lo llevó a un baño mejor que el de los mismos reyes y césares. Era todo de mármol y coral, y estaba adornado con maravillosas pinturas, cuya vista asombraba; toda la sala estaba incrustada de piedras preciosas. No había nadie en ella. En cuanto entró Aladino, se le acercó un genio de aspecto agradable, que lo lavó y bañó a su entera satisfacción.

Sahrazad se dio cuenta de que amanecía e interrumpió el hermoso relato.

Cuando llegó la noche *quinientas sesenta y una* (*a*), refirió:

—Me he enterado, ¡oh rey del tiempo!, de que después de salir del baño, se dirigió a la antesala. Sus vestidos habían desaparecido, y, en cambio, había un equipo completo de regios trajes. Luego le acercaron los sorbetes y el café con ámbar. Bebió, y una multitud de esclavos acudió a ponerle tan preciosos vestidos. Se vistió y se perfumó.

Sabes perfectamente, lector, que Aladino era hijo de un pobre sastre, pero ahora nadie lo hubiese sospechado, antes bien, habría dicho: «Éste es el más grande de los hijos de los reyes de la Tierra». ¡Loado sea Aquel que hace cambiar, mientras Él sigue inmutable! A continuación se presentó el esclavo de nuevo, lo cogió y lo dejó en su casa. Le preguntó: «¡Señor mío! ¿Necesitas alguna cosa?» «Sí; quiero que me traigas cuarenta y ocho esclavos. Veinticuatro irán delante de mí, y los otros veinticuatro me seguirán. Irán con sus caballos, vestidos y armas. Todas las cosas que lleven, así como los arneses de sus caballos, serán de la mejor calidad, de forma que no tengan par ni en los mismos tesoros de los reyes. Me traerás además un corcel que sea la montura de un césar, con arreos de oro y todos ellos con engarces de piedras preciosas. Deseo, asimismo, cuarenta y ocho mil dinares y que entregues mil a cada mameluco, pues quiero dirigirme al palacio del sultán. No tardes, ya que no puedo salir sin tener todo lo que te he dicho. Tráeme además doce esclavas, únicas en belleza: vestirán los trajes más preciosos, y acompañarán a mi madre hasta el palacio del sultán. Cada una llevará ropas propias de las esposas de los reyes.» «¡Oír es obedecer!»

Estuvo ausente un momento, y luego reapareció para

entregarle todo lo que le había pedido. Llevaba por las riendas un corcel como no había otro entre los caballos de pura raza árabe; los arreos eran de telas preciosas bordadas en oro. Aladino llamó a su madre, le presentó a las doce esclavas y le dio los vestidos que tenía que ponerse para ir, en compañía de éstas, al palacio del sultán. Luego despachó a palacio a uno de los mamelucos que le había dado el genio, para que viera si el sultán había salido o no de sus habitaciones particulares. El mameluco fue más rápido que el relámpago, y regresó inmediatamente. Le dijo: «¡Señor mío! El sultán te espera». Aladino montó a caballo, y delante y detrás de él se dispusieron los mamelucos, tan hermosos y guapos, que hacían alabar al Señor que los había creado. Tiraban monedas de oro delante de su dueño, Aladino, el único que los superaba en belleza y hermosura. Pero no se pregunta acerca de los hijos de los reyes. ¡Gloria al Donador, al Eterno! Todo esto era debido a las virtudes de la lámpara maravillosa, cuyo dueño obtenía hermosura, belleza, riquezas y saber. Todas las gentes quedaron boquiabiertas de la generosidad y largueza de Aladino, y se admiraron al verlo tan hermoso, bello, educado y digno. Alababan al Misericordioso por su noble figura, hacían votos por él a pesar de que sabían que era hijo de Fulano, el sastre. Nadie lo envidiaba, y todos decían: «¡Se lo merece!»

Sahrazad se dio cuenta de que amanecía e interrumpió el hermoso relato.

Cuando llegó la noche *quinientas sesenta y dos* (*a*), refirió:

—Me he enterado, ¡oh rey del tiempo!, de que la comitiva avanzaba hacia el palacio del sultán derramando oro, mientras las gentes, grandes y pequeños, deseaban a Aladino toda suerte de felicidades. Llegó a la puerta del serrallo precedido y seguido por los mamelucos, que arrojaban el oro a los espectadores. El sultán había mandado llamar a los grandes del reino, para explicarles que se había comprometido a casar a su hija con Aladino, y ordenarles que esperasen la llegada de éste y saliesen todos a recibirlo. Avisó también a los emires, visires, chambelanes, tenientes y oficiales del ejército: todos acudieron a la puerta del serrallo para esperar a Aladino. Al llegar éste, y cuando trataba de apearse para cruzar a pie la puerta, se adelantó hacia él uno de los emires, que había sido designado por el sultán para ello, y le dijo: «¡Señor mío! Hay orden de que pases montado en tu corcel y de que te apees en la puerta de la audiencia». Todos los reunidos lo precedieron a pie; entró y lo condujeron a la puerta de la audiencia; algunos cortesanos se acercaron a él y sujetaron el estribo del caballo, otros se colocaron a derecha e izquierda de él, y otros le dieron la mano y lo ayudaron a apearse. Los emires y magnates del reino lo precedieron y acompañaron a la sala de audiencias, hasta llegar a las proximidades del trono del sultán. Éste bajó en seguida de su estrado e impidió que besase el tapiz; lo besó y lo hizo sentar junto a él, a su diestra. Aladino saludó, formuló sus mejores votos y se comportó como exige el protocolo real. Luego añadió: «¡Señor nuestro el sultán! La generosidad de tu Majestad ha resuelto concederme a la señora Badr al-Budur, tu hija, a pesar de que no soy merecedor de tan gran honor, pues soy el más ínfimo de tus esclavos. ¡Dios te conserve y te dé larga vida! En realidad, ¡oh, rey!, mi lengua es incapaz de darte las gracias por este gran favor que me has concedido, y que escapa a toda medida. Espero que tu Majestad me haga don de un terreno apropiado para construir en él un palacio digno de la señora Badr al-Budur». El sultán estaba admirado de ver a Aladino con una túnica real; no hacía otra cosa sino contemplar su belleza y hermosura, y los hermosos y estupendos mamelucos, dispuestos a servirlo. La estupefacción del sultán subió de punto cuando llegó la madre de Aladino vestida con trajes magníficos y costosos; parecía una reina. Se fijó en las doce esclavas, todas educación y respeto, que la precedían dispuestas a servirla. El sultán advirtió asimismo la elocuencia y elegancia de las palabras de Aladino, y todos los presentes se quedaron boquiabiertos. El visir se estaba muriendo de envidia, y tenía el corazón en llamas. El sultán, después de haber oído los votos que hacía el joven, y al comprobar su importancia, su modestia y elocuencia, lo estrechó contra su pecho y lo besó. «Lamento, hijo mío, no haberte conocido antes.»

Sahrazad se dio cuenta de que amanecía e interrumpió el hermoso relato.

Cuando llegó la noche *quinientas sesenta y tres* (*a*), refirió:

—Me he enterado, ¡oh rey del tiempo!, de que el sultán, al ver el aspecto de Aladino se alegró mucho y mandó en el acto que tocase la música y la charanga. Se levantó y, tomando consigo a Aladino, se dirigió al serrallo. Los criados extendieron el mantel, y sirvióse la cena. El sultán ocupó su sitio, e invitó a Aladino a sentarse a su derecha. Los visires, grandes del reino y magnates también se sentaron en el orden dispuesto por el protocolo. Los músicos siguieron tocando, y por el palacio se extendió la alegría. El sultán iba preguntando a Aladino, y éste le contestaba con la máxima corrección y elocuencia, como si hubiese sido educado en un palacio de reyes y él fuera un cortesano. Y cuanto más hablaba, más contento y alegre se ponía el sultán, pues oía sus bellas respuestas y su elocuencia. Al terminar de comer y beber retiraron los manteles y el sultán mandó comparecer a los jueces y a los testigos. Éstos se presentaron, anudaron el vínculo y escribieron el acta matrimonial de Aladino con la señora Badr al-Budur. El joven quiso marcharse en seguida, pero el sultán lo retuvo, diciéndole: «¿Dónde vas? Ven, hijo mío. La fiesta aún no ha terminado, la boda está celebrada, el contrato se ha concluido, y el acta se ha puesto por escrito». «¡Señor mío, el rey! Mi deseo consiste en construir un palacio a la señora Badr al-Budur que sea digno de su sangre y de su posición. No quiero tener relaciones con ella sin haberlo edificado. Si Dios lo quiere, en la construcción del serrallo tu esclavo pondrá la máxima diligencia, y, bajo la inspección de tu Majestad, empleará el tiempo mínimo. Es verdad que ansío estar junto a la señora Badr al-Budur, pero antes he de esforzarme en su servicio.» El sultán le replicó: «Busca, hijo mío, el terreno que creas más apropiado para tu propósito, y cógelo: todo te pertenece. Pero el mejor es el gran solar que está aquí, enfrente de mi palacio. Si te gusta, construye en él el tuyo». «Mi máxima ambición consiste en estar cerca de tu Majestad.» Aladino se despidió del sultán, salió, montó a caballo, y sus mamelucos hicieron lo mismo delante y detrás de él. Todo el mundo hacía votos por su prosperidad. Exclamaban: «¡Cuánto se lo merece!»

Llegó a su casa, se apeó del corcel, se dirigió a su habitación y frotó la lámpara. Inmediatamente apareció el esclavo: «¡Señor mío! Pide lo que desees». «Quiero que me hagas un gran servicio, si es que puedes. Constrúyeme rápidamente un palacio frente al del sultán. El edificio ha de ser portentoso, tanto, que los reyes nunca hayan visto uno igual; debe estar completo, con todos sus servicios: tapices regios, etc.» El esclavo contestó: «Oír es obedecer»...

Sahrazad se dio cuenta de que amanecía e interrumpió el hermoso relato.

Cuando llegó la noche *quinientas sesenta y cuatro* (*a*), refirió:

—Me he enterado, ¡oh rey del tiempo!, de que [el esclavo contestó: «Oír es obedecer»] y desapareció. Antes de que despuntase la aurora, regresó al lado de Aladino y le dijo: «¡Señor mío! El palacio ha sido construido de acuerdo con todos tus deseos. Si quieres verlo ahora mismo, ven». Levantóse Aladino, y el esclavo lo trasladó al palacio en un abrir y cerrar de ojos. El joven se quedó perplejo al verlo: todas las piedras eran de ágata, mármol, pórfido y mosaico. El esclavo lo hizo entrar en un tesoro repleto de oro de todas clases, plata y piedras preciosas, en tal número que era imposible contarlas, calcularlas o determinar su precio o su importe. Luego lo llevó a otro lugar, en el que vio todo lo necesario para la mesa: platos, cucharas, jarros, bandejas de oro y de plata, cántaros y vasos. Desde aquí pasaron a la cocina: allí estaban los cocineros y todos los objetos necesarios para la misma, los cuales también eran de oro y de plata. Otra habitación estaba llena de cajas, atiborradas de regios vestidos: tejidos indios y chinos bordados en oro, y brocados. Todo ello en tal cantidad, que causaba pasmo. Siguió entrando en otras muchas habitaciones, todas llenas de objetos cuya descripción es imposible. Visitó los establos, ocupados por caballos como no los tenía ningún rey de la tierra; pasó luego a una armería, atestada de riendas y sillas valiosísimas, adornadas con perlas, piedras y otros objetos. Y todo esto lo habían hecho en una sola noche. Aladino quedó atónito y estupefacto ante aquellas riquezas como no podía tenerlas el mayor rey de la tierra. El palacio estaba lleno de criados y esclavas, que encantaban con su fascinante belleza. Pero lo más maravilloso de todo era el quiosco que había en el interior, con veinticuatro saloncitos, todo de esmeraldas, jacintos y otras piedras preciosas. Uno de los salones no había sido terminado, pues Aladino deseaba que el sultán se viera incapaz de concluirlo. Cuando hubo visitado todo el palacio, el joven se alegró y regocijó mucho. Volviéndose al esclavo le dijo: «Tengo que pedirte algo que falta, pues me descuidé antes». «¡Pide, señor mío, lo que desees!» «Quiero una gran alfombra de brocado, toda ella bordada en oro, para extenderla desde mi palacio al del sultán, a fin de que la señora Badr al-Budur, cuando venga aquí, no tenga que pisar el suelo.» El esclavo se ausentó un momento y regresó. «¡Señor mío! Lo que me has pedido ya está aquí.» Dijo que lo acompañara, y le mostró una alfombra de indescriptible belleza que se extendía desde el palacio del sultán al de Aladino. Luego el esclavo llevó al joven a su casa.

Sahrazad se dio cuenta de que amanecía e interrumpió el hermoso relato.

Cuando llegó la noche *quinientas sesenta y cinco* (*a*), refirió:

—Me he enterado, ¡oh rey del tiempo!, de que empezaba a despuntar el día. El sultán se levantó, abrió la ventana de la habitación, miró por ella y vio, delante de su alcázar, un nuevo edificio. Se frotó los ojos, los abrió cuanto pudo y miró de nuevo: volvió a ver un gran alcázar, que dejaba perplejo a cualquiera. Vio también la alfombra que iba desde su palacio hasta el otro. Los porteros y todos los habitantes de palacio estaban perplejos ante este prodigio. Entretanto llegó el visir, que vio también el nuevo palacio y la alfombra, y quedó admirado. Se presentó al sultán, empezaron a hablar de tan prodigioso asunto y quedaron estupefactos, incapaces de comprender cómo habían podido realizar aquello que estaban viendo con sus propios ojos. Decían: «Es verdad. No creemos que un palacio como éste puedan construirlo los reyes». El sultán, volviéndose al visir le preguntó: «¿Crees que Aladino merece ser el novio de mi hija Badr al-Budur? Fíjate y contempla ese magnífico edificio y estas riquezas, que ninguna mente humana puede imaginar». Pero el visir, que envidiaba a Aladino, replicó: «¡Rey del tiempo! Este palacio, esas construcciones y esas riquezas sólo pueden venir por medio de la magia, ya que no hay ningún hombre en el mundo, ni el más poderoso de los reyes, ni el rico más opulento, que pueda construir en una sola noche tales edificios». «Lo que más me admira de ti —replicó el sultán— es que siempre piensas mal de Aladino. Creo que todo esto nace de la envidia que le tienes. Tú estabas presente cuando le regalé ese terreno, que me había pedido para construir en él un palacio a mi hija, y yo le cedí delante de ti esa tierra para que lo levantase. Quien ha dado a mi hija, como regalo de bodas, unas gemas que no pueden ni soñar los reyes, ¿ha de ser incapaz de construir un palacio como éste?»

Sahrazad se dio cuenta de que amanecía e interrumpió el hermoso relato.

Cuando llegó la noche *quinientas sesenta y seis* (*a*), refirió:

—Me he enterado, ¡oh rey del tiempo!, de que el visir comprendió entonces que el sultán quería mucho a Aladino, y la envidia subió de punto. Pero como él no podía hacer nada en contra, se calló y no supo qué contestar.

Aladino vio que alboreaba y que se acercaba el momento de dirigirse al serrallo para continuar la boda. Por su parte, los emires, visires y grandes del reino ya se habían presentado al sultán para asistir a la ceremonia. Aladino frotó la lámpara, y el esclavo se presentó como siempre y le dijo: «¡Señor mío! ¡Pide lo que desees, pues yo estoy ante ti para servirte!» «Voy a dirigirme al palacio del sultán, ya que hoy se celebra la boda. Necesito diez mil dinares y quiero que me los traigas.» El esclavo se ausentó, y en un abrir y cerrar de ojos estuvo de regreso con los diez mil dinares. Aladino salió, montó a caballo, los mamelucos se colocaron delante y detrás de él y se dirigieron a palacio, arrojando monedas de oro a la muchedumbre, que desbordaba de entusiasmo por él y por su generosidad. Los emires, altos funcionarios y soldados que estaban esperando su llegada, en cuanto lo vieron corrieron ante el sultán y lo informaron. Éste se levantó, salió a su encuentro, lo abrazó, lo besó, lo cogió de la mano, lo hizo entrar en palacio y lo sentó a su derecha.

Toda la ciudad estaba engalanada; en palacio tocaban los músicos, y los divos cantaban. El sultán mandó servir la comida, y los criados y mamelucos se apresuraron a obedecer. Extendieron un mantel digno de una mesa de reyes. El sultán, Aladino, los grandes del reino y los altos dignatarios se sentaron, comieron y bebieron hasta hartarse. La alegría era extraordinaria en el palacio y en la ciudad. Todos los grandes del reino estaban contentos, y los habitantes del imperio rebosaban de satisfacción. Los magnates de las provincias y las autoridades de las regiones más alejadas habían acudido para asistir a las fiestas de la boda de Aladino. El sultán no acababa de comprender por qué la madre de Aladino había ido a visitarlo con vestidos tan pobres, teniendo un hijo tan rico. Las gentes acudían al palacio del sultán para presenciar la boda, pero al ver la nueva construcción, se quedaban maravillados, sin saber cómo un palacio tan grande había podido ser construido en una sola noche. Todos hacían votos por Aladino y decían: «¡Dios lo haga feliz! ¡Dios mío, él se lo merece! ¡Dios bendiga sus días!»

Sahrazad se dio cuenta de que amanecía e interrumpió el hermoso relato.

Cuando llegó la noche *quinientas sesenta y siete* (*a*), refirió:

—Me he enterado, ¡oh rey del tiempo!, de que terminada la comida, Aladino se despidió del sultán, montó a caballo y, acompañado por los mamelucos, se dirigió a su palacio para preparar la recepción de su esposa, la señora Badr al-Budur. La multitud lo vitoreaba a coro: «¡Dios te haga feliz! ¡Dios aumente tu poder! ¡Dios te conceda larga vida!» Un gran cortejo, sobre el cual hacía llover el oro, lo acompañó hasta su palacio. Una vez en él, descabalgó y se sentó en el salón. Los mamelucos permanecieron de pie ante él con los brazos cruzados. Al cabo de un momento sirvieron las bebidas, él dio órdenes a todos los mamelucos, esclavos, criados y a cuantos se hallaban en el alcázar, para que estuvieran preparados a recibir a la señora Badr al-Budur, su novia. Llegada la tarde, el ambiente refrescó, cedió el calor del sol, y el sultán mandó a los soldados, emires del reino y visires que bajasen a la plaza. Así lo hicieron, y el sultán bajó con ellos. Entonces Aladino se incorporó, y, acompañado por sus mamelucos, montó a caballo, salió a la plaza y demostró que era un perfecto caballero, ya que en el torneo celebrado no hubo quien pudiera hacerle frente. Montaba un caballo que no tenía igual entre los de la más pura raza árabe. Su novia, la señora Badr al-Budur, lo estaba contemplando desde una de las ventanas del palacio, y al verlo tan guapo y tan bravo, se enamoró profundamente de él y casi echó a volar de alegría.

Hubo unos cuantos lances, en que los caballeros demostraron su habilidad, pero Aladino los superó a todos. Después, el sultán regresó a su alcázar, y Aladino al suyo. Al llegar la noche, los grandes del reino y los visires fueron a buscar a Aladino y, formando un cortejo, se dirigieron al celebérrimo baño real. El joven entró, se bañó y se perfumó. En la antesala se puso un traje más maravilloso que el que había llevado hasta entonces, y montó a caballo. Los soldados y emires se colocaron delante y detrás de él, y, formando un gran séquito, lo acompañaron. Cuatro visires con la espada desenvainada lo rodeaban, y todos los habitantes de la ciudad, los forasteros y los soldados, lo precedían en cortejo, llevando antorchas, tambores, flautas y toda clase de instrumentos. Lo acompañaron hasta su palacio, en donde se apeó. Entró en él, y se sentó; lo mismo hicieron los visires y emires que iban con él. Los mamelucos sirvieron bebidas y dulces y dieron de beber a toda la multitud del cortejo, cuyo número era incalculable. Aladino dio órdenes a sus mamelucos, y éstos, colocándose en la puerta del alcázar, empezaron a arrojar monedas de oro a los espectadores.

Sahrazad se dio cuenta de que amanecía e interrumpió el hermoso relato.

Cuando llegó la noche *quinientas sesenta y ocho* (*a*), refirió:

—Me he enterado, ¡oh rey del tiempo!, de que el sultán volvió a su palacio después de las fiestas y ordenó que se formase inmediatamente el cortejo de su hija, la señora Badr al-Budur, y que la condujeran al serrallo de Aladino, su novio. Los soldados y magnates que habían figurado en el cortejo de Aladino, montaron a caballo; los criados y doncellas salieron con antorchas y acompañaron a la señora Badr al-Budur en una gran procesión. Así llegaron al palacio de su novio, Aladino. La madre de éste iba al lado de la princesa, y las precedían las mujeres de los visires, emires, grandes y magnates. Las acompañaban las cuarenta y ocho esclavas que Aladino le había regalado, y cada una de ellas empuñaba una gran antorcha de alcanfor y de ámbar, dentro de un candelabro de oro incrustado de aljófares. Salieron del palacio todos los hombres y mujeres que en él había, y marcharon juntos, delante de la princesa, hasta dejarla en el serrallo de su novio; luego la acompañaron a sus habitaciones, la cambiaron de vestidos y la prepararon para ser contemplada. Finalmente, la condujeron a las habitaciones de Aladino. Éste se presentó ante ella; su madre seguía al lado de la señora Badr al-Budur, y cuando el esposo le quitó el velo, la madre pudo contemplar la hermosura y belleza de la desposada. Se fijó, además, en el palacio en que se encontraba: todo él había sido hecho de oro y piedras preciosas; las arañas eran de oro con incrustaciones de esmeraldas y jacintos. Se dijo: «Creía que el serrallo del sultán era grande, pero éste es único. Ni el mayor de los césares o de los reyes puede disponer de uno igual, y no creo que en todo el mundo haya quien pueda construir uno parecido». La señora Badr al-Budur también contempló y admiró la suntuosidad del palacio.

Después colocaron la mesa, comieron, bebieron y se pusieron alegres. Se presentaron cuarenta y ocho esclavas, cada una de las cuales llevaba en la mano un instrumento de música, y al mover los dedos y tocar las cuerdas dejaron oír melodías tan suaves que arrebataban el corazón de los oyentes. La admiración de la señora Badr al-Budur iba en aumento, y se decía: «Jamás en mi vida he oído un repertorio como éste». Dejó de comer y se dedicó a escuchar, mientras Aladino le escanciaba el vino y le cogía la mano. La felicidad y el bienestar más completo reinaban entre todos, y fue una noche tan estupenda que ni el mismo Alejandro Magno había disfrutado, en su época, otra igual. Cuando hubieron terminado de comer y beber quitaron la mesa, y Aladino se retiró con su esposa y tuvo relaciones con ella.

Llegada la mañana, el tesorero ofreció al joven una túnica preciosa, uno de los más estupendos vestidos de los reyes. Él se la puso. Le ofrecieron café con ámbar y lo bebió. Luego mandó que preparasen los caballos, y, precedido y seguido por sus mamelucos, se dirigió al palacio del sultán. Entró al llegar a él, y los criados corrieron a informar al soberano de la llegada de Aladino.

Sahrazad se dio cuenta de que amanecía e interrumpió el hermoso relato.

Cuando llegó la noche *quinientas sesenta y nueve* (*a*), refirió:

—Me he enterado, ¡oh rey del tiempo!, de que el sultán se levantó en seguida, salió a recibirlo, lo estrechó contra su pecho y lo besó como si fuera su hijo. Lo sentó a su derecha, y los visires, emires, altos funcionarios y grandes del reino le dieron la enhorabuena. El sultán lo felicitó, lo bendijo y mandó que llevasen el desayuno. Lo sirvieron y lo tomaron todos los reunidos. Después de haber comido y bebido hasta la saciedad, cuando los criados hubieron retirado los manteles que tenían delante, Aladino se volvió hacia el sultán y le dijo: «¡Señor mío! ¿Quiere honrarme hoy tu Majestad viniendo a comer con la señora Badr al-Budur, tu querida hija? Pueden acompañar a tu Majestad todos los visires y grandes del reino». «Naturalmente, hijo mío.»

Dio órdenes en seguida a los visires, grandes del reino y altos funcionarios. Montó a caballo y éstos lo imitaron. Aladino hizo lo mismo, y así llegaron a su alcázar. El sultán entró en el palacio y contempló el edificio, su construcción y las piedras que lo componían, todas de ágata y coral. Quedó mudo y perplejo ante aquel esplendor, riqueza y magnitud. Volviéndose al visir, le dijo: «¿Qué dices, visir? ¿Has visto alguna vez una cosa parecida a ésta? Los reyes más grandes del mundo, ¿pueden disponer de tantos bienes, oro y joyas como los que nosotros vemos en este palacio?» «¡Señor mío, el rey! Esto no lo puede hacer ningún rey ni ningún hijo de Adán; todos los hombres de la tierra no podrían construir un serrallo como éste, y no hay artífices para realizar un trabajo parecido, a no ser que sea, como ya dije a tu Majestad, una obra de magia.» El sultán vio que el visir, siempre que hablaba de Aladino, lo hacía lleno de envidia, e intentaba convencerlo de que todo aquello no era obra humana, sino mágica. Por eso exclamó: «¡Basta ya, visir! Deja esos pensamientos, pues sé lo que te hace hablar de esta manera». Aladino, que iba delante del sultán, lo hizo entrar en el quiosco. El rey contempló el techo abovedado, las ventanas y las rejas. Todo era de esmeraldas, jacintos y otras piedras preciosas. Se quedó atónito y perplejo. Recorrió el quiosco y contempló todas las maravillas que encerraba. Descubrió la ventana que, por voluntad de Aladino, había quedado sin terminar. Al verlo, exclamó: «¡Qué pena, ventana, que no te hayan terminado!»

Volviéndose hacia el visir, le dijo: «¿Sabes por qué no se ha terminado esta ventana y su reja?»

Sahrazad se dio cuenta de que amanecía e interrumpió el hermoso relato.

Cuando llegó la noche *quinientas setenta* (*a*), refirió:

—Me he enterado, ¡oh rey del tiempo!, de que el visir replicó: «Creo que su imperfección debe de atribuirse a que tu Majestad ha precipitado la boda de Aladino, y éste no ha tenido tiempo de concluirla». Entretanto, el joven había ido a visitar a su esposa, la señora Badr al-Budur, para informarla de la llegada de su padre, el sultán. Cuando regresó, éste le preguntó: «¡Hijo mío, Aladino! ¿Cuál es la causa de que la reja de este quiosco no esté terminada?» «¡Rey del tiempo! Dada la premura de la boda, los artífices no han tenido tiempo para concluirla.» «Deseo terminarla yo.» «¡Dios haga durar tu poder, oh rey! Así habrá un recuerdo tuyo en el palacio de tu hija.» El sultán mandó llamar inmediatamente a los joyeros y a los orfebres, y ordenó que se les entregase, de su tesoro, todo el oro, las perlas y las piedras preciosas que necesitaran. Los orfebres y joyeros se presentaron, y el sultán les mandó que terminasen la reja del quiosco.

Entretanto, la señora Badr al-Budur salió al encuentro de su padre el sultán. Cuando éste la tuvo a su lado, vio que tenía la cara sonriente. La estrechó contra su pecho, la besó, la tomó consigo y entraron en el palacio, acompañados por todo el séquito. Era la hora de la comida. Se había preparado una mesa para el sultán, la señora Badr al-Budur y Aladino, y otra para el visir, los altos funcionarios, los mayores dignatarios, jefes del ejército, chambelanes y lugartenientes. El sultán se sentó entre su hija y su yerno. El rey cogió comida y la probó. Quedó admirado de los guisos y de la exquisitez de la comida. Delante de ellos, en pie, había ochenta esclavas, cada una de las cuales podría decir a la luna: «¡Apártate, que yo me pondré en tu lugar!» Todas llevaban en la mano un instrumento musical. Los afinaron, tañeron sus cuerdas y tocaron unas melodías que alegraban a los corazones tristes. El sultán se puso alegre y contento, y pasó el rato de modo muy agradable. Exclamó: «¡Realmente, los reyes y los césares no pueden hacer otro tanto!» Empezaron a comer y beber, y la copa fue pasando de mano en mano hasta que quedaron satisfechos. Los invitados se trasladaron luego a otra sala, en donde les sirvieron dulces, frutas de todas clases y otros postres variados. Comieron hasta saciarse. El sultán se levantó para contemplar si el trabajo de los orfebres y artistas estaba en consonancia con el del resto del palacio. Inspeccionó su labor, los vio trabajando y advirtió que había una gran diferencia entre lo que ellos hacían y lo que ya había hecho.

Sahrazad se dio cuenta de que amanecía e interrumpió el hermoso relato.

Cuando llegó la noche *quinientas setenta y una* (*a*), refirió:

—Me he enterado, ¡oh rey del tiempo!, de que lo informaron de que habían cogido todas las joyas de su tesoro, pero que no bastaban. Entonces, el sultán mandó abrir el gran tesoro y ordenó que les diesen todo lo necesario, y que si no tenían bastante con ello, que tomasen lo que le había regalado Aladino. Así lo hicieron los orfebres, pero nc tuvieron ni para terminar la mitad de la reja del quiosco que faltaba. Entonces, el sultán mandó que se incautasen de todas las joyas de sus ministros y los grandes del reino. Así lo hicieron y continuaron trabajando, pero tampoco bastó. A la mañana siguiente, Aladino subió a inspeccionar el trabajo de los artífices, y pudo comprobar que aún no habían terminado ni la mitad de la reja que faltaba. Les ordenó que deshiciesen todo lo que habían hecho y que entregasen las joyas a sus dueños. A cada uno le fue devuelto lo suyo. Luego, los artífices fueron a ver al soberano y le explicaron lo que Aladino les había mandado hacer. «¿Qué os ha dicho? ¿Por qué lo ha decidido así? ¿Por qué no quiere que se termine la reja? ¿Por qué ha deshecho vuestra obra?» «¡Señor nuestro! Lo único que sabemos es que nos ha mandado deshacer todo lo que habíamos hecho.» El sultán mandó que le llevasen el caballo, montó en él y se dirigió al alcázar de su yerno.

Aladino, después de haber despedido a los artífices y los orfebres, entró en su habitación, frotó la lámpara y apareció el esclavo. «¡Pide lo que desees! Tu esclavo está ante ti.» «Quiero que termines la reja del quiosco, que aún está por concluir.» «Inmediatamente.» Se ausentó un momento, regresó y dijo: «¡Señor mío! He concluido lo que me has mandado.» Aladino subió al quiosco y vio que todas las rejas estaban terminadas. Mientras las estaba contemplando entró un eunuco y le dijo: «¡Señor mío! El sultán ha venido y espera en la puerta del serrallo». Aladino bajó a recibirlo.

Sahrazad se dio cuenta de que amanecía e interrumpió el hermoso relato.

Cuando llegó la noche *quinientas setenta y dos* (*a*), refirió:

—Me he enterado, ¡oh rey del tiempo!, de que el soberano, al verlo, le preguntó: «¡Hijo mío! ¿Por qué has hecho esto, y no has permitido que los orfebres terminasen la reja del quiosco? Así no habría quedado falta alguna en tu palacio». «¡Rey del tiempo! Si quedó incompleta, fue por mi voluntad, ya que soy capaz de concluirla. No podía permitir que tu Majestad visitase un palacio en el que hubiera algo incompleto. Para que veas que he podido terminarla, sube al quiosco y fíjate si en las rejas del mismo hay algo incompleto.» El rey subió al alcázar, entró en el quiosco y empezó a mirar a derecha e izquierda; todas las rejas estaban acabadas. Al comprobarlo, abrazó a Aladino y empezó a besarlo y decirle: «¡Hijo mío! ¿Qué significa este portento? En una sola noche has hecho una cosa para la cual los orfebres necesitan meses. ¡Por Dios! No creo que haya nadie en el mundo que se te parezca.» «¡Dios te perpetúe la vida! Tu esclavo no merece estos elogios.» «¡Por Dios, hijo mío! Tú eres digno de todos los elogios, ya que haces cosas que no pueden realizar todos los artífices del mundo.»

El sultán descendió y entró en las habitaciones de su hija para descansar. La vio contentísima por su suerte. Después de haber descansado un rato junto a ella, regresó a su alcázar.

Aladino montaba cada día a caballo, y, acompañado por sus mamelucos, recorría la ciudad. Sus servidores iban delante y detrás de él echando monedas de oro a la multitud, que se agolpaba a derecha e izquierda. Todo el mundo, el extraño y el allegado, el próximo y el lejano, llegó a querer a Aladino por su gran generosidad. El joven aumentó los subsidios de los pobres y de los indigentes, y los distribuyó personalmente. Con estas acciones alcanzó una gran fama en todo el imperio, y los grandes del reino y emires acudían a comer en su mesa, y hacían votos por su poder y salud. Dedicaba su tiempo a la caza, a los torneos, a la equitación y a las justas que se celebraban delante del sultán. La señora Badr al-Budur, cada vez que lo veía, a lomos del caballo, en un encuentro singular, sentía aumentar su amor por él y se decía que Dios le había hecho un gran bien al permitir que le ocurriera aquello con el hijo del visir, conservándola así para su verdadero esposo, Aladino.

Sahrazad se dio cuenta de que amanecía e interrumpió el hermoso relato.

Cuando llegó la noche *quinientas setenta y tres* (*a*), refirió:

—Me he enterado, ¡oh rey del tiempo!, de que su buena fama iba creciendo con los días, así como el amor que todos le tenían. Él iba creciendo en importancia a los ojos de las gentes.

Un enemigo del sultán emprendió la guerra contra éste, el cual preparó un ejército para oponerse a él, y entregó el mando a Aladino. El joven partió al frente de las tropas, y salió al encuentro del enemigo. Éste disponía de un enorme ejército. Aladino desenvainó la espada, lo atacó, y empezó la guerra y la matanza. El combate fue enconado, pero Aladino deshizo al enemigo, lo puso en fuga, mató a la mayoría de sus soldados, se apoderó de sus riquezas y enseres y logró un botín inmenso. Regresó como un gran vencedor. Entró en la ciudad, que se había engalanado de alegría, y el sultán salió a recibirlo y a felicitarlo. Lo abrazó, lo besó, y todo el imperio celebró una gran fiesta. El sultán y Aladino se dirigieron al palacio de éste, en el cual los esperaba su esposa, la señora Badr al-Budur, quien, llena de alegría, lo besó en la frente y lo condujo a sus aposentos. Al cabo de un rato llegó el sultán, se sentaron, y las esclavas sirvieron sorbetes. Bebieron, y el soberano mandó que todo el reino celebrase la victoria de Aladino sobre el enemigo. Así, para todos los súbditos, soldados y gentes, no hubo más que Dios en el cielo y Aladino en la tierra. Y le quisieron aún más, ya que unía a su gran generosidad el hecho de haber defendido el imperio, de ser un completo caballero y haber derrotado al enemigo. Esto es lo que hace referencia a Aladino.

He aquí lo que hace referencia al mago magrebí. Regresó a su país, en el que permaneció durante todo este tiempo, apenado por lo mucho que había sufrido inútilmente por conseguir la lámpara, y todo ello en vano, ya que cuando tenía el bocado en la boca aquélla escapó de sus manos. Al recordar lo que le pasó con el muchacho, lleno de cólera injuriaba a Aladino, y algunas veces llegaba a decir: «Estoy contento, porque ese bastardo ha muerto bajo tierra. Y aún tengo la esperanza de llegar a conseguir la lámpara, pues está bien guardada».

Cierto día preparó la arena, formó las figuras, las puso en orden y las examinó para comprobar la muerte de Aladino y la conservación de la lámpara en el subterráneo. Se fijó atentamente en las figuras «madres» e «hijas» y no encontró la lámpara. La ira se apoderó de él. Volvió a repetir la interrogación para verificar la muerte de Aladino, y no lo encontró en el tesoro. Su furia fue en aumento, y mucho más al comprobar que aún vivía en la faz de la tierra, al saber que el joven había salido del subsuelo y se había apropiado de la lámpara por la cual él había experimentado penas y fatigas como no las hubiese podido soportar ningún hombre. Se dijo: «Por esa lámpara he pasado unas penas y fatigas que nadie habría soportado. Y ese maldito la obtiene sin ningún esfuerzo, y no cabe duda de que si ha descubierto sus propiedades no habrá nadie en el mundo que sea más rico que él».

Sahrazad se dio cuenta de que amanecía e interrumpió el hermoso relato.

Cuando llegó la noche *quinientas setenta y cuatro* (*a*), refirió:

—Me he enterado, ¡oh rey del tiempo!, de que el magrebí, al convencerse de que Aladino había logrado salir del subterráneo y utilizado los bienes de la lámpara, se dijo: «He de ingeniármelas para darle muerte». Extendió la arena por segunda vez, examinó las figuras y vio que Aladino era inmensamente rico y que se había casado con la hija del sultán. La envidia le encendió el semblante de indignación, se levantó en seguida, se preparó y emprendió el viaje hacia China. Al llegar a la capital del sultanato en que vivía Aladino, entró en la ciudad y se hospedó en una hostería. Oyó que las gentes no hablaban más que de la majestuosidad del palacio de Aladino. Después de descansar, vistióse y empezó a recorrer las calles de la ciudad. Todas las gentes con quienes se cruzaba describían la suntuosidad del palacio y hablaban de la hermosura y belleza de Aladino, de su generosidad, de su nobleza y de sus buenas costumbres. El magrebí se acercó a un transeúnte y le preguntó: «¡Hermoso joven! ¿Quién es ése al que tanto alabáis?» «¡Vaya, hombre! Debes de venir de un país muy remoto cuando no has oído hablar del emir Aladino, cuya fama debe de haber llegado a los más apartados rincones y cuyo palacio constituye una de las maravillas de la tierra. ¿Cómo no te has enterado de una cosa como ésta y no conoces el nombre de Aladino, al que nuestro Señor aumente el poder y la alegría?» El magrebí respondió: «Mi mayor deseo consiste en contemplar el palacio. Si quieres guiarme... Soy extranjero». «De buen grado.» Se echó a andar delante de él y lo condujo al serrallo de Aladino. El magrebí lo contempló detenidamente y comprendió que todo procedía de la lámpara. Exclamó: «¡Ah, ah! He de cavar una fosa para este maldito hijo de un sastre, que antes no tenía qué cenar. Si el destino me ayuda, lograré que su madre vuelva junto a la rueca, tal como estaba antes, y a él le quitaré la vida». Regresó a la hostería corroído por la envidia que le tenía a Aladino.

Sahrazad se dio cuenta de que amanecía e interrumpió el hermoso relato.

Cuando llegó la noche *quinientas setenta y cinco* (*a*), refirió:

—Me he enterado, ¡oh rey del tiempo!, de que el hechicero magrebí, de nuevo en su hostal, tomó los instrumentos astrológicos y consultó a la arena para averiguar dónde estaba la lámpara. Vio que se hallaba en el palacio y que Aladino no la llevaba encima. Se alegró mucho de ello, y exclamó: «El quitar la vida a ese maldito es fácil, y yo tengo un medio de conseguir la lámpara». Se dirigió a un calderero y le dijo: «Hazme unas cuantas lámparas y cóbrame por ellas lo que quieras. Pero deseo que las hagas de prisa». «Oír es obedecer», replicó el calderero. Y se puso a trabajar hasta acabarlas. Cuando estuvieron listas el magrebí le pagó el precio que le pidió, las cogió, regresó a la hostería, las puso en un cesto y empezó a recorrer las calles y los zocos de la ciudad, gritando: «¡Cambio lámparas viejas por nuevas!» Las gentes se reían de él y decían: «No cabe duda de que está loco, para cambiar lámparas nuevas por viejas». Y empezaron a seguirlo, y los niños corrían detrás y se burlaban de él. Pero él, impertérrito, siguió recorriendo la ciudad hasta llegar al pie del serrallo de Aladino. Gritó con todas sus fuerzas, mientras los muchachos chillaban: «¡Un loco, un loco!»

El destino quiso que la señora Badr al-Budur estuviese en el quiosco y oyera el pregón y los gritos de los muchachos, pero no supo lo que ocurría. Mandó a una de sus esclavas: «Ve y mira quién es el que vocea y qué es lo que anuncia». La joven se alejó y vio a un hombre que gritaba: «¡Cambio lámparas viejas por nuevas!», y que los muchachos se burlaban de él. La criada regresó e informó a su dueña: «Señora, es un hombre que vocea: "¡Cambio lámparas viejas por nuevas!", y los chicos lo siguen y se burlan de él». La señora Badr al-Budur se echó a reír. Aladino se había descuidado la lámpara en el serrallo, sin meterla en un armario y cerrarla. Una de las esclavas la vio y dijo: «¡Señora! Tengo una idea. He visto en las habitaciones de mi señor una lámpara vieja. Permite que se la demos a ese hombre a cambio de una nueva, y veremos si dice verdad o mentira».

Sahrazad se dio cuenta de que amanecía e interrumpió el hermoso relato.

Cuando llegó la noche *quinientas setenta y seis* (*a*), refirió:

—Me he enterado, ¡oh rey del tiempo!, de que la princesa dijo: «Trae aquí la lámpara vieja que dices haber visto en las habitaciones de tu señor Aladino». La señora Badr al-Budur ignoraba por completo lo que era aquella lámpara, las virtudes que tenía y que, gracias a ellas, su marido, Aladino, había llegado a tan alta posición. En aquel momento sólo quería probar cómo estaba la razón de aquel hombre que cambiaba lo nuevo por lo viejo. La joven subió a las habitaciones de Aladino y regresó con la lámpara al lado de la señora Badr al-Budur. Poco podían pensar la mala fe y la astucia del hechicero magrebí. La princesa mandó al jefe de los eunucos que bajase a cambiar aquella lámpara por otra nueva. El hombre la cogió, bajó y se la dio al magrebí, el cual le entregó una lámpara nueva a cambio; el jefe de los eunucos se la llevó a la señora Badr al-Budur. Ésta la contempló, vio que era realmente nueva y se echó a reír, pues creyó que aquel hombre estaba mal de la cabeza.

El mago, tan pronto como cogió la lámpara y se cercioró de que era la del tesoro, la escondió en su pecho, dejó las otras lámparas a las gentes que querían cambiar, y se echó a correr, hasta encontrarse fuera de la ciudad. Cruzó la llanura y esperó que llegara la noche. Después de comprobar que no había nadie allí, sacó la lámpara del pecho, la frotó, y en el acto apareció el genio, quien le dijo: «Aquí está tu esclavo. Pídeme lo que desees». «Quiero que quites del sitio en que se encuentra el palacio de Aladino, junto con sus habitantes y todo lo que él contiene, y lo traslades a mi país, en África, y que me lleves a mí también. Tú conoces mi patria. Quiero que este palacio se encuentre en mi país, entre jardines.» «Oír es obedecer. Cierra los ojos y vuélvelos a abrir, y te encontrarás con el palacio en tu tierra». Efectivamente, en un abrir y cerrar de ojos el magrebí y el palacio de Aladino, con todo lo que contenía, se encontraron instalados en África. Esto es lo que hace referencia al hechicero magrebí.

Volvamos junto al sultán y a Aladino. Al día siguiente por la mañana, el sultán, al despertarse, como sentía mucho afecto y cariño por su hija, la señora Badr al-Budur, hizo como cada mañana: abrir la ventana y mirar por ella. Así, y de acuerdo con su hábito, abrió la ventana para ver a su hija...

Sahrazad se dio cuenta de que amanecía e interrumpió el hermoso relato.

Cuando llegó la noche *quinientas setenta y siete* (*a*), refirió:

—Me he enterado, ¡oh rey del tiempo!, de que [el sultán] se asomó para contemplar el alcázar de Aladino, pero no vio nada. Únicamente estaba el solar, el mismo solar de antes, sin la menor huella de los cimientos de un edificio. Quedó como alelado y empezó a frotarse los ojos, pues quizás estuviesen turbios o faltos de luz. Volvió a mirar, pero tuvo que convencerse de que no había huellas del serrallo, ni nada que atestiguase el que había existido. Quedó inmovilizado por unos momentos, hasta que dio unas palmadas, y las lágrimas empezaron a resbalar por sus barbas, pues ignoraba lo que había sucedido a su hija. Por medio de un mensajero, mandó llamar al visir. Éste acudió, y encontró al soberano en un estado lamentable. El visir le dijo: «¡Perdón, rey del tiempo! ¡Dios te libre del mal! ¿Por qué estás apenado?» «¿Es que no sabes lo que ocurre?» «En absoluto, señor. ¡Por Dios! ¡No tengo noticias de nada!» «¿Aún no has mirado en dirección al palacio de Aladino?» «Sí, señor mío. Ahora está cerrado.» «Ya veo que no sabes nada. Anda, mira por la ventana y dime dónde está el palacio de Aladino.» El visir miró desde la ventana en la dirección del palacio de Aladino pero no encontró el palacio ni nada que se le pareciera. Quedó perplejo y el sultán le dijo: «¿Sabes ahora la causa de mi tristeza? ¿Has visto el palacio de Aladino, del cual decías que aún estaba cerrado?» «¡Rey del tiempo! Ya informé oportunamente a tu Majestad de que ese serrallo y todas sus cosas me parecían obra de magia.» El rey, encolerizado, le preguntó: «¿Dónde está Aladino?» «Ha salido de caza.» El soberano ordenó que algunos oficiales y soldados fuesen a buscar inmediatamente a Aladino y lo llevasen a su presencia encadenado. Los oficiales y los soldados partieron y alcanzaron al joven: «¡Señor nuestro, Aladino! No nos reprendas, ya que el sultán nos ha mandado que te cojamos, que te atemos y te encadenemos. Esperamos que nos perdones, pues estamos a las órdenes del rey y no podemos contrariarlo». Aladino, al oír hablar así a los oficiales y a los soldados se quedó boquiabierto y la lengua se le trabó, ya que ignoraba la causa. Les preguntó: «¡Hombres! ¿No sabéis qué es lo que ha motivado esta orden del sultán? Yo sé que soy inocente y que no he cometido ninguna falta contra el sultán o contra el Estado». «¡Señor nuestro! No sabemos nada.» Aladino se apeó de su corcel y les dijo: «Haced conmigo lo que os ha mandado el sultán, pues la orden ha de ser obedecida».

Sahrazad se dio cuenta de que amanecía e interrumpió el hermoso relato.

Cuando llegó la noche *quinientas setenta y ocho* (*a*), refirió:

—Me he enterado, ¡oh rey del tiempo!, de que encadenaron, ataron y ligaron a Aladino y lo condujeron a la ciudad. El pueblo, al verlo así, creyó que el sultán iba a cortarle la cabeza; y como lo querían mucho, se reunieron, tomaron sus armas, salieron de las casas y siguieron a los soldados para ver lo que iba a suceder. Los soldados llegaron con Aladino al palacio, entraron e informaron al sultán. Éste mandó que el verdugo le cortase inmediatamente la cabeza. Al enterarse el pueblo de la orden del sultán, bloqueó las puertas del palacio y despachó mensajeros al soberano, para decirle: «Atacaremos el palacio y a todos los que están dentro, incluyéndote a ti, si Aladino recibe el más pequeño daño». El visir entró a informar al sultán: «¡Rey del tiempo! Están dispuestos a acabar con nosotros. Lo más prudente es perdonar a Aladino para evitar que nos ocurra algo. El pueblo ama más a éste que a nosotros».

El verdugo, después de haber extendido el tapete de las ejecuciones, colocó en él a Aladino, le vendó los ojos y dio tres vueltas, en espera de la última orden del sultán. Éste, al ver que el pueblo estaba atacando y subía al palacio para derruirlo, dio orden en seguida al verdugo de que pusiera en libertad al condenado, y despachó a un pregonero para que anunciase al pueblo que había perdonado a Aladino y que lo indultaba. El muchacho, al verse libre, se acercó al sultán y le dijo: «¡Señor! Ya que tu Majestad me ha hecho gracia de la vida, hónrame diciéndome cuál es mi culpa». «¡Traidor! ¿Aún no la conoces?» Volviéndose al visir, le dijo: «Llévalo a la ventana para que vea dónde está su palacio». El visir hizo lo que le mandaban y Aladino miró en dirección a su palacio; el solar estaba exactamente igual que antes de construir en él el palacio; no vio ni rastro de éste. Se quedó perplejo, indeciso sin saber lo que había ocurrido. Al hallarse junto al sultán, éste le preguntó: «¿Qué es lo que has visto? ¿Dónde está tu palacio? ¿Dónde está mi hija, mi única hija, sangre de mi corazón?» «¡Rey del tiempo! Ignoro por completo lo ocurrido.» «Sabe, Aladino, que te he perdonado para que busques a mi hija y te enteres de lo ocurrido. No te presentes sin ella. Si no me la devuelves, ¡por vida de mi cabeza que he de cortarte el cuello!» «Conforme, rey del tiempo. Pero dame un plazo de cuarenta días. Si transcurrido este plazo no te la he traído, puedes decapitarme y hacer de mí lo que quieras.»

Sahrazad se dio cuenta de que amanecía e interrumpió el hermoso relato.

Cuando llegó la noche *quinientas setenta y nueve* (*a*), refirió:

—Me he enterado, ¡oh rey del tiempo!, de que el sultán admitió: «Accedo a concederte el plazo que me has pedido, mas no creas que podrás escapar a mi mano, pues te haré traer hasta aquí aunque estés por encima de las nubes o te encuentres bajo la superficie de la tierra». «¡Sultán! ¡Señor mío! Sea como ha dicho tu Majestad: si no te la devuelvo dentro de dicho plazo, me presentaré ante ti para que me decapites.» El pueblo, al ver de nuevo a Aladino, se alegró mucho. La afrenta y la vergüenza sufridas, así como la alegría de los envidiosos, hicieron de Aladino un hombre cabizbajo y perplejo, que se puso a recorrer la ciudad como un autómata, incapaz de comprender lo que había podido ocurrir. Durante dos días permaneció en la capital, sin tener idea de lo que debía hacer para encontrar a su esposa y averiguar qué había sido del palacio. Algunas personas, en secreto, le llevaron de comer y beber. Luego salió de la ciudad y se internó en el campo, sin saber qué dirección seguir.

Andando a la ventura, llegó a la orilla de un río, y aquí, desesperado por lo que le había ocurrido, estuvo a punto de arrojarse al agua. Pero como era un buen musulmán, que reconocía a un solo Dios, al que en su interior temía, se detuvo en la misma orilla e hizo sus abluciones. Al meter las manos en el agua para lavarse los dedos rozó el anillo, y en el acto compareció un genio, quien le dijo: «¡Heme aquí! Tu esclavo está ante ti. Pide lo que desees». Aladino se alegró mucho al verlo. Le contestó: «¡Siervo! Quiero que me devuelvas mi palacio, y que con él regrese mi esposa, la señora Badr al-Budur, y todo lo que contenía». «¡Señor mío! Me es completamente imposible hacer lo que pides, ya que éste depende de los esclavos de la lámpara. No me atrevo a enfrentarme con ellos.» «Si no puedes hacerlo, cógeme y deposítame al lado de mi palacio, cualquiera que sea el país en que esté.» «Oír es obedecer, señor mío.» En un abrir y cerrar de ojos, el genio lo dejó en África, al lado del alcázar, donde estaba su esposa. En aquel momento caía la noche. La tristeza y la pena que lo embargaban desaparecieron al contemplar su palacio, y volvió a confiar en Dios después de haber creído que jamás volvería a ver a su esposa. Empezó a pensar en la oculta bondad de Dios Todopoderoso, que le había concedido el auxilio del anillo, y cómo habría perdido la esperanza de no haberle facilitado Dios el siervo del anillo. Se alegró y olvidó la tristeza y los cuatro días durante los cuales no había podido dormir. Se acercó al palacio y se quedó dormido debajo de un árbol, ya que, como hemos dicho, el palacio estaba fuera de la ciudad, entre jardines.

Sahrazad se dio cuenta de que amanecía e interrumpió el hermoso relato.

Cuando llegó la noche *quinientas ochenta* (*a*), refirió:

—Me he enterado, ¡oh rey del tiempo!, de que durmió tranquilamente aquella noche. (Quien tiene una cabeza de carnero al fuego no duerme en toda la noche; pero quien se ha fatigado y ha pasado cuatro días sin pegar un ojo, duerme de cualquier manera.) Se despertó al amanecer, con los trinos de los pájaros. Se acercó a un río que pasaba por allí y que corría en dirección a la ciudad. Se lavó las manos y la cara, hizo las abluciones y rezó la oración matutina. Luego regresó y se sentó al pie de la ventana del alcázar de la señora Badr al-Budur. Ésta vivía terriblemente apenada por estar separada de su esposo y del sultán, su padre, así como por la angustia que le causaba el maldito hechicero magrebí. Todos los días, al salir el sol, se levantaba y se echaba a llorar. Por la noche no podía dormir, y no quería comer ni beber. Cuando terminaba su oración matutina, entraba su doncella a vestirla.

El destino quiso que aquel día ésta abriese la ventana para hacerle contemplar los árboles y riachuelos, a fin de distraerla. La criada se asomó y vio a Aladino, su señor, sentado bajo las ventanas del palacio. Dijo a la señora Badr al-Budur: «¡Señora, señora! ¡Mi señor, Aladino, está sentado al pie del alcázar!» La princesa corrió a mirar por la ventana y le vio. Aladino levantó la cabeza y la descubrió. Ella lo saludó, y él le devolvió el saludo. Ambos estaban locos de alegría. La princesa le dijo: «Ven a mi lado por la puerta secreta, ya que el maldito no está ahora aquí». Dio órdenes a la criada, la cual bajó y le abrió la puerta secreta. Aladino entró por ella; su esposa, la señora Badr al-Budur, lo esperaba en la puerta. Se abrazaron, se besaron y rompieron a llorar de alegría. Se sentaron. Aladino le dijo: «Señora Badr al-Budur: primeramente quiero preguntarte algo: yo dejé una lámpara vieja, de cobre, en mis habitaciones, en tal sitio». La princesa suspiró y le dijo: «¡Ah, amado mío! ¡Ésta ha sido la causa de nuestra desgracia!» «¿Cómo han ocurrido las cosas?» La señora Badr al-Budur lo informó de todo desde el principio hasta el fin, y le explicó cómo habían cambiado la lámpara vieja por una nueva. Y añadió: «Al día siguiente, por la mañana, nos encontramos en este país. El que me engañó en el cambio me explicó que todo se había realizado gracias a la fuerza de su magia y por medio de aquella vieja lámpara; añadió que era magrebí, de África, y que nos encontrábamos en su país».

Sahrazad se dio cuenta de que amanecía e interrumpió el hermoso relato.

Cuando llegó la noche *quinientas ochenta y una (a)*, refirió:

—Me he enterado, ¡oh rey del tiempo!, de que cuando la señora Badr al-Budur hubo terminado de hablar, Aladino le preguntó: «Dime qué es lo que ese maldito se propone hacer contigo, y de qué te habla». «Cada día viene una sola vez; quiere que yo lo ame y que te sustituya por él, que te olvide y que no piense más en ti. Me dice que mi padre, el sultán, te ha decapitado, y añade que tú eres hijo de un pobre, y que él fue quien te hizo rico. Me habla cariñosamente, pero sólo ha obtenido de mí lágrimas y llanto, y ni una sola palabra amable.» «¿Sabes dónde ha dejado la lámpara?» «Siempre la lleva consigo, y no se separa de ella un instante. Él mismo, cuando me explicó lo que te he referido, sacó la lámpara —la llevaba encima— y me la enseñó.» Aladino se alegró mucho al oír estas palabras: «¡Señora Badr al-Budur! Escúchame: voy a salir, y volveré cuando me haya cambiado de vestido. No te asombres de ello. Pon una criada de servicio permanente junto a la puerta secreta, para que me abra en cuanto me vea. Ya idearé algo para dar muerte a este maldito». Aladino salió por la puerta del palacio y echó a andar hasta encontrar a un campesino. Le dijo: «¡Hombre! ¿Quieres cambiar mis vestidos por los tuyos?» El campesino se negó a hacerlo, pero Aladino lo obligó. Le quitó los vestidos y se los puso, y le dio en cambio los suyos, que eran magníficos. Luego siguió por el camino de la ciudad hasta entrar en ésta. Se dirigió al zoco de los perfumistas y compró a uno de ellos dos dracmas de un narcótico muy fuerte y de efectos instantáneos; le costó dos dinares. Regresó por el mismo camino hasta llegar al palacio, y cuando lo vio la criada le abrió la puerta secreta.

Sahrazad se dio cuenta de que amanecía e interrumpió el hermoso relato.

Cuando llegó la noche *quinientas ochenta y dos* (*a*), refirió:

—Me he enterado, ¡oh rey del tiempo!, de que se presentó a su esposa, la señora Badr al-Budur, y le dijo: «Escúchame: quiero que te vistas y te arregles, que abandones la tristeza. Cuando venga el maldito magrebí, acógelo cordialmente, con cara sonriente, e invítalo a que venga a cenar contigo. Aparenta haber olvidado a tu amado Aladino y a tu padre; hazle ver que lo amas apasionadamente y pídele vino tinto para beber. Muéstrate muy alegre y contenta, y bebe a su salud. Escánciale dos o tres vasos de vino hasta que pierda el dominio de sí mismo. Entonces pones estos polvos en el vaso y lo llenas de vino. En cuanto beba la copa en que hayas puesto los polvos, caerá de espaldas como si estuviese muerto». La señora Badr al-Budur, después de oír las palabras de Aladino contestó: «Me duele tener que hacer esto; mas para librarnos de la vileza de ese maldito, que me ha acongojado al separarme de ti y de mi padre, considero lícito darle muerte». Aladino comió y bebió con su esposa hasta calmar el hambre, e inmediatamente después salió del palacio. La señora Badr al-Budur mandó llamar a su peinadora, quien la arregló y adornó. Luego se puso sus mejores vestidos y se perfumó. Entonces llegó el maldito magrebí. Al verla de esta forma se alegró mucho, y más aún cuando la princesa lo recibió sonriente, contra lo que era su costumbre. Con eso aumentaron la pasión y el amor que por ella sentía. La princesa le hizo sentar a su lado y le dijo: «¡Amado mío! Si quieres, ven esta noche a cenar conmigo. Ya estoy harta de la tristeza, pues he pensado que aunque estuviese triste durante mil años, ¿qué sacaría de ello? Aladino no puede escapar de su tumba. He meditado en tus palabras de ayer, es decir, en que mi padre quizá lo habrá mandado matar, dada la gran pena que habrá sentido al verse separado de mí. No te extrañe verme hoy de distinto humor que ayer; es que he resuelto tomarte por amante y amigo en sustitución de Aladino, ya que no puedo disponer de otro hombre más que de ti. Espero, pues, que esta noche vengas a cenar conmigo y a beber vino. Deseo que me des a probar el de tu país, el de África, que debe de ser muy bueno. Aquí tengo vino, pero es de nuestro país, y tengo muchas ganas de probar el del vuestro».

Sahrazad se dio cuenta de que amanecía e interrumpió el hermoso relato.

Cuando llegó la noche *quinientas ochenta y tres* (*a*), refirió:

—Me he enterado, ¡oh rey del tiempo!, de que el magrebí, al ver el amor que demostraba tenerle la señora Badr al-Budur, que había olvidado la tristeza, pensó que aquello era natural, al haber perdido toda esperanza de volver a reunirse con Aladino. Se alegró mucho y dijo: «¡Alma mía! Obedeceré todo lo que quieras mandarme. Tengo en casa una jarra de vino de nuestro país, que ha estado guardada bajo tierra durante ocho años. Voy ahora mismo a sacar la cantidad que necesitamos, y regreso en seguida».

Para que el engaño fuese más perfecto, la muchacha añadió: «¡Amado mío! ¡No vayas tú! Envía a uno de tus criados para que nos traiga una jarra, y quédate sentado junto a mí, para que me distraiga con tu compañía». «¡Señora! Yo soy el único que sabe dónde está la jarra. No tardaré en volver.» El magrebí se marchó, y al cabo de un rato volvió con una cantidad de vino suficiente. La señora Badr al-Budur le dijo: «Te has fatigado y yo te he molestado, amado mío». «¡En absoluto, luz de mis ojos! Me honro sirviéndote.» La princesa y el mago se sentaron a la mesa y empezaron a comer. Ella pidió de beber, y la criada le llenó en seguida la copa. Después sirvió al magrebí. La señora Badr al-Budur bebía a su salud y por su felicidad, y él lo hacía a la salud de ella.

La princesa era única por su elocuencia y por la dulzura de sus palabras. Empezó a conversar con él, a deslumbrarlo y a hablarle con sentidas y dulces palabras, a fin de encandilarlo más. El magrebí creyó que todo aquello era sincero, y no podía sospechar que era una trampa que le tendía para darle muerte. La pasión y el amor del hechicero iban en aumento al descubrir las alusiones que le hacía; la cabeza le dio vueltas, y sólo vio el mundo a través de los ojos de ella. Cuando sirvieron la cena, la señora Badr al-Budur comprobó que el vino se le había subido a la cabeza. Le dijo: «En nuestro país tenemos una costumbre que no sé si tenéis o no en el vuestro». «¿De qué se trata?» «Al finalizar la cena, el amante toma el vaso de la amada y bebe en él.» La princesa le quitó el vaso, lo llenó de vino y ordenó a la esclava que le diese su copa, en la que había mezclado el vino con el narcótico, siguiendo las instrucciones que había dado la princesa, pues todos los esclavos y doncellas del palacio deseaban la muerte del mago y estaban de acuerdo con la señora Badr al-Budur acerca de esto. La joven le entregó la copa, y el mago, al oír sus palabras y ver que ella bebía en su copa y que le entregaba la suya para que bebiese en ella, al ver todas estas muestras de amor, se creyó que era Alejandro el Magno. La princesa le dijo, mientras movía sus caderas y ponía su mano sobre la de él: «¡Alma mía! Tienes mi copa y yo tengo la tuya: así beben los amantes, el uno en el vaso del otro». La señora Badr al-Budur levantó el vaso, se lo bebió y lo dejó en la mesa. Se acercó al hechicero y lo besó en la mejilla; éste, completamente trastornado, se llevó el vaso a la boca y se lo bebió de un trago sin preocuparse de si en el vaso había algo o no: inmediatamente cayó de espaldas, como si estuviese muerto, y el vaso se le escapó de la mano. La señora Badr al-Budur se alegró de ello, las esclavas bailaron de alegría y abrieron las puertas del alcázar a Aladino, su señor, el cual entró...

Sahrazad se dio cuenta de que amanecía e interrumpió el hermoso relato.

Cuando llegó la noche *quinientas ochenta y cuatro* (*a*), refirió:

—Me he enterado, ¡oh rey del tiempo!, de que [Aladino entró] y subió a las habitaciones de su esposa; encontró a ésta sentada cerca del magrebí, que parecía muerto. Se acercó a la princesa, la besó, le dio las gracias por lo que había hecho, se puso muy contento y le dijo: «Vete con tus esclavas a las habitaciones del interior y déjame solo para que haga mi trabajo». La señora Badr al-Budur y sus esclavas hicieron lo ordenado por Aladino. Éste cerró la puerta detrás de ellas, se acercó al magrebí, le metió la mano en el pecho y le quitó la lámpara. Luego desenvainó la espada y le cortó la cabeza. A continuación frotó la lámpara, y se presentó el genio, quien le dijo: «¡Heme aquí, señor mío! ¿Qué quieres?» «Que saques el palacio de este país, que lo transportes al país de China y lo coloques en el lugar en que estaba, enfrente del palacio del sultán.» «¡Señor mío! ¡Oír es obedecer!» Aladino fue a reunirse con su esposa, Badr al-Budur, la estrechó contra su pecho y la besó; ésta le correspondió, y ambos se sentaron a hablar. Entretanto, el genio trasladaba el palacio hasta dejarlo en su sitio, enfrente del alcázar del sultán. El joven dijo a las esclavas que les acercaran una mesa, y él y su esposa, la señora Badr al-Budur, se sentaron y empezaron a comer y a beber, llenos de alegría y satisfacción, hasta quedar hartos. Después se trasladaron a la sala de las bebidas y de la conversación. Se sentaron, bebieron, hablaron, y se besaron apasionadamente. ¡Hacía tanto tiempo que no estaban juntos! Siguieron así hasta que el vino se les subió a la cabeza y les entró sueño. Se acostaron y durmieron con toda felicidad. Por la mañana, Aladino y su esposa se levantaron. Acudieron las esclavas de ella, que la vistieron, la arreglaron y la engalanaron. Aladino se puso su mejor traje, y ambos seguían locos de alegría por estar de nuevo juntos. Y Badr al-Budur estaba particularmente contenta porque iba a ver a su padre. Esto es lo que se refiere a Aladino y a la princesa.

En cuanto al sultán, después de haber puesto en libertad a Aladino, siguió triste por la pérdida de su hija. Como era hija única, se pasaba todo el tiempo sentado y llorando por ella, como si fuese una mujer. Todos los días, al levantarse, corría a abrir la ventana y a mirar en la dirección en que había estado el palacio de Aladino, y lloraba hasta que se le secaban los ojos y se le inflamaban los párpados. Aquel día, al levantarse, según su costumbre, abrió la ventana, miró y vio delante un edificio. Se restregó los ojos, volvió a mirar y convencióse de que era el palacio de Aladino. Ordenó inmediatamente que ensillaran los caballos, montó y se dirigió al palacio del yerno. Éste, al ver que se acercaba, salió a su encuentro a la mitad del camino, lo cogió de la mano y lo hizo subir a las habitaciones de su hija, que también ardía en deseos de ver a su padre. La muchacha bajó a recibirlo a la puerta de la escalera que daba a la sala de la planta. El padre la abrazó y besó llorando, y ella hizo lo mismo. Aladino los hizo subir a las habitaciones del piso superior y se sentaron. El sultán empezó preguntándole cómo se encontraba y qué le había ocurrido.

Sahrazad se dio cuenta de que amanecía e interrumpió el hermoso relato.

Cuando llegó la noche *quinientas ochenta y cinco* (*a*), refirió:

—Me he enterado, ¡oh rey del tiempo!, de que su hija le explicó todo lo que le había sucedido: «¡Padre mío! No recuperé el aliento hasta ayer, al ver a mi esposo, que es quien me ha salvado de las manos del peor hombre magrebí, de un maldito mago. No creo que haya habido hombre más malo en toda la faz de la tierra, y si no hubiera sido por mi amado Aladino, jamás habría escapado de él, ni tú me hubieses vuelto a ver nunca más. Yo estaba sumida en una gran pena y tristeza, no sólo por encontrarme separada de ti, sino también porque me encontraba lejos de mi marido, al cual agradeceré siempre el haberme salvado de aquel maldito mago». La señora Badr al-Budur explicó a su padre todo lo que había ocurrido y le refirió lo que había hecho el magrebí, y cómo se portó con ella; cómo se había disfrazado de vendedor de lámparas, que cambiaba las viejas por otras nuevas. Y prosiguió: «Me pareció que esto se debía a su falta de razón, y empecé a reírme de él, sin sospechar su engaño ni su propósito. Cogí la lámpara vieja que estaba en la habitación de mi esposo, y envié a un eunuco a que la cambiase por otra nueva. Al día siguiente por la mañana, padre, el palacio, con todo lo que contenía y todos nosotros dentro, nos encontrábamos en África. Yo desconocía las virtudes de la lámpara de mi esposo. Al llegar Aladino, éste ideó una estratagema, que nos permitió apoderarnos del magrebí. Si mi esposo no hubiera llegado, aquel hombre perverso me habría poseído por la fuerza. Aladino me dio unos polvos y yo los puse en una copa de vino que ofrecí al mago. Éste se la bebió, y cayó como si hubiera muerto. Luego entró mi esposo y no sé qué es lo que hizo para trasladarnos de nuevo aquí». Aladino continuó: «Cuando lo vi tendido como un muerto, a causa del narcótico, dije a la señora Badr al-Budur: "Vete con tus esclavas a las habitaciones superiores". Así lo hizo ella, con lo que se ahorró un espectáculo terrible. Me acerqué al maldito magrebí, metí la mano en su pecho y le quité la lámpara que la señora Badr al-Budur me había dicho que llevaba siempre encima. Una vez la tuve en mi poder, desenvainé la espada y corté la cabeza de aquel maldito. Luego utilicé la lámpara y ordené a los esclavos de la misma que devolviesen el palacio a su lugar primitivo, con todos sus moradores. Si tu Majestad duda de mis palabras, levántate, acompáñame y verás al maldito magrebí». El rey fue con Aladino a la habitación y vio el cadáver. El soberano dio órdenes para que se llevaran de allí inmediatamente el cuerpo, lo quemaran y aventasen sus cenizas. Después abrazó y besó a Aladino, y le dijo: «Discúlpame, hijo mío, pues he estado a punto de quitarte la vida por la canallada de ese maldito mago que te había hecho caer en esta trampa. Lo que iba a hacer contigo, hijo mío, tiene disculpa, ya que me veía privado de mi única hija, a la cual quiero más que a mi propio reino. Tú sabes que los padres quieren mucho a sus hijos, y con mayor razón yo, que sólo tengo a la señora Badr al-Budur». Pidió perdón a Aladino y volvió a besarlo.

Sahrazad se dio cuenta de que amanecía e interrumpió el hermoso relato.

Cuando llegó la noche *quinientas ochenta y seis* (*a*), refirió:

—Me he enterado, ¡oh rey del tiempo!, de que Aladino le dijo: «¡Rey del tiempo! No ibas a hacer conmigo nada que fuese contrario a la *xara*[4]; yo, por mi parte, también tenía culpa. De todo ha tenido la culpa ese maldito magrebí».

El sultán ordenó que se engalanase la ciudad y así se hizo. Se celebraron grandes fiestas, y el pregonero anunció por la ciudad: «Hoy es un día solemne, y para celebrar el regreso de la señora Badr al-Budur, hija del sultán, y de su esposo Aladino, las fiestas durarán un mes de treinta días».

Pero no había terminado aún el maleficio del magrebí, a pesar de haber quemado su cadáver y aventado sus cenizas por el aire. Aquel hechicero tenía un hermano más peligroso aún que él en cuanto a magia, geomancia y astrología. Podría aplicársele aquel refrán: «Era un haba que tenía dos mitades».

Cada hermano vivía en una región del mundo, para llenar éste con su magia, insidias y engaños. Cierto día, el hermano del magrebí quiso saber cómo se encontraba su hermano. Tomó la arena, la echó, dedujo las figuras, las contempló, se fijó en ellas atentamente y vio que su hermano ocupaba una tumba, que había muerto. Apenado por ello, volvió a echar la arena para comprobar cómo se había producido la muerte y en qué lugar había expirado. Descubrió que había muerto vilmente en China, a manos de un joven llamado Aladino. Se dispuso a partir inmediatamente. Durante un mes viajó a través de tierras, desiertos y montes, hasta que llegó a China, a la capital del sultanato en la cual vivía Aladino. Se dirigió al hotel de los extranjeros, alquiló una habitación y descansó un rato. Luego salió a recorrer las calles de la ciudad, con objeto de estudiar la forma de conseguir su

[4] **Nombre que recibe la jurisprudencia musulmana.**

deseo: vengarse en Aladino de la muerte de su hermano. Entró en un café del mercado, que era un gran edificio en el cual se reunía muchísima gente. Unos jugaban a la *minqala*; otros, a las damas; otros, al ajedrez y demás pasatiempos. Tomó asiento y oyó que los que estaban a su lado hablaban de una mujer vieja, asceta, llamada Fátima, que permanecía constantemente retirada en su oratorio de las afueras de la ciudad, dedicada al servicio de Dios; decían que sólo visitaba la ciudad dos días al mes, y que tenía grandes carismas. El magrebí, al oír estas palabras, se dijo: «Tal vez encuentre lo que busco si Dios (¡ensalzado sea!) lo quiere. Por medio de esta mujer alcanzaré mi propósito».

Sahrazad se dio cuenta de que amanecía e interrumpió el hermoso relato.

Cuando llegó la noche *quinientas ochenta y siete* (*a*), refirió:

—Me he enterado, ¡oh rey del tiempo!, de que se acercó a la gente que estaba hablando de los carismas de esta vieja asceta y dijo a uno de ellos: «¡Tío! Os he oído hablar de los carismas de una santona llamada Fátima. ¿Dónde está? ¿Dónde vive?» El interpelado replicó: «Es extraño que siendo de nuestra ciudad no hayas oído hablar de los carismas de nuestra señora Fátima. Está claro que eres extranjero, ya que no has oído hablar de los ayunos, de la renuncia al mundo y de la hermosa piedad de esta asceta». «Tienes razón, señor mío. Soy extranjero, que llegó a vuestra ciudad ayer por la tarde. Espero que me expliques los carismas de esa virtuosa mujer y me digas dónde vive, ya que me ha ocurrido una desgracia y quiero ir a visitarla. Espero que rece, y confío en que, por su intercesión, Dios, Todopoderoso y Excelso, me libre de mi aflicción.» El hombre le explicó todo lo referente a la asceta Fátima, y luego, cogiéndolo de la mano, salió con él fuera de la ciudad y le mostró el camino que conducía a una cueva, situada sobre una colina. El magrebí le dio cordialmente las gracias por su amabilidad, y regresó a su habitación del hotel.

Al día siguiente, Fátima bajó a la ciudad. El hechicero magrebí salió del hotel por la mañana y vio que la gente estaba aglomerada. Se acercó para enterarse de lo que ocurría y vio a Fátima de pie. Todo el que tenía un dolor, se acercaba y le pedía la *baraca*[5] y una oración. En cuanto ella lo tocaba, quedaba curado del dolor. El mago magrebí estuvo siguiendo a la anciana hasta que ésta regresó a su cueva. Esperó la llegada de la noche, y para hacer tiempo se dirigió a un tugurio y bebió algo. Luego salió de la ciudad y se dirigió a la cueva de la asceta Fátima. Al entrar vio que ésta dormía sobre un pedazo de estera. Se acercó a ella, se sentó encima de su vientre, desenvainó el puñal y le dio un grito. Ella se despertó, abrió los ojos y vio que estaba sentado encima de ella un magrebí, con un puñal desenvainado, que quería matarla. Se asustó, y el magrebí le dijo: «¡Oye! Si hablas o gritas, te mato ahora mismo. Levántate y haz todo lo que te voy a decir». Le juró que si hacía lo que le iba a mandar, no la mataría. Se levantó el mago, y ella se incorporó. El magrebí le dijo: «Cambia tus vestidos por los míos». Ella le entregó toda su ropa, incluso la venda de la cabeza, el delantal y el manto. «Ahora me embadurnas con algo, para que el color de mi cara sea igual que el de la tuya.» Fátima se dirigió al interior de la cueva y regresó con un tarro de crema. Tomó un poco de ésta en la palma de la mano y le untó todo el rostro, el cual adquirió el mismo color que el de la vieja. Le entregó su bastón y le enseñó cómo debía andar y comportarse en la ciudad. Le puso en el cuello su rosario y, finalmente, le entregó el espejo, diciéndole: «Fíjate: en nada te diferencias de mí». Contemplóse el magrebí, y vio que era idéntico a Fátima. Luego el malvado violó su promesa; le pidió una cuerda, y cuando la anciana se la entregó, la ahorcó con ella en la cueva. Una vez muerta, la arrastró y la arrojó a una cisterna.

Sahrazad se dio cuenta de que amanecía e interrumpió el hermoso relato.

Cuando llegó la noche *quinientas ochenta y ocho* (*a*), refirió:

—Me he enterado, ¡oh rey del tiempo!, de que después regresó a la cueva y se durmió hasta la llegada del día. Entonces se levantó, bajó a la ciudad y se colocó al pie del palacio de Aladino. Las gentes, convencidas

[5] Bendición.

de que era la asceta Fátima, se reunieron en torno de él. Empezó a hacer lo mismo que hacía la vieja: colocaba la mano encima de los enfermos, y a uno le leía la *Fatiha*; a otro, una *azora* cualquiera, y rezaba por un tercero. La muchedumbre era grande, y el vocerío tal, que la señora Badr al-Budur lo oyó y dijo a las doncellas: «Ved lo que produce este alboroto». El *agá* de los eunucos fue a enterarse, y le dijo: «¡Señora! El alboroto es debido a la señora Fátima. Si quieres pedir la *baraca*, mándame que te la traiga». La princesa replicó: «Ve y tráemela, pues hace tiempo que oigo hablar de ella constantemente: de sus carismas y de sus virtudes. Tengo muchas ganas de verla para gozar de su *baraca*. Las gentes cuentan y no acaban».

El *agá* de los eunucos se marchó y volvió con el hechicero magrebí, que iba disfrazado aparentando ser Fátima. Al llegar ante la señora Badr al-Budur empezó a rezar por ella, y nadie sospechó que no era Fátima. La princesa se acercó a ella, la saludó, la hizo sentar a su lado y le dijo: «¡Señora Fátima! Me gustaría que te quedases siempre conmigo para gozar de tu *baraca* y poder aprender, con tu ejemplo, los caminos del ascetismo y de la piedad, a fin de imitarte en ellos». Esto era lo que deseaba el maldito hechicero. Luego, para hacer más perfecto el engaño, le dijo: «¡Señora! Yo soy una pobre mujer que vive en el campo. Las personas como yo no son dignas de residir en los palacios de los reyes». «No te preocupes, señora Fátima. Te daré un lugar de mi casa en el que puedas consagrarte al ascetismo. Jamás entrará nadie a molestarte. Desde aquí adorarás a Dios mejor que desde tu cueva.» «Oír es obedecer, señora. No te contradiré en tus palabras, pues las palabras de los hijos de los reyes no se pueden contradecir ni desobedecer. Pero te pido que me dejes comer, beber y vivir a solas en mi habitación, sin que nadie entre en ella; no necesito buenos manjares; me basta con que cada día me honres mandándome a tu esclava a la celda con un pedazo de pan y un sorbo de agua. Cuando quiera comer, lo haré en mi habitación.» El maldito hablaba así por el temor de que, al levantarse el velo para comer, lo denunciaran la barba y el bigote. La señora Badr al-

Budur contestó: «¡Señora Fátima! Tranquilízate. Se hará lo que tú quieras. Ven conmigo y te mostraré la habitación que quiero asignarte para que permanezcas con nosotros».

Sahrazad se dio cuenta de que amanecía e interrumpió el hermoso relato.

Cuando llegó la noche *quinientas ochenta y nueve* (*a*), refirió:

—Me he enterado, ¡oh rey del tiempo!, de que condujo al hechicero al departamento que había elegido para él. Le dijo: «¡Señora Fátima! Aquí residirás. Esta habitación te pertenece, y en ella vivirás en paz y en la contemplación más perfecta». El magrebí le dio las gracias por su bondad y rezó por ella. La señora Badr al-Budur le mostró luego el pabellón y el quiosco de piedras preciosas, que tenía veinticuatro ventanas. Le preguntó: «¿Qué piensas de este prodigioso palacio, señora Fátima?» «¡Por Dios, hija mía! Es maravilloso en extremo, y no creo que se encuentre en el mundo otro igual. Es enorme. ¡Lástima que le falte algo que lo haría aún más hermoso y bonito!» «¡Señora Fátima! ¿Cuál es el defecto? ¿Qué es lo que lo haría más hermoso? Dímelo, pues yo creía que era perfecto.» «¡Señora! Le falta tener colgado de la cúpula un huevo del ave *ruj*. Si el huevo en cuestión estuviese colgado en la cúpula, este palacio no tendría par en todo el mundo.» «¿Qué pájaro es ése? ¿Dónde se encuentran sus huevos?» «Es un ave muy grande, que transporta los camellos y los elefantes en sus garras, y vuela con ellos. Se encuentra frecuentemente en el monte Qaf. El maestro que ha construido este palacio puede traer uno de esos huevos.» Era la hora de comer, y las esclavas pusieron la mesa. La señora Badr al-Budur se sentó e invitó a comer con ella al maldito hechicero magrebí. Mas éste rehusó, y se dirigió a la habitación que le había asignado la princesa, donde las criadas le sirvieron la comida.

Al oscurecer, Aladino regresó de la caza, y la señora Badr al-Budur salió a su encuentro y lo saludó. Él la abrazó y besó; comprobó que estaba algo triste, ya que, contra su costumbre, no reía. Le dijo: «¿Qué te ocurre, amada mía? Dime, ¿te ha sucedido algo que te preocupe?» «No me ha pasado nada, querido. Es que creía que a nuestro palacio no le faltaba nada, ¡oh, Aladino!, luz de mis ojos; mas ahora me parece que si en la cúpula superior estuviese colgado un huevo del pájaro *ruj*, en todo el mundo no habría un palacio como el nuestro.» «¿Y por eso te has preocupado? Es muy fácil para mí solucionar eso. Tranquilízate, dime lo que te apetece y yo te lo traeré inmediatamente, en un instante, aunque esté en el fin del mundo.»

Sahrazad se dio cuenta de que amanecía e interrumpió el hermoso relato.

Cuando llegó la noche *quinientas noventa* (*a*), refirió:

—Me he enterado, ¡oh rey del tiempo!, de que [Aladino] después de haber calmado a la señora Badr al-Budur y de haberle prometido todo lo que ella quería, entró en su habitación, tomó la lámpara y la frotó. El genio se presentó en seguida y le dijo: «¡Pide lo que desees!» «Quiero que me traigas un huevo de *ruj* y que lo cuelgues en la cúpula del alcázar.» El genio frunció el ceño, se indignó y gritó con voz terrible: «¡Ingrato! ¿No te basta con que yo y todos los siervos de la lámpara estemos a tu servicio? ¿Es que ahora vas a pedirnos que te traigamos a nuestra señora para que os sirva de distracción, colgada de la cúpula del palacio, a ti y a tu esposa? ¡Por Dios! Mereceríais que os convirtiese ahora mismo en cenizas, y que aventase éstas. Pero como tú y tu esposa ignoráis de lo que se trata y no sabéis lo que se esconde detrás de las apariencias, os perdono, pues sois inocentes. La culpa es del maldito hermano del magrebí, el hechicero, que está aquí y se hace pasar por la asceta Fátima; lleva los mismos vestidos de ésta, a la que ha dado muerte en su cueva; encubierto en su disfraz e imitándola en todo, ha venido hasta aquí para matarte y vengar así a su hermano. Él es quien ha inducido a tu mujer a que te pidiera esto». El genio desapareció. Aladino, al oír aquello, estuvo a punto de perder la razón, y sus miembros temblaron, pues el genio le había hablado con voz de trueno. Se rehízo en seguida, salió de la habitación y entró en la de su esposa fingiendo que le dolía la cabeza, pues sabía que Fátima era famosa por tener la virtud de curar todos los dolores. La señora Badr al-Budur, al ver que se quejaba de dolor, le preguntó: «¿Qué te pasa?» «Me duele mucho la cabeza.» La princesa mandó llamar a Fátima para que le pusiera las manos en la cabeza. Aladino preguntó: «¿Quién es Fátima?» Su esposa le dijo que había hospedado en el palacio a la asceta. Las criadas fueron a buscar al maldito magrebí y volvieron con él. Aladino salió a su encuentro fingiendo que no sabía nada. Lo saludó como si se hubiese tratado de Fátima, besó el limbo de su manga y le dio la bienvenida, diciendo: «¡Señora Fátima! Espero que me hagas un favor, pues sé que tienes el don de curar los dolores; me acaba de entrar un gran dolor de cabeza». El maldito magrebí apenas pudo dar crédito a tales palabras, pues eran las que él deseaba.

Sahrazad se dio cuenta de que amanecía e interrumpió el hermoso relato.

Cuando llegó la noche *quinientas noventa y una* (*a*), refirió:

—Me he enterado, ¡oh rey del tiempo!, de que [el magrebí] se acercó a Aladino dispuesto a poner la mano en su cabeza y a curarle el dolor. Al llegar junto a él, colocó una mano encima de su cabeza mientras metía la otra debajo de sus ropas y desenfundaba un puñal para matarlo. Aladino seguía todos sus movimientos. Esperó a que hubiese sacado el puñal, y entonces se lo arrancó de la mano y se lo clavó en el corazón. La señora Badr al-Budur, al verlo, dio un grito y exclamó: «¿Qué ha hecho esta virtuosa asceta para que hayas cometido el enorme pecado de verter su sangre? ¿Es que no tienes temor de Dios para matar así a una mujer virtuosa, cuyos carismas son célebres?» «No he matado a Fátima, sino al asesino de Fátima. Éste es el hermano del maldito hechicero magrebí, aquel que te raptó y te trasladó a África junto con el palacio. Este maldito ha llevado a cabo una serie de engaños: ha matado a Fátima, se ha puesto sus vestidos y ha venido hasta aquí para vengar en mí a su hermano. Luego te sugirió que me pidieras el huevo de *ruj* para que éste fuera la causa de mi muerte. Si dudas de mis palabras, acércate y mira a quién he matado.» Aladino levantó el velo del magrebí, y la señora Badr al-Budur vio a un hombre de poblada barba. Entonces comprendió la verdad. «¡Amado mío! Por dos veces te he puesto en peligro de muerte.» «No te preocupes, Badr al-Budur; en honor de tus ojos acepto con alegría todo lo que venga de ti.» Al oír estas palabras, la princesa se precipitó hacia él, lo abrazó, lo besó y le dijo: «¡Amado mío! ¡Me quieres tanto!» Aladino la besó, la estrechó contra su pecho, y el amor que se tenían fue en aumento. En aquel instante se presentó el sultán, y el joven le refirió todo lo que había ocurrido con el hermano del hechicero magrebí; le mostraron el cadáver. El soberano mandó que lo quemaran y aventasen sus cenizas, lo mismo que se había hecho con su hermano.

Aladino y su esposa siguieron viviendo en paz y tranquilidad, libres de todo peligro. Al cabo de algún tiempo murió el sultán, y Aladino se sentó en el trono del reino. Gobernó, fue justo con los súbditos, y todas las gentes lo amaron. Él y su esposa pasaron toda la vida tranquilos, felices y contentos, hasta que llegó el destructor de las dichas y el separador de los amigos.

SINDBAD EL MARINO

Me he enterado de que en el tiempo en que Harún al-Rasid era Califa y Emir de los creyentes, vivía en Bagdad un hombre llamado Sindbad el faquín, que se ganaba la vida como mozo de cuerda transportando bultos encima de la cabeza. Cierto día elevaba un fardo muy pesado; hacía mucho calor, se cansó, sudó y se sofocó. Al pasar por la casa de un comerciante, habían barrido y regado, y la temperatura era allí muy agradable. Junto a la puerta había un ancho banco. El faquín dejó su carga sobre el banco para descansar y respirar un poco.

Sahrazad se dio cuenta de que amanecía e interrumpió el relato para el cual le habían dado permiso.

Cuando llegó la noche *quinientas treinta y siete,* refirió:

—Me he enterado, ¡oh rey feliz!, de que por la puerta salía un airecillo fresco y un aroma penetrante. El faquín respiró con fruición y se sentó en un extremo del banco. Desde allí oyó tocar instrumentos de cuerda, y escuchó unas voces muy bellas, que recitaban poesías. Oyó asimismo los trinos de los pájaros: tórtolas, ruiseñores, mirlos, pichones de collar y perdices, que alababan a Dios con sus cantos y gorjeos. Quedó admirado y emocionado. Se acercó a la puerta y vio un gran jardín lleno de garzones, esclavos, criados y eunucos, en una cantidad tal como no tienen los reyes ni sultanes. Volvió a aspirar el aroma de una comida exquisita, compuesta de todas clases de guisos y de excelentes bebidas. Levantó sus ojos al cielo y exclamó: «¡Gloria a Ti, oh Señor, oh

Criador, oh Sustentador, que provees sin tasa a quien te place! ¡Dios mío! Te pido perdón por todas las culpas y me arrepiento ante Ti de las faltas. ¡Señor! No me resisto a tu ciencia ni a tu poder. Tú no tienes que dar cuenta de lo que haces, y eres Omnipotente sobre todas las cosas. ¡Gloria a Ti! Haces rico o pobre a quien quieres; poderoso, a quien te place, y humillas a quien te apetece. No hay más Dios sino Tú. ¡Cuán grande es tu dignidad! ¡Cuán fuerte es tu poder! ¡Qué hermoso es tu comportamiento! Concedes tus favores a aquel de tus siervos que te place. El dueño de este lugar vive con el máximo desahogo, disfruta con los mejores perfumes, con los guisos más exquisitos y con toda clase de bebidas excelentes. Has dispuesto y predestinado a tus criaturas como has querido: unas se fatigan, otras descansan; unas son felices, otras, como yo, viven con trabajo y humildad». Luego recitó estos versos:

> ¡Cuántos miserables disfrutan sin descanso del bienestar en la sombra y en la umbría!
> Me levanto completamente fatigado: ¡cuán maravillosa es mi vida, y qué pesada mi carga!
> Otros, en cambio, son felices sin esfuerzo, y el destino jamás los ha abrumado como a mí.
> Disfruta toda su vida de la alegría y del poder; bebe y come.
> Pero todas las criaturas proceden del mismo tronco. Yo soy igual que éste, y éste es mi igual.
> Sin embargo, la diferencia que existe entre nosotros dos es la misma que hay entre el vino y el vinagre.
> Pero no quiero blasfemar contra Ti, pues Tú eres sabio y gobiernas con justicia.

Sindbad el faquín, cuando hubo terminado de recitar sus versos, se dispuso a recoger el fardo y marcharse. Pero entonces salió por la puerta un muchacho muy joven, de hermoso rostro, talla agradable y bellos vestidos. Cogió de la mano al faquín y le dijo: «Entra a hablar con mi señor, que te manda llamar». El faquín trató de negarse, pero no pudo. Dejó el fardo en el vestíbulo, junto a la puerta, y siguió al paje a través de la casa; vio que era hermosa, acogedora y señorial. Un gran salón estaba ocupado por nobles señores y personajes importantes. Había en él flores de todas clases, perfumes, pastas secas, frutas y los más variados y exquisitos guisos, así como vinos de las mejores cepas, instrumentos musicales y preciosas esclavas. Cada uno de los asistentes ocupaba el puesto que le correspondía según su rango, y en la testera del salón había un respetable anciano, de aladares cubiertos de canas. Su figura era agradable; su aspecto, grato, y aparentaba ser una persona respetable, digna y poderosa. Sindbad, admirado, se dijo: «¡Por Dios! Este lugar es un pedazo del paraíso, o tal vez el alcázar de un rey o de un sultán». Se portó cortésmente, saludó a todos, expresó sus mejores deseos y besó el suelo delante de ellos. Después se quedó inmóvil, cabizbajo.

Sahrazad se dio cuenta de que amanecía e interrumpió el relato para el cual le habían dado permiso.

Cuando llegó la noche *quinientas treinta y ocho,* refirió:

—Me he enterado, ¡oh rey feliz!, de que [Sindbad quedó cabizbajo] y humilde. El dueño lo invitó a sentarse, y él lo hizo así. Le dijo que se acercara, y empezó a hablarle afablemente y a darle la bienvenida. Le ofreció los mejores guisos. Sindbad empezó a comer diciendo: «En el nombre de Dios», hasta quedar harto y satisfecho. Exclamó: «¡Alabado sea Dios en todos los casos!» Se lavó las manos y le dio las gracias al dueño. Éste le dijo: «¡Bien venido! ¡Tu día sea feliz! ¿Cómo te llamas? ¿Cuál es tu oficio?» «¡Señor mío! Me llamo Sindbad el faquín. Me gano la vida transportando fardos en la cabeza.» El dueño, sonriendo, le dijo: «Sabe, ¡oh, faquín!, que te llamas igual que yo; yo soy Sindbad el marino. Pero, faquín, deseo que me recites los versos que has improvisado mientras estabas en la puerta». El faquín, avergonzado, respondió: «Te conjuro, en nombre de Dios, a que no me riñas. La fatiga, las dificultades y la pobreza enseñan al hombre la mala educación y la estulticia». «No te avergüences, pues te has convertido en mi hermano. Recita los versos, ya que me ha gustado oírtelos declamar cuando estabas junto a la puerta.»

El faquín recitó los versos, y su interlocutor se emocionó al escucharlos. Le dijo: «¡Faquín! Sabe que mi historia es maravillosa, y que te referiré todo lo que he pasado y lo que me ha ocurrido antes de conseguir este bienestar y de instalarme donde me ves. He alcanzado este desahogo y he llegado a este puesto después de grandes fatigas, pesares y muchísimos terrores. ¡Cuántas penas y desgracias he tenido que soportar! He hecho siete viajes, y cada uno de ellos ha constituido una aventura capaz de dejar perplejo a cualquiera. Todo me ha ocurrido por voluntad del destino, pues no hay modo de escapar ni huir de lo que está escrito».

PRIMER RELATO DE SINDBAD EL MARINO. CONTIENE SU PRIMER VIAJE

«Sabed, nobles señores, que mi padre fue un gran comerciante y una persona de valía, inmensamente rico. Cuando murió, yo era aún pequeño, y me dejó en herencia dinero, fincas y tierras. Al llegar a la mayoría de edad me hice cargo de todo: comí los guisos más exquisitos, bebí los mejores vinos, vestí hermosos ropajes y frecuenté el trato de las jóvenes. Pasé algún tiempo en compañía de amigos y conocidos, en la creencia de que esto iba a durar eternamente, que iba a serme de utilidad. Continué en esta situación por algún tiempo, al cabo del cual recobré el conocimiento y me di cuenta de mi inconsciencia. Pero entonces mis bienes se habían concluido, y mi situación había cambiado, puesto que había perdido todo lo que poseía. Entonces me asusté. Recordé que había oído referir a mi padre una historia de nuestro señor Salomón, hijo de David (¡sobre él sea la paz!), que decía: "Hay tres cosas que son mejores que otras tres: el día de la muerte es mejor que el día del nacimiento; un perro vivo vale más que un león muerto, y es preferible la tumba a un palacio". Reuní todos los objetos y vestidos que me quedaban y los vendí, así como mis fincas y todo cuanto poseía. Reuní tres mil dirhemes. Entonces se me ocurrió emprender un viaje hacia lejanos países, y recordé las palabras de un poeta, que dijo:

Según el esfuerzo, se llega a las cimas; quien busca las cumbres pasa las noches en vela.
Quien busca las perlas debe bucear en el mar, y así consigue el señorío y la riqueza.
Quien quiere subir sin fatiga, malgasta la vida en busca de un imposible.

»Al fin me decidí y compré mercancías, objetos y las cosas que necesitaba para el viaje. Me dispuse a navegar y embarqué. Con un grupo de comerciantes descendí por el río hasta Basora, y luego cruzamos el mar durante días y noches: pasamos de isla en isla, de mar en mar y de tierra en tierra. Por doquiera pasábamos, vendíamos, comprábamos y cambiábamos nuestras mercancías. Seguimos nuestro viaje hasta llegar a una isla que parecía un jardín del paraíso. El capitán de la embarcación mandó anclar, y así lo hicieron los marinos: echaron las anclas, ataron la escalera, y todas las personas que iban en el buque desembarcaron en la isla; construyeron hogares, encendieron fuego en ellos y se dedicaron a varias ocupaciones: unos cocinaron, otros lavaron, y otros se dedicaron a pasear; yo fui uno de éstos, pues recorrí los distintos lugares de la isla. Los pasajeros se habían reunido para comer, beber, distraerse y jugar.

»El capitán del navío, mientras nosotros nos esparcíamos, permaneció de pie a la orilla del mar. De pronto chilló con su voz más fuerte: "¡Pasajeros! ¡Salvaos! ¡Corred! ¡Embarcad de prisa en la nave y abandonad vuestras cosas! ¡Salvad vuestras vidas! La isla en que estáis no es tal isla: es un pez enorme, que se ha parado en medio del mar. La arena se ha amontonado encima, y desde hace tiempo han crecido en ella los árboles. Ha notado el calor que despedía el fuego que habéis encendido, se ha puesto en movimiento, y ahora se dispone a sumergirse en el mar con todos vosotros. ¡Salvaos y abandonad vuestras cosas!»

Sahrazad se dio cuenta de que amanecía e interrumpió el relato para el cual le habían dado permiso.

Cuando llegó la noche *quinientas treinta y nueve*, refirió:

—Me he enterado, ¡oh rey feliz!, de que Sindbad prosiguió así su relato: «Los pasajeros, al oír las palabras del capitán, corrieron y se precipitaron por subir al navío. Abandonaron sus efectos, los utensilios, las cacerolas y los hornos y unos consiguieron llegar a la embarcación y otros no, pues la isla se movió, descendió a las profundidades del mar con todos los que aún quedaban encima de él, y luego el agitado mar y las tumultuosas olas se cerraron sobre sus lomos.

»Yo me contaba entre los que no pudieron reembarcar, por lo que me hundí también. Pero Dios (¡ensalzado sea!) me salvó y me hizo escapar de morir ahogado, ya que puso al alcance de mi mano un gran tronco de madera que habían utilizado para lavar. Me así a él y me senté a horcajadas; fui chapoteando con los pies a modo de remos, mientras las olas me empujaban a derecha e izquierda. El capitán había desplegado velas y zarpado con los que consiguieron reembarcar, sin preocuparse de los que habían quedado en el agua. Seguí mirando el buque hasta que lo perdí de vista. Entonces creía que iba a morir.

»En esta situación permanecí dos noches y un día. El viento y las olas me fueron favorables, pues me arrojaron al pie de una escarpada isla cubierta de árboles, que proyectaban su sombra en el mar. Cogí una rama de un árbol muy alto y trepé por ella; vi que tenía los pies hinchados, y que en las plantas de los mismos había señales de que los peces habían comido sin que yo me hubiese dado cuenta de ello, dado lo grave de mi situación, la angustia y el cansancio. Me tendí en la playa como si estuviese muerto. Perdí el conocimiento y quedé sumido en un profundo sueño. En este estado permanecí hasta el día siguiente.

»Me desperté cuando ya el sol estaba alto, y vi que mis pies se habían hinchado. Me entristecí al comprobar la situación en que me encontraba, y anduve un trozo a rastras y otro de rodillas. La isla estaba repleta de árboles frutales y de fuentes de agua dulce. Comí frutas, y así pasé unos cuantos días y noches. Pude rehacerme, recuperé el ánimo, mis movimientos se hicieron más seguros y empecé a pensar en recorrer la isla y pasear entre los árboles que Dios (¡ensalzado sea!) había creado. Me hice un bastón con una rama de árbol y me apoyé en él.

»Cierto día, en que paseaba de esta manera por una región de la isla, distinguí a lo lejos una silueta. Creí que se trataba de una fiera o de un animal marino. Me acerqué a ella y vi que se trataba de un enorme caballo, atado junto a la orilla. Me aproximé a él, pero un grito horrible me asustó y quise volver atrás. Vi que me llamaba un hombre que había salido de debajo de la tierra: "¿Quién eres tú? ¿De dónde vienes? ¿Qué ha motivado tu venida a este lugar?" Le contesté: "¡Señor mío! Sabe que soy un extranjero que viajaba en un buque. Naufragué con algunos otros navegantes. Dios me deparó un tronco de madera, en el que monté a horcajadas y en el cual las olas me han arrojado a esta isla". Al oír mis palabras, me cogió por la mano y me dijo: "¡Ven conmigo!"

»Me hizo bajar a una mazmorra subterránea, entró en otra habitación y me hizo sentar en la testera de la misma. Me trajo algo de comer, y yo, como estaba hambriento, comí hasta hartarme. Luego me preguntó por mi situación y por lo que me había ocurrido. Le referí todo lo que me había pasado desde el principio hasta el fin, y él se quedó admirado de mi historia. Al terminar mi relato, dije: "¡Dios te proteja, señor mío! No me reprendas, pues te he explicado mi verdadera situación y lo que me ha ocurrido. Ahora desearía que me informaras de quién eres y cuál es la causa que te hace permanecer en esta habitación subterránea, así como por qué tienes atada esa yegua al lado del mar". "Sabe que formo parte de una multitud de hombres diseminados por esta isla. Somos los palafreneros del rey Mihrachán, y cuidamos de sus caballos.

»"Cada mes, cuando aparece la luna nueva, traemos aquí las mejores yeguas que aún no han sido cubiertas, y las atamos en la isla. Nos escondemos en estas habitaciones subterráneas para que no nos vea nadie. Algún caballo marino huele a las yeguas, sale a la orilla y, al no ver a nadie, salta sobre una y la cubre. Luego quiere llevársela consigo, pero no puede porque está atada. Entonces el macho relincha y le da coces y cabezadas. Los relinchos son para nosotros la señal de que ya la ha fecundado, y entonces salimos chillando hacia él. El macho se asusta y se sumerge en el mar, mientras la yegua queda preñada y da a luz un potro o una potra que valen un tesoro, pues no se encuentra sobre la faz de la tierra ninguno que los iguale. Ahora ha llegado el momento de salir el caballo. Si Dios (¡ensalzado sea!) lo quiere, te llevaré conmigo ante el rey Mihrachán..."»

Sahrazad se dio cuenta de que amanecía e interrumpió el relato para el cual le habían dado permiso.

Cuando llegó la noche *quinientas cuarenta*, refirió:

—Me he enterado, ¡oh rey feliz!, de que [el hombre prosiguió: «"...Si Dios quiere te llevaré ante el rey Mihrachán] y te mostraré nuestro país. Sabe que de no habernos encontrado no habrías visto nunca a nadie en este lugar y hubieses muerto de miseria, sin que nadie hubiera sabido nada más de ti. Gracias a mí, podrás vivir y regresar a tu patria". Hice votos por él, y le di las gracias por su bondad y su virtud. Mientras así hablábamos, salió el caballo marino, dio un gran relincho y saltó encima de la yegua. Cuando hubo satisfecho su deseo, quiso llevársela consigo, pero no pudo; mientras el macho relinchaba y daba coces, el palafrenero empuñó la espada y cogió un escudo; salió por la puerta de la habitación y llamó a sus compañeros: "¡Adelante! ¡Hacia el corcel!" Avanzaba golpeando con la espada en el escudo; salió una multitud de lanceros gritando. El corcel se asustó, se arrojó al mar como si fuese un búfalo, y desapareció debajo del agua. El hombre se detuvo un momento y esperó a que sus compañeros se acercasen. Cada uno llevaba una yegua. Al verme con él, me preguntaron qué me había ocurrido. Yo les repetí la historia. Se acercaron a mí, extendieron el mantel, y me invitaron.

»Comí con ellos. Después se levantaron, montaron a caballo y me invitaron a hacer lo mismo. Viajamos sin interrupción hasta llegar a la ciudad del rey Mihrachán. Se presentaron ante éste y lo informaron de mi historia. El rey me mandó llamar. Me hicieron entrar y me colocaron delante de él. Yo lo saludé, y él me devolvió el saludo, me dio la bienvenida y me trató honrosamente. Me preguntó cómo me encontraba, y yo le expliqué todo lo que me había ocurrido y todo lo que había visto. Él se admiró mucho y exclamó: "¡Hijo mío! ¡Por Dios que te has librado de un modo inesperado! De no ser así, jamás habrías podido escapar de tales adversidades. ¡Demos gracias a Dios por tu salvación!" Me hizo regalos, me colmó de honores, me convirtió en uno de sus íntimos y me halagó con palabras y buenos tratos. Me nombró administrador del puerto de mar y escribano de todos los buques que tocaran tierra allí.

»Permanecí allí a su lado para cuidar de sus intereses, y él empezó a hacerme dones y favorecerme de varias formas. Me regaló un hermoso vestido de Corte, y me nombró mediador y defensor de los intereses privados. Así continué durante cierto tiempo. Siempre que paseaba por la orilla del mar preguntaba a los comerciantes, a los viajeros y a los marinos la dirección en la que se encontraba la ciudad de Bagdad, con la esperanza de que quizás alguno de ellos me informase y yo pudiera marchar hacia allí, pues ya estaba harto de tan larga ausencia. Mas he aquí que cierto día entré a ver al rey Mihrachán y vi junto a él una muchedumbre de indios. Los saludé, me devolvieron el saludo, me dieron la bienvenida y me preguntaron de qué país era. Les contesté, y a mi vez les pregunté por su patria.»

Sahrazad se dio cuenta de que amanecía e interrumpió el relato para el cual le habían dado permiso.

Cuando llegó la noche *quinientas cuarenta y una*, refirió:

—Me he enterado, ¡oh rey feliz!, de que [Sindbad prosiguió:] «...Me dijeron que eran gentes de distintas procedencias: unos eran de Sakiriyya[1], de la más noble de sus castas, que no vejaba ni violentaba a nadie; otros eran brahmanes; éstos jamás beben vino, pero viven felices y tranquilos, en medio del juego y de la música; poseen camellos, caballos y ganados. Me explicaron que los indios se dividen en setenta y dos sectas, de lo cual me quedé boquiabierto. En el reino de Mihrachán vi, entre otras, una isla llamada Kabil, en la cual se oye el

[1] **Esta palabra es, probablemente, corrupción de Kschatriya, casta guerrera de la India.**

repicar de adufes y tambores durante toda la noche. Los habitantes de las islas y los viajeros me informaron de que sus habitantes eran gente serena y sensata. También vi en sus aguas un pez que medía doscientos codos de longitud, y otro con cara de búho.

»Durante aquel viaje vi muchas cosas maravillosas, pero si os las contase me extendería demasiado. Seguí visitando aquellas islas, hasta que cierto día en que estaba a orilla del mar, con un bastón en la mano, según mi costumbre, vi que una nave se acercaba repleta de comerciantes. Cuando llegó al puerto, la registré. El capitán arrió las velas, echó las anclas, tiró la escala, y los marineros bajaron a tierra todo lo que transportaba el buque. El desembarque fue lento, y yo, en pie, efectué el registro. Pregunté al capitán: "¿Ha quedado algo en tu buque?" "Sí, señor mío. Tengo aún mercancías en la cala, puesto que su dueño pereció ahogado en cierta isla, mientras navegábamos. Sus mercancías han quedado confiadas a nosotros, y nos proponemos venderlas y sacar su precio para entregárselo a su familia, que reside en la ciudad de Bagdad, morada de paz." "¿Cómo se llamaba el dueño de esas mercancías?" "Sindbad el marino."

»Al oír estas palabras, clavé la mirada en él, lo reconocí y grité con fuerza: "¡Capitán! He aquí al dueño de esas mercancías, pues soy Sindbad el marino, el que desembarcó en la isla al mismo tiempo que los demás comerciantes. Cuando el pez se movió con nosotros y tú nos avisaste, sólo pudo embarcar parte de la gente. Yo no pude hacerlo, pero Dios (¡ensalzado sea!) me protegió y me salvó de morir ahogado, gracias a uno de los troncos en que habían lavado los viajeros. Me subí a él, chapoteé con los pies, y los vientos y las olas me empujaron hacia esta isla. Puse el pie en ella, y Dios (¡ensalzado sea!) me auxilió y me permitió encontrar a los palafreneros del rey Mihrachán, quienes me condujeron hasta esta ciudad y me presentaron a su rey. Referí a éste toda mi historia, y él me favoreció y me nombró escribano del puerto de esta ciudad. Así he prosperado en su servicio y he alcanzado su favor. Esos fardos que tienes constituyen mis mercancías y son mi propiedad".»

Sahrazad se dio cuenta de que amanecía e interrumpió el relato para el cual le habían dado permiso.

Cuando llegó la noche *quinientas cuarenta y dos*, refirió:

—Me he enterado, ¡oh rey feliz!, de que [Sindbad prosiguió:] «El capitán replicó: "¡No hay fuerza ni poder sino en Dios, el Altísimo, el Grande! Ya no quedan personas fieles ni honradas". "¡Capitán! ¿Por qué dices eso? Tú me has escuchado, y yo te he referido mi historia." "Es que tú, al oírme decir que tengo unas mercancías cuyo dueño se ha ahogado, quieres apropiarte de ellas sin derecho alguno, y esto constituye un pecado. Nosotros hemos visto cómo él se ahogaba. Con él había otros muchos pasajeros, y ninguno se ha salvado. ¿Cómo puedes pretender que eres el dueño de las mercancías?" "¡Capitán! Escucha mi historia y atiende mis palabras. Verás cómo digo la verdad; la mentira es un distintivo de los hipócritas." Le referí todo lo que me había sucedido con él desde el momento en que zarpamos de la ciudad de Bagdad hasta llegar a la isla en que nos hundimos, y añadí algunos detalles de hechos ocurridos entre nosotros dos. El capitán y los comerciantes vieron entonces que decía la verdad, me reconocieron y me felicitaron por haberme salvado. "¡Por Dios! ¡No creíamos que hubieses podido escapar del naufragio! ¡Dios te ha concedido una nueva vida!"

»Me entregaron mis mercancías, y encima de los fardos encontré escrito mi nombre; no faltaba nada. Los abrí, saqué un objeto precioso, muy caro, y di instrucciones a los marineros de que lo desembarcasen. Lo llevé al rey, se lo ofrecí como regalo y lo informé que se trataba de la nave en que yo había viajado. Le dije que habían llegado todas mis mercancías, sin faltar nada, y que aquel regalo lo había sacado de ellas. El rey se admiró mucho de todo aquello, y vio que era verdad cuanto le había referido. Como me quería, me honró más y más, y a cambio de mi regalo me hizo muchísimos dones. Después vendí mis efectos y los objetos que llevaba, y gané muchísimo. Compré mercaderías, objetos y utensilios de aquella ciudad.

»Cuando los comerciantes que iban en el buque iban a reemprender el viaje, embarqué todo lo que poseía y fui a ver al rey: le di las gracias por sus favores y por su generosidad, y le pedí permiso para regresar a mi país, junto a mi familia. Me lo concedió, y en el momento de la partida me regaló gran número de productos de aquella ciudad. Me despedí de él, embarqué y emprendimos el viaje con el permiso de Dios (¡ensalzado sea!). Tuvimos buena estrella, el destino nos fue favorable, y no paramos de navegar noche y día hasta que llegamos, sin novedad, a Basora. Desembarcamos y permanecimos poco tiempo en ella. Yo estaba contento por haberme salvado y haber podido regresar a mi tierra.

»Luego me dirigí a Bagdad, morada de paz, llevando muchos fardos, utensilios y objetos muy valiosos. Corrí a mi barrio, entré en mi casa, y acudieron a verme todos mis parientes y amigos. Me compré gran número de eunucos, criados, mamelucos, concubinas y esclavos. Adquirí casas, fincas y terrenos en mayor cantidad que los que había tenido. Empecé a frecuentar el trato de los amigos y conocidos, aún más estrechamente que antes. Olvidé todas las fatigas, penas, añoranzas y terrores que había sufrido durante el viaje, y sólo me preocupé de los placeres, de las alegrías, de los guisos exquisitos y de las buenas bebidas y continué viviendo de esta manera.

»Esto es lo que hace referencia a mi primer viaje. Mañana, si Dios (¡ensalzado sea!) lo quiere, os contaré la historia del segundo de mis siete viajes.»

Sindbad el marino invitó a cenar a Sindbad el faquín y mandó que le diesen cien mizcales de oro. Le dijo: «Hoy nos has alegrado con tu compañía». El faquín le dio las gracias, cogió lo que le regalaba y se marchó a sus asuntos, admirándose mucho al pensar en aquello que puede suceder a las personas. Pasó la noche en su domicilio, y al llegar la mañana siguiente corrió a casa de Sindbad el marino y entró. Éste le dio la bienvenida, lo honró, lo hizo sentar a su lado, y cuando llegaron los restantes amigos, les sirvieron de comer y beber. El tiempo transcurrió agradable y alegremente.

SEGUNDO VIAJE DE SINDBAD EL MARINO

Sindbad el marino empezó a explicar: «Sabed, hermanos míos, que yo vivía en la más dulce de las vidas y en la felicidad más absoluta, conforme os conté ayer».

Sahrazad se dio cuenta de que amanecía e interrumpió el relato para el cual le habían dado permiso.

Cuando llegó la noche *quinientas cuarenta y tres,* refirió:

—Me he enterado, ¡oh rey feliz!, de que [Sindbad prosiguió:] «Pero cierto día se me ocurrió emprender un viaje por otras tierras, ya que en mi interior ansiaba volver a comerciar y a recorrer los países y las islas y hacer buenos negocios. Resuelto a hacerlo, saqué gran parte de mis riquezas y compré con ellas mercancías y objetos apropiados para el viaje, las embalé y me dirigí a la orilla del río. Encontré un buen buque, nuevo, que tenía una hermosa vela de tela, numerosos tripulantes y aparejos. Mandé embarcar mis fardos, y subí a bordo junto con una multitud de comerciantes. Zarpamos aquel mismo día, y navegamos felizmente de mar en mar y de isla en isla. En todos los lugares en que anclábamos, recibíamos a los comerciantes, a los magnates del reino, a los vendedores y a los compradores. Vendíamos, comprábamos y cambiábamos las mercancías.

»Así seguimos hasta que el hado nos condujo a una hermosa isla con multitud de árboles cargados de frutos maduros, flores olorosas, pájaros cantores y riachuelos cristalinos. Pero en ella no había casas ni hogares de fuego. El capitán ancló junto a la costa, y los comerciantes y viajeros desembarcaron en la misma, contemplaron los árboles y los pájaros que en ella vivían y alabaron al Dios único y todopoderoso, admirados del poder del Rey omnipotente. Yo desembarqué al mismo tiempo que los demás, me senté al lado de una fuente de agua cristalina, y como llevaba algo de comer, me instalé en aquel lugar y me comí lo que Dios (¡ensalzado sea!) me había deparado. El céfiro era muy agradable, y el tiempo, magnífico, por lo que me entró la pesadez del sueño:

me quedé dormido con aquella brisa tan placentera y aquellos penetrantes perfumes.

»Al levantarme no encontré a nadie. El buque había zarpado, sin que nadie de los pasajeros o tripulantes se acordasen de mí; me habían abandonado en la isla. Me volví a derecha e izquierda pero no vi a nadie más. Me entró un terror profundo, hasta el punto de que por poco me estalla el corazón de pena y tristeza. Me había quedado sin ninguna de las ventajas del mundo, y no tenía qué comer o beber; además estaba solo. Desesperé de la vida y dije: "Tanto va el cántaro a la fuente, que al fin se rompe. Si la primera vez me salvé y encontré quien me llevase consigo desde aquella isla hasta la civilización, esta vez no creo que vuelva a tener la misma suerte". Empecé a llorar y a lamentarme, y me entró tal rabia, que me maldije a mí mismo por lo que había hecho: volver a viajar y fatigarme, después de haberme instalado cómodamente en mi casa y en mi país, en donde vivía satisfecho y tenía a mi disposición comidas, bebidas y vestidos magníficos, sin necesitar dinero ni mercancías.

»Me arrepentí de haber abandonado Bagdad y emprendido un viaje por mar después de haber sufrido tantas fatigas y haber estado a punto de morir en el primero. Exclamé: "¡Nosotros somos de Dios, y a Él volvemos!" Me volví casi loco. Me puse de pie rabiosamente y empecé a recorrer la isla en todas direcciones, sin poder detenerme en ningún sitio. Después me subí a un árbol altísimo y extendí la mirada en derredor, sin ver más que agua, árboles, pájaros, islas y arenas. Al mirar más atentamente distinguí algo blanco y muy grande que había en la isla. Bajé del árbol, me dispuse a ver de qué se trataba y marché en aquella dirección. Era una gran cúpula blanca, muy elevada y de gran circunferencia. Me acerqué, di la vuelta en torno a ella y no encontré ninguna puerta ni tuve fuerza ni agilidad suficientes, dado lo lisa que era, para trepar por ella. Señalé el sitio en que me encontraba y medí su circunferencia: tenía cincuenta pasos justos.

»Empecé a pensar qué hacer para conseguir entrar, pues se acercaba la noche. De repente se ocultó el sol.

Pensé que tal vez había sido tapado por una nube, pero como estábamos en verano me extrañó. Levanté la cabeza y vi un pájaro enorme, de gigantesco cuerpo y descomunal envergadura de alas, que surcaba el aire. Había tapado el sol a su paso. Me admiré muchísimo, y recordé una historia...»

Sahrazad se dio cuenta de que amanecía e interrumpió el relato para el cual le habían dado permiso.

Cuando llegó la noche *quinientas cuarenta y cuatro*, refirió:

—Me he enterado, ¡oh rey feliz!, de que [Sindbad prosiguió: «...Recordé una historia] que había oído hacía tiempo a los viajeros y caminantes: En una isla vivía un pájaro enorme, llamado *ruj*, que alimentaba a sus polluelos con elefantes. Entonces me convencí de que la cúpula que estaba viendo era un huevo de *ruj*, y me admiré de la creación de Dios (¡ensalzado sea!). Mientras me encontraba en esta situación, el pájaro descendió sobre la cúpula, empezó a incubarla con las alas, y apoyando las patas en el suelo por detrás, se durmió encima. ¡Gloria a Aquel que no duerme! Entonces deshice el turbante que llevaba en la cabeza, lo doblé y lo trencé hasta que quedó transformado en una cuerda; me ceñí la cintura con él y me até al pie de aquel pájaro lo más fuertemente que pude. Me dije: "Éste tal vez me conduzca a los países habitados y civilizados. Prefiero hacer esto a continuar en la isla". Pasé aquella noche en vela, temeroso de dormirme y de que el pájaro arrancase a volar estando yo inconsciente.

»Al hacerse de día, el ave se levantó del huevo, dio un grito fortísimo y se elevó conmigo por los aires. Creí que había llegado a las nubes. Luego descendió hasta posarse en el suelo, en un lugar elevado. En cuanto toqué tierra me apresuré a desatarme, pues temía que el bicho advirtiese mi presencia; pero no notó nada. Luego de haber desatado el turbante y de haberme desligado de su pata empecé a andar por aquel lugar. El *ruj* cogió algo entre sus garras y se echó a volar de nuevo. Me fijé en lo que llevaba: era una serpiente enorme, que transportaba en dirección al mar. Me admiré mucho de todo esto, y paseé por el lugar. Me encontraba en un altozano, a cuyo pie corría un río profundo y ancho, encajonado entre montañas elevadísimas, cuyas cimas no alcanzaba a distinguir; nadie tiene fuerzas suficientes para escalarlas. Al ver aquello, me dije: "¡Ojalá me hubiese quedado en la isla, que era más hermosa que este lugar desértico! Por lo menos allí había variadas clases de fruta para comer, y riachuelos en los que beber. En cambio, aquí no hay ni árboles, ni frutos, ni ríos. ¡No hay fuerza ni poder sino en Dios, el Altísimo, el Grande! ¡Escapo de una calamidad para caer en otra mayor y más peligrosa!"

»Me puse en pie, traté de animarme y empecé a recorrer el valle. Todo su suelo estaba cubierto de diamantes; los metales preciosos y las gemas afloraban por doquier; había porcelana y ónice: ésta es una piedra dura, seca, que ni el hierro ni la roca pueden tallar ni partir; únicamente puede hacerse esto con la piedra de plomo. Todo el valle estaba lleno de serpientes y víboras, cada una de las cuales tenía el tamaño de una palmera; eran tan enormes, que podrían muy bien tragarse un elefante. Aparecían por la noche y se ocultaban durante el día, dado el temor que les infundían el pájaro *ruj* y las águilas, que, no sé por qué razón, las cogen para despedazarlas. Me arrepentí de lo que había hecho, mientras exclamaba: "¡Por Dios! He precipitado mi muerte".

»Se acercaba la noche, y yo seguía recorriendo el valle en busca de un lugar en el que poder dormir, pues aquellas serpientes me causaban pánico. Me había olvidado de comer y de beber, preocupado sólo de salvar mi vida. Distinguí cerca una cueva y me encaminé hacia ella. La boca era estrecha. Me metí, vi una gran piedra junto a la puerta, la empujé y cerré con ella la entrada. Me dije: "Al menos aquí estaré a seguro. Cuando se haga de día, saldré y veré qué es lo que hace el destino". Me metí más hacia el interior de la cueva y vi que en el fondo había una enorme serpiente, que dormía incubando sus huevos. Temblé de miedo, los pelos se me erizaron, y me entregué en manos del destino. Permanecí despierto casi toda la noche, y al llegar la aurora removí la piedra que obstruía la entrada y salí de la cueva como si fuese un borracho; iba mareado por lo largo de la vela, por el hambre y por el miedo.

»Mientras me encontraba en este estado, cayó una res sacrificada delante de mí, sin que viese a nadie. Me admiré mucho de ello y recordé una historia que había oído contar, hacía mucho tiempo, a comerciantes, viajeros y trotamundos. Decían que en los montes de los diamantes había grandes horrores y que nadie podía llegar hasta ellos, pero que los comerciantes que negociaban con estas piedras empleaban un truco para conseguirlas: tomaban una res, la sacrificaban, la desollaban, cortaban la carne a pedazos y la echaban desde lo alto del monte al valle. La carne caía aún fresca, y se adherían a ella algunas de estas piedras. Los comerciantes la dejaban hasta el mediodía, hora a la cual bajaban las águilas y los *ruj,* cogían la carne entre sus garras y remontaban el vuelo con ella hasta la cima del monte. Entonces, los comerciantes corrían hacia ellos, gritaban y los asustaban, y los animales dejaban la carne; los hombres conseguían así las piedras que se habían adherido, y luego abandonaban la carne a los pájaros y a las fieras llevándose las piedras a su país. Nadie podía conseguir los diamantes si no era por este medio».

Sahrazad se dio cuenta de que amanecía e interrumpió el relato para el cual le habían dado permiso.

Cuando llegó la noche *quinientas cuarenta y cinco,* refirió:

—Me he enterado, ¡oh rey feliz!, de que [Sindbad prosiguió:] «Al ver la res sacrificada, me acordé de este relato, me acerqué a ella, recogí muchas piedras preciosas, me las metí en los bolsillos y entre las ropas: en la cintura, turbante y en todos los huecos. Mientras hacía esto vi caer una gran res. Me até a ella con el turbante, me tendí de espaldas y me la coloqué encima del pecho; me agarré a ella y la mantuve elevada. De pronto, un águila se abatió sobre la presa, la cogió entre sus garras y levantó el vuelo, mientras yo seguía colgado de ella. Se posó en lo más alto del monte, y ya iba a empezar a desgarrarla, cuando se oyó un gran griterío y ruido con leños. El águila, asustada, levantó el vuelo y yo me desprendí de la res. Mis vestidos estaban tintos de sangre.

»Me quedé allí, y pude ver cómo el comerciante que había asustado al águila se acercaba a la res. Al verme, fue presa del temor. Se acercó a la carne, la removió y no encontró nada. Lanzó un grito y exclamó: "¡Qué desilusión! ¡No hay fuerza ni poder sino en Dios! ¡Refugiémonos en Dios frente a Satanás, el Lapidado!" En su dolor, daba palmadas y decía: "¡Qué pérdida! ¿Qué significa esto?" Me acerqué hacia él, y me preguntó: "¿Quién eres? ¿Cómo has venido hasta este lugar?" "No te asustes ni tengas miedo. Soy un hombre de bien, un comerciante, y mi historia es larga y prodigiosa. La manera cómo he llegado hasta aquí constituye un portentoso relato. No temas, pues recibirás de mí lo que te ha de hacer feliz, ya que tengo multitud de diamantes, y te daré de ellos una cantidad suficiente. Una cualquiera de mis piedras es más hermosa que todo lo que tú pudieras procurarte. No te asustes ni temas." Entonces aquel hombre me dio las gracias, me bendijo y habló conmigo. Los comerciantes —cada uno de los cuales había tirado una res—, al oír que yo hablaba con su compañero, se acercaron. Al llegar junto a nosotros nos saludaron, me felicitaron por haberme salvado y me llevaron con ellos.

»Yo les referí toda mi historia, lo mucho que había sufrido durante mi viaje, y les expliqué cómo había conseguido llegar allí. Al dueño de la res de la cual me había colgado, le di una buena parte de mis diamantes. Se alegró mucho, me bendijo y me dio las gracias. Los comerciantes me dijeron: "¡Por Dios! ¡Éste te ha concedido una nueva vida, pues nadie antes que tú ha conseguido llegar a este sitio y escapar de él! ¡Gracias a Dios, que te ha salvado!" Pasamos la noche en un lugar agradable y seguro, y yo estaba muy contento por haber podido escapar del valle de las serpientes y llegar a un país civilizado. Cuando se hizo de día levantamos el campo, emprendimos la marcha por aquel gran monte y vimos numerosas serpientes en el valle. Estuvimos andando hasta llegar a un jardín situado en una grande y hermosa isla, en la que están los árboles de los que se extrae el alcanfor. Cada uno de ellos arroja una sombra que puede cobijar a cien hombres. Cuando se quiere obtener el alcanfor, se hace un agujero, con un instrumento largo, en la parte más alta, y se recoge el agua de alcanfor que cae, y que se espesa como la goma; este líquido es la savia del árbol. Después, el árbol se seca y sólo sirve para leña.

»En esa isla hay unos animales llamados rinocerontes. Pastan en ella de la misma manera que las vacas o los búfalos en nuestro país, pero el cuerpo de esos animales es mayor que el de un camello, y se alimentan de forraje. Son unas bestias enormes, provistas de un grueso cuerno en medio de su cabeza; la longitud de éste es de diez codos, y en él se distingue la figura de un hombre. También hay vacas. Los marinos, los viajeros y los trotamundos que recorren los montes y las tierras nos han referido que el rinoceronte puede llevar un gran elefante clavado en el cuerno, y pasta, con él, en la isla y en las playas sin darse cuenta. El elefante muere clavado en el cuerno, y el calor del sol va derritiendo sus grasas, que caen en la cabeza del rinoceronte, le entran en los ojos y lo ciegan. Entonces el animal se tiende en la playa hasta que llega el ave *ruj*, lo coge con sus garras y vuela con él para entregárselo, junto con lo que lleva en el cuerno, como alimento para sus polluelos.

»En aquella isla vi muchas especies de búfalos que no existen entre nosotros. También había muchísimos diamantes, como los que yo había guardado en mi bolsillo. Mis compañeros me los cambiaron por mercancías y otros objetos, me dieron dirhemes y dinares y yo seguí viajando con ellos, visitando los países y contemplando lo creado por Dios, de valle en valle y de ciudad en ciudad. Vendimos y compramos hasta llegar a Basora. Permanecimos en ella algunos días, después de los cuales yo me vine a Bagdad...»

Sahrazad se dio cuenta de que amanecía e interrumpió el relato para el cual le habían dado permiso.

Cuando llegó la noche *quinientas cuarenta y seis*, refirió:

—Me he enterado, ¡oh rey feliz!, de que [Sindbad prosiguió: «...Después yo me vine a Bagdad,] morada de paz. Me dirigí a mi barrio y entré en mi casa llevando muchísimos diamantes de todas clases, grandes riquezas, objetos y mercancías magníficas. Me reuní con mis familiares y parientes; hice limosnas, regalos y dones a todos mis allegados y amigos, y volví a comer bien, a beber mejor, a llevar buenos vestidos y a tener una intensa vida de relación. Olvidé todo lo que había sufrido. Mi vida transcurrió feliz, tranquila y alegre entre la música y los juegos. Todos los que se enteraban de mi regreso acudían a verme, a interrogarme por mi viaje y por la situación de los distintos países. Yo los informaba y les contaba lo que había pasado y lo que había sufrido. Se admiraban de mis muchas penalidades, y me felicitaban por haberme salvado. Esto es lo último que me ocurrió durante mi segundo viaje. Mañana, si Dios (¡ ensalzado sea !) lo quiere, os contaré lo que me sucedió en el tercer viaje.»

Cuando Sindbad el marino hubo terminado de contar su historia a Sindbad el faquín, todos los presentes estaban admirados. Cenaron, y entonces Sindbad el marino ordenó que entregasen a su homónimo cien mizcales de oro. Los cogió y se marchó a sus cosas, admirado de lo mucho que había llegado a sufrir Sindbad el marino. Cuando estuvo en su casa, rezó por él.

Al amanecer del día siguiente, Sindbad el faquín, siguiendo la orden de su homónimo, se dirigió al domicilio de éste. Entró y le dio los buenos días. Recibió la bienvenida y se sentó con él hasta que hubieron llegado todos los amigos y contertulios. Comieron, bebieron, se distrajeron y estuvieron alegres y contentos. Después, Sindbad el marino empezó a hablar.

TERCER VIAJE DE SINDBAD EL MARINO

Dijo: «Sabed y oíd, hermanos, la historia de este viaje, pues es más maravillosa que las precedentes. Dios conoce mejor que nadie sus misterios, y es el más sabio. Así, cuando hacía ya tiempo que regresé del segundo viaje, estaba satisfecho, feliz y contento por haberme salvado, pues había obtenido muchísimos bienes conforme os conté ayer —Dios me había hecho recuperar todo lo que había perdido—. Permanecí en Bagdad cierto lapso de tiempo, viviendo feliz, satisfecho, alegre y tranquilo. Pero mi espíritu me impulsó de nuevo a viajar, a ver otras cosas, y se apoderó de mí la tentación de comerciar y obtener ganancias y beneficios. 'El espíritu nos empuja siempre al mal.'[1] Me decidí, y compré muchas mercancías apropiadas para los viajes por mar, las enfardé para la travesía y me dirigí con ellas hasta Basora.

»Me acerqué a la orilla del mar, vi una gran nave repleta de comerciantes y pasajeros, gentes de bien y personas excelentes y buenas, religiosas, bienhechoras y piadosas. Me embarqué con ellas y navegamos con la bendición, la ayuda y el auxilio de Dios, y con buenos augurios de tener un magnífico viaje, sin incidentes. Navegamos de mar en mar, de isla en isla y de ciudad en ciudad. Visitábamos todos los lugares por los que pasábamos, y en ellos vendíamos y comprábamos. Estuvimos contentos y felices hasta que, cierto día en que navegábamos por alta mar, en donde las olas entrechocan, el capitán, que estaba en un lado de la embarcación oteando la superficie del agua, empezó a abofetearse la cara, plegó velas, mandó echar las anclas, se mesó la barba, desgarró sus vestidos y empezó a gritar a grandes voces. Le preguntamos: "¡Capitán! ¿Qué ocurre?" "¡Dios os bendiga, pasajeros! Sabed que el viento nos ha arrastrado hasta el medio del mar. El destino, para nuestro mal, nos ha hecho llegar al Monte de los Monos. Jamás ha escapado nadie de los que han desembarcado en este lugar. Mi corazón presiente que moriremos todos."

»Cuando el capitán terminó de hablar, los monos ya rodeaban la nave por todas partes. Había tantos, que parecían una nube de langosta. Se extendieron por toda la nave y por tierra. No quisimos matar, golpear ni expulsar a ninguno por miedo a que nos matasen, dado su gran número, ya que éste vence al valor. Temíamos que saquearan nuestros víveres y nuestras cosas. Eran unos bichos muy repugnantes: tenían pelos como las crines del león, su aspecto asustaba, y nadie podía entender lo que decían. Eran salvajes con los hombres; tenían los ojos amarillos, el rostro negro, y el cuerpo, menudo. Su alzada era de unos cuatro palmos. Subieron por las cuer-

[1] Cf. *El Corán,* 12, 53.

das del ancla, las cortaron con los dientes y rompieron todos los cables que estaban en las bandas de la nave: el viento empujó la nave, la arrastró y fue a encallar en el monte. Los monos se agarraron a todos los mercaderes y comerciantes y desembarcaron en la isla; se apoderaron de la nave y de todo lo que contenía, y se marcharon. Mientras permanecimos en aquella isla, comimos de sus frutos, verduras y productos naturales, y bebimos el agua de sus ríos. En medio de ella descubrimos un gran edificio, y nos dirigimos hacia él. Era un castillo bien construido, con murallas elevadas y una puerta de madera de ébano, que se abría sobre dos batientes. Entramos en él y fuimos a parar a un sitio que parecía un patio muy grande. Alrededor había muchas puertas altas, y en el centro, un banco grande y elevado. Junto a los hornos estaba colgada una batería de cocina, y a su alrededor, muchos huesos. Pero no encontramos a nadie. Todo esto nos admiró mucho, y nos sentamos un rato en el patio.

»Nos quedamos dormidos hasta la puesta del sol. Entonces tembló la tierra bajo nuestros pies, oímos que alguien gritaba en el aire y vimos que desde lo más alto del castillo bajaba hacia nosotros un ser enorme, con figura humana: negro, de estatura tan elevada, que parecía ser una palmera gigante; sus ojos parecían carbones encendidos, y sus colmillos eran semejantes a los del cerdo; su desmesurada boca parecía la abertura de un pozo; los labios eran como los de un camello, y le colgaban hasta el pecho; las orejas, como dos tapetes, le caían por los hombros, y sus uñas parecían las garras de las fieras. Al ver aquella aparición perdimos el conocimiento, el terror nos invadió, el miedo aumentó, y permanecimos inmóviles como muertos por el miedo, temor y espanto.»

Sahrazad se dio cuenta de que amanecía e interrumpió el relato para el cual le habían dado permiso.

Cuando llegó la noche *quinientas cuarenta y siete*, refirió:

—Me he enterado, ¡oh rey feliz!, de que [Sindbad prosiguió:] «Cuando hubo descendido, se sentó un momento en el banco. Después se levantó y se acercó a nosotros, me cogió a mí y me levantó del suelo: me palpó y me dio vueltas como si se tratara de un pequeño bocado. Me reconoció del mismo modo que el matarife hace con la res que va a degollar. Me encontró débil por el mucho terror y flaco por la mucha fatiga y el viaje: no tenía carne. Entonces me soltó y cogió a otro; le hizo lo mismo que había hecho conmigo y lo soltó también. Así fue palpándonos y reconociéndonos uno tras otro, hasta que llegó al capitán del buque. Era un hombre grueso, robusto, de anchas espaldas, fuerte y recio. Éste le gustó: lo agarró del mismo modo que el matarife sujeta a la res, lo tiró al suelo y le aplastó el cuello con el pie. Luego cogió un largo asador, se lo metió por la garganta y lo sacó por el ano, encendió un buen fuego, colocó encima el cuerpo del capitán y fue dándole vueltas sobre los carbones hasta que la carne estuvo en su punto. Lo sacó del fuego, se puso delante de él y lo trinchó como un hombre trincha un pollo. Empezó a cortar la carne con las uñas y fue comiendo hasta dejar sólo la piel y los huesos; los tiró a un lado del castillo, se sentó un rato y después se tumbó y se quedó dormido encima del banco; al roncar emitía un ruido semejante al mugir de los carneros o de los animales en el momento en que los sacrifican. Durmió hasta por la mañana, y entonces se levantó y se fue.

»Cuando nos cercioramos de que estaba lejos, hablamos y lloramos al considerar la forma en que íbamos a perder la vida, y dijimos: "¡Ojalá hubiésemos muerto ahogados, o los monos nos hubiesen comido! Era preferible a morir asados en las brasas. Es terrible. Pero lo que Dios quiere que sea, es, y no hay fuerza ni poder más que en Dios, el Altísimo, el Grande. Ya hemos muerto de angustia, y nadie sabrá nunca lo que nos ha sucedido. No hay medio de escapar de este lugar". Salimos y recorrimos la isla en busca de un lugar en el que ocultarnos. Cualquier muerte nos parecía poca cosa comparada con la que nos reservaba aquel monstruo. Cayó la tarde sin que encontrásemos lugar en que ocultarnos. Tan asustados estábamos, que volvimos al castillo y nos sentamos un poco. Al cabo de un momento la tierra tembló de nuevo bajo nosotros y volvió a aparecer aquel negro.

Se acercó a nosotros y volvió a hacer la misma operación, hasta que encontró uno que le gustó. Lo cogió e hizo con él lo mismo que hiciera con el capitán el día anterior: lo asó y se lo comió sentado en aquel banco. Durmió toda la noche de un tirón, roncando con un ruido que parecía ser el estertor de un animal degollado. Al hacerse de día se levantó y se marchó.

»Nos reunimos y volvimos a hablar: "¡Por Dios! ¡Más valdría arrojarnos al mar y morir ahogados, antes que permanecer esperando este género de muerte, que es horrible!" Uno dijo: "¡Oíd mis palabras! Hemos de ingeniárnoslas para darle muerte: así nos libraremos de nuestra preocupación, y los musulmanes se salvarán de un enemigo, de su opresor". Yo les dije: "¡Oíd, hermanos! Si hemos de matarlo, cojamos estos maderos y transportemos parte de esta leña para hacer con ella una embarcación. Después de haberla construido nos las ingeniaremos para darle muerte, subiremos al bote y nos internaremos en el mar a la buena de Dios, o bien permaneceremos aquí hasta que pase cerca un buque y podamos embarcar en él. Si no pudiésemos matarle, embarcaríamos, nos meteríamos mar adentro, y, aunque nos ahogáramos, habríamos evitado el ser sacrificados y asados al fuego. Si nos salvamos nos salvamos, y si nos ahogamos morimos mártires". Todos lo aprobaron: "¡Por Dios! Ésta es una opinión certera, y un buen modo de obrar".

Nos pusimos de acuerdo sobre el asunto y empezamos a ponerlo en práctica. Transportamos los maderos fuera del castillo, construimos un bote, lo colocamos en la orilla del mar y depositamos en él algunos víveres. Después regresamos al castillo.

»Al caer la tarde, la tierra tembló bajo nosotros, y el negro compareció: parecía un perro rabioso. Empezó a palparnos y a darnos vueltas uno tras otro; cogió uno e hizo con él lo mismo que con los dos anteriores: se lo comió y se durmió encima del banco; sus ronquidos parecían truenos. Entonces nos levantamos, cogimos dos de los asadores de hierro y los pusimos al fuego hasta que se quedaron al rojo vivo y se asemejaron a dos brasas. Nos acercamos con ellos al negro, que seguía durmiendo y roncando. Se los introdujimos en sus ojos y los apretamos con todas nuestras fuerzas, metiéndolos hasta el fondo; sus ojos quedaron destruidos, y él dio un grito enorme que nos atemorizó. Se levantó, rápido, del banco y empezó a buscarnos a tientas; y nosotros podíamos esquivarlo, pues había quedado privado de la vista. Pero, aun así, creímos que había llegado la hora de nuestra muerte, y desesperamos de salvarnos. A tientas se dirigió hacia la puerta y salió gritando. Nosotros seguíamos aterrorizados, pues la tierra temblaba debajo de nosotros por la fuerza de sus gritos. Salió del castillo en busca de auxilio para capturarnos. Volvió acompañado de una hembra, más grande que él y de aspecto aún más salvaje. Al verlo al lado de un ser más repugnante aún, quedamos completamente aterrorizados. Corrimos al bote que habíamos construido, nos embarcamos y nos hicimos a la mar. Pero ellos cogieron grandes piedras y empezaron a tirárnoslas, y así murieron lapidados casi todos los nuestros; sólo quedamos tres.»

Sahrazad se dio cuenta de que amanecía e interrumpió el relato para el cual le habían dado permiso.

Cuando llegó la noche *quinientas cuarenta y ocho*, refirió:

—Me he enterado, ¡oh rey feliz!, de que [Sindbad prosiguió:] «El bote nos llevó a una isla. Anduvimos hasta que nos sorprendió la noche. Dormimos un poco, y despertamos de nuestro sueño; vimos que una gran serpiente, de cuerpo enorme y dilatado vientre, nos había rodeado, y, dirigiéndose a uno de nosotros, lo engulló hasta los hombros y luego tragó lo que quedaba; oímos cómo se rompían sus huesos en el vientre. Luego se marchó. Atemorizados, empezamos a pensar en la suerte que nos aguardaba. Dijimos: "¡Por Dios! ¡Esto es algo portentoso! ¡Cada nuevo género de muerte es peor que el anterior! Nos alegrábamos de haber escapado del negro, y ahora nos encontrábamos con algo peor. ¡No hay fuerza ni poder sino en Dios! ¡Por Dios! Nos hemos salvado del negro y de morir ahogados, pero ¿cómo lograremos salir de esta nueva calamidad?" Nos pusimos de pie, recorrimos la isla, comimos sus frutos y bebimos el agua de sus ríos. No nos detuvimos hasta el atardecer, en que encontramos un árbol grande y alto. Nos subimos a él y dormimos en la copa. Yo trepé hasta la rama más alta.

»Al llegar la noche volvió la serpiente y buscó a derecha e izquierda. Después se acercó al árbol en que nos encontrábamos, trepó hasta alcanzar a mi compañero y lo engulló hasta los hombros; se enroscó en el árbol y oí el ruido que producían los huesos al romperse dentro de su vientre; luego se lo acabó de tragar. Yo lo vi con mis propios ojos. Después, la serpiente bajó del árbol y se fue. Yo seguí allí el resto de la noche. Cuando se hizo de día y brilló la luz, bajé de la copa con el aspecto de un muerto, tales eran mi terror y mi miedo. Quería arrojarme al mar para quedar libre de las preocupaciones de este mundo, pero no me fue fácil librarme de la vida, pues ésta nos es cara. Me até un sólido madero a lo largo de los pies, y otros, iguales, al lado izquierdo, al derecho y en el vientre, y uno ancho, del mismo tamaño que el de los pies, encima de la cabeza. Había atado los tableros firmemente, y me tendí en el suelo dispuesto a dormir en medio de ellos. Los tablones me rodeaban como si estuviese en una maqsura. Al llegar la noche vino la serpiente, según su costumbre, me miró e intentó cogerme; pero no pudo engullirme, pues yo me encontraba en aquella posición, y los maderos me defendían por todas partes; me rodeó, mas no pudo alcanzarme. Yo lo contemplaba todo con mis propios ojos y eran tales mi miedo y terror, que parecía un muerto.

»Repetidas veces la serpiente se alejó y volvió a acercarse, pero siempre que intentaba darme alcance para engullirme, se lo impedían aquellos tableros, que me protegían por todas partes. Siguió haciendo lo mismo desde la puesta del sol hasta que apareció la aurora, se hizo claro y salió el sol. En este momento se marchó enfurecida. Yo extendí la mano y me quité los maderos: estaba como si fuese un muerto por lo mucho que me había hecho sufrir aquel animal. Me puse de pie y empecé a andar hasta llegar a un extremo de la isla. Desde allí miré hacia el mar y vi una nave en la lejanía, en medio de las olas. Cogí una gran rama de árbol, hice señas con ella y me puse a gritar. Al verme, dijeron: "Vayamos hacia allí, pues tal vez se trate de un hombre". Se acercaron más y oyeron mis gritos. Entonces llegaron a mi lado y me llevaron con ellos a la nave. Me preguntaron cómo había llegado allí, y yo les expliqué todo lo que me había ocurrido y las muchas calamidades sufridas, desde el principio hasta el fin. Se admiraron grandemente de todo y me dieron vestidos y cubrieron mis desnudeces. Después me ofrecieron alimentos. Yo comí hasta hartarme, y luego bebí agua fresca, con lo cual mi corazón recuperó fuerzas, y mi alma se tranquilizó, y me sentí invadido por un gran bienestar: Dios (¡ensalzado sea!) me había devuelto a la vida después de estar muerto. Alabé a Dios (¡ensalzado sea!) y le di las gracias por sus abundantes favores. Me reanimé tanto, después de haber estado seguro de mi muerte, que llegué a imaginar que todo aquello había sido un sueño. Viajamos con buenos vientos y con la complacencia de Dios (¡ensalzado sea!), hasta que divisamos una isla llamada Salahita, y el capitán mandó fondear en ella.»

Sahrazad se dio cuenta de que amanecía e interrumpió el relato para el cual le habían dado permiso.

Cuando llegó la noche *quinientas cuarenta y nueve,* refirió:

—Me he enterado, ¡oh rey feliz!, de que [Sindbad prosiguió:] «Todos los comerciantes y pasajeros desembarcaron, sacaron sus mercancías y vendieron y compraron. El dueño de la embarcación se volvió hacia mí y me dijo: "Escucha: Tú eres un pobre extranjero, y nos has explicado que has sufrido muchas penalidades. Deseo serte útil y ayudarte a volver a tu país, para que en lo futuro me quedes agradecido". "Sí lo estaré, y rogaré por ti." "Sabe que venía con nosotros un viajero, al cual perdimos; ignoramos si vive o ha muerto, pues no hemos oído decir nada de él. Deseo entregarte sus fardos para que los vendas en esta isla y cuides de ellos. Te daré una comisión que equivalga a tu fatiga y a tu trabajo. Lo restante lo guardaremos hasta estar de regreso en Bagdad. Allí preguntaremos por su familia, y le entregaremos las mercancías sobrantes y el importe de lo vendido. ¿Quieres cogerlas y desembarcar en esta isla para venderlas, como hacen los comerciantes?" "¡De buen grado, señor mío! A ti te corresponde el mérito y el favor." Rogué por él y le di las gracias por lo que hacía. Mandó a los mozos y a los marineros que desembarcaran aquellas mercancías y que me las entregasen.

»El escribano del navío dijo: "¡Capitán! ¿Qué son esos fardos que sacan los marineros y los mozos? ¿A nombre de quién debo inscribirlos?" "Al de Sindbad el marino. Éste es el que venía con nosotros; naufragó en la isla, y ya no hemos vuelto a saber nada más de él. Quiero que este extranjero los venda. Cogeremos su importe, le daremos una cantidad correspondiente a su trabajo, y guardaremos el resto hasta que regresemos a Bagdad. Si lo encontramos le daremos su importe, y si no, se lo entregaremos a sus familiares, que residen allí." El escribano replicó: "Tus palabras son correctas, y tu opinión, certera". Cuando oí las palabras del capitán me dije: "¡Por Dios! Yo soy Sindbad el marino, uno de los que naufragaron en la isla".

»Contuve mi impaciencia hasta que desembarcaron los comerciantes y se reunieron para hablar de cosas referentes a la venta y a la compra. Me acerqué al capitán y le pregunté: "¡Señor mío! ¿Sabes cómo era el dueño de estos fardos que me has entregado para que los venda?" "Sólo sé de él que era un hombre de Bagdad, llamado Sindbad el marino. Anclamos en una isla, en la que perdimos muchas personas, entre ellas, Sindbad. Y hasta este momento no tenemos noticias suyas." Entonces di un grito, y le dije: "¡Dios me libre! Yo soy Sindbad el marino, y no me ahogué. Cuando anclaste en la isla, desembarcaron los comerciantes y los pasajeros. Yo estaba entre ellos, y llevaba unos alimentos, que me comí en un rincón, deleitándome de encontrarme en aquel lugar. Me entró modorra y me quedé profundamente dormido. Al levantarme no encontré el buque ni a nadie. Estos bienes son míos, y estas mercancías me pertenecen. Todos los que comercian en diamantes me han visto aparecer en la cima del Monte de los Diamantes, y atestiguarán que yo soy Sindbad el marino, pues yo les referí mi historia y lo que me había sucedido con vosotros en la nave". Les dije que, habiéndome dormido, me habían dejado abandonado en la isla, y que cuando me desperté no encontré a nadie y que me había ocurrido lo que me había ocurrido.

»Los comerciantes y pasajeros, al oír mis palabras, se agruparon en torno a mí. Unos creían que decía la verdad, y otros opinaban que era un embustero. En éstas, uno de los comerciantes, al oírme citar el Monte de los Diamantes, se puso de pie, se acercó a mí y dijo: "¡Oíd mis palabras, compañeros! Cuando os referí lo más maravilloso que había visto en mis viajes, os conté que echábamos reses sacrificadas en el Valle de los Diamantes, y que yo había arrojado, como los demás, y conforme era mi costumbre, una res, colgado a la cual subió un hombre. Vosotros no me quisisteis creer y me tratasteis de embustero". "¡Sí! Nos contaste todo eso, pero no te creemos." "Éste es el hombre que subió colgado de mi res; es el que me dio tal cantidad de magníficos diamantes, tan caros, que no tienen semejantes, y me recompensó con mucho más de lo que me hubiese proporcionado mi res. Lo llevé conmigo a Basora, desde donde regresó a su país, y nosotros nos despedimos de él y regresamos al nuestro. Es éste, el que nos ha dicho que se llama Sindbad el marino, y que nos acaba de contar cómo zarpó la nave y cómo se quedó en aquella isla. Haceos cargo de que este hombre ha venido aquí para que deis crédito a lo que os expliqué. Todas esas mercancías le pertenecen. Nos habló de ellas al reunirse con nosotros. Está bien claro que dice la verdad."

»El capitán, al oír las palabras de aquel comerciante, se levantó rápidamente, se acercó a mí y me estuvo mirando fijamente un rato. Me preguntó: "¿Qué contraseñas tienen tus mercancías?" Le repliqué: "Pues éstas y éstas"; y le expliqué las cosas que habían sucedido entre nosotros desde el momento en que me embarqué en Basora. Se convenció de que yo era Sindbad el marino, me abrazó, me saludó y me felicitó por haberme salvado. Luego dijo: "¡Señor mío! ¡Tu historia es portentosa, y lo que te ha sucedido, prodigioso! ¡Loado sea Dios, que nos ha reunido y te ha devuelto tus mercancías y tus bienes!"»

Sahrazad se dio cuenta de que amanecía e interrumpió el relato para el cual le habían dado permiso.

Cuando llegó la noche *quinientas cincuenta*, refirió:

—Me he enterado, ¡oh rey feliz!, de que [Sindbad prosiguió:] «Vendí las mercancías, y gracias a mi experiencia gané mucho en aquel viaje. Me felicité por haberme salvado y recuperado mis bienes. Vendimos y compramos en aquellas islas, hasta llegar al país del Sind, en donde también vendimos y compramos. En aquel mar vi una incontable cantidad de cosas portentosas y extraordinarias, entre ellas, un pez en forma de vaca, y otro, en forma de asno; un pájaro que salía de una concha marina, ponía sus huevos y los empollaba en el agua, sin abandonar jamás el mar.

»Seguimos navegando, y Dios permitió que el viento nos fuese favorable y el viaje transcurriese sin contratiempo hasta la llegada a Basora. Permanecí en ésta unos cuantos días, y después me dirigí a la ciudad de Bagdad. Fui a mi barrio, entré en mi casa, saludé a mis familiares, amigos y conocidos, contento por haberme salvado y haber regresado a mi país, junto a mis familiares, a mi ciudad y a mi hogar. Di limosnas y regalos, vestidos a viudas y huérfanos, y me reuní con mis amigos y mis contertulios. Volví a comer bien, a beber, a jugar, a disfrutar y a relacionarme con la gente. Olvidé todo lo que me había ocurrido, las muchas calamidades y terrores sufridos. En este viaje gané tales riquezas, que no se pueden contar ni evaluar. Esto es lo más maravilloso que yo vi en aquel viaje. Si Dios (¡ensalzado sea!) lo quiere, volved mañana y os referiré la historia del cuarto viaje. Es más prodigiosa que las anteriores.»

Sindbad el marino, como ya tenía por costumbre, mandó que diesen al faquín cien mizcales de oro. Ordenó que extendieran el mantel y pusieron la mesa. Llenos de asombro por aquella historia, cenaron juntos, y después se marcharon a sus quehaceres. Sindbad el faquín cogió el oro que le había mandado dar su homónimo, y se marchó, boquiabierto de admiración, por lo que había oído contar a Sindbad el marino. Pasó la noche en su casa, y al amanecer se levantó, rezó la oración matutina, se dirigió a casa de Sindbad el marino, entró y lo saludó. Éste lo recibió con alegría y satisfacción, lo hizo sentar a su lado hasta que hubieron llegado todos sus amigos y les hubieron servido la comida. Comieron, bebieron y disfrutaron. Entonces empezó a hablar y a contarles la historia del cuarto viaje.

CUARTO VIAJE DE SINDBAD EL MARINO

Sindbad el marino refirió: «Sabed, hermanos, que cuando regresé a Bagdad me reuní con mis amigos y conocidos y viví en la más completa tranquilidad, satisfacción y alegría. Pronto olvidé los sufrimientos pasados, y me dediqué únicamente a frecuentar el trato con los amigos y conocidos, a distraerme y a disfrutar de la más dulce de las vidas. Pero mi mal espíritu me incitó a viajar de nuevo por otros países. Deseé tratar con los extranjeros y vender y obtener beneficios. Me decidí a hacerlo, compré magníficas mercancías, apropiadas para un viaje por mar, enfardé más bultos que los de costumbre y, desde Bagdad, me dirigí a Basora. Embarqué mis bultos y me reuní a un grupo de las más importantes personas de Basora. Emprendimos el viaje, y la nave, con la bendición de Dios (¡ensalzado sea!), nos transportó por el mar tumultuoso, de olas procelosas.

»Viajamos sin contratiempo durante un período de noches y de días, de isla en isla y de mar en mar hasta que cierto día nos acometieron unas rachas de viento. El capitán mandó echar las anclas en medio del océano, temeroso de que nos fuésemos a pique. Mientras tanto rezábamos y suplicábamos a Dios (¡ensalzado sea!). Una tromba de viento huracanado cayó sobre nosotros, desgarró las velas y las hizo pedazos. Las gentes, todos los fardos, objetos y bienes que éstas transportaban se fueron a pique. Yo estuve nadando medio día, y, cuando ya me daba por perdido, Dios (¡ensalzado sea!) puso a mi alcance un tablón que había pertenecido a la nave, y, junto con un grupo de comerciantes, me encaramé en él.»

Sahrazad se dio cuenta de que amanecía e interrumpió el relato para el cual le habían dado permiso.

Cuando llegó la noche *quinientas cincuenta y una*, refirió:

—Me he enterado, ¡oh rey feliz!, de que [Sindbad prosiguió:] «Pegados unos a otros, nos pusimos a horcajadas sobre el tablón y remamos con las piernas. Las olas y los vientos nos fueron favorables, y así navegamos un día y una noche. Al día siguiente, por la mañana, se levantó un viento huracanado, el mar se encrespó, y las olas y el viento fueron aumentando en furia. Las olas nos arrojaron a una isla cuando ya estábamos medio muertos por el insomnio, la fatiga, el frío, el hambre, el miedo y la sed. Anduvimos por las orillas de aquella isla y encontramos una planta, muy abundante, de la cual comimos para rehacernos un poco. Pasamos aquella noche en la costa. Al amanecer nos levantamos, recorrimos la costa y descubrimos una construcción en la lejanía. Emprendimos el camino en dirección a aquel edificio, y no nos detuvimos hasta llegar a la puerta. Mientras estábamos parados ante ella, salió una multitud de individuos desnudos, que no nos dijeron nada: nos cogieron y nos llevaron delante de su rey, el cual nos dijo que nos sentáramos. Así lo hicimos.

»Nos sirvieron una comida que no habíamos probado ni visto jamás. A mí, a diferencia de mis compañeros, no me apeteció. El no comer fue para mí un favor que Dios (¡ensalzado sea!) me concedió, puesto que gracias a ello aún estoy con vida. Mis compañeros, después de ingerir aquella comida, perdieron la razón, empezaron a devorar como locos y cambiaron de aspecto. Luego les ofrecieron aceite de nuez de coco, se lo dieron de beber y los cebaron con él. Cuando hubieron bebido este líquido, los ojos de mis amigos se desorbitaron, y empezaron a comer de aquel guiso de manera muy distinta a la que tenían por costumbre. Me quedé perplejo ante lo que les ocurría, y sentí pena por ellos. El temor que me infundían aquellos seres desnudos me llenó de preocupación. Al fijarme bien en ellos vi que eran magos, y el rey, un ogro. Llevan ante él a todos aquellos que llegan a su país, que ven en el valle o en los caminos. Les hacen comer aquel guiso y los ceban con aceite, que les dilata el vientre y les permite comer mucho; con ello pierden la razón, se les ofusca el entendimiento y se transforman en seres estúpidos. Luego les dan a comer mayores cantidades de aquel guiso y a beber más aceite; así los ceban y los engordan. Después los sacrifican, los asan y se los sirven de comida a su rey. En cambio, los amigos del rey se comen la carne humana sin asarla ni cocinarla.

»Al ver lo que hacían, me desesperé por mí y por mis amigos, los cuales habían perdido la razón, hasta el punto de no saber lo que hacían con ellos. Los indígenas los entregaron a una persona, que cada día los sacaba a apacentar como si fuesen animales. El miedo y el hambre me debilitaron, y caí enfermo. Mi carne llegó a ser como un pergamino lleno de huesos. Al verme así me abandonaron, y ninguno de ellos volvió a acordarse de mí; yo no les preocupé lo más mínimo hasta el punto de que cierto día me las ingenié para escapar y recorrer la isla. Vi a un pastor que estaba sentado en una roca que se elevaba en medio del mar. Al mirar atentamente vi que era el hombre al que habían confiado a mis compañeros para que los llevase a pacer; junto a él había otros muchos. Al verme, comprendió en seguida que estaba en pleno uso de mis facultades mentales, y que no me había sucedido lo mismo que a mis compañeros. Me hizo un signo, que quería decir: "Da la vuelta, sigue el camino que está a tu derecha, y te llevará a la carretera principal".

»Volví hacia atrás, como aquel hombre me había dicho, y vi un camino a mi derecha. Me eché a andar por él, descansando a ratos, hasta que perdí de vista al hombre que me había señalado el camino. El sol se había ocultado, y las tinieblas se habían derramado por doquier. Me senté para descansar y dormir, pero aquella noche tenía tanto miedo, hambre y cansancio, que no pude conciliar el sueño. A medianoche me levanté, reemprendí el camino y estuve andando hasta el amanecer, hasta que apareció el sol por encima de las colinas y de los valles. Estaba agotado, hambriento y sediento; comí hierbas secas y plantas hasta quedar harto. Luego me levanté, y estuve andando todo el día y toda la noche; cuando tenía hambre comía plantas.

»Seguí caminando siete días con sus siete noches. Al llegar la mañana del octavo día distinguí a lo lejos una forma confusa. Me dirigí hacia ella, y llegué después de la puesta del sol. La miraba desde lejos, con el corazón temeroso por lo mucho que había sufrido. Se trataba de un grupo de personas que recolectaban pimienta. Al verme, corrieron a mi encuentro y me rodearon por todas partes. Me preguntaron: "¿Quién eres? ¿De dónde vienes?" Les contesté: "Sabed, gentes, que soy un pobre y desgraciado extranjero". Les referí todas las desgracias y calamidades que había sufrido.»

Sahrazad se dio cuenta de que amanecía e interrumpió el relato para el cual le habían dado permiso.

Cuando llegó la noche *quinientas cincuenta y dos,* refirió:

—Me he enterado, ¡oh rey feliz!, de que [Sindbad prosiguió:] «Exclamaron: "¡Esto constituye algo maravilloso! Pero, ¿cómo te libraste de los negros? ¿Cómo has conseguido escapar de ellos? Son muchos, y se comen a los hombres; nadie consigue escapar, ni puede cruzar sus dominios sin peligro". Les expliqué todo lo que me había ocurrido con ellos, cómo se habían apoderado de mis compañeros y les habían dado a comer un guiso que yo no quise probar. Me felicitaron por haberme salvado, y se admiraron de todo lo que me había sucedido. Me hicieron quedar con ellos hasta que terminaron su trabajo. Me dieron de comer, y, como estaba hambriento, comí hasta quedar harto. Descansé un rato, luego me embarcaron en un buque y me llevaron a su isla. Me presentaron a su rey. Yo lo saludé, y él me acogió favorablemente, me honró y me preguntó cómo me encontraba. Le referí todo lo que me había ocurrido desde que salí de Bagdad hasta aquel momento.

»El soberano y todos los que estaban presentes en la audiencia se admiraron mucho de mi prodigiosa historia. El rey me dijo que me sentase a su lado, yo le obedecí. Mandó que nos acercaran la comida. Comí hasta saciarme, me lavé las manos y di las gracias a Dios por sus favores. Luego dejé al rey y recorrí la ciudad; era una villa populosa, con muchos habitantes y bienes, muchas subsistencias, zocos, mercaderías, vendedores y compradores. Me alegré mucho por haber llegado allí. Mis inquietudes desaparecieron, y me familiaricé con sus habitantes. Éstos y su rey me trataron con más deferencia y honor que a sus propios compatriotas y que a los mismos magnates de la ciudad. Vi que tanto los grandes como los humildes montaban, sin ensillar, estupendos corceles, lo cual me admiró mucho. Pregunté al rey: "¡Señor mío! ¿Por qué no montas con silla? Ésta permite descansar al caballero y aumenta sus fuerzas". "¿Cómo se hace esa silla? Jamás en la vida hemos visto una, ni hemos montado en ella." "¿Me permites que te haga una, para que montes en ella y veas lo cómoda que es?" "Hazla." "Dame maderas."

»El rey mandó que me facilitaran todo lo que pidiese. Mandé llamar a un experto carpintero y le enseñé a hacer sillas de montar. Después cogí lana, la cardé e hice un fieltro. Pedí piel y con ella forré la silla y la dejé tersa; coloqué las correas y la cincha, y luego se la llevé al herrero y le expliqué cómo se hacían los estribos. Él me hizo uno grande, que yo limé y cubrí con estaño, y lo ligué con tiras de seda. Entonces me acerqué a uno de los mejores corceles del rey, lo ensillé, dejé colgando los estribos, le puse las riendas y se lo presenté al rey. Éste se admiró y quedó satisfecho. Me dio las gracias y montó muy contento por tener aquella silla. Para pagar mi trabajo me entregó una gran cantidad de dinero. Su visir, al ver la silla, me pidió una igual, y yo se la hice. Siguieron luego las peticiones de los grandes del reino y de los magnates. El carpintero y el herrero no tardaron en aprender su trabajo, y empezamos a hacer sillas y estribos y a venderlas a los grandes y a los nobles. Así reuní grandes riquezas, y ocupé un lugar de distinción entre ellos. Me fueron queriendo cada vez más, a medida que iba subiendo de rango junto al rey, a sus cortesanos, a los terratenientes y a los grandes del reino.

»Cierto día me senté en presencia del rey, lleno de alegría y de satisfacción. El soberano me dijo: "Tú eres honrado y respetado entre nosotros, y no sabríamos separarnos de ti ni podríamos consentir que te marchases de nuestra ciudad. Quiero que me obedezcas, sin réplica, en lo que te voy a decir". "¿Qué es lo que me pides, rey? No te replicaré, ya que me has abrumado de favores, beneficios y dones. ¡Alabado sea Dios! Me he convertido en uno de tus servidores." "Quiero casarte con una de nuestras mujeres: hermosa, salada, agradable, rica y guapa. Fijarás aquí tu residencia, y vivirás a mi lado, en mi palacio. No me contraríes." Al oír las palabras del rey me avergoncé, callé y no le di ninguna contestación. Entonces me preguntó: "¿Por qué no me contestas, hijo mío?" "¡Señor mío! ¡Rey del tiempo! ¡A ti te incumbe mandar!" Entonces mandó llamar al cadí, a los testigos y a mi esposa. Apareció una mujer de noble rango, rica, de estupenda belleza y dueña de fincas e inmuebles.»

Sahrazad se dio cuenta de que amanecía e interrumpió el relato para el cual le habían dado permiso.

Cuando llegó la noche *quinientas cincuenta y tres,* refirió:

—Me he enterado, ¡oh rey feliz!, de que [Sindbad prosiguió: «El rey] me concedió una casa grande e independiente, me dio criados y eunucos y me asignó rentas y sueldos. Viví en reposo, satisfacción y alegría, y olvidé todas las penas, fatigas y desgracias que me habían sucedido. Me dije: "Si regreso a mi país, me la llevaré conmigo". Pero todas las cosas están predestinadas para el hombre, y nadie sabe lo que le ha de ocurrir. Yo la quería, y ella me amaba mucho; nos habíamos compenetrado, y durante algún tiempo vivimos en la más dulce de las existencias y en el máximo bienestar. Dios (¡ensalzado sea!) dispuso que muriese la esposa de mi vecino; éste era amigo mío, y corrí a darle el pésame por la difunta. Lo encontré muy abatido, afligido, fatigado y obseso. Para consolarlo, le dije: "¡No te entristezcas tanto por tu mujer! Dios te dará otra mejor, y si Él (¡ensalzado sea!) quiere, vivirás mucho". Llorando a lágrima viva, me contestó: "¡Amigo mío! ¿Cómo he de poderme casar con otra? ¿Cómo me la cambiará Dios por otra mejor, si sólo me queda un día de vida?" "¡Hermano mío! ¡Vuelve a tu razón! ¡No te augures la muerte, pues te encuentras perfectamente, tienes una magnífica salud!" "¡Amigo mío! Te juro, por tu vida, que mañana me perderás, y no volverás a verme." "¿Cómo es eso?" "Me sepultarán con mi mujer. En nuestro país tenemos esta costumbre: si muere la mujer, el esposo es enterrado vivo con ella, y si es el marido quien muere, se hace lo mismo con la mujer, que ninguno de ellos disfrute de la vida después de la muerte de su compañero." Exclamé: "¡Por Dios! Ésta es una costumbre detestable, y nadie puede soportarla".

»Mientras estábamos hablando, llegaron casi todos los habitantes de la ciudad, y dieron a mi amigo el pésame, por él y por su esposa. Empezaron a preparar a la difunta según era su costumbre. Después llevaron un ataúd y la metieron en él; el hombre los acompañó. Salieron con los dos fuera de la ciudad y se dirigieron a un lugar situado al pie de un monte, que daba al mar. Al llegar, levantaron una gran piedra, y debajo apareció una abertura que parecía la boca de un pozo. Por ella echaron a la difunta, pues debajo del monte había una mina. Después se dirigieron al hombre, lo ataron por el pecho con una cuerda y lo bajaron por la sima, con una jarra de agua dulce y siete panes. Cuando llegó al fondo, se desató, tiraron de la cuerda y taparon la boca del pozo con la gran piedra, tal como estaba antes, y se marcharon a sus quehaceres, dejando a mi amigo, junto a su mujer, en la cisterna. Me dije: "Esta muerte es peor que la primera". Entré a ver al rey, y le pregunté: "¡Señor mío! ¿Por qué enterráis a los vivos con los muertos?" "Ésa es la costumbre de nuestro país: si muere el esposo, enterramos con él a su esposa, y si muere ésta, enterramos vivo al marido, para que no se separen en la vida ni en la muerte. Tal es la costumbre de nuestros antepasados." "¡Rey! Si el hombre es extranjero, como yo, y muere antes su esposa, ¿haréis con él lo mismo que habéis hecho con éste?" "Sí; lo enterramos con ella, y hacemos con él lo que has visto."

»La tristeza y la pena más profundas me desgarraron el corazón; casi perdí el entendimiento, pues empecé a temer que mi mujer muriese antes que yo y que me enterraran vivo con ella. Para tranquilizarme, me dije: "Tal vez yo muera primero, y, además, nadie sabe quién se irá antes, y quién lo hará después". Fui distrayéndome con mis asuntos, pero había pasado poco tiempo cuando mi mujer cayó enferma, y a los pocos días, murió. Una gran multitud vino a darnos el pésame a mí y a la familia de mi mujer. El mismo rey, siguiendo su costumbre, se presentó también. Después la lavaron y la amortajaron con sus más preciosos vestidos y con sus adornos, collares y alhajas de gemas. Una vez vestida, la colocaron en el ataúd, la cogieron en andas y la llevaron a aquella montaña. Levantaron la piedra que cubría la boca de la sima y la arrojaron en ella. Todos mis amigos y los familiares de mi esposa se despidieron de mí, mientras yo gritaba: "¡Soy un extranjero!" Pero ni escucharon mis palabras ni me hicieron caso. Me cogieron, me ataron por la fuerza y, siguiendo su costumbre, me pusieron al lado siete panes y una jarra de agua, y me descolgaron por la sima. Era una cueva enorme, situada debajo de la montaña. Me dijeron: "Quítate la cuerda". Yo no quise desatarme, y ellos la arrojaron al interior. Después taparon la boca de la sima con la piedra y se marcharon a sus quehaceres.»

Sahrazad se dio cuenta de que amanecía e interrumpió el relato para el cual le habían dado permiso.

Cuando llegó la noche *quinientas cincuenta y cuatro,* refirió:

—Me he enterado, ¡oh rey feliz!, de que [Sindbad prosiguió:] «Había allí multitud de muertos, y su atmósfera era fétida y desagradable. Me censuré a mí mismo por lo que había hecho: "¡Por Dios! ¡Me merezco todo lo que me ha ocurrido!" No distinguía la noche del día, me alimentaba poco y bebía menos, pues temía que se me terminasen los víveres y el agua. Dije: "¡No hay fuerza ni poder sino en Dios, el Altísimo, el Grande! ¿Qué diablos me habrá impulsado a casarme en esta ciudad? Salgo de una calamidad y caigo en otra peor. ¡Por Dios! Este género de muerte es horrible. ¡Ojalá me hubiese ahogado en el mar o hubiera muerto en el monte! Habría sido mejor que esta muerte". No cesaba de censurarme, dormía encima de los huesos de los muertos, pedía auxilio a Dios (¡ensalzado sea!) y anhelaba la llegada de la muerte, sin llegar a encontrarla en medio de mi desesperación.

»En este estado permanecí hasta que el hambre quemó mis entrañas, y la sed me inflamó. Entonces me senté, busqué el pan a tientas, comí un poco y bebí un sorbo de agua. Luego me incorporé, me puse de pie y empecé a recorrer un lado de aquella cueva. Vi que era muy ancha, y que el fondo estaba vacío; en el suelo había muchos cadáveres y huesos carcomidos desde hacía mucho tiempo. Así me preparé un alojamiento en un lugar de la cueva algo alejado del sitio en que se hallaban los muertos más recientes, y dormía en él. Mis víveres iban disminuyendo sensiblemente. Comía una vez al día, y bebía un solo trago de agua. En esta situación, un día, mientras estaba sentado y meditando acerca de lo que haría cuando se me terminasen los víveres y el agua, vi que quitaban la piedra de su sitio y que la luz llegaba hasta mí. Dije: "¿Qué es esto?" La gente estaba de pie alrededor de la boca de la sima, y bajaron a un hombre muerto y, con él, viva, a su mujer, que lloraba y gritaba. La bajaron con muchos víveres y agua. Yo la observaba, sin que ella me viese. Taparon la boca de la sima con la piedra, y se marcharon a sus quehaceres.

»Me puse de pie, empuñé la tibia de un muerto, me acerqué a ella y le di un golpe en la cabeza, que la hizo caer desmayada; luego le di otro y otro hasta que murió. Cogí el pan, el agua y todo lo que llevaba consigo: numerosos adornos, costosos vestidos, collares, joyas y piedras preciosas. Me senté en el lugar de la cueva que había adecentado para poder dormir. Comí lo imprescindible para mantenerme, a fin de alargarlo. Permanecí en la cueva algún tiempo, y mataba a cuantos vivos llegaban junto con los muertos, para apoderarme del alimento y del agua.

»Cierto día en que estaba durmiendo, me desperté al oír un ruido en un lado de la cueva. Me dije: "¿Qué es esto?" Me incorporé y me dirigí hacia allí, empuñando la tibia de un muerto. Una bestia huyó al notar mi presencia. La perseguí hasta el fondo de la cueva y descubrí un rayo de luz, pequeño como una estrella. Aparecía y desaparecía a intervalos. Empecé a andar en aquella dirección, y conforme me acercaba, la luz era más clara y grande. Entonces vi que la caverna tenía una hendidura que daba al aire libre. Me dije: "Esta grieta tiene que tener una causa: o es otra entrada al cementerio como aquella por la que me bajaron, o una brecha abierta aquí". Medité un rato, y luego seguí avanzando hacia la luz. Se trataba de un agujero abierto por las fieras para entrar en la gruta y devorar a los muertos. Al comprobarlo, me calmé, mi corazón se tranquilizó, y entonces estuve seguro de volver a la vida. Me parecía estar soñando. Me las ingenié para trepar por la brecha, y me encontré a orillas del mar, sobre un monte que se encontraba entre dos bahías y separaba la isla de la ciudad, de tal modo que nadie podía llegar hasta él. Loé a Dios (¡ ensalzado sea !), le di las gracias, me alegré mucho, y mi corazón recuperó sus fuerzas. Entré de nuevo a la cueva para recoger los víveres y el agua que había ahorrado. Cogí ropa de los muertos y la sustituí por la que llevaba encima. Tomé asimismo collares, joyas, aljófares, perlas y objetos de plata y de oro, con incrustaciones de gemas; lo envolví todo en ropa, lo saqué por la brecha y me instalé a orillas del mar.

»Cada día iba a la caverna, sacaba cosas de ella y mataba a cuantos enterraban vivos, tanto si eran hombres como mujeres, y me apoderaba de sus víveres y agua. Después salía y me sentaba para esperar a que Dios (¡ ensalzado sea !) me concediese la salvación por medio de un buque que pasase por allí. Todos los objetos de orfebrería que veía en la cueva los sacaba y los empaquetaba en los vestidos de los muertos. Llevé esta vida durante algún tiempo.»

Sahrazad se dio cuenta de que amanecía e interrumpió el relato para el cual le habían dado permiso.

Cuando llegó la noche *quinientas cincuenta y cinco*, refirió:

—Me he enterado, ¡ oh rey feliz !, de que [Sindbad prosiguió:] «Un día, mientras estaba sentado a orillas del mar meditando en mi situación, vi una nave. Cogí un vestido blanco, que había pertenecido a un muerto, lo até a un bastón y corrí con él por la orilla haciendo señales, hasta que me vieron desde el barco. Se acercaron, oyeron mis voces y me enviaron una lancha con tripulantes.

»Cuando estuvieron cerca, me gritaron: "¿ Quién eres? ¿ Cómo estás en este sitio? ¿ Cómo has podido llegar a este monte, en el que nunca hemos visto a nadie?" "Soy un mercader, e iba en una nave que naufragó. Pude encaramarme a un madero, y Dios me ha ayudado haciéndome llegar con mis bultos, después de gran fatiga, a este lugar, gracias a mi esfuerzo y mi destreza." Me llevaron con ellos y transportaron todo lo que yo había cogido de la caverna, y que estaba envuelto en vestidos y crespones fúnebres. Ya en la nave, me llevaron ante el capitán, quien me preguntó: "¿Cómo has podido llegar a ese lugar? Es un gran monte, en cuyo interior hay una ciudad. He recorrido muchas veces este mar, he pasado frente al monte y no he visto más que bestias feroces y pájaros". "Soy comerciante, y viajaba a bordo de una gran nave que naufragó. Todas mis cosas, telas y vestidos, fueron a parar al agua. Yo las coloqué sobre un gran tablón de la nave, y el poder divino y mi fortuna me han ayudado y me han traído a este monte, en donde he esperado que pasase alguien para recogerme." Callé lo que me había ocurrido en la ciudad y en la caverna, temeroso de que en la nave hubiera alguien de la ciudad.

»Ofrecí al capitán algunas de las cosas que llevaba, y le dije: "¡Señor! Tú me has sacado del monte. Acepta la compensación que te ofrezco por el bien que me has hecho". Él lo rechazó y me dijo: "Nunca aceptamos nada. Cuando encontramos un náufrago en el mar o en una isla, lo recogemos, le damos de comer y de beber; si está desnudo, lo vestimos, y cuando llegamos a un puerto, le hacemos un regalo, lo favorecemos y le ayudamos en nombre de Dios (¡ensalzado sea!)". Entonces le deseé larga vida. Seguimos navegando de isla en isla y de mar en mar. Siempre que pensaba en lo que pasé en aquella macabra cueva casi me volvía loco. Gracias a Dios (¡ensalzado sea!) llegamos a Basora sin contratiempos. Desembarqué, permanecí unos cuantos días allí y luego me dirigí a Bagdad. Fui a mi barrio, entré en mi casa, en donde me reuní con mi familia y mis amigos. Se alegraron y me felicitaron por mi salvación, y yo reuní todas las cosas que había traído, hice limosnas y dones, vestí a huérfanos y viudas, viví satisfecho y alegre, y de nuevo me dediqué a la vida social, a los amigos, a distraerme y divertirme.

»Esto es lo más maravilloso de cuanto me ocurrió en el cuarto viaje. Cenemos ahora, hermano mío, y vuelve mañana, según tu costumbre, y te contaré lo que me ocurrió en el quinto viaje. Es más maravilloso y prodigioso que lo anterior.»

Mandó que le entregasen cien mizcales de oro, extendieron el mantel, cenaron todos y se marcharon a sus casas llenos de admiración, ya que cada relato era más interesante que el anterior. Sindbad el faquín regresó a su casa muy satisfecho, contento y admirado. Al amanecer se levantó, rezó la oración matutina y se dirigió a casa de Sindbad el marino. Le dio los buenos días, y éste lo acogió bien y le mandó que se sentara a su lado hasta que llegasen los demás amigos. Comieron, bebieron, disfrutaron, se entretuvieron y se dedicaron a hablar. Sindbad el marino tomó la palabra y dijo:

QUINTO VIAJE DE SINDBAD EL MARINO

Sahrazad se dio cuenta de que amanecía e interrumpió el relato para el cual le habían dado permiso.

Cuando llegó la noche *quinientas cincuenta y seis,* refirió:

—Me he enterado, ¡oh rey feliz!, de que [Sindbad comenzó:] «Sabed, hermanos, que, al regresar del cuarto viaje, me dediqué a distraerme, a disfrutar y a divertirme. Olvidé todo lo que me había sucedido y sufrido, dada la mucha alegría que experimentaba por la ganancia y los beneficios obtenidos. Mi espíritu me incitó a emprender otro viaje y a visitar nuevos países e islas. Empecé a comprar mercancías de gran valor, apropiadas para los viajes por mar, enfardé los bultos, salí de Bagdad y me dirigí a Basora. Recorrí la orilla y vi una nave grande, alta y hermosa, que me gustó. La compré; todo su aparejo era nuevo; tomé a sueldo a un capitán y marinos. Embarqué en ella con mis esclavos y pajes, cargué mis bultos, y una multitud de comerciantes subió a la nave con sus mercancías y me pagó el pasaje. Viajamos en la más completa felicidad, con buenos augurios y notables ganancias. Fuimos de isla en isla y de mar en mar, desembarcando, vendiendo y comprando.

»Seguimos navegando hasta llegar a una isla deshabitada, llena de ruinas, con una enorme cúpula blanca.

Desembarcamos, la examinamos y vimos que se trataba de un huevo de *ruj*. Los comerciantes desembarcaron también y lo contemplaron; y como no sabían que era un huevo de *ruj*, lo golpearon con piedras, lo rompieron y salió de él mucha agua; luego descubrieron el polluelo de *ruj*, lo sacaron fuera, lo sacrificaron y obtuvieron mucha carne. Yo estaba a bordo cuando esto ocurría, y ellos no me habían informado. Uno de los pasajeros me dijo: "¡Señor mío! Ven a ver el huevo que habíamos tomado por una cúpula". Cuando vi que los comerciantes lo golpeaban, les grité: "¡No hagáis eso, pues el pájaro *ruj* vendrá, destrozará nuestra nave y nos aniquilará!"

»No escucharon mis palabras, y mientras nos encontrábamos así, el sol se ocultó, el día se oscureció, y sobre nosotros apareció una nube que ennegreció el aire. Levantamos la cabeza para ver lo que se había interpuesto entre nosotros y el sol, y vimos que era un *ruj*. El pájaro, al ver que el huevo había sido roto, nos persiguió dando graznidos. Su compañera se le unió, y ambos empezaron a revolotear sobre la nave, graznando con una voz más fuerte que el trueno. Yo chillé al capitán y a los marinos: "¡Avante! ¡Buscad la salvación antes de que perezcamos!" El capitán corrió a ejecutar la orden, los comerciantes embarcaron apresuradamente, la nave zarpó, y abandonamos la isla. Los pájaros, al ver que bogábamos hacia alta mar, hicieron ver que se marchaban, mientras nosotros apresurábamos la marcha. Los *ruj* volvieron a perseguirnos hasta que nos alcanzaron y cada uno llevaba en las patas una gran roca del monte. El pájaro macho nos arrojó su piedra, pero el capitán detuvo la nave y evitó, por un pelo, que cayera sobre la nave; la piedra fue a hundirse en el mar al lado del buque. La nave se levantó de tal manera que pudimos ver el fondo. Luego nos arrojó su piedra la hembra; era más pequeña que la primera, pero el destino hizo que cayese en la popa de la nave: la rompió, y el timón voló en veinte pedazos. Todo fue a parar al mar. Yo intenté salvarme, y Dios (¡ensalzado sea!) me facilitó un tablón. Me agarré a él, me subí y empecé a remar con los pies. El viento y las olas me ayudaron a avanzar.

»La nave se había ido a pique cerca de una isla que estaba en medio del mar, y los hados me arrojaron, con permiso de Dios (¡ensalzado sea!) a dicha isla. Puse el pie en ella cuando ya estaba en el límite de mis fuerzas y a punto de morir de tanta fatiga, cansancio, hambre y sed como había sufrido. Permanecí tumbado un rato en la orilla del mar, hasta que descansé y me serené. Después empecé a andar por la isla, y vi que parecía uno de los jardines del paraíso. Sus árboles estaban cargados de frutos, la surcaban riachuelos, los pájaros cantaban a Aquel que es Todopoderoso y Eterno. Había también multitud de flores de distintas especies. Comí frutos hasta hartarme, bebí el agua de los riachuelos hasta saciarme, y alabé a Dios (¡ensalzado sea!) por estos favores.»

Sahrazad se dio cuenta de que amanecía e interrumpió el relato para el cual le habían dado permiso.

Cuando llegó la noche *quinientas cincuenta y siete*, refirió:

—Me he enterado, ¡oh rey feliz!, de que [Sindbad prosiguió:] «Permanecí sentado hasta que se hizo de noche. Entonces, casi muerto de fatiga y de miedo, me levanté; no oí ninguna voz ni vi a nadie. Dormí hasta por la mañana. Entonces me puse en pie, paseé entre los árboles y fui a parar a una noria que había cerca de una fuente. Junto a la noria estaba sentado un anciano de buen aspecto, con un taparrabos formado por hojas de árbol. Me dije: "Tal vez este viejo sea también un náufrago". Me acerqué a él, lo saludé y me devolvió el saludo por señas, sin hablarme. Le dije: "¡Jeque! ¿Cuál es el motivo de que permanezcas en este lugar?" Movió la cabeza, gimió e hizo un gesto con la mano, que quería decir: "Ponme encima de tus hombros y llévame al otro lado de la acequia". Me dije: "Haz una buena acción con éste, y transpórtalo adonde te ha dicho. Tal vez el cielo te recompense". Me acerqué a él, lo puse sobre mis hombros y lo llevé al lugar que me había indicado. Le dije: "Baja despacio". Pero, en vez de bajar, enroscó las piernas en torno a mi cuello. Me fijé en sus pies y vi que eran negros y ásperos como la piel del búfalo. Me asusté y quise quitármelo de encima, pero él me estrechó el cuello con sus muslos y me apretó de tal forma que empecé a verlo todo negro, perdí el conocimiento y caí al suelo. Entonces aflojó las piernas y me golpeó en la espalda y en los hombros, causándome un dolor tan intenso que me puse en pie con él encima.

»Ya estaba cansado de tenerlo sobre mí, cuando me hizo señas de que me metiese entre los árboles. Me dirigí en busca de los mejores frutos. Si le desobedecía, me daba con los pies golpes más dolorosos que latigazos. Siempre me indicaba con la mano el lugar hacia el que quería ir y yo me dirigía a él. Si disminuía la marcha o me retrasaba, me golpeaba. Era una especie de esclavo suyo. En esto, llegamos al centro de la isla. Orinaba y defecaba encima de mis hombros, y no se bajaba de día ni de noche. Cuando quería dormir, enroscaba las piernas en mi cuello y descansaba un poco. En seguida se incorporaba y me pegaba. Yo me levantaba con él y salía corriendo. No le podía desobedecer, pues me hacía sufrir mucho. Me censuré por haberme apiadado de él. Continué en esta situación, ya en el límite del agotamiento, y me dije: "Le he hecho un bien, y él me ha replicado con daño. ¡En todo lo que me resta de vida, jamás haré un favor a nadie!" Rogaba incesantemente a Dios (¡ensalzado sea!) que me enviara la muerte.

»Así viví algún tiempo. Cierto día lo conduje a un lugar de la isla en que crecían numerosas calabazas, algunas de las cuales estaban secas. Cogí una grande, la abrí por la parte superior y la vacié. Luego fui a una viña y la llené de zumo de uva. Después la tapé, la coloqué al sol y la dejé unos cuantos días, hasta que se transformó en vino puro. Todos los días bebía un poco para reponerme algo de la fatiga que me causaba aquel demonio rebelde. Después de beber me sentía reconfortado. Un día se dio cuenta de que bebía. Me preguntó con la mano: "¿Qué es eso?" "Algo estupendo, que fortalece el corazón y alegra el espíritu"; y empecé a correr y a bailar entre los árboles. Cuando me vio en aquel estado, me pidió que le diese la calabaza para beber. Se la entregué, bebió todo lo que quedaba y la tiró al suelo. Se alegró y empezó a saltar encima de mis hombros; quedó borracho por completo, y entonces todos sus miembros y músculos se relajaron y empezó a balancearse encima de mí. Al darme cuenta de su embriaguez y de que había perdido el conocimiento, desenrosqué sus pies de mi cuello, me incliné con él hasta el suelo y lo dejé caer.»

Sahrazad se dio cuenta de que amanecía e interrumpió el relato para el cual le habían dado permiso.

Cuando llegó la noche *quinientas cincuenta y ocho,* refirió:

—Me he enterado, ¡oh rey feliz!, de que [Sindbad prosiguió:] «Después de tanto tiempo de llevarlo encima, apenas podía creer que me había librado de él. Temí que volviera en sí de la embriaguez y que me castigara. Para evitarlo, cogí una piedra de las que había entre los árboles, me acerqué a él y le machaqué la cabeza mientras dormía: la carne se mezcló con la sangre, y murió. ¡Que Dios no se apiade de él! Ya tranquilizado, recorrí la isla y me dirigí a la parte de la costa en que ya había estado. Permanecí algún tiempo en aquella isla comiendo de sus frutos, bebiendo de sus ríos y oteando el horizonte para ver si pasaba algún barco.

»Cierto día me encontraba sentado, meditando en lo que me había ocurrido, y me decía: "¿Quién sabe si Dios me conservará la salud y me permitirá regresar y reunirme con mi familia y mis amigos?" En aquel mismo momento apareció una nave en medio del tormentoso mar, cuyas olas entrechocaban. Yo me acerqué a la orilla, y cuando me vieron se acercaron y formaron un círculo alrededor de mí. Me preguntaron cómo me encontraba y por qué había llegado a aquella isla. Les expliqué mi situación y lo que me había ocurrido. Se admiraron mucho y dijeron: "El hombre que se subió encima de tus hombros se llamaba 'El anciano del mar', y no pudo salvarse ninguno de cuantos cayeron debajo de sus extremidades. Tú eres el único. ¡Alabado sea Dios que te ha salvado!" Me dieron alimentos y comí hasta hartarme. Me regalaron algunos vestidos, y cubrí mis vergüenzas con ellos. Me llevaron con ellos al barco, y estuvimos navegando días y noches.

»Los hados nos llevaron a una ciudad de edificios muy altos y cuyas casas daban al mar. Se llamaba la Ciudad de los Monos. Al llegar la noche, las gentes que vivían en ella salían por las puertas que daban al océano, subían en las barcas y en las naves y dormían en el mar, pues tenían miedo de que los simios que poblaban los montes los atacasen durante la noche. Desembarqué para visitar la ciudad, y la nave zarpó sin que yo me enterase. Me arrepentí de haber bajado a tierra, y me acordé de mis compañeros y de lo que ya nos ocurriera una vez con los monos. Me senté y me puse a llorar de tristeza. Uno de los habitantes de aquella ciudad se acercó y me dijo: "¡Señor mío! ¿Eres extranjero?" "Sí, soy extranjero y pobre. Viajaba a bordo de una nave que ancló aquí; he desembarcado para visitar la ciudad, y al regresar no la he encontrado." "¡Levántate y sube en la barca con nosotros! Si te quedas en la ciudad durante la noche, los monos te matarán." "De buen grado." Me puse de pie, subí a la barca con ellos y nos alejamos una milla de la costa. Allí pasamos la noche. Al amanecer regresaron todas las barcas a la ciudad, desembarcamos, y cada uno de ellos se dirigió a sus ocupaciones. Y esto se repetía cada noche, pues aquel que se quedaba en la ciudad durante la misma, era muerto por los monos. Durante el día, los monos abandonaban la ciudad, comían los frutos de los árboles y dormían en los montes, hasta el atardecer. Entonces regresaban a la ciudad.

»Esta población está situada en lo más alejado del país de los negros. Lo más curioso de todo lo que me ocurrió con sus habitantes fue que uno de ellos, en cuya barca había dormido, me dijo: "¡Señor mío! Tú, que eres extranjero en esta ciudad, ¿sabes algún oficio que puedas ejercer?" "¡No, por Dios, hermano mío! No tengo oficio ni sé hacer nada. Soy comerciante, dueño de bienes y fincas. Tenía una nave propia, que iba cargada con grandes riquezas y mercancías, pero se despedazó en el mar y se hundió con todo lo que contenía. Yo fui lo único que —con el permiso de Dios— se salvó del naufragio, ya que Dios me facilitó un madero en el que me subí a horcajadas, y me libró de morir ahogado." Entonces el hombre me trajo un saco y me dijo: "Coge este saco, llénalo de guijarros y sal con un grupo de mis conciudadanos. Yo haré que te acompañen, y te recomendaré. Haz lo que ellos hagan, y tal vez realices algo que te ayude en tu viaje y te devuelva a tu país". Me condujo fuera de la ciudad. Recogí pequeños guijarros y llené con ellos el saco. Un grupo salió de la ciudad, y aquel hombre me recomendó a ellos, diciendo: "Éste es un extranjero. Llevadlo con vosotros y enseñadle la cosecha. Tal vez él pueda sacar algo para vivir, y vosotros recibiréis la recompensa del cielo". Respondieron: "¡De buen grado!" Me dieron la bienvenida y me llevaron con ellos. Cada uno transportaba un saco semejante al mío, lleno de guijarros.

»Estuvimos andando hasta llegar a un amplio valle en el que había muchos árboles altos, a los que nadie podía trepar, así como muchos monos. Éstos, al vernos, huyeron y se encaramaron en los árboles. Los hombres empezaron a tirarles las piedras que llevaban en los sacos, y los monos contestaban cortando los frutos que tenían los árboles y arrojándolos contra los hombres. Me fijé en lo que tiraban las bestias, y vi que eran nueces de coco. Al ver en qué consistía el trabajo, escogí un gran árbol encima del cual había muchos monos, me acerqué a él y empecé a apedrear a los animales. Éstos cortaron las nueces, me las arrojaron, y yo las recogí, como hacían los demás. Aún no había terminado con las piedras del saco, y ya había reunido gran cantidad de cocos. Cuando terminamos el trabajo, lo reunimos todo, y cada uno se llevó cuanto pudo. Luego regresamos a la ciudad. Fui a buscar a mi amigo, el hombre que me había acompañado hasta el grupo, le ofrecí todo lo que había recogido, y le di las gracias por su bondad. Me replicó: "Coge todo eso, véndelo y quédate con lo que saques". Me dio la llave de una habitación de su casa y añadió: "Deja en el cuarto los cocos que te sobren. Sal todos los días con este mismo grupo, tal como lo has hecho hoy. Los cocos que traigas en mal estado, sepáralos, véndelos y quédate con el dinero; los restantes los guardas en el mismo sitio. Tal vez reúnas bastantes y te sean de utilidad para tu viaje". "¡Dios (¡ensalzado sea!) te recompense!"

»Todos los días llenaba mi saco de piedras, salía con el grupo y hacía lo que me habían enseñado. Unos me recomendaron a otros, y me indicaron los árboles en que había más frutos. Así viví algún tiempo, durante el cual almacené gran cantidad de excelentes cocos y vendí otros muchos. Reuní bastante dinero, y empecé a comprar todo lo que veía y me gustaba. Mi situación mejoró, y mi crédito fue subiendo en toda la ciudad. Este estado de cosas duró algún tiempo. En cierta ocasión, en que estaba a orillas del mar, vi que llegaba una nave y anclaba allí. En ella viajaban comerciantes con sus mercancías. Empezaron a vender, a comprar y a negociar con nueces de coco y otras cosas. Fui a ver a mi amigo, lo informé de que había llegado la nave y le comuniqué que yo quería emprender el viaje hacia mi país. Me contestó: "Tu opinión es certera". Me despedí de él, le di las gracias por los favores que me había hecho, me dirigí a la nave, me presenté al capitán, le pagué el precio de mi pasaje y embarqué con todos los cocos y demás cosas que tenía. Zarpamos…»

Sahrazad se dio cuenta de que amanecía e interrumpió el relato para el cual le habían dado permiso.

Cuando llegó la noche *quinientas cincuenta y nueve,* refirió:

—Me he enterado, ¡oh rey feliz!, de que [Sindbad prosiguió: «Zarpamos] aquel mismo día, y fuimos navegando de isla en isla y de mar en mar. En cada isla en la que hacíamos escala, vendía y cambiaba los cocos, y Dios me dio, en cambio, mayores riquezas que las que había perdido. Pasamos por una isla en la que había mucha canela y pimienta. Algunas personas nos contaron que habían visto en cada umbela de pimienta una hoja muy grande, que la cubría y la preservaba del agua cuando llovía; cuando dejaba de llover, la hoja se retraía y colgaba de la umbela. En esta isla compré mucha pimienta y canela a cambio de cocos. Pasamos también por la Isla Asarat, en la cual se encuentra la madera de áloe, y poco después, a una distancia de cinco días, llegamos a otra isla, en la cual se cría la madera de China, que es aún mejor que la de áloe. Los habitantes de esta isla viven en más malas condiciones que los de la isla del áloe, y su religión es mucho peor: son lascivos, beben vino, no tocan a oración e incluso desconocen ésta.

»Después llegamos al país en el que se pescan las perlas. Yo di a los pescadores de perlas unas cuantas nueces de coco, y les dije: "Sumergíos para comprobar mi suerte y fortuna". Se hundieron en el agua, que estaba como un espejo, y sacaron unas perlas enormes, valiosísimas; me dijeron: "¡Por Dios, señor! ¡Tienes buena suerte!" Cargué en la nave todo lo que habían sacado, y partimos con la bendición de Dios (¡ensalzado sea!). Seguimos viajando hasta llegar a Basora. Desembarqué en esta ciudad, permanecí en ella poco tiempo y me dirigí a Bagdad. Entré en mi barrio y luego en mi casa. Saludé a mis familiares y amigos, que me felicitaron por haber escapado con vida, y yo almacené todas las mercancías y objetos. Vestí a los huérfanos y a las viudas, di limosnas e hice regalos a mis familiares, amigos y conocidos. Dios me había dado cuatro veces más de lo que perdí. Las ganancias y los beneficios me hicieron olvidar las muchas fatigas sufridas, y volví a mi antigua vida de relación y sociedad. Esto es lo más extraordinario que me ocurrió durante el quinto viaje. Pero ahora cenad, y mañana volved y os contaré lo que me ocurrió en el sexto viaje. Es más prodigioso que todo lo explicado hasta ahora.»

Extendieron los manteles y cenaron; al terminar, ordenó que le dieran cien mizcales de oro a Sindbad el faquín. Éste los cogió y se marchó, boquiabierto de todo lo que había oído. Sindbad el faquín durmió en su casa, y al día siguiente, por la mañana, se levantó, rezó la oración y se marchó a casa de Sindbad el marino. Se presentó ante éste, quien lo mandó sentarse. Se instaló a su lado, y estuvieron hablando hasta que llegaron los restantes. Conversaron, extendieron los manteles, disfrutaron y se alegraron. Entonces, Sindbad el marino empezó a referirles la historia de su sexto viaje.

SEXTO VIAJE DE SINDBAD EL MARINO

«Sabed, hermanos, amigos y compañeros, que al regresar del quinto viaje olvidé todo lo que había sufrido, gracias a la distracción, a la alegría, a la satisfacción y al descanso. Viví durante algún tiempo en el regocijo más completo. Cierto día, mientras estaba sentado en la más completa tranquilidad y satisfacción, vino a verme un grupo de comerciantes, en los cuales se veían aún las huellas del viaje. Entonces me acordé de los días en que yo llegaba de viaje, y la alegría que me daba el encontrar a mi familia, parientes y conocidos, la satisfacción que experimentaba al hallarme de nuevo en mi país. Sentí de nuevo el cosquilleo del viaje y el cansancio, y me decidí a emprender la marcha. Compré mercancías preciosas, carísimas, apropiadas para un viaje por mar. Cargué mis bultos, y, dejando Bagdad, me dirigí a Basora. En ésta vi una gran nave, repleta de comerciantes y personas de valía que llevaban buenas mercancías. Embarqué mis fardos y zarpamos felizmente de la ciudad de Basora.»

Sahrazad se dio cuenta de que amanecía e interrumpió el relato para el cual le habían dado permiso.

Cuando llegó la noche *quinientas sesenta,* refirió:

—Me he enterado, ¡oh rey feliz!, de que [Sindbad prosiguió:] «No paramos de viajar, de lugar en lugar y de ciudad en ciudad. Comprábamos, vendíamos y visitábamos los países; nos acompañaba la buena suerte, teníamos un buen viaje y hacíamos excelentes negocios. Cierto día, mientras navegábamos, el capitán del navío dio un chillido, gritó, tiró el turbante, se abofeteó la cara, se mesó la barba y cayó sobre cubierta. Todos los pasajeros y comerciantes se reunieron en torno a él, y le preguntaron: "¡Capitán! ¿Qué ocurre?" "Sabed que nos hemos perdido; hemos salido del mar en que nos encontrábamos, para penetrar en otro cuyas rutas desconocemos. Si Dios no nos salva, pereceremos todos. ¡Rogad a Dios (¡ensalzado sea!) para que nos saque de esta situación!" Se puso de pie, subió al palo mayor y quiso desplegar las velas. El viento aumentó, se volvió contra la popa y rompió el timón cerca de unos escollos que había a flor de agua. El capitán bajó del mástil, exclamando: "¡No hay fuerza ni poder sino en Dios, el Altísimo, el Grande! Nadie puede hacer frente al destino. ¡Por Dios! Hemos caído en un lugar de perdición, y no tenemos escapatoria posible". Todos los pasajeros se pusieron a llorar y se despidieron unos de otros, pues su vida se había terminado y habían perdido toda esperanza. La nave se dirigió hacia los arrecifes y se estrelló; los maderos se soltaron, y todos los que iban a bordo naufragaron. Algunos se ahogaron, mientras que otros consiguieron poner pie en el monte y subir por él. Yo también tuve esta suerte.

»Habíamos ido a parar a una gran isla en la cual habían naufragado muchísimos buques, según dedujimos de las provisiones que había en la playa, arrastradas hasta allí por las olas desde el lugar del naufragio. Había tales riquezas en aquella playa, que uno se quedaba perplejo. Recorrí la isla, y en su centro descubrí una fuente de agua potable, que nacía en un extremo del monte y desaparecía en el otro, en el lugar opuesto. Todos los pasajeros treparon por la montaña en dirección a la isla, se dispersaron por ella y quedaron estupefactos y como locos al ver la gran cantidad de objetos y riquezas que había allí. En mitad de aquella fuente había una gran cantidad de aljófares, gemas, jacintos y regias perlas. Parecían guijarros, y cubrían el lecho del arroyo que corría por aquel valle. Todo el fondo de la fuente relucía por la gran cantidad de gemas y otros objetos preciosos que había en él.

»Vimos una multitud de áloes chinos y de Coromandel, así como una fuente de ámbar crudo, que, por el gran calor, corría desde la fuente hasta la orilla del mar, como si fuese cera; los monstruos marinos salían allí, se lo tragaban y volvían a sumergirse; luego el ámbar se les calentaba en el vientre, lo vomitaban y se solidificaba en la superficie del agua: entonces cambiaba de color y de aspecto, y las olas lo arrastraban a otras playas, en las que los viajeros y los comerciantes que podían reconocerlo, lo recogían y vendían. El ámbar crudo y puro que no se tragaban aquellos bichos, corría por los bordes de la fuente y se solidificaba en contacto con la tierra. Al salir el sol se fundía el ámbar, y por todo el valle se extendía un olor semejante al del almizcle. Luego, al ponerse el sol, volvía a solidificarse. Nadie puede adentrarse por el ámbar crudo ni andar por él, ya que el monte rodea a la isla por todas partes y es imposible escalarlo.

»Recorrimos la isla contemplando los prodigios que Dios (¡ensalzado sea!) había creado en ella. Estábamos perplejos y aterrorizados a la vez. Reunimos en la playa unos cuantos víveres y los administramos rigurosamente.

Comíamos una vez al día o cada dos días, ante el temor de acabar las existencias y morir de hambre. Tan pronto como moría uno, lo amortajábamos con las ropas que el mar arrojaba a la playa y lo enterrábamos. Sobrevivimos muy pocos, y todos teníamos las entrañas enfermas a causa del mar. Seguimos así durante muy poco tiempo, pues perecieron mis amigos y compañeros, uno tras otro. Enterramos a los que iban muriendo, y finalmente me quedé solo en la isla, con muy pocos víveres. Lloré por mí y me dije: "¡Ay de ti! Si hubieses muerto antes que tus compañeros, éstos te habrían lavado y amortajado. ¡Pero no hay fuerza ni poder sino en Dios, el Altísimo, el Grande!"»

Sahrazad se dio cuenta de que amanecía e interrumpió el relato para el cual le habían dado permiso.

Cuando llegó la noche *quinientas sesenta y una,* refirió:

—Me he enterado, ¡oh rey feliz!, de que [Sindbad prosiguió:] «Algún tiempo después, cavé una profunda fosa en la playa, y me dije: "Cuando me debilite y sepa que me llega la muerte, me tenderé en la fosa y moriré en ella; el viento arrastrará la arena, me cubrirá y quedaré sepultado en ella". Seguí reprochándome por mi poco entendimiento; por haber abandonado mi país y mi ciudad y emprendido un viaje por tierras extrañas, después de haber sufrido tanto en los anteriores viajes. En todos ellos había sufrido mucho, y cada uno había sido más duro y fatigoso que el anterior. Entonces, al creer que no conseguiría escapar sano y salvo, me arrepentí de mis viajes por mar y de haber reincidido sin necesidad, pues disponía de tantas riquezas, que nunca conseguiría agotar ni gastar ni siquiera la mitad. Tenía lo que me era suficiente y aún más. Medité y me dije: "Este río tiene principio y fin; estoy seguro de que pasará por un lugar civilizado. Tengo que construir una lancha pequeña en la cual pueda sentarme; luego la pondré en el torrente, me embarcaré y seguiré el curso del agua. Si encuentro salida, me habré salvado con el permiso de Dios (¡ensalzado sea!). Si no la encuentro, moriré en el río, lo cual es preferible a continuar aquí".

»Me puse a trabajar apresuradamente, reuní maderas de áloes chino y de Coromandel, las até con las cuerdas que habían formado parte de los cables de los navíos naufragados, y aproveché los tablones de un mismo tamaño para poner encima las maderas y hacer una balsa que tuviera aproximadamente la anchura del río. Las até con nudos fuertes. Recogí las gemas, los aljófares, los objetos preciosos y las mayores perlas, que parecían guijarros, y otras cosas, como el ámbar crudo, que abundaban en la isla. Las coloqué en la balsa, en la que también puse todo lo que había ido reuniendo en la isla. Cogí luego los víveres que me quedaban e impulsé mi bote por el río. Coloqué dos maderas, una en cada lado, a manera de remos, y recité los versos del poeta:

> ¡Parte del lugar en que sufres, abandona la casa
> y lamenta [la muerte de] quien la ha construido!
> Encontrarás una tierra que sustituya a ésta, pero
> no hallarás un alma que reemplace a la tuya.
> No temas los acontecimientos que traigan las noches, pues todas las desgracias se dirigen a su fin.
> Quien esté destinado a morir en un lugar, no morirá en otro.
> No envíes a tu mensajero si se trata de un caso
> difícil: el alma no tiene más mensajero que ella
> misma.

»Avancé por el río hasta llegar al sitio en que el agua se metía debajo del monte. Al pasar por allí me quedé en las tinieblas más absolutas. Seguí navegando hasta llegar a una angostura: los lados de la balsa chocaron con las piedras del monte, mientras mi cabeza rozaba el techo. No podía volver atrás, y me reprochaba por lo que había hecho, pensando: "Si esto se estrecha más será muy difícil que pase la balsa o que pueda volver atrás, y moriré aquí". El riachuelo era tan angosto por aquella parte, que me tendí de bruces mientras continuaba avanzando sin distinguir el día de la noche, dada la gran oscuridad reinante. Estaba asustado y temía morir. Seguí avanzando por el riachuelo, que se ensanchaba y estrechaba alternativamente. La oscuridad y la fatiga me rindieron, y me quedé dormido de bruces encima de la balsa. Ésta siguió avanzando sin interrupción.

»Al despertar me encontré en plena luz. Abrí los ojos y vi que me encontraba en un lugar muy amplio, la balsa estaba atada a una isla, mientras a mi alrededor formaba círculo un grupo de indios y de abisinios. Cuando vieron que me incorporaba, se acercaron hacia mí y me hablaron en su lengua, pero yo no los entendí. Creí que todo era un sueño, motivado por el cansancio y el temor. Siguieron hablándome, sin que yo entendiese sus palabras ni les diera respuesta alguna. Entonces se adelantó uno de ellos y me dijo en árabe: "¡La paz sea sobre ti, hermano nuestro! ¿Quién eres? ¿De dónde vienes? ¿Cómo es que has llegado hasta este lugar? Nosotros somos agricultores y campesinos. Hemos venido aquí a regar y sembrar nuestros campos, y te hemos encontrado dormido encima de la balsa. La hemos detenido y atado cerca de nosotros, para que pudieses despertarte con tranquilidad. Cuéntanos la causa de tu venida a este lugar". "¡Dios te proteja, señor mío! Pero dame algo de comer, pues estoy hambriento. Luego, pregúntame lo que quieras." Se apresuró a traerme alimento, y yo comí hasta hartarme. Ya repuesto y calmado, alabé a Dios (¡ensalzado sea!) por todo, me alegré de haber salido del río y llegado hasta allí, y les expliqué todo lo que me había ocurrido, desde el principio hasta el fin, así como lo que había sufrido, por lo angosto del río.»

Sahrazad se dio cuenta de que amanecía e interrumpió el relato para el cual le habían dado permiso.

Cuando llegó la noche *quinientas sesenta y dos*, refirió:

—Me he enterado, ¡oh rey feliz!, de que [Sindbad prosiguió:] «Hablaron entre sí y dijeron: "Hemos de llevarlo con nosotros y presentarlo a nuestro rey, para que le cuente lo que le ha sucedido". Me llevaron con ellos, después de cargar con la balsa y todo su contenido: riquezas, bienes, aljófares, gemas y objetos de orfebrería. El soberano me saludó, me dio la bienvenida y me preguntó por las cosas que me habían sucedido. Le informé de todo lo que me había pasado, desde el principio hasta el fin. El rey se admiró mucho de mi relato y me felicitó por haberme salvado. Entonces me dirigí a la balsa, tomé una buena cantidad de gemas, aljófares, áloes y ámbar crudo, y se lo ofrecí. El soberano lo aceptó, me trató con todos los miramientos y me instaló en una habitación de su palacio.

»Entré en relaciones con los grandes y magnates, que me trataron muy bien, y no abandoné el palacio. Todos cuantos llegaban a la isla me preguntaban por los asuntos de mi país. Yo los informaba y, a mi vez, les preguntaba por los de ellos. Cierto día, el rey me preguntó por la situación de mi país y por el modo en que el Califa administra Bagdad. Le referí la justicia con que gobernaba. Se admiró mucho, y me dijo: "¡Por Dios! El gobierno del Califa es sabio, y su administración, loable. Has conseguido que lo ame. Quiero preparar un regalo y enviárselo por medio de ti". "Oír es obedecer, señor nuestro. Se lo entregaré, y le informaré de que tú eres su amigo sincero."

»Seguí en la Corte de aquel rey, llevando una buena vida, siendo honrado y respetado, durante un lapso de tiempo. Cierto día, mientras estaba en palacio, me enteré de que un grupo de habitantes de aquella ciudad estaba preparando una embarcación para salir de viaje hacia Basora. Me dije: "Nada podría convenirme más que partir con ese grupo". Corrí, al momento, a besar la mano del rey y a decirle que deseaba partir con el grupo que iba a zarpar, puesto que ansiaba regresar a mi país, junto a mi familia. "A ti corresponde decidir —me dijo—. Pero si quieres quedarte con nosotros serás bien tratado, pues nos place tu compañía." "¡Señor mío! Me has abrumado con tus favores y regalos, pero yo ansío volver a ver a mis allegados, a mi patria y a mis parientes." Entonces mandó llamar a los comerciantes que habían fletado el navío, me recomendó a ellos, me regaló muchas cosas y pagó además mi pasaje. Me confió un gran presente para el Califa Harún al-Rasid, que vivía en Bagdad. Me despedí del rey y de todos los amigos, y embarqué con los comerciantes. Zarpamos con viento favorable, el viaje resultó feliz, y nosotros confiábamos en Dios (¡loado y ensalzado sea!).

»Viajamos de mar en mar y de isla en isla y llegamos felizmente a Basora, con el permiso de Dios. Desembarqué, y pasé en dicha población unos días y unas noches, hasta que me hube preparado y facturado mis bultos. Entonces me dirigí a Bagdad, ciudad de la paz, y me presenté ante el Califa Harún al-Rasid. Le ofrecí el presente y lo informé de todo lo que me había ocurrido. Después almacené mis bienes y mis mercancías y me dirigí a mi barrio; mis familiares y amigos acudieron a visitarme. Repartí regalos entre todos mis parientes, e hice limosnas y dones.

»Al cabo de algún tiempo, el Califa mandó a buscarme y me preguntó por el motivo del regalo y de dónde procedía éste. Le dije: "¡Emir de los Creyentes! ¡Por Dios! No sé el nombre de la ciudad de procedencia ni el camino que a ella conduce. Naufragué con el buque en que viajaba, y puse pie en una isla. En ésta construí una balsa, y descendí por un río que cruzaba por el centro de la misma". Le expliqué todo lo que me había sucedido en el viaje, cómo el río me había conducido a la ciudad, todo lo que me había ocurrido en ella, y el motivo por el cual se me había confiado el regalo. El Califa se admiró mucho de esto y mandó a los cronistas que escribiesen mi historia y la depositaran en su biblioteca para que sirviese de instrucción a quien la leyere. Me honró en gran manera, y volví a vivir en Bagdad como había vivido anteriormente, olvidando —en medio de aquella vida muelle, el placer y la distracción— todo lo que me había ocurrido y lo mucho que había sufrido.

»Esto es lo que me sucedió en el sexto viaje, hermanos míos. Si Dios (¡ensalzado sea!) quiere, mañana os relataré el séptimo viaje, que es el más maravilloso y prodigioso.»

Mandó extender el mantel, y cenaron. Sindbad el marino ordenó entregar a su homónimo cien mizcales de oro. Éste los cogió. Todos se marcharon, admirados hasta el extremo.

Sahrazad se dio cuenta de que amanecía e interrumpió el relato para el cual le habían dado permiso.

Cuando llegó la noche *quinientas sesenta y tres,* refirió:

—Me he enterado, ¡oh rey feliz!, de que Sindbad el faquín durmió en su casa. Al día siguiente rezó la oración matutina y se dirigió a casa de Sindbad el marino. Éste recibió a los contertulios. Cuando todos hubieron llegado, empezó a contar la historia del séptimo viaje.

SÉPTIMO VIAJE DE SINDBAD EL MARINO

«Sabed, contertulios, que cuando regresé del sexto viaje volví a vivir de la misma manera, a llevar una vida muelle, alegre, tranquila y distraída, igual que anteriormente.

»Durante cierto tiempo viví tranquilo y alegre de noche y de día, pues había obtenido grandes ganancias y realizado enormes beneficios. Pero en mi interior deseaba volver a recorrer los países, navegar por el mar, tratar a los comerciantes y oír sus noticias. Me decidí a hacerlo otra vez, y enfardé objetos preciosos, apropiados para un viaje por mar, y los trasladé desde Bagdad a Basora. Descubrí una nave preparada para zarpar, en la que iba un grupo de grandes comerciantes. Me embarqué y me hice amigo de ellos. Emprendimos el viaje felizmente y con buena salud. El viento nos fue favorable hasta llegar a la ciudad de Sin.

»Estábamos muy alegres y contentos, y hablábamos acerca de las cosas del viaje y del negocio. En esto se levantó un viento huracanado que venía de la proa de la nave, y cayó un terrible aguacero, que nos empapó a nosotros y nuestras mercancías. Cubrimos éstas con lona y arpillera para que la lluvia no las dañase, y empezamos a rezar a Dios (¡ensalzado sea!) y a suplicarle que amainara el temporal. El capitán se levantó, se ciñó el cinturón, arremangóse y se encaramó por el mástil. Miró a derecha e izquierda, y luego a los que iban a bordo: se abofeteó el rostro y se mesó la barba. Le preguntamos: "¿Qué ocurre, capitán?" "¡Pedid a Dios (¡ensalzado sea!) que nos saque del lugar en que nos encontramos! ¡Llorad y despedíos unos de otros! Sabed que el viento nos ha vencido y nos ha arrojado al último de los mares del mundo." Bajó del mástil, abrió su caja, sacó una bolsa de algodón y extrajo un polvo que parecía ceniza. Lo mojó en el agua y esperó un poco; después lo olió. Luego sacó de la caja un librito y leyó en él. Dijo: "Sabed, pasajeros, que este libro contiene una noticia muy rara; dice que quien llega a esta tierra no se salva ni muere. Este lugar se llama Región de los Reyes, y en ella se encuentra la tumba de nuestro señor Salomón, hijo de David (¡la paz sea con ambos!). Hay enormes serpientes, de aspecto aterrador. Aquí vive un pez que se traga a todos los barcos que llegan a esta región".

»Al oír decir estas cosas al capitán nos maravillamos mucho. Apenas había terminado de hablar, cuando la nave empezó a levantarse por encima del agua. Luego descendió, y oímos un grito muy fuerte, parecido a un trueno. Nos asustamos y quedamos como muertos, seguros de que íbamos a perecer. Era el pez, que avanzaba hacia la nave como si fuese un monte elevado. Nos horrorizamos y empezamos a llorar, dispuestos a morir, mientras contemplábamos el terrorífico aspecto de aquel animal. De repente apareció un segundo pez, que avanzaba también hacia nosotros; jamás habíamos visto una cosa semejante. Estábamos despidiéndonos unos de otros, cuando un tercer pez, mayor que los otros dos, avanzó también a nuestro encuentro. Perdimos el juicio y la razón, y el miedo y el temor nos dejaron aturdidos.

»Los tres peces empezaron a dar vueltas alrededor de la nave: estaba bien claro que los tres querían tragársela. Entonces se levantó un viento muy fuerte, que empujó el barco hacia arriba y luego lo dejó caer en una profunda sima. La nave se rompió, sus maderas se disgregaron, y todos los bultos, comerciantes y pasajeros, fueron a parar al agua. Me quité todas las prendas que llevaba puestas y me quedé con una sola; después nadé un poco, me agarré a una de las tablas de la nave y me puse a horcajadas sobre ella. Las olas y el viento me zarandeaban, y yo me aferraba al tablón; las olas me levantaban y me dejaban caer. Estaba desconsolado, lleno de miedo, hambriento y sediento. Empecé a censurarme por lo que había hecho y por haberme expuesto de nuevo a aquello después de haber vivido tranquilo. Me dije: "¡Ah, Sindbad el marino! Tú no escarmientas, y cada vez sufres desgracias y fatigas, pero no te sirven de lección para que dejes de viajar por mar. Si te arrepintieses te mentirías a ti mismo. Aguanta todo lo que te ocurre, pues bien te lo mereces".»

Sahrazad se dio cuenta de que amanecía e interrumpió el relato para el cual le habían dado permiso.

Cuando llegó la noche *quinientas sesenta y cuatro,* refirió:

—Me he enterado, ¡oh rey feliz!, de que [Sindbad prosiguió: «Yo me decía:] "Todo lo ha dispuesto Dios (¡ensalzado sea!) para que dejes de tener tanta codicia. Todo lo que estoy sufriendo es consecuencia de mi avidez, pues ya tengo enormes riquezas". Al recobrar la razón, me dije: "Ahora me arrepiento ante Dios (¡ensalzado sea!), sinceramente, de mi pasión por los viajes. Mientras viva, no volveré a pronunciar la palabra 'viaje' ni a pensar en ella". Continué humillándome ante Dios (¡ensalzado sea!) y llorando. Me acordé de la tranquilidad, alegría, satisfacción y regocijo en que había vivido. Así estuve dos días, y entonces llegué a una gran isla con multitud de árboles y ríos. Comí los frutos de sus árboles y bebí el agua de sus ríos, hasta quedar satisfecho y recuperar el aliento y el valor.

»Recorrí la isla y vi en la otra orilla un gran río de impetuosa corriente. Me acordé de la balsa que había construido en el otro viaje y me dije: "Tengo que hacer otra igual. Tal vez me salve de esta situación. Si escapo con bien, me arrepentiré ante Dios (¡ensalzado sea!) de mi pasión por los viajes; y si muero, mi corazón quedará libre de fatigas y penas". Me puse a trabajar para obtener la madera de aquellos árboles: sándalo de inmejorable calidad, como nunca he visto otro igual. Pero entonces no sabía de qué se trataba. Una vez tuve la suficiente madera, se me ocurrió recoger lianas y plantas y trenzarlas a modo de cuerda, con la que até la balsa. Me dije: "Si me salvo, habrá sido por la gracia de Dios". Embarqué en ella y avancé por el río hasta alejarme de allí. Estuve avanzando tres días, y durante este tiempo pude dormir algo, aunque no probé bocado. Cuando estaba sediento, bebía de la corriente. La fatiga, el hambre y el miedo me habían convertido en una especie de polluelo mareado.

»La balsa me transportó hasta el pie de un elevado

monte, atravesado por el río. Al darme cuenta de ello, temí que me ocurriese como en el viaje anterior. Traté de detener la balsa y desembarcar en la falda del monte, pero el agua la arrastró por el subsuelo. Entonces me convencí de que iba a perecer, y dije: "¡No hay fuerza ni poder sino en Dios, el Altísimo, el Grande!" La balsa recorrió una pequeña distancia y fue a salir a un amplio valle, en el cual el agua hacía un ruido semejante al del trueno y su corriente parecía la del viento. Me aferré a la balsa, temeroso de caerme de ella. Los remolinos me empujaban a derecha e izquierda, pero la balsa no cesaba de seguir el curso del río, sin que yo pudiera detenerla ni lograra dirigirla hacia la orilla. Al fin fue a parar junto a una hermosa ciudad, con buenos edificios y poblada por muchísima gente. Sus habitantes, cuando me vieron sobre la balsa y que ésta iba arrastrada por la corriente del centro del río, echaron sus redes y la sacaron hasta dejarla en tierra firme. A causa del hambre, el insomnio y el miedo, caí desmayado.

»Uno de los reunidos, hombre de edad avanzada, un viejo respetable, me dio la bienvenida y me regaló numerosos vestidos, con los que cubrí mis vergüenzas. Me llevó con él, me hizo entrar en el baño y me dieron bebidas que podían resucitar a un muerto, y perfumes muy intensos. Cuando salimos del baño me llevó a su casa y entré con él. Sus familiares se alegraron de mi llegada. Me hizo sentar en un lugar agradable y me preparó un guiso exquisito. Comí hasta quedar harto, y alabé a Dios (¡ensalzado sea!), que me había salvado. Sus pajes me acercaron agua caliente y me lavé las manos. Después se aproximaron las esclavas con toallas de seda. Me sequé las manos y me limpié la boca. Hecho esto, el viejo se puso en pie en seguida y me asignó una habitación aislada en un extremo de la casa. Sus pajes y esclavas me servían, atendían todas mis necesidades e intereses, y se preocupaban de mí.

»Permanecí en aquella casa tres días como huésped. Con tan buena comida, excelente bebida y magníficos perfumes, recuperé el ánimo, se calmó mi terror, mi corazón se tranquilizó y descansé. El cuarto día, el jeque se acercó a mí y me dijo: "¡Nos haces felices, hijo mío! ¡Loado sea Dios que te ha salvado! ¿Quieres venir conmigo a orillas del mar? Irás al mercado, venderás tus mercancías y cobrarás su precio. Quizá puedas comprar con su importe algo con qué comerciar". Permanecí callado un momento y me dije: "¿Dónde están esas mercancías? ¿Cuál es la causa de estas palabras?" El anciano añadió: "¡Hijo mío! No te preocupes ni pienses. Ven conmigo al mercado. Si vemos a alguien que dé por tus mercancías un precio que te satisfaga, yo lo cobraré por ti; pero si nadie hace una oferta conforme, yo te las guardaré en mis almacenes hasta que llegue el día de la venta y de la compra". Medité en lo que me ocurría, y me dije: "Obedécele, y así verás qué clase de mercancías son ésas". Le contesté: "Acepto, anciano tío. Lo que tú hagas, bien hecho estará. No puedo contrariarte en nada". Me dirigí con él al zoco y vi que había desatado la balsa en que llegué, pues era de madera de sándalo. El pregonero empezó...»

Sahrazad se dio cuenta de que amanecía e interrumpió el relato para el cual le habían dado permiso.

Cuando llegó la noche *quinientas sesenta y cinco,* refirió:

—Me he enterado, ¡oh rey feliz!, de que [Sindbad prosiguió: «El pregonero empezó] a vocear. Acudieron los mercaderes y abrieron la subasta; pujaron hasta llegar a los mil dinares. Ésta fue la mayor oferta. El anciano se volvió hacia mí y me dijo: "¡Escucha, hijo mío! Éste es el precio actual de tu mercancía. Puedes venderla o esperar. En este último caso, yo te la guardaré en mis depósitos hasta que aumente el precio, y entonces la venderemos en tu nombre". "¡Señor mío! Este asunto te incumbe a ti. Haz lo que quieras." "Hijo mío, ¿me vendes a mí la mercancía si pujo cien dinares de oro más?" "Sí; te la vendo y acepto el precio." Ordenó a los criados que llevasen la madera a sus almacenes, y yo regresé con él a su casa, en donde nos sentamos. Contó el importe de la madera, me ofreció unas bolsas y colocó en ellas el dinero. Las cerró con un candado de hierro y me entregó la llave.

»Al cabo de algunos días con sus noches, el jeque me dijo: "¡Hijo mío! Quiero proponerte algo que me gustaría que aceptases". Le pregunté: "¿De qué se trata?" "Sabe que ya soy un hombre anciano y que no tengo ningún hijo; sólo tengo una hija muy joven, bien formada, hermosa y con mucho dinero. Me gustaría casarla contigo y que te quedases con ella en nuestro país. Yo te daría todo lo que poseo, pues ya soy un anciano, y ocuparías mi lugar." Yo no dije ni una palabra. Él continuó: "Hazme caso en lo que te digo, hijo mío. Sólo busco tu bien. Si me escuchas, te casaré con mi hija y serás, de hecho, mi hijo. Todo lo que poseo será para ti. Si quieres comerciar y volver a tu país, nadie te lo impedirá, pues es de tu incumbencia. Haz lo que quieras". Le contesté: "¡Por Dios, anciano tío! Tú eres para mí como un padre. He sufrido tantos terrores, que ya no tengo opinión ni experiencia. Haz lo que quieras".

»El anciano mandó a sus pajes que fuesen a buscar al cadí y a los testigos. Acudieron y me casaron con su hija. Dio un gran convite, y la fiesta resultó muy alegre. Después me llevó a su lado y vi que era muy hermosa, bella y bien proporcionada. Vestía toda suerte de lujosos vestidos, bordados, gemas, objetos de orfebrería, collares y aljófares que valían miles de monedas de oro; nadie hubiera podido calcularlo. Cuando estuve con ella, me gustó y nos amamos. Permanecí a su lado durante algún tiempo, a plena satisfacción, hasta que su padre fue llamado por Dios (¡ensalzado sea!). Lo preparamos, lo enterramos, y yo quedé en propiedad de todo lo que poseía: heredé todos sus pajes, y éstos quedaron a mi disposición y a mi servicio. Los comerciantes me nombraron para ocupar el cargo de decano que dejaba vacante mi suegro. Nunca habían hecho nada sin consultar con él, pues era el más anciano. Yo ocupé el mismo cargo, y una vez hube tratado a los habitantes de aquella ciudad, me di cuenta de que cada mes sufrían una metamorfosis, pues les salían alas, con las cuales se remontaban hasta las nubes. Únicamente los niños y mujeres quedaban en la ciudad. Me dije: "A principios del próximo mes preguntaré a uno de ellos. Tal vez me lleven consigo al sitio adonde se dirigen".

»En efecto, a primeros de mes cambiaron de color y se metamorfosearon. Entré en casa de uno de ellos y le dije: "¡Te conjuro, por Dios, a que me lleves contigo para que yo pueda curiosear y regresar con vosotros!" "No puede ser", me replicó. Pero yo continué insistiendo hasta que lo convencí. Me colgué de él y levantó el vuelo conmigo, sin que hubiese advertido a ninguno de mis familiares, ni a mis pajes, ni a mis amigos. Aquel hombre voló tan alto, que oí cómo los ángeles en lo alto de las esferas loaban a Dios. Me admiré de ello, y exclamé: "¡Gloria a Dios! ¡Loado sea Dios!" Apenas había terminado de pronunciar estas palabras cuando salió fuego del cielo y por poco nos abrasa a todos. Descendieron y me arrojaron encima de un monte elevado, pues estaban muy enfadados conmigo. Se marcharon y me abandonaron. Me quedé solo en el monte, censurándome por lo que había hecho. "¡No hay fuerza ni poder sino en Dios, el Altísimo, el Grande! ¡Siempre que escapo de una desgracia, caigo en otra mayor!"

»No supe qué hacer ni dónde ir. De pronto aparecieron dos pajes que parecían lunas. Cada uno llevaba una vara de oro, en la que se apoyaba. Me acerqué a ellos y los saludé. Me devolvieron el saludo, y les pregunté: "¡Por Dios! ¿Quiénes sois y qué hacéis?" "Somos siervos de Dios (¡ensalzado sea!)." Uno de ellos me entregó una de las varas de oro rojo que llevaba, y se marcharon dejándome solo. Empecé a recorrer la cresta del monte apoyándome en ella y meditando en lo que podían significar aquellos jóvenes. Entonces salió de debajo de tierra una serpiente: llevaba en la boca a un hombre que se había tragado hasta el ombligo. Gritaba y decía: "¡Dios salvará de toda desgracia a aquel que me salve!" Me acerqué a la serpiente, la golpeé la cabeza con la vara de oro y vomitó al hombre...»

Sahrazad se dio cuenta de que amanecía e interrumpió el relato para el cual le habían dado permiso.

Cuando llegó la noche *quinientas sesenta y seis,* refirió:

—Me he enterado, ¡oh rey feliz!, de que [Sindbad prosiguió: «La serpiente vomitó al hombre,] el cual me dijo: "Ya que me he salvado de la serpiente gracias a tu intervención, no te abandonaré, pues te has convertido en mi compañero en este monte". Le di la bienvenida y empezamos a andar. Una gran multitud se acercó a nosotros. Al fijarme, vi entre ellos al hombre que me había cargado sobre sus espaldas y emprendido el vuelo conmigo. Me acerqué a él, le pedí que me disculpara, lo traté cortésmente y le dije: "¡Amigo mío! ¿Es así como se comportan unos amigos con otros?" "Tú eres el causante de nuestra ruina, al alabar a Dios cuando te llevaba sobre mis espaldas." "¡No me reprendas! No sabía nada de eso. Ya no diré nada más." Aceptó llevarme consigo siempre que no me acordara de Dios ni lo alabara mientras me llevase sobre sus espaldas. Me colocó encima, emprendió el vuelo conmigo como la primera vez y me dejó en mi casa.

»Mi mujer salió a mi encuentro, me saludó y me felicitó por haberme salvado. Me dijo: "Después de esta escapada no salgas más con esa gente ni trates con ella, pues son hermanos de los demonios y no pueden pronunciar el nombre de Dios (¡ensalzado sea!)". "¿Y cómo se entendía tu padre con ellos?" "Mi padre no era de su especie ni obraba como ellos. Y ya que ha muerto, creo que lo mejor que puedes hacer es vender cuanto poseemos y comprar mercancías. Luego nos podemos marchar a tu país, junto a tu familia. No hay razón alguna para que permanezca aquí después de haber muerto mis padres."

»Yo lo hice así. Vendí todo, y esperé que alguien se marchase para partir con él. Poco después se dispuso a marchar un grupo de habitantes; pero al no encontrar naves, compraron madera y se construyeron un gran barco. Me puse de acuerdo con ellos y les pagué los pasajes al contado. Embarcamos mi mujer y yo con todo lo que teníamos, abandonando únicamente las casas y las fincas. Navegamos de isla en isla y de mar en mar. El viento nos fue favorable, y pudimos llegar felizmente a Basora. Pero no nos detuvimos aquí, sino que alquilamos otra nave, a la que trasladamos todo, y nos dirigimos a Bagdad. Entré en mi barrio, me dirigí a mi casa y vi a mis familiares, compañeros y amigos. Almacené en mis depósitos todas las mercancías. Mis familiares hicieron el cálculo del tiempo que había estado ausente durante el séptimo viaje, y vieron que era de veintisiete años, hasta el punto de que habían perdido la esperanza de verme.

Los informé de todo lo que me había ocurrido. Se admiraron muchísimo y me felicitaron por haberme salvado. Yo me arrepentí ante Dios (¡ensalzado sea!) de mi manía viajera, y con ello puse fin a mi serie de viajes. Di gracias a Dios (¡ensalzado sea!) por haberme devuelto al lado de mi familia, a mi país y a mi patria.

»Y aquí tienes toda mi historia, Sindbad el faquín.» Éste dijo a su homónimo: «¡Por Dios! ¡No me reprendas por lo que dije de ti!»

Ambos vivieron familiarmente, apreciándose mutuamente, felices y contentos, hasta que llegó el destructor de las dulzuras, el separador de las multitudes, el aniquilador de los palacios y el constructor de las tumbas, o sea, el escanciador de la muerte. ¡Gloria a Dios, el Eterno, el que no muere!

HISTORIA DE LOS GENIOS Y DEMONIOS ENCERRADOS EN JARROS DESDE LOS TIEMPOS DE SALOMÓN (¡SOBRE ÉL SEA LA PAZ!)

Me he enterado también, de que en lo más antiguo del tiempo y en las épocas y períodos pasados vivió en la ciudad de Damasco, en Siria, un rey, Califa, llamado Abd al-Malik b. Marwán. Cierto día en que estaba sentado con los grandes de su reino, con los reyes y los sultanes, se empezó a hablar de las naciones del pasado, se citaron hechos de nuestro señor, Salomón, hijo de David (¡sobre ambos sea la paz!) y del señorío y poder que Dios (¡ensalzado sea!) le había dado sobre hombres, genios, pájaros, animales salvajes y otros seres. Dijeron: «Hemos oído decir a quienes nos precedieron, que Dios (¡gloriado y ensalzado sea!) jamás ha hecho a ningún ser favores semejantes a los que concedió a Salomón. Éste llegó a hacer cosas que nadie ha podido repetir; por ejemplo encerró a los genios, espíritus y demonios en jarros de bronce que tapó con plomo, en el que imprimió su sello».

Sahrazad se dio cuenta de que amanecía e interrumpió el relato para el cual le habían dado permiso.

Cuando llegó la noche *quinientas sesenta y siete,* refirió:

—Me he enterado, ¡oh rey feliz!, de que Talib refirió que un hombre había embarcado en un navío con un grupo de personas, dirigiéndose hacia la India. Navegaron sin cesar hasta que un viento tempestuoso los desvió hacia una de las tierras de Dios (¡ensalzado sea!). Esto ocurrió en medio de la negra noche. Cuando se hizo de día salieron de las cuevas que había en aquel lugar hombres de color negro, con el cuerpo desnudo: parecían salvajes y no comprendían las palabras de los viajeros. Uno de su misma raza era el rey, única persona que sabía el árabe. Al ver la nave y a los que en ella estaban, el reyezuelo, acompañado por unos cuantos de los suyos, se acercó, los saludó, los acogió bien y les preguntó qué religión tenían. Le explicaron quiénes eran. Les aseguró: «No os sucederá nada malo». Al insistir en cuál era su religión se dio cuenta de que cada uno de ellos pertenecía a distinta creencia. Les preguntó por el Islam y la misión de nuestro señor, Mahoma (¡Dios lo bendiga y lo salve!). Los navegantes le contestaron: «No sabemos qué es lo que dices ni tenemos noticia de tal religión». El rey les dijo: «Sois los primeros hijos de Adán que llegan hasta nosotros». Después los obsequió con carne de aves, de animales salvajes y de peces, ya que aquella gente no tenía otro tipo de comida. Los navegantes desembarcaron para visitar la ciudad y vieron que un pescador echaba la jábega en el mar para pescar. Al retirarla salió en su interior un vaso de bronce, cubierto de plomo, y precintado con el sello de Salomón b. David (¡sobre ambos sea la paz!). El pescador lo retiró, lo rompió y empezó a salir un humo azul que remontó hasta la cúspide del cielo.

«Entonces —refirió— oímos una voz terrible que decía: "¡Perdón! ¡Perdón, profeta de Dios!" El humo se transformó en una persona de aspecto espantoso, de talla muy elevada cuya cabeza alcanzaba al monte. Después lo perdieron de vista. Poco faltó para que los navegantes quedasen exánimes, mientras que los negros ni tan siquiera se preocuparon. El hombre en cuestión se dirigió al reyezuelo y le preguntó por lo ocurrido. Le contestó: "Ése es uno de los genios aprisionados por Salomón b. David. Cuando éste se enfadó con ellos los metió en estos jarros, los selló con plomo y los echó al mar. La mayor parte de las veces en que los pescadores arrojan la red sacan estos recipientes. Al romperlos escapan los genios, los cuales, creyendo que Salomón aún vive, se arrepienten y exclaman: '¡Perdón, profeta de Dios!'"»

El Emir de los creyentes, Abd al-Malik b. Marwán, se admiró de estas palabras y exclamó: «¡Gloriado sea Dios!

¡Qué gran poder tenía Salomón!» Al-Nabiga Dubyaní estaba entre los asistentes a la reunión y dijo: «Talib dice verdad en lo que cuenta, y la prueba está en las palabras del primer sabio:

> Y acerca de Salomón cuando Dios le dijo:
> "Ocupa el poder y gobierna rectamente.
> Honra, a quien te obedezca, por su sumisión; a aquel que te desobedezca, enciérralo a perpetuidad".

»Por eso los encerró en jarras de bronce y los arrojó al mar.» Estas palabras gustaron al Emir de los creyentes. Dijo: «¡Por Dios! ¡Me gustaría ver uno de esos vasos!» Talib b. Sahl le contestó: «¡Señor! Tú puedes conseguirlo sin moverte de tu país. Envía a tu hermano, Abd al-Aziz b. Marwán, para que te los traiga de los países de Occidente: haz que escriba a Musa b. Nusayr ordenándole montar a caballo y recorrer el Occidente hasta llegar a ese monte del que hemos hablado. Te traerá todos los jarros que le pidas, ya que la tierra en la que termina su provincia se une a ese monte». El Emir de los creyentes encontró aceptable la idea y dijo: «Talib: has dicho verdad. Quiero que tú seas el mensajero que vaya a llevar la orden a Musa b. Nusayr. Tendrás bandera blanca y podrás coger todo el dinero, honores o cualquier otra cosa que desees. Yo me cuidaré de tu familia». Respondió: «¡De buen grado, Emir de los creyentes!» «¡Ve rápido con la bendición y el auxilio de Dios (¡ensalzado sea!)!»

El Califa mandó que le entregasen una carta para su hermano Abd al-Aziz, gobernador de Egipto, y otra para Musa, su representante en Occidente, en la que ordenaba a éste que se encargase personalmente de la búsqueda de las jarras salomónicas, dejando interinamente a su hijo como gobernador del país; que tomase guías, que gastase cuanto dinero fuera preciso; que llevase todos los hombres que quisiese y que lo hiciese todo sin entretenerse ni buscar excusas. Después selló las dos cartas, se las entregó a Talib b. Sahl, le mandó que fuese diligente y que desplegase las banderas por encima de su cabeza. El

Califa le dio riquezas, caballeros y peones para que le sirviesen de ayuda en el camino y mandó que todos los gastos de su casa corriesen a su cargo.

Sahrazad se dio cuenta de que amanecía e interrumpió el relato para el cual le habían dado permiso.

Cuando llegó la noche *quinientas sesenta y ocho*, refirió:

—Me he enterado, ¡oh rey feliz!, de que Talib b. Sahl y sus compañeros salieron de Siria, cruzaron las comarcas y llegaron a Egipto, en donde los recibió el gobernador de este país. Lo hospedó con él y lo trató con los máximos honores todo el tiempo que permaneció a su lado. Después le dio un guía que lo condujo hacia el Alto Egipto y hasta alcanzar al emir Musa b. Nusayr.

Cuando éste se enteró de su llegada salió a recibirle y se alegró mucho. Talib le entregó la carta; aquél la cogió, la leyó, comprendió lo que quería decir y colocándola encima de la cabeza dijo: «Oír es obedecer al Emir de los creyentes». Le pareció oportuno llamar a los más altos funcionarios. Cuando estuvieron reunidos expuso lo que le parecía la carta. Le contestaron: «¡Emir! Si buscas alguien que te indique el camino de ese sitio puedes llevar al jeque Abd al-Samad b. Abd al-Qaddus al-Samudí; es un hombre experto, que ha viajado mucho, en el desierto y en el mar; que conoce las personas, los prodigios de cada lugar, las tierras y las comarcas. Llévalo, pues te conducirá adonde quieras ir». Mandó que lo llamasen y cuando lo tuvo delante vio que era un hombre muy anciano en el que habían hecho mella los años y el transcurso del tiempo.

El emir Musa lo saludó y le dijo: «¡Jeque Abd al-Samad! Nuestro señor, el Emir de los creyentes Abd al-Malik b. Marwán nos ha mandado esto y esto. Yo conozco poco esos países y esas pistas; ¿quieres intervenir en el cumplimiento de la voluntad del Califa?» El jeque contestó: «Sabe, Emir, que esa ruta es abrupta, muy escabrosa y tiene pocos caminos». «¿Qué distancia hay?» «Dos años y algunos meses, de ida, y otro tanto de vuelta. En el camino hay toda clase de dificultades, terrores, prodigios y maravillas. Pero tú eres un hombre dedicado a hacer la guerra santa, nuestro país está cerca del enemigo y tal vez los cristianos se aprovechen de tu ausencia. Es preciso que nombres lugarteniente a alguien que se ocupe de las cosas del reino.» «Tienes razón.» El Emir nombró lugarteniente a su hijo Harún, estableció con él un pacto y ordenó a los soldados que no le desobedeciesen, que hiciesen todo lo que les mandara. Escucharon sus palabras y le obedecieron, puesto que Harún era muy valiente, buen caballero y héroe perfecto.

El jeque Abd al-Samad le indicó que el lugar en que se encontraba lo que el Emir de los creyentes quería, distaba cuatro meses de camino; estaba situado a las orillas del mar y era formado por casas pegadas las unas a las otras, tenía yerbas y fuentes. Añadió: «¡Representante del Emir de los creyentes! Dios nos hará fácil el camino gracias a tu bendición». El Emir Musa le preguntó: «¿Crees que algún rey ha pisado esa tierra antes que nosotros?» «Sí, Emir de los creyentes: esta tierra pertenece a Darán, el griego, rey de Alejandría.» Viajaron sin cesar hasta que llegaron a un castillo. Dijo: «Adelántate conmigo hasta este castillo que constituye un ejemplo para el que se instruye». El emir Musa se acercó al castillo, acompañado por el jeque Abd al-Samad y sus principales compañeros. Llegaron a la puerta: estaba formada por largas columnatas y escaleras. Dos de éstas eran de mármol policromado sin igual; el techo y las paredes estaban hechos de oro, plata y pedrería; encima de la puerta había una lápida en la que había una inscripción griega. El jeque Abd al-Samad preguntó: «¿He de leerla, Emir de los creyentes?» (sic.) «Adelántate y léela con la bendición de Dios. En este viaje hemos tenido tu *baraka*.» La leyó. Se trataba de los siguientes versos:

> Después de lo que hicieron, ves que las gentes lloran por la pérdida del imperio.
> Este palacio constituye el fin de la historia de unos señores que se han reunido en el polvo.
> La muerte los destruyó y los dispersó: la tierra se ha hecho cargo de todo lo que atesoraron.
> Parece que hubiesen dejado sus monturas para descansar un instante y volver.

El emir Musa lloró hasta caer desvanecido. Exclamó: «¡No hay dios sino el Dios, el Viviente, el Eterno, el que nunca deja de ser!» Entró en el alcázar y contempló las estatuas y los frescos que contenía. Encima de la segunda puerta vio escritos unos versos. Dijo: «¡Acércate, jeque, y lee!» Se aproximó y leyó:

En lo más antiguo del tiempo, ¡cuántas gentes vivieron y pasearon por sus habitaciones!
Pero fíjate en lo que ha hecho el transcurso del tiempo:
Todos repartieron los bienes que habían reunido, legaron la suerte a ése y se marcharon.
¡Cuántos gozaron aquí sus bienes! ¡Cuántos comieron! Pero el polvo se los ha comido a todos.

El emir Musa lloró abundantemente y lo transitorio de esta vida le hizo palidecer. Exclamó: «¡Se nos ha creado para algo importante!» Recorrieron el palacio, que carecía de moradores, en donde no se veían ni huellas de vida: patios y habitaciones estaban vacíos. En el centro había una cúpula muy alta, que se encaramaba por los aires. A su alrededor había cuatrocientas tumbas. El emir Musa se acercó a éstas. Una de ellas, construida en mármol, tenía labrados estos versos:

¡Cuántas veces he luchado! ¡Cuántas veces he sido atrevido! ¡Cuántos seres he contemplado!
¡Cuánto he comido! ¡Cuánto he bebido! ¡A cuántas cantantes he escuchado!
¡Cuántas órdenes he dado! ¡Cuántas cosas he prohibido! ¡Cuántos castillos que eran inexpugnables, los he asediado, los he registrado y he sacado de ellos joyas para las bellas!
Pero en mi ignorancia transgredí los límites, procurando obtener una paz que ha sido caduca.
¡Muchacho! Haz bien tus cuentas antes de que tengas que apurar la copa de la muerte.
Dentro de poco arrojarán tierra encima de ti y te quedarás sin vida.

El emir Musa y quienes le acompañaban rompieron a llorar. Se aproximaron a una cúpula que tenía ocho puertas de madera de sándalo con clavos de oro; estaba cuajada de incrustaciones de plata que parecían astros y relucían en ella toda clase de aljófares. En la primera puerta se encontraban estos versos:

Lo que he dejado en herencia no lo he dejado por generosidad, sino a causa del destino y de un decreto que sigue su curso entre el género humano.
¡Cuánto tiempo viví feliz y contento, defendiendo mis bienes como el feroz león!
No tenía descanso; era tan avaro que ni aunque me echasen al fuego hubiese dado un grano de mostaza.
Pero el destino me tocó trayéndome el decreto de Dios, el Grande, el Creador:
Mi muerte fue repentina y a pesar de mi poder no puede detenerla;
ni los ejércitos que había reunido, ni el amigo ni el vecino me fueron de utilidad ni me sirvieron de auxilio.
Durante toda la vida me fatigué en un viaje, a veces fácil, a veces difícil, bajo la égida de la muerte.
Todas tus riquezas, antes del alba, pasarán a pertenecer a otro, mientras que a ti vendrán a buscarte el portador de las parihuelas y el sepulturero.
El día del juicio final te encontrarás solo ante Dios con una carga de pecados y faltas.
¡Procura que el mundo no te extravíe con sus falsas galas, y fíjate en lo que ocurre a tus familiares y vecinos!

Cuando el emir Musa oyó estas palabras rompió a llorar amargamente hasta caer desmayado. Al volver en sí entró en la cúpula y vio una tumba muy grande, de aspecto aterrador, encima de la cual había una lápida de hierro chino. El jeque Abd al-Samad se acercó y leyó: «En el nombre de Dios, Viviente y Eterno; en el nombre de Dios que ni engendra ni fue engendrado, que no tiene a nadie que sea su igual; en el nombre de Dios Todopoderoso y Fuerte; en nombre del Viviente, del que nunca muere».

Sahrazad se dio cuenta de que amanecía e interrumpió el relato para el cual le habían dado permiso.

Cuando llegó la noche *quinientas sesenta y nueve*, refirió:

—Me he enterado, ¡oh rey feliz!, de que [Abd al-Samad leyó:] «Tú, que llegas a este lugar, medita en lo que ves, en el transcurso del tiempo y en la marcha de los acontecimientos. No te dejes extraviar por las galas, las falsedades, las calumnias, el relumbrón y las vanidades de este mundo: todo ello fascina, engaña y traiciona; sus cosas son un préstamo que en cualquier momento puede quitar el prestamista al prestado; es como la pesadilla para el que duerme o como el sueño para el que sueña; son lo mismo que el espejismo en la estepa, que para el sediento parece agua: el demonio hace que el hombre crea que son bellas hasta el momento de la muerte. Tales son las cualidades del mundo: no confíes ni sientas inclinación por ellas, pues traicionan a quien las aprecia y les pide ayuda. No caigas en sus redes ni te dejes ligar a sus faldones. Yo poseí cuatro mil caballos alazanes en un solo establo, me casé con mil muchachas vírgenes, de senos turgentes, que parecían lunas y eran hijas de reyes; tuve mil hijos que parecían leones feroces, y viví mil años sin preocupaciones de ningún género. Reuní riquezas que eran imposibles de conseguir para los demás reyes, mientras creía que el bienestar iba a ser eterno, sin tener fin. Pero, sin que me diese cuenta, llegó el destructor de las dulzuras, el separador de los amigos, el que vacía las habitaciones y arruina las cosas florecientes haciendo morir a grandes y pequeños, a críos, muchachos y madres. En este castillo nos quedamos tranquilos hasta que descendió sobre nosotros el juicio del Señor de los mundos, Señor de los cielos y de la tierra. Entonces la voz de la verdad se hizo patente y nos cogió: cada día fueron muriendo dos de nosotros y así pereció una gran cantidad. Cuando vi que la muerte entraba en nuestra casa, que se aposentaba entre nosotros y que nos ahogábamos en el mar de la perdición, mandé llamar a un secretario y le ordené que escribiese estas poesías y estas reflexiones; dispuse que con ayuda del compás se grabasen en estas puertas, lápidas y tumbas. Yo tenía un ejército de mil veces mil caballeros armados con lanzas, cotas de malla, espadas afiladas y veloces caballos. Les mandé que vistiesen las largas cotas de malla, que ciñesen las cortantes espadas, que empuñasen las terribles lanzas y que montasen en los veloces caballos. Cuando el decreto del Señor de los mundos, del Señor de la tierra y de los cielos, descendió sobre nosotros les dije: "¡Soldados! ¡Militares! ¿Sois capaces de impedir que me suceda lo que me envía el Rey Todopoderoso?" Los soldados y los militares no pudieron hacerlo. Replicaron: "¿Cómo hemos de combatir a Aquel al que no puede ocultar ningún chambelán, a Aquel que tiene una puerta sin portero?" Les ordené: "¡Traedme mis riquezas!" Éstas consistían en mil pozos; en cada uno de éstos había mil quintales de oro rojo y toda clase de perlas y aljófares, plata blanca y tesoros que no podía poseer ningún otro rey de la tierra. Hicieron lo que les había mandado. Cuando hubieron dejado las riquezas ante mí les dije: "¿Podríais salvarme con todas estas riquezas? ¿Podrían comprarme un solo día de vida?" Como no pudieron hacerlo, se sometieron al Destino y a la Voluntad de Dios. Yo soporté con paciencia el Decreto y las aflicciones que Dios me mandaba hasta que cogió mi alma y me hizo habitar la tumba. ¿Preguntas cuál es mi nombre? Soy Kus b. Saddad b. Ad, el Grande.» En la lápida estaban escritos estos versos:

> Si me recordáis después de mi vida, después del transcurso de los días y de los acontecimientos, sabed que soy Ibn Saddad, aquel que fue rey de todo el género humano, de toda la tierra y de todo lugar.
>
> Todos los pueblos rebeldes de Egipto, de Siria y de Adnán se me sometieron.

Mi poder era tal que humillaba a sus reyes y todos los habitantes de la tierra me temían.
Tenía en mi mano tribus y ejércitos; las tierras y sus habitantes me temían.
Cuando montaba a caballo veía a mis tropas encima de sus corceles en número de miles de miles.
Poseí riquezas sin cuento y las guardé para hacer frente a las vicisitudes del tiempo.
Quise, en un momento, rescatar la vida con mis bienes.
Pero Dios rehusó apartarse de la ejecución de sus designios: aquí estoy solo, separado de mis hermanos.
Me llegó la muerte, aquella que separa a los hombres, y me transportó desde la gloria a la humillación.
He encontrado todo lo que con anterioridad hice: soy su rehén y soporto la culpa.
Cuida que tu alma esté en el buen camino y guárdate de la sucesión de los acontecimientos.

El emir Musa lloró hasta caer desmayado al ver la desgracia que había caído sobre esas gentes. Mientras recorrían los alrededores del castillo y contemplaban sus salones y lugares de recreo, encontraron una mesa con cuatro patas de mármol en la que estaba escrito: «en esta mesa comieron mil reyes tuertos y otros mil que tenían sanos los dos ojos. Todos han abandonado este mundo y residen en los sepulcros y en las tumbas». El emir Musa copió todo esto y no se llevó, al salir del castillo, más que la mesa.

Los soldados se pusieron en marcha y el jeque Abd al-Samad se colocó delante para mostrarles el camino. Así pasaron el primero, el segundo y el tercer día. Llegaron a una colina muy elevada y vieron en su cima a un jinete de bronce; en la punta de la lanza había una amplia lámina que brillaba tanto que casi deslumbraba la vista. En ella estaba escrito: «¡Oh tú que llegas a este lugar! Si no conoces el camino que conduce a la ciudad de bronce, frota la mano del jinete. Girará y después se parará. Sigue en la dirección que te indique y no temas ni te preocupes: te conducirá hasta la ciudad de bronce».

Sahrazad se dio cuenta de que amanecía e interrumpió el relato para el cual le habían dado permiso.

Cuando llegó la noche *quinientas setenta*, refirió:

—Me he enterado, ¡oh rey feliz!, de que el emir Musa frotó la mano del caballero y éste giró como si fuese un relámpago cegador, dirigiéndose en una dirección distinta de la que llevaban los viajeros. Éstos se dirigieron por el camino que señalaba: era el buen camino. Lo recorrieron sin parar durante días y noches y atravesaron lejanos países. Cierto día, mientras iban andando, encontraron una columna de piedra negra en la cual había una persona sumergida en el suelo hasta los sobacos. Tenía dos grandes alas y cuatro manos, dos de las cuales se parecían a las manos de los hombres y otras dos a las del león, pues tenían garras. El cabello de su cabeza se parecía a la cola de los caballos y sus ojos eran dos carbones encendidos; tenía un tercer ojo en la frente que parecía ser el de un leopardo, y de él se desprendían chispas de fuego; era negro y largo y gritaba: «¡Gloria al Señor! ¡Él me ha condenado a este suplicio atroz, a este tormento doloroso hasta el día del juicio!» Los viajeros, al verle, perdieron el juicio y quedaron estupefactos al ver su forma: volvieron la espalda y huyeron.

El emir Musa preguntó al jeque Abd al-Samad: «¿Quién es éste?» «No lo sé.» «Acércate a él y averigua de qué se trata. Tal vez él nos descubra su secreto y tú puedas informarnos.» El jeque replicó: «¡Que Dios proteja al Emir! Tengo miedo». «¡No temáis! Él se abstendrá de atacaros dada la situación en que se encuentra.» El jeque Abd al-Samad se acercó y le preguntó: «¡Oh tú! ¿Cómo te llamas? ¿Qué es lo que te sucede? ¿Qué es lo que haces en este lugar y con esta figura?» Le contestó: «Yo soy un *efrit* y me llamo Dahis b. al-Amas y estoy aquí, inmovilizado por el poder de Dios, secuestrado por la fuerza de Dios y castigado hasta que Dios (¡glorificado y ensalzado sea!) quiera». El emir Musa dijo: «¡Jeque Abd al-Samad! Pregúntale por qué se encuentra encadenado a esta columna». Se lo preguntó y el *efrit* contestó: «Mi historia es prodigiosa: algunos hijos de Iblis tenían un ídolo de cornalina roja y yo estaba encargado de él. Lo adoraba un excelso rey del mar, grande y poderoso, que guiaba un ejército de miles de miles de soldados que ante él luchaban con las espadas y acudían a su llamada en los momentos de peligro. Los genios que le obedecían estaban bajo mis órdenes y bajo mis deseos; obedecían todo lo que les mandaba con mis palabras y todos se habían sublevado contra Salomón, hijo de David (¡sobre ambos sea la paz!). Yo entraba en el interior del ídolo y les mandaba y les prohibía.

»La hija de aquel rey se prosternaba frecuentemente ante el ídolo y lo adoraba: era la mujer más hermosa y más bella de aquel tiempo: su beldad y su resplandor eran extraordinarios. Yo se la describí a Salomón (¡sobre él sea la paz!). Éste envió un mensajero a su padre diciéndole: "Cásame con tu hija, destruye el ídolo de cornalina y atestigua que no hay dios sino el Dios y que Salomón es el Profeta de Dios. Si lo haces tendrás lo que tengamos y te faltará lo que nos falte. Si no aceptas, iré a buscarte al frente de un ejército al cual no podrás resistir: prepara una contestación a mi pregunta y disponte a morir. Iré a por ti al frente de tal número de soldados que llenarán el espacio, y te dejaré como el ayer que ya ha transcurrido". Cuando llegó el mensajero de Salomón (¡sobre él sea la paz!) el rey se indignó, se hizo el orgulloso y se creció. Dijo a sus ministros: "¿Qué es lo que opináis de Salomón, hijo de David? Me ha enviado un mensajero para exigirme que le dé mi hija en matrimonio, que rompa mi ídolo de cornalina y que acepte su religión". Le replicaron: "¡Poderoso rey! ¿Es que Salomón puede obrar contigo así? Tú te encuentras en el centro de este mar inmenso. Si él viniese en tu busca no podría hacerte nada puesto que los genios rebeldes combatirían a tu lado y tú pedirías ayuda al ídolo que adoras y éste te prestaría su auxilio y su concurso. Lo justo es que consultes a tu señor (querían decir al ídolo de cornalina roja) y que escuches su respuesta. Si te dice que salgas a combatirlo, combátelo, y si no no lo hagas". El rey salió inmediatamente y se dirigió al ídolo. Hizo las ofrendas y los sacrificios y después, prosternándose ante él, empezó a llorar y recitó:

¡Señor mío! Yo conozco tu poder. Salomón quiere romperte.
¡Señor mío! Pido tu auxilio. Manda y obedeceré tu orden.»

El *efrit* encadenado a la columna siguió diciendo al jeque Abd al-Samad: «Yo, ignorante y tonto de mí, me metí, sin reflexionar en el poder de Salomón, en el interior del vientre y recité:

Yo no le temo, pues conozco todas las cosas. Si me declara la guerra, me pondré en marcha y le arrancaré el alma.

»Al oír mi respuesta el corazón del rey se tranquilizó y se decidió a hacer la guerra y a combatir a Salomón, al Profeta de Dios (¡sobre él sea la paz!). Cuando llegó el mensajero de Salomón le dio una paliza muy dolorosa y una contestación terrible, enviándole amenazas con el mismo mensajero. Le hizo decir: "Te nutres de falsas esperanzas y me amenazas con vanas palabras. O vienes tú a mi encuentro o salgo yo al tuyo". Al estar de nuevo el mensajero ante Salomón, contó a éste todo lo que le había ocurrido y sucedido. Al oírlo Salomón, el Profeta de Dios, se resolvió a marchar y su resolución fue firme: preparó sus ejércitos de genios, hombres, fieras, pájaros e insectos y dio orden a su visir Dimiryat, rey de los genios, de que reuniese a los *efrits* de todas las regiones: así reunió seiscientos millones de diablos. Mandó a Asaf b. Barajiya que movilizase sus ejércitos de hombres: el número ascendió a más de un millón. Preparó las armas y las municiones. Salomón y su ejército de genios y hombres montaron en la alfombra mágica: los pájaros volaron por encima de sus cabezas y los animales marcharon por el suelo. Descendió en el campamento del rey, rodeó la isla y llenó la tierra con sus ejércitos.»

Sahrazad se dio cuenta de que amanecía e interrumpió el relato para el cual le habían dado permiso.

Cuando llegó la noche *quinientas setenta y una*, refirió:

—Me he enterado, ¡oh rey feliz!, de que [el *efrit* prosiguió:] «Después mandó decir a nuestro rey: "Yo ya he venido: rechaza por la fuerza lo que ha llegado o sométete, reconoce mi misión, rompe tu ídolo, adora al Único, al Venerado, cásame con tu hija y tú y quienes te rodean pronunciad: 'Doy testimonio de que no hay más Dios sino el Dios' y 'Doy testimonio de que Salomón es el Profeta de Dios'. Si dices esto tendrás la paz y la tranquilidad. Si no lo dices no encontrarás, en toda la isla, una fortaleza que te salve de mí. Dios (¡bendito y ensalzado sea!) ha puesto los vientos a mis órdenes. Yo les he mandado que me transporten hasta aquí en la alfombra mágica y voy a hacer contigo un escarmiento y un castigo ejemplares". El mensajero se presentó ante el rey y le entregó el mensaje del Profeta de Dios, Salomón (¡sobre él sea la paz!). El rey replicó: "Lo que me pide no entra en mis cálculos. Dile que saldré a hacerle frente". El mensajero volvió junto a Salomón y le entregó la respuesta.

»A continuación el rey mandó llamar a los habitantes de sus tierras, reunió un millón de genios que le obedecían y aun los reforzó con *marids* y demonios que habitaban las islas del mar y las cimas de los montes. A continuación preparó a sus tropas, abrió los depósitos de armas y las distribuyó entre sus soldados. Por su parte, el Profeta de Dios, Salomón (¡sobre él sea la paz!), puso en línea de combate a sus soldados y mandó a las fieras que se dividiesen en dos filas, una a la derecha y otra a la izquierda de sus tropas. Mandó a los pájaros que se colocasen sobre las islas y que, en el momento del ataque, arrancasen con sus picos los ojos de los combatientes, abofeteándoles al mismo tiempo con sus alas; dispuso que las fieras desgarrasen sus corceles, y aquéllas le contestaron: "Oír es obedecer a Dios y a ti, Profeta de Dios". Salomón, el Profeta de Dios, se instaló en un trono de mármol que tenía incrustaciones de oro y estaba chapeado con láminas del mismo metal. Colocó a su derecha al visir Asaf b. Barajiya y a su izquierda al visir Dimiryat; los reyes de los hombres estaban a su derecha y los reyes de los genios a su izquierda; las fieras, las víboras y las serpientes estaban delante. A continuación cargaron contra nosotros todos a la vez y nos combatieron con ardor durante dos días en un amplio campo de batalla.

»Al tercer día cayó sobre nosotros la desgracia y se cumplió en nosotros el decreto de Dios (¡ensalzado sea!). Yo, con mis ejércitos, fui el primero en cargar contra Salomón. Exhorté a mis soldados: "¡Permaneced firmes en vuestros puestos hasta que yo me haya adelantado y desafiado a Dimiryat!" Éste avanzó como si fuese una ingente montaña: echaba llamas de fuego y el humo remontaba por el aire. Se acercó y me fulminó con un rayo de fuego; su flecha pudo más que mi fuego. Me dio un alarido terrible y yo imaginé que el cielo se caía; las mismas montañas temblaron al oír su voz. Luego dio órdenes a sus soldados y éstos cargaron contra nosotros todos a la vez; nosotros les salimos al encuentro chillando los unos a los otros. El fuego creció y el humo remontó por los aires; los corazones estaban a punto de despedazarse.

»La guerra adquirió toda su dureza mientras los pájaros combatían en el aire y las fieras chocaban en la tierra. Yo luchaba con Dimiryat hasta que los dos quedamos agotados, pero yo me debilité más rápidamente y mis amigos y mis soldados flaquearon; mis filas fueron deshechas. El Profeta de Dios, Salomón, gritó: "¡Coged ese enorme, nefasto y vituperable gigante!" Los hombres cargaron contra los hombres, los genios contra los genios, nuestro rey fue vencido y nosotros caímos prisioneros de Salomón. Las tropas de éste cargaron sobre nuestras fuerzas avanzando con los flancos protegidos por las fieras, mientras que los pájaros que sobrevolaban nuestras cabezas arrancaban los ojos a nuestros combatientes, unas veces con las garras y otras con el pico; de vez en cuando los abofeteaban con sus alas mientras que las fieras mordían a los caballos y despedazaban a los hombres. La mayoría de éstos quedó muerta de bruces como si fuesen troncos de palmera.

»Yo escapé de las manos de Dimiryat, pero éste me persiguió durante tres meses hasta darme alcance. Así caí en la situación en que me encuentro.»

HISTORIA DE LA CIUDAD DE BRONCE

Sahrazad se dio cuenta de que amanecía e interrumpió el relato para el cual le habían dado permiso.

Cuando llegó la noche *quinientas setenta y dos,* refirió:

—Me he enterado, ¡oh rey feliz!, de que después de que el genio encadenado en la columna les hubo contado su historia desde el principio, le preguntaron: «¿Cuál es el camino que conduce a la Ciudad de Bronce?» Llegamos ante la ciudad: nos separaban de ella veinticinco puertas, pero ni una sola era visible ni se podía distinguir su emplazamiento en las murallas: parecía como si todo fuese un pedazo de monte o un hierro fundido en un único molde. Los viajeros, el emir Musa y el jeque Abd al-Samad se apearon y se afanaron en encontrar una puerta o un camino que condujese al interior. No lo consiguieron. El emir Musa dijo: «¡Talib! ¿Qué medio tenemos para entrar en esta ciudad? Hemos de encontrar una puerta por la que podamos pasar». Le contestó: «¡Que Dios proteja al Emir! Descansemos dos o tres días y buscaremos un medio (si Dios lo quiere) para llegar hasta la ciudad y entrar». Entonces el emir Musa mandó a uno de sus pajes: «Monta en un camello y da la vuelta a la ciudad. Tal vez encuentres el indicio de una puerta o una hendidura en el lugar en que se encuentre».

El paje dio la vuelta alrededor en dos días con sus noches, a pesar de llevar un buen paso y de no haberse detenido a descansar. Al tercer día se reunió con sus compañeros: estaba maravillado de lo largo y alto de la ciudad. Dijo: «¡Emir! El lugar mejor para entrar en la ciudad es éste en el que estáis acampados». El emir Musa tomó consigo a Talib b. Sahl y al jeque Abd al-Samad y juntos subieron a un monte que estaba enfrente de la ciudad y desde el cual se dominaba ésta. Una vez en la cima vieron una ciudad; jamás habían visto otra mayor ojos humanos: los palacios eran muy elevados, sus cúpulas relucientes; sus casas, hermosas, y los riachuelos corrían; sus árboles daban frutos, sus jardines eran perfumados: era una ciudad que tenía las puertas fortificadas, pero estaba vacía y abandonada, sin habitantes; el búho silbaba en sus barrios y los pájaros de presa volaban por sus plazas; los cuervos graznaban en sus manzanas y en sus calles llorando por aquellos que la habían habitado.

El emir Musa se detuvo lamentándose de que careciese de habitantes, de que estuviese arruinada y sin pobladores. Exclamó: «¡Gloria a Dios, al que no cambian ni las épocas ni los tiempos, Creador, con su poder, de las criaturas!» Mientras él alababa a Dios (¡gloriado y ensalzado sea!) se volvió hacia un lado y descubrió siete láminas de mármol blanco que brillaban a lo lejos. Se acercó a ellas. Había una inscripción grabada. Mandó que se leyese lo que estaba escrito. El jeque Abd al-Samad se adelantó, la contempló y leyó la exhortación, la amonestación y la advertencia que contenía para las personas dotadas de entendimiento. Sobre la primera lápida estaba escrito en lengua griega: «¡Hijo de Adán! No intentes distraerte de lo que tienes delante; ya te han distraído de ello tus años y tu edad. ¿Es que no sabes que la copa de la muerte se te está llenando y que pronto te la darán a beber? Obsérvate antes de bajar a la tumba. ¿Adónde han ido a parar los que dominaron los países, los que han poseído esclavos y han conducido ejércitos? ¡Por Dios! Cayó sobre ellos el destructor de las dulzuras, el separador de los amigos, el que arruina las casas más florecientes, quien los trasladó desde los amplios alcázares a las estrechas tumbas». Debajo de la lápida estaban escritos estos versos:

¿Adónde han ido a parar los reyes constructores de la tierra? Se separaron de lo que habían construido y edificado.

Han pasado a ser, con sus mismas construcciones, rehenes de las tumbas; han pasado a ser huesos carcomidos.

¿Adónde han ido a parar sus ejércitos que no sirvieron de protección ni fueron útiles? ¿Adón-

de ha ido a parar lo que reunieron en la tierra, lo que atesoraron?
Les llegó, repentinamente, una orden del Señor del Trono, de la cual no les salvaron ni riquezas ni fortalezas.

El emir Musa sollozó y dejó resbalar las lágrimas sobre sus mejillas exclamando: «¡Por Dios! El ascetismo en este mundo constituye el mejor viático y la mejor conducta». Mandó que le diesen tintero y papel y escribió el contenido de la primera lápida. Después se acercó a la segunda lápida. En ella estaba escrito: «¡Hijo de Adán! ¿Qué te ha hecho distraer de pensar en la eternidad, qué te ha hecho olvidar la llegada de la muerte? ¿Es que no sabes que el mundo es morada de perdición en la que nadie queda eternamente? Mientras tú lo contemplas, te pierdes. ¿Dónde están los reyes que habitaban en Iraq y poseyeron todas las regiones? ¿Dónde están los que habitaron Isbahán y el país del Jurasán? Los llamó la muerte y le contestaron, el pregonero de la destrucción los invitó y ellos aceptaron. De nada les sirvió lo que construyeron y lo que edificaron; lo que atesoraron e inventariaron no les fue útil». Al pie de la lápida estaban escritos estos versos:

¿Dónde están aquellos que construyeron y edificaron palacios cual no existen otros?
Reunieron ejércitos y tropas temerosos de tenerse que inclinar ante el poder de Dios, y quedaron humillados.
¿Dónde están los sasánidas que poseían fuertes castillos? Abandonaron la tierra y es como si nunca hubiesen existido.

El emir Musa lloró y exclamó: «¡Por Dios! ¡Hemos sido creados para algo grande!» A continuación copió la inscripción. Se acercó a la tercera lápida...

Sahrazad se dio cuenta de que amanecía e interrumpió el relato para el cual le habían dado permiso.

Cuando llegó la noche *quinientas setenta y tres,* refirió:

—Me he enterado, ¡oh rey feliz!, de que [el emir

Musa se acercó a la tercera lápida] y vio que estaba escrito: «¡Hijo de Adán! Estás ofuscado por el amor al mundo y desobedeces la orden de tu Señor. Tú estás satisfecho y contento de cada día de tu vida que pasa, pero prepara el viático para el día del juicio y disponte a contestar a las preguntas delante del Señor de las criaturas». En la parte inferior de la lápida estaban escritos estos versos:

> ¿Dónde están los que han habitado todos los países, el Sind y la India, que pecaron y se enorgullecieron?
> Los negros y los abisinios se sometieron a su poder y lo mismo hicieron los nubios cuando se pusieron insolentes y se crecieron.
> No busques noticias en lo que hay en sus tumbas. ¡Ahí no encontrarás ningún indicio!
> Los acontecimientos más nefastos los alcanzaron, no los salvaron los palacios que construyeron.

El emir Musa rompió a llorar amargamente. Se acercó a la cuarta lápida y vio que estaba escrito: «¡Hijo de Adán! ¿Cuánto tiempo te concederá aún tu Señor mientras tú te encuentras inmerso en el mar de tus pasiones? ¿Es que te ha sido revelado que no vas a morir? ¡Que tus días, tus noches y tus horas alegres no te extravíen! ¡Date cuenta de que la muerte constituye tu fin y que se encaramará a tus espaldas! Tras el día que transcurre sigue la mañana y la noche. Está en guardia frente al ataque de la muerte y prepárate para él. Me parece que has perdido tu tiempo. Escucha mis palabras: Confía en el Señor de los señores, pues el mundo es inconstante: el mundo es como una tela de araña». Vio escritos debajo de la lápida estos versos:

> ¿Dónde está el hombre que ha construido estas torres, que encargó su edificación y las elevó?
> ¿Dónde está la gente de los castillos, los que los habitaron? Todos se han marchado de esas ciudadelas.
> Hoy son rehenes de sus tumbas, en espera de un

día en que todos los pensamientos serán visibles.
Únicamente Dios (¡ensalzado sea!) es inmutable.
Él ha sido siempre digno de los honores.

El emir Musa lloró y copió todo esto: bajó de lo alto del monte con una idea del mundo. Al reunirse con su ejército dedicaron todo el día a meditar en el modo de entrar en la ciudad. El emir Musa dijo a su visir Talib b. Sahl y a todo el séquito que tenía a su alrededor: «¿Qué medio hemos de emplear para conseguir entrar en la ciudad y ver sus maravillas? Tal vez encontremos lo que nos haga gratos ante el Emir de los creyentes». Talib b. Sahl dijo: «¡Que Dios conceda siempre sus bienes al Emir! Construiremos una escalera y subiremos por ella. Tal vez Dios permita que lleguemos a la puerta por el interior». «Esto es lo que se me había ocurrido —replicó Musa—; es una excelente idea.» Llamó a los carpinteros y herreros y les mandó que hiciesen madera y construyesen una escalera, chapeada con hierro. Así lo hicieron, la reforzaron y trabajaron en ella durante un mes entero. Los hombres se agruparon a su alrededor, la levantaron, la apoyaron en las murallas y quedó perfectamente ajustada como si hubiese sido hecha con anterioridad para tal fin. El emir Musa se admiró de ello y exclamó: «¡Que Dios os bendiga! La habéis hecho tan bien como si hubieseis tomado las medidas. ¡Vamos! ¿Quién de vosotros sube por esta escalera, trepa a lo alto de las murallas, las recorre e imagina el modo de bajar a la ciudad para ver lo que sucede y después nos informa de cómo se abren las puertas?» Uno de sus hombres dijo: «¡Emir! Yo subiré y bajaré a abrir». «¡Sube y que Dios te bendiga!»

Aquel hombre trepó por la escalera hasta llegar a lo alto. Después se puso de pie, miró a la ciudad, aplaudió con las manos y gritó desde lo alto: «¡Estupendo!», y se arrojó al interior: la carne se separó de sus huesos. El emir Musa exclamó: «Si esto lo hace una persona cuerda, ¿qué haría un loco? Si obramos de esta manera con todos nuestros compañeros no quedará ni uno y nos veremos imposibilitados de conseguir nuestro deseo y el del Emir de los creyentes. ¡Ensillad las monturas, que no tenemos por qué ver esta ciudad!» Uno de sus hombres le dijo: «Tal vez otro sea más firme que el anterior». Subieron un segundo, un tercero, un cuarto y un quinto, y no pararon de trepar hombres por la escalera, uno tras otro, hasta que hubieron subido doce: todos hacían lo mismo que había hecho el primero. El jeque Abd al-Samad dijo: «Eso sólo puedo hacerlo yo: el que ha probado hacer algo no es lo mismo que el que no lo ha probado». El emir Musa exclamó: «¡No lo hagas! No te dejaré que subas a esas murallas, ya que, si tú murieses, sería la causa de la muerte de todos nosotros: no quedaría ni uno solo con vida, ya que eres el guía de nuestra gente». El jeque replicó: «Tal vez yo lo consiga por la voluntad de Dios (¡ensalzado sea!)».

Todos los reunidos estuvieron conformes en que subiese. El jeque se separó, pronunció la fórmula «En el nombre de Dios, el Clemente, el Misericordioso», y a continuación empezó a trepar por la escalera pronunciando constantemente el nombre de Dios y leyendo los versículos salvadores, aplaudió y quedó con la vista fija. Todos le gritaron: «¡Jeque Abd al-Samad! ¡No lo hagas! ¡No te eches abajo!», y añadieron: «¡Nosotros somos de Dios y a Él volvemos! Si el jeque se echa abajo moriremos todos». Abd al-Samad rompió a reír a carcajada limpia, se sentó un largo rato durante el cual meditó en Dios y recitó las aleyas de la salvación. Después se puso de pie y exclamó con su voz fuerte: «¡Oh, Emir! ¡No os ocurrirá nada malo! Dios, todopoderoso y excelso, gracias a su *baraca,* ha disipado las tentaciones y las zancadillas de Satanás. ¡En el nombre de Dios, el Clemente, el Misericordioso!» El Emir le preguntó: «¿Qué has visto, jeque?» «Al llegar a lo alto de la muralla he contemplado diez muchachas, parecían lunas, que...»

Sahrazad se dio cuenta de que amanecía e interrumpió el relato para el cual le habían dado permiso.

Cuando llegó la noche *quinientas setenta y cuatro*, refirió:

—Me he enterado, ¡oh rey feliz!, de que [Abd al-Samad prosiguió: «He contemplado diez muchachas que] haciendo señas con las manos me decían: "¡Ven con nosotras!", al tiempo que me parecía que debajo se encontraba un mar de agua. Quise echarme de igual modo como habían hecho mis compañeros, pero al ver a éstos, muertos, me abstuve, recité una parte del libro de Dios (¡ensalzado sea!), y Éste alejó de mí sus tretas: la aparición se alejó, no me tiré abajo y Dios apartó sus añagazas y embrujos. No cabe duda de que esto es un ardid ideado por los habitantes de la ciudad para alejar de ella a quien desee contemplarla o apetezca entrar. Ahí están nuestros compañeros muertos en el suelo». Empezó a andar por las murallas hasta alcanzar las dos torres de bronce. Vio que guardaban dos puertas de oro sin cerradura ni señal alguna que hiciese sospechar que se podían abrir.

El jeque permaneció allí observando todo el tiempo que Dios quiso. En el centro de la puerta estaba dibujado un caballo de bronce que tenía una mano extendida como si indicase algo. Tenía una inscripción que el jeque leyó: «Aprieta el clavo que está en el ombligo del caballero por doce veces consecutivas: la puerta se abrirá». Se fijó en el caballero y vio que, en efecto, tenía un clavo fuerte y sólido en el vientre. Lo frotó doce veces y la puerta se abrió en el acto haciendo un ruido similar al del trueno. El jeque Abd al-Samad, que era un hombre virtuoso y entendido en multitud de lenguas y escrituras, cruzó la entrada y se encontró en un largo corredor. Bajó unas escaleras y se encontró en un lugar con hermosos estrados en los cuales se encontraban gentes muertas: encima de su cabeza había magníficos escudos, espadas afiladas, arcos tendidos y flechas preparadas. Detrás de la puerta había unas columnas de hierro, compartimientos de madera, buenas cerraduras y sólidos parapetos.

El jeque Abd al-Samad se dijo: «Tal vez las llaves las tengan estas personas». Los miró detenidamente y vio con sus propios ojos un jeque que parecía ser el que tenía más edad de todos los durmientes: se encontraba entre éstos, pero situado en un estrado. El jeque Abd al-Samad se dijo: «¿Cómo podría saber si las llaves de la ciudad las tiene este viejo? Tal vez sea el portero de la ciudad y todos esos sus ayudantes». Se le acercó, le levantó los vestidos y encontró las llaves colgadas de su cintura. Al verlas se puso muy contento y estuvo a punto de perder la razón por la gran alegría que experimentaba. Cogió las llaves, se acercó a las puertas, abrió las cerraduras, empujó las hojas, obstáculos y defensas: la puerta cedió con el estrépito de un trueno, de tan grande y fuerte como era.

El jeque y todos sus compañeros exclamaron: «¡Dios es el más grande!», quedando satisfechos. El emir Musa se puso muy contento al ver sano y salvo al jeque Abd al-Samad, que había abierto la puerta de la ciudad. Sus compañeros le dieron las gracias por lo que había hecho y los expedicionarios se apresuraron a entrar cruzando la puerta. El emir Musa les gritó: «¡Soldados! Si entramos todos y nos ocurre algo, nadie se salvará. Entraremos la mitad y la otra mitad nos aguardará». El emir Musa cruzó la puerta con la mitad de la tropa, que iba armada de pies a cabeza. Encontraron a los compañeros que habían muerto y los enterraron. Descubrieron porteros, criados, chambelanes y oficiales que dormían encima de lechos de seda: parecía como si estuviesen muertos. Entraron en el mercado de la ciudad: era grande y estaba encuadrado por soberbios edificios bien alineados. Las tiendas estaban abiertas, las balanzas colgadas, los bronces alineados y las tiendas repletas por toda clase de mercancías. Los comerciantes estaban muertos en sus propias tiendas: la piel se les había secado y los huesos estaban carcomidos: constituían una admonición para el que quisiese reflexionar.

Así encontraron cuatro distintos zocos cuyas tiendas estaban llenas de riquezas. Pasaron de largo y se dirigieron al mercado de los tejidos: estaba repleto de sedas, brocados y telas de todos los colores bordados en oro rojo y blanca plata; pero sus dueños estaban muertos y yacían tumbados en pedazos de cuero: parecía que estaban a punto de hablar. Los dejaron allí y se marcharon al zoco de los aljófares, perlas y jacintos. De aquí siguieron hacia la lonja y encontraron a todo el mundo muerto yaciendo encima de tejidos de seda: sus tiendas estaban repletas de oro y plata. Siguieron caminando hasta llegar al zoco de los perfumistas: sus tiendas estaban repletas de perfumes de todas clases, de vasijas de almizcle, ámbar, de madera de áloe, de ámbar gris, alcanfor y muchas otras cosas. Pero todos sus comerciantes estaban muertos, no tenían nada de comer.

Al salir del zoco de los perfumistas, encontraron cerca de él un palacio bien construido, sólido. Entraron y vieron las banderas desplegadas, las espadas desenvainadas, los arcos tendidos; los escudos sujetos con cadenas de oro y de plata, y los cascos dorados con oro rojo. En los vestíbulos de este palacio había bancos de marfil chapeado con oro brillante y cubiertos de seda. Estaban sentados unos hombres, cuya piel había quedado pegada a los huesos y de los que el ignorante hubiese creído que estaban dormidos, cuando en realidad habían muerto por falta de alimentos. El emir Musa se detuvo para glorificar y santificar a Dios (¡alabado sea!). Se fijaba en la hermosura del palacio, en lo bien hecho que estaba, en lo estupendo de su efecto y en la buena distribución de sus servicios. La mayor parte de su decoración era de lapislázuli verde y a su alrededor estaban escritos estos versos:

¡Oh, hombre! Fíjate en lo que ves y está en guardia antes de que llegue el momento de la partida.
Prepárate el viático lo mejor que puedas, pues toda persona que vive en una casa, habrá de marcharse.
Fíjate en éstos: Embellecieron su domicilio, pero ahora son polvo, son prisioneros de sus actos.
Construyeron y de nada les sirvieron sus edificios. Ahorraron y de nada les sirvieron sus riquezas cuando llegó el momento del fin de su vida.
¡Cuántas cosas, que no les estaban predestinadas, ansiaban tener! Pero se han marchado a la tumba sin que la esperanza les sirviese de nada.
Han sido abatidos desde las alturas de su poderío hasta la estrechez de la tumba. ¡Qué mala caída!
Después de haber sido sepultados llegó una per-

sona que preguntaba: «¿Dónde están los tronos, las coronas y los brocados?
¿Dónde están esos rostros velados, ocultos a la vista por cortinas y velos?»
La tumba, en nombre de los difuntos, ha contestado a su interlocutor: «La rosa se ha separado de sus mejillas.
Durante mucho tiempo comieron y bebieron y ahora, después de la buena comida, son comidos».

El emir Musa lloró hasta caer desmayado y ordenó que copiasen esta poesía. Entró en el alcázar...

Sahrazad se dio cuenta de que amanecía e interrumpió el relato para el cual le habían dado permiso.

Cuando llegó la noche *quinientas setenta y cinco*, refirió:

—Me he enterado, ¡oh rey feliz!, de que [el emir Musa entró en el alcázar] y se encontró en una gran habitación que tenía cuatro pabellones muy altos, puestos unos enfrente de otros, amplios y con incrustaciones de oro y de plata de los más variados colores. En el centro había un gran mosaico de mármol, encima del cual se encontraba una tienda de brocado. Dichos pabellones tenían varias divisiones y en cada una de éstas había un surtidor muy historiado con cubetas de mármol y el agua fluía al pie de los pabellones. Los cuatro arroyuelos corrían a reunirse en una gran alberca de mármol policromado. El emir Musa dijo al jeque Abd al-Samad: «¡Entremos en este pabellón!» Entraron en el primero y vieron que estaba repleto de oro, de blanca plata, de perlas, de aljófares, de jacintos y de gemas preciosas. Hallaron cajas repletas de brocado rojo, amarillo y blanco. Pasaron después al segundo pabellón y abrieron sus armarios: estaban llenos de armas, de instrumentos de guerra, de cascos dorados, de cotas davidianas, de espadas indias, de lanzas de al-Jatt, de mazas de Jwarizm y otras muchas clases de armas de guerra y de combate. Pasaron al tercero y encontraron en él armarios cerrados con enormes candados que estaban disimulados con grandes cortinas adornadas con toda suerte de bordados.

Abrieron uno de ellos y vieron que estaba lleno de armas con ornamentos de oro, plata y gemas.

Pasaron al cuarto pabellón en el que también encontraron armarios. Los abrieron y los encontraron llenos de vajillas confeccionadas con oro y plata: había vasos de cristal, copas incrustadas de perlas, vasos de coral, etc. Cogieron lo que más les gustaba y cada uno de los soldados cargó con lo que pudo. Cuando se disponían a salir de esta habitación descubrieron en el centro del palacio una puerta de madera de tekka con incrustaciones de marfil y de ébano y chapeada con reluciente oro. Estaba disimulada por una cortina corrida, de seda, cubierta de bordados de toda clase. La puerta estaba cerrada con candados de blanca plata que se abrían mediante una combinación, sin necesidad de llave. El jeque Abd al-Samad se acercó a las cerraduras y consiguió abrirlas gracias a su maestría, audacia y habilidad. Entraron todos en un vestíbulo de mármol a cuyos lados caían cortinas en las que estaban bordados toda clase de fieras y pájaros: todos eran de oro rojo y blanca plata; los ojos eran de perlas y jacintos, de tal modo que dejaban estupefactos a quienes los veían. A continuación pasaron a una habitación bien hecha. El emir Musa y el jeque Abd al-Samad se quedaron estupefactos al verla. La cruzaron y pasaron a otra que era de mármol pulido, con incrustaciones de perlas que hacían creer al que las contemplaba que se trataba de corrientes de agua, de tal modo que, si alguien hubiese pasado por ella, habría resbalado.

El emir Musa mandó al jeque Abd al-Samad que arrojase objetos encima del suelo para que pudiesen cruzar por él. Hizo lo que le mandaban y se las ingenió hasta el punto de que pudieron cruzar hasta una gran habitación construida con piedras chapeadas de oro rojo. Nadie recordaba haber visto jamás algo tan hermoso. En el centro de aquélla había otra, grande, de mármol, ceñida a su alrededor por una serie de ventanas en las que estaban incrustados bastones de esmeraldas de tal precio que ningún rey podía poseerlos. Había allí una tienda de brocado sostenida por columnas de oro rojo en la cual estaban dibujados pájaros cuyos pies eran de verdes esmeraldas; debajo de cada pájaro había una red de perlas relucientes. La tienda cubría un surtidor a cuyo lado se encontraba un lecho completamente incrustado de perlas, aljófares y jacintos. Encima se encontraba una adolescente que parecía ser el sol reluciente: nadie había visto jamás otra mujer más hermosa; llevaba puesto un traje repujado con perlas y tocaba su cabeza con una diadema de oro rojo y con turbante de aljófares; ceñía su garganta un collar de gemas en cuyo centro había una perla rutilante y a cada lado de ésta había otra cuya luz podía competir con la del sol: parecía que la mirasen y la contemplasen a derecha e izquierda.

Sahrazad se dio cuenta de que amanecía e interrumpió el relato para el cual le habían dado permiso.

Cuando llegó la noche *quinientas setenta y seis,* refirió:

—Me he enterado, ¡oh rey feliz!, de que el emir Musa quedó boquiabierto al ver su hermosura, perplejo al contemplar su belleza, el rubor de sus mejillas y la negrura de sus cabellos: cualquiera que la hubiese contemplado la hubiese creído con vida, no hubiese dicho que estaba muerta. Le dijeron: «¡Muchacha! ¡La paz sea sobre ti!» Talib b. Sahl hizo notar al Emir: «¡Que Dios te haga feliz en tus cosas! Esa joven está muerta, no tiene alma; ¿cómo, pues, ha de contestar al saludo?» Añadió: «¡Oh, Emir! Esa muchacha es una muñeca bien hecha. Después de su muerte le han vaciado los ojos, los han metido en un baño de mercurio y los han vuelto a colocar en su lugar: por eso brillan así, como si moviese las pestañas; por eso, quien la mira, cree que parpadea cuando en realidad está muerta». El emir Musa exclamó: «¡Gloria a Dios que ha sometido a todos los hombres a la muerte!» El lecho que reposaba la joven estaba encima de un estrado al que se llegaba a través de unos escalones. En ellos había dos esclavos: el uno blanco, y el otro, negro. Cada uno empuñaba con la siniestra un bastón de acero y con la diestra una espada incrustada de perlas que deslumbraba a quienes clavaban la vista en ella.

Delante de los esclavos había una placa de oro en la que se hallaba la siguiente inscripción: «¡En el nombre de Dios, el Clemente, el Misericordioso! ¡Loado sea Dios, creador del hombre! ¡Él es el Señor de los señores, el causante de todas las causas! ¡En el nombre de Dios, el Eterno, el Imperecedero! ¡En el nombre de Dios que juzga y destina! ¡Oh, hombre! ¿Qué es lo que te hace confiar en la esperanza? ¿Qué es lo que te distrae de pensar en que te llegará el fin? ¿Es que no sabes que la muerte te llama y procura arrebatarte, cuanto antes, el alma? Prepara tus provisiones para el viaje y busca tu viático en este mundo, pues pronto has de separarte de él. ¿Dónde está Adán, padre del género humano? ¿Dónde está Noé y su descendencia? ¿Dónde están los reyes, los cosroes y los césares? ¿Dónde están los reyes de la India y del Iraq? ¿Dónde están los reyes de los países? ¿Dónde están los amalecitas y los gigantes? Sus casas quedaron desiertas y abandonaron a su familia y a su patria. ¿Dónde están los reyes de los persas y de los árabes? Todos murieron y se transformaron en carroña. ¿Dónde están los señores que ocupaban altos puestos? Todos murieron. ¿Dónde están Qarún y Hamán? ¿Dónde está Saddad b. Ad? ¿Dónde están Kannán y Du-l-Awtad? ¡Por Dios! Se los ha llevado Aquel que corta la vida y ha dejado desiertas sus mansiones. Pero ¿habían preparado el viático para el día de la cita? ¿Se habían dispuesto para contestar al Señor de las criaturas? ¡Visitante! Si no me conoces, yo te daré a conocer mi nombre y mi estirpe: soy Tarmuz, descendiente de los reyes amalecitas que gobernaron con justicia sus tierras, que fueron soberanos de lo que ningún rey jamás tuvo: he sido justa en los juicios, equitativa con mis súbditos; di y regalé. Viví muchísimo tiempo en medio de alegrías y en una vida muelle, libertando a esclavas y esclavos, hasta que se presentó ante mí la llamada de la muerte y la ruina se alojó en mí. Ocurrió así: Habíamos pasado siete años sin que cayese ni una gota de agua del cielo, sin que brotase ni una mala hierba sobre la faz de la tierra. Nos comimos los alimentos que teníamos; después nos abalanzamos sobre las bestias de carga y las devoramos y no nos quedó nada. Entonces mandé que me trajesen mis tesoros, los inventarié y se los entregué a hombres de confianza para que con ellos recorriesen los países, sin descuidar ni una sola ciudad, buscando algo de comer. Pero no lo encontraron y regresaron a nuestro lado después de una larga ausencia. Entonces sacamos nuestras riquezas y tesoros a la luz del día y cerramos las puertas de nuestra ciudad entregándonos a la voluntad de Dios, confiando nuestro asunto al rey: perecimos todos, como puedes ver, dejando en pie lo que construimos y lo que atesoramos. Esto es lo ocurrido. Una vez nos alcanza la muerte no queda de nosotros más que el recuerdo».

En la parte inferior de la lápida vieron escritos estos versos:

¡Hijo de Adán! No te dejes engañar por la esperanza. Bástete saber que tendrás que separarte de todo lo que reúnas.
Veo que buscas el mundo con sus espejismos. Antes que tú se han precipitado en pos de éstos las generaciones pasadas y los antiguos.
Acumularon bienes lícitos e ilícitos, pero el hado no los olvidó cuando llegó la hora.
Condujeron pelotones de soldados, amontonaron tesoros, construyeron palacios y partieron hacia la tumba, hacia una angostura de la tierra en la que quedaron dormidos, presos, por lo que hicieron.
Como si fuesen viajeros que en medio de la noche echasen pie a tierra delante de una casa que no admite huéspedes.
Su dueño diría: «¡Gentes! ¡No tengo sitio! ¡Volved a ensillar y partid!»
Todos, temerosos, no sabrían gozar ni del descanso ni del viaje.
Prepárate un viático de buenas obras que mañana te dará alegría, pues sólo el temor del Señor permite obras.

El emir Musa rompió a llorar al oír estas palabras. La lápida seguía: «¡Por Dios! El temor de Dios es el principio de todas las cosas y de la verdadera ciencia; es el único punto de apoyo seguro. La muerte constituye una verdad manifiesta, una promesa cierta. Ella, ¡oh, visitante!, constituye el último objetivo, el único refugio. Escarmienta en los que te han precedido y que yacen, ya, en el polvo y apresúrate en el camino que conduce a la otra vida. ¿Es que no te das cuenta de que las canas te llaman a la tumba; de que tus cabellos blancos te anuncian la muerte? Está seguro de que has de partir y rendir cuentas. ¡Hijo de Adán! Tu corazón se ha endurecido. ¿Qué te ha extraviado del camino de Dios? ¿Dónde están las generaciones pasadas? ¡Sirvan de ejemplo para quien medita! ¿Dónde están los reyes de China, hombres valientes y poderosos? ¿Dónde está Ad b. Saddad y todo lo que construyó y edificó? ¿Dónde está Namrud que se mostró insolente y orgulloso? ¿Dónde está el Faraón que renegó de Dios y fue incrédulo? Todos han sido sometidos por la muerte y de ellos no queda más que el recuerdo: ésta no excluye ni pequeños ni grandes, ni mujeres ni hombres. El Deparador de la vida, el que cubre la noche con el día, se los ha llevado. ¡Oh, tú que has sabido llegar hasta aquí con tus compañeros! No os dejéis seducir por las cosas mundanales ni por su vanidad: todo engaña y traiciona. Este mundo es falaz y falso. Feliz el esclavo que conoce sus culpas, que teme a su Señor, hace buenas obras y prepara el viático para el día de la cita. Aquel que llegue a nuestra ciudad, entre en ella y Dios le facilite el camino, podrá coger todas las riquezas que quiera, pero no tocará nada de lo que hay encima de mi cuerpo, ya que cubre mis vergüenzas y constituye mi ajuar de cosas terrenas. ¡Que tema a Dios y no toque nada, pues perecería! Esto lo he escrito para que sirva de consejo a quien me visite y de legado al que entre. Y la paz. Ruego a Dios que os libre de la maldad de los países y las enfermedades».

Sahrazad se dio cuenta de que amanecía e interrumpió el relato para el cual le habían dado permiso.

Cuando llegó la noche *quinientas setenta y siete*, refirió:

—Me he enterado, ¡oh rey feliz!, de que al oír estas palabras el emir Musa rompió a llorar amargamente hasta que cayó desmayado. Al volver en sí puso por escrito cuanto había visto y meditó acerca de lo que había observado. Dijo a sus compañeros: «¡Traed las alforjas y llenadlas de todas estas riquezas, de estos vasos, objetos y pedrerías!» Talib b. Sahl dijo al emir Musa: «¡Oh,

Emir! ¿Vamos a dejar a esa joven sin quitarle lo que lleva encima? No hay nada que pueda compararse con ello ni tan siquiera ahora. Cuantas más riquezas cojas mejor regalo podrás hacer para atraerte la buena voluntad del Emir de los creyentes». «¡Vaya! ¿Es que no has oído el consejo que nos da la joven en la lápida? Es necesario que seamos fieles; no hemos de ser unos traidores.» El visir Talib replicó: «¿Por unas palabras hemos de abandonar tales riquezas y semejantes gemas? Ella ya está muerta: ¿qué ha de hacer con aderezos propios de este mundo, que constituyen las delicias de los vivos? Un vestido de algodón basta para tapar a esta joven, pues nosotros somos más dignos que ella de tener estas cosas». Se acercó a la escalera, subió los escalones y se colocó entre las dos columnas y entre las dos personas. Una de éstas lo alanceó por la espalda, y la otra, con la espada que tenía en la mano, le cortó la cabeza: Talib cayó muerto. El emir Musa exclamó: «¡Que Dios no se apiade de tu lecho de muerte! Estas riquezas bastaban, pero la avaricia pone en evidencia a quien la siente». Mandó a los soldados que entrasen y cargasen a los camellos con las riquezas y las joyas. A continuación les ordenó que cerrasen la puerta del mismo modo que estaba.

Volvieron a ponerse en marcha hasta llegar a un monte muy elevado desde el que se divisaba el mar. Ese monte tenía muchas cavernas en las que habitaban negros que se cubrían y tapaban la cabeza con pieles. Sus palabras eran ininteligibles. Al ver a la columna se asustaron y huyeron en dirección de las cavernas, a cuyas puertas estaban sus mujeres y sus hijos. El emir Musa preguntó: «¡Jeque Abd al-Samad! ¿Qué gentes son éstas?» «Son los que busca el Emir de los creyentes.» Descabalgaron, plantaron las tiendas y descargaron las riquezas. Apenas habían tenido tiempo de instalarse en el lugar y ya el rey de los negros, que sabía árabe, descendía del monte y se acercaba a la columna. Al llegar ante el emir Musa lo saludó. Éste le devolvió el saludo y lo trató bien. El rey de los negros preguntó al Emir: «¿Sois hombres o genios?» «Somos hombres. Pero no cabe duda de que vosotros sois genios, pues vivís aislados en ese monte que está lejos del mundo habitado. Además tenéis una talla enorme.» El rey de los negros le replicó: «Somos seres humanos que descendemos de Cam, hijo de Noé (¡ sobre él sea la paz!). Este mar es conocido con el nombre de Karkar». «¿Y cómo lo sabéis si no os ha llegado, hasta esta tierra, un Profeta al que le haya sido revelado?» «Sabe, Emir, que de este mar surge una persona que ilumina con su luz todo el horizonte. Con una voz que puede oír quien está próximo y quien está lejos, grita: "¡Hijos de Cam! ¿Os avergonzáis ante Quien ve y no es visto? Decid: 'No hay dios sino el Dios. Mahoma es el enviado de Dios'. Yo soy Abu-l-Abbas al-Jidr". Antes nos adorábamos a nosotros mismos, pero al-Jidr nos ha invitado a adorar al señor de las criaturas y hemos aprendido las palabras que debemos pronunciar.»

El emir Musa preguntó: «¿De qué palabras se trata?» «"No hay más dios que el Dios único, no tiene asociado alguno y a Él pertenece el poderío, a Él hay que alabar. Vivifica y mata y es Todopoderoso." Sólo nos aproximamos a Dios (¡gloriado y ensalzado sea!) con estas palabras; no conocemos otras. La noche de los viernes se extiende una luz por la superficie de la tierra y oímos una voz que dice: "¡Loado y santificado sea el señor de los ángeles y del espíritu! Existe lo que Dios quiere, y lo que no quiere no existe. Todos los bienes proceden de Dios. No hay fuerza ni poder sino en Dios, el Altísimo, el Grande".» El emir Musa le dijo: «Somos siervos del rey de los musulmanes, Abd al-Malik b. Marwán, y hemos venido en busca de unos vasos de cobre que se encuentran en vuestro mar. En su interior viven encadenados, desde la época de Salomón, hijo de David (¡ sobre ambos sea la paz!), unos demonios. Nos ha ordenado que le llevemos alguno de ellos para poderlo ver y contemplar». El rey de los negros contestó: «¡ De mil amores!»

Invitó a sus huéspedes a comer pescado y mandó a los buzos que fuesen al mar a buscar algunos vasos de Salomón. Sacaron doce. El emir Musa, el jeque Abd al-Samad y los soldados se alegraron muchísimo por haber satisfecho el deseo del Emir de los creyentes. A continuación el emir Musa regaló muchísimas cosas e hizo grandes presentes al rey de los negros. Éste, a su vez, regaló al emir Musa uno de los portentos del mar: un pez con forma humana. Después dijo: «Seréis mis huéspedes durante tres días y os alimentaré con la carne de este pez».

El emir replicó: «Es necesario que nos llevemos alguno para que el Emir de los creyentes pueda verlo. Le va a gustar más que los vasos de Salomón». Se despidieron, emprendieron el regreso y viajaron sin interrupción hasta que llegaron a Siria. Se presentaron ante el Emir de los creyentes, Abd al-Malik b. Marwán, y Musa le contó todo lo que había visto, los versos que había leído y las máximas y exhortaciones que había aprendido. Le contó lo que había sucedido a Talib b. Sahl. El Emir de los creyentes exclamó: «¡Ojalá hubiese estado con vosotros para ver con mis propios ojos lo que habéis visto!» Cogió los jarros, mandó abrir uno detrás de otro y los genios fueron saliendo y exclamando: «¡Me arrepiento, Profeta de Dios! ¡Jamás volveré a hacer esto!» Abd al-Malik b. Marwán se admiró mucho de todo esto. Para las hijas del mar, aquellos peces cuya carne les había dado a comer el rey de los negros, construyeron un estanque de madera, lo llenaron de agua y las colocaron en él, pero murieron de calor. Después el Emir de los creyentes mandó que le acercasen las riquezas y las repartió entre los musulmanes...

Sahrazad se dio cuenta de que amanecía e interrumpió el relato para el cual le habían dado permiso.

Cuando llegó la noche *quinientas setenta y ocho*, refirió:

—Me he enterado, ¡oh rey feliz!, de que [el Califa repartió las riquezas entre los musulmanes] diciendo: «Dios no ha concedido a nadie el poder que dio a Salomón, hijo de David». Musa pidió al Emir de los creyentes que nombrase a su hijo para sucederle en el gobierno de sus provincias, pues él quería marcharse a la noble Jerusalén para adorar a Dios. El Emir de los creyentes concedió el cargo a su hijo, y Musa se marchó a la noble Jerusalén, en la que murió.

Aquí termina la historia de la ciudad de bronce tal y como ha llegado hasta nosotros. Pero Dios es más sabio.

HISTORIA QUE TRATA DE LA ASTUCIA DE LAS MUJERES Y DE SU GRAN PICARDÍA

También me han contado que en lo más antiguo del tiempo y en lo más remoto de las edades hubo un rey que tenía muchos soldados y auxiliares, y era generoso y rico; pero había llegado a cierta edad y no tenía ningún hijo varón. Preocupado por ello, se dirigió a Dios por mediación del Profeta (¡Dios lo bendiga y lo salve!) y le pidió, en nombre de la majestad de sus honorables profetas, santones y mártires próximos a Él, que le diera un hijo varón que heredase el reino después de su muerte y que fuese la niña de sus ojos. Acto seguido, se dirigió a la habitación en que vivía, mandó llamar a su prima, que era su esposa, y se unió a ella: la esposa, con la ayuda de Dios, quedó embarazada y así estuvo hasta el momento del parto. Entonces dio a luz un hijo varón, cuyo rostro era como el de la luna en su decimocuarta noche. El niño creció hasta la edad de cinco años.

En la corte de aquel rey había un hombre muy sabio y experto que se llamaba Sindibad. Le confió el niño. Cuando el niño tuvo diez años, el sabio le enseñó las ciencias y la literatura, de tal modo que en aquellos tiempos nadie podía competir con el muchacho en cuanto a conocimiento de las ciencias y de las letras, ni en inteligencia. Cuando su hijo alcanzó este grado, el rey mandó traer caballeros árabes para que le enseñaran la formación del caballero, y el muchacho llegó a ser tan hábil que atacaba y volteaba en los torneos, superando a sus contemporáneos y a los de su condición.

Un día, el sabio consultó los astros y levantó el ascendente del muchacho: si en el espacio de siete días el muchacho pronunciaba una sola palabra, moriría. El sabio se dirigió al rey, padre del muchacho, y lo informó de ello. «¿Cuál es tu parecer y tu consejo, sabio?», le preguntó el padre. «Mi parecer, ¡oh, rey!, y lo que yo creo que debe hacerse —contestó el sabio—, es llevarlo a un lugar de placeres donde pueda oír música y donde pueda permanecer hasta que hayan pasado los siete días.» El rey mandó llamar a una de sus propias concubinas, la más hermosa, y le entregó el muchacho, diciéndole: «Acoge a tu señor en tu palacio y tenlo junto a ti, y que no baje del palacio hasta dentro de siete días». La joven tomó de la mano al príncipe, y lo instaló en su palacio, en el que había cuarenta habitaciones. En cada habitación había diez doncellas, cada una de las cuales tenía un instrumento musical: si una de las doncellas tocaba, el palacio bailaba al son de su música. Alrededor del palacio discurría un río, en cuyas orillas crecían toda clase de árboles frutales y olorosos.

El muchacho era de una belleza y armoniosidad indescriptibles. Pasó una noche en el palacio y, al verlo, el amor llamó al corazón de la favorita del rey, y no pudiendo dominarse se lanzó sobre él. «Si Dios (¡ensalzado sea!) quiere —le dijo entonces el muchacho—, cuando salga y vaya a ver a mi padre, lo pondré al corriente de esto y te matará.» Entonces, la concubina se presentó ante el rey y se echó sobre él, llorando y sollozando. «¿Qué tienes? ¿Cómo está tu señor? ¿Acaso no está bien?» «Mi dueño —contestó la joven—, mi señor ha querido poseerme y matarme; yo me he negado, he huido y no quiero volver ni junto a él ni al palacio.» Al oír tales palabras, el padre del muchacho se enfureció, convocó a sus visires y les dio orden de que mataran a su hijo. «El rey —se decían los visires— ha decidido matar a su hijo; si lo mata, no cabe duda de que se arrepentirá, ya que lo quiere y el muchacho vino al mundo cuando el rey ya desesperaba. Luego os lo reprochará, diciendo: «¿Por qué no os ingeniasteis para impedir que lo matara?» Y los visires acordaron unánimemente que harían lo posible para impedir que el rey matase a su hijo. El primero de ellos se adelantó y dijo: «Hoy os defenderé yo del mal que pudiera hacer el rey». Se levantó y fue a ver al rey. Se colocó ante él, le pidió permiso para hablar y el rey se lo concedió. «Rey —le dijo—, aunque el destino te hubiera concedido mil hijos, tú no debieras querer matar ni siquiera a uno basándote en las palabras de una concubina, ya que ésta podría ser o verídica o mentirosa. Quizá se trate de una insidia suya contra tu hijo.» «¿Conoces alguna historia acerca de sus astucias?», le preguntó el rey.

«Sí, ¡oh rey!, sé de un soberano que sentía gran pasión por las mujeres. Un día, en que estaba solo en su palacio, su mirada se posó en una mujer hermosa y agradable que estaba en la azotea de su casa, y apenas la vio, no pudo evitar enamorarse de ella. Preguntó qué casa era y le contestaron: "Es la casa de fulano, tu ministro". En seguida el rey mandó llamar a su ministro, y cuando lo tuvo ante sí le dio orden de que saliera a inspeccionar ciertas regiones del reino y de que luego regresara. Y el ministro partió siguiendo las órdenes del rey. Apenas hubo partido, el rey, por medio de astucias, entró en casa del ministro. Cuando la mujer lo vio, lo reconoció, se puso de pie, le besó manos y pies, le dio la bienvenida y se colocó lejos de él, deseosa de servirle. "Señor nuestro, ¿cuál es la causa de tu bendita presencia? Esto no es propio de una mujer como yo." "El apasionado amor y el ardiente deseo que siento por ti me han conducido a esto." Ella volvió a besar el suelo, y prosiguió: "Señor nuestro, yo sólo puedo ser concubina de los siervos del rey. ¿De qué procede esta gran suerte de gozar de tal consideración junto a ti?" El rey alargó su mano hacia ella, mas la mujer exclamó: "¡Aún no ha llegado el momento de esto! Ten paciencia, ¡oh, rey!, y quédate en mi casa todo el día de hoy para que pueda prepararte algo de comer". El rey se sentó sobre el estrado de su ministro, y la mujer se levantó y le trajo un libro de máximas y de buena literatura para que fuese leyendo mientras ella preparaba la comida. El rey lo tomó, se puso a leer y en él encontró máximas y sentencias que le hicieron desistir de su idea de fornicar y le apartaron de sus intenciones de cometer pecado.

»Cuando la mujer hubo preparado la comida, que se componía de noventa platos, la puso ante él, y el rey empezó a comer una cucharada de cada plato. Aunque los guisos eran diferentes, el sabor era el mismo. El rey se asombró mucho, y le preguntó a la mujer: "Veo que los guisos son diferentes mientras que el sabor es el mismo". "¡Dios haga feliz al rey! —exclamó la mujer—. Es un ejemplo que he querido darte para que puedas meditar sobre él." "¿Y cuál es el motivo de ello?" "¡Dios haga prosperar el estado de nuestro señor, el rey! —prosiguió la mujer—. En tu palacio hay noventa concubinas de varias clases, y en cambio el sabor de ellas siempre es el mismo." Al oír tales palabras el rey se avergonzó, se levantó en seguida y salió de la casa, sin hacerle mal alguno, en dirección a su palacio; pero, por la gran vergüenza que sentía, olvidó su sello bajo la almohada. Apenas se había sentado, se presentó su ministro, que se adelantó hacia él, besó el suelo y, después de darle los informes que le había enviado a recoger, se marchó. Al entrar en su casa, se sentó en su estrado, y, al meter su mano por debajo de los cojines, halló el sello del rey. Lo recogió y lo guardó junto a su corazón, y se mantuvo apartado de su mujer durante un año entero, sin ni siquiera hablarle, sin que ella pudiera comprender el motivo de su enojo.»

Sahrazad se dio cuenta de que amanecía e interrumpió el relato para el cual le habían dado permiso.

Cuando llegó la noche *quinientas setenta y nueve*, refirió:

—Me he enterado, ¡oh rey feliz!, de que [el ministro prosiguió:] «Cuando hubo transcurrido mucho tiempo, como ella supiera la causa, mandó llamar a su padre, le contó lo ocurrido y le dijo que su marido se había mantenido apartado de ella durante un año entero. El padre le respondió que se quejaría del marido cuando éste estuviera ante el rey. Y, en efecto, un día en que fue a ver al rey encontró allí al ministro, y, en presencia del juez del ejército, se quejó del ministro con las siguientes palabras: "¡Dios haga prosperar al rey! Yo tenía un hermoso jardín que cultivaba con mis propias manos y en el que había gastado mi haber, por lo cual dio frutos y la cosecha fue buena. Lo regalé a ese ministro tuyo, que comió los frutos que le gustaron y luego lo dejó abandonado: no volvió a regarlo y por ello sus flores se marchitaron, su esplendor desapareció y sus condiciones cambiaron". "Rey, este hombre ha dicho la verdad con sus palabras —contestó el ministro—. A mí me gustaba y comía sus frutos; pero un día en que fui a él observé las huellas del león, temí por mi persona y por eso me mantuve apartado." El rey comprendió que la huella que el ministro había encontrado era su sello, olvidado en aquella casa, y dijo: "Ministro, puedes regresar tranquilo y seguro a tu jardín, porque el león no se ha acercado a él. En efecto, me han contado que llegó hasta él; pero, te juro por mi padre y por mis antepasados, que no ha hecho ningún daño". "Entonces, oír es obedecer", contestó el ministro. Y regresó a su casa, mandó llamar a su mujer, hizo las paces con ella y tuvo confianza en su castidad.

»También he oído contar, rey, de un mercader que viajaba mucho y que tenía una mujer hermosa a la que quería mucho y de la que estaba celoso. Por ello compró un loro que informaba a su dueño de cuanto ocurría en su ausencia. Pero la mujer del mercader, mientras éste se hallaba en uno de sus viajes, se enamoró de un joven que iba a verla durante la ausencia del marido, le concedió sus favores y se unió a él. Cuando el marido regresó de su viaje, el loro le contó lo ocurrido, diciéndole: "Dueño mío, durante tu ausencia un joven turco acudía a casa de tu esposa, y ella lo trataba con gran deferencia". El hombre quiso matar a su mujer; pero cuando ella se enteró le dijo: "¡Teme a Dios, hombre, y vuelve en ti! ¿Acaso un pájaro tiene entendimiento y puede comprender? Si quieres que te lo demuestre, para que puedas conocer cuándo dice verdad y cuándo miente, vete esta noche y duerme en casa de alguno de tus amigos. Al amanecer acércate al loro y hazle preguntas y así podrás saber si dice o no la verdad".

»El hombre marchó a casa de un amigo, donde pasó la noche. Esa noche la mujer cogió un trozo de alfombra con el cual tapó la jaula del loro, luego se puso a verter agua sobre la alfombra, a dar viento con un abanico, al mismo tiempo que ponía junto al loro una lámpara para que pareciera el fulgor del relámpago, y estuvo dando vueltas a un molinillo hasta la mañana. Cuando volvió el marido, ella le dijo: "Señor mío, interroga al loro". Él se acercó al animal para hablarle y hacerle preguntas acerca de la pasada noche. "Mi señor, ¿quién podía ver u oír nada la pasada noche?", contestó el loro. "¿Por qué?" "Por la lluvia y el viento, y por los truenos y los relámpagos." "Has mentido, porque nada de eso ocurrió la pasada noche." "Yo no he dicho sino lo que yo mismo he visto y he oído." El marido consideró que todo lo que había dicho acerca de su mujer era falso, y quiso hacer las paces con ella. "¡Por Dios! No haré las paces contigo hasta que no mates al loro que dijo mentiras acerca de mí", repuso su mujer. Y entonces él mató al animal, y durante algunos días permaneció con su mujer. Pero un día vio cómo el joven turco salía de su casa y se dio cuenta de que el loro había dicho la verdad y que su mujer le había mentido, y se arrepintió de haber dado muerte al pájaro. En seguida se dirigió hacia su mujer y la mató, jurando que nunca más volvería a casarse con mujer alguna.

»Te he contado esto, ¡oh, rey! —concluyó el primer visir—, para que sepas cuán grande es la astucia de las mujeres y comprendas que la precipitación engendra arrepentimiento.»

Y el rey desistió de dar muerte a su hijo. Pero al día siguiente la concubina volvió a acercarse a él, besó el suelo y le dijo: «Rey, ¿cómo has olvidado mis derechos? Ahora, los reyes han oído decir que tú has mandado una cosa y tu visir no la ha cumplido. ¡La obediencia al soberano se demuestra cumpliendo sus órdenes! Todos saben que tú eres justo y equitativo. Por lo tanto, hazme justicia en relación con tu hijo.

»Me he enterado de que un hombre solía ir diariamente a las orillas del Tigris a lavar ropa. Iba allí con su hijo, el cual, mientras el padre lavaba, se dedicaba a nadar por el río sin que su padre se lo prohibiera. Pero un día, mientras estaba nadando, sus brazos se cansaron y estaba a punto de ahogarse. Su padre, al darse cuenta, se echó al agua para salvarlo; pero el chico, cuando su padre lo cogió, se agarró a él, y así padre e hijo se ahogaron juntos. Lo mismo te ocurrirá a ti, ¡oh, rey! Si no me proteges de tu hijo y me haces justicia respecto a él, temo que os ahoguéis ambos.»

Sahrazad se dio cuenta de que amanecía e interrumpió el relato para el cual le habían dado permiso.

Cuando llegó la noche *quinientas ochenta,* refirió:

—Me he enterado, ¡oh rey feliz!, de que [la concubina prosiguió:] «También me he enterado, acerca de la astucia de los hombres, de uno que se enamoró de una mujer hermosa y atractiva, que tenía marido al que amaba y él le correspondía. Aquella mujer era virtuosa y casta, y por ello el hombre que la amaba no halló medio de llegar hasta ella. Pensó que ya había pasado mucho tiempo y que era oportuno valerse de astucias. El marido de la mujer tenía un paje al que había educado en su casa y al que consideraba fiel. El enamorado fue a ver al paje y tanto lo aduló, con regalos y beneficios, que al fin el paje acabó por estar dispuesto a obedecerle en lo que le pidiera. Un día el enamorado le dijo: "Oye, ¿por qué no me dejas entrar en la casa cuando tu señora haya salido?" "De mil amores", contestó el paje. Cuando su dueña salió para el baño y cuando su dueño partió para su tienda, el paje se presentó ante su amigo y lo llevó de la mano hasta meterlo en la casa y le enseñó todo lo que en ella había. El enamorado ya estaba decidido a valerse de la astucia para conquistar a la mujer, y por ello tomó la clara de huevo que había traído en un recipiente, se acercó a la cama del dueño de la casa y la derramó sobre ella sin que el esclavo lo viese, y luego salió de la casa y se marchó a sus quehaceres.

»Al cabo de un rato, el dueño regresó a su casa, y al echarse en la cama para descansar halló una cosa húmeda, que cogió con la mano. Al verla creyó que se trataba de esperma humano, y tras dirigir una mirada llena de ira al muchacho, le preguntó dónde estaba su dueña, a lo que éste contestó que había ido al baño y regresaría en breve. Pero la sospecha del hombre se había transformado en certeza y estaba convencido de que era esperma humano, por lo cual mandó a su esclavo: "Sal en seguida, y haz que vuelva tu dueña". Cuando la mujer estuvo ante él, se abalanzó sobre ella, la golpeó violentamente, la cogió por los hombros e intentó degollarla, mas ella pidió auxilio a los vecinos y éstos acudieron. "Este hombre —les dijo— quiere matarme, pero yo no sé que haya cometido ninguna falta." Los vecinos le dijeron al marido: "No tienes motivos para reprocharle nada: o la repudias o la guardas junto a ti, según está establecido, ya que nosotros conocemos su castidad por haber sido durante mucho tiempo vecina nuestra, y no sabemos que haya hecho nada malo". "Yo he visto en mi cama esperma semejante al de los hombres, e ignoro la causa." "Enséñame eso", dijo uno de los vecinos, y después de haberlo visto añadió: "Tráeme fuego y un recipiente". Cuando el hombre le entregó lo que le había pedido, el vecino tomó la clara de huevo, y la coció al fuego, la comió y también dio a los presentes que así estuvieron seguros de que se trataba de clara de huevo, y el hombre supo que había sido injusto con su mujer y que ella era inocente. Los vecinos intervinieron e hicieron las paces, después de que él la había repudiado, y así la malicia de aquel hombre, al urdir una estratagema contra la mujer sin que ella se enterase, resultó inútil.

»Sabe, pues, ¡oh, rey!, que esto tiene como origen la malicia masculina.»

Entonces el rey ordenó que dieran muerte a su hijo. Pero en aquel momento se adelantó el segundo visir, besó el suelo ante el rey y le dijo: «Rey, no te precipites en dar muerte a tu hijo, pues su madre lo echó al mundo cuando tú ya desesperabas de tener hijos varones, y nosotros esperamos que él constituya un tesoro para tu reino y conserve tus riquezas. Ten paciencia, rey, quizás él tenga una prueba de su inocencia y hablará para demostrarla. En cambio, si tú te apresuras a matarlo, te arrepentirás al igual que se arrepintió el mercader». «¿Cómo fue eso, y cuál es la historia?», preguntó el rey. «Me he enterado, ¡oh, rey!, de que un mercader que era avaro en el comer y en el beber partió un día hacia cierto país. Mientras iba por los mercados tropezó con una vieja que llevaba dos panes y le preguntó si quería vendérselos. "Sí", contestó la vieja, y él, tras ofrecerle un precio bajísimo, se los compró, marchó a su domicilio y los comió aquel día. Al día siguiente volvió al mismo lugar y encontró a la vieja con dos panes, que le compró; y así siguió la cosa durante veinte días. Pero luego la vieja se ausentó. Preguntó por ella, pero nadie le supo dar razón. Cierto día, mientras andaba por una de las calles de la ciudad, la vio, se paró, la saludó y le preguntó el motivo de su ausencia y por qué había dejado de venderle los dos panes. Al oír sus palabras, la vieja no quería contestarle, pero la conjuró a que le informara. "Oye la respuesta, mi señor —dijo entonces la vieja—. Yo estaba al servicio de un individuo que tenía dolor de riñones. Tenía un médico que tomaba harina, la mezclaba con manteca y la dejaba durante toda la noche sobre el lugar dolorido. Por la mañana yo cogía la harina, hacía dos panes con ella y luego la vendía a ti o a otros. El hombre ha muerto, y yo he dejado de tener los dos panes." "¡Nosotros somos de Dios y a Él hemos de regresar! —exclamó el mercader al oír aquellas palabras—. ¡No hay fuerza ni poder sino en Dios, el Altísimo, el Grande!".»

Sahrazad se dio cuenta de que amanecía e interrumpió el relato para el cual le habían dado permiso.

Cuando llegó la noche *quinientas ochenta y una*, refirió:

—Me he enterado, ¡oh rey feliz!, de que [el ministro prosiguió:] «y no cesó de vomitar hasta que enfermó y se arrepintió, cuando su arrepentimiento de nada podía servirle.

»Y me he enterado, ¡oh, rey!, acerca de la astucia de las mujeres, que un hombre, que pertenecía al séquito de un rey, tenía una amante y la amaba. Cierto día el hombre, según lo convenido entre los dos, envió a su esclavo a casa de ella con un mensaje escrito. El esclavo permaneció junto a la mujer y empezó a jugar con ella; la joven se sintió inclinada hacia él y lo abrazó contra su pecho. Entonces el esclavo le pidió que se unieran, y ella accedió. Pero mientras se hallaban en tal situación, el dueño del esclavo llamó a la puerta y la muchacha cogió al esclavo y lo ocultó en un sótano que tenía la casa; luego abrió la puerta. Entró espada en mano y se sentó en la cama de la mujer. Ésta se puso a bromear y a juguetear con él, a abrazarlo contra su pecho y a besarlo y, al fin, se unió a él. Pero, de repente, el marido de la mujer llamó a la puerta. "¿Quién es?", le preguntó el hombre.

"Mi marido." "¿Qué hago? ¿Qué estratagema he de adoptar?" "Levántate —le dijo la mujer—, desenvaina tu espada y colócate en el pasillo: allí me insultas y lanzas improperios contra mí, y cuando mi marido entre, vuelve la espalda y márchate." Así lo hizo él. Cuando el marido entró, vio que el tesorero del rey estaba en pie, con la espada desenvainada en la mano, e insultaba y amenazaba a su mujer; pero cuando vio al marido de su amante se avergonzó, envainó la espada y salió de la casa. El hombre preguntó a su esposa: "¿Cuál es la causa de todo esto?", y ella contestó: "¡Bendita sea la hora en que has venido! Has librado a un alma creyente de la muerte. Yo estaba sentada en la azotea, hilando, cuando un esclavo perseguido y fuera de sí entró en casa temblando de miedo de ser matado. Y ese hombre, con la espada desenvainada, corría tras él deseoso de cogerlo, por lo cual el esclavo se puso ante mí, me besó manos y pies y dijo: 'Señora mía, líbrame de quien injustamente quiere matarme'. Y yo lo escondí en el sótano de nuestra casa. Cuando ese hombre entró con la espada desenvainada y me preguntó por el esclavo, negué haberlo visto y entonces él se puso a insultarme y a amenazarme según has visto. Alabado sea Dios que te ha traído a casa, porque yo estaba perpleja y no había nadie para salvarme". "Sí, has hecho bien, mujer —le dijo el marido—. Dios te recompense por haber obrado rectamente." A continuación se dirigió al sótano y llamó al esclavo: "Sal fuera —le dijo—, y no te ocurrirá nada malo". Salió del sótano, muy asustado, mientras el hombre le decía: "Tranquilízate, no te sucederá nada malo", al tiempo que se compadecía de lo que le había ocurrido. El esclavo dio las gracias, elevando plegarias a Dios por él, y salieron juntos, sin que el marido supiera lo que había urdido su mujer.

»Sabe, ¡oh, rey!, que todo esto forma parte de la malicia femenina. Por lo tanto, no te fíes de lo que dicen las mujeres.» Y el rey desistió de nuevo de dar muerte a su hijo.

Mas al tercer día la concubina volvió a presentarse ante él, besó el suelo y le dijo: «¡Oh, rey!, véngame de tu hijo y no te fíes de lo que dicen tus visires, pues los malos ministros no tienen nada de bueno. No seas como aquel rey que confió en uno de sus pérfidos ministros». «¿Cómo fue eso?» «¡Rey feliz y de recto consejo! Me he enterado de que un rey tenía un hijo al que amaba y honraba mucho y al que prefería a sus demás hijos. "Padre mío —le dijo un día este hijo—, quiero salir de caza." El rey mandó hacer los preparativos, al mismo tiempo que daba orden a su visir de que acompañara a su hijo para servirle y ayudarle en lo que pudiera necesitar. El ministro tomó consigo todo lo que necesitaba el muchacho para el viaje: servidumbre, lugartenientes y pajes, y salieron de caza con ellos; así llegaron a un terreno muy verde, abundante en hierbas, pastos, agua y caza.

»El hijo del rey se acercó al ministro y le dijo que el sitio le había gustado, por lo cual todos permanecieron allí algunos días durante los cuales el hijo del rey se halló muy bien y a gusto. Cuando el príncipe dio orden de partir, pasó ante él una gacela que se había separado de sus compañeras, y quiso darle caza y ganarla. "Quiero seguir a esta gacela", le dijo al ministro. "Haz lo que quieras", respondió éste. El muchacho la persiguió solo y le dio caza durante todo el día, hasta que atardeció y se hizo de noche. La gacela había subido a un lugar desierto. La noche cerró sobre el muchacho y éste quiso volver atrás; pero como no sabía dónde ir siguió cabalgando, indeciso, hasta el amanecer. Siguió andando, con su temor a cuestas, hambriento y sediento, sin saber adónde se dirigía, hasta que llegó el mediodía y el calor fue grande. Entonces se halló frente a una ciudad, de casas elevadas y sólidas murallas, desierta y en ruinas, en la que sólo moraban búhos y cuervos. Mientras estaba parado ante la ciudad, maravillado de la forma en que estaba construida, su mirada se posó en una mujer bella y agradable que lloraba sentada junto a uno de los muros de la ciudad. Se acercó a ella y le preguntó quién era. "Soy la hija de Tamima, hija de Tabbaj, rey de la Tierra Gris. Cierto día en que salí para satisfacer una necesidad, un *efrit* de los genios me agarró y echó a volar llevándome entre cielo y tierra; pero como le cayó encima una llama de fuego y lo quemó, yo caí en este lugar, en el que estoy desde hace tres días, hambrienta y sedienta. Al verte ha renacido en mí el deseo de la vida."»

Sahrazad se dio cuenta de que amanecía e interrumpió el relato para el cual le habían dado permiso.

Cuando llegó la noche *quinientas ochenta y dos,* refirió:

—Me he enterado, ¡oh rey feliz!, de que [el ministro prosiguió:] «El hijo del rey se apiadó de ella, la hizo montar a caballo tras él y le dijo: "Tranquilízate y alégrate porque, si Dios me devuelve junto a mi pueblo y a mi familia, yo haré que vuelvas junto a los tuyos". Tras decir esto se puso en marcha muy contento. La mujer que estaba sentada detrás de él le dijo: "Príncipe, déjame bajar junto a ese muro, pues tengo una necesidad". Él se paró, la ayudó a bajar y la esperó mientras ella se escondía tras el muro. De allí mismo salió una detestable visión. Al hijo del rey, al verla, se le puso la piel de gallina, perdió la razón, se asustó de ella y cambió completamente su actitud. Aquella mujer dio un salto y montó a caballo detrás de él, conservando la peor figura que pudiera tener. "¿Por qué —le dijo— ha cambiado tu rostro?" "He recordado una cosa y estoy preocupado." "Pide ayuda contra esta cosa a los ejércitos y a los valientes de tu padre." "Lo que me preocupa ni se asusta ni teme a los ejércitos." "Entonces, defiéndete mediante los bienes y los tesoros de tu padre." "Lo que me preocupa no puede satisfacerse ni con bienes ni con tesoros." "Vosotros sostenéis que hay en el cielo un Dios que ve sin ser visto y que es omnipotente sobre todas las cosas." "Sí, sólo tenemos a Él." "Dirígele tus plegarias, quizá pueda librarte de mí." Entonces el hijo del rey alzó los ojos hacia el cielo y pronunció devotamente y de todo corazón la siguiente invocación: "¡Dios mío! Te pido ayuda contra esta cosa que me preocupa", y señaló con la mano a la mujer, que cayó al suelo quemada como si fuese carbón. Él alabó a Dios, le dio las gracias y prosiguió la marcha, mientras Dios le hacía fácil la marcha y le indicaba el camino. Y así llegó a la vista de su ciudad y se reunió con el rey, su padre, después de haber perdido toda esperanza de vida. Todo esto le ocurrió a causa del parecer del ministro que había partido con él para hacerle morir durante el viaje. Pero Dios (¡ ensalzado sea !) le ayudó.

»Te he explicado esto, ¡oh, rey!, para que sepas que los malos ministros no tienen buenas intenciones ni buenos deseos hacia su rey. Por lo tanto, ve con cuidado.»

El rey le hizo caso, escuchó sus palabras y dio orden de que mataran a su hijo.

Mas entró el tercer visir y dijo: «Hoy seré yo quien os evitará la mala acción del rey». Entró a presencia del rey, besó el suelo y le dijo: «¡Oh, rey!, yo soy tu consejero y te sirvo fielmente, a ti y a tu reino. Quiero darte un consejo acertado: no te precipites en dar muerte a tu hijo, niña de tus ojos y fruto de tu corazón, pues es posible que su culpa sea leve y que esta concubina la haya agrandado a tus ojos. Me contaron que los habitantes de dos pueblos se mataron por una gota de miel». «¿Cómo fue eso?» «Sabe, ¡oh, rey!, que un cazador fue a cazar fieras al campo. Entró un día en una cueva del monte y halló una oquedad llena de miel de abejas; recogió cierta cantidad en un odre que llevaba consigo, se lo cargó a la espalda y lo llevó a la ciudad. Le acompañaba un perro de caza al que quería mucho. El cazador se paró ante la tienda de un vendedor de aceite y le ofreció el odre de miel. Éste lo compró y lo abrió; pero al sacar la miel para verla, cayó una gota y un pájaro se lanzó sobre ella. Ahora bien, el vendedor de aceite tenía un gato, que se abalanzó sobre el pájaro; pero el perro del cazador lo vio, saltó sobre el gato y lo mató. Entonces el mercader de aceite la emprendió con el perro del cazador y le dio muerte, por lo cual el cazador se lanzó sobre el vendedor de aceite y le mató. El cazador y el mercader de aceite eran de dos pueblos distintos, cuyos habitantes, al enterarse de lo ocurrido, tomaron las armas y sus pertrechos de guerra y, movidos por la ira, se lanzaron unos contra otros. Los dos ejércitos se dieron batalla y guerrearon hasta que murieron muchísimos, cuyo número sólo Dios (¡ ensalzado sea !) sabe.

»Por otra parte, acerca de la astucia de las mujeres me han contado que una mujer a la que su marido le había dado un dirhem para comprar arroz, tomó la moneda y se dirigió a un vendedor de arroz. Éste le dio el arroz y empezó a bromear con ella, a echarle miradas amorosas y a decirle: "El arroz sólo es bueno con azúcar. Si quieres azúcar, entra en mi casa durante un rato". La mujer entró en su tienda y el mercader le dijo a su dependiente: "Pesa un dirhem de azúcar", al mismo tiempo que le hacía una seña. El esclavo tomó el mandil de la mujer, vació el arroz y en su lugar puso tierra, y en vez de azúcar puso piedras. Luego ató el mandil y lo dejó junto a la mujer. Ésta, antes de salir de la tienda del mercader, cogió su mandil y marchó a su casa convencida de que contenía arroz y azúcar. Al llegar a su casa puso el mandil ante su marido, quien halló en él tierra y piedras, por lo cual, cuando la mujer vino con la olla, le dijo: "¿Acaso te dije que estaba construyendo una casa para que me trajeras tierra y piedras?" La mujer comprendió que el dependiente del vendedor la había engañado. Pero, mientras iba con la olla en la mano, le dijo a su marido: "Hombre, estaba preocupada y en lugar de traer la criba traje la olla". "¿Y por qué estabas preocupada?", le preguntó el marido. "El dirhem que llevaba se me cayó en el mercado y por vergüenza de ponerme a buscarlo ante la gente, pero sin resignarme a perderlo, recogí la tierra del lugar en que me cayó dispuesta a pasarla por un cedazo, e iba a traer la criba y en lugar de ella traje la olla." A continuación fue a por la criba y se la entregó a su marido, diciéndole: "Críbala tú, ya que tu vista es mejor que la mía". El hombre se puso a cribar la tierra, hasta que el rostro y la barba se le llenaron de polvo, sin que se diese cuenta de la astucia ni comprendiera lo ocurrido.

»Esto, ¡oh, rey!, forma parte de la astucia de las mujeres. Fíjate en el dicho de Dios (¡ensalzado sea!): "Su astucia es grande"[1], y también en sus palabras: "La astucia del diablo es poca cosa ante la de las mujeres"[2].»

Después de haber escuchado las palabras del visir, que le satisficieron y lo convencieron, desistió de su propósito, y tras haber meditado acerca de los versículos que el visir le había recitado, el rey desistió de su decisión de dar

[1] Cf. *El Corán,* 12, 28.
[2] Cf. *El Corán,* 4, 78.

muerte a su hijo, ya que el consejo le pareció bueno a su pensamiento y a su mente.

Pero al cuarto día, la concubina entró a presencia del rey, besó el suelo ante él y le dijo: «¡Rey feliz y de recto parecer! Yo te he expuesto claramente mi justo derecho, y tú me has tratado injustamente y has dejado de castigar a mi adversario, porque es tu hijo y es sangre de tu corazón. Dios (¡gloriado y ensalzado sea!) me ayudará contra ti de la misma manera que ayudó al hijo del rey contra el ministro de su padre». «¿Y cómo fue eso?» «Érase un rey antiguo que tenía un hijo único. Cuando este hijo llegó a edad viril, su padre le dio por esposa la hija de otro rey, que era hermosa y atractiva. Ésta tenía un primo que había pedido su mano al rey su padre, pero ella no había querido casarse con él. El primo, cuando se enteró de que se había casado con otro, se llenó de celos y decidió enviar regalos al ministro del rey con cuyo hijo ella se había casado. Y, en efecto, le envió numerosos regalos y mucho dinero, al mismo tiempo que le pedía que buscara la manera de matar al hijo del rey con algún ardid que le causara la muerte, o bien que le diera con algo que le hiciera renunciar a casarse con la mujer. Y, entre otras cosas, le mandó decir: "Visir, los celos que se han encendido en mí contra mi prima son los que me han inducido a esto". Cuando los regalos llegaron al ministro, éste los aceptó y le contestó de la siguiente manera: "Tranquilízate, no te preocupes, obtendrás de mí cuanto pretendes".

»Entretanto, el rey, padre de la muchacha, había enviado a decir al hijo del rey que se personara en su palacio para consumar el matrimonio con su hija. Cuando el escrito llegó al hijo del rey, su padre le dejó partir acompañado del ministro al que le habían enviado los regalos, y envió como escolta de ambos mil caballeros, portadores de regalos, palanquines, pabellones y tiendas. El ministro partió con el hijo del rey, llevando en la conciencia la intención de jugarle alguna mala pasada, y en el corazón el propósito de causarle daño. Al llegar al desierto, el ministro se acordó de que en cierta montaña había una fuente de agua conocida con el nombre de al-Zahra, y todo hombre que de ella bebía, se convertía en mujer.

Acordándose de eso, el ministro mandó parar la comitiva en las proximidades de la fuente, montó a caballo y le dijo al hijo del rey: "¿Quieres venirte conmigo a ver una fuente de agua que hay por estos parajes?" El príncipe montó a caballo y echó a andar detrás del ministro de su padre: nadie iba con ellos, y él ignoraba lo que el otro había tramado en su interior. Anduvieron hasta llegar a aquella fuente. El hijo del rey desmontó, se lavó las manos, bebió, y quedó convertido en mujer. Cuando se dio cuenta de ello se puso a gritar y a llorar hasta que se desmayó. El ministro se le acercó, triste por lo ocurrido, y le preguntó qué le había pasado. El joven se lo explicó, y el ministro, al oír sus palabras, lo compadeció y se puso a llorar por lo que le había acaecido al hijo de su rey. "¡Dios (¡ensalzado sea!) te ayude en esta desgracia! —le decía—. ¿Cómo te ha ocurrido esta desgracia y tan gran desdicha precisamente en el momento en que nosotros, contentísimos, estamos en camino porque debes ir a consumar el matrimonio con la hija del rey? No sé si debemos o no ir junto a ella. Tú debes decidir: ¿qué me ordenas que haga?" "Regresa junto a mi padre y cuéntale lo ocurrido: yo no me moveré de aquí hasta que no me haya pasado esta calamidad o haya muerto de dolor." Y, acto seguido, el joven escribió a su padre una carta en la que le informaba de lo ocurrido.

»El ministro tomó la carta y emprendió el regreso a la ciudad del rey, dejando a los soldados, al joven y a las tropas que les acompañaban, satisfecho en su interior de la mala jugada que había gastado al hijo del rey. Cuando entró a presencia del monarca le contó lo ocurrido y le entregó el escrito de su hijo. El rey se compadeció mucho de su hijo. Mandó llamar a los sabios y a los adivinos para que le explicasen la desgracia que había caído sobre el joven; pero nadie supo darle explicación. En cuanto al ministro, envió una nota al primo de la joven para darle la buena noticia de lo que le había ocurrido al hijo del rey. El primo, apenas recibió la carta, se alegró muchísimo, sintió grandes deseos de casarse con su prima y envió al ministro grandes regalos y mucho dinero, al mismo tiempo que le daba profundas gracias.

»Durante tres días y tres noches el hijo del rey permaneció junto a aquella fuente, sin comer ni beber, y se confió, en cuanto le había acaecido, a Dios (¡gloriado y ensalzado sea!), que jamás ha defraudado a quien en Él se confía. La cuarta tarde se presentó ante él un caballero, que llevaba corona sobre la cabeza y parecía un hijo de rey, y que le preguntó: "Joven, ¿quién te trajo aquí?" El joven le contó lo ocurrido, es decir, que había emprendido viaje para encontrarse con su mujer y consumar el matrimonio, y que el ministro le había llevado hasta una fuente cuya agua había bebido y le había ocurrido lo que le había ocurrido: cada vez que el joven se ponía a hablar, le entraban ganas de llorar y sollozaba. Cuando el caballero hubo escuchado sus palabras, se compadeció de su situación y le dijo: "El ministro de tu padre es quien te ha causado esta desgracia, pues sólo un hombre y nadie más conoce esta fuente". Acto seguido el caballero le mandó montar a caballo con él y el joven obedeció. "Vente conmigo a mi casa, serás mi huésped esta noche", le dijo. "Dime quién eres para que pueda ir contigo", le respondió el muchacho. "Yo soy el hijo del rey de los genios, y tú eres hijo de un rey de los hombres. Tranquilízate y deja de llorar, pues me es fácil lograr que cesen tus preocupaciones y tus sinsabores." Y el joven, tras dejar su ejército y sus soldados, partió con él.

»Anduvieron desde el amanecer hasta medianoche. "¿Sabes cuánto camino hemos recorrido en este tiempo?", le preguntó el hijo del rey de los genios. "No lo sé." "Hemos recorrido lo que una persona a buen paso puede recorrer en un año." El hijo del rey se asombró y le preguntó: "¿Qué haré? ¿Cómo podré regresar junto a mi familia?" "Esto no ha de preocuparte, es asunto mío. Cuando salgas de tu enfermedad, volverás junto a tu familia más de prisa que en un abrir y cerrar de ojos: esto es cosa sencilla para mí." El joven, tras oír las palabras del genio, dio saltos de alegría y creyó estar soñando. "¡Alabado sea el Todopoderoso que puede hacer feliz a un desgraciado!", exclamó, y quedó muy contento.»

Sahrazad se dio cuenta de que amanecía e interrumpió el relato para el cual le habían dado permiso.

Cuando llegó la noche *quinientas ochenta y tres*, refirió:

—Me he enterado, ¡oh rey feliz!, de que [la concubina prosiguió:] «Siguieron andando hasta el amanecer en que llegaron a un terreno verdeante y florido, en el que había elevados árboles, pájaros que gorjeaban, jardines maravillosos y hermosos palacios. El hijo del rey de los genios desmontó y mandó desmontar al joven. Cuando éste hubo bajado, lo tomó de la mano y los dos juntos entraron en uno de aquellos palacios. El príncipe vio un gran rey y un poderoso monarca, con el que permaneció aquel día, comiendo y bebiendo, hasta que llegó la noche. Entonces el hijo del rey de los genios se levantó, montó a caballo, hizo montar tras él al hijo del rey de los hombres, salieron de noche y cabalgaron sin cesar hasta el alba. Entonces se encontraron ante una tierra negra, sin cultivos, rocosa y con piedras negras como si se tratase de un pedazo de infierno. "¿Cómo se llama esta tierra?", preguntó el hijo del rey de los hombres. "Se llama Tierra Negra y pertenece a uno de los reyes de los genios, que se llama Du-l-Chanahayin. Ningún rey puede pisarla ni entrar en ella sin su permiso. Quédate aquí hasta que le pidamos permiso para entrar." El joven se quedó quieto y el otro desapareció durante un rato, y cuando regresó reemprendieron el camino y siguieron andando hasta llegar a una fuente de agua que brotaba de montes negros. "Desmonta", le dijo al joven el caballero, y descabalgó. "Bebe de esta fuente." El joven bebió y, en un instante, por obra del poder divino, volvió a ser hombre como antes. La alegría que sintió no podía ser mayor, y preguntó: "Hermano mío, ¿cómo se llama esta fuente?" "Se llama Fuente de las Mujeres, y la mujer que de ella bebe queda transformada en hombre. Eleva alabanzas a Dios y agradécele tu salvación, y luego monta en tu caballo."

»El hijo del rey se prosternó para dar gracias a Dios (¡ensalzado sea!), luego montó a caballo y los dos prosiguieron ligeros la marcha durante el resto del día hasta llegar al país de aquel genio. El joven pernoctó en su casa, en la más feliz de las vidas, y los dos comieron y bebieron hasta que cayó la noche. "¿Quieres regresar esta noche junto a tu familia?", le preguntó el hijo del rey de los genios. "Sí quiero, pues siento necesidad de ello." Entonces, el hijo del rey de los genios llamó a uno de los esclavos de su padre, llamado Rachiz, y le dijo: "Toma y llévate a este joven, transpórtalo sobre tu cuello de tal manera que al amanecer esté sin falta junto a su suegro y a su esposa". "Oír es obedecer. De mil amores", le contestó Rachiz, y desapareció durante un momento para volver con aspecto de *efrit*. Cuando el joven lo vio se asustó y quedó indeciso. "Nada malo te ocurrirá —le dijo entonces el hijo del rey de los genios—; monta en tu caballo y luego montad ambos sobre su cuello." "Subiré yo solo y dejaré el caballo aquí", replicó el joven, y, después de bajar del caballo, montó sobre el cuello del *efrit*. "Cierra los ojos", le dijo el hijo del rey de los genios. Cerró los ojos, y el *efrit* se echó a volar entre cielo y tierra y siguió volando sin que el joven se diera cuenta de nada, y cuando apenas había empezado el último tercio de la noche se halló en el palacio de su suegro. Al descender en el castillo el *efrit* le dijo: "Baja", y cuando hubo bajado, añadió: "¡Abre los ojos! Éste es el palacio de tu suegro y de su hija", y lo dejó y se fue. Al hacerse de día, cuando se calmó el temor del joven, bajó de la azotea del palacio, y su suegro, al verlo, se acercó a recibirlo y se maravilló de verlo sobre el castillo. "Estoy acostumbrado a ver que las personas entren por la puerta —observó—, y, en cambio, tú bajas del cielo." "Ocurrió lo que quiso Dios (¡gloriado y ensalzado sea!)", contestó el joven. El rey se asombró de ello y se alegró de su salvación, y cuando se levantó el sol mandó a su ministro que preparara grandes festines, y así se hizo.

»Se celebró la boda, el joven consumó el matrimonio y permaneció allí durante dos meses, al cabo de los cuales partió con su esposa camino de la ciudad de su padre. El primo de la mujer murió de envidia y de celos porque el hijo del rey había consumado el matrimonio y Dios (¡gloriado y ensalzado sea!) le había ayudado contra él y contra el visir de su padre. El joven llegó con su esposa en las mejores condiciones y con perfecta alegría junto a su padre, que lo recibió con sus soldados y sus ministros. Y así yo, ¡oh, rey!, ruego a Dios (¡ensalzado sea!) que te ayude contra tus visires y pido que me hagas justicia en relación con tu hijo.»

Cuando el rey hubo oído todas estas cosas, dio orden de que mataran a su hijo.

Sahrazad se dio cuenta de que amanecía e interrumpió el relato para el cual le habían dado permiso.

Cuando llegó la noche *quinientas ochenta y cuatro*, refirió:

—Me he enterado, ¡oh rey feliz!, de que al cuarto día el cuarto visir entró a ver al rey, besó el suelo y le dijo: «¡Dios consolide al rey y lo apoye! ¡Oh, rey!, ve despacio en lo que has decidido hacer, pues las personas razonables nada hacen sin medir las consecuencias. Un autor de proverbios dice: "A quien no reflexiona en las consecuencias, el tiempo no es su amigo". Y a quien hace algo sin meditarlo, le ocurre lo que le ocurrió al bañero con su mujer». «¿Qué le ocurrió al bañero con su mujer?», le preguntó el rey. «Me he enterado, ¡oh, rey!, que al empleado de un baño, al que concurrían personas notables y próceres, se le presentó un día un joven, hijo de un ministro, de hermoso aspecto, grueso y corpulento. El hombre se dispuso a servirle. Cuando el joven se desnudó, el bañero no pudo verle el miembro, que le desaparecía entre los muslos dada su gordura, y sólo se veía una pequeña parte, del tamaño de una avellana. El bañero lo lamentó y batió palmas, ante lo cual el joven le preguntó: "¿Qué te ocurre?" "Mi señor —le respondió—, me lamento por ti, pues estás en gran inferioridad y a pesar de ser muy atractivo, bello y de buen aspecto, no tienes nada que te permita gozar como a los demás hombres." "Tienes razón —le dijo el joven—, pero me has recordado algo en lo que no pensaba." "¿Qué?" "Toma este dinar y tráeme una hermosa mujer para que pueda probar con ella." El bañero tomó el dinar, fue a su mujer y le dijo: "Esposa, ha venido al baño un joven hijo de un ministro, hermoso como la luna llena, pero que no tiene miembro como el de los demás hombres, sino una cosa del tamaño de una avellana. Yo lo he lamentado, dada su juventud, y él me ha dado este dinar y me ha rogado que le llevara una mujer para probar con ella. Tú mereces más que ninguna otra este dinar; no puede ocurrirnos ningún mal, puesto que yo estaré escondido y tú permanecerás un rato a su lado, riéndote de él, y conseguirás este dinar".

»La mujer del bañero, que era una de las mujeres más hermosas de su época, tomó el dinar, se arregló, se puso sus mejores vestidos y salió con su marido, el cual la introdujo en una habitación vacía en la que se hallaba el hijo del ministro. Cuando entró a su presencia vio que era un joven hermoso, de buen aspecto, parecido a la luna llena, y quedó asombrada ante tanta belleza y gracia. Por su parte, cuando el joven la vio quedó con el ánimo en suspenso y desde aquel momento la deseó. Quedaron juntos, cerraron la puerta, y entonces el joven cogió a la mujer, la estrechó contra su pecho y la abrazó, hasta que salió un miembro del tamaño del de un asno, y así montó durante largo rato a la mujer del bañero, mientras ella lloraba y gritaba debajo de él, moviéndose y zarandeándose. De repente, el bañero empezó a llamarla y a decirle: "¡Basta ya, Umm Muhammad, sal! Tu niño de pecho ha estado demasiado tiempo sin ti". El joven le decía que fuera junto a su hijo y que regresara luego, pero ella contestaba: "Si me apartara de tu lado, me moriría; en cuanto a mi hijo, lo dejaré morir de llanto, o bien, que crezca huérfano de madre". Y así continuó con el joven hasta que éste se satisfizo en ella diez veces, mientras el marido chillaba al otro lado de la puerta, la llamaba, gritaba y lloraba y pedía auxilio sin obtenerlo. Y seguía diciendo: "¡Me ha matado!", y no lograba llegar hasta su mujer. La aflicción y los celos del bañero fueron tales que subió a la azotea de la casa de baños, se tiró desde ahí y murió.

»También, ¡oh, rey!, me han contado otra historia acerca de la astucia de las mujeres.» «¿Qué te han contado?» «Un joven libertino vio una mujer, bella, elegante, graciosa y perfecta, que no tenía igual. Se enamoró de ella y sintió por ella una ardiente pasión; pero la mujer no había cometido jamás adulterio ni deseaba cometerlo. Sucedió que cierto día su marido partió para determinado país, y entonces cada día y varias veces el joven le enviaba mensajes, a los que ella no contestaba. Entonces el joven se presentó a una vieja que habitaba cerca de su casa, y, después de saludarla, se quejó del amor que se había apoderado de él y de la pasión que sentía por aquella mujer, y le dijo que le gustaría poseerla. "Yo me comprometo a arreglar el asunto —dijo la vieja—; no te preocupes, pues yo, si Dios (¡ensalzado sea!) quiere, lograré lo que deseas." Al oírla hablar así, el joven le dio un dinar y se marchó. Por la mañana la vieja fue a ver a la mujer y reanudó las relaciones que había tenido con ella y empezó a visitarla diariamente, a comer y a cenar en su casa e incluso a aceptar alimentos para sus hijos. Aquella vieja siguió divirtiendo y entreteniendo agradablemente a la mujer, hasta el punto de que la corrompió y no podía separarse de ella ni un instante.

»Al salir de casa de la mujer, la vieja tomó durante algunos días la costumbre de untar un trozo de pan con grasa y pimienta y de dárselo a una perra, por lo que ésta empezó a seguirla por su clemencia y su bondad. Cierto día la vieja tomó mucha pimienta y grasa y se la ofreció: los ojos de la perra, después de haber comido, empezaron a lagrimear a causa del ardor de la pimienta. El animal iba tras ella llorando y la joven se asombró mucho y le dijo: "Madre mía, ¿por qué llora esta perra?" "Hija mía —le contestó la vieja—, esta perra tiene una extraña historia: era una mujer joven, graciosa, bella y agradable, amiga y compañera mía. Un joven del barrio se enamoró de ella y la amaba mucho y apasionadamente hasta el extremo de que se vio obligado a guardar cama, y varias veces al día le enviaba recados con la esperanza de que ella tuviera compasión de él; pero ella se negaba. Yo le aconsejé y le dije: 'Hija mía, obedécele en todo lo que te diga, y ten piedad y compasión de él'. Mas ella no aceptó mis consejos, hasta que el joven perdió la paciencia y se quejó a unos amigos suyos que se valieron de magia con ella y transformaron su aspecto humano en canino.

»"La joven, al enterarse de lo ocurrido, ver el estado en que se hallaba y la transformación que había experimentado, y al no hallar ser humano sino yo que tuviera compasión de ella, se vino a mi casa a implorar mi benevolencia, besándome manos y pies, mientras lloraba y sollozaba. Yo al reconocerla, le dije: 'Yo te aconsejé a menudo, pero mis consejos de nada te han servido'."»

Sahrazad se dio cuenta de que amanecía e interrumpió el relato para el cual le habían dado permiso.

Cuando llegó la noche *quinientas ochenta y cinco,* refirió:

—Me he enterado, ¡oh rey feliz!, de que [la vieja prosiguió:] «"Pero, hija mía, cuando la vi en tal situación, me conmoví y la invité a quedarse conmigo. Ahora se halla en este estado, y cada vez que recuerda su anterior condición, llora." Al oír las palabras de la vieja, la joven quedó aterrorizada y exclamó: "¡Madre mía! Por Dios, me has dado miedo con este relato". "¿De qué tienes miedo?", le preguntó la vieja. "Un hermoso joven me ama y me ha enviado muchas veces mensajes, pero yo los he rechazado. Ahora temo que me ocurra lo que le ocurrió a esta perra." "Pues ten cuidado, hija mía, y no lo contraríes: temo mucho por ti. Si no sabes dónde está, descríbemelo y yo te llevaré junto a él, pero no permitas que nadie te quiera mal." La joven se lo describió, y ella se hizo la indiferente y le hizo creer que no lo conocía. "Ahora iré a preguntar por él", concluyó la vieja. Cuando se alejó, fue a ver al joven y le dijo: "Tranquilízate. Ya he engañado a la joven. Mañana al mediodía irás y te plantarás al principio de la calle hasta que yo vaya a buscarte y te lleve a su casa, donde podrás pasar feliz el resto del día y toda la noche". El joven se alegró mucho, le dio dos dinares y añadió: "Cuando haya satisfecho mi deseo te daré diez dinares más". La vieja regresó junto a la joven y le dijo: "Ya lo he encontrado y le he hablado de tu asunto; pero está muy indignado contra ti y resuelto a hacerte daño. Sin embargo, yo he insistido en que venga mañana a la hora de la oración del mediodía". La mujer se alegró mucho y le dijo: "Madre mía, si se aplaca y viene mañana al mediodía te daré diez dinares". "Cuando venga, recuerda que sólo a mí se deberá", replicó la vieja.

»Al llegar el día la vieja le dijo: "Prepara la comida, embellécete, ponte tus mejores vestidos, mientras voy a buscarlo y lo traigo". La joven empezó a embellecerse y a preparar la comida mientras la vieja salía a esperar al joven. Pero éste no se presentó, y ella se puso a buscarlo y al no hallarle se dijo: "¿Qué hago? ¿Habrá de perderse la comida que la joven ha preparado y los dinares que me ha prometido? No he de permitir que este ardid se frustre, sino que buscaré otro joven y se lo llevaré". Y mientras daba vueltas por la calle vio a un joven hermoso y de buen ver, en cuyo rostro se apreciaban huellas de un viaje. Se acercó a él, lo saludó y le preguntó: "¿Quieres comer y beber y tener una joven dispuesta?" "¿Dónde está eso?", preguntó el hombre. "En mi casa", fue la respuesta; y el hombre se fue con ella. La vieja iba delante, sin saber que aquel hombre era el marido de la joven. Al llegar a la casa llamó, la joven abrió y corrió presurosa a vestirse y perfumarse. La vieja introdujo al joven en el salón, pues era muy astuta.

»Cuando entró la joven y su mirada se posó en su marido, junto al cual estaba sentada la vieja, con astucia y habilidad se apresuró inmediatamente a trazarse un plan. Se quitó el zapato del pie y apostrofó al marido: "¿Dónde está la fidelidad que nos juramos? ¿Cómo te atreves a traicionarme y a obrar conmigo de este modo? Cuando me enteré de que habías regresado quise poner a prueba tu fidelidad por medio de esta vieja, que te ha hecho caer en la trampa que te preparé. Ahora estoy segura acerca de ti: has violado el compromiso que había entre tú y yo. Creía que eras puro, antes de que te viera con mis propios ojos en compañía de esta vieja: tú te das a las mujeres perversas". Y empezó a pegarle en la cabeza con el zapato, mientras él hacía protestas de inocencia jurándole que jamás la había traicionado ni había hecho nunca nada de lo que ella le acusaba. Él juraba en nombre de Dios (¡ensalzado sea!), pero ella seguía pegándole, al mismo tiempo que lloraba y gritaba, llamando: "¡Acudid, musulmanes!", y cuando él le tapaba la boca, ella le mordía. El hombre estaba ya sumiso, le besaba manos y pies; pero ella no se contentaba y seguía pegándole con la mano. Luego, la mujer le hizo seña a la vieja de que le sujetase la mano. La vieja se adelantó y empezó a besarle manos y pies hasta que logró que los dos se sentaran. Una vez sentados, el marido se puso a besar la mano de la vieja, y a decirle: "¡Dios (¡ensalzado sea!) te recompense con toda clase de bienes, ya que me has salvado de ella!" Y la vieja quedó asombrada ante la astucia y el ingenio de aquella mujer. He aquí un ejemplo, ¡oh, rey!, de la astucia y del ingenio de las mujeres.»

Después de que el rey hubo oído al visir sacó la moraleja de su relato y renunció a dar muerte a su hijo.

Sahrazad se dio cuenta de que amanecía e interrumpió el relato para el cual le habían dado permiso.

Cuando llegó la noche *quinientas ochenta y seis*, refirió:

—Me he enterado, ¡oh rey feliz!, de que al quinto día la concubina volvió a presentarse llevando en la mano una copa de veneno: pidió ayuda, se abofeteó las mejillas y la cara, y le dijo: «¡Oh, rey!, o me haces justicia, vengándome de tu hijo, o me beberé esta copa de veneno y moriré; así mi culpa recaerá sobre ti hasta el día del juicio. Estos visires tuyos me tachan de astuta y redomada; mas no hay en el mundo gente más redomada que ellos. ¿No has oído nunca, ¡oh, rey!, la historia del orífice y la mujer?» «¿Qué les ocurrió, mujer?», preguntó el rey.

«Me he enterado, ¡oh rey feliz!, de que había un orífice que sentía pasión por las mujeres y el vino. Cierto día en que fue a casa de un amigo, al observar una de las paredes de la casa vio el retrato de una mujer como jamás se había visto más bella, más atractiva y agradable. El orífice la contempló largo rato y, maravillado ante la belleza de aquel retrato, se enamoró de la mujer, hasta el extremo de enfermar y estar a punto de morir. Un amigo fue a visitarlo y, después de sentarse, le preguntó por su estado y por qué se quejaba. "Hermano mío —le contestó—, toda mi enfermedad y todo lo que me ha ocurrido procede de un apasionado amor: me he enamorado de una figura pintada en la pared de la casa de fulano, amigo mío." Su amigo le reprochó y le dijo: "La causa de esto es tu estupidez. ¿Cómo se te ocurre enamorarte de un retrato que no puede ni perjudicar ni ser provechoso, que ni ve ni oye, ni toma ni prohíbe?" "El pintor sólo puede haberlo pintado tomando modelo de una hermosa mujer." "Quizá quien la pintó se la inventara." "De todos modos, ahora yo muero de amor por ella y si hay en el mundo mujer que se asemeje a la del retrato, yo ruego a Dios (¡ensalzado sea!) que me prolongue la vida hasta que pueda verla."

»Cuando los visitantes se marcharon, preguntaron por el autor de aquel retrato, y al enterarse de que había marchado hacia determinada ciudad, le escribieron una carta en la que le exponían el lamentable estado del amigo y le pedían detalles acerca de aquel retrato: cuál era el modelo, si lo había imaginado él o si había visto en el mundo una persona semejante. Les contestó así: "Pinté ese retrato tomando como modelo la cantante de cierto ministro que vive en la ciudad de Cachemira, en la India". Cuando el orífice, que vivía en Persia, se enteró de la noticia hizo sus preparativos y emprendió viaje hacia la India, y llegó a aquella ciudad tras grandes fatigas. Entró y se estableció en ella. Un día fue a la tienda de un perfumista de la ciudad, que era hábil, inteligente y lleno de tacto, y le preguntó por el rey y por su vida. "Nuestro rey —le contestó el perfumista— es justo y lleva una vida recta, hace el bien a los habitantes de su reino y es equitativo con sus súbditos. A nadie en el mundo odia, excepto a los magos: si le cae entre manos un mago o una maga, lo manda echar a un pozo fuera de la ciudad y allí lo abandona hasta que muere de hambre." A continuación, el orífice le hizo preguntas acerca de sus ministros, y el perfumista le contó la vida de cada uno de ellos y la situación en que se hallaba. Al fin, la conversación recayó en aquella cantante y el perfumista le dijo: "Está en casa de tal ministro".

»El orífice tuvo paciencia durante algunos días, hasta que ideó una astucia. Y cuando llegó una noche de lluvia, de truenos y de vientos huracanados, el orífice salió, recabó los servicios de unos salteadores y se dirigió a casa del dueño de la joven, dispuso una escala de garfios y subió a lo más alto del palacio. De ahí bajó al patio y vio que todas las esclavas dormían, cada cual en su cama, y también vio un lecho de mármol sobre el cual se hallaba una joven semejante a la luna cuando surge en la noche decimocuarta del mes. Se acercó a ella, se sentó junto a la cabecera de la cama, tiró de la cortina y apareció otra cortina de oro. A la cabeza y a los pies de la cama había una vela en un candelabro de oro brillante, y las dos velas eran de ámbar. Debajo de la almohada y junto a la cabeza de la esclava había una caja de plata, cerrada, en la cual se hallaban todas sus joyas. El orífice sacó un cuchillo con el que hirió el trasero de la joven, haciéndole una herida muy visible. La joven despertó asustada y aterrorizada. Cuando le vio tuvo miedo de gritar, y calló. Luego, creyendo que quería apoderarse de sus joyas, le dijo: "Toma la caja con lo que en ella hay: de nada te serviría matarme. Me pongo bajo tu protección y a ti te confío mi honor". El hombre tomó la caja con lo que en ella había, y se marchó.»

Sahrazad se dio cuenta de que amanecía e interrumpió el relato para el cual le habían dado permiso.

Cuando llegó la noche *quinientas ochenta y siete*, refirió:

—Me he enterado, ¡oh rey feliz!, de que [la concubina prosiguió:] «Por la mañana se vistió, tomó la caja en la que estaban las joyas, y fue a ver al rey de la ciudad. Después de besar el suelo ante él, le dijo: "¡Oh, rey!, soy un hombre que quiere aconsejarte. Soy nativo del Jurasán. He dejado mi patria y he venido a ti impulsado por la fama que se ha difundido acerca de tu buena conducta y de tu justicia para con tus súbditos. Por eso he querido ponerme bajo tu bandera. Al llegar a esta ciudad al terminar el día, encontré la puerta cerrada y me dispuse a dormir fuera. Mientras dormitaba vi cuatro mujeres, una de las cuales iba montada en una escoba y otra cabalgaba sobre un abanico, y me di cuenta, ¡oh, rey!, de que eran brujas que entraban en la ciudad. Una de ellas se me acercó, me empujó con el pie y me golpeó con una cola de zorra que llevaba en la mano; me hizo daño; pero yo pude darle de rechazo con mi cuchillo y con él la herí en el trasero, mientras ella escapaba. Al herirla, ella huyó ante mí y se le cayó esta caja con todo su contenido. La cogí, la abrí y en ella encontré estas preciosas joyas. Tómalas, yo no la necesito, pues soy un individuo que va deambulando por las montañas y en mi interior he rechazado el mundo, renunciando a él y a cuanto contiene: yo busco la faz de Dios (¡ensalzado sea!)". Y, tras dejar la caja ante el rey, el orífice se marchó.

»Apenas hubo salido, el rey abrió la caja, sacó las

joyas que había en su interior y las fue mirando: halló un collar que había regalado al ministro que era dueño de la joven. Lo llamó y cuando lo tuvo ante sí, le dijo: "¿Es éste el collar que te regalé?" El ministro, después de haberlo mirado e identificado, le contestó: "Sí. Yo se lo regalé a una esclava cantora que tengo". "Pues dile que venga inmediatamente", mandó el rey. Y cuando tuvo ante sí la esclava, el rey le dijo al ministro: "Destápale el trasero y mira si tiene o no una herida". "Sí, mi señor, tiene una herida", le dijo el ministro al rey, después de haber puesto al descubierto el trasero de la esclava y haber visto la herida de cuchillo. "¡No cabe duda ni vacilación de que ésta es la bruja de que me habló el asceta!", exclamó el rey. Dio orden de que la echaran al pozo de los magos, y aquel mismo día la echaron en el pozo. Cuando llegó la noche y el orífice se hubo enterado de que su ardid había tenido éxito, fue a ver al guardián del pozo llevando una bolsa con mil dinares. Se sentó y estuvo charlando con él hasta el final del primer tercio de la noche. Luego empezó a hablar al guardián con las siguientes palabras: "Sabe, hermano mío, que esta joven es inocente de la culpa de que se le acusa, y yo soy el culpable de ello", y así le fue contando toda la historia desde el principio hasta el fin, y concluyó: "Toma, hermano mío, esta bolsa en la que hay mil dinares y dame la joven para que yo pueda partir con ella hacia mi tierra. Estos dinares te serán más útiles que tener presa a la esclava: toma nuestra recompensa y los dos rezaremos pidiendo tu bienestar y tu paz". Después de haber oído la historia, el guardián quedó asombrado ante tanta astucia y ante su éxito. A continuación, y después de haber cogido la bolsa con su contenido, le entregó la joven, pero con la condición de que no permaneciese con ella ni siquiera una hora en aquella ciudad. El orífice la cogió en seguida y partió raudo hasta que llegó a su tierra, conseguido su objetivo.

»¡Ya ves, ¡oh, rey!, de qué tipo es la picardía y la astucia de los hombres! Tus ministros te distraen de hacerme justicia. Pero mañana, ¡oh, rey!, tú y yo nos presentaremos ante un juez justo, para que Él me haga justicia de ti.»

El rey, al oír aquellas palabras, mandó matar a su hijo. Pero se presentó el quinto visir y, después de inclinarse ante él, le dijo: «¡Gran rey! Ve despacio y no te apresures en dar muerte a tu hijo, pues es posible que la prisa engendre arrepentimiento. Temo que debas arrepentirte como aquel hombre que no volvió a reír nunca más en su vida». «¿Cómo fue la cosa?», preguntó el rey.

«Me he enterado, ¡oh, rey!, de que un hombre que poseía varias casas y dinero, criados, esclavos e inmuebles, murió dejando un hijo pequeño. Cuando éste se hizo mayor se entregó a la comida y a la bebida, a escuchar músicas y canciones, a mostrarse generoso y a hacer regalos, y así acabó con los bienes que le había dejado su padre y no le quedó nada.»

Sahrazad se dio cuenta de que amanecía e interrumpió el relato para el cual le habían dado permiso.

Cuando llegó la noche *quinientas ochenta y ocho*, refirió:

—Me he enterado, ¡oh rey feliz!, de que [el ministro prosiguió:] «Entonces vendió esclavos, concubinas e inmuebles, gastó todo lo que poseía gracias a su padre o a otros, y quedó pobre.

»Entonces se puso a trabajar con los obreros y en tal situación estuvo durante un año. Cierto día, mientras estaba sentado junto a una pared en espera de que alguien solicitase sus servicios, se le acercó un hombre bien vestido y de buen aspecto, que lo saludó: "¿Me conociste antes de ahora, tío?", le preguntó el joven. "No te conocí, hijo mío, pero veo en ti señales de un pasado bienestar, mientras que ahora te hallas en esta situación." "El destino divino siguió su curso. ¿Hay algo en que pueda servirte, tío de rostro amable?" "Quiero que me sirvas en una cosa muy sencilla, hijo mío." "¿Cuál es, tío?" "En mi morada, en una sola casa, hay diez viejos, pero no hay quien pueda servirnos. Te daremos de comer y de beber hasta saciarte, y también te daremos dinero y otras cosas. Tal vez Dios, por medio de nosotros, te devuelva la felicidad." "Oír es obedecer", repuso el joven. "Pero debo ponerte una condición", prosiguió el viejo. "¿Qué condición, tío?" "Que tú, hijo mío, guardes el secreto de lo que nos veas hacer, y que si nos ves llorar no nos preguntes la causa de nuestro llanto." "De acuerdo, tío." "Vente conmigo, con la bendición de Dios (¡ensalzado sea!), hijo mío." Y el joven siguió al viejo, que lo llevó a un establecimiento de baños, le hizo entrar, le mandó quitarse los harapos que llevaba y envió un hombre en busca de vestidos hermosos y de buena tela. El hombre volvió con un hermoso vestido de excelente tejido que el viejo le mandó ponerse, y luego marchó con él a su casa, junto a su grupo.

»Cuando el joven entró vio que era una casa alta, sólidamente construida, espaciosa, con salones y estancias unas frente a otras. En cada estancia había un surtidor sobre el cual cantaban pájaros, y ventanas que, por todas partes, daban a un hermoso jardín. El viejo le hizo entrar en uno de los salones, recubierto de mármol de colores, cuyo techo estaba incrustado de lapislázuli y oro brillante, y en el cual estaba extendida una alfombra de seda: diez viejos vestidos de luto, sentados uno frente a otro, lloraban y sollozaban. El joven se asombró y estuvo a punto de pedirle explicaciones al viejo; pero se acordó de la condición que le habían impuesto y retuvo su lengua.

»El viejo le dio al joven una caja con treinta mil dinares, al tiempo que le decía: "Hijo mío, gasta con precaución, para nosotros y para ti, el contenido de esta caja de la mejor manera posible. Tú, que eres persona de confianza, conserva lo que te he entregado". "Oír es obedecer", repuso el joven; y, en efecto, fue gastando para ellos durante cierto número de días y de noches. Luego, uno de ellos murió; sus compañeros lo cogieron, lo lavaron, lo envolvieron en la mortaja y lo sepultaron en el jardín que había detrás de la casa. La muerte se los fue llevando uno tras otro, hasta que sólo quedó el viejo que lo había contratado. Él y el joven siguieron en la casa, solos, durante cierto número de años. Luego, el viejo enfermó, y cuando el joven ya no tuvo esperanzas de que quedara en vida, se le acercó, le expresó su dolor y le dijo: "Tío, yo os he servido y no os he negado mis servicios ni un solo instante durante doce años. Os di consejos y os serví con toda mi buena voluntad y todas mis fuerzas". "Sí, hijo mío, tú nos has servido hasta que Dios, Todopoderoso y Grande, llamó hacia Él a esos viejos: no podemos hurtarnos a la muerte." "Mi señor, tú estás en peligro, y yo quiero que me informes de la causa de vuestros llantos, de vuestros continuos sollozos, de vuestra tristeza y de vuestra inquietud." "Hijo mío, no es preciso que lo sepas, no me obligues a hacer lo que no puedo hacer. Yo he pedido a Dios (¡ensalzado sea!) que no le ocasione a nadie las desgracias que me ocurrieron a mí. Si quieres salvarte de los males que cayeron sobre nosotros, ¡no abras esa puerta! —y le señaló con la mano la puerta, poniéndole en guardia—. En cambio, si quieres que te ocurra lo que a nosotros, ábrela y así sabrás la causa de lo que nos viste hacer; pero te arrepentirás cuando el arrepentimiento ya no te sirva de nada."»

Sahrazad se dio cuenta de que amanecía e interrumpió el relato para el cual le habían dado permiso.

Cuando llegó la noche *quinientas ochenta y nueve*, refirió:

—Me he enterado, ¡oh rey feliz!, de que [el ministro prosiguió:] «La enfermedad del viejo se agravó, y murió. El joven lo lavó con sus propias manos, lo amortajó y lo enterró junto a sus compañeros. Y se quedó en aquel lugar del que había pasado a ser dueño absoluto y definitivo; pero seguía preocupado y pensativo por el estado en que había visto a los viejos. Cierto día, mientras reflexionaba sobre las palabras del anciano y su advertencia de que no abriera la puerta, se le ocurrió ir a verla. Se acercó y buscó hasta dar con una puerta delgada sobre la que la araña había tejido su tela, y que estaba cerrada con cuatro candados de acero. Al verla se acordó de lo que le había dicho el viejo y se marchó, y aunque durante siete días su mente le impulsó a abrir la puerta, logró dominarla. Al octavo día su instinto lo venció y se dijo: "Yo he de abrir esa puerta y ver qué me ocurre una vez abierta: nada puede evitar que se cumpla la decisión de Dios (¡ensalzado sea!), y nada puede ocurrir si no es por su voluntad". Se levantó y abrió la puerta, después de romper los candados. Una vez abierta, vio un estrecho pasillo por el que echó a andar y por el que anduvo durante tres horas, al cabo de las cuales salió a la orilla de un gran río. El joven quedó asombrado, pero se puso a andar por la orilla mirando a diestra y siniestra. De repente, una enorme águila bajó del cielo, agarró al joven entre sus garras y se echó a volar entre cielo y tierra hasta una isla en medio del mar en la que lo dejó caer, y luego desapareció volando. El joven estaba perplejo ante lo que le sucedía y no sabía dónde ir.

»Cierto día, mientras estaba sentado, apareció ante sus ojos, en el mar, como si fuera una estrella en el cielo, la vela de una embarcación. El ánimo del joven quedó pendiente de aquel barco, pensando que quizás en él se hallase su salvación, y siguió mirándolo hasta que llegó junto a él. Entonces se dio cuenta de que se trataba de un barco de marfil y ébano, cuyos remos eran de sándalo y áloe, recubierto de láminas de oro brillante y en el que iban diez mujeres vírgenes, hermosas como la luna. Las mujeres, al verlo, salieron de la embarcación, le besaron las manos y le dijeron: "Tú eres el rey esposo". Una joven, hermosa como el sol que brilla en medio de un cielo sereno, que llevaba en la mano un mandil de seda que contenía un vestido real y una corona de oro incrustada con varias clases de jacintos, se le acercó, le puso el vestido, lo coronó y lo llevó en brazos a la embarcación, en la que el joven pudo apreciar varias clases de alfombras de seda de colores. A continuación las mujeres desplegaron las velas y pusieron rumbo a alta mar.

»El joven dijo: "Cuando partí con ellas creí que se trataba de un sueño. No sabía adónde me llevaban, pero cuando estuve cerca de tierra vi que estaba llena de soldados, cuyo número sólo Dios (¡gloriado y ensalzado sea!) sabe, vestidos con corazas. Me presentaron cinco caballos marcados que llevaban sillas de oro incrustadas de perlas y piedras preciosas de fabuloso precio. Tomé uno, monté en él, mientras los otros cuatro andaban junto a mí. Cuando estuve a caballo, las banderas y los estandartes fueron desplegados por encima de mí y empezaron a batir tambores y timbales. Los soldados se alinearon a derecha e izquierda, y yo empecé a dudar de si dormía o estaba despierto. Seguí andando sin querer creer que me hallaba en tal cortejo, convencido de que soñaba, hasta que llegamos a la vista de un prado verde, en el que había palacios, jardines, árboles, ríos, flores y pájaros que alababan al Dios único y todopoderoso. Mientras todos se hallaban en tal situación, de entre los castillos y los jardines surgieron soldados, como si se tratara de un torrente impetuoso, hasta que el prado estuvo lleno. Al llegar junto a mí, los soldados se detuvieron, y uno de ellos, el rey, se adelantó solo, a caballo, delante de algunos nobles de su séquito que le seguían a pie".

»Cuando el rey llegó junto al joven, descabalgó, y también el muchacho se apeó del caballo. Cambiaron los mejores saludos y luego, después de haber vuelto a montar, el rey le dijo al joven: "Ven con nosotros, eres mi huésped". El joven se puso en marcha con él e iban charlando mientras el cortejo, bien formado, marchaba ante ellos, hasta el castillo del rey. Entonces desmontaron y entraron todos, mientras el rey y el joven iban cogidos de la mano.»

Sahrazad se dio cuenta de que amanecía e interrumpió el relato para el cual le habían dado permiso.

Cuando llegó la noche *quinientas noventa*, refirió:

—Me he enterado, ¡oh rey feliz!, de que [el ministro prosiguió:] «El rey hizo sentar al joven en una silla de oro y se sentó junto a él. Cuando se quitó el velo del rostro, he aquí que el rey era una joven bella como el sol cuando aparece en un cielo sereno, de buen ver, amable, elegante y perfecta, graciosa y maravillosa. El joven vio ante sí una gran ventura y felicidad, y quedó asombrado ante tal belleza y gracia: "Sabe, ¡oh, rey! —le dijo la reina—, que yo soy la reina de este país. Todos los soldados, los caballeros y los infantes que has visto son mujeres: no hay hombres entre ellos. Entre nosotros, los hombres labran y siembran la tierra, la siegan y cultivan, trabajan en hacer próspero el país y se ocupan de todos los menesteres de interés público. En cambio, las mujeres gobiernan, ocupan los cargos y forman el ejército". El joven quedó muy asombrado de todo eso. Mientras así estaban, entró el ministro, era una vieja de cabello cano, respetable y de venerable aspecto. La reina le dijo: "Manda venir al juez y a los testigos", y la vieja se marchó.

»Entonces la reina trató afablemente al joven y con palabras amables intentó eliminar su timidez. Luego se le acercó y le preguntó: "¿Quieres que sea tu esposa?"

El joven se levantó, besó el suelo ante ella, mas ella se lo impidió. "Mi señora —le contestó el joven—, yo valgo menos aún que los siervos que están a tu servicio." "¿No has visto todos los siervos, los soldados, los bienes, las arcas y los tesoros?" "Sí." "Todo esto está a tu disposición: puedes disponer libremente de ello, y dar y regalar lo que te parezca bien." Luego le señaló una puerta cerrada y le dijo: "De todo puedes disponer según tu voluntad, excepto de esta puerta: no la abras, pues si la abres te arrepentirás cuando ya el arrepentimiento no pueda servirte de nada". Aún no había acabado de hablar, cuando se presentó el ministro acompañado del juez y de los testigos. Todos eran viejas, cuyos cabellos les caían sobre la espalda, mujeres de venerable aspecto.»

Refiere el narrador: «Cuando estuvieron ante la reina, ella les mandó que estipularan las condiciones del matrimonio, y el joven se casó con ella. Los banquetes fueron preparados y los soldados reunidos. Después de haber comido y bebido, el joven marchó con ella a consumar el matrimonio, comprobó que era virgen y le tomó su virginidad.

»Con ella permaneció durante siete años, en la vida más placentera y cómoda, feliz y lujosa que sea posible. Pero un día se acordó de la puerta que no debía abrir y pensó: "Si no llevase a tesoros más bellos y mejores de los que he visto no me habría prohibido que la abriera". Fue y abrió la puerta: allí estaba el pájaro que lo había transportado desde la orilla del mar y lo había depositado en la isla. Al verlo, el pájaro le dijo: "¡No sea jamás bien venido este desdichado rostro!" Al ver al pájaro y oír sus palabras, el joven huyó; pero el pájaro lo persiguió, lo agarró y echó a volar con él entre cielo y tierra durante una hora, al cabo de la cual lo depositó en el lugar en que lo había cogido, y desapareció. El joven se sentó, volvió en sí, y al recordar la felicidad, el poder y el honor de que había gozado, al recordar que los soldados marchaban ante él y que mandaba y prohibía, se echó a llorar y sollozar. Durante dos meses permaneció en la orilla del mar en que lo había depositado el pájaro, en espera de poder regresar junto a su esposa.

»Una noche, mientras estaba desvelado, triste y pensativo, alguien, cuyas palabras oía pero al que no podía ver, le dijo: "¡Cuán grandes son las delicias! ¡Nunca, nunca se te devolverá lo que perdiste! ¡Entristécete más aún!" Cuando el joven lo oyó, perdió la esperanza de volver a ver a la reina y de reanudar la felicidad de que gozaba. Entró en la casa en la que habían vivido los viejos, y así supo que a ellos les había ocurrido lo que a él, y que ésa era la causa de su llanto y de su desazón, y les excusó. Luego, el malestar y la preocupación se apoderaron de él, entró en el salón y siguió llorando y sollozando. Dejó de comer y de beber, de usar buenos perfumes, y dejó de reír hasta que halló la muerte, y entonces lo enterraron junto a los viejos.

»Sabe, ¡oh, rey!, que el apresuramiento no es cosa loable, sino que engendra arrepentimiento. Yo te he dado este consejo.»

Cuando el rey hubo oído esas palabras, hizo caso, aceptó el consejo y renunció a dar muerte a su hijo.

Sahrazad se dio cuenta de que amanecía e interrumpió el relato para el cual le habían dado permiso.

Cuando llegó la noche *quinientas noventa y una,* refirió:

—Me he enterado, ¡oh rey feliz!, de que al sexto día la mujer volvió a presentarse ante el rey, llevando en la mano un cuchillo desenvainado. «Sabe, mi señor —le dijo—, que me mataré si no aceptas mi queja y no haces prevalecer mis derechos a que sea respetado tu honor contra quienes me atacaron, es decir, contra tus visires, que sostienen que las mujeres son astutas, pillas y engañosas, pues con ello pretenden hacerme perder cuanto me corresponde y quieren que el rey se olvide de considerar mi derecho. Yo ahora ante ti, por medio de la historia del hijo de un rey que se reunió con la mujer de un mercader, te demostraré que los hombres son más astutos que las mujeres.» «¿Qué le ocurrió al hijo del rey con aquella mujer?», preguntó el rey.

«Me he enterado que había un mercader celoso —contó la mujer— que tenía una mujer hermosa y atractiva. Eran tales su miedo y sus celos que él y su esposa no habitaban en la ciudad, sino que había levantado fuera de ella un palacio aislado de cualquier otro edificio. El mercader lo había construido sólido, con altos muros, puertas fortificadas, cerraduras resistentes; cuando se dirigía a la ciudad, cerraba las puertas y se llevaba las llaves, colgadas al cuello. Cierto día, mientras se hallaba en la ciudad, el hijo del rey de aquella comarca, que había salido fuera de las murallas a pasear y a solearse en la amplia llanura, al ver tanto espacio desierto estuvo mirando a su alrededor durante mucho rato, hasta que su mirada cayó sobre el palacio, y vio una hermosísima mujer asomada a una de sus ventanas. Al verla quedó perplejo ante su belleza y atractivo, y aunque quiso llegar a ella no le fue posible. Llamó entonces a uno de sus pajes, le mandó traer tintero y papel, sobre el cual escribió unas cuantas palabras en que explicaba el estado en que se hallaba por el amor que sentía hacia ella, fijó el mensaje en la punta de una flecha y la lanzó al interior del palacio. La flecha cayó mientras la mujer paseaba por el jardín. Mandó a una de sus doncellas que corriera a recoger aquel papel y, después de haber leído el escrito y de conocer el amor, el afecto y la pasión que el hijo del rey le manifestaba en él, le escribió la respuesta en la que le hacía saber que ella estaba aún más enamorada de él. A continuación lo buscó desde la ventana del palacio, lo divisó, le lanzó su respuesta y al verlo se sintió todavía más enamorada. Cuando el hijo del rey la vio, se colocó junto al palacio: "Échame una cuerda —le dijo—, para que pueda atar a ella esta llave, que tú guardarás". La mujer le echó la cuerda, él ató la llave y después marchó a ver a sus ministros y les manifestó su amor hacia aquella mujer, y añadió que no podía esperar más para poseerla. Uno de sus ministros le preguntó por sus planes, y le pidió órdenes. "Quiero —le dijo el hijo del rey— que me metas en una caja, digas que contiene cosas tuyas y se la entregues en depósito a ese mercader para que la guarde en su palacio, hasta que yo, dentro de unos días, haya conseguido lo que deseo de aquella mujer; luego le pedirás que te devuelva la caja." "De mil amores", repuso el ministro.

»El hijo del rey se dirigió a casa del ministro, se metió en una caja, que éste cerró y llevó al palacio del mercader. Cuando éste vio al visir, le besó las manos y le preguntó: "¿El ministro, mi señor, necesita algo en que pueda servirle?" "Quiero —le contestó— que coloques esta caja en el mejor lugar que tengas." El mercader ordenó a los faquines que se llevaran la caja, la hizo transportar al palacio y la colocó en un depósito. Y luego se marchó. Entonces la mujer se dirigió hacia donde estaba la caja y la abrió con la llave que tenía: de la caja salió un joven hermoso como la luna. Después de verlo, ella se puso sus mejores vestidos y entró con él en el salón, donde permanecieron juntos, comiendo y bebiendo, durante siete días; pero cada vez que venía su marido, ella metía al príncipe en la caja y lo encerraba en ella. Al cabo de unos días el rey preguntó por su hijo, y el ministro, apresuradamente, fue a casa del mercader a pedirle la caja.»

Sahrazad se dio cuenta de que amanecía e interrumpió el relato para el cual le habían dado permiso.

Cuando llegó la noche *quinientas noventa y dos,* refirió:

—Me he enterado, ¡oh rey feliz!, de que [la concubina prosiguió:] «Entretanto, el mercader, contra su costumbre, había regresado al palacio apresuradamente y había llamado a la puerta. Al oírlo, su mujer cogió al hijo del rey y lo metió en la caja, pero olvidó cerrarla. Cuando el mercader y los faquines llegaron al palacio, levantaron la tapa de la caja: allí estaba, dormido, el hijo del rey. El mercader lo vio y lo reconoció; se presentó al ministro y le dijo: "Entra tú mismo y coge al hijo del rey, pues ninguno de nosotros puede tocarlo". El ministro fue, lo cogió y se marcharon todos. Cuando se hubieron marchado, el mercader repudió a su mujer y juró que no volvería a casarse.

»También me han contado, ¡oh, rey!, que una persona de elevada posición fue un día al mercado y encontró a un muchacho cuya venta se anunciaba; lo compró, se lo llevó a su casa y le encargó a su mujer que se ocupara de él. El muchacho permaneció en la casa durante cierto tiempo. Un buen día el hombre le dijo a su mujer: "Ve mañana al jardín a dar un paseo y a divertirte y distraerte". "De mil amores", le contestó su mujer. El muchacho, al oír estas palabras, cogió alimentos, que preparó aquella misma noche, así como bebidas, dulces y frutas, y luego se dirigió al jardín y depositó la comida bajo un árbol, las bebidas debajo de otro y los dulces y la fruta debajo de un tercero, junto al camino que habría de recorrer la mujer de su dueño.

»Por la mañana, el dueño mandó al muchacho que acompañara a su señora al jardín, y encargó que llevaran los manjares, las bebidas y la fruta que pudieran necesitar. La mujer salió a caballo junto con el muchacho y llegaron al jardín. Apenas entraron en él, un cuervo graznó y el muchacho le dijo: "Has dicho bien". "¿Sabes qué ha dicho el cuervo?", le preguntó la dueña. "Sí, mi señora", fue la respuesta. "¿Y qué ha dicho?" "Mi señora, ha dicho: 'Bajo este árbol hay comida: venid a comerla'." "Veo que comprendes el lenguaje de los pájaros." "Sí." La mujer se acercó al árbol y halló la comida preparada. La comieron y la mujer quedó asombrada del muchacho, pues creyó que comprendía verdaderamente el lenguaje de los pájaros. Continuaron el paseo por el jardín. Otro cuervo graznó, y el muchacho repitió: "Has dicho bien". "¿Qué dice?", le preguntó su dueña. "Dice, mi señora, que debajo de aquel árbol hay un recipiente de agua perfumada con almizcle, y también vino rancio." Ella se dirigió hacia allí, y hallaron el agua y el vino, con lo cual aumentó el asombro de la mujer y fue mayor su admiración por el muchacho. La mujer se sentó con él a beber, y después de haber bebido siguieron andando hacia cierto lugar del jardín. Un tercer cuervo graznó, y el muchacho volvió a decir: "Has dicho verdad". "¿Qué dice", le preguntó la señora. "Dice que bajo aquel árbol hay fruta y dulces." Fueron allí y encontraron fruta y dulces. Comieron una parte y luego prosiguieron su paseo por el jardín.

»Otro cuervo graznó, y el muchacho cogió una piedra y la lanzó contra él. "¿Por qué tiras contra él? ¿Qué ha dicho?", preguntó la mujer. "Mi señora, dice ciertas palabras que no puedo repetirte." "Dilas, no tengas vergüenza de mí: entre tú y yo no hay relaciones de las cuales debas avergonzarte." El muchacho seguía negándose a hablar, y la mujer seguía insistiendo, hasta que ella lo convenció haciendo un juramento. Entonces el muchacho le contó: "El cuervo dice: 'Haz con tu dueña lo que ella hace con su marido'". Al oír tales palabras la mujer se echó a reír hasta caer de espaldas. "Esto es poca cosa

—exclamó—, y yo no puedo negarme a ello." Se colocó bajo uno de los árboles, extendió una alfombra y lo llamó para que satisficiese sus deseos. Pero he aquí que detrás del muchacho apareció el dueño, que lo estaba mirando. Lo llamó y le dijo: "¿Qué tiene tu dueña que está echada ahí y llora?" "Mi señor, cayó de un árbol y se mató, y el propio Dios (¡gloriado y ensalzado sea!) le ha devuelto la vida; por eso se ha echado un poco, para descansar." Cuando la mujer vio a su marido ante ella, se levantó fingiendo encontrarse mal y sentir dolores. "¡Ay, mi espalda! —decía—. ¡Ay, mi costado! ¡Venid, amigos, no permaneceré con vida!" Y así quedó burlado su marido. Llamó al muchacho, le mandó que trajera el caballo de su dueña y que la hiciera montar, y cuando hubo montado el marido tomó uno de los estribos, el muchacho tomó el otro, y le decía: "Dios te dará fuerzas y te curará".

»Éste, ¡oh, rey!, es uno de los numerosos ejemplos de la astucia y de la picardía de los hombres. Por consiguiente, tus visires no deben hacerte desistir de la intención de ayudarme y vengarme.» Y se echó a llorar.

Cuando el rey la vio llorar, a ella, su concubina favorita, mandó que mataran a su hijo. Entonces entró el sexto visir, besó el suelo ante él y dijo: «Dios (¡ensalzado sea!) haga poderoso al rey. Yo te aconsejo y te recomiendo que vayas despacio en el asunto de tu hijo».

Sahrazad se dio cuenta de que amanecía e interrumpió el relato para el cual le habían dado permiso.

Cuando llegó la noche *quinientas noventa y tres,* refirió:

—Me he enterado, ¡oh rey feliz!, de que [el visir prosiguió:] «Las cosas falsas se asemejan al humo, mientras que la verdad es firme y sólida y su luz hace desaparecer las tinieblas de la mentira. La picardía de las mujeres es grande. Dios dijo en su libro: "Vuestra astucia es grande"[3]. En efecto, me han contado la historia de una mujer que urdió contra los magnates del estado un ardid que no tuvo igual en el pasado.» «¿Cómo fue eso?», preguntó el rey.

[3] Cf. *El Corán,* 12, 28.

«Me he enterado, ¡oh, rey!, que una mujer, hija de mercaderes, estaba casada con un hombre que viajaba mucho. Una vez, el marido partió para lejanas tierras y estuvo ausente durante mucho tiempo. Su ausencia empezaba a ser demasiado larga para ella, y así se enamoró de un hermoso joven, hijo de mercaderes. Lo amaba y era correspondida. Un día el joven se peleó con un hombre, y éste se quejó de él ante el gobernador de la ciudad, que lo mandó encarcelar. La noticia llegó hasta su amante, la mujer del mercader, que se indignó sobremanera. Se puso sus mejores vestidos, fue a casa del gobernador y le entregó un escrito que decía: "Aquel a quien has encarcelado y reducido a prisión es mi hermano, fulano, que se ha peleado con mengano; pero las personas que testimoniaron contra él dieron falso testimonio, por lo cual ha sido encarcelado injustamente. Ahora bien, yo no tengo a nadie que mire y vele por mí. Por eso pido de la gracia de nuestro señor que mi hermano sea puesto en libertad".

»Cuando el gobernador leyó el escrito, la miró, se enamoró de ella y le dijo: "Entra en la casa mientras yo le mando traer a mi presencia. Luego te llamaré y te lo podrás llevar". "Mi señor —le contestó la mujer—, yo sólo puedo confiar en Dios (¡ensalzado sea!), pues soy extranjera y, por consiguiente, no puedo entrar en casa de nadie." "No lo pondré en libertad hasta que hayas entrado en mi casa y yo haya satisfecho mis deseos en ti." "Si es esto lo que quieres, sólo podrás conseguirlo viniendo a mi casa: allí te sentarás, dormirás y descansarás durante todo el día." "¿Dónde está tu casa?" "En tal sitio." Y tras decir esto salió, mientras el gobernador se quedaba con el corazón en llamas.

»La mujer, después de salir, se dirigió al juez del lugar y le habló así: "Señor nuestro, cadí". "Aquí estoy." "Examina mi causa, y ¡Dios te dará la recompensa!" "¿Quién te ha causado mal?", preguntó el cadí. "Mi señor: tengo un solo hermano. Me ha encargado que venga a verte porque el gobernador lo ha encarcelado ya que dieron falso testimonio contra él diciendo que había cometido un abuso. Yo sólo te pido que intercedas por mí junto al gobernador." El cadí la miró con atención, se enamoró de ella y le dijo: "Entra en casa junto a las mujeres y descansarás un rato con nosotros. Entretanto, yo mandaré decir al gobernador que ponga en libertad a tu hermano. Si supiera la cantidad que debe, la pagaría por satisfacer mi pasión contigo, pues tú, con tu hermosa manera de obrar, me has gustado". "Si tú, nuestro señor, obras así, ya no pueden hacérsele reproches a nadie más." "Si no quieres entrar en mi casa —prosiguió el cadí—, sigue tu camino." "Si verdaderamente, mi señor, quieres que sea así, en mi casa la cosa será más disimulada y mejor que en la tuya, donde hay mujeres y criados y gentes que entran y salen. Yo soy una mujer inexperta en tales asuntos, pero la necesidad me obliga a hacerlo." "¿Dónde está tu casa?", le preguntó entonces el cadí. "En tal sitio", le contestó la mujer; y le dio cita para el mismo día en que había citado al gobernador.

»Luego, tras salir de la presencia del cadí, fue a casa del visir, al que contó su historia y le expuso la necesidad que tenía de que pusieran en libertad a su hermano, al que el gobernador había encarcelado. El visir la solicitó y le dijo: "Hemos de satisfacer nuestros deseos en ti, y luego mandaremos poner en libertad a tu hermano". "Si sólo quieres eso, sea, pero en mi casa, donde la cosa estará más oculta para mí y para ti. La casa no está lejos y tú bien sabes cuánta limpieza y comodidad son necesarias." "¿Dónde está tu casa?", preguntó el visir. "En tal sitio", y lo citó para el día de marras. Salió de ver al visir y se dirigió al rey de la ciudad, le expuso su caso y le pidió que pusiera en libertad a su hermano. "¿Quién lo encarceló?", le preguntó el rey. "El gobernador." Mientras escuchaba sus palabras, su corazón quedó preso de pasión por ella y le mandó entrar con él en el palacio hasta que hubiera enviado a decir al gobernador que pusieran en libertad a su hermano. "Esto, ¡oh, rey! —le dijo la mujer—, te es fácil obtenerlo sea con mi voluntad, sea contra ella. Si el rey quiere eso, yo me considero honrada; pero si el rey viene a mi casa, me honrará trasladando allí sus nobles pasos, como dice el poeta:

Mis dos amigos, ¿habéis visto u oído hablar de
la visita de aquel cuyas nobles cualidades se han
revelado junto a mí?"

»"No he de contrariarte en eso", concluyó el rey. Y la mujer le señaló el mismo día que a los otros y le indicó dónde estaba su casa.»

Sahrazad se dio cuenta de que amanecía e interrumpió el relato para el cual le habían dado permiso.

Cuando llegó la noche *quinientas noventa y cuatro*, refirió:

—Me he enterado, ¡oh rey feliz!, de que [el visir prosiguió:] «Al salir de la presencia del rey, fue a ver a un carpintero y le dijo: "Quiero que me hagas un armario de cuatro pisos, uno encima de otro, cada piso con puerta que cierre. Dime cuánto te debo y te pagaré". "Cuesta cuatro dinares; pero si tú, respetable señora, me concedes tus gracias, esto es lo que yo quiero y nada más te cobraré." "Si así ha de ser, entonces házmelo de cinco pisos, con sus correspondientes cerraduras." "De mil amores", le contestó el carpintero, y ella le pidió que le llevara el armario el día señalado. "Señora —observó el carpintero—, siéntate aquí y en seguida tendrás lo que necesitas. Luego yo iré a tu casa." Ella se sentó en su casa hasta que acabó el armario de cinco pisos; luego se fue a su casa y lo puso en el salón. A continuación tomó cuatro vestidos, los llevó al tintorero y mandó que se los tiñera cada uno de un color distinto, y después se puso a preparar guisos, bebidas, perfumes, frutas y substancias olorosas. Cuando llegó el día de la cita, se puso su más lujoso vestido, se embelleció y se perfumó, extendió en el suelo del salón magníficas alfombras y se sentó a esperar al que llegara.

»El cadí llegó antes que los demás. Cuando lo vio, ella se levantó, besó el suelo ante él, y luego lo cogió y lo hizo sentar en el diván y se echó con él a divertirse. Mas cuando el cadí quiso satisfacer su deseo, ella le indicó: "Mi señor, quítate el vestido y el turbante y ponte esta túnica amarilla y este velo sobre tu cabeza. Entretanto, yo traeré comidas y bebidas, y después podrás satisfacer tu deseo".

Ella cogió sus vestidos y su turbante, mientras él se ponía la túnica y el velo sobre la cabeza. En aquel momento, alguien llamó a la puerta. "¿Quién llama a la puerta?", le preguntó el cadí. "Es mi marido." "¿Qué vamos a hacer? ¿Dónde iré?" "No temas, te meteré en este armario." "Haz lo que mejor te parezca", concluyó el cadí. Y ella, entonces, lo tomó de la mano, lo introdujo en el piso inferior del armario y cerró la puerta. Acto seguido fue a abrir: era el gobernador. Cuando lo vio, besó el suelo ante él, lo cogió de la mano y lo hizo sentar en el diván, diciéndole: "Señor mío, ésta es tu casa y esta habitación es como si fuese la tuya: yo soy tu esposa y una de tus criadas. Todo el día de hoy estarás conmigo. Por lo tanto, quítate los vestidos que llevas y ponte este vestido encarnado, que es un vestido de noche". Le puso en la cabeza un retal de trapo y, después de haber recogido sus vestidos, se echó en el diván junto a él; él jugó con ella y ella jugó con él, y cuando él alargó la mano hacia ella, ésta le dijo: "Señor nuestro, este día es tuyo por completo, nadie lo compartirá contigo. Pero, por tu gracia y favor, escríbeme una nota para que saquen a mi hermano de la cárcel y así yo quedaré tranquila". "Oír es obedecer; me parece magnífico", y escribió una carta a su tesorero en la que le decía: "Apenas recibas este escrito, pon en libertad a fulano sin dilación ni retraso, y no digas ni una palabra al portador de la presente". Cuando la hubo sellado, ella la cogió y se puso de nuevo a jugar con él sobre el diván.

»En aquel momento alguien llamó a la puerta. "¿Quién será?", le preguntó el gobernador. "Mi marido." "¿Qué debo hacer?" "Métete en ese armario hasta que consiga echarlo y vuelva junto a ti." Lo cogió y le hizo entrar en el segundo piso, y luego cerró la puerta. Todo esto ocurría mientras el cadí escuchaba lo que decía la mujer. Entonces ella se dirigió a la puerta y la abrió: el recién llegado era el visir. La mujer besó el suelo ante él, lo recibió, lo sirvió y le dijo: "Nos honras con tu visita a esta casa, señor nuestro. ¡Dios no nos estropee esta ocasión!"

»Lo hizo sentar en el diván y le dijo: "Quítate este vestido y el turbante y ponte este traje holgado". Él se desvistió y la mujer le hizo ponerse una túnica azul con capucha roja. "Señor nuestro, quítate los vestidos de visir: en este momento éstos son los vestidos para el convite, para estar alegre y para dormir". Cuando el visir se los hubo puesto, empezaron a juguetear sobre el diván, pero él quería satisfacer sus deseos, mientras que la mujer se lo impedía. "Hay tiempo, mi señor", le decía. Mientras estaban hablando, alguien llamó a la puerta. "¿Quién es?", le preguntó el visir. "Mi marido", contestó la mujer. "¿Qué vamos a hacer?" "Levántate y métete en ese armario hasta que yo pueda echar a mi marido y pueda volver junto a ti, y no temas", y así le hizo entrar en el tercer piso del armario, y después de haberlo cerrado, salió a abrir: era el rey. Apenas lo vio, la mujer besó el suelo ante él, lo tomó de la mano y le hizo entrar en la testera del salón. Le mandó sentarse en el diván y le habló: "¡Me has honrado, oh, rey! Si te ofreciésemos el mundo y todo lo que contiene, eso no equivaldría ni a uno solo de los pasos que has dado para venir a verme".»

Sahrazad se dio cuenta de que amanecía e interrumpió el relato para el cual le habían dado permiso.

Cuando llegó la noche *quinientas noventa y cinco,* refirió:

—Me he enterado, ¡oh rey feliz!, de que [el visir prosiguió:] «Después de que el rey se hubo acomodado en el diván, la mujer le dijo: "Permite que te diga una sola palabra". "Habla y di lo que quieras." "Descansa, mi señor, y quítate el vestido y el turbante." Los vestidos que el rey llevaba aquel día valían mil dinares, y la mujer, cuando se los hubo quitado, le puso un vestido usado que sólo valía diez dirhemes, ni uno más. Luego empezó a divertirse y a juguetear con él. Y todo esto ocurría mientras los que estaban en el armario oían lo que hacían los dos, pero no podían hablar. Cuando el rey alargó la mano hacia el cuello de la mujer, queriendo satisfacer sus deseos, ella observó: "Tiempo no nos falta. Yo ya te prometí todo eso, y obtendrás de mí lo que te alegrará." Mientras estaban hablando, alguien llamó a la puerta. "¿Quién será?", preguntó el rey. "Es mi marido." "Échalo por las buenas, pues si no lo echaré yo por la fuerza." "De ninguna manera, ¡oh, mi señor!: ten paciencia mientras lo echo valiéndome de mi experiencia." "Y yo, ¿qué haré?" Entonces la mujer lo cogió de la mano y lo hizo entrar en el cuarto piso del armario y cerró tras él. Fue a abrir: era el carpintero. Una vez dentro, la saludó y ella preguntó: "¿Qué armarios son esos que me has hecho?" "¿Qué tiene, mi señora?" "Este piso es estrecho." "Que no, es ancho." "Entra tú mismo y échale una mirada: ya verás como no cabes en él." "Caben cuatro personas", y tras decir esto, el carpintero se metió en él, y ella cerró la puerta del quinto piso. Entonces la mujer cogió el mensaje del gobernador y fue a ver a su tesorero, que lo cogió, lo leyó, lo besó y puso en libertad al amante de aquella mujer. Ésta le contó cuanto había hecho, y él preguntó: "Y ahora, ¿qué vamos a hacer?" "Nos trasladaremos a otra ciudad: después de lo hecho no debemos permanecer aquí." Prepararon lo que tenían, lo cargaron sobre camellos y acto seguido partieron para otra ciudad.

»Entretanto, las cinco personas permanecieron tres días en los compartimientos del armario sin comer, y tenían urgente necesidad de orinar, pues no lo hacían desde tres días atrás. Y así, el carpintero orinó sobre la cabeza del sultán, éste sobre la del visir, el visir sobre el gobernador, y el gobernador sobre el cadí. Este último empezó a gritar: "¿Qué es esta porquería? ¿No nos basta la situación en que nos hallamos para que os orinéis encima?" "Dios aumente tu recompensa, cadí", dijo el gobernador, levantando la voz, y al oírle, el cadí reconoció que era el gobernador. Éste, a su vez, chilló: "¿Qué porquería es ésta?" "Dios aumente tu recompensa, gobernador", exclamó en voz alta el visir. Y el gobernador, al oírle, reconoció que era el visir. Y éste también preguntó a gritos qué era aquella porquería, a lo cual el rey levantó la voz y dijo: "Dios haga aún mayor la recompensa para ti, visir".

»Luego, cuando el rey hubo oído las palabras del visir, lo reconoció, calló y no reveló su personalidad. "Dios maldiga a esta mujer por lo que nos ha hecho —exclamó el visir—. Nos ha traído a su casa a todos los grandes dignatarios del Estado excepto al rey." "Callad —replicó el rey al oírle hablar de este modo—; yo he sido el primero en caer en la red de esta perversa prostituta." El carpintero, cuando oyó tales palabras, les dijo: "¿Y yo qué culpa tengo? Yo construí para ella este armario por cuatro dinares de oro y vine a cobrar el precio. Ella ha obrado astutamente conmigo y me ha hecho entrar en este compartimiento, y lo ha cerrado a mi espalda". Y se pusieron a hablar entre sí y consolaron al rey y lograron hacerle olvidar su tristeza.

»Entretanto, los vecinos de la casa acudieron y hallaron la casa vacía. Pero uno de ellos observó, dirigiéndose a otro: "Ayer estaba nuestra vecina, la mujer de fulano; pero ahora no se oye la voz de nadie ni se ve a persona alguna. Derribad estas puertas y ved qué es lo que ocurre en realidad, para que el gobernador o el rey, cuando se enteren de esto, no nos metan en la cárcel y tengamos que arrepentirnos de no haberlo hecho antes". Y, en efecto, los vecinos echaron abajo las puertas, entraron y encontraron el armario de madera en el que había varios hombres que se quejaban de hambre y de sed. "¿Acaso hay genios en esta casa?", se preguntaron. "Recojamos leña —dijo uno de ellos— y prendámosle fuego." "No lo hagáis", les gritó el cadí.»

Sahrazad se dio cuenta de que amanecía e interrumpió el relato para el cual le habían dado permiso.

Cuando llegó la noche *quinientas noventa y seis*, refirió:

—Me he enterado, ¡oh rey feliz!, de que [el visir prosiguió:] «Los vecinos se decían: "Los genios toman forma humana y hablan como los hombres". Cuando el cadí les oyó hablar así, recitó algunos versículos del noble Corán y les dijo: "Acercaos al armario en que nos hallamos". Así lo hicieron y él continuó: "Yo soy fulano, y vosotros sois mengano y zutano. Aquí dentro estamos más de uno". "¿Quién te trajo aquí? —preguntaron los vecinos—. Dinos cómo fue la cosa." Entonces les informó del asunto, desde el principio hasta el fin, y los vecinos mandaron venir a un carpintero que abrió el compartimiento del cadí, y lo mismo hizo por el gobernador, el visir, el rey y el carpintero: cada uno llevaba el vestido que le había dado la mujer, y cuando estuvieron fuera se miraron y se rieron unos de otros. A continuación salieron y buscaron a la mujer; pero no vieron ni rastro de ella. Y como se había marchado con todo lo que llevaban encima, cada uno mandó a buscar un vestido a su casa. Los trajeron, se taparon y salieron a presencia de las gentes.

»Ves, pues, mi señor, de qué ardid se valió aquella mujer con aquella gente.

»También me han contado que un hombre deseó ver en vida la "noche del destino"[4]. Una noche dirigió su mirada hacia el cielo y vio los ángeles, las puertas del cielo (que estaban abiertas) y que cada cosa en su sitio se prosternaba. Después de esta visión le dijo a su mujer: "Mujer, Dios me ha mostrado la noche del destino. Me avisaron de que cuando la viera expresara tres deseos y éstos se cumplirían. Por ello te pido tu parecer: ¿qué debo decir?" La mujer respondió: "Di: 'Dios mío, haz mayor mi miembro'." Él lo dijo y su miembro se hizo tan grande como una calabaza, hasta el extremo de que el hombre no podía levantarse, por lo cual, cuando quería unirse a su mujer, ésta huía de una parte a otra. "¿Qué voy a hacer? —le dijo el hombre—. Y, sin embargo, es una cosa que tú has querido para satisfacer tu concupiscencia." "¡Pero yo no quiero que sea tan largo!" El hombre alzó su cabeza hacia el cielo: "¡Dios mío! —exclamó—, ¡sálvame de este asunto y líbrame de él!" Y he aquí que el hombre quedó privado de miembro. Su mujer, al verlo, le apostrofó: "Ya no te necesito, puesto que ya no tienes miembro". "La causa de todo esto —repuso el hombre— es tu desdichado parecer y tu mala manera de obrar: yo podía expresarle tres deseos a Dios, con los cuales habría conseguido todos los bienes en éste y en el otro mundo. Dos ya han pasado, y sólo me queda uno." "Invoca a Dios para que vuelvas a ser como antes." Él imploró a su Señor y volvió a ser como antes.

»Todo esto, ¡oh, rey!, ocurre a causa de la mala manera de obrar de la mujer. Yo te lo he recordado para que puedas darte mejor cuenta de la estulticia y de la estrechez de mente de las mujeres, así como de su perversa manera de obrar. No hagas caso a las palabras de la mujer y no dés muerte a tu hijo, sangre de tu cora-

[4] Es la noche del mes de Ramadán en la cual, según los musulmanes, Dios fija el destino de los hombres para el año que sigue.

zón, para no destruir después de tu muerte todo recuerdo de ti.» Y así, el rey desistió una vez más de mandar matar a su hijo.

Pero el séptimo día la concubina se presentó ante el rey, gritando. Había mandado encender un gran fuego que luego había llevado a presencia del rey teniendo cogida el asa del brasero. «¿Por qué haces eso?», le preguntó el rey. «Si no me haces justicia en relación con tu hijo, yo me arrojaré a ese fuego. Odio ya tanto la vida, que antes de venir aquí he escrito mi testamento, he hecho mandas con mis bienes y he decidido morir. Luego tú te arrepentirás de mala manera, como se arrepintió el rey por haber castigado a la guardiana del baño.» «¿Cómo es eso?», preguntó el rey. La mujer explicó: «Me he enterado, ¡oh, rey!, de que una mujer piadosa, continente y virtuosa, solía acudir al palacio de un rey, donde se disfrutaba de su bendita influencia y ella era tenida en gran consideración. Un día, según su costumbre, entró en el palacio y se sentó junto a la esposa del rey, la cual le dio un collar que valía mil dinares, diciéndole: "¡Oh, mujer!, toma este collar y guárdalo hasta que salga del baño y te lo pida". El baño estaba en el palacio. La mujer tomó el collar y se sentó en un lugar de las habitaciones de la reina a esperar que ésta entrase en el baño y saliera de él. Luego puso el collar bajo la estera de oración y empezó a rezar. Pero mientras salía y regresaba de satisfacer sus necesidades, llegó un pájaro, tomó el collar y lo colocó en una grieta que había en un rincón del palacio. Cuando la reina salió del baño, pidió el collar a la guardiana, mas ésta no lo halló y por mucho que lo buscó no pudo ni dar con su rastro. "Por Dios, hija mía —decía la mujer—, nadie ha estado junto a mí. Cuando lo cogí lo puse debajo de mi estera de oración. Ahora bien, no sé si algún criado me ha visto hacer esto y aprovechando mi ensimismamiento mientras rezaba, lo ha cogido. Sólo Dios (¡ensalzado sea!) puede saberlo." Cuando el rey oyó esto, mandó a su mujer que hiciera dar tortura a la guardiana por medio de fuego y de fuertes bastonazos.»

Sahrazad se dio cuenta de que amanecía e interrumpió el relato para el cual le habían dado permiso.

Cuando llegó la noche *quinientas noventa y siete,* refirió:

—Me he enterado, ¡oh rey feliz!, de que [la concubina prosiguió:] «Pero, a pesar de que la mujer fue torturada de varias maneras, nada confesó ni acusó a nadie. Entonces el rey mandó que la encarcelaran y le pusieran grilletes. Y fue encarcelada. Un día el rey se sentó en el centro de su palacio, que estaba rodeado de agua, y junto a él estaba su mujer. Su mirada se posó en un pájaro que sacaba el collar de una grieta que había en un rincón. Llamó en voz alta a una esclava, que atrapó al pájaro y le arrebató el collar. Y así supo el rey que había castigado injustamente a la guardiana, se arrepintió de lo hecho y mandó que la trajeran a su presencia. Cuando llegó, empezó a besarle la cabeza, a llorar y a pedirle perdón, declarando que estaba arrepentido de lo hecho, y mandó que le dieran dinero en abundancia, pero ella se negó a aceptarlo. Luego le pidió permiso al rey, y se marchó, jurándose que nunca más volvería a entrar en casa de nadie. Y así anduvo errando por los montes y por los valles, adorando a Dios (¡ensalzado sea!) hasta su muerte.

»En cuanto a la malicia de los hombres, también me han contado, ¡oh, rey!, que dos pichones, uno macho y otro hembra, habían recogido en su nido durante el invierno trigo y cebada. Al llegar el verano los cereales se empequeñecieron y disminuyeron de tamaño. Entonces el macho le dijo a la hembra: "¡Tú te has comido el grano!", y ella le contestó: "No, por Dios, no he comido nada". Pero él no la creyó, la golpeó con las alas y con el pico hasta matarla. Cuando volvieron los fríos, los granos recobraron su tamaño anterior y así el macho supo que había matado injustamente y sin merecerlo a su hembra, y se arrepintió de ello, pero cuando el arrepentimiento de nada podía servirle. Se dejó caer y se puso a emitir lamentos por ella y a llorar de pena. No volvió a acercarse a comida ni a bebida y fue debilitándose continuamente hasta que murió.

»En cuanto a la astucia de los hombres en relación con las mujeres, también me ha sido contada una historia aún más rara que todas éstas.» «Dime lo que sepas», pidió el rey. «Sabe, ¡oh, rey!, que la hija de un monarca, que no había en su época quien pudiera competir con ella en cuanto a belleza, hermosura, esbeltez de talle, equilibrio de proporciones, elegancia y distinción y en hacer perder la cabeza a los hombres, siempre solía decir: "En mi época no hay quien me iguale". Todos los hijos del rey la pedían por esposa, pero ella no aceptaba a ninguno. Se llamaba Datmá. "No me casaré —decía— sino con quien consiga vencerme en un torneo, a espada y lanza. Si alguien logra vencerme yo me casaré con él de todo corazón; pero si le puedo, me apoderaré de su caballo, de sus armas y de sus vestidos, y escribiré sobre su frente: 'Éste es el liberto de Fulana'." Los hijos de reyes acudían de todas partes, lejanas o próximas, pero ella los vencía y los deshonraba, se apoderaba de sus armas y los marcaba a fuego.

»El hijo de un rey de Persia, llamado Bahram, oyó hablar de ella y desde su lejano país se puso en marcha llevando consigo dinero, caballos, hombres y tesoros reales, y llegó junto a ella. Apenas llegado, envió al padre de la princesa un magnífico regalo y el rey recibió al príncipe con muchos honores. Luego éste envió a decirle, por medio de uno de sus ministros, que quería casarse con su hija; pero el padre le contestó: "Hijo mío, yo no tengo ningún poder sobre mi hija Datmá, ya que ha jurado que sólo se casará con quien pueda vencerla en combate singular". "Yo —dijo el príncipe— salí de mi ciudad sólo para esto." "Mañana —replicó el rey— te encontrarás con ella." Al día siguiente el padre envió un mensajero a su hija y la previno. Cuando ella lo supo se preparó para la lucha, se puso sus arreos de guerra y se dirigió al campo de batalla, mientras el príncipe se acercaba a ella. La gente que se había enterado de la noticia había acudido de todas partes. Datmá, que se había colocado su ceñidor y se había velado el rostro, avanzó. Entonces apareció el príncipe en plena forma, revestido de la más sólida armadura bélica y completamente equipado. Se lanzaron el uno contra el otro, y durante mucho tiempo voltearon, combatiendo y luchando. Datmá, viendo en el joven un valor y una caballerosidad que no había hallado en otros, tuvo miedo de que la pusiera en evidencia ante los presentes, completamente segura de que acabaría vencida. Por ello, quiso burlarle y valerse de astucia: se descubrió el rostro, que apareció más brillante que la luz de la luna. Al verlo, el hijo del rey quedó perplejo: sus fuerzas le fallaron y su voluntad se paralizó. Ella, entonces, lo desarzonó y lo tuvo entre sus manos cual gorrión entre las garras del águila, mientras que el príncipe, asombrado ante su aspecto, no sabía lo que hacían de él. Ella se apoderó de su caballo, de sus armas y de sus vestidos, lo marcó a fuego, y lo soltó.

»Una vez repuesto de su asombro, el príncipe estuvo durante unos días sin comer ni beber ni dormir, a causa de la derrota sufrida, mientras el amor por la mujer se había alojado en su corazón. Mandó a un esclavo de su padre con una carta en la que le decía que no podía regresar a su país, pues había de lograr su propósito o morir. Cuando el escrito le llegó al padre, éste se entristeció y quería enviarle ejércitos y soldados; pero sus ministros impidieron que lo hiciera y le indujeron a tener paciencia. Entonces, el hijo del rey se valió de la astucia para lograr su propósito: se disfrazó de viejo decrépito y fue al jardín de la hija del rey, al que ella iba la mayoría de los días. Se acercó al encargado del jardín y le dijo: "Soy un extranjero de lejano país. En mi juventud, y todavía hoy, fui experto en agricultura y en el cultivo de plantas y flores y nadie sabe de ello tanto como yo". El jardinero se alegró mucho al oírlo, le hizo entrar en el jardín, lo presentó a sus subalternos y así quedó empleado para cuidar de los árboles y de los frutos.

»Cierto día, mientras se hallaba en tal situación, los esclavos entraron en el jardín llevando mulos que transportaban alfombras y recipientes. Al preguntar de qué se trataba, le respondieron: "La hija del rey quiere pasear por este jardín". Él se alejó, cogió parte de los vestidos y adornos que había traído de su país, los llevó al jardín, se sentó ante algunas de aquellas cosas preciosas y se puso a temblar como si esto fuera causado por su vejez.»

Sahrazad se dio cuenta de que amanecía e interrumpió el relato para el cual le habían dado permiso.

Cuando llegó la noche *quinientas noventa y ocho,* refirió:

—Me he enterado, ¡oh rey feliz!, de que [la concubina prosiguió:] «Al cabo de un rato llegaron las doncellas y los criados, entre ellas la hija del rey, hermosa como luna entre las estrellas. Pasearon por el jardín, cogiendo frutos, y vieron a un hombre sentado bajo un árbol: era el hijo del rey. Se dirigieron hacia él y al verlo se dieron cuenta de que era un viejo cuyas manos y pies temblaban y ante el cual había vestidos, cosas preciosas y regalos. Al verle quedaron asombradas ante el estado en que se hallaba y le preguntaron qué hacía con aquellos vestidos y aquellas cosas preciosas. "Con estos vestidos quiero casarme con una de vosotras." Se burlaron en sus barbas y le dijeron: "Si te casaras, ¿qué harías con ella?" "Le daría un beso, uno sólo, y después me divorciaría." "Te doy por esposa a esta doncella", dijo la hija del rey. Él se dirigió hacia la doncella, apoyado en su bastón, tembloroso y a trompicones, la besó y le dio aquellos vestidos y objetos preciosos. La doncella quedó satisfecha, todas juntas se rieron de él y se marcharon a su casa. Al día siguiente entraron en el jardín, se acercaron al viejo y lo hallaron sentado en el mismo sitio, y ante él había vestidos y objetos preciosos en mayor número que el día anterior. Se sentaron junto a él y le preguntaron: "Viejo, ¿qué haces con estos vestidos?" "Con ellos quiero casarme con una de vosotras, al igual que hice ayer." "Te doy por esposa a esta doncella", le respondió la hija del rey. Él se le acercó, la besó y le dio aquellos objetos preciosos, y ellas se marcharon a su casa.

»Cuando la hija del rey vio las joyas y los objetos preciosos que había dado a sus doncellas, pensó: "Yo los merezco más que ellas. Ningún mal puede venirme de esto". Cuando fue de día, salió sola de su casa bajo la apariencia de una doncella, ocultándose hasta llegar junto al viejo. Y al llegar junto a él, le dijo: "Viejo, yo soy la hija del rey. ¿Quieres casarte conmigo?" "De mil amores." Sacó para ella las joyas y los objetos preciosos de más valor y de mayor precio, se los dio y se levantó para besarla mientras ella estaba tranquila y segura. Mas cuando estuvo junto a ella, la cogió con fuerza, la estiró sobre el suelo y le robó su virginidad. Luego le dijo: "¿No me reconoces?" "¿Quién eres?" "Soy Bahram, el hijo del rey de Persia. He cambiado mi aspecto y me he alejado de mi familia y de mi reino por tu causa." Ella se levantó de debajo de él, silenciosa, sin contestarle y sin decir ni palabra sobre lo que le había ocurrido, pensando: "Si le matara, ¿de qué me serviría haberlo matado?" Reflexionó un poco y se dijo: "Sólo me queda huir con él a su país". Reunió sus riquezas y sus objetos preciosos y mandó avisarle de que también él recogiese lo que poseía. Se pusieron de acuerdo en cuanto a la noche en que partirían. Luego, tras haber montado en sendos corceles, se pusieron en marcha de noche y al surgir el día ya habían atravesado lejanos países. Prosiguieron el viaje hasta llegar a Persia, cerca de la ciudad del padre de él, quien, cuando se enteró de su llegada, fue a recibirlo con soldados y ejércitos, muy contento. Al cabo de unos días envió un magnífico regalo al padre de Datmá y le escribió una carta en la que le informaba de que su hija estaba con él, y solicitaba su ajuar nupcial. Cuando los regalos le llegaron al padre de Datmá, los aceptó, acogió con honor a quienes los habían traído y quedó muy contento. Luego mandó preparar los banquetes, hizo venir al cadí y a los testigos, escribió una carta al hijo del rey, regaló trajes de corte a los mensajeros que habían traído el escrito del rey de Persia y envió a su hija el ajuar. Y así, el hijo del rey de Persia permaneció con ella hasta la muerte.

»Ves, pues, ¡oh, rey!, hasta dónde llega la astucia de los hombres respecto a las mujeres. Yo no renunciaré a mi derecho hasta que muera.» Y, una vez más, el rey mandó que mataran a su hijo. Pero entonces se adelantó el séptimo visir, besó el suelo ante él y dijo: «¡Oh, rey!, dame tiempo para que pueda darte este consejo: quien tiene paciencia y obra con cautela ve colmadas sus esperanzas y consigue lo que desea; en cambio, quien se precipita, habrá de arrepentirse. Yo he visto lo que ha urdido esta mujer para inducir al rey a actos imprudentes. Este humilde siervo tuyo, inundado por tu gracia y magnanimidad, quiere aconsejarte. Yo soy, ¡oh, rey!, quien mejor conoce la astucia de las mujeres, yo sé lo que nadie sabe. Y sobre esto me han contado la historia de la vieja y del hijo del mercader.» «¿Cómo es esa historia, visir?», preguntó el rey.

«¡Oh, rey!, me han contado que un mercader rico tenía un hijo al que quería mucho. Un día, el joven le dijo a su padre: "Padre mío, quiero expresarte un deseo y si me lo concedes sentiré gran alegría". "¿Cuál es, hijo mío? Dímelo para que pueda concedértelo, pues aunque se tratase de la luz de mis ojos cumpliría tu deseo." "Quiero que me des algún dinero para que pueda marchar con los mercaderes camino de Bagdad, para verla y contemplar los palacios de los califas, pues los hijos de los mercaderes me han descrito todo eso y ardo en ganas de verlo." "Hijo mío —le respondió el padre—, ¿quién podrá soportar tu ausencia?" "Te he dicho esto —prosiguió el hijo—, y tanto si quieres como si no, lo haré, pues ha nacido en mí un deseo tal que sólo cesará cuando yo haya llegado a Bagdad."»

Sahrazad se dio cuenta de que amanecía e interrumpió el relato para el cual le habían dado permiso.

Cuando llegó la noche *quinientas noventa y nueve,* refirió:

—Me he enterado, ¡oh rey feliz!, de que [el visir prosiguió:] «Cuando el padre se dio cuenta de que su hijo estaba decidido a partir, le preparó mercaderías por valor de treinta mil dinares y lo dejó partir con mercaderes de su confianza, a quienes lo confió. Y, tras despedirse de él, regresó a su casa. El muchacho realizó el viaje sin interrupción con sus compañeros, los mercaderes, hasta que llegaron a Bagdad, la Ciudad de la Paz. Una vez allí, el joven fue al mercado a alquilar una casa hermosa y agradable que había despertado su asombro y su admiración. Había en ella pájaros que gorjeaban y salones uno frente a otro; los suelos eran de mármol de colores y los techos estaban recubiertos de lapislázuli. Al preguntar al portero cuánto costaba el alquiler mensual, éste le contestó que diez dinares. "¿Lo dices en serio o te burlas de mí?", preguntó el muchacho. "¡Por Dios! —replicó el portero—. ¡No digo más que la verdad! Y es que todos los que han vivido en esta casa sólo se han quedado una o dos semanas." "¿Por qué?", preguntó entonces el muchacho. "Hijo mío —prosiguió el portero—, cuantos la han habitado han salido de ella o enfermos o muertos. Esta casa ha cobrado esta fama entre la gente y nadie se atreve a vivir en ella. Por esto te he dicho que el alquiler es esa cantidad." Cuando el joven hubo oído todo eso quedó muy asombrado y pensó que indudablemente en aquella casa había algo que daba lugar a muertes y enfermedades. Tras reflexionar, pidió a Dios ayuda contra Satanás (¡lapidado sea!), apartó de sí aquella preocupación y se quedó a vivir en ella, mientras se dedicaba a la compraventa. Y así pasaron unos días sin que a él, que vivía en aquella casa, le ocurriese nada de cuanto le había dicho el portero.

»Un día, mientras se hallaba sentado junto a la puerta de su casa, pasó una vieja de cabello gris que parecía una serpiente de aspecto repulsivo, la cual, alabando y bendiciendo a Dios, iba apartando las piedras y cualquier obstáculo que pudiera haber en la calle. Vio al joven sentado junto a su puerta, lo miró y manifestó su asombro de que se hallase allí. "Mujer —le preguntó el joven—, ¿me conoces, o ves en mí parecido con otra persona?" Al oír la vieja sus palabras se acercó a él, lo saludó y le preguntó: "¿Cuánto tiempo hace que vives en esta casa?" "Dos meses, madre." "Por eso estoy asombrada. Ni yo, hijo mío, te conozco ni tú me conoces, y tampoco te pareces a nadie: estoy asombrada porque nadie ha vivido en esta casa sin salir de ella muerto o enfermo. Hijo mío, no me cabe duda de que tu juventud está en peligro. ¿No has subido nunca a la azotea del palacio, ni has observado desde el mirador que hay allí?" Y, tras decir esto, la vieja se marchó.

»Cuando la vieja hubo desaparecido, el joven se puso a meditar en sus palabras, diciéndose: "No he subido nunca a la azotea del palacio, ni sé que haya allí mirador alguno". Entró en seguida en la casa, y empezó a dar vueltas hasta que en un rincón, entre los árboles, vio una hermosa puerta cubierta de telarañas, y se dijo: "Tal vez la araña tejió su tela sobre esta puerta porque la muerte está tras ella". Dándose ánimo con el dicho de Dios: "No nos ocurrirá sino lo que Dios ha fijado"[5], abrió aquella puerta y empezó a subir por una hermosa escalera hasta llegar a lo alto: allí vio un mirador. Se sentó un momento para descansar y mirar a su alrededor y distinguió un hermoso lugar, limpio, encima del cual había un asiento que dominaba todo y que se asomaba a Bagdad. En aquel asiento había una mujer hermosa cual hurí, que le robó en seguida todo el corazón y le arrebató el sentido y el espíritu, sumiéndole en las dificultades con que tropezó Job y en la tristeza que había sentido Jacob. Cuando el joven la vio, tras observarla atentamente, pensó: "Quizá se diga que nadie puede vivir en esta casa sin morir o enfermar a causa de esta mujer. ¡Ojalá supiera cómo ingeniármelas para salvarme, puesto que he perdido la cabeza!" Bajó de la azotea del palacio pensando en su caso y se sentó. Pero apenas se había sentado, salió y se quedó a la puerta, perplejo ante lo que le sucedía. Y entonces vio avanzar a la vieja por la calle, mentando a Dios y alabándole. Al verla, el joven se levantó, la saludó y le dijo: "Madre, yo me encontraba bien con buena salud hasta que tú me dijiste que abriera la puerta: he visto el mirador. Lo he abierto y desde su parte superior he mirado y he visto cosas que me han dejado estupefacto. Pero creo que he de dormir y sé que nadie sino tú puede ser mi médico".

»La vieja, al oírlo, se echó a reír y le dijo: "Ningún mal te ocurrirá, si Dios (¡ensalzado sea!) quiere". Al oír tales palabras, el joven entró en su casa y salió con cien dinares: "Tómalos, madre, y trátame como el dueño puede tratar a su esclavo; pero hazme llegar pronto a un fin, porque si yo muriese a ti te pedirían cuenta de mi sangre el día del juicio". "De mil amores —respondió la vieja—; pero quiero que tú, hijo mío, me ayudes con habilidad y así podrás conseguir lo que pretendes." "¿Qué quieres?" "Quiero que me ayudes yendo al mer-

[5] Cf. *El Corán*, 9, 51.

cado de la seda: pregunta por la tienda de Abu-l-Fath b. Qaydam. Cuando te hayan indicado quién es, siéntate en su tienda, salúdale y dile que te dé el velo femenino bordado de oro que él posee, que es el más hermoso que hay en su tienda. Cómpraselo, hijo mío, a elevado precio y guárdalo hasta mañana en que, si Dios (¡ensalzado sea!) quiere, iré a verte." Y tras decir eso, la vieja se marchó.

»Aquella noche el joven durmió sobre ascuas. Al llegar el día cogió mil dinares, se dirigió al mercado de la seda, preguntó por la tienda de Abu-l-Fath y uno de los mercaderes se la indicó. Al llegar allí vio pajes, criados y eunucos. Era un hombre de venerable aspecto, rico y, para colmo de bienes, marido de aquella mujer que no tenía igual ni siquiera entre los hijos de rey. Al ver al mercader, el joven lo saludó, y éste le devolvió el saludo y lo invitó a sentarse. Se sentó junto al mercader y dijo: "Mercader, quisiera ver tal velo para examinarlo". El mercader mandó al esclavo que fuera al fondo de la tienda y trajera el paquete de seda. Cuando lo tuvo ante sí, lo abrió y sacó de él algunos velos: el joven quedó asombrado ante su belleza y vio precisamente aquel velo. Se lo compró al mercader por cincuenta dinares y, contento, se marchó con él a su casa.»

Sahrazad se dio cuenta de que amanecía e interrumpió el relato para el cual le habían dado permiso.

Cuando llegó la noche *seiscientas,* refirió:

—Me he enterado, ¡oh rey feliz!, de que [el visir prosiguió:] «Entonces apareció la vieja. Cuando el joven la vio, se levantó y le entregó el velo. "Tráeme unas ascuas", pidió la vieja, y cuando el joven se las trajo, ella acercó un extremo del velo al fuego, lo quemó y luego lo dobló como estaba antes. Lo cogió y marchó a casa de Abu-l-Fath. Al llegar allí, llamó a la puerta y la mujer del mercader, al oír su voz, se levantó y abrió, porque la vieja era la comadre de la madre de la joven, y precisamente la conocía por ser amiga de ella. "¿Qué quieres, madre mía? —le preguntó la joven—. Mi madre salió de aquí con dirección a su casa." "Hija mía —repuso la vieja—, ya sé que tu madre no está aquí, porque yo estaba con ella en su casa; pero he venido a la tuya porque temía que pasase el momento de la oración. Quiero hacer en tu casa las abluciones porque sé que eres persona limpia y que tu casa es pura." La mujer le permitió entrar en su casa y cuando la vieja estuvo dentro saludó a la dueña y rogó a Dios por ella. Luego tomó el aguamanil y fue al retrete. Allí hizo las abluciones rituales, rezó y volvió junto a la mujer y le dijo: "Hija mía, creo que en el sitio en que he hecho la oración han andado siervos y supongo que es impuro. Búscame, pues, otro lugar en que pueda rezar, pues creo que mi oración no ha sido válida". La mujer la tomó de la mano y le dijo: "Madre mía, ven a rezar a mi cama, aquella en la que se sienta mi marido". Cuando la vieja estuvo en la cama se puso a rezar y a pronunciar el nombre de Dios, haciendo las genuflexiones rituales; pero, aprovechando la distracción de la joven, puso, sin que la vieran, el velo bajo la almohada. Acabada su plegaria, invocó las bendiciones de Dios sobre la dueña de la casa y se marchó.

»Al final del día el mercader volvió a casa y se sentó en la cama. La mujer le trajo comida, de la que comió lo que necesitaba, se lavó las manos y, al apoyarse en la almohada, vio que bajo ella asomaba un extremo del velo. Lo sacó y, al verlo, lo reconoció y supuso que su mujer había cometido adulterio. La llamó y le preguntó: "¿De dónde has sacado este velo?" Ella le juró de la manera más solemne: "No ha entrado nadie más que tú". El mercader, por miedo al escándalo, calló, diciéndose: "Si empezase a hablar de este tema quedaría deshonrado en Bagdad", pues era contertulio del Califa, y por lo tanto no pudo hacer más que callar, sin decir ni palabra a su mujer.

»La mujer se llamaba Mahziyya. El marido la llamó y le dijo: "Me han dicho que tu madre está en cama y que no está bien del corazón, tanto que todas las mujeres están en su casa y lloran. Te mando que salgas y vayas a su casa". La mujer fue a casa de su madre y al entrar vio que gozaba de salud, pero se sentó un momento. Y entonces vio entrar a los faquines que traían sus cosas desde casa del mercader y que trasladaban todos los enseres que había en casa de la mujer. La madre, al ver eso, preguntó: "¿Qué te ha ocurrido, hija mía?" Ella dijo que nada sabía y la madre se echó a llorar y se entristeció porque su hija se había separado de aquel hombre.

»Al cabo de unos días la vieja fue a ver a la joven mientras ésta se hallaba en casa de su madre, la saludó afectuosamente y le dijo: "Hija mía, querida, ¿qué te ha ocurrido? Tienes el espíritu descompuesto". Luego fue a ver a la madre de la joven y le preguntó: "Hermana, ¿qué ha ocurrido? ¿Qué le ha ocurrido a la chica con su marido? Me han dicho que la ha repudiado: ¿qué culpa ha cometido para hacer necesario todo eso?" "Quizá —le contestó la madre— por medio de tu *baraca* su marido regrese a ella. Ruega por mi hija, hermana, tú que cumples el ayuno y pasas las noches orando." Al cabo de un tiempo, cuando la madre, la vieja y la joven se hallaban juntas de conversación, la vieja le dijo a la joven: "Hija mía, ¡no estés triste! Dentro de unos días yo, si Dios (¡ensalzado sea!) quiere, te reuniré con tu marido". Y, a continuación, se dirigió a casa del joven y le dijo: "Prepáranos un buen banquete, pues te traeré la joven esta noche". El joven mandó traer comidas y bebidas para las dos mujeres y se dispuso a esperarlas.

»Entretanto, la vieja había ido a casa de la madre de la joven y le había dicho: "Hermana, en mi vecindad se celebra una fiesta nupcial. Deja que tu hija venga conmigo para que se divierta y así acaben sus preocupaciones y cavilaciones. Luego te la devolveré tal como la tomé". La madre de la joven le mandó que se pusiera sus mejores vestidos, la atavió con sus mejores joyas y trajes de gala, y la joven salió con la vieja mientras la madre las acompañaba hasta la puerta y seguía recomendándole a la vieja: "Cuida de que ninguna criatura de Dios (¡ensalzado sea!) vea a la chica, porque tú bien conoces la posición de su marido junto al Califa. No tardes y regresa con ella a la mayor brevedad posible". La vieja marchó con la joven, y ambas llegaron a casa del muchacho: la muchacha creía que aquélla era la casa en que se celebraba la boda. Cuando entró en ella y se halló en el salón...»

Sahrazad se dio cuenta de que amanecía e interrumpió el relato para el cual le habían dado permiso.

Cuando llegó la noche *seiscientas una,* refirió:

—Me he enterado, ¡oh rey feliz!, de que [el visir prosiguió: «Cuando se halló en el salón] el joven corrió hacia ella, la abrazó y le besó manos y pies. Por su parte, la joven quedó maravillada ante la belleza del muchacho y creyó que aquel lugar y todas las substancias olorosas, así como los alimentos y bebidas que allí había, era un sueño. Cuando la vieja notó el asombro de la joven exclamó: "¡Sea el nombre de Dios sobre ti, hija mía! No temas, yo estoy aquí sentada y no te abandonaré ni un momento: tú haces para él y él hace para ti". Entonces la joven se sentó, con gran vergüenza, pero el muchacho se puso a juguetear con ella, a hacerla reír y a entretenerla con poesías y relatos, hasta que ella quedó contenta y feliz, comió y bebió. Una vez satisfecha, tomó el laúd y se puso a cantar y se sintió inclinada y enternecida por la belleza del joven, el cual, al ver eso, se embriagó sin vino y perdió la cabeza. La vieja salió, y por la mañana, al regresar junto a ellos, les dio los buenos días y le preguntó a la joven: "¿Cómo has pasado la noche, señora mía?" "Bien, gracias a tu gran habilidad y a tus buenas artes de intermediaria." "¡Ea!, vayamos junto a tu madre." Pero cuando el joven oyó las palabras de la vieja, le dio cien dinares y le dijo: "Déjala en mi casa esta noche".

»La vieja se marchó, fue a ver a la madre de la joven y le dijo: "Tu hija te saluda. La madre de la esposa la ha invitado a pasar esta noche con ella". "Hermana mía —le contestó la madre—, salúdalas de mi parte. Si la muchacha está contenta con eso, no hay ningún mal en que pase la noche ahí hasta que esté satisfecha. Vuelva, pues, cuando quiera. Yo sólo temo por los disgustos que le puede ocasionar su marido." Y así, la vieja siguió valiéndose de un ardid tras otro con la madre, y la joven permaneció en aquella situación durante siete días, en cada uno de los cuales la vieja recibió cien dinares del joven. Pasados esos días, la madre de la joven le dijo a la vieja: "Tráeme en seguida a mi hija, pues mi corazón está preocupado por ella. La duración de su ausencia se ha prolongado y yo empiezo a estar intranquila". La vieja salió indignada por sus palabras y fue a ver a la joven. La tomó de la mano y las dos mujeres se alejaron del joven mientras éste quedaba dormido en su lecho por la embriaguez del vino, y así llegaron junto a la madre de la joven. Aquélla se acercó, feliz y contenta, a su hija y tuvo gran satisfacción al verla: "Hija mía —le dijo—, mi corazón estaba preocupado por ti y dije a mi hermana, la vieja, palabras que la molestaron". "Ve a besarle las manos y los pies —le sugirió la joven—, pues ella ha satisfecho todos mis deseos como un servidor. Si no haces lo que te mando, ya no seré tu hija ni tú serás mi madre." Por ello, la madre se reconcilió inmediatamente con la vieja.

»Entretanto, el joven, al volver de su embriaguez, no vio a la joven, y sin embargo estaba contento por lo que había conseguido, pues había alcanzado su propósito. La vieja fue a ver al joven, lo saludó y le preguntó: "¿Qué opinas de lo que he hecho?" "¡Qué bien has pensado, qué bien has actuado!", exclamó él. "Ahora, ven, arreglemos lo que hemos arruinado y devolvamos a esta joven a su marido, pues hemos sido nosotros la causa de su separación." "¿Qué hacer?" "Debes ir a la tienda del mercader, saludarle y sentarte ahí. Yo pasaré por delante de la tienda y tú, cuando me veas, te levantarás en seguida y te acercarás a mí. Me cogerás, me tirarás del vestido, me insultarás, me asustarás, me pedirás el velo y le dirás al mercader: 'Tú, mi señor, ¿recuerdas el velo que te compré por cincuenta dinares? Ha ocurrido, señor, que mi mujer se lo puso; mas por haberse quemado una de las puntas, se lo entregó a esa vieja para que se lo llevara a zurcir. Pero la vieja lo cogió y se marchó sin que la haya visto desde entonces'." "De mil amores", contestó el joven.

»Se dirigió inmediatamente a la tienda del mercader y cuando llevaba un rato sentado allí vio pasar por delante de la tienda a la vieja, que llevaba entre las manos un rosario[6] mediante el cual elevaba alabanzas a Dios. Cuando la vio, se puso en pie, la arrastró por el vestido

[6] El rosario musulmán constaba, inicialmente, de noventa y nueve cuentas.

y empezó a insultarla e injuriarla, mientras ella hablaba amablemente y le decía: "Hijo mío, tienes disculpa". La gente del mercado se arremolinó alrededor de ellos, preguntando por lo ocurrido. "Señores —explicó el joven—, yo le compré a este mercader por cincuenta dinares un velo que mi mujer sólo llevó puesto durante una hora y se puso a incensarlo: saltó una chispa y quemó uno de sus extremos. Por ello, se lo entregamos a esta vieja para que lo llevase a arreglar y luego nos lo devolviese; pero desde aquel día no la volvimos a ver." "¡Este joven ha dicho la verdad! —observó la vieja—. Sí, yo recogí el velo y entré en una de las casas en que suelo entrar y lo olvidé en cierto lugar, pero no sé en cuál. Yo soy una pobre mujer y tuve miedo del dueño del velo, por lo cual no quise volver a presentarme ante él." Mientras ocurría todo eso, el mercader, marido de la mujer, escuchaba las palabras de ambos.»

Sahrazad se dio cuenta de que amanecía e interrumpió el relato para el cual le habían dado permiso.

Cuando llegó la noche *seiscientas dos,* refirió:

—Me he enterado, ¡oh rey feliz!, de que [el visir prosiguió: «...El mercader escuchaba las palabras] desde la primera a la última. Cuando el mercader se enteró del asunto que aquella vieja astuta había montado con el joven, se levantó y exclamó: "¡Dios es grande! Pido perdón a Dios excelso por mis pecados y por mis suposiciones". Y, tras alabar a Dios que le había permitido descubrir la verdad, se adelantó y le dijo a la vieja: "¿Tú sueles venir a nuestra casa?" "Hijo mío, yo suelo ir a tu casa y a otras casas para pedir limosna; pero desde aquel día nadie me ha dado razón del velo." "¿Le has pedido el velo a alguien de nuestra casa?", preguntó entonces el mercader. "Mi señor, he ido a la casa y he preguntado, pero sus ocupantes me dijeron que el mercader había repudiado a su mujer. Por ello, me marché y, después de eso, no he vuelto a preguntar nada a nadie hasta hoy." "Deja a esa vieja que siga su camino —concluyó el mercader dirigiéndose al joven— puesto que el velo lo tengo yo." Lo sacó y lo entregó al zurcidor ante los presentes. Luego fue a ver a su esposa, le dio dinero y se la trajo consigo después de haberle dado un montón de excusas, además de haber pedido perdón a Dios, sin saber lo que había hecho la vieja.

»Esto, ¡oh, rey! —prosiguió el visir—, forma parte de la astucia de las mujeres.» Luego continuó: «¡Oh, rey!, también me he enterado de que un hijo de un rey salió solo a pasear y pasó junto a un jardín floreciente, lleno de árboles, fruta, pájaros y arroyuelos, que corrían a través de aquel jardín. Al muchacho le gustó el lugar, se sentó, sacó del bolsillo frutas secas que traía y se puso a comer. Mientras lo hacía, vio que de aquel lugar se levantaba hacia el cielo una gran columna de humo. El hijo del rey tuvo miedo y se subió a un árbol, en el que se escondió. Una vez en la copa, vio salir del arroyo un *efrit* que llevaba sobre su cabeza una caja de mármol cerrada con un candado. Depositó la caja en aquel jardín, la abrió y de ella salió una mujer hermosa como el sol cuando surge en el cielo por la mañana. El *efrit* la hizo sentarse ante sí para mirarla, luego apoyó la cabeza en su pecho y se durmió; pero ella le tomó la cabeza, la apoyó sobre la caja y se puso a pasear. Su mirada se posó en aquel árbol y en él vio al hijo del rey y le hizo señas de que bajara; pero él no quería, y entonces ella le conjuró diciendo: "Si no bajas y haces conmigo lo que yo te diga, despertaré al *efrit* de su sueño y le diré que estás ahí y te matará en seguida". El muchacho tuvo miedo y bajó, y entonces ella le besó manos y pies y le invitó a que la satisficiera. Él accedió, y cuando hubo acabado la mujer le dijo: "Dame ese anillo que llevas en la mano". Él le entregó el anillo, que la mujer ató en un pañuelo de seda que llevaba y en el que ya había cierto número de anillos, más de ochenta, y puso el anillo junto con los demás. "¿Qué haces con esos anillos?", le preguntó el hijo del rey. "Este *efrit* —le contestó la mujer— me raptó del palacio de mi padre y me puso en esa caja, y luego la cerró con un candado. Dondequiera que va, me lleva sobre la cabeza y es tan celoso que no puede estar sin mí ni siquiera un instante y me impide hacer lo que yo quiero. Por ello, juré que no impediría a nadie que se uniera conmigo. Estos anillos son tantos como los hombres que se han unido a mí, pues a cada uno de ellos le pedí el anillo y lo puse en este pañuelo. Sigue tu camino —prosiguió la mujer—, y así yo podré esperar a otra persona, pues él no se levantará por ahora". El muchacho no se atrevía a creerlo, pero se marchó y llegó a casa de su padre.

»El rey ignoraba el ardid de que se había valido aquella mujer con su hijo, sin temer ni calcular las consecuencias. Por ello, cuando se enteró de que había perdido el anillo, dio orden de que mataran al muchacho; se levantó de donde estaba sentado y entró en su palacio. Pero los ministros le hicieron desistir del propósito de matar a su hijo, y una noche el rey los mandó llamar y cuando todos estuvieron presentes, se levantó a recibirlos y les dio las gracias por haberle hecho desistir de su propósito. También el muchacho les dio las gracias exclamando: "¡Qué bien habéis actuado con mi padre para que yo no perdiera la vida! Yo, si Dios (¡ensalzado sea!) quiere, os recompensaré con bien". Acto seguido, el muchacho les explicó la causa de haber perdido el anillo y ellos, después de haber rogado a Dios que le diese larga vida y mucho poder, salieron de la sesión.

»Ves, pues, ¡oh, rey! —concluyó el visir—, cuánta es la astucia de las mujeres y lo que ellas hacen de los hombres.» Y así el rey renunció a dar muerte a su hijo.

Al octavo día, una vez amanecido, después de que el padre tomó asiento en la sala de audiencias, entró su hijo llevado de la mano por su preceptor Sindibad. Besó el suelo ante él y se puso a hablar con gran elocuencia. Dirigió alabanzas a su padre, a los visires, a los notables del Estado, y les dio las gracias, tras trazar su panegírico. Estaban presentes en la sesión los sabios, los príncipes, los militares y los nobles, y todos quedaron maravillados de la elocuencia y facilidad de palabra del hijo del rey, así como de la belleza de su elocución. Su padre, al oír todo eso, se sintió muy contento de él, lo llamó y lo besó en la frente. Luego llamó también a su preceptor Sindibad y preguntó cuál había sido la causa de que su hijo callara durante siete días. «Mi señor, era mejor que no hablase —contestó el preceptor—, pues yo tenía miedo de que muriese durante este período. Yo, mi señor, sabía eso desde el día de su nacimiento, pues cuando examiné su ascendente, me lo indicó. Pero, para felicidad del rey, ahora el mal está ya lejos del muchacho.» El rey quedó satisfecho y preguntó a sus visires: «Si yo hubiese matado a mi hijo, ¿de quién habría sido la culpa: mía, de la mujer o de Sindibad, el preceptor?» Los presentes callaron, sin dar respuesta. Y Sindibad, el preceptor del muchacho, le dijo al hijo del rey: «Responde tú, hijo mío».

Sahrazad se dio cuenta de que amanecía e interrumpió el relato para el cual le habían dado permiso.

Cuando llegó la noche *seiscientas tres*, refirió:

—Me he enterado, ¡oh rey feliz!, de que el hijo del rey empezó: «Me he enterado de que a un mercader se le presentaron invitados en su casa. Mandó a su esclava con una jarra a que fuera al mercado a comprar leche. Ella recogió la leche y se dispuso a regresar a casa de su dueño; pero mientras iba por la calle pasó por encima de ella, volando, un buitre que llevaba una serpiente entre sus garras, con las que la atenazaba: una gota del veneno de la serpiente cayó en la jarra sin que la mujer se diese cuenta. Al llegar a casa, su dueño tomó la leche y la bebió, él y sus invitados; pero apenas habían ingerido, cayeron muertos todos. Mira, ¡oh, rey!, ¿de quién era la culpa en este caso?» Uno de los presentes consideró que la culpa era de los hombres que habían bebido la leche, mientras que para otro la culpa era de la mujer por haber dejado destapada la jarra, sin tapadera, y entonces Sindibad, el preceptor del muchacho, le preguntó: «¿Tú qué dices, hijo mío?» «Digo que la gente se equivoca. La culpa no es ni de la mujer ni de los hombres. Lo que ocurre es que había llegado el último fin de aquellas personas y de su vida, y el que murieran de aquella manera había sido decretado por el destino.» Cuando los presentes lo oyeron, quedaron asombrados y alzaron voces de plegaria por el hijo del rey, diciéndole: «Señor, tú nos has dado una respuesta que no tiene igual: eres el hombre más sabio de tu época». «Yo no soy sabio —dijo el hijo del rey después de haberlos escuchado—. El jeque ciego, el niño de tres años y el de cinco son más sabios que yo.» «Muchacho, cuéntanos la historia de esos tres que son más sabios que tú», pidieron las personas presentes.

«Me he enterado —relató el hijo del rey— que érase un mercader, muy rico, que viajaba mucho por todos los países, el cual, queriendo ir a determinada ciudad, preguntó a uno que había regresado de allí: "¿Qué mercancía es más apreciada allá?" "La madera de sándalo —le contestaron— se vende muy cara." Entonces el mercader invirtió todo su dinero en comprar madera de sándalo y partió para aquella ciudad. Cuando llegó, el día estaba a punto de acabar y una vieja, que conducía su rebaño, le dijo al mercader: "¿Quién eres, hombre?" "Soy un mercader extranjero", fue la respuesta. "¡Ten cuidado con los habitantes de este lugar! —prosiguió la vieja—. Son gente astuta y ladrona: engañan al extranjero para aprovecharse de él y despojarle de lo que posee. Ya estás advertido." Y, tras decir esto, se marchó. Al llegar el día uno de los moradores de la ciudad lo encontró, lo saludó y le preguntó: "Señor, ¿de dónde vienes?" "De tal país." "¿Qué mercancía traes contigo?" "Madera de sándalo, pues me he enterado de que tiene gran valor entre vosotros." "¿Quién te dio esta errónea información? Nosotros encendemos el fuego bajo la olla con esa madera, y por eso vale entre nosotros lo mismo que la leña corriente." Cuando el mercader oyó las palabras de aquel hombre se entristeció y se arrepintió, pero no sabía si creerle o no. A continuación, el mercader se paró en una posada de la ciudad y se dispuso a encender el fuego con sándalo y aquel hombre al verlo le dijo: "¿Quieres vender este sándalo? Por cada medida podrás obtener una llena de lo que quieras". "Te lo vendo", repuso el mercader, y el hombre transportó a su casa todo el sándalo que tenía aquél mientras que el vendedor pensaba exigir oro por la cantidad de leña que el comprador había retirado.

»Al día siguiente, mientras el mercader paseaba por la ciudad, un habitante, tuerto y de ojos azules, se tropezó con él. Miró al mercader y exclamó: "¡Tú eres quien me estropeó el ojo! ¡No he de dejarte libre jamás!" El mercader negó, alegando que ello no era posible; se reunió gente alrededor de ellos y le dijeron al tuerto que esperara hasta el día siguiente en que el mercader le pagaría el precio del ojo. El mercader buscó quien le garantizara y así le dejaron ir, y él se marchó. Ahora bien, durante la lucha que había sostenido con el ciego su sandalia se rompió, se vio obligado a pararse en la tienda de un zapatero, al que le entregó la sandalia diciéndole: "Arréglamela y con lo que te pagaré quedarás satisfecho".

»Se marchó y se encontró con algunas personas que estaban sentadas jugando, y él estaba tan preocupado y afligido que se sentó junto a ellas. Le pidieron que jugase, y él se puso a jugar con ellas. Le ganaron, y le dejaron escoger entre dos cosas: o beberse el mar o ceder todo su dinero. "Dadme tiempo hasta mañana", les pidió el mercader, y se marchó preocupado por lo que había hecho, sin saber qué sería de él. Pensativo, preocupado y afligido se sentó en cierto lugar y vio pasar a la vieja, la cual, volviendo el rostro hacia él, le preguntó: "¿Los habitantes de este lugar han podido contigo? Veo que estás preocupado por lo que te ha ocurrido". Entonces él le contó de cabo a rabo todo lo que le había acaecido. "¿Quién montó el truco del sándalo? Entre nosotros el sándalo vale diez dinares por *ratl*. Pero yo te aconsejaré y espero que te sirva de salvación. Ve a tal puerta. Allí se sienta un viejo ciego que es un sabio, conoce todas las cosas y tiene mucha experiencia, tanto que la gente le pregunta lo que quiere y él les indica la solución acertada, pues es experto en astucias, magia y engaños, y es un pícaro. Por la noche todos los malhechores se reúnen en su casa. Ve, pues, a su casa, y ocúltate a los ojos de tus contrincantes, de manera que puedas oír sus palabras pero ellos no te puedan ver. Dado que él les pone al corriente de la parte vencedora y de la vencida, quizá puedas oírle algún argumento que te libre de tus contrincantes."»

Sahrazad se dio cuenta de que amanecía e interrumpió el relato para el cual le habían dado permiso.

Cuando llegó la noche *seiscientas cuatro,* refirió:

—Me he enterado, ¡oh rey feliz!, de que [el príncipe prosiguió:] «El mercader dejó a la vieja, se dirigió al lugar que ella le había indicado, se escondió allí y miró al viejo, que se sentó cerca de él. Al cabo de un rato vinieron los hombres que recibían consejos de él, y cuando estuvieron ante el viejo, lo saludaron, se saludaron entre sí y se sentaron alrededor de él. Al mirarlos, el mercader se dio cuenta de que entre los recién llegados figuraban sus cuatro contrincantes. El viejo les dio comida de la que comieron, y luego cada uno se fue adelantando y contando lo que había ocurrido durante el día. Y así se adelantó el hombre de la madera de sándalo e informó al viejo de lo que le había ocurrido durante el día y cómo había comprado sándalo a un hombre sin pagar, pues la venta se había concertado a cambio de una medida llena de lo que el vendedor quisiera. "Tu contrincante te engañó", observó el viejo. "¿Cómo puede haberme engañado?" "Si él te dijese: 'Tomaré a cambio una medida llena de oro o de plata', ¿se la darías?" "Claro que se la daría, y aún saldría yo ganando." "Y si te dijese: 'Tomaré una medida llena de pulgas, mitad machos y mitad hembras', ¿qué harías?" Y así aquél se enteró de que podían pescarle. Luego se adelantó el tuerto: "Viejo, hoy he visto a un extranjero de ojos azules. He discutido con él, lo he agarrado y le he dicho: 'Tú me estropeaste el ojo', y no lo he soltado hasta que un grupo me garantizó que volvería y me daría satisfacción por mi ojo". "Si quisiera vencerte, te vencería", observó el viejo. "¿Cómo podría vencerme?" "Si te dijese: 'Sácate el ojo, yo me sacaré el mío y los pesaremos; si el peso de mi ojo es igual que el del tuyo, tú habrás dicho la verdad'. Luego te pagaría el precio del ojo y mientras tú quedarías ciego él podría seguir viendo con su segundo ojo." Y así se enteró de que el mercader le podría vencer con tal argumento.

»Luego se adelantó el zapatero y le dijo al jeque: "Viejo, hoy he visto a un hombre que me ha entregado su sandalia para que se la arreglase. '¿No me pagas?' le pregunté. 'Arréglala —me contestó— y obtendrás de mí lo que te satisfaga'. Ahora bien, a mí sólo me satisfarán todos sus bienes". "Si él quisiera recoger su sandalia sin darte nada, podría recogerla", observó el viejo. "¿Cómo?" "Te diría: 'Los enemigos del sultán han sido derrotados, sus adversarios son débiles y ha aumentado el número de sus hijos y auxiliares: ¿estás satisfecho o no?' Si tú le contestaras: 'Estoy satisfecho', recogería su sandalia y se marcharía, y si le dijeses que no, la cogería y con ella te golpearía en la cara y en la nuca." Y así el zapatero se enteró de que había sido engañado. Luego se adelantó el hombre que había jugado juego de azar con él, y le dijo al jeque: "Viejo, me encontré con un hombre, jugamos, le gané y le dije: 'Si te bebes el mar, te daré todo mi haber; pero si no lo bebes, habrás de darme tus bienes'". "Si él quisiera vencerte —le respondió el viejo—, podría hacerlo." "¿Cómo?" "Te diría: 'Sostenme la desembocadura del mar con la mano y ofrécemela, y yo lo beberé'. Tú no podrás hacerlo, y de esta manera él te habrá ganado."

»Cuando el mercader hubo oído todo eso supo de qué argumentos podría valerse contra sus contrincantes. Después, todos se alejaron del viejo y también el mercader se fue. Al día siguiente vino a verle el que había jugado con él para que se bebiese el mar. "Sostenme la desembocadura del mar —le dijo el mercader— y me lo beberé." Y al no poder hacerlo, el mercader lo venció y el jugador de ventaja se rescató por cincuenta dinares y se fue. Vino luego el zapatero, y al pedirle que le satisficiese, el mercader le dijo: "El sultán ha vencido a sus enemigos, ha destruido a sus adversarios y ha tenido numerosa descendencia: ¿estás satisfecho o no?" "Sí, lo estoy." Y así pudo recoger su sandalia sin compensación, y el otro se marchó. A continuación se presentó el tuerto y le pidió el precio de su ojo. "Quítate el ojo y yo me quitaré el mío —le dijo el mercader— y los pesaremos. Si pesan lo mismo, tú has dicho verdad y podrás recoger el precio de tu ojo." "Dame tiempo", le respondió el tuerto; pero luego hizo las paces con el mercader por cien dinares y se marchó. Vino entonces el que le había comprado el sándalo. "¿Qué me das?" "Acordamos que por cada medida de sándalo yo te daría una medida de otra cosa. Si quieres, tómate la medida de oro y plata." "Sólo la aceptaré llena de pulgas —repuso el mercader—, mitad machos y mitad hembras." "¡Yo no puedo hacer cosas de este tipo!", prorrumpió el hombre. Y así el mercader lo venció, y el comprador se rescató por cien dinares después de haberle devuelto el sándalo. El mercader vendió el sándalo como quiso, embolsó el dinero y salió de aquella ciudad en dirección a su tierra.»

Sahrazad se dio cuenta de que amanecía e interrumpió el relato para el cual le habían dado permiso.

Cuando llegó la noche *seiscientas cinco*, refirió:

—Me he enterado, ¡oh rey feliz!, de que [el príncipe prosiguió:] «En cuanto al niño de tres años —dijo el hijo del rey—, érase una vez un libertino a quien le gustaban las mujeres y que había oído hablar de una mujer hermosa y atractiva que vivía en una ciudad distinta de la suya. Partió, pues, en dirección a la ciudad en que ella moraba, se llevó consigo un regalo y le escribió un mensaje en el que le describía los grandes sufrimientos de amor y de afecto por ella y cómo el amor le había obligado a abandonar su ciudad para dirigirse a la de ella. Ésta le permitió que fuera a su casa y cuando él llegó y entró, ella se levantó, lo recibió con honor y respeto, le besó las manos y lo agasajó magníficamente con comidas y bebidas. Ahora bien, ella tenía un niño de tres años al que dejó abandonado para dedicarse a guisar los manjares. "Anda, vámonos a la cama", le dijo el hombre. "Mi hijo nos está mirando", contestó ella. "Es un niño pequeño —añadió el hombre—, que ni entiende ni sabe hablar." "Si tú supieras cuánto sabe, no hablarías de ese modo." Cuando el niño comprendió que el arroz estaba ya cocido, se echó a llorar a lágrima viva. "¿Por qué lloras, hijo mío?", le preguntó la madre. "Sírveme arroz y ponme también manteca." La mujer se lo sirvió, le puso también manteca y el niño comió. Luego se echó de nuevo a llorar. "¿Por qué lloras, hijo mío?", le preguntó la madre. "Madre —respondió el niño—, échame también azúcar." "¡Tú no eres sino un niño maldito!", exclamó entonces el hombre, enfurecido contra él. "¡Por Dios! —le dijo el niño—, tú eres el único maldito, pues te has tomado esta molestia y has abandonado tu ciudad en busca de adulterio. En cuanto a mí, mi llanto estaba causado por una cosa que tenía en el ojo y que he expulsado con mis lágrimas, y después de eso he comido arroz, manteca y azúcar, y estoy satisfecho. Por tanto, ¿quién de nosotros es el maldito?" El hombre se avergonzó ante las palabras de aquel niño pequeño: el sermón le hizo efecto y se arrepintió en seguida, no le hizo nada a la mujer, y regresó a su ciudad arrepentido hasta la muerte.

»En cuanto al niño de cinco años —siguió contando el hijo del rey—, me he enterado, ¡oh, rey!, de que cuatro mercaderes formaron sociedad por mil dinares, y después de haberlos reunido los metieron en una sola bolsa con la cual partieron para comprar mercancías. Por el camino vieron un hermoso jardín y entraron en él, dejando la bolsa a la guardiana de aquel jardín. Entraron, estuvieron paseando, comieron y bebieron, y se distrajeron. "Yo tengo perfume —dijo uno de ellos—, venid, lavémonos la cabeza con esta agua corriente y perfumémonos." "Necesitamos un peine", observó otro. "Pidámoslo a la guardiana —añadió un tercero—. Quizá tenga un peine." Uno de ellos fue a ver a la guardiana y le dijo: "Dame la bolsa". "No —repuso la guardiana—, si no venís todos juntos o si tus compañeros no me dan orden de que te la dé." Sus compañeros estaban en un lugar en el que la guardiana podía verlos y oír sus palabras; por eso, el hombre les dijo a sus compañeros: "No quiere darme nada". "¡Dáselo!", le dijeron ellos. Y ella, tras oír sus palabras, le dio la bolsa, que el hombre tomó y salió huyendo.

»Cuando ellos vieron que tardaba, fueron a ver a la guardiana y le dijeron: "¿Por qué no quieres darle el peine?" "Él sólo me ha pedido la bolsa y yo se la he dado con vuestro permiso. Luego ha salido de aquí, siguiendo su camino." Al oír las palabras de la guardiana se abofetearon el rostro, la agarraron y le dijeron: "Nosotros sólo te hemos dado permiso para que le dieras un peine". Entonces cogieron a la mujer y la llevaron a presencia del cadí. Cuando estuvieron ante él le contaron su historia, y el cadí obligó a la guardiana a que indemnizara la pérdida de la bolsa, y para esa indemnización hubo de obligar a algunos de sus acreedores. La guardiana salió atónita...»

Sahrazad se dio cuenta de que amanecía e interrumpió el relato para el cual le habían dado permiso.

Cuando llegó la noche *seiscientas seis,* refirió:

—Me he enterado, ¡oh rey feliz!, de que [el príncipe prosiguió: «La guardiana salió atónita] sin saber dónde iba. Un niño de cinco años se tropezó con ella, y al verla tan perpleja le dijo: "¿Qué te ocurre, madre?" Pero ella no le contestó, desdeñándole por su corta edad. El niño repitió la pregunta una, dos y tres veces, hasta que ella le contó: "Unas personas entraron en el jardín y me dejaron una bolsa que contenía mil dinares bajo condición de que no la entregaría a ninguno de ellos sino en presencia de todos. Entraron en el jardín, a pasear y solazarse, y luego uno de ellos salió y me dijo: 'Dame la bolsa'. Yo le contesté: 'Cuando vengan tus compañeros'. 'Tengo permiso de ellos', añadió. Pero yo no quise entregarle la bolsa. Entonces él se volvió hacia sus compañeros y les gritó: 'No quiere darme nada', y ellos me ordenaron: '¡Dáselo!' Ellos estaban cerca de mí, y así yo le di la bolsa, que él recogió, y se marchó. Al ver que tardaba, sus amigos se acercaron a mí y me preguntaron: '¿Por qué no le das el peine?' '¡No me ha hablado de peine; sólo se ha referido a la bolsa!', exclamé, y entonces me cogieron y me llevaron ante el cadí, el cual me fuerza a devolver la bolsa". "Dame un dirhem —le dijo entonces el niño—; con él podré comprarme golosinas, y te diré algo con que podrás salvarte." La guardiana le dio un dirhem al tiempo que le decía: "¿Qué has de decirme?" "Vuelve al cadí —le aconsejó el niño— y dile que entre tú y ellos se había convenido que tú no darías la bolsa sino en presencia de los cuatro." La guardiana regresó a presencia del cadí y le contó lo que le había sugerido el niño. "¿Era verdaderamente esto lo convenido entre vosotros y ella?", les preguntó el cadí a los mercaderes. "Sí", contestaron. "Entonces, traedme a vuestro compañero —sentenció el cadí— y tendréis la bolsa." Y así la guardiana salió indemne sin que le ocurriera ningún perjuicio, y se marchó a sus asuntos».

Después de que el rey, los visires y todos los que asistían a aquella sesión hubieron oído las palabras del príncipe, todos le dijeron al rey: «Señor nuestro, el rey, este hijo tuyo es la persona más elocuente de su época». Y todos alzaron plegarias a Dios por el muchacho, y el rey abrazó a su hijo contra su pecho, lo besó entre los ojos y le preguntó lo que le había ocurrido con la mujer. El hijo del rey juró en nombre de Dios grande y de su noble profeta que había sido ella la que le había tentado. El rey le creyó y añadió: «Te doy carta blanca acerca de la mujer; si quieres, manda matarla, o haz lo que quieras». «Expúlsala de la ciudad», le dijo el muchacho a su padre.

Y así el hijo del rey vivió con su padre en la más cómoda y feliz de las vidas hasta que llegó a ellos el destructor de las dulzuras y el separador de los amigos.

Y éste es el final de lo que nos ha llegado acerca de la historia del rey, de su hijo, de la concubina y de los siete visires.

HISTORIA DE CHAWDAR, HIJO DEL MERCADER UMAR, Y DE SUS DOS HERMANOS

TAMBIÉN me he enterado de que un mercader llamado Umar tenía tres hijos: uno se llamaba Sálim, el más pequeño Chawdar y el mediano Salim. Los había criado hasta que fueron hombres, pero amaba a Chawdar más que a sus dos hermanos. Cuando fue manifiesto que el padre amaba más a Chawdar, los otros dos hijos sintieron celos y odio contra él. El padre comprendió que odiaban a su hermano y, como tenía ya muchos años, temió que, cuando muriese, Chawdar tuviera dificultades con ellos. Por eso, mandó venir a algunos de sus parientes, así como a partidores de herencia reconocidos por el cadí, y cierto número de hombres de ciencia, y les dijo: «Traed mis riquezas y mis telas». Cuando se las trajeron, prosiguió: «Hombres, dividid estos bienes y estas telas en cuatro partes, según la *xara*», y cuando las hubieron repartido, a cada hijo le dio una parte y él se quedó con otra; pensó: «Éstos son mis bienes que he repartido entre ellos. Ahora ellos no han de recibir nada más de mí, ni ninguno ha de recibir nada de los demás. Así que si muero no surgirán discusiones entre mis hijos, pues he repartido mi herencia en vida. El dinero que me he reservado será para mi mujer, la madre de estos hijos, para que así ella pueda vivir».

Sahrazad se dio cuenta de que amanecía e interrumpió el relato para el cual le habían dado permiso.

Cuando llegó la noche *seiscientas siete*, refirió:

—Me he enterado, ¡oh rey feliz!, de que después de poco tiempo murió el padre; pero ninguno estuvo contento con lo que había hecho Umar. Es más, los dos hermanos mayores le pidieron a Chawdar que su parte fuera aumentada y le dijeron: «Tú tienes el dinero de nuestro padre». Chawdar y sus hermanos se citaron ante los jueces, donde se presentaron los musulmanes que habían asistido a la partición y que depusieron diciendo lo que sabían, pero el juez declaró un no ha lugar para todos, y así Chawdar perdió parte de su haber y también sus hermanos salieron perdiendo en el pleito. Durante algún tiempo los dos dejaron en paz a Chawdar; pero luego volvieron a proceder con astucia contra él, se citaron de nuevo ante los jueces y los tres perdieron dinero por pagarles. Y así siguieron yendo de un juez a otro, perdiendo dinero los tres, hasta que hubieron consumido todo su haber y los tres quedaron pobres. Luego los dos hermanos de Chawdar se dirigieron a su madre, se burlaron de ella, se apoderaron de su fortuna, la golpearon y la expulsaron de la casa. Ella se dirigió a su hijo Chawdar y le dijo: «Tus hermanos han hecho conmigo tal y tal cosa, y se han apoderado de mi dinero», e invocó sobre ellos las maldiciones de Dios. «Madre —le dijo Chawdar—, no los maldigas, pues Dios los castigará por lo que han hecho. Pero, madre, yo soy pobre y también mis hermanos son pobres, pues los pleitos traen consigo pérdida de dinero. Muchas veces he tenido pleitos con ellos ante los jueces y no nos ha servido de nada; al contrario, hemos perdido todo lo que nos había dejado nuestro padre y la gente nos ha deshonrado con sus deposiciones. ¿Debo yo ahora pleitear por ti contra ellos y citarlos ante los jueces? Esto es algo que no se hará. Pero tú quédate en mi casa, y el mendrugo que yo como te lo dejaré. Y ruega a Dios por mí: Dios me dará de comer a mí y a ti, y déjales que Dios les dé el castigo por lo que han hecho y consuélate con el dicho:

> Si un ignorante te oprime, déjale y espera el momento para vengarte del opresor.

Evita la injusticia perjudicial, pues si un monte
oprimiese a otro, el opresor sería aniquilado.»

Y se puso a tranquilizar a su madre, hasta que ella quedó satisfecha y se quedó en su casa. Él se procuró una red y se dedicó a ir al mar, a los estanques y a todos los lugares en que había agua. Cada día iba a un lugar distinto. Un día sacaba diez, otro veinte, otro treinta monedas que gastaba para su madre, y comía y bebía bien. En cambio, sus hermanos no se dedicaban a ningún oficio ni a la compraventa, y así se vieron sumidos en la desgracia y la ruina. Gastaron todo lo que le habían arrebatado a su madre y se convirtieron en míseros mendigos, carentes de todo y pelados: se presentaban ante su madre y se humillaban mucho ante ella, quejándose de hambre. El corazón de la madre es compasivo: ella les daba pan enmohecido, y si había quedado algún alimento les decía: «Comed de prisa y marchaos antes de que vuelva vuestro hermano, porque se disgustaría al veros aquí y su corazón se endurecería conmigo, y así haríais que me avergonzara ante él». Y, por eso, ellos comían de prisa y se marchaban. Cierto día se presentaron ante su madre y ella les puso delante comida y pan para que comiesen; mas he aquí que entró su hermano Chawdar. La madre quedó avergonzada y se asustó, temiendo que se enojase con ella, e inclinó la cabeza hasta el suelo de vergüenza ante su hijo; pero éste les sonrió a la cara y les dijo: «¡Bien venidos seáis, hermanos míos! Éste es un día bendito. ¿Qué ha ocurrido para que vengáis a visitarme hoy?» Y al decir eso los abrazó, fue amable con ellos y continuó: «Ya sabía yo que no me dejaríais intranquilo por vuestra ausencia, que vendríais a mí y que no dejaríais pasar mucho tiempo sin vernos a mí y a vuestra madre». «¡Por Dios! —contestaron—. Nosotros, hermano, teníamos muchísimas ganas de verte; sólo nos retenía la vergüenza por todo lo ocurrido entre nosotros. Pero ahora nos hemos arrepentido; aquello era sin duda obra del diablo (¡Dios, ensalzado sea, le maldiga!). No podemos tener salud y bendición sino junto a ti y a nuestra madre.»

Sahrazad se dio cuenta de que amanecía e interrumpió el relato para el cual le habían dado permiso.

Cuando llegó la noche *seiscientas ocho*, refirió:

—Me he enterado, ¡oh rey feliz!, de que la madre exclamó: «Hijo mío, ¡Dios blanquee tu cara y aumente tu prosperidad! Eres muy generoso». «Bien venidos —repitió Chawdar—, quedaos conmigo, pues Dios es generoso y yo gozo de mucha prosperidad.» Hizo las paces con ellos, y los dos pasaron la noche en su casa y cenaron con él. Al día siguiente, después de haberse desayunado, Chawdar cargó con la red y marchó confiando en la gracia de Aquel que abre las puertas de la prosperidad, mientras sus hermanos salían y permanecían ausentes hasta el mediodía. Cuando regresaron, su madre les dio de comer, y por la tarde volvió el hermano, trayendo carne y verdura. Durante un mes siguieron así: Chawdar pescaba, vendía los pescados y gastaba lo obtenido con su madre y sus dos hermanos, quienes comían y se divertían. Hasta que un día ocurrió que Chawdar tomó la red, se fue al mar, la echó y al retirarla salió vacía. Volvió a echarla, y de nuevo salió vacía. «En este lugar no hay peces», pensó, y se trasladó a otro lugar, en el que echó la red; pero también salió vacía. Se dirigió a otro sitio y desde la mañana hasta la tarde se fue trasladando sin lograr pescar ni siquiera un solo pez. «Es extraño —se dijo—. ¿El mar se ha vaciado de peces? ¿Cuál será la causa?» Cargó con la red al hombro, y regresó, preocupado y afligido por sus hermanos y su madre, pues no sabía qué les iba a llevar para la cena. Pasó ante una panadería, y vio que la gente se arremolinaba para comprar pan, con los dirhemes en la mano, mientras que el panadero no les prestaba atención. Se paró, suspirando, y el panadero le dijo: «Bien venido, Chawdar: ¿quieres pan?» Él calló, pero el panadero insistió: «Si no tienes dinero toma lo que necesites, tienes plazo para pagarme». «Dame por valor de diez medias monedas de cobre.» «Toma, ahí van otras diez monedas: mañana me darás pescado por valor de veinte.» «De mil amores», contestó Chawdar.

Tomó el pan y con las diez monedas compró carne y verdura, diciéndose: «Mañana Dios hará cesar todos los contratiempos»; se fue a su casa, donde su madre guisó los alimentos. Cenó y se fue a dormir. Al día siguiente tomó la red; pero cuando su madre le dijo: «Siéntate a desayunarte», le contestó: «Desayunaos tú y mis hermanos», y se dirigió hacia el mar, donde echó la red una, dos y tres veces, cambiando de un lugar a otro hasta el *asr,* pero sin pescar nada. Entonces cargó con la red, y echó a andar, afligido. Su camino pasaba forzosamente por delante de la panadería. Cuando el panadero vio a Chawdar, le preparó el pan y el dinero y le dijo: «Ven, toma y vete: si hoy no me traes pescado, ya me lo traerás mañana». Y como quisiera excusarse, el panadero añadió: «Ve tranquilo, no es preciso que te excuses. Si hubieses pescado algo, lo llevarías contigo. Por eso, cuando te vi con las manos vacías, comprendí que no habías pescado nada. Aunque mañana no pesques nada, ven sin apuro a buscar pan: tienes crédito». Al tercer día, Chawdar fue de estanque en estanque hasta el *asr,* mas como no lograse sacar nada, fue a la panadería y tomó pan y dinero. Y así siguió la cosa durante siete días.

Pero luego se halló en dificultad, y decidió ir aquel día al lago de Qarún. Cuando estaba a punto de echar la red, vio que se acercaba un magrebí montado en un mulo, y que llevaba puesto un vestido suntuoso. La mula llevaba una alforja tejida de oro, y de oro era también cuanto llevaba encima. El magrebí bajó de la mula y le dijo: «¡La paz sea sobre ti, oh, Chawdar!, ¡oh, hijo de Umar!» «¡Sobre ti sea la paz, mi señor peregrino!», contestó nuestro hombre. «Chawdar —prosiguió el magrebí—, te necesito: si me obedeces obtendrás mucho bien, serás mi amigo y proveerás a mis necesidades.» «Mi señor peregrino —respondió Chawdar—, dime qué hay en tu mente y te obedeceré. No tengo por qué contradecirte.» «Recita la *fatiha*[1].» Chawdar la recitó con él, y entonces el magrebí sacó un cordón de seda y le dijo: «Átame las manos a la espalda y aprieta bien el nudo, luego me echarás en el lago y esperarás un poco: si ves que saco la mano del agua antes de que yo aparezca, echa la red y sácame en seguida; pero si me ves sacar los pies, sabe que he muerto. Me dejarás, cogerás la mula y la alforja, irás al bazar de los mercaderes y allí encontrarás un judío llamado Sumaya: dale la mula y él te dará cien dinares. Cógelos, guarda el secreto de lo ocurrido y sigue tu camino». Chawdar le ató las manos bien prietas, mientras el magrebí seguía diciéndole que apretara bien. Luego añadió: «Empújame hasta echarme en el lago», y Chawdar le empujó, lo echó y él se hundió. Chawdar esperó un rato, y de repente aparecieron los pies del magrebí y así supo que había muerto. Cogió la mula, lo abandonó y se fue al bazar de los mercaderes. Allí vio a un judío sentado en una silla a la puerta de su almacén, que al ver la mula exclamó: «¡El hombre ha muerto!», y añadió: «¡Sólo la codicia le ha hecho perecer!» Tomó la mula de mano de Chawdar y le dio cien dinares, instándolo a que guardara el secreto. Chawdar tomó el dinero y se marchó. Le compró al panadero el pan que necesitaba, y le dijo: «Toma este dinar». El panadero le cobró lo que le debía y le dijo: «Aún debo darte pan durante dos días».

Sahrazad se dio cuenta de que amanecía e interrumpió el relato para el cual le habían dado permiso.

Cuando llegó la noche *seiscientas nueve,* refirió:

—Me he enterado, ¡oh rey feliz!, de que luego Chawdar fue al carnicero, a quien entregó otro dinar y, tras recoger la carne, le dijo: «Quédate con el resto a cuenta». Compró verdura y marchó a su casa, donde se encontró con que sus hermanos le pedían a su madre algo de comer, mientras ella les decía: «Tened paciencia hasta que vuelva vuestro hermano, pues no tengo nada». Chawdar entró y dijo: «Tomad y comed». Ellos se lanzaron sobre el pan como dos ogros. Le dio a su madre el resto del oro, diciéndole: «Toma, madre. Si mis hermanos vinieran y te pidieran comida mientras yo esté ausente, dales dinero para que se la compren y puedan comer». Y luego se fue a dormir. Por la mañana cogió la red, se dirigió al lago de Qarún, se detuvo y cuando estaba a punto de echar la red, vio que se acercaba otro magrebí montado sobre una mula, mejor vestido que el que había muerto. Llevaba una alforja y dos arcas, una en cada bolsa. «¡La paz sea sobre ti, Chawdar!», le dijo. «¡Sobre ti sea la paz, mi señor peregrino!», fue la respuesta. «¿Se presentó ayer ante ti un magrebí montando una mula como ésta?», preguntó el recién llegado.

Chawdar tuvo miedo y dijo que no, añadiendo que no había visto a nadie, pues temía que si le preguntaba dónde había ido y le contestaba que se había ahogado en el lago, quizás éste le acusaría de haberlo asesinado. Por eso, no hizo sino negar. «¡Miserable! —exclamó el magrebí—. Aquél era mi hermano y se me había adelantado.» «No sé nada.» «¿No le ataste las manos a la espalda y lo echaste al lago después de decirte él: "Si mis manos emergen, échame la red y sácame en seguida; pero si aparecen mis pies, significa que he muerto. Toma entonces la mula y llévasela al judío Sumaya; éste te dará cien dinares"? —preguntó el magrebí—. Pero salieron los pies —continuó—, y tú cogiste la mula y se la llevaste al judío, que te dio cien dinares.» «Puesto que sabes eso, ¿por qué me lo preguntas?», observó Chawdar. «Quiero que hagas conmigo lo mismo que hiciste con mi hermano.» Y al decir esto, sacó un cordón de seda y dijo: «Átame las manos a la espalda y échame al agua: si me ocurre lo que a mi hermano, coge la mula, llévasela al judío y cóbrale cien dinares». «Acércate», concluyó Chawdar. El magrebí se adelantó y Chawdar le ató las manos a la espalda y luego lo empujó hasta que cayó en el lago y se hundió. El pescador esperó un rato, hasta que surgieron los pies. «Murió y se fue al infierno —sentenció Chawdar—. Si Dios quiere, todos los días se me presentarán magrebíes, yo les ataré las manos a la espalda y ellos morirán. A mí me basta con sacar cien dinares por cada muerto.» Y, tras coger la mula, se marchó.

Cuando el judío le vio, exclamó: «¡El otro ha muerto!» «¡Ojalá puedas vivir tú!», le auguró Chawdar. «He aquí la recompensa de los codiciosos.» Y al cogerle la mula, el judío le dio cien dinares que Chawdar se embolsó. Luego se dirigió a su madre y se los dio. «Hijo mío —le preguntó su madre—, ¿de dónde los has sacado?» Cuando se lo hubo explicado todo, ella le dijo: «No volverás a ir al lago de Qarún, pues temo por ti a causa de los magrebíes». «Madre, yo no hago más que echarlos con su aprobación. ¿Qué he de hacer? Éste es un trabajo por el que todos los días sacamos cien dinares, y, además, yo vuelvo a casa pronto. Por Dios, no dejaré de ir al lago de Qarún hasta que desaparezca toda huella de magrebíes y hasta que ninguno de ellos quede con vida.» Al tercer día fue al lago, y mientras estaba allí apareció un magrebí montado en una mula, que llevaba una alforja, y estaba aún más adornado que los dos primeros. «¡La paz sea sobre ti, oh, Chawdar!, ¡oh, hijo de Umar!», le dijo. «¿De dónde me conocerán todos éstos?», se preguntó Chawdar, y correspondió a su saludo. «¿Pasaron por este lugar magrebíes?» «Dos», contestó Chawdar. «¿Y dónde han ido?» «Yo les até las manos a la espalda, los eché en este lago y se ahogaron: también tú seguirás la misma suerte.» El magrebí sonrió y dijo: «Infeliz, cada persona tiene su plazo señalado». Bajó de la mula y añadió: «Chawdar, haz conmigo lo mismo que hiciste con ellos», y al decir eso sacó el cordón de seda. «Pon las manos a la espalda —le dijo Chawdar—, para que te ate, pues tengo prisa y ya he perdido tiempo.»

El magrebí colocó las manos tras la espalda, y él se las ató y le empujó hasta que cayó en el lago. Se dispuso a esperar y he aquí que el magrebí sacó las manos y le dijo: «¡Infeliz! ¡Echa la red!» Chawdar echó la red y lo sacó a tierra: tenía agarrados dos peces de color rojo como el coral, uno en cada mano. «Abre las dos arcas», le dijo. Chawdar las abrió y el magrebí puso un pez en cada una, las cerró y abrazó a Chawdar contra su pecho, lo besó en las mejillas a derecha e izquierda, y exclamó: «¡Líbrete Dios de desgracia! Por Dios, si no me hubieses echado la red y me hubieses sacado, habría seguido agarrando estos dos peces a pesar de estar bajo agua y habría muerto sin poder salir». «Mi señor peregrino, en nombre de Dios —imploró Chawdar—, infórmame acerca de los dos que se ahogaron y dime la verdad acerca de esos dos peces y del judío.»

Sahrazad se dio cuenta de que amanecía e interrumpió el relato para el cual le habían dado permiso.

Cuando llegó la noche *seiscientas diez*, refirió:

—Me he enterado, ¡oh rey feliz!, de que el magrebí empezó: «Chawdar, sabe que los dos que se ahogaron eran mis hermanos: el uno se llamaba Abd al-Salam y el segundo Abd al-Ahad; yo me llamo Abd al-Samad. También el judío es hermano nuestro y se llama Abd al-Rahim: no es judío sino musulmán de rito malekí. Nuestro padre nos enseñó a resolver los encantamientos, a conquistar tesoros y a practicar la magia, y nosotros nos dedicamos a ella hasta que los *marid* y los *efrit* quedaron a nuestro servicio. Éramos cuatro hermanos, y nuestro padre, que se llamaba Abd al-Wadud, murió dejándonos muchas cosas. Nos repartimos los tesoros, bienes y talismanes hasta que llegó el turno de los libros. Los repartimos, pero surgieron diferencias entre nosotros acerca de un libro titulado: *Relatos de los antiguos,* un libro sin par, al que no podía ponérsele precio ni dársele equivalente en joyas, porque en él se citaban todos los tesoros y la manera de resolver los encantamientos. Nuestro padre lo utilizaba mucho y nosotros estudiábamos cada año un pequeño fragmento. Cada uno de nosotros quería poseerlo para poder conocer todo lo que contenía. Cuando surgió la discusión, a una de nuestras reuniones asistió el maestro de nuestro padre. Él lo había educado y le había enseñado la magia y la adivinación, y se llamaba al-Kahín al-Abtán.

»Nos dijo: "Entregadme el libro", y cuando se lo hubimos dado, añadió: "Vosotros sois los hijos de mi hijo, y por ello no os puedo perjudicar a ninguno. Quien quiera este libro, que busque la manera de conquistar el tesoro de Samardal y que me entregue la esfera celeste, el recipiente de *kuhl,* el anillo y la espada. El anillo tiene a su servicio un genio llamado al-Raad al-Qasif, y ningún rey ni sultán puede resistir a quien posee este anillo, hasta el extremo de que si quisiera dominar a lo largo y lo ancho de la tierra podría hacerlo. En cuanto a la espada, si es desenvainada contra un ejército y quien la lleva la agita, el ejército queda derrotado, y si quien la posee, al mismo tiempo que la agita le ordenara: 'Aniquila este ejército', de aquella espada saldría un relámpago de fuego que mataría a todos los soldados de dicho ejército. Quien posee la esfera celeste y quiere ver todos los países, desde oriente a occidente, puede verlos y visitarlos permaneciendo sentado, con tal de que dirija la esfera hacia el lugar que quiere ver y mire dentro de ella: verá aquella región y todos sus habitantes como si estuvieran ante él. Además, si se enojase contra una ciudad y dirigiese la esfera hacia el sol con la intención de quemarla, se quemaría. En cuanto al recipiente de *kuhl*, quien se unte un poco podrá ver los tesoros de la tierra. Pero he de poneros una condición: quien no logre conquistar este tesoro no será digno de poseer el libro; en cambio, quien lo conquiste y me traiga esas cuatro cosas merecerá tenerlo". Aceptamos la condición, y él nos dijo: "Hijos míos, sabed que el tesoro de Samardal se halla en poder de los hijos del rey Rojo. Vuestro padre me contó que había intentado conquistar ese tesoro, pero no lo pudo lograr. Es más, los hijos del rey Rojo se le escaparon a un lago de Egipto que se llama lago de Qarún, en el que se arrojaron. Él los siguió hasta Egipto, pero nada pudo contra ellos porque se le escaparon en dicho lago, que estaba encantado".»

Sahrazad se dio cuenta de que amanecía e interrumpió el relato para el cual le habían dado permiso.

Cuando llegó la noche *seiscientas once*, refirió:

—Me he enterado, ¡oh rey feliz!, de que [al-Kahín prosiguió: «"Vuestro padre] regresó, preocupado, sin haber logrado arrebatar el tesoro de Samardal a los hijos del rey Rojo. Cuando no pudo ya hacer nada contra ellos, vino a verme y se me quejó. Yo consulté los astros por él y vi que ese tesoro sólo podía ser conquistado por obra de un joven egipcio llamado Chawdar b. Umar (pues él haría posible el apoderarse de los hijos del rey Rojo), que aquel joven era pescador, que vuestro padre podría hallarle junto al lago de Qarún, así como que el hechizo sólo se desvanecería si Chawdar ataba las manos tras la espalda de aquel a quien le correspondía la suerte y lo echaba en el lago, donde podría combatir con los hijos del rey Rojo. Aquel a quien el destino señalase, podría apoderarse de los hijos del rey Rojo; en cambio, quien no estuviera predestinado a ello perecería, y sus pies aparecerían sobre el agua, mientras que asomarían las manos de aquel que había de salvarse, y entonces éste necesitaría que Chawdar le echase la red y lo sacase del agua"». Añadió: «Mis hermanos dijeron: "Nosotros iremos, aunque hayamos de perecer", y yo dije: "Yo también iré". Por el contrario, ese hermano nuestro que tiene aspecto de judío indicó que él no tenía motivo para hacerlo. Y así, acordamos que él marcharía a Egipto disfrazado de mercader judío y que si alguno de nosotros hallaba la muerte en el lago, él recogería la mula y la alforja que le ofreciese el pescador y le daría cien dinares.

»Cuando el primero de nosotros se presentó ante ti, los hijos del rey Rojo lo mataron, y también mataron a mi segundo hermano; pero no han podido conmigo y yo me he apoderado de ellos.» «¿Dónde están los que cogiste?», preguntó Chawdar. «¿No has visto que los metí en las arcas?» «¡Pero si eran peces!» «No son peces —prosiguió el magrebí—, sino *efrits* con aspecto de peces. Pero, sabe, Chawdar, que el tesoro sólo podrá ser conquistado por mediación de ti. ¿Me obedecerás y vendrás conmigo a las ciudades de Fez y Mequínez para que así conquistemos el tesoro? Yo te daré lo que me pidas y serás para siempre hermano mío —te lo prometo ante Dios—, y luego podrás regresar junto a tu familia con el ánimo contento.» «Mi señor peregrino —repuso Chawdar—, yo tengo a mi cargo a mi madre y a mis hermanos...»

Sahrazad se dio cuenta de que amanecía e interrumpió el relato para el cual le habían dado permiso.

Cuando llegó la noche *seiscientas doce*, refirió:

—Me he enterado, ¡oh rey feliz!, de que [Chawdar dijo: «Tengo a mi cargo a mi madre y a mis hermanos,] y soy yo quien provee a su sustento. Si me voy contigo, ¿quién les proporcionará pan para comer?» «Es una excusa fútil, pues si se trata de los gastos yo te daré mil dinares, que entregarás a tu madre para que los gaste hasta que tú regreses a tu país. Por otra parte, si te ausentas, volverás antes de cuatro meses.» Al oír hablar de mil dinares, Chawdar exclamó: «Dame los mil dinares, peregrino, para que pueda dejárselos a mi madre, y me iré contigo». Entonces el magrebí sacó los mil dinares y Chawdar, después de haberlos cogido, se presentó ante su madre y la informó de lo que habían hablado él y el magrebí, y añadió: «Toma estos mil dinares, y gasta de ellos para ti y para mis hermanos. Yo parto con el magrebí para el Occidente. Estaré ausente durante cuatro meses y obtendré mucha prosperidad. Ruega por mí, madre mía». «Hijo —le contestó la mujer—, me afliges y temo por ti.» «Madre, ningún mal puede ocurrirle a quien está protegido por Dios. Además, el magrebí es una buena persona.» Y empezó a elogiarle. «¡Dios haga bueno su corazón hacia ti! Vete con él, hijo mío, quizá te dé algo», concluyó la madre. Chawdar se despidió de ella y partió. Cuando llegó junto al magrebí Abd al-Samad, éste le preguntó: «¿Consultaste a tu madre?» «Sí, y ella ha rezado por mí.» «Entonces, monta detrás de mí.»

Chawdar montó a lomos de la mula y los dos anduvieron desde el *zuhr* hasta el *asr*. Chawdar tenía hambre, pero se dio cuenta de que el magrebí no llevaba nada de comer. «Mi señor peregrino —observó—, quizás olvidaste coger algo para que comiéramos durante el viaje.» «¿Tienes hambre?», preguntó el magrebí. «Sí.» Él y Chawdar desmontaron y el magrebí le mandó bajar la alforja, y así lo hizo. «¿Qué deseas, hermano?», preguntó entonces el magrebí. «Cualquier cosa.» «En nombre de Dios, dime qué deseas.» «Pan y queso.» «¡Infeliz! Pan y queso no son cosas adecuadas; pide algo bueno.» «En estos momentos cualquier cosa es buena para mí.» «¿Te gusta el pollo asado?» «Sí.» «¿Te gusta el arroz con miel?» «Sí.» «¿Te gusta tal plato y tal otro?» Y así siguió hablando hasta citar veinticuatro clases de guisos, hasta el extremo de que Chawdar pensó: «¿Estará loco este hombre? ¿De dónde va a traerme los platos que ha citado, pues no hay ni cocina ni cocinero? He de decirle que ya basta», y dijo en voz alta: «¡Basta! ¿Me haces apetecer estos manjares cuando no veo nada?» «Sé bien venido, Chawdar.» Y, metiendo mano en la alforja, sacó un plato de oro en el que había dos pollos asados calientes. Metió de nuevo la mano y sacó un plato de oro que contenía carne de cordero asada al asador, y así siguió sacando cosas de la alforja hasta completar los veinticuatro guisos que había mencionado. Chawdar quedó atónito. «Come, infeliz», le animó el magrebí. «Mi señor —observó Chawdar—, ¿pusiste en esta alforja cocina y gente que guise?» El magrebí sonrió y contestó: «Esta alforja está encantada y tiene un servidor. Si nosotros, en cualquier momento, pidiésemos mil clases de guisos, el servidor nos los traería preparándolos en un instante». «¡Qué magnífica alforja!», exclamó Chawdar.

Luego los dos comieron hasta hartarse y tiraron lo que les sobró. El magrebí colocó los platos vacíos en la alforja, metió la mano en ella y la sacó con una jarra de la que bebieron, hicieron las abluciones rituales y rezaron la oración del *asr*. Luego puso la jarra en la alforja, colocó también las dos arcas y después de haber cargado todo sobre la mula, montó en ella y dijo a Chawdar: «Monta. Reanudamos la marcha. ¿Sabes, Chawdar, cuánto camino hemos recorrido desde Egipto hasta aquí?» «Por Dios que no lo sé.» «Hemos recorrido el camino de un mes entero.» «¿Cómo puede ser?» «Chawdar, sabe que la mula que está debajo de nosotros es un *marid*, que puede recorrer en un día la distancia de un año; pero, por serte agradable, ha ido más despacio.» Espolearon al animal y prosiguieron el viaje hacia el Occidente. Por la noche, el magrebí sacó de la alforja la cena y a la mañana siguiente el desayuno, y durante cuatro días siguieron andando hasta la mitad de la noche de cada jornada. A medianoche desmontaban, dormían, y por la mañana reemprendían el viaje. Chawdar le pedía al magrebí lo que quería y éste se lo sacaba de la alforja.

Al quinto día llegaron a Fez y Mequínez[2], y entraron en la ciudad. Una vez dentro, todas las personas que veían al magrebí le saludaban y le besaban las manos. Siguieron adelante hasta llegar a una puerta a la que el magrebí llamó. La puerta se abrió y apareció una muchacha hermosa como la luna: «Rahma, hija mía —le dijo el magrebí—, ábrenos la puerta del palacio». «En seguida, padre», y entró moviendo las caderas de tal manera que Chawdar perdió la cabeza y se dijo: «Ésta es la hija de un rey». La muchacha la abrió, tomó la alforja de la mula y le dijo a ésta: «Vete, y Dios te bendiga». Y he aquí que el suelo se abrió, la mula se hundió y el suelo volvió a quedar como antes. «¡Dios protector! —exclamó Chawdar—. ¡Alabado sea Dios

[2] El autor funde ambas ciudades en una sola.

que nos salvó cuando estábamos sobre ella!» «No te asombres, Chawdar —le tranquilizó el magrebí—. Ya te dije que la mula era un *efrit*. Y ahora, pasa con nosotros.»

Una vez en la habitación, Chawdar quedó maravillado por la cantidad de tapices suntuosos que había en ella, así como por todos los objetos artísticos y pendientes de piedras preciosas y de joyas que vio. Cuando estuvieron sentados, el magrebí le dijo a la joven: «Rahma, trae aquel envoltorio de vestidos». La joven se levantó y regresó a poco con un envoltorio que puso ante su padre. Éste lo abrió, sacó de él un vestido que valía mil dinares, y dijo: «Póntelo, Chawdar, y sé bien venido». Se lo puso y quedó tan hermoso como un rey del Occidente. Luego el magrebí puso la alforja ante sí, metió la mano y sacó varios platos con diferentes guisos hasta dejar puesta una mesa de cuarenta platos. «Mi señor —le dijo entonces a Chawdar—, acércate, come y excúsanos...»

Sahrazad se dio cuenta de que amanecía e interrumpió el relato para el cual le habían dado permiso.

Cuando llegó la noche *seiscientas trece*, refirió:

—Me he enterado, ¡oh rey feliz!, de que [el magrebí dijo a Chawdar: «...come y excúsanos,] pues no sabemos qué guisos deseas. Dinos lo que quieras y te lo prepararemos en seguida.» «Por Dios, mi señor peregrino, a mí me gustan todos los manjares y ninguno me disgusta. No me preguntes, pues, nada, y tráeme lo que se te ocurra: lo comeré.»

Chawdar permaneció veinte días en casa del magrebí, y cada día éste le mandaba ponerse un vestido nuevo, sacaba la comida de la alforja y no compraba ni carne ni pan y ni siquiera guisaba, sino que extraía de la alforja cuanto necesitaba, incluso varias clases de fruta. El vigesimoprimer día el magrebí le dijo a Chawdar: «Ven conmigo, pues hoy es el día señalado para conquistar el tesoro de Samardal». Chawdar partió con él, y anduvieron a pie hasta el límite de la ciudad. Una vez fuera de ella, cada uno montó en una mula y prosiguieron el camino hasta el mediodía, en que llegaron a un arroyo de agua fluyente, donde Abd al-Samad desmontó y le dijo: «Desmonta, Chawdar», y se apeó. Luego hizo una señal con la mano y llamó a dos esclavos, que cogieron las mulas y se dirigieron cada uno por distinto camino y desaparecieron por poco tiempo. Luego uno de los esclavos se acercó con una tienda, que levantó, y el otro trajo una alfombra que extendió en la tienda poniendo alrededor cojines y almohadas. Luego uno de los esclavos fue a coger las arcas en que estaban metidos los dos peces, mientras que el otro traía la alforja. «Ven aquí, Chawdar», dijo el magrebí. Chawdar se sentó junto a él. El magrebí sacó de la alforja los platos de comida y comieron.

El magrebí, después de coger las dos arcas, pronunció conjuros encima, y desde su interior salieron dos voces que dijeron: «Estamos aquí para servirte, ¡oh adivino del mundo! ¡Ten piedad de nosotros!», y siguieron pidiendo ayuda mientras el magrebí seguía pronunciando conjuros hasta que las dos arcas se quebraron reduciéndose a pedazos, que volaron. Aparecieron entonces dos personas con las manos atadas a la espalda, que decían. «¡Ten piedad, oh adivino del mundo! ¿Qué quieres hacer de nosotros?» «Quiero quemaros —respondió el magrebí—, a menos de que os comprometáis a hacerme conquistar el tesoro de Samardal.» «Te lo prometemos; te haremos conquistar el tesoro con tal de que hagas venir a Chawdar el pescador, ya que el tesoro sólo puede ser conquistado por mediación de él y nadie sino Chawdar b. Umar puede entrar en él.» «Ya he traído al que mencionáis. Está aquí, os oye y os ve.» Entonces se comprometieron con el magrebí a hacerle conquistar el tesoro, y éste los dejó en libertad. Luego sacó un estuche cilíndrico y pedazos de coral rojo que colocó sobre el estuche. Tomó un incensario, puso carbón en él, sopló una vez y encendió fuego. Trajo luego incienso y le dijo a Chawdar: «Chawdar, yo voy a recitar los conjuros y a echar incienso; pero cuando empiece con los conjuros ya no podré hablar, pues serían nulos. Por ello, quiero enseñarte qué debes hacer para lograr tu propósito». «Enséñamelo», le contestó Chawdar.

«Sabe —continuó el magrebí— que cuando yo pronuncie los conjuros y esparza el incienso, el agua del arroyo se secará y aparecerá ante ti una puerta de oro tan grande como la de la ciudad, con dos aldabas de metal precioso. Baja hacia la puerta y llama suavemente; espera un poco, llama con la segunda aldaba un poco más fuerte que con la primera y espera otro poco. Luego llama tres veces, una tras otra, y cuando oigas que alguien te dice: "¿Quién llama a la puerta de los tesoros sin saber desligar los encantamientos?", tú dirás: "Soy Chawdar el pescador, hijo de Umar", y él te abrirá la puerta. Por ella saldrá una persona con una espada en la mano y te dirá: "Si tú eres ese hombre, ofrece el cuello para que te decapite". Tú le ofrecerás el cuello: no temas, pues cuando él levante la mano con la espada y te golpee caerá ante ti y al cabo de un momento lo verás reducido a un ser sin alma, mientras que tú no sentirás ningún dolor por el golpe ni te ocurrirá nada. En cambio, si le desobedeces, te matará. Luego, cuando por haber obedecido hayas reducido a nada su hechizo, entra y sigue andando hasta que veas otra puerta. Llama y saldrá, montado sobre un corcel, un jinete con lanza al hombro, que te dirá: "¿Qué te ha traído hasta este lugar en el que no puede entrar ningún ser humano ni genio?", y al decir eso agitará la lanza contra ti. Tú le mostrarás el pecho y él te golpeará, pero al instante caerá y verás cómo queda reducido a cuerpo sin alma; pero si te opones, te matará. Después entrarás por la tercera puerta: saldrá a tu encuentro un hombre armado de arco y flechas, que apuntará para herirte. Muéstrale el pecho: él te herirá, pero caerá ante ti reducido a cuerpo sin alma; mas si desobedeces, te matará. Luego llegarás ante la cuarta puerta...»

Sahrazad se dio cuenta de que amanecía e interrumpió el relato para el cual le habían dado permiso.

Cuando llegó la noche *seiscientas catorce,* refirió:

—Me he enterado, ¡oh rey feliz!, de que [el magrebí prosiguió: «...llegarás ante la cuarta puerta] y llamarás: te abrirán y saldrá un león de enorme tamaño que querrá asaltarte y abrirá las fauces para indicar que quiere comerte. No temas y no huyas, sino que cuando el león esté junto a ti, ofrécele la mano y él, después de morderla, caerá al instante muerto, mientras que a ti no te ocurrirá nada. Después entrarás por la quinta puerta y se te acercará un esclavo negro que te preguntará quién eres. Dile que eres Chawdar. "Si eres ese hombre —te contestará—, abre la sexta puerta." Entonces acércate a la puerta y di: "¡Oh Jesús, di a Moisés que abra la puerta!" Y ésta se abrirá. Entra: Hallarás dos serpientes, una a la izquierda y otra a la derecha, cada una de las cuales tendrá las fauces abiertas y ambas se lanzarán inmediatamente sobre ti. Ofréceles las manos y cada una morderá una; pero si desobedeces, te matarán. Luego avanzarás hacia la séptima puerta y llamarás: aparecerá tu madre y te dirá: "Bien venido, hijo mío, acércate para que pueda saludarte". Entonces tú habrás de contestarle: "Permanece lejos de mí y quítate los vestidos".

»Ella observará: "Hijo mío, soy tu madre, tengo ciertos derechos por haberte amamantado y criado: ¿por qué quieres desnudarme?" Tú dile: "Si no te quitas los vestidos, te mataré", y al decir eso, vuelve la vista hacia tu derecha y verás una espada colgada de la pared. Cógela, desenváinala y amenázala, diciéndole: "Desnúdate". Ella empezará a adularte y a humillarse, pero tú no deberás tener compasión, y cada vez que ella se quite algo, le dirás: "Quítate el resto", y sigue amenazándola con que la matarás hasta que se quite todo lo que lleve y caiga al suelo. Sólo entonces habrás desligado los encantamientos, habrás inutilizado los hechizos y estarás salvado. Entra, pues, y hallarás en el tesoro oro a montones. No te preocupes de ello. En cambio, en el centro del lugar del tesoro verás un recinto cubierto por una tienda. Aparta la tienda y verás dormido en un lecho de oro al adivino Samardal, sobre cuya cabeza habrá una cosa redonda que brilla como la luna: es la esfera celeste. El adivino ceñirá espada, en un dedo llevará puesto un anillo y al cuello una cadena en la que está el recipiente de *kuhl*. Tráeme los cuatro tesoros. Procura no olvidar ninguna de las cosas que te he indicado, y no desobedezcas pues te arrepentirías y habría de temerse por tu vida.» Luego, el magrebí repitió por segunda, tercera y cuarta vez las instrucciones hasta que Chawdar dijo: «Ya lo aprendí. Pero, ¿quién podrá afrontar estos hechizos que me has citado y soportar tan terribles pruebas?» «Chawdar, no temas, se trata de fantasmas sin alma», y el magrebí siguió tranquilizándolo hasta que Chawdar concluyó: «Me encomendaré a Dios».

Entonces el magrebí Abd al-Samad esparció el incienso y estuvo recitando conjuros durante un rato: he aquí que el agua desapareció, se pudo ver el lecho del arroyo y apareció la puerta del tesoro. Chawdar bajó, llamó y oyó que alguien le decía: «¿Quién llama a las puertas de los tesoros sin saber desligar los encantamientos?» «Yo soy Chawdar b. Umar», respondió. La puerta se abrió y salió una persona con la espada desenvainada y le mandó que ofreciera el cuello. Él así lo hizo, y la persona le dio, pero cayó en seguida al suelo. Así ocurrió también con el segundo encantamiento, hasta que hubo acabado con los encantamientos de las siete puertas. Entonces salió su madre y le dijo: «Paz, hijo mío». «¿Quién eres?», preguntó Chawdar. «Soy tu madre y tengo ciertos derechos sobre ti por haberte amamantado y criado y por haberte llevado en mi seno durante nueve meses, hijo mío.» «¡Quítate los vestidos!» «Tú eres mi hijo, ¿cómo puedes desnudarme?» «Desnúdate o haré caer tu cabeza con esta espada.» Y, alargando la mano, tomó la espada, la desenvainó y la acercó a la mujer, insistiendo: «Si no te desnudas, te mataré.» La discusión entre ellos se prolongó; pero luego, como Chawdar la amenazase cada vez más, ella se quitó una prenda. «Quítate el resto», le ordenó Chawdar. Y discutió durante un buen rato hasta que ella se quitó otra prenda. Y así siguió la cosa, mientras ella le decía: «¡Hijo mío, la educación que te di no ha dado fruto!» Le quedaba ya sólo la última prenda. «¡Hijo mío! —imploró entonces la mujer—, ¿acaso es de piedra tu corazón para que me ultrajes haciéndome descubrir mis desnudeces? Hijo mío, esto es pecado.» «Tienes razón: no te quites la última prenda», le contestó Chawdar. Apenas hubo pronunciado tales palabras, ella se puso a gritar diciendo: «¡Se equivocó! ¡Golpeadle!», y entonces llovieron sobre él muchos golpes, numerosos como gotas de lluvia. Los servidores del tesoro se lanzaron sobre él y le dieron un golpe en la nuca que él no olvidó nunca más en su vida. Lo echaron fuera por la puerta del tesoro, y las puertas se cerraron como estaban antes.

Cuando lo hubieron echado por la puerta, el magrebí lo cogió en seguida, mientras las aguas volvían a quedar como antes.

Sahrazad se dio cuenta de que amanecía e interrumpió el relato para el cual le habían dado permiso.

Cuando llegó la noche *seiscientas quince,* refirió:

—Me he enterado, ¡oh rey feliz!, de que Abd al-Samad, el magrebí, leyó unas palabras mágicas por Chawdar, éste se repuso y volvió en sí del vapuleo. «¿Qué hiciste, infeliz?», le preguntó. «Superé todos los obstáculos —contestó Chawdar— y llegué ante mi madre. Tuvimos una larga discusión, hermano, y ella empezó a quitarse los vestidos hasta que sólo le quedó la última prenda. "No me hagas tal afrenta —me dijo—, porque es pecado descubrir las partes vergonzosas." Y yo, compasivo, le dejé la última prenda. Entonces ella se puso a gritar: "¡Se equivocó! ¡Golpeadle!", y varias personas, que no sé dónde estaban, se lanzaron sobre mí y me dieron tal golpe que estuve a punto de morir, y me echaron fuera. No sé qué me ocurrió después.» «¿No te dije que no desobedecieras? —le apostrofó el magrebí—. Nos has perjudicado a ti y a mí. Si se hubiese quitado la última prenda habríamos conseguido nuestro objetivo. Ahora, en cambio, deberás permanecer conmigo hasta el año próximo, hasta el mismo día que hoy.» En seguida llamó a los dos esclavos, que desmontaron la tienda, cargaron con ella y desaparecieron durante un rato, para regresar con las dos mulas. Chawdar y el magrebí montaron cada uno en una mula y regresaron a la ciudad de Fez.

Chawdar se quedó en casa del magrebí, y comía bien y bebía bien, y cada día éste le regalaba un suntuoso vestido, hasta que el año pasó y llegó el día señalado. «Éste es el día señalado —le dijo el magrebí—. Ven conmigo.» «Sí», fue la respuesta. Salieron fuera de la ciudad y allí encontraron a los dos esclavos con las dos mulas. Montaron en ellas y anduvieron hasta llegar al arroyo. Los dos esclavos levantaron la tienda, dispusieron las alfombras, el magrebí sacó el mantel, y, después de haberse alimentado, sacó el estuche y los trozos de coral como había hecho la primera vez; encendió fuego, preparó el incienso y le dijo a Chawdar: «Chawdar, quiero darte mis instrucciones». «Mi señor peregrino, si hubiese olvidado el golpe que recibí en la nuca, habría podido olvidar las instrucciones que me diste», observó Chawdar. «¿Las aprendiste bien?» «Sí.» «Ve con cuidado y no creas que la mujer sea tu madre, pues no es más que una aparición bajo aspecto de tu madre, que pretende que te equivoques. Si la primera vez saliste vivo, esta vez, si te equivocas, los servidores te dejarán muerto en el suelo.» «Si me equivocase merecería que me quemaran», concluyó Chawdar.

Entonces el magrebí esparció el incienso, formuló los conjuros y el arroyo se secó. Chawdar se adelantó hacia la puerta, llamó y la puerta se abrió. Superó los siete encantamientos hasta llegar ante su madre. «Bien venido, hijo mío», le dijo ésta. «¿De qué soy tu hijo, maldita? ¡Desnúdate!» Mas ella empezó a ponerle obstáculos y a quitarse una prenda tras otra hasta que sólo le quedó la última prenda. «¡Desnúdate, maldita!», le ordenó Chawdar. Y ella se quitó también la última prenda y se convirtió en fantasma sin alma. Chawdar entró y vio oro a montones, pero no se preocupó de ello. Llegó al recinto y vio al adivino Samardal dormido, ceñido de espada, con el anillo en el dedo y el recipiente de *kuhl* sobre el pecho, y vio también la esfera celeste sobre su cabeza. Se adelantó, le quitó la espada, cogió el anillo, la esfera celeste y el recipiente de *kuhl*, y salió. Entonces empezó a sonar una música para él, al mismo tiempo que los siervos le decían: «Chawdar, ¡felicidades por lo que has obtenido!» La música siguió sonando hasta que él salió del lugar del tesoro y llegó junto al magrebí que dejó de pronunciar conjuros y de esparcir incienso, se levantó, lo abrazó y lo saludó. Chawdar le entregó los cuatro tesoros, que él cogió. Llamó a los dos esclavos, que se llevaron la tienda y volvieron con las dos mulas, sobre las que ellos montaron para regresar a la ciudad de Fez.

El magrebí mandó traer la alforja y empezó a sacar

de ella platos con los distintos guisos, preparando la mesa ante él. «Hermano Chawdar, come», le dijo el magrebí. Y Chawdar comió hasta quedar satisfecho. El magrebí vació los guisos sobrantes en otros platos y volvió a colocar los vacíos en la alforja. «Chawdar —dijo en este momento el magrebí Abd al-Samad—, dejaste tu tierra y tu ciudad por nosotros, y nos has ofrecido lo que de ti necesitábamos. Por ello, tienes ante nosotros el derecho de expresar tus deseos: di lo que quieras, Dios (¡ensalzado sea!) te lo concederá y nosotros seremos la causa. Pide sin apuro lo que quieras, pues bien lo mereces.» «Mi señor —dijo Chawdar—, pido a Dios y luego a ti que me dé esta alforja.» Él se la ofreció: «Tómala, tuya es. Si algo más deseas, nosotros te lo daremos. Pero, infeliz, ésta sólo te servirá para proporcionarte comida, mientras que tú te has cansado por nosotros, que te habíamos prometido que volverías a tu ciudad con el ánimo consolado. Con esta alforja podrás comer. Pero te daremos otra alforja llena de oro y joyas, y te devolveremos a tu ciudad para que puedas convertirte en mercader y ganar para ti y para tu familia sin necesidad de gastar. Comed, tú y tu familia, del contenido de esta alforja. La manera de usarla es la siguiente: extiende la mano dentro y di: "Siervo de esta alforja, por los majestuosos nombres que te mandan, tráeme tal plato de comida", y él te traerá lo que hayas pedido, incluso si cada día le pidieses mil platos.»

Acto seguido mandó venir a un esclavo con una mula, llenó para Chawdar una alforja: una parte de oro y la otra de joyas y metales preciosos. «Monta en esta mula —le dijo entonces—. El esclavo andará ante ti y te mostrará el camino hasta dejarte ante la puerta de tu casa. Cuando llegues a ella, toma las dos alforjas y entrégale la mula para que me la devuelva. No cuentes a nadie el secreto de la alforja. A Dios te encomendamos.» «¡Dios aumente tu prosperidad!», y, tras decir esto, Chawdar puso las dos alforjas sobre la mula, montó en ella y el esclavo echó a andar ante él. La mula siguió al esclavo durante todo aquel día y la noche. Al día siguiente, por la mañana, entró por Bab al-Nasr, donde vio a su madre sentada y que decía: «Dadme algo, por amor de Dios». Su mente se ofuscó, bajó de la mula y se echó en sus brazos. Ella, al verle, prorrumpió en sollozos. Chawdar la hizo montar en la mula, mientras él andaba a pie junto al estribo. Al llegar a su casa, hizo bajar a su madre, tomó las dos alforjas y dejó la mula al esclavo, que la cogió y marchó junto a su dueño. Tanto el esclavo como la mula eran genios.

Chawdar lamentó mucho que su madre se viera obligada a pedir limosna, y cuando entró en su casa le preguntó: «Madre mía, ¿están bien mis hermanos?» «Están bien.» «¿Por qué pides limosna en la calle?» «Porque tengo hambre, hijo mío.» «Antes de partir te di cien dinares el primer día, cien más el segundo y el día de mi partida te di mil más.» «Hijo mío, tus hermanos me engañaron y me los arrebataron, diciéndome que querían hacer compras. Me los quitaron y me echaron de casa. Por eso me he visto obligada a pedir limosna por las calles, pues tenía mucha hambre.» «Madre mía, puesto que he regresado no habrá de ocurrirte ningún mal, no te entristezcas por nada. ¡He aquí una alforja llena de oro y joyas: hay para gastar con profusión!» «¡Hijo mío, bendito seas! ¡Esté Dios contento de ti y aumente sus gracias para ti! Ve, hijo mío, y tráenos pan, porque yo voy a dormir con mucha hambre y sin cena.» Chawdar se rió y le dijo: «¡No faltaba más, madre! Pide lo que quieras comer y yo te lo ofreceré en seguida sin necesidad de ir a comprarlo al mercado y sin que sea preciso nadie para guisarlo.» «Hijo mío, no veo que traigas nada contigo.» «Tengo en la alforja toda clase de guisos.» «Hijo mío, cualquier cosa que me ofrecieran, satisfaría mi hambre.» «Has dicho verdad, pues cuando no hay nada el hombre se conforma con cualquier cosa por pequeña que sea; pero cuando lo hay, desea comer cosas ricas. Yo tengo muchas; pídeme lo que desees.» «Hijo mío, pan caliente y un pedazo de queso.» «Madre, esto no es propio de tu categoría.» «Tú bien conoces mi categoría. Dame, pues, de comer lo que sea digno de mi categoría.» «Para tu condición, madre, es preciso carne asada, pollo asado, arroz con pimienta. Y también intestinos rellenos, calabazas rellenas, cordero relleno, costillas rellenas, *kunafa* con almendras, miel de abeja con azúcar, *qataif* y *baqlawa*.»[3] Entonces ella, creyendo que su hijo le tomaba el pelo y se burlaba de ella, exclamó: «¡Ay, ay! ¿Qué te ocurre? ¿Estás soñando o te has vuelto loco?» «¿Cómo sabes que me he vuelto loco?» «Porque me estás citando toda clase de guisos suculentos. ¿Quién se los puede pagar? ¿Y quién sabe guisarlos?» «Por mi vida, te daré de comer en seguida todo lo que he mencionado», le contestó Chawdar. «¡Pero si no veo nada!» «Tráeme la alforja.» Se la trajo, la tocó, vio que estaba vacía y se la entregó. Chawdar metió las manos en ella y fue sacando platos llenos, hasta que hubo sacado todo lo que había dicho. «Hijo mío —observó la madre—, la alforja es pequeña y estaba vacía: no había nada en ella. Tú has sacado todos esos platos: ¿dónde estaban?» «Sabe, madre —dijo Chawdar—, que esta alforja me la dio el magrebí. Es una alforja encantada y tiene un criado, de manera que cuando se quiere algo y se le recitan los nombres mágicos, diciéndole: "Siervo de esta alforja, tráeme tal plato", él lo trae.» «Entonces, ¿yo podría extender la mano y pedir algo?», preguntó la madre. «Extiéndela.» Ella alargó la mano y pronunció estas palabras: «Por los majestuosos nombres que te mandan, ¡oh, siervo de esta alforja!, tráeme costillas rellenas», y vio que el guiso estaba en la alforja. Acercó la mano, lo cogió y halló riquísimas costillas rellenas. Luego pidió pan y todos los platos que quería. «Madre —le dijo Chawdar—, cuando hayas acabado de comer, echa en otros platos lo que haya sobrado y vuelve a meter en la alforja los platos vacíos, porque sólo así se realiza el encantamiento. Y guarda cuidadosamente la alforja.» La madre sirvió los guisos y guardó la alforja, al mismo tiempo que su hijo le decía: «Madre, guarda el secreto y quédate con esta alforja. Siempre que quieras algo, sácalo de ella, da limosna y de comer a mis dos hermanos, tanto en mi presencia como estando yo ausente». Y al decir esto se pusieron a comer. Y he aquí que entraron sus dos hermanos.

Se habían enterado del hecho por una persona del barrio, que les había dicho: «Ha llegado vuestro her-

[3] Nombres de distintas clases de pasteles muy apreciados por los egipcios.

mano montado en una mula delante de la cual iba un esclavo, y llevaba un hermoso vestido sin par». Y ellos se dijeron: «¡Ojalá no hubiésemos hecho nunca ningún mal a nuestra madre! No cabe duda de que ella le contará lo que hemos hecho. ¡Qué avergonzados quedaremos ante él!» Pero uno de ellos había añadido: «Nuestra madre tiene buen corazón, y aunque le haya contado lo ocurrido, nuestro hermano aún tiene mejor corazón que ella para nosotros. Si le presentamos excusas, él las aceptará». Y así se habían dirigido a su presencia.

Chawdar se levantó al verlos, los saludó afectuosamente y les dijo: «Sentaos y comed», y ellos se sentaron y se pusieron a comer (estaban débiles por el hambre sufrida) y siguieron comiendo hasta hartarse. «Hermanos —les dijo Chawdar—, tomad los guisos que han sobrado y repartidlos entre los pobres y los desvalidos.» «Hermano —repusieron—, déjalos para la cena.» «Para la cena tendréis más aún», replicó Chawdar. Ellos sacaron fuera los guisos que habían sobrado, y a cada pobre que pasaba le decían: «Toma y come». Y así lo hicieron hasta que no quedó nada.

Luego devolvieron los platos y Chawdar le dijo a su madre que los pusiera en la alforja.

Sahrazad se dio cuenta de que amanecía e interrumpió el relato para el cual le habían dado permiso.

Cuando llegó la noche *seiscientas dieciséis,* refirió:

—Me he enterado, ¡oh rey feliz!, de que por la noche entró en la habitación y sacó de la alforja un servicio de cuarenta platos. Se sentó entre sus dos hermanos y le indicó a su madre que trajera la cena, y ella, al entrar en la habitación, vio que los platos estaban llenos. Puso la mesa y fue trayendo los guisos hasta completar los cuarenta platos, y así comieron. Después de haber cenado, Chawdar les dijo a sus hermanos: «Tomad y dad de comer a los pobres y a los desvalidos». Ellos tomaron los guisos sobrantes y los repartieron. Después de haber acabado la cena, Chawdar sacó dulces. Comieron, y les indicó que ofrecieran los restantes a los vecinos. Lo mismo ocurrió al día siguiente al desayuno, y así durante diez días. «¿Cuál es la causa de todo eso? —le preguntó entonces Sálim a Salim—. Nuestro hermano nos da un banquete por la mañana, otro al mediodía y otro por la noche. Luego nos ofrece dulces, y todo lo que sobra lo distribuye entre los pobres. Esto sólo pueden hacerlo los sultanes. ¿De dónde le viene tanta dicha? ¿Por qué no le pedimos explicaciones acerca de estos distintos guisos y de los dulces? Además, observo que todo lo que sobra lo reparte entre los pobres y los desvalidos, y nunca le vemos comprar nada, ni encender fuego, y no tiene ni cocina ni cocinero.» «¡Yo no lo sé, por Dios! —le contestó su hermano—. Pero, ¿sabes quién puede informarnos de cómo están verdaderamente las cosas?» «Sólo nuestra madre puede informarnos», concluyó el otro. Y así trazaron un plan contra la madre y se presentaron ante ella mientras el hermano estaba ausente. «Madre, tenemos hambre», le dijeron. «¡Estad contentos!», respondió ésta, y entró en la habitación, pidió cuanto quería al siervo de la alforja y les ofreció comida caliente. «Madre —observaron los dos hermanos—, este guiso está caliente, pero tú no has guisado ni has encendido fuego.» «Todo esto procede de la alforja.» «¿Qué alforja es ésa?», le preguntaron los dos. «La alforja está encantada, y la petición que yo hago es un encantamiento.» Y les explicó el asunto diciéndoles que guardaran el secreto. «Guardaremos el secreto, madre, pero enséñanos cómo se hace eso.» Ella les enseñó y ellos alargaron la mano y empezaron a sacar todo lo que pedían. (Sin embargo, su hermano nada sabía de eso.)

Cuando estuvieron enterados de las cualidades de la alforja, Sálim le dijo a Salim: «Hermano, ¿hasta cuándo habremos de permanecer con Chawdar como siervos, comiendo gracias a su caridad? ¿Por qué no urdimos un plan contra él y le quitamos la alforja?» «¿Cuál es tu plan?» «Vendamos a nuestro hermano al capitán del mar de Suez.» «¿Cómo nos arreglaremos para venderlo?» «Vayamos a ver a ese capitán e invitémosle junto con dos de sus hombres, y tú confirmarás lo que yo le diré a Chawdar. Ya verás lo que haré al final de la tarde.» Puestos de acuerdo para vender a su hermano, fueron a casa del capitán del mar de Suez. Sálim y Salim entraron y le dijeron: «Capitán, hemos venido a verte por un asunto que te agradará». «Bien», contestó el capitán. «Somos dos hermanos —contaron—, y tenemos un tercer hermano, perverso e inútil. Nuestro padre murió y nos dejó cierta cantidad de dinero que repartimos: él tomó la parte que le correspondía de la herencia y la gastó en juergas y libertinajes. Cuando fuimos pobres, nos dominó y empezó a denunciarnos a los jueces diciendo que nos habíamos apoderado de su dinero y del dinero de su padre. Y así seguimos pleiteando ante los jueces hasta que perdimos nuestros bienes. Él esperó un poco y luego nos denunció por segunda vez hasta que logró empobrecernos, sin dejar de molestarnos. Ahora hemos agotado nuestra paciencia y queremos que nos lo compres.» «¿Podéis urdir un plan y traérmelo aquí? —preguntó el capitán—. Yo le enviaré en seguida al mar.» «No podemos traerlo aquí, pero tú serás nuestro invitado. Es más, tráete contigo dos personas, pero no más, de manera que cuando él se haya dormido, lo cogeremos entre los cinco y le pondremos una mordaza en la boca, y tú, con el favor de la noche, te lo llevarás fuera de la casa. Luego haz con él lo que quieras.» «De mil amores —respondió el capitán—. ¿Queréis venderlo por cuarenta dinares?» «Sí —aprobaron los dos hermanos—. Después de cenar ve a la calle tal y allí te esperará uno de nosotros.» «De acuerdo, podéis marchar», concluyó el capitán.

Entonces los dos hermanos se presentaron ante Chawdar, y al cabo de un rato Sálim se adelantó y le besó las manos. «¿Qué hay, hermano?», le preguntó Chawdar. «Sabe que tengo un amigo que, durante tu ausencia, me invitó varias veces a su casa y le debo las mil amabilidades que tuvo conmigo. Hoy lo saludé y me invitó, pero cuando yo le respondí que no podía dejar a mi hermano, añadió: "Tráelo también". "No aceptará —le indiqué—. Pero si tú y tus dos hermanos (que estaban sentados junto a él) queréis ser nuestros invitados, nos haréis gran placer." Y así los invité. Yo creía que no aceptarían la invitación; pero al invitarlo, a él y a sus hermanos, aceptó y me dijo que lo esperara junto a la Bab al-Zawiya, pues vendría con sus hermanos. Me temo, pues, que vengan, y tengo vergüenza ante ti. ¿Quieres hacerme el favor de agasajarlos esta noche?

Tu prosperidad, hermano, es mucha. Si no aceptas, permíteme que los lleve a casa de algún vecino.» «¿Para qué llevarlos a casa de un vecino? ¿Acaso es estrecha nuestra casa o no tenemos qué darles de cenar? ¡Avergüénzate de haberme pedido mi parecer! Tú debes preparar para ellos ricos manjares y dulces en abundancia. Y si trajeses gente a casa mientras yo estuviera ausente, pídele a tu madre que te traiga comidas en abundancia. Ve y tráelos, para que las bendiciones recaigan sobre nosotros.»

Sálim le besó la mano, se marchó y por la tarde se sentó junto a la Bab al-Zawiya. Ellos se presentaron. Los recogió y los hizo entrar en su casa. «¡Bien venidos!», les dijo Chawdar al verlos, y los hizo sentar y se sentó con ellos sin saber lo que llevaban oculto en su mente. Pidió la cena a su madre y ella empezó a sacar platos de la alforja, mientras él decía: «Trae tal plato». Y así hasta tener ante sí cuarenta platos. Todos comieron a saciedad, y se levantó la mesa. Los marineros creían que todos esos honores se los debían a Sálim. Después del primer tercio de la noche, Chawdar mandó traer dulces. Sálim los iba sirviendo mientras Chawdar y Salim seguían sentados hasta que quisieron irse a dormir. Chawdar se levantó y todos marcharon a la cama. Él se durmió y entonces los otros, ayudándose unos a otros, agredieron a Chawdar, el cual cuando despertó ya tenía la mordaza en la boca. Lo ataron, cargaron con él y salieron de la casa con el favor de la noche.

Sahrazad se dio cuenta de que amanecía e interrumpió el relato para el cual le habían dado permiso.

Cuando llegó la noche *seiscientas diecisiete,* refirió:

—Me he enterado, ¡oh rey feliz!, de que lo enviaron a Suez, donde le pusieron grilletes en los pies, y allí empezó en silencio a servir, y durante un año entero estuvo trabajando como los prisioneros y los esclavos. Esto es lo que se refiere a Chawdar.

En cuanto a sus dos hermanos, por la mañana se presentaron ante su madre y le dijeron: «Madre, nuestro hermano Chawdar aún no se ha despertado». «Despertadlo.» «¿Dónde duerme?», preguntaron. «Con los huéspedes.» «Quizá se haya ido con ellos mientras dormíamos. Nuestro hermano, madre, había tomado gusto a los países extranjeros y le placía penetrar en los tesoros. Nosotros le oímos hablar con los magrebíes que le decían "Te vendrás con nosotros y te daremos el tesoro".» «¿Ha estado con los magrebíes?», preguntó entonces la madre. «¿No fueron nuestros invitados?» «Entonces quizá se haya ido con ellos —concluyó la mujer—. Dios lo guiará en su camino, pues está protegido por una buena estrella y no cabe duda de que nos traerá mucha prosperidad.» Pero se echó a llorar porque le disgustaba estar separada de Chawdar. «¡Maldita! —exclamaron entonces los dos hermanos—. ¡Vaya cariño que sientes por Chawdar mientras que nuestra ausencia o presencia te es completamente indiferente! ¿No somos nosotros igual que Chawdar, hijos tuyos?» «Sois hijos míos, pero sois perversos y nunca me habéis hecho ningún bien. Desde que murió vuestro padre no he obtenido de vosotros nada bueno, mientras que Chawdar me ha dado mucho. Él me satisfizo y me trató con honor. Es, pues, justo que llore por él porque él ha hecho bien tanto a mí como a vosotros.»

Cuando los dos hermanos oyeron sus palabras, la insultaron y la golpearon. Entraron en la habitación y se pusieron a buscar la alforja hasta que dieron con ella. Tomaron las joyas de la primera bolsa de la alforja y el oro de la segunda, y también la alforja mágica, y le dijeron: «Éstas son cosas de nuestro padre». «¡No, por Dios! —exclamó la madre—. Son cosas de vuestro hermano Chawdar. Las trajo de las regiones del Occidente.» «Mientes, ya que se trata de cosas de nuestro padre y nosotros dispondremos libremente de ellas.» Y al decir eso, se repartieron el oro y las joyas; pero empezaron a discutir por la alforja mágica. Sálim decía: «Yo la cogeré», y Salim decía: «La cogeré yo», y así surgió discusión entre ellos. «Hijos míos —intervino la madre—, la alforja de las joyas y del oro ya os la habéis repartido; pero ésta ni puede dividirse ni valorarse en dinero, y si fuese cortada en dos trozos, su magia cesaría. Dejádmela a mí: cuando queráis, sacaré para vosotros lo que queráis comer, y yo me conformaré con comer un bocado de pan. Si además me dais algo para vestirme, será por vuestra bondad, y cada uno de vosotros podrá tratar libremente con la gente. Sois hijos míos y yo soy vuestra madre. Dejadme en paz, pues quizá vuestro hermano vuelva y entonces pasaréis apuros con él.» Pero no aceptaron sus palabras y aquella noche siguieron discutiendo.

Un arquero del rey, que estaba invitado en una casa próxima a la de Chawdar, cuya puerta estaba abierta, los oyó, se asomó a la puerta y así pudo oír toda la discusión y también todas las palabras que pronunciaron acerca del reparto. Por la mañana el arquero se presentó ante el rey, que se llamaba Sams al-Dawla (que era rey de Egipto en aquellos días), y le contó lo que había oído. El rey mandó llamar a los dos hermanos de Chawdar, les hizo venir, los sometió a tortura y acabaron por confesar. Les arrebató las dos alforjas, después de haberlos encarcelado, al mismo tiempo que señaló a la madre de Chawdar una renta suficiente. Esto es lo que a ellos se refiere.

En cuanto a Chawdar, durante un año entero estuvo sirviendo en Suez. Al cabo del año, mientras se hallaba con otros en una nave, se levantó un viento que lanzó la embarcación en que se encontraba contra un escollo. La nave se rompió, y los que en ella iban naufragaron. Sólo Chawdar logró llegar a tierra, pues todos los demás perecieron. Una vez en tierra, Chawdar echó a andar y llegó a las tiendas de unos árabes nómadas que le preguntaron por su situación. Él les contó que era marinero de una nave, y les refirió su historia. En el campamento había un mercader de Chadda, que tuvo compasión de él y le preguntó: «¿Quieres entrar a mi servicio, egipcio? Yo te vestiré y te llevaré conmigo a Chadda». Y así Chawdar entró al servicio del mercader, partió con él y los dos llegaron a Chadda, donde el mercader le trató con mucha deferencia. Más tarde, el mercader, su dueño, partió en peregrinación y se lo llevó consigo a La Meca. Cuando entraron en la ciudad, Chawdar se dirigió al recinto sagrado para cumplir con las vueltas de ritual alrededor de la Kaaba. Pero cuando las estaba cumpliendo tropezó con su amigo el magrebí, Abd al-Samad, que también estaba cumpliendo con el ritual.

Sahrazad se dio cuenta de que amanecía e interrumpió el relato para el cual le habían dado permiso.

Cuando llegó la noche *seiscientas dieciocho,* refirió:

—Me he enterado, ¡oh rey feliz!, de que al verlo lo saludó, le preguntó por su estado y Chawdar se echó a llorar y le contó todo lo que le había ocurrido. Entonces el magrebí lo llevó a su casa, lo trató con honor, le dio un vestido que no tenía igual y le dijo que las desgracias habían acabado para él. Le adivinó su suerte por medio de arena y así se enteró de lo que les había acaecido a sus dos hermanos. «Sabe, Chawdar —le dijo entonces—, que a tus hermanos les ha ocurrido tal y tal cosa, y que ahora están encarcelados en las prisiones del rey de Egipto. Sé bien venido —añadió luego—, hasta que acabes tus prácticas religiosas. Ya verás que sólo te acontecerá bien.» «Permíteme, señor —replicó Chawdar—, que vaya a despedirme del mercader con el que estoy y luego volveré junto a ti.» «¿Tienes dinero?» «No.» «Ve a despedirte amablemente de él, ya que entre las gentes de bien quien nos da el pan tiene derechos sobre nosotros. Y vuelve en seguida.» Se fue a despedir del mercader, y le dijo: «Me he encontrado con mi hermano». «Ve a buscarlo y le ofreceremos un banquete.» «No lo necesita, pues está en buena posición y tiene mucha servidumbre.» Entonces el mercader, después de darle veinte dinares, añadió: «Quedas libre». Chawdar lo saludó y al alejarse de él vio a un pobre al que le dio los veinte dinares. Luego fue a casa del magrebí Abd al-Samad y se quedó con él hasta que dieron fin a las prácticas de la peregrinación.

El magrebí le dio el anillo que había cogido del tesoro de Samardal y le dijo: «Toma este anillo. Con él podrás obtener cuanto quieras, pues tiene un servidor llamado al-Raad al-Qasif. Cuando necesites cualquier cosa de este mundo, frota el anillo y aparecerá el servidor. Todo lo que le ordenes, él lo hará». Y frotó el anillo ante él. Apareció el servidor, que pronunció estas palabras: «Heme aquí, mi señor. Lo que pidas te traeré. ¿Quieres repoblar una ciudad en ruinas o quieres arruinar una ciudad floreciente? ¿Quieres matar a algún rey o derrotar un ejército?» «Raad —le dijo el magrebí—, éste ha pasado a ser tu dueño. A ti te lo confío», y, después de despedirlo, le dijo a Chawdar: «Frota el anillo y aparecerá su servidor: mándale lo que quieras y él no te desobedecerá. Vuelve a tu país y conserva el anillo, pues por mediación de él podrás derrotar a tus enemigos. No olvides el valor de este anillo». «Mi señor, con tu permiso, me volveré a mi tierra.» «Frota el anillo y se presentará ante ti el servidor. Monta sobre él y dile: "Llévame hoy mismo a mi tierra", y no dejará de cumplir tu orden.» Chawdar se despidió de Abd al-Samad, frotó el anillo y apareció al-Raad al-Qasif, que le dijo: «Heme aquí: pide y se te dará». «Llévame a Egipto hoy mismo», mandó Chawdar. «Así se hará», y, después de cargarle sobre sí, se remontó por los aires con él; voló desde el mediodía hasta medianoche, en que bajó con él en casa de su madre, y luego desapareció. Chawdar se presentó ante su madre. Al verlo, ésta se puso en pie y llorando lo saludó y le contó lo que les había ocurrido a sus hermanos con el rey, y cómo éste los había mandado apalear y se había apoderado de la alforja mágica y también de la que contenía oro y joyas. Cuando Chawdar oyó todo eso, no tomó a la ligera el apuro de sus hermanos, y le dijo a su madre: «No te entristezcas por eso, pues en este mismo momento te enseñaré lo que voy a hacer: voy a traer aquí a mis dos hermanos». Frotó el anillo y apareció el servidor, que le dijo: «Heme aquí: pide y se te dará». «Te mando que me traigas a mis hermanos de las prisiones del rey.» El servidor se metió bajo tierra y salió a la superficie en medio de la cárcel.

Sálim y Salim estaban muy mal y muy afligidos por el dolor del encarcelamiento, y deseaban la muerte, tanto que el uno le decía al otro: «¡Por Dios, hermano, hace ya mucho que soportamos esta desgracia! ¿Hasta cuándo habremos de seguir en esta cárcel? La muerte sería un descanso para nosotros». Mientras se hallaban en tal situación, la tierra se abrió y de ella surgió al-Raad al-Qasif que cargó con ellos y volvió a meterse bajo tierra. Se desmayaron de miedo y cuando recuperaron el sentido se hallaron en su casa y vieron a su hermano Chawdar sentado junto a la madre. «¡Salud, hermanos! —les dijo Chawdar—. ¡Habéis venido!» Ellos bajaron el rostro hacia el suelo y se echaron a llorar. «No lloréis, pues fue el diablo y la codicia los que os impulsaron a hacer lo que hicisteis. ¿Cómo pudisteis venderme? Pero yo me consuelo pensando en José, a quien sus hermanos hicieron más de lo que vosotros habéis hecho conmigo, cuando lo echaron en el pozo...»

Sahrazad se dio cuenta de que amanecía e interrumpió el relato para el cual le habían dado permiso.

Cuando llegó la noche *seiscientas diecinueve,* refirió:

—Me he enterado, ¡oh rey feliz!, de que [Chawdar prosiguió:] «...arrepentíos ante Dios y pedidle perdón. Él os perdonará pues Él es el indulgente, el misericordioso. Yo ya os he perdonado. Por tanto, sed bien venidos y no se os hará ningún mal.» Y les dirigió palabras amables hasta que se tranquilizaron. Luego les contó todo lo que había sufrido y lo que le había ocurrido hasta el momento en que se reunió con el jeque Abd al-Samad. Les informó también acerca del anillo. «¡Hermano, perdónanos esta vez! —imploraron los dos—. Si volviésemos a obrar como lo hicimos, haz con nosotros lo que quieras.» «No importa. Pero, decidme, ¿qué os hizo el rey?» «Nos apaleó, nos amenazó y se apoderó de las dos alforjas.» «¡Vamos a ver!», y frotó el anillo: apareció el servidor y, al verlo, sus hermanos tuvieron miedo por creer que Chawdar mandaría que los matara, por lo cual se acercaron a su madre y le dijeron: «Madre, a ti nos encomendamos. Madre, intercede por nosotros». «Hijos míos, no tengáis miedo», respondió la madre. Entretanto, Chawdar le había dicho al servidor: «Te ordeno que me traigas todas las joyas y todas las demás cosas que hay en la cámara del tesoro del rey, sin dejar nada. Tráeme también la alforja mágica y la alforja de las joyas que el rey arrebató a mis hermanos». «Oír es obedecer», respondió el servidor, y desapareció inmediatamente. Reunió cuanto había en la cámara del tesoro real y trajo las dos alforjas con todo su contenido, y después de poner cuanto había en la cámara del tesoro ante Chawdar, le dijo: «Mi señor, nada he dejado en la cámara del tesoro». Chawdar mandó a su madre que guardara la alforja de las joyas y, después de poner ante sí la mágica, le dijo al servidor: «Te mando que me construyas esta misma noche un elevado palacio y que lo decores con pinturas de oro y lo tapices suntuosamente. Antes de que amanezca habrás de haberlo acabado todo». «Tendrás lo que pides», y desapareció bajo tierra. Chawdar sacó comida, todos comieron y se fueron a dormir contentos.

Mientras tanto el servidor había reunido a sus ayudantes y les había mandado construir el palacio. Unos se pusieron a tallar piedras, otros a levantar paredes, otros a encalar, otros a esculpir y otros a tapizar. Todavía no había amanecido cuando el palacio estaba ya acabado y a punto. Entonces el servidor se presentó ante Chawdar: «Señor —le dijo—, el palacio está acabado y dispuesto. Si quieres, puedes ir a verlo». Chawdar, junto con su madre y sus hermanos, fue: y vieron que aquel palacio no tenía igual, que el entendimiento quedaba perplejo ante su magnífica distribución, por lo que Chawdar se sintió satisfecho. El palacio se alzaba en una calle de mucho tránsito, y a pesar de ello nada le había costado. «¿Quieres vivir en este palacio?», le preguntó Chawdar a su madre. «Sí, hijo mío.» Y rogó a Dios por él. Chawdar frotó el anillo y cuando el servidor le dijo: «Heme aquí», Chawdar le dijo: «Te mando que me traigas cuarenta jóvenes blancas y hermosas, cuarenta jóvenes negras, cuarenta mamelucos y cuarenta esclavos». «Así se hará», contestó el servidor; y con cuarenta de sus ayudantes marchó a la India, al Sind y a Persia: cada vez que veían una hermosa joven o un muchacho, lo raptaban. El servidor dio orden a otros cuarenta genios de que trajeran graciosas jóvenes negras; otros cuarenta trajeron los esclavos y todos juntos se dirigieron a casa de Chawdar. Se los presentaron y le gustaron. «Trae para cada uno un vestido muy suntuoso —mandó—. Trae también un vestido para mi madre y otro para mí.» El servidor le llevó todo lo que le había pedido. Y así vistió a las jóvenes y les dijo: «Ésta es vuestra dueña. Besadle la mano y no la desobedezcáis; blancos y negros la serviréis». Mandó vestir a los siervos, que le besaron la mano en señal de sumisión, y también hizo vestir a sus hermanos. Al final, Chawdar quedó semejante a un rey y sus dos hermanos fueron como visires. Como la casa era espaciosa, aposentó a Sálim y sus esclavas en un lado y a Salim y sus doncellas en otro, y él y su madre se alojaron en el nuevo palacio: cada uno se halló en el lugar que le había destinado, casi como un sultán. Esto es lo que a ellos se refiere.

He aquí lo que hace referencia al tesorero del rey. Quiso coger de la cámara del tesoro una cosa que necesitaba y al entrar en ella no vio nada, sino que la encontró semejante al dicho de aquel poeta:

> Eran colmenas florecientes, pero cuando las abejas se marcharon quedaron vacías.

Lanzó un grito y cayó sin sentido. Al volver en sí salió de la cámara del tesoro, dejando la puerta abierta. Se presentó ante el rey Sams al-Dawla y le dijo: «Emir de los creyentes, te comunico que esta noche la cámara del tesoro ha sido vaciada». «¿Qué has hecho de mis bienes que se hallaban en la cámara del tesoro?», le apostrofó el rey. «¡Por Dios! Nada he hecho de ellos —replicó el tesorero—. Ignoro por qué motivo está vacía. Ayer fui y estaba llena; pero hoy al entrar en ella la hallé vacía y sin nada. Las puertas estaban cerradas, no se había abierto ninguna galería ni los candados habían sido forzados, ni ningún ladrón entró en ella.» «¿Han desaparecido también las dos alforjas?», preguntó el rey. «Sí», contestó. Al oír la respuesta afirmativa casi perdió el sentido.

Sahrazad se dio cuenta de que amanecía e interrumpió el relato para el cual le habían dado permiso.

Cuando llegó la noche *seiscientas veinte*, refirió:

—Me he enterado, ¡oh rey feliz!, de que el rey se levantó y mandó al tesorero: «Ve delante de mí». Éste echó a andar, el rey lo siguió y así llegaron a la cámara del tesoro, pero nada hallaron en ella. El rey se afligió y exclamó: «¿Quién ha saqueado mi tesoro sin temer mi ira?»

Salió muy enojado y reunió el Consejo de Estado. Acudieron los jefes militares y cada uno creía que el rey estaba enojado con él. «Militares —empezó el rey—, sabed que esta noche mi tesoro ha sido saqueado. No sé quién lo ha hecho, robándome sin temor a mi ira.» «¿Cómo ocurrió», preguntaron los presentes. «Preguntádselo al tesorero.» Interrogado, éste contestó: «Ayer la cámara del tesoro estaba llena, mientras que hoy al entrar la hallé vacía: ni se ha abierto ninguna galería ni la puerta está rota». Todos los militares quedaron asombrados ante tales palabras, pero ninguno de ellos supo dar respuesta. Pero el arquero que tiempo atrás había acusado a Sálim y a Salim se presentó ante el rey y le dijo: «¡Oh, rey de nuestro tiempo! Durante la noche he visto albañiles que trabajaban, y cuando fue de día contemplé un palacio que no tiene igual. Pregunté a algunas personas acerca de ello y me contaron que Chawdar regresó, construyó ese palacio y que posee siervos y esclavos; que trajo muchos bienes y que sacó a sus dos hermanos de la cárcel y que ahora se halla en su casa como si fuera un sultán». «Mirad en la cárcel», mandó el rey. Fueron a ver, pero no hallaron ni a Sálim ni a Salim.

Regresaron y comunicaron al rey lo que había ocurrido. «¡Ya hemos dado con mi adversario! —exclamó éste—, pues la misma persona que libró a Sálim y a Salim de la cárcel es la que ha saqueado mi tesoro.» «¿Quién es, mi señor?», preguntó un visir. «Su hermano Chawdar, y es él quien se ha apoderado de las dos alforjas. Visir, manda en seguida un Emir con cincuenta hombres para sellar todos sus bienes, y para que le detenga a él y a sus hermanos, y los traiga aquí a fin de que yo pueda colgarlos.» Pronunció estas palabras con gran cólera, y añadió: «¡Venga! ¡De prisa! Envía un Emir para que me lo traiga y pueda matarlo». «Ten compasión —aconsejó el visir—. Dios es misericordioso y no se apresura a castigar al esclavo que le ha desobedecido. En efecto, quien puede construir un palacio en una sola noche, como han contado, no puede ser comparado a nadie en el mundo. Temo, pues, que Chawdar le cause algún daño al Emir. Por lo tanto, ten paciencia hasta que yo pueda urdir un plan y puedas ver cómo están en realidad las cosas: de todos modos conseguirás lo que quieres, ¡oh, rey de nuestro tiempo!» «Piensa en lo que debe hacerse, visir.» «Manda al Emir a casa de Chawdar e invítalo. Yo, en tu interés, me dedicaré a él, le demostraré benevolencia y le pediré noticias de su situación. Y luego veremos: si es poderoso, habremos de valernos de la astucia; si no, lo arrestarás y harás con él lo que pretendes.» «Manda a invitarlo», concluyó el rey. Y dio orden a un Emir llamado Utmán para que fuera a casa de Chawdar, lo invitara y le dijera: «El rey te invita a un banquete», y añadió: «No regreses sino con Chawdar».

Aquel Emir era tonto y fatuo. Cuando bajó de su caballo, vio ante la puerta del palacio un eunuco sentado en una silla; pero éste, cuando el emir Utmán llegó, no se levantó e hizo como si nadie se hubiese acercado a él, a pesar de que con el emir Utmán venían cincuenta hombres. «Esclavo —dijo el emir Utmán apenas llegó—, ¿dónde está tu dueño?» «En el palacio», le contestó el esclavo, y siguió echado. El emir Utmán se indignó y exclamó: «Esclavo de mala hora, ¿no me tienes respeto? ¡Yo te hablo y tú permaneces echado como un sinvergüenza!» «Vete —le contestó el eunuco—, y no hables tanto.» Apenas oyó tales palabras, el Emir se sintió presa de gran cólera y sacó la maza con la intención de golpear al eunuco, sin saber que era un genio. Así que cuando el genio le vio sacar la maza, se levantó, se acercó a él, le arrebató la maza de la mano y le golpeó cuatro veces. Al verle hacer eso los cincuenta hombres se indignaron de que pegara a su señor, y desenvainaron las espadas con la intención de matar al esclavo. «¡Ah! ¿Conque desenvaináis las espadas, perros?» Y al decir eso el genio se lanzó contra ellos e hirió a todos los que tocó con la maza y los ahogó en su sangre; y así hasta que todos quedaron derrotados ante él. Los soldados huían, pero el genio les seguía pegando hasta que todos estuvieron lejos de la puerta del palacio. Sólo entonces regresó y se sentó en su silla, sin preocuparse de nada.

Sahrazad se dio cuenta de que amanecía e interrumpió el relato para el cual le habían dado permiso.

Cuando llegó la noche *seiscientas veintiuna,* refirió:

—Me he enterado, ¡oh rey feliz!, de que el emir

Utmán y quienes le habían acompañado marcharon derrotados y apaleados. Al llegar ante el rey Sams al-Dawla le informaron de cuanto les había sucedido: «¡Oh rey de nuestra época! —contó el emir Utmán—, cuando llegué ante la puerta del palacio vi a un eunuco sentado en una silla de oro con aire altanero. Cuando vio que me acercaba a él, así como antes estaba sentado, se echó, despreciándome, y no se puso en pie. Le hablé, pero él siguió echado. Por eso, me enojé y empuñé la maza contra él para golpearle; pero el eunuco me arrebató la maza de la mano y con la misma me golpeó a mí y a mis soldados, echándolos por tierra, y huimos de él sin poder sujetarle». «¡Enviad contra él cien hombres!», mandó, indignado, el rey. Cuando llegaron cerca del genio éste se lanzó contra ellos con la maza y los golpeó hasta que desaparecieron de su presencia. Regresó y se sentó en la silla. Los hombres regresaron y al llegar ante el rey le contaron el asunto con las siguientes palabras: «¡Oh, rey de nuestro tiempo!, hemos huido de su presencia porque tuvimos miedo de él». «Que vayan contra el eunuco doscientos hombres», mandó el rey. Y fueron, pero el eunuco los derrotó y volvieron sobre sus pasos. Entonces el rey mandó llamar al visir: «Visir, te ordeno que vayas a luchar con quinientos hombres y que me traigas en seguida aquí a ese eunuco, a su dueño Chawdar y a los hermanos de éste». «¡Oh, rey de nuestro tiempo! —contestó el visir—, yo no necesito soldados: iré solo y sin armas.» «Ve, pues, y haz lo que mejor te parezca.»

El visir se despojó de sus armas, se puso un vestido blanco, tomó en la mano un rosario y echó a andar solo, sin compañía, hasta que llegó al palacio de Chawdar y halló al esclavo sentado. Al verlo, el visir se le acercó, sin armas, y educadamente se sentó junto a él y lo saludó: «¡La paz!» «La paz sea sobre ti, ser humano. ¿Qué quieres?» Al oírle decir: «Ser humano», el visir comprendió que el esclavo era un genio y el miedo le puso carne de gallina; pero le contestó: «Mi señor, ¿está tu dueño Chawdar?» «Sí, está en el palacio.» «Mi señor, ve a decirle: "El rey Sams al-Dawla te invita, ha preparado un banquete, te manda saludar y te dice:

'Tú debes honrar mi casa y asistir al banquete'".» «Espera aquí: voy a consultarle acerca de lo que debo hacer», respondió el eunuco. El visir permaneció respetuosamente allí y el *marid* subió al palacio y le dijo a Chawdar: «Sabe, mi señor, que el rey te envió un Emir y yo le golpeé; venía con cincuenta hombres, a los que derroté. Luego mandó cien, a los que también desbaraté, y más tarde doscientos y los puse en fuga. Al fin ha enviado un visir desarmado para invitarte a que participes a un banquete. ¿Qué te parece?» «Ve y tráeme al visir», contestó Chawdar. El genio bajó y le dijo al visir: «Ven a hablar con mi señor». «De mil amores», y subió y se presentó ante Chawdar: y pudo ver que era más poderoso que un rey, pues estaba sentado en un diván como el rey no poseía ninguno igual. Su espíritu quedó turbado ante la belleza del palacio y ante la manera en que estaba decorado y tapizado, hasta el extremo de que él, comparado con Chawdar, parecía un pobre hombre. Besó el suelo y pronunció invocaciones a Dios en favor de Chawdar, que le preguntó: «¿Qué quieres, visir?» «Señor mío; el rey, Sams al-Dawla, tu amigo, te manda sus saludos y desea verte. Te ha preparado un banquete: ¿Quieres contentarlo?» «Puesto que dice ser mi amigo, salúdalo y dile que venga él a mi casa.» «Muy bien.»

Chawdar sacó el anillo, lo frotó y apareció el servidor. «Tráeme un vestido que sea de los mejores», y cuando el servidor se lo hubo traído, invitó al visir a que se lo pusiera, y así lo hizo. «Ve —añadió Chawdar— y cuéntale al rey lo que te he dicho.» El visir se fue con aquel vestido como el que nunca había llevado igual, y se presentó al rey a quien informó de las condiciones en que se hallaba Chawdar, y alabó su palacio y lo que contenía, y dijo: «Chawdar te ha invitado». «¡Soldados, levantaos!», mandó el rey. Todos los soldados se pusieron en pie y el rey prosiguió: «Montad sobre vuestros corceles y traedme el mío para ir a casa de Chawdar». El rey montó en su caballo y, con los soldados, se dirigió a casa de Chawdar.

Entretanto, Chawdar le había dicho al genio: «Quiero que me traigas genios de entre tus ayudantes, que tengan aspecto de hombres y que sean para mí como soldados, que permanezcan en el patio de la casa para que el rey los pueda ver y se quede tan asustado y atemorizado que le tiemble el corazón. Y así sabrá que mi ira es más terrible que la suya».

El genio trajo doscientos genios robustos y fuertes con aspecto de soldados, que llevaban armas suntuosas, y el rey cuando llegó y vio aquella gente de tan belicoso aspecto quedó asustado. Subió al palacio, se presentó ante Chawdar y lo halló sentado en medio de una opulencia que nunca han tenido reyes ni sultanes. Lo saludó, llevándose las manos a la cabeza en señal de reverencia; pero Chawdar ni se levantó ni lo recibió con el debido honor y ni siquiera lo invitó a sentarse, sino que lo dejó de pie.

Sahrazad se dio cuenta de que amanecía e interrumpió el relato para el cual le habían dado permiso.

Cuando llegó la noche *seiscientas veintidós,* refirió:

—Me he enterado, ¡oh rey feliz!, de que el rey fue presa de tal temor que no pudo ni sentarse ni salir. Pensó: «Si me tuviera miedo no me trataría con tal desprecio. A lo mejor me castiga por lo que hice contra sus hermanos». «¡Oh rey del tiempo! —dijo finalmente Chawdar—, no es digno de persona de tu categoría oprimir a las gentes y arrebatarles sus bienes.» «Mi señor, no me reprendas —contestó el rey—, la codicia me empujó a hacer eso. El destino divino ha seguido su curso. Además, si no existiese el pecado no existiría el perdón», y siguió excusándose ante Chawdar por lo que había hecho, pidiéndole perdón y presentándole sus excusas, y entre las excusas recitó estos versos:

¡Oh, persona de nobles antepasados, de natural indulgente, no me reproches por lo que ha ocurrido por mi culpa!
Si has cometido un perjuicio, te perdonamos; y si soy yo quien lo cometió, perdóname tú.

Y siguió portándose sumisamente ante él. «¡Dios te perdone!», le dijo al fin Chawdar, y lo invitó a sentarse. El rey se sentó: Chawdar le regaló el vestido del perdón y mandó a sus hermanos que prepararan la mesa. Después de haber comido, dio vestidos a las personas del séquito real y las trató con deferencia. Hecho todo eso, el rey dio orden de partida y salió de casa de Chawdar. Todos los días iba al palacio de Chawdar y sólo celebraba las reuniones de su Consejo en su casa, y así nació entre los dos un fuerte afecto y siempre estaban juntos. Las cosas siguieron así durante mucho tiempo.

Un buen día, el rey, en un aparte con su visir, le dijo: «Visir, temo que Chawdar me mate y se apodere de mi reino». «¡Oh rey de nuestro tiempo! —le contestó el visir—, no tengas miedo de que te arrebate el reino: en el estado en que se halla, Chawdar es más poderoso que el rey y arrebatarte el reino sería una humillación para su grandeza. Si temes que te mate, piensa que tienes una hija: dásela por esposa y así tú y él seréis una misma cosa.» «Visir, haz de intermediario entre yo y él», contestó el rey. «Invítalo a tu palacio —sugirió el visir— y organizaremos una velada en un salón. Manda a tu hija que se arregle de la manera más elegante y que pase ante él por la puerta del salón. Cuando la vea se enamorará de ella. Si nos damos cuenta de que ocurre así, yo me inclinaré hacia él y le enteraré de que es tu hija; pero tú sigue hablando de cosas varias y diversas, como si no supieras nada de todo esto, hasta que él te la pida por esposa. Cuando le hayas dado a la joven por esposa, tú y él seréis una sola cosa, y podrás estar tranquilo por ti. Si luego muriese, heredarías muchas cosas.» «Has dicho bien, visir», concluyó el rey. Preparó la recepción tras invitar a Chawdar. Se presentó en el palacio del sultán y estuvieron sentados en un salón con gran cordialidad hasta el final del día.

Entretanto, el rey había mandado decir a su esposa que la joven se arreglase de la manera más elegante posible y que pasase con ella junto a la puerta del salón. La esposa hizo como le había mandado, pasó con la muchacha y así Chawdar la vio: era hermosa y atractiva, sin par. Después de haber fijado bien la mirada en ella, Chawdar lanzó un ¡oh! de asombro, sus miembros se derritieron y fue presa de pasión, ardiente deseo, violento amor y profundo enamoramiento, mientras la palidez se difundía por su rostro. «¡No te ocurra ningún mal! —le dijo el visir—. ¿Qué te sucede? Te veo alterado y dolorido.» «Visir, ¿de quién es hija esa muchacha? —preguntó Chawdar—. Me ha arrebatado el corazón y la mente.» «Es la hija del rey, tu amigo. Si te gusta, yo hablaré con el rey para que te la conceda por esposa.» «Visir, háblale, y yo, lo juro por mi vida, te daré lo que me pidas y le daré al rey como regalo nupcial lo que quiera: seremos amigos y nos convertiremos en yerno y suegro.» «Es absolutamente necesario que consiga tu propósito», concluyó el visir. En seguida le habló al rey en secreto y le dijo: «¡Oh rey de tu tiempo! Chawdar, tu amigo, quiere emparentar contigo y ha recurrido a mí para que te diga que le concedas la mano de tu hija, la princesa Ásiya. No me defraudes, acepta mi intercesión. Lo que pidas de dote, él te lo dará.» «El regalo nupcial ya me ha llegado, y a la muchacha la puede considerar como esclava a su servicio. Se la daré por esposa y el favor será suyo por haber aceptado.»

Sahrazad se dio cuenta de que amanecía e interrumpió el relato para el cual le habían dado permiso.

Cuando llegó la noche *seiscientas veintitrés,* refirió:

—Me he enterado, ¡oh rey feliz!, de que durmieron aquella noche y, cuando llegó el día, el rey reunió su Consejo en el que hizo participar tanto a los magnates como a la gente del pueblo; incluso se presentó el Sayj al-Islam[4], y Chawdar pidió la mano de la joven. «Ya he recibido la dote», dijo el rey. Y así establecieron el contrato matrimonial. Chawdar dio orden de que trajeran la alforja en que se hallaban las joyas y se la dio al rey como dote de la muchacha. Batieron los tambores, sonaron las flautas, se organizaron las distintas fases de la ceremonia nupcial, y Chawdar consumó el matrimonio; así el rey y él fueron una sola cosa. Vivieron con el rey durante algún tiempo. Luego el rey murió y los soldados invitaron a Chawdar a ser sultán, mas por mucho que ellos insistían él se negaba a serlo. Finalmente accedió y le nombraron sultán. Entonces Chawdar mandó construir una mezquita sobre la tumba del rey Sams al-

[4] El presidente de los doctores de la ley.

Dawla, instituyendo una fundación pía. La tumba se halla en el barrio de los Ballesteros.

La casa de Chawdar se hallaba en el barrio de los yemeníes. Cuando fue elegido rey construyó allí palacios y una mezquita, y el barrio tomó su nombre y se llamó «Barrio de Chawdar». Reinó durante algún tiempo y nombró ministros a sus dos hermanos: Sálim ministro de la derecha y Salim ministro de la izquierda. Y así siguieron las cosas durante un año exacto.

Cierto día Sálim le dijo a Salim: «Hermano, ¿hasta cuándo durará este estado de cosas? ¿Habremos de pasar toda nuestra vida como criados de Chawdar, sin gozar del señorío y felicidad, mientras Chawdar siga vivo?» «¿Y cómo vamos a matarlo para poderle arrebatar el anillo y la alforja?» «Tú sabes más que yo —le dijo Salim a Sálim—. Urde un plan para matarlo.» «Si urdiese un plan para matarlo, ¿aceptarías que yo fuera rey y tú ministro de la derecha, y que el anillo fuese mío y la alforja tuya?» «Aceptaría», contestó el hermano. Se pusieron de acuerdo en matar a Chawdar, impulsados por el afecto hacia las cosas terrenales y por el deseo de mandar.

Salim y Sálim, después de haber preparado su plan contra Chawdar, le dijeron: «Hermano, queremos vanagloriarnos de ti. Ven a nuestra casa, a comer a nuestra mesa: nos alegraremos de ello». Siguieron alabándolo y diciéndole que los contentara y comiera en su casa, hasta que Chawdar accedió. «De acuerdo —dijo—. ¿En casa de cuál de vosotros se celebrará el banquete?» «En mi casa —contestó Sálim—, y después de haber participado en mi banquete irás a la de mi hermano.» «Muy bien», concluyó Chawdar, y marchó con Sálim a su casa. Éste preparó un banquete poniendo veneno en la comida. Cuando lo comió, su carne y sus huesos se redujeron a pedazos. Sálim se lanzó a apoderarse del anillo; pero como éste se resistiera a salir, cortó con un cuchillo el dedo de su hermano. Frotó el anillo y se presentó el *marid*, que dijo: «Heme aquí. Pide lo que quieras». «Coge a mi hermano y mátalo. Luego coge a los dos, al envenenado y al interfecto, y arrójalos ante los soldados.» Cogió a Salim y lo mató. Cargó con los dos muertos, salió con ellos, y los arrojó ante los jefes del ejército que estaban sentados en la mesa de la sala de huéspedes de la casa. Éstos, cuando vieron a Chawdar y a Salim muertos, dejaron de comer y, asustados, le preguntaron al *marid*: «¿Quién hizo esto con el rey y con el ministro?» «Su hermano Sálim.» En aquel momento apareció Sálim, que les dijo: «Soldados, comed y alegraos. Yo me he apoderado del anillo de mi hermano Chawdar. A este genio, que es el servidor del anillo y que se halla ante vosotros, le he mandado matar a mi hermano Salim para que no contendiera conmigo por el reino, pues era un traidor y temía que me traicionase. Y éste es Chawdar, muerto. Ahora yo soy vuestro rey. ¿Me aceptáis como tal? Si no, frotaré el anillo y el servidor os matará a todos, grandes y pequeños».

Sahrazad se dio cuenta de que amanecía e interrumpió el relato para el cual le habían dado permiso.

Cuando llegó la noche *seiscientas veinticuatro*, refirió:

—Me he enterado, ¡oh rey feliz!, de que los soldados contestaron: «Te aceptamos como rey y soberano». Luego Sálim mandó que sus hermanos fueran enterrados y que se reuniese el Consejo. A los funerales de Chawdar asistió mucha gente, mientras que otras muchas personas marcharon en cortejo ante Sálim. Cuando llegaron al lugar del Consejo, Sálim se sentó en el trono y todos le prestaron acatamiento formal como nuevo soberano. «Quiero extender el contrato matrimonial con la mujer de mi hermano», dijo el nuevo rey. «Espera a que acabe el período señalado por la ley»[5], le observaron. «Yo no conozco ni período ni nada. Juro por mi cabeza que esta noche consumaré el matrimonio con ella.» Se redactó el contrato matrimonial y se envió un mensajero a informar de ello a la esposa de Chawdar, la hija del rey Sams al-Dawla.

«Decidle que venga», dijo la joven. Y cuando llegó Sálim fingió estar contenta y le dio la bienvenida; pero le puso veneno en el agua y lo mató. Luego cogió el anillo y lo rompió para que nadie pudiera poseerlo, destruyó

[5] **Lapso de tiempo necesario para comprobar si la mujer está encinta del marido anterior.**

la alforja y mandó informar al Sayj al-Islam. También mandó decir a los soldados: «Elegíos un nuevo rey que sea vuestro sultán».

—Esto es —concluyó Sahrazad— punto por punto cuanto nos ha sido contado de la historia de Chawdar. Pero también me han relatado esta historia.

HISTORIA DE ACHIB, GARIB Y SAHIM AL-LAYL

Me he enterado también de que en lo más antiguo del tiempo vivía un rey de reyes muy poderoso, que se llamaba Kundamir. Era un rey valiente, un paladín valeroso. Pero era ya viejo y entrado en años. Dios (¡ensalzado sea!) le había concedido, en su vejez, un hijo varón que recibió el nombre de Achib por su gran belleza y hermosura. Lo confió a las sirvientas, nodrizas, esclavas y mujeres. Así fue creciendo, haciéndose mayor, y cumplió los siete años. Entonces, el padre le puso al cuidado de un sacerdote que tenía su misma religión. Éste le enseñó lo que era la fe y la incredulidad durante tres años completos, al cabo de los cuales el muchacho había desarrollado su inteligencia, era resuelto, pensaba lógicamente, tenía intuición y era elocuente y filósofo notable. Discutía con los sabios y asistía a las tertulias de los eruditos. El padre se admiró mucho al ver esto. Después le enseñó a montar a caballo y a combatir con la lanza y con la espada, y así llegó a ser un valiente caballero.

Al cumplir los diez años ya había superado, en todo, a sus contemporáneos y conocía todas las triquiñuelas de la guerra: se transformó en un ser prepotente, orgulloso, en un verdadero demonio. Salía de caza y pesca escoltado por mil jinetes, emprendía algazúas contra los caballeros, cortaba los caminos, cautivaba a los hijos de los reyes y de los grandes señores. Las quejas se multiplicaron ante su padre y éste mandó a cinco esclavos y les chilló: «¡Detened a ese perro!» Los esclavos cargaron contra Achib y lo ataron. El rey mandó que lo apaleasen y así lo hicieron, hasta que el dolor le hizo caer desmayado. El rey lo encarceló en una mazmorra en la que no se podía distinguir ni el techo del suelo, ni la anchura de la longitud. Pasó toda una noche encerrado. Los emires se acercaron al rey, besaron el suelo ante él e intercedieron por Achib. El soberano lo puso en libertad.

El príncipe disimuló con su padre durante diez días, al cabo de los cuales, una noche, mientras estaba dormido, le cortó la cabeza con la espada. Al amanecer, Achib se sentó en el trono de su padre y mandó a sus gentes que se colocasen delante de él, que tomasen sus aceros, desenvainasen las espadas y se colocasen a su derecha e izquierda. Los hombres quedaron perplejos. Achib los increpó: «¡Gentes! ¿Es que no habéis visto lo que ha sucedido a vuestro rey? Favoreceré a quien me obedezca, pero a quien me desobedezca lo trataré del mismo modo que a mi padre». Al oír estas palabras temieron que los maltratase y le dijeron: «Tú eres el rey y el hijo del rey». Besaron el suelo ante él y Achib les dio las gracias y se puso muy contento. Mandó que sacasen los tesoros y las telas: les regaló preciosos vestidos, los colmó de riquezas y todos lo quisieron y lo obedecieron. Dio trajes de corte a todos los lugartenientes y jeques de los árabes, tanto a los independientes como a los vasallos, y así se atrajo al país. Los súbditos lo obedecieron.

Achib gobernó, mandó y prohibió durante cinco meses. Al cabo de éstos tuvo un sueño que le hizo despertar asustado y aterrorizado sin poder volver a dormir hasta la mañana. Entonces se sentó en el trono y los soldados formaron dos filas: una a su derecha y otra a su izquierda. El rey mandó llamar a los oneirólogos y astrólogos y les dijo: «¡Interpretad mi sueño!» «¿Qué sueño ha tenido el rey?», le preguntaron. «He visto a mi padre ante mí con el miembro viril al descubierto. De él salía algo que tenía el tamaño de una abeja, pero ha ido creciendo hasta alcanzar el tamaño de un enorme león con garras que parecían puñales. He tenido miedo. Mientras yo estaba inmóvil el león se ha abalanzado sobre mí y me ha destrozado el vientre con sus garras. Me he despertado asustado, aterrorizado.» Los oneirólogos se miraron los unos a los otros y meditaron antes de dar la respuesta. Dijeron: «¡Gran rey! Ese sueño indica que tu padre tendrá otro hijo. Entre vosotros dos nacerá la enemistad y él te vencerá. Ya que has tenido este sueño, ¡ponte en guardia!» Achib exclamó al oír estas palabras: «¡No tengo ningún hermano al que temer! ¡Todo lo que habéis dicho es mentira!» «Te hemos dicho lo que sabemos.» El rey se abalanzó sobre ellos y los abofeteó. Después corrió al alcázar de su padre, pasó revista a sus concubinas y encontró a una joven que estaba encinta de siete meses. Llamó a dos de sus esclavos y les dijo: «Tomad esta joven, llevadla al mar y ahogadla». La cogieron de la mano y la condujeron al mar disponiéndose a cumplir sus instrucciones. Pero se fijaron en que era muy hermosa, perfecta, y dijeron: «¿Por qué hemos de ahogar a esta joven? Llevémosla al bosque y viviremos magníficamente con ella». Marcharon de día y de noche hasta que se hubieron alejado de su patria. La condujeron a un bosque que tenía muchísimos árboles, frutos y riachuelos. Cada uno de ellos quería gozarla y decía al otro: «Yo lo haré antes que tú». Mientras se querellaban los sorprendió un grupo de negros que desenvainó las espadas y cargaron contra ellos. El combate, la lucha, la pelea, fue encarnizada y no cesó hasta que, en un abrir y cerrar de ojos, los dos esclavos cayeron muertos. La concubina siguió recorriendo, sola, el bosque, alimentándose de sus frutos y bebiendo sus aguas. En esta situación vivió hasta que dio a luz a un muchacho moreno, radiante y simpático al que dio el nombre de Garib por haber nacido en tierra extraña. Cortó el cordón umbilical, lo arropó en sus harapos y empezó a amamantarlo, con el corazón lleno de tristeza recordando el bienestar y la felicidad en que se había encontrado.

Sahrazad se dio cuenta de que amanecía e interrumpió el relato para el cual le habían dado permiso.

Cuando llegó la noche *seiscientas veinticinco,* refirió:

—Me he enterado, ¡oh rey feliz!, de que la muchacha, llena de pena y muy triste, permaneció en el bosque amamantando a su hijo, atemorizada por encontrarse sola. Cierto día apareció un grupo de caballeros e infantes en marcha. Llevaban consigo halcones y perros de caza y transportaban a lomos de sus caballos cigüeñas, garzas, gansos iraquíes, mergos y otros pájaros marinos; fieras, liebres, gacelas, onagros, polluelos de avestruz, linces, adives y leones. Los caminantes se adentraron en el bosque y encontraron a la joven que tenía al niño en el regazo y lo amamantaba. Se acercaron y le preguntaron: «¿Eres una mujer o un genio?» «¡Señores de los árabes! —les replicó—. Soy una mujer.» Informaron de esto a su príncipe que se llamaba Mirdás y gobernaba a los Banu Qahtán. Había salido de caza acompañado por quinientos magnates de su tribu y de las tribus amigas. Habían cazado sin cesar hasta llegar junto a la joven. La contemplaron y ella les explicó todo lo que le había ocurrido desde el principio hasta el fin.

El rey se admiró y mandó a sus familiares y allegados que continuasen con la caza y así llegaron al territorio de los Banu Qahtán. Mirdás instaló a la muchacha en una habitación individual y le asignó cinco esclavas como sirvientas. La quiso mucho, tuvo relaciones con ella y la dejó encinta. Al terminar el plazo del embarazo dio a luz a un muchacho varón. Le puso por nombre Sahim al-Layl. Fue criado por las nodrizas al mismo tiempo que su hermano. Así creció y fue instruyéndose bajo la vigilancia del emir Mirdás. Éste los confió a un alfaquí quien les enseñó las cosas tocantes a la religión; más tarde los consignó a los valientes beduinos quienes les enseñaron el manejo de la espada, de la lanza y a tirar venablos. Al cumplir los quince años ambos habían aprendido cuanto podían necesitar y habían superado a los más valientes de su tribu. Garib y su hermano eran capaces de cargar contra mil caballeros. Mirdás tenía muchísimos enemigos, pero sus árabes eran más valientes que nadie, todos eran maravillosos jinetes de cuyo furor nadie podía escapar. En la vecindad vivía un príncipe de los árabes que se llamaba Hassán b. Tabit. Era su amigo. Éste, que había pedido en matrimonio a una de las muchachas más nobles de su pueblo, reunió a todos sus amigos entre los cuales se encontraba Mirdás, el señor de los Banu Qahtán. Mirdás aceptó la invitación y acudió acompañado por trescientos caballeros dejando a otros cuatrocientos para que custodiasen su harén. Cabalgó hasta reunirse con Hassán quien salió a recibirlo y le hizo sentar en el lugar más distinguido. Todos los caballeros acudían con motivo de las bodas: dio banquetes y Hassán fue feliz con su matrimonio. Después los beduinos regresaron a sus lares.

Mirdás, al llegar a su tribu, vio muertos en el suelo mientras los pájaros revoloteaban a diestra y a siniestra. Tuvo un sobresalto, entró en su tribu y Garib, que llevaba puesta la cota de malla salió a felicitarlo por su regreso. Mirdás le preguntó: «¿Qué ha ocurrido, Garib?» «Nos ha atacado al-Hamal b. Machid con su tribu: venía acompañado por quinientos caballeros», respondió. La causa del combate había sido una hija de Mirdás llamada Mahdiyya. Jamás se había visto otra mujer más hermosa. Al-Hamal, señor de los Banu Nabhán, se había enterado. Tomando consigo quinientos hombres se presentó a Mirdás y le pidió su hija en matrimonio. Éste no aceptó y lo despidió. Entonces al-Hamal se puso a espiar el campo de Mirdás y cuando éste se marchó en virtud de la invitación de Hassán, montó con sus caballeros, atacó a los Banu Qahtán, mató gran cantidad de sus paladines y obligó a huir a los demás a refugiarse en los montes.

Garib y su hermano, acompañados de cien caballeros, habían salido de caza y regresaron al mediar el día: vieron que al-Hamal y sus hombres se habían apoderado de su campo y todo lo que contenía, que habían raptado a las muchachas y entre ellas a Mahdiyya, la hija de Mirdás, llevándosela con los prisioneros. Garib, al ver esta situación, perdió el conocimiento y chilló a su hermano Sahim al-Layl: «¡El hijo de la maldita...! ¡Han saqueado nuestro campo, se han apoderado de nuestro harén! ¡Sus y a ellos! ¡Ataquemos y libertemos al harén y a las mujeres!» Sahim y Garib cargaron con sus cien caballeros contra el enemigo. El furor de Garib no podía medirse y empezó a segar cabezas y a escanciar el vaso de la muerte a los guerreros. Así llegó hasta Hamal y pudo contemplar a Mahdiyya que estaba prisionera. Cargó contra Hamal, lo alanceó desde su corcel y lo derribó, de tal modo que antes de mediar la tarde había dado muerte a la mayoría de sus enemigos, había puesto en fuga a los demás y había libertado a los prisioneros, que habían regresado a sus casas. Garib llevaba la cabeza de al-Hamal en la punta de la lanza y recitaba estos versos:

Yo soy aquel que es conocido en el día de la pelea: los genios de la tierra se asustan ante mi imagen.
Tengo una espada que cuando mi diestra la agita, la muerte aparece por la siniestra.
Tengo una lanza: si la miras verás que tiene una punta parecida a la del creciente.
Me llamo Garib y soy un valiente de mi pueblo: no me preocupa el que mis hombres sean pocos.

Apenas había terminado de recitar estos versos cuando apareció Mirdás, vio los muertos tumbados y los pájaros revoloteando a diestra y a siniestra. Perdió la razón, su corazón sufrió un sobresalto, pero Garib lo tranquilizó, lo felicitó por llegar en tan buen estado y lo informó de todo lo que había ocurrido a la tribu desde el momento de su ausencia. Mirdás le dio las gracias por lo que había hecho y le dijo: «¡Garib! ¡De algo ha servido la educación que has recibido!» Mirdás se dirigió a su tienda mientras los hombres se reunían a su alrededor. Todas las gentes de la tribu loaban a Garib y decían: «¡Emir! ¡Si no hubiese sido por Garib no se hubiese salvado nadie de la tribu!» Mirdás le dio las gracias por lo que había hecho.

Sahrazad se dio cuenta de que amanecía e interrumpió el relato para el cual le habían dado permiso.

Cuando llegó la noche *seiscientas veintiséis,* refirió:

—Me he enterado, ¡oh rey feliz!, de que Garib, al matar a al-Hamal que había hecho prisionera a Mahdiyya y al poner a ésta en libertad, había quedado asaeteado por su mirada, estaba completamente enamorado. Su corazón no podía olvidarla y la pasión y el amor llegaron a tal punto que le impidieron gozar de las dulzuras del sueño y del placer de beber y comer.

Montaba en su corcel, subía a los montes, recitaba versos y volvía a la caída de la tarde. Las huellas de la pasión y el desvarío se hicieron patentes. Confió el secreto a uno de sus amigos y la noticia se divulgó por toda la tribu hasta llegar a Mirdás. Éste relampagueó y tronó; se incorporó y se sentó; rugió y rebufó; insultó al sol y a la luna y exclamó: «¡Ésta es la recompensa de quien educa a los hijos del adulterio! Si no mato a Garib el oprobio me abrumará». Pidió consejo a un hombre inteligente de la tribu y le preguntó si debía matar a Garib. Le reveló su secreto y el otro le contestó: «¡Oh, Emir! ¡Ayer salvó a tu hija de la cautividad! Si de todos modos has decidido matarlo manda que lo haga otro para que nadie pueda sospechar de ti». «¡Pues idea una treta para matarle! ¡Tú eres quien puede saberlo!» «¡Emir! Obsérvalo hasta el momento en que salga de caza. Toma contigo cien caballeros y escóndete en una caverna. Cogedlo por sorpresa, cargad sobre él y hacedlo pedazos. Entonces quedarás libre de la vergüenza.» «¡Es un buen consejo!»

Mirdás escogió ciento cincuenta caballeros valientes y bravos como amalecitas, y les recomendó e incitó a matar a Garib. Vigiló a éste hasta que salió de caza y se perdió entre los valles y montes. Entonces corrió con sus infames caballeros. Se emboscaron en el camino que Garib tenía que recorrer al regresar de caza para salirle al encuentro y atacarlo, y mientras Mirdás y sus hombres estaban ocultos entre los árboles aparecieron quinientos valientes que los acometieron, mataron a sesenta, capturaron a noventa y ataron a Mirdás.

La causa era la siguiente: Una vez muerto al-Hamal, su gente, puesta en fuga, huyeron sin parar hasta llegar junto al hermano de éste. Lo informaron de lo que había ocurrido. Se puso en pie, reunió a sus valientes, escogió quinientos caballeros, cada uno de los cuales medía cincuenta codos, y se puso en camino para vengar a su hermano. Cayó sobre Mirdás y sus hombres y ocurrió entre ellos lo que tenía que ocurrir. Una vez tuvo prisionero a éste y sus compañeros, mandó a sus hombres que descabalgasen y reposasen. Les dijo: «¡Gentes! ¡Los ídolos nos han facilitado la empresa de tomar venganza! ¡Custodiad a Mirdás y sus hombres para que les dé la peor de las muertes!» Mirdás al verse atado se arrepintió de lo que había hecho y dijo: «¡Ésta es la recompensa de la injusticia!» Los enemigos durmieron felices por su victoria mientras que Mirdás y sus amigos, atados, desesperaban de la vida y daban por descontada la muerte. Esto es lo que se refiere al rey Mirdás.

He aquí lo que hace referencia a Sahim al-Layl: Había quedado herido en el primer choque con al-Hamal y corrió a presentarse a su hermana, Mahdiyya. Ésta le salió al encuentro, le besó las manos y le dijo: «¡Que ningún mal alcance a tus manos y que tus enemigos no se alegren con tu daño! Si no hubiese sido por ti y por Garib no hubiésemos escapado a nuestros atacantes. Sabe, hermano mío, que tu padre ha salido a la cabeza de ciento cincuenta caballeros para dar muerte a Garib. Tú sabes que sería una deshonra matar a Garib, pues él salvó vuestro honor y protegió vuestros bienes». La luz se transformó en tinieblas ante los ojos de Sahim cuando oyó estas palabras. Se puso el traje de guerra, montó en su corcel, y corrió a buscar a su hermano en el lugar en que estaba cazando. Éste había capturado numerosas presas. Le salió al encuentro, lo saludó y le dijo: «¡Hermano mío! ¿Te marchas sin decirme nada?» «¡Por Dios! No te lo dije porque estás herido y quería que descansases.» «¡Hermano! ¡Ten cuidado con mi padre!» Le refirió todo lo que había ocurrido y que había salido con ciento cincuenta caballeros que estaban dispuestos a darle muerte. Garib replicó: «¡Dios deshará su estratagema!» Garib y Sahim al-Layl emprendieron el regreso hacia sus lares y así transcurrió toda la tarde.

Continuaron cabalgando durante la noche y al llegar al valle en que estaban sus contríbulos oyeron el relincho de los caballos en medio de las tinieblas. Sahim exclamó: «¡Hermano! ¡Ahí está mi padre con sus hombres! Se han escondido en el valle. ¡Alejémonos!» Garib se apeó del caballo, entregó las riendas a su hermano y le dijo: «¡Quédate aquí hasta que yo regrese!» Se marchó, se acercó al campamento, reconoció que no eran de su tribu y les oyó mencionar a Mirdás diciendo: «¡Le mataremos en nuestro país!» Entonces se dio cuenta de que Mirdás, su tío, estaba encadenado entre ellos. Exclamó: «¡Por vida de Mahdiyya! No me marcharé antes de haber libertado a su padre y maltratado a sus enemigos». Se acercó hacia Mirdás, lo encontró sujeto con cuerdas y se sentó a su lado. Le dijo: «¡Tío! ¡Ojalá te salves de esta humillación y escapes a la captura!» Mirdás, al ver a Garib, perdió la razón y le dijo: «¡Hijo mío! Estoy bajo tu protección. ¡Sálvame en recompensa de la educación que te he dado!» Garib preguntó: «Si te salvo, ¿me darás a Mahdiyya?» «¡Hijo mío! ¡Por la religión en que creo! ¡Ella será tuya para siempre!» Lo puso en libertad y le dijo: «Ve junto a los caballos. Allí está tu hijo Sahim al-Layl». Mirdás se reunió con su hijo Sahim y éste se alegró al verlo y lo felicitó por haberse salvado. Garib siguió desatando a sus contríbulos, uno después de otro, hasta dejar en libertad a los noventa y, todos juntos, huyeron lejos de sus enemigos. Garib les dio caballos y armas y les dijo: «Montad a caballo y atacad separados a los enemigos gritando: "¡Gentes de Qahtán!" Cuando se despierten alejaos de su inmediación». Garib esperó a que llegase el último tercio de la noche y chilló: «¡Gentes de Qahtán!» Sus contríbulos dieron la misma voz; los montes hicieron eco y los vencedores creyeron que sus enemigos los atacaban. Cogieron las armas y combatieron entre sí...

Sahrazad se dio cuenta de que amanecía e interrumpió el relato para el cual le habían dado permiso.

Cuando llegó la noche *seiscientas veintisiete*, refirió:

—Me he enterado, ¡oh rey feliz!, de que [combatieron entre sí,] pues creían que los qahtán los acometían. Se causaron muchas víctimas mientras Garib y los suyos permanecían apartados. Al amanecer, Garib, Mirdás y los noventa hombres cayeron sobre el resto de los enemigos, mataron un gran número y pusieron en fuga a los restantes. Los Banu Qahtán capturaron los caballos que huían, tomaron las provisiones preparadas y regresaron a su campo. Mirdás apenas llegaba a creer que se encontraba en libertad. Avanzaron sin descanso hasta llegar a su tribu. Los que habían permanecido en el campamento se alegraron mucho de verlos llegar sanos. Cada uno se dirigió a su tienda y lo mismo hizo Garib. Los jóvenes de la tribu, grandes y chicos, acudieron a felicitarlo. Al ver a Garib con todos los muchachos en torno, Mirdás se llenó de un odio más fuerte que antes. Volviéndose a sus familiares, les dijo: «El odio por Garib va en aumento en mi corazón. Me enoja ver a todos ésos a su alrededor y mañana me pedirá la mano de Mahdiyya». Un consejero le observó: «¡Emir! ¡Pídele algo que no pueda conseguir!» Mirdás se regocijó.

Al día siguiente se sentó en su estrado. Los beduinos formaron en círculo a su alrededor. Garib acudió acompañado por sus hombres y los jóvenes. Se acercó a Mirdás y besó el suelo ante él. Éste se alegró de que hubiese acudido, se puso de pie y le hizo sentar a su lado. Garib dijo: «¡Tío! Me hiciste una promesa: mantenla». «¡Hijo mío! ¡Ella te pertenece para siempre! Pero tú eres pobre.» «¡Tío! Pide lo que quieras, pues yo atacaré en su propio territorio a los jefes de los beduinos y acometeré a los reyes en sus ciudades. Te traeré tales riquezas que podrás cubrir Oriente y Occidente.» Mirdás dijo: «¡Hijo mío! ¡Juro por todos los ídolos que no entregaré a Mahdiyya más que a aquel que tome venganza en mi nombre de la afrenta que he sufrido!» «¡Dime, tío, de qué rey he de vengarte! Iré a su encuentro y le romperé el trono en la cabeza.» «¡Hijo mío! Yo tenía un hijo que era el héroe de los héroes. Salió un día de caza con cien campeadores. Fueron de valle en valle y se alejaron por entre los montes, hasta llegar al Valle de las Flores y al castillo de Ham b. Sit b. Saddad b. Jalad.

En aquel lugar, hijo mío, vivía un hombre negro, tan alto que su estatura llegaba a los noventa codos; tenía por armas los árboles que derribaba al suelo. Al llegar mi hijo a aquel valle, este gigante le salió al encuentro y lo mató al mismo tiempo que a los cien caballeros. Sólo escaparon tres paladines, que me trajeron la noticia y me informaron de lo ocurrido. Reuní a mis hombres y salí a atacar al monstruo. Pero no pudimos con él y fuimos vencidos. ¡Tú debes vengarme, hijo mío, pues he jurado que no casaré a mi hija más que con aquel que vengue a mi hijo!» Garib contestó: «Yo iré al encuentro de ese amalecita y con la ayuda de Dios (¡ensalzado sea!) te vengaré de él». Mirdás replicó: «¡Garib! Si le vences te apoderarás de tesoros y riquezas que el fuego no podrá destruir». El joven dijo: «¡Jura que me casarás con tu hija para que mi corazón se conforte y yo pueda marchar en busca de mi suerte!» Prestó juramento y fueron testigos los principales personajes de la tribu.

Garib se marchó muy alegre por haber conseguido sus esperanzas y entró a ver a su madre. Le refirió todo lo ocurrido, y ella le dijo: «¡Hijo mío! Date cuenta de que Mirdás te odia y que te envía a ese monte para hacerte perecer, para privarme de tu cariño. Llévame contigo y marchémonos del territorio de este tirano». «¡Madre mía! No me iré antes de haber conseguido mi deseo, antes de haber vencido a mi enemigo.» Garib durmió hasta el día siguiente, hasta que aclaró y se hizo de día. Montó a caballo cuando se le hubieron reunido sus amigos, los jóvenes: un grupo de doscientos caballeros valientes, cargados de armas. Dijeron a Garib: «Nosotros vamos contigo: te ayudaremos y te haremos compañía durante el camino». Garib se alegró mucho y dijo: «¡Que Dios os lo pague con bien! ¡Vamos!» Garib y sus amigos marcharon durante el primer y segundo día y al atardecer acamparon al pie de un monte muy elevado y dieron de comer a sus caballos. Garib paseó por el monte y llegó a una cueva de la cual salía luz. Se acercó a la entrada y vio a un hombre de trescientos cuarenta años: las cejas le cubrían los ojos y el bigote le tapaba la boca. Garib, al verlo, sintió respeto por él y quedó admirado de su aspecto. El anciano le dijo: «¡Hijo mío! Pareces ser uno de esos idólatras que adoran las piedras sin preocuparse del Rey Todopoderoso, Creador de la noche, del día y del firmamento que gira».

Las venas de Garib palpitaron al oír las palabras del jeque. Le dijo: «¿Dónde está ese Señor para que pueda adorarlo y gozar de su vista?» «¡Hijo mío! Nadie, en el mundo, puede ver a ese gran Señor: él ve pero no es visto; está en un lugar altísimo pero está presente en todas partes por medio de sus obras: es el Creador del Universo, el Ordenador del tiempo, el Creador de los hombres y de los genios, es quien ha enviado a los profetas para guiar a los hombres por el buen camino. Hace entrar en el paraíso a quien le obedece y mete en el fuego a quien le desobedece.» «¡Tío! ¿Qué dice aquel que adora a este gran Señor que es Todopoderoso?» «Hijo mío, yo pertenezco a los adíes[1] que habían oprimido a los países y eran descreídos. Dios les envió un profeta que se llamaba Hud, pero no le hicieron caso; entonces los aniquiló con un viento mortal; yo y alguno de mis familiares creíamos y nos salvamos del castigo. También he presenciado lo que sucedió a los tamud con su profeta Salih. Dios (¡ensalzado sea!) envió, después de Salih, a un profeta llamado Abraham, el Amigo de Dios, quien se presentó ante Nemrod b. Kanaán y entre ambos pasó lo que pasó. Mis familiares, aquellos que habían creído, murieron y yo me he consagrado a adorar a Dios en esta cueva. Dios (¡ensalzado sea!), a pesar de que no lo merezco, me concede el sustento.» Garib preguntó: «¿Qué debo decir para pertenecer a los fieles de este gran Señor?» «Di: "No hay más dios que el Dios; Abraham es el amigo de Dios".» Garib se sometió de corazón y de palabra. El jeque le dijo: «¡Que la dulzura del Islam y de la fe se conserven sólidas en tu corazón!» Le enseñó parte de las obligaciones rituales y de los libros sagrados y le preguntó: «¿Cuál es tu nombre?» «Me llamo Garib.» «¿Adónde vas, Garib?» Éste le contó todo lo que le había ocurrido desde el principio hasta el fin y así llegó a la historia del Ogro del Monte en cuya búsqueda iba.

Sahrazad se dio cuenta de que amanecía e interrumpió el relato para el cual le habían dado permiso.

Cuando llegó la noche *seiscientas veintiocho*, refirió:

—Me he enterado, ¡oh rey feliz!, de que el viejo le dijo: «¡Garib! ¿Estás loco? ¿Cómo vas al encuentro del Ogro del Bosque tú solo?» «¡Señor mío! Me acompañan doscientos caballeros.» El jeque dijo: «¡Garib!

[1] Pueblo infiel; al igual que los tamud son mencionados reiteradamente en *El Corán*.

Aunque llevases diez mil no podrías vencerle. Se llama El Ogro y come a los hombres. ¡Pidamos a Dios que nos libre de él! Es uno de los hijos de Cam: su padre era Hindí, el que pobló la India, que de él ha tomado nombre. Tenía que suceder al padre, que le había dado el nombre de Sadán el Ogro. Era, hijo mío, un tirano desvergonzado, un genio satánico: sólo comía seres humanos. Antes de morir, su padre le prohibió que siguiera haciéndolo pero no le hizo caso y siguió en rebeldía. Entonces su padre lo expulsó, después de una guerra y mucho trabajo, y le prohibió volver a la India. Vino a esta tierra, se hizo fuerte en ella, se instaló y ahora asalta en el camino al viandante, refugiándose en su morada que está en este valle. Ha tenido cinco hijos robustos y fuertes, cada uno de los cuales puede hacer frente a mil campeadores. Ha reunido grandes riquezas, ganados, caballos, camellos y vacas con los cuales ha llenado el valle. Temo que te ocurra algo. Ruega a Dios (¡ensalzado sea!) para que te conceda la victoria, recitando la profesión de fe monoteísta. Cuando cargues contra los infieles di: "¡Dios es el más grande!", pues estas palabras causan la pérdida de los descreídos». El jeque le dio una maza de acero que pesaba cien *ratl* y en la que había diez anillas. Cuando aquel que la empuñaba la blandía, las anillas hacían un rumor similar al trueno; le regaló una espada incrustada de pedrerías relumbrantes que tenía una longitud de tres codos y una anchura de tres palmos: si hubiese golpeado una piedra la hubiese partido en dos mitades; le dio una cota, un escudo y un libro sagrado diciendo: «Ve a tus gentes e invítalas a abrazar el Islam».

Garib salió muy contento por haberse convertido y al llegar ante sus compañeros éstos le hicieron una buena acogida y le preguntaron: «¿Qué te ha mantenido apartado de nosotros durante tanto tiempo?» Les refirió todo lo que le había sucedido desde el principio hasta el fin, les invitó a convertirse y todos se sometieron a Dios. Al día siguiente Garib montó a caballo y fue a despedirse del jeque. Después salió y corrió a reunirse con sus hombres. Tropezó con un caballero cubierto por la armadura y del que sólo se veían los ojos. Éste cargó sobre Garib diciendo: «¡Quítate todo lo que llevas, oh, el más vil de los beduinos! ¡Si no lo haces te mato!» Garib le acometió a su vez y entre ambos se inició un combate capaz de encanecer al recién nacido y de fundir de terror a las rocas más sólidas. El beduino, en cierto momento, levantó la celada: era Sahim al-Layl, el hermano de madre de Garib, e hijo del rey Mirdás.

La causa de su salida y de que hubiese ido en aquella dirección era la siguiente: Cuando Garib se puso en camino para marchar al encuentro del Ogro del Monte, Sahim estaba ausente. A su regreso no encontró a Garib. Se presentó ante su madre y la encontró llorando. Le preguntó por la causa del llanto y ella le refirió todo lo sucedido y el viaje que había iniciado su hermano. Sahim fue incapaz de descansar: todo lo contrario: se puso los arreos de guerra, montó en su corcel y marchó hasta alcanzar a su hermano. Así sucedió entre ambos lo que sucedió. Garib lo reconoció en el momento en que Sahim levantó su celada. Lo saludó y le preguntó: «¿Por qué has hecho esto?» «Para saber cuál es mi capacidad de combate en relación a la tuya y cómo peleas con la espada y con la lanza.» Se pusieron los dos en camino; Garib expuso a Sahim los principios del Islam y éste se convirtió. Luego viajaron sin interrupción hasta que llegaron al valle. El Ogro del Monte cuando vio la nube de polvo que levantaban los expedicionarios gritó: «¡Hijos míos! ¡Montad a caballo y traedme esta presa!» Los cinco montaron y salieron al encuentro. Garib al ver que los cinco energúmenos los atacaban espoleó a su caballo y gritó: «¿Quiénes sois? ¿A qué raza pertenecéis? ¿Qué deseáis?» Falhún hijo de Sadán, el Ogro del Monte, que era el mayor de los cinco, chilló: «¡Bajad de vuestros caballos y ataos unos a otros para que os podamos conducir ante nuestro padre, quien asará a unos y hervirá a los otros! Hace mucho tiempo que no ha comido ningún ser humano».

Garib, al oír estas palabras, cargó contra Falhún y agitó la maza. Las anillas hicieron un ruido como el trueno y Falhún quedó sin saber qué hacer. Garib le golpeó y aunque el golpe fue ligero cayó de espaldas como si fuese una gran palmera. Sahim y algunos de sus compañeros se apearon, lo ataron y le pusieron una cuerda en el cuello: le aprisionaron como si se tratase de una vaca. Cuando los otros vieron a su hermano preso cargaron a una contra Garib; éste capturó a cuatro, pero el quinto consiguió huir y presentarse ante su padre. Sadán le preguntó: «¿Qué ha ocurrido? ¿Dónde están tus hermanos?» «Los ha capturado un niño imberbe que mide cuarenta codos.» El Ogro del Monte exclamó al oír las palabras de su hijo: «¡Que el sol no os conceda más bendición!» Salió del castillo, arrancó de cuajo un árbol enorme y fue en busca de Garib y de sus acompañantes. El Ogro iba a pie, pues no había caballo capaz de soportarlo dado el tamaño de su cuerpo. Su hijo le seguía. Avanzó sin tregua hasta descubrir a Garib y cargó contra sus hombres sin pronunciar una palabra: con un solo golpe de árbol se deshizo de cinco; atacó a Sahim al-Layl y lo golpeó; pero éste se apartó y el golpe cayó en el vacío. El Ogro se enfadó, soltó el árbol que tenía en la mano y agarró a Sahim levantándolo del mismo modo que lo hubiera hecho el halcón con un gorrión. Garib, al ver a su hermano en las manos del Ogro chilló: «¡Dios es el más grande! ¡Por la gloria de Abraham, el amigo de Dios, y de Mahoma a quien Él bendiga y salve!»

Sahrazad se dio cuenta de que amanecía e interrumpió el relato para el cual le habían dado permiso.

Cuando llegó la noche *seiscientas veintinueve*, refirió:

—Me he enterado, ¡oh rey feliz!, de que [Garib] azuzó a su corcel hacia el Ogro del Monte, sacudió la maza, resonaron las anillas y gritando: «¡Dios es el más grande!», golpeó al Ogro en las costillas. Cayó al suelo desmayado y entretanto Sahim se escapó de entre sus manos. Cuando el Ogro volvió en sí se encontró atado y aherrojado. Su hijo, al ver que se encontraba prisionero, huyó corriendo. Garib lo persiguió con su corcel, le golpeó con la maza en la espalda, le hizo caer del caballo, lo ató y lo colocó al lado de sus hermanos y de su padre. Los ligaron sólidamente con las cuerdas y los encerraron como si fuesen camellos. A continuación siguieron caminando hasta llegar a la fortaleza. La encontraron repleta de tesoros, riquezas y regalos y hallaron mil doscientos persas atados y encadenados. Garib se sentó en la silla del Ogro del Monte, que había pertenecido a Sas b. Sit b. Saddad b. Ad; colocó a la diestra a su hermano Sahim y distribuyó a sus compañeros a diestra y a siniestra. Después mandó que le llevasen al Ogro del Monte y le dijo: «¿Cómo te encuentras, maldito?» «¡Señor mío! Del peor modo que puedo: humillado, envilecido; yo y mis hijos estamos atados como si fuésemos camellos.» «¿Quieres entrar en mi religión, que es la religión del Islam que reconoce la existencia de un Dios uno, Rey omnisciente creador de la luz y de las tinieblas, creador de todas las cosas; no hay dioses: sólo es Él, Rey retribuidor? Has de reconocer la misión profética de su amigo, Abraham (¡con él sea la paz!).» El Ogro del Monte y sus hijos se convirtieron de modo sincero y entonces mandó que los desatasen. Les quitaron las ligaduras y Sadán el Ogro rompió a llorar, se acercó a los pies de Garib y se los besó. Lo mismo hicieron sus hijos. Pero Garib se lo impidió y permanecieron de pie con los demás.

El joven dijo: «¡Sadán!» «¡Heme aquí, señor mío!» «¿Quiénes son esos persas?» «Son el botín que he conseguido de los persas, y no son los únicos.» «¿Pues quién más hay?» «La hija del rey Sabur, rey de los persas. Se llama Fajr Tach y tiene consigo cien doncellas que parecen lunas.» Garib, al oír las palabras de Sadán se admiró y preguntó: «¿Cómo los has conseguido?» «¡Príncipe! Yo, mis hijos y cinco de mis esclavos salimos de campaña, pero no encontramos ninguna presa en nuestro camino. Nos dispersamos por la campiña y el desierto pero no encontramos un alma; así, buscando botín de que apoderarnos, para no regresar sin nada, llegamos hasta Persia. Divisamos una polvareda y enviamos a un esclavo para que averiguase de qué se trataba. Estuvo ausente un rato y al regresar dijo: "¡Señor mío! Es la reina Fajr Tach, hija del rey Sabur, rey de los persas, turcos y dailamitas. La acompañan dos mil caballeros y están en camino". Dije al esclavo: "¡Traes una buena noticia! ¡No podía haber mejor botín que éste!" Mis hijos y yo cargamos contra los persas: matamos a trescientos caballeros y apresamos mil doscientos, y nos apoderamos de la hija de Sabur y de todos los regalos y riquezas que llevaba. Todo lo trajimos a esta fortaleza.»

Garib, al oír las palabras de Sadán preguntó: «¿Te has propasado con la reina Fajr Tach?» «¡No, por vida de mi cabeza! ¡Lo juro por la religión que acabo de adoptar!» «Has realizado una buena acción, Sadán, ya que el Rey del mundo, su padre, reunirá ejércitos para ir en busca de su hija y destruirá las tierras de quienes la han raptado. El destino no es amigo de quien no sabe valorar las consecuencias. ¿Dónde está esa muchacha, Sadán?» «He colocado a ella y a sus esclavas en un pabellón en que están solas.» «¡Muéstrame ese lugar!» «¡Oír es obedecer!» Garib y Sadán el Ogro se dirigieron al alcázar de la reina Fajr Tach. La encontraron apenada, humillada, llorando de tristeza al recordar el fausto y el poder en que había vivido. Garib, al verla, creyó que se encontraba cerca de la luna. Alabó a Dios, el Oyente, el Omnisciente. Fajr Tach miró a Garib y se dio cuenta de que era un valiente caballero, un bravo cuyos ojos testimoniaban a su favor y no en contra. La princesa se puso de pie, le besó las manos y después se inclinó para besarle los pies. Le dijo: «¡Héroe del tiempo! Estoy bajo tu protección. Líbrame de este ogro, pues temo que me arrebate la virginidad y que después me coma. Llévame contigo y serviré a tus esclavas». Garib replicó: «Estás a seguro hasta que te reúnas con tu padre y ocupes tu puesto». La joven le deseó larga vida y gran poder.

Garib mandó que se pusiese en libertad a los persas y los soltaron. Volviéndose hacia Fajr Tach le dijo: «¿Cuál ha sido el motivo de que abandonases tu alcázar y te vinieses a esta campiña y desierto para que te raptasen los salteadores de caminos?» «Señor mío: Mi padre, las gentes de su reino, los turcos, los dailamitas y los magos adoran el fuego y no hacen caso del Rey Todopoderoso. En nuestros estados hay un templo llamado Casa del Fuego y acuden a él, en cada fiesta, las hijas de los magos y los servidores del fuego y permanecen allí durante un mes entero, mientras duran las fiestas. Mis esclavas y yo nos dirigíamos a él, según es costumbre. Mi padre me había dado dos mil caballeros para que me custodiasen. Pero este ogro nos atacó, mató a unos, capturó al resto y nos encerró en este castillo. Esto es lo ocurrido, héroe de los valientes. ¡Que Dios te libre de las vicisitudes del tiempo!» Garib le replicó: «No temas; yo te llevaré a tu alcázar, a la sede de tu poder». La princesa hizo las invocaciones de rigor y le besó manos y pies. Garib se marchó de su lado dando órdenes para que la tratasen con deferencia. Pasada la noche se levantó, hizo las abluciones y rezó dos *arracas* de acuerdo con la religión de nuestro padre Abraham, el amigo de Dios (¡sobre él sea la paz!). Lo mismo hicieron el Ogro, sus hijos y todos los compañeros de Garib, quienes rezaron detrás de él. Garib se volvió a Sadán y le dijo: «¡Sadán! ¿No me haces visitar el Valle de las Flores?» «Sí, señor mío.»

Sadán, sus hijos, Garib y sus hombres y la reina Fajr Tach y sus esclavas se pusieron en marcha. Sadán mandó a sus esclavos y esclavas que matasen reses y guisasen la comida que a continuación ofreció entre los árboles. Tenía ciento cincuenta esclavos y mil esclavas que apacentaban camellos, vacas y ganado. Garib y sus gentes se dirigieron con él al Valle de las Flores. Vio que era algo prodigioso y halló allí árboles alineados y aislados, pájaros que cantaban entre las ramas, ruiseñores que trinaban y tórtolas que modulaban sus melodías llenando con sus voces los lugares creados por el Misericordioso.

Sahrazad se dio cuenta de que amanecía e interrumpió el relato para el cual le habían dado permiso.

Cuando llegó la noche *seiscientas treinta*, refirió:

—Me he enterado, ¡oh rey feliz!, de que otros ruiseñores cantaban con voces que parecían humanas (la lengua hubiese sido incapaz de describir aquellos árboles); las palomas de collar enamoraban con su voz a los hombres y les respondían los papagayos con una lengua bien elocuente. Los árboles estaban cargados de frutas y de cada especie existían los dos géneros: había granadas agrias y dulces; melocotón almendrado y alcanforado, almendras del Jurasán y albaricoques, cuyas ramas se mezclaban con las del sauce y el naranjo amarillo que asemejaban las llamas del fuego, las mandarinas inclinaban sus ramas, los limones constituían la medicina de cualquier enfermo y los agrios curaban la ictericia; había dátiles de todas clases: rojos y amarillos, y todos eran obra de Dios, el Grande. De un lugar como éste es del que ha dicho el poeta enamorado:

> Los pájaros cantaban junto al estanque despertando el anhelo en el corazón del enamorado.
> Ese lugar es como el Paraíso gracias a sus perfumes: Hay sombras, frutos y agua corriente.

El Valle gustó a Garib y mandó que se levantasen en él las tiendas de Fajr Tach, la sasánida. Las plantaron entre aquellos árboles y extendieron por el suelo magníficas alfombras. Garib se sentó, le llevaron la comida, y comió hasta quedar harto. A continuación llamó: «¡Sadán!» «¡Heme aquí, señor!» «¿Tienes vino?» «Sí; tengo una cava llena de vino añejo.» «Tráenos un poco.» Sadán mandó a diez esclavos que fuesen a buscarlo. Llevaron mucho vino. Comieron, bebieron, disfrutaron, y se pusieron contentos. Garib, recordando a Mahdiyya, recitó estos versos:

> Recuerdo los días en que estaba a tu lado, pues en mi corazón arde la llama de la pasión.
> ¡Por Dios! ¡No me he separado de ti voluntariamente; han sido las vicisitudes de la suerte las que me han exiliado!
> Salud, recuerdos y mil saludos os envío; yo estoy afligido y agonizante.

Comieron, bebieron y disfrutaron durante tres días: después regresaron al castillo. Garib llamó a su hermano Sahim. Éste compareció. Le dijo: «Coge cien caballeros y ve a ver a tu padre, a tu madre y a tu familia, los Banu Qahtán. Tráetelos a este lugar para que vivan en él hasta el fin de los tiempos. Yo me voy al país de los persas para entregar la reina Fajr Tach a su padre. Tú y tus hijos, Sadán, permaneceréis en este castillo hasta que yo regrese». «¿Por qué no me llevas contigo a Persia?», preguntó Sadán. Garib replicó: «Porque has capturado a la hija de Sabur, rey de los persas. Si los ojos de éste te vieran, comería tu carne y bebería tu sangre». El Ogro del Monte rompió a reír a carcajada limpia al oír estas palabras: parecía que fuese el rumor del trueno: «¡Señor mío! —contestó—. ¡Por vida de tu cabeza! Si me encontrase con los daylamíes y los persas les escanciaría la copa de la muerte». «Sería como tú dices, pero te quedas en la fortaleza hasta que yo regrese.» «¡Oír es obedecer!» Sahim se puso en camino. Garib se dirigió hacia Persia acompañado por sus hombres, los Banu Qahtán, que escoltaban a la reina Fajr Tach y sus servidores. Así avanzaron en busca de la capital de Sabur, rey de los persas. Esto es lo que a ellos se refiere.

He aquí lo que hace referencia a Sabur: Esperaba que su hija regresase del templo del fuego, pero no volvió cuando debía. El corazón del rey se llenó de inquietud. Tenía cuarenta visires. El mayor de ellos, que era el más experto y más sabio, se llamaba Daydán. El rey le dijo: «¡Visir! Mi hija se retrasa y no tengo ninguna noticia suya a pesar de que ya tenía que haber vuelto. Envía un mensajero al templo del fuego para que averigüe la verdad de lo sucedido». «¡Oír es obedecer!», replicó el ministro. Salió, llamó al jefe de los correos y le dijo: «Ve inmediatamente al templo del fuego». El correo se puso en marcha, llegó al templo y preguntó a los sacerdotes por la hija del rey. Le contestaron: «No la hemos visto en todo el año». El mensajero volvió sobre sus pasos y cuando llegó a la ciudad de Isbanir se presentó ante el visir y le informó. El visir corrió ante el rey Sabur y le dio la noticia. El soberano se puso en pie de un brinco, tiró la corona al suelo, se mesó la barba y cayó desmayado al suelo. Le rociaron la cara con agua, volvió en sí y rompió a llorar con el corazón apenado. Recitó las palabras del poeta:

> Después de tu marcha pedí auxilio a la paciencia y al llanto. El llanto acudió obediente, pero la paciencia no respondió.

El transcurso de los días nos ha separado, pero
es costumbre del tiempo el mostrarse traidor.

El rey llamó a diez jefes y mandó que montasen a caballo con diez mil caballeros. Cada uno debía dirigirse a una región en busca de la reina Fajr Tach. Montaron a caballo y cada jefe se dirigió con sus hombres hacia una provincia. La madre de la princesa y sus esclavas se vistieron de negro, se cubrieron de ceniza y se sentaron a llorar y sollozar. Esto es lo que a ellas se refiere.

Sahrazad se dio cuenta de que amanecía e interrumpió el relato para el cual le habían dado permiso.

Cuando llegó la noche *seiscientas treinta y una,* refirió:

—Me he enterado, ¡oh rey feliz!, de lo que había sucedido a Garib en el camino de estas cosas portentosas. Viajó durante diez días. El undécimo descubrió una nube de polvo que se levantaba hasta lo más alto del cielo. Garib mandó llamar al jefe que mandaba a los persas y éste acudió. Le dijo: «Acláranos la causa de esa polvareda que se ha levantado». «Oír es obedecer», replicó, y a continuación guió a su corcel hasta meterlo debajo del polvo. Descubrió a quienes la levantaban, los interrogó y uno de ellos le contestó: «Nosotros somos los Banu Hattal y nuestro emir es al-Samsam b. al-Charrah. Vamos en busca de una presa y nuestras gentes suman cinco mil caballeros». El persa regresó, espoleando a su corcel, a presentarse ante Garib. Le informó de lo que ocurría. Garib chilló a los Banu Qahtán y a los persas: «¡Coged vuestras armas!» Las empuñaron y avanzaron. Los árabes les salieron al encuentro gritando: «¡Botín! ¡Botín!» Garib los increpó: «¡Perros árabes! ¡Que Dios os pierda!» Cargó y aguantó el choque como un héroe. Decía: «¡Dios es el más grande! ¡Gloria a la religión de Abraham, el Amigo (¡sobre el cual sea la paz!)!» Iniciado el combate se multiplicaron los encuentros, la espada entró en funciones y el tumulto creció.

Lucharon sin tregua hasta que se desvaneció el día y llegó la noche. Entonces se separaron los contendientes. Garib vio que habían matado a cinco Banu Qahtán y setenta y tres persas mientras que habían muerto más de quinientos caballeros de los de Samsam. Éste descabalgó y no pudo comer ni dormir. Dijo a sus gentes: «Jamás en mi vida he visto a un combatiente como ese muchacho: unas veces ataca con la espada, otras con la maza. Pero mañana me dejaré ver en el campo de batalla, lo buscaré en la palestra de los sables y las lanzas y haré pedazos a esos árabes». La reina Fajr Tach salió a recibir a Garib cuando éste regresó junto a los suyos. Lloraba de terror por lo que había sucedido, y besó el pie del joven, que aún estaba en el estribo. Le dijo: «¡Que tu mano no se seque ni puedan injuriarte jamás tus enemigos, oh, caballero del tiempo! ¡Loado sea Dios que te ha salvado en este día! Tengo miedo de que estos árabes te causen algún mal». Garib rompió a reír en su propia cara al oír estas palabras, la tranquilizó y calmó diciendo: «No temas, reina. Aunque los enemigos llenasen todo este desierto, los aniquilaría gracias a la fuerza del Altísimo». La princesa le dio las gracias y le deseó que venciese a sus enemigos. A continuación se marchó junto con sus doncellas.

Garib se apeó, se lavó las manos y la sangre de los infieles y todos pasaron la noche en guardia hasta la mañana. Entonces los dos contendientes montaron a caballo y se dirigieron al campo de batalla, a la palestra del combate y de la lanza. Quien primero llegó allí fue Garib: condujo a su corcel aproximándose a los infieles y les gritó: «¿Hay algún campeón que no sea perezoso y quiera salir a medirse conmigo?» Salió un gigante tremebundo que pertenecía a la raza de Ad. Atacó a Garib diciendo: «¡Pedazo de árabe! ¡Coge lo que te llega! ¡Prepárate a morir!» Llevaba una maza de hierro que pesaba veinte *ratl*. Levantó la mano y dio un golpe a Garib. Pero éste se apartó y la maza se hundió un codo en el suelo. El gigante se curvó en el momento de pegar y Garib le alcanzó con su maza y le rompió la frente: cayó al suelo y Dios se apresuró a conducir su espíritu al fuego. Garib corrió arriba y abajo y provocó a un combate singular. Se presentó otro enemigo y lo mató; y lo mismo ocurrió con el tercero y el décimo. Todo aquel que acudía a medirse con él, quedaba muerto. Los infieles al ver que Garib combatía y mataba, se retrayeron y se retiraron. Su príncipe los miró y les dijo: «¡Que Dios no os bendiga! ¡Yo me mediré con él!» Se puso los arreos de guerra y condujo su corcel hasta colocarse a la altura de Garib en el campo de batalla. «¡Ay de ti, perro de los árabes! —le dijo—. ¿Cómo te atreves a hacerme frente en el campo de batalla y a matar a mis hombres?» Garib le replicó: «¡Prepárate a combatir y a vengar la muerte de tus caballeros!» Samsam cargó contra Garib, quien le aguardó con pecho firme y corazón admirable. Los dos combatieron con sus mazas de tal modo que ambos bandos estaban perplejos: todos los ojos estaban clavados en ellos. Corrieron por la palestra y se golpearon por dos veces, pero Garib evitaba los golpes que Samsam daba en la lucha y el combate. Un mazazo de Garib alcanzó a Samsam, le hendió el pecho y le hizo caer muerto en el suelo. Los hombres de éste cargaron a la vez contra Garib, quien se abalanzó sobre ellos al grito de «¡Dios es el más grande! ¡Él hace conquistar y vencer y abandona a quien no cree en la religión de Abraham, su Amigo (¡sobre el cual sea la paz!)!»

Sahrazad se dio cuenta de que amanecía e interrumpió el relato para el cual le habían dado permiso.

Cuando llegó la noche *seiscientas treinta y dos*, refirió:

—Me he enterado, ¡oh rey feliz!, de que cuando los infieles oyeron mencionar al Rey Todopoderoso, el Único, el Temible, aquel al que no alcanzan las miradas mientras Él ve todas las cosas, se miraron unos a otros y dijeron: «¿Qué significan estas palabras que nos hielan la sangre, debilitan nuestras fuerzas y acortan nuestra vida? Jamás hemos oído palabras mejores». Chillaron: «¡Dejad de combatir hasta que hayamos preguntado el significado de estas palabras!» Pararon el combate, se apearon de los caballos, se reunieron sus jefes, conferenciaron y decidieron ir junto a Garib. Dijeron: «Irán a verle diez de los nuestros». Eligieron diez de sus mejores hombres, los cuales se dirigieron al campamento de Garib.

Éste y sus hombres se habían marchado a sus tiendas admirados de que el enemigo hubiese renunciado al combate. Entonces llegaron los diez hombres que pidieron ser recibidos por Garib. Besaron el suelo, le desearon gloria y larga vida y éste les preguntó: «¿Por qué os habéis retirado del combate?» «¡Señor nuestro! Nos han atemorizado las palabras que nos has dirigido.» «¿Qué ídolos adoráis?» «Adoramos a Wadd, Suwa y Yagut[2], señores de la tribu de Noé.» «Pues nosotros adoramos a Dios (¡ensalzado sea!), Creador de todas las cosas, que concede el sustento a todos los seres vivos, que ha creado los cielos y la tierra; que ha plantado los montes y hecho brotar las fuentes de agua a través de las piedras; que hace crecer los árboles y da el sustento a las fieras que habitan el desierto. Él es el Dios Único, el Todopoderoso.» El pecho de sus oyentes se dilató al oír las palabras que se referían al credo monoteísta. Exclamaron: «¡Este Dios es un gran Señor! ¡Es clemente y misericordioso! ¿Qué debemos decir para ser musulmanes?» «No hay dios sino el Dios de Abraham, y éste es el amigo de Dios.» Los diez se convirtieron sinceramente. Garib les dijo: «Para mostrar la dulzura de la conversión que tenéis en vuestros corazones id junto a vuestras gentes, exponedles los principios del Islam. Si se convierten, se habrán convertido; de lo contrario los quemaremos con el fuego».

Los diez se marcharon, llegaron junto a sus gentes, les expusieron la religión del Islam y les explicaron el camino de la verdad y de la fe. Se convirtieron externa e internamente y corrieron, a pie, a presentarse a Garib. Besaron el suelo ante éste, le desearon poder y alto rango y dijeron: «¡Señor nuestro! Nosotros somos tus esclavos. Mándanos lo que quieras. Te oiremos y te obedeceremos y no nos separaremos de ti, ya que Dios nos ha puesto en el buen camino por tu mediación». Garib los recompensó y les dijo: «Podéis ir a vuestras casas y poneros en camino con vuestros bienes y vuestros hijos precediéndonos al Valle de las Flores, al castillo de Sas b. Sit, hasta el momento en que yo haya hecho entrega

[2] Sobre estos dioses cf. *El Corán*, 71, 22-23.

de Fajr Tach, hija de Sabur, rey de los persas, y regrese a vuestro lado». «Oír es obedecer», le replicaron. Se pusieron en camino inmediatamente y se dirigieron a su tribu la mar de contentos por haberse convertido. Expusieron el Islam a sus familias y a sus hijos y todos lo aceptaron. Destruyeron sus casas, cogieron sus riquezas y ganados y se marcharon al Valle de las Flores. El Ogro del Monte salió a recibirlos, pues Garib les había recomendado: «Si sale a haceros frente el Ogro del Monte y quiere combatir, recordadle que "Dios (¡ensalzado sea!) es el Creador de todas las cosas". Cuando oiga mencionar el nombre de Dios (¡ensalzado sea!) renunciará al combate y os acogerá bien». El Ogro y su hijo salieron a combatirlos, pero los emigrantes les citaron el nombre de Dios (¡ensalzado sea!) y entonces les hicieron una magnífica acogida y les preguntó qué les ocurría. Le refirieron todo lo sucedido con Garib, lo cual alegró mucho a Sadán, quien los invitó a acampar y los cubrió de bienes. Esto es lo que a ellos se refiere.

He aquí lo que hace referencia a Garib: Se había puesto en camino con la reina Fajr Tach y se había dirigido hacia la ciudad de Isbanir. Viajaron durante cinco días. Al sexto se levantó una nube de polvo. Envió a un persa para que averiguase de qué se trataba. Éste corrió hacia la nube de polvo y regresó más rápido que el pájaro cuando vuela. Dijo: «¡Señor mío! Esa polvareda la levantan mil caballeros, compañeros nuestros, a los cuales ha enviado el rey en busca de la reina Fajr Tach». Cuando Garib se enteró de esto mandó a sus hombres que descabalgasen y levantasen las tiendas. Así se hizo. Los hombres de la reina Fajr Tach recibieron a los recién llegados e informaron y explicaron a Tumán, que era quien los mandaba, que la princesa estaba con ellos. Tumán, al oír hablar del rey Garib, entró a saludarle, besó el suelo ante él y le preguntó qué tal se encontraba la reina. Garib mandó que lo condujesen a su tienda. Tumán entró, le besó las manos y los pies, la informó de lo que había sucedido a su padre y a su madre y ella le explicó todo lo que le había ocurrido y cómo Garib la había librado del Ogro de la Montaña.

Sahrazad se dio cuenta de que amanecía e interrumpió el relato para el cual le habían dado permiso.

Cuando llegó la noche *seiscientas treinta y tres*, refirió:

—Me he enterado, ¡oh rey feliz!, de que [Fajr Tach le contó a Tumán] que a no ser por el príncipe, el Ogro la hubiese devorado. Añadió: «Es necesario que mi padre le ceda la mitad del reino». Tumán besó las manos y los pies de Garib y le dio las gracias por sus favores y concluyó: «¡Señor mío! Con tu permiso voy a regresar a la ciudad de Isbanir para dar la buena nueva al rey». Le contestó: «Ve y obra la recompensa». Tumán se marchó y Garib siguió el viaje en pos de él. El primero apretó la marcha hasta llegar a vista de Isbanir al-Madain. Subió al castillo y besó el suelo delante del rey Sabur. Éste le preguntó: «¿Qué noticias hay, mensajero de bien?» «No te lo digo hasta que me hayas concedido una recompensa.» «Dame la buena noticia y te dejaré satisfecho.» «¡Rey del tiempo! Te anuncio la llegada de la reina Fajr Tach.» El rey Sabur cayó desmayado al oír mencionar a su hija. Le rociaron con agua de rosas, volvió en sí y chilló a Tumán: «¡Acércate y dímelo!» Éste se aproximó y le explicó todo lo que había ocurrido a la reina Fajr Tach. El rey, al oírlo, aplaudió y exclamó: «¡Pobre Fajr Tach!» Mandó que diesen a Tumán diez mil dinares y le hizo don de la ciudad y provincia de Isbahán. A continuación llamó a sus emires y les dijo: «Montad todos a caballo para salir a recibir a la reina Fajr Tach». Un criado particular corrió a informar a la madre y al harén de la noticia. Todas se alegraron mucho. La madre regaló un vestido al criado y le dio mil dinares. Los habitantes de la ciudad se enteraron y engalanaron los zocos y las casas.

El rey y Tumán montaron a caballo y anduvieron hasta dar vista a Garib. Entonces, el rey Sabur descabalgó y avanzó a pie para recibir a Garib. Éste hizo lo mismo y ambos, al encontrarse, se abrazaron y se saludaron. Sabur se inclinó y besó las dos manos de Garib, dándole las gracias por sus favores. Plantaron unas tiendas enfrente de otras y Sabur entró a saludar a su hija. Ésta se puso de pie, lo abrazó y le refirió todo lo que le había ocurrido y el modo cómo Garib la había librado de la prisión del Ogro del Monte. Su padre le dijo: «¡Por vida tuya, hermosa señora! ¡He de cubrirlo de regalos!» «¡Padre! ¡Hazlo tu yerno para que te sirva de auxilio frente a tus enemigos! Es un valiente.» Pronunció estas palabras porque su corazón estaba pendiente de Garib. «¡Hija mía! ¿Es que no sabes que el rey Jirad Sah ha tirado el brocado y ha regalado cien mil dinares? Es el rey de Siraz y su provincia y posee un Estado, un ejército y soldados.» Fajr Tach replicó: «¡Padre! ¡No quiero a quien me has citado! ¡Si me fuerzas a casarme con quien no quiero me mataré!» El rey se marchó y fue a ver a Garib. Éste se levantó e hizo sentar al soberano, quien no se saciaba de mirarlo. Se dijo: «¡Por Dios! ¡Mi hija tiene disculpa por haberse enamorado de este beduino!» Más tarde sirvieron la comida, comieron y durmieron. Al día siguiente se pusieron en marcha y llegaron a la ciudad en la que entraron el rey y Garib, cabalgando el uno junto al otro. Aquél fue un día memorable. Fajr Tach entró en su alcázar, en la sede de su gloria; la madre y las criadas la recibieron llenas de alegría y alborozo. El rey Sabur se sentó en el trono de su reino e hizo sentar a Garib a su derecha. Los reyes, los chambelanes, los príncipes y los ministros de la diestra y la siniestra felicitaron al rey por haber hallado a su hija. El rey dijo a los grandes de su reino: «Quien me ame, que haga regalos a Garib». Los donativos cayeron encima de éste como la lluvia.

Garib permaneció acogido a la hospitalidad durante diez días, al cabo de los cuales quiso marcharse. El rey le conjuró, por su religión, a que no lo hiciera y a que se quedase durante un mes. Garib le replicó: «¡Rey! He pedido en matrimonio una hija de los árabes y quiero volver a su lado». «¿Quién es más hermosa, tu prometida o Fajr Tach?» «¡Rey del tiempo! Hay la misma diferencia que entre el esclavo y el amo.» «La princesa es tu esclava, ya que tú la libraste de las garras del Ogro. Ella no tendrá otro marido.» Garib se levantó, besó el suelo y dijo: «¡Rey del tiempo! Tú eres el rey y yo soy un pobre hombre. Tal vez tú pidas un gran regalo de bodas». El rey Sabur le replicó: «¡Hijo mío! Sabe que el rey Jirad Sah, señor de Siraz y su comarca, la ha pedido en matrimonio y le ha ofrecido una dote de cien mil dinares. Pero yo te he escogido a ti entre todas las gentes para que seas la espada de mi reino, el escudo de mi venganza». Volviéndose a sus grandes, les dijo: «¡Sed testigos, súbditos míos, de que concedo en matrimonio a mi hija Fajr Tach a mi hijo Garib!»

Sahrazad se dio cuenta de que amanecía e interrumpió el relato para el cual le habían dado permiso.

Cuando llegó la noche *seiscientas treinta y cuatro,* refirió:

—Me he enterado, ¡oh rey feliz!, de que [el rey] estrechó la mano de Garib y la princesa pasó a ser su mujer. Garib intervino: «¡Dime la dote que quieres que te traiga! En el castillo de Sasa tengo innumerables riquezas y tesoros». «¡Hijo mío! No quiero ni dinero ni tesoros y no aceptaré más dote que la cabeza de Chamraqán, rey del Dast y de la ciudad de al-Ahwaz.» «¡Rey del tiempo! Iré con mis gentes y regresaré trayendo prisionero a tu enemigo; arruinaré su país.» El rey le deseó toda suerte de bienes, una vez que se hubieron marchado las gentes y los grandes. Pero, en realidad, el rey creía que si Garib combatía con Chamraqán, rey del Dast, no regresaría jamás.

Al día siguiente el rey y Garib montaron a caballo. Aquél mandó a los soldados que montasen y así lo hicieron. Cabalgaron y se apearon en la palestra. El rey les dijo: «¡Jugad con las lanzas y alegrad mi corazón!» Los campeadores persas jugaron entre sí. Garib dijo: «¡Rey del tiempo! Deseo que permitas que me mida con los caballeros persas, pero con una condición». «¿Cuál es?» «Vestiré sobre mi cuerpo un vestido ligero, cogeré una lanza despuntada y me recubriré con un chal teñido de color de azafrán. Me mediré con el valiente y el campeador que quiera hacerme frente con una lanza bien afilada. Si me vence, le donaré mi vida, pero si le venzo lo marcaré en el pecho y saldrá del campo.» El rey ordenó al jefe del ejército que hiciese salir a los héroes persas. Escogió mil doscientos caballeros persas, los más valientes y diestros. El rey les dijo en persa: «Aquel de vosotros que dé muerte a este beduino podrá expresar su deseo y lo satisfaré». Los campeones se precipitaron al encuentro de Garib, cargaron contra él y se distinguió entre lo real y lo falso, entre lo serio y la broma. El joven exclamó: «¡En Dios me apoyo! ¡En el Dios de Abraham, su amigo, Aquel que es Todopoderoso, al que nada se le oculta, el Único, el Potente, al que no ven los ojos!»

Un gigantesco héroe persa avanzó. Garib no le dio más tiempo de estar parado que aquel que necesitó para saber que su pecho estaba recubierto de azafrán. En cuanto se dio la vuelta Garib lo alanceó en el cuello, lo derribó por el suelo y sus garzones se lo llevaron de la palestra. Se aproximó otro y lo venció y lo mismo ocurrió con el tercero, cuarto y quinto. No paró de vencer a un héroe en pos de otro hasta que todos se dieron cuenta de que Dios (¡ensalzado sea!) le auxiliaba. Todos salieron del campo y les sirvieron la comida. Comieron. Les ofrecieron las bebidas y bebieron. Garib bebió también y se quedó aturdido. Se levantó para ir a evacuar una necesidad y cuando quiso volver al comedor se perdió y entró en el pabellón de Fajr Tach. Ésta perdió la razón al verlo y ordenó a sus doncellas: «¡Marchaos a vuestros puestos!» Todas se dispersaron y fueron a sus lugares. La princesa se acercó a Garib y le besó la mano diciéndole: «¡Bien venido mi señor, aquel que me salvó del Ogro! Yo soy tu esclava para siempre». Lo arrastró al lecho y lo abrazó. La pasión se apoderó de Garib, quien la poseyó y pasó con ella toda la noche. Esto es lo ocurrido. El rey, entretanto, creía que Garib se había marchado.

Al día siguiente Garib se presentó ante el rey, quien se levantó y le hizo sentar a su lado. Los reyes entraron después, besaron el suelo y se alinearon a derecha e izquierda y se dedicaron a hablar del valor de Garib. Decían: «¡Gloria a Aquel que le ha dado tanto valor a pesar de ser tan joven!» Mientras hablaban vieron por una de las ventanas del palacio una nube de caballos que se acercaba. El rey gritó a los correos: «¡Ay de vosotros! ¡Traedme noticia de quiénes son los que levantan la polvareda!» Uno de los caballeros corrió hasta los que llegaban y regresó diciendo: «¡Rey! Debajo de la polvareda hemos encontrado cien caballeros cuyo Emir se llama Sahim al-Layl». Garib exclamó al oír estas palabras: «¡Señor mío! ¡Es mi hermano! Le había mandado a un negocio. Salgo a su encuentro». Garib y sus cien caballeros Banu Qahtán montaron a caballo; mil persas se les unieron. El gran séquito —pero no hay grandeza más que en Dios— y Garib avanzaron hasta reunirse a Sahim al-Layl. Los dos hermanos echaron pie a tierra y se abrazaron. Después volvieron a montar. Garib le preguntó: «¡Hermano mío! ¿Has conducido a tus gentes a la fortaleza de Sasa y al Valle de las Flores?» «¡Hermano! El perro traidor, al oír que te habías apoderado del castillo del Ogro del Monte se irritó aún más y exclamó: "Si no me marcho de este campo, Garib vendrá y me arrebatará a mi hija Mahdiyya sin pagarme la dote". Ha cogido a su hija, su gente, su familia y sus bienes y se ha marchado al Iraq, ha entrado en Kufa y ha pedido la protección del rey Achib, ofreciendo a éste como mujer a su hija Mahdiyya.»

Garib, al oír las palabras de su hermano Sahim al-Layl estuvo a punto de morir de dolor. Exclamó: «¡Juro por la religión del Islam, por la religión de Abraham, el amigo de Dios! ¡Juro por Dios, el Grande, que he de ir al Iraq y encender allí la guerra!» Él y su hermano entraron en la ciudad. Condujo a éste a palacio y ambos besaron el suelo. El rey se levantó en honor de Garib y saludó a Sahim. Garib explicó al rey lo que había ocurrido y el soberano mandó que se le reuniesen diez jefes, cada uno de los cuales habría de llevar diez mil caballeros escogidos entre los más valientes árabes y persas.

Éstos hicieron los preparativos en tres días. Garib se puso en marcha y fue a la fortaleza de Sasa. El Ogro del Monte y sus hijos salieron a recibirle. Iban a pie. Besaron los pies de Garib, que estaban en el estribo. Éste contó al Ogro del Monte lo que había ocurrido. El Ogro le contestó: «¡Señor mío! Instálate en tu fortaleza, pues yo, mis hijos y mis soldados iremos al Iraq. Destruiré la ciudad de Rustaq y te traeré maniatados del modo más seguro a todos sus ejércitos». Garib le dio las gracias y dijo: «¡Sadán! Iremos juntos». El Ogro hizo sus preparativos en el acto, y realizó lo que Garib le había mandado. Todos se pusieron en marcha, dejando mil caballeros en la fortaleza para que la custodiasen. Así viajaron dirigiéndose al Iraq. Esto es lo que se refiere a Garib.

He aquí lo que hace referencia a Mirdás: Condujo a su tribu hasta llegar a territorio del Iraq. Entonces tomó consigo un buen regalo y marchó a Kufa ofreciéndoselo a Achib. Después besó el suelo, hizo las invocaciones de rigor y dijo: «¡Señor mío! Vengo para pedirte protección».

Sahrazad se dio cuenta de que amanecía e interrumpió el relato para el cual le habían dado permiso.

Cuando llegó la noche *seiscientas treinta y cinco*, refirió:

—Me he enterado, ¡oh rey feliz!, de que [Achib ordenó:] «Dime quién te ha maltratado para que pueda defenderte de él. Te protegería aunque se tratara de Sabur, rey de los persas, turcos y daylamíes.» «¡Rey del tiempo! Me ha ofendido un adolescente al que he criado en mi seno, al cual hallé en el regazo de su madre que estaba en un valle. Me casé con la madre y tuve un hijo con ella al que llamé Sahim al-Layl. Su hijo se llama Garib. Éste ha crecido a mi amparo transformándose en un rayo ardiente y una gran calamidad: ha dado muerte a Hassán[3], señor de los Banu Nabhán, ha matado hombres y atemorizado a los caballeros. Yo tengo una hija que sólo es digna de un rey. Me la pidió en matrimonio y le exigí que me trajese la cabeza del Ogro del Monte. Fue al encuentro de éste, lo venció, lo capturó y lo transformó en uno de sus secuaces. He oído decir que ha cambiado de religión e invita a las gentes a que entren en su creencia. Ha salvado del Ogro a la hija del rey Sabur y se ha apoderado de la fortaleza de Sasa b. Sit b. Saddad b. Ad que encierra el tesoro de generaciones pasadas y recientes. Se ha ido a devolver la hija de Sabur a su padre y regresará con los bienes de los persas.» Achib palideció al oír las palabras de Mirdás, se sintió

[3] Así en el texto. Antes lo ha llamado Hamal. Es una de las muchísimas inconsecuencias y erratas de que están plagadas *Las mil y una noches*.

incómodo y se dio por muerto. Dijo: «¡Mirdás! ¿La madre de ese muchacho está contigo o con él?» «Conmigo, en mi tienda.» «¿Cómo se llama?» «Nusra.» Achib exclamó: «¡Es ella! ¡Mándala venir!» Achib, al verla, la reconoció y exclamó: «¡Maldita! ¿Dónde están los dos esclavos que envié contigo?» «Los dos se dieron muerte por mí.» Achib desenvainó la espada y la partió en dos mitades. La sacaron de allí y la echaron. En el corazón de Achib había entrado la tentación. Dijo: «¡Mirdás! ¡Cásame con tu hija!» «¡Es una de tus esclavas y te casaré con ella, pues yo soy uno de tus siervos!» Achib dijo: «Quiero ver a Garib, hijo del adulterio, para darle muerte y hacerle probar distintas clases de tortura». Mandó que diesen a Mirdás treinta mil dinares, cien piezas de seda bordada en oro, cien tapetes, pañuelos y collares de oro como dote de su hija. Mirdás se marchó llevando esta gran dote y se esforzó en aderezar a Mahdiyya. Esto es lo ocurrido a ésos.

He aquí lo que hace referencia a Garib: Viajó hasta llegar a la Chazira, que es la primera región del Iraq: es una ciudad importante y fuerte. Garib mandó hacer alto en ella. Los habitantes de la ciudad al ver que un ejército acampaba allí cerraron las puertas, pusieron las murallas en pie de guerra, corrieron ante el rey y le informaron. Éste miró desde las ventanas de palacio y vio que se trataba de un ejército en marcha compuesto de persas. Preguntó: «¡Gentes! ¿Qué quieren esos persas?» «¡No lo sabemos!» El rey se llamaba al-Damig, ya que rompía la cabeza de los héroes en el campo de batalla. Entre sus servidores había un hombre muy despierto que parecía una llama y que se llamaba el León del Desierto. El soberano lo llamó y le dijo: «Ve al encuentro de ese ejército y entérate de quiénes son, qué desean de nosotros y vuelve en seguida». El León del Desierto salió rápido como el viento. Llegó hasta las tiendas de Garib y todos los árabes se pusieron de pie y le preguntaron: «¿Quién eres? ¿Qué quieres?» «Vengo aquí como mensajero del señor de la ciudad para ver a vuestro señor.» Lo tomaron consigo y lo condujeron entre tiendas, pabellones y estandartes hasta la tienda de Garib. Entraron ante éste y le informaron. Dijo: «¡Traédmelo!» Se lo llevaron. Cuando estuvo ante Garib besó el suelo y le deseó larga vida y poder. Éste le preguntó: «¿Qué quieres?» «Soy el mensajero de al-Damig, señor de la ciudad de al-Chazira, que es hermano del rey Kundamir, señor de la ciudad de Kufa y de la tierra del Iraq.»

Garib rompió a llorar al oír las palabras del mensajero. Clavó la vista en éste y le preguntó: «¿Cómo te llamas?» «¡León del Desierto!» «Pues ve ante tu señor y dile: "El señor de esas tiendas se llama Garib b. Kundamir, señor de Kufa, cuyo hijo le dio muerte. Va a tomar venganza de Achib, el perro traidor".» El mensajero corrió ante el rey al-Damig, muy contento, y besó el suelo. El rey preguntó: «¿Qué hay, ¡oh!, León del Desierto?» «¡Señor mío! El dueño de ese ejército es el hijo de tu hermano», y a continuación le refirió sus palabras. El rey creyó que todo eso era un sueño y preguntó: «¡León del Desierto! ¿Es verdad lo que dices?» «¡Por vida de tu cabeza! ¡Es la verdad!» El soberano mandó a los grandes de su reino que montasen a caballo. Montaron y lo mismo hizo el rey. Se pusieron en marcha y llegaron a las tiendas. Garib, al enterarse de la llegada del rey al-Damig salió a recibirle y ambos se abrazaron. Se saludaron y Garib condujo al soberano a las tiendas. Se sentaron en estrados de honor y al-Damig se alegró mucho al ver a Garib, el hijo de su hermano. Aquél se volvió hacia éste y le dijo: «En mi corazón hay un pesar: el no haber podido vengar a tu padre. Pero no tengo poder para hacer frente a ese perro de hermano tuyo, pues su ejército es numeroso mientras el mío es pequeño». Garib replicó: «¡Tío! Yo he venido a tomar venganza, a lavar la afrenta y a librar a ese país de su dominio». «¡Sobrino! Tú has de tomar dos venganzas: la de tu padre y la de tu madre.» Garib preguntó: «¿Por qué la de mi madre?» «Achib, tu hermano, la ha matado.»

Sahrazad se dio cuenta de que amanecía e interrumpió el relato para el cual le habían dado permiso.

Cuando llegó la noche *seiscientas treinta y seis,* refirió:

—Me he enterado, ¡oh rey feliz!, de que [Garib preguntó:] «¿Por qué?» Su tío le refirió todo lo que había ocurrido a su madre y cómo Mirdás había casado a su hija con Achib, quien se disponía a consumar el matrimonio. La razón huyó de la cabeza de Garib al oír las palabras de su tío; se desmayó y estuvo a punto de morir. Al volver en sí chilló a sus soldados: «¡A caballo!», pero el tío le dijo: «¡Sobrino! Espera que haga mis preparativos, que monte a caballo con mis hombres y que te acompañe junto a tu estribo». «¡Tío! ¡No tengo paciencia! ¡Haz tus preparativos y reúnete conmigo en Kufa!»

Garib emprendió el viaje y llegó ante la ciudad de Babel, cuyos habitantes se atemorizaron. Vivía en ella un rey llamado Chamak que disponía de veinte mil caballeros propios más otros cincuenta mil que se le habían reunido y habían levantado sus tiendas frente a Babel. Garib escribió una carta y se la envió al dueño de esta ciudad. El mensajero se puso en camino y al llegar a la entrada gritó: «¡Soy un mensajero!» El portero corrió ante el rey Chamak y le explicó la llegada del mensajero. El rey dijo: «¡Traédmelo!» Fue a buscarlo y regresó con él. El mensajero besó el suelo ante el rey y le dio el mensaje. Chamak rompió el sello y leyó. Estaba escrito: «Loado sea Dios, señor de los mundos, señor de todas las cosas, que da el alimento a todo ser viviente. Él es poderoso sobre todas las cosas. Envía este mensaje Garib, hijo del rey Kundamir, señor del Iraq y de la tierra de Kufa, a Chamak. Cuando recibas esta carta, la única respuesta que puedes dar consiste en romper los ídolos y reconocer la unicidad del Rey omnisciente, Creador de la luz y de las tinieblas, Creador de todas las cosas, Todopoderoso. Si no haces lo que te mando haré que este día sea para ti el peor. La paz sea con aquellos que siguen el camino recto, que temen las consecuencias del castigo y obedecen al Rey altísimo, al Señor de la última vida y de ésta, al que dice "sé", y "es"». Los ojos de Chamak no se atrevían a dar crédito a lo que leían; su cara palideció y chilló al mensajero: «¡Ve a tu dueño y dile: "Mañana por la mañana tendrá lugar el encuentro y el combate y quedará claro quién es el verdadero dueño"!».

El mensajero regresó junto a Garib y le informó de lo

que había ocurrido. Éste mandó a sus hombres que tomasen las armas. Chamak plantó sus tiendas delante de las de Garib y alineó ejércitos que parecían las olas del mar embravecido. Todos pasaron la noche con el firme propósito de empezar el combate. Al amanecer, los dos contendientes extendieron sus filas, repicaron los timbales, montaron a caballo los jinetes y el tumulto llenó la tierra y el espacio. Los campeadores se adelantaron. El primero que se plantó en el campo de la lid y del combate fue el Ogro del Monte, que llevaba un árbol horroroso al hombro. Gritó entre las dos hileras de combatientes: «¡Soy Sadán, el Ogro! ¿Hay quien quiera combatir conmigo? ¿Hay quien quiera hacerme frente? ¡Que no venga ni el perezoso ni el impotente!» Chilló a sus hijos: «¡Ay de vosotros! ¡Venid con la leña y el fuego, pues tengo hambre!» Éstos llamaron a sus esclavos, los cuales amontonaron la leña y encendieron el fuego en medio del campo. Un hombre infiel, un gigante poderoso salió a hacerle frente llevando en la mano un palo que parecía el mástil de una embarcación. Se lanzó contra Sadán y le dijo: «¡Ay de ti, Sadán!» Éste, al oír el grito del enemigo, adoptó su posición más aterradora, hizo girar el árbol en el aire e hirió al enemigo: éste intentó parar el golpe con el palo, pero el árbol dio con todo su peso sobre él y las dos armas chocaron contra la cabeza del prepotente amalecita destrozándola: cayó como el tronco de una palmera. Sadán gritó a sus esclavos: «¡Asad este cordero tan rollizo! ¡Asadlo de prisa!» Se apresuraron a desollarlo, a asarlo y a servírselo a Sadán, el Ogro, el cual lo comió y chupó sus huesos.

Un escalofrío de terror corrió por el campo de los infieles al ver lo que Sadán hacía con su compañero. Se descompusieron, cambiaron de color y se dijeron unos a otros: «El Ogro se comerá a todo aquel que salga a hacerle frente, chupará sus huesos y le privará del céfiro de la vida». Intimidados por el Ogro y sus hijos se negaron a seguir combatiendo y a continuación huyeron a su país. Entonces Garib gritó a su gente: «¡Cargad contra los que huyen!» Persas y árabes se lanzaron sobre las huestes del rey de Babel diezmándolas con la espada, matando más de veinte mil. Ante la puerta se formó un remolino y murieron muchísimos enemigos, pues no pudieron cerrarla: árabes y persas la cruzaron en pos de ellos y Sadán, que se había apoderado de la maza de un muerto, la agitó ante la gente y se mezcló en la pelea: asaltó el palacio de Chamak, se dirigió hacia éste y de un golpe de maza lo derribó, desmayado, por el suelo. Sadán cargó contra todos los que estaban en palacio, causando estragos. Entonces gritaron: «¡Paz! ¡Paz!»

Sahrazad se dio cuenta de que amanecía e interrumpió el relato para el cual le habían dado permiso.

Cuando llegó la noche *seiscientas treinta y siete,* refirió:

—Me he enterado, ¡oh rey feliz!, de que Sadán les replicó: «¡Atad a vuestro rey!» Lo ataron, lo cogieron y lo llevaron ante Sadán. Sadán los condujo, como si fuesen reses que van al matadero, ante Garib.

Entretanto, la mayor parte de los habitantes de la ciudad había muerto por la espada. Chamak, rey de Babel, al volver en sí del desmayo vio que estaba atado y que el Ogro decía: «Esta noche cenaré con el rey Chamak». Al oírlo, éste se dirigió a Garib y le dijo: «¡Estoy bajo tu protección!» «¡Conviértete y te salvarás del Ogro y del castigo del Viviente, del que no muere!» Chamak se convirtió, externa e internamente, y Garib mandó que le quitasen las ligaduras. A continuación expuso la religión del Islam a los prisioneros y todos se convirtieron y se pusieron al servicio de Garib. Chamak fue a su ciudad, sacó comidas y bebidas y pasaron la noche junto a Babel. Al día siguiente Garib mandó levantar el campo y viajaron hasta llegar a Mayya Fariqin: vieron que la ciudad estaba vacía. Sus habitantes se habían enterado de lo ocurrido en Babel y habían huido dejando vacías sus casas. Prosiguieron la marcha hasta llegar a la ciudad de Kufa. Informaron a Achib de lo que ocurría y éste se apresuró a reunir a sus campeadores, a los que dio a conocer la llegada de Garib. Les mandó que cogiesen las armas para ir a hacer frente a su hermano. Pasó revista a sus hombres y vio que disponía de treinta mil caballeros y diez mil peones. Mandó alistar aún más gente y acudieron cincuenta mil entre caballeros e infantes. Se puso al frente de sus tropas y marchó durante cinco días hasta encontrar el ejército de su hermano que había acampado en Mosul.

Achib levantó sus tiendas ante las de Garib. Éste escribió una carta y volviéndose hacia sus hombres preguntó: «¿Quién llevará este mensaje a Achib?» Sahim al-Layl se puso en pie de un salto y dijo: «¡Rey del tiempo! Yo llevaré tu carta y traeré la respuesta». Entregó el mensaje a Sahim, que no se detuvo hasta encontrarse frente a la tienda de Achib. Avisaron a éste, quien replicó: «¡Traédmelo!» Le hicieron pasar y le preguntó: «¿De dónde vienes?» «Vengo —replicó Sahim— de parte del rey de los persas y de los árabes, yerno de Cosroes, señor del mundo. Te envía una carta. ¡Contéstale!» «¡Dame la carta!» Se la entregó y Achib quitó el sello, la leyó y vio que decía: «¡En el nombre de Dios, el Clemente, el Misericordioso! ¡La paz sea sobre su amigo, Abraham!» Y después: «Reconoce, en el mismo momento en que recibas esta carta, la unidad del Rey generoso, del Causante de todas las cosas, del que hace andar a las nubes, y abandona el culto de los ídolos. Si te conviertes serás mi hermano y nos gobernarás; yo te perdonaré la culpa que cometiste al matar a mi padre y a mi madre y no te reprenderé por lo que hiciste. Pero si no haces lo que te mando te cortaré el cuello, destruiré tu país y me desharé de ti. Te he dado un consejo. La paz sea con aquellos que siguen el recto camino y obedecen al Rey altísimo».

Achib comprendió en seguida la amenaza que encerraban las palabras de Garib. Los ojos se le desorbitaron, le castañetearon los dientes y estalló de cólera. Rompió la carta y la tiró al suelo. Esto no gustó a Sahim, quien gritó a Achib: «¡Que Dios seque tu mano por hacer tal cosa!» Achib mandó a sus hombres: «¡Coged a este perro y hacedlo pedazos con vuestra espada!» Cargaron contra Sahim, el cual, a su vez, desenvainó la espada y se abalanzó sobre ellos, matando a más de cincuenta héroes; después, se desligó y llegó al lado de su hermano cubierto de sangre. Garib le preguntó: «¿Cómo estás así, Sahim?» Éste le contó todo lo ocurrido y Garib exclamó lleno de ira: «¡Dios es el más grande!» Los tambores repicaron en son de guerra, los héroes montaron a caballo y los infantes se alinearon; los valientes se reunieron, los caballos caracolearon en el campo, los infantes se cubrieron de hierro y de gruesas cotas de malla: ciñeron la espada y agarraron la larga lanza. Achib y sus hombres montaron a caballo y los contendientes se acometieron.

Sahrazad se dio cuenta de que amanecía e interrumpió el relato para el cual le habían dado permiso.

Cuando llegó la noche *seiscientas treinta y ocho*, refirió:

—Me he enterado, ¡oh rey feliz!, de que el juez de guerra pronunció una imparcial sentencia con boca cerrada y sin hablar. La sangre corrió a torrentes y sobre la tierra se repujó un tapete magnífico: la gente se mezcló con la gente y el combate creció en fragor y violencia: los pies resbalaban, pero el valiente se mantenía enhiesto; el cobarde se replegaba y huía, mas el combate no cesó hasta el fin del día, hasta la llegada de la noche con sus tinieblas. Entonces repicaron los tambores mandando a los combatientes que se separasen unos de otros y cada bando regresó a sus tiendas para pasar la noche. Al día siguiente repicaron los timbales incitando a la guerra y al combate, vistieron los instrumentos de la lucha y ciñeron las buenas espadas empuñando la negra lanza. Montaron en hermosos corceles de poco pelo y gritaron: «¡Hoy, batalla sin tregua!» Los ejércitos se alinearon como si fuesen el mar embravecido. El primero en abrir la lucha fue Sahim: condujo su corcel entre las dos filas y jugó con dos espadas y dos lanzas de modos tan variados que las personas de seso estaban perplejas. Después gritó: «¿Hay algún combatiente, algún luchador que no esté ni cansado ni impedido?»

Un caballero infiel se presentó: parecía un tizón al rojo. Pero Sahim no le dio tiempo de plantarse ante él, pues lo alanceó y lo derribó. Venció también al segundo y lo mató; al tercero, lo despedazó; al cuarto, lo aniquiló, y mató a todos los que se presentaron hasta el mediodía; en este momento había matado doscientos campeones. Entonces Achib chilló a sus hombres que se lanzasen al ataque y así los héroes chocaron con los héroes: el combate se generalizó y aumentó el barullo. Las brillantes espadas tintinearon, los hombres acometieron a los hombres y se encontraron en situación difícil; la sangre fluyó y se desbordó, las calaveras pasaron a ser las sandalias de los caballos y el encarnizado combate siguió sin descanso, hasta que terminó el día y llegó la noche con sus tinieblas. Entonces, los contendientes se separaron, se dirigieron a sus tiendas y permanecieron en ellas hasta la mañana siguiente en que ambos bandos montaron a caballo y marcharon en busca de guerra y combate. Los musulmanes esperaron a que Garib cabalgase debajo de las banderas según tenía por costumbre. Al no aparecer éste, Sahim envió a un esclavo a la tienda de su hermano. Pero no lo encontró. Preguntó a los pajes y le contestaron: «Nada sabemos». Sahim experimentó una gran pena, salió e informó a los musulmanes. Éstos se abstuvieron de entablar combate, pues dijeron: «Si Garib se ha ido, sus enemigos nos aniquilarán».

La causa de la ausencia de Garib era algo prodigioso, la citaremos con orden: cuando Achib regresó a su tienda después de haber combatido a su hermano Garib, llamó a uno de sus servidores que se llamaba Sayyar y le dijo: «¡Oh, Sayyar! Te he guardado en espera de un día como éste: te mando que te introduzcas entre las filas de Garib, que llegues hasta la tienda del rey y que lo traigas aquí, mostrándome así tu habilidad». «Oír es obedecer», le replicó. El esbirro se marchó y llegó a la tienda de Garib cuando ya era noche cerrada, cuando todos los hombres se habían ido a la cama. Sayyar se quedó plantado como si estuviese de servicio. Garib tuvo sed y le pidió agua. Le llevó una taza de agua en la que había mezclado un narcótico. En cuanto Garib terminó de beber, su cabeza fue a dar con los pies. Sayyar le envolvió en un manto, se lo cargó encima y lo transportó hasta llegar a la tienda de Achib. Una vez en ella se quedó firme y arrojó el preso a sus pies. Achib preguntó: «¿Qué es esto, Sayyar?» «Esto es tu hermano Garib». Achib se alegró y dijo: «¡Que los ídolos te bendigan! ¡Suéltalo y despiértalo!» Le dio a oler vinagre y volvió en sí. Abrió los ojos y vio que estaba atado y en una tienda que no era la suya. Exclamó: «¡No hay fuerza ni poder sino en Dios, el Altísimo, el Grande!» Su hermano le chilló: «¿Conque reúnes soldados contra mí, perro? ¿Quieres matarme y vengar a tu padre y a tu madre? Hoy te reuniré con ellos y haré que el mundo descanse, libre de ti». «¡Perro infiel! ¡Verás cómo se tuercen los acontecimientos, verás quién es el oprimido por el Rey Todopoderoso y Omnisciente, Aquel que va a meterte en el infierno en donde estarás inerme y serás atormentado! Ten piedad de ti mismo y di conmigo: "No hay dios, sino el Dios de Abraham, el amigo de Dios".» Achib se inflamó de cólera al oír las palabras de Garib, empezó a rugir, chillar e injuriar a su dios de piedra. Mandó llamar al verdugo y pidió el tapete de las ejecuciones. Acudió su visir, quien en su interior era musulmán, pero que aparentaba ser infiel, besó el suelo y dijo: «¡Rey del tiempo! Ten paciencia y no te precipites hasta que veamos quién es el vencedor y quién el vencido. Si somos los vencedores, siempre podemos matarlo, pero si somos los vencidos el tenerlo en nuestras manos nos dará fuerza». Los emires exclamaron: «¡El visir tiene razón!»

Sahrazad se dio cuenta de que amanecía e interrumpió el relato para el cual le habían dado permiso.

Cuando llegó la noche *seiscientas treinta y nueve,* refirió:

—Me he enterado, ¡oh rey feliz!, de que Achib mandó que encadenasen y pusiesen en cepos a Garib y lo dejó en su tienda custodiado por mil héroes. Las gentes de Garib vieron por la mañana que habían perdido su rey y no lo encontraban: parecían un rebaño que hubiese perdido su pastor. Sadán, el Ogro, les dijo: «¡Soldados! Coged las armas y confiad en vuestro Señor. ¡Él os defenderá!» Los árabes y los persas montaron a caballo después de haberse vestido de hierro y puesto las cotas de malla. Los jefes se mostraron, los abanderados avanzaron y el Ogro del Monte, llevando en las manos un palo que pesaba doscientas *ratl,* salió al campo. Lo recorrió de un lado a otro y dijo: «¡Adoradores de ídolos! ¡Dejaos ver! ¡Hoy es el día del choque! Quien me ha conocido ha tenido bastante con mis malos tratos;

me daré a conocer para quien no me conozca: yo soy Sadán, paje del rey Garib. ¿Hay quien quiera combatir? ¿Hay quien quiera luchar? ¡Que no se acerquen ni el cobarde ni el impotente!» Un campeón de los incrédulos avanzó: parecía que fuese una brasa de fuego. Cargó contra Sadán, quien lo acogió con un trancazo que le rompió las costillas. El enemigo cayó al suelo sin alma.

El Ogro gritó a sus hijos y esclavos. «¡Encended el fuego! ¡Asad bien a todos los infieles que caigan, aderezadlos, dejadlos hasta que estén en su punto y servídmelos como almuerzo!» Hicieron lo que les mandaba. Encendieron el fuego en medio del campo de batalla, pusieron a asar al muerto y cuando estuvo bien, se lo sirvieron a Sadán, quien comió su carne y chupó sus huesos. Los infieles, al ver lo que había hecho el Ogro del Monte, se atemorizaron muchísimo. Achib gritó a su gente: «¡Ay de vosotros! ¡Cargad contra ese ogro! ¡Heridlo con vuestras espadas! ¡Hacedlo pedazos!» Veinte mil hombres se abalanzaron sobre Sadán, mientras los infantes lo rodeaban y arrojaban dardos y venablos. Le causaron veinticuatro heridas y la sangre corrió por el suelo. Estaba luchando solo y los campeones musulmanes se abalanzaron sobre los politeístas invocando el auxilio de Dios, Señor de los mundos. La batalla y el combate duró hasta el fin del día. Entonces los contendientes se separaron. Sadán quedó prisionero: parecía que estuviese borracho de tanta sangre como había perdido. Lo ataron fuertemente y lo colocaron al lado de Garib. Éste, al ver prisionero también a Sadán, exclamó: «¡No hay fuerza ni poder sino en Dios, el Altísimo, el Grande!» Preguntó: «¡Sadán! ¿Cómo estás así?» «Señor mío: Dios (¡gloriado y ensalzado sea!) ha decretado las penas y las alegrías, da éstas y aquéllas.» «Dices la verdad, Sadán.» Achib pasó la noche contento y dijo a sus hombres: «Mañana montad a caballo y acometed al ejército de los musulmanes hasta que no quede ni uno». «¡Oír es obedecer!», le replicaron.

He aquí lo que hace referencia a los musulmanes: Pasaron la noche deshechos, llorando por su rey y por Sadán. Sahim les dijo: «¡Soldados! ¡No os preocupéis, pues Dios (¡ensalzado sea!) os devolverá pronto la alegría!» Sahim, llegada la medianoche se marchó al campamento de Achib, cruzó tiendas y pabellones hasta llegar al sitio en que éste se encontraba sentado en el trono de su poder. Los reyes le rodeaban. Sahim estaba disfrazado de paje. Se acercó a una vela encendida, la despabiló, depositó en ella polvo de un narcótico y salió al exterior. Esperó a que el humo llegase hasta Achib y sus reyes. Todos cayeron al suelo como si estuviesen muertos. Sahim los dejó así, corrió a la tienda que servía de cárcel y en ella encontró a Garib y Sadán. La custodiaban mil caballeros medio dormidos. Sahim les chilló: «¡Ay de vosotros! ¡No durmáis! ¡Vigilad a vuestro enemigo y encended las velas!» Sahim empezó a encenderlas con una madera que llevaba repleta de narcótico y dio una vuelta en torno de la tienda. El humo narcotizante entró por las narices de los dos prisioneros y se durmieron, pero también se narcotizaron todos los soldados de la vigilancia y quedaron dormidos. Sahim al-Layl llevaba vinagre en una esponja. Se la hizo oler hasta que volviesen en sí. Los libró de las cadenas y argollas y ambos le miraron, hicieron votos por él y se alegraron de verlo. Cargaron con todas las armas de los guardianes. Sahim dijo a los dos: «Id al ejército». Se marcharon. Sahim entró en el pabellón de Achib, lo envolvió en un manto, lo cargó a hombros y se dirigió a las tiendas de los musulmanes. El señor, el Misericordioso, lo ocultó hasta que estuvo en la tienda de Garib. En ella abrió el manto. Garib miró lo que había en su interior y encontró a su hermano Achib atado. Exclamó: «¡Dios es el más grande! ¡Conquista! ¡Victoria!» Garib dijo: «Sahim: ¡Despiértalo!» Éste se aproximó y le hizo oler vinagre e incienso. El prisionero abrió los ojos y se encontró atado, sujeto. Bajó la cabeza al suelo.

Sahrazad se dio cuenta de que amanecía e interrumpió el relato para el cual le habían dado permiso.

Cuando llegó la noche *seiscientas cuarenta,* refirió:

—Me he enterado, ¡oh rey feliz!, de que Garib le dijo: «¡Maldito! ¡Levanta la cabeza!» La levantó y vio que se encontraba entre persas y árabes, que su hermano estaba sentado en el trono de su reino, en la sede de su gloria. Calló, no dijo nada y Garib chilló: «¡Desnudad este perro!» Lo desnudaron y lo cubrieron de latigazos hasta que el cuerpo se le debilitó y perdió el sentido. Cien caballeros fueron los encargados de vigilarlo.

Apenas había terminado Garib de torturar a su hermano cuando se oyeron en las tiendas de los infieles gritos de: «¡No hay dios sino el Dios! ¡Dios es el más grande!» El rey al-Damig, tío de Garib, era el causante. Una vez partido éste de la Chazira, esperó diez días. Después se puso en camino con veinte mil caballeros y anduvo hasta llegar a las inmediaciones del campo de batalla. Despachó a un mensajero para que le informase. Éste permaneció ausente un día y al regreso informó al rey al-Damig de lo que había sucedido a Garib con su hermano. El soberano esperó la llegada de la noche y entonces, al grito de «Dios es el más grande», había acometido a los infieles espada en mano.

Garib y sus gentes oyeron estos gritos. Éste se dirigió a su hermano Sahim al-Layl y le dijo: «Averíguanos lo que ocurre en ese ejército y la causa de que se grite "Dios es el más grande"». Sahim se dirigió al lugar del encuentro y preguntó a los pajes. Le informaron de que el rey al-Damig, tío de Garib, había llegado con veinte mil caballeros y había dicho: «¡Juro por el amigo de Abraham que no he de abandonar al hijo de mi hermano! ¡He de portarme como un valiente, rechazar a los incrédulos y dejar satisfecho al Rey Todopoderoso!» Inmediatamente después había cargado con sus hombres, en medio de las tinieblas de la noche, contra los infieles.

Sahim al-Layl regresó junto a su hermano Garib y lo informó de lo que había hecho su tío. Garib gritó a sus hombres: «¡Coged vuestras armas y montad a caballo! ¡Ayudad a mi tío!» Sus soldados montaron, cargaron contra los infieles pasándolos al filo de la cortante espada de tal modo que al amanecer habían matado casi cincuenta mil, habían hecho prisioneros treinta mil y habían puesto en fuga, a todo lo largo y ancho de la tierra, al resto. Los musulmanes volvieron a su campo triunfalmente, victoriosos, y Garib montó a caballo y salió a recibir a su tío al-Damig. Saludó a éste y le dio las gracias por lo que había hecho. Al-Damig le dijo: «¿Quién sabe si el perro ha caído en esta batalla?» Garib le replicó: «¡Tranquilízate, tío! ¡Alégrate! Sabe que lo tengo atado». Al-Damig se alegró muchísimo, entraron en la tienda, recorrieron a pie el lugar, pasaron al pabellón y no encontraron a Achib. Garib chilló: «¡Gloria a Abraham, el amigo de Dios (¡sobre él sea la paz!)! ¡Qué mal día es éste! ¡Qué desgracia!» Llamó a los pajes y añadió: «¡Ay de vosotros! ¿Dónde está mi enemigo?» «Cuando montaste a caballo fuimos contigo, puesto que no nos mandaste tenerlo en prisión». «¡No hay fuerza ni poder sino en Dios, el Altísimo, el Grande!», exclamó Garib, y dirigiéndose a su tío añadió: «No te apresures ni te entristezcas. ¿Dónde puede ir? Vamos a buscarlo.»

El paje de Achib, Sayyar, era el causante de su huida. Éste había permanecido oculto entre las tropas y apenas pudo creer que Garib montase y se fuese sin dejar quien custodiase a su enemigo. Esperó, cogió a Achib, se lo cargó a la espalda y se lo llevó hacia el campo. El preso estaba sin sentido a causa del fuerte dolor. Anduvo muy de prisa durante la noche y al día siguiente llegó junto a una fuente de agua que estaba junto a un manzano. Dejó a Achib en el suelo, le lavó la cara y su dueño abrió los ojos. Contempló a Sayyar y le dijo: «Llévame a Kufa, en donde podré reponerme, reunir caballeros, soldados y tropas y vencer a mi enemigo. Sayyar: tengo hambre». Su servidor se dirigió al bosque, cazó una cría de avestruz, la llevó a su dueño y la sacrificó. Después, reunió leña, encendió fuego con pedernal, la asó, se la dio a comer y le hizo beber agua de la fuente. Achib recuperó fuerzas. Entonces, Sayyar se acercó a un campamento de beduinos, robó un corcel y lo llevó a Achib. Éste montó y se dirigieron a Kufa. Viajaron unos días hasta llegar cerca de la ciudad. El gobernador salió a recibir al rey Achib, lo saludó y vio que estaba débil por el tormento que le había infligido su hermano. El rey entró en la ciudad, convocó a los médicos y les dijo: «¡Curadme en menos de diez días!» Contestaron: «¡Oír es obedecer!» Los médicos se preocuparon de Achib y le curaron la enfermedad que le había causado el tormento. Entonces mandó a su visir que escribiese cartas a todos sus lugartenientes. Escribió veintiuna y las envió. Éstos reunieron tropas y se dirigieron rápidamente a Kufa.

Sahrazad se dio cuenta de que amanecía e interrumpió el relato para el cual le habían dado permiso.

Cuando llegó la noche *seiscientas cuarenta y una,* refirió:

—Me he enterado, ¡oh rey feliz!, de que Garib había quedado muy triste por la fuga de Achib. Había despachado tras él mil campeadores y los había repartido por todos los caminos. Viajaron día y noche, pero no encontraron rastro. Regresaron e informaron a Garib. Éste mandó llamar a su hermano Sahim, mas no lo encontró. Temió que le hubiese sucedido alguna desgracia. Experimentó una pena muy profunda. Mientras estaba así Sahim entró y besó el suelo ante él. Garib, al verlo, le salió al encuentro y le preguntó: «¿Dónde estabas, Sahim?» «¡Rey! He llegado hasta Kufa y he visto que ese perro de Achib ha conseguido alcanzar la sede de su poderío. Ha mandado a los médicos que lo curasen de sus heridas y así lo han hecho, devolviéndole la salud. Ha escrito cartas y las ha enviado a los lugartenientes, los cuales acuden a su lado con tropas.»

Garib mandó a sus soldados que se pusiesen en marcha. Levantaron las tiendas y se dirigieron hacia Kufa. Al llegar a esta ciudad la encontraron rodeada por un ejército semejante al mar tumultuoso, pues no tenía ni principio ni fin. Garib acampó con sus soldados frente a los incrédulos, plantaron las tiendas e izaron las banderas. Las tinieblas cayeron sobre los dos bandos, que encendieron fuegos; los dos contendientes montaron las guardias hasta que apareció el día. El rey Garib, entonces, hizo las abluciones y rezó dos *arracas* de acuerdo con lo prescrito por la religión de nuestro padre Abraham, el amigo de Dios (¡sobre él sea la paz!). Después mandó repicar a los tambores de guerra y así se hizo. Las banderas flamearon y los caballeros vistieron sus armas y montaron en sus corceles, dejándose ver en busca del campo de batalla. El primero que inició las hostilidades fue el rey al-Damig, tío del rey Garib, quien condujo su corcel por entre las dos filas de contendientes y se mostró entre los dos bandos jugando con dos lanzas y dos espadas. Los caballeros quedaron perplejos y los contendientes admirados. Gritó: «¿Hay quien quiera combatir? Que no se acerque ni el perezoso ni el impotente. Yo soy el rey al-Damig, hermano del rey Kundamir». Salió a combatir con él un caballero de los infieles que era un héroe: parecía una llama de fuego. Cargó contra al-Damig sin decir una palabra y éste le salió al encuentro y le alanceó en el pecho: la punta de la lanza salió por el hombro y Dios se apresuró a conducir su alma al infierno, ¡qué mala morada! Un segundo salió a hacerle frente, y lo mató; se presentó el tercero y lo mató, y así siguió hasta matar a setenta y seis hombres, campeadores. Entonces los enemigos y los héroes rehuyeron el combate.

El incrédulo Achib gritó a los suyos: «¡Ay de vosotros! ¡Gentes! Si combatís todos, uno después de otro, no va a quedar ni uno solo ni de pie ni sentado. ¡Cargad contra él todos a la vez para dejar a la tierra libre de ellos! ¡Haced que la cabeza de sus jefes ruede bajo los cascos de los caballos!» Entonces tremolaron el espantoso estandarte y se abalanzaron unos contra otros. La sangre corrió y se derramó por el suelo, el juez de la guerra decidió y no fue injusto en su sentencia. Los valientes se clavaron en la palestra con pie firme, mientras los cobardes daban la vuelta y huían. Combatieron hasta que el día se fue y llegó la noche con sus tinieblas; la lucha, el encuentro y el entrechocar de los sables siguió hasta que la oscuridad fue completa; entonces los infieles hicieron repicar el tambor de la retirada, pero esto no satisfizo a Garib, quien cargó contra los politeístas. Los creyentes, los monoteístas le siguieron. ¡Cuántas cabezas y cuellos cortaron! ¡Cuántas manos y espinas dorsales descoyuntaron! ¡Cuántas rodillas y nervios destrozaron! ¡Cuántos jóvenes y ancianos mataron! La llegada de la mañana vio como los politeístas emprendían la fuga y la huida; en el momento de aparecer la clara aurora estaban vencidos y los musulmanes los persiguieron hasta el mediodía. Hicieron prisioneros a más de veinte mil y los ataron.

Garib hizo alto ante la puerta de Kufa y mandó a sus pregoneros que anunciasen a la ciudad citada que dejaría en paz y tranquilidad a quienes dejasen el culto de los ídolos y proclamasen la unidad del Rey omnisciente, Creador de los hombres, de la luz y de las tinieblas. Anunciaron por las calles de la ciudad lo que había dicho: perdón a todos los que se convirtiesen, fuesen grandes o chicos: todos salieron a renovar la profesión de fe musulmana delante del rey Garib. Éste se alegró muchísimo; su pecho respiró y descansó. A continuación preguntó por Mirdás y su hija Mahdiyya y le informaron que había acampado detrás del Monte Rojo. Mandó a buscar a su hermano Sahim; éste acudió y le dijo: «Ve a buscar noticias de tu padre». Sahim montó en el corcel y no se entretuvo: agarró la lanza de negro brillo y emprendió el camino hacia el Monte Rojo. Buscó, pero no encontró noticias ni restos de gente. Halló a un jeque árabe muy anciano, decrépito por los muchos años. Sahim preguntó por los hombres y adónde habían ido. Le contestó: «¡Hijo mío! Cuando Mirdás se enteró de que Garib había ocupado Kufa se llenó de pavor. Cogió a su hija y a sus familiares, a todas las doncellas y esclavos y se internó por esa campiña y ese desierto. No sé adónde se dirige». Sahim, al oír las palabras del jeque, regresó junto a su hermano y le informó. Garib experimentó una pena muy grande, se sentó en el trono del reino de su padre, abrió sus tesoros y distribuyó las riquezas entre todos sus paladines. Se instaló en Kufa y envió espías a que averiguasen lo que había sido de Achib. Ordenó que se presentasen los grandes del reino y éstos acudieron sumisos. Lo mismo hicieron los habitantes de la ciudad. Les regaló vestidos suntuosos y les recomendó sus súbditos.

Sahrazad se dio cuenta de que amanecía e interrumpió el relato para el cual le habían dado permiso.

Cuando llegó la noche *seiscientas cuarenta y dos*, refirió:

—Me he enterado, ¡oh rey feliz!, de que un día montó a caballo y salió de caza acompañado por cien caballeros; marchó hasta llegar a un valle cuajado de muchos árboles frutales, de riachuelos y pájaros, que servía de pasto a las gacelas y a los gamos, y en el cual reposaba el espíritu de las adversidades. Permanecieron allí durante todo el día —era un buen día— y pasaron la noche. Al día siguiente, Garib, después de hacer las abluciones, rezó dos arracas, loó a Dios (¡ensalzado sea!) y le dio las gracias. De repente se oyeron gritos y se levantó un tumulto en aquel prado. Garib dijo a Sahim: «Averigua qué nuevas hay». Se marchó al momento y corrió hasta ver riquezas robadas, caballos furiosos, mujeres presas y niños que chillaban. Preguntó a los pastores: «¿Qué ocurre?» Contestaron: «Éste es el harén y las riquezas de Mirdás, señor de los Banu Qahtán, y los bienes de toda la tribu que estaba con él. Ayer Chamraqán mató a Mirdás, se apoderó de sus bienes, aprisionó a sus familiares y capturó todas las riquezas de la tribu. Chamraqán actúa de acuerdo con su costumbre de bandolero y de ladrón de caminos: es un hombre fuerte, prepotente, al que no pueden hacer frente ni los árabes ni los reyes, ya que él es "lo peor del lugar"».

Al enterarse Sahim de la muerte de su padre, de la captura de su harén y del saqueo de sus riquezas, regresó al lado de su hermano Garib y le informó. El fuego aumentó y la fiebre de la ira rugió para ir a lavar la afrenta y tomar venganza. Garib y sus hombres montaron a caballo en busca de la oportunidad. Avanzaron hasta llegar junto a unos hombres y Garib les chilló: «¡Dios es el más grande! Él hace frente a aquel que oprime, es injusto e incrédulo». En una sola carga mató a veintiún valientes. Después se plantó en el campo de batalla con un corazón que no era el de un cobarde. Preguntó: «¿Dónde está Chamraqán? Que avance para que pueda darle a gustar el vaso de la ignominia y librar de él al país». No había terminado Garib de pronunciar estas palabras cuando ya tenía plantado, ante él, a Chamraqán, quien era como un gigante enorme o como un pedazo de monte: completamente vestido de hierro, parecía un hombre muy elevado. Cargó contra Garib como un gigante prepotente, sin decir ni una palabra ni saludar. Garib, a su vez, le salió al encuentro como el león feroz. Chamraqán tenía una barra de hierro chino tan pesada, que si hubiese caído sobre un monte lo hubiese destruido. Avanzó con ella en la mano y golpeó a Garib en la cabeza. Pero éste evitó el golpe y la maza se hundió medio codo en el suelo. Garib se apoderó de la maza y golpeó a Chamraqán en los nudillos de la mano, rompiéndole los dedos. La maza se le cayó de la mano, pero Garib se inclinó desde lo alto de la silla, la agarró más rápido que el rayo cegador y volvió a golpearle en las costillas de un lado. Chamraqán cayó como si fuese una alta palmera. Sahim le rodeó los brazos con una cuerda. Los caballeros de Garib cayeron sobre los de Chamraqán: mataron a cincuenta y el resto huyó, derrotado; no pararon de correr hasta llegar a su tribu, a la que anunciaron a gritos su regreso. Todos los que estaban en la fortaleza salieron a recibirlos, preguntaron qué había pasado y les informaron de lo ocurrido. Cuando oyeron que su señor estaba prisionero corrieron a liberarlo y se dirigieron al valle.

El rey Garib tenía prisionero a Chamraqán, cuyos paladines habían huido. Aquél se apeó del caballo y mandó que le llevasen a éste. Chamraqán hizo acto de sumisión diciendo: «¡Estoy bajo tu protección, caballero del tiempo!» «¡Perro beduino! —le replicó Garib—. ¿Asaltas en el camino a los servidores de Dios (¡ensalzado sea!)? ¿No temes al Señor de los mundos?» «¡Dueño mío! ¿Qué es eso del Señor de los mundos?» «¡Perro! ¿A qué ídolo adoras?» «Adoro a una divinidad hecha de dátiles, manteca y miel. En ciertas fechas me la como y hago otra.» Garib rió, divertido, hasta caerse de espaldas y le dijo: «¡Desgraciado! Únicamente hay que adorar a Dios (¡ensalzado sea!), que te ha creado a ti, que ha creado todas las cosas, que da el sustento a todo ser vivo, al que nada se oculta y que es todopoderoso». «¿Y dónde está ese gran Señor para que pueda adorarlo?» «Sabe que esa divinidad se llama Allah y es quien ha creado los cielos y la tierra, quien hace brotar los árboles y fluir los ríos, que ha creado las fieras y los pájaros, el paraíso y el infierno. Está oculto a nuestra vista; ve y no es visto. Se encuentra en el lugar más alto y es quien nos ha creado y nos da de comer, ¡glorificado sea! No hay más dios que Él.» Chamraqán escuchó las palabras de Garib; sus oídos y corazón se abrieron, se le puso carne de gallina y exclamó: «¡Señor mío! ¿Qué he de decir para ser uno de vosotros, para que ese gran Señor esté satisfecho de mí?» «Di: "No hay más dios que el Dios de Abraham, y éste es su amigo y su enviado".» Chamraqán pronunció la profesión de fe y quedó inscrito entre la gente de la felicidad. Garib le preguntó: «¿Has probado la dulzura del Islam?» «Sí.» «¡Pues soltad sus ataduras!» Lo desataron y Chamraqán besó el suelo ante Garib. Mientras ocurría esto se levantó una nube de polvo que tapó el horizonte.

Sahrazad se dio cuenta de que amanecía e interrumpió el relato para el cual le habían dado permiso.

Cuando llegó la noche *seiscientas cuarenta y tres*, refirió:

—Me he enterado, ¡oh rey feliz!, de que Garib dijo: «Sahim: ve a ver qué es ese polvo». Éste marchó como si fuese un pájaro cuando levanta el vuelo, estuvo ausente un rato, regresó y dijo: «¡Rey del tiempo! Esa nube de polvo es de los Banu Amir, los compañeros de Chamraqán». Garib dijo a éste: «¡Monta a caballo! Ve al encuentro de tus hombres y proponles que se conviertan al Islam. Si te obedecen estarán a salvo, pero si se niegan los pasaremos por la espada». Chamraqán montó y dirigió su corcel hasta alcanzar a sus hombres. Los llamó, le reconocieron, descabalgaron y se acercaron a él. Dijeron: «¡Nos alegra que te hayas salvado, señor nuestro!» «¡Gentes mías! Quien me obedezca estará a salvo, y partiré con este sable a quien me desobedezca.» «¡Mándanos lo que quieras, pues no desacataremos tu orden!» «Decid conmigo: "No hay dios sino es el Dios de Abraham y éste es su amigo".» «¡Señor nuestro! ¿De dónde has sacado estas palabras?» Les contó todo lo que le había ocurrido con Garib y añadió: «¡Gentes mías! ¿Es que no sabéis que en el campo de batalla, en las lides de la guerra y en el manejo de la lanza valgo tanto como todos vosotros? Pues un solo hombre me ha hecho prisionero y me ha hecho probar la humillación y el envilecimiento». Cuando sus hombres oyeron esto pronunciaron las palabras declarando la unicidad de Dios. Chamraqán los condujo ante Garib y ante éste renovaron su profesión de fe, hicieron votos por su poder y por su gloria y después besaron el suelo. Les dijo: «Id a vuestra tribu y explicadles el Islam». Chamraqán intervino: «¡Señor! Nuestras gentes no volverán a separarse de ti. Iremos a buscar a nuestros hijos y volveremos a tu lado». Garib replicó: «¡Gentes! Id y reuníos conmigo en la ciudad de Kufa». Chamraqán y sus hombres montaron a caballo, alcanzaron a su tribu y expusieron a sus mujeres e hijos el Islam. Se convirtió hasta el último. Destruyeron sus cosas y sus tiendas y se pusieron en marcha hacia Kufa llevando sus caballos, camellos y ganado.

Garib había llegado a Kufa y sus caballeros, formando un cortejo, habían salido a recibirle. Entró en el alcázar del rey, se sentó en el trono de su padre y los caballeros se extendieron a su derecha e izquierda. Los espías se presentaron ante él y le informaron de que su hermano había conseguido llegar ante al-Chaland b. Karkar, señor de la ciudad de Omán, en la tierra del Yemen. Garib, al oír las nuevas de su hermano gritó a sus gentes: «¡Soldados! ¡Preparad vuestras provisiones de viaje para dentro de tres días!» Invitó a treinta mil prisioneros que había hecho al principio de la batalla a convertirse al Islam y a acompañarle. Veinte mil se convirtieron. Los restantes diez mil se negaron y los mató. Más tarde llegó Chamraqán con sus gentes. Besaron el suelo ante él y Garib les regaló suntuosos vestidos y nombró a aquél almocadén de sus tropas diciendo: «¡Chamraqán! Tú, y tus más notables contríbulos, montad, tomad veinte mil caballeros, formad la vanguardia de mi ejército y dirigíos hacia el país de al-Chaland b. Karkar, señor de la ciudad de Omán». «¡Oír es obedecer!», contestó. Dejaron sus mujeres y niños en Kufa y se marcharon.

Garib pasó revista al harén de Mirdás y cuando su mirada se posó en Mahdiyya, que se encontraba entre las mujeres, cayó desmayado. Le rociaron la cara con agua de rosas y al volver en sí la abrazó, se fue con ella a una habitación, se sentaron y durmieron juntos, sin tocarse, hasta la llegada de la aurora. Garib fue, entonces, a sentarse en el trono de su reino, colmó de favores a su tío al-Damig y le nombró su lugarteniente para todo el Iraq recomendándole que cuidase de Mahdiyya hasta que regresase de la algazúa que emprendía contra su hermano. Su tío obedeció sus órdenes. Garib se puso en marcha con veinte mil caballeros y diez mil infantes, dirigiéndose hacia la tierra de Omán en el país del Yemen.

Achib había conseguido llegar a la ciudad de Omán con sus gentes derrotadas. Los habitantes de la ciudad vieron la nube de polvo; su rey al-Chaland b. Karkar la divisó también y mandó a sus correos que averiguasen de qué se trataba. Estuvieron ausentes un rato y regresaron para decirle: «En el interior de esa polvareda hay un rey que se llama Achib que es señor del Iraq». Al-Chaland se admiró de que Achib fuese a su tierra: cuando se convenció de que así era, dijo a sus hombres: «¡Salid a recibirlo!» Los soldados salieron a recibir a Achib y levantaron las tiendas junto a la puerta de la ciudad. Achib, llorando y con el corazón triste, acudió a ver a Chaland. Éste tenía por esposa a una sobrina de Achib que le había dado hijos. Por esto, al ver a su cuñado en ese estado le dijo: «¡Dime qué es lo que te pasa!» Le contó todo lo que le había ocurrido con su hermano desde el principio hasta el fin y añadió: «¡Oh, rey! Él manda a las gentes que adoren al Señor de los cielos y les prohíbe que den culto a los ídolos y demás divinidades». Al-Chaland se enfadó e indignó al oír estas palabras y exclamó: «¡Juro por el sol que posee la luz que no he de dejar en pie ni una casa de los súbditos de tu hermano! ¿Dónde has dejado a esas gentes? ¿Cuántos son?» «Los he dejado en Kufa y son cincuenta mil caballeros.» El rey llamó a sus hombres y al visir Chawamard. Le dijo: «Coge setenta mil hombres, ve al encuentro de los musulmanes y tráemelos vivos para que pueda torturarlos de todos los modos posibles». Chawamard montó a caballo y al frente del ejército se dirigió hacia Kufa. Viajó el primero y el segundo día y lo mismo hizo hasta el séptimo. Durante la marcha los soldados se internaron por un valle que tenía árboles, riachuelos y frutos. Chawamard ordenó a...

Sahrazad se dio cuenta de que amanecía e interrumpió el relato para el cual le habían dado permiso.

Cuando llegó la noche *seiscientas cuarenta y cuatro,* refirió:

—Me he enterado, ¡oh rey feliz!, de que [Chawamard ordenó a] sus gentes que acampasen y descansasen hasta medianoche. A esta hora Chawamard levantó el campo y les mandó que se pusiesen en marcha. Él montó en su corcel y se puso a su frente. Anduvieron hasta la llegada de la aurora en que llegaron a un valle con muchos árboles, cuyas flores exhalaban un penetrante perfume y en el que cantaban los pájaros y cimbreaban las ramas.

El demonio le insufló la tentación en su pecho y recitó estos versos:

> Me sumerjo en el mar de tumultuosas olas con mi ejército y gracias a mi esfuerzo y mi fuerza hago prisioneros.
>
> Sabed, caballeros de este país, que los caballeros me temen y defiendo a mis gentes.
>
> Apresaré a Garib, al que cargaré de cadenas, y regresaré contento: mi alegría será completa.
>
> Me pondré la armadura, cogeré mi equipo y por todas partes me meteré en la batalla.

Apenas había terminado de pronunciar Chawamard estas palabras cuando ya aparecía entre los árboles un caballero alto, cubierto de hierro. Gritó a Chawamard: «¡Tente en pie, bandido de árabe! ¡Quítate los vestidos y tus arreos, apéate de tu caballo y sálvate!» Al oír estas palabras la luz se transformó en tinieblas a los ojos de Chawamard. Desenvainó la espada y cargó sobre al-Chamraqán chillando: «¡Bandido de árabe! ¿Te atreves a cortarme el camino a mí, que soy el jefe del ejército de al-Chaland b. Karkar, enviado por éste para llevarle a Garib y sus hombres en cadenas?» Al-Chamraqán exclamó al oír estas palabras: «¡Cómo me refrescas el corazón!», y cargó contra su enemigo recitando estos versos:

> Yo soy el caballero bien conocido en el campo de batalla; el enemigo teme mi lanza y mi espada.

Yo soy al-Chamraqán en quien se confía en los
malos ratos. Entre los hombres, los caballeros
conocen mis lanzazos.
Garib es mi príncipe, mi imán y mi señor: es
aquel que, en el día que se encuentran los enemigos, es el héroe.
Es un príncipe asceta, religioso y valiente, que
aniquila al enemigo en el ardor del combate.
Invita a la religión del Amigo salmodiando versículos, por más que pese a los ídolos de los
incrédulos.

Al-Chamraqán había salido con sus hombres de la ciudad de Kufa y había viajado sin interrupción durante diez días. Al undécimo habían hecho alto hasta la medianoche. A esta hora al-Chamraqán había dado la orden de partir. Éste montó en su corcel y se puso a su frente, yendo a parar a dicho valle, en el que oyó recitar a Chawamard lo que se ha citado anteriormente. Cargó contra él como un león feroz, le golpeó con la espada y lo partió en dos mitades. Después esperó la llegada de los jefes que le seguían y les informó de lo que ocurría. Les dijo: «Cada grupo de cinco de vosotros cogerá cinco mil hombres y contorneará el valle. Yo me quedaré con los Banu Amir. En cuanto me alcance el primer enemigo yo cargaré contra él gritando: "¡Dios es el más grande!" Al oír este grito cargad vosotros también chillando: "¡Dios es el más grande!" ¡Atacadlos, acometedlos con vuestras espadas!» Contestaron: «¡Oír es obedecer!» Fueron en busca de sus campeones y les informaron de lo que había que hacer y se dispersaron por el valle en el momento de romper la aurora. Vieron que llegaba un tropel de gente que parecía un rebaño y que fue ocupando la llanura y el monte. Entonces al-Chamraqán y los Banu Amir cargaron gritando: «¡Dios es el más grande!» Los creyentes y los incrédulos lo oyeron. Los primeros replicaron desde todas partes: «¡Dios es el más grande! ¡Concede el triunfo y la victoria y humilla a los incrédulos!» Los montes y las colinas, los desiertos y los prados hicieron eco diciendo: «¡Dios es el más grande!» Los infieles quedaron perplejos y se acometieron unos a otros con la afilada espada. Los puros musulmanes atacaron a su vez como si fueran una llama de fuego y ya sólo se vio el volar de las cabezas, el correr de la sangre, los cobardes indecisos y cuando se pudieron distinguir las caras se habían exterminado ya los dos tercios de los infieles. Dios precipitó su marcha hacia el fuego (¡qué pésima morada es!). El resto inició la fuga y se dispersaron por el desierto. Los musulmanes los persiguieron haciendo prisioneros a unos y matando a otros hasta el mediodía. Cuando regresaron a su campo habían hecho siete mil prisioneros. Sólo consiguieron escapar veintiséis mil incrédulos, la mayoría heridos. Los musulmanes regresaron triunfantes, victoriosos y reunieron los caballos, los pertrechos, los fardos y las tiendas y lo enviaron a Kufa con mil caballeros.

Sahrazad se dio cuenta de que amanecía e interrumpió el relato para el cual le habían dado permiso.

Cuando llegó la noche *seiscientas cuarenta y cinco,* refirió:

—Me he enterado, ¡oh rey feliz!, de que al-Chamraqán y los soldados del Islam bajaron de sus caballos y expusieron a los prisioneros su religión. Éstos se convirtieron externa e internamente. Les quitaron las ligaduras y los abrazaron. Al-Chamraqán pasó a ser jefe de un gran ejército. Dejó descansar a sus hombres durante un día y una noche. Al amanecer se puso en marcha hacia el país de al-Chaland b. Karkar, mientras los mil caballeros con el botín se ponían en marcha, llegaban a Kufa e informaron al rey Garib de lo que había ocurrido. Éste se puso contento y dirigiéndose al Ogro del Monte le dijo: «Monta a caballo, toma veinte mil hombres y sigue a al-Chamraqán». El Ogro, Sadán, montó a caballo; sus cinco hijos hicieron lo mismo y al frente de veinte mil caballeros se dirigieron hacia la ciudad de Omán.

Los infieles, vencidos, habían llegado a su ciudad llorando, lamentándose por la desgracia sufrida. Al-Chaland b. Karkar les preguntó: «¿Qué desgracia os ha ocurrido?» Le contaron lo sucedido y exclamó: «¡Ay de vosotros! ¿Cuántos eran?» «¡Rey! Tenían veinte estandartes y debajo de cada estandarte iban mil caballeros.» El rey, al oír estas palabras, chilló: «¡Que el sol no os conceda su bendición! ¡Ay de vosotros! ¿Os habéis dejado vencer por veinte mil hombres siendo vosotros setenta mil? Chawamard podía competir, solo, en el campo de batalla, con tres mil hombres». Desenvainó la espada con gran enojo y gritó a los que estaban a su lado: «¡Cargad contra ésos!» Los presentes desenvainaron la espada, atacaron a los fugitivos, los mataron hasta el último y los echaron a los perros. Después, al-Chaland llamó a su hijo y le dijo: «Coge cien mil caballeros, ve al Iraq y destrúyelo por completo». El rey al-Chaland tenía un hijo que se llamaba al-Qurachán. En el ejército no había caballero mejor que él, ya que era capaz de hacer frente a tres mil caballeros. Al-Qurachán sacó las tiendas fuera de la ciudad y corrieron a reunírsele los héroes, los hombres; tomaron sus armas, se pusieron sus arreos de guerra y partieron fila tras fila.

Al-Qurachán iba al frente de todo el ejército y, orgulloso de sí mismo, recitaba estos versos:

> Yo soy al-Qurachán y mi nombre es famoso; he vencido a nómadas y sedentarios.
> ¡Cuántos caballeros, cuando les he dado muerte, han mugido como una vaca al caer al suelo!
> ¡A cuántos soldados he vencido haciendo rodar su cabeza como una pelota!
> Voy a realizar una algazúa en el Iraq y haré correr la sangre de los enemigos como lluvia.
> Haré prisioneros a Garib y sus héroes: serán ejemplo para la gente que sabe ver.

Avanzaron durante doce días. Mientras marchaban distinguieron una polvareda que cubría el horizonte. Al-Qurachán gritó a los correos: «¡Traedme noticia de qué significa esa nube!» Éstos salieron corriendo pasando por debajo de los estandartes; regresaron junto a al-Qurachán y le dijeron: «¡Rey! ¡Es la polvareda de los musulmanes!» El príncipe se alegró y preguntó: «¿Los habéis contado?» «Hemos contado veinte estandartes.»

«¡Juro por mi religión que no he de enviar contra ellos ni un hombre! Iré yo solo y transformaré sus cabezas en cascos para los caballos.» Esa polvareda era la que levantaba al-Chamraqán. Éste distinguió el ejército de infieles y vio que formaba olas como las del mar tormentoso. Mandó a sus hombres que hiciesen alto y levantasen las tiendas. Se detuvieron y plantaron las tiendas al tiempo que rezaban al Rey omnisciente, Creador de la luz y de las tinieblas, Señor de todas las cosas, que ve y no es visto y que se encuentra en el lugar más alto (¡gloriado y ensalzado sea!). No hay dios sino Él. Los incrédulos hicieron alto, levantaron sus tiendas. Su jefe les dijo: «Coged vuestras armas, haced vuestros preparativos y dormid armados. Cuando llegue el último tercio de la noche, montad a caballo y aplastad ese puñado de hombres».

Pero los espías de al-Chamraqán estaban alerta y oyeron lo que urdían los incrédulos. Regresaron a su campo e informaron a al-Chamraqán. Éste se volvió a sus paladines y les dijo: «¡Preparad vuestras armas! Cuando llegue la noche, traedme los mulos y los camellos, campanillas y objetos que repiquen. Colocadlos en el cuello de los camellos y de los mulos». Tenían más de veinte mil camellos y mulos. Esperaron hasta que los infieles se hubieron dormido. Entonces al-Chamraqán mandó a su gente que montase. Montaron, se confiaron a Dios y pidieron al Señor de los mundos que les concediese la victoria. Después les dijo: «Conducid los camellos y las bestias de carga hacia los infieles y azuzadlos con la punta de las lanzas». Hicieron lo que les mandaba con todos los mulos y camellos y después cargaron sobre las tiendas de los incrédulos. Las campanillas, campanas y ajorcas resonaron y los musulmanes avanzaron detrás gritando: «¡Dios es el más grande!» Los montes y colinas se hicieron eco de la mención del Rey altísimo que posee la fuerza y la majestad. Los caballos, al oír este fragor, se lanzaron sobre las tiendas en que dormían los soldados.

Sahrazad se dio cuenta de que amanecía e interrumpió el relato para el cual le habían dado permiso.

Cuando llegó la noche *seiscientas cuarenta y seis,* refirió:

—Me he enterado, ¡oh rey feliz!, de que los politeístas se levantaron aturdidos, cogieron las armas y se acometieron entre sí hasta matarse la mayoría. Al fijarse vieron que no había ningún musulmán muerto, observaron que éstos estaban montados a caballo y armados; se dieron cuenta de que todo había sido una estratagema. Al-Qurachán gritó a los soldados que le quedaban: «¡Hijos del adulterio! Lo que queríamos hacer con ellos, lo han hecho con nosotros. Su treta ha vencido a la nuestra». Se disponían a lanzarse al ataque cuando vieron que se levantaba una nube de polvo que tapaba el horizonte; el viento la hacía subir y flamear quedando colgada en el aire. Debajo de la polvareda brillaban los cascos y relampagueaban las corazas; todos los que iban debajo eran excelsos héroes que ceñían espadas indias y empuñaban flexibles lanzas. Los infieles, al ver la polvareda, rehusaron el combate y cada uno de los contendientes envió un correo que se internó por debajo de la polvareda, regresó e informó de que se trataba de musulmanes.

El ejército que llegaba era el del Ogro del Monte que había despachado Garib. Su jefe, avanzando al frente, se reunió con el ejército de los píos musulmanes. Entonces al-Chamraqán y los suyos cargaron, como si fuesen una llama de fuego, contra los incrédulos, y ensañaron en éstos sus espadas cortantes y las vibrantes lanzas rudayníes: el día se transformó en tinieblas y el mucho polvo cegó la vista; los valientes se plantaron firmes y los cobardes huyeron por la campiña y el desierto; la sangre cayó en el suelo como si fuese una ola en el rompiente. La lucha y el combate siguieron hasta el fin del día y la llegada de la noche con sus tinieblas. Los musulmanes se separaron de los incrédulos, se dirigieron a sus tiendas, comieron y durmieron hasta que se disiparon las tinieblas y llegó el día con su sonrisa. Los musulmanes rezaron la oración de la mañana y montaron para acudir a la batalla.

Una vez hubieron dejado de combatir, al-Qurachán vio que la mayoría de sus hombres estaban heridos y que dos tercios habían muerto por la espada y por la lanza. Dijo a sus soldados: «¡Gentes! Mañana me dejaré ver en el campo de batalla, en la palestra de la guerra, en donde se alancea y desafiaré a los valientes». Al día siguiente, cuando se hizo claro, ambos montaron a caballo y el griterío subió de punto, desenfundaron las armas, bajaron las negras lanzas y formaron en fila de combate. El primero que abrió la puerta de la batalla fue al-Qurachán b. al-Chaland b. Karkar diciendo: «¡Que hoy no se presente el perezoso o el impotente!» Esto ocurría mientras al-Chamraqán y el Ogro estaban bajo los estandartes. Un almocadén de los Banu Amir avanzó e hizo frente a al-Qurachán en el campo de batalla. Los dos se atacaron como si fuesen machos cabríos dándose cornadas durante un lapso de tiempo, al cabo del cual al-Qurachán se abalanzó sobre el almocadén, lo agarró por el cuello de la armadura, lo atrajo hacia sí arrancándolo de la silla, lo derribó en el suelo y lo mantuvo sujeto. Los infieles lo ataron y lo llevaron a sus tiendas. Al-Qurachán corrió arriba y abajo incitando al combate y salió un segundo almocadén. Lo capturó e hizo lo mismo: así, antes del mediodía, había hecho prisioneros a siete jefes. Entonces al-Chamraqán gritó de tal modo que resonó en el campo y lo oyeron los dos ejércitos; avanzó contra al-Qurachán con el corazón firme y recitó estos versos:

Yo soy al-Chamraqán, el del corazón fuerte; todos los caballeros temen mi carga.
He destruido castillos y los he dejado llorando y suspirando por la pérdida de sus hombres.
¡Qurachán! Estás cerca del buen camino: abandona la senda de la perdición.
Acepta que hay un solo Dios en lo alto del cielo, que ha hecho correr los mares y ha anclado los montes.
Si el hombre se hace musulmán, el día de mañana encontrará refugio en un paraíso y apartará de sí el tormento eterno.

Al-Qurachán, al oír las palabras de al-Chamraqán, resopló, se inflamó, injurió al sol y a la luna y cargó sobre al-Chamraqán recitando estos versos:

Yo soy al-Qurachán, el valiente de la época: los
leones de al-Sara temen mi figura.
He dominado las fortalezas y he cazado las fieras: todos los caballeros temen combatirme.
¡Chamraqán! Si no crees lo que digo, ¡acércate
y lucha conmigo!

Al-Chamraqán cargó contra al-Qurachán con el corazón fuerte: se acometieron con las espadas mientras las filas se alborotaban y empuñando las lanzas se acometían; el griterío aumentó y no descansaron del combate y de la lucha hasta la caída de la tarde y el fin del día. En este momento al-Chamraqán se abalanzó sobre al-Qurachán, le descargó la maza en el pecho y lo derribó por el suelo como si fuese un tronco de palmera. Los musulmanes lo sujetaron y lo ataron con cuerdas como si fuese un camello. Los incrédulos, al ver que su señor estaba prisionero, cargaron contra los musulmanes ciegos por el celo de la ignorancia, intentando librar a su dueño. Los paladines de los creyentes los rechazaron dejándolos tendidos en el suelo: el resto huyó en busca de la salvación mientras la espada tintineaba en su nuca. Los musulmanes los persiguieron hasta que los dispersaron por montes y desiertos. Después los dejaron, regresando al botín: multitud de caballos y tiendas, ¡qué estupendo botín! Más tarde al-Chamraqán expuso el Islam a al-Qurachán, lo amenazó, pero no se convirtió. Le cortaron el cuello y pusieron la cabeza en la punta de una lanza. Se pusieron en camino en dirección de la ciudad de Omán.

He aquí lo que hace referencia a los incrédulos: Informaron al rey de la muerte de su hijo y de la destrucción de su ejército. Al-Chaland, al oír esta noticia, tiró su corona por el suelo y se abofeteó el rostro hasta que la sangre le salió por las narices, cayendo desmayado en el suelo. Le rociaron la cara con agua de rosas, volvió en sí y gritó a su visir: «Escribe cartas a todos los lugartenientes y ordénales que no descuiden ni a un caballero, ni a un lancero ni a un arquero; que acudan todos». Las cartas fueron escritas y enviadas por correos. Los lugartenientes hicieron sus preparativos y se pusieron en marcha con un ejército de ciento ochenta mil hombres. Prepararon las tiendas, los camellos y los corceles y se disponían a partir cuando al-Chamraqán y Sadán, el Ogro, hicieron su aparición acompañados por setenta mil caballeros que parecían feroces leones: todos iban cubiertos por sus armaduras.

Al-Chaland se alegró mucho al ver que llegaban los musulmanes y exclamó: «¡Juro por el sol que da luz que no dejaré vivo a ningún enemigo ni tan siquiera para que pueda dar noticia de lo ocurrido; derruiré el Iraq y tomaré venganza por la muerte de mi hijo, el caballero legendario: el fuego de mi ira no se enfriará!» Volviéndose hacia Achib añadió: «¡Perro del Iraq! ¡Éstos son los beneficios que nos has traído! ¡Juro por el ser al que adoro que si no tomo venganza de mi enemigo te haré morir de un modo terrible!» Achib experimentó un gran pesar al oír estas palabras y empezó a censurarse a sí mismo. Esperó a que los musulmanes acampasen, levantasen sus tiendas y la noche oscureciera. Él se encontraba aislado en las tiendas con sus familias. Les dijo: «¡Primos! Sabed que cuando los musulmanes han avanzado, al-Chaland y yo hemos sentido un gran temor y me he dado cuenta de que él ya no puede protegerme ni de mi hermano ni de nadie. Opino que debéis venir conmigo, en cuanto las guardias se adormezcan, y marchar junto al rey Yaarib b. Qahtán, ya que éste posee muchos ejércitos y es más fuerte». Sus hombres al oír esto dijeron: «Así es». Les mandó que encendiesen el fuego en la puerta de las tiendas y que se pusiesen en marcha en medio de las tinieblas de la noche. Hicieron lo que les había mandado y cruzaron sin cesar muchos países.

Por la mañana, el rey al-Chaland y doscientos sesenta mil soldados cubiertos de hierro y cotas de malla se despertaron. Repicaron los tambores y formaron en fila para alancearse y combatir. Al-Chamraqán, Sadán y cuarenta mil caballeros, héroes, valientes, montaron a caballo. Bajo cada estandarte había mil caballeros valientes adiestrados en el combate. Los dos ejércitos se alinearon dispuestos a combatir y alancear: desenfundaron la espada, y prepararon la punta de las lanzas para dar de beber la copa de la muerte. Sadán fue el primero que inició la lucha: parecía un monte de granito o un *marid*; mató a un paladín de los incrédulos que se atrevió a hacerle frente, lo arrojó al suelo y gritó a sus hijos y pajes: «¡Encended el fuego y asadme al muerto!» Hicieron lo que les había mandado, se lo sirvieron asado, se lo comió y chupó los huesos, mientras los incrédulos lo miraban desde lejos. Exclamaron: «¡Por el sol que da la luz!», y se aterraron por tener que combatir con Sadán. Al-Chaland gritó a sus hombres: «¡Matad a ese asqueroso!» Un almocadén de los infieles salió al campo y Sadán lo mató: fue matando caballero tras caballero hasta dejar tendidos a treinta. Entonces, los malditos incrédulos renunciaron a seguir luchando con Sadán diciendo: «¿Quién puede combatir con los genios y ogros?» Pero al-Chaland les objetó: «¡Cargad a la vez ciento contra él y traédmelo prisionero o muerto!»

Cien caballeros se abalanzaron, espada y lanza en la mano, sobre Sadán. Éste les salió al encuentro, más fuerte que la roca, proclamando la unidad del Rey que retribuye, al que nadie puede apartar de su fin. Exclamó: «¡Dios es el más grande!» Los acometió con la espada, empezó a segar cabezas y de la primera acometida mató a setenta y cuatro. El resto huyó. Al-Chaland chilló a diez generales cada uno de los cuales tenía a sus órdenes mil campeones. Les dijo: «¡Asaetead su caballo para que Sadán caiga al suelo! ¡Agarradlo!» Diez mil caballeros se lanzaron sobre Sadán, quien los esperó con el corazón fuerte. Al-Chamraqán y los musulmanes vieron que los infieles se lanzaban contra Sadán y al grito «¡Dios es el más grande!», salieron a acometerlos. Pero antes de que hubiesen podido llegar junto a Sadán, el caballo de éste había sido derribado y el Ogro se encontraba prisionero. Los musulmanes atacaron a los incrédulos hasta la caída de la noche, cuando ya no se pudo ver: las cortantes espadas repicaban, los caballeros valientes se sostenían firmes, mientras los cobardes quedaban sin aliento. Los musulmanes estaban entre los infieles como una mancha blanca sobre el toro negro.

Sahrazad se dio cuenta de que amanecía e interrumpió el relato para el cual le habían dado permiso.

Cuando llegó la noche *seiscientas cuarenta y siete,* refirió:

—Me he enterado, ¡oh rey feliz!, de que los combates y la lucha se prolongaron hasta la llegada de las tinieblas: entonces se separaron. Los incrédulos habían perdido innumerables soldados. Al-Chamraqán y sus hombres se retiraron muy apenados por la pérdida de Sadán: no les apetecía ni comer ni dormir. Calcularon sus muertos y vieron que no llegaban a mil. Al-Chamraqán dijo: «¡Soldados! Mañana me mostraré en el campo de batalla, en la palestra de la lucha y del combate. Mataré a sus héroes, aprisionaré a sus familias, los reduciré a cautividad y rescataré a Sadán si el Rey retribuidor, Aquel a quien nada aparta de sus designios, lo permite». Estas palabras tranquilizaron el corazón de los musulmanes. Se alegraron, se separaron y se dirigieron a sus tiendas.

Por su parte, al-Chaland entró en su pabellón y se sentó en el trono de su reino. Sus súbditos formaron un círculo a su alrededor. Mandó que le llevasen a Sadán. Lo colocaron ante él y le increpó: «¡Perro de perros! ¡Oh, el más ínfimo de los árabes! ¡Leñador que has dado muerte a mi hijo al-Qurachán, héroe del tiempo que mataba a los campeadores y derribaba a los valientes!» Sadán replicó: «Lo ha matado al-Chamraqán, jefe del ejército del rey Garib, señor de los caballeros, y yo lo he asado y lo he comido porque tenía hambre». Los ojos de al-Chaland se desorbitaron al oír las palabras de Sadán. Mandó que le cortasen el cuello. El verdugo se acercó a Sadán para cumplir su oficio. Entonces éste se revolvió en sus ligaduras, las rompió, se abalanzó sobre el verdugo, le arrebató la espada, le cortó la cabeza, se dirigió hacia al-Chaland, lo derribó del trono y huyó: cayó sobre los que estaban presentes, mató veinte hombres de la casa del rey, y los restantes jefes huyeron. Se levantó el griterío entre el ejército de los incrédulos; Sadán acometió a todos los que encontró por delante golpeando a diestra y a siniestra. Entonces le abrieron paso, cruzó por este corredor y acometiendo a todos con la espada salió de sus tiendas y se dirigió a las de los musulmanes.

Éstos estaban escuchando el alboroto de los incrédulos y decían: «Tal vez les llegan refuerzos». Mientras permanecían atónitos Sadán hizo acto de presencia. Se alegraron muchísimo por su llegada y quien más satisfacción tuvo fue al-Chamraqán. Éste lo saludó y lo mismo hicieron los musulmanes, felicitándolo por haberse salvado. Hasta aquí lo que a ellos se refiere.

He aquí lo que hace referencia a los incrédulos: Volvieron al pabellón, junto a su rey, una vez hubo desaparecido Sadán. El rey les dijo: «¡Gentes! ¡Juro por el sol que da la luz! ¡Juro por las tinieblas de la noche y la luz del día! ¡Juro por los planetas! Hoy he creído que no escapaba a la muerte. Si su mano llega a alcanzarme me hubiese comido y para él no hubiese sido ni tan siquiera lo que un grano de trigo, de cebada o cualquier otro cereal». «¡Rey del tiempo! —le replicaron—, jamás hemos visto hacer a nadie lo que ha hecho este ogro.» «Gentes mías: mañana empuñad vuestras armas, montad en vuestros corceles y derribad a los enemigos bajo los cascos de vuestros caballos.»

He aquí lo que se refiere a los musulmanes: Contentos por la victoria y la liberación de Sadán el Ogro volvieron a reunirse. Al-Chamraqán les dijo: «Mañana, en el campo de batalla, os mostraré lo que hago, lo que debe hacer uno como yo. ¡Juro por el amigo de Abraham que les daré mala muerte y que los acometeré con la cortante espada de tal modo que las personas inteligentes quedarán perplejas! He decidido atacar sus alas derecha e izquierda. Cuando veáis que cargo contra el rey, que se mantendrá debajo de los estandartes, seguid en pos de mí para que Dios decrete algo que ha de suceder».

Las dos partes pasaron la noche en guardia hasta que se hizo de día y el sol se mostró a la vista. Entonces, montaron a caballo en menos de un abrir y cerrar de ojos, el cuervo de la separación graznó y se observaron unos a otros. Se dispusieron en orden de guerra y de combate. El primero que comenzó las hostilidades fue al-Chamraqán, quien corrió arriba y abajo en busca de combate. Al-Chaland y sus hombres se disponían a atacar cuando vieron que se levantaba una nube de polvo que tapaba el horizonte y oscurecía el día; los cuatro vientos disolvieron la polvareda y debajo aparecieron caballeros con corazas, valientes héroes, espadas cortantes, lanzas afiladas y hombres que parecían fieras, incapaces de sentir temor o miedo. Los dos ejércitos renunciaron al combate en cuanto vieron la polvareda, y enviaron mensajeros para que averiguasen de qué se trataba y qué gentes eran las que llegaban levantando tanto polvo. Los correos fueron, se metieron debajo de la nube y se perdieron de vista. Después de un rato regresaron. El correo de los incrédulos informó que los recién llegados constituían un ejército musulmán mandado por su rey Garib. El correo de los musulmanes regresó e informó de la llegada del rey Garib y sus hombres. Se alegraron mucho de su llegada. Condujeron sus caballos al encuentro de su rey, se apearon, besaron el suelo ante él, lo saludaron y...

Sahrazad se dio cuenta de que amanecía e interrumpió el relato para el cual le habían dado permiso.

Cuando llegó la noche *seiscientas cuarenta y ocho,* refirió:

—Me he enterado, ¡oh rey feliz!, de que [lo saludaron y] se colocaron a su alrededor. Garib les dio la bienvenida contento porque estaban salvos. Llegaron a las tiendas, le levantaron un pabellón y colocaron los estandartes. El rey Garib se sentó en el trono del reino; los grandes se colocaron en torno suyo y le contaron todo lo que le había ocurrido a Sadán.

Por su parte los incrédulos buscaron a Achib, pero no lo encontraron ni entre ellos ni en sus tiendas. Informaron de su huida a al-Chaland b. Karkar y éste se sulfuró, se mordió los dedos y dijo: «¡Juro por el sol que da luz que es un perro traidor! ¡Ha huido con sus malditas gentes por la campiña y el desierto! Para rechazar a este enemigo va a ser necesario un duro combate. Estad seguros de vosotros mismos, fortificad vuestros corazones y estad en guardia ante los musulmanes».

El rey Garib dijo a sus hombres: «Estad seguros de vosotros mismos, fortificad vuestros corazones y pedid auxilio a vuestro Señor rogándole que os conceda la victoria sobre vuestro enemigo». Le contestaron: «¡Oh, rey! Verás lo que hacemos al cargar en la palestra, al encontrarnos en el campo de la guerra y el combate». Los dos bandos durmieron hasta que apareció la aurora, se hizo de día y salió el sol por encima de las colinas y las llanuras. Garib rezó dos *arracas* según la religión de Abraham, el Amigo (¡sobre el cual sea la paz!), y escribió una carta que envió con su hermano Sahim a los incrédulos. Cuando llegó ante éstos le preguntaron: «¿Qué quieres?» «Deseo ver a quien os manda.» «Quédate aquí mientras vamos a preguntarle qué hay que hacer contigo.»

Sahim se quedó allí y ellos fueron a ver a al-Chaland y le informaron de la situación. Dijo: «¡Traédmelo!» Lo condujeron ante él. Preguntó: «¿Quién te envía?» «El rey Garib al que Dios ha concedido el gobierno de los árabes y de los persas. Toma su carta y da tu contestación.» Al-Chaland cogió la carta, la desdobló, la leyó y vio que decía: «En el nombre de Dios, el Clemente, el Misericordioso, Señor eterno, el Único grande, el que conoce todas las cosas, Señor de Noé, Salih, Hud y Abraham, Señor de todas las cosas. Salud a quienes siguen el recto camino, temen las consecuencias de la perdición y obedecen al Rey más excelso, siguen la buena senda y prefieren la última vida a la terrena». Y después: «Al-Chaland, no adores más que al Dios único, todopoderoso, creador de la noche y del día y de la esfera que gira; el que ha enviado a los píos profetas, hace correr los ríos, ha levantado el cielo, ha extendido la tierra, ha hecho brotar los árboles, ha concedido alimento a los pájaros en su nido y a las fieras en el desierto. Él es Dios, el Todopoderoso, el Indulgente, el que perdona, Aquel a quien las miradas no alcanzan y hace que el día suceda a la noche. Es quien ha mandado a los mensajeros y ha revelado las escrituras. Sabe, ¡oh, Chaland!, que no hay más religión que la de Abraham, el Amigo. Si te conviertes escapas a la espada cortante en esta vida y al tormento del fuego en la otra. Si no aceptas el Islam te prometo la destrucción, la ruina de tu país y la pérdida de todo rastro. Envíame a Achib, el perro, para que pueda vengar a mi padre y a mi madre». Al-Chaland, leída la carta, dijo a Sahim: «Di a tu dueño que Achib ha huido con sus hombres y que no sabemos adónde ha ido. Al-Chaland no renuncia a su religión y mañana combatiremos. El sol nos ayudará». Sahim volvió junto a su hermano, le informó de lo ocurrido y durmieron hasta que amaneció. Entonces, los musulmanes cogieron las armas de guerra, montaron en los veloces corceles y mencionaron públicamente al Rey conquistador, Creador del cuerpo y del alma. Pronunciaron en voz alta la fórmula «Dios es el más grande» y repicaron los tambores de guerra hasta que la tierra vibró. Los valientes caballeros y los nobles paladines hablaron y se dirigieron al combate haciendo temblar el suelo.

El primero que comenzó la lucha fue al-Chamraqán, quien condujo su corcel al campo de la lid y jugó con la espada y los dardos de tal modo que quedaron perplejos todos los poseedores de razón. Después gritó: «¿Hay algún luchador? ¿Hay algún combatiente? Que hoy no se presente ni el cansado ni el impotente: yo soy quien ha matado a al-Qurachán b. Chaland. ¿Quién sale a luchar para vengarlo?» Al-Chaland, al oír mencionar a su hijo, gritó a sus hombres: «¡Hijos de adúlterinas! ¡Traedme ese caballero que ha matado a mi hijo para que coma su carne y beba su sangre!» Cargaron contra él cien campeadores: mató a la mayoría y puso en fuga a su Emir. Al-Chaland, al ver lo que había hecho al-Chamraqán gritó a sus hombres: «¡Cargad todos a la vez contra él!» Tremolaron el estandarte que asusta y las gentes se abalanzaron sobre las gentes. Garib y al-Chamraqán cargaron con sus hombres: los dos bandos chocaron como si se tratara de mares. Las espadas yemeníes y las lanzas desgarraron pechos y vientres y los contendientes vieron con sus propios ojos al ángel de la muerte. El polvo remontó hasta lo más alto del cielo; los oídos quedaron sordos, las lenguas callaron y la muerte se presentó en todos los lugares. Los valientes permanecieron firmes y los cobardes volvieron la espalda.

El combate siguió sin interrupción hasta que terminó el día y los tambores repicaron ordenando la separación de los contendientes. Se alejaron unos de otros y cada bando volvió a su tienda.

Sahrazad se dio cuenta de que amanecía e interrumpió el relato para el cual le habían dado permiso.

Cuando llegó la noche *seiscientas cuarenta y nueve,* refirió:

—Me he enterado, ¡oh rey feliz!, de que Garib se sentó en el trono de su reino, en la sede de su poderío. Sus amigos se alinearon en torno suyo. Dijo: «Estoy muy preocupado por la fuga de ese perro de Achib, pues no sé adónde ha ido: si no le alcanzo y tomo venganza, moriré de dolor». Su hermano Sahim al-Layl avanzó, besó el suelo y dijo: «¡Rey! Voy a dirigirme al ejército de los incrédulos y averiguaré algo de ese perro traidor que es Achib». «Ve y trae noticias verídicas de ese cerdo.» Sahim se vistió como los infieles y se dirigió a las tiendas de éstos. Los encontró dormidos, embriagados por la guerra y el combate; sólo permanecían despiertos los guardianes. Sahim cruzó por los pabellones y encontró al rey dormido sin que nadie estuviese a su lado. Se acercó a él, le hizo oler un narcótico y quedó como muerto. Sahim salió, tomó un mulo, enrolló al rey en un tapiz y lo colocó sobre el animal, poniendo encima una estera. Se puso en camino, llegó al pabellón de Garib y entró ante el rey. Los presentes no le reconocieron y preguntaron: «¿Quién eres?» Rompió a reír, se destapó la cara y le reconocieron. Garib preguntó: «¿Qué carga traes, Sahim?» «¡Rey! Éste es al-Chaland b. Karkar.» Lo desenrolló y Garib lo reconoció. Dijo: «¡Sahim! ¡Despiértalo!» Le hizo oler vinagre e incienso y Chaland expulsó el narcótico que tenía en la nariz, abrió los ojos y se encontró entre los musulmanes. Preguntó: «¿Qué pesadilla es ésta?», y volvió a cerrar los ojos y se durmió. Sahim le pegó diciendo: «¡Abre los ojos, maldito!» Preguntó: «¿Dónde estoy?» «¡Ante el rey Garib b. Kundamir, rey del Iraq!» Al-Chaland exclamó al oír estas palabras: «¡Rey! ¡Estoy bajo tu protección! Sabe que no tengo ninguna culpa y que ha sido tu hermano quien nos ha hecho salir a combatirte: nos ha puesto enfrente uno de otro y ahora ha huido». Garib preguntó: «¿Sabes su camino?» «¡Juro por el sol que da la luz que no sé adónde ha ido!» Garib mandó que lo cargaran de cadenas y que lo vigilasen.

Todos los jefes se dirigieron a sus tiendas. Al-Chamraqán se dirigió a sus hombres y les dijo: «¡Primos! Quiero hacer esta noche una acción que me conceda el reconocimiento del rey Garib». «¡Haz lo que quieras! —le replicaron—. Nosotros oiremos y obedeceremos tu orden.» «Coged vuestras armas. Yo os acompañaré. Andad suavemente de modo que ni las hormigas os descubran. Abríos en círculo alrededor de las tiendas de los incrédulos y cuando oigáis que grito: "¡Dios es el más grande!", gritad: "¡Dios es el más grande!" Retiraos inmediatamente, dirigíos hacia la puerta de la ciudad y pediremos a Dios (¡ensalzado sea!) que nos conceda la victoria.» Sus hombres cogieron todas las armas y aguardaron la llegada de la medianoche. Formaron un círculo en torno de los incrédulos y esperaron un rato hasta que al-Chamraqán golpeó con la espada su escudo y dijo: «¡Dios es el más grande!» La voz resonó en el valle y sus hombres hicieron coro diciendo: «¡Dios es el más grande!» El eco recorrió todo el valle, los montes, las arenas, las colinas y todos los lugares algo elevados. Los incrédulos se despertaron aturdidos y se acometieron unos a otros. La espada corrió entre ellos; los musulmanes se retiraron, avanzaron sobre las puertas de la ciudad, mataron a los porteros, penetraron en la urbe y se apoderaron de todas las riquezas y de las mujeres. Esto es lo que ocurrió con al-Chamraqán.

El rey Garib, al oír el griterío de «Dios es el más grande», montó a caballo y lo mismo hizo el ejército, hasta el último soldado. Sahim se puso al frente y se aproximó al lugar del combate, viendo que los Banu Amir habían efectuado una incursión contra los infieles escanciándoles la copa de la muerte. Volvió atrás e informó a su hermano de lo que había. Éste rezó por al-Chamraqán, mientras los incrédulos seguían acometiéndose entre sí con la cortante espada, empleando sus mejores fuerzas, hasta que se hizo de día y la luz se extendió por todas partes. Entonces Garib chilló a sus gentes: «¡Hombres nobles! ¡Cargad! ¡Contentad al Rey omnisciente!» Las gentes puras cayeron sobre los libertinos y la cortante espada jugó su papel mientras la afilada lanza penetraba en el pecho de los hipócritas incrédulos. Éstos quisieron entrar en su ciudad, pero al-Chamraqán les salió al encuentro con sus primos y se encontraron cogidos entre dos filas de enemigos. Mataron un gran número y el resto se dispersó por el campo y el desierto.

Sahrazad se dio cuenta de que amanecía e interrumpió el relato para el cual le habían dado permiso.

Cuando llegó la noche *seiscientas cincuenta,* refirió:

—Me he enterado, ¡oh rey feliz!, de que persiguieron espada en mano a los incrédulos, los dispersaron en la llanura y en la montaña y después regresaron a la ciudad de Omán. El rey Garib entró en el alcázar de al-Chaland, se sentó en el trono de su reino y sus compañeros formaron un círculo a su diestra y a su siniestra. Mandó que le llevaran a al-Chaland. Fueron por éste rápidamente y lo colocaron ante el rey Garib, quien le expuso los fundamentos del Islam. No quiso convertirse y mandó que lo crucificasen en la puerta de la ciudad. Lo asaetearon hasta dejarlo como un erizo. Garib, después, hizo regalos a al-Chamraqán y le dijo: «Tú eres el dueño de la ciudad, su gobernador, el señor que puede hacer y deshacer, ya que la has conquistado con tu espada y con tus hombres». Al-Chamraqán besó el pie del rey Garib, le dio las gracias e hizo votos para que sus victorias, bienes y poder fuesen duraderos. Más tarde Garib abrió los tesoros del rey al-Chaland, miró lo que contenían y lo distribuyó entre los jefes, abanderados y combatientes; también repartió a las muchachas y a los muchachos. Estuvo repartiendo riquezas durante diez días.

Cierta noche, mientras dormía, tuvo un sueño terrible. Se despertó sobresaltado y aterrorizado, y desveló a su hermano Sahim. Le dijo: «Me he visto, en sueños, en un valle muy espacioso. Se abalanzaban sobre nosotros dos pájaros, los más grandes que nunca haya visto. Tenían unas garras como lanzas. Caían sobre nosotros, que estábamos aterrorizados. Esto es lo que he visto». Sahim al oír estas palabras replicó: «¡Rey! Esto indica un gran enemigo. Permanece en guardia». Garib no consiguió dormir durante el resto de la noche. Al día siguiente, por la mañana, pidió su caballo y montó en él. Sahim le preguntó: «¿Adónde vas, hermano?» «He amanecido muy acongojado y quiero viajar durante diez días para distraerme.» «¡Llévate mil caballeros!» «¡No! Iremos tú y yo solos.»

Garib y Sahim recorrieron valles y prados y no pararon hasta llegar a un gran valle con muchos árboles y frutos, aromáticas flores y pájaros en las ramas, a los que contestaba el ruiseñor con sus mejores trinos; la tórtola llenaba el lugar con su voz; el ruiseñor con su canto desvelaba al que dormía; el mirlo tenía voz casi humana y el papagayo contestaba a la paloma de collar y al palomo del modo más elocuente. Las ramas de los árboles contenían toda clase de frutos comestibles en sus dos especies. Este valle les gustó. Comieron sus frutos, bebieron en sus arroyuelos y se sentaron a la sombra de los árboles. La modorra se apoderó de ellos y se durmieron. ¡Gloria a Aquel que no duerme! Mientras dormían aparecieron dos *marids* terribles, cada uno de los cuales agarró a un príncipe por el cuello y lo levantó hacia lo más alto del cielo, hasta colocarlos por encima de las nubes. Sahim y Garib se despertaron encontrándose entre el cielo y la tierra. Miraron a los que los trasladaban y vieron que eran dos genios: uno de ellos tenía cabeza de perro y el otro de mono y eran altos como palmeras. Su pelo se parecía a las cerdas de los caballos y sus garras eran como las de las fieras. Garib y Sahim al verse en esta situación dijeron: «¡No hay fuerza ni poder sino en Dios!»

La causa de todo esto era que un rey de los reyes de los genios, que se llamaba Maraas, tenía un hijo, de nombre Saiq, el cual amaba a una doncella de los genios que se llamaba Nachma. Saiq y Nachma estaban reunidos en aquel valle metamorfoseados en pájaros. Sahim y Garib los habían visto y creyéndolos pájaros los habían asaeteado. Pero sólo alcanzaron a Saiq, cuya sangre empezó a correr. Nachma se afligió, lo agarró, y echó a volar llena de terror temiendo que le ocurriese lo mismo que a Saiq. Voló sin descanso hasta depositar a éste en la puerta del alcázar de su padre. Los porteros lo transportaron hasta dejarlo ante el padre, Maraas. Éste, al ver a su hijo con un venablo en el costado exclamó: «¡Hijo! ¿Quién te ha hecho tal cosa? Arruinaré su país y apresuraré su fin aunque sea el más poderoso de los reyes de los genios». El muchacho abrió los dos ojos y respondió: «¡Padre mío! Es un ser humano el que me ha matado en el Valle de las Fuentes». Apenas hubo pronunciado estas palabras murió. El padre se abofeteó hasta que le salió sangre por la boca y gritó a dos *marids*: «Id al Valle de las Fuentes y traedme a todos los que se encuentren en él». Los dos *marids* corrieron hasta el Valle, descubrieron a Garib y Sahim durmiendo, los agarraron y los condujeron ante Maraas. Sahim y Garib, al despertarse, se encontraron entre el cielo y la tierra y exclamaron: «¡No hay fuerza ni poder sino en Dios, el Altísimo, el Grande!»

Sahrazad se dio cuenta de que amanecía e interrumpió el relato para el cual le habían dado permiso.

Cuando llegó la noche *seiscientas cincuenta y una*, refirió:

—Me he enterado, ¡oh rey feliz!, de que los dos genios los depositaron delante de Maraas, el cual estaba sentado en el trono de su reino. Parecía un monte enhiesto. Su cuerpo tenía cuatro cabezas: una de león, otra de elefante, la tercera de tigre y la cuarta de leopardo. Los dos genios colocaron a Garib y Sahim ante Maraas y dijeron: «¡Rey! Éstos son los dos que hemos encontrado en el Valle de las Fuentes». El rey los miró con ojos brillantes de cólera, resoplando y rugiendo; de su nariz salían chispas. Todos los presentes quedaron aterrorizados. Dijo: «¡Perros humanos! ¡Habéis matado a mi hijo y habéis puesto fuego en mis entrañas!» Garib preguntó: «¿Y quién era tu hijo, ése al que hemos matado? ¿Quién ha visto a tu hijo?» «¿No erais vosotros los que estabais en el Valle de las Fuentes? Visteis a mi hijo que estaba metamorfoseado en pájaro, lo asaeteasteis con el arco y ha muerto.» «¡Por el Señor, el Grande, el Único, el Eterno, el que es Omnisciente! ¡Juro por su amigo Abraham que no sé quién lo ha matado y que no hemos visto ningún pájaro ni tropezado con fieras ni aves!» Maraas al oír que Garib juraba por el nombre de Dios, por su poderío y por su Profeta Abraham, el amigo, se dio cuenta de que era musulmán. Maraas adoraba al fuego prescindiendo del Rey potente. Gritó a sus hombres: «¡Traedme a mi señor!» Le llevaron un horno de oro que colocaron delante de él. Encendieron fuego, colocaron sahumerios y se levantaron llamas: una verde, otra azul y una tercera amarilla. El rey y todos los presentes las adoraron, mientras Garib y Sahim proclamaban la unicidad de Dios (¡ensalzado sea!), le loaban y daban fe de que Dios es todopoderoso.

El rey levantó la cabeza y vio que Garib y Sahim permanecían en pie, que no se prosternaban. Exclamó: «¡Perros! ¿Qué os pasa que no os prosternáis?» Garib replicó: «¡Ay de vosotros, malditos! Las genuflexiones sólo son para el Dios que es adorado, que ha creado a todos los seres de la nada, que hace surgir el agua de la dura roca, que hace que el padre tenga compasión del recién nacido, del cual no se puede decir que está sentado o que está de pie, el Señor de Noé, Salih, Hud y Abraham, su amigo. Él es quien ha creado el Paraíso y el fuego, quien ha creado a los árboles y sus frutos. Él es Dios, el Único, el Todopoderoso». Los ojos de Maraas se desorbitaron al oír estas palabras y gritó a sus hombres: «¡Atad a estos dos perros! ¡Acercadlos a mi señor!» Ataron a Sahim y Garib y quisieron arrojarlos al fuego. En aquel preciso momento una de las almenas del palacio cayó en el brasero, que se rompió; el fuego se apagó y la ceniza voló por el aire. Garib exclamó: «¡Dios es el más grande! Hace conquistar y concede la victoria humillando a los incrédulos. Dios está por encima de los que adoran el fuego y prescinden del Rey todopoderoso». Maraas exclamó: «Tú eres un mago y has embrujado a mi señor para que le ocurriese esto». «¡Loco! —le refutó Garib—. Si el fuego tuviese el secreto y la prueba de su divinidad evitaría todo aquello que le perjudica.» Maraas, al oír estas palabras, blasfemó y juró por el fuego, exclamando: «¡Juro por mi religión que únicamente os daré muerte por medio del fuego!»

Mandó que los encarcelaran, llamó a cien *marid* y les ordenó que reuniesen mucha leña y le prendiesen fuego. Así lo hicieron y se levantó una gran hoguera, que permaneció encendida hasta la mañana. Entonces Maraas montó en un elefante que llevaba a cuestas un trono de oro montado de pedrería. A su alrededor se colocaron las tribus de genios que tenían las figuras más variadas. Después le llevaron a Sahim y Garib. Éstos, al ver la llama de fuego, pidieron auxilio al Único, al Todopoderoso, al Creador de la noche y del día, el Grande al que no llegan las miradas mientras él las alcanza, el Amable, el Bien informado. Rezaron sin cesar: una nube avanzó desde occidente hasta oriente dejando caer una lluvia tan copiosa como el mar proceloso. El fuego se apagó. El rey y sus soldados se asustaron y entraron en palacio. El rey se dirigió al visir y a los grandes del reino y les dijo: «¿Qué opináis de estos dos hombres?» «¡Rey! Si no dijesen la verdad no hubiesen ocurrido estas cosas. Nosotros decimos que tienen razón, que son sinceros.» El rey dijo: «Se me ha hecho manifiesta la verdad: carece de sentido adorar al fuego. Si fuese un dios hubiese impedido que la lluvia lo apagara y que la piedra rompiera su brasero transformándolo en cenizas. Creo en el que ha creado el fuego y la luz, las tinieblas y el calor. ¿Qué decís?» Le replicaron: «¡Oh, rey! Nosotros seguimos, oímos y obedecemos». El rey mandó llamar a Garib. Lo llevaron ante él. Le salió al encuentro, lo abrazó y lo besó en la frente y lo mismo hizo con Sahim. A continuación se agolparon los soldados alrededor de Sahim y Garib y les besaron las manos y la cabeza.

Sahrazad se dio cuenta de que amanecía e interrumpió el relato para el cual le habían dado permiso.

Cuando llegó la noche *seiscientas cincuenta y dos*, refirió:

—Me he enterado, ¡oh rey feliz!, de que más tarde el rey Maraas se sentó en el trono de su reino, colocó a Garib a su derecha y Sahim a su izquierda. Dijo: «¡Seres humanos! ¿Qué diremos para convertirnos en musulmanes?» Garib le contestó: «No hay dios sino el Dios de Abraham y éste es su amigo». El rey y todos sus súbditos se convirtieron interna y externamente. Garib les enseñó a orar. Después, acordándose de sus hombres suspiró. El rey de los genios le dijo: «¡La preocupación se ha ido y ha llegado la alegría y la satisfacción!» Garib le dijo: «¡Rey! Tengo muchos enemigos y temo que causen algún daño a los míos». Le explicó lo que le había ocurrido con su hermano Achib desde el principio hasta el fin. El rey de los genios replicó: «¡Rey de los hombres! Yo enviaré en tu lugar a alguien para que vea qué sucede a tu gente. No te dejaré marchar hasta que esté satisfecho de contemplar tu rostro». Llamó a dos genios terroríficos. Uno se llamaba Kaylachán y el otro al-Qurachán. Al llegar los dos genios besaron el suelo. Les dijo: «Id al Yemen y averiguad qué hacen los soldados de sus ejércitos». Contestaron: «Oír es obedecer». Los dos genios arrancaron a volar dirigiéndose hacia el Yemen. Esto es lo que hace referencia a Garib y a Sahim.

He aquí lo que se refiere al ejército de los musulmanes: Por la mañana se dirigieron al alcázar del rey Garib para servirle. Los criados les dijeron: «El rey y su hermano han montado a caballo al amanecer y han salido». Los jefes montaron y recorrieron valles y montes, siguiendo siempre las huellas, hasta llegar al Valle de las Fuentes. Hallaron las armas de Garib y Sahim abandonadas y a los dos corceles paciendo. Exclamaron: «¡Cierto! ¡El rey se ha perdido en este lugar! ¡Gloria al amigo de Abraham!» Se dividieron en varios grupos y buscaron por el Valle y los montes durante tres días. Pero no consiguieron ningún dato. Prepararon los funerales, mandaron ir a los correos y les dijeron: «Recorred campos, castillos y ciudadelas buscando nuevas de nuestro rey». «Oír es obedecer», respondieron. Se separaron y cada uno de ellos se dirigió a una región distinta. Achib se enteró por sus espías de que su hermano había desaparecido y que no encontraban sus huellas. Se alegró mucho, sacó buenos augurios y presentándose ante el rey Yaarib b. Qahtán, le pidió auxilio y éste se lo concedió dándole doscientos mil amalecitas. Achib avanzó con sus tropas hasta acampar ante la ciudad de Omán. Al-Chamraqán y Sadán le salieron al encuentro y presentaron combate: murieron muchísimos musulmanes; los restantes entraron en la ciudad, cerraron la puerta y pusieron las murallas en estado de defensa.

Entonces llegaron los dos genios al-Kaylachán y al-Qurachán: vieron que los musulmanes estaban sitiados y aguardaron la llegada de la noche. Entonces empezaron a atacar a los incrédulos con la cortante espada, con la espada de los genios: cada una medía doce brazos, de tal modo que si un hombre hubiese dado con ella en una piedra, la hubiese partido. Atacaron al grito: «¡Dios es el más grande! ¡Conquista, vence y humilla a los que no creen en la religión del Amigo de Abraham!» Cargaron contra los descreídos y mataron muchísimos. Su boca y su nariz despedían llamas. Los infieles, salidos de sus pabellones, vieron cosas tan prodigiosas que les hicieron poner carne de gallina, se atolondraron y perdieron la razón: agarraron sus armas y se acometieron entre sí mientras los dos genios seguían segando sus cuellos y gritaban: «¡Dios es el más grande! ¡Nosotros somos vasallos del rey Garib, amigo del rey Maraas, rey de los genios!» La espada siguió girando en ruedo hasta mediada la noche: los infieles imaginaban que todos los montes estaban llenos de genios: cargaron las tiendas, los fardos y las riquezas sobre sus camellos y emprendieron la marcha. El primero en huir fue Achib.

Sahrazad se dio cuenta de que amanecía e interrumpió el relato para el cual le habían dado permiso. Entonces le dijo su hermana:

—¡Hermana mía! ¡Qué hermosa, qué bella, dulce y agradable es esta historia!

—Pues esto no es nada —contestó— en comparación con lo que os contaré la próxima noche, si vivo y si el rey me permite quedarme.

El soberano se dijo: «¡Por Dios! ¡No la mataré hasta haber oído el resto de su historia!»

Cuando llegó la noche *seiscientas cincuenta y tres*, refirió:

—Me he enterado, ¡oh rey feliz!, de que los musulmanes se reunieron, quedaron maravillados de cuanto ocurría a los infieles y temieron que las tribus de los genios les causasen daño. Los dos *marids* continuaron atacando a los incrédulos hasta que los dispersaron por los campos y el desierto: sólo escaparon a los genios cincuenta mil hombres de los doscientos mil que eran al principio; vencidos y heridos regresaron a su país. Los genios dijeron: «¡Soldados! El rey Garib, vuestro señor, y su hermano os saludan. Ambos son huéspedes del rey Maraas, rey de los genios, y dentro de poco volverán a vuestro lado». Los soldados al oír nuevas de Garib se alegraron muchísimo y replicaron: «¡Que Dios os pague con bien, nobles gentes!» Los dos genios regresaron, se presentaron ante los reyes Garib y Maraas y los encontraron sentados. Les contaron lo que había ocurrido y lo que habían hecho y los reyes les recompensaron. El corazón de Garib se tranquilizó. Entonces el rey Maraas dijo: «¡Hermano mío! Quiero que visites nuestra tierra: te mostraré la ciudad de Jafet, hijo de Noé, sobre el cual sea la paz». «¡Rey! ¡Haz lo que bien te parezca!» Maraas pidió dos corceles para los hermanos. Él, Garib y Sahim montaron y mil genios constituyeron su escolta. Se pusieron en camino como si fuesen un pedazo de montaña hendido a todo lo largo. Contemplaron valles y montes hasta llegar a la ciudad de Jafet, hijo de Noé (¡sobre él sea la paz!). Los habitantes de la ciudad, grandes y chicos, salieron a recibir a Maraas y éste entró en medio de un gran cortejo. Subió al palacio de Jafet, hijo de Noé, se sentó en el trono de su imperio que era de mármol con barras de oro incrustadas y una altura de diez escalones. Estaba tapizado con toda suerte de sedas policromas. Cuando los habitantes de la ciudad hubieron ocupado su sitio les dijo: «¡Descendientes de Jafet, hijo de Noé! ¿Qué es lo que han adorado vuestros padres y vuestros abuelos?» «Hemos visto que nuestros padres adoraban el fuego y los hemos imitado. Pero tú estás más informado.» «¡Gentes! Hemos visto que el fuego es una de las creaturas de Dios (¡ensalzado sea!), el cual ha creado todas las cosas. Al darme cuenta de esto me he sometido al Dios único, el Todopoderoso, el Creador de la noche, del día y de la esfera que gira; Aquel a quien la vista no alcanza mientras que él ve las miradas. Él es el Sutil, el Bien informado. ¡Someteos! Os salvaréis de la ira del Omnipotente y en la vida futura del tormento del fuego.» Se convirtieron interna y externamente.

Maraas cogió a Garib de la mano y le mostró el alcázar de Jafet y de sus hijos; le enseñó los prodigios que contenía. Después lo llevó al arsenal y le mostró las armas de Jafet. Pudo ver una espada colgada de un clavo de oro. Garib preguntó: «¡Oh, rey! ¿A quién pertenece?» «Ésta es la espada de Jafet, hijo de Noé, con la cual acometía a hombres y genios. El sabio Chardum la templó y grabó en el dorso los grandes nombres: si se golpeara con ella un monte lo derruiría. Se llama al-Mahiq: destruye todo aquello que toca, sea hombre o genio.» Garib, al oír estas palabras que aludían a las virtudes de la espada, dijo: «Quiero examinarla». «Puedes hacer lo que quieras», le replicó Maraas. Garib extendió la mano, cogió la espada y la sacó de la vaina: despidió un relámpago, la muerte se mostró y brilló por el filo. Tenía una longitud de doce palmos por una anchura de tres. Garib quiso empuñarla y el rey Maraas le dijo: «Si puedes luchar con ella, cógela». Garib replicó: «De acuerdo». La empuñó como si fuese un bastón. Los hombres presentes quedaron boquiabiertos y exclamaron: «¡Magnífico, señor de los caballeros!» Maraas le dijo: «Pon la mano en este tesoro por el cual han suspirado los reyes de la tierra, monta a caballo y te mostraré la ciudad». Garib y Maraas montaron y los hombres y los genios se pusieron a su disposición.

Sahrazad se dio cuenta de que amanecía e interrumpió el relato para el cual le habían dado permiso. Entonces le dijo su hermana:

—¡Hermana mía! ¡Qué hermosa, qué bella, dulce y agradable es esta historia!

—Pues esto no es nada —contestó— en comparación con lo que os contaré la próxima noche, si vivo y si el rey me permite quedarme.

El soberano se dijo: «¡Por Dios! ¡No la mataré hasta haber oído el resto de su historia!»

Cuando llegó la noche *seiscientas cincuenta y cuatro*, refirió:

—Me he enterado, ¡oh rey feliz!, de que los siguieron a pie cruzando entre alcázares y casas vacías, por calles y puertas doradas. Salieron por las puertas de la ciudad y contemplaron jardines repletos de árboles frutales, de arroyuelos de agua corriente, de pájaros que cantaban la loa del Todopoderoso y Eterno. Pasearon hasta la llegada de la tarde y entonces regresaron y pasaron la noche en el alcázar de Jafet, hijo de Noé. Al llegar les acercaron la mesa y comieron. Garib se volvió al rey de los genios y dijo: «¡Oh, rey! Deseo volver junto a mis hombres y mis soldados. No sé qué es de ellos desde que me he marchado». Maraas contestó, al oír las palabras de Garib: «¡Hermano mío! ¡Por Dios! ¡No quiero separarme de ti y no te dejaré marchar hasta que haya transcurrido un mes completo durante el cual pueda contemplarte!» Garib no pudo contradecirle y permaneció un mes entero en la ciudad de Jafet comiendo y bebiendo. El rey Maraas le dio magníficos regalos, metales preciosos, joyas, esmeraldas, rubíes, diamantes, monedas de oro y plata, almizcle y ámbar, piezas de seda bordadas en oro; regaló a Garib y a Sahim sendos trajes de corte cosidos en oro y con bordados y dio a Garib una diadema ceñida de perlas y aljófares que no tenía precio. Colocó todo esto en cargas, llamó a quinientos genios y les dijo: «¡Preparaos para salir de viaje mañana, pues conduciréis al rey Garib y a Sahim a su país!» «Oír es obedecer», le replicaron. Pasaron la noche pensando en el momento de la partida. Pero llegado este momento aparecieron repentinamente caballos, tambores y añafiles armando una algarabía que ocupaba toda la tierra: eran setenta mil genios volantes y buceadores cuyo rey se llamaba Barqán.

La causa de la llegada de este gran ejército era un hecho admirable, emocionante, prodigioso que explicaremos ordenadamente.

Este Barqán era el dueño de la Ciudad del Coral encarnado y del Alcázar de Oro. Gobernaba la cumbre de cinco montañas en cada una de las cuales vivían quinientos mil genios. Él y sus súbditos adoraban el fuego prescindiendo del Rey Todopoderoso. Dicho rey era primo de Maraas. Entre los súbditos de éste había un genio incrédulo que se había hecho musulmán por hipocresía; después, separándose de sus compatriotas, se había marchado al Valle del Coral, entrado en el alcázar del rey Barqán y besado el suelo ante él. Tras hacer votos por la larga duración de su gloria y de sus bienes le había informado de la conversión de Maraas. Barqán preguntó: «¿Y cómo ha dejado su religión?» El hipócrita se lo refirió todo. El rey, al oír sus palabras resopló, resolló e injuriando al sol, a la luna y al fuego que desprende chispas, exclamó: «¡Juro por mi religión que mataré a mi primo, a sus súbditos y a ese hombre! ¡No perdonaré ni a uno de ellos!» Llamó a los genios, eligió setenta mil *marids* y se puso en camino con ellos hasta llegar a la ciudad de Chabarsa, cercándola conforme hemos dicho. El rey Barqán se detuvo enfrente de la puerta de la ciudad y levantó su tienda. Maraas llamó a un genio y le dijo: «Ve a ese ejército, averigua qué es lo que quiere y tráeme rápidamente noticias». El genio corrió y entró en la tienda de Barqán. Los *marids* se precipitaron sobre él y le preguntaron: «¿Quién eres?» «¡Un mensajero de Maraas!» Lo cogieron y lo colocaron ante Barqán. El mensajero se prosternó y le dijo: «¡Señor mío! Mi dueño me manda para saber qué ocurre». «Vuelve ante tu señor y dile: "Es tu primo Barqán que ha venido a saludarte".»

Sahrazad se dio cuenta de que amanecía e interrumpió el relato para el cual le habían dado permiso. Entonces le dijo su hermana:

—¡Hermana mía! ¡Qué hermosa, qué bella, dulce y agradable es esta historia!

—Pues esto no es nada —contestó— en comparación con lo que os contaré la próxima noche, si vivo y si el rey me permite quedarme.

El soberano se dijo: «¡Por Dios! ¡No la mataré hasta haber oído el resto de su historia!»

Cuando llegó la noche *seiscientas cincuenta y cinco,* refirió:

—Me he enterado, ¡oh rey feliz!, de que el genio volvió junto a su señor y le informó. Éste dijo a Garib: «Siéntate en tu trono mientras voy a saludar a mi primo y regreso». Montó a caballo y se dirigió al campamento. Barqán había preparado una estratagema para hacer salir a Maraas y cogerlo. Los genios se reunieron a su alrededor y les dijo: «Cuando veáis que lo abrazo, cogedlo y atadlo». «¡Oír es obedecer!» Llegó el rey Maraas y entró en el pabellón de su primo. Éste le salió al encuentro y lo abrazó. Los genios se abalanzaron sobre él, lo sujetaron y lo encadenaron. Maraas miró a Barqán y le preguntó: «¿Qué es esto?» «¡Perro de los genios! —le replicó—. ¿Cómo abandonas tu religión, la religión de tus padres y de tus abuelos, y aceptas una religión que no conoces?» Maraas contestó: «¡Primo! Me he dado cuenta de que la religión de Abraham, el Amigo, es la verdadera, que no es falsa». «¿Quién te la ha expuesto?» «Garib, rey del Iraq. Él ocupa un puesto muy importante a mi lado.» «¡Juro por el fuego y la luz, por la sombra y el calor que os mataré a todos!» Barqán encarceló a Maraas.

El paje de éste, al ver lo que había sucedido a su dueño, huyó a la ciudad e informó a los hombres del rey Maraas de lo que había sucedido a su señor. Chillaron y montaron a caballo. Garib preguntó: «¿Qué ocurre?» Le explicaron lo que sucedía. Gritó a Sahim: «¡Ensíllame uno de los dos corceles que me ha regalado el rey Maraas!» «¡Hermano! ¿Vas a combatir contra los genios?» «Sí: los acometeré con la espada de Jafet, hijo de Noé, y pediré ayuda al Señor, al amigo de Abraham (¡sobre él sea la paz!). Él es el Señor y el Creador de todas las cosas.» Le ensilló un caballo bayo, escogido entre los de los genios; parecía una fortaleza. Cogió las armas, salió, montó y fue junto con los soldados; éstos llevaban puestas las armaduras. Barqán y sus hombres montaron a caballo y las dos partes se prepararon, alineándose para el combate. El primero en iniciar el encuentro fue el rey Garib: condujo su corcel al campo de batalla y desenvainó la espada de Jafet, hijo de Noé (¡sobre él sea la paz!). Ésta despidió un relámpago que ofuscó los ojos de todos los genios y llenó sus corazones de terror. Garib jugó con la espada de tal modo que el entendimiento de los genios quedó perplejo. Después gritó: «¡Dios es el más grande! Yo soy el rey Garib, del Iraq. No hay más religión que la religión de Abraham el Amigo».

Barqán exclamó al oír las palabras de Garib: «Éste es el que ha hecho cambiar de religión a mi primo. ¡Juro por mi fe que no volveré a sentarme en mi trono hasta que haya cortado la cabeza de Garib, hasta que no le haya hecho morir y mi primo y sus gentes recuperen la religión que tenían! Aniquilaré al que me contradiga». Montó en un elefante blanco como el papel que parecía una torre bien defendida. Chilló, le aguijoneó con una punta de acero y clavó ésta en sus carnes. El elefante barritó y avanzó hacia el campo de batalla, hacia el lugar del combate y del alanceo. Se acercó a Garib y le increpó: «¡Perro de hombre! ¿Qué te ha movido a meterte en nuestra tierra para pervertir a mi primo y a sus gentes hasta el punto de hacerles abandonar su religión? ¡Hoy es el último de tus días en este mundo!» Garib replicó: «¡Largo de aquí, oh el más ínfimo de los genios!» Barqán tomó un dardo, lo blandió y lo lanzó contra Garib. No hizo blanco. Tomó el segundo y lo lanzó. Garib lo agarró en el aire, lo blandió a su vez y lo devolvió en dirección del elefante. Penetró por un costado de éste y salió por el otro: el animal cayó muerto en el suelo: Barqán fue revolcado por tierra como si fuese una elevada palmera. Garib no le dio tiempo a moverse de su sitio: le acometió con la espada de Jafet, hijo de Noé, y le golpeó en el cuello. Barqán perdió el conocimiento. Los genios se abalanzaron y lo ataron. Los genios incrédulos, al ver lo sucedido a su rey, quisieron liberarlo: cargaron contra Garib. Los creyentes cargaron a su vez, al lado de éste. ¡Por Dios! ¡Qué excelente hombre fue Garib! Satisfizo al Señor que escucha y sació su sed de combate con la espada encantada que partía a todo aquel que tocaba; una vez muerto, el alma corría a transformarse en ceniza en el fuego. Los creyentes cargaron contra los genios incrédulos, lanzaron dardos de fuego y el humo se extendió por todas partes. Garib corría a izquierda y derecha mientras los enemigos se dispersaban ante él. El rey Garib llegó hasta el pabellón del rey Barqán, llevando a su lado a Kaylachán y a Qurachán. Mandó a éstos: «¡Libertad a vuestro dueño!» Lo pusieron en libertad y rompieron los grillos.

Sahrazad se dio cuenta de que amanecía e interrumpió el relato para el cual le habían dado permiso. Entonces le dijo su hermana:

—¡Hermana mía! ¡Qué hermosa, qué bella, dulce y agradable es esta historia!

—Pues esto no es nada —contestó— en comparación

con lo que os contaré la próxima noche, si vivo y si el rey me permite quedarme.

El soberano se dijo: «¡Por Dios! ¡No la mataré hasta haber oído el resto de su historia!»

Cuando llegó la noche *seiscientas cincuenta y seis*, refirió:

—Me he enterado, ¡oh rey feliz!, de que el rey Maraas gritó: «¡Traedme mis armas y mi corcel volador!», pues el rey tenía dos caballos que volaban por el aire. Había regalado uno a Garib y se había quedado con el otro. Se lo llevaron, y una vez que hubo revestido las armas cargó con Garib. Los dos corceles volaban y sus soldados les seguían gritando: «¡Dios es el más grande! ¡Dios es el más grande!» La tierra, los montes, los valles y las colinas hacían eco a su grito. Dieron fin a la persecución después de haber matado más de treinta mil genios y demonios. Regresaron a la ciudad de Jafet, hijo de Noé, y se sentaron en los puestos de honor. Mandaron buscar a Barqán, pero no lo encontraron. Esto sucedía porque después de haberlo hecho prisionero se habían despreocupado de él para consagrarse a la guerra. Uno de los *efrits*, paje suyo, había tropezado con él, lo había puesto en libertad y lo había conducido junto a sus hombres. Barqán había encontrado una parte muerta y la otra en fuga. Entonces remontó el vuelo hacia el cielo y descendió en la Ciudad del Coral, en el Palacio de Oro. El rey Barqán se sentó en el trono de su reino. Sus súbditos, los que habían escapado de la muerte, acudieron, entraron y lo felicitaron por haberse salvado. Les dijo: «¡Gentes! ¿Cómo me he salvado si ha perecido mi ejército, si me han hecho prisionero deshonrándome ante las tribus de los genios?» «¡Rey! Mientras haya reyes habrá vencidos y vencedores.» «¡No tengo más remedio que vengarme, que lavar mi afrenta! Si no lo hago quedaré avergonzado ante las tribus de los genios.» A continuación escribió cartas y envió mensajeros a las tribus de las fortalezas. Éstos, obedientes, acudieron armados. Barqán pasó revista y vio que disponía de trescientos veinte mil genios prepotentes y demonios. Le preguntaron: «¿Necesitas algo?» «¡Preparaos para salir de viaje dentro de tres días!» «¡Oír es obedecer!» Esto es lo que hace referencia al rey Barqán.

He aquí lo que hace referencia a Maraas: Al regresar y buscar a Barqán no lo encontró y esto le disgustó. Exclamó: «¡Si le hubiésemos hecho guardar por cien genios, no hubiese escapado! Pero ¿adónde habrá ido?» Maraas dijo a Garib: «Sabe, hermano mío, que Barqán es un traidor; no parará hasta haberse vengado. No hay duda de que reunirá sus hombres y que vendrá a nuestro encuentro. Me propongo alcanzarle ahora que está debilitado a consecuencia de su derrota». Garib contestó: «Ésta es una opinión certera y nada hay que oponer». Maraas añadió: «¡Hermano! Permite que los genios os conduzcan a vuestro país y déjame combatir a los infieles para lavar las ofensas que he hecho a Dios». «¡No! ¡Juro por el Indulgente, el Generoso, el Que está oculto, que no me iré de esta tierra hasta haber aniquilado a todos los genios incrédulos, hasta que Dios haya conducido sus almas al fuego (¡qué pésima morada es!)! Sólo se salvarán aquellos que adoren a Dios, el Único, el Todopoderoso. Pero voy a enviar a Sahim a la ciudad de Omán, pues tal vez así se cure de su enfermedad.»

Sahim estaba débil. Maraas gritó a los genios: «¡Llevad a Sahim, con todas estas riquezas y regalos, a la ciudad de Omán!» Contestaron: «¡Oír es obedecer!» Cogieron a Sahim y los regalos y se marcharon a la tierra de los hombres. Después, Maraas escribió cartas a sus castillos y a todos sus gobernadores. Acudieron en número de ciento sesenta mil y se prepararon y emprendieron la marcha en busca de la Ciudad del Coral y del Palacio de Oro. En un día recorrieron la distancia de un año. Entraron en un valle en el que acamparon para descansar. Permanecieron allí hasta que amaneció. Se disponían a marchar cuando avanzó la vanguardia enemiga, cuyos genios se acercaban chillando. Los dos ejércitos se encontraron en aquel valle. Cargaron unos contra otros y la muerte hizo acto de presencia entre ellos: el combate fue haciéndose cada vez más violento, el suelo temblaba, la situación fue empeorando, llegó el momento serio, desapareció el de la broma, dejóse de oír el «dijo» y «se dice», las vidas se acortaron y los infieles se encontraron en situación humillada y vil. Garib entró en combate proclamando al Único, el Adorado, al Que se pide ayuda. Cortó cuellos y las cabezas rodaron por el polvo.

Al atardecer habían muerto cerca de setenta mil infieles. En este momento repicó el tambor ordenando el cese del combate y se separaron unos de otros.

Sahrazad se dio cuenta de que amanecía e interrumpió el relato para el cual le habían dado permiso. Entonces le dijo su hermana:

—¡Hermana mía! ¡Qué hermosa, qué bella, dulce y agradable es esta historia!

—Pues esto no es nada —contestó— en comparación con lo que os contaré la próxima noche, si vivo y si el rey me permite quedarme.

El soberano se dijo: «¡Por Dios! ¡No la mataré hasta haber oído el resto de su historia!»

Cuando llegó la noche *seiscientas cincuenta y siete,* refirió:

—Me he enterado, ¡oh rey feliz!, de que entonces Maraas y Garib se dirigieron a su tienda después de haber limpiado sus armas. Les llevaron la cena y comieron contentos por haber salido con vida, pues les habían matado más de diez mil genios.

Por su parte Barqán llegó a su tienda muy preocupado por los soldados que le habían matado. Dijo: «¡Gentes! Si seguimos combatiendo durante tres días, ésos nos aniquilarán hasta el último». «¿Qué haremos, oh rey?» «Atacarlos por la noche, cuando duerman. No quedará ni uno solo de ellos para dar noticia. Coged vuestras armas y cargad contra vuestros enemigos como si fuesen un solo hombre.» «¡Oír es obedecer!», le replicaron. Se prepararon para el combate. Entre ellos había un genio que se llamaba Chandal, cuyo corazón estaba inclinado al Islam. Al ver lo que los incrédulos se disponían a hacer, escapó y se presentó ante Maraas y el rey Garib y les informó de lo que fraguaban los infieles. Maraas se volvió a Garib y le preguntó: «¡Hermano mío! ¿Qué hay que hacer?» Contestó: «Caeremos esta noche sobre los incrédulos y los dispersaremos por el campo y el desierto gracias a la fuerza del Rey Todopoderoso». Llamó a los jefes de los genios y les dijo: «Coged los instrumentos de guerra y que hagan lo mismo vuestros hombres. Cuando caiga la noche marchad de cien en cien, por vuestro propio pie, a esconderos en el monte dejando las tiendas vacías. En el momento en que veáis al enemigo en vuestro campamento, caed sobre él desde todas partes. Sed decididos y confiad en vuestro Señor, pues venceremos. Yo estaré con vosotros».

Al llegar la noche, unos avanzaron a las tiendas pidiendo auxilio al fuego y a la luz. Cuando estuvieron en el campamento, los fieles cargaron sobre los incrédulos pidiendo auxilio al Señor de los mundos. Decían: «¡Oh, el más misericordioso de los misericordiosos! ¡Oh, creador de todas las creaturas!» Antes de llegar la aurora todos los enemigos estaban segados, muertos: los incrédulos eran sombras sin alma. Los que escaparon corrieron al campo, por las llanuras. Maraas y Garib regresaron victoriosos, triunfantes, saquearon las riquezas de los infieles y durmieron hasta que llegó el día. Entonces emprendieron la marcha en dirección a la Ciudad de Coral y el Palacio de Oro.

Por su parte, cuando Barqán vio que el combate giraba contra él y que le habían matado la mayoría de sus hombres, dio media vuelta y huyó con los soldados que le quedaban. Llegó a la ciudad, entró en el alcázar, reunió a sus súbditos y les dijo: «¡Hijos míos! Quien tenga alguna cosa que la coja y me siga al monte Qaf, a la residencia del rey al-Azraq, señor del castillo de Ablaq. Éste nos vengará». Cogieron su harén, sus hijos y sus bienes y se marcharon al monte Qaf.

Maraas y Garib llegaron después a la Ciudad de Coral y al Castillo de Oro. Vieron que las puertas estaban abiertas y que no había nadie que les informase. Maraas y Garib recorrieron la Ciudad de Coral y el Castillo de Oro. Los fundamentos de las murallas eran de esmeralda; sus puertas, de coral rojo con clavos de plata; el techo de las casas y de los alcázares, de áloe y sándalo. Pasearon, recorrieron sus calles y azucaques y así llegaron al Palacio de Oro. Pasaron de vestíbulo en vestíbulo y cuando llegaron al interior se encontraron ante un edificio de regio rubí cuyas baldosas eran esmeraldas y jacintos. Maraas y Garib entraron en el alcázar y quedaron boquiabiertos ante su hermosura. Pasaron de un sitio a otro y así cruzaron siete corredores. Al llegar al interior del palacio encontraron cuatro estrados, uno enfrente de otro, pero ninguno era igual. En el centro del alcázar había un surtidor de oro rojo en el cual estaban esculpidos leones de oro y el agua salía por su boca. Vieron algo que dejaba perplejo el entendimiento: un pórtico cuya testera estaba cubierta de tapices tejidos con seda de colores. Había en él dos sillas de oro rojo incrustado de perlas y aljófares. Maraas y Garib se sentaron en el solio de Barqán y reunieron su gran corte en el Palacio de Oro.

Sahrazad se dio cuenta de que amanecía e interrumpió el relato para el cual le habían dado permiso. Entonces le dijo su hermana:

—¡Hermana mía! ¡Qué hermosa, qué bella, dulce y agradable es esta historia!

—Pues esto no es nada —contestó— en comparación con lo que os contaré la próxima noche, si vivo y si el rey me permite quedarme.

El soberano se dijo: «¡Por Dios! ¡No la mataré hasta haber oído el resto de su historia!»

Cuando llegó la noche *seiscientas cincuenta y ocho*, refirió:

—Me he enterado, ¡oh rey feliz!, de que Garib preguntó a Maraas: «¿En qué meditas?» «¡Rey de los hombres! He enviado cien hombres en busca de noticias del lugar en que se encuentra Barqán para poder ir tras él.» Permanecieron en el Palacio de Oro durante tres días. Los genios regresaron con la noticia de que Barqán se había dirigido al monte Qaf pidiendo la protección del rey al-Azraq. Éste se la había concedido. Maraas dijo a Garib: «¿Qué dices, hermano mío?» «Que si no los atacamos nos atacarán.» Maraas y Garib mandaron a los soldados que tomasen provisiones para un viaje de tres días. Se prepararon, y cuando estaban a punto de partir aparecieron los genios que habían transportado a Sahim y los regalos. Se aproximaron a Garib y besaron el suelo. Éste les preguntó por sus súbditos. Le contestaron: «Al huir del combate, tu hermano Achib se ha dirigido junto a Yaarib b. Qahtán, después ha seguido hasta la India, se ha presentado ante su rey y le ha referido todo lo que le había ocurrido con su hermano. Ha pedido protección y se la ha concedido. Este rey ha enviado cartas a todos sus gobernadores, ha reunido tropas que parecen el mar tempestuoso, que no tiene ni principio ni fin. Está resuelto a arruinar el Iraq». Garib exclamó al oír estas palabras: «¡Perezcan los infieles! Dios (¡ensalzado sea!) hará vencer al Islam y yo les acometeré con la espada y la lanza». Maraas intervino: «¡Rey de los hombres! ¡Juro por el nombre supremo de Dios[4] que he de acompañarte a tu reino, aniquilar tus enemigos y hacerte conseguir tu deseo!» Garib le dio las gracias y pasaron la noche firmemente resueltos a partir.

Al día siguiente marcharon hacia el monte Qaf y avanzaron todo el día en dirección de la fortaleza al-Ablaq y de la Ciudad de Mármol. Toda esta ciudad estaba construida en piedra y mármol. La había levantado Bariq b. Faquí, padre de los genios; también había construido el castillo de al-Ablaq, al que había dado este nombre porque lo había edificado con adobes de plata y de oro; en ninguna otra región había un castillo como éste. Cuando se aproximaron a la Ciudad de Mármol y sólo les separaba de ella media jornada, hicieron alto para descansar. Maraas envió gente para que le informasen de la situación. El correo se ausentó, regresó y dijo: «¡Rey! En la Ciudad de Mármol hay tal número de genios que excede al de las hojas de los árboles y a las gotas de lluvia». Maraas preguntó: «¿Qué hemos de hacer, rey de los hombres?» «¡Rey! Divide tus fuerzas en cuatro partes que se situarán alrededor del campamento. Después chillarán: "¡Dios es el más grande!" Una vez pronunciada esta fórmula se retirarán. Esto se hará mediada la noche y verás lo que ocurre con las tribus de los genios.» Maraas llamó a sus hombres y los dividió conforme había dicho Garib. Tomaron las armas y aguardaron hasta la medianoche. Entonces se pusieron en marcha, se situaron alrededor del ejército enemigo y gritaron: «¡Dios es el más grande! ¡Gloria a la reli-

[4] Dios tiene cien nombres de los cuales los seres humanos conocen noventa y nueve.

gión del amigo de Abraham, sobre el cual sea la paz!» Los incrédulos al oír estas palabras se despertaron aterrorizados, agarraron sus armas y combatieron entre sí hasta que apareció la aurora: había muerto su mayor parte. Garib gritó a los genios creyentes: «¡Cargad sobre los incrédulos restantes! ¡Yo estoy a vuestro lado! ¡Dios os concederá la victoria!» Maraas y las tropas de éste avanzaron. Garib desenvainó su espada al-Mahiq, que era una espada de los genios, y cortó narices, rompió filas, venció a Barqán, lo hirió y le quitó la vida: cayó del caballo teñido por su propia sangre. Lo mismo hizo con el rey al-Azraq. Por la mañana no quedaba en pie ni un infiel ni tan siquiera para dar noticias de la batalla.

Maraas y Garib entraron en el alcázar de al-Ablaq y vieron que sus paredes eran de adobes de oro y de plata; el dintel de las puertas era de cristal y de esmeraldas verdes; había allí un surtidor y una fuente cuyo suelo estaba recubierto por seda recamada con tiras de oro cuajadas de aljófares. Encontraron riquezas que no podían medirse ni describirse. A continuación entraron en un harén en el que encontraron hermosas mujeres. Garib recorrió todo el harén y entre las doncellas encontró una tan hermosa como jamás había visto otra igual. Llevaba puesta una túnica que costaba mil dinares y a su alrededor estaban cien esclavas que levantaban los faldones del traje con ganchos de oro: parecía la luna entre las estrellas. Garib perdió la razón al ver a esta muchacha, quedó perplejo y preguntó a unas doncellas: «¿Quién es esta adolescente?» Le contestaron: «Es Kawkab al-Sabah, la hija del rey al-Azraq».

Sahrazad se dio cuenta de que amanecía e interrumpió el relato para el cual le habían dado permiso. Entonces le dijo su hermana:

—¡Hermana mía! ¡Qué hermosa, qué bella, dulce y agradable es esta historia!

—Pues esto no es nada —contestó— en comparación con lo que os contaré la próxima noche, si vivo y si el rey me permite quedarme.

El soberano se dijo: «¡Por Dios! ¡No la mataré hasta haber oído el resto de su historia!»

Cuando llegó la noche *seiscientas cincuenta y nueve,* refirió:

—Me he enterado, ¡oh rey feliz!, de que Garib se volvió al rey Maraas y le dijo: «¡Rey de los genios! Quiero casarme con esta muchacha». Le contestó: «El palacio y todo lo que contiene —riquezas y genios— te pertenece, pues si tú no hubieras ideado la estratagema que ha aniquilado a Barqán, al rey al-Azraq y sus soldados, ellos nos hubiesen matado a todos. Las riquezas son tus riquezas y sus gentes son tus esclavos». Garib le dio las gracias por estas palabras tan hermosas. Se acercó a la muchacha, la miró atentamente y quedó tan enamorado que se olvidó de Fajr Tach, hija del rey Sabur, rey de persas y turcos, y de Mahdiyya. La madre de esa muchacha era hija del rey de la China. El rey al-Azraq la había raptado de su alcázar, violándola y dejándola encinta. Dio a luz a esa muchacha que por su belleza y su hermosura recibió el nombre de Kawkab al-Sabah: era la reina de las hermosas. Su madre murió cuando ella tenía cuarenta días y las nodrizas y los criados cuidaron de ella hasta que hubo cumplido los diecisiete años. Al llegar a esta edad ocurrió lo relatado, murió su padre y Garib se enamoró locamente de ella. Aquella misma noche cohabitó con ella y vio que era virgen, que odiaba a su padre y que se alegraba de que hubiese muerto.

Garib mandó derruir el castillo de al-Ablaq y así lo hicieron. Garib lo repartió entre los genios y a él le tocaron veintiún mil ladrillos de oro y plata; la parte del dinero y de piedras preciosas que le correspondió es incalculable, innumerable. El rey Maraas, después, tomó consigo a Garib y le enseñó el monte Qaf y sus prodigios. Se pusieron en viaje hacia la fortaleza de Barqán. Al llegar a ella la derruyeron, repartieron sus riquezas y regresaron a la fortaleza de Maraas. Permanecieron en ésta durante cinco días. Después Garib quiso marchar a su país. Maraas le dijo: «¡Rey de los hombres! Yo iré a tu lado hasta dejarte en tu reino». «¡No, por el amigo de Abraham! No quiero que te fatigues. Sólo me llevaré a tus súbditos al-Kaylachán y al-Qurachán.» «¡Rey! Llévate también diez mil genios de a caballo. Estarán a tu servicio.» «No tomaré más que aquellos que te he dicho.» Maraas mandó a mil genios que transportasen la parte de botín que había correspondido a Garib y que acompañasen a éste a su reino; dio orden a al-Kaylachán y al-Qurachán para que marchasen con Garib y le obedeciesen, y ambos dijeron: «¡Oír es obedecer!» Garib dijo a los genios: «Coged las riquezas y a Kawkab al-Sabah». Garib estaba a punto de partir en el caballo volador cuando Maraas le dijo: «¡Hermano mío! Este corcel sólo puede vivir en nuestra tierra: si va a la tierra de los hombres, morirá. Pero tengo un caballo que corre más que cualquier otro del Iraq o de país alguno». Mandó que le llevasen dicho corcel. Se lo presentaron y Garib quedó satisfecho al verlo. Ataron el caballo, al-Kaylachán lo cogió, al-Qurachán cargó con todo lo que pudo y Maraas abrazó a Garib y rompió a llorar por tener que separarse de él. Dijo: «¡Hermano mío! Si te ocurre algo a lo que no puedas sobreponerte, manda a buscarme. Yo acudiré con mi ejército y juntos arruinaremos la tierra y todo lo que sostiene». Garib le dio las gracias por sus favores y por su fidelidad al Islam.

Los dos genios con Garib y el corcel viajaron durante dos días y dos noches durante los cuales recorrieron una distancia de cinco años llegando hasta las inmediaciones de la ciudad de Omán. Descendieron cerca de ella para descansar. Garib se volvió hacia al-Kaylachán y le dijo: «Ve y averigua qué hacen mis súbditos». El genio fue y volvió. Dijo: «¡Rey! Un ejército de infieles como el mar proceloso acomete a tu ciudad, ataca. Los tambores de guerra repican y al-Chamraqán ha salido al campo para combatir». Garib, al oír estas palabras, exclamó: «¡Dios es el más grande!» Añadió: «¡Kaylachán! ¡Ensíllame el caballo, dame las armas y la lanza! Hoy se verá clara la diferencia que hay en el campo de batalla y en la palestra entre el caballero y el cobarde». Al-Kaylachán le entregó lo que le había pedido. Garib cogió las armas, ciñó la espada de Jafet, hijo de Noé, montó en el caballo marino y avanzó hacia el ejército y los soldados. Al-Kaylachán y al-Qurachán le dijeron: «Tranquiliza tu corazón y deja que vayamos nosotros al encuentro de los incrédulos: los dispersaremos por el campo y el desierto de tal modo que no quedará ni uno con vida, ni siquiera para avisar al fuego. Todo ello con el auxilio de Dios, el Altísimo, el Todopoderoso». Garib les replicó: «¡Juro por el amigo de Abraham que no os dejaré combatir mientras yo me sostenga a lomos de mi caballo!»

La culpa de la presencia de aquel ejército la tenía Achib.

Sahrazad se dio cuenta de que amanecía e interrumpió el relato para el cual le habían dado permiso.

Cuando llegó la noche *seiscientas sesenta*, refirió:

—Me he enterado, ¡oh rey feliz!, de que había llegado con el ejército de Yaarib b. Qahtán y había asediado a los musulmanes. Al-Chamraqán y Sadán, a los que se habían unido al-Kaylachán y al-Qurachán, le habían hecho frente, habían derrotado el ejército de los incrédulos y Achib había tenido que huir. Había dicho a sus contríbulos: «¡Gentes! Si regresamos junto a Yaarib b. Qahtán después de haber perdido sus tropas, dirá: "¡Hombres! Si no hubiese sido por vosotros, mis soldados no hubiesen muerto", y nos matará hasta el último. Opino que hemos de dirigirnos a la India y presentarnos ante su rey, Tarkanán, para que éste nos vengue». Le contestaron: «¡Llévanos y que el fuego te bendiga!» Viajaron días y noches hasta llegar a la ciudad de la India. Pidieron audiencia al rey Tarkanán, y éste permitió a Achib que entrase. Pasó, besó el suelo, hizo los votos de rigor y dijo: «¡Oh, rey! Protégeme y el fuego que da chispas te protegerá y te guardará; protégeme y la noche te custodiará con sus oscuras tinieblas». El rey de la India miró a Achib y le preguntó: «¿Quién eres? ¿Qué quieres?» «Soy Achib, rey del Iraq. Mi hermano me ha ofendido y se ha convertido al Islam; los súbditos le han seguido, se ha apoderado de mi país y me va expulsando de un sitio a otro. He llegado hasta aquí para pedir tu protección y tu favor.» El rey de la India se levantó, volvió a sentarse y dijo: «¡Juro por el fuego que te vengaré! ¡No consentiré a nadie que adore a algo distinto del fuego!» Llamó a su hijo y le dijo: «Hijo mío: haz tus preparativos, ve al Iraq, aniquila todo lo que encuentres allí, encadena a todos los que no adoren el fuego y castígalos para que sirvan de ejemplo. Pero no los mates. Tráemelos para que pueda atormentarlos de formas distintas, hacerles gustar la humillación y servir de escarmiento a todos los que reflexionan en nuestro tiempo». Escogió ochenta mil combatientes de a caballo, otros ochenta mil sobre jirafas; además les dio diez mil elefantes, cada uno de los cuales llevaba un palanquín de sándalo con barras de oro y con chapas y clavos de oro y de plata. En cada palanquín había un estrado de oro y esmeralda. Envió con ellos literas de campaña en cada una de las cuales cabían ocho combatientes con todas sus armas.

El hijo del rey era el hombre más valiente de su época y nadie podía compararsele en valor. Se llamaba Rad Sah. Empleó diez días en los preparativos y se puso en marcha como una nube: viajó durante dos meses hasta llegar a la ciudad de Omán. La cercó. Achib estaba contento pues creía que iba a vencer. Al-Chamraqán, Sadán y todos sus héroes salieron al campo de combate. Repicaron los tambores y relincharon los caballos en el justo momento en que observaba al-Kaylachán y regresaba a informar al rey Garib, el cual montó a caballo, según hemos dicho, espoleó su corcel y se introdujo entre las filas de los incrédulos para ver quién avanzaba e iniciaba el combate. Sadán el Ogro se aproximó, ofreció combate singular y uno de los héroes de la India se le puso delante: Sadán no le dio ni tiempo de asegurar el pie; le acometió con la maza y le trituró los huesos: cayó al suelo. Apareció un segundo campeador y lo mató; al tercero lo tumbó por tierra.

Sadán siguió combatiendo hasta dar muerte a treinta enemigos. Entonces se le puso delante un paladín indio que se llamaba Battás al-Aqrán. Era el caballero de su tiempo y en el campo de batalla equivalía a cinco mil caballeros; era tío del rey Tarkanán. Al enfrentarse a Sadán le dijo: «¡Bandido de árabe! ¡Has tenido el atrevimiento de matar a los reyes y paladines de la India, a hacer prisioneros a sus caballeros! Hoy es tu último día en este mundo». Los ojos de Sadán se inyectaron en sangre al oír estas palabras, cargó sobre Battás y le dio un mazazo. Pero no hizo blanco y doblándose al peso de la maza cayó al suelo. Al volver en sí se encontró atado, encadenado. Lo encerraron en una tienda. Al-

Chamraqán, al ver a su amigo prisionero, exclamó: «¡Por la religión del amigo de Abraham!» Espoleó su corcel y cargó contra Battás al-Aqrán. Combatieron un rato: Battás cayó, luego, sobre al-Chamraqán, lo agarró por la armadura, lo arrancó de la silla y lo tiró al suelo. Los indios lo encadenaron y lo llevaron a su tienda. Battás siguió venciendo a un jefe tras otro e hizo prisioneros a veinticuatro musulmanes. Los musulmanes, al ver esto, experimentaron una gran pena. Garib, al darse cuenta tomó de debajo de la rodilla una maza de oro que pesaba ciento veinte *ratl*: era la maza de Barqán, rey de los genios.

Sahrazad se dio cuenta de que amanecía e interrumpió el relato para el cual le habían dado permiso. Entonces le dijo su hermana:

—¡Hermana mía! ¡Qué hermosa, qué bella, dulce y agradable es esta historia!

—Pues esto no es nada —contestó— en comparación con lo que os contaré la próxima noche, si vivo y si el rey me permite quedarme.

El soberano se dijo: «¡Por Dios! ¡No la mataré hasta haber oído el resto de su historia!»

Cuando llegó la noche *seiscientas sesenta y una*, refirió:

—Me he enterado, ¡oh rey feliz!, de que [Garib] guió su caballo marino que corrió como si fuese viento a ráfagas y avanzó hasta colocarse en el centro del campo. Gritó: «¡Dios es el más grande! ¡Conquista y da la victoria! ¡Humilla a los que no creen en la religión de Abraham, su amigo!» Cargó contra Battás, le golpeó con la maza y cayó al suelo. Se volvió hacia los musulmanes, vio a su hermano Sahim al-Layl y le dijo: «¡Ata a ese perro!» Sahim se precipitó sobre Battás al oír las palabras de Garib, lo ató fuertemente y lo cogió. Los caballeros musulmanes habían quedado admirados ante aquel campeón y los incrédulos se preguntaban unos a otros: «¿Quién es este caballero que ha salido de sus filas y ha hecho prisionero a nuestro jefe?» Todo esto ocurría mientras Garib invitaba a combate singular. Un jefe indio se presentó. Garib le golpeó con la maza y cayó tendido al suelo. Al-Kaylachán y al-Qurachán lo ataron y se lo entregaron a Sahim. Garib fue apresando campeador tras campeador hasta llegar a cincuenta y dos de los más valientes. Al terminar el día el tambor de la retirada repicó y Garib, abandonando la palestra, se dirigió hacia las filas musulmanas. El primero en salirle al encuentro fue Sahim, quien le besó el pie, que estaba en el estribo. Dijo: «¡Que tu mano no se seque, oh, caballero del tiempo! Dinos cuál de los valientes eres». Entonces Garib se quitó la celada, y lo reconoció. Sahim gritó: «¡Gentes! Éste es vuestro rey, vuestro señor, Garib, que ha llegado de la tierra de los genios». Los musulmanes, al oír citar a su rey, descabalgaron, se le acercaron a pie y le besaron los dos pies, que estaban en el estribo. Lo saludaron, se alegraron de que estuviese salvo y entraron en la ciudad de Omán. Garib se apeó ante el trono, y las gentes, llenas de alegría, se situaron a su alrededor. Acercaron la comida y comieron. Después les contó todo lo que le había sucedido en el monte Qaf con las tribus de los genios. Los asistentes se admiraron muchísimo y dieron gracias a Dios por haberlo salvado.

Al-Kaylachán y al-Qurachán no se apartaban del lado de Garib. Éste mandó a los reunidos que se marchasen a la cama, y se fueron a su casa. Únicamente quedaron a su lado los dos genios. Les preguntó: «¿Podéis llevarme hasta Kufa para estar con mi harén, y traerme otra vez aquí al fin de la noche?» «¡Señor nuestro! Lo que pides es la cosa más fácil de hacer.» Entre Kufa y Omán hay sesenta días de marcha para un caballero que vaya rápido. Al-Kaylachán dijo a al-Qurachán: «¡Yo lo llevaré a la ida y tú lo traerás de vuelta!» Al-Kaylachán lo cogió y al-Qurachán lo acompañó. En menos de una hora llegaron a Kufa, dejándolo en la puerta de palacio. Garib se presentó ante su tío al-Damig. Al verlo, lo saludó y le preguntó: «¿Cómo están mis mujeres Fajr Tach[5] y Mahdiyya?» «Ambas están en perfecto estado y buena salud.» El criado entró en el harén para anunciar la llegada de Garib. Las mujeres se alegraron, chillaron de gozo y dieron una propina al criado. A continuación entró Garib y salieron a saludarle, y hablaron. Al-Damig acudió también y Garib explicó todo lo que le había sucedido con los genios. Al-Damig y las mujeres quedaron admirados. Después, Garib pasó el resto de la noche con Fajr Tach[5]. Al acercarse la aurora salió en busca de los dos genios, se despidió de su familia, de su harén y de su tío al-Damig. Se subió a la espalda de al-Qurachán y al-Kaylachán lo acompañó. Cuando empezaron a disiparse las tinieblas ya estaba en la ciudad de Omán. Tomó las armas, su gente hizo lo mismo y mandó abrir las puertas. Entonces apareció un caballero procedente de las filas de los incrédulos que llegaba acompañado por al-Chamraqán, Sadán el Ogro y todos los jefes prisioneros a los cuales había puesto en libertad. Los entregó a Garib, rey de los musulmanes. Éstos se alegraron mucho al verlos salvos y puestas las armaduras, montaron a caballo, repicaron los tambores de guerra, de batalla y de combate. Los incrédulos también salieron y se dispusieron en filas.

Sahrazad se dio cuenta de que amanecía e interrumpió el relato para el cual le habían dado permiso. Entonces le dijo su hermana:

—¡Hermana mía! ¡Qué hermosa, qué bella, dulce y agradable es esta historia!

—Pues esto no es nada —contestó— en comparación con lo que os contaré la próxima noche, si vivo y si el rey me permite quedarme.

El soberano se dijo: «¡Por Dios! ¡No la mataré hasta haber oído el resto de su historia!»

Cuando llegó la noche *seiscientas sesenta y dos*, refirió:

—Me he enterado, ¡oh rey feliz!, de que el primero en abrir la batalla fue el rey Garib. Desenvainó su espada al-Mahiq, que era la espada de Jafet, hijo de Noé (¡sobre él sea la paz!), condujo su corcel entre las dos filas y gritó: «¡Quien me conoce ha evitado mi mano, que daña! Para quien no me conoce me presentaré yo mismo: soy el rey Garib, rey del Iraq y del Yemen. Soy Garib, el hermano de Achib». Rad Sah, el hijo del rey de la India, al oír las palabras de Garib ordenó a sus jefes: «¡Traedme a Achib!» Se lo llevaron y le dijo: «Esta guerra sabes que es tu guerra: tú has sido la causa

[5] Error del texto, ya que se refiere a Kawkab al-Sabah. En otras ediciones aparece de esta manera.

de ella. Ahí está tu hermano en el campo de batalla, en la palestra de la guerra y del combate. Ve a luchar con él y tráemelo prisionero para que lo coloque boca abajo sobre los lomos de un camello, haga un escarmiento de él y lo pueda llevar a la India». «¡Rey! —replicó Achib—, envía a otra persona. Hoy me encuentro débil.» Rad Sah se inflamó de cólera y rebufó al oír estas palabras. Exclamó: «¡Juro por el fuego que da chispas, por la luz, las tinieblas y el calor, que si no sales a batirte con tu hermano y me lo traes inmediatamente, te cortaré la cabeza y pondré fin a tu vida!»

Achib condujo su corcel al campo intentando hacerse el valiente. Se acercó a su hermano y le dijo: «¡Perro de los árabes! ¡Oh, el más vil de los montadores de tiendas! ¿Te atreves a compararte con los reyes? ¡Coge lo que te llega y regocíjate con tu muerte!» El rey Garib le contestó a estas palabras: «¿Qué rey eres tú?» «Soy tu hermano y hoy es el último de tus días en este mundo.» Garib, al cerciorarse de que se trataba de su hermano Achib exclamó: «¡Venganza por mi padre y por mi madre!» Entregó su espada a al-Kaylachán y cargando con la maza le dio un golpe de gigante prepotente que poco faltó para hacerle salir las costillas. Después lo agarró por el cuello, tiró de él, lo arrancó de la silla, lo arrojó al suelo y lo entregó a los dos genios que lo ataron fuertemente trasladándolo después humillado y capitidisminuido. Garib estaba alegre, pues había capturado a su enemigo. Recitó:

> He conseguido mi deseo y ha concluido la fatiga. ¡Gloria y gracias a Dios que es nuestro Señor!
> He crecido vilipendiado, pobre y despreciado, pero Dios me ha concedido todos sus favores.
> Poseo países y he sometido a los hombres. Pero sin Ti, Señor, no hubiese podido hacerlo.

Rad Sah, al ver lo que había sucedido a Achib con su hermano Garib, pidió su corcel, se puso la armadura, empuñó las armas y salió al campo de batalla. Condujo a su corcel hasta llegar cerca del rey Garib en el campo de la lucha. Le gritó: «¡Oh, el más vil de los árabes! ¡Leñador! ¿Es que tu fuerza ha llegado hasta el punto de atreverte a aprisionar a los reyes y a los héroes? ¡Baja de tu caballo, átate, besa mi pie, pon en libertad a mis campeadores y acompáñame a mi reino! Irás cargado de cadenas para que pueda perdonarte y hacer de ti un jeque en nuestro país en donde tendrás un bocado de pan». Garib al oír estas palabras rompió a reír hasta caerse de espaldas. Replicó: «¡Perro rabioso! ¡Lobo roñoso! ¡Verás contra quién van a volverse las circunstancias!» Llamó a Sahim y le dijo: «¡Tráeme a los prisioneros!» Se los llevó y Garib les cortó el cuello. Rad Sah, al verlo, se abalanzó de modo terrible contra Garib y le acometió como lo haría un gigante prepotente. Avanzaron, retrocedieron y chocaron sin cesar hasta que llegaron las tinieblas y repicaron los tambores ordenando el fin del combate.

Sahrazad se dio cuenta de que amanecía e interrumpió el relato para el cual le habían dado permiso. Entonces le dijo su hermana:

—¡Hermana mía! ¡Qué hermosa, qué bella, dulce y agradable es esta historia!

—Pues esto no es nada —contestó— en comparación con lo que os contaré la próxima noche, si vivo y si el rey me permite quedarme.

El soberano se dijo: «¡Por Dios! ¡No la mataré hasta haber oído el resto de su historia!»

Cuando llegó la noche *seiscientas sesenta y tres,* refirió:

—Me he enterado, ¡oh rey feliz!, de que se separaron unos de otros y cada rey se dirigió a su campamento en donde los felicitaron por haberse salvado. Los musulmanes dijeron al rey Garib: «El prolongar tanto el combate no es costumbre tuya, ¡oh, rey!» «¡Gente! He combatido con héroes y con elefantes, pero no he visto jamás a nadie que luchase tan bien como este héroe. Quería desenvainar contra él la espada de Jafet y acometerle rompiéndole los huesos y poniendo fin a sus días. Pero lo he dejado, pensando en cogerlo prisionero para que pueda hacerse musulmán.» Esto es lo que se refiere a Garib.

He aquí lo que hace referencia a Rad Sah: Entró en su pabellón, subió al estrado y se sentó en el trono. Se presentaron ante él los grandes de su pueblo y le preguntaron por el combate. Les contestó: «¡Juro por el fuego que da chispas, que jamás en mi vida he visto un héroe como ése! Mañana lo cogeré prisionero y lo conduciré humillado y capitidisminuido».

Descansaron hasta que por la mañana repicaron los tambores llamando a la guerra. Se prepararon para combatir con la lanza y la maza, ciñeron la espada y empezó el alboroto. Montaron en los mejores corceles, salieron de las tiendas y llenaron la tierra: colinas, llanuras y lugares amplios. El primero en abrir el combate y la batalla fue el adelantado caballero, el león feroz, del rey Garib. Corrió arriba y abajo y gritó: «¿Hay algún valiente, alguien que quiera combatir? ¡Que hoy no se presenten ni el perezoso ni el impotente!» No había terminado de pronunciar sus palabras cuando ya estaba allí Rad Sah montado en un elefante que parecía una cúpula. En el dorso del elefante iba un palanquín sujeto con correas de seda. El conductor del animal estaba sentado entre las orejas de éste y llevaba un gancho en la mano con el cual gobernaba al animal haciéndole ir a derecha e izquierda. El elefante se acercó al caballo de Garib. El corcel al ver algo que no había visto nunca se encabritó de miedo. Garib se apeó, lo entregó a al-Kaylachán, desenvainó la espada al-Mahiq y se acercó, por su propio pie, a Rad Sah, hasta colocarse enfrente del elefante. El príncipe indio, cuando se veía inferior a un caballero enemigo salía a hacerle frente sobre el palanquín del elefante llevando consigo un objeto llamado «lazo», que es una especie de red muy amplia por la base y muy estrecha por encima. En un extremo lleva una anilla con un cordón de seda con lo cual atrapa al caballo y al caballero al dejarla caer encima, se tiraba del cordón, caía el caballero del corcel y quedaba prisionero. Por este método había vencido a muchos caballeros. Cuando Garib estuvo cerca, Rad Sah cogió en la mano el lazo y lo arrojó sobre Garib, tiró de él, lo colocó a lomos del elefante y mandó al conductor que lo llevase a su campo. Pero al-Kaylachán y al-Qurachán, que no se separaban de Garib, al ver lo que había sucedido a éste sujetaron al elefante. Garib, que se debatía en el interior del lazo, lo desgarró mientras al-Kaylachán y al-Qurachán, abalanzándose sobre Rad Sah, lo dominaban, lo ataban con una cuerda de fibra de palma y se lo llevaban.

Los combatientes de ambos lados se precipitaron unos contra otros como si fuesen dos mares que se encuentran o dos montes cuando chocan. El polvo se levantó hasta la cima de los cielos y los dos ejércitos se quedaron a ciegas: el combate se encarnizó, corrió la sangre, y las acometidas furiosas, los lanzazos y el choque de las espadas alcanzaron su máxima saña, sin cesar hasta que el día desapareció y llegó la noche con sus tinieblas. Los tambores ordenaron el alto y los ejércitos se separaron. Aquel día murieron muchos de los musulmanes allí presentes y en su mayoría quedaron heridos por los atacantes que les acometían a lomos de las jirafas y de los elefantes. Esto preocupó mucho a Garib quien mandó curar a los heridos y volviéndose a los grandes de su país les preguntó: «¿Qué opináis?» Replicaron: «¡Oh, rey! Los elefantes y las jirafas son los únicos que nos causan daño. Si consiguiéramos librarnos de ellos venceríamos». Al-Kaylachán y al-Qurachán dijeron: «Nosotros dos desenvainaremos nuestras espadas, caeremos sobre ellos y mataremos a su mayoría». Un hombre de Omán, que había sido consejero de al-Chaland, se adelantó e intervino: «¡Rey! La seguridad de este ejército reside en mí si tú me haces caso y me escuchas». Garib volviéndose hacia los jefes les dijo: «Obedeced a este maestro en todo lo que os diga». Replicaron: «¡Oír es obedecer!»

Sahrazad se dio cuenta de que amanecía e interrumpió el relato para el cual le habían dado permiso.

Cuando llegó la noche *seiscientas sesenta y cuatro,* refirió:

—Me he enterado, ¡oh rey feliz!, de que dicho hombre escogió diez jefes y les preguntó: «¿Cuántos héroes tenéis en vuestras filas?» «Diez mil», le respondieron. Los tomó consigo, se los llevó al arsenal, les dio cinco mil ballestas y les enseñó cómo se disparaba con ellas.

Apenas apareció la aurora los incrédulos se prepararon. Sacaron los elefantes y las jirafas y sus hombres se presentaron con todas las armas, pusieron las bestias y los héroes delante de su propio ejército. Garib y sus paladines montaron a caballo y formaron filas. Los timbales repicaron y las fieras y los elefantes avanzaron. Aquel hombre dio un grito a los saeteros: «¡Preparad las flechas y los proyectiles!» Los dardos y el plomo fueron disparados y entraron en las entrañas de los animales. Éstos chillaron, derribaron a los campeadores y a los hombres que transportaban y los aplastaron con sus patas. Los musulmanes cargaron contra los incrédulos y los rodearon por la derecha y la izquierda, mientras los elefantes los aplastaban y los dispersaban por el campo y el desierto. Los musulmanes con sus cortantes espadas los persiguieron. Pocos fueron los que se salvaron de las jirafas y de los elefantes.

El rey Garib y sus hombres regresaron contentos por haber vencido. Repartieron el botín y permanecieron cinco días en su campamento. Después, el rey Garib se sentó en el trono de su reino y mandó a buscar a su hermano Achib. Le dijo: «¡Perro! ¿Por qué vas en busca de los reyes para que nos combatan? Pero el Todopoderoso me concede la victoria sobre ti. Conviértete al Islam y estarás a salvo, no vengaré en ti la muerte de mi padre y de mi madre, te haré rey, como eres, y me pondré a tus órdenes». Achib replicó a las palabras de Garib: «¡No abandonaré mi religión!» Garib le aherrojó y encargó de su custodia a cien esclavos fuertes. Se volvió hacia Rad Sah y le preguntó: «¿Qué dices de la religión del Islam?» «¡Señor mío! Yo entraré en tu religión, pues si no hubiese sido buena y verdadera no nos hubierais vencido. Extiende tu mano, pues yo atestiguo que no hay más dios que el Dios y que el amigo Abraham es el enviado de Dios.» Garib se alegró por su conversión y le dijo: «¿La dulzura de la fe se ha asentado en tu corazón?» «¡Sí, señor mío!» Garib preguntó: «¡Rad Sah! ¿Quieres volver a tu país y a tu reino?» «¡Oh, rey! Mi padre me matará porque he abandonado su religión.» «Yo te acompañaré, te instalaré en tu tierra hasta que, con el auxilio de Dios, el Generoso, el Liberal, te obedezcan las regiones y los súbditos.» Rad Sah le besó la mano y el pie. Garib hizo grandes regalos al hombre cuyo consejo había sido causa de la derrota del enemigo y lo colmó de riquezas. Volviéndose a al-Kaylachán y al-Qurachán dijo: «¡Genios!» «Aquí estamos.» «Quiero que me llevéis a la India.» «Oír es obedecer.» Garib tomó consigo a al-Chamraqán y a Sadán, a los cuales transportó al-Qurachán, mientras que Garib y Rad Sah iban a lomos de al-Kaylachán: marcharon a la India.

Sahrazad se dio cuenta de que amanecía e interrumpió el relato para el cual le habían dado permiso. Entonces su hermana le dijo:

—¡Hermana mía! ¡Qué hermosa, qué bella, dulce y agradable es esta historia!

—Pues esto no es nada —contestó— en comparación con lo que os contaré la próxima noche, si vivo y si el rey me permite quedarme.

El soberano se dijo: «¡Por Dios! ¡No la mataré hasta haber oído el resto de su historia!»

Cuando llegó la noche *seiscientas sesenta y cinco,* refirió:

—Me he enterado, ¡oh rey feliz!, de que emprendían el viaje a la puesta del sol y antes de que terminase la noche ya se encontraban en Cachemira. Los dos genios descendieron en un palacio y los viajeros bajaron por las escaleras. Tarkanán había recibido noticia, por los derrotados, de lo que había sucedido a su hijo y a su ejército, que sus hombres estaban muy apenados y que su hijo ni dormía ni hallaba consuelo en nada. Tarkanán estaba pensando en esto y en lo que había sucedido cuando de repente se presentó ante él un grupo. El rey miró con estupor a su hijo y a sus acompañantes: quedó sobrecogido a causa del aspecto de los genios. Rad Sah, su hijo, se volvió hacia él y le increpó: «¡Traidor! ¡Adorador del fuego! ¡Ay de ti! ¡Deja de adorar al fuego y rinde homenaje al Rey Todopoderoso, al creador de la noche y del día, a Aquel que no ven los ojos!» El padre, que tenía una maza de hierro, al oír estas palabras, la arrojó contra su hijo. Pero marró el golpe y cayó en un ángulo del palacio demoliendo tres piedras.

Le replicó: «¡Perro! ¡Has perdido el ejército y has abandonado tu religión y vienes a quitarme la mía!» Garib se abalanzó sobre él, le dio un palmetazo en el cuello y lo derribó. Al-Kaylachán y al-Qurachán lo ataron fuertemente. Todas las mujeres huyeron.

Garib se sentó en el trono del reino y dijo a Rad Sah: «¡Juzga a tu padre!» Volviéndose Rad Sah hacia éste, le dijo: «¡Viejo perdido! Conviértete y te salvarás del fuego y de la cólera del Todopoderoso». Tarkanán replicó: «Moriré según mi religión». Garib, entonces, desenvainó la espada al-Mahiq, le acometió y cayó al suelo partido en dos mitades. Dios se apresuró a enviar su espíritu al fuego (¡qué pésima morada es!). Mandó luego que lo colgasen de la puerta del alcázar y lo colgaron colocando una mitad a la derecha y la otra a la izquierda. Después pernoctaron hasta que se hizo de día. Garib dijo a Rad Sah: «¡Ponte el traje real!» Se lo puso y se sentó en el solio de su padre. Garib se sentó a su diestra y al-Kaylachán, al-Qurachán, al-Chamraqán y Sadán el Ogro se colocaron a derecha e izquierda. El rey Garib les dijo: «Atad a todo rey que entre y no dejéis que escape de vuestras manos ningún jefe». Contestaron: «¡Oír es obedecer!» Los jefes subieron al palacio del rey para ponerse a su servicio. El primero en llegar fue el Gran Almocadén. Vio al rey Tarkanán colgado y partido en dos mitades. Se quedó perplejo, estupefacto y sin saber qué hacer. Al-Kaylachán se abalanzó sobre él, lo agarró por el cuello, lo tiró al suelo, lo ató y lo arrastró al interior del palacio. Lo sujetó fuertemente y lo guardó. Al salir el sol llevaba atados ya trescientos cincuenta jefes, a los que había colocado ante Garib. Éste les dijo: «¡Hombres! ¿Habéis visto a vuestro rey? Está colgado en la puerta de palacio». Preguntaron: «¿Quién ha hecho con él semejante cosa?» «Yo lo he hecho con el auxilio de Dios (¡ensalzado sea!). Haré lo mismo con aquel que me desobedezca.» «¿Qué nos pides?» «Yo soy Garib, rey del Iraq; yo soy quien ha dado muerte a vuestros héroes. Rad Sah ha adoptado la religión del Islam y será con vosotros un gran rey, equitativo. Convertíos al Islam y estaréis a salvo. No os neguéis, pues os arrepentiríais.» Pronunciaron la profesión de fe y quedaron inscritos entre la gente bienaventurada. Garib les preguntó: «¿Se ha asentado firmemente en vuestros corazones la dulzura de la fe?» «Sí», respondieron. Garib mandó ponerlos en libertad. Los soltaron. Les hizo regalos y les dijo: «Id a vuestros hombres, exponedles los principios del Islam. Conservad la vida de quien se convierta, pero matad a quien rehúse».

Sahrazad se dio cuenta de que amanecía e interrumpió el relato para el cual le habían dado permiso. Entonces su hermana le dijo:

—¡Hermana mía! ¡Qué hermosa, qué bella, dulce y agradable es esta historia!

—Pues esto no es nada —contestó— en comparación con lo que os contaré la próxima noche, si vivo y si el rey me permite quedarme.

El soberano se dijo: «¡Por Dios! ¡No la mataré hasta haber oído el resto de su historia!»

Cuando llegó la noche *seiscientas sesenta y seis,* refirió:

—Me he enterado, ¡oh rey feliz!, de que se marcharon, reunieron a los hombres que tenían bajo su mando y a los cuales gobernaban, les informaron de lo que ocurría, les expusieron la doctrina del Islam y se convirtieron todos, excepción hecha de unos cuantos, a los que mataron. Informaron a Garib de lo que habían hecho y éste loó y alabó a Dios (¡ensalzado sea!), exclamando: «Alabado sea Dios que nos ha facilitado la empresa sin necesidad de tener que combatir». Garib se quedó cuarenta días en Cachemira de la India, organizando el país, derruyendo los templos y los lugares donde se adoraba el fuego y construyendo mezquitas y aljamas para sustituirlos. Rad Sah había empaquetado en gran número regalos y presentes que no tienen descripción, y los había cargado en barcos. Garib se subió a la espalda de al-Kaylachán, y Sadán y al-Chamraqán montaron en la de al-Qurachán después de despedirse unos de otros. Viajaron hasta el fin de la noche. Al aparecer la aurora ya estaban en la ciudad de Omán. Sus habitantes salieron a recibirlos, los saludaron y se alegraron de su regreso. Garib, al llegar a la puerta de Kufa mandó que llevasen ante él a su hermano Achib. Cuando compareció mandó crucificarlo. Sahim llevó ganchos de hierro, los colocó bajo sus tendones y lo levantaron por encima de la puerta de Kufa. Además mandó que le arrojasen dardos y lo asaetearon hasta quedar como un puerco espín.

Después, Garib entró en Kufa, pasó a su palacio, se sentó en el trono del reino y gobernó todo el día hasta la llegada de la noche. Entonces entró en el harén. Kawkab al-Sabah le salió al encuentro y lo abrazó. Lo mismo hicieron las concubinas, que lo felicitaron por haberse salvado. Pasó aquel día y la noche con Kawkab al-Sabah. Al amanecer se lavó, rezó la oración de la mañana, se sentó en el trono de su reino e inició las fiestas de su boda con Mahdiyya: sacrificaron tres mil cabezas de ganado lanar, dos mil del vacuno, mil cabras, quinientos camellos, y cuatro mil gallinas y muchas ocas y quinientos caballos. Jamás en el Islam de aquella época se había celebrado otra boda como ésa. Garib tuvo relaciones con Mahdiyya, le arrebató la virginidad y permaneció en Kufa durante diez días. Al cabo de este tiempo recomendó a su tío que fuese justo con sus súbditos, y tomando consigo sus campeadores y su harén fue en busca de los barcos con los regalos y los presentes. Repartió las naves con todo lo que contenían y todos sus hombres se enriquecieron. Siguieron viaje hasta la ciudad de Babel. Hizo don de ésta a su hermano Sahim al-Layl nombrándole sultán.

Sahrazad se dio cuenta de que amanecía e interrumpió el relato para el cual le habían dado permiso.

Cuando llegó la noche *seiscientas sesenta y siete*, refirió:

—Me he enterado, ¡oh rey feliz!, de que permaneció con él durante diez días. Al cabo de éstos se pusieron en camino hasta llegar a la fortaleza de Sadán, el Ogro, y descansaron en ella durante cinco días. Aquí Garib dijo a al-Kaylachán y al-Qurachán: «Id a Isbanir al-Madain, entrad en el alcázar de Cosroes, averiguad cómo está Fajr Tach y traedme uno de los allegados del rey para que me explique lo que ha ocurrido». Contestaron: «¡Oír es obedecer!» Se pusieron en marcha hacia Isbanir al-Madain y mientras corrían entre el cielo y la tierra descubrieron un ejército que avanzaba semejante a un mar encrespado. Al-Kaylachán dijo a al-Qurachán: «Bajemos a ver qué es este ejército». Descendieron y recorrieron las filas de los incrédulos. Vieron que eran persas. Preguntaron a algunos de ellos: «¿De quién es este ejército? ¿Adónde vais?» Les replicaron: «En busca de Garib, para matarle a él con todos los suyos». Cuando oyeron estas palabras se dirigieron al pabellón del rey que era jefe de las tropas y que se llamaba Rustam. Esperaron hasta que los persas quedaron dormidos en su lecho y Rustam en su estrado. Cogieron el estrado y lo llevaron a la fortaleza de Garib. Llegaron a las tiendas de éste antes de la medianoche. Entonces se presentaron en la puerta del pabellón y pidieron permiso para entrar. Garib al oír sus palabras se sentó y dijo: «¡Entrad!» Pasaron llevando el lecho en que dormía Rustam.

Garib preguntó: «¿Quién es ése?» «Un rey persa que viene al frente de un gran ejército para matarte a ti y a tus hombres. Te lo traemos para que te informe de lo que desees.» Garib les dijo: «¡Traedme cien caballeros!» Cuando los tuvo ante sí ordenó: «¡Desenvainad las espadas y colocaos junto a la cabeza del persa!» Hicieron lo que les mandaba y lo despertaron. Abrió los ojos y vio encima de su cabeza una cúpula de espadas. Cerró los ojos y exclamó: «¡Qué pesadilla más horrorosa!» Al-Kaylachán le pinchó con la punta de la espada. Rustam se sentó y preguntó: «¿Dónde estoy?» «Estás ante la majestad del rey Garib, el yerno del rey de los persas. ¿Cómo te llamas? ¿Adónde vas?» Al oír citar a Garib, meditó y se dijo: «¿Estoy durmiendo o despierto?» Sahim le dio un golpe y le dijo: «¿Por qué no contestas a lo que te dicen?» Levantó la cabeza y preguntó: «¿Quién me ha sacado de la tienda en la cual yo me encontraba entre mis hombres?» Garib le contestó: «Te han traído estos dos genios». Al ver a al-Kaylachán y al-Qurachán se cagó en sus vestidos.

Los dos genios mostraron sus colmillos, desenvainaron las espadas y le dijeron: «¿Es que no te adelantas para besar la tierra ante el rey Garib?» Asustado por los dos genios se dio cuenta de que no estaba durmiendo. Se incorporó, besó el suelo y dijo: «¡Que el fuego te bendiga y prolongue tu vida, oh, rey!» Garib replicó: «¡Perro persa! ¡No hay que adorar al fuego, que sólo sirve para calentar la comida!» «¿A quién hay que adorar?» «A Quien te ha creado y formado, a Quien ha creado los cielos y la tierra.» «¿Y qué he de decir para ser un fiel de ese Señor y entrar en vuestra religión?» «Dirás: "No hay dios sino el Dios de Abraham, el amigo de Dios".»

El persa pronunció la profesión de fe y quedó inscrito entre los bienaventurados. Luego dijo: «Sabe, señor mío, que tu suegro, el rey Sabur, quiere darte muerte y que me ha despachado con cien mil hombres y me ha ordenado que no deje vivo ni a uno solo de vosotros». Garib, al oír estas palabras, dijo: «Éste es el pago que recibo por haber librado a su hija de la pena y de la muerte. Pero Dios le recompensará por lo que ha pensado hacer». A continuación preguntó: «¿Cómo te llamas?» «Rustam, jefe de Sabur.» «También serás jefe en mi ejército. ¡Rustam! ¿Cómo está la reina Fajr Tach?» «¡Que tu vida dure, oh rey del tiempo!» «¿Cuál ha sido la causa de su muerte?» «¡Señor mío! Cuando marchaste en busca de tu hermano, una concubina se presentó ante el rey Sabur, tu suegro, y le preguntó: "¡Señor mío! ¿Has mandado a Garib que durmiese con la señora Fajr Tach?" Contestó: "¡No! ¡Lo juro por el fuego!" A continuación desenvainó la espada, fue en busca de su hija y la increpó: "¡Depravada! ¿Cómo has dejado dormir contigo a ese beduino que ni te ha dado dote ni ha celebrado ceremonia nupcial?" "¡Padre mío! Tú le diste permiso para que durmiese conmigo." "¿Y ha tenido relaciones contigo?" La princesa calló y bajó la cabeza hacia el suelo. El rey llamó a las nodrizas y a las concubinas y les dijo: "¡Atad a esta prostituta! ¡Observad sus partes!" La examinaron y dijeron: "¡Rey! Ha perdido la virginidad". El rey se abalanzó sobre la princesa dispuesto a matarla. Pero su madre se interpuso entre los dos y dijo: "¡Rey! ¡No la mates, pues sería una infamia! Encarcélala en una celda hasta que muera". La encarceló hasta la llegada de la noche. Entonces envió a buscarla a dos de sus allegados, a los que había dicho: "Alejaos con ella y arrojadla al río Chayhún.

Pero no lo digáis a nadie". Hicieron lo que les había mandado. Su recuerdo ha desaparecido y su tiempo ha pasado.»

Sahrazad se dio cuenta de que amanecía e interrumpió el relato para el cual le habían dado permiso.

Cuando llegó la noche *seiscientas sesenta y ocho*, refirió:

—Me he enterado, ¡oh rey feliz!, de que los ojos de Garib perdieron de vista al mundo, al oír estas palabras, y furioso exclamó: «¡Juro por el Amigo que iré en busca de ese perro, lo mataré y arruinaré su país!» Envió cartas a al-Chamraqán, y a los señores de Mayyafariquin y Mosul. Después volviéndose hacia Rustam le preguntó: «¿Cuántos soldados tienes?» «Traigo cien mil caballeros persas.» «Toma diez mil caballeros míos, ve en busca de los tuyos y tenlos entretenidos con un combate. Yo iré en pos de ti.» Rustam y los diez mil caballeros montaron y marcharon en busca de los persas. Rustam se decía: «Haré algo que me traerá los beneficios del rey Garib». Caminaron durante siete días, se aproximaron al ejército persa y cuando sólo los separaba media jornada, Rustam dividió el ejército en cuatro divisiones y les dijo: «Rodead a los persas y cargad sobre ellos con la espada». «¡Oír es obedecer!», le replicaron. Cabalgaron desde la caída de la tarde hasta medianoche, rodearon a los persas que estaban tranquilos desde la desaparición de Rustam. Los musulmanes cayeron sobre ellos gritando: «¡Dios es el más grande!» Los persas se despertaron: la espada corrió entre ellos, los pies resbalaron y el Rey omnisciente se enojó con ellos. Rustam fue el fuego que prendió la leña seca. Apenas había terminado la noche cuando todo el ejército persa se repartía entre muertos, fugitivos o heridos. Los musulmanes se apoderaron de los fardos, tiendas, depósitos, riquezas, caballos y camellos. Después se instalaron en las tiendas y descansaron hasta la llegada del rey Garib. Éste vio lo hecho por Rustam, cómo había urdido la estratagema, matado a los persas y destrozado su ejército. Le hizo grandes regalos y le dijo: «¡Rustam! Tú eres quien ha derrotado a los persas: todo el botín te pertenece». Rustam besó la mano del rey, le dio las gracias y descansaron durante todo el día. Después se pusieron en marcha en busca del rey de los persas.

Los vencidos llegaron y entraron en el palacio del rey Sabur quejándose con ayes por la gran desgracia sufrida. El rey Sabur les preguntó: «¿Qué os ha ocurrido? ¿Quién os ha atacado?» Le refirieron lo que les había sucedido y cómo habían sido atacados en medio de las tinieblas de la noche. Sabur preguntó: «¿Quién os ha sorprendido?» «¡El jefe de tu ejército! —le replicaron—. Ahora se ha convertido al Islam. Garib no se ha acercado a nosotros.» El rey, al oír esto, tiró su corona por el suelo y exclamó: «¡Hemos perdido todo el valor!» Se volvió a su hijo Ward Sah y le dijo: «¡Hijo mío! Tú eres el único que puede solucionar este asunto». «¡Juro por tu vida, padre mío —le contestó—, que te traeré a Garib y a todos sus grandes atados con cuerdas! ¡Juro que aniquilaré a todos sus soldados!» Contó a sus hombres y vio que tenía doscientos veinte mil. Pasaron la noche resueltos a partir. A la mañana siguiente, cuando estaban a punto de ponerse en marcha, vieron una polvareda que remontaba a lo alto y cerraba el horizonte impidiendo ver a los que miraban. El rey Sabur estaba montado a caballo para despedir a su hijo. Al ver esa gran polvareda gritó a un correo: «Ve a averiguarme qué hay en esa nube». Fue, regresó y dijo: «¡Señor mío! Garib y sus paladines están aquí». Entonces los persas descargaron los fardos y dispusieron sus hombres en línea de combate y guerra.

Garib se acercó a Isbanir al-Madain y vio que los persas se habían dispuesto a presentar combate y a luchar. Entonces arengó a su gente. Sabur dijo: «¡Cargad contra ellos y que el fuego os bendiga!» Tremolaron los estandartes, los árabes y los persas se juntaron y cargaron nación contra nación: corrió la sangre a ríos y todos pudieron contemplar la muerte por sus propios ojos. Los valientes avanzaron; los cobardes volvieron la espalda y emprendieron la fuga. El combate y la lucha siguió ininterrumpidamente hasta que terminó el día. Entonces repicaron los tambores de la separación, y se alejaron unos de otros. El rey Sabur mandó que levantasen las tiendas junto a la puerta de la ciudad y el rey Garib plantó las suyas enfrente de las de los persas. Cada bando se retiró a su campo.

Sahrazad se dio cuenta de que amanecía e interrumpió el relato para el cual le habían dado permiso.

Cuando llegó la noche *seiscientas sesenta y nueve,* refirió:

—Me he enterado, ¡oh rey feliz!, de que al día siguiente montaron en los caballos fuertes, veloces; se levantó el griterío, cogieron las lanzas y vistieron los arreos de guerra. Los héroes valerosos, los leones del combate, avanzaron. El primero en abrir la puerta de la lid fue Rustam. Condujo su corcel hasta el centro de la palestra y gritó: «¡Dios es el más grande! ¡Soy Rustam, el jefe de los héroes árabes y persas! ¿Hay algún combatiente? ¿Hay quien luche? ¡Que no se me acerque hoy ni el cansado ni el impotente!» Se le presentó el persa Tumán. Éste cargó contra aquél y aquél contra éste. Se arremetieron repetidas veces. Rustam saltó sobre su enemigo y le golpeó con una maza que pesaba setenta *ratl,* hundiéndole la cabeza en el pecho: Tumán cayó muerto en el suelo, ahogado en su propia sangre. Esto no desanimó al rey Sabur, quien mandó a sus hombres que atacasen. Cargaron a los musulmanes pidiendo ayuda al sol que da la luz. Los musulmanes pedían auxilio al Rey Todopoderoso. Los persas eran más numerosos que los árabes, por lo que escanciaron a éstos la copa de la muerte. Entonces Garib chilló y avanzó con resolución desenvainando la espada al-Mahiq, la espada de Jafet. Cargó a los persas llevando junto a sus estribos a al-Kaylachán y a al-Qurachán. No paró de revolverse con su espada hasta llegar al portaestandarte, al cual golpeó de plano en la cabeza con la espada. Cayó desmayado en el suelo y los dos genios lo cogieron y lo trasladaron a su tienda.

Los persas, al ver caída su bandera, dieron media vuelta y huyeron en busca de las puertas de su ciudad. Los musulmanes los persiguieron espada en mano, llegaron a las puertas, se apelotonaron en ellas y murió allí un gran número de hombres. Los persas no pudieron cerrar las puertas y Rustam, al-Chamraqán, Sadán, al-Damig, Sahim, al-Kaylachán, al-Qurachán y todos los héroes musulmanes y los caballeros que profesaban el dogma de la unicidad acometieron a los persas embotellados en las puertas: la sangre de los incrédulos corrió por los azucaques como un torrente. Entonces pidieron gracia: los musulmanes levantaron las espadas, los persas tiraron sus armas y fueron conducidos, como si fuesen un rebaño, a las tiendas de los musulmanes. Garib volvió a su pabellón, se quitó las armas, y después de lavarse la sangre de los incrédulos se puso el traje real y se sentó en el trono de su reino. Mandó a buscar al rey de los persas y se lo llevaron. Lo colocaron ante él. Exclamó: «¡Perro de los persas! ¿Qué te movió a hacer con tu hija lo que hiciste? ¿Cómo puedes creer que yo no soy el marido que le conviene?» «¡Rey! ¡No me reprendas por lo que hice! Ya me he arrepentido de ello. Si he salido a combatirte ha sido porque te tenía miedo.» Garib, al oír estas palabras, mandó que lo azotasen y lo apaleasen. Hicieron lo que les mandaba hasta que dejó de quejarse. A continuación lo metieron con los demás presos. Garib mandó llamar a los persas, les expuso los fundamentos del Islam y se convirtieron ciento veinte mil. El resto fue pasado por la espada. Todos los persas que estaban en la ciudad se convirtieron. Garib montó a caballo y en el centro de un gran cortejo entró en Isbanir al-Madain y se sentó en el trono de Sabur, rey de los persas. Dio regalos, distribuyó el botín y el oro e hizo dones a los persas, los cuales lo amaron y le desearon victorias, poder y larga vida.

La madre de Fajr Tach recordó a su hija y organizó los funerales. El palacio se llenó de gritos y ayes. Garib los oyó, entró en el lugar de donde salían y preguntó: «¿Qué ocurre?» La madre de Fajr Tach se le acercó y dijo: «¡Señor mío! Tu presencia me ha hecho recordar a mi hija y he dicho: "Si estuviese bien se habría alegrado de tu llegada"». Garib lloró por ella y se sentó en el trono. Dijo: «¡Traedme a Sabur!» Se lo llevaron preso en sus argollas. Le increpó: «¡Perro persa! ¿Qué has hecho de tu hija?» «Se la entregué a Fulano y a Zutano y les dije: "Ahogadla en el río Chayhún"». Garib mandó llamar a los dos hombres y les preguntó: «Lo que ha dicho ése ¿es verdad?» Le contestaron: «¡Sí!

Pero no la ahogamos. Tuvimos compasión de ella y la dejamos en la orilla del Chayhún diciéndole: "Procura salvarte y no vuelvas a la ciudad, pues Sabur te mataría a ti y a nosotros". Esto es lo que sabemos».

Sahrazad se dio cuenta de que amanecía e interrumpió el relato para el cual le habían dado permiso.

Cuando llegó la noche *seiscientas setenta,* refirió:

—Me he enterado, ¡oh rey feliz!, de que Garib al oírlo mandó llamar a los astrólogos. Acudieron y les ordenó: «Trazad las líneas en la arena y averiguad cómo se encuentra Fajr Tach: ¿está aún viva o ha muerto?» Hicieron la figura y dijeron: «¡Rey del tiempo! Para nosotros es manifiesto que la reina vive y que ha dado a luz un varón. Ambos se encuentran en una taifa de genios. Ella permanecerá lejos de ti veinte años. Calcula, pues, cuántos años has empleado en tu viaje». Garib calculó el tiempo que había durado su ausencia y vio que habían sido ocho años. Exclamó: «¡No hay fuerza ni poder sino en Dios, el Altísimo, el Grande!» Envió mensajeros a las fortalezas y alcazabas que obedecían a Sabur. Todos se declararon sumisos.

Una vez estaba sentado en el alcázar y vio levantarse una nube de polvo que tapó los países y oscureció el horizonte. Llamó a al-Kaylachán y al-Qurachán y les dijo: «Traedme noticia de lo que viene en esa nube». Los dos genios se pusieron en camino, se metieron debajo de la nube, capturaron a uno de sus caballeros y lo llevaron a Garib. Lo colocaron ante éste y le dijeron: «Interrógalo, pues es del ejército». Garib preguntó: «¿De quién es este ejército?» «¡Rey! Es el rey Ward Sah, señor del Siraz, que viene a combatirte.»

La causa de esto era la siguiente: Sabur, rey de los persas, combatió con Garib y sucedió entre ambos lo que sucedió. Pero el hijo del rey Sabur huyó con un puñado de los soldados del ejército de su padre. Caminó hasta llegar a la ciudad de Siraz y se presentó ante el rey Ward Sah. Besó el suelo ante él mientras las lágrimas resbalaban por sus mejillas. El rey le dijo: «¡Levanta la cabeza, muchacho! Dime qué es lo que te hace llorar». «¡Rey! Nos ha vencido un rey de los árabes llamado Garib. Se ha apoderado del reino de mi padre, ha matado a los persas y les ha escanciado la copa de la muerte.» Le contó todo lo ocurrido con Garib desde el principio hasta el fin. Ward Sah, al oír las palabras del hijo de Sabur preguntó: «¿Mi esposa está bien?» «Garib se ha apoderado de ella.» Entonces exclamó: «¡Juro por vida de mi cabeza que no dejaré sobre la faz de la tierra ni un beduino ni un musulmán!» A continuación escribió cartas y las envió a sus lugartenientes. Éstos acudieron. Los contó y vio que eran ochenta y cinco mil. A continuación abrió sus depósitos, distribuyó corazas y armas a sus hombres y se puso en marcha con ellos hasta llegar a Isbanir al-Madain. Acamparon todos ante la puerta de la ciudad.

Al-Kaylachán y al-Qurachán se acercaron, besaron la rodilla de Garib y dijeron: «¡Señor nuestro! Satisface nuestros corazones y concédenos este ejército». Les replicó: «¡Os pertenece!» Entonces los dos genios remontaron el vuelo y fueron a descender en el pabellón de Ward Sah. Lo hallaron sentado en el trono de su poderío. El hijo de Sabur estaba sentado a su diestra y los jefes, formando dos filas, se extendían a su alrededor. Estaban deliberando sobre el modo de dar muerte a los musulmanes. Al-Kaylachán se adelantó y raptó al hijo de Sabur; al-Qurachán raptó a Ward Sah. Condujeron a los dos ante Garib. Éste mandó apalearlos hasta que perdieron el conocimiento. Los dos genios regresaron al campo enemigo, desenvainaron su espada (nadie podía llevar ninguna de esas espadas) y acometieron a los infieles. Dios precipitó el alma de éstos al fuego (¡qué pésima morada es!). Los incrédulos distinguieron únicamente dos espadas brillantes que segaban hombres como si segasen granos, pero no vieron a nadie. Abandonaron las tiendas y huyeron a lomos de su caballo. Los genios los persiguieron durante dos días y aniquilaron gran número de ellos. Después regresaron, besaron la mano de Garib y éste les agradeció lo que habían hecho. Les dijo: «Todo el botín de los incrédulos os pertenece a vosotros dos. No lo repartiréis con nadie más». Los genios hicieron los votos de rigor y se marcharon, recogieron sus bienes y permanecieron tranquilos en su país. Esto es lo que hace referencia a Garib y sus hombres.

Sahrazad se dio cuenta de que amanecía e interrumpió el relato para el cual le habían dado permiso.

Cuando llegó la noche *seiscientas setenta y una,* refirió:

—Me he enterado, ¡oh rey feliz!, de que los incrédulos no pararon de huir hasta que llegaron a Siraz, donde guardaron luto por sus muertos. El rey Ward Sah tenía un hermano llamado Sirán, el Brujo. En aquella época no había nadie más experto que él en el arte de la magia. Vivía lejos de su hermano en una fortaleza que tenía numerosos árboles, ríos, pájaros y flores. Entre él y la ciudad de Siraz había una distancia de medio día. Los vencidos se dirigieron a esa fortaleza y se presentaron llorando y gritando ante Sirán el Brujo. Les preguntó: «¡Gentes! ¿Por qué lloráis?» Le explicaron lo sucedido y cómo los dos genios habían raptado a su hermano Ward Sah y al hijo de Sabur. La luz se transformó en tinieblas ante los ojos de Sirán al oír esto. Dijo: «¡Juro por mi religión que mataré a Garib y a sus hombres, que no les dejaré en pie ni una casa ni con vida a quien pueda explicar lo sucedido!» A continuación salmodió unas palabras, invocó al Rey Rojo y éste acudió. Le dijo: «Ve a Isbanir al-Madain y acomete a Garib mientras esté sentado en su trono». «¡Oír es obedecer!», le replicó. Anduvo sin parar hasta encontrarse ante Garib. Éste, al verlo, desenvainó su espada al-Mahiq y le acometió. Lo mismo hicieron al-Kaylachán y al-Qurachán. Se abalanzaron sobre el ejército del Rey Rojo y le mataron quinientos treinta soldados e hirieron gravemente al mismo rey. Éste y sus soldados heridos huyeron y no pararon de correr hasta alcanzar la Fortaleza de los Frutos. Se presentaron ante Sirán, el Brujo, lamentándose y quejándose. Le dijeron: «¡Oh, Sabio! Garib posee la espada encantada de Jafet, hijo de Noé, que despedaza a todo aquel al que toca. Además le acompañan dos genios del Monte Qaf que le ha regalado el rey Maraas. Él es quien ha dado muerte a Barqán al llegar al Monte Qaf, él es quien ha matado al rey al-Azraq y ha aniquilado a muchísimos genios».

El Brujo, al oír las palabras del Rey Rojo le dijo: «¡Vete!» Éste se marchó a sus quehaceres. El Brujo pronunció unos conjuros y acudió un genio llamado Zuazi; le dio una cantidad de narcótico en polvo y le dijo: «Dirígete a Isbanir al-Madain, busca el alcázar de Garib, metamorfoséate en un gorrión y obsérvale hasta que se duerma y no quede nadie con él. Coge entonces el narcótico, colócaselo en la nariz y tráemelo». Zuazi replicó: «¡Oír es obedecer!» Se apresuró a llegar a Isbanir al-Madain, tomó la figura de un gorrión, buscó el alcázar de Garib y se colocó en una de sus ventanas esperando a que llegase la noche. Los reyes se marcharon a la cama y Garib durmió en su estrado. El genio aguardó hasta que hubo conciliado el sueño: descendió, sacó el narcótico en polvo y lo colocó en su nariz: su aliento se extinguió. Lo envolvió en una sábana del lecho, se lo cargó a las espaldas y se marchó como si fuese el viento tempestuoso. Antes de la llegada de la medianoche ya se encontraba en la Fortaleza de los Frutos. Se presentó ante Sirán, el Brujo. Éste le dio las gracias por lo que había hecho y quiso matarlo mientras se encontraba narcotizado. Uno de sus hombres impidió que lo hiciese diciendo: «¡Sabio! Si lo matas arruinarán nuestro país los genios, ya que el rey Maraas, su amigo, nos atacará con todos sus súbditos». «¿Qué hacemos con él?» «¡Arrójalo en el Chayhún mientras está narcotizado y nadie sabrá quién lo ha arrojado; se ahogará y nadie sabrá nada de él!» El Sabio mandó al genio que cogiese a Garib y lo arrojase en el Chayhún.

Sahrazad se dio cuenta de que amanecía e interrumpió el relato para el cual le habían dado permiso.

Cuando llegó la noche *seiscientas setenta y dos*, refirió:

—Me he enterado, ¡oh rey feliz!, de que cuando estaba a punto de soltarlo, el genio tuvo lástima de él, hizo una balsa de madera, lo ató a ella con cuerdas y la soltó; Garib fue a parar al centro de la corriente. Después se marchó. Esto es lo que hace referencia a Garib.

He aquí lo que se refiere a su gente: Al amanecer marcharon a ponerse a su servicio, pero no lo encontraron; hallaron únicamente el rosario encima del lecho. Esperaron a que saliera y no salió. Buscaron al chambelán y le dijeron: «Entra en el harén y busca al rey, pues no tiene costumbre de estar ausente a esta hora». El chambelán entró y preguntó a quienes estaban en él. Le replicaron: «Desde ayer no lo hemos visto». El chambelán volvió junto a los palaciegos y los informó. Quedaron perplejos y se dijeron unos a otros: «Veamos si ha salido a pasear por los jardines». Preguntaron a los jardineros: «¿El rey ha pasado por vuestro lado?» Contestaron: «No lo hemos visto». Se preocuparon, buscaron por todos los jardines y regresaron, al terminar el día, llorando. Al-Kaylachán y al-Qurachán recorrieron la ciudad, pero no encontraron ninguna huella suya. Regresaron tres días después, sus súbditos se vistieron de negro y se lamentaron ante el Señor de los Mundos, quien hace lo que quiere. Esto es lo que a ellos se refiere.

He aquí lo que afecta a Garib: Viajó durante cinco días tumbado en la balsa, que era arrastrada por la corriente. Ésta le llevó al mar salado y las olas jugaron con ella, esto le removió el vientre y vomitó el narcótico. Abrió los ojos y se encontró en medio del mar, con las olas jugando con él. Exclamó: «¡No hay fuerza ni poder sino en Dios, el Altísimo, el Grande! ¡Ojalá supiera quién me ha hecho esto!» Mientras estaba perplejo ante lo que le sucedía vio aparecer una nave en marcha. Con su manga hizo señales a los pasajeros, que se acercaron a él y lo recogieron. Le preguntaron: «¿Quién eres? ¿De qué país?» Les replicó: «Dadme de comer y de beber para que pueda recuperar mis fuerzas. Después os diré quién soy». Le sirvieron agua y le dieron de comer. Comió, bebió y Dios le devolvió la razón. Preguntó: «¡Gentes! ¿De qué país sois? ¿Qué religión profesáis?» Contestaron: «Nosotros somos de al-Karch y adoramos un ídolo que se llama Minqás». «¡Perros! ¡Que la desgracia os alcance a vosotros y al ídolo! Sólo se adora a Dios, el cual ha creado todas las cosas y dice "Sé" y es.» Entonces los pasajeros se abalanzaron con todas sus fuerzas, como demonios, sobre Garib y quisieron sujetarlo. Él estaba sin armas, pero de cada puñetazo quitaba la vida a uno. Derribó hasta cuarenta hombres, pero eran tantos que lo ataron sólidamente y dijeron: «Lo mataremos cuando lleguemos a nuestra tierra para que así pueda verlo nuestro rey». Siguieron el viaje hasta llegar a la ciudad de al-Karch.

Sahrazad se dio cuenta de que amanecía e interrumpió el relato para el cual le habían dado permiso.

Cuando llegó la noche *seiscientas setenta y tres*, refirió:

—Me he enterado, ¡oh rey feliz!, de que la había construido un amalecita prepotente. En cada una de sus puertas había colocado la estatua, en cobre, de una persona, que estaba encantada; cuando entraba en la ciudad un extranjero aquella estatua tocaba una trompeta que se oía en toda la ciudad: lo detenían y lo mataban si no aceptaba su religión. Al entrar Garib la estatua gritó, chilló muy fuerte hasta el punto de llenar de pavor el corazón del rey, el cual se levantó y entró a ver a su ídolo. Éste vomitaba humo y fuego por la boca, la nariz y los ojos. Satanás se había metido en su vientre y habló con su lengua diciendo: «¡Oh, rey! Ha caído en tu poder uno que se llama Garib y es rey del Iraq. Manda a las gentes que abandonen su religión y que adoren a su Señor. Cuando te lo presenten, no le dejes con vida». El rey salió y se sentó en el trono. Entraron con Garib y lo colocaron ante aquél. Dijeron: «¡Oh, rey! Hemos encontrado a este muchacho que no cree en nuestro dios. Era un náufrago». Le contaron la historia de Garib. Les replicó: «¡Llevadlo a la Casa del Gran Ídolo y degolladlo ante él! Tal vez quede satisfecho de nosotros». El visir dijo: «¡Oh, rey! No conviene degollarlo, pues moriría en seguida». Añadió: «Lo encarcelaremos, recogeremos leña y encenderemos fuego». Recogieron leña hasta la mañana y prendieron fuego.

El rey y las gentes de la ciudad acudieron al lugar del suplicio. Mandaron que llevaran a Garib. Fueron por éste para conducirlo, pero no lo encontraron. Regresaron e informaron al rey de que había huido. Preguntó: «¿Y cómo ha huido?» «Hemos encontrado las cadenas y los grillos por el suelo; las puertas estaban cerradas.» El rey exclamó: «¿Ha volado al cielo o se lo ha tragado la tierra?» Contestaron: «No lo sabemos». El rey dijo: «Iré a ver a mi dios, le preguntaré por él y me informará adónde ha ido». Se dirigió al ídolo para prosternarse ante él, pero no lo encontró: el rey, abriendo y cerrando los ojos, decía: «¿Estoy dormido o despierto?» Se volvió hacia el visir y le preguntó: «¡Visir! ¿Dónde está mi dios? ¿Dónde está el prisionero? ¡Juro por mi religión, ¡oh perro de los visires!, que si tú no me hubieses aconsejado quemarlo lo hubiese degollado! Él es quien ha robado mi dios y ha huido. ¡He de vengarme!» Desenvainó la espada y cortó el cuello del visir.

La causa de la desaparición de Garib y del ídolo era algo maravilloso: Garib, una vez encarcelado en la celda, se sentó al lado de la cúpula en la que se encontraba el ídolo. Garib se incorporó para pronunciar el nombre de Dios (¡ensalzado sea!) y rezó al Excelso y Todopoderoso. El genio que residía en el ídolo y que hablaba con la lengua de éste lo oyó y se avergonzó de sí mismo exclamando: «¡He de avergonzarme ante quien me ve sin que yo le vea!» Se presentó ante Garib, se arrojó a sus pies y le dijo: «¡Señor mío! ¿Qué es lo que he de decir para ser uno de los tuyos, para entrar en tu religión?» «Di: "No hay dios sino el Dios de Abraham y éste es su amigo".» El genio pronunció la profesión de fe y quedó inscrito entre las gentes bienaventuradas. Dicho genio se llamaba Zalzal b. Muzalzil, y su padre era uno de los más grandes reyes de los genios. Libró a Garib de los grillos, cogió al ídolo y con ambos se remontó a lo más alto del cielo.

Sahrazad se dio cuenta de que amanecía e interrumpió el relato para el cual le habían dado permiso.

Cuando llegó la noche *seiscientas setenta y cuatro,* refirió:

—Me he enterado, ¡oh rey feliz!, de que esto es lo que a ellos se refiere.

He aquí lo que hace referencia al rey. Éste fue a preguntar al ídolo acerca de Garib, pero no lo encontró y ocurrió lo que ocurrió con el visir, al que dio muerte. Los soldados del rey, al ver lo sucedido se negaron a continuar adorando al ídolo: desenvainaron su espada, mataron al rey, se acometieron unos a otros y la espada giró en ruedo entre ellos durante tres días hasta aniquilarse completamente y quedar sólo dos hombres vivos. Uno de ellos era más fuerte que el otro y lo mató. Pero los chiquillos se unieron contra el superviviente y lo mataron.

Después se acometieron entre sí y se exterminaron por completo. Las mujeres y las muchachas huyeron a las aldeas y a las fortalezas: la ciudad quedó vacía, habitada únicamente por el búho. Esto es lo que a ellos se refiere.

He aquí lo que hace referencia a Garib: Zalzal b. al-Muzalzil lo cogió y lo llevó a su patria situada en las islas del Alcanfor, del Castillo de Cristal y del Carnero encantado, puesto que el rey al-Muzalzil tenía un carnero de varios colores al que había recubierto de sedas y brocados bordados en oro rojo y al cual hacía su dios. Un día, al-Muzalzil y sus súbditos se presentaron ante el carnero y lo encontraron inquieto. El rey exclamó: «¡Dios mío! ¿Qué es lo que te pone nervioso?» El demonio que estaba metido en el vientre del carnero replicó: «¡Muzalzil! Tu hijo se ha convertido a la religión del Amigo, Abraham, en manos de Garib, señor del Iraq». Le refirió todo lo que había ocurrido desde el principio hasta el fin. El rey salió perplejo después de haber oído las palabras del carnero, se sentó en el trono y mandó llamar a los magnates de su reino. Éstos acudieron. Les contó lo que había oído al ídolo. Quedaron admirados. Preguntaron: «¿Qué haremos, oh, rey?» «Cuando venga mi hijo y veáis que lo abrazo, sujetadlo». Replicaron: «¡Oír es obedecer!»

Al cabo de dos días, al-Zalzal se presentó acompañado por Garib, llevando el ídolo del rey de al-Karch ante su padre. En cuanto cruzó la puerta del palacio los soldados cargaron contra él y contra Garib, los sujetaron y los condujeron ante el rey al-Muzalzil. Éste miró a su hijo con ojos de enfado y le dijo: «¡Perro de los genios! ¿Has abandonado tu religión, la religión de tus padres y de tus abuelos?» Replicó: «¡He entrado en la verdadera religión! Y ¡ay de ti! ¡Conviértete al Islam y te salvarás de la cólera del Rey Todopoderoso, Creador de la noche y del día!» Al-Muzalzil se enfadó con su hijo y le replicó: «¡Hijo del adulterio! ¿Te atreves a dirigirme tales palabras?» Mandó que lo encarcelasen, y lo encarcelaron. Después se volvió hacia Garib y le dijo: «¡Desperdicio de hombre! ¿Cómo te las has arreglado para engañar a mi hijo y sacarlo de su religión?» Le replicó:

«Lo he sacado del extravío y lo he conducido al buen camino; lo he librado del fuego y lo he conducido al paraíso; le he quitado la incredulidad y lo he llevado a la fe». El rey chilló a un genio llamado Sayyar y le dijo: «¡Coge a este perro de hombre y déjalo en el Valle del Fuego para que muera!»

Era éste un valle en que hacía mucho calor, que ardía como las brasas. Todo aquel que descendía a él, moría, no alcanzaba a vivir ni una hora. Todo el valle estaba rodeado por montañas altísimas, lisas, sin salida. El maldito Sayyar se aproximó, cogió a Garib, remontó el vuelo con éste y se dirigió a al-Rub al-Jarab. Le faltaba una sola hora de vuelo para llegar. El genio estaba tan cansado de llevar a Garib que bajó a un valle con muchos árboles, riachuelos y frutos. El genio se posó en el suelo, fatigado, e hizo descender a Garib de su espalda, pues estaba agotado. El genio quedó dormido de fatiga y roncó. Garib aprovechó para librarse de las cadenas, cogió una pesada roca, la dejó caer encima de su cabeza, le trituró los huesos y el genio murió en el acto. Garib recorrió el valle.

Sahrazad se dio cuenta de que amanecía e interrumpió el relato para el cual le habían dado permiso.

Cuando llegó la noche *seiscientas setenta y cinco*, refirió:

—Me he enterado, ¡oh rey feliz!, de que [Garib] vio que se encontraba en una isla rodeada por el mar. Dicha isla era amplia y en ella había todos los frutos que apetecen a los labios y a la lengua. Garib empezó a comer de sus frutos y a beber de sus ríos. Pasó en ella años y años: pescaba peces y los comía. Vivió así, aislado, siete años. Mientras cierto día estaba sentado descendieron del cielo dos genios llevando cada uno de ellos un hombre. Vieron a Garib y le preguntaron: «¡Oh, tú! ¿Quién eres? ¿A qué tribu perteneces?» Los cabellos de Garib habían crecido y le habían confundido con un genio. Le preguntaron cómo se encontraba y respondió. «Yo no soy un genio». Les explicó lo que le había ocurrido desde el principio hasta el fin. Se apiadaron de él y uno de los dos genios le dijo: «Quédate en este sitio hasta que hayamos llevado a estos dos corderos a nuestro rey para que almuerce con uno y cene con el otro. Volveremos después a buscarte y te llevaremos a tu país». Garib les dio las gracias y les preguntó: «¿Dónde están los dos corderos que lleváis?» «¡Son estos dos hombres!» Garib exclamó: «Pido protección al Dios de Abraham, el Amigo, Señor de todas las cosas, Él es todopoderoso». Los dos genios remontaron el vuelo y Garib se quedó esperándolos.

Al cabo de dos días acudió uno de ellos con un alquicel, lo tapó, lo cogió y levantó el vuelo hasta lo más alto del aire, hasta que se perdió el mundo de vista. Garib oyó los loores que los ángeles daban a Dios. Una centella de fuego iba al alcance del genio, el cual huyó en busca de la tierra, pero cuando no le faltaba para llegar más que la distancia de un tiro de lanza, la centella se le aproximó y lo alcanzó. Garib se dio cuenta y se apeó de la espalda. La centella hizo blanco y redujo el genio a ceniza. Pero Garib se había apeado en el mar: se hundió un trecho como el de dos estaturas y salió a la superficie. Nadó durante todo aquel día y la noche; siguió nadando y perdiendo fuerzas durante el día siguiente y se convenció de que iba a morir. Al llegar el tercer día, cuando ya desesperaba de la vida, se le apareció un monte elevado. Se dirigió hacia él, puso pie en tierra, recuperó fuerzas con las plantas de la tierra y descansó todo el día y la noche. Después subió a la cima y bajó por la otra vertiente.

Anduvo durante dos días y llegó a una ciudad que tenía árboles, ríos, murallas y torres. Cuando estuvo ante las puertas de la ciudad, los porteros le salieron al paso, lo detuvieron y lo llevaron ante su reina. Ésta se llamaba Chan Sah. Tenía quinientos años. Le presentaban a todo el que entraba en la ciudad: lo cogía, dormía con él y una vez terminado el acto lo mataba. Había matado a muchísimas personas. Llevaron a Garib y le gustó. Le preguntó: «¿Cuál es tu nombre? ¿Cuál es tu religión? ¿De qué país eres?» «Me llamo Garib y soy rey del Iraq. Mi religión es el Islam.» Le dijo: «Abandona tu religión, acepta la mía; me casaré contigo y te haré rey». Garib la miró con ojos de enfado y le replicó: «¡Ay de ti y de tu religión!» Ella le replicó: «¿Insultas a mi ídolo que es de coral rojo cuajado de perlas y aljófares? ¡Hombres! ¡Encarceladlo en la cúpula del ídolo! Tal vez su corazón se enternezca». Lo encarcelaron en la cúpula del ídolo, cerraron las puertas...

Sahrazad se dio cuenta de que amanecía e interrumpió el relato para el cual le habían dado permiso.

Cuando llegó la noche *seiscientas setenta y seis,* refirió:

—Me he enterado, ¡oh rey feliz!, de que [cerraron las puertas] y se marcharon a sus quehaceres. Garib clavó la vista en el ídolo de coral rojo y vio que llevaba en el cuello un collar de perlas y aljófares. Se acercó a él, lo cogió y lo estrelló contra el suelo: el ídolo quedó hecho añicos y Garib se durmió hasta el día siguiente. Entonces la reina se sentó en el trono y dijo: «¡Hombres! ¡Traedme el prisionero!» Fueron en busca de Garib, abrieron la cúpula, entraron y hallaron el ídolo destrozado. Se abofetearon la cara hasta que la sangre brotó de sus ojos y después se acercaron a Garib para sujetarlo. Éste les hizo frente, a uno le dio un puñetazo, y murió; a otro lo mató, y así se deshizo de veinticinco. El resto huyó. Se presentaron ante la reina Chan Sah chillando. Les preguntó: «¿Qué ocurre?» Respondieron: «El prisionero ha destruido tu ídolo y ha matado a tus hombres». La informaron de lo que ocurría. La reina tiró la corona por el suelo y exclamó: «¡Los ídolos no tienen valor!» Montó a caballo con mil paladines, se dirigió a la casa del ídolo y encontró a Garib cuando salía de la cúpula: se había apoderado de una espada y había iniciado el combate con los héroes y había derribado por tierra a éstos. Chan Sah se fijó en la bravura de Garib y quedó loca de amor. Exclamó: «¡Para nada necesito el ídolo! ¡Sólo deseo que Garib duerma en mi seno durante el resto de mi vida!» Dijo a sus hombres: «¡Alejaos de él!» Se separaron. Ella se acercó, murmuró unos encantamientos y los brazos de Garib se detuvieron, sus extremidades superiores se debilitaron y la espada se le cayó de la mano. Lo cogieron, lo ataron y quedó humillado, abatido, perplejo.

Chan Sah fue a sentarse al trono de su reino y mandó a sus súbditos que se marchasen, se quedó a solas con

Garib y le increpó: «¡Perro de árabe! ¿Has roto mi ídolo y matado a mis hombres?» «¡Sí, maldita! ¡Si hubiese sido un dios se habría defendido!» «¡Acuéstate conmigo y te perdonaré lo que has hecho!» «¡No lo haré!» «¡Juro por mi religión que te he de atormentar de mala manera!» Cogió agua, pronunció unos conjuros y roció con ella a Garib transformándolo en un mono. Le dio de comer y de beber, lo metió en una celda y lo confió a un guardián durante dos años. Un día mandó a buscarlo y se lo llevaron. Le preguntó: «¿Me harás caso?» Dijo que sí con la cabeza. La reina se alegró mucho y lo libró del encantamiento. Lo invitó a comer y comieron juntos. Él jugó con ella y la besó. Ella se tranquilizó. Al llegar la noche se acostó y le dijo: «¡Ven y haz tu faena!» «De acuerdo», le replicó. Montó encima de su pecho, la agarró por el cuello, se lo rompió y no se separó de su lado hasta que hubo perdido el alma. Entonces vio un depósito que estaba abierto, entró y encontró una espada cuajada de aljófares y una adarga de hierro chino. Se armó de pies a cabeza y esperó hasta la mañana. Salió y se plantó ante la puerta del alcázar. Llegaron los emires y quisieron ocupar su puesto de servicio, pero tropezaron con Garib que vestía todas las armas. Les dijo: «¡Oh, gentes! ¡Abandonad la adoración de los ídolos! ¡Adorad al Dios omnisciente, Creador de la noche y del día, Señor de los hombres, Resucitador de los huesos, Creador de todas las cosas y Todopoderoso!» Los incrédulos, al oír estas palabras, se abalanzaron sobre Garib y éste les salió al encuentro como si fuese un león feroz. La lucha se inició y mató a gran número de enemigos.

Sahrazad se dio cuenta de que amanecía e interrumpió el relato para el cual le habían dado permiso.

Cuando llegó la noche *seiscientas setenta y siete*, refirió:

—Me he enterado, ¡oh rey feliz!, de que cayó la noche: ellos se amontonaban contra él, todos se esforzaban en cogerle. De repente aparecieron mil genios que acometieron a los incrédulos. A su frente iba Zalzal b. al-Muzalzil, quien se mantenía delante de todos. Las cortantes espadas iniciaron el trabajo y escanciaron la muerte. Dios (¡ensalzado sea!) precipitó su alma al fuego hasta el punto de que no quedó ni un súbdito de Chan Sah para contarlo. Sus súbditos gritaron: «¡Paz! ¡Paz!», y creyeron en el Rey retribuidor, en Aquel al que nada le distrae de nada, que hace morir a los césares y aniquila a los prepotentes, Señor de esta vida y de la última. Después, al-Zalzal saludó a Garib y lo felicitó por haberse salvado. Garib le preguntó: «¿Quién te ha explicado mi situación?» «¡Señor mío! Mi padre me encarceló y te envió al Valle del Fuego. Permanecí en la cárcel dos años. Después me puso en libertad. Un año después volví a mi primitivo estado: maté a mi padre y los soldados me obedecieron. Hace ya un año que los gobierno. Me acosté teniéndote a ti en el pensamiento y en sueños he visto que estabas combatiendo a las gentes de Chan Sah. He tomado conmigo estos mil genios y he acudido a tu lado.»

Garib quedó admirado de esta coincidencia. Cogió las riquezas de Chan Sah, se apoderó de los bienes de sus súbditos, nombró un gobernador de la ciudad y los genios se cargaron a Garib y las riquezas y fueron a pasar la noche en la ciudad de Zalzal. Garib fue huésped de aquél durante seis meses, al cabo de los cuales quiso partir. Zalzal preparó los regalos y ordenó a tres mil genios que le llevasen las riquezas de la ciudad de al-Karch reuniéndolas con las de Chan Sah. Después les mandó que transportasen todos los regalos y tesoros y el propio Zalzal colocó encima de sus hombros a Garib y emprendió el viaje hacia Isbanir al-Madain. Antes de la medianoche ya habían llegado. Garib vio que la ciudad estaba cercada y sitiada por un ejército semejante al mar tumultuoso. Garib preguntó a Zalzal: «¡Hermano mío! ¿Cuál es la causa del asedio? ¿De dónde viene este ejército?» Garib se apeó en la azotea del alcázar y llamó: «¡Kawkab al-Sabah! ¡Mahdiyya!» Ambas se despertaron admiradas y dijeron: «¿Quién nos llama a esta hora?» «¡Yo, vuestro señor, Garib, el de las hazañas prodigiosas!»

Las dos señoras, al oír las palabras de su dueño, se alegraron y lo mismo ocurrió con las doncellas y los criados. Garib bajó y las dos mujeres se le echaron encima con gran algazara. Resonó el barullo en el palacio, los jefes se levantaron del lecho y preguntaron: «¿Qué ocurre?» Subieron y preguntaron a los eunucos: «¿Ha dado a luz alguna concubina?» «¡No! ¡Pero alegraos! ¡El rey Garib está aquí!» Los emires se regocijaron y el rey, después de haber saludado al harén, se presentó ante sus compañeros. Éstos le salieron al encuentro, le besaron las manos y los pies, alabaron a Dios (¡ensalzado sea!) y lo loaron. Garib se sentó en el trono y llamó a sus amigos. Éstos acudieron y se sentaron a su alrededor. Les preguntó por el ejército sitiador y le contestaron: «¡Oh, rey! Hace tres días que ha acampado. Lo forman genios y hombres y no sabemos lo que quieren. No hemos combatido ni parlamentado con ellos». Garib dijo: «Mañana les enviaré un mensaje y veremos qué es lo que quieren». Sus hombres añadieron: «Su rey se llama Murad Sah y cuenta con cien mil caballeros, trescientos mil infantes y doscientas clases de genios».

Sahrazad se dio cuenta de que amanecía e interrumpió el relato para el cual le habían dado permiso.

Cuando llegó la noche *seiscientas setenta y ocho,* refirió:

—Me he enterado, ¡oh rey feliz!, de que la causa de la llegada de ese ejército y del sitio de la ciudad de Isbanir era maravillosa. El rey Sabur había entregado su hija a dos hombres y les había dicho: «¡Ahogadla en el Chayhún!» Se la llevaron y le dijeron: «Sigue tu camino, pero no vuelvas a aparecer ante tu padre, pues te mataría y nos mataría también a nosotros». Fajr Tach se alejó confusa, sin saber adónde ir. Exclamó: «¡Ah! ¡Si tus ojos, Garib, vieran mi situación, el estado en que me encuentro!» No paró de ir de región en región y de valle en valle, hasta llegar a un valle con muchos árboles y riachuelos en cuyo centro se levantaba una fortaleza formada por elevados edificios, de sólida construcción, que parecía ser uno de los jardines del paraíso. Fajr Tach abrió la puerta de la ciudadela y entró. La encontró recubierta con tapices de seda, en ella había numerosos vasos de oro y plata, y llegó ante cien hermosísimas doncellas. Éstas, al ver a Fajr Tach, se pusieron de pie y la saludaron, creyendo que era una de las mujeres de los genios. Le preguntaron por su estado, y les contestó: «Yo soy la hija del rey de los persas», y les refirió todo lo que le había ocurrido. Las jóvenes se entristecieron al oír sus palabras, su corazón se apiadó, y le dijeron: «Tranquiliza tu alma y refresca tus ojos. Aquí tienes de qué comer, beber y vestirte, y todas nosotras estaremos a tu servicio». Fajr Tach hizo los votos de rigor, y ellas le acercaron la comida y comió hasta hartarse. Fajr Tach preguntó a las doncellas: «¿Quién es el dueño de este alcázar y vuestro gobernador?» «Nuestro señor —contestaron— es el rey Salsal b. Dal. Viene aquí una noche al mes, y se marcha por la mañana a gobernar sus tribus.»

Fajr Tach permaneció con ellas durante cinco días, y dio a luz un varón que parecía la luna. Cortaron el cordón umbilical, le alcoholaron los ojos y le dieron el nombre de Murad Sah. Se crió al pecho de su madre. Al cabo de poco llegó el rey Salsal, montado en un elefante tan blanco como el papel; era esbelto como una torre bien hecha, y a su alrededor iban las taifas de los genios.

Al entrar en el alcázar le salieron al encuentro las cien jóvenes y besaron el suelo. Con ellas iba Fajr Tach. El rey, al verla, preguntó a las concubinas: «¿Quién es esa joven?» «La hija de Sabur, rey de los persas, de los turcos y de los daylamíes», replicaron. Preguntó: «¿Y quién la ha traído hasta este lugar?» Le contaron todo lo que le había ocurrido, y el rey tuvo compasión y le dijo: «No te entristezcas y espera a que crezca tu hijo y se haga mayor. Entonces yo me dirigiré al país de los persas, le cortaré la cabeza a tu padre y haré sentar a tu hijo en el trono de los persas, de los turcos y de los daylamíes». Fajr Tach besó la mano del rey e hizo los votos de rigor. Permaneció allí criando a su hijo, el cual se educó con los hijos de los reyes que montan a caballo y salen de caza y pesca.

El muchacho aprendió a cazar fieras y feroces leones y se acostumbró a comer su carne. Su corazón se hizo más fuerte que una roca. Al cumplir los quince años empezó a razonar y preguntó a su madre: «¡Madre mía! ¿Quién es mi padre?» «¡Hijo mío! Tu padre es Garib, rey del Iraq. Yo soy la hija del rey de los persas», y a continuación le explicó toda su historia. Al oírla, preguntó: «¿Y mi abuelo mandó que te matasen a ti y a mi padre?» «¡Sí!» «¡Juro por la educación que me has dado —exclamó el muchacho—, que iré a la ciudad de tu padre y que, en tu presencia, le cortaré la cabeza y los pies!» Fajr Tach se alegró de sus palabras.

Sahrazad se dio cuenta de que amanecía e interrumpió el relato para el cual le habían dado permiso.

Cuando llegó la noche *seiscientas setenta y nueve,* refirió:

—Me he enterado, ¡oh rey feliz!, de que Murad Sah acostumbraba cabalgar con los doscientos genios; creció con ellos, hicieron incursiones, cortaron los caminos y no cesaron de andar hasta llegar al país de Siraz. Lo atacaron, y Murad Sah se adelantó hacia el castillo del rey, al que cortó la cabeza mientras estaba sentado en su trono, y mató a gran número de sus soldados. Los demás exclamaron: «¡Paz! ¡Paz!», y corrieron a besar las rodillas de Murad Sah. Éste los contó y vio que eran diez mil caballeros. Montaron a caballo y se pusieron a su servicio. Marcharon a Balj y mataron a sus habitantes, aniquilaron a sus soldados y se apoderaron de sus gentes. Avanzaron hacia Nurain, y Murad Sah iba ya al frente de treinta mil caballeros. El dueño de la ciudad se sometió y le ofreció riquezas y dones. El príncipe, con sus treinta mil caballeros, marchó contra la ciudad de Samarcanda, la de Persia. La tomó. Avanzó sobre Ajlat y la ocupó. Siguieron adelante y se apoderaron de todas las ciudades que encontraron. Murad Sah era ya jefe de un ejército inmenso, entre el que repartía las riquezas y los dones de las ciudades. Sus hombres lo querían por su valentía y su generosidad. Así llegaron ante Isbanir al-Madain. Dijo: «¡Esperad hasta que traiga el resto de mi ejército, ponga la mano sobre mi abuelo, lo coloque ante mi madre y dé satisfacción a su corazón cortándole el cuello!» Envió a buscar a su madre, y por eso hubo de estar tres días sin combatir.

En este período llegó Garib acompañado por al-Zalzal y los cuarenta mil genios que transportaban las riquezas y los regalos. Preguntó de quién era el ejército sitiador, y le dijeron: «No sabemos de dónde son. Están ahí desde hace tres días y no nos atacan». Fajr Tach llegó, abrazó a su hijo Murad Sah y éste le dijo: «¡Quédate en mi tienda hasta que te traiga a tu padre!» La madre rezó al Señor de los mundos, Señor de los cielos y de la tierra, para que le concediese la victoria. Al día siguiente montó a caballo. Lo mismo hicieron doscientos genios, que se colocaron a su derecha, mientras los reyes de los hombres se colocaban a su izquierda. Redoblaron los tambores de la guerra. Al oírlos, Garib montó a caballo, salió e invitó a sus gentes al combate. Los genios se colocaron a su derecha, y los hombres a su izquierda. Murad Sah avanzó con vestido de guerra, condujo su caballo a derecha e izquierda y gritó: «¡Gentes! Sólo combatiré con vuestro rey. Si me vence, pasará a ser dueño de los dos ejércitos, pero si lo venzo yo, lo mataré del mismo modo que a otro». Garib, al oír las palabras de Murad Sah, exclamó: «¡Perro de los árabes! ¡Ojalá te pierdas!» Se lanzaron el uno contra el otro y se acometieron con sus lanzas hasta romperlas; después lucharon con las espadas, hasta que las mellaron; siguieron acometiéndose y separándose hasta mediar el día: los caballos cayeron muertos, y entonces siguieron luchando a pie. Murad Sah se lanzó sobre Garib, lo cogió, lo levantó en el aire y trató de tirarlo contra el suelo. Pero Garib lo cogió por las orejas, tiró de ellas con fuerza y Murad Sah creyó que el cielo se abatía sobre la tierra. Gritó con todas sus fuerzas: «¡Estoy bajo tu protección, oh, caballero del tiempo!»

Sahrazad se dio cuenta de que amanecía e interrumpió el relato para el cual le habían dado permiso.

Cuando llegó la noche *seiscientas ochenta,* refirió:

—Me he enterado, ¡oh rey feliz!, de que Garib lo ató. Los genios amigos de Murad Sah cargaron para librarlo, pero Garib les salió al encuentro con mil de los suyos, que vencieron a los de Murad Sah. Gritaron: «¡Paz! ¡Paz!», y arrojaron las armas al suelo. Garib se sentó en su pabellón, que era de seda verde, bordada en oro rojo y adornada con piedras y aljófares. Mandó que le llevasen a Murad Sah, y colocaron a éste ante él con los cepos y los grillos. El príncipe, al ver a Garib, bajó avergonzado la cabeza hacia el suelo. Garib lo increpó: «¡Perro de los árabes! ¿Qué te ha llevado a montar a caballo para combatir a los reyes?» «¡Señor mío! No me reprendas, pues tengo disculpa.» «¿Por qué?» «¡Señor mío! Sabe que he emprendido esta campaña para vengar a mi padre y a mi madre en la persona de Sabur, rey de los persas. Él quería matar a los dos, pero mi madre se salvó, y no sé si llegó a matar o no a mi padre.» Garib exclamó, al oír estas palabras: «¡Por Dios! ¡Tienes disculpa! Pero, ¿quién es tu padre? ¿Quién es tu madre? ¿Cómo se llama tu padre? ¿Cómo se llama tu madre?» «Mi padre se llama Garib, y es rey del Iraq. Mi madre se llama Fajr Tach, y es hija de Sabur, rey de los persas.» Garib, al oír sus palabras, dio un alarido y cayó desmayado. Lo rociaron con agua de rosas. Al volver en sí, preguntó: «¿Tú eres el hijo de Garib y de Fajr Tach?» «¡Sí!» «¡Eres un caballero, hijo de un caballero! ¡Quitadle los grillos a mi hijo!» Sahim y al-Kaylachán se acercaron y lo soltaron. Garib lo abrazó, lo hizo sentar a su lado y le preguntó: «¿Dónde está tu madre?» «Conmigo, en mi tienda.» «¡Tráemela!» Murad Sah montó a caballo, fue a su tienda, y sus compañeros lo felicitaron por haberse salvado. Le preguntaron por su situación y replicó: «No es momento de preguntar». Se presentó a su madre, le refirió lo que había ocurrido, y ella se alegró mucho. La llevó ante su padre y se abrazaron. Fajr Tach y Murad Sah se convirtieron al Islam. Ambos invitaron a su ejército a abrazar el Islam, y todos lo aceptaron interior y externamente. Garib se alegró con su conversión. Luego mandó que le llevasen al rey Sabur. Reprendió a éste y a su hijo por lo que habían hecho, y les expuso la religión del Islam. Se negaron a aceptarla, y por ello los crucificó en la puerta de la ciudad. Engalanaron la ciudad, sus habitantes se alegraron, y ciñeron a Murad Sah con la corona de Cosroes, nombrándolo rey de los persas, turcos y daylamíes. Garib nombró rey del Iraq a su tío al-Damig. Todos los países y los hombres obedecieron a Garib. Éste ocupó el trono de su reino, gobernó con justicia, y todas las gentes lo amaron. Vivieron en la más feliz de las vidas, hasta que llegó el destructor de las dulzuras, el separador de los amigos. ¡Gloria a Aquel cuya vida y poder son eternos, cuyos beneficios sobre las criaturas son magníficos!

Esto es lo que nos ha llegado de la historia de Garib.

HISTORIA DE ABD ALLAH B. MAAMAR AL-QAYSI

Se cuenta también que Abd Allah b. Maamar al-Qaysi refirió: «Un año fui en peregrinación a la casa sagrada de Dios. Una vez terminada la peregrinación fui a visitar la tumba del Profeta (¡Dios lo bendiga y lo salve!). Una noche, mientras estaba sentado en *al-rawda,* entre la tumba y el almimbar oí un leve gemido, que emitía una voz dulce. Presté atención a ésta. Decía:

¿Te ha conmovido el gemido de las palomas del loto, y ha desvelado el dolor en el pecho?
¿O te ha perturbado el recuerdo de una bella que ha despertado la tentación en la mente?
¡Qué larga es la noche para un enfermo de amor, que se queja de la pasión y de su poca paciencia!
Has hecho velar a quien se abrasa en el ardor de una pasión que quema como la brasa.
La luna da fe de que estoy enamorado y amo con pasión a una mujer parecida a la luna.
No creía que pudiera enamorarme; hasta haberlo experimentado, no lo sabía.

»La voz calló. Yo no sabía de dónde procedía, y me quedé perplejo. Oí un nuevo gemido, y volvió a recitar:

¿Te ha conmovido la visita del fantasma de Rayya en medio de la noche de profundas tinieblas?

El amor, con su insomnio, visita tus pupilas, y el fantasma que se presenta excita tu corazón.
Grité a las tinieblas, que parecían un mar tempestuoso, cuyas olas entrechocan:
"¡Oh, noche! Eres demasiado larga para el amante, cuya única ayuda y auxilio reside en la aurora."
La noche me contestó: "¡No te quejes de mi duración! Amor implica humillación actual"

»Cuando reanudó los versos, me levanté y me dirigí hacia el punto del que salía la voz. Antes de que hubiese terminado de recitar los versos, ya estaba a su lado: era un muchacho imberbe. Las lágrimas habían abierto en sus mejillas dos surcos.

Sahrazad se dio cuenta de que amanecía e interrumpió el relato para el cual le habían dado permiso.

Cuando llegó la noche *seiscientas ochenta y una,* refirió:

—Me he enterado, ¡oh rey feliz!, de que [Abd Allah prosiguió:]» «Le dije: "¡Qué magnífico, muchacho!" Preguntó: "¿Quién eres?" "Abd Allah b. Maamar al-Qaysi." "¿Necesitas algo?" "Estaba sentado en *al-rawda,* y lo único que me ha extasiado de la noche ha sido tu voz. ¡Daría mi alma por sacarte del apuro en que te encuentras!" "Siéntate." Así lo hice. El muchacho explicó: "Yo soy Utba b. al-Hubab b. al-Mundir b. al-Chamuh al-Ansari. Una mañana me dirigía a la mezquita de al-Ahzab e hice en ella las *arracas* y las prosternaciones. Después me aislé para adorar a Dios. Entonces aparecieron unas mujeres contoneándose que parecían lunas. En medio iba una doncella de prodigiosa hermosura, de belleza perfecta. Se detuvo ante mí y me dijo: '¡Oh, Utba! ¿Qué dices de la unión con quien busca unirse a ti?' Luego me dejó y se fue. Después ya no hallé noticias ni rastro de ella. Estoy sin saber qué hacer, y voy de un sitio a otro". Dio un grito y cayó al suelo desmayado. Luego volvió en sí: parecía que el brocado de sus mejillas se hubiese teñido de azafrán. Recitó estos versos:

Con mi corazón os veo en lejanos países. ¿Me veis con el vuestro, a pesar de la distancia?

Mi corazón y mi mirada están tristes por vos: mi alma se ha quedado con vosotros, y a mí sólo me queda vuestro recuerdo.
No gustaré de la vida hasta que os vuelva a ver, aunque me encuentre en el Edén o en el Paraíso eterno.

»Le dije: "¡Utba! ¡Hijo de mi tío! ¡Arrepiéntete ante tu Señor y pídele perdón por tu culpa, pues has de comparecer ante Él!" "¡Apártate! —me replicó—. No me consolaré de mi amor hasta que hayan regresado los dos recolectores de la acacia." Seguí a su lado hasta que se levantó la aurora. Entonces le dije: "¡Ven! Vamos a la mezquita". Permanecimos en ésta hasta haber hecho la oración del mediodía. Entonces se acercaron las mujeres, pero la muchacha no estaba entre ellas. Le dijeron: "¡Oh, Utba! ¿Qué piensas de la muchacha que quiere unirse contigo?" Les preguntó el nombre de la muchacha, y le contestaron: "Rayya, hija de al-Gitrif al-Sulaymi". El joven levantó la cabeza y recitó estos versos:

¡Oh, mis dos amigos! Muy temprano Rayya ha emprendido la marcha, con su tribu, hacia al-Samawa.
¡Oh, mis dos amigos! Ya no puedo llorar, pero ¿hay alguien que tenga una lágrima para cedérmela en préstamo?

»Le dije: "¡Utba! He venido con mucho dinero y quiero emplearlo en ayudar a los hombres dignos. ¡Por Dios! Lo gastaré para que consigas satisfacer tu deseo y aún más. ¡Vamos a la asamblea de los Ansar!" Anduvimos hasta llegar a su reunión. Los saludé y me devolvieron el saludo. Les dije: "¡Oh, asambleístas! ¿Qué tenéis que decir de Utba y de su padre?" "¡Que pertenecen a los señores árabes!" "Sabed que ha sido herido por la desgracia del amor. Pido que me ayudéis a alcanzar a al-Samawa." Me replicaron: "¡Oír es obedecer!" Montaron a caballo, y lo mismo hicieron los hombres que estaban con nosotros. Así llegamos al lugar que ocupaban los Banu Sulaym.

»Al-Gitrif supo que estábamos allí y salió, presuroso, a recibirnos. Dijo: "¡Larga vida tengáis, nobles!" Le respondieron: "¡Y que tú vivas! Somos tus huéspedes". "¡Estáis bajo el amparo de la más noble hospitalidad!" Se apeó. A continuación gritó: "¡Esclavos! ¡Descabalgad!" Éstos echaron pie a tierra, extendieron los manteles, colocaron los cojines y sacrificaron camellos y carneros. Le dijimos: "No probaremos tu comida hasta haberte expuesto nuestro deseo". "¿Qué necesitáis?" "Te pedimos en matrimonio a tu noble hija, para Utba b. al-Hubab b. al-Mundir, de gran renombre y de noble alcurnia." "¡Amigos míos! Aquélla que me pedís en matrimonio es dueña de sí misma. Entraré y la informaré." Se levantó enfadado, y fue a ver a Rayya. Ésta le preguntó: "¡Padre mío! ¿Qué ocurre, que te veo airado?" "Los compañeros del Profeta se han presentado ante mí para pedirte en matrimonio." "Son nobles señores. ¡Que el Profeta pida perdón a Dios por ellos con su mejor oración! ¿Y para cuál de ellos me piden en matrimonio?" "Para un muchacho, llamado Utba b. al-Hubab." La muchacha comentó: "He oído decir de ese Utba que cumple lo que promete y que consigue lo que pide". "¡Juro que jamás te casaré con él! Me he enterado de parte de tus relaciones con él." "No hay nada de eso, pero juro que a los Ansar no se les puede dar una mala respuesta. Trátalos bien." "¿Cómo?" "Exígeles una gran dote: ellos renunciarán." "¡Bien dicho!" El padre salió apresuradamente y dijo: "La muchacha de la tribu acepta, pero pide una dote digna de ella. ¿Quién sale fiador?" Abd Allah exclamó: "¡Yo!" El padre dijo: "Pido por ella mil brazaletes de oro rojo, cinco mil dirhemes de la moneda de Hachar, cien piezas de paño y tela del Yemen y cinco vasículos de ámbar". Yo le contesté: "Lo tendrás; pero ¿consientes?" "¡Consiento!"

»Abd Allah despachó algunos Ansar a Medina, la ciudad iluminada. Llevaron todo aquéllo de lo que había salido fiador, se degollaron camellos y ganado menor, y las gentes acudieron a comer. Refiere Abd Allah: «Permanecimos así durante cuarenta días. Después, al-Gitrif dijo: "¡Coged lo que os he prometido!" La colocamos en un palanquín, y su padre le dio treinta acémilas de regalos. Nos despedimos y él se marchó. Nos pusimos en camino. Marchamos hasta llegar a una jornada de distancia de Medina, la iluminada. Entonces se nos presentaron unos jinetes en busca de botín. Creo que eran los Banu Sulaym. Utba b. al-Hubab cargó contra ellos y mató unos cuantos hombres, pero cayó herido por una lanzada. Recibimos auxilio de los habitantes de la región, que rechazaron a nuestros enemigos, pero Utba había muerto. Nosotros gritábamos: "¡Pobre Utba!" La joven lo oyó, se arrojó del camello, se inclinó sobre él y empezó a gritar desconsoladamente, recitando estos versos:

> Tuve paciencia, no porque fuese paciente, sino porque me convencía a mí misma de que me reuniría contigo.
> Si mi alma hubiese sido justa, se hubiese precipitado al encuentro de la muerte, precediéndote antes que toda otra criatura.
> Después de ti y de mí, nadie más será justo con un amigo, ni un alma estará de acuerdo con otra.

»Exhaló un gemido y murió. Abrimos una sola tumba para los dos, los cubrimos de tierra y yo regresé a la región ocupada por mis contríbulos. En ella permanecí siete años. Después regresé al Hichaz, y entré en Medina la iluminada para hacer una visita piadosa. Me dije: "¡Por Dios! ¡He de volver a la tumba de Utba!" Fui a ella y vi que encima había un árbol muy alto, del que colgaban pedazos de ropa rojos, amarillos y verdes. Pregunté al dueño de la tierra: "¿Cómo se llama este árbol?" Respondió: "El árbol de los dos esposos". Permanecí junto a la tumba un día y una noche. Después me marché. Éste fue mi último encuentro con él. ¡Dios (¡ensalzado sea!) se apiade de él!»

HISTORIA DE HIND BINT AL-NUMÁN

Se cuenta también que Hind bint al-Numán era la mujer más hermosa de su época. Su belleza y gracia le fueron contadas a al-Hachchach, el cual la pidió por esposa, y gastó por ella mucho dinero. La desposó y se comprometió a darle, además de la donación nupcial, doscientos mil dirhemes. Después de haber consumado el matrimonio, permaneció largo tiempo con la mujer. Un día entró en su habitación mientras ella se contemplaba en el espejo y decía:

> Hind es una potra árabe, hija de caballos de raza,
> a la que posee un mulo.
> Si diese a luz una potra, ¡qué bella sería!; mas
> si diese a luz un mulo, sería el mulo quien lo
> habría echado al mundo.

Al-Hachchach, al oír esos versos, se volvió atrás sin entrar, antes de que la mujer se diera cuenta de su presencia. Al-Hachchach quiso repudiarla y le envió a Abd Allah b. Táhir para que le notificara el divorcio, y éste, cuando estuvo ante ella, le dijo: «Al-Hachchach Abu Muhammad te dice que quedaban por darte, de la dote, doscientos mil dirhenes. Helos aquí, los he traído. Me ha encargado que te comunicara el divorcio». «Sabe, ¡oh, Ibn Táhir! —respondió la mujer—, que, aunque permanecí con él, ¡por Dios!, no he sido feliz ni un solo día. ¡Por Dios, nunca me habré de arrepentir de que nos hayamos separado! Estos doscientos mil dirhemes son para ti, por la buena noticia que me has traído de que quedo libre del perro de Taqif.»

Después de estos hechos, el Emir de los creyentes Abd al-Malik b. Marwán recibió noticia de ella y le describieron la belleza de la mujer, su atractivo, su constitución, sus armónicas proporciones, lo dulce que sonaban sus palabras y cuán afectuosas eran sus miradas. Mandó pedirla por esposa.

Sahrazad se dio cuenta de que amanecía e interrumpió el relato para el cual le habían dado permiso.

Cuando llegó la noche *seiscientas ochenta y dos,* refirió:

—Me he enterado, ¡oh rey feliz!, de que Hind le envió un escrito en el que le decía: «Después de loar a Dios e invocar la bendición sobre su profeta Mahoma (¡Dios lo bendiga y lo salve!), sabe, ¡oh Emir de los creyentes!, que el perro lamió el vaso». Cuando el Emir de los creyentes acabó de leer el escrito de Hind, se echó a reír por sus palabras y le escribió el dicho del Profeta (¡Dios lo bendiga y lo salve!): «Si el perro lamiera el recipiente del agua para las abluciones de uno de vosotros, éste lo habrá de lavar siete veces, una de ellas con tierra». Y añadió: «Lava y echa el detrito del lugar de uso».

Cuando Hind hubo leído el escrito del Emir de los creyentes, no pudo desobedecer y le respondió en estos términos: «¡Alabanza a Dios (¡ensalzado sea!)! Sabe, ¡oh Emir de los creyentes!, que no estipularé el contrato matrimonial sino con una condición. Y si preguntas: "¿Cuál es", yo te contesto: "Que al-Hachchach lleve mi palanquín hasta la ciudad en que te hallas, que vaya descalzo y con los vestidos que lleva puestos"».

Cuando Abd al-Malik hubo leído el escrito, rio mucho y largamente y envió un mensajero a al-Hachchach ordenándole que hiciera aquello. Al-Hachchach, al enterarse de los deseos del Emir de los creyentes, aceptó y se sometió a las órdenes. Mandó avisar a Hind de que se preparara, y ella lo hizo y preparó un palanquín de viaje. Al-Hachchach anduvo con su séquito hasta la puerta de Hind, y cuando ella hubo montado a lomos del camello y también hubieron montado sus esclavas y su servidumbre, él, que estaba descalzo, se apeó, cogió las riendas del camello para conducirlo y se puso en marcha con ella. Ella empezó a burlarse, a reírse y a mofarse de él, junto con su bañadora y sus doncellas. Luego dijo a aquélla: «Quita la tienda del palanquín del camello». Así lo hizo, y el rostro de Hind tropezó con el de él, y cuando ella se rio en su cara, al-Hachchach recitó estos versos:

> Tú ríes, ¡oh Hind!, ¡pero cuántas noches te dejé despierta y en llanto!

Y ella le contestó con estos dos versos:

> Ya que nuestras almas se han salvado, no nos importan los bienes y las cosas que perdimos.
> Los bienes pueden ganarse de nuevo, y la gloria puede volver, una vez curado el hombre del mal y evitada la muerte prematura.

Y siguió riendo y bromeando hasta que estuvo cerca de la ciudad del Califa. Cuando llegó, echó al suelo un dinar que llevaba en la mano y le dijo: «Camellero, se nos ha caído un dirhem: búscalo y dánoslo». Al-Hachchach miró al suelo y sólo vio un dinar. «Es un dinar», observó. «Es un dirhem», replicó la mujer. «No, es un dinar», insistió él. «¡Alabanza a Dios —concluyó la mujer— que ha transformado el dirhem caído en un dinar! Dánoslo.» Al-Hachchach se avergonzó de esto. La acompañó al palacio del Emir de los creyentes, Abd al-Malik b. Marwán, y ella entró en su Corte y llegó a ser su esposa favorita.

HISTORIA DE JUZAYMA B. BISR AL-ASADÍ

Šahrazad se dio cuenta de que amanecía e interrumpió el relato para el cual le habían dado permiso.

Cuando llegó la noche *seiscientas ochenta y tres*, refirió:

—Me he enterado, ¡oh rey feliz!, de que en tiempo del Emir de los creyentes Sulaymán b. Abd al-Malik, vivía un hombre llamado Juzayma b. Bisr, de la tribu de los Banu Asad. Su hombría era conocida: poseía abundantes riquezas, hacía el bien y beneficiaba a sus hermanos. Y así ocurrió hasta que, con el transcurso del tiempo, enfermó y necesitó de la ayuda de sus hermanos de fe a quienes antes había beneficiado y asistido generosamente. Durante algún tiempo le ayudaron y le dieron dinero; mas luego se cansaron, y cuando Juzayma se dio cuenta del cambio que habían experimentado en relación con él, fue a ver a su mujer, que era su prima, y le habló así: «Prima, he notado en mis hermanos un cambio, y he decidido permanecer en casa hasta que muera». Cerró la puerta tras sí y permaneció en casa, alimentándose con lo que tenía, hasta que también eso se acabó. Él se quedó sin saber qué hacer.

Ahora bien, mientras Ikrima al-Fayyad al-Rabií, gobernador de la Chazira, que lo conocía, celebraba sesión, citóse el nombre de Juzayma b. Bisr. «¿Cómo está?», preguntó Ikrima al-Fayyad. «En muy malas condiciones —le contestaron—. Ha cerrado su puerta y permanece en su casa.» «Esto le ha ocurrido a causa de su excesiva generosidad —dijo Ikrima al-Fayyad—. ¿Cómo se explica que Juzayma b. Bisr no haya hallado quien lo asista con su dinero y pague su deuda?» «No ha encontrado nada de todo eso», le contestaron.

Cuando llegó la noche, el gobernador cogió cuatro mil dinares, los puso en una sola bolsa y, tras mandar que ensillaran su montura, salió a hurtadillas de su casa, montó a caballo y marchó con uno de sus pajes, que llevaba la bolsa. Anduvo hasta pararse ante la puerta de Juzayma. Cogió la bolsa de manos de su paje, le mandó que se alejara, se adelantó hacia la puerta y la empujó por sí mismo. Acudió a su encuentro Juzayma y él le ofreció la bolsa, diciéndole: «Mejora con esto tu situación». El otro cogió la bolsa, pero al ver que pesaba, la dejó en el suelo. Agarró al caballo por las bridas y le preguntó: «¿Quién eres, para que pueda ofrecer mi alma por tu rescate?» «No he venido a ti en tales momentos para que me reconocieses», respondió Ikrima. «No te soltaré hasta que me hayas dicho quién eres.» «Yo soy el que soluciona las dificultades de los hombres generosos.» «Dime más de ti.» «No», concluyó Ikrima, y se fue.

Juzayma se acercó a su prima con la bolsa y le comunicó: «Alégrate. Dios ha traído alegría próxima y buena, pues sólo con que fueran dirhemes estas monedas, ya sería mucho. Levántate y enciende luz». Mas ella contestó: «Me es imposible encender luz». Y así él se pasó la noche tocando el dinero con la mano, y aunque reconoció el tamaño de los dinares, no quería creer que realmente lo fueran.

Mientras tanto, Ikrima regresó a su casa, donde se encontró con que su mujer lo había echado en falta. Preguntó por él, y se enteró de que había montado a caballo. Por ello, desaprobando la acción de su marido, sospechó de él y le dijo: «El gobernador de la Chazira, después de transcurrida parte de la noche, no sale solo, sin sus pajes y a hurtadillas, si no es para acercarse a una mujer o a una concubina». «Dios sabe si salí para acercarme a una de estas dos mujeres», se excusó Ikrima. Pero ella insistió: «Dime para qué saliste». «Salí a tales horas para que nadie supiese que era yo.» «Debes informarme de todo.» «¿Guardarás el secreto si te lo digo?», le preguntó Ikrima. «Sí», contestó ella. E Ikrima le contó, palabra por palabra, la historia y cómo habían ido las cosas. Y añadió: «¿Quieres que te lo jure?» «No, no —replicó la mujer—, mi corazón se ha tranquilizado y ha quedado satisfecho después de cuanto me has dicho.»

En cuanto a Juzayma, por la mañana pagó a sus acreedores y puso en orden sus cosas. Luego se preparó a ver a Sulaymán b. Abd al-Malik, que entonces se hallaba en Palestina. Cuando se paró ante su puerta y pidió al chambelán permiso para entrar, éste entró e informó al Califa de que él estaba allí. Juzayma era conocido por su grandeza de ánimo, y Sulaymán lo conocía bien: le permitió entrar. Una vez dentro, lo saludó como se saluda a un Califa. «Juzayma, ¿qué te retuvo lejos de mí?», preguntó Sulaymán b. Abd al-Malik. «Mi mala situación», contestó. «¿Y qué te impidió venir a verme?» «Mi debilidad, Emir de los creyentes.» «Y ahora, ¿con qué medios has venido?» «Sabe, Emir de los creyentes, que estaba en mi casa, avanzada la noche, cuando un hombre llamó a mi puerta e hizo esto y esto.» Y Juzayma le contó toda la historia, desde el principio hasta el fin. «¿Conoces al hombre?», preguntó Sulaymán. «No lo conozco, Emir de los creyentes. Iba disfrazado, y sólo le oí decir: "Yo soy el que soluciona las dificultades de los hombres generosos".» Sulaymán b. Abd al-Malik se interesó mucho por el asunto, preocupado por saber de quién se trataba. Y añadió: «Si lo conociera, lo recompensaría por su generosidad». Luego le concedió a Juzayma el mando de una provincia y lo nombró gobernador de la Chazira, en lugar de Ikrima al-Fayyad, y Juzayma marchó directamente a la Chazira. Cuando estuvo cerca, Ikrima salió a recibirlo, y lo mismo hicieron los habitantes de la Chazira.

Una vez los dos jefes se hubieron saludado, todos se pusieron en marcha y entraron en la ciudad. Juzayma se alojó en el palacio del gobierno y mandó que Ikrima respondiera de su gestión y que se hicieran las cuentas. Una vez hechas, resultó que Ikrima debía crecidas cantidades, que Juzayma le mandó pagar; pero Ikrima contestó: «No tengo modo de pagar ninguna parte del dinero». «Has de pagarlo.» «No tengo dinero: haz lo que creas conveniente.» Y Juzayma mandó que lo encarcelaran.

Sahrazad se dio cuenta de que amanecía e interrumpió el relato para el cual le habían dado permiso.

Cuando llegó la noche *seiscientas ochenta y cuatro* refirió:

—Me he enterado, ¡oh rey feliz!, de que después de haberlo encarcelado, Juzayma mandó reclamarle lo que debía; pero el otro dijo que le comunicaran: «Yo no soy de esos que guardan sus bienes a expensas de su honor. Haz, pues, lo que quieras». Y Juzayma dio orden de que le pusieran grilletes y lo tuvieran en la cárcel. Allí permaneció durante un mes o más, hasta que se debilitó y el encarcelamiento arruinó su salud.

Algún tiempo más tarde, la noticia llegó a la mujer de Ikrima y se entristeció mucho. Llamó a una de sus esclavas, muy inteligente y experta, y le dijo: «Ve en seguida a la puerta del emir Juzayma b. Bisr y dile que quieres darle un consejo. Si alguien te pregunta cuál es, contéstale que sólo se lo dirás al Emir en persona. Cuando estés en su presencia, dile que quieres estar a solas con él, y cuando te hayas quedado a solas con el gobernador, dile: "¡Qué es lo que has hecho! ¡No has sabido recompensar al que soluciona las dificultades de los hombres generosos sino con la cárcel y mandando que le pongan grilletes!"»

La mujer hizo cuanto se le había mandado. Cuando Juzayma hubo oído sus palabras, exclamó en alta voz: «¡Pobre de él! ¡Conque era él!» «Sí», le contestó la doncella. Inmediatamente mandó que trajeran su montura y que la ensillaran. Mandó llamar a los notables de la ciudad, los reunió en su casa, se dirigió con ellos a la puerta de la cárcel y la abrió. Juzayma y sus acompañantes entraron y vieron a Ikrima sentado, completamente cambiado, porque los golpes recibidos y el dolor sufrido lo habían debilitado mucho. Al ver al gobernador, Ikrima se avergonzó y bajó la cabeza; pero Juzayma se adelantó y se inclinó sobre su cabeza para besarla. «¿A qué se debe esta acción tuya?», preguntó Ikrima, después de haber levantado la cabeza hacia él. «A tus nobles acciones y a mi mala recompensa.» «¡Dios nos perdone a nosotros y a ti!», exclamó Ikrima.

Juzayma mandó al carcelero que soltara los grilletes, y luego dio orden de que se los pusieran a él mismo. «¿Qué pretendes hacer?», le preguntó Ikrima. «Quiero experimentar todo lo que tú has experimentado.» «Te conjuro a que no lo hagas», imploró Ikrima, y salieron los dos y se fueron a casa de Juzayma. Ikrima quiso marchar, y se despidió de él; pero éste se lo impidió. «¿Qué quieres?», preguntó Ikrima. «Quiero devolverte a tu puesto: la vergüenza que siento ante tu mujer es mayor de la que siento ante ti.» Mandó que limpiaran el baño, y así se hizo. Entraron en él los dos, y Juzayma en persona se encargó de servir a su invitado. Al salir del baño le regaló un vestido precioso, lo hizo montar a caballo, cargó en él mucho dinero y se puso en marcha hacia su casa, donde le pidió permiso para disculparse ante su esposa, a la que presentó sus excusas. Luego le pidió a Ikrima que partiera con él para presentarse a Sulaymán b. Abd al-Malik —que entonces se hallaba en al-Ramla—, y cuando él accedió, ambos emprendieron la marcha hasta llegar a presencia de Sulaymán b. Abd al-Malik.

El chambelán entró junto al Califa y le comunicó la llegada de Juzayma b. Bisr; esto lo molestó, y exclamó: «¿El gobernador de la Chazira se presenta sin que se lo hayamos ordenado? ¡Esto sólo puede deberse a un acontecimiento grave», y le dio permiso para entrar. Él entró, pero antes de saludar, el Califa le preguntó: «¿Qué hay, Juzayma?» «Cosas buenas, Emir de los creyentes.» «¿Qué te trae?» «He dado con el restaurador de las dificultades de los hombres generosos y he querido que te alegrases viéndolo, ya que estabas interesado en conocerlo y noté en ti deseos de verlo.» «¿Quién es?», preguntó el Califa. «Ikrima al-Fayyad.» Y el Califa permitió a este último que se acercara. Cuando estuvo cerca de él, Ikrima le dirigió el saludo que se debe a los Califas. Sulaymán, después de darle la bienvenida, le mandó que se acercara a su sitial y le dijo: «Ikrima, el bien que hiciste a Juzayma sólo te ocasionó disgustos», y añadió: «Escribe en un pedazo de papel aquello que precisas y todo lo que te sea necesario». Así lo hizo, y el Califa dio orden de que satisficieran en seguida sus peticiones. Mandó que se le dieran diez mil dinares además de los deseos que había expresado, y veinte vestidos además de los que había pedido por escrito. Luego pidió una lanza y unió al nombre de Ikrima la enseña de la Gobernación de la

Chazira, de Armenia y del Adzerbaiján, diciéndole: «El destino de Juzayma está en tus manos. Si quieres, confírmalo; si no, destitúyelo». «Al contrario, Emir de los creyentes; lo repondré en su cargo.»

Después, los dos salieron de presencia del Califa y siguieron siendo gobernadores de Sulaymán mientras éste fue Califa.

HISTORIA DEL SECRETARIO YUNUS CON AL-WALID B. SAHL

Se cuenta también que durante el califato de Hisam b. Abd al-Malik vivía un hombre famoso, llamado Yunus el Secretario. Éste partió para Siria junto con una esclava muy hermosa y atractiva, que llevaba consigo cuanto pudiera necesitar. Valía cien mil dirhemes. Al acercarse a Siria, la caravana se detuvo cerca de un estanque, y Yunus se paró, tomó parte de los alimentos que traía y sacó una botella de vino. En aquel momento, montado sobre un caballo bayo, llegó un joven de buena presencia y agradable aspecto acompañado por dos criados. Saludó a Yunus y le preguntó: «Aceptas un invitado?» «Sí», contestó. Y así, tras detenerse junto a él, el recién llegado le dijo: «Danos de beber de tu bebida». Cuando Yunus lo hubo hecho, el joven añadió: «Si no te molesta, cántanos algo». Y Yunus cantó el siguiente verso:

> Ella tiene en sí tanta belleza como ningún ser humano encierra, y, en su amor, dulces me son lágrimas y vigilias.

El joven sintió gran alegría, y Yunus le dio varias veces de beber, hasta que quedó embriagado. «Di a tu esclava que cante», le pidió el invitado. Y ésta cantó el siguiente verso:

> Es una hurí: mi corazón ha quedado perplejo ante sus gracias. No la igualan ni la rama, ni el Sol, ni la Luna.

El invitado se sintió muy conmovido de alegría, y Yunus le dio de beber varias veces. Se quedó junto a él hasta que hicieron la oración de la tarde. Entonces su invitado preguntó a Yunus: «¿Qué te trajo a este país?» «Quiero saldar mis deudas y mejorar mis condiciones.» «¿Me vendes esta esclava por treinta mil dirhemes?» «¡Cuánto necesito de la gracia de Dios! De Él vendrá el aumento.» «¿Te conformarías con cuarenta mil?» «Con esta cantidad pagaría mi deuda, pero me quedaría con las manos vacías.» «Me quedo con ella por cincuenta mil dirhemes, y además te daré un vestido, los gastos de tu viaje, y te asociaré a mis condiciones de vida mientras vivas.» «Te la vendo», consintió Yunus. «¿Tienes confianza en mí? —se atrevió a decir el invitado—. Yo te pagaría mañana el precio y me la llevaría ahora mismo. ¿O prefieres que permanezca contigo y que mañana te dé el precio?» La embriaguez, la vergüenza y el miedo, impulsaron a Yunus a contestarle: «Sí, me fío de ti. Tómalo y ¡Dios te bendiga con ella!» Entonces el invitado ordenó a uno de sus dos esclavos: «Hazla montar sobre tu montura, monta tú detrás y márchate con ella». Luego montó él a caballo, saludó a Yunus y se marchó.

Poco después de haberse alejado del vendedor, éste se puso a meditar y se dio cuenta de que se había equivocado al venderla. «¿Qué he hecho? —pensó—. He entregado mi esclava a un hombre al que ni conozco ni sé quién es. Además, y suponiendo que lo conociera, ¿cómo podría llegar hasta él?» Se sentó a pensar, hasta que hizo la oración de la mañana. Sus compañeros entraron en Damasco, mas él permaneció sentado allí, indeciso, sin saber qué hacer, hasta que el sol lo molestó, se cansó de estar allí, y decidió entrar en Damasco. Pero a continuación pensó: «Si entro en la ciudad, ¿quién me asegura de que no venga el enviado y no me halle? Y así cometería otro crimen contra mí mismo». Se sentó a la sombra de un muro que allí había. Cuando el día ya declinaba, vio venir a su encuentro a uno de los dos siervos que iban con el joven. Al verlo, Yunus sintió inmenso placer y pensó: «No conozco alegría mayor por una cosa que la que experimento en estos instantes al ver al siervo». El esclavo se acercó a él y le dijo: «Mi señor, hemos tardado». Pero

Yunus nada dijo del desasosiego que se había apoderado de él. «¿Sabes quién es el hombre que compró la esclava?», preguntó el siervo. «No», contestó Yunus. «Es al-Walid b. Sahl, príncipe heredero.» Pero Yunus, cuando oyó tales palabras, no dijo ni una palabra. «Levántate y monta a caballo», prosiguió el siervo, que traía consigo una montura. Lo hizo montar y ambos emprendieron la marcha, y al llegar a casa de al-Walid entraron en ella.

Cuando la esclava vio a su antiguo dueño, fue a su encuentro y lo saludó. «¿Qué te ha ocurrido con el que te compró?», le preguntó Yunus. «Me alojó en esta habitación y dio orden de que me dieran todo lo que pudiera necesitar.» Yunus estuvo sentado un rato junto a ella, y luego vio venir al siervo del dueño de la casa, quien le mandó que se levantara. Marchó con el siervo, y junto con él entró a ver a su señor, al que halló sentado en su estrado y comprobó que era su invitado del día anterior. «¿Quién eres?», le preguntó. «Yunus el Secretario.» «Sé bien venido. Por Dios, tenía grandes deseos de verte, pues de cuando en cuando he oído hablar de ti. ¿Cómo dormiste esta noche?» «Bien, ¡Dios (¡ensalzado sea!) pueda hacerte feliz y poderoso!» Y el Emir le dijo: «Quizá te hayas arrepentido de lo que hiciste ayer y te hayas dicho: "Entregué mi esclava a un hombre al que ni conozco ni sé su nombre, y ni siquiera sé de qué ciudad es"». Yunus exclamó: «¡No quiera Dios, Emir, que yo me haya arrepentido por la mujer! Si la hubiese regalado al Emir, habría sido el más pequeño de los regalos que se le podían hacer.

Sahrazad se dio cuenta de que amanecía e interrumpió el relato para el cual le habían dado permiso.

Cuando llegó la noche *seiscientas ochenta y cinco* refirió:

—Me he enterado, ¡oh rey feliz!, de que [Yunus prosiguió:] »En efecto, esta esclava no está a tono con tu posición social». «¡Por Dios! —exclamó al-Walid—, me he arrepentido de habértela quitado, y he pensado: "Este hombre es extranjero y no me conoce. En mi prisa por quedarme con la esclava, la tomé de improviso y obré con ligereza". ¿Recuerdas el trato que hicimos?» «Sí.» «Muchacho, trae el dinero», mandó el Emir, y cuando se lo hubieron traído, añadió: «Muchacho, tráeme mil quinientos dinares». Y cuando se los trajeron dijo: «Éste es el precio de tu esclava: tómalo. Estos otros mil dinares son por la buena opinión que tuviste de mí, y los quinientos son para los gastos de tu viaje y para lo que has de comprar para tus familiares. ¿Estás contento?» «Sí», dijo Yunus, y le besó las manos y le dijo: «¡Por Dios!, me has llenado los ojos, las manos y el corazón». «¡Por Dios! —replicó al-Walid—, aún no me he quedado a solas con la esclava ni me he saciado de su canto. Traédmela.»

La esclava acudió, y al-Walid mandó que se sentara; y entonces, el Emir le dijo: «Canta», y ella recitó estos versos:

> Tú que reúnes en ti toda la belleza, que tienes carácter dulce y eres galante.
> Toda la belleza está en los turcos y en los árabes; y, sin embargo, en todos ellos no hay quien te iguale, gacela mía.
> ¡Oh, hermosa!, sé benévola con quien te ama, concédele una promesa tuya, aunque sólo sea en forma de un espectro de fantasma.
> El humillarme y el desvergonzarme por ti es dulce, y es agradable a mis ojos estar velando de noche.
> No soy el primero que se enamoró locamente de ti. ¡Cuántos hombres mataste antes que a mí!
> Estoy contento de poseerte como mi parte de las cosas mundanas; me eres más querido que mi alma y mi fortuna.

Al-Walid quedó muy satisfecho de la esclava y alabó a Yunus por la buena educación que le había dado y las enseñanzas que le prodigó. Dijo: «Muchacho, dale una montura ensillada y equipada para que monte en ella, y un mulo para que transporte sus cosas. Yunus —añadió—, si te enteras de que el poder ha llegado a mí, ven a verme, y ¡por Dios!, llenaré tus manos de bienes y elevaré tu suerte haciendo que seas rico mientras viva». Yunus recogió el dinero y se marchó.

Cuando el Califato llegó a manos de al-Walid, Yunus

se presentó a él, y por Dios que mantuvo la promesa que le había hecho y lo honró. Vivió con él en la más feliz de las vidas y en elevadísima posición. Su situación mejoró, y aumentaron sus bienes, y así, entre bienes muebles e inmuebles Yunus llegó a poseer lo que podía necesitar hasta su muerte y bastarle luego a sus herederos. Permaneció siempre con al-Walid hasta que éste fue asesinado. ¡Dios (¡ensalzado sea!) se haya apiadado de él!

HISTORIA DE HARÚN AL-RASID Y LA MUCHACHA ÁRABE

CUÉNTASE que un día el Emir de los creyentes Harún al-Rasid iba con Chafar al-Barmakí y encontró a cierto número de muchachas que escanciaban agua. Se paró junto a ellas para beber, y una de las jóvenes se volvió hacia las otras y recitó estos versos:

Mujer, di a tu fantasma que se aleje de mi yacija
a la hora del sueño,
para que yo descanse y se apague el fuego que
arde en mis huesos.
Es una consunción de amor que las palmas de las
manos van revolviendo sobre una alfombra de
enfermedad.
En cuanto a mí, me hallo como sabes: la unión
contigo, ¿podrá ser duradera?

Al Emir de los creyentes le gustaron la belleza y la elocuencia de la joven.

Sahrazad se dio cuenta de que amanecía e interrumpió el relato para el cual le habían dado permiso.

Cuando llegó la noche *seiscientas ochenta y seis,* refirió:

—Me he enterado, ¡oh rey feliz!, de que el Emir dijo en voz alta: «Hija de nobles, ¿son tuyos estos versos o los citas de otro?» «Son míos.» «Si tus palabras son verídicas, recítame otros cambiando la rima, pero conservando el significado.» Ella recitó:

Mujer, di a tu fantasma que se aleje de mi yacija a la hora de dormir,
para que yo descanse y se apague el fuego que arde en mi cuerpo.
Es una consunción de amor, que las palmas de las manos van revolviendo sobre una alfombra de angustia.
En cuanto a mí, me hallo como sabes: la unión contigo, ¿acaso tiene precio?

«También estos versos son plagios», dijo el Califa. «También son míos.» «Si son tuyos, recita otros con el mismo significado, pero con distinta rima.» Y ella dijo:

Mujer, di a tu fantasma que se aleje de mi yacija a la hora del descanso,
para que yo descanse y se apague el fuego que arde en el corazón.
Es una consunción de amor, que las palmas de las manos van revolviendo sobre una alfombra de insomnio.
En cuánto a mí, me hallo como sabes: la unión contigo, ¿puede ser recta y fiel?

«También esos versos son plagios», insistió el Califa. «No, son palabras mías», protestó la joven. «Pues si las palabras son tuyas —dijo Harún al-Rasid—, cambia la rima y recita otros de idéntico significado.» Y ella recitó:

Mujer, di a tu fantasma que se aleje de mi yacija a la hora del sopor.
Para que yo descanse y se apague el fuego que arde en mis costillas.
Es una consunción de amor que las palmas de las manos van revolviendo sobre una alfombra de lágrimas.
En cuanto a mí, me hallo como sabes: la unión contigo, ¿acaso podrá volver?

«A qué familia de esta tribu perteneces», le preguntó el Califa. «A aquella cuya tienda está en el centro, y cuyo poste es el más elevado.» Y el Emir de los creyentes supo así que la joven era hija del jefe de la tribu. «¿Y tú —preguntó entonces la joven—, a qué tribu de pastores de caballos perteneces?» «A la que tiene el árbol más alto y los frutos más maduros.» Entonces la joven besó el suelo y exclamó: «¡Dios te ayude, Emir de los creyentes!» Y después de pronunciar las invocaciones de ritual debidas al Califa, se fue junto con las jóvenes árabes.

«He de casarme con ella», dijo el Califa a Chafar. Y éste fue a ver al padre de la joven y le dijo: «El Emir de los creyentes quiere a tu hija por esposa». «De mil amores —contestó— hacemos donación de una joven a nuestro señor el Emir de los creyentes.» La preparó y se la llevó. Harún casó con ella, consumó el matrimonio y la tuvo por una de sus mujeres más queridas. A su padre le dio ganado en abundancia, que le aseguró su bienestar entre los árabes.

Cuando el padre entregó el alma a Dios, la noticia de su muerte llegó al Califa, que entró a ver, cabizbajo, a la mujer. Cuando ella lo vio con señales de pesadumbre, se levantó, fue a su habitación, se quitó sus suntuosos vestidos, se vistió de luto y celebró ceremonias fúnebres en memoria de su padre. «¿Cuál es la causa de todo esto?», le preguntaron. «Mi padre ha muerto», contestó.

Algunas personas fueron a ver al Califa y lo informaron de lo ocurrido. «¿Quién te dio esa noticia?», le preguntó el Califa, que había ido a verla. «Tu rostro, Emir de los creyentes.» «¿Cómo mi rostro?» «Desde que me establecí en tu casa, sólo te he visto de esa manera aquella vez: yo sólo sentía inquietud por mi padre, dada su edad. ¡Viva tu cabeza, Emir de los creyentes!» Las lágrimas resbalaron por los ojos del Califa, que le testimonió el pésame.

Durante cierto tiempo, la mujer vivió afligida por su padre, hasta que se reunió con él. ¡Dios tenga misericordia de todos ellos!

RELATOS DE AL-ASMAÍ A HARÚN AL-RASID ACERCA DE LAS MUJERES Y ACERCA DE SU FORMA DE HACER POESÍAS

CUÉNTASE que cierta noche un invencible insomnio se apoderó de Harún al-Rasid. Se levantó de su cama, y, muy turbado, se puso a pasear de habitación en habitación. Cuando se hizo de día, ordenó: «Traedme a al-Asmaí». El eunuco se dirigió a los porteros y les dijo: «El Emir de los creyentes os dice: "Enviad a buscar a al-Asmaí"». Cuando llegó, informaron al Emir de los creyentes, quien dio orden de que lo hicieran entrar. Le mandó sentarse, le dio la bienvenida y le dijo: «Al-Asmaí, quiero que me cuentes la mejor historia que hayas oído acerca de las mujeres y de su forma de hacer poesías». «De mil amores —contestó al-Asmaí—. Muchas he oído, pero sólo me han gustado los tres versos que tres doncellas recitaron.»

Sahrazad, se dio cuenta de que amanecía e interrumpió el relato para el cual le habían dado permiso.

Cuando llegó la noche *seiscientas ochenta y siete* refirió:

—Me he enterado, ¡oh rey feliz!, de que el Califa le dijo: «¡Cuéntame la historia!»

«Sabe, Emir de los creyentes —empezó al-Asmaí—, que durante un año residí en Basora. Cierto día en que el calor era insoportable, salí a buscar un sitio donde echar la siesta, pero no lo podía hallar. Andando a derecha e izquierda vi un pórtico barrido y regado en el que había un asiento de madera, y sobre él se veía una ventana abierta, a través de la cual salía olor a almizcle. Entré en el pórtico, me senté en el banco, y estaba a punto de tumbarme en él cuando oí la dulce voz de una mujer, que decía: "Hermanas, nos hemos sentado hoy aquí para divertirnos. Ea, juguémonos trescientos dinares: cada una de nosotras dirá un verso, y los trescientos dinares serán para aquella que recite el más dulce y más hermoso". "Muy bien", respondieron las otras mujeres. La mayor recitó un verso, que decía:

> Mi amante me gusta cuando, durante el sueño, viene a visitarme a mi lecho; mas si me visitara cuando estoy despierta, aún sería más bello.

La mediana recitó el siguiente:

> Sólo el fantasma de mi amor me ha visitado en sueños, y yo le he dicho: «¡La paz! ¡Bien venido seas!»

Y la más joven recitó:

> Entrego mi alma y mi familia por el rescate de aquel al que todas las noches veo cual compañero de lecho. Su perfume es mejor que el almizcle.

»Entonces yo me dije: "Si la belleza corre pareja con la recitación, ¡sería cosa perfecta!" Bajé del banco, y estaba a punto de marcharme cuando se abrió la puerta y salió una joven: "Siéntate, jeque", me dijo. Volví a subir al banco, me senté de nuevo, y ella me ofreció un trozo de papel: vi en él una escritura muy bella, de *alifs* muy rectos, *has* muy cóncavas y *waws* muy redondas[1]. En él decía: "Comuniquemos al jeque (¡Dios prolongue su existencia!) que somos tres hermanas y que nos hemos sentado a divertirnos. Hemos puesto en juego trescientos dinares, que habrán de ser para la que recite el verso más dulce y bello. Te hemos elegido juez del certamen: juzga según te parezca. ¡La paz!"

[1] Alude a tres letras del abecedario árabe que tienen, precisamente, las características que indica el texto.

»"Dame tintero y una hoja de papel", dije a la joven. Ella desapareció, para salir al cabo de un momento y dirigirse hacia mí con un tintero plateado y plumas doradas. Y yo escribí los siguientes versos:

Yo cuento, como hombre que ha probado y soportado diversas vicisitudes, la historia de unas jóvenes que cierta vez se pusieron a charlar.

Eran tres jóvenes de belleza igual a la de las estrellas vírgenes de la mañana. Ellas señoreaban un corazón atormentado de amante.

Se apartaron cuando ya muchos ojos se habían dormido, e hicieron como que no veían al que se había colocado aparte.

Ellas revelaron lo que ocultaban en su interior, y precisamente así: tomaron como diversión y juego la poesía.

Una, hermosa, desvergonzada, orgullosa e inexperta, dijo, con aire sonriente, y mostrando una boca de dulce parlería y de frescos dientes agudos:

"Mi amante me gusta cuando, durante el sueño, viene a visitarme a mi lecho; mas si me visitara cuando estoy despierta, aún sería más bello".

Al acabar sus palabras, que ella adornó con una sonrisa, la mediana suspiró y dijo con emoción:

"Sólo el fantasma de mi amor me ha visitado en sueños, y yo le he dicho: '¡La paz! ¡Bien venido seas!'"

Pero bien dijo la más joven, recitando como réplica, con palabras más voluptuosas y más dulces:

"Entrego mi alma y mi familia por el rescate de aquel al que todas las noches veo cual compañero de lecho. Su perfume es mejor que el almizcle."

Después de meditar sobre lo que dijeron y después de haber formado el juicio que había de emitir, no dejé a los entendedores motivo de duda.

Sentencié en el certamen poético a favor de la menor, pues consideré que lo que ella dijo estaba más cerca de la verdad.»

Refiere al-Asmaí: «Entregué la hoja a la joven, y cuando ella subió, miré hacia la casa y vi que estaban bailando y palmoteando, y que había una fiesta. Dije: "No hace falta que siga aquí". Bajé del banco con la intención de irme; pero la joven me llamó y me dijo: "Siéntate, al-Asmaí". "¿Quién te informó de que soy al-Asmaí", le pregunté. "Jeque —me contestó—, podíamos ignorar tu nombre, pero no podíamos desconocer tu poesía." Entonces me senté; la puerta se abrió, y salió la primera joven, con un plato de fruta y otro de dulces. Comí fruta y dulces y le di las gracias por lo que había hecho. Quise marcharme, pero la joven me llamó y me dijo: "Al-Asmaí, siéntate". Levanté la mirada hacia ella y vi una mano rosada en una manga amarilla, y creí que era la luna que asomaba por debajo de las nubes. Arrojó una bolsa que contenía trescientos dinares, y dijo: "Esto es mío. Es un regalo que te hago por tu sentencia"». «¿Por qué —preguntó entonces el Emir de los creyentes— le diste la palma a la más joven?» Y al-Asmaí contestó: «Emir de los creyentes (¡Dios prolongue tu existencia!). La mayor dijo: "Me gusta si durante el sueño visita mi lecho", y ésta es una posibilidad remota, que depende de una condición que puede realizarse o no. En cuanto a la mediana, la sombra de un fantasma pasó ante ella en sueños y ella la saludó. En cambio, la más joven dijo en su verso que había yacido realmente en el lecho de su amor, y que de él respiró alientos mejores que el almizcle, y se declaró dispuesta a rescatar la vida del hombre con la suya y con la de su familia. Ahora bien, se rescata con la propia vida sólo a aquel que nos es más querido que la vida misma». «Bien hiciste, al-Asmaí», contestó el Califa. Y como recompensa por su historia le dio otros trescientos dinares.

HISTORIA DE ABU ISHAQ IBRAHIM AL-MAWSILÍ, EL CORTESANO, CON EL DIABLO

CUENTA Abu Ishaq Ibrahim al-Mawsilí: «Le pedí a al-Rasid que me concediera un día para permanecer a solas con mi familia y con mis hermanos, y él me concedió permiso para hacerlo un sábado. Fui a mi casa y me puse a preparar comidas y bebidas y todas las cosas que necesitaba. Mandé a los porteros que cerraran las puertas y que no dejaran entrar a nadie. Mientras estaba en mi habitación rodeado de mis mujeres, se presentó un hermoso viejo, de venerable aspecto. Iba vestido de blanco, con una camisa tersa, llevaba un *taylasán* en la cabeza, y en la mano un bastón con puño de plata. De él emanaba un agradable perfume, que llenó la casa y el pórtico. Me sentí preso de gran indignación porque había llegado hasta mí, y resolví despedir a los porteros. El viejo me saludó muy amablemente, y yo, tras corresponder a su saludo, lo invité a que se sentara. Una vez sentado empezó a contarme historias árabes, y así mi cólera se disolvió y creí que mis pajes habían querido proporcionarme un placer haciendo entrar a un hombre como aquél, dada su educación literaria y sus buenos modos. "¿Quieres comer?", le pregunté. "No lo necesito", contestó. "¿Y tampoco beber?" "Eso queda a tu parecer", me dijo, Yo me bebí un *ratl*, y él otro tanto. "Abu Ishaq —me dijo el viejo—, ¿quieres cantarnos alguna cosa para que podamos oír algo de tu arte, con el cual has superado a aficionados y profesionales?" Sus palabras me irritaron; pero tomando la cosa a broma, cogí el laúd, toqué y canté. "¡Bien, Abu Ishaq!"

exclamó. Me indigné aún más y pensé: "No le basta con haber entrado sin permiso y con haberme hecho las propuestas que me ha hecho, sino que encima me llama por mi nombre, sin reparar en cómo debe dirigírseme la palabra". "¿Quieres cantar de nuevo —prosiguió el viejo—, y te recompensaremos?"»

Sahrazad se dio cuenta de que amanecía e interrumpió el relato para el cual le habían dado permiso.

Cuando llegó la noche *seiscientas ochenta y ocho* refirió:

—Me he enterado, ¡oh rey feliz!, de que [Abu Ishaq prosiguió:] «Entonces yo me impuse ese esfuerzo. Tomé el laúd y canté con toda atención y cuidado, pues había dicho que me recompensaría. Él quedó satisfecho y exclamó: "Muy bien, mi señor". Y añadió: "¿Me permites que cante?" "Haz lo que quieras", contesté. Pero consideré que tenía poco seso al pretender cantar en mi presencia después de lo que había oído de mí. Tomó el laúd, lo tocó y..., ¡por Dios!, me pareció que el laúd hablaba en pura lengua árabe. Con voz dulce y melodiosa, se puso a cantar estos versos:

Tengo un corazón lleno de llagas. ¿Quién quiere venderme por él otro que carezca de llagas?
La gente se ha negado a comprármelo. ¿Quién querrá comprar una cosa usada a cambio de una sana?
Gimo por el ardiente deseo que siento en mis costillas, al igual que aquel a quien la bebida se le fue de través, y está llagado.

»Y, ¡por Dios! —siguió contando Abu Ishaq—, creí que las puertas, las paredes y todas las cosas que había en la casa lo coreaban y cantaban con él, tan hermosa era su voz. Incluso me pareció, ¡por Dios!, oír a mis miembros y a mis vestidos corearle. Quedé atónito, sin poder ni hablar ni moverme, tanto quedó afectado mi corazón. Luego cantó estos versos:

Ea, palomas de la duna, regresad, pues yo anhelo tristemente volver a escuchar vuestra voz.

Ellas se posaron en un bosquecillo y casi me mataron, y estuve a punto de revelarles mis secretos.
Llamaron, con su arrullo, a una querida persona lejana, como si hubieran bebido el fuego del vino o se hubiese apoderado de ellas la locura.
Mis ojos jamás vieron palomas como ésas: lloran sin que sus pupilas derramen lágrimas.

»Y a continuación cantó también los siguientes versos:

Céfiro del Nachd: cuando soplas desde el Nachd, tu nocturno pasar aumenta tristeza sobre tristeza.
Una paloma arrulló en el esplendor del alba, sobre las ramas del sauce y del laurel.
Ella lloró como puede llorar un joven por un ardiente afecto, y manifestó deseos de amor que yo no revelaba.
Dicen que quien ama se cansa cuando está cerca de la amada, y que el alejamiento puede curar el amor.
Nos hemos curado con todos los remedios; pero nada ha podido curar el amor que hay en nosotros. Y, sin embargo, mejor es tener cerca la morada de la amada, que tenerla lejos.
Aunque de nada sirva esta proximidad si la persona que amas no siente amor.

»"Ibrahim —dijo el viejo—, canta la canción que acabas de oír, modula las tuyas sobre este motivo y enséñalo a tus esclavas." "Repítemelo", le pedí. "No es preciso que te lo repita, pues lo has aprendido perfectamente." Luego desapareció de mi presencia.

»Me levanté, atónito, empuñé y desenvainé la espada y fui a la puerta del harén, pero la hallé cerrada. "¿Qué oísteis?", pregunté a las mujeres. "Hemos oído la canción más exquisita y más hermosa." Salí, turbado, hacia la puerta de la casa. La hallé cerrada y pregunté a los porteros por el viejo: "¿Qué viejo? —dijeron—. ¡Por Dios, que hoy no ha entrado nadie aquí!" Retrocedí, pensando en la visita del viejo, y he aquí que, desde un lado de la casa, me llamaba diciéndome: "¡Nada ha de ocurrirte, Abu Ishaq! Soy Abu Murra, y hoy te he acompañado a beber. ¡No temas!"

»Monté a caballo para ir a ver a al-Rasid, al que informé del asunto. "Repite los motivos que aprendiste de él", me dijo. Cogí el laúd y toqué: los motivos habían quedado bien grabados en mi mente. Al-Rasid disfrutó, y aunque no era asiduo de la bebida, bebió y me dijo: "¡Ojalá hubiésemos gozado un solo día de él como pudiste hacerlo tú!" Y mandó que me dieran un regalo, que yo cogí y me marché».

HISTORIA QUE CHAMIL B. MAAMAR CUENTA AL EMIR DE LOS CREYENTES, HARÚN AL-RASID

CUÉNTASE que el siervo Masrur refirió lo siguiente:

«El Emir de los creyentes, Harún al-Rasid, padecía cierta noche un insomnio invencible. Me preguntó: "Masrur, ¿qué poeta hay en la antecámara?" Yo salí al pasillo, y al ver a Chamil b. Maamar al-Udrí, le dije: "Acude a la llamada del Emir de los creyentes". "Oír es obedecer", contestó. Entré, y él conmigo; se halló ante Harún al-Rasid, a quien saludó como debe saludarse a los califas. Harún, después de devolverle el saludo y haberle mandado que se sentara, le dijo: "Chamil, ¿conoces alguna historia maravillosa?" "Sí, Emir de los creyentes. ¿Cuál prefieres? ¿Aquella de la que he sido testigo y yo mismo he presenciado, o la que he oído y de la cual me acuerdo?" "Cuéntame aquella de la que fuiste testigo y presenciaste." "Muy bien, Emir de los creyentes. Escúchame bien y préstame oídos."

»Al-Rasid cogió la almohada de seda roja bordada de oro y llena de plumas de avestruz, la colocó bajo sus piernas, apoyó sus codos en ella y dijo: "Adelante, cuenta tu historia, Chamil".

»Y Chamil empezó: "Sabe, Emir de los creyentes, que yo sentía afecto por una joven, a la que amaba y frecuentaba...

Sahrazad se dio cuenta de que amanecía e interrumpió el relato para el cual le habían dado permiso.

Cuando llegó la noche *seiscientas ochenta y nueve* refirió:

—Me he enterado, ¡oh rey feliz!, de que [Chamil prosiguió: »"yo frecuentaba a la joven] ya que era el objeto de mis deseos y de mis anhelos. Su familia hubo de partir debido a la escasez de pastos, y durante algún tiempo no vi a la joven; pero el ardiente deseo de verla me turbó y me atrajo hacia ella, por lo cual se me ocurrió partir para dirigirme adonde ella estaba. Una noche, este deseo mío me incitó a dirigirme donde ella. Ensillé mi camella, me puse el turbante y mis vestidos viejos, ceñí la espada, enarbolé la lanza y tras montar en mi montura salí en busca de mi amada apresurando la marcha, en una noche oscura y de densa tiniebla. Afronté la dificultad de bajar valles y subir montañas, oyendo por doquier los rugidos de los leones y el aullido de los lobos: estaba asustado, con el corazón alborotado, y mi lengua no cesaba de mencionar a Dios (¡ensalzado sea!). Mientras marchaba en tal estado, me entró sueño, y la camella me llevó por camino distinto del que yo debía seguir. El sueño me venció, y pronto noté que algo tropezaba con mi cabeza. Desperté, asustado y horrorizado, y me hallé ante árboles y arroyos: los pájaros, posados en las ramas, murmuraban sus versos y sus motivos, y los árboles de aquel prado estaban densamente entrelazados. Me apeé de la camella, cogí sus riendas, traté suavemente de librarme de los árboles y así logré salir con el animal de entre aquellos árboles a una tierra desierta. Arreglé la silla de la camella y me acomodé sobre ella, sin saber dónde ir ni conocer a qué lugar habría de llevarme el destino. Agucé la mirada en aquella zona desierta, y en el centro de ella distinguí un fuego. Espoleé la camella y marché hacia él. Al llegar, me acerqué y observé mejor: vi levantada una tienda de piel de camello, con una lanza hincada en el suelo, una montura en pie, algunos caballos parados, y unos camellos pastando. Pensé: 'Esta tienda debe pertenecer a persona muy importante, pues no veo ninguna otra en esta comarca'. Me adelanté hacia la tienda y dije: 'La paz sea sobre vosotros, gentes de la tienda, y la misericordia y las bendiciones divinas'. Un joven de diecinueve años, parecido a la luna cuando surge, con el valor retratado en la mirada, salió de la tienda hacia mí y contestó: 'Y también sobre ti, hermano árabe, sean la paz, la misericordia y las bendiciones divinas. Creo que has extraviado el camino'. 'Así es, en efecto —le contesté—. Indícame el camino bueno, y Dios se apiade de ti.' 'Hermano árabe —dijo—, este país nuestro está lleno de fieras, y la noche es oscura, lúgubre, muy tenebrosa y fría. Yo no te garantizo que las fieras no te desgarren. Quédate aquí conmigo y tendrás todo bienestar y comodidad, y cuando llegue mañana, yo te indicaré el camino bueno.' Bajé de mi camella y la até a su propia tienda. Me quité los vestidos que llevaba, me aligeré y me dispuse a sentarme durante algún tiempo. Entretanto, el joven cogió un cordero, lo degolló, encendió y alimentó el fuego, entró en la tienda, y después de haber sacado aromas en polvo y sal buena, empezó a cortar pedazos de aquella carne y, a medida que los iba asando al fuego, me los iba ofreciendo, ya suspirando, ya llorando. En cierto momento se puso a sollozar con fuerza y a llorar a lágrima viva, y recitó los siguientes versos:

> Sólo ha quedado un respiro fugaz, y un ojo de pupila atónita. En sus miembros no ha quedado ninguna articulación que no esté herida de perdurable enfermedad.
>
> Sus lágrimas corren, y sus vísceras están en llamas; mas él está silencioso.
>
> Incluso sus enemigos, movidos a compasión, lloran por él. ¡Ay, de quien inspira piedad incluso a los escarnecedores!"

»Añadió Chamil: "Y entonces, Emir de los creyentes, comprendí que el joven estaba enamorado y triste: ¡Nadie conoce mejor el amor que quien ha experimentado su gusto! Me dije: '¿Le pido explicaciones?' Pero renuncié. '¿Cómo voy a atreverme a preguntarle —me dije— estando en su morada?' Por ello, aparté mi primer impulso y comí de aquella carne a medida de mi necesidad. Al acabar de comer, el joven se levantó, entró en la tienda y sacó una jofaina limpia y un hermoso aguamanil, así como un mandil de seda, cuyos extremos estaban bordados de oro rojo, y trajo también un recipiente lleno de agua de rosas, mezclada con almizcle. Quedé asombrado ante su amabilidad y cortesía, y me dije: '¡Jamás vi tanta amabilidad en el desierto!' Nos lavamos las manos y charlamos un rato juntos. Luego mi anfitrión se levantó, entró en la tienda y corrió una cortina de seda roja. 'Entra, ¡oh, jefe árabe! —me dijo—, y ocupa tu lecho, puesto que esta noche te habrás cansado y te habrás fatigado mucho por tu viaje.' Entré y me hallé ante un lecho de brocado verde. Me quité los vestidos que traía y pasé una noche como jamás la había pasado en mi vida...

Sahrazad se dio cuenta de que amanecía e interrumpió el relato para el cual le habían dado permiso.

Cuando llegó la noche *seiscientas noventa* refirió:

—Me he enterado, ¡oh rey feliz!, de que [Chamil prosiguió:] »"Estuve pensando en el caso del joven hasta que la noche cayó por completo, los ojos se cerraron, y yo solamente oía una voz, suave como jamás había oído otra ni más dulce ni más agradable. Levanté la cortina que había echado entre nosotros y vi junto al joven a una muchacha. ¡Nunca he visto rostro más bello! Los dos lloraban y se quejaban de los males de amor, del ardiente afecto, de la pasión y del gran deseo que sentían de unirse. Pensé: 'Por Dios que es extraño. ¿Quién será esta segunda persona? Cuando entré en esta tienda sólo vi a ese joven; no había nadie con él. No cabe duda —seguí diciéndome—, ésta es una hija de los genios, que ama a este joven, y él se ha apartado con ella a este lugar, y lo mismo ha hecho ella'. La observé con más atención y vi que era una mujer árabe, que si se hubiese descubierto el rostro, habría confundido de vergüenza al luminoso Sol. La tienda se había iluminado con la luz de su rostro. Cuando me di cuenta de que era su amada, me acordé de los celos del amante, y, después de dejar caer la cortina, me cubrí el rostro y me dormí. Por la mañana me puse mis vestidos, hice las abluciones para la oración, realicé ésta según la obligación religiosa, y luego le dije a mi anfitrión: 'Hermano árabe, ¿quieres indicarme el camino bueno, y así me harás un favor?' Él me miró y me contestó: 'Despacio, jefe árabe. La hospitalidad dura tres días, y no seré yo quien te deje marchar antes que se cumplan los tres días'.

»"Así —prosiguió Chamil—, permanecí con él tres días. Al cuarto nos pusimos a hablar, y yo le pregunté cuál era su nombre y su ascendencia. 'En cuanto a mi ascendencia, pertenezco a los Banu Udra, y mi nombre es Fulano, hijo de Mengano, y mi tío es Zutano.' Pues bien, Emir de los creyentes —explicó Chamil—, ¡era mi primo y pertenecía a una de las más nobles familias de los Banu Udra! 'Primo —me atreví a decir—, ¿cuál es la causa de que te hayas aislado, según veo, en este desierto, y por qué has abandonado tu bienestar y las comodidades de tus padres, tus esclavos y tus doncellas?' Cuando él, ¡oh Emir de los creyentes!, oyó mis palabras, los ojos se le llenaron de lágrimas y lloró mucho. 'Hermano —explicó—, yo amaba a mi prima, me había prendado de ella, estaba muy enamorado y loco de amor hasta el extremo de no poderme separar de ella. Mi afecto por esa mujer llegó a ser tan grande, que la pedí por esposa a mi tío, pero él se negó y la casó con un individuo de los Banu Udra, el cual, una vez consumado el matrimonio, se la llevó a la localidad en la que vivía desde un año atrás. Cuando ella se hubo alejado de mí y, por tanto, no pude ya verla, los sufrimientos del amor, mi violenta pasión y mi afecto me indujeron a dejar a mi familia, y abannar mi tribu, mis amigos y todos mis bienes. Y así me he aislado en esta tienda en este desierto, y me he familiarizado con esta mi solelad.' '¿Dónde están sus moradas?', pregunté. 'Están aquí cerca —contestó—, en lo alto de esa montaña. Cada noche, cuando todos duermen, y la noche es tranquila, ella, con paso quedo, se escapa de la tribu, procurando que nadie la vea. Yo consigo mi propósito hablando con ella, y lo mismo le ocurre a la mujer. Heme aquí ahora en esta situación, consolándome con ella durante un rato en la noche para que Dios pueda realizar lo predestinado: o, a pesar de los envidiosos, el asunto se resuelve en favor mío, o Dios, que es el mejor juez, sentenciará contra mí.'

»Chamil añadió: "Cuando, ¡oh Emir de los creyentes!, el joven me hubo informado del asunto, la cosa me disgustó y quedé perplejo, herido de celoso celo por él. 'Hermano —dije—, ¿quieres que te aconseje un ardid gracias al cual, si Dios quiere, obtendrás éxito y prosperidad y gracias al cual Dios hará cesar tus sinsabores?' 'Sí, primo', contestó. 'Cuando sea de noche y venga la joven, ponla sobre mi camella, que tiene un andar rápido. Monta tú en tu corcel y yo montaré sobre una de esas camellas y marcharé durante toda la noche con vosotros; así, antes de que sea de día habremos atravesado desiertos y estepas; tú habrás conseguido lo que deseas y te habrás adueñado de la mujer de tu corazón. La tierra de Dios es vastísima. Mientras viva, yo te ayudaré con mi espíritu, mis bienes y mi espada.'

Sahrazad se dio cuenta de que amanecía e interrumpió el relato para el cual le habían dado permiso.

Cuando llegó la noche *seiscientas noventa y una* refirió:

—Me he enterado, ¡oh rey feliz!, de que [Chamil prosiguió:] »"El joven dijo, cuando hubo oído todo esto: 'Espera que se lo pregunte a ella, primo. Ella es inteligente, llena de tacto y clarividente'."

»Chamil añadió: "Y así, cuando cayó la noche y llegó la hora en que ella solía venir, él la esperó en el momento convenido; mas ella, contra su costumbre, se retrasó. Vi que el joven salía por la puerta de la tienda para aspirar el viento que soplaba procedente del lugar por donde debía venir, para oler su perfume. Y recitó estos versos.

> El viento del Este me trae una brisa que sale de
> un poblado en el que mora la amada.
> ¡Oh viento!, hay en ti una señal de la amada:
> ¿sabes, pues, cuándo vendrá?

»"Luego entró en la tienda, se sentó durante una hora y lloró. 'Primo —observó—, esta noche le ha ocurrido algo a mi prima: o le ha sucedido una desgracia, o algún obstáculo le ha impedido venir a verme. Quédate en tu sitio —añadió— hasta que vuelva a ti con noticias.' Tomó su espada y su escudo y desapareció un rato en la noche. Luego regresó con algo en la mano. Me llamó, y yo me apresuré a acudir junto a él. 'Hermano —me preguntó—, ¿sabes qué ha sucedido?' 'No, por Dios', contesté. 'Esta noche he sido herido con la muerte de mi prima. Ella venía hacia nosotros; pero en el camino un león la desgarró, y sólo ha quedado de ella esto que ves.' Y echó al suelo lo que llevaba en la mano: eran los cartílagos de la joven y los huesos que habían quedado. Lloró a lágrima viva, arrojó el arco de su mano, tomó un saco y me dijo: 'No te muevas hasta que vuelva junto a ti, si Dios quiere'. Se echó a andar y desapareció, para regresar al cabo de un tiempo trayendo en la mano una cabeza de león, que arrojó al suelo. Pidió agua y yo se la di. Lavó la boca del león y se puso a besarla y a llorar, entristeciéndose cada vez más. Y recitó estos versos:

> León, tú que te lanzabas de cabeza a los peligros, has perecido y me has causado disgusto después de la muerte de la amada.
> Me has dejado solo, después de haber sido su compañero, y has convertido las entrañas de la tierra en su tumba fija.
> Yo le digo al destino, que me ha causado dolor al separarnos: 'No quiera Dios que tú me hagas ver a otra compañera semejante a ella'.

»"'Primo —me dijo—, en nombre de Dios, por el parentesco y el lazo de sangre que hay entre nosotros, te pido que guardes mi última voluntad, porque ahora me vas a ver muerto ante ti. Cuando eso haya ocurrido, lávame, envuélveme en este vestido con cuanto queda de los huesos de mi prima, entiérranos en una sola tumba, y escribe sobre ella estos versos:

> Sobre la superficie de la tierra vivimos una vida de bienestar, unidos siempre con casa y morada próximas.
> El tiempo y sus vicisitudes separaron nuestra unión, pero el sudario nos reunió en el seno de la tierra.'

»"Y lloró copiosamente. Entró en la tienda, y durante un rato estuvo oculto a mis miradas. Luego salió y empezó a suspirar y a gritar; y después de un estertor, murió. Me entró tanta pena y tan gran disgusto, que de tanto dolor que sentía por él, estuve a punto de reunirme con él en la tumba. Me acerqué e hice lo que me había mandado hacer: los envolví a los dos en el sudario, los enterré en un mismo sepulcro, y estuve tres días junto a la tumba. Luego me puse en camino, y durante dos años fui a visitar su sepulcro. Esto, Emir de los creyentes, es lo que les ocurrió".

»A al-Rasid le gustó el relato de Chamil. Y por ello le regaló un traje de Corte y le hizo un hermoso regalo.»

HISTORIA DEL BEDUINO CON MARWÁN B. AL-HAKAM Y EL EMIR DE LOS CREYENTES, MUAWIYA

Cuéntase también, ¡oh rey feliz!, que un día el Emir de los creyentes Muawiya estaba sentado, en Damasco, en una de sus salas de audiencia. Las ventanas de los cuatro lados de la estancia estaban abiertas, de manera que el aire podía penetrar por doquier. Se hallaba sentado, mirando en una dirección determinada. Era un día muy caluroso, no soplaba ninguna brisa, y como era mediodía, el calor era violento. Y he aquí que el Califa vio andar a un hombre, el cual quemado por el calor del suelo y descalzo, andaba a saltos. Lo miró mejor y dijo a sus contertulios: «¿Creó Dios (¡alabado y ensalzado sea!) persona más desgraciada que quien se ve obligado a moverse con tal tiempo y a tal hora, como ése?» «Quizás —observó alguien— venga a ver al Emir de los creyentes.» «¡Por Dios! —añadió Muawiya—, si viene a mí le daré lo que quiere; y si tuvo que soportar injusticia, lo ayudaré. Muchacho, permanece ahí, junto a la puerta, y si ese beduino pidiese entrar a mi presencia, no le impidas el acceso.» El siervo salió, y, en efecto, el beduino se llegó a él. «¿Qué quieres?», le preguntó. «Quiero ver al Emir de los creyentes», contestó el árabe. «Entra.» Y él entró y saludó al Califa.

Sahrazad se dio cuenta de que amanecía e interrumpió el relato para el cual le habían dado permiso.

Cuando llegó la noche *seiscientas noventa y dos* refirió:

—Me he enterado, ¡oh rey feliz!, de que Muawiya

le preguntó: «¿De qué tribu eres?» «De los Banu Tamim.» «¿Qué te ha traído aquí a tales horas?» «He venido a quejarme a ti y a pedirte protección.» «¿Contra quién?» «Contra tu gobernador Marwán b. al-Hakam.» Y se puso a recitar estos versos:

> ¡Oh, Muawiya, hombre generoso, clemente y bueno! ¡Oh, persona liberal y docta, recta y noble!
> He venido a ti cuando no hallé en la tierra otro camino. ¡Auxilio! No defraudes mi esperanza de obtener justicia.
> Sé generoso conmigo y justo con el prepotente que me ha afligido con una injusticia tal, que más leve me habría sido la muerte.
> Me ha arrebatado a Suad y se ha puesto a contrariarme. Ha sido tirano e inicuo y me ha hecho perder mi familia.
> Y se ha propuesto matarme; pero la muerte se ha retrasado porque yo aún no he terminado la parte de vida que me fue asignada.

Cuando Muawiya lo oyó recitar estos versos, casi echando fuego por la boca, le dijo: «¡Bien venido, hermano beduino! Cuenta tu historia y expón tu situación». «Emir de los creyentes —empezó a decir el beduino—, yo tenía una esposa, de la que estaba enamorado y prendado. Vivía feliz y contento, poseía buen número de camellos, de los cuales obtenía mis medios de vida. Pero vino un mal año, que hizo morir camellos y caballos, y me quedé sin nada. Cuando disminuyó todo lo que poseía, mis bienes se desvanecieron y yo me hallé en mala situación, fui despreciado y malquerido por quien antes deseaba visitarme. Y así, cuando el padre de mi mujer se enteró de la triste condición y de la miseria en que me agitaba, me arrebató la hija, se desentendió de mí y me echó con malas palabras. Entonces fui a ver a tu gobernador, Marwán b. al-Hakam, con la esperanza de que me ayudara. Mandó llamar al padre de ella y lo interrogó acerca de mi situación. "No lo conozco en absoluto", contestó. "¡Dios beneficie al Emir! —exclamé—. Si le parece bien, que mande venir a la mujer, interróguela acerca de lo que ha dicho su padre, y la verdad saldrá a luz." El gobernador la mandó llamar, y la hizo venir; pero cuando la tuvo ante sí, ella le gustó y él se convirtió en enemigo mío y me negó toda ayuda. Incluso se indignó conmigo y me mandó encarcelar. Yo creí caer de los cielos, y me hallé como si el viento me hubiese transportado a un lugar lejano. El gobernador le dijo al padre de la mujer: "¿Quieres dármela como esposa por mil dinares y diez mil dirhemes? Así te garantizaría librarla de ese árabe". Al padre le gustó el cambio y accedió a ello. Y así me condujeron ante el Emir, y éste, después de haberme mirado cual león enfurecido, me ordenó: "¡Beduino, repudia a Suad!" "¡No me divorciaré de ella", contesté. Y entonces él me entregó a sus esbirros, que me sometieron a las más diversas clases de tortura, por lo cual no tuve más remedio que repudiarla. Y así lo hice. Marwán me metió en la cárcel, en la que permanecí hasta que hubo pasado el período de apartamiento señalado por la Ley, entonces se casó con ella y me puso en libertad. Ahora yo he venido aquí a rogarte, a pedirte protección y a hallar refugio en ti.» Y luego recitó estos versos:

Hay en mi corazón un fuego, y en el fuego una llama ardiente.
Mi cuerpo está atacado por una enfermedad, ante la cual el médico queda perplejo.
Hay ascuas en mi corazón, y en las ascuas, centellas. Los ojos derraman lágrimas, y son lágrimas abundantes.
Sólo en mi Señor puede haber ayuda, y luego en el Emir de los creyentes.

Se emocionó, castañeteó los dientes, cayó desmayado y empezó a retorcerse como serpiente a punto de morir.

Cuando Muawiya hubo oído sus palabras y sus versos, sentenció: «Ibn al-Hakam ha traspasado los límites que señala la religión. Ha cometido una injusticia y ha obrado contra una mujer musulmana».

Sahrazad se dio cuenta de que amanecía e interrumpió el relato para el cual le habían dado permiso.

Cuando llegó la noche *seiscientas noventa y tres* refirió:

—Me he enterado, ¡oh rey feliz!, de que [Muawiya] prosiguió: «Árabe: tú me has contado una historia de la que jamás oí igual». Y, tras pedir tintero y papel, escribió así a Marwán b. al-Hakam: «Me ha sido referido que tú has rebasado los límites señalados por la religión en perjuicio de tus súbditos. Un gobernador debe apartar su mirada de las pasiones y mantenerse lejos de los placeres». Escribió luego otras muchas cosas, que resumo, entre ellas los siguientes versos:

¡Desgraciado, ay de ti! Fuiste investido con un cargo cuyo valor desconoces. Pide, pues, perdón a Dios por el acto de adulterio que has cometido.

El pobre joven, sollozando, vino a mí a quejarse de la separación y de los disgustos sufridos.

Hago ante Dios un juramento, que no dejaré de cumplir; sí, y en caso de que no lo cumpla, me separo de mi religión y de mi fe:

Si desobedeces a cuanto te he escrito, te convertiré en carne para buitres.

Repudia a Suad, y, debidamente provista, cárgala sobre una montura con al-Kumayt y con Nasr b. Dubyán.

Dobló el escrito, lo selló con su sello, mandó venir a al-Kumayt y a Nasr b. Dubyán, los dos de quienes se valía, a causa de su honradez, en los asuntos importantes. Ellos recogieron la carta y se pusieron en camino hasta llegar a Medina. Se presentaron a Marwán b. al-Hakam, lo saludaron, le entregaron el escrito y lo informaron de cómo estaban las cosas. Marwán se puso a leer la carta y lloró. Luego se levantó, se dirigió a Suad y la informó de todo. Como no podía desobedecer a Muawiya, la repudió en presencia de al-Kumayt y de Nasr b. Dubyán. Luego los proveyó para el viaje, y la mujer partió acompañada de los dos. Marwán escribió a Muawiya así:

Emir de los creyentes, no tengas prisa, pues yo cumplo tu deseo de buen grado y con buena voluntad.
Nada ilícito cometí, cuando la mujer me gustó. ¿Por qué, pues, soy tachado de traidor y adúltero?
Irá a ti un sol que no hay igual junto al Califa entre hombres y genios.

Selló el escrito y lo entregó a los dos enviados, los cuales se pusieron en camino y llegaron junto a Muawiya, a quien entregaron la carta. Él la leyó y exclamó: «Hizo bien en obedecer. Pero ha exagerado en cuanto a la joven». Luego mandó que la hicieran entrar, y cuando la miró, vio una hermosa figura de la que no había visto igual ni en belleza, ni en gracia, ni en prestancia, ni en porte. Habló con ella y se dio cuenta de que se expresaba con elegancia. «Mandad que venga el beduino», ordenó. Se lo trajeron, en muy triste estado por las vicisitudes de la fortuna. «Beduino —le preguntó el Califa— ¿podrías hallar modo de consolarte sin ella? Yo te daría a cambio algunas de mis esclavas, de senos vírgenes, bellas como la luna, y, junto con cada esclava, mil dinares. Te asignaría, además, de la caja del Estado, una pensión anual que te bastase y te hiciera rico.» Cuando el beduino oyó las palabras de Muawiya, lanzó un suspiro tal, que el Califa creyó que iba a morir. «¿Qué tienes?», le preguntó cuando se hubo repuesto. El beduino contestó: «Tengo el espíritu triste y estoy en malas condiciones. He pedido protección a tu justicia contra el abuso de Ibn al-Hakam. ¿A quién habré de pedirla contra el tuyo?» Y recitó estos versos:

No me pongas (¡Dios te libre del ángel del infierno!) en el estado de quien, ante el intenso calor, pide protección al fuego.
Devuelve a Suad a un hombre turbado y afligido, que por ella se halla noche y día apenado y con recuerdos.
Desata mis lazos, y no seas avaro en concedérmela. Si lo haces, yo no seré ingrato.

«¡Por Dios, Emir de los creyentes! —prosiguió el árabe—, aunque me dieses el califato que se te ha concedido, no lo aceptaría sin Suad.» Y recitó este verso:

> Mi corazón enamorado sólo quiere a Suad. Para mí, su amor ha venido a ser bebida y alimento.

«Tú —objetó entonces Muawiya— reconoces que la repudiaste, y Marwán confiesa que se ha divorciado de ella. Nosotros la haremos escoger: si elige a otra persona que no seas tú, nosotros la casaremos con dicha persona; si te elige a ti, te la daremos.» «Hazlo», advirtió el beduino. «¿Qué dices, Suad? —preguntó entonces Muawiya—. ¿A quién prefieres: al Emir de los creyentes, con su honor, su poder, sus palacios, su soberanía, sus bienes y cuanto has visto en su casa, o a Marwán b. al-Hakam, con su violencia y su abuso, o a este beduino, con su hambre y su miseria?» Y ella recitó estos versos:

> Éste, aunque padezca hambre y se halle en la estrechez, me es más querido que mi gente y mi vecindario.
> E incluso que quien lleva corona, o que su gobernador Marwán, o que cualquier otro que posea dirhemes o dinares.

«¡En nombre de Dios, Emir de los creyentes! —añadió—, yo no lo abandonaría nunca ni por las vicisitudes del tiempo ni por las traiciones del destino: es un viejo compañero mío a quien no se puede olvidar, y tuvo por mí un amor que no puede borrarse. Ahora, yo tengo el deber de sufrir con él la mala suerte, al igual que gocé con él en los días felices.»

Muawiya quedó asombrado de su sensatez, su amor y su fidelidad, y mandó que le dieran diez mil dirhemes. Acto seguido los entregó al beduino, y éste se marchó junto con su mujer.

HISTORIA DE DAMRA B. AL-MUGIRA, CONTADA POR HUSAYN AL-JALÍ A HARÚN AL-RASID

Cuéntase que el insomnio se apoderó una noche de Harún al-Rasid. Mandó llamar a al-Asmaí y a Husayn al-Jalí, y les dijo: «Contadme algo. Empieza tú, Husayn». «Sí, Emir de los creyentes —contestó—. Cierto año salí de Bagdad para bajar a Basora, llevando un panegírico en honor de Muhammad b. Sulaymán al-Rabí. Éste lo agradeció y mandó que me quedara en su casa. Otro día salí en dirección al al-Mirbad, por la vía de los Muhallabíes; pero me entró mucho calor y me acerqué a una puerta para pedir de beber. Tropecé con una joven semejante a una rama curvada de árbol, de ojos lánguidos, cejas finas y largas, mejillas llenas y ovaladas, que llevaba puesta una camisa del color de las flores de granado y un manto de Sanaa. El candor de sus manos destacaba sobre el rojo de su camisa, y bajo la camisa brillaban dos senos como dos granadas, un vientre parecido a una pieza de tejido copto doblada, con dobleces iguales a los de un papel blanco, y rellena de almizcle. Ella, ¡oh, Emir de los creyentes!, llevaba al cuello un collar de oro rojo, que le colgaba entre los senos, y en medio de su frente se mecía un mechón negro como el azabache. Tenía las cejas unidas, ojos grandes, mejillas llenas y ovaladas y nariz aguileña, bajo la cual se veían hermosos labios, y dientes como perlas. Iba completamente perfumada, y andaba de arriba a abajo, agitada y turbada, hiriendo con su andar el corazón de sus admiradores, mientras que sus piernas llenas apagaban el sonido de las ajorcas que llevaba en los tobillos, tal como dijo el poeta:

> Cada parte de sus bellezas presenta una muestra de su gracia.

»Al principio, ¡oh, Emir de los creyentes!, me sentí subyugado; mas luego me acerqué a ella para saludarla y me di cuenta de que la casa, el pórtico y la calle estaban saturados de perfume de almizcle. La saludé y ella me devolvió el saludo con palabras suaves y corazón triste, sediento de amor. Y le dije: "Mi señora, soy un jeque extranjero. Estoy sediento. ¿Te molestaría mandar que me trajeran agua para beber? Dios te recompensará por ello". "Aléjate, jeque —me contestó—, pues otros pensamientos me preocupan, no he de darte de beber o de comer."»

Sahrazad se dio cuenta de que amanecía e interrumpió el relato para el cual le habían dado permiso.

Cuando llegó la noche *seiscientas noventa y cuatro,* refirió:

—¡Me he enterado, ¡oh rey feliz!, de que [Husayn prosiguió:] «"¿Por qué motivo, mi señora?", pregunté. "Porque amo a una persona que no me trata con justicia, y suspiro por un ser que no me quiere. Y, por añadidura, estoy sometida a la vigilancia de espías." "Mi señora —observé—, aquel a quien tú deseas y que no te quiere, ¿puede hallarse sobre la superficie de la tierra?" "Sí —contestó—, y la causa de ello es su belleza, su gracia y su porte." "¿Y por qué te estás parada en este sitio?", le pregunté. "Éste es su camino y ésta es la hora en que suele pasar." "Mi señora, ¿os habéis hallado juntos alguna vez y habéis cambiado palabras que hayan originado este amor?" Ella suspiró profundamente, y las lágrimas corrieron por sus mejillas, como rocío que cae sobre una rosa, y a continuación recitó estos versos:

> Éramos como dos ramas de sauce sobre un jardín, y aspirábamos el fruto de las delicias, en reposada vida.

Mas alguien, al cortarla, aisló esta rama de aquélla. ¡Ay, quién vio un ser en soledad que anhela a otro que también está solo!

»Proseguí: "Mujer, ¿a qué límites ha llegado tu amor por ese joven?" "¡Veo el sol en las paredes de su casa familiar, y creo que el sol es él! Puede ocurrir que lo vea de repente, y entonces quedo perpleja: sangre y alma se me escapan del cuerpo, y durante una o dos semanas no puedo razonar." "Perdona —repuse—, pues yo también me hallo en el mismo estado por amor. Mi espíritu es presa de amorosa pasión, tengo el cuerpo consumido y estoy débil; mas veo que tu color está alterado y que tienes la piel delicada, lo cual me lleva a pensar en desgracias de amor. ¿Y cómo es posible no enamorarse, dado que vives en la región de Basora?" "¡Por Dios! —confesó—, antes de enamorarme de ese joven yo era muy coqueta, bella y perfecta, y había cautivado a todos los reyes de Basora, hasta que aquel joven me sedujo a mí." "Mujer —le pregunté—, ¿qué os separó?" "Las vicisitudes del tiempo —contestó—. Nuestra historia es verdaderamente curiosa: el día de Nawruz me senté e invité a cierto número de muchachas de Basora, entre ellas a la mujer de Sirán, que le había costado ochenta mil dirhemes, pagados a Utmán. Ella me apreciaba y sentía cariño por mí. Apenas entró, se me echó encima y casi me redujo a pedazos con pellizcos y mordiscos. Luego nos dirigimos a saborear bebidas en espera de que estuviese preparada la comida, para que nuestro placer fuera completo. Ella me divertía y yo la solazaba, y, así, unas veces yo estaba encima de ella y otras ella encima de mí. En la embriaguez, su mano tropezó con el lazo de mis calzones, y lo desató inocentemente, y así, jugando, los calzones se me bajaron. Cuando estábamos en tal situación entró de improviso: vio aquel espectáculo, se indignó, se apartó de mí y salió.

Sahrazad se dio cuenta de que amanecía e interrumpió el relato para el cual le habían dado permiso.

Cuando llegó la noche *seiscientas noventa y cinco* refirió:

—Me he enterado, ¡oh rey feliz!, de que [la joven

prosiguió:] »"Y yo, jeque, desde hace tres años sigo presentándole mis excusas, me muestro cortés con él, e imploro su benevolencia; pero él no se digna ni dirigirme la mirada, ni me escribe palabra, ni ningún mensajero viene de su parte a hablarme, ni quiere escucharme un momento."

»"Mujer, ¿el joven es árabe o persa?" "¡La desgracia caiga sobre ti! —exclamó—: es uno de los reyes de Basora." "¿Es viejo o joven?" Me miró de reojo y exclamó: "¡Eres estúpido! Es como la luna en una noche de plenilunio, no tiene arrugas y es imberbe; y su único defecto es la aversión que siente hacia mí". "¿Cómo se llama?" "¿Qué pretendes hacer?" "Haré cuanto pueda para encontrarme con él, a fin de conseguir que podáis uniros." "Quiero poner una condición: que le lleves una nota." "Nada tengo que oponer", dije. "Se llama Damra b. al-Mugira —explicó la mujer—, su *kunya* es Abu-l-Sajá, y su palacio está en al-Mirbad". Y a continuación gritó: "¡Ah de la casa! Traedme tintero y papel". Se arremangó y dejó al descubierto dos brazos que parecían de plata, y, después de haber escrito la fórmula: "En el nombre de Dios", prosiguió: "Mi señor: el hecho de que omita la invocación de agüero al principio de mi escrito, es indicio de que he agotado todos los recursos. Sabe que si mi plegaria hubiese sido atendida, tú no me habrías abandonado, pues a menudo recé por que no me dejaras; pero tú te has separado de mí. Si el amoroso celo no hubiese superado en mí el desánimo, tu sierva no se habría tomado la molestia de escribir esta nota; pero este celo le ha servido de ayuda, a pesar de que ella desespere ya de ti, pues sabe que te negarás a contestarle. Su mayor deseo, mi señor, es verte cuando pases por el camino en dirección a aquel pórtico: así resucitarías un alma muerta. Aún más apreciaría que tú escribieses de tu mano (¡Dios le conceda toda gracia!) un mensaje que pueda hacer las veces de aquellos íntimos coloquios que mantuvimos en las pasadas noches, que tú bien recuerdas. Mi señor, ¿no soy yo tu apasionada amante? Si tú contestaras a mi petición, te lo agradecería y elevarías alabanzas a Dios. La paz". Yo cogí el escrito y salí.

»Por la mañana me dirigí a la puerta de la casa de Muhammad b. Sulaymán. Allí me encontré con una reunión de reyes, y vi a un joven que adornaba la reunión y superaba en belleza y gracia a cuantos allí estaban. El Emir le había mandado sentarse en el lugar de honor, en lo alto, junto a él. Pregunté quién era: se trataba precisamente de Damra b. al-Mugira. "Razón tiene —me dije— aquella pobrecilla para haberse enamorado". Luego me levanté, me dirigí a al-Mirbad y me detuve junto a la puerta de la casa de Damra. Y entonces lo vi llegar con su séquito. Me acerqué a él, y después de pronunciar numerosísimas invocaciones, le entregué el mensaje. Cuando lo hubo leído y comprendido el significado, me dijo: "Jeque, ya la hemos sustituido. ¿Quieres ver a la sustituta?" "Sí", contesté. Él llamó en voz alta a una joven: era una mujer que avergonzaba al Sol y a la Luna por su belleza, de senos llenos y redondos, y andaba como quien tiene prisa y sin temor. Él le entregó el mensaje y le dijo: "Contéstale". Y la mujer, después de haberlo leído, palideció al comprender cuanto se decía en él. "Jeque —me dijo Damra—, pide perdón a Dios, por lo que has traído."

»Pues bien, Emir de los creyentes, salí arrastrando los pies, fui a verla y, después de haber pedido permiso, entré. "¿Qué noticias me traes?", preguntó la mujer. "Desgracia y desesperación —respondí—. No te preocupes más de él." "¿Y dónde están Dios y el poder divino?", inquirió la mujer. Luego mandó que me dieran quinientos dinares, y yo salí.

Al cabo de unos días pasé por aquel lugar. Vi pajes y caballeros y entré: eran los amigos de Damra, que le pedían volviera con él; mas ella decía: "No, por Dios, no le volveré a mirar la cara". Me prosterné, ¡oh, Emir de los creyentes!, para dar gracias a Dios, y gozar con la derrota de Damra. Luego me acerqué a la mujer, que me enseñó un escrito en el cual, después del "en el nombre de Dios", estaba escrito: "Mi señora, si no tuviese compasión de ti (¡Dios prolongue tu vida!) describiría parte de lo que ocurrió por tu culpa y te presentaría mis excusas por haber sido tú injusta conmigo, pues fuiste tú quien pecó contra ti misma y contra mí, tú la que demostraste no mantenerte fiel a los pactos, ser poco fiel a ellos y preferir otra persona a nosotros. Tú has decaído en tu amor hacia mí. ¡Dios es aquel a quien debe pedirse ayuda por lo que ha sucedido por tu libre voluntad. ¡La paz!" Y me mostró los regalos y las cosas preciosas que le habían traído, que valían treinta mil dinares.

»La volví a ver más tarde. Damra se había casado con ella.» «Si Damra —dijo al-Rasid— no se me hubiese adelantado, yo me habría casado con ella.»

HISTORIA DE ISHAQ B. IBRAHIM AL-MAWSILÍ Y EL DIABLO

CUÉNTASE que Ishaq b. Ibrahim al-Mawsilí relató: «Una noche estaba en mi casa. Era invierno, las nubes estaban desparramadas por el cielo, y la lluvia caía como si hubiesen abierto las bocas de los odres, lo cual impedía el ir y venir de las gentes por los caminos, ya que todo era agua y barro. Yo estaba triste, pues ninguno de mis amigos había venido a mi casa ni yo podía ir a las suyas a causa del mal tiempo. "Tráeme algo que pueda entretenerme", le dije a mi paje. Éste me trajo comida y bebida; pero no me fue de provecho, pues no había quien me hiciese compañía. Miraba continuamente por las ventanas, contemplando las calles, hasta que llegó la noche. Me acordé entonces de una esclava a la que amaba y que pertenecía a uno de los hijos de al-Mahdí: ella sabía cantar bien y tocar varios instrumentos. "¡Si se hallara conmigo —pensé— estaría completamente contento, y mi noche pasaría pronto a pesar de todas mis preocupaciones y de mi turbación." Y entonces, he aquí que alguien llama a la puerta y dice: "¿Puede entrar una persona querida que está en la puerta?" "Quizás —me dije— el árbol del deseo dio frutos" y me dirigí hacia la puerta: era mi amiga. Llevaba un vestido de lana verde, con el que se había envuelto, y sobre la cabeza un trozo de seda de brocado que la protegía de la lluvia; estaba llena de barro hasta las rodillas, y, a causa del gotear de los canalones, la ropa se le había mojado. Presentaba un extraño aspecto. "Mi señora —pregunté—, ¿qué te ha traído por aquí con tanto barro como hay por las calles?" "Vino a verme tu mensajero —contestó ella— y me describió el ardiente afecto y el fuerte deseo que tenías de mí y no he podido sino acceder a venir y apresurarme a acudir a tu casa." Yo quedé asombrado...

Sahrazad se dio cuenta de que amanecía e interrumpió el relato para el cual le habían dado permiso.

Cuando llegó la noche *seiscientas noventa y seis* refirió:

—Me he enterado, ¡oh rey feliz!, de que [al-Mawsilí prosiguió:] »...pero no quise decirle que no había enviado a nadie. "¡Alabanza a Dios —exclamé— que nos ha reunido después de la dolorosa espera que he tenido que soportar! Si hubieses tardado un poco más en acudir, yo habría corrido hacia ti, pues siento ardiente afecto por ti y por ti experimento gran pasión. Trae el agua", dije al paje. Éste se acercó con un gran recipiente en el que había agua caliente, que la mujer precisaba. Mandé al paje que vertiera agua sobre los pies de ella y yo mismo me cuidé de lavarlos. Luego pedí uno de los vestidos más suntuosos y se lo hice poner, después de haberle quitado cuanto llevaba encima. Nos sentamos. Pedí que nos trajeran comida, pero ella se negó a comer. "¿Quieres beber?", le pregunté. "Sí." Yo tomé una copa, y ella preguntó: "¿Quién cantará?" "Yo, mi señora." "¡No quiero!", exclamó. "Entonces, alguna de mis esclavas." "¡No quiero!" "Canta tú entonces", le dije. "Yo tampoco." "Entonces, ¿quién cantará por ti?" "Sal a buscar quien cante por mí." Por obedecerle salí, pero sin ninguna esperanza, convencido de que no encontraría a nadie con un tiempo como aquél. Seguí andando hasta llegar a la calle, y allí encontré un ciego que golpeaba el suelo con su bastón, y decía: "¡Dios recompense a aquellos entre quienes me hallaba! Si cantaba, no me escuchaban; y si estaba callado, me despreciaban". "¿Eres cantor?", le pregunté. "Sí." "¿Quieres acabar la noche en nuestra casa y darnos alegría?" "Si lo quieres —dijo—, cógeme de la mano." Se la cogí y me eché a andar hasta mi casa. "Mi señora —le conté—, te he traído un cantor ciego: nos deleitaremos con él, y él no nos verá." "Tráemelo", me dijo. Yo lo hice entrar y lo invité a comer. Él comió con parquedad y luego se lavó las manos. Le ofrecí bebida, se bebió tres copas, y entonces me preguntó quién era. "Soy Ishaq b. Ibrahim al-Mawsilí", le contesté. Y él replicó: "He oído hablar de ti. Me alegro de beber contigo". "Mi señor —le dije—, me alegro de tu alegría." "Cántame algo, Ishaq" —añadió el ciego. Yo cogí el laúd, en broma, y le dije: "Oír es obedecer". Después de haber cantado, y cuando mi voz calló, él me dijo: "Ishaq, has estado casi a la altura de un cantor". Me sentí empequeñecido, y arrojé el laúd lejos de mí. "¿No hay en tu casa quien sepa cantar bien?", —preguntó el ciego. "Hay una mujer." "Dile que cante." "¿Debe cantar? ¿Tienes confianza en su canto?" "Sí." Y ella cantó. "Nada bueno has hecho", declaró el ciego; y ella, indignada, se desprendió del laúd y observó: "Lo mejor que podíamos hacer lo hemos hecho ya. Si tú sabes algo, dánoslo como limosna". "Que me traigan un laúd que ninguna mano haya tocado jamás." Yo di orden al criado, y éste trajo un laúd nuevo. El ciego lo templó y tocó en él una melodía desconocida para mí y se puso a cantar estos versos:

> Una persona amada, que conoce las horas de visitar, viajó entre tinieblas, envuelto en la noche.
> Y de pronto oímos su saludo y sus palabras: ¿Puede entrar una persona querida que está en la puerta?»

Refiere Ishaq: «la joven me miró de través y me dijo: "¿No podía tu corazón guardar durante un momento un secreto entre tú y yo sin que se lo revelases a este hombre?" Yo le juré que nada había dicho, le presenté excusas, y me puse a besarle las manos, hasta que al fin ella sonrió: Luego me dirigí al ciego, y le dije: "Canta, mi señor".

Él cogió el laúd y cantó este verso:

> A menudo visité a las mujeres hermosas, y a menudo con mi mano toqué las extremedidades coloreadas de los dedos.

»Entonces observé: "Mi señora, ¿cómo ha podido saber lo que estamos haciendo?" "Es verdad", reconoció ella. Luego nos alejamos de él, pero él dijo que quería orinar. "Muchacho —dije—, toma la vela y ve delante." El ciego salió. Como tardase, fuimos a buscarlo; pero no pudimos dar con él, y sin embargo, las puertas estaban cerradas, y las llaves en su sitio. No sabíamos, pues, si había subido al cielo o se había metido bajo tierra. Entonces comprendí que era Iblis y que me había servido de intermediario. Volví atrás y me acordé de los versos de Abu Nuwás:

> Me asombro de la soberbia del diablo y de la
> perfidia de sus ocultos designios.
> Desdeñó, con soberbia, postrarse ante Adán, y
> luego se convirtió en alcahuete de su progenie».

HISTORIA DE ABU ISHAQ CON EL JOVEN

Cuenta Ibrahim Abu Ishaq: «Yo era adicto a los Barmakíes. Cierto día, en que estaba en mi casa, llamaron a la puerta, y mi paje salió y regresó a poco, diciéndome: "En la puerta hay un joven hermoso que pide permiso para ser introducido". Le concedí permiso y entró un joven que presentaba huellas de enfermedad. "Hace ya tiempo —declaró— que trato de hallarte. Te necesito." "¿Qué quieres?", le pregunté. Él sacó trescientos dinares, los colocó ante mí y contestó: "Te pido que los aceptes de mi parte y que halles un motivo para dos versos que he escrito". Le pedí que los recitara, y él se puso a recitar y a decir:

Sahrazad se dio cuenta de que amanecía e interrumpió el relato para el cual le habían dado permiso.

Cuando llegó la noche *seiscientas noventa y siete* refirió:

—Me he enterado, ¡oh rey feliz!, de que [el joven recitó:]

»Por Dios, mirada mía culpable contra mi corazón, ¡apaga con mis lágrimas la picazón de la tristeza!
El tiempo está entre quienes, en mi habitación, me reprochan; mas yo no lo vería, aunque estuviese envuelto en mi mortaja.

»Yo le compuse un motivo que imitaba el lamento y se lo canté. El joven se desmayó, y yo creí que estaba muerto. Cuando volvió en sí, me pidió que lo repitiera; pero yo le rogué, en nombre de Dios, que me dispensara de ello, observando: "Temo que te mueras". "¡Ojalá quisiera el cielo que así fuese!" Y siguió humillándose y suplicando, hasta que sentí compasión de él y repetí el motivo. Entonces lanzó un gemido mayor aún que el primero, por lo cual ya no me cupo la menor duda de que había muerto; pero no cesé de rociarle con agua de rosas hasta que volvió en sí, y se sentó. Alabé a Dios por su salvación, y al mismo tiempo que ponía ante él sus dinares, le dije: " Toma tu dinero y vete". "No los necesito —contestó el joven—, y tendrás otros tantos si repites el motivo." Al oír mencionar el dinero me alegré, pero observé: "Lo repetiré, con tres condiciones: primera, que tú te quedes conmigo y comas de mi comida para reforzarte; segunda, que bebas lo necesario para que toque tu corazón; y tercera, que me cuentes tu historia". Y él empezó su relato: "Soy vecino de Medina. Cierta vez salí a pasear, y, con mis hermanos, tomé el camino del Aqiq cuando vi, junto con varias jóvenes que parecían una rama totalmente cubierta por el rocío, una mujer cuyas miradas seguramente no se apartarían sino después de haber arrebatado el alma de aquel a quien miraba. Las mujeres permanecieron a la sombra hasta que cayó el día, y entonces se marcharon. Noté entonces que mi corazón tenía heridas, que sólo lentamente podrían cicatrizar. Volví más tarde a inquirir noticias de ella, pero no vi a nadie, y entonces me dediqué a seguir la pista por los mercados, mas sin poder averiguar noticias. Enfermé del disgusto y conté mi historia a un pariente, que me dijo: 'No desesperes: Estos días de primavera aún no han acabado, y el cielo hará caer lluvia, y entonces ella saldrá, y también lo haremos nosotros para que consigas tu propósito'. Yo me tranquilicé con tales palabras. Al fin, el camino de Aqiq se llenó a causa de la lluvia, la gente salió de sus casas, y yo, mis amigos y mis parientes, salimos también y nos sentamos en el mismo lugar que otrora. Pasó poco tiempo, y las mujeres se acercaron, hermosas como caballos de carrera. Entonces le susurré a una joven, pariente mía: 'Di a esa mujer: 'Ese hombre te comunica que bien dijo quien compuso este verso:

Ella me lanzó una flecha que dio, como en el blanco, en el corazón; luego volvió la espalda, pero tornó a abrir una herida y cicatrices'.'

»"La joven se dirigió a ella y se lo dijo. Y la mujer contestó:

»"'Dile: Bien dijo quien respondió con este otro verso:

Hay en nosotros un sentimiento igual al de que te quejas. Ten paciencia. Quizás en breve tendremos una alegría que curará los corazones.'

»"Me abstuve de decir nada más, por miedo al escándalo, y me levanté para marcharme. También ella se levantó. La seguí, ella me vio, y así supe dónde estaba su casa. Ella venía a mí y yo iba a ella, hasta que nos unimos, pero nos vimos tantas veces, que la cosa se divulgó y fue pública, y su padre se enteró. Seguí haciendo todo lo posible por encontrarla, le conté todo a mi padre, y éste, después de reunir a toda nuestra familia, fue a ver al padre de ella con la intención de pedirla por esposa. 'Si me hubiese dicho esto antes de que él la deshonrase, habría accedido —dijo el padre—; pero la cosa es ya del dominio público y yo no quiero confirmar las palabras de la gente'." Entonces —siguió contando Ibrahim— yo le repetí el motivo, y él, después de indicarme dónde vivía, se marchó. Y así surgió la amistad entre nosotros.

»Más adelante, Chafar b. Yahya tuvo una tertulia, y yo, según mi costumbre, asistí y canté la poesía del joven. Él se conmovió, bebió varios vasos y me dijo: "¡Ay de ti! ¿De quién es este motivo?" Le conté la historia del joven, y él me mandó montar a caballo para que fuera a tranquilizarlo pues lograría su propósito. Fui a buscar al joven y se lo llevé. Chafar le mandó repetir la historia, y él la contó. "Quedas bajo mi protección —declaró Chafar— hasta que te cases con ella." El joven se tranquilizó y se quedó con nosotros. Por la mañana, Chafar montó a caballo y fue a ver a al-Rasid, a quien refirió el asunto. Al Califa le gustó el relato y mandó que todos acudiéramos a su presencia, pidió que se repitiera el motivo, y luego bebió. Entonces mandó escribir una carta al gobernador del Hichaz ordenándole que hiciera acudir a su presencia, tratándolos con honor, al padre de la mujer y a la familia de ella, y que hiciera grandes gastos por ellos. Pasó poco tiempo, y todos acudieron: al-Rasid hizo señal de que trajeran al hombre, y éste vino y le mandó que casara a su hija con el joven, le dio cien mil dinares y éste regresó a su familia. El joven siguió formando parte del grupo de Chafar hasta que ocurrió lo que ocurrió, y entonces regresó con su gente a Medina. ¡Dios tenga misericordia de las almas de todos ellos!»

HISTORIA DEL VISIR ABU AMIR IBN MARWÁN

CUÉNTASE que al visir Abu Amir b. Marwán le habían regalado un apuesto paje cristiano, como jamás habían visto otro más hermoso los ojos. El sultán al-Nasir lo vio y preguntó: «¿De dónde vino éste?» «Vino de Dios», fue la respuesta. «¿Pretendes intimidarnos con las estrellas y hacernos prisioneros con las lunas?», dijo el sultán. El visir se excusó, pero luego se dedicó a preparar un regalo, que envió al sultán por mediación del paje, al que dijo: «Tú también formarás parte del regalo; pero si no fuera por necesidad, no te habría dejado ir». Y escribió estos dos versos:

> Mi señor, esta luna caminó hacia vuestro horizonte: más adecuado es el horizonte que la tierra para tener luna.
>
> Yo os contento con mi alma, alma preciosa. Jamás vi antes de mí quien estuviese satisfecho de regalar su corazón.

Y esto le gustó al sultán al-Nasir, que regaló mucho dinero al visir, y éste aumentó en el favor y prestigio de que gozaba junto al soberano.

Después de estos hechos le regalaron al visir una esclava que se contaba entre las mujeres más hermosas del mundo. Él temió que le contaran esto a al-Nasir y que el sultán se la pidiera, y ocurriera con la esclava la misma historia que con el paje. Por ello, se apresuró a preparar un regalo mayor aún que el primero, y lo envió por medio de la esclava...

Sahrazad se dio cuenta de que amanecía e interrumpió el relato para el cual le habían dado permiso.

Cuando llegó la noche *seiscientas noventa y ocho* refirió:

—Me he enterado, ¡oh rey feliz!, que [el visir envió el regalo] con estos versos escritos por él:

> Mi señor, éste es el sol, y antes llegó la luna para que los dos astros pudieran encontrarse.
> Es una conjunción de astros que predice felicidad. ¡Ojalá puedas estar tú con ellos eternamente entre un río y un jardín del paraíso!
> Por Dios, no hay tercero que pueda competir con ellos en belleza, al igual que no hay quien pueda compartir contigo el reino de la tierra.

Con lo cual su posición junto al sultán fue doblemente sólida.

Más adelante, uno de los enemigos del visir lo acusó ante al-Nasir, diciendo que quedaba en él un residuo de amor por el paje y que él, cuando estaba excitado por el vino, gustaba de recordarlo y se arrepentía amargamente de haberlo regalado al sultán. «No hables de él —amenazó el sultán— o haré volar tu cabeza.» Sin embargo, simulando que era el joven quien lo hacía, le escribió este mensaje: «Mi señor, sabes que has estado a solas conmigo, y que yo siempre he estado magníficamente bien contigo. Y ahora, aunque me hallo en casa del sultán, me gustaría estar a solas contigo, pero temo la cólera real». Envió el escrito por mediación de un pajecillo, al que encargó dijera al visir que procedía de aquél, y que el rey no le había hablado para nada. Cuando Abu Amir lo hubo leído y el criado trató de engañarlo, él sospechó la trampa y escribió estos versos detrás del pedazo de papel:

> ¿Acaso es natural que, después de duras experiencias, el hombre prudente corra de cabeza a la selva del león?
> Yo no soy de aquellos a quienes el amor ciega

> la cabeza, y no ignoro lo que afirman los envidiosos.
>
> Si yo, obediente, te regalé mi alma, ¿cómo puede volver atrás el alma después de haber abandonado el cuerpo?

Cuando al-Nasir se enteró de la respuesta, quedó asombrado de la sagacidad del visir y, después de esto, no volvió a prestar oídos a quien lo acusaba. Más tarde le preguntó: «¿Cómo te las arreglaste para evitar caer en la trampa?» «Porque mi sensatez no se alía con la pasión», contestó.

HISTORIA DE AHMAD AL-DANIF Y DE HASÁN SUMÁN CON DALILA LA TAIMADA Y SU HIJA ZAYNAB LA ASTUTA

Cuéntase que en tiempos del califato de Harún al-Rasid, vivía un hombre llamado Ahmad al-Danif y otro que se llamaba Hasán Sumán, ambos maestros en engaños e intrigas, que tenían en su haber empresas extraordinarias. Por ello, el Califa había dado a Ahmad un vestido de Corte y le había nombrado capitán de la parte derecha, y a Hasán Sumán, otro vestido de Corte y el nombramiento de capitán de la parte izquierda. A cada uno de ellos le asignó un sueldo de mil dinares mensuales, y cada uno tenía bajo su mando cuarenta hombres. Además, Ahmad al-Danif estaba al mando de la policía del país. Cierto día, Ahmad, junto con Hasán Sumán y las personas que estaban bajo sus órdenes, salieron a caballo en compañía del Emir Jalid, el gobernador, mientras el heraldo gritaba: «Según lo decretado por el Califa, no hay en Bagdad más capitanes que Ahmad al-Danif para la parte derecha y Hasán Sumán para la parte izquierda. Deben ser obedecidos y respetados».

Había en la ciudad una vieja llamada Dalila la Taimada, que tenía una hija llamada Zaynab la Astuta. Ambas oyeron el pregón. «Mira, madre —dijo Zaynab a Dalila—, éste es Ahmad al-Danif, que vino fugitivo de El Cairo y ha realizado tantas bribonadas en Bagdad que ha caído en gracia al Califa y ha sido nombrado capitán de la parte derecha de la ciudad, mientras que ese tiñoso de Hasán Sumán es capitán de la parte izquierda y tiene mesa dispuesta para comer y cenar. Mientras ellos perciben un sueldo de mil dinares mensuales cada uno, nosotras estamos sentadas en esta casa sin hacer nada, sin posición alguna y sin gozar de consideración: no hay quien pregunte por nosotras.»

El marido de Dalila había sido antaño capitán de Bagdad y cobraba del Califa un sueldo mensual de mil dinares; pero al morir dejó dos hijas: una, casada, que tenía un hijo llamado Ahmad al-Laqit; y otra, soltera, que se llamaba Zaynab la Astuta. Dalila sabía realizar astucias, engaños y enredos, e incluso había engañado a la serpiente y la había obligado a salir de su madriguera: el diablo mismo habría podido aprender de ella a engañar. Su marido había sido guardián del palomar del Califa, con un sueldo de mil dinares al mes. Él criaba las palomas mensajeras que llevaban escritos y mensajes, y cada volátil era, llegado el momento de necesitarlo, más querido por el Califa que cualquiera de sus hijos.

Zaynab dijo a su madre: «Anda, realiza alguna fechoría. ¡A lo mejor así nos hacemos famosas en Bagdad, y logramos el sueldo de nuestro padre!»

Sahrazad se dio cuenta de que amanecía e interrumpió el relato para el cual le habían dado permiso.

Cuando llegó la noche *seiscientas noventa y nueve* refirió:

—Me he enterado, ¡oh rey feliz!, de que la madre contestó: «Por tu vida, hija mía!, juro que tramaré engaños en Bagdad mejores aún que los de Ahmad al-Danif y de Hasán Sumán». Se echó el velo sobre el rostro, vistió, como los ascetas sufíes, un vestido que le llegaba hasta los talones y una chupa de lana y se arrolló un ancho ceñidor; cogió un aguamanil, lo llenó de agua hasta el cuello, puso en la boca del aguamanil tres dinares y lo cubrió con fibras de palma. Luego se ciñó con un rosario tan grande como una carga de leña y, tras enarbolar un estandarte hecho con trapos rojos y amarillos, salió gritando : «¡ Dios, Dios !» Su lengua iba pronunciando alabanzas al Señor, mientras su corazón galopaba en los campos de las cosas malas, y, entretanto, ella iba estudiando para dar con alguna fechoría para cometer en la ciudad.

Anduvo así de calleja en calleja hasta llegar a un callejón barrido y regado, cubierto de mármol, en el que vio una puerta curvada con umbral de mármol, y, de pie en la puerta, un portero magrebí. La casa pertenecía al jefe de los ujieres del Califa, y el dueño de la casa tenía plantaciones y terrenos y disfrutaba de amplia asignación. El Emir se llamaba Hasán Sarr al-Tariq, y había recibido este nombre porque hería antes de hablar. Estaba casado con una hermosa joven a la que amaba, y ella le había hecho jurar la noche de bodas que no se casaría con ninguna otra mujer y que no pernoctaría jamás fuera de casa. Pero cierto día el marido fue al diván y vio que cada Emir tenía consigo uno o dos hijos. Antes él había entrado en el baño, se había mirado la cara en un espejo y había notado que los pelos blancos de su barba ocultaban los negros, y se había dicho: «¿Quien te arrebató a tu padre no habrá de darte hijo?». Y por eso se dirigió, indignado, a su esposa. «¡Buenas noches!», le deseó la mujer. «¡Apártate de mi presencia! —exclamó el Emir—. Desde el día que te vi no he tenido bien.» «¿Por qué?» «La noche de bodas me hiciste jurar que no tomaría otra mujer fuera de ti, y he aquí que hoy he visto que cada Emir tiene consigo un hijo, e incluso algunos tienen dos. Entonces he pensado en la muerte, yo que no he tenido ni hijo ni hija: quien carece de hijos varones, no es recordado. Ésta es la causa de mi ira, pues tú eres estéril y jamás podrás quedar encinta de mí.» «¡En nombre de Dios! —exclamó la mujer—. Yo he roto los morteros a fuerza de machacar lana y drogas. Yo no tengo culpa alguna. Tú eres el estéril, pues eres un mulo de nariz chata: tu esperma está diluido, no deja encinta a las mujeres ni proporciona hijos.» «Cuando regrese de mi viaje, tomaré otra mujer», dijo él. «Mi destino está en las manos de Dios», contestó ella. Él se fue, pero ambos estaban arrepentidos por las injurias que se habían dicho.

Mientras la mujer estaba asomada a la ventana, semejante a un escaparate de joyería, por las cosas preciosas que llevaba encima, he aquí que Dalila, que estaba allí parada, la vio, y al distinguir sus adornos y sus valiosos vestidos, se dijo: «Dalila, ¿no podrías sacar a esta joven de casa de su esposo y despojarla de las cosas preciosas, de los vestidos y de todo?» Se paró, y debajo de la ventana del palacio se puso a repetir en voz alta el nombre de Dios. «¡Dios, Dios!», decía. La joven vio a la vieja, vestida con ropajes blancos que parecían una cúpula de luz, y que, ataviada a la manera de los místicos, decía: «¡Venid, amigos de Dios!»

Entretanto, las mujeres del barrio se habían asomado a la ventana y decían: «¡Dad alimentos, por la gracia de Dios! Ésta es una vieja en cuyo rostro se transparenta la luz». Y Jatún, la esposa del Emir Hasán, dijo, llorando, a su doncella: «Baja, besa la mano del jeque Abu Alí, el portero, y dile: "Deja entrar a la vieja para que podamos lograr la bendición"». La doncella bajó, y después de besar la mano del portero, le dijo: «Mi señora te dice: "Deja que esa mujer entre a ver a la señora para que podamos lograr su bendición.

Sahrazad se dio cuenta de que amanecía e interrumpió el relato para el cual le habían dado permiso.

Cuando llegó la noche *setecientas* refirió:

—Me he enterado, ¡oh rey feliz!, de que [la doncella prosiguió:] »"Quizá su baraca pueda extenderse sobre nosotros"». El portero se adelantó a besar la mano de Dalila; mas ella se lo impidió. «Aléjate de mí, no sea que hagas inútil mi ablución —exclamó—. También tú eres de los elegidos y bienquistos de los santos de Dios. Dios te librará de este estado de servidumbre, Abu Alí.» El Emir le debía al portero tres meses de sueldo: éste estaba sin dinero y no sabía cómo obtenerlo del Emir. «Madre mía —dijo a Dalila—, dame de beber de tu aguamanil a fin de que pueda gozar de tu bendita gracia.» La mujer cogió el aguamanil de su hombro, le hizo dar una vuelta en el aire, y movió la mano hasta que la estopa saltó de la boca del aguamanil y los tres dinares cayeron al suelo. El portero los vio y los recogió, diciéndose: «Esto nos ha llegado por la gracia de Dios. Esta vieja es una de las que proporcionan lo que necesitamos, ya que, por inspiración, ha sabido lo que me faltaba, y, sabiendo que necesito dinero para los gastos, ha hecho que obtuviese tres dinares del aire». Luego cogió la mano de Dalila y le dijo: «Tía, toma los tres dinares que cayeron al suelo de tu aguamanil». La vieja exclamó: «¡Quítalos de delante! Yo soy de aquellas que jamás se ocuparían en cosas de este mundo.

Toma y disfruta tú de ellos, en lugar de lo que debes obtener del Emir». «¡Es una provisión que nos viene por la gracia de Dios! —exclamó el portero—. ¡Se trata de una verdadera intuición milagrosa!» En aquel momento, la doncella, después de besar la mano de Dalila, la hizo subir junto a su señora. La vieja, al entrar, se dio cuenta de que la dueña de la doncella podía compararse a un tesoro cuyos encantamientos habían sido resueltos. Jatún le dio la bienvenida y le besó la mano. «Hija mía —dijo la vieja—, he venido a ti sólo por consejo.» La mujer le ofreció comida, pero la vieja la rechazó: «Hija mía, yo sólo como alimento del paraíso. Guardo continuamente ayuno, que sólo rompo cinco días al año. Pero, hija mía, veo que estás turbada y quiero que me expliques la causa de tu turbación». «Madre mía —contestó la joven—, la noche de bodas hice jurar a mi marido que no se casaría con ninguna mujer fuera de mí; pero ahora, cuando ha visto los hijos de otras personas, ha experimentado deseo de tenerlos y me ha dicho: "Tú eres estéril", y yo le he contestado: "y tú un mulo que no puede dejar encinta". Él salió indignado, diciendo: "Cuando vuelva del viaje tomaré otra mujer". Por ello, madre mía, temo que me repudie y tome otra mujer. Él posee terrenos y plantaciones y un espléndido sueldo, y si tuviese hijos de otra mujer, éstos entrarían en poesión del dinero y de las tierras en lugar de mí.» «Hija mía —preguntó Dalila—, ¿no conoces a mi jeque Abu-l-Hamalat? Todo aquel que tiene una deuda y lo visita, Dios le cancela la deuda; y si va a visitarlo una mujer estéril, concibe.» «Madre mía —contestó Jatún—. Desde el día en que consumé el matrimonio yo no he salido de casa ni siquiera para testimoniar pésames ni para felicitar.» «Hija mía, yo te llevaré conmigo y haré que visites a Abu-l-Hamalat. Echarás tu carga de penas junto a él y le harás un voto. Quizá tu marido, cuando regrese de su viaje, se una a ti y quedes encinta de hembra o varón. Tanto si es hembra como si es varón, el que des a luz será derviche del jeque Abu-l-Hamalat.»

La joven se puso todos sus adornos preciosos y el vestido más suntuoso que poseía. «Echa una mirada por la casa», dijo a su doncella, y ésta contestó: «Oír es obedecer, mi señora». Cuando bajó, el jeque Abu Alí, el portero, se acercó a ella. «¿Dónde vas?», le preguntó. «Voy a visitar al jeque Abu-l-Hamalat», contestó ella. «¡Pueda yo ayunar un año entero! —exclamó el portero—. Esta vieja es una santa llena de santidad. Mi señora, pertenece a aquellos que tienen poderes sobrenaturales, pues me ha dado tres dinares de oro rojo, adivinando milagrosamente mi caso: sin que yo le pidiese nada, supo que estaba necesitado.»

La vieja salió con la joven, esposa del emir Hasán Sarr al-Tariq, mientras Dalila la Taimada le decía: «Si Dios quiere, hija mía, cuando hayas visitado al jeque Abu-l-Hamalat tendrás un consuelo, y con el permiso de Dios (¡ensalzado sea!) quedarás en estado. Gracias a la bendición de ese jeque, tu marido te amará y no volverá a pronunciar palabras que te causen pena». «¡Lo visitaré, madre!», exclamó la joven. Entretanto, la vieja pensaba: «¿Dónde la despojaré y dónde le arrebataré los vestidos, con tanta gente que va y viene?» «Hija mía —le dijo entonces—, mientras andamos, tú sigue detrás de mí con tal que no me pierdas de vista, pues esta tu madre es mujer que tiene un gran peso: quien tiene una carga la echa sobre mí, y quienes quieren hacer un voto me lo dan a mí y me besan las manos.» Así, la joven se echó a andar detrás y a cierta distancia, mientras la vieja iba delante. Llegaron al zoco de los mercaderes, y las ajorcas que la mujer llevaba en los tobillos, y sus falsas trenzas tintineaban por las monedas de metal que de ellas colgaban. La joven pasó junto a la tienda del hijo de un joven mercader, llamado Sidi Hasán, que era muy hermoso y de mejillas imberbes. Éste, al verla avanzar, se puso a mirarla a hurtadillas. Al verlo, la vieja le hizo seña a la mujer. «Siéntate en esta tienda —le dijo— hasta que yo vuelva.» La joven obedeció y se acomodó ante la tienda del hijo del mercader, el cual le lanzó una mirada que le había de causar mil suspiros. Entonces la vieja se dirigió hacia él, lo saludó y le preguntó: «¿No te llamas Sidi Hasán? ¿No eres hijo del mercader Muhsin?» «Sí —contestó él—, ¿quién te dijo mi nombre?» «Ciertos bienhechores me indicaron tu persona. Sabe que esa joven es mi hija, y que su padre era un mercader que, al morir, le dejó mucho dinero. Ha llegado a la pubertad, y los sabios dicen: "Búscale marido a tu hija, y no mujer a tu hijo" Ella, en toda su vida, no ha salido sino hoy. Pero me ha llegado un aviso divino, y yo, en mi interior, me he propuesto que te cases con ella. Si eres pobre, te daré capital y te abriré dos tiendas en lugar de una.» El joven pensó: «Le he pedido a Dios una esposa, y Él me ha concedido tres cosas: una bolsa de dinero, un útero y un vestido». Y contestó a la vieja: «Madre mía, está muy bien eso que me has sugerido, pues hace ya mucho tiempo que mi madre me dice: "Quiero darte esposa"; pero yo no accedo, sino que le contesto: "Sólo me casaré después de haber visto a la mujer con mis propios ojos"». «Levántate, sígueme —le indicó la vieja— y te la enseñaré desnuda.» Él se levantó, cogió mil dinares y se dijo: «Quizá necesite algo. Así la compraremos...

Sahrazad se dio cuenta de que amanecía e interrumpió el relato para el cual le habían dado permiso.

Cuando llegó la noche *setecientas una,* refirió:

—Me he enterado, ¡oh rey feliz!, de que [el joven se dijo: Así la compraremos] »y pagaremos además los gastos del contrato matrimonial». «Anda a cierta distancia de ella —le dijo la vieja— y no la pierdas de vista.» Entretanto, se decía: «¿Dónde llevaré al hijo del mercader, que ya ha cerrado su tienda, para despojar a él y a la joven?» Se echó a andar, seguida por la joven y detrás de ésta, iba el hijo del mercader. Llegaron a una tintorería, en la que había un maestro tintorero llamado Hachch Muhammad, que podía parecerse al cuchillo del vendedor de colocasia que corta macho y hembra, pues, en efecto, a éste le gustaba tanto comer higos como granadas. Al oír el tintineo de las ajorcas de los tobillos, levantó los ojos y vio a la mujer y al joven. Mas he aquí que llegó la vieja, se sentó junto a él, lo saludó y le dijo: «¿Eres Hachch Muhammad, el tintorero?» «Sí —contestó el hombre—, soy Hachch Muhammad el tintorero. ¿Qué quieres?» «Personas bienhechoras me indicaron tu nombre. Mira: esa hermosa joven es mi hija, y este joven imberbe y gracioso, mi hijo. Yo los he criado y he gastado mucho dinero en educarlos. Has de saber que tengo una gran casa; pero amenaza ruina y la he apuntalado con madera. El arquitecto me dijo: "Puesto que existe la posibilidad de que te caiga encima, vete a vivir a otra casa hasta que la hayas arreglado; luego puedes volver a morar en ella." Por eso salí en busca de lugar en qué alojarme, y ciertos bienhechores me indicaron tu nombre. Deseo, pues, alojar en tu casa a mi hija y a mi hijo.» El tintorero pensó: «Esto que me llega es manteca sobre la hogaza», y le dijo: «Es cierto, poseo una casa con salón y piso superior; mas no puedo renunciar a ninguna de las habitaciones, pues las utilizo para mis huéspedes y para los trabajadores del añil». «Hijo mío —insistió ella—, a lo sumo por uno o dos meses, es decir, hasta que hayamos arreglado la casa. Además, somos extranjeros. Deja, pues, que el local de los huéspedes sea común entre nosotros y tú, y, por tu vida, hijo mío, que si quieres que tus huéspedes sean los nuestros, serán bienvenidos: comeremos y dormiremos con ellos.» Entonces el tintorero le dio las llaves: una grande; otra pequeña y una tercera curva, y le explicó: «La llave grande es la de la casa; la curva es la del salón, y la pequeña, la del piso superior». Dalila cogió las llaves, la joven la siguió, y, siempre tras ella, el hijo del mercader. Llegó así a una calleja, vio la puerta, la abrió e hizo entrar a la joven. «Hija mía —le dijo—, ésta es la casa del jeque Abu-l-Hamalat —y le señaló el salón—; sube al piso superior, quítate el velo y espera a que yo me presente.» La joven subió al piso superior y se sentó. Entonces se acercó el hijo del mercader, al que la vieja recibió con estas palabras: «Siéntate en el salón hasta que yo vuelva con mi hija para que puedas verla». El joven entró y se acomodó en el salón. Entonces la vieja se dirigió a la joven, para decirle: «Quiero visitar a Abu-l-Hamalat antes de que venga gente. Hija mía, temo por ti». «¿Por qué?» «Hay un hijo mío, un imbécil, que no distingue el verano del invierno, y que siempre anda desnudo. Es el subalterno del jeque. Si una hija de rey, como tú, entra a visitar al jeque, él la agarra por el cuello, le arranca las orejas y le desgarra los vestidos de seda. Por consiguiente, quítate tus joyas y tus vestidos de manera que yo los guarde hasta que hayas acabado tu piadosa visita.» La joven se quitó las joyas y los vestidos y se los entregó a la vieja, que le dijo: «Yo los colocaré por ti en la tienda del jeque, para que de ello derive bendición». Entonces la vieja, dejándola en paños menores, cogió todo, salió y lo escondió donde estaba la escalera. Luego entró a ver al hijo del mercader, al que halló esperando a la joven. «¿Dónde está tu hija, para que yo la vea?», preguntó el joven. La vieja se golpeó el pecho, y el joven le preguntó: «¿Qué te ocurre?», y ella respondió: «¡Ojalá perezca el mal vecino y no existan vecinos envidiosos! Ellos te han visto entrar conmigo, me han preguntado quién eres y yo les he contestado que había pedido para mi hija la mano de este esposo. Ellos me han envidiado por tu causa y le han dicho a mi hija: "¿Se ha cansado tu madre de mantenerte para casarte con un leproso?" Por eso les juré que te vería desnudo». «¡Yo me refugio en Dios contra los envidiosos!», exclamó él. Y se desnudó los brazos, y la vieja vio que eran como de plata. «Nada temas —lo tranquilizó Dalila—, yo te la dejaré ver desnuda, al igual que ella te verá desnudo.» Y él dijo: «Dile que venga para que me vea». Y se quitó la piel de marta, el cinturón, el puñal y todos los vestidos, hasta que quedó en paños menores; luego puso los mil dinares sobre las ropas. «Dame tus cosas —sugirió la vieja— para que las guarde.» Las cogió, las puso sobre las de la joven, cargó con todo ello y salió por la puerta, que cerró tras los dos, y se marchó a sus asuntos.

Sahrazad se dio cuenta de que amanecía e interrumpió el relato para el cual le habían dado permiso.

Cuando llegó la noche *setecientas dos*, refirió:

—Me he enterado, ¡oh rey feliz!, de que [Dalila] dejó cuanto llevaba en casa de un vendedor de especias, y luego se dirigió al tintorero, al que halló sentado, esperándola. «Con la voluntad de Dios, espero que la casa os haya gustado», dijo él. «Hay una bendición de Dios en aquella casa —contestó Dalila—. Volveré con los faquines, que traerán nuestras ropas y nuestros muebles. Entretanto, mis hijos han pedido pan y carne. Toma este dinar: proporciónales pan y carne y ve a comer con ellos.» «¿Y quién me guardará la tintorería y la ropa de la gente que hay en ella?», observó el tintorero. «Tu dependiente.» «De acuerdo», concluyó él. Y tomando un plato y una tapadera, se fue a buscar la comida. Esto es lo que hace referencia al tintorero. Luego volveremos a hablar de él.

Sigamos por ahora con la vieja. Retiró de casa del

vendedor de especias la ropa de la joven y del hijo del mercader, entró en la tintorería y dijo al empleado del tintorero: «¡Ve a buscar a tu maestro! Hasta que no volváis los dos, yo no me iré». «Oír es obedecer», contestó el muchacho. Dalila cogió cuanto había en la tintorería y dijo a un arriero, fumador de haxix, que estaba sin trabajo desde hacía una semana. «¡Ven, arriero!» y cuando llegó, le preguntó: «¿Conoces a mi hijo, el tintorero?» «Lo conozco» «Ha tenido la desgracia de quebrar y le han quedado deudas por saldar. Cada vez que era encarcelado, yo lo sacaba de la cárcel. Pero ahora deseamos demostrar su insolvencia, para lo cual devolveré la ropa a sus propietarios. Y quiero que me des tu asno para transportar las cosas de la gente. Toma este dinar como precio del alquiler del animal, y cuando yo me haya ido, empuñas el hacha, vacías el contenido de las tinajas y luego rompes jarras y tinajas, de manera que si se hiciese un peritaje por indicación del cadí, no pueda hallarse nada en la tintorería.» «Yo estoy obligado con el maestro, y además haré cualquier cosa por amor de Dios», contestó. Entonces Dalila cogió la ropa y la cargó en el asno. Aquel que todo lo sabe la encubrió. Se dirigió a su casa y fue a ver a su hija Zaynab. «Madre mía, mi corazón estaba impaciente por ti —dijo—. ¿Qué líos has armado?» «He hecho cuatro jugarretas a cuatro personas: al hijo de un mercader, a la mujer del jefe de los ujieres, a un tintorero y a un arriero, y te he traído todas sus ropas en el asno del arriero.» «Madre mía —dijo Zaynab—, ya no podrás cruzar la ciudad a causa del jefe de los ujieres, a cuya mujer le arrebataste la ropa; por el hijo del mercader, al que despojaste; por el tintorero, pues te apoderaste de la ropa de la gente que había en su tintorería; y a causa del arriero, dueño del asno.» «¡Bah, hija mía! —exclamó Dalila—, a mí sólo me preocupa el arriero, pues me conoce.»

En cuanto al maestro tintorero, después de preparar el pan y la carne y haber puesto todo sobre la cabeza de su empleado, pasó ante la tintorería y vio que el arriero estaba rompiendo las tinajas. En la tienda no había quedado ropa alguna, y toda la tintorería estaba arruinada; «¡Levanta la mano, arriero!», gritó, y éste se paró. «¡Alabado sea Dios por tu salvación, maestro! —exclamó—. Mi corazón estaba preocupado por ti.» «¿Por qué hacías eso? ¿Qué me ocurrió?» «Quebraste, y han puesto por escrito las pruebas de tu insolvencia.» «¿Quién te lo dijo?», preguntó el tintorero. «Tu madre me lo contó y me mandó romper las jarras y vaciar las tinajas, por temor a que cuando viniera el perito hallase algo en la tintorería.» «¡Dios te confunda! —maldijo el tintorero—. Hace mucho que mi madre murió.» Y se golpeó el pecho, quejándose: «¡Ay! ¡Mi dinero y los bienes de la gente se han perdido!» El arriero exclamó: «Pues yo he perdido mi asno. Tintorero, devuélveme mi asno; se lo llevó tu madre». Pero el tintorero lo amenazó con los puños, chillando: «¡Tú tráeme a la vieja!» Y el otro le contestó: «¡Y tú mi asno!» Alrededor de ellos se fue congregando gente.

Sahrazad se dio cuenta de que amanecía e interrumpió el relato para el cual le habían dado permiso.

Cuando llegó la noche *setecientas tres,* refirió:

—Me he enterado, ¡oh rey feliz!, de que alguien preguntó: «¿Qué ocurre, maestro Muhammad?» «Yo os contaré la historia» —intervino el arriero. Y les explicó todo lo que le había sucedido, para acabar: «Yo creí que el maestro me lo agradecería; en cambio, se ha golpeado el pecho y ha dicho: "¡Mi madre murió!" Pero yo quiero que me dé mi asno, pues me ha hecho esta jugarreta para arrebatármelo». «Maestro Muhammad —observó la gente—, indudablemente debes conocer a esa vieja, ya que le confiaste la tintorería con cuanto contenía.» «No la conozco —repuso el tintorero—; pero hoy mismo, ella, su hijo y su hija se han alojado en mi casa.» «A fe mía —dijo uno— que el tintorero debe responder del asno.» «¿Por qué?», le preguntaron. «Porque el arriero entregó su asno a la vieja al ver que el tintorero le había confiado la tintorería con cuanto ella encerraba.» «Maestro —sugirió otro—, puesto que has alojado a la vieja en tu casa, has de devolverle el asno.» Luego se marcharon todos a la casa. De ellos se hablará más adelante.

En cuanto al hijo del mercader, esperó a que la vieja volviese con su hija, mientras la joven seguía esperando a que Dalila viniese con la licencia de su hijo, el elegido de Dios, el subalterno del jeque Abu-l-Hamalat; pero ella no regresaba. Entonces se levantó para hacer su visita piadosa, y al entrar tropezó con el hijo del mercader, quien le dijo: «Ven aquí. ¿Dónde está tu madre, que me trajo aquí para casarme contigo?» «Mi madre murió —contestó ella—. ¿Eres tú su hijo, el elegido de Dios, el subalterno del jeque Abu-l-Hamalat?» «Ésa no es mi madre. Es una vieja enredadora, que me ha engañado e incluso me ha arrebatado mis vestidos y los mil dinares.» «También a mí me ha engañado —exclamó la joven—. Me trajo aquí para que visitase a Abu-l-Hamalat, y me ha desnudado.» El hijo del mercader dijo a la joven: «A no ser tú, no sé quién ha de devolverme mis vestidos y los mil dinares». Ella protestaba: «Y yo sólo a ti te considero responsable de mi ropa y mis joyas: ¡tráeme a tu madre!»

Entonces entró el tintorero. Al ver que tanto el hijo del mercader como la joven estaban desnudos, les preguntó: «Decidme, ¿dónde está vuestra madre?» La joven le contó cuanto le había ocurrido a ella, y el joven refirió lo que le había sucedido a él. El tintorero se quejó: «¡Ay! ¡Mis bienes y los de la gente se han perdido!» A lo que añadió el arriero: «¡Ay, mi asno! ¡Qué pérdida! ¡Devuélveme mi asno, tintorero!» «Es una vieja enredadora —sentenció el tintorero—. Salid, voy a cerrar la puerta.» «Sería vergonzoso para ti —observó el hijo del mercader— que hayamos entrado en tu casa vestidos y salgamos de ella desnudos.» El tintorero le dio un vestido a él y otro a la joven, a la que devolvió a su casa. Ya hablaremos luego del regreso de su marido.

En cuanto al tintorero, cerró su tintorería y manifestó al hijo del mercader: «Ven con nosotros en busca de la vieja para entregarla al jefe de policía». Y éste lo acompañó, el arriero se unió a ellos, y los tres entraron en casa del jefe de policía, ante el que se quejaron. «Gente, ¿qué os ha ocurrido?» Y cuando le hubieron contado lo ocurrido, les dijo: «¡Cuántas viejas hay en la ciudad! Id vosotros, buscadla, cogedla y yo os la haré confesar». Y ellos empezaron a dar vueltas, buscándola. Ya volveremos a hablar de ello.

Entretanto, la vieja Dalila la Taimada le decía a su

hija: «Zaynab, hija mía, quiero hacer alguna otra jugarreta». La hija contestó: «Madre mía, temo por ti». «Soy —insistió la madre— como las vainas de las habas, que resisten el agua y el fuego.» Se puso un vestido de criada de gran señor y salió con intenciones de armar algún lío. Pasó por una calle en la que había alfombras extendidas por el suelo y lámparas de aceite colgadas; oyó cantos y redobles de adufe, y vio una esclava que llevaba a hombros un niño vestido con calzones bordados de plata y hermosas ropas. Llevaba en la cabeza un fez coronado de perlas, y al cuello, un collar de oro con piedras preciosas y un manto de terciopelo. Era la casa del jefe del gremio de mercaderes de Bagdad, y el niño, su hijo. El jefe tenía además una hija virgen que había sido pedida por esposa, y precisamente aquel día se celebraba el noviazgo. Un grupo de mujeres y de cantoras estaba con la madre de la joven, y como quiera que cada vez que ella subía o bajaba las escaleras el niño se le echaba encima, había llamado a la esclava y le había dicho: «Toma a tu señor y hazlo jugar hasta que acabe la reunión». Cuando la vieja Dalila entró en la calle y vio al niño a hombros de la esclava, le preguntó a ésta: «¿Qué fiesta se celebra hoy en casa de tu señora?» «El noviazgo de su hija, y hay cantoras en su casa.» La vieja pensó: «¡Ay, Dalila, la única mala pasada que puedes hacer es raptar el niño a esta esclava!»

Sahrazad se dio cuenta de que amanecía e interrumpió el relato para el cual le habían dado permiso.

Cuando llegó la noche *setecientas cuatro,* refirió:

—Me he enterado, ¡oh rey feliz!, de que [Dalila] sin embargo, dijo en voz alta: «¡Qué vergüenza! ¡Qué desgracia!» Y sacando del bolsillo un disco de latón parecido a un dinar, dijo la vieja a la muchacha, que era una infeliz: «Toma este dinar, ve a tu señora y dile: "Umm al-Jayr está contenta de ti, pues tú le has hecho favores. El día de la fiesta, ella y sus hijas vendrán y harán regalos a las peinadoras con motivo de la boda"». «Madre mía —dijo la esclava—, éste mi señor cada vez que ve a su madre se coge a ella.» «Déjamelo mientras vas y vuelves.» La esclava tomó la pieza y entró, mientras la vieja, al tener al niño, se fue a otra calle, le quitó las joyas y los vestidos que llevaba y se dijo: «Dalila, así como fuiste capaz de engañar a la esclava arrebatándole el niño, serías hábil si tramases alguna jugarreta y lo empeñases por algún objeto que valiese mil dinares». Y se dirigió al zoco de los joyeros, donde vio a un orífice judío que tenía ante sí un cesto lleno de joyas. Y pensó: «Serías astuta si engañaras a este judío, le quitases joyas por valor de mil dinares y empeñases al niño por las joyas». El judío se volvió a mirar, vio al niño con la vieja y reconoció que era el hijo del jefe del gremio de mercaderes. El judío era muy rico, pero envidiaba a su vecino cuando éste lograba alguna venta y él nada había vendido. «¿Qué quieres, mi señora?», preguntó a Dalila. «¿Eres tú el maestro Esdras, el judío?» (pues ella había preguntado previamente su nombre). Contestó: «Sí». Ella prosiguió: «La hermana de este niño, la hija del jefe del gremio, ha sido pedida por esposa y hoy celebra su noviazgo. Necesita joyas: danos dos pares de ajorcas de oro, para los tobillos, un par de brazaletes de oro, pendientes de perlas, un ceñidor, un puñal y un anillo». Y Dalila cogió objetos por valor de mil dinares, y añadió: «Me llevo estos objetos preciosos con una condición: mis dueños tomarán lo que les guste y yo te traeré el precio. Y quédate con este niño». «Sea como quieres», dijo el judío. La vieja cogió las joyas y se marchó a su casa. «¿Qué jugarretas hiciste?», preguntó su hija. «He urdido una estratagema: he raptado al hijito del jefe del gremio de mercaderes y lo he despojado. Luego lo he empeñado a un judío por objetos que valen mil dinares.» «Ya no podrás ir por la ciudad», le dijo su hija.

Mientras tanto, la esclava había llegado a presencia de su dueña y le había dicho: «Mi señora: «Umm al-Jayr te saluda y está contenta de ti: el día en que se celebre la reunión, vendrá con sus hijas y harán los regalos». «¿Dónde está tu señor», preguntó la señora. «Se lo dejé a ella por miedo a que se agarrase a ti. Y la vieja me ha dado una propina para las cantoras.» «Toma tu propina», dijo la dueña a la jefa de las cantoras. Ésta la tomó, y vio que era un disco de latón. Entonces la dueña le dijo a la esclava: «¡Desvergonzada! Baja a ver qué es de tu señor». Bajó, pero no halló ni al niño ni a la vieja, y, dando un grito, cayó de bruces. La alegría de la gente se transformó en dolor. En aquel momento entraba el jefe del gremio de mercaderes, al que su mujer le contó todo lo sucedido, y él salió en busca del niño al mismo tiempo que todos los mercaderes se echaban a la calle con el mismo objeto. El jefe no cejó de buscar a su hijo hasta que le vio, desnudo, en la tienda del judío. «¡Pero si es mi hijo!», exclamó. «Sí», le contestó el judío. El padre cogió al niño y ni siquiera preguntó por sus vestidos; tan grande era su alegría por haberlo hallado. Pero cuando el judío vio que el mercader cogía a su hijo, se agarró a él y le dijo: «¡Dios ayude al Califa contra ti!» «¿Qué te pasa, judío?», preguntó el mercader, y éste le contó: «La vieja tomó de mí, para tu hija, objetos preciosos por valor de mil dinares, y en prenda me dejó este niño. Y yo se los di sólo porque ella me dejó a este niño como garantía de lo que cogió. Además, tuve confianza en ella porque sabía que este niño era tuyo». «Mi hija no necesita joyas —dijo el jefe del gremio—. Y... tráeme los vestidos del niño.» «¡Musulmanes, venid en mi auxilio!», gritó el judío. Y entonces aparecieron el arriero, el tintorero y el hijo del mercader, que iban dando vueltas en busca de la vieja. Les preguntaron al mercader y al judío la causa de la discusión, y los dos les contaron lo ocurrido. «Es una vieja enredadora que ya nos engañó antes a nosotros», exclamaron los tres. Y, a su vez, les contaron cuanto les había sucedido con ella. «Puesto que hallé a mi hijo —manifestó el jefe del gremio—, sean sus vestidos su rescate. Y si encuentro a la vieja, se los pediré a ella.» Y se marchó con su hijo; la madre se alegró mucho de volverlo a ver salvo.

«Y vosotros ¿dónde vais?» —preguntó el judío a los tres—. «En busca de la vieja», contestaron. «Dejadme ir con vosotros», propuso el judío. Y añadió: «¿Alguno de vosotros la conoce?» «Yo la conozco», respondió el arriero. «Si vamos todos juntos no podremos dar con ella y se nos escapará —añadió el judío—. En cambio, que vaya cada uno de nosotros por su cuenta, y la tienda del barbero Hachch Masud, el Magrebí, será nuestro punto de reunión.» Y así, cada uno marchó por distinto camino.

Entretanto, la vieja había salido para hacer otra de las suyas. El arriero la reconoció y, echándosele encima le dijo: «¡Ay de ti! ¿Hace mucho que te dedicas a este asunto?» «¿Qué te ocurre?», preguntó Dalila. «¡Mi asno! ¡Devuélvemelo!» «¡Calla, hijo mío! Corre un velo sobre lo que Dios oculta. ¿Pides tu asno o las cosas de la gente?» «Yo sólo quiero mi asno.» «Ya vi que eras pobre. Deposité tu asno en casa del barbero magrebí. Párate a distancia para que me llegue a él y, amablemente, le diga que te lo entregue.» Se acercó al magrebí, le besó la mano y se echó a llorar. «¿Qué tienes?», preguntó éste. «Hijo mío: mira a ese joven que está ahí parado. Está enfermo: se expuso a la corriente y el aire lo enloqueció. Solía dedicarse a la compra de asnos, y por ello, cuando está en pie, no hace más que decir: "¡Mi asno!"; y si se sienta: "¡Mi asno!"; y si anda: "¡Mi asno!" Un médico me dijo que ha perdido la razón y sólo podrá curarse si le quitan dos muelas y se le cauterizan dos veces los pelos que recubren sus sienes. Toma este dinar, llámalo y dile: "Yo tengo tu asno".» «Ayunaré un año entero —dijo el barbero— si no le entrego el asno en su mano.» Como tenía dos empleados, le mandó a uno de ellos: «Ve a calentar dos hierros». Luego, y mientras la vieja se había ido a sus asuntos, llamó al arriero, y cuando llegó, le dijo: «¡Desgraciado! Yo tengo tu asno, ven a cogerlo, y, por mi vida que te lo entregaré en mano». Lo cogió, y apenas entró con él en una habitación oscura, le dio un puñetazo que lo hizo caer al suelo. Los tres lo arrastraron, le ataron manos y pies, y el magrebí le arrancó dos muelas, le cauterizó dos veces las sienes, y luego lo dejó ir. «¿Por qué me has hechos esto, magrebí?», preguntó el arriero al levantarse. Y éste le contestó: «Tu madre me ha informado de que has perdido la razón porque cuando estabas enfermo te expusiste a la corriente, y ahora, si estás en pie, dices: "¡Mi asno!"; y si estás sentado, repites: "¡Mi asno!"; y si andas, lo mismo: "¡Mi asno!" He aquí el asno en mano». «De Dios recibirás el castigo por haberme arrancado dos muelas.» «¡Pero si tu misma madre me lo dijo!», y le contó cuanto le había dicho la vieja. «¡Dios le haga difícil la vida!», exclamó el arriero. Y él y el magrebí se marcharon, discutiendo. El magrebí abandonó la tienda, y al regresar no halló nada. En efecto, mientras el magrebí se había ido con el arriero, la vieja cogió cuanto había en la tienda y se fue junto a su hija, a la que explicó cuanto había hecho.

En cuanto al barbero, al ver su tienda vacía, la emprendió con el arriero: «Tráeme a tu madre», le dijo. «Pero si no es mi madre —replicó—. Es una taimada que ha engañado a mucha gente y se ha apoderado de mi asno.» En aquel momento llegaron el tintorero, el judío y el hijo del mercader, y al ver que el magrebí discutía con el arriero y que éste tenía las sienes cauterizadas, le preguntaron: «¿Qué te ha pasado, arriero?» Y él les contó lo que le había sucedido, y lo mismo hizo el magrebí, quien refirió su historia. «Es una vieja bribona —le dijeron— que nos ha engañado.» Y le contaron lo ocurrido. Entonces el barbero cerró su tienda y se fue con ellos a casa del gobernador. «Sólo tú puedes resolver nuestra situación y devolvernos nuestro dinero», dijeron todos. Pero el gobernador exclamó: «¡Cuántas viejas hay en la ciudad! ¿Alguno de vosotros la conoce?» El arriero contestó: «Yo la conozco; pero danos a diez de tus hombres». El arriero salió con los hombres del gobernador, mientras los otros seguían detrás. Y el arriero se puso a dar vueltas con todos ellos hasta que, de repente, vieron que la vieja Dalila se acercaba. El arriero y los hombres del gobernador la prendieron y la llevaron ante éste; se detuvieron bajo la ventana del palacio en espera de que aquél saliese. Pero ocurrió que los hombres del gobernador se durmieron a causa de la larga vela que habían tenido con él, y la vieja se hizo la dormida. También se adormecieron el arriero y sus compañeros. Entonces Dalila se escapó y entró en el harén del gobernador. Besó las manos de la señora del harén y le preguntó: «¿Dónde está el gobernador?» «Duerme. ¿Qué quieres?» «Mi marido, vendedor de esclavos, me entregó cinco para que los vendiera mientras está de viaje. El gobernador se encontró conmigo y convino en que me los compraría por mil dinares y doscientos de propina para mí, y me dijo que se los llevara a su casa, y yo los he traído.»

Sahrazad se dio cuenta de que amanecía e interrumpió el relato para el cual le habían dado permiso.

Cuando llegó la noche *setecientas cinco,* refirió:

—Me he enterado, ¡oh rey feliz!, de que el gobernador tenía apartados mil dinares, y le había dicho a su mujer: «Guárdalos para comprar esclavos». Así, cuando la señora oyó las palabras de la vieja, quedó convencida de que su marido había arreglado el asunto, y preguntó: «¿Dónde están los esclavos?» «Mi señora —contestó la vieja—, duermen bajo la ventana del palacio en que tú estás.» La señora se asomó a la ventana, y al ver al magrebí que llevaba vestidos de esclavo, y también al hijo del mercader —que tenía aspecto de mameluco—, y al tintorero, al arriero y al judío, todos los cuales parecían esclavos rapados, se dijo: «Cada uno de estos esclavos vale más de mil dinares». Abrió la caja y le entregó a la vieja los mil dinares, diciéndole: «Ve, y espera a que el gobernador despierte de su sueño. Entonces le pediremos los otros doscientos dinares». «Mi señora, cien de esos dinares son para ti por la jarra de bebida que he bebido. Los otros, guárdamelos para cuando vuelva.» Y añadió: «Déjame salir por la puerta secreta». Y la dueña la hizo salir por allí. Dios la protegió, y ella llegó junto a su hija, que le preguntó: «Madre mía, ¿qué has hecho?» «Hija mía, puse en práctica un truco gracias al cual le he timado estos mil dinares a la mujer del gobernador, y le he vendido a mis cinco perseguidores: el arriero, el judío, el tintorero, el barbero y el hijo del mercader, a quienes he hecho pasar por esclavos. Pero hija mía, nadie puede causarme mayor daño que el arriero, pues me conoce.» «Madre mía, estate tranquila. Bástete ya con lo hecho, porque no siempre sale indemne la jarra.»

Cuando el gobernador despertó de su sueño, su mujer le dijo: «Estoy contenta de ti por los cinco esclavos que le compraste a la vieja». «¿Qué esclavos?», preguntó él; y su mujer repuso: «¿Por qué lo niegas? Si Dios quiere alcanzarán, como tú, elevados cargos.» «¡Por mi cabeza —exclamó el gobernador— que no he comprado esclavos! ¿Quién dice tal?» «La vieja corredora con la que conviniste el precio y a la que prometiste dar por ellos mil dinares, y otros doscientos para ella.» «¿Y tú le has dado el dinero?» «Sí. Yo misma he visto con mis propios ojos a los esclavos: cada uno de ellos lleva un vestido que vale mil dinares. Y he mandado decir a los hombres de la guardia que los vigilen.» Entonces el gobernador bajó, y vio al judío, al arriero, al magrebí, al tintorero y al hijo del mercader. «¡Hombres! —preguntó—, ¿dónde están los cinco esclavos que hemos comprado a la vieja por mil dinares?», y ellos contestaron: «Aquí no hay esclavos. Sólo hemos visto a estas cinco personas, que dieron con la vieja y la prendieron. Todos nosotros nos quedamos dormidos, y ella se escapó y entró en el harén. Luego vino una esclava a preguntarnos: "Las cinco personas que trajo la vieja, ¿están con vosotros?", y le contestamos: "Sí"». «¡Por Dios! —exclamó el gobernador—. Éste es el engaño mayor de todos.» Y los cinco dijeron: «Sólo tú puedes hacer que recuperemos nuestras cosas». «Vuestra dueña, la vieja, os ha vendido a mí por mil dinares», protestó el gobernador. «¡Dios no lo quiera! —exclamaron los cinco—. Todos nosotros somos hombres libres y no se nos puede vender. Ya nos veremos contigo ante el Califa.» «Sólo vosotros —acabó diciendo el gobernador— le enseñasteis a la vieja el camino de mi casa. Por consiguiente, os venderé como galeotes, cada uno por doscientos dinares.»

Entretanto, el emir Hasán Sarr al-Tariq, que había regresado de su viaje, se encontró con que a su mujer le habían robado, y ella le contó todo lo que le había ocurrido. «Mi único enemigo es el gobernador», declaró el Emir. Y se presentó ante él y lo apostrofó: «¿Tú permites a las viejas andar por la ciudad engañando a la gente y robando sus bienes? Esto es responsabilidad tuya, y no conozco quién pueda responder de las cosas de mi mujer sino tú. Y a vosotros —dijo luego a los cinco—, ¿qué os ha ocurrido?» Ellos le contaron todo lo que les había sucedido. «Sois víctimas de injusticias sufridas», añadió. Y, dirigiéndose al gobernador: «Y tú, ¿por qué los encarcelas?» «Porque esos cinco fueron quienes enseñaron a la vieja el camino de mi casa, y así me ha quitado mis mil dinares y ha vendido a éstos a mi mujer.» Pero los cinco intervinieron: «Emir Hasán, tú has de ser nuestro protector en este pleito». Entonces el gobernador le dijo al Emir Hasán: «Las cosas de tu mujer corren de mi cuenta, y yo garantizo que la vieja será apresada. Pero ¿quién de vosotros la conoce?» «Nosotros la conocemos

—contestaron todos—. Envía con nosotros a diez hombres y la cogeremos.» Y él les dio los diez hombres. «Seguidme —dijo el arriero—, porque yo la reconocería aunque tuviese ojos zarcos.»

Y he aquí que la vieja Dalila salía de una calle. La cogieron y la llevaron a casa del gobernador, quien, al verla, le preguntó: «¿Dónde están las cosas de la gente?» «Nada he cogido, ni he visto nunca a ésos», protestó la vieja. «Tenla encerrada hasta mañana», dijo el gobernador al carcelero. «La cojo pero no la meto dentro, pues temo que me haga alguna y yo sea responsable.» Entonces el gobernador montó a caballo llevando consigo a la vieja y a las demás personas, y salió de la ciudad en dirección a la orilla del Tigris. Llamó al farolero y le mandó que crucificara a Dalila, colgándola de los pelos. Éste la izó con las poleas, y el gobernador, después de dejar diez hombres de guardia, se marchó a su casa.

Vinieron las tinieblas, el sueño venció a los guardianes, y entonces apareció un beduino. Éste había oído cómo un hombre le decía a un amigo suyo: «¡Alabado sea Dios por tu salvación! ¿Dónde estuviste durante tu ausencia?» «En Bagdad, y comí tortillitas con azúcar y miel.» Y entonces el beduino se había dicho: «Lo mejor es entrar en Bagdad para comer tortillitas de azúcar y miel». Pero el beduino no había visto nunca en su vida Bagdad, ni había estado en ella. Montó en su caballo y se puso en camino, murmurando: «¡Debe ser delicioso comer tortillitas de azúcar y miel! ¡Por el honor de los árabes que no he de comer sino tortillitas de azúcar y miel!»

Sahrazad se dio cuenta de que amanecía e interrumpió el relato para el cual le habían dado permiso.

Cuando llegó la noche *setecientas seis*, refirió:

—Me he enterado, ¡oh rey feliz!, de que [el beduino] había llegado así cerca del lugar en que estaba crucificada Dalila que le oyó murmurar tales palabras. «¿Qué eres?», preguntó el beduino a Dalila cuando estuvo cerca de ella. «¡Jeque de los árabes! Estoy bajo tu protección», contestó. «¡Dios te libre! ¿Por qué has sido crucificada?» Y Dalila le explicó: «Tengo un enemigo, mercader de aceite, que fríe tortillitas de miel y azúcar. Me paré a comprarle algunas, y como quiera que escupí, mi saliva cayó en las tortillitas y él me denunció ante el gobernador, el cual dio orden de que fuese crucificada, diciendo: "Sentencio que cojáis diez *ratl* de tortillitas de azúcar y miel por cuenta de ella y se las hagáis comer mientras esté crucificada. Si se las come, soltadla; si no, dejadla". Y ahora siento náuseas ante los dulces». El beduino exclamó: «¡Por el honor de los árabes! He venido de mi tribu precisamente para comer tortillitas con miel. Las comeré yo por ti». Pero la vieja le dijo: «Sólo quien sea colgado en mi lugar podrá comerlas». El truco hizo efecto en el beduino. La soltó, y Dalila lo ató en su lugar, después de haberle quitado los vestidos que llevaba. Se los puso ella, se colocó el turbante, montó en el caballo del beduino y marchó a casa con su hija. «¿Cómo regresáis así?», le preguntó Zaynab. «Me han crucificado.» Y le contó todo lo que le había ocurrido con el beduino. Esto es lo que se refiere a Dalila.

Y he aquí lo que hace referencia a los guardianes. Cuando uno de ellos se despertó, despertó a sus compañeros y éstos se dieron cuenta de que el día ya se había levantado. Uno alzó los ojos y llamó: «¡Dalila!» «¡Por Dios!, nosotros no comemos hogazas de harina —contestó el beduino—. ¿Habéis traído las tortillitas de azúcar y miel?» «¡Pero si es un beduino!», exclamaron todos, y le preguntaron: «Beduino, ¿dónde está Dalila? ¿Quién la soltó?» «Yo la solté. Ella no puede comer a disgusto tortillitas de azúcar y miel porque le dan asco.» Y así los guardianes se enteraron de que el beduino, al desconocer la verdadera condición de la vieja, se había dejado engañar. Y se dijeron unos a otros: «¿Huimos o esperamos aquí a que se cumpla lo que Dios ha decretado para nosotros?» En aquel momento se acercaba el gobernador con los hombres a quienes Dalila había engañado. «¡Ea! —ordenó a los guardias—, soltad a Dalila.» Y el beduino intervino: «No comemos hogazas de harina. ¿Habéis traído tortillitas de miel?» El gobernador levantó los ojos hacia la cruz y, en lugar de la vieja, vio al beduino. «¿Qué significa esto?», preguntó a los guardias. «Haznos gracia, señor», contestaron. «Contadme lo ocurrido.» «Nosotros habíamos velado contigo en las rondas nocturnas, y por eso nos dijimos: "Dalila está crucificada", y nos quedamos dormidos. Al despertar hemos visto a este beduino crucificado. Estamos, pues, a merced tuya.» «Hombres —dijo el gobernador—, aquélla es una bribona. El perdón de Dios sea sobre vosotros.» Entonces soltaron al beduino, que la emprendió con el gobernador: «¡Dios ayude al Califa contra ti! No sé quién puede responder de mi caballo y de mis bienes sino tú». El gobernador lo interrogó, y el beduino relató su historia. «¿Por qué la soltaste?», le preguntó, asombrado, el gobernador. «Yo no sabía que fuera una bribona.» Y los cinco hombres engañados, exclamaron: «Gobernador, no reconocemos más responsable que a ti. En efecto, nosotros la entregamos y, por tanto, tú eres responsable. ¡Ya nos veremos en el diván del Califa!»

Entretanto, Hasán Sarr al-Tariq había subido al diván. Y entonces llegaron el gobernador, el beduino y los cinco hombres, que decían: «¡Somos víctimas de una injusticia!» «¿Quién os hizo injusticia?», preguntó el Califa. Y cada uno de ellos se adelantó y contó lo que le había ocurrido. «Emir de los creyentes —dijo el gobernador—, ella me engañó y me vendió a esos cinco por mil dinares, a pesar de que eran hombres libres.» «Todo lo que os fue arrebatado, lo recuperaréis por mi mano», sentenció el Califa. A continuación, y dirigiéndose al gobernador, le dijo: «Te encargo que prendas a la vieja». Pero el gobernador movió el collar y dijo: «No acepto tal encargo, puesto que la colgué en la cruz y ella engañó a este beduino, que la soltó y lo colgó a él en su lugar, apoderándose de su caballo y de sus vestidos». «¿Pues a quién sino a ti puedo encargar que me traiga la vieja?» «Encarga de ello a Ahmad al-Danif. Él cobra mensualmente un sueldo de mil dinares. Ahmad al-Danif tiene cuarenta y un esbirros, cada uno de los cuales cobra cien dinares al mes.» «Capitán Ahmad», llamó el Califa. «Heme aquí, Emir de los creyentes.» «Te encargo que me traigas a la vieja.» «Garantizo que la traeré», dijo Ahmad al-Danif. Y el Califa retuvo junto a sí a los cinco y al beduino.

Sahrazad se dio cuenta de que amanecía e interrumpió el relato para el cual le habían dado permiso.

Cuando llegó la noche *setecientas siete,* refirió:

—Me he enterado, ¡oh rey feliz!, de que Ahmad al-Danif y sus esbirros fueron al cuartel y se preguntaron: «¿Cómo nos las arreglaremos para cogerla? ¡Cuántas viejas hay en la ciudad!» «¿Qué me aconsejas?», preguntó Ahmad a Hasán Sumán. Uno de ellos, llamado Alí Kitf al-Chamal, protestó ante Ahmad al-Danif: «¿Por qué pedís consejo a Hasán Sumán? ¿Acaso es tan importante?» «Alí —dijo Hasán— ¿por qué me desprecias? ¡Por el gran nombre de Dios, os juro que no os acompañaré esta vez!» Y se levantó, furioso. «¡Jóvenes! —ordenó Ahmad al-Danif—, que cada jefe coja diez hombres y vaya con ellos a un barrio a buscar a Dalila.» Alí Kitf al-Chamal marchó con diez hombres, y así hicieron todos los jefes. Cada grupo se dirigió a un barrio; pero antes de ir y de separarse, los hombres se dijeron: «Nos reuniremos en tal barrio, en tal calle».

Entretanto, en la ciudad se había divulgado la noticia de que Ahmad al-Danif había sido encargado de prender a Dalila la Taimada. «Madre mía —observó Zaynab—, si eres realmente hábil, trata de engañar a Ahmad al-Danif y sus hombres.» «Hija mía —repuso Dalila—, yo sólo temo a Hasán Sumán.» «¡Por mi mechón! —exclamó la joven—, te traeré los vestidos de los cuarenta y un guardias.» Se levantó, se puso un vestido y el velo y se dirigió a un mercader de especias que tenía un local con dos puertas. Después de saludarlo, le ofreció un dinar y le dijo: «Toma este dinar en compensación por tu local y préstamelo hasta el final del día». Éste le entregó las llaves, y Zaynab, montada en el asno del arriero, fue a buscar alfombras, que extendió en el local, y en cada rincón puso una mesa con alimentos y vino. Luego, con el rostro descubierto, se colocó junto a la puerta. Apareció entonces Alí Kitf al-Chamal y su grupo. Ella le besó la mano. Al ver que era una hermosa joven, Alí se prendó de ella. «¿Qué quieres?», le preguntó. «¿Eres el capitán Ahmad al-Danif?» «No, mas pertenezco a su grupo y me llamo Alí Kitf al-Chamal.» «¿Dónde vais?» «Vamos buscando a una vieja bribona que se ha apoderado de los bienes de la gente, y nuestro propósito es prenderla. ¿Y tú, quién eres y qué haces?» Y ella explicó: «Mi padre era tabernero en Mosul. Al morir me dejó mucho dinero. Y vine a esta ciudad por miedo a los oficiales judiciales, y al preguntar a la gente quién me podría proteger, me dijeron que solamente Ahmad al-Danif podía hacerlo». «Hoy mismo te pondrás bajo su protección», dijeron los hombres. Ella añadió: «Entonces, dadme este gusto: comed un bocado y bebed un poco de agua». Cuando accedieron, ella los hizo entrar, y los hombres comieron y bebieron vino. Ella les dio un narcótico, les quitó los vestidos, y al igual que había hecho con ellos, hizo con los demás. Cuando Ahmad al-Danif se puso a buscar a Dalila, no sólo no la encontró, sino que ni siquiera vio a ninguno de sus esbirros. Andando, llegó junto a la joven, que le besó la mano. Al verla, se enamoró. «¿Eres tú el capitán Ahmad al-Danif?», preguntó Zaynab. «Sí, y tú, ¿quién eres?» «Soy forastera, de Mosul. Mi padre era tabernero. Murió y me dejó mucho dinero, por lo cual yo, temerosa de los oficiales judiciales, me lo traje aquí y abrí esta taberna. Pero el gobernador me ha fijado un impuesto. Mi intención era ponerme bajo tu protección, ya que tú eres más digno de tener lo que tomaría el gobernador.» «No le des nada, y sé bien venida», dijo Ahmad al-Danif. «Entonces, dame este gusto: come de mi comida.» Él entró, comió y bebió vino, y cayó al suelo embriagado; ella le dio un narcótico, le arrebató los vestidos, cargó todo sobre el caballo del beduino y sobre el asno del arriero, y, después de hacer volver en sí a Alí Kitf al-Chamal, se marchó. Cuando éste volvió en sí, se encontró desnudo y vio que Ahmad al-Danif y los demás estaban narcotizados. Los hizo volver en sí mediante un antídoto, y ellos, al despertar, vieron que estaban desnudos. «¿Qué significa esto, muchachos?», preguntó Ahmad al-Danif. «Estábamos buscando a la vieja para prenderla, pero esta desvergonzada nos ha atrapado. ¡Qué contento se pondrá Hasán Sumán! Mas... esperemos a que lleguen las tinieblas de la noche, y entonces nos iremos.»

Entretanto, Hasán Sumán preguntaba al guardián: «¿Dónde están los hombres?» Y mientras lo interrogaba acerca de ellos, los vio venir sin vestidos. Hasán Sumán recitó estos versos:

> Las gentes se parecen en sus propósitos, pero las personas se distinguen por los resultados.
> Hay entre los hombres sabios e ignorantes, así como entre las estrellas unas son luceros y otras apenas brillan.

«¿Quién os engañó y os despojó?», les preguntó. «Nos comprometimos a buscar a la vieja, y, en cambio, una hermosa joven nos ha despojado.» «¡Qué cosa tan estupenda hizo!», exclamó Hasán Sumán. Y ellos preguntaron: «¿La conoces, Hasán?» «La conozco, y también conozco a la vieja.» «¿Y qué diremos al estar ante el Califa?», lloriquearon. «Danif —prosiguió Sumán—, tú menea el collar ante él y si te pregunta por qué no la prendiste, contéstale: "Yo no la conozco. Encarga a Hasán Sumán de que la prenda". Y si el Califa me encarga que la prenda, así lo haré.» Y se fueron a dormir.

Por la mañana subieron al diván del Califa y besaron el suelo. «¿Dónde está la vieja, capitán Ahmad?», preguntó el Califa. Ahmad meneó el collar. «¿Por qué haces eso», y él contestó: «Yo no la conozco. Encarga a Hasán Sumán que la prenda, pues él la conoce, tanto a ella como a su hija». Y Hasán Sumán observó: «Ella no ha tramado todas estas jugarretas impulsada por codicia de las cosas de la gente, sino para poner de relieve su habilidad y la de su hija, con el fin de que le señales a la vieja el sueldo de su marido y le des a su hija una paga igual que la de su padre». Y siguió intercediendo por ella para que no la mataran, comprometiéndose a llevarla ante el Califa. «¡Juro por mis antepasados —exclamó el Califa— que si ella devuelve las cosas de la gente, obtendrá gracia y se beneficiará de tu intercesión!» «Dame el perdón para ella, Emir de los creyentes», pidió Sumán. «Ella se beneficiará de tu intercesión», repitió el Califa. Y le entregó el pañuelo del perdón.

Sumán bajó y fue a casa de Dalila, a la que llamó en alta voz. Le respondió su hija Zaynab. «¿Dónde está tu madre?», le preguntó. «Arriba.» «Dile que traiga las cosas de la gente y que se venga conmigo ante el Califa: le he traído el pañuelo del perdón. Si no viene por las buenas, ella será la culpable.» Dalila bajó, se ató al cuello el pañuelo y le entregó las cosas de la gente, que había cargado en el asno del arriero y en el caballo del beduino. Pero Sumán observó: «Faltan los vestidos de mi jefe y los de sus hombres». «¡Por el gran nombre de Dios, juro que no fui yo quien los despojó!» «Dices verdad admitió Sumán. En efecto, ésta ha sido una jugarreta de tu hija Zaynab, que te ha dado un buen golpe.» Y marchó con ella al diván del Califa.

Una vez allí, Hasán se adelantó, puso ante él las cosas de la gente y le presentó a Dalila. Al verla, el Califa mandó que fuese arrojada sobre la alfombra de la sangre. «¡Sumán —exclamó Dalila—, estoy bajo tu protección!» Sumán se levantó, besó las manos del Califa y dijo: «Perdón, pero tú ya la has perdonado». «En efecto, por consideración a ti, la perdono. Ven aquí, vieja, ¿cómo te llamas?» «Mi nombre es Dalila.» «No eres sino una taimada y una bribona.» Y, así, fue llamada «Dalila la Taimada». «¿Por qué urdiste todas esas jugarretas y nos diste tanto trabajo?», preguntó el Califa. «Yo no he urdido todo eso por desear los bienes de la gente, sino porque he oído hablar de las bribonadas que Ahmad al-Danif ha hecho en Bagdad, y las de Hasán Sumán, y me dije: "Yo también haré lo que ellos". He aquí que devuelvo a la gente sus cosas.» «Invoco la ley de Dios entre yo y ella —interrumpió el arriero—, puesto que no bastándole con haber raptado mi asno, engañó al barbero magrebí, que me quitó las muelas y me cauterizó por dos veces los cabellos de las sienes.»

Sahrazad se dio cuenta de que amanecía e interrumpió el relato para el cual le habían dado permiso.

Cuando llegó la noche *setecientas ocho*, refirió:

—Me he enterado, ¡oh rey feliz!, de que entonces el Califa mandó que le dieran cien dinares al arriero y cien al tintorero. «Ve a restaurar tu tintorería», dijo a este último. Ambos pronunciaron invocaciones en favor del Califa y se marcharon. El beduino, después de recoger sus vestidos y el caballo, exclamó: «¡No me está permitido entrar en Bagdad para comer tortillitas de azúcar y miel!» Todos aquellos que tenían algo suyo por recuperar, lo cogieron y se marcharon.

«Pídeme lo que quieras, Dalila», la animó entonces el Califa. Y ella dijo: «Mi padre era tu jefe de mensajes. Yo he criado palomas mensajeras, y mi marido era capitán en Bagdad. Deseo lo que le correspondía a él, mientras que mi hija desea lo que le correspondía a su padre». El Califa mandó que colmaran los deseos de las dos mujeres. «Yo te pido ser portera de la posada», dijo Dalila. El Califa había construido una posada de tres pisos para que se alojaran los mercaderes. Para montar guardia en la posada habían sido nombrados cuarenta esclavos y cuarenta perros, que el Califa había arrebatado al rey de los Sulaymaniyya, cuando lo depuso, y había hecho collares para los perros. En la posada había un cocinero, que guisaba la comida para los esclavos y daba de comer carne a los perros. «Dalila —dijo el Califa—, yo te nombraré inspectora de la posada; pero si algo se perdiese, tú serías responsable.» «Muy bien —contestó la vieja—. Pero manda que mi hija se aloje en el palacio que se halla cerca de la puerta de la posada. Ese palacio tiene azotea, y la cría de palomas sólo puede hacerse en un local espacioso.» El Califa dio orden de que se colmase el deseo de Dalila, y su hija trasladó todas sus cosas al palacio que estaba junto a la puerta de la posada. Y le entregó las cuarenta aves que transportan cartas.

En cuanto a Zaynab, colgó en su habitación en el palacio los cuarenta vestidos junto con el de Ahmad al-Danif. El Califa nombró a Dalila la Taimada jefa de los cuarenta esclavos, a los cuales ordenó que la obedecieran. Y luego ella eligió, detrás de la puerta de la posada, el lugar en que estar sentada. Diariamente subía al diván para ver si el Califa necesitaba enviar alguna carta a lejanos países, y no bajaba del diván hasta el final del día. Los cuarenta esclavos vigilaban la posada, y cuando caían las tinieblas, los perros eran puestos en libertad para que montaran guardia durante la noche.

Y éstas son las aventuras de Dalila la Taimada en la ciudad de Bagdad.

HISTORIA DE ALÍ AL-ZAYBAQ AL-MISRÍ

He aquí lo que hace referencia a Alí al-Zaybaq al-Misrí. Era un pícaro que vivía en El Cairo en la época de un hombre llamado Salah al-Misrí, jefe del diván de Egipto. Alí tenía cuarenta secuaces. Los hombres de Salah al-Misrí le tendían trampas a Alí el Pícaro, con la intención de que cayera en ellas; pero cuando lo buscaban, comprobaban que se había escurrido como se escurre el mercurio. Por ello lo habían apodado al-Zaybaq al-Misrí.

Cierto día Alí estaba sentado en el cuartel entre sus hombres, cuando, de repente, el corazón se le acongojó y sintió oprimido el pecho. Al verlo sentado allí, con el rostro fruncido, el guardián del local le preguntó: «¿Qué te ocurre, jefe? Si el pecho te oprime, vete a dar una vuelta por El Cairo, pues paseando por los zocos de la ciudad se te pasarán las preocupaciones». Alí se levantó y salió a pasear por El Cairo; pero su pena y su aflicción crecieron. Al pasar ante una taberna se dijo: «Entra y bebe». Se metió dentro y vio que en la taberna había siete filas de personas. «¡Tabernero! —llamó—, yo me siento solo.» El tabernero lo acomodó en una habitación solo, le sirvió vino, y él bebió hasta perder el conocimiento. Luego salió de la taberna y se puso a pasear por El Cairo, y siguió andando por las calles hasta llegar al Darb Al-Ahmar mientras la calle quedaba desierta ante él a causa del respeto que inspiraba. Alí miró a su alrededor y vio a un aguador que daba de beber con un vaso de hojalata, e iba gritando por la calle: «¡Oh, Tú, que indemnizas! La única bebida es la hecha con pasas, la única unión es la que se verifica con el ser amado, y sólo el inteligente se sienta en el lugar de honor». Alí le dijo: «Ven aquí, dame de beber». El aguador lo examinó y le ofreció el vaso. Alí, después de mirar en su interior, agitó el agua para limpiar el vaso y vertió el contenido en el suelo. «¿No bebes?», le preguntó el aguador; y Alí le contestó: «Dame de beber». Le llenó el vaso. Alí lo cogió, lo agitó y vertió nuevamente el agua; y así volvió a hacerlo por tercera vez. «Si no quieres beber, me voy», le dijo el aguador. «Dame de beber.» Le llenó el vaso y se lo entregó. Alí lo cogió, lo bebió y luego le dio un dinar; pero el aguador lo miró con desprecio y le dijo: «¡Dios te haga prosperar, Dios te haga prosperar, oh, muchacho! Los ínfimos de una gente son los grandes de otra».

Sahrazad se dio cuenta de que amanecía e interrumpió el relato para el cual le habían dado permiso.

Cuando llegó la noche *setecientas nueve,* refirió:

—Me he enterado, ¡oh rey feliz!, de que Alí el Pícaro agarró al aguador por la chilaba y desenvainó ante su rostro un magnífico puñal, es decir, hizo como aquel a quien se referían estos dos versos:

> Con tu puñal hiere al pendenciero, y no temas a nadie sino a la ira del Creador.
> Evita la gente vil y no dejes nunca de estar entre las personas nobles.

«Mi viejo —le dijo—, piensa un poco: tu odre, por muy caro que costase, valdría tres dirhemes, y los dos vasos que he derramado equivalen a un *ratl* de agua.» «Es cierto», admitió el aguador. «Pues si yo te he dado un dinar de oro, ¿por qué me desprecias? ¿Has visto persona más valiente y más generosa que yo?» «He visto a una persona más valiente y más noble que tú, y mientras las mujeres sigan pariendo en la tierra, no habrá un hombre más valiente y generoso que él.» «¿Quién es ése a quien viste y que es más valiente y más generoso que yo?» El aguador le contó: «Sabe que mi historia es curiosa. Mi padre era jefe de los aguadores que repartían en El Cairo el agua para beber. Murió dejándome cinco camellos, un mulo, una tienda y una casa; pero el hombre pobre no puede enriquecerse, y cuando se enriquece, muere. Entonces me dije: "Me iré al Hichaz" y compré una reata de camellos y contraje continuamente deudas hasta quedar endeudado por quinientos dinares. Y todo eso se perdió durante la peregrinación.

Entonces me dije: "Si regreso a El Cairo, la gente me hará encarcelar por el dinero que me prestó". Y me uní a los peregrinos de Siria, llegué a Alepo, y desde Alepo me trasladé a Bagdad. Pregunté allí por el jefe de los aguadores de la ciudad, y me preguntó por mi situación, y yo le conté todo lo que había ocurrido. Limpió una tienda para mí, me dio un odre y utensilios de trabajo, y yo, con la confianza puesta en Dios, empecé a dar vueltas por la ciudad una mañana muy temprano. Le ofrecí el vaso a una persona para que bebiera, pero gruñó: "¿Cómo voy a beber si no he comido nada? Hoy me invitó un avaro y puso ante mí dos vasos. Yo le dije: 'Hijo de un avaro, ¿me has dado algo de comer para que me ofrezcas de beber?' Por lo tanto, aguador, hasta que no haya comido algo, puedes irte; luego me darás de beber". Me dirigí a una segunda persona, que me dijo: "¡Dios te ayude!" Y así seguí hasta el mediodía: nadie me había dado nada. "¡Ojalá no hubiese venido nunca a Bagdad!", exclamé. En aquel momento tropecé con gente que iba corriendo. La seguí y vi un gran cortejo de personas que avanzaban de dos en dos, todos vestidos con turbantes y fajas de muselina, sombreros de fieltro y espadas de acero. "¿De quién es este séquito?", pregunté a uno. "Es el séquito del capitán Ahmad al-Danif", contestó. "¿Qué cargo ostenta?" "Es jefe del diván y capitán de Bagdad. A él le incumbe la policía de la ciudad, y cada mes el Califa le da mil dinares, y cada uno de sus hombres cobra cien. Hasán Sumán cobra lo mismo que él: mil dinares. Ahora bajan del diván y se dirigen a su cuartel." Ahmad al-Danif me vio y me dijo: "Ven acá, dame de beber". Llené el vaso y se lo ofrecí; agitó el agua para limpiar el vaso y la tiró, y así hizo por segunda vez. A la tercera bebió, como tú has hecho, sorbiendo con los labios. "¿De dónde eres, aguador?" me preguntó; y yo le contesté: "De El Cairo". "¡Haga Dios vivir El Cairo y a sus habitantes! —exclamó—. ¿Por qué has venido a esta ciudad?" Yo le conté mi historia y le di a entender que estaba endeudado y que había huido por las deudas y la pobreza. "Bien venido seas", me dijo, y me dio cinco dinares. Luego indicó a sus hombres: "Buscad la faz de Dios y haced una buena obra". Y cada uno de ellos me dio un dinar. "Jeque —añadió Ahmad—, mientras estés en Bagdad obtendrás de nosotros esta cantidad cada vez que nos des de beber." Yo procuré frecuentar su trato, y empezó a venirme bien de aquella gente. Al cabo de unos días calculé cuánto había ganado: vi que mis ahorros ascendían a mil dinares, y por eso creí oportuno volverme a mi tierra. Fui a ver a Ahmad al cuartel y le besé las manos. "¿Qué quieres?", me preguntó. "Quiero partir", le contesté, y le recité estos versos:

Las estancias de un extranjero en cualquier país
son como edificar castillos en el aire.
El soplar del viento derrumba lo que edificó. Por
consiguiente, el extranjero ha decidido marchar.

»Y añadí: "La caravana se dirige a El Cairo, y mi intención es ir a reunirme con mi familia". Me dio una mula y cien dinares, y me dijo: "Jeque, queremos enviar algo por medio de ti. ¿Conoces a los habitantes de El Cairo?" "Sí", le aseguré.

Sahrazad se dio cuenta de que amanecía e interrumpió el relato para el cual le habían dado permiso.

Cuando llegó la noche *setecientas diez,* refirió:

—Me he enterado, ¡oh rey feliz!, de que [Ahmad dijo:] »"Entonces, toma este escrito, llévaselo a Alí al-Zaybaq al-Misrí y dile: 'Tu jefe te saluda y se halla junto al Califa'." Cogí la carta, partí y entré en El Cairo. Mis acreedores me vieron y yo les pagué cuanto les debía. Luego me he dedicado a hacer de aguador, pero no he podido entregar la carta porque no sé dónde vive Alí al-Zaybaq al-Misrí».

«Jeque, tranquilízate y sosiégate —le dijo Alí—, pues yo soy Alí al-Zaybaq al-Misrí, el primero de los satélites del capitán Ahmad al-Danif. Dame, pues, la carta.» El aguador se la entregó, y cuando Alí la abrió y la leyó, vio escritos en ella estos versos:

¡Oh, adorno de los bellos! Te he escrito sobre un
papel que anda con los vientos.

Si hubiera sabido volar, habría volado por el deseo de verte. Mas, ¿cómo puede volar quien tiene cortadas las alas?

Y a continuación: «¡La paz de parte del capitán Ahmad al-Danif a Alí al-Zaybaq al-Misrí, el mayor de sus hombres! Lo que te hacemos saber es que he apuntado a Salah al-Din al-Misrí y le he hecho tantas, que lo he sepultado vivo. Sus secuaces me han rendido homenaje, y con ellos también Alí Kitf al-Chamal, y he sido nombrado capitán de la ciudad de Bagdad en el diván del Califa, y también he sido designado jefe de la policía de la ciudad. Si sigues fiel al pacto hecho entre yo y tú, ven a mí y quizá logres dar algún buen golpe en Bagdad que te acerque al servicio del Califa, y él pueda asignarte un sueldo y unas rentas y te construya un cuartel. Esto es cuanto deseo. ¡La paz!». Una vez leído el escrito, Alí lo besó, se lo puso sobre la cabeza en señal de respeto y le dio al aguador diez dinares por la buena noticia que le había traído. Luego se marchó al cuartel, fue a ver a sus secuaces, a quienes dio la noticia y les dijo: «Os encomiendo uno a otro». Luego se quitó lo que llevaba puesto, se puso una capa y un fez, cogió una caja en la que había una larga lanza de madera —de la especial que se usa para fabricar lanzas—, de veinticuatro codos de largo y que constaba de varios trozos desmontables. El guardián le preguntó: «¿Cómo? ¿Te vas precisamente cuando la caja está vacía?» «Cuando llegue a Siria —contestó Alí— os enviaré lo necesario.» Y se fue por su camino. Encontró una caravana de camellos que partía, y allí vio al jefe del gremio de los mercaderes junto con cuarenta mercaderes. Éstos habían cargado sus cosas, mientras que los bultos del jefe estaban en el suelo. Vio también que el jefe de la caravana, un sirio, les decía a los muleros: «Que me ayude uno de vosotros». Pero ellos lo insultaron y lo injuriaron. «Sólo con este jefe es oportuno que yo parta», pensó Alí, que era un hermoso joven imberbe. Se adelantó hacia el jefe, lo saludó, y éste, después de darle la bienvenida, le preguntó: «¿Qué quieres?» «Tío, te he visto solo, a pesar de que tu equipaje se compone de cuarenta mulos. ¿Por qué no trajiste gente para ayudarte?» «Hijo mío, había contratado a dos muchachos, a los que vestí y puse en el bolsillo de cada uno doscientos dinares. Ellos me ayudaron hasta llegar al convento de los derviches y luego huyeron.» «¿Dónde vais?» «A Alepo.» «Yo te ayudaré», le propuso Alí. Cargaron los bultos y se pusieron en camino, y el jefe del gremio de mercaderes, tras montar a lomos de su mula, se puso también en marcha. El jefe sirio se sintió feliz por tener a Alí consigo y se prendó de él. Al caer la noche todos pararon, comieron y bebieron, y cuando llegó el momento de dormir, Alí se colocó cerca del jefe y fingió estar dormido, mientras éste se acostaba cerca de él. Entonces Alí se levantó de su sitio y se sentó cerca de la puerta de la tienda del mercader. El jefe de la caravana, al darse vuelta con la intención de abrazar a Alí, no lo encontró. Pensó: «Quizás había dado cita a alguien que se lo cogió; pero yo soy más digno de tenerlo, y por ello le entretendré otra noche. Alí siguió en la puerta de la tienda del mercader hasta que se acercó el alba. Entonces entró y se durmió junto al jefe, el cual, al despertar y verle allí, pensó: «Si le pregunto dónde estuvo, me abandonará y se irá». Por ello siguió disimulando, y así llegaron cerca de una cueva junto a la cual empezaba un bosque. En aquel bosque había un león feroz, y los miembros de la caravana, cada vez que pasaban por allí, echaban suertes entre ellos y entregaban al león al que la suerte había designado. Echaron suertes y le tocó precisamente al jefe del gremio de mercaderes. En aquel momento el león les cortó el camino, en espera de la persona que, como botín, le había de corresponder de la caravana. El jefe del gremio de mercaderes, muy emocionado, habló al jefe de la caravana: «¡Dios no te permita poseer fortuna y haga inútil tu viaje! Te encargo de que, después de mi muerte, entregues mis cosas a mis hijos». «¿Cuál es la causa de toda esta historia?», preguntó Alí el Pícaro. Y lo pusieron al corriente del asunto. «¿Y por qué huís ante la fiera? Yo me encargo de matarla.» Entonces el jefe de la caravana se dirigió al mercader y le repitió aquellas palabras. «Si lo mata —prometió el mercader— le daré mil dinares.» «También nosotros le daremos algo», añadieron los demás mercaderes. Alí se levantó, se quitó la capa y quedaron al descubierto armas de guerra de buen acero. Cogió una espada de acero, dio vuelta a la espiral y se plantó solo ante el león, gritándole. La fiera se abalanzó sobre él; pero Alí al-Misrí, mientras el jefe de la caravana y los mercaderes lo miraban, le clavó la espada entre los ojos y lo partió en dos mitades. «No temas, tío», le dijo al jefe de la caravana. «Hijo mío, desde ahora soy tu siervo.» El mercader se levantó, lo abrazó y lo besó en la frente, le entregó los mil dinares, y cada mercader le dio veinte dinares. Alí entregó todo el dinero al mercader, y todos se pusieron a dormir. Por la mañana emprendieron la marcha hacia Bagdad y llegaron al Bosque de los Leones y al Valle de los Perros, donde se encontraron con un beduino prepotente y salteador de caminos, que iba con una cábila. El beduino, con los suyos, los asaltó, y la gente huyó ante los asaltantes. «Mi fortuna se ha perdido», lloriqueó el mercader. Entonces se adelantó contra ellos Alí, revestido de coraza de cuero, llena de cascabeles. Sacó su lanza, montó las diversas partes, robó uno de los caballos del beduino, montó en él y dijo al salteador: «Baja a luchar conmigo con la lanza» y, mientras, agitaba los cascabeles. Los caballos del beduino se asustaron a causa de los cascabeles, y Alí golpeó la lanza del beduino y la partió. Luego lo hirió en el cuello y le saltó los sesos. Al ver actuar a Alí, la gente del beduino se lanzó contra él. «¡Dios es grande!», exclamó Alí, se lanzó contra ellos, los derrotó y ellos huyeron. Entonces Alí levantó los sesos del beduino con la punta de la lanza, y los mercaderes, después de haberle hecho regalos, se pusieron en marcha y llegaron a Bagdad. Alí el Pícaro pidió al mercader su dinero, y cuando éste se lo hubo dado, lo entregó al jefe de la caravana, diciéndole: «Cuando vayas a El Cairo, pregunta por mi cuartel y entrega el dinero al guardián». Luego se fue a dormir.

Por la mañana entró en la ciudad y dio vueltas por ella preguntando por el cuartel de Ahmad al-Danif; mas nadie se lo indicó. Entonces se echó a andar y llegó a la plaza de al-Nafd, donde jugaban unos niños, entre ellos un muchacho llamado Ahmad al-Laqit. Alí se dijo: «No pidas noticias sino a los más pequeños» y, volviéndose sobre sí mismo, vio a un vendedor de dulces, al que le compró *halawa*. Entonces llamó a los niños. En seguida, Ahmad al-Laqit apartó a los niños, se adelantó y preguntó a Alí: «¿Qué quieres?» Alí le dijo: «Yo tenía un hijo, que murió. Lo he visto en sueños y pedía *halawa*, y la he comprado. Ahora quiero dar un pedazo a cada niño». Dio un trozo a Ahmad al-Laqit, y éste, al mirarlo, vio que a él iba pegado un dinar. «¡Vete! —exclamó—, ¡yo no hago porquerías! Pregunta quién soy yo.» «Hijo mío, no acepta el salario sino el pícaro y no facilita el salario sino el pícaro. He dado vueltas por la ciudad buscando el cuartel de Ahmad al-Danif, pero nadie me lo ha dicho. Este dinar será tu paga si me indicas dónde está el cuartel de Ahmad al-Danif.» El niño contestó: «Yo correré delante de ti, y tú correrás detrás de mí. Cuando esté cerca del cuartel, daré un puntapié a una piedra, la lanzaré contra la puerta, y así sabrás cuál es». El niño se echó a correr, y Alí tras él, hasta que el muchacho dio un puntapié a una piedra y la lanzó contra la puerta del cuartel, y así Alí lo reconoció.

Sahrazad se dio cuenta de que amanecía e interrumpió el relato para el cual le habían dado permiso.

Cuando llegó la noche *setecientas once,* refirió:

—Me he enterado, ¡oh rey feliz!, de que [Alí] entonces cogió al muchacho con la intención de arrebatarle el dinar; pero no lo consiguió. «Vete —le dijo entonces—, mereces respeto, pues eres sagaz, muy inteligente y muy valeroso. Si Dios quiere que me nombren capitán del Califa, haré de ti uno de mis muchachos.» El muchacho se marchó. Alí al-Zaybaq al-Misrí se acercó al cuartel y llamó a la puerta. «Guardián, abre la puerta —mandó Ahmad al-Danif—, ésta es la manera de llamar de Alí al-Zaybaq al-Misrí.» Abrió la puerta y Alí llegó a presencia de Ahmad al-Danif, lo saludó, lo besó y lo abrazó, y los cuarenta lo saludaron también. Luego Ahmad al-Danif le mandó ponerse un vestido, diciéndole: «Cuando el Califa me nombró capitán suyo, vistió a mis satélites, y yo reservé este vestido para ti». Lo hicieron sentar entre ellos, en el centro de la reunión. Trajeron comida, de la que comieron, y bebidas, de las que estuvieron bebiendo hasta llegar la mañana, por lo que quedaron borrachos. «Ve con cuidado y no corretees por Bagdad —dijo Ahmad al-Danif a Alí al-Misrí—. Permanece en el cuartel.» Pero Alí preguntó: «¿Por qué? ¿Acaso vine para permanecer encerrado? He venido para corretear». «Hijo mío, no creas que Bagdad es como El Cairo. Ésta es Bagdad, la sede del Califato, en la que hay muchos pícaros: la mala vida crece en ella como las malas hierbas surgen de la tierra.» Y Alí permaneció tres días en el cuartel.

«Quiero hacerte llegar junto al Califa —le dijo Ahmad—, para que te señale un sueldo.» «Cuando llegue el momento», contestó Alí. Y Ahmad lo dejó y se fue a sus asuntos.

Cierto día, mientras Alí estaba en el cuartel, se le acongojó el corazón y se le oprimió el pecho. «¡Ea! —se dijo a sí mismo—, vete a dar una vuelta por Bagdad y se te ensanchará el pecho.» Salió y fue de calle en calle. En el mercado vio una tienda, entró en ella, comió, salió para lavarse las manos y tropezó con cuarenta esclavos, que llevaban espadas de acero y fieltros y marchaban de dos en dos. Al final de la comitiva, y montada sobre una mula, iba Dalila la Taimada, con penacho dorado y casco de acero en la cabeza, cota de mallas y demás cosas por el estilo. Dalila salía del diván e iba hacia la posada. Al ver a Alí al-Zaybaq al-Misrí, lo miró atentamente: notó que se parecía a Ahmad al-Danif en lo alto y robusto; que llevaba capa, albornoz, espada de acero, etcétera; que en su rostro se leía el valor, lo cual era un testimonio favorable para él. Marchó hacia la posada y se reunió con su hija Zaynab. Cogió la tableta geomántica, dispuso la arena y apareció patente que se llamaba Alí al-Misrí, y que su buena estrella habría de vencer la suerte de ella y de su hija Zaynab. «Madre mía, ¿qué has deducido de tu geomancia?» «Hoy he visto —contestó ella— un joven que se parece a Ahmad al-Danif, y temo que se entere de que tú has despojado a éste y a sus hombres, que entre en la posada y nos haga alguna jugarreta para vengar a su jefe y a sus cuarenta. Creo que se aloja en el cuartel de Ahmad al-Danif.» «¿Y eso qué importa? —inquirió Zaynab—. Creo que ya has hecho tus cálculos acerca de él.» A continuación, la joven se puso el vestido más suntuoso que poseía y salió a dar vueltas por la ciudad. La gente, al verla, quedaba prendada de ella, mientras ella prometía y violaba su promesa, escuchaba y las hacía de todas clases. Fue de zoco en zoco hasta que vio que Alí al-Misrí se acercaba a ella. Lo rozó con el hombro, se volvió hacia él y le dijo: «¡Dios haga vivir a quienes ven!» Alí exclamó: «¡Qué graciosa eres! ¿A quién perteneces?» «A un bellaco como tú.» «¿Eres casada o soltera?» «Soy casada.» «¿Nos vemos en tu casa o en la mía?» «Yo soy hija de un mercader, y también mi marido es mercader, y nunca salí hasta hoy. Había preparado comida y quería comer; pero no tuve ganas. Y cuando te vi, mi corazón se prendó de ti. ¿Puedes hacerme este favor, y comer un bocado en mi casa?» Alí contestó: «El que sea invitado, que acepte la invitación». Y ella se echó a andar de calle en calle, seguida por Alí. Pero mientras iba andando tras ella, Alí pensó: «¿Cómo puedes hacer eso? Eres extranjero, y se dice: "¡Quien comete adulterio en tierra extraña, Dios lo devuelve a su casa desilusionado!" Despídela, pues, con buenos modos». Y le dijo así: «Toma este dinar y señala otro momento que no sea éste». Pero ella exclamó: «¡Por el gran nombre de Dios! Esto es imposible. Tú vendrás conmigo a esa casa y yo seré afectuosa contigo». Entonces él la siguió, y llegaron al umbral de una casa que tenía un gran portón, y la aldaba estaba cerrada. «Abre esa aldaba», dijo la joven. «¿Dónde está la llave?» «Se ha perdido.» «Quien abre una aldaba sin llave es un delincuente, y el juez debe castigarlo. Yo no conozco ningún modo de abrirlo sin llave.» Ella se levantó el velo del rostro y Alí le echó una mirada a la que siguieron mil suspiros. Luego Zaynab dejó caer su velo sobre la aldaba y, tras pronunciar los nombres de la madre de Moisés, la abrió sin llave, entró, y el joven la siguió; en el interior vio espadas y armas de acero. Ella se quitó el velo y se sentó con él. «Cumple lo que Dios ha decretado acerca de ti», pensó Alí, y se inclinó hacia ella para darle un beso en la mejilla; mas la joven, poniendo su mano sobre la mejilla, objetó: «Sólo de noche puede haber afecto». Trajo una mesa servida, y vino. Los dos comieron y bebieron. Luego ella se levantó para llenar el aguamanil en el pozo, derramó agua sobre sus manos y él se las lavó. Mientras estaban así, la mujer se golpeó el pecho y exclamó: «Mi marido tenía un anillo de jacinto que le habían dado como prenda por quinientos dinares. Yo me lo puse, y como me iba ancho, reduje el aro con cera. Cuando hice bajar el cubo, el anillo se me cayó al pozo. Vuélvete, pues, hacia la puerta, para que yo me desnude y baje al pozo a cogerlo». «Sería una vergüenza para mí que bajases tú y yo permaneciera aquí; bajaré yo mismo.» Se quitó la ropa, se ató a la cuerda, y Zaynab lo bajó al pozo, en el que había mucha agua. «La cuerda es corta —dijo Zaynab—: suéltate y baja.» Alí se desató, bajó al agua y se zambulló sin conseguir llegar al fondo.

Entretanto, la mujer se puso de nuevo el velo, cogió los vestidos de Alí y se fue junto a su madre.

Sahrazad se dio cuenta de que amanecía e interrumpió el relato para el cual le habían dado permiso.

Cuando llegó la noche *setecientas doce,* refirió:

—Me he enterado, ¡oh rey feliz!, de que [Zaynab se fue junto a su madre] a la que contó : «He despojado a Alí al-Misrí y lo he echado al pozo del Emir Hasán, el dueño de la casa. ¡Le costará bastante salvarse!»

El dueño de la casa, el Emir Hasán, estaba ausente, pues se hallaba en el diván. Cuando regresó y vio que su casa estaba abierta, preguntó al criado: «¿Por qué no echaste la aldaba?» «Mi señor, la cerré con mis propias manos», aseguró el criado. «Entonces, ¡juro por mi cabeza que en mi casa ha entrado un ladrón!» El Emir Hasán entró en la casa y dio vueltas por ella, pero no vio a nadie. «Llena el cubo para que pueda hacer las abluciones», dijo al criado. Éste cogió el cubo y lo echó abajo; pero mientras lo iba subiendo notó que pesaba; se asomó al pozo, y al ver a un individuo acurrucado en el cubo, lo dejó caer de nuevo y gritó: «¡Mi señor, del pozo ha subido un *efrit*». «Ve a buscar cuatro alfaquíes —le dijo el Emir Hasán— para que lean el Corán y se vaya.» Y cuando los alfaquíes llegaron, les dijo: «Poneos alrededor de este pozo y leed el Corán a este *efrit*». Luego acudieron el esclavo y el criado y echaron el cubo. Alí al-Misrí se colgó de él, se escondió y esperó pacientemente a que el cubo estuviera cerca de ellos. Entonces saltó del cubo y se sentó entre los alfaquíes, que se golpearon el rostro, mientras decían: «¡Al *efrit*, al *efrit*!» Pero el Emir Hasán, al darse cuenta de que Alí era un hermoso joven, preguntó: «¿Eres un ladrón?» «No», contestó Alí. «Entonces, ¿para qué bajaste al pozo?» «Me quedé dormido y tuve una polución. Por ello bajé al Tigris para hacer ablución completa. Cuando me hube arrojado, el agua me arrastró bajo el suelo, hasta que salí por este pozo.» «Di la verdad», insistió el Emir. Y Alí le contó todo lo que le había ocurrido. El Emir lo hizo salir de la casa con un vestido viejo, y Alí se fue al cuartel de Ahmad al-Danif, a quien contó lo sucedido. «¿No te dije —observó Ahmad —que hay en Bagdad mujeres que engañan a los hombres?» Y entonces, Alí Kitf al-Chamal le dijo: «¡Juro por el gran nombre de Dios! Dime: ¿cómo lograste ser capitán de malandrines en El Cairo, puesto que te has dejado despojar por una joven?» Esto le sentó mal a Alí, y se arrepintió de haber salido. Cuando Ahmad al-Danif le hubo dado otro vestido, Hasán Sumán le dijo: «¿Conoces a la joven?» «No», contestó. «Pues bien, es Zaynab, la hija de Dalila la Taimada, la portera de la posada del Califa. Alí, ¿has caído en sus redes?» «Sí.» «Has de saber que ella robó los vestidos de tu jefe y los de todos sus satélites», prosiguió Hasán. «¡Eso es una ignominia para vosotros!», exclamó Alí. «¿Y qué quieres hacer ahora?» «Mi intención es casarme con ella.» «¡Nunca, nunca lo conseguirás! Consuela a tu corazón acerca de ella.» «¿Cómo lograría casarme con ella, oh, Sumán?», preguntó Alí. «Yo te lo diré con mucho gusto. Si bebes de mi mano y marchas bajo mi bandera, lograrás tu propósito.» «De acuerdo.» «Entonces, quítate los vestidos, Alí.» Alí se desnudó, y el otro cogió un caldero, puso a hervir en él algo parecido a pez, y con el ungüento lo untó, hasta que Alí quedó semejante a un esclavo negro. Le untó labios y mejillas, esparció sobre sus ojos colirio rojo, le hizo ponerse vestidos de siervo, trajo una mesa con un cordero asado y vino, y le dijo: «En la posada hay un esclavo cocinero, y ahora tú eres igual que él. Él necesita del mercado sólo carne y verdura. Dirígete a él con buenos modos, y, hablándole en el lenguaje de que se valen los esclavos, salúdale y dile: "Hace ya mucho que no nos hemos encontrado juntos en una tienda de *buza*". Él te contestará: "Yo estoy ocupado y he de atender a cuarenta esclavos, para los cuales guiso la comida y la cena, y luego he de dar de comer a los perros y preparar la mesa para Dalila y para su hija Zaynab." Pero tú insistes: "Vente a comer cordero asado y a beber *buza*". Entra con él en el cuartel, embriágalo y luego pregúntale cuántos platos guisa, qué da de comer a los perros, dónde está la llave de la cocina y la de la despensa. Él te lo dirá, porque el borracho explica todo lo que calla cuando está sereno. Luego dale un narcótico y ponte sus vestidos y los cuchillos a la cintura. Coge la espuerta de la verdura y ve al mercado; compra carne y verdura, y luego ve a la despensa y prepara la comida. Cógela y entra hasta donde está Dalila, en la posada. Echa un narcótico en la comida para narcotizar a los perros, a los esclavos, a la misma Dalila y a su hija Zaynab. Luego sube al palacio y tráete aquí todos los vestidos que allí haya. Y si pretendes casarte con Zaynab, tráete también las cuarenta palomas que transportan las cartas».

Alí salió. Vio al esclavo cocinero, lo saludó y le dijo: «Hace ya mucho que no nos hemos encontrado en la tienda de *buza*». «Yo estoy ocupado en guisar para los esclavos y los perros», contestó el negro. Alí lo cogió, lo embriagó y le preguntó: «¿Cuántos platos de comida preparas?» Y el cocinero contestó: «Todos los días, cinco para comer y cinco para cenar. Además, ayer me pidieron un sexto plato, que fue *zarada,* y un séptimo plato, un guiso de granos de granada». «¿Y cómo sirves las comidas que preparas?» «Pongo la mesa para Zaynab, y luego para Dalila. Luego doy de comer a los esclavos, y después a los perros, y a todos ellos les doy de comer carne suficiente; lo menos que les puede bastar es un *ratl.*» Pero el destino hizo que Alí se olvidara de pedir las llaves. Despojó al negro de sus vestidos y se los puso él, cogió la espuerta y fue al mercado, donde compró la carne y la verdura.

Sahrazad se dio cuenta de que amanecía e interrumpió el relato para el cual le habían dado permiso.

Cuando llegó la noche *setecientas trece*, refirió:

—Me he enterado, ¡oh rey feliz!, de que luego regresó, cruzó la puerta de la posada y vio que Dalila estaba sentada inspeccionando a los que entraban y salían. Vio también a los cuarenta esclavos armados, pero se armó de valor. Mas cuando lo vio Dalila, lo reconoció y exclamó: «¡Atrás, jefe de ladrones! ¿Quieres hacerme alguna jugarreta en la posada?» Alí al-Misrí, que iba disfrazado de esclavo, se volvió hacia Dalila y le dijo: «¿Qué dices, portera?» «¿Qué has hecho del esclavo cocinero? Dime, ¿qué has hecho de él? ¿Lo has matado o le has dado un narcótico?» Pero Alí preguntó: «¿Qué esclavo cocinero? ¿Acaso hay otro esclavo cocinero que no sea yo?» «¡Mientes! Tú eres Alí al-Zaybaq al-Misrí.» «Portera —dijo Alí en el habla de los esclavos—, ¿los de El Cairo son blancos o negros? Yo no quiero servir más.» «¿Qué te ocurre, primo?», le preguntaron entonces los esclavos. «Éste no es vuestro primo —interrumpió Dalila—. Éste es Alí al-Zaybaq al-Misrí y, al parecer, ha narcotizado a vuestro primo o lo ha matado.» «Pero si éste es nuestro primo Saad Allah el cocinero», protestaron los negros. Dalila insistió: «No es vuestro primo, sino Alí al-Misrí, que se ha teñido la piel». «¿Qué Alí? Yo soy Saad Allah», exclamó Alí. Pero Dalila insistió: «Yo tengo grasa para hacer la prueba». Y trajo grasa, con la que le untó el brazo y lo frotó; pero lo negro no se fue. «Déjalo ir para que nos prepare la comida», insistieron los esclavos. «Si éste es vuestro primo —observó Dalila— sabrá lo que le pedisteis ayer y sabrá cuántos platos debe guisar diariamente.» Ellos le preguntaron acerca de los platos de los que le habían pedido la noche anterior. «Lentejas y arroz, caldo, estofado, agua de rosas y un sexto plato: *zarada*; y un séptimo plato: granos de granada; y lo mismo para cenar.» «¡Ha dicho la verdad!», exclamaron los esclavos. Pero la vieja insistió: «Entrad con él: si reconoce la cocina y la despensa, significa que es vuestro primo. Si no, matadlo».

Ahora bien, resulta que el cocinero había criado un gato, y todas las veces que él iba a entrar en la cocina, el animal se paraba ante la puerta; luego, cuando él entraba, el gato saltaba sobre su hombro. Al entrar Alí, el gato lo vio y saltó sobre su hombro. Alí se lo quitó de encima, el gato corrió hasta la cocina, y Alí adivinó que el animal sólo había podido pararse ante la puerta de la cocina. Cogió entonces las llaves, y al ver que en una de ellas se veían restos de plumas, supo que aquélla era la llave de la cocina. La abrió, dejó la verdura y salió. El gato corrió ante él, dirigiéndose a la puerta de la despensa. Alí supuso que sería la despensa, cogió las llaves y vio que una de ellas tenía huellas de grasa, y comprendió que era la llave de la despensa, y la abrió. Los esclavos observaron: «Dalila, si hubiera sido un extraño no habría sabido cuál era la cocina ni cuál la despensa, ni habría reconocido, entre todas las llaves, la de cada sitio. Por tanto, no cabe duda de que es nuestro primo Saad Allah». Dalila insistió: «Sólo por medio del gato ha reconocido los locales y las llaves por lo que había pegado a ellas. Yo no me trago este cuento».

Alí entró en la cocina, guisó la comida y subió la mesa a Zaynab y vio en su palacio todos los vestidos. Luego bajó, sirvió la mesa a Dalila y dio de comer a los esclavos y a los perros. Y lo mismo hizo para la cena. Ahora bien, la puerta de la posada sólo se abría y cerraba al levantarse y ponerse el Sol. Después Alí gritó: «¡Habitantes de la posada!: los esclavos han empezado la vela para la guardia, hemos soltado los perros. El que quiera subir, que no se censure más que a sí mismo». Alí había retrasado el dar de comer a los perros. Había puesto veneno en la comida y luego la había llevado a los animales, por lo que los perros, después de haber comido, murieron. Narcotizó a todos los esclavos, y también a Dalila y a su hija Zaynab. Entonces subió, cogió todos los vestidos y las palomas mensajeras, abrió la posada, salió y se echó a andar hasta llegar al cuartel. Hasán Sumán lo vio y le preguntó qué había hecho, y Alí le contó todo lo ocurrido. Hasán le dio las gracias, y luego, después de haber recogido los vestidos, se puso a hervir hierbas, lo lavó con la mezcla y Alí quedó blanco como antes. Entonces Alí se dirigió al esclavo, le puso sus vestidos, le dio un antídoto y el negro se levantó y marchó a casa del verdulero, donde cogió las verduras y regresó a la posada.

Esto es lo que se refiere a Alí al-Zaybaq al-Misrí.

En cuanto a Dalila la Taimada, cuando amaneció, un mercader de los que vivían en la posada salió de su habitación y vio que la puerta de la posada estaba abierta, que los esclavos estaban narcotizados, y los perros, muertos. Fue a ver a Dalila y la halló también narcotizada y con un pedazo de papel al cuello. Tenía sobre la cabeza una esponja con un antídoto, que el mercader puso debajo de la nariz de Dalila, y ésta volvió en sí. «¿Dónde estoy?», preguntó al volver en sí. El mercader contestó: «He bajado y he visto que la puerta de la posada estaba abierta. También te he encontrado narcotizada, y lo mismo a los esclavos. En cuanto a los perros, los he hallado muertos». Dalila cogió el pedazo de papel y vio escrito en él: «Todo esto lo ha hecho Alí al-Misrí». Hizo oler el antídoto a los esclavos y a su hija Zaynab, y dijo a los negros: «¿No os dije que era Alí al-Misrí? —y luego ordenó—: Guardad oculto el asunto». Se dirigió entonces a su hija. «¿Cuántas veces te dije que Alí no dejaría de vengarse? Ha obrado así como respuesta a lo que le hiciste. Más aún podría haberte hecho; pero se ha limitado a esto en honor a ti y como prueba de que quiere que haya amistad entre nosotros.»

Luego Dalila se quitó la indumentaria de hombre, se vistió de mujer, se ató el pañuelo al cuello y se dirigió al cuartel de Ahmad al-Danif.

Cuando Alí hubo entrado en el cuartel con los vestidos y con las palomas mensajeras, Sumán entregó al guardián el precio de otras cuarenta palomas, que éste había comprado, cocinado y colocado ante los hombres. De pronto Dalila llamó a la puerta, y Ahmad al-Danif exclamó: «Ésta es la manera de llamar de Dalila. Guardián, levántate y ve a abrirle». El guardián fue a abrir, y Dalila entró.

Sahrazad se dio cuenta de que amanecía e interrumpió el relato para el cual le habían dado permiso.

Cuando llegó la noche *setecientas catorce*, refirió:

—Me he enterado, ¡oh rey feliz!, de que Sumán preguntó: «¿Qué te trajo aquí, vieja de mal agüero? ¡Tú y tu hermano Zurayq, el pescadero, tramásteis juntos!» «Capitán —reconoció Dalila—, la culpa es mía. He aquí mi cabeza. Pero, dime: ¿quién de vosotros es el joven que me hizo esa jugada?» «Es el primero de mis hombres», contestó Ahmad al-Danif. «Entonces intercede ante él para que me traiga las palomas mensajeras y lo demás, y así me haréis un gran favor.» «¡Dios te recompense, Alí! —exclamó Hasán Sumán—. ¿Por qué guisaste esos pájaros?» «Yo no sabía que fuesen palomas mensajeras», contestó Alí. «¡Guardián! —llamó Ahmad—, trae una ración.» El aludido la trajo, y la mujer cogió un trozo de paloma, lo masticó y observó: «¡Esto no es carne de paloma mensajera! Yo las alimento con almizcle, y por eso su carne tiene gusto a almizcle». «Si tu deseo es coger las palomas mensajeras, colma previamente el deseo de Alí al-Misrí», le dijo Sumán. Y la vieja preguntó: «¿Cuál es su deseo?» «Que le des por esposa a tu hija Zaynab.» «Sólo por las buenas puedo dominarla.» «Entrégale las palomas», aconsejó entonces Hasán a Alí al-Misrí. Éste se las dio, y la mujer las recogió, contenta. «Es absolutamente necesario que nos des una respuesta definitiva», dijo Sumán. Y ella contestó: «Si su intención es casarse con ella, he de observar que la jugarreta que ha hecho no puede ser calificada de hábil. La verdadera habilidad consistiría en que la pidiese por esposa a su tío, el capitán Zurayq, que es su tutor, y que suele gritar: "¡Una medida de pescado por dos monedas de cobre!" En su tienda hay colgado un saco, en cuyo interior ha puesto dos mil piezas de oro». Cuando los asistentes oyeron hablar así a la vieja, se pusieron en pie y exclamaron: «¿Qué son estas palabras, desvergonzada? ¡Tú quieres hacernos perder a nuestro hermano Alí al-Misrí!»

En cuanto a Dalila, se alejó de ellos, se dirigió a la posada y dijo a su hija: «Alí al-Misrí te ha pedido a mí por esposa». La mujer se alegró, ya que, en el fondo, se había enamorado de él por la continencia de que había dado muestra con ella. Le preguntó a su madre qué había ocurrido, y Dalila le contó lo sucedido, y añadió: «Le he puesto como condición el que te pida por esposa a tu tío, y así lo he enviado al encuentro de la muerte».

En cuanto a Alí al-Misrí, se volvió hacia sus compañeros y preguntó: «¿Qué tipo es ese Zurayq? ¿Qué hace?», y le contestaron: «Era el jefe de los gamberros del Iraq, capaz de horadar una montaña, de coger las estrellas, de robar el colirio de los ojos. En todo esto no tiene igual. Pero se arrepintió de sus acciones, abrió una pescadería y con esta ocupación ha reunido dos mil dinares, que ha colocado en una bolsa; ha atado a la bolsa un cordón de seda, en el que ha puesto campanillas y cencerros de cobre; luego ha atado el cordón a una estaca por el interior de la puerta de la tienda y lo ha unido a la bolsa. Siempre que abre la tienda, cuelga la bolsa y grita: "¿Dónde estáis, bribones de El Cairo, rufianes del Iraq, granujas de Persia? Zurayq el pescadero ha colgado una bolsa en su tienda y será para quien demuestre ser hábil y logre cogerla con algún truco". Los malhechores codiciosos vienen con intención de cogerla; pero no lo consiguen, porque él, mientras fríe y enciende fuego, tiene bajo sus pies discos de plomo. Cuando alguien que codicia el dinero va a apoderarse de la bolsa aprovechándose de su descuido, Zurayq le da con un disco de plomo, lo aniquila y le mata. Alí, si te atreves a intentar apoderarte de ella, serás como quien se golpea el rostro en un funeral sin saber ni siquiera quién es el muerto. Tú no tienes fuerza para medirte con él, pues significaría para ti un serio peligro. No necesitas para nada casarte con Zaynab: quien prescinde de una cosa, también puede vivir sin ella». «¡Eso sería una vergüenza, hombre! —replicó Alí—. Debo imprescindiblemente apoderarme de la bolsa. Por tanto, traedme vestidos de mujer.» Se los dieron, se los puso, se tiñó con alheña y se puso un velo. Luego degolló un cordero, cogió la sangre y sacó los intestinos, los limpió y los volvió a cerrar por la parte inferior. Los rellenó de sangre y se los ató al muslo. Encima se puso las bragas, se calzó zuecos, se hizo senos con buches de pájaro, que llenó de leche; se enrolló a la cintura un poco de tela, puso algodón entre esto y su barriga y se fajó por encima con un paño completamente almidonado. Y así todos los que le veían exclamaban: «¡Qué hermosas asentaderas!». Pasó un arriero, y Alí, después de darle un dinar, montó en el asno, con el que partió hacia la tienda de Zurayq el pescadero. Allí vio la bolsa colgada y comprobó que en ella se veía oro. Zurayq estaba friendo pescado. «Arriero, ¿qué olor es éste?», preguntó Alí. «Es el olor de los pescados de Zurayq.» «Soy una mujer en estado, ese olor me molesta. Cógeme, pues, un trozo de pescado.» El arriero se dirigió a Zurayq y le dijo: «¿Acaso te has propuesto hacer notar el olor a las mujeres en estado? Viene conmigo la mujer del Emir Hasán Sarr al-Tariq, que está encinta y ha notado el olor. Dame un trozo de pescado para ella, pues el feto se mueve en su vientre. ¡Oh, protector, oh Dios mío, líbranos de las desgracias de este día!» Zurayq cogió un trozo de pescado con la intención de freírlo; pero el fuego se había apagado, por lo cual se fue adentro a encenderlo. Entretanto, Alí al-Misrí se había sentado, y, haciendo presión en los intestinos, los cortó, y la sangre empezó a correr por entre las piernas. «¡Ay, mi costado! ¡Ay, mi espalda!», se quejaba. El arriero se volvió, vio que la sangre corría, y preguntó: «Mi señora, ¿qué tienes?» Alí, que iba disfrazado de mujer, contestó: «¡He abortado!» Zurayq se asomó; mas al ver la sangre huyó de la tienda, asustado. «¡Dios haga dura tu vida, Zurayq!, maldijo el arriero. La mujer ha abortado y ahora tú no podrás soportar la indignación del marido. ¿Por qué le hiciste notar el olor, mientras yo te pedía que me dieras un trozo de pescado para ella y tú no querías?» El arriero cogió su asno y siguió su camino. Mientras tanto, cuando Zurayq había huido del interior de su tienda, Alí alargó la mano hacia la bolsa. La alcanzó; pero el oro que en ella había sonó, y tintinearon campanillas, cencerros y anillos. «¡Tu engaño ha salido a luz, sinvergüenza! Querías jugármela en mis propias barbas, disfrazado de mujer, ¿eh? Pues coge lo que te llega.» Y le lanzó un disco de plomo, que no dio en el blanco. Zurayq echó mano de otro; mas la gente, protestando contra él, interrumpió: «¿Eres comerciante o luchador? Si eres comerciante, baja la bolsa y evita perjuicios a la gente». Y Zurayq concluyó: «Bueno, en nombre de Dios».

Entretanto, Alí había marchado al cuartel, donde Sumán le preguntó qué había hecho, y él le refirió cuanto le había ocurrido. A continuación se quitó las prendas femeninas y dijo: «Sumán, tráeme vestidos de palafrenero». Y cuando se los hubo traído, los cogió y se los puso. Cogió luego un plato y cinco dirhemes y fue a ver a Zurayq el pescadero, el cual le preguntó: «¿Qué quieres, maestro?» Alí le enseñó los dirhemes que llevaba en la mano, y Zurayq quería darle el pescado que había en la tabla. Pero Alí le dijo: «Sólo aceptaré pescado caliente». Zurayq puso pescado en la sartén con la intención de freírlo; pero como el fuego se había apagado, entró a encenderlo. Entonces Alí alargó la mano para coger la bolsa, y llegó a tocar su extremo; pero tintinearon las campanillas, los anillos y los cencerros. «Tu jugada no me engañó, a pesar de que viniste disfrazado de palafrenero. Te reconocí por la manera de llevar en la mano el dinero y el plato.»

Sahrazad se dio cuenta de que amanecía e interrumpió el relato para el cual le habían dado permiso.

Cuando llegó la noche *setecientas quince,* refirió:

—Me he enterado, ¡oh rey feliz!, de que [Zurayq] lanzó contra él un disco de plomo. Alí al-Misrí se apartó, y el disco dio en una escudilla de barro llena de carne caliente. La escudilla se rompió, y la carne y el caldo grasiento se derramaron sobre la espalda del cadí, que pasaba por allí. Todo le cayó sobre el pecho y hasta los testículos. «¡Ay mis pelotas! —chilló el cadí—. ¡Maldito desventurado! ¿Quién me ha hecho esta faena?» «Señor nuestro —le contestó la gente—, es un muchacho pequeño que ha tirado una piedra y ha caído en la escudilla. ¡Dios nos libre de males peores!» Miraron alrededor y vieron el disco de plomo y a Zurayq el pescadero que lo había lanzado. Protestaron y le dijeron: «Zurayq, Dios no permite esto. Baja la bolsa, y será mejor para ti.» «Si Dios quiere, la bajaré», contestó Zurayq.

Entretanto, Alí al-Misrí había regresado al cuartel, donde se presentó a sus compañeros, que le preguntaron dónde estaba la bolsa. Él les contó todo lo acaecido, y ellos le dijeron: «¡Has malgastado dos terceras partes de tu habilidad!» Él se quitó lo que llevaba puesto, se disfrazó de mercader y salió. Vio a un encantador de serpientes que llevaba un saco de piel, en el cual iban serpientes, y una alforja, que contenía sus cosas, y le dijo: «Encantador, quiero que des un espectáculo ante mis hijos, y obtendrás recompensa». Y lo llevó al cuartel, donde le dio de comer y lo narcotizó. Luego se puso sus vestidos y se dirigió a Zurayq el pescadero, se acercó a él y tocó la flauta. «¡Dios te sustente!», le deseó Zurayq. Pero Alí sacó las serpientes y las echó ante él, y Zurayq, lleno de miedo ante aquellos animales, huyó al interior de la tienda. Alí cogió las serpientes, las metió en el saco de piel, extendió la mano hacia la bolsa y llegó a tocar un extremo; pero tintinearon los anillos, los cencerros y las campanillas. Y entonces Zurayq le dijo: «Tú sigues tratando de hacerme jugarretas, y ahora incluso te has disfrazado de encantador de serpientes». Y lanzó contra él un disco de plomo. Se acercaba entonces un soldado, tras el cual iba un palafrenero, y el disco dio en la cabeza de este último, que cayó al suelo. «¿Quién lo ha derribado al suelo?», preguntó el soldado. «Ha sido una piedra caída del tejado», le explicó la gente, y el soldado se marchó. Pero algunas personas miraron y vieron el disco de plomo, y por ello protestaron ante Zurayq. «Baja la bolsa», le dijeron. «Si Dios quiere, esta noche la bajaré», aseguró el pescadero.

Alí siguió engañando a Zurayq hasta hacerle siete jugarretas, pero sin lograr apoderarse de la bolsa. Devolvió sus vestidos al encantador de serpientes, le dio también sus cosas y lo compensó. Luego volvió a la tienda de Zurayq y lo oyó decir: «Si esta noche dejo la bolsa en la tienda, él abrirá una brecha y se la llevará. Así, pues, me llevaré la bolsa a mi casa». Se levantó, barrió la tienda, bajó la bolsa, se la puso en el pecho, y Alí lo siguió hasta cerca de su casa. Al ver que en casa de su vecino se celebraba una fiesta, Zurayq se dijo: «Iré primero a casa y le entregaré la bolsa a mi mujer. Luego me vestiré y volveré a la fiesta». Y marchó, mientras Alí seguía detrás de él.

Zurayq estaba casado con una esclava negra, una de las libertas del visir Chafar, y había tenido de ella un hijo varón al que puso el nombre de Abd Allah. Él le había prometido a su mujer que con la bolsa pagaría los gastos de la circuncisión, y que cuando casara al muchacho, gastaría el contenido en la fiesta nupcial.

Zurayq se presentó a su mujer con la cara triste. «¿Cuál

es la causa de tu tristeza?», le preguntó su mujer. «Dios me ha entristecido enviándome un bribón que me ha hecho siete jugarretas para robarme la bolsa, pero no ha podido arrebatármela.» «Dámela y la guardaré yo para la boda del muchacho», le aconsejó su esposa. Y Zurayq se la entregó.

Entretanto, Alí al-Misrí se había escondido en una habitación desde la cual podía ver y oír. Zurayq se quitó lo que llevaba puesto, se puso su traje de fiesta y dijo a su mujer: «Umm Abd Allah, guarda la bolsa. Yo me voy a la fiesta». «Tiempo tendrás luego de ir», dijo ella, y Zurayq se echó a dormir. Entonces Alí, andando de puntillas, cogió la bolsa, fue a la casa en que se celebraba la fiesta y allí se puso a observar. Entretanto, Zurayq vio en sueños que un pájaro cogía la bolsa. Despertó asustado y dijo a Umm Abd Allah: «Anda, ve a ver si está la bolsa». Ella fue a verlo, y al no hallarla, se golpeó el rostro con las manos. «¡Qué negra es tu suerte, Umm Abd Allah! —lloriqueó—. El bribón ha cogido la bolsa.» «¡Por Dios! —exclamó Zurayq—, nadie sino el bribón de Alí ha podido hacerlo. ¡Nadie sino él la ha cogido! ¡He de recuperarla!» Su mujer lo amenazó: «Si no traes la bolsa, te cerraré la puerta y dormirás en la calle».

Zurayq se dirigió a la fiesta, vio que el granuja de Alí estaba mirando, y se dijo: «Éste es el que me ha quitado la bolsa. Pero él reside en el cuartel de Ahmad al-Danif». Por eso, Zurayq se le adelantó, llegó al cuartel, lo escaló por detrás, bajó y se encontró con que los hombres dormían. De repente, Alí llamó a la puerta. «¿Quién está en la puerta?», preguntó Zurayq. «Ali al-Misrí.» «¿Trajiste la bolsa?» Alí, creyendo que le preguntaba Sumán, contestó: «Sí, la traje. Abre la puerta». «No puedo abrirte sin antes haberla visto, pues entre yo y tu jefe hemos hecho una apuesta.» «Entonces extiende la mano», le dijo Alí. Zurayq alargó la mano tras la puerta, y Alí le entregó la bolsa. La cogió, salió por el mismo sitio que había bajado, y se fue a la fiesta, mientras Alí seguía allí, en la puerta, sin que nadie le abriese. Por eso golpeó con violencia, y los hombres se despertaron, diciendo: «Ésta es la manera de llamar de Alí al-Misrí». El guardián abrió la puerta y le preguntó: «¿Has traído la bolsa?»

«Basta de bromas, Sumán. ¿No te la he entregado desde detrás de la puerta y tú me juraste que no me abrirías si no te enseñaba la bolsa?» «¡Por Dios! —exclamó Sumán—, no la he cogido sino que ha sido el propio Zurayq quien lo ha hecho.» «Es absolutamente necesario que la vuelva a traer», dijo Alí. Y salió en dirección a la fiesta.

Allí oyó que el bufón decía: «¡Bravo, Abu Abd Allah! ¡Lo mismo te deseo para tu hijo!» «La suerte está de mi parte», pensó Alí, y se dirigió a casa de Zurayq, subió por la parte posterior del edificio y se introdujo en él. Vio que la mujer dormía, la narcotizó, se puso su vestido, cogió al niño y se puso a buscar un cesto en el cual había pastas, de las que Zurayq, dada su avaricia, se había apoderado en la fiesta.

Zurayq volvió a su casa. Llamó a la puerta, y Alí, fingiendo ser la mujer, le preguntó: «¿Quién está en la puerta?» «Abu Abd Allah», contestó Zurayq. «Juré que no abriría la puerta si no traías la bolsa.» «La he traído.» «Dámela antes de que te abra la puerta.» Alí deslizó el cesto, y Zurayq puso en él la bolsa. Alí el pícaro la cogió, y luego, después de haber narcotizado al muchacho, despertó a la mujer, bajó por donde había subido y se fue al cuartel. Fue a ver a sus compañeros y les enseñó la bolsa y el muchacho que había traído consigo. Ellos le dieron las gracias, y Alí les repartió las pastas, de las que comieron. «Sumán —dijo entonces Alí—, este muchacho es hijo de Zurayq. Tenlo escondido.» Sumán lo cogió y lo ocultó. Trajo luego un cordero, lo degolló y lo entregó al guardián, que lo guisó como comida y lo envolvió en una mortaja para que pareciera un muerto.

En cuanto a Zurayq, durante un rato siguió junto a la puerta; pero luego llamó violentamente. «¿Trajiste la bolsa?», le preguntó su mujer. «¿No la cogiste tú en el cesto que me echaste?» «No he echado ningún cesto ni he visto ninguna bolsa ni la he cogido.» «¡Por Dios! —exclamó Zurayq—, ese granuja de Alí llegó antes que yo y se la ha llevado.» Miró en la casa y vio que faltaban las pastas y que el muchacho no estaba. «¡Ay, mi niño!», exclamó. La mujer se golpeó el pecho y amenazó: «¡Nos veremos ante el visir! Nadie sino el pícaro que te hace las jugarretas ha matado a mi hijo, y ello por tu culpa». «Yo garantizo que volveré a traer al niño», aseguró Zurayq.

A continuación, y después de haberse atado al cuello un pañuelo, se dirigió al cuartel de Ahmad al-Danif. Llamó a la puerta, el guardián le abrió, y él llegó a presencia de los hombres. «¿Qué te trae?», le preguntó Sumán. «Interceded por mí ante Alí al-Misrí para que me entregue a mi hijo, y yo le perdonaré el robo de la bolsa de oro.» Sumán le dijo: «¡Ojalá Dios te recompense, Alí! ¿Por qué no me dijiste que era tu hijo?» «Pues, ¿qué le ha ocurrido?», preguntó Zurayq, y Sumán le explicó: «Le dimos de comer pasas, se atragantó y murió: ¡éste es!» «¡Pobre hijo mío! ¿Qué le diré a su madre?» Desató la mortaja y... vió que era un cordero. «Me asustaste, Alí», dijo entonces. Le entregaron a su hijo, y Ahmad al-Danif le dijo: «Tú habías colgado la bolsa para quien fuese capaz de cogerla. Si algún granuja la hubiese cogido, habría sido para él. Por consiguiente, ahora es propiedad de Alí al-Misrí». «Y yo se la regalo», exclamó Zurayq. «Tómala para Zaynab, la hija de tu hermana», le dijo Alí al-Zaybaq al-Misrí. «La acepto.» «La pedimos por esposa para Alí al-Misrí», declararon todos. «Sólo por las buenas puedo con ella.» Y cogió a su hijo y la bolsa. «¿Aceptas la petición de matrimonio de nuestra parte?», insistió Sumán. «Sólo la acepto de quien puede ofrecer la donación nupcial.» «¿En qué consiste tal donación?» Ella ha jurado que no la poseerá sino quien le traiga el vestido de Qamar, la hija de Esdras, el judío, y también todas sus demás cosas...»

Sahrazad se dio cuenta de que amanecía e interrumpió el relato para el cual le habían dado permiso.

Cuando llegó la noche *setecientas dieciséis,* refirió:

—Me he enterado, ¡oh rey feliz!, de que [Zurayq prosiguió:] »...la corona, la guirnalda y la babucha de oro.» «Si no te entrego esta noche el vestido de Qamar, no tendré derecho a pedir a Zaynab por esposa», aseguró Alí. Todos protestaron: «¡Pero Alí, morirás si le haces alguna jugarreta!» «¿Por qué?» «Esdras el judío es un mago astuto y engañador que se vale de los genios. Posee fuera del reino un palacio cuyos muros están hechos de un ladrillo de oro y otro de plata. Este palacio sólo es visible cuando él está en su interior; cuando él no está, el palacio se esfuma. Esdras echó al mundo una hija llamada Qamar, a la que ofreció, de un tesoro, ese vestido. El judío pone el vestido en un recipiente de oro, abre las ventanas del palacio y grita: "¿Dónde están los bribones de Egipto, los rufianes del Iraq y los granujas de Persia? Quien logre apoderarse del vestido, suyo será". Todos los bribones han intentado cogerlo mediante estratagemas, pero no han podido conseguirlo, y él los ha transformado en monos y asnos.» «Yo he de cogerlo a toda costa —dijo Alí—, y será el vestido de novia de Zaynab, la hija de Dalila la Taimada.»

Alí se dirigió a la tienda del judío. Vio que éste, hombre ordinario y rudo, tenía una balanza, un cesto, oro y plata, y las cajas para el dinero, y también vio en su tienda una mula. El judío se levantó, cerró la tienda y colocó el oro y la plata en dos sacos, que puso en unas alforjas, y éstas, sobre la mula. Montó en ella y se echó a andar hasta llegar fuera de la ciudad. Alí al-Misrí lo seguía, pero el judío no se había dado cuenta de ello. Esdras sacó tierra de un saco que llevaba en el bolsillo, pronunció conjuros, la esparció por el aire, y Alí el Pícaro vio un palacio sin par. La mula, que era un genio maléfico del que se valía el judío, subió las escaleras con Esdras, y, una vez hubo éste bajado las alforjas de la mula, el animal se fue y desapareció. El judío se sentó en el palacio, y, mientras Alí miraba cuanto hacía, trajo una vara de oro, colgó de ella un recipiente de oro con cadenas, también de oro, y colocó en el recipiente el vestido, que Alí vio desde detrás de la puerta. Y el judío gritó: «¿Dónde están los bribones de Egipto, los rufianes del Iraq y los granujas de Persia? Este vestido será de quien logre apoderarse de él con habilidad». Al acabar de decir esto, pronunció otras palabras mágicas, y ante él apareció una mesa de vino, y él bebió. Alí se dijo: «Tú podrás apoderarte de ese vestido sólo cuando él esté borracho», y se colocó a su espalda y desenvainó un sable de acero. El judío se volvió, pronunció palabras mágicas y mandó a la mano de Alí: «Detén el sable». La mano de Alí se paró en el aire con el sable. Alí extendió su mano izquierda; pero también se detuvo en el aire, y lo mismo le ocurrió con el pie derecho. De esta forma, Alí quedó apoyado en el suelo con un pie. Entonces el judío deshizo el encantamiento, y Alí al-Misrí volvió a quedar como antes. El judío preparó con arena una tableta geomántica, y por ella averiguó que aquel hombre se llamaba Alí al-Misrí. «Ven aquí —dijo—. ¿Quién eres y qué haces?» «Soy Alí al-Misrí, un secuaz de Ahmad al-Danif. He pedido por esposa a Zaynab, la hija de Dalila la Taimada, y me han señalado como donación nupcial el vestido de tu hija. Por ello, si quieres salvarte, entrégamelo y quedarás a salvo». «Te lo daré después de que hayas muerto —le contestó el judío—. Mucha gente ha urdido estratagemas para apoderarse del vestido, pero no ha logrado arrebatármelo. Si quieres aceptar mi consejo, te salvarás. Te han pedido el vestido sólo para hacerte morir, y si yo no hubiera visto que tu suerte prevalecerá sobre la mía, ya te habría decapitado.» Alí, contento por el hecho de que el judío había averiguado que su buena suerte prevalecería sobre la de él, le dijo: «Es absolutamente necesario que me apodere del vestido, y tú quedarás salvado.» «¿Es verdaderamente ésta tu intención? ¿Verdaderamente?» «Sí.» El judío cogió una jofaina, la llenó de agua, y mientras iba recitando conjuros, dijo: «Sal de la forma humana y adopta las semblanzas de un asno». Lo roció con agua, y Alí se transformó en asno, con cascos y orejas largas, y se puso a rebuznar. Después, el judío trazó alrededor de él un círculo, que se convirtió en pared, y él siguió bebiendo hasta la mañana. «Yo montaré en ti y así mi mula podrá descansar», dijo luego. Colocó el vestido, el recipiente, la vara y las cadenas en una alacena, y salió después de haber pronunciado palabras mágicas sobre Alí, que lo siguió. Le puso las alforjas sobre su espalda, y montó en él. El palacio se esfumó, y el judío marchó montado en Alí. Desmontó en su tienda, y allí vació el saco de oro y el de plata en los cajones que tenía ante él. Ató a Alí, quien, a pesar de tener el aspecto de asno, sentía y razonaba, aunque no podía hablar.

En esto llegó un hombre, hijo de mercader, a quien el tiempo le había sido esquivo y no halló oficio más agradable que el de aguador. Cogió brazaletes y anillos de su esposa y fue a ver al judío. «Dame el precio de estos brazaletes para que con ello pueda comprarme un asno», le dijo. «¿Qué quieres transportar?», le preguntó el judío. «Maestro, colocaré en él recipientes llenos de agua del río, y con lo que de ellos saque podré comer.» «Entonces, coge este asno.» El hijo del mercader le entregó los brazaletes y cogió el asno. El judío le entregó el cambio, y aquél marchó a su casa junto con Alí al-Misrí, atado. Alí pensó: «Cuando el arriero me haya puesto los maderos y el odre, y haya hecho diez viajes, las fuerzas me faltarán y moriré». La mujer del aguador se acercó a él para darle su ración de forraje; pero Alí le dio con la cabeza un golpe que la hizo caer de espaldas. Saltó sobre ella, y con el hocico le pegó en la cabeza, y entonces desenvainó lo que su padre le había dado. La mujer se puso a gritar, y los vecinos se acercaron y apalearon a Alí, apartándolo de encima del pecho de la mujer. Entonces llegó a casa el marido, que quería salir con el agua, y la mujer le dijo: «O me repudias o devuelves este asno a su dueño». «¿Qué ocurrió?» «Es un diablo en forma de asno, pues saltó encima de mí, y si los vecinos no lo hubiesen apartado de sobre mi pecho, habría hecho conmigo cosas vergonzosas.» Entonces el hombre cogió a Alí y marchó a casa del judío. Éste le preguntó: «¿Por qué me lo devuelves?» «Ha cometido con mi mujer una acción torpe.» El judío le devolvió su dinero, y el aguador se fue. Entonces el judío se dirigió a Alí y le apostrofó: «¡Maldito! ¿Con que sí, eh? ¿Te vales de astucias para que tu dueño te devuelva a mí?

Sahrazad se dio cuenta de que amanecía e interrumpió el relato para el cual le habían dado permiso.

Cuando llegó la noche *setecientas diecisiete,* refirió:

—Me he enterado, ¡oh rey feliz!, de que [el judío prosiguió:] »Ya que no has querido ser asno, te convertiré en distracción de grandes y pequeños». Cogió el asno, montó en él y salió fuera de la ciudad. Una vez allí, sacó la ceniza, pronunció palabras mágicas y la esparció por el aire: apareció el palacio. El judío subió, quitó la alforja del asno, cogió los dos sacos del dinero, sacó la vara, colgó de ella el recipiente con el vestido y, lo mismo que cada día gritó: «¿Dónde están los bravucones de todos los países? ¿Quién será capaz de arrebatarme este vestido?» Luego, y como había hecho antes, pronunció conjuros y apareció una mesa ante él, y comió. Pronunció más conjuros, apareció el vino, y bebió. Luego sacó una jofaina con agua, hizo conjuros, y con aquella agua roció al asno, diciéndole: «Cambia de aspecto y recobra el que tenías antes». Y Alí volvió a ser hombre como antes. Entonces el judío le dijo: «Alí, acepta el consejo y bástete con el mal que de mí recibiste. No es necesario que te cases con Zaynab ni que te apoderes del vestido de mi hija, pues esto no te será fácil. Mejor es que dejes de lado tu codicia; si no, por medio de la magia te transformaré en oso o en mono y excitaré contra ti un genio maléfico que te empujará hasta el monte Qaf». Alí contestó: «Esdras, ya me he comprometido a arrebatar el vestido y debo hacerlo. Entonces te salvarás; si no, te mataré». El judío exclamó: «Alí, eres como las nueces: si no se abren, no se pueden comer». Cogió una jofaina con agua, pronunció palabras mágicas y lo roció con agua, diciéndole: «Sé un oso». E inmediatamente Alí quedó convertido en oso. El judío le puso un collar al cuello, le ató la boca e hincó en el suelo una estaca de hierro. Luego se puso a comer y a echarle trozos de comida y derramar encima lo que sobraba del vaso. Por la mañana, el judío se levantó, quitó el recipiente con el vestido y dirigió palabras mágicas al oso, que lo siguió hasta su tienda. Se sentó en la tienda, vació el oro y la plata en los cajones, y ató a la tienda la cadena que el oso llevaba al cuello. Alí sentía y comprendía, pero no podía hablar.

Un mercader se presentó en la tienda del judío y le dijo: «Maestro, ¿me vendes ese oso? Yo tengo esposa, que es mi prima, y le han aconsejado que coma carne de oso y que se unte con su grasa». El judío se alegró y se dijo: «Lo venderé, lo degollarán y así me quedaré tranquilo», mientras Alí pensaba: «Si éste quiere degollarme, la salvación sólo puede venirme de Dios». «El oso es un regalo que te hago», le dijo el judío; y el mercader cogió el oso. Pasó ante un carnicero y le dijo: «Coge tus utensilios y vente conmigo». El carnicero cogió los cuchillos y lo siguió. Luego se adelantó, ató al oso y se puso a afilar el cuchillo para degollarlo. Mas cuando Alí al-Misrí vio que se le acercaba, huyó de él, echándose a volar entre cielo y tierra, y siguió volando hasta que descendió en el palacio del judío.

La causa de todo ello había sido que el judío, después de haber dado el oso al mercader, había ido a su palacio, su hija lo había interrogado, y él le había contado cuanto le había ocurrido. La joven le había aconsejado: «Manda venir a un genio y pregúntale acerca de Alí al-Misrí para ver si es verdaderamente Alí o algún otro hombre que hace jugarretas». El judío había pronunciado las palabras mágicas, y cuando tuvo ante sí al genio, le preguntó si aquella persona era realmente Alí al-Misrí o algún otro hombre que hacía jugarretas. Y entonces el genio lo raptó, lo llevó ante el judío y le dijo: «Éste es verdaderamente Alí al-Misrí. El carnicero lo había atado ya, había afilado el cuchillo y estaba empezando a degollarlo. Yo se lo he arrebatado y lo he traído». Entonces el judío cogió una jofaina de agua, pronunció conjuros y roció con agua a Alí, diciendo: «Recobra tu forma humana». Y Alí volvió a ser como antes. Qamar, la hija del judío, al ver que Alí era un hermoso joven, se enamoró de él, y también Alí se prendó de Qamar. «¡Maldito! —exclamó Qamar—: ¿por qué pides mi vestido, para que mi padre haya de hacerte todas esas cosas?» Y Alí le explicó: «Me he comprometido a arrebatarlo para Zaynab la Astuta, a fin de casarme con ella».

Qamar insistió: «Muchos otros han ideado trucos contra mi padre para arrebatarle mi vestido, sin poderlo conseguir. Déjate de codicia». «No; es absolutamente necesario que me apodere de él; así tu padre podrá salvarse; de lo contrario, lo mataré.» El padre intervino: «Ya ves, hija mía, cómo este maldito pide su muerte —y añadió, dirigiéndose a Alí—: Te voy a transformar en perro». Cogió una jofaina, con inscripciones, en la que había agua, pronunció palabras mágicas y roció a Alí, diciendo: «Toma el aspecto de perro». Y Alí se transformó en perro. El judío y su hija se pusieron a beber hasta la mañana. Entonces el judío se levantó, retiró el vestido y el recipiente, montó a lomos de la mula y dijo ciertas palabras mágicas al perro, que lo siguió. Todos los perros ladraban tras él, hasta que pasó ante la tienda de un ropavejero, el cual se levantó e impidió que los perros lo molestaran. Entonces Alí se echó a dormir ante él, y el judío se volvió pero no lo encontró. El ropavejero, después de haber limpiado su tienda y con el perro tras él, marchó hacia su casa. Al entrar, la hija del ropavejero miró a su alrededor y vio al perro. Se cubrió el rostro y dijo a su padre: «Padre mío, ¿por qué traes extraños y los haces entrar en nuestra casa?» «Hija mía, ¡pero si es un perro!» «No, éste es Alí al-Misrí, hechizado por el judío.» El ropavejero se volvió al animal y le preguntó: «¿Eres Alí al-Misrí?» Y el perro dijo con la cabeza: «Sí». Entonces le preguntó a su hija: «¿Por qué lo ha hechizado el judío?» «A causa del vestido de su hija Qamar. Pero yo puedo salvarlo.» «Si esto ha de acabar bien, ha llegado la ocasión de hacerlo.» «Si se casara conmigo, lo salvaría.» Y Alí asintió con la cabeza. La joven cogió un recipiente con inscripciones, pronunció nombres mágicos y entonces se oyó un fuerte grito, a causa del cual el recipiente le cayó de las manos. La joven se volvió y comprobó que quien había gritado era la esclava de su padre. «Mi señora —le dijo la esclava—, ¿es éste el pacto que había entre yo y tú? Sólo yo te enseñé este arte, y tú quedaste de acuerdo conmigo en que no harías nada sin consultarme previamente, y que quien se casara contigo también se casaría conmigo y habría de ser una noche mío y otra tuyo.» «Sí», contestó la joven. Al oír las palabras de la esclava, el ropavejero preguntó a su hija: «¿Y quién le ha enseñado a la esclava a hacer eso?» «Padre, ella es la que me lo enseñó a mí. Ahora le preguntaré de quién lo aprendió ella.» Interrogó a la joven, y ésta explicó: «Sabe, señor mío, que cuando yo estaba con Esdras el judío, solía acercarme a él a escondidas mientras leía los conjuros, y cuando se iba a su tienda, yo abría los libros y leía en ellos. Y así aprendí las ciencias ocultas. Cierto día, el judío se emborrachó y me pidió que fuera a la cama con él. Yo me negué, diciendo que no le permitiría tal cosa si antes no se hacía musulmán. Él no quiso, y yo le pedí:

"Llévame al zoco del sultán para venderme". Y él me vendió a ti y vine a tu casa, donde enseñé el arte a mi dueña, imponiéndole la condición de que no haría nada antes de consultarme, y de que quien se casase con ella, también se casaría conmigo, y lo tendríamos una noche yo y otra ella». Después de haber dicho esto, la esclava cogió una jofaina con agua, pronunció conjuros sobre ella y salpicó al perro, diciendo: «Recobra tu forma humana». Y Alí volvió a ser hombre como antes. El ropavejero lo saludó y le preguntó por qué estaba hechizado, y Alí le contó todo cuanto le había ocurrido.

Sahrazad se dio cuenta de que amanecía e interrumpió el relato para el cual le habían dado permiso.

Cuando llegó la noche *setecientas dieciocho*, refirió:

—Me he enterado, ¡oh rey feliz!, de que el ropavejero le preguntó: «¿Te satisfacen mi hija y la esclava?» «Sí, pero es absolutamente necesario que coja a Zaynab», contestó Alí.

En aquel momento, alguien llamó a la puerta. «¿Quién está en la puerta?», preguntó la esclava, y le contestaron: «Qamar, la hija del judío. ¿Está con vosotros Alí al-Misrí?» La joven preguntó: «Hija del judío, ¿qué harías si estuviese con nosotros?» y, dirigiéndose a la esclava, le dijo: «Esclava, baja a abrir la puerta». La esclava abrió la puerta a Qamar, y ésta entró y vio a Alí, el cual, al verla, le preguntó: «Hija de perro, ¿qué te trajo aquí?» «Doy testimonio de que no hay más Dios que el Dios y que Mahoma es el enviado de Dios», y así se hizo musulmana. Entonces preguntó a Alí: «En la religión musulmana, ¿son los hombres quienes dan la dote a las mujeres, o éstas a aquéllos?» Alí contestó: «Son los hombres quienes dan dote a las mujeres». «He venido como dote tuya con el vestido, la vara, las cadenas y la cabeza de mi padre, tu enemigo y enemigo de Dios.» Y arrojó ante él la cabeza de su padre, añadiendo: «Ésta es la cabeza de mi padre, tu enemigo y enemigo de Dios».

He aquí por qué Qamar había matado a su padre: Cuando el judío metamorfoseó a Alí en perro, ella había visto en sueños a una persona que le decía: «Abraza el islamismo», y ella se había convertido al Islam, y luego invitó a su padre a que se hiciera musulmán; pero él se había negado. Cuando su padre se negó a abrazar el Islam, lo narcotizó y lo mató.

Alí cogió las cosas y dijo al ropavejero: «Mañana nos encontraremos ante el Califa para que yo me case con tu hija y la esclava». Y salió contento, llevando consigo las cosas, camino del cuartel. Tropezó con un vendedor de dulces, que, palmoteando, decía: «¡No hay fuerza ni poder sino en Dios, el Altísimo, el Grande! El trabajo de los hombres se ha convertido en pecado y sólo prospera con engaños. En nombre de Dios, te pido que pruebes esta *halawa*». Alí cogió un pedazo y lo comió. Pero el dulce contenía narcótico, y así el vendedor lo narcotizó, le arrebató el vestido, la vara y las cadenas, los metió en la caja de los dulces, cargó con la caja y la bandeja de la *halawa* y se echó a andar. Entonces apareció un cadí, que lo llamó y le dijo: «Ven aquí, vendedor de dulces». Éste se detuvo, dejó el soporte en el suelo, colocó la bandeja sobre él y preguntó: «¿Qué quieres?» «*Halawa* y peladillas.» Cogió una parte en la mano y añadió: «Esta *halawa* y estas peladillas están adulteradas». El cadí sacó *halawa* del bolsillo interior y dijo al vendedor de dulces: «¡Mira cómo está hecha ésta y qué rica es! Cómela, y hazla igual». El vendedor cogió y comió; pero como contenía un narcótico, quedó narcotizado. El cadí cogió el soporte, la caja, el vestido y las demás cosas, colocó al vendedor en el interior del soporte, cargó con todo ello y marchó al cuartel de Ahmad al-Danif. Aquel cadí no era sino Hasán Sumán.

He aquí la explicación del hecho. Después de que Alí se comprometió a apoderarse del vestido y salió en busca de él, sus compañeros no habían vuelto a saber de él. Y Ahmad al-Danif había dicho: «Jóvenes, salid a buscar a vuestro hermano Alí al-Misrí». Ellos fueron a buscarlo por la ciudad. Hasán Sumán salió disfrazado de cadí, encontró al vendedor de dulces y reconoció en él a Ahmad al-Laqit. Le dio un narcótico, le arrebató el vestido y marchó con él al cuartel.

En cuanto a los cuarenta, habían estado dando vueltas, buscando, por las calles de la ciudad. Entre los amigos de Alí también había salido Alí Kitf al-Chamal, el cual, al ver una multitud, se había dirigido hacia aquellas gentes reunidas, y entre ellas había visto a Alí al-Misrí, narcotizado. Al ser reanimado, Alí vio gente reunida a su alrededor. Alí Kitf al-Chamal le dijo: «Vuelve en ti». Alí preguntó: «¿Dónde estoy?» Alí Kitf al-Chamal y sus amigos le dijeron: «Te hemos visto narcotizado, pero no sabemos quién lo ha hecho». «Un vendedor de dulces me narcotizó y me arrebató las cosas. ¿Dónde ha ido?» «No hemos visto a nadie. Pero ven, volvamos juntos al cuartel.» Y se dirigieron al cuartel. En él encontraron a Ahmad al-Danif, que los saludó y preguntó: «Alí, ¿has traído el vestido?» «Traía el vestido y las demás cosas, e incluso la cabeza del judío; pero un vendedor de dulces me encontró, me narcotizó y me arrebató todo.» Y contó cuanto le había ocurrido, para acabar: «Si viese al vendedor de dulces, lo castigaría». Entonces salió de una habitación Hasán Sumán: «¿Trajiste las cosas, Alí?», preguntó. «Las traje, e incluso traje la cabeza del judío —contestó Alí—, pero tropecé con un vendedor de dulces, que me narcotizó y me arrebató el vestido y lo demás. No sé dónde ha ido, y si supiese dónde está, lo mataría. ¿Sabes tú, Hasán, adónde fue el vendedor de dulces?» «Yo sé dónde está.» Hasán se levantó, entró en una habitación y Alí pudo ver al vendedor de dulces, narcotizado. Le dio un antídoto, y aquél, al abrir los ojos, se halló ante Alí al-Mirsí, Ahmad al-Danif y los cuarenta. Despertó, sobresaltado, y preguntó: «¿Dónde estoy? ¿Quién me cogió?»; y Sumán le explicó: «Yo te cogí». «¡Bribón! —intervino Alí al-Misrí—, ¿te atreves a cometer tales acciones?», y quería degollarlo. Pero Sumán intervino: «¡Aparta la mano! Éste es ahora sobrino tuyo». «¿De qué mi sobrino?» «Es Ahmad al-Laqit, hijo de la hermana de Zaynab.» «¿Por qué hiciste eso, Laqit?», preguntó Alí. «Mi abuela, Dalila la Taimada, me mandó hacerlo. Zurayq el pescadero se encontró con mi abuela Dalila la Taimada, y le dijo: "Alí al-Misrí es una persona extraordinariamente hábil, y no cabe duda de que matará al judío y vendrá con el vestido". Entonces mi abuela mandó que me presentara y me dijo: "Ahmad, ¿conoces a Alí al-Misrí?", y yo contesté: "Lo conozco. Yo lo guié al cuartel de Ahmad al-Danif". "Ve, pues, y tiéndele tus redes: si lo vieses venir con las cosas, busca algún ardid y arrebátaselas." Yo deambulé por las calles de la ciudad, hasta que vi a un vendedor de dulces, al que le di diez dinares por el vestido, los dulces y los utensilios. Y sucedió lo que sucedió.» Entonces Alí al-Misrí le dijo: «Ve a ver a tu abuela y a Zurayq, el pescadero, les haces saber que he traído las cosas junto con la cabeza del judío, y añades: "Acudid mañana a su encuentro al diván del Califa, y recoged de él la dote de Zaynab"». Ahmad al-Danif se sintió contento de todo aquello y exclamó: «¡Alí, la educación que has recibido no ha defraudado!»

Por la mañana, Alí al-Misrí cogió el vestido, el recipiente, la vara, las cadenas de oro y la cabeza de Esdras el judío en la punta de una lanza y marchó al diván con su tío y sus jóvenes. Todos besaron el suelo ante el Califa.

Sahrazad se dio cuenta de que amanecía e interrumpió su relato para el cual le habían dado permiso.

Cuando llegó la noche *setecientas diecinueve,* refirió:

—Me he enterado, ¡oh rey feliz!, de que el Califa se volvió y vio a un joven, que era el más valiente entre los hombres. Preguntó por él a los presentes, y Ahmad al-Danif le contó: «Emir de los creyentes, éste es Alí al-Zaybaq al-Misrí, jefe de los pícaros de El Cairo y el primero de mis satélites». El Califa, después de haberlo mirado, lo apreció porque leyó claramente en su rostro el valor, que testimoniaba a favor de él y no en contra suya. Alí se levantó y arrojó la cabeza del judío ante el Califa, diciendo: «¡Ojalá tus enemigos sigan la suerte de éste, Emir de los creyentes!» «¿De quién es esta cabeza?», preguntó el Califa. «De Esdras, el judío.» «¿Y quién lo mató?» Alí al-Misrí le contó, desde el principio hasta el fin, cuanto le había ocurrido. «No creí que tú le hubieras matado, porque era un mago.» «Emir de los creyentes, mi Señor hizo posible que lo matara.» El Califa envió el gobernador al palacio, y éste vio al judío sin cabeza. Se lo llevaron en un ataúd y lo colocaron ante el Califa, quien mandó que lo quemaran. Entonces se adelantó Qamar, la hija del judío. Después de besar el suelo ante el Califa le informó de que era la hija de Esdras el judío y de que se había hecho musulmana. Renovó por segunda vez ante el Califa su fe islámica, y le dijo: «Intercede ante ese pícaro de Alí al-Zaybaq al-Misrí para que se case conmigo». Y nombró al Califa procurador suyo para la boda con Alí. El Califa regaló a Alí al-Misrí el palacio del judío con lo que contenía, y añadió: «Expón tus deseos». «Quiero permanecer sobre tu alfombra y comer en tu mesa.» «¿Tienes satélites?» «Tengo cuarenta, pero están en El Cairo.» «Manda a decirles que vengan de El Cairo. Alí, ¿tienes cuartel?» «No.» «Yo le regalo mi cuartel con cuanto contiene, Emir de los creyentes», intervino Hasán Sumán. «Tu cuartel seguirá siendo tuyo, Hasán.» Y el Califa mandó al tesorero que entregase diez mil dinares al arquitecto para que construyese un cuartel con cuatro pórticos y cuarenta habitaciones para los satélites de Alí. A continuación insistió: «¿Necesitas algo más para que yo ordene que sea hecho?» «¡Oh, rey del tiempo! Que intercedas cerca de Dalila la Taimada para que me deje casar con su hija Zaynab y acepte como dote el vestido y las cosas de la hija del judío.» Dalila aceptó la intercesión del Califa, y cogió el recipiente, el vestido, la vara y la cadenas de oro. Se extendió el contrato matrimonial, y también el de la hija del ropavejero, de la esclava y de Qamar, la hija del judío. El Califa asignó un sueldo a Alí y dispuso para él una mesa preparada para la comida y una para la cena, pagas diarias, sueldos para la tropa y una gratificación. Y Alí al-Misrí celebró las bodas durante treinta días. Mandó un escrito a sus hombres de El Cairo, en el que les contaba los honores recibidos del Califa, y añadía: «Es absolutamente necesario que vengáis para llegar a tiempo de asistir a la fiesta nupcial, pues me he casado con cuatro muchachas». Y sus cuarenta satélites llegaron a tiempo para la fiesta nupcial. Los mandó alojar en el cuartel, los agasajó mucho, y luego los presentó al Califa, que les regaló vestidos. Las peinadoras presentaron a Zaynab a Alí con el vestido, y éste, al consumar el matrimonio, halló que era como perla no agujereada y como potra que nadie sino él había montado. Luego consumó el matrimonio con las tres jóvenes, a las que encontró de perfecta belleza y gracia.

Más tarde, y mientras Alí al-Misrí estaba una noche de guardia junto al Califa, éste le dijo: «Alí, deseo que me cuentes, desde el principio hasta el fin todo lo que te ocurrió». Alí le contó cuanto le había sucedido con Dalila la Taimada, Zaynab la Astuta y Zurayq el pescadero. Entonces el Califa dio orden de que se pusiera por escrito y se colocara en la biblioteca del reino. Y así se escribió cuanto le había sucedido a Alí, y se colocó entre las crónicas de la mejor comunidad del género humano. Luego todos vivieron en la más cómoda y feliz de las vidas, hasta que llegó el destructor de las dulzuras, el que separa a los amigos. Y Dios (¡alabado y ensalzado sea!) sabe más.

HISTORIA DE ARDASIR Y DE HAYAT AL-NUFUS

Cuéntase también, ¡oh rey feliz!, que había en la ciudad de Siraz un gran rey llamado al-Sayf al-Azam Sah, de avanzada edad, que no había tenido hijos. Reunió a médicos y doctores y les dijo: «Tengo ya muchos años y vosotros conocéis mi situación, y las condiciones y las ordenanzas del reino. Temo por mis súbditos después de mi partida, pues no he tenido hijos». Y ellos contestaron: «Nosotros te prepararemos con drogas algo que, si Dios (¡ensalzado sea!) quiere, te será útil». Le prepararon un medicamento, que el rey utilizó, luego se unió a su mujer, y con el permiso de Dios (¡ensalzado sea!), que dice a una cosa: «Sé», y la cosa es, la mujer quedó en estado, y al cabo de los meses de gestación, dio a luz un hijo varón, hermoso como la luna, al que el rey puso el nombre de Ardasir. El niño creció y se desarrolló, y aprendió las ciencias y las bellas letras hasta que llegó a la edad de quince años.

Había en el Iraq otro rey, llamado Abd al-Qadir, que tenía una hija, bella como la luna llena cuando aparece, que se llamaba Hayat al-Nufus. Ella sentía aversión hacia los hombres, hasta el extremo de que en su presencia nadie podía hablar de ellos. Los reyes de Persia la habían pedido por esposa a su padre; pero cuando éste le hablaba a la joven, ella respondía: «Nunca haré tal cosa. Y si me obligases a hacerlo, me mataría».

El hijo del rey, Ardasir, oyó hablar de la belleza de la joven. Se enamoró e informó de ello a su padre. Éste, al ver el estado de su hijo, tuvo compasión de él, y todos los días le prometía que lo casaría con ella. Envió a su visir al padre de la muchacha para pedirla por esposa; pero éste se negó. Y cuando el visir, al regresar de junto al rey Abd al-Qadir, le informó de lo que le había ocurrido con éste y le comunicó que no había sido aceptado, al rey le sentó mal la cosa y, preso de gran cólera, exclamó: «¿Es lógico que uno como yo mande pedir algo a un rey, y éste no la acepte?» Y ordenó que se pregonase al ejército que sacara las tiendas e hiciera los preparativos con gran diligencia, incluso a riesgo de pedir empréstitos para afrontar los gastos. El rey se dijo: «No he de volverme atrás hasta que no haya destruido el país del rey Abd al-Qadir, haya matado a sus hombres, borrado toda huella de él, y me haya apoderado de sus bienes». Cuando su hijo Ardasir se enteró de esto, se levantó de la cama, fue a ver a su padre, el rey, besó el suelo ante él, y le dijo: «¡Oh, rey al-Azam!

Sahrazad se dio cuenta de que amanecía e interrumpió el relato para el cual le habían dado permiso.

Cuando llegó la noche *setecientas veinte,* refirió:

—Me he enterado, ¡oh rey feliz!, de que [Ardasir prosiguió:] »...No hagas semejante cosa ni armes a estos paladines y soldados, ni gastes tus riquezas, pues tú eres más fuerte que él, y si levantases contra él este ejército, destruirías sus regiones y su país, matarías a sus hombres y a sus paladines, y te apoderarías de sus bienes, así como también él daría muerte a los tuyos. Todo lo que le ocurra al padre y las demás cosas que sucedan por tu culpa, llegarán a conocimiento de la hija, y ella se matará, y yo, por su causa, moriré pues no podré vivir después sin ella». «Entonces, hijo mío, ¿cuál es tu parecer?», le preguntó el rey. «Yo me dirigiré a resolver mi problema. Me vestiré de mercader y me las ingeniaré para llegar ante ella y veré cómo puedo lograr mi deseo.» «¿En verdad has decidido este camino?» «Sí, padre mío.» El rey llamó al visir y le dijo: «Marcha con mi hijo, fruto de mi corazón. Ayúdale en sus propósitos, vela por él y guíale con tu iluminado consejo. Haz mis veces con él». «Oír es obedecer», contestó el visir. El rey le dio a su hijo trescientos mil dinares de oro, joyas, gemas, cosas preciosas, utensilios, tesoros y cosas semejantes. Luego el muchacho fue a ver a su madre, le besó las manos y le pidió que le bendijera, y ella lo hizo. La mujer abrió sus arcas, sacó joyas, collares, objetos preciosos, vestidos, regalos y todo lo que se había atesorado desde la época de los reyes anteriores, cosas que no podían valorarse en dinero. Ardasir cogió cuantos esclavos, pajes y monturas podía necesitar para su viaje, y más aún. Luego se vistió de mercader y también el visir y los que con ellos iban, saludó a sus padres, a su familia y a sus parientes, y todos emprendieron la marcha por desiertos y estepas, durante noches y días. Después de haber andado largo trecho, Ardasir recitó estos versos:

Mi pasión crece por los ardientes deseos y el afecto, y no hay quien me ayude contra la tiranía del destino.
Contemplo las Pléyades y Arturo cuando aparecen, como si yo, por mi pasión, me hubiese convertido en adorador suyo.
Observo la aparición del lucero del alba, y cuando llega, enloquezco de deseo y mi pasión crece.
Juro por vosotros que jamás me he apartado del culto de vuestro amor. No soy sino uno que vela con ojos abiertos y sufre de amor.
Si lo que espero es difícil de obtener, aumenta en mí la consunción. Después de vuestra marcha, disminuye mi paciencia y escasea quien me ayude.
Tendré paciencia hasta que Dios nos reúna, para rabia de los enemigos y de quien nos envidia.

Al acabar de recitarlos, se desmayó. El visir le roció el rostro con agua de rosas, y cuando volvió en sí le dijo: «Hijo de rey, ten paciencia, pues el resultado de la paciencia es la alegría: ahora tú marchas hacia lo que deseas». Y siguió halagándole y consolándole hasta que se tranquilizó, y entonces se pusieron a andar velozmente. Después de haber caminado durante cierto tiempo, el hijo del rey se acordó de su amor y recitó estos versos:

¡Demasiado se ha prolongado el alejamiento! Entretanto, la preocupación y la aflicción aumentan, la sangre de mi corazón arde en una llama de fuego.

Mi cabeza ha encanecido por la pasión de amor que me hirió, mientras las lágrimas manan de los ojos.

Lo juro, ¡oh, mi deseo!, ¡oh, mi mayor esperanza!, por Aquel que creó el universo, y en él las ramas y las hojas:

He soportado este amor por ti, ¡oh, mi esperanza!, mientras quien amó entre los hombres no pudo soportar tanto.

Preguntad por mí a la noche, y ella os dirá si, en toda su duración, mi párpado se cierra.

Al acabar de recitar, lloró a lágrima viva y se quejó por los fuertes sufrimientos de amor que padecía. El visir volvió a halagarlo y consolarlo, y le prometió que conseguiría su deseo. Marcharon unos cuantos días hasta que, después de salir el sol, llegaron a la Ciudad Blanca. Entonces el visir le dijo: «Alégrate, ¡oh, hijo de rey!, con toda suerte de alegrías, y mira la Ciudad Blanca que buscabas». El hijo del rey se sintió muy contento y recitó estos versos:

¡Oh, mis dos amigos!, tengo el corazón enamorado y estoy loco de amor. Mi afecto es estable, y la pasión, asidua.

Me lamento como el huérfano de madre, a quien el dolor obligó a estar en vela. Y cuando cae para mí la noche, no hay quien se apiade de mi amor.

Cuando los vientos vienen de vuestra tierra, noto que llega el consuelo a mi corazón.

Mis párpados se derraman como nubes cargadas de lluvia, y mi corazón nada en su mar fluyente.

Cuando llegaron a la Ciudad Blanca, entraron en ella y preguntaron por la posada de los mercaderes y el albergue de la gente rica. Se lo indicaron, y el príncipe y el visir se alojaron allí, alquilando tres almacenes para ellos. Les dieron las llaves, los abrieron, depositaron sus mercancías y sus cosas, y allí permanecieron hasta haber descansado. Entonces el visir se dedicó a buscar una solución al problema del hijo del rey.

Sahrazad se dio cuenta de que amanecía e interrumpió el relato para el cual le habían dado permiso.

Cuando llegó la noche *setecientas veintiuna,* refirió:

—Me he enterado, ¡oh rey feliz!, de que el visir le dijo al hijo del rey: «Se me ha ocurrido una cosa que creo, si Dios (¡ensalzado sea!) quiere, que te proporcionará bien». Ardasir le contestó: «¡Oh, visir de los buenos consejos!, haz cuanto se te haya ocurrido, y Dios quiera dirigir bien tu parecer». «Quiero alquilar para ti una tienda en el zoco de los vendedores de vestidos. Tú te sentarás allí, porque todos, pueblo y notables, necesitan ir a ese zoco. Creo que si permaneces en la tienda y la gente te observa, sus corazones se sentirán atraídos hacia ti y tú te prepararás a conseguir lo que pides, pues tu aspecto es hermoso, los ánimos se inclinarán hacia ti, y quien te mire se alegrará.» «Haz lo que bien te parezca y quieras.» El visir se levantó en seguida, se puso su vestido más suntuoso, y lo mismo hizo el hijo del rey. El visir se puso en el bolsillo una bolsa con mil dinares, y ambos salieron a pasear por la ciudad. La gente les miraba, asombrada ante la belleza del hijo del rey, y decía: «¡Alabado sea quien ha creado a este joven de un líquido vil, y bendito sea Dios, el mejor de los creadores!» Mucho se habló de él y dijeron: «Éste no es hombre, sino un noble ángel»; mientras otros decían: «¿Acaso Ridwán, el portero del paraíso, dejó la puerta sin guardar y por ella salió este joven?» La gente se puso a seguirle hasta el zoco de los tejidos, donde los dos entraron y se detuvieron. Se acercó a ellos un viejo que inspiraba respeto y veneración, los saludó y ellos correspondieron al saludo. «Mis señores —preguntó el mercader—, ¿necesitáis algo que nosotros podamos honrarnos en satisfacer?» El visir preguntó: «¿Quién eres, jeque?» «Soy el alarife del zoco.» «Entonces, sabe que este joven es mi hijo y que quiero alquilar para él una tienda en el zoco, para que se establezca y aprenda a vender y comprar, a aceptar y ofrecer, que adquiera la manera de obrar de un mercader.» «Oír es obedecer», contestó el alarife. E inmediatamente les trajo la llave de una tienda, y dio orden a los corredores de que la barrieran. La barrieron y la limpiaron. El visir mandó traer para la tienda un alto estrado relleno de plumas de avestruz, sobre el cual iba un pequeño tapete, bordado de oro rojo alrededor. También mandó poner una almohada, y mercancías y telas de las que habían traído consigo, con las cuales llenó la tienda.

Al día siguiente, el joven llegó, abrió la tienda y se sentó sobre aquel estrado, teniendo de pie ante sí a dos esclavos ataviados con los más bellos vestidos, mientras que en la parte inferior de la tienda puso dos esclavos, de los mejores que había en Abisina. El visir le había aconsejado que ocultara a la gente su verdadera identidad, pues esto le habría de ayudar a conseguir sus deseos. Le dejó y se volvió al almacén, recomendándole que le tuviera diariamente al corriente de cuanto le ocurriese en la tienda. El joven permaneció sentado en la tienda, brillando de belleza como una luna llena. Las personas, unas de otras, oyeron hablar de él y de su belleza, e iban donde estaba Ardasir aunque no necesitaran nada. Acudían al zoco para ver su belleza y su gracia, su porte y su figura, y elevaban alabanzas a Dios (¡ensalzado sea!) que le había creado y formado. Era tal la muchedumbre en aquel zoco que nadie podía cruzar por él. El hijo del rey se volvía a derecha e izquierda, asombrado por la gente que quedaba extasiada ante él, esperando trabar amistad con alguno de los allegados al poder, que pudiera darle noticias de la hija del rey. Pero como no hallara la manera de hacerlo, se le acongojó el pecho. En cuanto al visir, todos los días le prometía que le haría lograr su propósito. Y así siguió la cosa durante mucho tiempo.

Cierto día, mientras Ardasir estaba sentado en su tienda, se presentó una mujer anciana, de aspecto venerable, educado y respetable, ataviada con hermosos vestidos de paz, y seguida por dos esclavas bellas como la luna. La vieja se detuvo junto a la tienda, observó un momento al joven, y luego exclamó: «¡Alabado sea Quien creó este rostro y perfeccionó esta hechura!» Saludó luego a Ardasir, y el joven, después de corresponder a su saludo, la hizo sentar a su lado. La vieja preguntó. «¿De qué país eres, oh, rostro hermoso?» «Soy de una parte de la India, madre mía, y he venido a esta ciudad para visitarla.» «Noble forastero ¿qué mercancías, qué cosas y qué telas tienes? Muéstrame algo apropiado para los reyes.» El joven contestó: «¿Quieres que te enseñe algo hermoso? Tengo todo lo apropiado a la categoría de su poseedor». «Hijo mío, quiero algo costoso y bello, lo de más precio que tengas.» «Debes decir previamente para quién quieres la mercancía, para que yo pueda enseñarte lo que esté en consonancia con la posición de quien la pide.» «Es justo, hijo mío. Quiero algo para mi señora Hayat al-Nufus, hija del rey Abd al-Qadir, dueño de esta tierra y de este país.» Al oír las palabras de la vieja, el hijo del rey casi enloqueció de alegría, y el corazón le latió con fuerza. Extendió las mano tras sí sin dar órdenes ni a sus mamelucos ni a sus esclavos, sacó una bolsa que contenía cien dinares, y se los entregó a la vieja, diciéndole: «Esta bolsa es para que te laves los vestidos». A continuación alargó la mano hacia un enorme fardo, del que sacó un vestido que valdría diez mil dinares o más, y añadió: «Este vestido es parte de lo que he traído a vuestra tierra». La vieja miró el vestido, le gustó y preguntó: «¿Cuánto por este vestido, oh, persona de perfectas cualidades?» «No quiero precio alguno.» Ella le dio las gracias, pero volvió a hacer la pregunta, y él insistió: «¡Por Dios!, no aceptaré ningún precio. Es un regalo de mi parte a la princesa, y si la princesa no lo acepta será un regalo mío para ti. ¡Alabado sea Dios, que hizo que nos encontráramos! Si un día necesitara alguna cosa, espero contar con tu ayuda para conseguirla». La vieja quedó asombrada ante la belleza de estas palabras, su gran generosidad y su acabada educación, y le dijo: «¿Cómo te llamas, mi señor?» «Ardasir.» «¡Por Dios, este nombre es magnífico! Se lo ponen a los hijos de rey, mientras que tú tienes aspecto de hijo de mercaderes.» «Mi padre me puso este nombre por el gran cariño que sentía por mí. Además, el nombre nada quiere decir.» La vieja siguió asombrada, pero insistió: «Hijo mío, acepta el precio de tu mercancía». Ardasir juró que no aceptaría nada, y entonces la vieja le dijo: «Amigo mío, sabe que la franqueza es la más elevada de las virtudes. La generosidad que me demuestras debe tener su razón. Dame, pues, a conocer tu asunto y tu intimidad, y si por ventura necesitases algo, yo te ayudaré a conseguirlo». Entonces Ardasir puso su mano en la de ella, le hizo prometer que guardaría el secreto, y le contó toda su historia exponiéndole su amor por la hija del rey y la situación en que se hallaba por su causa. La vieja meneó la cabeza y dijo: «Esto está bien. Pero, hijo mío, los sabios dicen, en el refrán: "Si quieres que no te obedezca, manda lo que no se puede hacer". Tú, hijo mío, eres mercader, y aunque poseyeras las llaves de los tesoros, no serías sino un mercader. Si quieres alcanzar una categoría superior a la tuya, pide la hija de un cadí o la hija de un emir. ¿Por qué, hijo mío, pides precisamente la hija del rey de este tiempo y de esta época? Es una mujer virgen, que desconoce este mundo. No ha visto en su vida más palacio que aquel en que se halla, y a pesar de su joven edad es inteligente y llena de tacto, hábil y sagaz, juiciosa, recta y perspicaz. Su padre no ha tenido más hijo que ella, y la quiere más que a sí mismo. Todos los días va a verla y le desea los buenos días, y todos cuantos viven en el palacio la temen. No creas, hijo mío, que nadie pueda hablarle ni lo más mínimo de una cosa semejante. Yo no puedo hacer nada. Por Dios, hijo mío, mi corazón te aprecia y quisiera que pudieses estar cerca de ella. Pero te daré a conocer algo con lo cual quizá Dios cure tu corazón: yo arriesgaré por ti mi vida y mi dinero para que logres alcanzar cuanto deseas». «¿Qué es ese algo, madre mía?» «Pídeme la hija de un visir o la de un emir. Si me pides eso, accederé a tu petición: nadie puede, de un solo salto, subir de la tierra al cielo.» El joven, con gracia y buen sentido, le dijo: «Madre mía, tú eres mujer inteligente que sabes cómo van las cosas. Cuando a alguien le duele la cabeza, ¿acaso se venda la mano?» «No, por Dios, hijo mío.» «Pues así mi corazón no pide a nadie más que a ella, y sólo su amor me ha matado. ¡Por Dios!, estoy perdido si no hallo guía que me ayude. Por Dios, madre mía, ten compasión por el hecho de que estoy en tierra extranjera y muévete a piedad por las lágrimas que derramo.»

Sahrazad se dio cuenta de que amanecía e interrumpió el relato para el cual le habían dado permiso.

Cuando llegó la noche *setecientas veintidós*, refirió:

—Me he enterado, ¡oh rey feliz!, de que la vieja dijo: «¡Por Dios, hijo mío!, mi corazón se parte ante tus palabras, pero nada puedo hacer». «Pido de tu bondad que lleves este mensaje de mi parte, se lo hagas llegar a la pricesa y le beses las manos por mí.» La vieja tuvo compasión de Ardasir y le dijo: «Escríbele lo que quieras, y yo se lo entregaré». Al oír tales palabras el joven casi voló de alegría. Pidió tintero y pluma, y le escribió estos versos:

> ¡Oh, Hayat al-Nufus!, concede generosa tu amor a un enamorado al que la separación ha destruido.
> Yo estaba entre delicias y llevaba una hermosa vida, pero hoy estoy turbado y extraviado.
> El insomnio es mi compañero a todo lo largo de la noche, y toda la noche tuve por compañero de vela a las penas.
> Ten piedad de un enamorado afligido y atormentado, cuyos párpados se han llagado por la pasión.
> Cuando surge la aurora él está embriagado por el vino de la pasión.

Acabó de escribir el mensaje, lo dobló, lo besó y se lo entregó a la vieja. Luego echó mano a la caja y sacó para ella otra bolsa con cien dinares, que le ofreció, diciéndole: «Reparte estos dinares entre las esclavas». La vieja lo esquivó, diciendo: «¡Por Dios, hijo mío!, yo no he hecho nada para merecer esto». Él le dio las gracias, y añadió: «Debes aceptarlos». La vieja los cogió, le besó las manos y se fue.

Cuando se presentó ante Hayat al-Nufus, le dijo: «Mi señora, te he traído algo que ningún habitante de nuestra ciudad posee. Procede de un gracioso joven, que no hay más hermoso que él sobre la superficie de la tierra». «Nodriza, ¿de dónde es ese joven?» «De una parte de la India. Me ha dado este vestido, tejido con oro e incrustaciones de perlas y de gemas, que equivalen al reino de Cosroes y de César.» Cuando la princesa extendió el vestido, el palacio brilló por su luz, por su magnífica hechura y las grandes piedras y gemas de las que estaba sembrado. Todos los que estaban en el palacio quedaron maravillados. La hija del rey lo miró, notó su gran valor y que su precio equivalía a los impuestos de un año entero del reino de su padre. Le preguntó a la vieja: «Nodriza, ¿este vestido es de su parte o de parte de otro?» «De su parte.» «Nodriza, ¿este mercader es de nuestra ciudad o extranjero?» «Es extranjero, mi señora, y sólo hace poco que ha llegado a nuestra ciudad. ¡Por Dios!, posee servidumbre y séquito, es hermoso de rostro, de justa estatura, de sentimientos nobles y de generoso corazón. ¡Sólo tú eres más hermosa que él!» La hija del rey observó: «Es extraño. ¿Cómo puede este vestido, que no tiene precio hallarse en poder de un mercader? ¿Cuánto te ha dicho que vale, nodriza?» «¡Por Dios, mi señora!, no me ha indicado el costo, sino que me ha dicho: "No quiero precio alguno. Es un regalo de mi parte a la hija del rey, puesto que no es digno de nadie sino de ella". Y me ha devuelto el oro que me habías dado, jurando que no lo aceptaría.» «Si la princesa no acepta el vestido, tuyo es», añadió. La hija del rey exclamó: «¡Por Dios!, esto significa gran generosidad y abundante liberalidad No quisiera que esta acción suya le acarrease perjuicios. Por qué, nodriza, no le preguntaste si necesitaba algo para que pudiéramos concedérselo?» «Mi señora, se lo he preguntado y le he dicho: "¿Necesitas algo?" Y él me ha contestado: "Tengo un deseo", pero no me ha informado de la cosa, sino que se ha limitado a darme este mensaje, diciéndome: "Entrégaselo a la reina".» Hayat al-Nufus se lo cogió a la vieja, lo abrió y lo leyó hasta el final. En seguida se alteró, perdió la razón, se puso pálida y le dijo a la vieja: «¡Ay de ti, nodriza! ¿Qué puede decirse a este perro que se atreve a hablar de ese modo a la hija del rey? ¿Qué relación hay entre yo y este perro para que me escriba? ¡Por Dios, el Grande, Señor de Zamzam y de al-Hatim que si no temiese a Dios

(¡ensalzado sea!), mandaría prender a ese perro, le ataría las manos, le arrancaría los orificios nasales y le cortaría la nariz y las orejas para que sirviera de ejemplo a los demás! Y luego le crucificaría en la puerta del zoco en que está su tienda». Al oír tales palabras, la vieja palideció, tembló toda ella y la lengua se le trabó, armándose de valor, dijo: «Bien, mi señora. Pero, ¿qué hay en el mensaje que te ha turbado de tal manera? ¿No es una súplica, con lamentaciones por su estado de pobreza o por injusticias sufridas, mediante la cual te ruega que seas benévola con él o que hagas cesar la injusticia?» «No, por Dios, nodriza: son versos y palabras deshonrosas. Sin embargo, nodriza, en ese perro se da una de estas tres cosas: o es un loco sin razón, o quiere morir, o para lograr sus propósitos conmigo le ayuda una persona poderosa y fuerte y un gran monarca. También podría ser que él haya oído decir que yo soy una de las prostitutas de esta ciudad que duerme una o dos noches junto a quien las solicita, y me envía versos deshonrosos para sacarme de quicio con estas cosas.» «Por Dios, mi señora, has dicho verdad. Pero no te preocupes de este perro ignorante: tú estás en tu palacio, elevado, sólido y bien construido, al que los pájaros no pueden llegar y por el que no pasan los vientos. En cambio, él está en la tierra. Sin embargo, escríbele una carta, repréndele sin omitir ningún reproche y amenázale solemnemente con la muerte. Dile: «¿De qué me conoces, perro de mercader, para escribirme, oh persona que durante toda su vida ha ido errando por desiertos y estepas tratando de ganar un dirhem y un dinar? Si no despiertas de tu sueño y no te apartas de tu embriaguez, por Dios que mandaré que te crucifiquen en la puerta del zoco en el que está tu tienda». Pero la hija del rey observó: «Temo que si le escribo, él se haga ilusiones». «¿Qué valor y qué categoría es la suya para que se atreva con nosotros? Es más, debemos escribirle para quitarle todo atrevimiento y para que aumente su miedo.» Y la vieja siguió insistiendo ante la hija del rey, hasta que ésta mandó traer tintero y pluma, y le escribió estos versos:

¡Oh, tú, que pretendes estar enamorado y afligido y que te pasas las noches en vela, entre pasiones y preocupaciones!
Iluso, ¿cómo te atreves a pedir unirte con la luna? ¿Acaso puede alguien conseguir de la luna lo que desea?
Yo te aconsejo que escuches mis palabras: corta por lo sano, pues te hallas entre muerte y peligros.
Si repites la petición que has hecho, te llegará de nuestra parte un castigo terrible.
Sé, pues, educado, ten tacto, sé inteligente y sagaz. He aquí que yo, con mi poesía y dándote noticias mías, te he dado un consejo.
Juro por Aquel que creó las cosas de la nada y que adornó la bóveda celeste con las estrellas que lucen,
Que si repites cuanto dices te crucificaré sobre un tronco de árbol.

Hayat al-Nufus dobló el escrito y se lo entregó a la vieja, y ésta lo cogió y se marchó.

Llegó a la tienda del joven y se lo entregó.

Sahrazad se dio cuenta de que amanecía e interrumpió el relato para el cual le habían dado permiso.

Cuando llegó la noche *setecientas veintitrés,* refirió: —Me he enterado, ¡oh rey feliz!, de que [la vieja le dijo a Ardasir:] «Lee la respuesta, y sabe que la princesa ha leído el escrito, y ha montado en cólera. Yo la he calmado con buenas palabras hasta que ella ha redactado la respuesta». Ardasir cogió el escrito con alegría, lo leyó y comprendió bien su significado. Al acabar de leerlo, lloró a lágrima viva, por lo que el corazón de la vieja se entristeció y le dijo: «Hijo mío, ¡no haga Dios llorar tu ojo y no te entristezca el corazón! ¿Qué respuesta más amable podías esperar a tu escrito después del gesto que hiciste?» «Madre mía, ¿qué puedo hacer más amable que esto ya que ella me amenaza con crucificarme o matarme y me prohíbe escribirle? ¡Por Dios!, veo que para mí mejor es morir que seguir con vida.

Mas, pido de tu benevolencia que cojas este mensaje y se lo entregues.» «Escribe, y yo me comprometo a traerte la respuesta y, ¡por Dios!, yo arriesgaré por ti mi vida para que consigas tu propósito, incluso aunque tuviera que morir por serte agradable.» Él le dio las gracias, le besó las manos y le escribió a la princesa estos versos:

> Me amenazáis de muerte por el amor que os tengo: hallar la muerte sería un descanso para mí. Además, la muerte está decretada.
>
> Para el amante la muerte es más leve que una larga vida expulsado y rechazado.
>
> Si visitáis a uno que ama y que dispone de pocos amigos, recordad que la buena obra de los hombres engendra reconocimiento.
>
> Si habéis decidido hacer algo, hacedlo, pues yo soy vuestro esclavo, y el esclavo es un prisionero.
>
> ¿Qué hacer, pues no puedo resignarme a renunciar a ti?
>
> ¿Cómo puede ser esto posible ya que el corazón del amante está obligado a amar?
>
> Señores míos, tened compasión de un enfermo de amor por vos.
>
> Quien ama a personas libres es digno de excusa.

Dobló el escrito y se lo entregó a la vieja, a la que le dio dos bolsas con doscientos dinares. Ella no quería aceptarlos, pero Ardasir la conjuró a que lo hiciera. La vieja los aceptó y, tras decirle: «Es absolutamente preciso que te haga conseguir tu propósito pese a tus enemigos», se marchó.

Se presentó a Hayat al-Nufus y le entregó el mensaje. «¿Qué significa esto, nodriza? ¿Mantenemos correspondencia para que tú vayas y vengas? Temo que la cosa se descubra y que quedemos deshonradas.» La vieja dijo: «¿Cómo podría ser, mi señora? ¿Quién podría decir tales palabras?» La princesa cogió el escrito, lo leyó, entendió bien su significado, dio una palmada y exclamó: «¡Nos ha caído una desgracia con éste! ¡Y ni siquiera sabemos de dónde ha venido ese joven!» «¡Por

Dios, mi señora!: te conjuro a que le escribas un mensaje; pero debes hablar con dureza y decirle: "Si, después de esto, me envías otro mensaje, mandaré que te decapiten".» «Nodriza; bien sé que eso no acabará así, y me parece mejor no entablar correspondencia. Y si este perro no para, a pesar de las amenazas anteriores, mandaré que le decapiten.» «Escríbele una carta comunicándole estas intenciones.» La hija del rey mandó traer tintero y papel, y escribió a Ardasir, amenazándole, estos versos:

¡Oh, tú, que ignoras las desgracias del tiempo! ¡Oh, tú, que tienes corazón deseoso de unirse a mí!
Reflexiona, iluso: ¿puede alcanzarse el cielo? ¿Puedes tú unirte a la luna esplendorosa?
Mandaré que te quemen en un fuego cuya llama no se apaga, y te encontrarás muerto con espadas destructoras.
Además, amigo, incurrirías en otros tormentos, en torturas secretas que hacen salir canas.
Atiende mi consejo, desiste de amarme y renuncia a tu entendimiento: no es cosa adecuada para ti.

Dobló la carta y se la entregó a la vieja, mientras ella se sentía en una situación extraña a causa de estas palabras. La vieja cogió el escrito y se marchó.

Se presentó al joven, y se lo entregó. Éste lo cogió y lo leyó. Calló y bajó la cabeza hacia el suelo trazando líneas con sus dedos, sin decir palabra. Entonces la vieja intervino: «Hijo mío, ¿por qué no dices palabra y no me das respuesta?» «Madre mía, ¿qué he de decir puesto que ella me amenaza, es cada vez más violenta y su odio va en aumento?» «Escríbele una carta diciéndole lo que quieres y yo te defenderé. Su corazón se calmará, porque yo os he de unir a los dos.» Él le dio las gracias por su amabilidad, le besó las manos y escribió a la princesa estos versos:

¡Por Dios! ¡Qué corazón, que no se enternece ante un enamorado ni ante un amante que anhela unirse a los seres queridos,
Ni ante párpados siempre llagados, cuando lo recubren las negras tinieblas de la noche!
Sed generosa y liberal, tened compasión y dad limosna a una persona a la que el amor hizo enfermar, abandonando a sus seres queridos,
Que pasa toda la noche sin saber qué es sueño; que está en llamas y al mismo tiempo se ahoga en un mar de lágrimas.
No cortes los deseos de mi corazón, pues está triste y afligido, y palpita de amor.

Luego dobló la carta, se la entregó a la vieja junto con trescientos dinares, y le dijo: «Éstos servirán para lavarte las manos». Ella le dio las gracias, le besó las manos y se fue. Entró a presencia de la hija del rey y le entregó el escrito. Ella lo cogió, lo leyó hasta el final y lo arrojó lejos de sí. Se levantó y, andando sobre zuecos de oro incrustados de perlas y aljófares, llegó al castillo de su padre con la ira en los ojos, por lo que nadie se atrevió a hacerle preguntas sobre su estado de ánimo. Al llegar al palacio, Hayat al-Nufus preguntó por el rey su padre, y las esclavas y concubinas le dijeron: «Mi señora, salió de caza». Ella volvió atrás como león enfurecido, y no habló con nadie hasta el cabo de tres horas, cuando el semblante se le aclaró y la ira se hubo calmado. Entonces la vieja, al ver que la turbación y la cólera que sentía habían desaparecido, se adelantó, besó el suelo ante ella y dijo: «Mi señora, ¿adónde se dirigían tus nobles pasos?» La reina le respondió: «Al palacio de mi padre». «Mi señora, ¿no había nadie que pudiera darte lo que necesitabas?» «Fui con el único fin de informarle de lo que me había ocurrido con ese perro de mercader, para excitar a mi padre contra él a fin de que le mandase detener y para que, junto con todos los que hay en su zoco, les crucificase junto a sus tiendas y no permitiese que ningún mercader extranjero resida en nuestra ciudad.» «Mi señora, ¿sólo por este motivo fuiste a ver a tu padre?» «Sí. Pero no le encontré, y vi que estaba ausente porque había ido de caza. Y ahora espero a que regrese.» La vieja exclamó: «Mi señora, ¡me refugio en Dios, el Oyente, el Omnisciente! Tú, por la gracia de Dios, eres la persona más inteligente. ¿Cómo puedes decirle al rey tales palabras, dictadas por el arrebato, que nadie debiera divulgar?» «¿Por qué?» «Suponte que hubieses hallado al rey en su palacio y que le hubieses puesto al corriente de esta historia, que él hubiese mandado prender a los mercaderes, hubiese ordenado que les colgaran ante sus tiendas y que la gente les hubiese visto, ¿no habrían pedido informes del asunto, diciendo: "¿Por qué motivo han sido ahorcados?", y como respuesta se les habría dicho: "Querían deshonrar a la hija del rey".

Sahrazad se dio cuenta de que amanecía e interrumpió el relato para el cual le habían dado permiso.

Cuando llegó la noche *setecientas veinticuatro*, refirió:

—Me he enterado, ¡oh rey feliz!, de que [la nodriza prosiguió:] »Al contar lo que de ti se diría, la gente estaría en desacuerdo, y unos dirían: "Permaneció con ellos durante diez días, fuera del palacio, hasta que se hartaron de ella", y otros habrían dicho cosa distinta. Mi señora, la honra es como la leche: la más pequeña partícula de polvo la mancha; y es como el vidrio: cuando se rompe, no se puede arreglar. Guárdate, pues, de informar a tu padre o a otra persona de este asunto, para que, mi señora, tu honra no se cubra de vergüenza. No sacarías ningún provecho de cuanto dijera la gente. Valora con tu magnífica mente mis palabras, y si no las encuentras acertadas, haz lo que quieras.» Cuando la hija del rey hubo oído esas palabras de la vieja, reflexionó sobre ellas y llegó a la conclusión de que eran acertadísimas, y entonces le dijo: «Nodriza, lo que has dicho es acertado; pero la ira había inundado mi corazón». «Tu intención de no decir nada le será grata a Dios (¡ensalzado sea!), puesto que no has informado a nadie. Pero hay otra cosa: no podemos callar ante la desfachatez de ese perro, el más vil de los mercaderes. Escríbele, pues, una carta, diciéndole: "¡Oh, la persona más innoble de los mercaderes! Si no me hubiese encontrado con que el rey estaba ausente, a estas horas ya habría mandado que tú y todos tus vecinos fueseis crucificados. Pero hay una cosa que no has de pasar por alto en este asunto: y es que yo juro, en nombre de Dios (¡ensalzado sea!), que si volvieses a escribir palabras de ese tipo, haría desaparecer todo rastro de ti de sobre la superficie de la tierra". Exprésate con palabras duras, que le hagan desistir de ese propósito y le despierten de su estupidez.» Hayat al-Nufus preguntó: «¿Desistirá con tales palabras de sus propósitos?» «¿Pues cómo no habría de desistir? Además, yo le hablaré y le informaré de lo ocurrido.» La princesa pidió tintero y papel y escribió a Ardasir estos versos:

> Tus esperanzas están aferradas al deseo de unirte conmigo, y tratas de alcanzar tus fines.
> Pero la ilusión mata al hombre, y sus deseos le ocasionan desgracias.
> Tú no eres persona de elevada profesión, no tienes séquito, no eres ni sultán ni ministro.
> E incluso si tu acto procediese de un igual mío, él se volvería atrás, encanecido por los malos tratos y la guerra.
> Por ahora perdonaré lo que has cometido, con la esperanza de que tú, arrepentido, ceses a partir de este momento de repetirlo.

Luego le entregó el escrito a la vieja, y le dijo: «Nodriza: reprende a ese perro para que no le corte la cabeza y quede comprometida en su pecado». «¡Por Dios, mi señora, que no he de dejarle vía de escape!» Cogió el escrito y se fue.

Al llegar junto al joven, le saludó, él correspondió a su saludo y ella le entregó la carta. Él la cogió, la leyó, meneó la cabeza y exclamó: «¡Nosotros somos de Dios y a Él hemos de volver», y añadió: «Madre, ¿qué he de hacer, dado que mi paciencia ha llegado al límite y mi cuerpo ha enflaquecido?» «Ten paciencia, hijo mío. Quizá Dios haga que ocurra alguna novedad confortadora. Entre tanto, escribe lo que tienes en el corazón, y yo te traeré la respuesta. Cálmate, pues, y estáte tranquilo porque yo, si Dios (¡ensalzado sea!) quiere, te uniré a ella.» El joven pronunció invocaciones por la vieja y escribió a la princesa una carta en la que figuraban estos versos:

> Ya que en el amor no hay quien me dé protección, y la tiranía de mi pasión es mortal y mortífera,
> Yo soporto de día en las vísceras una llama de fuego, y en mis noches no hallo lugar de descanso.
> ¡Oh, mi máximo deseo! ¿Cómo no me atrevo a esperar en ti, y me contento con lo que me ha ocurrido por tu amor?
> Pido al Señor del Trono que me conceda resignación, pues me he perdido a causa del amor por las hermosas,
> Y que decrete a mi favor una pronta unión, para que al fin esté contento, pues estoy sumido en las dificultades de la pasión.

Dobló el escrito, se lo entregó a la vieja, y luego sacó para ella una bolsa con cuatrocientos dinares. La vieja recogió todo y se fue. Se presentó a la hija del rey y le entregó el escrito; pero ella no lo leyó, sino que preguntó: «¿Qué es este papel?» «Mi señora, es la respuesta al escrito que tú has dirigido a ese perro de mercader.» «¿No le has reprendido como te dije?» «Sí, y ésta es su respuesta.» Ella cogió la carta y la leyó hasta el final. Se volvió hacia la vieja y le dijo: «¿Y éste es el resultado de tus palabras?» «Mi señora, ¿acaso no dice en la respuesta que desiste, que está arrepentido y que se excusa por lo acaecido?» «¡No, por Dios! Aún hace más declaraciones de amor.» «Mi señora, escríbele una carta y ya te contarán lo que haré de él.» «No necesito ni escribir ni contestar.» «Es absolutamente preciso que contestes para que yo le reprenda y le arrebate toda esperanza.» «Córtale toda esperanza, pero sin que esto vaya acompañado de carta.» «Para reprenderle y cortarle toda esperanza es absolutamente preciso que le lleve un escrito.» Y entonces Hayat al-Nufus pidió pluma y papel, y le escribió estos versos:

Te he reprendido largo tiempo, mas los reproches no te impidieron seguir. ¿Cuántas veces habré de prohibirte que obres así, con poesías escritas de mi puño y letra?
Oculta tu amor, no lo manifiestes nunca; y si desobedecieres, yo no tendré miramientos contigo.
Si volvieses a decir lo que estás diciendo, he aquí que el mensajero de la muerte ha venido ya a anunciar tu fin.
Entonces, en breve verás cómo los vientos, en tempestad, soplan contra ti, y cómo las aves de rapiña en el desierto te cubrirán.
Vuélvete a acciones mejores, y en ellas tendrás éxito; mas si te propusiste hacer cosas torpes e indecentes, eso te perderá.

Cuando acabó de escribir los versos, Hayat al-Nufus arrojó, indignada, el papel de la mano. La vieja recogió el escrito y se fue. Se presentó al joven, y éste cogió el mensaje. Lo leyó hasta el final y así supo que la princesa no tendría compasión de él, sino que cada vez se indignaría más. Comprendió que jamás podría llegar a ella, y por eso se le ocurrió escribir la respuesta e invocar la ayuda de Dios contra ella. Y entonces le escribió estos versos:

¡Mi Señor! Por los cinco planetas te conjuro a que me salves de aquella por cuyo amor me hallo en tribulaciones.
Tú sabes la llama de pasión que hay en mí, y mi grave dolencia por quien no tiene compasión de mí.
No se apiada por las desgracias que me han sobrevenido. ¡Qué tirana es, pese a mi debilidad, y cuán injusta es conmigo!
Voy errando por abismos sin fin, y no he dado, ¡oh, gente!, con persona que me asista.
¡Cuántas noches me paso, mientras el ala de la tiniebla nocturna se extiende, renovando en mi interior y poderosamente mis lamentos!

Y no he hallado consuelo a vuestro amor. ¿Cómo habré de consolarme si mi paciencia quedó destruida en la pasión?

¡Oh, pájaro de la separación! Dime: ¿está ella a seguro de los males por las vicisitudes y las tribulaciones del tiempo?

Luego dobló el escrito y se lo entregó a la vieja, a la que le dio una bolsa con quinientos dinares. La vieja cogió el mensaje y se fue. Se presentó a la hija del rey y se lo entregó. Cuando ésta lo hubo leído y entendido bien, lo arrojó de la mano y le dijo: «¡Vieja de mal agüero! Hazme saber el motivo de cuanto me ha ocurrido por tu culpa, por tu astucia y por qué él te ha gustado, hasta el extremo de escribir mensaje tras mensaje, mientras tú seguías llevando misivas entre nosotros, hasta conseguir que entre él y nosotros surgiese una correspondencia e historias. A cada mensaje tú decías: "Te evitaré el mal de su parte y haré cesar sus palabras"; pero hablabas así sólo para que yo le escribiese una carta y tú fueses y vinieses entre nosotros. ¡Has difamado mi honra! ¡Eunucos, prendedla!» Y mandó a los eunucos que la azotaran; así lo hicieron y la sangre manó de todo el cuerpo de la vieja, que se desmayó. Hayat al-Nufus mandó a las esclavas que se la llevaran, y ellas la arrastraron por los pies hasta el fin del palacio. También mandó a una doncella que estuviese junto a ella, y cuando volviese de su desmayo le dijese: «La reina ha hecho un juramento, y es que tú no volverás a este palacio ni entrarás en él. Y si volvieses, ella mandaría que te hiciesen pedazos». Cuando la vieja volvió en sí del desmayo, la esclava le repitió lo que la reina le había dicho. Contestó: «Oír es obedecer». Luego las esclavas trajeron una jaula y mandaron a un faquín que transportara a la nodriza a su casa. El faquín cumplió la orden y la acompañó a su casa. La princesa envió luego a un médico con orden de cuidarla con toda solicitud hasta que se curase, y así lo hizo el médico.

Cuando se repuso, la vieja montó a caballo y se dirigió a ver al joven. Éste estaba muy triste, porque ella había dejado de ir a verle, y deseaba noticias de la anciana. Al verla, se dirigió hacia ella, la recibió, la saludó y vio que estaba enferma. Le preguntó por su salud, y ella le puso al corriente de cuanto le había ocurrido con la reina. El joven se disgustó mucho y, tras dar una palmada, exclamó: «¡Por Dios! Siento lo que te ha ocurrido. Pero, madre, ¿por qué la reina odia a los hombres?» Ella le explicó: «Hijo mío, sabe que ella posee un hermoso jardín: no lo hay más bello sobre la superficie de la tierra. Una noche se quedó dormida en él, y mientras estaba en lo mejor del sueño, soñó que había bajado al jardín y había visto cómo un cazador montaba su red y esparcía a su alrededor granos, y después se sentaba a distancia para ver qué presa caía. A poco, los pájaros acudían a coger granos, y un macho quedó prendido en la red y empezó a debatirse en ella. Los pájaros huyeron, y, entre ellos, también su hembra; pero estuvo alejada sólo un rato. Luego volvió a él, se acercó a la red e intentó romper la malla que cogía la pata de su macho, y siguió trabajando con el pico hasta que la rompió y puso en libertad a su pareja. Todo esto ocurrió mientras el cazador dormía. Cuando despertó, miró la red y al ver que estaba rota la arregló, volvió a esparcir grano y se sentó a cierta distancia de la red. Al cabo de cierto tiempo los pájaros volvieron a reunirse allí y entre ellos también se contaban la hembra y el macho de antes. Los pájaros se acercaron a recoger los granos, y entonces la hembra quedó cogida en la red y empezó a debatirse. Todas las palomas echaron a volar, incluso el macho al que antes ella había puesto en libertad; pero el macho no volvió. Al cazador le había vencido el sueño y no despertó sino al cabo de mucho tiempo. Despertó de su sueño y vio a la hembra del pájaro en la red. Se levantó, se acercó, le sacó las patas de la red y la degolló. Entonces la hija del rey despertó asustada y exclamó: "¡Así obran los hombres con las mujeres! La mujer es solícita con el hombre, corre en su auxilio cuando él se halla en dificultad; mas luego, si el Señor decretó algo contra ella y es ella la que se encuentra en dificultad, él la deja y no la libra, y el favor que ella le hizo resulta inútil. ¡Maldiga Dios a quien confía en los hombres! No reconocen el bien que les hacen las mujeres". Y, a partir de ese día, empezó a odiar a los hombres». «Madre mía —le preguntó el hijo del rey a la vieja—, ¿sale alguna vez la princesa por la calle?» «No, hijo mío. Pero posee un jardín que es uno de los más hermosos lugares de esparcimiento de esta época. Todos los años, cuando los frutos están maduros, ella baja y pasea por él durante un día entero. No duerme sino en su palacio y baja al jardín sólo por la puerta secreta que a él lleva. Ahora quiero hacerte saber una cosa, de la que, si Dios quiere, derivará bien para ti. Has de saber que para la época de los frutos sólo falta un mes, y que entonces ella bajará a pasear por el vergel. Te aconsejo que a partir de hoy frecuentes al guardián de dicho jardín y te arregles para que entre tú y él nazca amistad y hermandad. Él no permite que ninguna criatura de Dios entre en ese jardín, porque está junto al palacio de la hija del rey. Yo te informaré, con dos días de antelación, del día en que la princesa bajará, y tú, según tu costumbre, irás allí, entrarás en el jardín y buscarás la manera de pasar la noche en él. Cuando la hija del rey baje, tú ya estarás escondido en algún lugar.

Sahrazad se dio cuenta de que amanecía e interrumpió el relato para el cual le habían dado permiso.

Cuando llegó la noche *setecientas veinticinco,* refirió:

—Me he enterado, ¡oh rey feliz!, de que [la vieja prosiguió:] »Cuando la veas, déjate ver y cuando ella te vea, te amará, pues el amor pasa por encima de todas las cosas. Sabe, hijo mío, que cuando te mire quedará seducida de amor por ti, ya que tienes hermoso aspecto. Tranquilízate, pues, y cálmate, hijo mío: yo he de reuniros a ti y a ella.» El joven le besó la mano, le dio las gracias y le regaló tres piezas de tejido de seda alejandrina y tres piezas de raso de distintos colores; de cada pieza salían: un corte para camisas, otro para calzones y un pañuelo para hacer el sombrero; y también tejido de algodón de Baalbak para los forros, con lo que ella obtuvo tres vestidos completos, cada uno mejor que el otro. Le entregó además una bolsa con seiscientos dinares, y le dijo: «Esto es para la modista». La vieja cogió todo y dijo: «Hijo mío, ¿quieres saber el camino de mi casa? Yo también debo saber dónde vives».

«Sí», contestó el joven, y envió con ella a un esclavo para conocer su morada y hacerle saber dónde estaba la suya. Cuando la vieja se hubo marchado, el hijo del rey se levantó y dio orden a sus pajes de que cerraran la tienda. Fue a ver al visir y le contó, desde el principio hasta el fin, cuanto le había ocurrido con la vieja. El visir, después de haber oído las palabras del hijo del rey, le dijo: «Hijo mío, si Hayat al-Nufus sale y tú no le caes en gracia, ¿qué harás?» «No tengo más medio en mi mano que pasar de los dichos a los hechos y arriesgar por ella mi vida raptándola de entre su servidumbre, hacerla montar a caballo detrás de mí y dirigirme con ella a desierto abierto. Si lo logro, habré conseguido mi fin; y si muero antes de hora, hallaré descanso de esta odiosa vida.» «Hijo mío, ¿con esta mentalidad vives? ¿Cómo podremos partir, dado que larga distancia nos separa de nuestro país? ¿Y cómo puedes obrar así con uno de los reyes del tiempo, que tiene a sus órdenes cien mil caballeros? ¿Quién nos asegura que no mande a algunos de sus soldados que nos corten los caminos? Esta manera de obrar no es favorable a nuestros intereses, y una persona inteligente no actúa así.» «¿Pues cómo he de obrar, oh, visir de los buenos consejos? Yo moriré sin duda alguna.» «Ten paciencia hasta mañana, hasta que veamos ese jardín, conozcamos su situación y sepamos qué relaciones se anudarán entre nosotros y el jardinero del lugar.»

Por la mañana, el visir y el hijo del rey se levantaron. El primero cogió mil dinares, y ambos se pusieron en marcha. Llegaron al jardín y vieron que tenía altas y sólidas paredes, muchos árboles, arroyos abundantes en aguas, y hermosos frutos; sus flores olían bien, sus pájaros gorjeaban: parecía uno de los jardines del paraíso. En su interior había un hombre de edad, sentado en un banco. Cuando vio a los dos y observó su aspecto, y después de que ellos le hubieron saludado, se levantó, correspondió a su saludo y dijo: «Señores, ¿necesitáis algo que yo pueda honrarme en satisfacer?» Y el visir le contestó: «Sabe, ¡oh, jeque!, que somos forasteros. Hemos sentido mucho calor y nuestra casa está lejos, al extremo de la ciudad. Pedimos de tu bondad que aceptes de nosotros estos dos dinares, nos compres algo de comer y nos abras la puerta de este jardín para que podamos sentarnos en un lugar a la sombra en el que haya agua fresca para refrescarnos. Esto hasta que tú nos traigas la comida, de la que comeremos nosotros y tú: nosotros ya estaremos descansados y seguiremos nuestro camino». El visir echó mano al bolsillo y sacó dos dinares que colocó en la mano del jardinero. Éste, que tenía setenta años, nunca había tenido cosas de ese tipo: al ver en su mano los dos dinares, la mente se le trastornó. Abrió en seguida la puerta, les hizo entrar, y les acomodó bajo un árbol frutal que daba mucha sombra, y les dijo: «Sentaos en este lugar, y no penetréis en el jardín porque hay en él una puerta secreta que lleva al palacio de la princesa Hayat al-Nufus». «No nos moveremos de nuestro sitio», le aseguraron los dos. El anciano jardinero se fue a comprar lo que los dos le habían encargado y estuvo ausente un rato, para regresar con un faquín que llevaba en la cabeza un cordero asado y pan. Los tres comieron y bebieron, y charlaron durante algún tiempo. Luego el visir se volvió a derecha e izquierda, y se puso a mirar los distintos lugares del jardín, en cuyo interior distinguió un edificio de elevada construcción, pero ya ruinoso por viejo, el revoque de cuyas paredes estaba agrietado y sus pilares estaban medio derruidos. «Jeque —le preguntó el visir—, ¿este jardín es de tu propiedad o lo has alquilado?» «Mi señor, ni es de mi propiedad ni lo he alquilado: sólo soy el guardián.» «¿Cuál es tu sueldo?» «Un dinar al mes, mi señor.» «Tus dueños son injustos contigo, sobre todo si tienes familia.» «¡Por Dios, mi señor! Mi familia consta de ocho hijos y yo.» «¡No hay fuerza ni poder sino en Dios, el Altísimo, el Grande!», exclamó el visir. «¡Desgraciado! Haces que yo también esté preocupado por ti, por Dios. ¿Qué dirías de quien te proporcionase bien para esa familia que tienes?» «Mi señor, cualquier bondad que hicieras sería poner junto a Dios (¡ensalzado sea!) una buena acción para el momento de necesidad.» «Sabe, jeque, que este jardín es un hermoso lugar; incluso tiene ese edificio; pero está viejo y en ruinas. Quiero mandarlo restaurar, blanquear y pintar con hermosos colores, para que se convierta en la cosa más hermosa de este jardín. Cuando venga el dueño y vea que el edificio está arreglado y embellecido, indudablemente te preguntará acerca de su restauración. Si te pregunta, tú le contestarás: "Mi señor, lo he restaurado al ver que estaba en ruina y, precisamente porque estaba en ruina y sucio, nadie lo utilizaba ni podía parar en él. Por eso lo he restaurado y he hecho gastos". Y si te preguntase de dónde sacaste el dinero gastado, explícale: "De mi dinero, y ello para congraciarme contigo y con la esperanza de lograr tus favores". No cabe duda de que te recompensará por lo que gastaste por el lugar. Mañana mandaré que vengan albañiles, encaladores y pintores a reparar este edificio y te daré lo prometido.» Y, a continuación, sacó del bolsillo una bolsa con quinientos dinares y le dijo: «Toma estos dinares y gástalos para tu familia, y haz que recen por mí y por este hijo mío». El hijo del rey preguntó: «¿Por qué todo eso?», y el visir le contestó: «Ya verás el resultado».

Sahrazad se dio cuenta de que amanecía e interrumpió el relato para el cual le habían dado permiso.

Cuando llegó la noche *setecientas veintiséis,* refirió:

—Me he enterado, ¡oh rey feliz!, de que al ver aquel oro, el viejo casi perdió la razón: se echó a los pies del visir para besárselos y se puso a pronunciar invocaciones por él y por su hijo. Cuando los dos estaban a punto de marcharse, les dijo: «Os espero mañana. Dios (¡ensalzado sea!) no me separará de vosotros, ni de día ni de noche».

Al día siguiente, el visir acudió a aquel lugar y preguntó por el arquitecto, y cuando éste se presentó, lo cogió y se dirigió al jardín. El jardinero se alegró de verle. El visir le entregó al arquitecto el precio de su salario y de cuanto necesitaban los obreros para restaurar aquel edificio. Los obreros arreglaron las paredes, encalaron y pintaron. «Maestros —les dijo el visir a los pintores—, parad mientes en mis palabras y comprended bien mi intención y mi deseo. Sabed que poseo un jardín parecido a éste. Una noche, mientras dormía, vi en sueños que un cazador extendía la red y esparcía granos a su alrededor. Los pájaros se reunieron para recoger los granos y un macho quedó prendido en la red, mientras los demás huían y entre ellos la hembra de aquel macho; mas luego, la hembra, que solamente estuvo alejada un poco, regresó sola y royó la malla que aprisionaba el pie de su macho hasta que lo salvó, y entonces se echó a volar. En aquel momento el cazador dormía. Al despertar de su sueño vio que la red estaba rota. La arregló, esparció granos por segunda vez y se fue a sentar lejos, en espera de que la caza cayese en la red. Los pájaros volvieron a recoger granos y entre ellos estaban también el macho y la hembra de antes: ella quedó cogida en la red, todos los pájaros escaparon, y entre ellos también su macho; pero éste no regresó junto a ella. El cazador se levantó, cogió la hembra y la degolló. En cuanto al macho, después de haber huido con los pájaros, fue apresado por un ave de rapiña que le degolló, bebió su sangre y comió su carne. Quiero que vosotros me pintéis todo este sueño, según os he contado, con buena pintura, situando la escena entre las decoraciones del jardín, sus paredes, sus árboles y sus pájaros, y que pintéis la figura del cazador con su red y, además, todo lo que le ocurrió al pájaro macho con el ave de rapiña cuando ésta le cogió. Si hacéis lo que os he explicado, y si después de verlo me gusta, os daré cuanto os pondrá contentos, además de vuestro salario.» Los pintores oyeron sus palabras y se esmeraron en la elección de los colores y pusieron mucha atención. Cuando todo quedó acabado se lo enseñaron al visir, a quien le gustó la pintura: al mirar la representación del sueño que había descrito a los pintores, la halló tal cual; por eso, tras felicitarles, les hizo magníficos regalos. Luego, y según su costumbre, llegó el hijo del rey y entró en aquel edificio sin saber lo que había hecho el visir. Miró la pintura y vio representados el jardín, el cazador, la red, los pájaros y aquel macho que estaba entre las garras del ave de rapiña, la cual, después de haberle degollado, bebía su sangre y comía su carne. Quedó muy asombrado. Volvió junto al visir y le dijo: «¡Oh, visir de los buenos consejos! He visto hoy una maravilla tal que si se grabara en los lacrimales de los ojos constituiría una enseñanza para quien medita». «¿Qué es, mi señor?» «¿No te conté el sueño que tuvo la hija del rey y que es la causa de su odio hacia los hombres?» «Sí.» «¡Por Dios, visir! Entre los frescos he visto representado precisamente el sueño, con colores, como si hubiese sido testigo ocular. Y he de decirte otra cosa que le escapó a la hija del rey y que ella no vio, y sobre la cual habremos de basarnos para conseguir nuestro propósito.» «¿Qué es, hijo mío?» «He visto que el macho, después de haberse alejado de su hembra cuando ésta quedó cogida en la red, no volvió junto a ella porque fue capturado por un ave de rapiña, que lo degolló y bebió su sangre y comió su carne. Si la hija del rey hubiese visto el sueño por completo, lo habría contado hasta el final y habría visto con sus propios ojos cómo el pájaro macho era cogido por el ave de rapiña. Ésta fue la causa de que no volviera junto a ella y de que la hembra no fuera librada de la red». Y el visir exclamó: «¡Rey feliz, por Dios, que esta cosa es extraña y maravillosa!»

Entretanto, el hijo del rey seguía asombrado ante aquella pintura, seguía lamentando que la hija del rey no hubiese visto el sueño hasta el final, y decía: «¡Ojalá hubiese visto aquel sueño hasta el final o le volviese a ver de nuevo por completo, aunque fuera en medio de una pesadilla!» El visir entonces le explicó: «Tú me preguntaste por qué motivo reedificaba aquella casa y yo te contesté que ya verías el resultado: ahora se te hace manifiesto su fin porque soy yo quien dio esas órdenes y mandé a los pintores que representaran el sueño y que pusieran el pájaro macho entre las garras del ave de rapiña que ya le había degollado y que estaba bebiendo su sangre y comiendo su carne. De manera que si la hija del rey viniese aquí y viese esa pintura, vería la representación de aquel sueño y contemplaría al pájaro que era degollado por el ave de rapiña, y lo perdonaría y dejaría de odiar a los hombres». Al oír esas palabras, el hijo del rey le besó las manos al visir, dándole las gracias por cuanto había hecho, y le dijo: «Uno como tú debiera ser primer ministro del rey. ¡Por Dios! Si consigo mi propósito y vuelvo contento junto al rey, le informaré de esto para que te honre aún más, aumente tu rango y escuche tus palabras». El visir le besó la mano.

Luego se dirigieron al viejo jardinero y le dijeron: «¡Mira qué hermoso es este lugar!», y el viejo contestó: «Todo esto ha ocurrido bajo tus auspicios». Los dos añadieron: «Viejo, si te preguntasen acerca de la restauración de este palacio, tú dirás: "Lo he reparado con mi dinero", para que de ello saques bien y recompensa». «Oír es obedecer», contestó el viejo. Y el hijo del rey ya no dejó de estar con él. Esto es lo que hace referencia al visir y al hijo del rey.

En cuanto a Hayat al-Nufus, después de que cesaron los escritos y la correspondencia, y la vieja hubo desaparecido de la presencia de Hayat al-Nufus, ésta se alegró mucho, pensando que el joven ya habría partido para su país. Cierto día y de parte de su padre, le ofrecieron un plato tapado, en el que ella, al destaparlo, halló buena fruta. Preguntó: «¿Llegó ya el tiempo de esta fruta?» «Sí.» «¡Oh! ¡Podríamos disponernos ahora a dar un paseo por el jardín!»

Sahrazad se dio cuenta de que amanecía e interrumpió el relato para el cual le habían dado permiso.

Cuando llegó la noche *setecientas veintisiete,* refirió:

—Me he enterado, ¡oh rey feliz!, de que las esclavas dijeron: «¡Magnífica idea, mi señora! ¡Por Dios, paseemos por este jardín!» «¿Pero cómo vamos a hacerlo si sólo la nodriza nos hacía pasear por él todos los años, explicándonos la diferencia entre los distintos árboles? ¡Y yo la he mandado golpear impidiéndole que viniera a mí! Ahora me arrepiento de lo que hice, ya que, en todo caso, es mi nodriza y tiene sobre mí los derechos que derivan del haberme criado. ¡Pero no hay fuerza ni poder sino en Dios, el Altísimo, el Grande!» Al oír las palabras de la princesa, todas las esclavas se levantaron, besaron el suelo ante ella y le dijeron: «Te conjuramos por Dios, señora nuestra, a que la perdones y mandes que se presente». «¡Por Dios! Ya he decidido hacerlo. ¿Quién de vosotras irá a ella? Yo le he preparado un hermoso vestido.» Dos esclavas se adelantaron, una llamada Bulbul y la otra Sawad al-Ayin. Eran las primeras esclavas de la hija del rey y de sus más íntimas, hermosas y graciosas. «Nosotras iremos a verla, ¡oh, reina!», le dijeron. «Haced lo que bien os parezca.»

Las dos mujeres se dirigieron a casa de la nodriza, llamaron a la puerta y entraron a su presencia. La vieja las reconoció, las estrechó contra su pecho y les dio la bienvenida. Las dos doncellas, una vez acomodadas, le dijeron: «Nodriza, la reina te ha perdonado y está contenta de ti». Mas la vieja exclamó: «¡No! ¡Nunca, aunque hubiese de beber la copa de la muerte! ¿Acaso he olvidado la vergüenza sufrida ante quien me quería y quien me odiaba, cuando mis vestidos fueron manchados de sangre y estuve a punto de morir por los muchos palos? Y después fui arrastrada por los pies como perro muerto, hasta ser arrojada fuera de la puerta. ¡Por Dios, que no he de volver jamás junto a ella ni quiero verla más!» Las doncellas suplicaron: «No quieras que sea en balde nuestra venida a ti. ¿Dónde irá a parar el honorable trato que tenías con ella? ¡Mira quién vino y entró en tu casa! ¿Quieres alguien de más elevada posición que nosotras junto a la hija del rey?» «¡Me refugio en Dios! —exclamó la vieja—. Ya sé que valgo menos que vosotras; pero la hija del rey había elevado mi situación entre sus esclavas y la servidumbre, hasta el extremo de que si me hubiese enojado con la primera de ellas, ésta habría muerto en su piel.» Ellas insistieron: «Las cosas están como estaban, no han cambiado en absoluto. Aún más, están mejor que antes, ya que la hija del rey se ha humillado ante ti y ha pedido hacer las paces sin ningún intermediario». «¡Por Dios! Si no hubiéseis venido vosotras yo no habría vuelto junto a la princesa aunque hubiese mandado que me mataran si no lo hacía.» Las dos doncellas le dieron las gracias por sus sentimientos.

La vieja se levantó en el acto, se puso sus vestidos, salió con las dos, y las tres se pusieron en marcha hasta llegar a presencia de la hija del rey. Cuando entraron, la joven se levantó, y la vieja exclamó: «¡Dios, Dios! ¿La culpa es mía o tuya, princesa?» «La culpa es mía —reconoció la hija del rey—. El perdón y la complacencia han de venir de ti. ¡Por Dios, mi nodriza! Tú estás muy elevada en mi estimación, tienes sobre mí derechos que proceden del haberme criado. Pero tú sabes que Dios (¡gloriado y ensalzado sea!) ha repartido entre sus criaturas cuatro cosas: carácter, vida, alimento y muerte, y no está en manos del hombre rechazar el decreto divino. Yo no fui dueña de mí misma ni pude dominarme. Sin embargo, nodriza, estoy arrepentida de lo que hice.» Entonces el enfado de la vieja desapareció. Se levantó, besó el suelo ante Hayat al-Nufus y la princesa pidió que trajesen un vestido suntuoso, que le mandó ponerse. La vieja quedó muy contenta con el vestido, mientras siervas y esclavas estaban en pie ante ella. Cuando la reunión acabó, la princesa le dijo a la vieja: «Nodriza, ¿en qué punto está la fruta y los frutos de nuestro jardín?» «¡Por Dios, mi señora! He visto en la ciudad la mayor parte de los frutos; pero hoy me informaré sobre este asunto y te daré la respuesta.» Luego, y con los mayores honores, se despidió de ella y se fue a ver al hijo del rey.

Éste la recibió con alegría, la abrazó, se sintió feliz por su llegada y se le abrió el corazón ya que desde hacía mucho tiempo esperaba verla. La vieja le contó cuanto le había ocurrido con la hija del rey y cómo ésta tenía la intención de bajar al jardín en determinado día.

Sahrazad se dio cuenta de que amanecía e interrumpió el relato para el cual le habían dado permiso.

Cuando llegó la noche *setecientas veintiocho,* refirió:

—Me he enterado, ¡oh rey feliz!, de que la vieja preguntó: «¿Hiciste lo que te dije con el portero del jardín? ¿Le ha alcanzado algún beneficio de tu parte?» «Sí, se ha convertido en amigo mío. Estamos completamente de acuerdo, y si le necesitase, no cabe duda de que me contentaría.» Y le contó lo que había hecho el visir: cómo había mandado pintar el sueño que había tenido la hija del rey, es decir, la historia del cazador, de la red y del ave de rapiña. La vieja se alegró mucho al oír tales palabras, y dijo: «En nombre de Dios te conjuro a que pongas a tu visir en el centro de tu corazón, pues esta acción suya demuestra su profunda sabiduría, y, además, te ha ayudado a conseguir tu propósito. Levántate en seguida, hijo mío, entra en el baño y ponte el vestido más suntuoso: no nos queda astucia más eficaz que ésta. Preséntate al portero y obra de manera que te deje dormir en el jardín: aunque le diesen la tierra llena de oro, él no debería permitir que nadie entrase en él. Cuando estés dentro, escóndete para que los ojos no puedan verte, y permanece escondido hasta que me oigas decir: "¡Oh, Tú, cuyos favores están ocultos! Sálvanos de los que tememos". Entonces saldrás de tu escondite y mostrarás tu belleza y gracia; pero escóndete entre los árboles, ya que tu belleza haría avergonzar a la luna. Y esto hasta que la princesa Hayat al-Nufus te haya visto y su corazón y sus miembros estén repletos de amor por ti. Entonces habrás alcanzado tu objetivo y tu propósito, y tus preocupaciones desaparecerán». «Oír es obedecer», concluyó el joven, y sacó una bolsa con mil dinares, que la vieja aceptó, y se marchó.

En cuanto al hijo del rey, entró en el baño. Se perfumó, se puso su más suntuoso vestido regio, un collar en el que había reunidas varias clases de joyas valiosas, y un turbante tejido con franjas de oro rojo y rodeado de perlas y gemas. Sus mejillas se pusieron rosadas; sus labios, rojos; sus párpados como los de la gacela. Se balanceaba como persona atontada por el vino. Estaba totalmente lleno de belleza y gracia, y su arrogante figura hacía avergonzar a las ramas de los árboles. Se puso en el bolsillo una bolsa con mil dinares, y echó a andar hasta llegar al jardín. Llamó a la puerta. El portero le contestó y le abrió. Al verle, se sintió muy contento, y le saludó con todo honor; pero al darse cuenta de que su rostro estaba triste, le preguntó por su estado. «Sabe, viejo, que hasta ahora viví junto a mi padre, tratado con toda consideración. Jamás, hasta hoy, levantó su mano contra mí. Mas ahora entre él y yo hubo ciertas palabras, y me insultó, me abofeteó, me pegó con el bastón y me expulsó. Yo no tengo ningún amigo y he tenido miedo de las perfidias del tiempo. Tú sabes que el enojo de los padres no es cosa fútil. Por eso vine a ti, tío mío, ya que mi padre te conoce, y pido de tu bondad que me dejes que me quede en el jardín hasta el final y también que pernocte en él hasta que Dios arregle las cosas entre mi padre y yo.» Una vez oídas sus palabras, el jardinero, preocupado por lo que le había ocurrido al joven con su padre, le preguntó: «Mi señor, ¿me permites que vaya a ver a tu padre, que entre a su presencia y sea la causa de la reconciliación entre vosotros dos?» «Tío, sabe que mi padre tiene un carácter insoportable, y si le propusieses la reconciliación mientras tiene el ánimo encendido, no te daría respuesta». «Oír es obedecer, mi señor, ven, pues, a mi casa conmigo y haré que pernoctes entre mis hijos y mi familia, y nadie nos reprochará esto.» «Tío, cuando estoy enojado sólo puedo estar solo.» El viejo insistió: «Pero siento que hayas de dormir solo en el jardín, teniendo yo casa». «Tío, tengo un motivo para hacer esto: lo hago para que acabe la turbación de mi espíritu; yo sé que mi padre estará contento si permanezco aquí, y así me congraciaré con él.» «Si no hay otro medio, te traeré una alfombra para que puedas dormir sobre ella, y una manta para taparte.» «Muy bien, tío.» El jardinero se levantó, le abrió la puerta del jardín y le entregó la alfombra y la manta. Pero el viejo ignoraba que la hija del rey deseaba salir al jardín. Esto es lo que hace referencia al hijo del rey.

He aquí lo que hace referencia a la nodriza. Cuando se presentó ante la hija del rey y le informó de que los frutos ya habían madurado en los árboles, ésta le dijo: «Nodriza, mañana, si Dios (¡ensalzado sea!) quiere, bajarás conmigo al jardín a pasear; pero manda a alguien para que informe al guardián de que mañana nosotras estaremos con él en el jardín». La nodriza mandó decir al viejo: «La reina estará mañana en el jardín; tú no dejarás en el jardín ni regantes ni trabajadores, no permitirás que ninguna criatura de Dios entre en él». Cuando el encargo de la hija del rey llegó al jardinero, éste reguló el flujo de las aguas, se dirigió al joven y le dijo: «La hija del rey es la dueña de este jardín. Pero tú tienes disculpa, mi señor, porque este lugar es tu lugar, porque yo sólo vivo de tus beneficios. Mas mi lengua está bajo mis pies, y por ello te informo de que la princesa Hayat al-Nufus quiere salir al jardín con nosotros apenas sea de día y ha dado orden de que no permita que haya nadie en el jardín que la pueda ver. Y ahora te pido, por favor, que salgas del jardín durante este día, ya que la princesa sólo se queda hasta el mediodía. Luego tendrás tiempo de permanecer en él durante meses, temporadas y años». Entonces Ardasir le preguntó: «Jeque, ¿acaso te ha ocurrido alguna vez por nuestra causa algún perjuicio?» «¡No, por Dios, mi señor! Sólo honor me ha venido de tu parte.» «Si las cosas son así, de nuestra parte sólo te podrá acaecer bien. Yo me esconderé en este jardín y hasta que la hija del rey no haya regresado a su palacio nadie me verá.» El jardinero insistió: «Mi señor, con que ella viese tan solo la sombra de un ser humano, mandaría que me cortaran la cabeza».

Sahrazad se dio cuenta de que amanecía e interrumpió el relato para el cual le habían dado permiso.

Cuando llegó la noche *setecientas veintinueve*, refirió:

—Me he enterado, ¡oh rey feliz!, de que [el príncipe insistió:] «Haré que nadie me vea, nadie en absoluto. Seguramente tú no tienes hoy nada para tu familia». Y alargó la mano a la bolsa, sacó quinientos dinares, y le dijo: «Toma este oro y gástalo para tu familia. Así estarás tranquilo por ellos». Cuando el viejo vio el oro, se sintió empequeñecido y, después de insistir junto al hijo del rey para que no se dejase ver en el jardín, lo dejó allí, sentado.

En cuanto a la hija del rey, apenas se hizo de día y sus doncellas entraron a su presencia, les dio orden de que abrieran la puerta secreta que llevaba al jardín en que se levantaba aquel edificio. Se puso un vestido regio, sembrado de perlas, piedras preciosas y gemas, debajo del cual llevaba una camisa fina adornada con jacintos, y debajo de todo cosas que la lengua es incapaz de describir, por las que los corazones quedan atónitos y por cuyo amor se vuelven valientes los cobardes. Llevaba en la cabeza una corona de oro rojo incrustada de perlas y gemas, y se cimbreaba al andar sobre zuecos adornados con tersas perlas y forrados de oro rojo, con piedras engarzadas y metales preciosos. Puso la mano en el hombro de la vieja y dio orden de salir por la puerta secreta. Pero la vieja, que había echado una mirada al jardín y lo había visto lleno de criados y esclavas que comían frutos y enturbiaban las aguas para divertirse jugando y paseando en aquel día, le dijo a la reina: «Tú eres persona de gran inteligencia y perfecta sensatez, y bien sabes que no es precisa esta servidumbre en el jardín. Si salieses del palacio de tu padre, en tal caso sería señal de respeto hacia ti que la servidumbre fuese contigo. En cambio, mi señora, sales por la puerta secreta para dirigirte al jardín de manera que no te vea ninguna de las criaturas de Dios (¡ensalzado sea!)». La princesa contestó: «Es cierto, nodriza. ¿Qué debo hacer?» «Manda a los criados que se vuelvan a casa. Te digo esto especialmente en señal de respeto hacia el rey.» Ella mandó a los criados que se fueran, y entonces la nodriza prosiguió: «Aún quedan algunos criados malintencionados: diles que se vayan y que queden contigo sólo dos doncellas con las cuales podamos distraernos». Cuando la nodriza vio que el ánimo de la princesa se había tranquilizado y estaba dispuesto, le dijo: «Ahora daremos un hermoso paseo. Anda, ven ahora con nosotras al jardín». La hija del rey se levantó, colocó una mano sobre el hombro de la nodriza y, junto con las dos doncellas que marchaban delante, salió por la puerta secreta bromeando con ellas y cimbreándose en sus vestidos. La nodriza iba delante de ella, le señalaba los árboles, le hacía probar sus frutos, yendo de un lugar a otro. Y así estuvo andando con ellas hasta llegar a aquel edificio. La reina lo vio, notó que estaba restaurado y observó: «Nodriza, ¿no ves que este palacio ha sido reedificado y que las paredes han sido encaladas?» «¡Por Dios, mi señora! Algo he oído decir acerca de ello: que el jardinero compró telas a un grupo de mercaderes y luego las vendió, y que con lo obtenido compró ladrillos, cal, yeso, piedras, etc. Le pregunté qué había hecho con todas esas cosas, y me contestó: "Restauré el edificio, que estaba en ruinas". Y añadió: "Los mercaderes me han pedido el dinero que les debo y yo les he dicho que esperasen a que la hija del rey bajase al jardín, viese el edificio y le gustase, pues cuando saliera obtendría de ella lo que quisiera darme y les daría a los mercaderes lo que les correspondía". Entonces le pregunté: "¿Qué te indujo a hacer eso?", y me contestó: "Noté que iba a menos, que sus pilares estaban en ruinas y que el revoque estaba agrietado, pero que nadie era tan generoso como para restaurarlo, y por eso contraje una deuda sobre mi honor y lo restauré. Y ahora espero que la hija del rey obre conmigo como conviene". Entonces yo le indiqué: "La hija del rey es toda bondad y generosidad".

El jardinero hizo todo eso sólo porque deseaba un beneficio de tu parte». Hayat al-Nufus le dijo: «¡Por Dios! Él lo ha restaurado con generosidad y ha obrado como hombre liberal. Llama a la tesorera». La vieja llamó a la tesorera, que se presentó en seguida ante la hija del rey, y ésta le mandó que diera al jardinero dos mil dinares. La vieja envió un mensajero al jardinero, que cuando llegó a su presencia le dijo: «Has de obedecer las órdenes de la princesa y presentarte a ella». Cuando el jardinero oyó que el enviado le decía tales palabras, todos sus miembros le temblaron, notó que las fuerzas le faltaban, y se dijo: «No cabe duda de que la hija del rey ha visto al joven; por consiguiente, hoy será el más desgraciado de mis días». Salió y llegó a su casa, donde les contó lo ocurrido a su mujer y a sus hijos. Expresó sus últimas voluntades, se despidió de ellos y ellos le lloraron. Luego echó a andar y se presentó ante la hija del rey, con el rostro amarillo como el azafrán de la India y casi cayó al suelo cuan largo era. La vieja, que había comprendido todo, le avisó con sus palabras: «Jeque, besa el suelo y da gracias a Dios (¡ensalzado sea!). Bendice a la reina con fervor, pues cuando le he dicho que tú has restaurado el viejo edificio, se ha sentido contenta y te ha concedido dos mil dinares como recompensa. Tómalos y vuélvete a tus asuntos». El jardinero oyó las palabras de la nodriza, recogió los dos mil dinares, besó el suelo ante la hija del rey, la bendijo y regresó a su casa, donde su familia se sintió feliz por volverle a ver y pronunció bendiciones por aquel que había sido la causa de toda aquella providencia.

Sahrazad se dio cuenta de que amanecía e interrumpió el relato para el cual le habían dado permiso.

Cuando llegó la noche *setecientas treinta*, refirió:

—Me he enterado, ¡oh rey feliz!, de que esto es lo que hace referencia a ellos.

He aquí lo que hace referencia a la vieja. Ésta dijo: «Mi señora, ahora este lugar es hermoso y jamás vi casa mejor blanqueada ni pintura más agradable. ¿Quién sabe si lo mejor está dentro o fuera? ¿Quién sabe si el jardinero, al encalar el exterior, habrá dejado el interior como estaba? Anda, entremos a ver». La nodriza entró con la hija del rey, que iba tras ella. Las dos mujeres se encontraron con que el edificio estaba pintado y decorado interiormente de manera magnífica. La hija del rey volvió la vista a derecha e izquierda, llegó a la testera del salón y se puso a mirar atentamente y largo rato, y entonces la nodriza comprendió que su ojo había visto la representación de aquel sueño, por lo cual retuvo junto a sí a las dos esclavas para que no la distrajeran. Cuando la hija del rey acabó de mirar la representación del sueño, se volvió, asombrada, hacia la vieja, dio una palmada, y le dijo: «Nodriza, ven a ver algo maravilloso, que si estuviese grabado en los dos lacrimales de los ojos constituiría una enseñanza para quien medita». «¿Qué es, mi señora?» «Llégate a la testera del salón, mira y cuéntame lo que veas.» La vieja entró, vio la representación del sueño y salió atónita, diciendo: «¡Por Dios, mi señora! Esta es la representación del jardín, del cazador, de la red y de todo lo que viste en sueños. Por consiguiente, cuando el macho voló, sólo un grave impedimento le impidió volver junto a su hembra para librarla de la red del cazador. Así es, porque he visto el macho entre las garras del ave de rapiña, que lo había degollado, había bebido su sangre, había desgarrado su carne y la comía. Ésta, mi señora, fue la causa de que no volviera junto a ella a librarla de la red. Pero, mi señora, lo maravilloso estriba en la representación de este sueño con colores: si hubieses querido hacerlo tú misma no habrías podido retratarlo con esa exactitud. ¡Por Dios! Esto es algo maravilloso, digno de registrarse para la historia. Quizás, mi señora, los ángeles encargados de cuidarse de los hijos de Adán, al saber que el pájaro macho había sido juzgado injustamente —así lo hicimos y le reprochamos que no volviera— han puesto en claro su excusa, poniéndola de manifiesto. Acabo de verlo precisamente ahora degollado entre las garras del ave de rapiña». «Nodriza, éste es el pájaro acerca del cual ha tenido su curso el decreto y el destino divino: nosotros hemos cometido una injusticia con él.» La vieja dijo: «Mi señora, Dios (¡ensalzado sea!) juzgará todas las injusticias. Ahora la verdad nos ha sido revelada y la excusa del pájaro macho queda clara: si las garras del ave de rapiña no le hubiesen cogido y el ave misma no le hubiese degollado y se hubiese bebido su sangre y comido su carne, él no habría tardado en volver junto a la hembra; habría vuelto y la habría librado de la red. Mas nada puede hacerse contra la muerte, sobre todo del hombre, el cual soporta hambre y da de comer a su esposa, se desnuda por vestirla, se enajena a su familia por contentarla, y desobedece a sus padres por obedecerle a ella. Ella conoce sus secretos y lo que oculta, y no sabe prescindir de él ni un solo momento hasta el extremo de que si se ausenta una noche, los ojos de ella no pueden dormir. Para ella no hay cosa más querida que su hombre, y le ama más que a sus mismos padres. Cuando los dos van a dormir, se abrazan, el hombre le pone la mano bajo el cuello y ella la pone bajo el de él, y hacen como dijo el poeta:

> Le puse mi brazo como almohada, dormí tendido
> a su lado, y le dije a la noche: «Sé larga, pues
> la luna llena ha salido»
> ¡Qué noche de la que Dios no creó igual! Su
> principio fue dulce, mas amargo su fin.

»Y después de esto, él la besa y ella le besa. Entre las muchas cosas que le ocurrieron a un rey con su esposa, una fue ésta: ella enfermó y murió, y él se enterró vivo junto a ella; se sintió feliz por morir, dado el amor que sentía hacia ella y la inmensa ternura que había entre ellos. Lo mismo le ocurrió a un rey, que enfermó y murió, y cuando fueron a enterrarle, la mujer dijo a su familia: "Dejad que me sepulte viva con él; si no, me suicidaré, y vosotros seréis responsables de mi muerte"; y entonces los familiares, al ver que ella no habría de desistir de tal propósito, la dejaron hacer: ella se echó en la tumba con él, por lo mucho que le amaba y por el gran afecto que sentía hacia él». Y la vieja siguió contándole historias de hombres y mujeres hasta que el odio que ella sentía en su corazón contra los hombres desapareció. Cuando la vieja se dio cuenta de que el amor por los hombres había vuelto a poner pie en ella, le dijo: «Llegó el momento de pasear por el jardín».

Salieron ambas de aquel edificio y echaron a andar

entre los árboles. De repente, la mirada del hijo del rey se posó en la princesa, y observó su aspecto y la armonía de las formas, el color rosado de las mejillas y el negro del ojo, la suprema gracia, belleza y armonía. Quedó muy asombrado, y al mirarla fijamente perdió la cabeza de amor: su pasión sobrepasó todo límite, sus miembros no pensaron sino en servirla, sus costados quedaron inflamados por el fuego de amor: se desmayó y cayó al suelo, sin sentido. Al volver en sí, se dio cuenta de que la princesa había desaparecido de su vista y le quedaba oculta entre los árboles.

Sahrazad se dio cuenta de que amanecía e interrumpió el relato para el cual le habían dado permiso.

Cuando llegó la noche *setecientas treinta y una,* refirió:

—Me he enterado, ¡oh rey feliz!, de que [el príncipe] lanzó un profundo suspiro y recitó estos versos:

> Cuando mis ojos vieron su espléndida belleza, mi corazón se desgarró por ardiente afecto y amor,
> Y me encontré echado y extendido en el suelo, y la hija del rey no supo lo que había en mí.
> Anduvo, cimbreándose, y destruyó un corazón de enamorado, esclavo de amor. En nombre de Dios, ten piedad y misericordia de mi pasión.
> ¡Señor mío! Acerca el día de mi unión con ella y concédeme la sangre de mi corazón antes de que baje al sepulcro.
> Pueda yo besarla diez y diez y diez veces, y sean besos sobre la mejilla de parte del desolado consumido de amor.

Entretanto, la vieja seguía guiando en el paseo por el jardín a la hija del rey, hasta que llegó al lugar en que estaba el hijo del rey. Entonces exclamó: «¡Oh, Tú, cuyos favores están ocultos! Sálvanos de lo que tememos». Cuando el hijo del rey oyó las palabras convenidas, salió de su escondite y, muy orgulloso y pagado de sí, echó a andar y a deambular entre los árboles con un porte que hacía avergonzar a las ramas; su frente estaba coronada de sudor y sus mejillas purpúreas se asemejaban al crepúsculo. ¡Gloria a Dios, el Altísimo, por lo que ha creado! La mirada de la hija del rey se posó en él, le miró y siguió observándole largo rato, admirando la belleza y la gracia, el porte y la proporción de los miembros; la exquisitez de los ojos, que aventajaban en belleza a los de las gacelas; la figura, que avergonzaba a las ramas de los sauces. Su mente quedó turbada, el corazón quedó prendado, y él la hirió en el corazón con las flechas de sus ojos. Ella preguntó: «Nodriza, ¿de dónde nos vino este joven de hermosa figura?» «¿Dónde está, mi señora?» «Está aquí cerca, entre los árboles.» La vieja se volvió a derecha e izquierda, como si no lo supiese, y luego exclamó: «¿Quién le enseñó a ese joven el camino de este jardín?» Pero Hayat al-Nufus insistió: «¿Pero quién nos informará acerca de este joven? ¡Alabado sea quien creó a los hombres! Nodriza, ¿le conoces?» «Mi señora, es el joven que por mediación mía mantenía correspondencia contigo.» La princesa, que estaba sumergida en el mar de su amor y en el fuego de su pasión y de su afecto, le dijo: «Nodriza, ¡qué hermoso es este joven! Tiene rostro gracioso, y creo que no hay sobre la superficie de la tierra persona más bella que él». Cuando la vieja comprendió que el amor por Ardasir se había apoderado de Hayat al-Nufus, dijo: «¿No te dije, mi señora, que era un hermoso joven de rostro gracioso?» «Nodriza, las princesas no saben cómo está hecho el mundo ni las cualidades de quien en él vive. Ellas nunca frecuentan la gente, ni han tomado ni dado. Nodriza, ¿cómo podrá llegarse a él? ¿con qué estratagema podré dirigirme a él, qué le diré y qué me dirá?» La vieja interrumpió: «¿Qué vamos a hacer ahora? Estamos en buen lío por tu culpa». «Nodriza, sabe que nadie sino yo morirá de amor. Ahora estoy segura de que moriré en seguida, y la culpa de todo ello será el fuego de mi amor.» La vieja oyó sus palabras, comprendió su amor y su pasión, y le dijo: «Mi señora, no hay manera de conseguir que venga a ti, y tú estás excusada de ir junto a él porque aún eres pequeña. Pero ven conmigo: yo iré delante de ti hasta llegar junto a él. Yo le hablaré, tú no tendrás por qué avergonzarte, y así, en un abrir y cerrar de ojos, surgirá amistad entre vosotros». «Ve delante de mí —dijo la princesa—: el destino de Dios no puede rechazarse.» La nodriza se levantó junto con la princesa, y ambas se acercaron al hijo del rey, que permanecía sentado como una luna llena. Al llegar junto a él, la vieja le dijo: «Joven, mira quién llegó ante ti: es la hija del rey del tiempo, Hayat al-Nufus. Reconoce su valer y aprecia que haya venido a ti. Por respeto a ella, levántate y permanece en pie». El joven se levantó en seguida, y su ojo tropezó con el de la princesa: cada uno de los dos se embriagó sin vino, y el amor y la pasión de Ardasir por la mujer crecieron desmedidamente. La hija del rey abrió los brazos, lo mismo hizo el joven y los dos se abrazaron llenos de deseo. El amor y la pasión les vencieron, y ambos se desmayaron y cayeron al suelo, donde permanecieron largo tiempo. La vieja, temiendo el escándalo, les hizo entrar en el edificio, y ella se sentó en la puerta. «Aprovechad la ocasión para pasear, pues la princesa duerme», les dijo a las doncellas, y éstas regresaron al palacio. Luego los dos amantes recobraron el sentido y se vieron dentro del edificio. «En nombre de Dios te conjuro, señora de las hermosas —dijo el joven—, dime: ¿sueño o desvarío?» Luego los dos se abrazaron y se emborracharon sin vino, quejándose de los sufrimientos de amor. Y el joven recitó estos versos:

El sol surge de su rostro luminoso, así como de sus mejillas se alza la rojez del crepúsculo.

Donde quiera que se muestre, a sus miradas se esfuma de vergüenza ante él el astro del horizonte.

Si aparece el relámpago de una sonrisa de su boca, surge la aurora y se disipa la tiniebla nocturna.

Si su erguido cuello se dobla, sienten celos, entre el follaje, las ramas del sauce.

Para mí, la vista de ella me hace prescindir de cualquier cosa. Invoco para ella la protección del Dios de la gente y de la aurora.

Ella prestó a la luna parte de sus bellezas; el sol quiso imitarla, mas no pudo.

¿De dónde puede tener el sol caderas con las

cuales andar suavemente? ¿De dónde puede poseer la luna sus bellezas físicas y morales?
Quien me reprocha el estar totalmente arrebatado por su amor, o disiente o concuerda en juicio acerca de ella.
Ella es la que se ha adueñado de mi corazón con su mirada. ¿Qué les ha quedado a los corazones de los enamorados?

Sahrazad se dio cuenta de que amanecía e interrumpió el relato para el cual le habían dado permiso.

Cuando llegó la noche *setecientas treinta y dos*, refirió:

—Me he enterado, ¡oh rey feliz!, de que cuando Ardasir hubo terminado de recitar los versos, la hija del rey lo estrechó contra su pecho y le besó en la boca y entre los ojos. El joven recuperó el sentido y empezó a quejársele de lo mucho que le había hecho sufrir el amor, la pasión, el afecto y el desvío; lo mucho que le había atormentado la dureza de su corazón. Al oír estas palabras, la joven le besó manos y pies y se descubrió la cabeza con lo cual se espesaron las tinieblas y salió la luna. Le dijo: «¡Amado mío! ¡Fin de mi deseo! ¡Ojalá no hubiese existido el día en que yo te rechacé! ¡Dios quiera que no vuelva jamás!» Después se abrazaron, lloraron y la hija del rey recitó estos versos:

¡Oh, tú, que avergüenzas a la luna y al sol del día! Decidiste matarme con tu rostro y éste ha sido injusto.
Con la afilada espada de la mirada ha hendido mis vísceras y ¿adónde se puede huir para escapar a la mirada?
Tus cejas parecen un arco que ha disparado a mi corazón una flecha de pasión y de fuego.
Tus mejillas constituyen para mí el paraíso pero ¿puede tener paciencia mi corazón para esperar la cosecha?
Tu cintura cimbreante es una rama en flor; de tal rama se cosechan los frutos.
Me has atraído hacia ti a la fuerza y me has

obligado a velar. Tu amor me ha arrebatado la timidez.
¡Que Dios te auxilie con su luz, acerque lo que está lejos y aproxime el momento de la cita!
Ten piedad de un corazón que se abrasa en tu amor, del corazón enfermo que pide la protección de tu excelencia.

Cuando hubo terminado de recitar estos versos la pasión la desbordó, perdió los estribos y empezó a derramar torrentes de lágrimas: abrasó el corazón del muchacho, el cual se azaró de amor y de pasión. Se acercó a la joven, la besó las manos y lloró mucho. Siguieron reprendiéndose, conversando y recitando versos hasta que el almuédano llamó para la plegaria del mediodía y nada más que esto se interpuso entre ellos. Entonces se separaron. La hija del rey dijo: «¡Luz de mis ojos! ¡Corazón mío! Ha llegado la hora de la separación. ¿Cuándo volveré a encontrarte?» Estas palabras hirieron al joven como si fuesen una flecha por lo que exclamó: «¡Por Dios! ¡No quiero oír hablar de separación!» Ella salió del alcázar y él se volvió para verla y vio que exhalaba un gemido capaz de derretir a las piedras, que derramaba lágrimas tan abundantes como la lluvia. El muchacho se anegó en el mar de las tribulaciones y recitó estos versos:

¡Oh, deseo del corazón! Mi preocupación aumenta por lo mucho que te quiero. ¿Qué haré?
Tu rostro, siempre cuando aparece, es como la aurora. Tus cabellos tienen el color que asemeja la noche.
Tu cintura es una rama cuando se pliega movida por el viento del norte.
Las miradas de tus ojos se parecen a las de la gacela cuando la sujetan hombres generosos.
Tu cintura se consume agobiada por las graves cadenas: éstas son pesadas y aquélla esbelta.
El vino de tu saliva es la más dulce bebida, es almizcle puro, agua limpísima.
¡Oh, gacela de la tribu! ¡Deja de atormentarme! ¡Permite que vea tu imagen!

Al oír estos versos la hija del rey volvió a su lado y le abrazó con el corazón ardiendo, abrasándose en el fuego que había alumbrado la separación y al que sólo podían poner fin los besos y los abrazos. Ella exclamó: «Un proverbio corriente dice: "Más vale tener paciencia que perder al amado". He de idear algún medio para que volvamos a encontrarnos». Se marchó y de tanto como sufría no sabía dónde ponía los pies. Anduvo sin parar hasta meterse en su habitación. El joven, lleno de pasión y extravío, había quedado privado de las dulzuras del sueño.

La reina no gustó la comida, perdió la paciencia y se debilitó. Al llegar la mañana llamó a su nodriza. Ésta, al llegar, la encontró alterada. Le dijo: «No me preguntes qué es lo que me sucede, pues todo lo que me pasa es por causa tuya. ¿Dónde está el amado de mi corazón?» La vieja replicó: «¡Señora mía! ¿Cuándo se ha separado de ti? ¿Es que ha estado separado de ti más que esta noche?» La princesa replicó: «¿Es que puedo pasar más de una hora sin él? ¡Ve, arréglatelas y reúneme con él rápidamente! ¡Estoy a punto de perder el alma!» «¡Señora mía! ¡Ten paciencia para que yo pueda idear un medio adecuado y reuniros sin que nadie lo sospeche!» «¡Por Dios, el Grande! Si no me lo traes hoy mismo hablaré al rey y le informaré de que me has corrompido. Él mandará cortarte la cabeza.» «¡Te ruego, por Dios, que tengas paciencia! Éste es un asunto peligroso.» La vieja siguió humillándose ante ella hasta que consiguió que le concediera un plazo de tres días. La joven la dijo: «¡Nodriza! Los tres días van a parecerme tres años. Si transcurre el cuarto día sin que me lo hayas traído precipitaré tu muerte». La nodriza salió y se marchó a su casa. Al llegar el cuarto día llamó a las peinadoras de la ciudad y les pidió lo mejor que tuviesen para engalanar a una mujer virgen. Le llevaron lo que les había pedido, es decir, lo mejor que había. Luego mandó a buscar al muchacho y cuando éste estuvo presente, abrió una caja, sacó de ella un fardo que contenía un vestido de mujer que valía cinco mil dinares y un cinturón repujado con toda clase de aljófares. Le preguntó: «¡Hijo mío! ¿Querrías reunirte con Hayat al-Nufus?»

«¡Sí!» La vieja sacó una navaja y lo afeitó; después le cubrió de colirios, le desnudó y extendió la alheña desde las uñas al hombro y desde la articulación de los pies hasta el muslo; tiñó el resto de su cuerpo y quedó como si fuese una rosa roja sobre lápidas de mármol. Al cabo de un rato le lavó, le limpió, sacó una camisa y se la puso; encima de esto colocó una túnica regia, se la ajustó al cuerpo, le puso el velo y le enseñó cómo debía andar. Le dijo: «Adelanta la pierna izquierda y pon más atrás la derecha». Hizo lo que le había mandado y anduvo delante de ella como si fuese una hurí salida del paraíso. Le dijo: «Ten valor porque ahora vas a ir al alcázar del rey. En la puerta del mismo encontrarás soldados y criados: si te asustas ante ellos o vacilas te mirarán, te reconocerán y sólo nos ocurrirán desgracias, pues nos quitarán la vida. Si no tienes valor para hacerlo, dímelo». «Esto no me asusta. ¡Tranquilízate y refresca tus ojos!» La mujer echó a andar delante de él y ambos llegaron ante la puerta del palacio que estaba repleta de criados. La vieja se volvió hacia Ardasir para ver si estaba o no impresionado. Vio que mostraba su estado normal, que no estaba alterado. Al llegar la vieja, el jefe de los criados la reconoció; vio que la seguía una esclava cuya descripción era capaz de dejar perpleja a la razón. Se dijo: «La vieja es la nodriza pero la que la sigue detrás no tiene, en nuestra tierra, quien se le parezca ni quien pueda compararsele por la belleza y la distinción... a menos de que sea la reina Hayat al-Nufus; pero ésta vive aislada y no sale nunca ¡ojalá supiera cómo ha salido a la calle! ¿quién sabe si ha salido con o sin el permiso del rey?». El jefe de los criados se puso de pie para averiguar de qué se trataba. Le siguieron treinta criados. La vieja, al darse cuenta, perdió la cabeza y exclamó: «¡Nosotros somos de Dios y a Él volvemos! Sin duda, vamos a perder la vida».

Sahrazad se dio cuenta de que amanecía e interrumpió el relato para el cual le habían dado permiso.

Cuando llegó la noche *setecientas treinta y tres,* refirió:

—Me he enterado, ¡oh rey feliz!, de que el jefe de los criados oyó estas palabras y se llenó de angustia pues conocía el natural violento de la hija del rey y sabía que ésta tenía subyugado a su padre. Se dijo: «Tal vez el rey ha mandado a la nodriza que sacase a su hija por algún motivo y no quiere que nadie se entere. Si yo me atrevo a ponerme en su camino se enfadará conmigo y se dirá: "Este eunuco se me ha aproximado para ver quién era" y se apresurará a hacerme matar. No tengo por qué hacer esto». Volvió la espalda; los treinta criados regresaron con él hacia la puerta y la limpiaron de la gente que había aglomerada. La nodriza pasó y saludó con la cabeza. Los treinta criados se mantuvieron firmes en señal de respeto y le devolvieron el saludo. Cruzó la puerta y el hijo del rey hizo lo mismo. Atravesaron otras puertas y así pasaron ante los centinelas, protegidos por el manto de Dios. Llegaron ante la séptima puerta, que era la entrada principal, ante el trono del Rey, desde la cual se llegaba a los departamentos de las concubinas, a las habitaciones del harén y al alcázar de la hija del rey. La vieja se detuvo allí y dijo: «¡Hijo mío! Hemos llegado hasta aquí. ¡Gloria a Quien nos ha hecho llegar a este lugar! ¡Hijo mío! Conviene que os reunáis de noche, pues ésta cubre con su velo al temeroso». «Dices la verdad ¿cómo lo haremos?» «Escóndete en este lugar oscuro.» El joven se sentó en el pozo mientras la vieja se iba a otro sitio dejándolo allí hasta el fin del día. Entonces volvió a por él, le sacó, cruzaron los dos la puerta del alcázar y avanzaron sin cesar hasta llegar a la habitación de Hayat al-Nufus. La nodriza llamó a la puerta. Acudió una joven esclava quien preguntó: «¿Quién hay en la puerta?» La nodriza replicó: «¡Yo!» La joven fue a pedir permiso a su señora para dejar entrar a la nodriza. La princesa dijo: «Abre la puerta y déjala entrar con quien la acompaña». Ambos entraron, avanzaron y la nodriza, al volverse hacia Hayat al-Nufus, vio que ésta había preparado la habitación, alineado los candiles, extendido los tapices sobre estrados y divanes, que había colocado los cojines y encendido las velas que estaban en candelabros de oro y de plata; había extendido los manteles, colocado los frutos y los dulces y perfumado el salón con almizcle, áloe y ámbar. Estaba sentada entre candiles y velas, pero la luz de su rostro vencía a todas las demás. Al ver a la nodriza exclamó: «¡Oh nodriza! ¿Dónde está el amado de mi corazón?» «¡Señora mía! No le he encontrado ni he conseguido verle. Pero te traigo a su hermana uterina que es la que está aquí.» «¿Pero estás loca? ¡Yo no necesito a su hermana! ¿Es que cuando a un hombre le duele la cabeza le atan la mano?» «¡No, por Dios, señora mía! Pero fíjate en ella y guárdala contigo si te place.» Quitó el velo de la cara del príncipe y cuando la princesa le reconoció se puso de pie, le abrazó y le estrechó contra su pecho. Después cayeron los dos desmayados. Permanecieron así un rato. La nodriza les roció con agua de rosas y volvieron en sí. La princesa le dio un beso en la boca y mil besos más y recitó estos versos:

El amado de mi corazón me ha visitado en las tinieblas. Me he puesto en pie, en su honor, hasta que él se ha sentado.
Dije: «¡Oh, mi deseo! ¡Oh, mi único anhelo! ¿Me has visitado de noche sin tener miedo de la ronda?»
Contestó: «He tenido miedo, pero el amor se ha apoderado de mi espíritu y de mi alma».
Nos abrazamos y permanecimos unidos un rato. Aquí estamos seguros, no hay que temer a los guardianes.
Después nos levantamos, sin haber cometido pecado, levantando la orla de nuestros vestidos a los que no había cubierto nada de malo.

Sahrazad se dio cuenta de que amanecía e interrumpió el relato para el cual le habían dado permiso.

Cuando llegó la noche *setecientas treinta y cuatro,* refirió:

—Me he enterado, ¡oh rey feliz!, que en cuanto hubo terminado de recitar los versos le dijo: «¿Es cierto que te veo en mi domicilio y que tú eres mi comensal y mi contertulio?» El amor prendió en ella y la pasión ardió hasta el punto de que por la mucha alegría estuvo a punto de perder la razón. La joven recitó estos versos:

Rescataría con mi alma a aquel que me ha visitado en medio de las tinieblas. Esperaba el momento en que había de cumplir su promesa.
De repente me llegó su tierno llanto. Le he dicho: «¡Bienvenido!»
Le he dado mil besos en la mejilla y le he abrazado mil veces mientras estaba velado.
Dije: «He alcanzado todo cuanto esperaba. Como es debido, gracias sean dadas a Dios».
Hemos pasado la noche como hemos querido —¡qué hermosa noche!— hasta que la aurora ha disipado las tinieblas.

Al llegar la mañana le escondió en un rincón de su casa en el que nadie podía verlo. Cuando llegó la noche le hizo salir y ambos se sentaron a comer. El joven la dijo: «Tengo el propósito de volver a mi patria y dar nuevas de ti a mi padre para que éste mande a su visir a visitar a tu padre y te pida en matrimonio». «¡Amado mío! Temo que cuando vuelvas a tu tierra y a tu gobierno te olvides de mí y prescindas de mi amor o que tu padre no esté conforme con estas palabras. Yo moriría. La salud está en el buen consejo: quédate conmigo, en mis brazos y mírame a la cara como yo miro a la tuya hasta que se me haya ocurrido el medio de salir, en la misma noche, contigo. Iremos a tu patria. Yo he perdido la esperanza y desespero de mis familiares». «Oír es obedecer», replicó el príncipe. Se quedó con ella haciendo la misma vida y bebiendo vino. Una noche el vino no les sentó bien: no pudieron descansar ni dormir hasta que apareció la aurora.

Un rey había mandado al padre de la princesa un regalo en el cual figuraba un collar de estupendas perlas compuesto de veintinueve granos: en el tesoro del rey no había otro igual. Éste dijo: «Tal collar sólo es digno de mi hija Hayat al-Nufus». Se volvió a un criado al cual la princesa había hecho saltar las muelas en un incidente. El rey le llamó y le dijo: «Coge este collar y entrégalo a Hayat al-Nufus. Dile: "Un rey ha enviado un regalo a tu padre. No hay riquezas suficientes para pagarlo. Póntelo en el cuello"». El criado lo cogió diciéndose:

«¡Dios, ensalzado sea! ¡Haz que sea su último adorno en este mundo! ¡Ella me ha impedido utilizar mis muelas!» Llegó a la habitación y vio que la puerta estaba cerrada y que la vieja dormía en el dintel. La desveló y ella se despertó asustada. Le preguntó: «¿Qué deseas?» «El rey me ha enviado a hablar con su hija.» «No tengo aquí la llave. Vete hasta que la encuentre.» La vieja se había llenado de terror y buscaba salvarse. El criado, al ver que la vieja se movía lentamente, tuvo miedo de llegar tarde ante el rey: movió y sacudió la puerta hasta romper el cerrojo y la puerta se abrió. Entró, se metió hacia dentro y llegó hasta la séptima puerta. Al encontrarse en la habitación privada vio que ésta estaba recubierta de magníficos tapetes y que había velas y lámparas. El criado quedó admirado pero pasó adelante hasta llegar al lecho que estaba recubierto por una cortina de brocado encima de la cual había una red de joyas. Levantó la cortina y encontró a la hija del rey durmiendo; en su regazo dormía un muchacho más hermoso que ella. Alabó a Dios (¡ensalzado sea!) que le había creado de agua impura y exclamó: «¡Todo esto es maravilloso por parte de aquella que odiaba a los hombres! ¿Por dónde habrá venido hasta aquí? Creo que ella me arrancó las muelas por esto». Colocó la cortina en su puesto y se dirigió hacia la puerta. La princesa se despertó asustada y vio al criado, Kafur. Le llamó pero no le contestó. Bajó del lecho, le alcanzó, le cogió por el faldón, lo colocó encima de su cabeza, le besó los pies y le dijo: «¡Oculta lo que Dios oculta!» «¡Que Dios no te proteja ni a ti ni a aquel que te guarda! Tú me hiciste saltar las muelas diciendo: "Que nadie me hable de las cualidades de los hombres".» Se separó de ella, salió corriendo, cerró la puerta y colocó ante ésta un criado para que la guardara. Se presentó ante el rey. Y éste le preguntó: «¿Has entregado el collar a Hayat al-Nufus?». «¡Por Dios! Tú mereces más que todo esto.» «¿Qué ha sucedido? ¡Dilo! ¡Apresúrate a hablar!» «Sólo te lo diré a solas.» «Dilo aunque no estemos solos.» «¡Concédeme el perdón!» El rey le arrojó el pañuelo del perdón. El criado dijo: «¡Oh, rey! Me he presentado ante la reina Hayat al-Nufus y la he encontrado en una habitación recubierta de tapices;

dormía teniendo en el seno a un muchacho. Los he dejado encerrados y me he presentado ante ti». Al oír estas palabras, el rey se puso de pie, empuñó la espada y gritó al jefe de los criados. «Toma tus hombres, preséntate ante Hayat al-Nufus y tráemela con aquel que está con ella; tráelos encima del lecho en que duermen pero antes tápalos con una colcha».

Sahrazad se dio cuenta de que amanecía e interrumpió el relato para el cual le habían dado permiso.

Cuando llegó la noche *setecientas treinta y cinco,* refirió:

—Me he enterado, ¡oh rey feliz!, de que el criado salió con todos sus hombres, entraron en la habitación, y encontraron a la princesa de pie, llorando y sollozando. Lo mismo hacía el hijo del rey. El jefe de los criados dijo al joven: «¡Tiéndete en el lecho como estabas! ¡La hija del rey debe hacer lo mismo!» La princesa temió por Ardasir y le dijo: «¡No es el momento de discutir!» Los dos se tendieron y los criados los transportaron hasta dejarlos ante el rey. Quitaron la colcha y la princesa se puso de pie. El rey la miró y quiso cortarle el cuello. El muchacho se interpuso y dijo: «¡Oh, rey! La culpa no es de ella sino mía. ¡Mátame antes que a ella!» El rey se acercó para darle muerte, pero Hayat al-Nufus se interpuso y le dijo: «¡Mátame a mí y no a él! Él es hijo del al-Azam, señor de todo lo largo y ancho de la tierra». Al oír las palabras de su hija el rey se volvió hacia el gran visir que era un mal consejero y le preguntó: «¿Qué opinas, visir, de todo el asunto?» «Lo que digo es que cualquiera que se encontrase en estas circunstancias tendría necesidad de mentir. Has de cortar su cabeza después de haberlos torturado de las formas más variadas.» El rey llamó al verdugo. Éste acudió con su gente. El rey le dijo: «Coged a esta carne de horca y cortadle el cuello; después haréis lo mismo con esta desvergonzada y quemaréis los dos cadáveres. No me preguntéis otra vez lo que habéis de hacer». El verdugo colocó la mano encima de la mano de la joven para cogerla pero el rey le tiró un objeto que tenía en la mano y poco faltó para que lo matase. Le increpó: «¡Perro! ¿Cómo puedes ser misericordioso mientras yo estoy enfadado? ¡Cógela por los cabellos y tira de ellos hasta que caiga de bruces!» Hizo lo que le mandaba el rey y la arrastró de bruces. Lo mismo hizo con el muchacho. Así llegaron al lugar del suplicio. Cortó un pedazo de ropa del traje, vendó los ojos del muchacho y desenvainó la espada. Se entretenía con el joven en espera de que alguien intercediese por la princesa, dejando a ésta para más tarde. Volteó la espada por tres veces. Todos los soldados lloraban y pedían a Dios que alguien intercediese por ambos. El verdugo levantó la mano. En el mismo instante una nube de polvo cubrió el horizonte: Era el rey, el padre del muchacho. Al ver que pasaba el tiempo y que no tenía ninguna noticia de su hijo había reunido un gran ejército y había salido, en persona, en busca suya. Esto es lo que a él se refiere.

He aquí lo que hace referencia al rey Abd al-Qadir: Al ver la polvareda preguntó: «¡Gentes! ¿Qué ocurre? ¿Qué es esa nube de polvo que tapa la vista?» El gran visir se incorporó y se marchó a averiguar de qué se trataba, a saber de qué iba. Encontró muchísimos hombres, tantos que parecían una nube de langostas pues eran innumerables, sin cuento; habían cubierto los montes, los valles y las colinas. El visir regresó al lado del rey y le informó de lo que sucedía. Éste le dijo: «¡Ve y averigua qué es lo que quiere este ejército, cuál es la causa de su venida a nuestro país. Pregunta quién es su jefe, salúdale en mi nombre y pregúntale el porqué de su presencia aquí. Si tiene algo que hacer le ayudaremos; si tiene que tomar venganza de algún rey, le acompañaremos; si quiere regalos se los daremos. Éste es un ejército muy poderoso y tememos que su violencia se haga sentir en nuestra tierra». El visir se puso en marcha, cruzó entre soldados y pajes y anduvo desde la aurora hasta el crepúsculo vespertino: llegó ante los portadores de espadas doradas, a las tiendas coronadas por estrellas; se presentó ante príncipes, ministros, chambelanes y lugartenientes y no se detuvo hasta llegar ante el sultán. Vio que era un gran rey. Los grandes del reino, al verle, le gritaron: «¡Besa el suelo! ¡Besa el suelo!» Besó el suelo y se incorporó. Pero se lo gritaron por segunda y tercera vez hasta que levantó la cabeza y, queriendo incorporarse, cayó a todo lo largo de tanto respeto como experimentaba.

Una vez ante el rey le dijo: «¡Que Dios prolongue tus días, aumente tu poder y eleve tu dignidad, oh, rey feliz! Después de esto te comunico que el rey Abd al-Qadir te saluda y besa el suelo ante ti; te pregunta cuál es el motivo de tu venida. Si vas a tomar venganza de algún rey, él montará a caballo y se pondrá a tu servicio. Si vienes en busca de algo que le es posible conseguir, se pondrá a tus órdenes». El rey contestó: «¡Mensajero! Ve a tu Señor y dile: "El rey al-Azam tiene un hijo que está ausente desde hace tiempo; sus noticias llegaban con mucho retraso y ha perdido su rastro. Si está en la ciudad le tomará consigo y se marchará; pero si le ha ocurrido alguna cosa o le habéis causado algún daño, su padre arruinará vuestro país, saqueará vuestras riquezas, matará vuestros hombres y capturará vuestras mujeres". Vuelve rápidamente junto a tu dueño e infórmale de esto antes de que le alcance la desgracia.» «Oír es obedecer», contestó el ministro. Se disponía a partir cuando los chambelanes le gritaron: «¡Besa el suelo! ¡Besa el suelo!» Lo besó veinte veces y se alzó con el alma en la nariz. Salió del pabellón del rey y no paró de correr, meditando en el caso de aquel soberano y en el gran número de sus soldados, hasta llegar ante Abd al-Qadir. Éste estaba pálido, lleno de pánico, tembloroso. Le informó de lo que había sucedido.

Sahrazad se dio cuenta de que amanecía e interrumpió el relato para el cual le habían dado permiso.

Cuando llegó la noche *setecientas treinta y seis*, refirió:

—Me he enterado, ¡oh rey feliz!, de que al rey le entraron sospechas y temió por sí y por sus hombres. Preguntó: «¡Visir! ¿Quién es el hijo de ese rey!» «Su hijo es aquel al que has mandado dar muerte. ¡Loado sea Dios que no ha apresurado su fin! Su padre hubiese destruido nuestro país y saqueado nuestros bienes.» «¡Mira que mal consejo diste al indicarnos que había de matarlo! ¿Dónde está el muchacho hijo de ese rey generoso?» «¡Oh, rey poderoso! Tú has mandado matarle.» El soberano al oír estas palabras quedó perplejo y gritó desde lo más hondo de su corazón: «¡Ay de vosotros! ¡Advertid al verdugo que no lo mate!» Éste acudió al momento.

Cuando estuvo ante el soberano dijo: «¡Rey del tiempo! Le he cortado el cuello conforme has mandado». «¡Perro! ¡Si es verdad lo que dices vas a reunirte con él!» «¡Oh, rey! Tú me has mandado que lo matase sin que te lo preguntase por segunda vez!» «¡Pero yo estaba enojado! Di la verdad antes de perder la vida.» «¡Oh, rey! Está sujeto por las cadenas de la vida.» El soberano se tranquilizó al oír esto y mandó que le llevasen al muchacho. Cuando le tuvo delante se puso de pie, le besó en la boca y le dijo: «¡Hijo mío! Pido perdón a Dios, el Grande, por cuanto te he hecho. No digas a tu padre, el rey al-Azam, lo que haya de menguar mi posición». «¡Rey del tiempo! —replicó el muchacho— ¿Dónde está el rey al-Azam?» «Ha venido por tu causa.» «¡Juro por tu honor que no me iré de aquí hasta haber rehabilitado mi decoro y el de tu hija de la acusación que se nos ha hecho!: ella es virgen. Manda que vengan nodrizas y comadronas para que la examinen ante ti. Si no es virgen te permitiré que derrames mi sangre, pero si lo es, quedará patente nuestra inocencia.» El rey llamó a las comadronas. Éstas examinaron a la princesa y vieron que era virgen. Se lo dijeron al rey y le pidieron regalos. Se los concedió. También hizo regalos a todas las mujeres del harén. Sacaron los recipientes de perfumes y los grandes del reino se perfumaron y se pusieron muy alegres. Después el rey abrazó al muchacho, le trató con honor y respeto y le mandó que fuese al baño con sus propios criados. Al salir le dio un magnífico traje de corte, le puso una corona de aljófares y le ciñó con un cinturón de seda bordada con oro rojo que estaba incrustado de perlas y aljófares. Le hizo montar en un caballo hermosísimo que llevaba una silla de oro incrustada de perlas y aljófares y mandó a los grandes de su reino y a los magnates de su imperio que montasen también y se pusiesen a su servicio hasta que llegase junto a su padre. Recomendó al muchacho que dijese a aquél, al rey al-Azam: «El rey Abd al-Qadir escucha tus órdenes y obedecerá lo que quieras mandarle o prohibirle». El muchacho contestó: «Así lo diré». Se despidió y se marchó al encuentro de su padre. Éste, al verlo, perdió la razón de alegría. Se incorporó, se acercó a pie hasta él y se abrazaron. La alegría y el regocijo se extendieron por el ejército del rey al-Azam. Todos los visires, los chambelanes, los soldados y los oficiales besaron el suelo ante el príncipe y se alegraron de su vuelta. Aquel fue un día de gran alegría. El hijo del rey concedió permiso a los que le acompañaban, súbditos del rey Abd al-Qadir, para que recorriesen el ejército del rey al-Azam sin que nadie les molestase: así verían el gran número de soldados y el poder del sultán. Todos aquéllos que habían visto al muchacho sentado en el mercado de los ropavejeros quedaban estupefactos de que hubiese consentido en desempeñar tal papel dada su elevada posición y su alto rango. Pero su amor y su inclinación por la hija del rey le habían puesto en esta necesidad.

Las noticias del gran ejército se difundieron y llegaron hasta Hayat al-Nufus. Ésta miró desde lo más alto del palacio y se fijó en los montes: vio que estaban llenos de soldados y tropas. La princesa se encontraba presa en el palacio de su padre, en espera de órdenes, hasta que supiesen lo que mandaba hacer con ella el rey: o quedaba satisfecho y la ponía en libertad o la mataba y quemaba su cadáver. Hayat al-Nufus, al ver el ejército y al enterarse que pertenecía a al-Azam temió que el príncipe se olvidase de ella y que su padre le distrajese y se marchase, pues entonces Abd al-Qadir la mataría. En su celda tenía una esclava afectada a su servicio. Le dijo: «Ve en busca de Ardasir, hijo del rey, y no temas. Cuando llegues ante él, besa el suelo, di quién eres y añade: "Mi señora te saluda. Ahora está encarcelada en el alcázar de su padre, en espera de sus órdenes: puede perdonarla o castigarla. Te ruega que no la olvides ni la abandones: hoy eres todopoderoso y nadie podrá desobedecer cualquier cosa que ordenes. Si te parece bien librarla de su padre y tenerla a tu lado sería un favor de tu parte, pues ella sufre todas estas contrariadades por tu causa. Si esto no te parece bien por haber conseguido tu propósito, habla a tu padre: que no se marche hasta que quede en libertad y le haya prometido y asegurado que no la castigará ni la matará. Aquí terminan las palabras. ¡Que Dios no te entristezca! ¡La Paz!"»

Sahrazad se dio cuenta de que amanecía e interrumpió el relato para el cual le habían dado permiso.

Cuando llegó la noche *setecientas treinta y siete,* refirió:

—Me he enterado, ¡oh rey feliz!, de que la esclava, una vez ante el príncipe, le repitió las palabras de su señora. Éste, al oírla, rompió a llorar a lágrima viva y le dijo: «Di a Hayat al-Nufus, mi señora, yo soy su esclavo, prisionero de su amor, que no olvido lo que existe entre los dos ni la amargura del día de la separación. Dile, después de haberle besado los pies: "Yo hablaré a mi padre de ella y éste enviará a su visir a pedirte por esposa, el mismo que te pidió por primera vez en matrimonio. Él no podrá desobedecer. Si tu padre envía a alguien para pedirte la opinión, no le contraríes pues yo no me marcharé a mi país si no es contigo"». La esclava volvió junto a su señora, le besó las manos y le dio el mensaje. Al oírlo, la princesa rompió a llorar de alegría y loó a Dios (¡ensalzado sea!). Esto es lo que a ella se refiere.

He aquí lo que hace referencia al joven: Llegada la noche se quedó a solas con su padre. Éste le había preguntado cómo se encontraba y qué le había sucedido. El príncipe le había referido todo desde el principio hasta el fin. El soberano le preguntó: «¿Qué quieres que haga, hijo mío? Si tú quieres destruir a Abd al-Qadir, arruinaré su país, saquearé sus riquezas y violaré su harén». «No quiero esto, padre. No me ha hecho nada que merezca causarle daño. Quiero unirme con ella y pido de tu bondad que prepares un regalo y se lo envíes a su padre. Ha de ser un regalo precioso: lo mandarás con tu visir, el que es de buen consejo». «¡Oír es obedecer!», le contestó su padre. El rey fue al lugar en que guardaba sus tesoros desde hacía mucho tiempo y sacó todas las cosas preciosas. Se las mostró a su hijo y éste quedó encantado. Mandó llamar al visir y lo envió todo por su mediación. Le mandó que lo llevase al rey Abd al-Qadir y que le pidiese en matrimonio a su hija para su hijo. Añadió: «Le dirás: "Acepta este regalo y dame tu contestación"». El visir marchó en busca del rey Abd al-Qadir.

Éste permanecía triste desde el momento de la partida del muchacho; estaba muy preocupado, pues esperaba la destrucción de su reino y su propia ruina. Entonces llegó el visir quien le saludó y besó el suelo ante él. El rey se puso de pie y le recibió con honores. El visir avanzó apresuradamente, se dejó caer a sus pies y se los besó diciendo: «¡Perdón, oh rey del tiempo! Personas de tu rango no se incorporan por un ser como yo que soy el más ínfimo de los esclavos, de los criados. Sabe, ¡oh rey!, que el príncipe ha hablado con su padre y le ha explicado parte de tu generosidad y de tu bondad con él. El rey te da las gracias por todo y te ha preparado un regalo que te envía por medio de los criados que están ante ti. Te saluda, te distingue y te honra». Abd al-Qadir, dado su gran miedo, no dio crédito a lo que oía hasta que le mostraron el regalo. Al contemplarlo se dio cuenta de que era un presente que estaba por encima de todas las riquezas y al cual no podía alcanzar ninguno de los reyes de la tierra. Quedó abrumado y poniéndose de pie dio gracias a Dios (¡ensalzado sea!), le loó y dio gracias al joven.

El visir le dijo: «¡Rey generoso! Oye mis palabras: Sabe que el rey al-Azam te ha enviado un mensajero, pues desea ser tu pariente. He venido con la intención de pedirte a tu hija, la señora bien guardada, la joya protegida, Hayat al-Nufus, para que él la case con su hijo Ardasir. Si aceptas esta demanda y estás satisfecho de ella ponte de acuerdo conmigo acerca de las arras». El rey contestó a estas palabras: «¡Oír es obedecer! Por mi parte, bien. Pero la muchacha ha alcanzado la mayoría de edad y es a ella a quien toca decidir. Sabe que todo depende de ella». Volviéndose al jefe de los criados le dijo: «Ve a ver a mi hija e infórmale de la situación». «¡Oír es obedecer!», replicó el criado. Se marchó, llegó al alcázar del harén, se presentó a la princesa, besó sus manos y la explicó lo que le había dicho el rey. Le preguntó: «¿Qué dices en contestación a estas palabras?» Contestó: «¡Oír es obedecer!»

Sahrazad se dio cuenta de que amanecía e interrumpió el relato para el cual le habían dado permiso.

Cuando llegó la noche *setecientas treinta y ocho,* refirió:

—Me he enterado, ¡oh rey feliz!, de que el jefe de los criados del harén, al oír estas palabras, regresó junto al rey y le dio la respuesta. Éste se alegró muchísimo. Mandó que diesen al visir un traje de corte y ordenó que le entregasen diez mil dinares. Dijo: «Llévale la contestación al rey y pídele permiso para que yo vaya a visitarle». El visir contestó: «¡Oír es obedecer!». Abandonó al rey Abd al-Qadir y anduvo sin descanso hasta encontrarse ante el rey al-Azam. Le dio la contestación y le refirió las palabras que había dicho. Al-Azam se alegró mucho y él perdió la cabeza de alegría, el pecho se le dilató y quedó satisfecho. El rey al-Azam concedió permiso al rey Abd al-Qadir para que éste acudiera a visitarle. Al día siguiente el rey Abd al-Qadir montó a caballo, se presentó ante al-Azam y éste salió a recibirle con el máximo honor y respeto. Ambos se sentaron y el príncipe quedó de pie ante ellos. Un orador del séquito del rey Abd al-Qadir pronunció un elocuente discurso y felicitó al hijo del rey por haber conseguido su propósito de casarse con la reina, la señora hija de reyes. Una vez se hubo sentado el orador el rey al-Azam mandó que le llevasen una caja llena de perlas, aljófares y cincuenta mil dinares. Dijo al rey Abd al-Qadir: «Yo soy el procurador de mi hijo para todo lo que está establecido». Éste reconoció haber recibido la dote en la cual figuraban cincuenta mil dinares con motivo de la boda de su hija, la señora, hija de reyes, Hayat al-Nufus. Después de estas palabras hicieron acto de presencia los jueces y los testigos y escribieron el contrato matrimonial de la hija del rey Abd al-Qadir con el hijo del rey al-Azam, Ardasir. Fue un día señalado que causó alegría a todos los amantes y enojo a los envidiosos y malévolos. Se organizaron banquetes y se enviaron invitaciones. Después el príncipe consumó el matrimonio y vio que su mujer era una perla sin perforar, una potra a la que nadie había cabalgado, una perla única, guardada, una joya protegida. Así se lo comunicaron a Abd al-Qadir.

Después el rey al-Azam preguntó a su hijo si tenía algún deseo que realizar antes de partir. Contestó: «¡Sí, oh rey! Sabe que quiero tomar venganza del visir que nos ha causado daño y del eunuco que inventó la mentira». El rey al-Azam envió, al acto, un mensajero al rey Abd al-Qadir pidiéndole el visir y el eunuco. Éste se los entregó. Cuando los tuvo en su poder mandó ahorcarlos en la puerta de la ciudad. Después aún permanecieron allí un corto espacio de tiempo al cabo del cual pidieron permiso al rey Abd al-Qadir para que su hija se preparase para el viaje. Éste la preparó y la instaló en una litera de oro rojo incrustada de perlas y aljófares y arrastrada por nobles corceles. La princesa se llevó consigo todas sus doncellas y criadas y la nodriza recuperó el puesto que tenía antes de la huida. El rey al-Azam y su hijo montaron a caballo. Lo mismo hizo el rey Abd al-Qadir y todos los súbditos de su reino para ir a despedir a su yerno y a su hija. Fue un día que se cuenta entre los más bellos. Cuando se hubieron alejado de la ciudad el rey al-Azam conjuró a su suegro para que volviese a ella. Se despidió de él y Abd al-Qadir regresó a la capital después de haberle estrechado contra su pecho, besado la frente, dado las gracias por sus favores y haberle recomendado su hija. Una vez despedido del rey al-Azam y del príncipe volvió junto a aquélla, la abrazó y ella le besó las manos. Ambos rompieron a llorar por haber llegado la hora de la separación. El rey volvió hacia su reino y al-Azam, el príncipe y su esposa siguieron viaje hasta llegar a su patria en donde volvieron a celebrar las fiestas nupciales.

Vivieron en la más dulce, feliz y cómoda vida hasta que les llegó el destructor de las dulzuras, el separador de los amigos, arruinador de los palacios, el constructor de las tumbas.

Así termina la historia.

HISTORIA DEL MATRIMONIO DEL REY BADR BASIM, HIJO DEL REY SAHRAMÁN, CON LA HIJA DEL REY SAMANDAL

También se cuenta, ¡oh rey feliz!, que en lo antiguo del tiempo y en las épocas y siglos pasados, vivía en la tierra de los persas un rey que se llamaba Sahramán. Ocupaba el Jurasán, y tenía cien concubinas pero ninguna de éstas, en todo lo largo de su vida, le había dado un hijo, ni varón ni hembra. Un día meditaba en esto y se encontraba muy afligido porque había transcurrido la mayor parte de su vida y no tenía ningún hijo varón que pudiese heredar el reino a su muerte, tal y como él lo había heredado de sus padres y abuelos. Esto lo llenaba de gran pena y aflicción. Cierto día, mientras estaba sentado, se presentó ante él uno de sus mamelucos, que le dijo: «¡Señor mío! En la puerta espera una esclava acompañada por el comerciante. ¡Jamás he visto una mujer más hermosa!» El rey ordenó: «¡Que entren!» Pasaron ambos. El rey, al verla, se dio cuenta de que era una lanza de Rudayna. Iba envuelta en un velo de seda bordado en oro. El comerciante le destapó la cara, y su hermosura deslumbró el lugar; se soltaron sus siete trenzas, que llegaron hasta las ajorcas como si fuesen colas de caballo; sus ojos parecían como alcoholados; sus caderas eran pesadas y de ellas surgía una cintura delgada capaz de curar la enfermedad del doliente y de apagar el fuego del enamorado. Tal como dijo el poeta en estos versos:

Me he enamorado de ella, que contiene en sí toda
la belleza; está repleta de gracia y dignidad.

Ni es alta ni es baja, pero la saya es estrecha para tales caderas.
Su estatura es la justa, y así no peca ni por mucho ni por poco.
El negro cabello avanza hasta las ajorcas, pero su rostro resplandece como el día.

El rey se admiró del aspecto, belleza y proporciones de la joven y preguntó al comerciante: «¡Jeque! ¿Por cuanto vendes esta esclava?» «¡Señor mío! —contestó—, la he comprado por dos mil dinares a otro comerciante. La he tenido conmigo durante tres años y he viajado con ella. Hasta llegar aquí he gastado en ella tres mil dinares. Te la ofrezco como regalo.» El rey mandó que le diesen un lujoso traje de Corte y diez mil dinares. Los cogió, besó la mano del rey, le dio las gracias por su favor y generosidad y se marchó. El rey entregó la muchacha a las peinadoras y les dijo: «Arreglad y engalanad a esta esclava. Preparadle una habitación y dejadla en ella». Mandó a los chambelanes que le llevasen cuanto pudiera necesitar.

El imperio de aquel rey estaba a orillas del mar, y su capital se llamaba Ciudad Blanca. Llevaron a la esclava a un departamento con ventanas que daban al mar.

Sahrazad se dio cuenta de que amanecía e interrumpió el relato para el cual le habían dado permiso.

Cuando llegó la noche *setecientas treinta y nueve,* refirió:

—Me he enterado, ¡oh rey feliz!, de que el rey fue a ver a la esclava, pero ésta ni se puso de pie ni le hizo caso. El rey dijo: «Al parecer, ha estado con gentes que no la han educado». El soberano se dirigió hacia la muchacha y se dio cuenta de que era un portento de hermosura, belleza y armónicas proporciones; que su cara parecía el disco de la luna cuando está llena y el del sol resplandeciente cuando brilla en el cielo puro. Quedó estupefacto porque era un portento de hermosura y armónicas proporciones. Loó a Dios, el Creador (¡excelso sea su poder!). Se acercó a la joven, se sentó a su lado, la estrechó contra su pecho, la sentó en sus rodillas y sorbió la saliva de su boca que encontró más dulce que la miel. A continuación mandó que sirviesen en las mesas los guisos más exquisitos y los platos más variados. El rey comió y fue dando de comer a la esclava hasta que ésta quedó harta. Pero ella no pronunció ni una sola palabra. El rey le explicaba cosas y le preguntaba su nombre, pero ella seguía sin decir palabra, sin darle contestación, manteniendo la cabeza baja. La salvaba de la cólera del rey su gran hermosura, belleza y dignidad. El rey se dijo: «¡Gloria a Dios que ha creado a esta esclava! ¡Qué graciosa es! Pero no habla. La perfección sólo pertenece a Dios (¡ensalzado sea!)». El soberano le preguntó a las doncellas: «¿Habla?» Le contestaron: «Desde que ha llegado no ha dicho una sola palabra; no la hemos oído decir nada». El rey mandó llamar a doncellas y concubinas y les dijo que la distrajeran, pues tal vez así hablara. Esclavas y concubinas realizaron toda clase de payasadas y juegos y cantaron hasta el punto de dejar impresionados a los allí reunidos. La esclava las miraba sin reírse y seguía callada, sin hablar. El pecho del rey se acongojó: despidió a las esclavas, se quedó a solas con ella, se desnudó y la desnudó él mismo y contempló su piel: vio que parecía un lingote de plata y sintió por ella una gran pasión: le arrebató la virginidad puesto que se dio cuenta de que era virgen y se alegró muchísimo por esto. Se dijo: «¡Por Dios! ¡Qué maravilla! ¿Cómo pueden haber dejado virgen los comerciantes a una joven tan hermosa, bien proporcionada y de buen ver como ésta?» El rey se sintió completamente atraído por ella: se separó de las restantes concubinas y favoritas y permaneció con ella durante un año entero, que pasó tan rápido como si hubiese sido un día. Pero ella seguía sin hablar. Cierto día en que la pasión y el amor le desbordaban le dijo: «¡Oh, anhelo de las almas! Te amo muchísimo, y por tu causa me he apartado de todas las jóvenes, concubinas, mujeres y favoritas, y te considero como mi parte de las cosas terrenas. Hace un año que estoy contigo y ruego a Dios (¡ensalzado sea!) que con su gracia haga compasivo tu corazón y me hables. Si eres muda, dímelo por señas para que yo deje de sentir deseos de oírte hablar. Espero que Dios (¡glorificado sea!) me conceda, por ti, un hijo varón que herede el reino a mi muerte. Yo me encuentro solo, sin nadie que pueda heredarme y ya soy viejo. Te conjuro, por Dios, si me amas, que me contestes». La esclava bajó su cabeza y meditó. Después la levantó, sonrió al rey, y éste creyó que un relámpago había iluminado la habitación. Dijo ella: «¡Oh, rey magnánimo, león valiente! Dios ha escuchado tu plegaria. Me has dejado encinta y se aproxima el momento del parto, pero no sé si el feto es varón o hembra. Si no me hubieses dejado encinta jamás te habría dicho ni una sola palabra». El semblante del rey se puso radiante de alegría al oír estas palabras, contento como estaba la besó las manos y la cabeza y exclamó: «¡Loado sea Dios que me ha concedido las cosas que deseaba! Primero, oírte hablar, y luego saber que te he dejado encinta». El rey se marchó de su lado y se sentó en el trono de su reino. Por instantes se iba poniendo más contento. Mandó al visir que repartiese cien mil dinares entre los pobres, mendigos, viudas y demás necesitados, como limosna y en acción de gracias. El visir hizo lo que le había mandado el rey. Después, éste regresó junto a la esclava, se sentó a su lado, la abrazó y la estrechó contra su pecho. Le dijo: «¡Señora mía! ¡Reina de mi amor! ¿Por qué has guardado silencio conmigo durante un año entero, día y noche, cuando estabas despierta y dormías? ¿Por qué no me has hablado en todo el año hasta hoy? ¿Cuál ha sido la causa de tu silencio?» La esclava contestó: «¡Oye, oh rey del tiempo! Sabe que soy una pobre extranjera, afligida, y que estoy separada de mi madre, de mi familia y de mi hermana». El rey, al oír estas palabras, comprendió lo que quería decir. Replicó: «No hay motivo para decir que eres pobre, pues todo mi reino, todos mis bienes y todo lo que yo puedo está a tu servicio, ya que soy tu esclavo. Puedes decir: "Estoy separada de mi madre, de mi familia y de mi hermano". Pero infórmame del lugar en que se encuentran: los mandaré buscar y te los traeré». «¡Rey feliz! Me llamo Chulnar la Marina, y mi padre era uno de los reyes del mar. Al morir nos legó el reino. Vivimos en él, pero un rey nos atacó y nos arrebató el reino. Tengo un hermano que se llama Salih, y mi madre es una de las mujeres del mar. Yo discutí con mi hermano y juré que saldría al encuentro de un hombre de los que habitaban la tierra. Salí y me senté en la orilla de la isla al-Qamar. Un hombre pasó por mi lado, me cogió, me llevó a su casa y quiso poseerme pero yo le golpeé en la cabeza hasta dejarlo casi muerto. Me sacó y me vendió al hombre al que me compraste. Éste fue excelente, piadoso, observante de la religión, todo hombría. Si tu corazón no me hubiese amado y no me hubieses preferido al resto de tus concubinas no habría permanecido contigo ni un instante y me habría arrojado al mar desde esta ventana, para ir en busca de mi madre y de mi familia. Pero me avergonzaría hacerlo estando encinta pues creerían que he obrado mal y no me harían caso, aunque les contara que un rey me había comprado con su dinero haciéndome su único goce en el mundo, prefiriéndome a las demás esposas y restantes mujeres. Ésta es mi historia. Y la paz.»

Sahrazad se dio cuenta de que amanecía e interrumpió el relato para el cual le habían dado permiso.

Cuando llegó la noche *setecientas cuarenta,* refirió:

—Me he enterado, ¡oh rey feliz!, de que el rey le dio las gracias y la besó entre los ojos una vez oídas estas palabras. Le dijo: «¡Por Dios, señora mía, luz de mis ojos! Yo no puedo apartarme de ti ni un solo instante, y si me abandonaras, moriría en el acto. ¿Qué haremos?» «¡Señor mío! Se aproxima el momento de dar a luz y quiero que esté presente mi familia para que me cuide, puesto que las mujeres de la tierra no saben cómo dan a luz las hijas del mar, y éstas, a su vez, no saben cómo alumbran las hijas de la tierra. Cuando venga mi familia, yo me reconciliaré con ella y ella se reconciliará conmigo». «Pero, ¿cómo pueden andar por el mar sin mojarse?» «Nosotros andamos por el mar como vosotros por la tierra, gracias a la baraca de los nombres grabados sobre el anillo de Salomón, hijo de David, sobre el cual sea la paz. ¡Rey! Cuando llegue mi familia y mis hermanos, yo les explicaré que tú me has comprado con tu dinero y que me has tratado con gracia y benevolencia. Es necesario que ellos den crédito a mis palabras, que vean tu posición por sus propios ojos y se convenzan de que eres un rey, hijo de un rey.» El soberano le dijo:

«¡Señora mía! Haz lo que bien te parezca, pues yo te obedeceré en todo lo que quieras hacer». «Sabe, ¡oh rey del tiempo! que nosotros recorremos el mar con los ojos abiertos, que vemos lo que contiene y observamos el sol, la luna, las estrellas y el cielo como si estuviésemos sobre la faz de la tierra; el estar sumergidos no nos molesta. Sabe también que en el mar hay muchas especies y tipos muy variados de todas las clases de seres que hay en la tierra. Sabe también que todo lo que hay en la tierra es bien poca cosa en relación con lo que hay en el mar.» El rey quedó admirado ante estas palabras. La mujer sacó de su seno dos pedazos de áloe de Qumr. Cogió un poco, encendió un brasero, arrojó un pedazo de áloe, silbó con fuerza y empezó a decir unas palabras que nadie era capaz de comprender. Se levantó una gran humareda. El rey miraba fijamente. La esclava le dijo: «¡Señor mío! Ve a esconderte en un rincón para que te muestre a mi hermano, mi madre y mi familia, y tú los veas desde un lugar en que no te puedan ver. Quiero que vengan aquí y en este sitio, y ahora vas a ver cosas maravillosas y te admirarás de las distintas figuras y variadas formas que Dios (¡ensalzado sea!) ha creado». El rey se puso de pie en seguida, se metió en un recoveco y clavó los ojos en lo que hacía. La joven empezó a fumigar y a pronunciar conjuros: el mar se encrespó, se agitó y salió de él un muchacho joven, de resplandeciente belleza, que parecía la luna llena: frente radiante, mejillas rojas, cabellos como perlas y aljófares. Era el ser que más se parecía a su hermana. En esta circunstancia se podían recitar estos dos versos:

> La luna está llena sólo una vez al mes. Pero la belleza de tu cara cada día está completa.
> La luna sólo está una vez en el centro de una constelación, y, en cambio, todos los corazones te tienen en el centro.

Al cabo de un momento salió del mar una vieja encanecida, acompañada por cinco jóvenes que parecían lunas y que se parecían mucho a Chulnar. Después, el rey vio a un joven, a la vieja y a las cinco doncellas que andaban por encima del agua. Así se aproximaron a la joven y se acercaron a la ventana. Chulnar los observó y salió a recibirlos llena de alegría y satisfacción. Al verla la reconocieron, entraron, la abrazaron y rompieron a llorar con fuerza. Dijeron: «¡Chulnar! ¡Cómo has podido abandonarnos durante cuatro años! No sabíamos el lugar en que te encontrabas. Y, ¡por Dios!, el dolor de estar separados de ti nos hacía subestimar el mundo, y no hemos probado la comida ni la bebida ni un solo día. Por lo mucho que te queremos hemos llorado de noche y de día». La joven besó la mano de su hermano y la de su madre. Sus primas se sentaron un rato a su lado, preguntándola por su situación, qué le había ocurrido y cómo se encontraba. Les contestó: «Sabed que cuando me separé de vosotros y salí del mar, me senté en la playa de una isla. Un hombre se apoderó de mí y me vendió a un comerciante. Éste me trajo hasta esta ciudad y me vendió, por diez mil dinares, a su rey, el cual me ha cuidado, ha abandonado a todas sus mujeres, concubinas y favoritas y se ha desentendido de todo cuanto tenía y de todo lo que hay en la ciudad, sólo para atenderme a mí». El hermano, oídas estas palabras, dijo: «¡Loado sea Dios que ha colmado nuestro deseo haciendo que te encontremos! Hermana: quiero que vuelvas con nosotros a nuestro país, junto a nuestra familia». El rey, al oír las palabras del hermano, estuvo a punto de perder la razón, pues temía que la joven hiciese caso de sus palabras, y que él fuese incapaz de impedirlo a pesar de su mucho amor. Quedó muy perplejo y con mucho miedo de perderla. La joven Chulnar, oídas las palabras de su hermano, le dijo: «¡Hermano mío! ¡Por Dios! El hombre que me ha comprado es el rey de esta ciudad; es un rey muy poderoso, un hombre inteligente, magnánimo y muy generoso, que me ha tratado con todos los miramientos. Es noble, tiene muchas riquezas y ningún hijo, ni varón ni hembra. Me ha hecho toda clase de favores y mucho bien. Desde el día en que llegué, jamás he oído una palabra molesta. Siempre me ha tratado con dulzura y nunca ha hecho nada sin pedirme consejo; yo me encuentro magníficamente a su lado y con todas las comodidades. Si lo abandonase moriría, pues no puede estar separado de mí ni un instante. Si yo me separase de él, también moriría, pues lo amo muchísimo por la multitud de favores que me ha concedido y por el tiempo que hace que vivo con él. Si mi padre viviera, mi rango junto a éste no sería como el que tengo junto al rey grande, excelso, poderoso. Además, espero un hijo de él. ¡Gracias a Dios que me hizo ser hija del rey del mar y ha hecho que mi esposo sea el rey más poderoso de la tierra! Dios (¡ensalzado sea!) no me ha desilusionado, y me ha recompensado con bien.

Sahrazad se dio cuenta de que amanecía e interrumpió el relato para el cual le habían dado permiso.

Cuando llegó la noche *setecientas cuarenta y una*, refirió:

—Me he enterado, ¡oh rey feliz!, de que [Chulnar prosiguió] »El rey no tiene hijos varones ni hembras, y pido a Dios (¡ensalzado sea!) que me conceda un varón que pueda heredar de este rey grande sus posesiones y alcázares». El hermano y las primas se tranquilizaron al oír sus palabras y le dijeron: «¡Chulnar! Tú sabes la posición de que gozas ante nosotros; conoces el amor que te tenemos; te consta que te apreciamos más que a nadie; estás convencida que sólo queremos para ti una vida tranquila, sin penas ni fatigas. Si te encuentras mal, ven con nosotros a nuestro país, junto a nuestra familia; si aquí te encuentras bien y eres poderosa y feliz, esto es lo que nosotros deseamos y queremos: sólo buscamos tu bienestar en cualquier circunstancia». Chulnar replicó: «¡Por Dios! Me encuentro magníficamente, feliz y contenta». El rey se alegró, su corazón quedó tranquilo al oír estas palabras, se lo agradeció, aumentó su amor por ella y éste arraigó en lo más hondo de su corazón, pues comprendió que ella lo amaba del mismo modo que él a ella; que quería permanecer a su lado hasta el nacimiento del hijo. La joven, es decir, Chulnar la Marina, mandó a sus doncellas que acercasen las mesas con comida de todas clases. Chulnar en persona había preparado la comida en la cocina. Las criadas les llevaron la comida, los dulces y las frutas. La joven y su familia comieron. Después, éstos le dijeron: «¡Chulnar!

Tu señor es un extraño para nosotros; hemos entrado en su casa sin su permiso, sin que él sepa que estamos aquí. Tú le darás las gracias en nuestro nombre por su cortesía y por habernos dado de comer sin estar reunidos con él, sin verlo y sin que él nos viera; él no ha estado en nuestra mesa, no ha comido con nosotros y no existe entre él y nuestra familia el lazo del pan y la sal». Todos dejaron de comer, se enfadaron con la joven y empezó a salir fuego a llamas por su boca. El rey, al ver esto, perdió la razón a causa del miedo que le dieron. Chulnar los tranquilizó y se dirigió a la habitación en que estaba el rey, su señor. Le dijo: «¡Señor mío! ¿Has visto y oído lo agradecida que te estoy y el elogio que de ti he hecho a mi familia? ¿Has oído lo que me han dicho? Querían llevarme con ellos junto a nuestros parientes, a nuestro país». «Lo he oído y lo he visto. ¡Que Dios te recompense con bien! No me he dado cuenta hasta ahora del mucho amor que te tengo. No me cabe duda: me amas.» «¡Señor mío! ¿Es que la recompensa del que hace bien no es el bien? Tú me has tratado generosamente, me has agobiado con tus favores y veo que me amas muchísimo. Me has dado toda clase de satisfacciones, me has preferido a todas las que amabas y querías. ¿Cómo iba a poder aceptar mi corazón el separarse de ti, el marcharse de tu lado? ¿Cómo iba a poder hacerlo si tú me tratas bien y con cuidado? Mas ahora quiero pedirte que vengas a saludar a mi familia, a verla, a que te vean y a que entre vosotros nazca la amistad y el afecto. Sabe, ¡oh rey del tiempo!, que mi hermano, mi madre y mis primas te quieren muchísimo, porque les he dicho lo reconocida que te estoy. Han dicho: "No nos separaremos de tu lado para volver a nuestro país hasta haber visto al rey y haberlo saludado". Quieren verte y franquearse contigo.» El rey le replicó: «Oír es obedecer. Ése es mi deseo». Se levantó del sitio en que estaba, se dirigió hacia ellos y los saludó con las mejores palabras. Todos se apresuraron a ponerse de pie, lo acogieron amablemente y él se sentó en el alcázar y comió con ellos en la mesa. Permanecieron juntos durante treinta días, al cabo de los cuales quisieron marcharse a sus lares. Se despidieron del rey y de Chulnar la Marina. El soberano los colmó de honores, y ellos se marcharon.

Chulnar llegó al fin del embarazo y dio a luz un niño que parecía la luna en plenilunio. Esto llenó al rey de alegría, ya que no había tenido en toda su vida ningún hijo, ni varón ni hembra. Las fiestas y las ceremonias duraron siete días, que transcurrieron felices y tranquilos. El séptimo día acudieron la madre de la reina Chulnar, su hermano y todas sus primas, pues se habían enterado del alumbramiento de Chulnar.

Sahrazad se dio cuenta de que amanecía e interrumpió el relato para el cual le habían dado permiso.

Cuando llegó la noche *setecientas cuarenta y dos,* refirió:

—Me he enterado, ¡oh rey feliz!, de que el rey, contento de su llegada, los recibió y les dijo: «Me he dicho que no daría nombre a mi hijo hasta que vinieseis y se lo pusieseis vosotros de acuerdo con vuestros conocimientos». Le pusieron el nombre de Badr Basim, y todos estuvieron conformes con él. Luego presentaron el niño a su tío materno, Salih. Éste lo tomó en sus manos, se apartó de los reunidos, paseó por la habitación a derecha e izquierda, salió de ella y se arrojó al mar, andando por él hasta que el rey lo perdió de vista. Éste, al ver que cogía a su hijo, se alejaba con él y se sumergía en el mar, desesperó y empezó a llorar y a sollozar. Chulnar, al verlo en aquel estado, le dijo: «¡Rey del tiempo! No temas ni te entristezcas por tu hijo. Yo quiero a mi hijo más que tú. Pero mi hijo está con mi hermano; por tanto, no te preocupes por el mar y no temas que se ahogue. Si mi hermano supiera que el pequeño había de sufrir algún daño, no habría hecho lo que ha hecho. Te traerá inmediatamente sano a tu hijo si Dios (¡ensalzado sea!) lo quiere». Al cabo de un rato, el mar se agitó, se movió y salió el tío del niño con el hijo del rey. Anduvo por el mar hasta llegar junto a ellos, llevando al niño en brazos; éste estaba callado, mientras su cara parecía la luna en la noche de plenilunio. El tío del pequeño miró al rey y le dijo: «Quizá temías que ocurriese algún percance cuando descendí con tu hijo al mar». «Sí, señor mío. Temía por él y no creía que pudiera escapar sano.» «¡Rey de la tierra! Nosotros le hemos puesto un colirio especial que conocemos y le hemos recitado los nombres grabados en el anillo de Salomón, hijo de David (¡sobre el cual sea la paz!). Hacemos lo que te he mencionado con todos los recién nacidos. No temas que se ahogue o sofoque cuando se sumerja en un mar cualquiera: nosotros andamos por el mar como vosotros por la tierra.» A continuación sacó del bolsillo un folio escrito y sellado con los nombres mágicos inscritos. Lo rompió y lo abrió, y de él cayeron joyas enfiladas como un collar: había jacintos, aljófares, trescientas varas de esmeralda y trescientas de piedras tan grandes como huevos de avestruz; despedían una luz más brillante que la del sol y la luna. Dijo: «¡Oh rey del tiempo! Estas joyas y estos jacintos son un regalo que yo te hago, ya que jamás te hemos hecho regalos antes, pues no sabíamos el lugar en que se encontraba Chulnar y no teníamos ni rastro ni noticias suyas. Al ver que te has unido a ella y que nosotros hemos pasado a ser una única cosa, te hemos traído este regalo, y con mucha frecuencia, si Dios quiere, te traeremos otros como éste, ya que los aljófares y los jacintos abundan entre nosotros más que los guijarros en la tierra. Sabemos distinguir los buenos de los malos, y conocemos todos los caminos y lugares en que se encuentran. Para nosotros, esto es cosa fácil». El entendimiento del rey quedó estupefacto, y su corazón, perplejo, al contemplarlos. Exclamó: «¡Una sola de estas joyas equivale a mi reino!» El rey dio las gracias a Salih el Marino, miró a la reina Chulnar y le dijo: «Estoy avergonzado ante tu hermano. Ha sido bondadoso conmigo y me ha regalado este magnífico presente, que no puede tener ningún ser de la tierra». Chulnar dio las gracias a su hermano por lo que había hecho. Éste dijo: «¡Oh, rey del tiempo! Tú te has hecho merecedor de nuestro agradecimiento con anterioridad. Era necesario que lo hiciéramos, puesto que tú trataste bien a mi hermana y nosotros nos metimos en tu casa y comimos de tus provisiones. El poeta ha dicho:

Si antes de que Sada llorase hubiese llorado yo,
me habría curado del amor antes de tener que
arrepentirme.
Pero ella ha llorado antes que yo, y su llanto me
ha excitado. Dije: "El mérito está en quien
empieza"».

Salih añadió: «Aunque permaneciéramos a tu servicio, ¡oh rey del tiempo!, durante mil años, no podríamos recompensarte: ante tus merecimientos, esto sería muy poca cosa». El rey le dio las gracias efusivamente.

Salih, su madre y sus primas permanecieron con el rey durante cuarenta días, al cabo de los cuales Salih, hermano de Chulnar, besó el suelo ante el rey, el esposo de su hermana. Éste le preguntó: «¿Qué quieres, Salih?» «¡Rey del tiempo! Nos has tratado con favor. Pero pido a tu generosidad que nos concedas tu permiso para marchar junto a nuestra familia, a nuestra tierra, junto a nuestros parientes, a nuestro hogar. No por ello dejaremos de servirte a ti, a nuestra hermana y a nuestro sobrino. ¡Por Dios, oh rey del tiempo!, me molesta separarme de ti; pero, ¿qué haremos si nosotros hemos crecido en el mar, y la tierra no nos sienta bien?» El rey, al oír sus palabras, se puso de pie y se despidió de Salih el Marino, de su madre y de sus primas. Todos lloraron por tener que separarse. Le dijeron: «Dentro de poco volveremos a tu lado para no separarnos jamás. Os visitaremos de cuando en cuando». Levantaron el vuelo, se dirigieron al mar, y al llegar a éste desaparecieron de la vista.

Sahrazad se dio cuenta de que amanecía e interrumpió el relato para el cual le habían dado permiso.

Cuando llegó la noche *setecientas cuarenta y tres*, refirió:

—Me he enterado, ¡oh rey feliz!, de que el rey trató bien y honró cada vez más a Chulnar; el pequeño crecía normalmente, y sus tíos, sus tías, su abuela y sus primas iban a verlo frecuentemente, se presentaban en la residencia del rey y permanecían con éste uno o dos meses. Después volvían a sus lares. La hermosura, la belleza y el buen sentido del muchacho fueron en aumento, y así llegó a cumplir los quince años: era único en su perfección, inigualable por su buen aspecto y proporciones. Aprendió a escribir y a leer; estudió la Historia, la Gramática y la Lexicografía; practicó el tiro de dardos, el manejo de la lanza, la caballería y todo aquello que deben conocer los hijos de los reyes. Todos los habitantes de la ciudad, fuesen hombres o mujeres, hablaban de la hermosura del muchacho, pues era extraordinario, perfecto, y podía describirse con las palabras del poeta:

> El bozo ha trazado dos líneas de azabache sobre una mejilla rosa como la manzana: es ámbar sobre perla.
> Cuando mira, la muerte se halla en sus pupilas; la embriaguez se halla en sus mejillas, no en el vino.

El rey lo quería muchísimo. Mandó llamar a los visires, emires, grandes del imperio y magnates del reino y les hizo jurar, del modo más solemne, que reconocerían como rey a Badr Basim después de la muerte de su padre. Se lo juraron solemnemente y se alegraron de haberlo hecho, pues el rey era generoso con todo el mundo, hablaba con persuasión, hacía favores y no decía más que lo que era conveniente para las personas. Al día siguiente, el rey, los grandes del imperio, los emires y todos los soldados recorrieron la ciudad y regresaron a palacio. Al llegar cerca de éste, el rey se apeó y se puso al servicio de su hijo: él, los emires y los grandes del reino le llevaron la gualdrapa: cada uno de los emires y de los grandes del reino llevaba la gualdrapa un momento. Avanzaron hasta llegar al vestíbulo del alcázar, mientras el príncipe seguía a caballo. Después se apeó, su padre y los emires lo abrazaron y lo hicieron sentar en el trono del reino. El padre y los emires se quedaron de pie ante él. Badr Basim gobernó a las gentes: depuso a los malvados, y nombró a los justos. Gobernó hasta poco antes del mediodía. Entonces se levantó del trono del reino y fue a ver a su madre, Chulnar la Marina, tocado con la diadema: parecía que era la luna. La madre, al verlo acompañado por el rey, que lo precedía, salió a su encuentro, lo besó, lo felicitó por haber conseguido el poder e hizo los votos de rigor por él y por su padre, deseándole larga vida y el triunfo sobre sus enemigos. El príncipe se sentó al lado de su madre y descansó. Al llegar la hora del *asr*, montó a caballo; los emires lo precedieron, y así llegaron al hipódromo en el que jugó con las armas acompañado por su padre y los grandes de su reino, hasta el anochecer. Después regresó al alcázar, siempre precedido por sus súbditos. Cada día montaba a caballo, iba al hipódromo, y de regreso se sentaba a gobernar a las gentes, haciendo justicia al Emir y al pobre.

Así siguió durante un año entero. Después aprendió a salir de caza y recorrió los países y las regiones de las que era soberano, instaurando la paz y la tranquilidad y obrando como obran los reyes. En fuerza, valentía y justicia era único entre las gentes de su tiempo.

Cierto día, el rey, padre de Badr Basim, enfermó. Su corazón latió con fuerza y se dio cuenta de que iba a trasladarse a la morada eterna. La enfermedad fue agravándose hasta que estuvo a punto de morir. Mandó llamar a su hijo y le recomendó que se cuidase de sus súbditos, de su madre, de los grandes del reino y de todos sus cortesanos. Pidió a éstos que jurasen obediencia por segunda vez a su hijo del modo más solemne. Después de esto vivió unos cuantos días, y luego se fue al seno de la misericordia de Dios (¡ensalzado sea!). Su hijo Badr Basim, su esposa Chulnar, los emires, los visires y los grandes del reino, quedaron muy tristes, construyeron un mausoleo y lo enterraron en él. Guardaron luto durante un mes entero. Salih, hermano de Chulnar, la madre de ambos y sus primas acudieron a dar el pésame por la muerte del rey. Dijeron: «¡Chulnar! El rey ha muerto y le ha sucedido este experto muchacho; quien deja un sucesor como éste no muere: este muchacho es incomparable, es un león valiente...

Sahrazad se dio cuenta de que amanecía e interrumpió el relato para el cual le habían dado permiso.

Cuando llegó la noche *setecientas cuarenta y cuatro*, refirió:

—Me he enterado, ¡oh rey feliz!, de que [los familiares de Chulnar prosiguieron:] »...una luna reluciente». A continuación se presentaron ante el rey Badr Basim los grandes del reino y los magnates y le dijeron: «¡Rey! No hay inconveniente en entristecerse por la muerte del rey, empero la tristeza sólo es propia de las mujeres. No te entristezcas por la muerte de tu padre: ya ha muerto y te ha dejado como sucesor. Quien deja un heredero como tú, no muere». Siguieron consolándolo y tranquilizándolo. Lo llevaron al baño, y al salir de él se puso un traje precioso, tejido en oro e incrustado de aljófares y jacintos; colocó la corona del rey encima de su cabeza y se sentó en el trono del reino para arreglar los asuntos de la gente, hacer justicia al débil frente al fuerte y dar su derecho al pobre frente al Emir. Sus súbditos lo quisieron muchísimo, y así siguió todo durante un año. Frecuentemente acudía a visitarlo su familia marina. Su vida fue cómoda y tranquila durante largo espacio de tiempo.

Cierta noche su tío fue a visitar a Chulnar. La saludó. Ella salió a su encuentro, lo abrazó y lo hizo sentar a su lado. Le preguntó: «¡Hermano mío! ¿Cómo te encuentras? ¿Cómo se encuentran mi madre y mis primas?» «¡Hermana! Se encuentran perfectamente y felices. Sólo les falta el ver tu rostro.» Chulnar le dio algo de comer. Comió y hablaron. Salih citó la hermosura, la belleza, las buenas proporciones, la caballerosidad y el recto entendimiento del rey Badr Basim. Éste se encontraba tumbado. Cuando oyó que su madre y su tío lo citaban y hablaban de él, fingió dormir y prestó atención a sus palabras. Salih dijo a su hermana Chulnar: «Tu hijo tiene ya diecisiete años y aún no se ha casado. Tememos que le ocurra alguna cosa y no tenga hijos. Querría casarlo con una reina del mar que tuviera su belleza y su hermosura». «¡Cítamelas, pues yo las conozco!», replicó Chulnar. Empezó a enumerarlas una detrás de otra, pero la princesa objetaba: «Ésta no la quiero para mi hijo. Sólo lo casaré con aquella que sea su igual en belleza y hermosura; en recto entendimiento y en piedad; en educación y honradez, y que pertenezca a su rango y a su linaje». Salih le dijo: «¡No conozco ninguna otra princesa del mar! Te he enumerado más de cien y no te ha gustado ni una sola. Pero, hermana mía, mira a ver si tu hijo duerme o no». La madre lo tocó y vio que mostraba los signos de estar dormido. Le contestó: «Duerme. ¿Qué tienes que decirme? ¿Por qué quieres que duerma?» «¡Hermana mía! Me acuerdo de una de las hijas del mar que convendría a tu hijo, pero temo citarla si él está despierto, pues su corazón quedaría prendado de amor y tal vez no podamos obtenerla; él, nosotros y los grandes del reino nos fatigaríamos en vano. El poeta ha dicho:

> El amor, cuando se inicia, es como una gota de agua; pero cuando alcanza su plenitud es como un amplio mar.»

Su hermana, al oír estas palabras, le pidió: «Dime de qué muchacha se trata, cómo se llama. Yo conozco a las princesas del mar y a las que no lo son. Si viese que le convenía, la pediría a su padre en matrimonio aunque tuviera que gastar por ella todo lo que poseo. Dime quién es y no temas, pues mi hijo está durmiendo». «Temo que esté despierto. El poeta ha dicho:

> Lo he amado en cuanto me han mencionado sus cualidades: hay veces que el amor entra por el oído antes que por los ojos.»

Chulnar insistió: «Di, sé breve y no temas, hermano». «¡Por Dios, hermana! ¡La única que conviene a tu hijo es la reina Chawhara, hija del rey Samandal !Es tan bella, hermosa y guapa como él, y no hay en la tierra ni en el mar mujer más graciosa ni más dulce. Es hermosa, guapa, esbelta y bien proporcionada: mejillas sonrosadas, frente brillante, cabellos como ojos de hurí, caderas pesadas, talle esbelto y rostro hermoso; si lo volviese, avergonzaría a las vacas salvajes y a las gacelas; al andar llenaría de celos a la rama de sauce; si se quitase el velo avergonzaría al Sol y a la Luna y haría sus siervos a quienes la viesen. Sus labios son dulces y sus formas graciosas». Al oír las palabras de su hermano, replicó: «¡Hermano mío! ¡Por Dios que dices la verdad! Yo la he visto muchas veces, pues fue mi compañera cuando las dos éramos pequeñas, pero ahora no nos reconoceríamos a causa de la lejanía. Hace ahora dieciocho años que no la veo. ¡Por Dios! ¡Sólo ella conviene a mi hijo!» Badr Basim había oído y comprendido todas las palabras que habían dicho desde el principio hasta el fin: había oído también la descripción de la muchacha citada por Salih, es decir, Chawhara, hija del rey Samandal, y se había enamorado de oídas. Fingió que seguía durmiendo mientras que en su corazón, y por su causa, prendía una llama de fuego y se ahogaba en un mar cuyas costas no se encuentran y en el que no hay reposo.

Sahrazad se dio cuenta de que amanecía e interrumpió el relato para el cual le habían dado permiso.

Cuando llegó la noche *setecientas cuarenta y cinco,* refirió:

—Me he enterado, ¡oh rey feliz!, de que Salih miró a su hermana Chulnar y dijo: «¡Por Dios, hermana mía! Ningún rey del mar es tan estúpido como su padre ni tan violento como él. No digas nada a tu hijo de esa muchacha hasta que la hayamos pedido a su padre. Si éste consiente, daremos gracias a Dios (¡ensalzado sea!). Si rehúsa y no la casa con tu hijo, nos quedaremos tranquilos y pediremos otra princesa». Chulnar concluyó: «¡Tu opinión es buena!» ambos callaron y se fueron a dormir.

Pero en el corazón de Badr Basim había prendido una llama de amor por la reina Chawhara. Ocultó lo que le ocurría y no dijo nada ni a su madre ni a su tío, a pesar de que, a causa de su amor, estaba sobre brasas. Al día siguiente, tío y sobrino fueron al baño y se lavaron. Salieron y bebieron los sorbetes; les acercaron la comida. El rey Badr Basim, su madre y su tío comieron hasta quedar hartos. Se lavaron las manos. Salih se puso de pie y dijo al rey y a su madre, Chulnar: «Con vuestro permiso he resuelto marcharme al lado de mi madre, pues ya hace algunos días que estoy con vosotros. La familia debe estar preocupada por mí y me esperará». El rey Badr Basim dijo a su tío Salih: «¡Quédate hoy con nosotros!» Éste le hizo caso, el rey añadió: «Ven al jardín conmigo, tío».

Fueron al jardín y empezaron a pasear y a distraerse. Badr Basim se sentó debajo de un árbol que daba sombra, disponiéndose a descansar y dormir. Pero el recordar la descripción de la muchacha, hecha por su tío Salih, lo hermosa y lo guapa que era, rompió a llorar con abundantes lágrimas y recitó estos versos:

> Si se me dijera, mientras la llama del fuego arde, y el fuego prende en el corazón y en las vísceras:
> «¿Qué es lo que prefieres? ¿Ver a la persona amada, o un sorbo de agua cristalina?». Contestaría: «Verla».

Se quejó, gimió, lloró y recitó estos versos:

> «¿Quién me protege del amor de una graciosa gacela que tiene un rostro como el sol o tal vez más hermoso?»
> Mi corazón no sentía inquietud por su amor, pero ha prendido en él la llama de amor por la hija de Samandal.

Su tío, Salih, al oír estas palabras, dio una palmada y exclamó: «¡No hay más dios que Dios! ¡Mahoma es el mensajero de Dios! ¡No hay fuerza ni poder sino en Dios, el Altísimo, el Grande!» A continuación le preguntó: «¡Hijo mío! ¿Oíste lo que hablé con tu madre referente a la reina Chawhara? ¿Oíste la descripción de sus cualidades?» Badr Basim contestó: «Sí, tío. Escuché vuestras palabras y me he enamorado de oídas. Mi corazón ha quedado prendado, y no tengo paciencia para estar lejos de ella». «¡Rey! Permite que vuelva junto a tu madre y la informe del asunto. Le pediré permiso para llevarte conmigo y para pedir la mano de la reina Chawhara en tu nombre. Después nos despediremos, y yo y tú regresaremos junto a tu madre. Temo que ésta se enfade conmigo si te llevo sin su permiso; tendría razón de enfadarse, pues yo sería la causa de vuestra separación, del mismo modo que fui la causa de que ella se marchase de nuestro lado. Además, la ciudad quedaría sin rey, y tus súbditos no tendrían quien los gobernara y se preocupara de sus asuntos. Los asuntos del Estado redundarían en tu perjuicio, y el reino se escaparía de tu mano.» Badr Basim, oídas las palabras de su tío Salih, objetó: «Sabes, tío, que si vuelvo al lado de mi madre para pedirle consejo, no me permitirá marcharme. Ni volveré a su lado ni le pediré jamás consejo». Rompió a llorar ante él y siguió: «Me iré contigo sin que ella lo sepa. Después volveré». Al oír las palabras de su sobrino, quedó perplejo y respondió: «¡Pido auxilio a Dios, (¡ensalzado sea!) en cualquier circunstancia!» Salih al verlo en esta situación, al darse cuenta de que no quería regresar junto a su madre y que, en cambio, quería marcharse con él, sacó de su dedo un anillo que tenía grabados algunos nombres de Dios, (¡ensalzado sea!), y se lo entregó al rey Badr Basim. Le dijo: «Póntelo en el dedo: nunca te ahogarás, y estarás a cubierto de los daños que pudieran causarte los animales y peces marinos». El rey Badr Basim cogió el anillo que le daba su tío Salih y lo colocó en su dedo. A continuación, ambos se sumergieron en el mar.

Sahrazad se dio cuenta de que amanecía e interrumpió el relato para el cual le habían dado permiso.

Cuando llegó la noche *setecientas cuarenta y seis,* refirió:

—Me he enterado ¡oh rey feliz!, de que marcharon sin descanso hasta llegar al alcázar de Salih. La abuela, la madre de su madre, estaba sentada y rodeada por sus allegados. Vio al rey. Éste y Salih entraron y le besaron las manos. La abuela se puso de pie, lo abrazó y lo besó entre los ojos. Dijo: «¡Que tu venida sea bendita, hijo mío! ¿Cómo has dejado a tu madre Chulnar?» «Está perfectamente bien y en buena salud. Te saluda a ti y a sus primas.» A continuación, Salih explicó a su madre lo que le había sucedido con su hermana, Chulnar, y que el rey Badr Basim se había enamorado de la reina Chawhara, hija del hey Samandal, de oídas; le explicó toda la historia desde el principio hasta el fin, y añadió: «Él ha venido para pedirla a su padre por esposa». La abuela del rey Badr Basim se enfadó mucho con Salih al oír sus palabras; se turbó, se apesadumbró y dijo: «¡Hijo mío! Has cometido una falta al citar a la reina Chawhara, hija del rey Samandal, ante el hijo de tu hermana. Sabes que el rey Samandal es un estúpido que carece de entendimiento, violento y que no está dispuesto a ceder a su hija Chawhara en matrimonio. Todos los reyes del mar la han pedido por esposa y él no ha aceptado, no ha complacido a ninguno de ellos; al contrario, los ha rechazado, diciéndoles: "Quiénes sois vosotros comparados con su belleza, hermosura y otras cosas?" Tememos pedirla por esposa a su padre, pues nos la negaría como se la ha negado a otros. Nosotros somos personas de honor y volveríamos humillados». Salih replicó a las palabras de su madre: «¡Madre mía! ¿Qué hay que hacer? El rey Badr Basim se ha enamorado de esa muchacha al oír que yo se la describía a mi hermana Chulnar. Es necesario que se la pidamos por esposa a su padre, aunque yo tenga que dilapidar todo mi reino. El muchacho dice que si no se casa morirá de amor por ella». Añadió: «Sabe que mi sobrino es tan hermoso y tan guapo como ella. Su padre era rey de todos los persas, y ahora lo es él. Es el único hombre que conviene a Chawhara. Estoy resuelto a coger joyas, jacintos y prendas y llevárselas a Samandal como regalo de él. Le pediré su hija en matrimonio. Si se negase alegando que él es un rey, le contestaría que el muchacho también es un rey, hijo de rey; si alegase que la muchacha es hermosa, le respondería que Badr Basim es más hermoso que ella; si alegara la extensión de su reino, le replicaría que el reino de mi sobrino es mayor que el suyo o el de su padre, que tiene más soldados y servidores y, en verdad, su reino es mayor que el del padre de la princesa. He de darme prisa en llevar a término el deseo de mi sobrino pues de lo contrario perdería el descanso, ya que yo soy el culpable de todo esto, y ya que yo lo he arrojado al mar en busca de esa muchacha, me apresuraré a casarlo con ella. Dios (¡ensalzado sea!) me auxiliará en esto». Su madre le dijo: «Haz lo que quieras, pero guárdate de excitarlo al hablar con él, pues ya conoces su estupidez y violencia. Temo que te maltrate, puesto que no reconoce el poder de nadie». «Oír es obedecer», concluyó Salih. Se incorporó, cogió dos sacos repletos de aljófares, jacintos, varitas de esmeraldas, metales preciosos y toda clase de gemas. Las hizo cargar a hombros de sus pajes y se marchó con éstos y su sobrino al alcázar del rey Samandal. Le pidió audiencia y se la concedió. Una vez ante él, besó el suelo y lo saludó con buenas palabras. El rey Samandal, al verlo, salió a su encuentro, lo trató con los máximos honores y le mandó que se sentase. Una vez hubo ocupado su sitio, le dijo: «¡Bendita sea tu llegada! ¡Te has hecho esperar, Salih! Dinos cuál es tu deseo para que lo satisfagamos». Salih se puso de pie, besó el suelo otra vez y le dijo: «¡Rey del tiempo! Mi deseo sólo pueden satisfacerlo Dios y el rey valeroso, el león valiente por cuyo magnífico nombre viajan los caminantes; su generosidad, su magnanimidad, gracia, perdón y dones, se han divulgado por todas las regiones y países». Abrió los dos sacos, extrajo los aljófares y todo lo que contenían y lo extendió ante Samandal. Le dijo: «¡Rey del tiempo! ¡Acepta mi regalo, concédeme tu favor! Al recibirlo dejarás obligado a mi corazón».

Sahrazad se dio cuenta de que amanecía e interrumpió el relato para el cual le habían dado permiso.

Cuando llegó la noche *setecientas cuarenta y siete* refirió:

—Me he enterado ¡oh rey feliz!, de que Samandal preguntó: «¿Por qué me haces este don? Cuéntame tu historia y dime qué necesitas. Si puedo solucionar tu asunto, lo solucionaré ahora mismo y no tendrás que esforzarte en tu necesidad; pero si así no fuese, recuerda que Dios sólo impone al alma lo que puede soportar». Salih se incorporó, besó el suelo tres veces y dijo: «¡Rey del tiempo! Tú tienes poder para solucionar mi necesidad: está en tu mano y tú eres su señor. No puedo imponer al rey una fatiga innecesaria ni estoy loco para pedirle algo que no esté en su mano. Un sabio ha dicho: "Si quieres ser obedecido, pide lo que se pueda hacer". El rey —al que Dios guarde— puede resolver el asunto que me ha traído aquí». «¡Pide tu deseo, explícame tu asunto y solicita lo que quieres!» «¡Rey del tiempo! Sabe que he venido a ti para implorar, para pedir a la perla única, a la joya virgen, a la reina Chawhara, hija de nuestro señor. ¡No defraudes al que ha venido hasta ti!» El rey, al oír estas palabras, rompió a reír hasta caerse de espaldas, y se burló diciendo: «¡Salih! ¡Creía que eras un hombre inteligente, un buen muchacho que sólo procuraba conseguir lo que es justo y que sólo hablaba con rectitud! ¿Qué te ha pasado por la cabeza para pedir algo así y tener una idea tan loca como la de pedirme en matrimonio a la hija de los reyes que tienen países y regiones? ¿Es que tú puedes llegar a rango tan alto? ¿Es que tu entendimiento ha disminuido hasta el punto de dirigirme estas palabras?» Salih replicó: «¡Que Dios conceda salud al rey! Yo no la pido para mí, aunque podría hacerlo porque soy su igual y aún más que tú, ya que, como sabes, mi padre era un rey de los reyes del mar, aunque tú lo seas hoy. Pero yo sólo la pido en matrimonio para el rey Badr Basim, señor de las regiones persas. Su padre era el rey Sahramán, y sabes que era de carácter violento. Si crees que eres un gran rey, piensa que Badr Basim lo es más que tú; si tu hija es bella, Badr Basim es más hermoso, más bien formado, de mejor posición y más pura estirpe que ella; él es el caballero de nuestro tiempo. Si accedes a lo que te pido —¡oh rey del tiempo!—, las cosas quedarán en su sitio, pero si te creces ante nosotros, no nos tratarás con justicia ni seguirás el camino recto. Has de saber que la reina Chawhara, hija de nuestro señor el rey, ha de casarse, puesto que el sabio dice: "A la mujer sólo le quedan el matrimonio o la tumba". Si te decides a casarla, el hijo de mi hermana es preferible a todas las demás gentes». El rey se puso furioso al oír las palabras de Salih, y poco le faltó para perder la razón y para que el alma abandonase su cuerpo. Le replicó: «¡Perro de los hombres! ¿Seres como tú se atreven a dirigirme tales palabras, a citar a mi hija en la audiencia, a asegurar que el hijo de tu hermana Chulnar tiene el mismo rango que mi hija? ¿Quién eres tú? ¿Quién es tu hermana? ¿Quién es su hijo? ¿Quién es su padre? ¿Cómo puedes dirigirme tales palabras y pronunciar semejante discurso? Vosotros sois perros comparados con ella». A continuación, llamó a sus pajes y les dijo: «¡Muchachos! ¡Coged la cabeza de esta carne de horca!» Desenvainaron las espadas, y Salih empuñó la suya. Lo acometieron, y Salih huyó hacia la puerta del alcázar. Cuando llegó a ésta, vio a sus primos, parientes, familiares y pajes, que constituían un grupo de más de mil caballeros acorazados de hierro, de cotas de malla. Empuñaban la lanza y las blancas espadas. Al ver que salía en aquel estado, le preguntaron: «¿Qué ocurre?» Les refirió lo sucedido. Su madre los había enviado para que le prestasen auxilio. Al oír las explicaciones, comprendieron que el rey era un estúpido, un tirano. Saltaron del lomo de sus caballos, desenvainaron las espadas y entraron en el alcázar en busca del rey Samandal. Lo encontraron sentado en el trono de su reino, sin preocuparse por ellos y furioso contra Salih. Vieron a sus criados, pajes y auxiliares que no estaban preparados para la lucha. Samandal, al verlos con las espadas desenvainadas, gritó a sus hombres: «¡Ay, de vosotros! ¡Coged la cabeza de esos perros!» En pocos momentos, la gente del rey Samandal quedó vencida y emprendió la fuga. Salih y sus hombres cogieron a Samandal y lo ataron.

Sahrazad se dio cuenta de que amanecía e interrumpió el relato para el cual le habían dado permiso.

Cuando llegó la noche *setecientas cuarenta y ocho*, refirió:

—Me he enterado, ¡oh rey feliz!, de que Chawhara, al despertarse, se enteró de que su padre había sido hecho prisionero y de que sus servidores habían muerto. Salió del alcázar y huyó a una isla, donde se subió a un árbol alto y se ocultó en la copa.

En el momento del choque entre los dos bandos, algunos soldados del rey Samandal habían huido. Badr Basim los había visto y les había preguntado por lo sucedido. Le refirieron lo acaecido. Al oír que el rey Samandal había caído prisionero, Badr Basim huyó, pues se dijo: «Esta guerra ha empezado por mi causa. Es a mí a quien buscan». Emprendió la fuga en busca de la salvación sin saber adónde se dirigía. Los eternos hados lo llevaron a la isla en que se encontraba Chawhara, la hija del rey Samandal. Llegó junto al mismo árbol y se tumbó para descansar, ¡pero no sabía que aquel a quien se busca no tiene reposo y que nadie conoce lo que los hados le ocultan! Mientras estaba tumbado levantó la mirada hacia la copa del árbol y descubrió a Chawhara. Vio que era como la luna cuando surge por el horizonte.

Exclamó: «¡Gloria al Grande de este ser portentoso! ¡Él es el Creador de todas las cosas y es todopoderoso! ¡Gloria a Dios, el Altísimo, el Creador de las formas! ¡Por Dios! Si es cierto lo que creo, ésta es Chawhara, la hija del rey Samandal. Es de suponer que cuando se ha enterado de la guerra, ha huido y llegado hasta esta isla, ocultándose en la copa de este árbol. Si no es la reina Chawhara, se trata de una mujer más hermosa que ella». Se quedó pensando en esto, y se dijo: «Me acercaré a ella y le preguntaré por su situación. Si es Chawhara, yo mismo le pediré que se case conmigo. Éste es mi deseo». Se puso de pie y dijo a Chawhara: «¡Oh, máximo deseo! ¿Quién eres? ¿Quién te ha traído a este lugar?» Chawhara contempló a Badr Basim y vio que se parecía a la luna cuando se muestra entre un claro de negras nubes, se dio cuenta de que era esbelto y tenía una hermosa sonrisa. Contestó: «¡Persona de buenos modos! Yo soy la reina Chawhara, hija del rey Samandal. He venido a este lugar porque Salih y su ejército han combatido contra mi padre, han matado a sus soldados y han hecho prisionero a él y a algunos de sus hombres. He huido por temor de que me sucediera algo». Y añadió: «He huido por temor a que me matasen, y no sé lo que le habrá ocurrido a mi padre». El rey Badr Basim se admiró mucho al oír sus palabras, por esta prodigiosa coincidencia. Dijo: «No hay duda de que he conseguido mi deseo al quedar prisionero su padre». La miró y le dijo: «Baja, señora mía, pues yo soy víctima de tu amor: tus ojos me han hecho prisionero. Esta guerra y estas batallas se han desencadenado a causa de nosotros dos. Sabe que yo soy el rey Badr Basim, hijo del rey de los persas. Salih es mi tío materno, y ha acudido a visitar a tu padre para pedirte en matrimonio para mí. Yo he abandonado mi reino por tu causa. El que ahora nos hayamos encontrado constituye una extraordinaria casualidad. Ven, baja a mi lado e iremos los dos al alcance de tu padre. Yo pediré a mi tío Salih que lo ponga en libertad, y me casaré contigo de acuerdo con la Ley». Al oír las palabras de Badr Basim, Chawhara se dijo: «Por culpa de esta maldita carne de horca ha ocurrido esto: mi padre se encuentra prisionero, sus chambelanes y su séquito han muerto, y yo he tenido que escapar de mi palacio y venir, a la fuerza, a esta isla. Si no empleo con él una astucia con la que pueda reducirlo, él se apoderará de mí y conseguirá su deseo, ya que está enamorado, y no se reprende jamás al enamorado, cualquiera que sea la cosa que haga». Ella lo engañó con buenas palabras y suaves discursos, de tal modo que él no sospechó el engaño que había preparado en secreto. Le dijo: «¡Señor mío! ¡Luz de mis ojos! ¿Tú eres el rey Badr Basim, hijo de la reina Chulnar?» «Sí, señora mía.»

Sahrazad se dio cuenta de que amanecía e interrumpió el relato para el cual le habían dado permiso.

Cuando llegó la noche *setecientas cuarenta y nueve*, refirió:

—Me he enterado, ¡oh rey feliz!, de que [Chawhara exclamó:] «¡Que Dios haga pedazos a mi padre, haga desaparecer su reino y no le conceda consuelo ni lo libre del exilio! ¡Por Dios! Es un hombre corto de entendimiento y de escasa previsión si espera encontrar a un muchacho más hermoso que tú, de mejor contextura. ¡Rey del tiempo! No me reprendas por lo que él ha hecho. Si tú me quieres, yo te quiero mucho más, pues he caído en la red de tu amor y soy una de tus víctimas, ya que el amor que tú sientes ha pasado a mí, y en ti sólo ha quedado la décima parte del que yo siento». La joven descendió de la copa del árbol, se acercó a él, se aproximó, lo abrazó, lo estrechó contra su pecho y lo besó. El rey Badr Basim, al ver lo que hacía con él, notó que su amor por ella aumentaba, que su pasión crecía y creyó que lo amaba de verdad. Empezó a abrazarla y a besarla y a continuación dijo: «¡Reina! ¡Por Dios! Mi tío Salih sólo me ha descrito la cuadragésima parte de tus encantos y ni un solo cuarto de carate de los veinticuatro carates». Chawhara lo estrechó contra su pecho y pronunció unas palabras que él no entendió; luego le escupió en la cara y le dijo: «¡Abandona tu figura humana! ¡Transfórmate en un pájaro, en el más hermoso de los pájaros, con plumas blancas, pico y patas rojas!» Apenas había terminado de decirlo cuando el rey Badr Basim se convirtió en un pájaro más hermoso que los demás. Se sacudió, se quedó a sus pies y miró a Chawhara. Al lado de ésta había una sirvienta que se llamaba Marsina. La miró y le dijo: «¡Por Dios! ¡Si no temiera por mi padre, que está prisionero de su tío, lo mataría! ¡Que Dios no le conceda ningún bien! ¡Qué desgraciada ha sido para nosotros su llegada! Es el culpable de toda esta guerra. ¡Muchacha! Cógelo, llévalo a la Isla de la Sed y déjalo en ella para que muera de sed». La joven lo cogió y se lo llevó a la isla. Cuando se disponía a abandonarlo, se dijo: «¡Por Dios! El dueño de esta belleza y hermosura no merece morir de sed». Lo sacó de la Isla de la Sed y lo llevó a una isla que tenía muchos árboles, frutos y ríos. Lo dejó en ella, regresó junto a su señora y le dijo: «Lo he dejado en la Isla de la Sed». Esto es lo que se refiere a Badr Basim.

He aquí ahora lo que hace referencia a Salih, tío del rey Badr Basim. Cuando se hubo apoderado del rey Samandal y dado muerte a sus soldados y criados y hecho prisionero al soberano, fue en busca de Chawhara, pero no la encontró. Entonces regresó junto a su madre y le preguntó: «¡Madre mía! ¿Dónde está el hijo de mi hermana, Badr Basim?» «¡Por Dios, hijo mío! Lo ignoro; no sé adónde ha ido. Cuando se enteró de que estabas combatiendo contra el rey Samandal y que entre ambos se había iniciado la guerra, se asustó y huyó.» Salih sintió pena por su sobrino al oír las palabras de su madre. Dijo: «¡Madre mía! ¡Por Dios! Nos hemos portado mal con el rey Badr Basim. Temo que perezca o que caiga en poder de alguno de los soldados del rey Samandal, o bien que tropiece con él la hija del rey, Chawhara. Esto nos llenaría de vergüenza ante su madre, de la cual no recibiríamos ningún bien, ya que yo me lo llevé sin su permiso». Despachó en pos del rey a sus servidores y espías, que se distribuyeron por todas las regiones del mar. No encontraron ninguna noticia, por lo que regresaron a informar a Salih. La preocupación y la pena de éste fueron en aumento, y su pecho se acongojó por la desaparición del rey Badr Basim. Esto es lo que hace referencia al asunto del rey Badr Basim y de su tío Salih.

He aquí lo que se refiere a su madre, Chulnar la Marina: después de haber bajado al mar Badr Basim con su tío Salih, esperó el regreso del primero. Como tardase en tener noticias suyas, esperó muchos días, al cabo de los cuales se sumergió en el mar y fue a ver a su madre. Ésta, al verla, salió a recibirla, la besó, la abrazó y lo mismo hicieron sus primas. A continuación preguntó a su madre por el rey Badr Basim. Aquélla le contestó: «¡Hija mía! Llegó aquí con su tío. Éste cogió jacintos y aljófares y se marchó con el joven a visitar al rey Samandal para pedirle su hija en matrimonio. Éste no consintió y se excedió en palabras con tu hermano. Yo envié en auxilio de éste cerca de mil caballeros, y se inició la guerra entre éstos y los hombres del rey Samandal. Dios concedió la victoria a tu hermano, quien mató a soldados y cortesanos e hizo prisionero al rey Samandal. La noticia llegó hasta tu hijo, y éste, temiendo por él, huyó de nuestro lado sin que nosotros pudiéramos impedirlo. Desde entonces no ha vuelto ni sabemos nada de él». Chulnar preguntó por su hermano Salih, y la madre le dijo: «Está sentado en el trono del reino, en el sitio del rey Samandal. Ha averiguado en todas las regiones para saber algo de tu hijo o de la reina Chawhara». Chulnar, al oír las palabras de su madre, se entristeció mucho por la desaparición de su hijo y se enfadó con su hermano Salih, quien lo había llevado consigo y se había sumergido en el mar sin su permiso. Dijo: «Madre mía, temo que ocurra algo en nuestro reino, pues he venido a veros sin informar a ninguno de sus habitantes. Temo que si retraso mucho mi regreso, se altere el orden, y el poder se escape de nuestras manos. La mejor idea consiste en que yo regrese y despache sus asuntos hasta que Dios solucione el caso de mi hijo. Pero no os olvidéis de mi hijo, no os despreocupéis de él, pues si le ocurriese alguna desgracia, yo moriría sin remedio, ya que para mí sólo él existe en el mundo, y sólo disfruto porque él vive». «¡Hija mía! ¡De mil amores! No me preguntes si nos ha dolido su ausencia y su alejamiento.» La madre de Chulnar mandó personas a que lo buscasen, y la madre del muchacho regresó a su reino con el corazón triste, llorando y llena de angustia.

Sahrazad se dio cuenta de que amanecía e interrumpió el relato para el cual le habían dado permiso.

Cuando llegó la noche *setecientas cincuenta*, refirió:

—Me he enterado, ¡oh rey feliz!, de que esto es lo que a ella se refiere.

He aquí ahora lo que hace referencia al rey Badr Basim: la reina Chawhara lo había metamorfoseado en pájaro y ordenado a una criada que lo llevase a la Isla de la Sed, diciéndole: «Déjalo en ella para que muera de sed». Pero la criada lo había dejado en una isla verde, con frutos, árboles y ríos. Empezó a comer los frutos y a beber de los ríos, y así siguió durante días y noches, conservando siempre su figura de pájaro, sin saber adónde dirigirse, pues no sabía volar. Cierto día, llegó un cazador dispuesto a cazar algo con que alimentarse. Vio al rey Badr Basim, que tenía el aspecto de un pájaro de plumas blancas con el pico y las patas rojos; cautivaba el corazón de quien lo veía, y dejaba encandilado el entendimiento. El cazador lo miró y quedó boquiabierto. Se dijo: «Éste es un pájaro estupendo. Jamás he visto otro tan bello como él y con esa forma». Tiró la red, lo cazó, entró con él en la ciudad y se dijo: «Lo venderé y cobraré buen precio». Un habitante de la ciudad salió a su encuentro y le preguntó: «¡Cazador! ¿Cuánto cuesta este pájaro?» «Si lo compras, ¿qué harás de él?» «Lo degollaré y me lo comeré.» «Mi corazón no quiere que sea degollado ni comido este pájaro. Quiero regalarlo al rey, el cual me dará más dinero del que tú me darías y no sólo no lo degollará, sino que lo contemplará, pues se extasiará en su hermosura y belleza. Yo, que soy cazador, no he visto en toda mi vida, ni en el mar ni en la tierra, un pájaro como éste. Si tú lo quisieras, me darías como máximo un dirham, y yo, ¡por Dios, el Altísimo!, no lo venderé.» A continuación, el cazador se dirigió a la casa del rey. Éste, al ver la belleza y la hermosura del animal y el color rojo del pico y de las patas, mandó a un criado que lo comprase. Éste se acercó al cazador y le preguntó: «¿Vendes este pájaro?» «No, es un regalo que ofrezco al rey.» El criado lo cogió, lo llevó ante el rey y repitió a éste lo que le había dicho el cazador. El rey lo cogió y entregó diez dinares al cazador. Éste los aceptó, besó el suelo y se marchó. El criado llevó el pájaro al alcázar del rey, lo metió en una buena jaula, la colgó y le puso comida y bebida. El rey, al bajar, preguntó al criado: «¿Dónde está el pájaro? Tráelo para que lo vea, pues ¡por Dios que es magnífico!» El criado lo colocó ante el rey, y éste comprobó que no comía nada. Exclamó: «¡Por Dios! No sé por qué no come para alimentarse». Después mandó que le sirviesen de comer. Acercaron las mesas, y el rey se puso a comer. El pájaro, al ver la carne, la comida, los dulces y la fruta, comió de todo lo que había en el mantel que estaba ante el rey. Éste quedó perplejo y admirado de que comiera de aquello, y lo mismo ocurrió a todos los que estaban presentes. El rey dijo a los criados y a los mamelucos que estaban a su alrededor: «¡En mi vida he visto un pájaro que comiera como éste!» Mandó que fuesen a buscar a su esposa para que lo viera. El criado fue a sus habitaciones, y cuando estuvo ante ella, le dijo: «¡Señora mía! El rey te manda a buscar para que veas el pájaro que ha comprado. Cuando hemos servido la comida, ha saltado de su jaula, ha caído en la mesa y está comiendo de todo lo que hay en ella. Ven, señora mía, y lo verás. Es de buen ver, y constituye uno de los prodigios del tiempo». Al oír las palabras del criado, la reina fue apresuradamente a verlo. Observó al pájaro, se tapó la cara y se marchó. El rey corrió tras ella y le preguntó: «¿Por qué te has tapado la cara si sólo estaban las criadas y los criados que tienes a tu servicio, y tu esposo?» «¡Rey! Ese pájaro no es un pájaro: es un hombre como tú.» Al oír las palabras de su esposa, le dijo: «¡Mientes! ¡Estás gastándome una broma! ¿Cómo puede no ser un pájaro?» «¡Por Dios! No te gasto ninguna broma; te digo toda la verdad. Ese pájaro es el rey Badr Basim, hijo del rey Sahramán, señor del país de los persas; su madre es Chulnar la Marina.»

Sahrazad se dio cuenta de que amanecía e interrumpió el relato para el cual le habían dado permiso.

Cuando llegó la noche *setecientas cincuenta y una,* refirió:

—Me he enterado, ¡oh rey feliz!, de que el rey preguntó: «¿Y cómo ha llegado a esta forma?» «La reina Chawhara, hija del rey Samandal, lo ha metamorfoseado.» Seguidamente le contó todo lo que le había ocurrido, desde el principio hasta el fin: que había pedido a su padre, en matrimonio, a Chawhara; que aquél no había aceptado, que su tío Salih había combatido al rey Samandal, le había vencido y hecho prisionero. El rey quedó muy admirado al oír las palabras de su esposa. Esta reina, su mujer, era la bruja más experta de su tiempo. El rey le dijo: «¡Te conjuro, por mi vida, a que lo libres de su encantamiento y no lo dejes sufrir! ¡Que Dios (¡ensalzado sea!), corte la mano de Chawhara! ¡Qué mala, qué descreída es! ¡Cuán experta es en engaños y añagazas!» Su esposa dijo: «¡Badr Basim! ¡Entra en ese armario!» El rey le mandó que entrase, y Badr Basim, al oír las palabras del soberano, entró. La esposa del rey se tapó la cara, cogió una taza con agua y entró detrás de él. Pronunció unas palabras ininteligibles sobre el agua, y dijo: «¡Por el poder de estos nombres magníficos! ¡Por las aleyas solemnes! ¡Por Dios! (¡ensalzado sea!), ¡creador de los cielos y la tierra, que resucita a los muertos, distribuye el sustento y marca el fin de la vida! ¡Abandona la figura que tienes y recupera la figura con la que Dios te creó!» Apenas terminó de pronunciar estas palabras cuando el pájaro sufrió una conmoción y recuperó su primitiva forma. El rey comprobó que se trataba de un muchacho muy hermoso: en toda la tierra no había otro más bello. El rey Badr Basim, al verse en aquel estado, exclamó: «¡No hay más dios que Dios! Mahoma es el mensajero de Dios. ¡Gloria al Creador de las criaturas, al que concede el sustento y marca el fin de la vida!» Luego besó la mano del rey, e hizo votos por una larga vida. El rey besó a Badr Basim en la cabeza y le dijo: «¡Badr Basim! ¡Cuéntame tu historia, desde el principio hasta el fin!» Le refirió todo lo que le había sucedido, sin ocultarle nada. Después, el rey dijo: «¡Badr Basim! Dios te ha librado de la brujería. ¿Qué es lo que piensas hacer? ¿Qué vas a emprender?» «¡Rey del tiempo! Pido de tu generosidad que hagas preparar una embarcación, un grupo de tus criados y todo lo que pueda necesitar: hace mucho tiempo que estoy ausente, y temo que el reino se me escape. No creo que mi madre siga con vida, dado que yo estoy separado de ella. Lo más probable es que haya muerto de tristeza, ya que no sabe lo que me ha ocurrido e ignora si estoy vivo o muerto. Te pido, ¡oh, rey!, que completes tus favores para conmigo concediéndome lo que te he pedido.» El rey accedió al contemplar su belleza, hermosura y elocuencia. Dijo: «¡Oír es obedecer!» Mandó aparejar una nave y embarcó en ella todo lo que podía serle necesario, y un grupo de sus criados se fue con él. Después de despedirse del rey, Badr Basim embarcó y zarparon. Recorrieron el mar con la ayuda del viento y navegaron ininterrumpidamente durante diez días. Al undécimo día se levantó un viento huracanado, y la nave empezó a subir y a bajar. Los marinos no podían gobernarla y siguieron en esta situación. Las olas jugaban con ellos y los arrastraban hacia los arrecifes, contra los cuales acabó por estrellarse la nave. Se ahogaron todos menos el rey Badr Basim, quien logró asir un madero cuando ya estaba a punto de perecer. El mar arrastró el madero sin que el rey supiese adónde iba ni encontrase medio alguno de dominarlo. El agua y los vientos siguieron arrastrando el madero durante tres días; al cuarto fue a parar a la costa. En ella encontró una ciudad blanca como una paloma. Estaba edificada en una isla, junto a la orilla del mar; tenía altos contrafuertes, hermosos edificios, elevadas paredes, y el mar se estrellaba contra sus murallas. El rey Badr Basim, al ver la isla y comprobar que había en ella una ciudad, se alegró muchísimo, pues estaba a punto de morir de hambre y de sed. Llegó a tierra y se dispuso a subir a la ciudad. Una serie de mulos, asnos y caballos, tan numerosos como los granos de arena, se acercaron a él, lo empujaron y le impidieron que se apartase del mar y subiese a la ciudad. Entonces, a nado, fue hacia la parte posterior de la ciudad y puso pie en tierra: no encontró a nadie. Se dijo: «¡Ojalá supiera a quién pertenece esta ciudad, ya que no tiene rey, ni nadie la habita! ¿De dónde procederán aquellos mulos, asnos y caballos que me han impedido entrar?» Mientras pensaba esto, andaba sin saber adónde iba. Más tarde vio a un viejo. El rey Badr Basim, al acercarse, lo saludó. El viejo le devolvió el saludo y lo miró. Lo encontró hermoso y le dijo: «¡Muchacho! ¿De dónde vienes? ¿Qué te ha traído a esta ciudad?» Él contó toda su historia, desde el principio hasta el fin, y el viejo le preguntó: «¡Hijo mío! ¿No has encontrado a nadie en tu camino?» «No, padre. Pero me admira el que esta ciudad carezca de habitantes.» El jeque le dijo: «¡Hijo mío! Sube a la tienda para evitar tu muerte». Badr Basim subió y se sentó en la tienda. El jeque le dio algo de comer y le dijo: «¡Hijo mío! ¡Pasa al interior de la tienda! ¡Gloria a Quien te ha salvado del demonio de vieja!» El rey Badr Basim se asustó mucho. Comió lo que le ofrecía el jeque, hasta quedar harto, se lavó las manos y, mirando a su huésped, preguntó: «¡Señor mío! ¿Cuál es la causa de tus palabras? Me haces sentir miedo de la ciudad y de sus habitantes». El jeque le contestó: «Sabe, hijo mío, que ésta es una ciudad encantada, cuya dueña es una reina bruja que parece un demonio; es sacerdotisa, bruja, traidora y enredadora. Los caballos, mulos y asnos que has visto eran seres como tú y como yo, hijos de Adán, pero forasteros. Todo aquel que llega hasta aquí y es joven como tú, es prendido por esa bruja descreída. Vive con él durante cuarenta días, al cabo de los cuales lo encanta transformándole en un mulo, o en un caballo, o en un asno, o en uno de esos animales que has visto a orillas del mar.

Sahrazad se dio cuenta de que amanecía e interrumpió el relato para el cual le habían dado permiso.

Cuando llegó la noche *setecientas cincuenta y dos,* refirió:

—Me he enterado, ¡oh rey feliz!, de que [el viejo prosiguió:] »Ha embrujado a todos los habitantes de la ciudad. Cuando tú intentaste poner pie en tierra, temieron que te embrujara como a ellos y te dijeron por señas, pues tuvieron compasión de ti: "No subas para que no te vea la bruja. Tal vez haga contigo lo mismo que hizo con nosotros". La bruja se ha apoderado de esta ciudad con su magia. Se llama la reina Lab, lo cual, en árabe, quiere decir "Ecuación del Sol".» El rey Badr Basim, al oír estas palabras, se asustó muchísimo y empezó a temblar como si fuese una caña azotada por el viento. Exclamó: «¡Ya me creía salvado de la aflicción en que me encontraba por causa de la magia, cuando he aquí que los hados me arrojan a un lugar aún peor!»

Se quedó meditando en lo que le sucedía. El jeque lo observó y vio que estaba lleno de miedo. Le dijo: «¡Hijo mío! ¡Ven, siéntate en la entrada de la tienda y observa a las criaturas! Fíjate en sus vestidos, en sus colores, y cómo están embrujadas. No temas, pues la reina y toda la ciudad me aprecian y me tratan bien: ni me atemorizan el corazón ni preocupan el pensamiento». El rey Badr Basim, al oír aquellas palabras, salió y se sentó en el umbral de la puerta a observar. La gente cruzaba por delante; vio que estaba constituida por un número incalculable. Al ver al muchacho, se aproximaron al viejo y le preguntaron: «¡Jeque! ¿Éste es el que has cazado o has hecho prisionero hoy?» «Es el hijo de mi hermano. Habiéndome enterado de que su padre había muerto, lo mandé a buscar y lo traje aquí para apagar el fuego de la pasión que me inspira.» «Este muchacho tiene una hermosa juventud, y tememos que la reina Lab, jugándote una mala pasada, te lo arrebate, ya que ama a los jóvenes hermosos.» «La reina no desobedecerá mis órdenes, pues ella me trata con miramientos y me ama. Cuando sepa que es mi sobrino, no se atreverá a tocarlo, ni le hará el menor daño, ni me causará preocupaciones con él.» El rey Badr Basim permaneció muchos meses con el jeque. Comió y bebió, y el viejo le tomó gran afecto.

Cierto día, según su costumbre, Badr Basim estaba sentado en la tienda del viejo. De pronto aparecieron mil criados con espadas desenvainadas y distintas clases de vestidos, ceñidos con cinturones incrustados de aljófares. Montaban caballos de raza árabe y ceñían espadas indias. Al llegar ante la tienda del viejo, lo saludaron y siguieron adelante. Tras ellos aparecieron mil criadas, que parecían otras tantas lunas. Llevaban vestidos de raso y seda, bordados en oro y repujados con aljófares de todas las clases. Todas empuñaban lanzas. En el centro iba una muchacha, a lomos de una yegua árabe, que llevaba una silla de oro incrustada con toda clase de aljófares y jacintos. Avanzaron sin interrupción hasta llegar a la tienda del viejo. Lo saludaron y siguieron adelante. Luego apareció la reina Lab, acompañada por un gran cortejo. Avanzó hasta llegar a la tienda del jeque. Distinguió al rey Badr Basim, que estaba sentado en ella: parecía la luna en el día del plenilunio. La reina Lab, al verlo, se quedó asombrada de su belleza y hermosura, boquiabierta, y se enamoró de él. Se acercó a la tienda, se apeó y se sentó junto al rey Badr Basim. Preguntó al jeque: «¿De dónde has sacado esta belleza?» «Es mi sobrino. Hace poco que ha venido.» «¡Déjale que pase una noche conmigo para que pueda hablar con él.» «¿Pero sin embrujarlo?» «¡Sí!» «¡Júramelo!» La reina le juró que no le causaría daño alguno ni lo embrujaría. A continuación ordenó que le llevasen una hermosa yegua ensillada y embridada con riendas de oro. Todo lo que llevaba la montura era oro incrustado de aljófares. Regaló mil dinares al jeque y le dijo: «¡Que te sirvan de ayuda!» La reina Lab se llevó consigo al rey Badr Basim. Éste parecía la luna en la noche decimocuarta. Acompañó a la reina. Todos los espectadores contemplaban su hermosura y se lamentaban diciendo: «¡Por Dios! ¡Este muchacho no merece que lo embruje esta maldita!» El rey Badr Basim oía las palabras de la gente y callaba, pues se había confiado a Dios (¡ensalzado sea!).

Sahrazad se dio cuenta de que amanecía e interrumpió el relato para el cual le habían dado permiso.

Cuando llegó la noche *setecientas cincuenta y tres*, refirió:

—Me he enterado, ¡oh rey feliz!, de que cabalgaron hasta llegar a la puerta del alcázar, seguidos por su séquito. Al llegar ante ésta echaron pie a tierra los criados, los emires y los grandes del reino. La reina ordenó a los chambelanes que diesen orden de marcharse a los grandes del reino. Éstos besaron el suelo y se fueron. La reina, los criados y las jóvenes entraron en el alcázar. El rey Badr Basim observó y vio un palacio como nunca había visto otro igual: sus paredes estaban construidas con oro, y en el centro del mismo, en un jardín, había una gran alberca con mucha agua. Clavó la vista en el jardín y vio que estaba repleto de pájaros que cantaban con trinos y gorjeos, alegres y tristes; dichos pájaros tenían toda clase de formas y colores. El rey Badr Basim comprendió que se trataba de un gran reino. Exclamó: «¡Gloria a Dios, que con su generosidad y magnanimidad concede el alimento incluso a quien no lo adora!» La reina se sentó junto a una ventana para contemplar el jardín. Estaba en un estrado de marfil, sobre el cual había un elevado colchón. El rey Badr Basim se sentó a su lado. Ella le besó y le estrechó contra su pecho. Después mandó a los criados que acercasen la mesa. Pusieron una mesa de oro rojo, incrustada de perlas y aljófares, sobre la cual había guisos de todas clases. Ambos comieron hasta quedar hartos; después se lavaron las manos. Las esclavas les llevaron vasos de oro, plata y cristal, flores de todas clases y bandejas de fruta seca. La reina mandó llamar a las cantoras. Acudieron diez esclavas que parecían lunas. Llevaban toda clase de instrumentos musicales. La reina llenó una copa y la bebió; luego llenó otra y se la entregó al rey Badr Basim. Éste la cogió y la bebió. Así siguieron bebiendo hasta quedar hartos. La reina mandó a las jóvenes que cantaran toda clase de melodías, y el rey Badr Basim creyó que hasta el alcázar bailaba de alegría: se sintió transportado, feliz, y olvidó que se encontraba en tierra extraña. Se dijo: «Esta reina es una hermosa muchacha. Jamás me marcharé de su lado, ya que su reino es mayor que el mío, y ella es más guapa que la reina Chawhara». Siguió bebiendo en su compañía hasta la caída de la tarde. Entonces encendieron los candiles y las velas, se quemaron perfumes en los pebeteros, y ambos siguieron bebiendo hasta embriagarse. Las cantoras seguían cantando. Cuando la reina Lab estuvo borracha, se levantó de su sitio, se tendió en el lecho y mandó a las esclavas que se marchasen. A continuación mandó al rey Badr Basim que durmiese a su lado. Éste pasó la noche con ella dándose la mejor vida.

Sahrazad se dio cuenta de que amanecía e interrumpió el relato para el cual le habían dado permiso.

Cuando llegó la noche *setecientas cincuenta y cuatro,* refirió:

—Me he enterado, ¡oh rey feliz!, de que la reina, al despertarse, entró en el baño que había en el alcázar. El rey Badr Basim la acompañó. Ambos se lavaron. Al salir del baño, la reina le regaló preciosos vestidos y mandó que les llevasen la vajilla de beber. Las esclavas la acercaron. Bebieron. La reina se puso de pie, cogió de la mano al rey Badr Basim y los dos se sentaron en el trono. Ordenó que sirviesen la comida y comieron. Se lavaron las manos. Las criadas les acercaron vasos para beber, frutas, flores y frutas secas. Comieron y bebieron, y las esclavas cantaron toda suerte de melodías hasta la caída de la tarde. Siguieron comiendo, bebiendo y divirtiéndose durante cuarenta días. Entonces, la reina preguntó: «¡Badr Basim! ¿Qué es mejor, este lugar o la tienda de tu tío el verdulero?» «¡Por Dios, reina! Esto es mucho mejor. Mi tío es un asceta que vende verduras.» La reina se echó a reír al oír sus palabras. Durmieron del mejor modo hasta la llegada de la mañana. Al despertarse, el rey Badr Basim no encontró a su lado a la reina Lab. Exclamó: «¡Ojalá supiera adónde ha ido!» Empezó a inquietarse por su ausencia y quedó perplejo. Ella estuvo ausente largo tiempo. El rey se preguntó: «¿Adónde habrá ido?» Se vistió y empezó a buscarla, pero no la encontró. Se dijo: «Tal vez haya ido al jardín». Fue al jardín y vio un riachuelo de agua corriente, a cuyo lado había un pájaro blanco. Junto a su orilla había un árbol, cuya copa estaba repleta de pájaros de distintos colores. Observó a los pájaros sin que éstos lo vieran. De pronto, un pájaro negro que estaba en la copa se abatió sobre el pájaro blanco y empezó a besarlo como hacen los palomos. A continuación, poseyó por tres veces al pájaro blanco. Al cabo de un rato, este último se metamorfoseó y tomó figura humana. Entonces comprobó que era la reina Lab, y que el pájaro negro era un hombre embrujado al que ella amaba, razón por la cual ella se convertía en pájaro para poder copular con él. El rey sintió celos y se enfadó con la reina Lab a causa de ello. Volvió a su habitación y se tendió a dormir en la cama. Al cabo de un rato apareció la reina Lab, la cual le besó y le gastó algunas bromas, mientras él seguía ardiendo de cólera; no le dijo ni una sola palabra. La reina se dio cuenta de lo que le ocurría y comprendió que la había visto mientras, transformada en pájaro, copulaba con el macho. Pero no dejó transparentar nada y calló lo que pensaba. El joven, una vez que hubo satisfecho su deseo le dijo: «¡Reina! Deseo que me concedas permiso para ir a la tienda de mi tío; yo lo quiero mucho, y ya hace cuarenta días que no lo he visto». «Ve y no tardes en regresar, pues yo no puedo separarme de ti ni vivir sin ti ni un momento.» «¡Oír es obedecer!»

Badr Basim montó y se fue a la tienda del jeque verdulero. Éste salió a recibirlo, le dio la bienvenida, lo abrazó y le preguntó: «¿Cómo te va con esa descreída?» «Me encontraba bien, feliz y con buena salud pero esta noche, mientras dormía a mi lado se ha desvelado. Al no verla, me he puesto los vestidos y he empezado a buscarla. Así, he llegado al jardín». Le refirió todo lo que había visto: el río y los pájaros que estaban en la copa del árbol. El jeque, al oír sus palabras, le dijo: «¡Mantente en guardia! Sabe que todos los pájaros que estaban en el árbol son jóvenes forasteros de los que ella se ha enamorado, y a los que ha transformado en pájaros. El pájaro negro que viste era uno de sus mamelucos, al que ella amaba mucho. Pero el hombre se enamoró de una esclava, y entonces la reina lo transformó en un pájaro negro.

Sahrazad se dio cuenta de que amanecía e interrumpió el relato para el cual le habían dado permiso.

Cuando llegó la noche *setecientas cincuenta y cinco,* refirió:

—Me he enterado, ¡oh rey feliz!, de que [el verdulero prosiguió:] »Cada vez que siente deseo de él, se transforma a sí misma en pájaro para poder copular ya que le ama muchísimo. Si se entera de que tú sabes lo que sucede, procurará causarte daño; pero no te intranquilices, pues nada ha de sucederte mientras yo te proteja: no temas. Soy musulmán y me llamo Abd Allah. En mi época no hay mago más experto que yo, aunque sólo empleo la magia en caso de absoluta necesidad, y muchas veces neutralizo el influjo de esa maldita y salvo de ella a la gente. No me preocupo de ella, ya que nada puede hacer contra mí; al contrario: ella me teme muchísimo a mí y del mismo modo me temen todos los magos que, como ella, se encuentran en la ciudad. Su religión los hace adorar el fuego y prescindir del Rey todopoderoso. Vuelve mañana a verme. Me explicarás qué es lo que ha hecho contigo, pues esta noche se esforzará en causar tu ruina. Pero yo te diré cómo te has de portar con ella para escapar a sus tretas». El rey Badr Basim se despidió del jeque y regresó junto a la reina. La encontró sentada, esperándolo. Al verlo, salió a recibirlo, lo hizo sentar, le dio la bienvenida y mandó que sirviesen de comer y beber. Comieron hasta quedar hartos. Luego se lavaron las manos. A continuación, la reina mandó servir las bebidas. Bebieron juntos hasta mediada la noche. Ella se inclinaba hacia él sirviéndole las copas. Lo embriagó, y perdió el sentido y la razón. Al verle así, se puso de pie y dijo: «¡Te conjuro, por Dios, por Aquel al que adoras! Si te pregunto algo, ¿me dirás la verdad, contestarás a lo que te pregunte?» El joven, que estaba borracho, replicó: «Sí, señora mía.» «¡Señor mío! ¡Luz de mis ojos! Cuando te despertaste, y no me hallaste a tu lado ¿me buscaste? ¿fuiste al jardín y viste un pájaro negro que saltaba encima mío? Pues ahora voy a contarte la verdad: Ese pájaro era uno de mis mamelucos, al que yo quería muchísimo. Pero cierto día se enamoró de una de mis esclavas. Yo me llené de celos y lo metamorfoseé en un pájaro; luego maté a la esclava. Aún hoy en día no puedo aguardar un momento cuando le deseo. Entonces me transformo en un pájaro hembra, voy a su lado y él salta encima de mí y me posee conforme has visto. ¿Es por esto por lo que estás enfadado? ¡Juro por el fuego y por la luz, por la sombra y el calor, que ha aumentado el amor que por ti siento, y que tú constituyes mi parte de los bienes de este mundo!» Badr Basim, que estaba ebrio, le contestó: «Has comprendido perfectamente la causa de mi enfado; no hay ninguna más». La reina le abrazó, le besó y fingió tenerle un gran amor. Durmieron el uno al lado del otro. Mediada la noche, la reina se levantó. Badr Basim estaba despierto, pero fingió dormir. Miraba disimuladamente y veía cuanto iba haciendo. Vio que sacaba algo rojo de una bolsa del mismo color; lo sembró en el centro del alcázar y se transformó en un río fluyente como el mar; cogió un puñado de cebada, lo extendió por el suelo y lo regó con aquel agua: inmediatamente crecieron las espigas. Las segó, las molió y sacó una harina fina; la colocó en un sitio y volvió al lado de Badr Basim para dormir hasta la mañana. El rey Badr

Basim se levantó, se lavó la cara y pidió permiso a la reina para ir a ver el jeque. Se lo concedió. Corrió junto al jeque y lo informó de lo que había visto. El jeque se echó a reír al oír sus palabras y exclamó: «¡Por Dios! Esta bruja descreída se ha propuesto engañarte. No te preocupes de ella». Sacó un *ratl* de *sawiq* y le dijo: «Coge esto, y cuando ella lo vea y te pregunte: "¿Qué es esto? ¿Qué hemos de hacer con ello?", la contestas: "Cuanto mayores bienes, mejor". Luego comes de esto. Ella te ofrecerá su *sawiq* y te dirá: "Come este *sawiq*". Finge que lo comes, pero come sólo del que yo te he dado, y guárdate de comer ni un solo grano del suyo, pues si lo comieses, aunque sólo fuera un grano, ella te embrujará, te tendría en su poder y te metamorfosearía, diciendo: "¡Abandona tu figura humana!" Tú dejarías tu forma y te transformarías en lo que ella quisiese. Si no comes del suyo, su brujería será vana y no te causará ningún daño. Lab se avergonzará muchísimo de su fracaso y te dirá: "Te he gastado una broma". Se aproximará a ti y te mostrará su amor y cariño. Pero todo será hipocresía y astucia. Por tu parte, muéstrale afecto y dila: "¡Señora mía! ¡Luz de mis ojos! Come *sawiq* de éste y fíjate en lo dulce que es". Una vez lo haya probado, aunque tan sólo sea un grano, toma un poco de agua con tu mano, arrójasela a la cara y dile: "Abandona tu figura humana y transfórmate en...", y entonces la conviertes en lo que quieras. Abandónala, ven a verme y ya idearé alguna cosa». Badr Basim se despidió del jeque, se marchó, subió al alcázar y se presentó ante Lab. Ésta le dijo: «¡Sé bienvenido!» Salió a su encuentro, lo besó y le dijo: «¡Señor mío! Has tardado en venir a mi lado». «He estado con mi tío.» Vio que la reina tenía *sawiq*. Le dijo: «Mi tío me ha dado a comer este *sawiq*». «¡Pero si aquí tenemos otro mejor!» La reina colocó su *sawiq* en un plato, y el del joven, en otro. Le dijo: «¡Come de éste! ¡Es mejor que el tuyo!» El joven fingió comerlo. Cuando la mujer vio que comía, cogió con la mano un poco de agua, lo roció con ella y le dijo: «¡Abandona tu figura, carne de horca, y transfórmate en un mulo tuerto y de mal aspecto!» Pero él no se metamorfoseó. La reina, al ver que seguía igual, se acercó a él, lo besó entre los ojos y le dijo: «¡Amado mío! ¡Estaba bromeando contigo! No cambies tus sentimientos para conmigo a causa de esto». «¡Señora mía! Nunca he cambiado respecto a ti. Estoy convencido de que me amas. Por tanto, come de mi *sawiq*.» La bruja cogió un puñado. En cuanto le llegó al estómago, sufrió una conmoción. El rey Badr Basim cogió un poco de agua en la mano, la roció y la dijo: «¡Abandona tu figura humana y transfórmate en una mula gris!» En un instante quedó metamorfoseada. Las lágrimas empezaron a correr por sus mejillas, y empezó a frotarle los pies con su rostro. Badr Basim quiso embridarla, pero ella no admitió las riendas. El joven la dejó allí, fue a ver al jeque y le explicó lo que había ocurrido. El anciano le dio unas riendas y le dijo: «Coge éstas y pónselas». El joven las cogió y se marchó con ellas. La mula, al verlo, se le acercó. Badr Basim le puso las riendas, montó en ella, salió del alcázar y se dirigió en busca del jeque Abd Allah. Éste, al verla, le dijo: «¡Dios (¡ensalzado sea!) te ha humillado, maldita!» El jeque siguió: «¡Hijo mío! Tú ya no tienes que permanecer en este país: monta en ella y ve donde quieras. Guárdate de entregar las riendas a nadie» El rey Badr Basim le dio las gracias, se despidió de él y se puso en camino. Anduvo durante tres días al cabo de los cuales divisó una ciudad. Un viejo de hermosas canas salió a su encuentro y le preguntó: «¡Hijo mío! ¿De dónde vienes?» «De la ciudad de esta bruja.» «Esta noche eres mi huésped.» El joven aceptó. Ambos hicieron el camino juntos. Una mujer vieja, al ver la mula, rompió a llorar y dijo: «¡No hay más dios sino el Dios! Esta mula se parece a la de mi hijo, la cual murió. Mi corazón está afligido. Te conjuro por Dios, señor mío, a que me la vendas». «¡Madre mía, por Dios! ¡No puedo venderla!» «¡Te conjuro, por Dios, a que no rechaces mi petición! Mi hijo morirá sin remedio si no le compro esta mula.» Siguió insistiendo en la petición. Badr Basim dijo: «¡Sólo la venderé por mil dinares!» El joven se decía: «¿De dónde va a sacar esta vieja los mil dinares?» Pero ella sacó de su cinturón los mil dinares. El rey Badr Basim, al verlos, dijo: «¡Madre mía! Te he gastado una broma, pues no puedo venderla». El viejo lo miró y le dijo: «¡Hijo mío! En nuestro país, nadie miente. Todo aquel que miente, es castigado con la muerte». Badr Basim bajó de la mula...

Sahrazad se dio cuenta de que amanecía e interrumpió el relato para el cual le habían dado permiso.

Cuando llegó la noche *setecientas cincuenta y seis*, refirió:

—Me he enterado, ¡oh rey feliz!, de que [Badr Basim bajó de la mula] y la entregó a la mujer vieja. Ésta le quitó las bridas de la boca, cogió un poco de agua con la mano, la roció y dijo: «¡Hija mía! ¡Abandona esta forma y recupera la que tenías!» Al momento recuperó su prístina figura; ambas mujeres se abrazaron. El rey Badr Basim comprendió que aquella vieja era su madre, la cual lo había engañado. Intentó huir, pero la vieja silbó con fuerza y se presentó ante ella un *efrit* que parecía un monte enorme. El rey Badr Basim se asustó y se quedó quieto. La vieja montó en el dorso del *efrit*, su hija se colocó detrás de ella y colocó al rey delante. El *efrit* levantó el vuelo, y al cabo de un rato llegaron al alcázar de la reina Lab. Ésta se sentó en el trono de su reino y, volviéndose hacia el rey Badr Basim, lo increpó: «¡Carne de horca! Has llegado a este lugar y has obtenido lo que deseabas, pero ahora te mostraré lo que voy a hacer contigo y con ese jeque verdulero. Cuanto mejor lo trato, peor me replica. Tú sólo conseguiste tu propósito gracias a su ayuda». Cogió agua, lo roció y le dijo: «¡Sal de la figura que tienes y toma la de un pájaro de mal ver, el más repugnante de todos!» Inmediatamente se transformó en un ave de mal aspecto. Lab lo metió en una jaula y lo dejó privado de comida y bebida. Una esclava lo vio, se apiadó de él y le dio de comer y beber sin que lo supiese la reina.

Cierto día en que la criada vio distraída a su dueña, salió y fue a ver al jeque verdulero. Lo informó de lo sucedido y le dijo: «La reina Lab está resuelta a matar a tu sobrino». El jeque le dio las gracias por la noticia y le dijo: «Es necesario que le quite la ciudad y que te nombre a ti reina en lugar suyo». Silbó de modo estridente, y en seguida apareció ante él un *efrit* con cuatro alas. Le dijo: «Coge a esta joven y llévala a la ciudad de

Chulnar la Marina y de su madre Farasa. Ambas son las brujas más expertas que hay sobre la faz de la tierra». Luego dijo a la joven: «Cuando estés ante ellas, infórmalas de que el rey Badr Basim está prisionero de la reina Lab». El *efrit* se la cargó encima y remontó el vuelo con ella. Al cabo de una hora descendió en el alcázar de Chulnar la Marina. La esclava se apeó en la azotea del palacio, se presentó ante la reina Chulnar, besó el suelo ante ella y la informó de lo que había ocurrido a su hijo, desde el principio hasta el fin. La reina se acercó a ella, la trató con honor, le dio las gracias y mandó que redoblaran los tambores por la ciudad anunciando a sus habitantes y a los grandes del reino el hallazgo del rey Badr Basim. Chulnar la Marina, su madre Farasa y su hermano Salih convocaron a todas las tribus de genios y a los ejércitos del mar, ya que los reyes de los genios permanecían sumisos después de la captura del rey Samandal. Todos remontaron el vuelo por los aires, descendieron en la ciudad de la bruja, saquearon su alcázar, mataron a todos los que encontraron en él, ocuparon la ciudad y mataron a todos los infieles que estaban en ella, en un abrir y cerrar de ojos. La reina dijo a la joven: «¿Dónde está mi hijo?» La muchacha cogió la jaula y se la llevó. Le indicó que el pájaro era Badr Basim, diciendo: «Éste es tu hijo». La reina Chulnar lo sacó de la jaula, tomó un poco de agua en la mano, lo roció y dijo: «¡Abandona esta figura y toma la que tenías con anterioridad!» Apenas había terminado de pronunciar estas palabras, sufrió una conmoción y se transformó en un ser humano como antes. La madre, al verlo en su figura natural, se acercó a él, lo abrazó y lloró a lágrima viva. Su tío Salih, su abuela Farasa y sus primas le besaron las manos y los pies. La reina Chulnar mandó a buscar al viejo Abd Allah, le dio las gracias por el favor con que había tratado a su hijo y lo casó con la esclava que le había enviado con noticias de su hijo. Consumó el matrimonio. A continuación le entregó el gobierno de aquella ciudad e hizo comparecer a todos los musulmanes que en ella había para que reconocieran al jeque Abd Allah y juraran y prometieran que permanecerían sumisos a su servicio. Dijeron: «¡Oír es obedecer!» A continuación se despidieron del jeque Abd Allah y se marcharon de su ciudad. Cuando hubieron entrado en el alcázar, sus súbditos salieron a su encuentro muy alegres y contentos, y engalanaron la ciudad durante tres días, para festejar el regreso de su rey Badr Basim.

Después, el rey Badr Basim dijo a su madre: «¡Madre! Sólo falta que me case con aquella a la que amo para que estemos todos juntos». «¡Hijo mío! Tu opinión es excelente, pero esperemos hasta saber cuál es la hija de rey que te conviene.» Su abuela Farasa, sus primas y su tío dijeron: «¡Badr Basim! Todos te ayudaremos a alcanzar lo que deseas». A continuación, cada uno se incorporó y se marchó a investigar por los países. Lo mismo hizo Chulnar la Marina: despachó, montadas en el cuello de los genios, a sus criadas, y les dijo: «No dejéis ninguna ciudad ni ningún alcázar real sin haber visto a las muchachas más hermosas». El rey Badr Basim, al ver que se preocupaban tanto por él, dijo: «¡Madre mía! A mí sólo me satisface Chawhara, la hija del rey Samandal, ya que Chawhara es una joya, como indica su nombre». La madre contestó: «Me doy por enterada de tu deseo». Inmeditamente mandó a buscar al rey Samandal. Al instante lo tuvo ante ella. Mandó llamar al rey Badr Basim. Cuando éste hubo acudido, lo informó de la llegada del rey Samandal. El joven entró a ver a éste, el cual, cuando se acercó, se puso de pie, lo saludó y le dio la bienvenida. El rey Badr Basim le pidió su hija Chawhara en matrimonio. Le contestó: «Ella está a tu servicio, es tu esclava, te pertenece». El rey Samandal envió a unos amigos a su país para que se presentasen a su hija Chawhara y la informasen de que su padre se encontraba con el rey Badr Basim, hijo de Chulnar la Marina. Los mensajeros remontaron el vuelo por el aire, estuvieron ausentes un rato y regresaron con la reina Chawhara. La muchacha, al ver a su padre, se acercó a él y lo abrazó. Éste la miró y le dijo: «¡Hija mía! Sabe que te he casado con este rey valiente y león feroz de Badr Basim, hijo de la reina Chulnar. Es el hombre más guapo, perfecto, poderoso y noble de su tiempo: sólo te conviene a ti, y tú eres la única que a él le conviene». Chawhara contestó: «¡Padre mío! Yo no puedo contradecirte. Haré lo que tú quieras: las preocupaciones y las penas han terminado, y yo soy una de sus criadas». Inmediatamente comparecieron los alcadíes y los testigos y escribieron el contrato matrimonial de Badr Basim, hijo de la reina Chulnar la Marina, con la reina Chawhara. Sus súbditos engalanaron la ciudad, dieron rienda suelta a la alegría, pusieron en libertad a los presos, y el rey concedió vestidos a las viudas y a los huérfanos, regaló trajes de corte a los magnates del reino, emires y grandes. Se celebraron muchas fiestas y convites, mañana y tarde, durante diez días. Luego presentaron la novia al rey Badr Basim con nueve vestidos. Éste regaló un traje de Corte al rey Samandal y lo mandó a su país, junto a sus súbditos y parientes.

Vivieron la vida más dulce y los días más felices comiendo, bebiendo y disfrutando, hasta que compareció el destructor de las dulzuras, el disgregador de los amigos.

Éste es el fin de su historia. ¡Dios tenga piedad de todos ellos!

HISTORIA DE SAYF AL-MULUK Y BADIA AL-CHAMAL

Sabe, ¡oh rey feliz!, que en lo antiguo del tiempo y en las épocas pretéritas, vivía un rey de reyes persa que se llamaba Muhammad b. Sabaik. Gobernaba el país del Jurasán. Todos los años realizaba una algazúa por el territorio de los incrédulos de la India, el Sind, China la Transoxiana, países de infieles y otros. Era un rey justo, valiente, noble y generoso. A este rey le gustaba escuchar las discusiones, relatos, versos, historias, cuentos, conversaciones nocturnas y las biografías de los antiguos. Concedía numerosos dones a aquel que le relataba una historia prodigiosa. Se dice que cuando se le presentaba un narrador extranjero con un relato prodigioso y se lo refería, si le gustaban sus palabras y lo encontraba hermoso, le concedía un precioso traje de corte, le regalaba mil dinares, le hacía montar en una yegua ensillada y embridada, le vestía de arriba a abajo y le hacía grandes regalos que aquel hombre cogía y se marchaba por su camino.

Ocurrió que un hombre se presentó ante él con una historia maravillosa. Se la refirió. Le gustó y quedó admirado de sus palabras. Mandó que le diesen un magnífico regalo en el cual se contaban mil dinares del Jurasán y un caballo magníficamente enjaezado. Las noticias de este rey se difundieron por todos los países y un hombre, llamado Hasán, el mercader, las oyó. Era generoso, noble, poeta, virtuoso.

Dicho rey tenía un visir que era un envidioso, lleno de malos vicios y que no apreciaba a la gente fuese pobre o rica. Cada vez que se presentaba ante el rey una persona a la que éste regalaba algo, se llenaba de envidia y decía: «Esto va a arruinar el tesoro y el país. El rey se ha acostumbrado a esto». Estas palabras eran pura envidia y celos del visir. El rey oyó hablar de Hasán el Mercader y mandó a buscarle. Éste compareció. Le dijo: «¡Mercader Hasán! El visir me lleva la contraria y me reprende a causa del dinero que regalo a los poetas, a los mercaderes, a los que explican relatos y versos. Quiero que me cuentes una buena historia, un relato portentoso, algo que nunca haya oído. Si tu historia me gusta te haré donación de un gran país con sus ciudadelas que pasará a incrementar tus actuales posesiones, te ofreceré todo mi reino y te nombraré mi gran visir: te sentarás a mi derecha y gobernarás a mis súbditos. Pero si no me traes lo que te pido me incautaré de todos tus bienes y te expulsaré de mi reino». El mercader Hasán replicó: «¡Oír es obedecer a nuestro señor el rey! Pero el esclavo te pide que le concedas un año de tiempo. Al término de éste te contaré una historia que jamás, en toda tu vida, habrás oído igual o mejor». «Te concedo el plazo de un año entero.» A continuación el soberano le regaló un traje de corte precioso y se lo hizo vestir: «Ve a tu casa, pero no puedes montar a caballo ni ir ni venir hasta que habiendo transcurrido el año entero me hayas traído lo que te he pedido. Si lo traes tendrás dones especiales y podrás regocijarte con lo que te he prometido. Pero si no lo traes no habrá más relación entre nosotros dos».

Sahrazad se dio cuenta de que amanecía e interrumpió el relato para el cual le habían dado permiso.

Cuando llegó la noche *setecientas cincuenta y siete*, refirió:

—Me he enterado, ¡oh rey feliz!, de que el mercader Hasán besó el suelo ante él y salió.

Escogió cinco de sus esclavos, que supiesen leer y escribir, virtuosos, inteligentes, instruidos y entregó a cada uno de ellos cinco mil dinares. Les dijo: «Yo os he educado en espera de este día: ayudadme a conseguir el deseo del rey y salvadme de su mano». Le preguntaron: «¿Qué es lo que quieres hacer? ¡Nosotros te serviremos de rescate!» «Quiero que cada uno de vosotros se marche de viaje a un país y que en él busque a los sabios, a los literatos, a los instruidos, a los narradores de relatos portentosos e historias extraordinarias. Buscad la historia de Sayf al-Muluk y traédmela. Si encontráis a alguien que la conozca preguntadle el precio y dadle todo el oro y toda la plata que pida y si os pidiera mil dinares, dadle lo que podáis y prometedle que le llevaréis el resto. A aquel de vosotros que encuentre esta historia y me la traiga, le daré preciosos trajes de honor, muchísimos dones y será, para mí, la persona más querida.» El mercader Hasán dijo a uno: «Tú irás al país del Hind y del Sind: recorrerás sus regiones y provincias». Dijo a otro: «Tú irás al país de los persas y China. Recorrerás sus regiones». Al tercero le dijo: «Tú irás al país del Jurasán y recorrerás sus regiones y provincias». Al cuarto le dijo: «Tú irás a los países de occidente y recorrerás sus regiones, provincias y rincones». Al quinto le dijo: «Tú irás a Siria, Egipto y sus regiones y distritos».

El comerciante esperó un día de buen agüero y les dijo: «Salid hoy de viaje y esforzaos en obtener lo que me interesa: no os distraigáis aunque ello os cueste la vida». Se despidieron de él y cada mameluco se marchó en la dirección que se le había mandado. Cuatro de ellos permanecieron ausentes durante cuatro meses: buscaron pero no encontraron nada. El pecho del comerciante Hasán se angustió cuando regresaron los cuatro mamelucos y le informaron de que habían recorrido ciudades, países y climas en busca del deseo de su señor pero que no habían encontrado nada.

El quinto mameluco siguió viaje hasta llegar a Siria y alcanzar la ciudad de Damasco. Vio que ésta era una hermosa y segura ciudad que tenía árboles, ríos, frutos y pájaros que loaban al Dios único, al Todopoderoso, al Creador de la noche y del día. Permaneció en dicha ciudad unos días preguntando por el encargo de su señor. Pero nadie le contestó. Se disponía a emprender viaje hacia otro lugar cuando tropezó con un muchacho que corría enredándose en los faldones de su traje. El mameluco le preguntó: «¿Qué te pasa para correr así si vas incómodo? ¿Adónde vas?» «Tenemos aquí un jeque virtuoso que cada día, a esta hora, se sienta en la silla y cuenta anécdotas, historias y narraciones como nadie ha oído jamás. Yo corro a ocupar un sitio próximo a él y temo que no voy a poder conseguirlo dada la multitud de gente.» El mameluco le dijo: «¡Llévame contigo!» El muchacho le replicó: «¡Apresura el paso!» El mameluco cerró su puerta y corrió a su lado hasta llegar al lugar en que el jeque hablaba a la gente. Vio que el jeque tenía una cara tranquila. Estaba sentado en su silla y narraba a la gente. Se sentó cerca de él y prestó oído a su relato. El jeque dejó de hablar en el momento del ocaso. La gente que había escuchado la historia se marchó de su alrededor. Entonces, el mameluco se adelantó y le saludó. Le devolvió el saludo y le trató con deferencia y honor. El mameluco le dijo: «Tú, señor mío, el jeque, eres un hombre excelente, respetable. Tu historia es buena. Yo querría preguntarte algo». «¡Pregunta lo que quieras!» «¿Sabes la historia de Sayf al-Muluk y Badia al-Chamal?» «¿De quién has oído estas palabras? ¿Quién te ha informado de esto?» El mameluco contestó: «No lo he oído a nadie. Yo vengo de un país lejano en busca de esta historia. Te daré el precio que pidas por ella si es que la sabes y tienes la caridad de comunicármela y la generosidad de tus buenos modos me la explica. Si pudiera disponer de mi propia alma te la entregaría con tal de saber esa historia». El jeque le contestó: «Tranquilízate, la tendrás. Pero es una historia para ser contada durante la velada y que no puede contarse a nadie en medio de la calle. Yo no doy esta historia a cualquiera». «¡Por Dios, señor mío! ¡No seas avaro conmigo y pídeme lo que quieras!» «Si quieres esa historia dame cien dinares y yo te la entregaré, pero con cinco condiciones.» Cuando el mameluco se dio cuenta de que el jeque la sabía y se la iba a dar se alegró mucho y le dijo: «Te daré cien dinares y otros diez de propina; acepto las condiciones que digas». «Ve, tráeme el oro y obtendrás tu deseo.» El mameluco se levantó, besó la mano del jeque y se marchó, muy contento, a su domicilio. Tomó los ciento diez dinares, los guardó en una bolsa y al día siguiente se levantó, se vistió, cogió los dinares y se los llevó al jeque. Vio que éste estaba sentado junto a la puerta de su casa. Le saludó y le devolvió el saludo. Le entregó los ciento diez dinares. El jeque los cogió, se incorporó, entró en su casa e hizo pasar al mameluco y tomar asiento, le ofreció tinta, papel y pluma, le presentó un libro y le dijo: «Copia de este libro la velada de Sayf al-Muluk que buscabas». El mameluco se sentó y escribió hasta terminar de copiar el libro. Después, el viejo la leyó y la corrigió. Le dijo: «¡Hijo mío! La primera condición consiste en que no has de contar esta historia ni en la calle ni delante de mujeres, doncellas, esclavos, gente estúpida o niños. Sólo la puedes leer ante emires, reyes, visires, sabios exégetas y gente por el estilo». El esclavo aceptó las condiciones, besó la mano del jeque, se despidió de él y se marchó.

Sahrazad se dio cuenta de que amanecía e interrumpió el relato para el cual le habían dado permiso.

Cuando llegó la noche *setecientas cincuenta y ocho,* refirió:

—Me he enterado, ¡oh rey feliz!, de que aquel mismo día, muy contento, emprendió el viaje de regreso y dada la gran alegría que sentía por haber conseguido la velada de Sayf al-Muluk apresuró la marcha hasta llegar a su país. Envió a uno de sus hombres para dar la buena noticia a su dueño diciéndole: «Tu esclavo llega salvo y ha conseguido tu deseo». Cuando el mameluco llegó a la ciudad de su señor y le envió el mensajero, sólo faltaban diez días para que expirase el plazo concedido por el rey al mercader Hasán. El mameluco se presentó ante el comerciante, le explicó lo que le había ocurrido y éste se alegró muchísimo. Después se retiró a descansar a su habitación y entregó a su señor el libro en que estaba la historia de Sayf al-Muluk y Badia al-Chamal. Al verla regaló al esclavo los trajes más preciosos que tenía, diez corceles de pura raza, diez camellos, diez mulos, tres esclavos negros y dos mamelucos.

El comerciante cogió la historia, la copió de su puño y letra, con aclaraciones, se presentó ante el rey y le dijo: «¡Rey feliz! Te traigo una velada, una hermosa historia como no has oído otra más bella jamás». El rey, al oír las palabras del comerciante Hasán, mandó que compareciesen, inmediatamente, todos los emires inteligentes, todos los sabios de renombre, los literatos, poetas, personas de buena educación. El comerciante Hasán se sentó y leyó la historia al rey. Éste y todos los que con él estaban quedaron admirados al oírla. Los allí presentes la conceptuaron de extraordinaria y le colmaron de oro, plata y aljófares. El rey mandó que se entregase al comerciante Hasán un traje de corte precioso, el mejor de todos; le concedió el gobierno de una gran ciudad con sus fortalezas y aldeas, le nombró un gran visir y le hizo sentar a su diestra. A continuación mandó a los escribas que pusiesen por escrito, con tinta de oro, esta historia y la colocasen en su biblioteca particular. Cada vez que se sentía con el corazón oprimido mandaba llamar al comerciante Hasán quien se la leía:

He aquí el contenido de esta historia:

En lo antiguo del tiempo, en las épocas y siglos pasados, vivía en Egipto un rey llamado Asim b. Safwán. Era un rey generoso y liberal, de buen aspecto, respetable. Tenía muchos países, castillos, fortalezas, ejércitos, soldados y un visir llamado Faris b. Salih. Todos ellos adoraban al sol y al fuego y prescindían del rey todopoderoso, excelso, omnipotente. Dicho rey era muy viejo: la edad, los achaques y las enfermedades le habían debilitado, puesto que había vivido ciento ochenta años. No tenía ningún hijo varón ni hembra. Esto le causaba preocupaciones y penas de noche y de día. Cierto día estaba sentado en el trono de su reino. Los emires, los visires, los almocadenes y los grandes del reino estaban a su servicio como tenían por costumbre y según su rango. Los emires que acudían ante él iban acompañados por uno o dos hijos y el rey les envidiaba pues se decía: «Cada uno de ellos está feliz y contento con sus hijos, mientras que yo moriré el día de mañana sin tener a quien dejar mi reino, mi trono, mis aldeas, mis tesoros y mis riquezas: todo irá a manos de gentes extrañas y nadie me recordará jamás, no quedará memoria de mí en el mundo». El rey Asim se sumergió en el mar de sus pensamientos; tenía tantas penas y preocupaciones en su corazón que rompió a llorar, bajó del trono y se sentó en el suelo sollozando y gimiendo. Al ver el visir y los grandes del reino que estaban presentes lo que hacía gritaron a las gentes: «Marchad a vuestro domicilio hasta que el rey se reponga de lo que le sucede». Se marcharon y sólo quedó el visir. Cuando el rey se dominó, el visir besó el suelo ante él y le dijo: «¡Rey del tiempo! ¿Cuál es la causa de este llanto? Dime cuál es el rey o señor de fortalezas o emir o grande del reino que te ha ofendido, dame a conocer aquel que te ha desobedecido, ¡oh rey!, para que todos nosotros podamos caer sobre él y arrancarle el alma de entre sus flancos». El rey ni contestó ni levantó la cabeza. El visir besó el suelo ante él por segunda vez y le dijo: «¡Rey del tiempo! Yo soy como si fuera tu hijo y tu esclavo: tú me has educado; si yo no llego a saber la causa de tu pena, preocupación y dolor en que te encuentras, ¿quién va a saberlo y a ocupar mi puesto ante ti? Dime cuál es la causa de tu llanto». Pero el rey ni habló ni abrió la boca ni levantó la cabeza: continuó llorando, quejándose en voz alta, sollozando y gimiendo cada vez más. El visir esperaba. Después le dijo: «Si no me dices la causa me mataré ahora mismo ante tu vista: cuando menos no te veré preocupado». Entonces, el rey Asim levantó la cabeza, secó sus lágrimas y dijo: «¡Visir del buen consejo! Déjame en mi aflicción y en mi pena. La tristeza que hay en mi corazón ya basta». «¡Dime, oh rey, la causa de este llanto! Tal vez Dios te conceda por mi mano la causa de tu alegría.»

Saharazad se dio cuenta de que amanecía e interrumpió el relato para el cual le habían dado permiso.

Cuando llegó la noche *setecientas cincuenta y nueve*, refirió:

—Me he enterado, ¡oh rey feliz!, de que el rey explicó: «¡Oh visir! No lloraba ni por dinero ni por caballos ni por cosas semejantes. Lloraba porque soy un hombre de edad, ya tengo cerca de ciento ochenta años y no he tenido ningún hijo varón ni hembra. Cuando yo muera me enterrarán, borrarán mi nombre y se perderá mi memoria. Los extranjeros se apoderarán de mi trono y de mi reino y nadie se acordará más de mí». El visir contestó: «¡Rey del tiempo! Yo tengo cien años más que tú y jamás he tenido un hijo. Noche y día vivo preocupado y apenado pensando lo que podemos hacer los dos. He oído hablar de que Salomón, hijo de David, sobre ambos sea la paz, tiene un gran Señor que es todopoderoso. Es preciso que vaya a visitarle con un regalo para que ruege a su Señor. Tal vez Él nos conceda a cada uno un hijo».

El visir se preparó para el viaje, tomó consigo un magnífico presente y se marchó en busca de Salomón, hijo de David, sobre los cuales sea la paz. Esto es lo que hace referencia al visir.

He aquí lo que hace referencia a Salomón hijo de David, sobre ambos sea la paz. Dios (¡ensalzado sea!) le inspiró y le dijo: «¡Salomón! El rey de Egipto te ha enviado a su gran visir con regalos y presentes que son tales y tales. Envía a tu visir Asaf b. Barjiya para que le reciba en los lugares de fin de etapa con honores y víveres. Cuando esté ante ti dile: "El rey te ha mandado para pedir esto y esto. Tú necesitas eso y eso". A continuación exponle los principios de la fe». Salomón mandó a su visir Asaf que tomase consigo parte de vasallos y que saliese al encuentro del visitante en los fines de etapa con buenos alimentos y honores. Asaf se puso en camino con todo lo que era necesario para recibirlo. Avanzó hasta encontrar a Faris, visir del rey de Egipto. Lo recibió, lo saludó y lo trató con honor; lo mismo hizo con quienes le acompañaban. Le ofreció víveres y piensos en los fines de etapa y le dijo: «¡Sé bien venido! ¡Buena acogida a los huéspedes que llegan! Alegraos, pues obtendréis lo que deseáis. Tranquilizaos, regocijaos, alegrad vuestro pecho». El visir se dijo: «¿Quién les habrá informado de lo que quiero?» Dirigiéndose a Asaf b. Barjiya le preguntó: «¡Señor mío! ¿Quién os ha informado de nuestra llegada y de nuestros deseos?» «¡Salomón, hijo de David (¡sobre ambos sea la paz!) nos lo ha explicado.» «¿Y quién ha informado a nuestro señor Salomón?» «El Señor de los cielos y de la tierra, el Dios creador de todos los seres.» «¿Y quién es ese gran dios?» Asaf b. Barjiya le preguntó: «¿Pero vosotros no le adoráis?» Faris, el visir del rey de Egipto, replicó: «Nosotros adoramos al sol y nos prosternamos ante él». «¡Visir Faris! El sol es un astro como los demás y ha sido creado por Dios (¡gloriado y ensalzado sea!). El sol no es ningún dios, pues unas veces está presente y otras oculto. Nuestro Señor está siempre presente, nunca se oculta y es todopoderoso.» Viajaron algo más y llegaron a las inmediaciones de donde estaba el solio del rey Salomón hijo de David (¡sobre ambos sea la paz!) Éste mandó a sus tropas de hombres, genios y otros seres que se alineasen a lo largo de su camino: las fieras del mar, los elefantes, los tigres, las panteras, todos se colocaron a lo largo del camino formando dos filas: cada fiera puso a los suyos en un sitio. Lo mismo hicieron los genios: cada uno de ellos se mostró a los ojos, sin esconderse, con su aterradora figura, y en sus distintas formas: todos se alinearon formando dos filas. Las aves extendieron sus alas sobre las criaturas para darles sombra y los pájaros empezaron a cantar con todas sus lenguas y voces. Los egipcios se asustaron al llegar ante ellos y no se atrevieron a continuar adelante. Asaf les dijo: «Pasad entre ellos, avanzad y no les tengáis miedo: son súbditos de Salomón hijo de David y ninguno os causará daño». A continuación Asaf pasó entre ellos. Detrás suyo siguieron todas las criaturas y entre éstas el grupo formado por el visir del rey de Egipto que seguía adelante lleno de terror. Avanzaron sin cesar hasta encontrarse en la ciudad. Los acomodaron en la casa de los huéspedes, los trataron con todos los honores y durante tres días les hicieron preciosos regalos de hospitalidad. Después los condujeron ante Salomon, Profeta de Dios, sobre el cual sea la paz. Al entrar se dispusieron a besar el suelo ante él pero Salomón, hijo de David, se lo impidió y dijo: «Ningún hombre de sobre la faz de la tierra debe adorar a nadie más que a Dios, excelso y poderoso, que es el creador de la tierra, de los cielos y de todo lo demás. Aquel de vosotros que quiera permanecer de pie, que permanezca. Pero ninguno de vosotros debe quedar erguido para servirme». Le obedecieron: el visir Faris se sentó; algunos de sus criados de rango inferior se quedaron de pie para servirle. Cuando hubieron tomado asiento, extendieron los manteles y comieron todos a la vez hasta hartarse. A continuación Salomón ordenó al visir de Egipto que le dijese lo que necesitaba para concedérselo. Le dijo: «Habla sin temor y exponme la causa de tu venida. Has venido aquí para conseguir lo que voy a decirte: es esto y esto. El rey de Egipto que te ha enviado se llama Asim, es un viejo de mucha edad, de salud delicada al que Dios (¡ensalzado sea!) no le ha concedido ningún hijo, ni varón ni hembra. Esto le llena de pena, preocupación y le hace estar pensativo de día y de noche. Cierto día, mientras estaba sentado en el trono de su reino, ocurrió lo siguiente: se han presentado ante él los visires, los emires y los grandes del reino. Ha visto que unos iban acompañados por dos hijos, otros por uno, otros por tres. Se aproximaban a él seguidos por sus descendientes y permanecían así, a su servicio. Esto le ha llevado a pensar en sí mismo y abrumado de tristeza se ha dicho: "¿Quién va a apoderarse del reino después de mi muerte? Tal vez lo ocupe un hombre extraño y será como si yo no hubiese existido". Esto le ha hecho ahondar en sus pensamientos y ha seguido meditabundo y triste hasta que las lágrimas han desbordado de sus ojos. Se ha tapado el rostro con el pañuelo, ha llorado amargamente, ha bajado del trono y se ha sentado en el suelo llorando y sollozando sin que nadie, más que Dios (¡ensalzado sea) supiera lo que pasaba en su corazón: sólo veían que estaba sentado en el suelo».

Sahrazad se dio cuenta de que amanecía e interrumpió el relato para el cual le habían dado permiso.

Cuando llegó la noche *setecientas sesenta*, refirió:

—Me he enterado, ¡oh rey feliz!, de que [Salomón] explicó al visir Faris la pena y el llanto que había experimentado el rey y lo sucedido entre éste y su visir desde el principio hasta el fin. Después, dirigiéndose a Faris le preguntó: «¿Es cierto que el rey te dijo esto?» «¡Profeta de Dios! Lo que has dicho es cierto y verídico. Pero, ¡oh, Profeta de Dios!, cuando yo hablaba con el rey de este asunto no había nadie con nosotros: ¿quién te ha explicado todas estas cosas?» «Me ha informado mi Señor, el cual conoce la traición en los ojos y lo que encierran los pechos.» Entonces, el visir Faris dijo: «¡Profeta de Dios! Ése tiene que ser un Señor generoso y grande, todopoderoso». A continuación el visir Faris y todos los que le acompañaban se convirtieron. Después, el Profeta de Dios, Salomón, dijo al visir: «Tú me traes tal y tal regalo». «¡Sí!» «Los acepto todos pero, a mi vez, te los regalo. Tú y tus compañeros descansad en el lugar en que os hospedáis hasta que haya desaparecido la fatiga de vuestro viaje. Mañana, si Dios (¡ensalzado sea!) lo quiere satisfaré tu deseo del modo más completo de acuerdo con la voluntad de Dios (¡ensalzado sea!) Señor de la tierra y del Cielo, Creador de todas las criaturas.» A continuación, el visir Faris se fue a su residencia y al día siguiente acudió ante el señor Salomón. El Profeta de Dios, Salomón, le dijo: «Cuando llegues ante el rey Asim b. Safwán y os hayáis reunido los dos, subid a la copa de tal árbol y quedaos sentados y callados. Durante el intermedio que separa las dos oraciones, cuando ya refresca el calor del mediodía, bajad al pie del árbol y buscad: hallaréis dos culebras saliendo. La cabeza de una de ellas será como la de un mono y la de la otra como la de un genio. En cuanto las veáis tiradles dardos y matadlas. A partir de la cabeza cortad un palmo y otro tanto desde la cola. Os quedarán sendos pedazos de carne. Hervidlos con cuidado, dadlos de comer a vuestras mujeres y por la noche dormid con ellas: quedarán embarazadas con el permiso de Dios (¡ensalzado sea!) y darán a luz hijos varones». Salomón, sobre el cual sea la paz, sacó un anillo, una espada y un envoltorio que contenía dos túnicas cuajadas de aljófares y dijo: «¡Visir Faris! Una vez hayan crecido vuestros hijos y hayan alcanzado la pubertad dad una de estas túnicas a cada uno de ellos. En el nombre de Dios: Dios (¡ensalzado sea!), ha satisfecho tu deseo y ya no te falta más que ponerte en viaje con la bendición de Dios (¡ensalzado sea!), ya que el rey espera tu llegada noche y día y sus ojos miran constantemente el camino». El visir Faris se acercó al Profeta de Dios, Salomón hijo de David (¡sobre ambos la paz!), se despidió de él, salió de su palacio después de besarle las manos y viajó durante todo el resto del día lleno de alegría por haber conseguido su deseo. Apresuró la marcha noche y día y no paró de viajar hasta llegar a las inmediaciones de Egipto. Entonces despachó a uno de sus criados para que informase al rey Asim. Éste, al saber que llegaba habiendo conseguido su deseo, se alegró muchísimo. Sus cortesanos, grandes del reino y todos sus soldados, se alegraron de que el visir Faris llegase salvo. Al encontrarse el rey y el visir, éste echó pie a tierra besó el suelo ante el soberano y le dio la buena nueva de que había conseguido completamente su deseo; le expuso la fe y el islam y el rey Asim se convirtió. Dijo al visir Faris: «Ve a tu casa, descansa esta noche, descansa durante una semana, entra en el baño y después ven para que yo te explique algo sobre lo que hemos de deliberar». El visir Faris besó el suelo ante él y se marchó a su casa acompañado por su séquito, pajes y criados. Descansó durante ocho días al cabo de los cuales se presentó ante el rey y le explicó todo lo que le había sucedido con Salomón hijo de David (¡sobre ambos sea la paz!). A continuación añadió: «Ven tú solo conmigo, acompáñame». El rey y el visir tomaron dos arcos con dos flechas, subieron encima del árbol, se acomodaron y guardaron silencio hasta que fue el momento de la siesta; siguieron inmóviles hasta la hora del atardecer. Bajaron y vieron dos culebras que salían de la raíz del árbol. El rey las miró y le gustaron, pues tenían collares de oro. Dijo: «¡Visir! Estas dos serpientes tienen collares de oro. ¡Por Dios! ¡Esto es algo maravilloso! Cojámoslas, coloquémoslas en una caja y contemplémoslas». El visir le replicó: «Ambas han sido creadas por Dios para que sirvan de algo. Arroja tú tu flecha y yo echaré la mía». Los dos tiraron, las mataron, las cortaron un palmo por la parte de la cola y otro tanto por la de la cabeza y lo tiraron. Con el resto se marcharon al palacio del rey, llamaron al cocinero, le dieron esa carne y le dijeron: «Cuece bien esta carne con salsa de cebolla y especias, colócala en dos escudillas y tráenosla en el mismo momento en que esté. No tardes».

Sahrazad se dio cuenta de que amanecía e interrumpió el relato para el cual le habían dado permiso.

Cuando llegó la noche *setecientas sesenta y una*, refirió:

—Me he enterado, ¡oh rey feliz!, de que el cocinero cogió la carne, la llevó a la cocina, la hirvió de modo perfecto y la aderezó. A continuación llenó dos escudillas y las presentó al rey y al visir. El rey cogió una y el visir la otra e hicieron comer a sus esposas. Después pasaron la noche con ellas.

Transcurrieron tres meses. El rey estaba preocupado y se decía: «¡Ojalá supiera si será o no cierto!» Un día, mientras su esposa estaba sentada, el feto se movió en su vientre. Así se dio cuenta de que estaba encinta. Palideció, llamó a un criado, el mayordomo, que estaba a su lado y le dijo: «Ve a buscar al rey dondequiera que se encuentre y dile: "¡Rey del tiempo! Te doy la buena nueva de que nuestra señora está embarazada, pues el feto se ha movido en su vientre"». El criado, contento, salió rápidamente, vio al rey, que estaba solo, con la mano en la mejilla y pensando. El criado se le acercó, besó el suelo ante él y le explicó que su esposa estaba encinta. Al oír las palabras del criado se puso de pie por la mucha alegría que experimentaba, le besó las manos y la cabeza y le regaló e hizo don de todo lo que llevaba encima. Dijo a todos los que estaban en la audiencia: «¡Quienes me amen pueden hacerle regalos!» Los allí presentes regalaron al criado dinero, aljófares, jacintos, caballos, mulos, jardines y otras muchas cosas que no pueden enumerarse ni contarse.

El visir se presentó en aquel momento ante el rey y le dijo: «¡Rey del tiempo! Hace un momento estaba sentado en mi casa solo, preocupado y meditabundo pensando en el embarazo de mi mujer. Me decía: "¡Ojalá supiera si Jatún ha quedado encinta o no!" De pronto se ha presentado un criado quien me ha dado la buena noticia de que mi mujer, Jatún, está encinta, de que el feto se ha movido en su vientre y ha cambiado de color. He tenido tal alegría que le he regalado todas las ropas que llevaba encima, le he entregado mil dinares y le he nombrado jefe de todos los criados». El rey Asim replicó: «¡Visir! Dios (¡bendito y ensalzado sea!) nos ha concedido su favor, gracia, benevolencia y generosidad, dándonos a conocer la verdadera religión, honrándonos con sus dones y beneficios, sacándonos de las tinieblas y conduciéndonos a la luz. Quiero hacer dones a mis súbditos y que queden contentos». El visir le replicó: «Haz lo que quieras». «¡Visir! Ve, ahora mismo, a poner en libertad a todos los presos que están en las cárceles por crímenes o por deudas; a todos aquellos que han cometido alguna falta. Después concederemos recompensas a quienes las merezcan y eximiremos de la contribución territorial, durante tres años, a las gentes. Haz que pongan una cocina alrededor de los muros de la ciudad y manda a los cocineros que cuelguen en ellos todos los utensilios de cocina; que cocinen toda suerte de guisos día y noche. Todos los habitantes de la ciudad y de las regiones que están a su alrededor, estén cerca o lejos, podrán comer, beber y llevárselo a su casa. Manda que se alegren, engalanen la ciudad durante siete días y que no cierren sus tiendas ni de día ni de noche.» El visir se marchó inmediatamente, hizo lo que el rey le había mandado. Engalanaron la ciudad, la ciudadela y las torres del modo más hermoso; se pusieron los mejores vestidos. Las gentes se dedicaron a comer, beber y jugar. El alborozo siguió hasta que la mujer del rey, terminado el plazo, hubo dado a luz un hijo varón que se parecía a la luna en una noche de plenilunio. Le pusieron por nombre Sayf al-Muluk. La mujer del visir también dio a luz un varón hermoso como una lámpara. Le pusieron por nombre Said.

Los dos muchachos llegaron a la edad de la razón. Cada vez que el rey los veía, se alegraba muchísimo. Cuando los dos hubieron cumplido los veinte años, el rey se reunió a solas con el visir Faris y le dijo: «¡Visir! Me pasa por la cabeza algo que quiero hacer, pero antes te pido consejo». «¡Haz lo que te pasa por la cabeza, pues tu idea debe ser buena!» «¡Visir! Yo soy ya un hombre viejo, anciano, entrado en años. Deseo encerrarme en una ermita para adorar a Dios (¡ensalzado sea!) y transferir mi reino y mi poder a mi hijo, Sayf al-Muluk. Es ya un buen muchacho, experto caballero y tiene buen entendimiento, magnífica instrucción, es honesto y sabe mandar ¿qué dices, visir, sobre esto?» «¡La idea es buena, feliz y bendita! Si tú lo haces, yo haré lo mismo que tú y mi hijo Said será su visir. Es un buen muchacho, inteligente y agudo. Los dos permanecerán juntos y nosotros podremos aconsejarles, orientarles en sus asuntos e indicarles el camino recto». El rey Asim dijo a su visir: «Escribe cartas y envíalas con los correos a todas las regiones, comarcas, fortalezas y ciudadelas que nos pertenecen. Manda a sus grandes que se presenten en tal mes en la Plaza del Elefante». El visir Faris salió inmediatamente y escribió a todos los gobernadores y comandantes de fortalezas que eran vasallos del rey Asim mandándoles que se presentasen en tal mes. Ordenó también que acudiesen aquellos que vivían en ciudades tanto si estaban cerca como lejos. El rey Asim, después de haber pasado la mayor parte del plazo, mandó a los tapiceros que levantasen las cúpulas en el centro de la plaza, que las engalanasen del mejor modo posible y que colocasen el gran trono que sólo utilizaba el rey durante las solemnidades. Hicieron rápidamente todo lo que les había ordenado y colocaron el trono. Los tenientes, chambelanes y emires acudieron. El rey también se presentó y mandó que se pregonase a la gente: «¡En el nombre de Dios! ¡Acudid a la Plaza!» Los emires, los visires, los dueños de regiones y aldeas acudieron y se colocaron al servicio del rey como tenían por costumbre. Se colocaron según su rango: unos se sentaron, otros permanecieron de pie. Las gentes acudieron en masa. El rey ordenó que se extendieran los manteles. Fueron extendidos. Comieron, bebieron e hicieron votos por el rey. Éste ordenó a los chambelanes que prohibiesen marcharse a los allí presentes. Gritaron: «¡Que ninguno de vosotros se marche hasta haber oído las palabras del rey!» Levantaron las cortinas y el rey dijo: «¡Quienes me aman deben quedarse para oír mis palabras!» Todos los asistentes se sentaron, ya tranquilos, pues antes se habían asustado. El rey se puso de pie y les conjuró a que nadie se levantase de su sitio. Les dijo: «¡Emires, visires, grandes del Reino, pequeños y grandes, todos los que aquí estáis! ¿Sabéis que recibí este reino como herencia de mis padres y mis abuelos?» Contestaron: «¡Sí, oh rey! ¡Todos lo sabemos!» Siguió: «Vosotros y yo adorábamos al sol y a la luna, pero Dios (¡ensalzado sea!) nos ha concedido la verdadera fe, nos ha salvado de las tinieblas conduciéndonos a la luz; Dios (¡gloriado y ensalzado sea!), nos ha conducido a la religión del Islam. Sabed que yo soy ya un pobre hombre viejo, un anciano entrado en años y decrépito. Quiero retirarme a un oratorio para consagrarme a adorar a Dios (¡ensalzado sea!), y pedirle perdón por mis faltas pasadas. Éste es mi hijo, Sayf al-Muluk, quien gobernará. Sabéis que es un buen muchacho, elocuente, está al corriente de los asuntos y es inteligente, virtuoso y justo. Quiero cederle ahora mismo mi reino, nombrarle vuestro rey en sustitución mía, hacerle sentar en el solio en mi lugar para marcharme yo a adorar a Dios (¡ensalzado sea!) en un oratorio. Mi hijo, Sayf al-Muluk será rey y os gobernará. ¿Qué decís vosotros?» Todos se pusieron de pie, besaron el suelo y contestaron que oír era obedecer. Dijeron: «¡Rey nuestro! ¡Protector nuestro! Aunque nos dieras por sucesor a uno de tus esclavos, le obedeceríamos, escucharíamos tus palabras y acataríamos tu orden ¿cómo, pues, no aceptar a tu hijo Sayf al-Muluk? Lo reconocemos y quedamos satisfechos con él». El rey Asim b. Safwán se incorporó, bajó del trono e hizo sentar a su hijo en el gran estrado. Se quitó la corona de la cabeza y la colocó en la de su hijo y ciñó su cintura con el cinturón real; después, el rey Asim ocupó una silla al lado de su hijo. Los emires, los visires, los grandes del reino y toda la gente besaron el suelo ante él y se quedaron de pie diciéndose unos a otros: «Él es digno del reino; es más indicado que cualquier otro para poseerlo». Gritaron pidiendo protección e hicieron votos para que su reinado fuese próspero y victorioso. Sayf al-Muluk distribuyó oro y plata por encima de sus cabezas...

Sahrazad se dio cuenta de que amanecía e interrumpió el relato para el cual le habían dado permiso.

Cuando llegó la noche *setecientas sesenta y dos,* refirió:

—Me he enterado, ¡oh rey feliz!, de que [Sayf al-Muluk] regaló trajes de corte e hizo presentes y dones. Al cabo de un instante el visir Faris se levantó, besó el suelo, dijo: «¡Emires! ¡Grandes del reino! ¿Sabéis que yo soy el visir de los visires desde antes de que subise al trono el rey Asim b. Safwán? Éste acaba de abdicar la corona y ha investido a su hijo.» Contestaron: «¡Sí! Sabemos que tu visirato se transmite de padres a hijos». Siguió: «Pues ahora dimito e invisto a éste, a mi hijo Said. Es inteligente, experto y está bien informado, ¿qué decís todos vosotros?» Replicaron: «Tu hijo Said es el único que puede ser visir del rey Sayf al-Muluk. El uno es digno del otro». En ese momento se incorporó el visir Faris, se quitó el turbante que indicaba su cargo de visir y lo colocó encima de la cabeza de su hijo Said. Colocó ante éste la tinta de visir. Los chambelanes y emires dijeron: «¡Es digno del visirato!» En aquel momento el rey Asim y el visir Faris salieron, abrieron los tesoros y regalaron preciosos trajes de honor a los reyes, emires, visires, grandes del reino y a todas las gentes y dieron gratificaciones y premios. Escribieron nuevos nombramientos y sellos con las armas de Sayf al-Muluk y del visir Said hijo del visir Faris. Las gentes permanecieron en la ciudad durante una semana, al cabo de la cual se marcharon todos a su provincia y a su domicilio.

El rey Asim tomó consigo a su hijo Sayf al-Muluk y lo mismo hizo el visir con Said. Entraron en la ciudad, se dirigieron al alcázar, mandaron comparecer al tesorero y le dieron orden de que les llevase el sello, la espada y el envoltorio. El rey Asim dijo: «¡Hijos míos! ¡Acercaos! Cada uno de vosotros puede coger algo de este regalo». El primero en extender la mano fue Sayf al-Muluk, el cual cogió el envoltorio y el anillo. Said, extendió la mano y cogió la espada y el sello. Ambos besaron la mano del rey y se marcharon a su domicilio. Sayf al-Muluk había cogido el envoltorio, pero ni lo había abierto ni examinado. Lo arrojó encima del lecho que compartía, de noche, con su visir Said, ya que ambos tenían por costumbre dormir el uno al lado del otro. Extendieron el tapiz de dormir y se acostaron dejando encendidas las candelas. Así llegó la medianoche. Sayf al-Muluk se despertó, vio el envoltorio junto a su cabeza y se dijo: «¡Quién sabe lo que contendrá el envoltorio que nos ha regalado el rey!» Lo cogió, tomó una vela y salió de la cama dejando dormir a Said. Entró en la despensa, lo abrió y vio que contenía una túnica hecha por los genios; la desdobló y se dio cuenta de que era única en su especie; en la parte interior, en el dorso de la misma, halló bordada en oro la figura de una muchacha de belleza portentosa. La contempló, el entendimiento le voló de la cabeza y quedó locamente enamorado de aquella mujer. Cayó desmayado al suelo y empezó a llorar y sollozar; se abofeteó la cara, golpeó el pecho, la besó y a continuación recitó este par de versos:

> El amor, cuando nace, es un riachuelo al que conducen y guían los hados.
> Hasta que la llama de la pasión prende en el hombre: entonces ocurren grandes cosas que no pueden soportarse.

Sayf al-Muluk siguió sollozando, llorando, abofeteándose la cara y golpeándose el pecho hasta que el visir Said se despertó, contempló la cama y se dio cuenta de que Sayf al-Muluk no estaba. Vio una sola vela y se dijo: «¿Adónde habrá ido Sayf al-Muluk?» Cogió la vela y recorrió todo el alcázar hasta llegar a la despensa en que se encontraba el príncipe. Vio que éste lloraba y sollozaba amargamente. Le dijo: «¡Hermano mío! ¿Cuál es la causa de este llanto? ¿Qué te ha ocurrido? Cuéntamelo; infórmame de lo ocurrido». Sayf al-Muluk ni le contestó ni levantó la cabeza, antes al contrario: siguió llorando, sollozando y golpeándose el pecho con la mano. Said, al verle en esta situación, dijo: «Soy tu visir y tu hermano. Hemos crecido juntos. Si no me expones tus asuntos y no me explicas tu secreto ¿a quién te vas a confiar?» Durante una hora Said siguió humillándose y besando el suelo, pero Sayf al-Muluk ni se volvió hacia él ni le dirigió una sola palabra, al contrario: siguió llorando. Al darse cuenta Said de su situación se apenó por él. Salió, cogió una espada, regresó a la despensa en que estaba Sayf al-Muluk y colocando la punta de la espada en su propio pecho le dijo: «¡Hermano mío! ¡Vuelve en ti! ¡Si no me cuentas lo que te ocurre me mataré, pues no puedo verte en esta situación!» Entonces, Sayf al-Muluk levantó la cabeza hacia su visir Said y le dijo: «¡Hermano mío! Me avergüenza el tener que decirte y explicarte lo que me ha ocurrido». «¡Te conjuro por Dios, señor de los señores, libertador de los siervos, creador de todas las causas, el Único, el Misericordioso, el Generoso, el Donador, a que me cuentes, sin avergonzarte, lo que te ha ocurrido! Yo soy tu esclavo, tu visir y el consejero de todos tus asuntos.» «¡Ven y mira este retrato!» Said contempló la imagen durante una hora y vio que encima de la cabeza de la figura estaba escrito con perlas alineadas: «Esta imagen es la de Badia al-Chamal, hija de Samaj b. Saruj, rey de reyes de los genios creyentes que viven en la ciudad de Babel y habitan en el jardín de Iram b. Ad, el Grande».

Sahrazad se dio cuenta de que amanecía e interrumpió el relato para el cual le habían dado permiso.

Cuando llegó la noche *setecientas sesenta y tres,* refirió:

—Me he enterado, ¡oh rey feliz!, de que el visir Said dijo al rey Sayf al-Muluk: «¡Hermano mío! ¿Sabes qué mujer es la que representa el retrato para poder buscarla?» «¡No, por Dios, hermano mío! No sé quién es la persona representada.» «¡Ven! Lee esta inscripción.» Sayf al-Muluk se acercó, leyó la inscripción que estaba encima de la diadema y comprendió su significado. Un grito escapó de lo más hondo de su corazón: «¡Ah! ¡Ah!», chilló. Said le dijo: «¡Hermano mío! Si existe la mujer aquí representada, se llama Badia al-Chamal y se encuentra en este mundo yo me apresuraré, sin pérdida de tiempo, a ir en su búsqueda para satisfacer tu deseo pero ¡por Dios, hermano mío! ¡No te entregues al llanto y ocupa el trono para que la gente del reino acuda a tu servicio! En cuanto llegue el día manda llamar a los comerciantes, a los pordioseros ambulantes, a los turistas y a los pobres e interrógalos acerca de las características de esa ciudad. Tal vez alguno de ellos, con la bendición de Dios (¡glorificado y ensalzado sea!), y con su ayuda, nos indique el jardín de Iram».

Al amanecer, Sayf al-Muluk se colocó en el trono; se había puesto aquella túnica, ya que no podía estar ni de pie ni sentado ni conciliar el sueño si no la tenía con él. Acudieron los emires, los visires, los soldados y los grandes del reino. Cuando la audiencia estuvo dispuesta y se hubo colocado todo el mundo en su sitio, el rey Sayf al-Muluk dijo a su visir Said: «Adelántate hacia ellos y diles: "El rey está inquieto, pues ayer no durmió; se encuentra enfermo"». El visir Said avanzó y dijo a la gente lo que le había mandado el rey. El rey Asim, al oírlo, no estuvo tranquilo y llamó a médicos y astrólogos. Con éstos acudió a visitar a su hijo Sayf al-Muluk. Le examinaron y le prescribieron jarabes. Pero el rey continuó como estaba durante tres meses. El rey Asim dijo, enojado, a los médicos allí presentes: «¡Perros! ¡Ay de vosotros! ¿Es que todos sois incapaces de curar a mi hijo? ¡Si no le curáis al instante os mataré a todos!» El jefe principal de los médicos replicó: «¡Oh, rey del tiempo! Sabemos que éste es tu hijo; tú sabes que nosotros no ahorramos esfuerzos para curar al extraño, ¿cómo no hemos de cuidar con interés a tu hijo? Pero éste tiene una enfermedad grave. Si quieres conocerla te la expondremos y te la explicaremos». El rey Asim preguntó: «¿Qué es lo que habéis averiguado de la enfermedad de mi hijo?» El jefe de los médicos contestó: «¡Rey del tiempo! Tu hijo, ahora, está enamorado y no tiene medio para conseguir su deseo». El rey se enfadó con ellos y les dijo: «¿De dónde sacáis que mi hijo está enamorado? ¿Cómo ha podido enamorarse?» «¡Pregúntaselo a su hermano, el visir Said! Éste es quien sabe la verdad del caso.» El rey Asim salió, se marchó solo al trono y llamó a Said. Le dijo: «Dime la verdad acerca de la enfermedad de tu hermano». «¡La ignoro!» El rey dijo al verdugo: «¡Coge a Said, véndale los ojos y córtale el cuello!» El joven se asustó y exclamó: «¡Rey del tiempo! ¡Concédeme el perdón!» «¡Habla y lo tendrás!» «¡Tu hijo está enamorado!» «¿De quién?» «De la hija del rey de reyes de los genios: ha visto su retrato en la túnica que contenía el paquete que os regaló Salomón, el Profeta de Dios.» El rey Asim se marchó, entró en la habitación de su hijo Sayf al-Muluk y le dijo: «Hijo mío! ¿Qué es lo que te ocurre? ¿Qué es ese retrato del cual te has enamorado? ¿Por qué no me has informado?» El muchacho contestó: «¡Padre mío! ¡Me avergonzaba el decírtelo y no podía comunicárselo a nadie ni recordarlo! Ahora te has enterado de mi situación. Mira a ver cómo puedo curarme». «¿Qué procedimiento emplearemos? —dijo el padre—. Si fuese hija de hombres idearíamos algo para conseguirla, pero esta muchacha es una de las hijas de los genios. ¿Quién podrá conseguirla de no ser Salomón, hijo de David? Éste es quien puede lograrla. ¡Hijo mío! Levántate ahora mismo, ten valor, monta a caballo y sal de caza y de pesca, juega en el hipódromo, dedícate a comer, a beber y saca las penas y preocupaciones de tu corazón. Yo te traeré cien hijas de reyes y no necesitarás para nada a las hijas de los genios que no son de nuestra especie y sobre las cuales nada podemos.» El joven replicó: «¡Ni renunciaré ni buscaré a otra!» El rey preguntó: «¿Y qué hay que hacer, hijo mío?» «Llama a todos los comerciantes, a los viajeros y a los que recorren países. Les interrogaremos sobre esto. Tal vez Dios nos indique dónde están el jardín de Iram y la ciudad de Babel.» El rey ordenó a Asim que mandase a todos los comerciantes de la ciudad, a todos los extranjeros que había en ella y a todos los arraeces del mar que acudieran ante él. Cuando los tuvo delante les preguntó por la ciudad e isla de Babel y por el jardín de Iram. Ninguno de ellos conocía tales sitios ni había oído hablar de ellos. Al ir a levantar la sesión uno de ellos dijo: «¡Rey del tiempo! Si te interesa saber eso vete a China; es una gran ciudad. Tal vez alguno de sus habitantes te indique lo que buscas». Sayf al-Muluk intervino: «¡Padre! ¡Prepara un buque para que yo me marche al país de China!» «¡Hijo mío! ¡Permanece en el trono de tu reino y gobierna a tus vasallos! Yo me iré a la China y me encargaré, en persona, del asunto.» Sayf al-Muluk replicó: «¡Padre mío! Este es un asunto que es de mi incumbencia. Sólo yo puedo intentar ir en su busca. ¿Qué puede ocurrir si me concedes permiso para marcharme? Me pondré en camino, estaré ausente cierto tiempo y si encuentro alguna noticia habré conseguido mi deseo y si no la encuentro el viaje me habrá servido de distracción y me sacará de la pena. Así todo me será más llevadero. Si salgo con vida volveré sano y salvo a tu lado.»

Sahrazad se dio cuenta de que amanecía e interrumpió el relato para el cual le habían dado permiso.

Cuando llegó la noche *setecientas sesenta y cuatro,* refirió:

—Me he enterado, ¡oh rey feliz!, de que el rey observó a su hijo y no encontró manera de poder disuadirle de lo que quería hacer. Le concedió permiso para el viaje, preparó cuarenta buques y veinte mil mamelucos, sin contar el séquito. Le dio riquezas y tesoros y todas las armas que podía necesitar. Le dijo: «¡Vete, hijo mío, con bien, salud y satisfacción! Te confío a Aquel ante el cual no se pierden los depósitos». El padre y la madre le despidieron, embarcaron el agua, los víveres, las armas y los soldados y zarparon. Navegaron hasta llegar a la ciudad de China.

Los habitantes de China, al oír decir que habían llegado cuarenta barcos cargados con hombres, municiones, armas y tesoros, creyeron que eran enemigos que acudían a combatirlos y a asediarlos. Cerraron las puertas de su ciudad y prepararon las catapultas. El rey Sayf al-Muluk al enterarse de esto les envió dos mamelucos de su séquito. Les dijo: «Id ante el rey de la China y decidle: "Éste es el rey Sayf al-Muluk hijo del rey Asim. Ha venido a tu ciudad como huésped. Quiere visitar tu país durante cierto tiempo. No quiere ni combatir ni luchar. Si le recibes desembarcará; si no le recibes regresará sin causar molestias ni a ti ni a los habitantes de tu ciudad"». Los mamelucos llegaron ante la ciudad y gritaron a sus habitantes: «¡Somos mensajeros del rey Sayf al-Muluk!» Les abrieron las puertas, los acompañaron y los presentaron ante su rey que se llamaba Qafu Sah. Antes de esta fecha había conocido al rey Asim. Cuando se enteró de que el rey que llegaba era Sayf al-Muluk hijo del rey Asim, concedió trajes de corte a los mensajeros, ordenó que se abriesen las puertas de la ciudad y preparó los regalos de hospitalidad. Él, en persona, salió acompañado por sus cortesanos, al encuentro de Sayf al-Muluk. Ambos se abrazaron. Le dijo: «¡Bien venido seas con todos los que te acompañan! Yo soy tu esclavo; soy esclavo de tu padre. Mi ciudad está a tu disposición y te daré todo lo que me pidas». A continuación le ofreció los dones de bienvenida y víveres en los lugares del campamento. El rey Sayf al-Muluk, su visir Said, los cortesanos y sus soldados montaron a caballo, marcharon por la orilla del mar y entraron en la ciudad. Los timbales y los instrumentos que anunciaban las buenas noticias repicaron. Permanecieron en la ciudad cuarenta días durante los cuales recibieron una magnífica hospitalidad. Después, el rey, preguntó: «¡Hijo de mi hermano! ¿Cómo te encuentras? ¿Te gusta mi país?» Sayf al-Muluk contestó: «¡Dios (¡ensalzado sea!) siga satisfecho de ti, oh rey!» «Algún asunto te ha hecho venir aquí. ¿Qué quieres de mi país? Te satisfaré.» «¡Oh, rey! Mi historia es prodigiosa. Consiste en que me he enamorado del retrato de Badia al-Chamal.» El rey de China tuvo compasión y misericordia de él y rompió a llorar. Le preguntó: «¿Y qué quieres ahora, Sayf al-Muluk?» «Quiero que mandes acudir a todos los viajeros, turistas y trotamundos para que yo pueda preguntarles por la dueña de tal imagen. Tal vez alguno de ellos me informe.» El rey Qafu Sah despachó chambelanes, lugartenientes y criados ordenándoles que le llevasen a todos los viajeros y turistas que hubiese en el país. Eran un gran número. Los reunieron ante el rey Qafu Sah. A continuación el rey Sayf al-Muluk les preguntó por la ciudad de Babel y los jardines de Iram. Pero nadie le supo contestar. El rey Sayf al-Muluk se quedó perplejo ante lo que le sucedía. Entonces, uno de los arraeces del mar, allí presentes, le dijo: «¡Rey! Si quieres saber de tal ciudad y jardín vete a las islas que están en la India».

El rey Sayf al-Muluk ordenó que acercasen los buques. Embarcaron agua, víveres y todo lo que necesitaban. Sayf al-Muluk y su visir Said subieron a bordo después de haberse despedido del rey Qafu Sah. Viajaron por el mar durante cuatro meses con vientos favorables, salvos y tranquilos. Cierto día se levantó un huracán, las olas les llegaban por todos lados, la lluvia caía y el mar se había transformado por la fuerza del viento. El furor de éste hizo chocar unas naves con otras, todas se rompieron y lo mismo sucedió con los botes salvavidas. Todos se ahogaron, excepción hecha de Sayf al-Muluk y un grupo de mamelucos que quedaron en una lancha pequeña. Entonces, por un decreto de Dios (¡ensalzado sea!) se calmó el viento y salió el sol. Sayf al-Muluk abrió los ojos, pero no vio ninguna nave. Sólo había cielo, agua y los que con él estaban en la pequeña lancha. Dijo a los mamelucos que se habían salvado: «¿Dónde están los buques y los botes de salvamento? ¿Dónde está mi hermano Said?» Le contestaron: «¡Rey del tiempo! ¡Ni quedan buques ni lanchas de salvamento! Los que iban a bordo no han escapado; todos se han ahogado, siendo pasto de los peces». Sayf al-Muluk exhaló un gemido y pronunció las palabras que no avergüenzan a quien las dice: «¡No hay fuerza ni poder sino en Dios, el Altísimo, el Grande!» Se abofeteó la cara y quiso arrojarse al agua. Pero los mamelucos se lo impidieron diciéndole: «¡Rey! ¿De qué te serviría hacerlo? Tú mismo eres el que has causado todo esto. Si hubieses escuchado las palabras de tu padre no te hubiese sucedido nada. Pero todo estaba predestinado así desde lo más antiguo por el Creador de las almas...

Sahrazad se dio cuenta de que amanecía e interrumpió el relato para el cual le habían dado permiso.

Cuando llegó la noche *setecientas sesenta y cinco*, refirió:

—Me he enterado, ¡oh rey feliz!, de que [los mamelucos le dijeron: »Así estaba predestinado por el Creador de las almas] con el fin de que ocurra al esclavo lo que Dios ha prescrito. Los astrólogos dijeron a tu padre, en el momento de tu nacimiento: "Este tu hijo sufrirá toda clase de calamidades". Por eso no nos queda más remedio que tener paciencia hasta que Dios nos libre de las penas en que nos encontramos». Sayf al-Muluk repitió: «¡No hay fuerza ni poder sino en Dios, el Altísimo, el Grande! ¡No hay escapatoria ni modo de huir ante el decreto de Dios (¡ensalzado sea!)». A continuación recitó estos versos:

> ¡Por el Misericordioso! He quedado, sin duda, perplejo ante lo que me sucede. El Tentador me ha llegado por donde yo no esperaba.
>
> Tendré paciencia hasta que la gente se entere de que he sabido soportar algo más amargo que el acíbar.
>
> Mi paciencia no tiene el sabor de la coloquíntida, a pesar de que he aguantado algo que quemaba más que la brasa.
>
> No tengo modo de escapar a tal situación: confío mi salvación al que dispone los asuntos.

Permaneció sumido, a continuación, en un mar de pensamientos y las lágrimas resbalaron por sus mejillas como lluvia abundante. Después quedó dormido durante una hora. Al despertarse buscó algo de comer y comió hasta hartarse: retiraron los víveres de delante suyo y la barca siguió navegando con ellos sin que supiesen en qué dirección marchaba. Las olas y los vientos los fueron impulsando noche y día durante largo espacio de tiempo: los víveres se les agotaron. La mucha hambre, sed e intranquilidad les hicieron quedar sin saber qué hacer. De pronto, a lo lejos, descubrieron una isla hacia la cual les arrastraban los vientos. Llegaron a ella, anclaron, salieron del bote en el que quedó uno solo de ellos y se internaron por la isla. Vieron que tenía numerosos frutos de todas las especies y comieron hasta hartarse. Descubrieron sentada entre los árboles, una persona de aspecto extraordinario: cara larga, barba y piel blanca. Llamó a uno de los mamelucos por su nombre y le dijo: «¡No comas de esos frutos, pues están verdes! Ven a mi lado y te daré de comer de estos que están maduros». El mameluco le examinó y creyó que era uno de los náufragos que había conseguido llegar a la isla. Se alegró muchísimo de verle y se dirigió hacia él hasta llegar a su lado. ¡Pero aquel mameluco no sabía lo que el Destino le había señalado ni lo que estaba escrito en su frente! Al llegar el mameluco a su lado, aquel hombre, que era un genio, se colocó de un salto encima de sus hombros, le ciñó con una de sus piernas el cuello y la otra la dejó caer sobre su espalda. Le dijo: «¡Ponte en marcha! ¡No te salvarás de mí! ¡Eres mi asno!» El mameluco rompió a llorar y llamando a sus compañeros decía: «¡Señor mío! ¡Salid y salvaos de esta arboleda! ¡Huid! Uno de sus habitantes ha montado encima de mis hombros y el resto va a vuestro encuentro, pues quieren montaros igual como a mí». Al oír las palabras que decía el mameluco huyeron todos y subieron al bote. Pero los genios los persiguieron diciéndoles: «¿Adónde vais? ¡Venid! ¡Quedaos entre nosotros para que podamos montar encima de vuestra espalda: os daremos de comer y de beber, pero seréis nuestros asnos!» Al oír estas palabras aceleraron su huida mar adentro y se alejaron de ellos confiándose a Dios (¡ensalzado sea!). Siguieron en esta situación durante un mes, hasta que descubrieron otra isla. Desembarcaron en ella y vieron que tenía árboles frutales de distintas clases. Se dedicaron a comer. De repente vieron que algo brillaba a lo lejos en el camino. Se aproximaron, lo examinaron y observaron que tenía un aspecto desagradable, que semejaba una columna de plata. Un mameluco le dio un puntapié: era una persona de ojos grandes y cabeza partida tapada por una de sus orejas, ya que cuando dormía colocaba una oreja debajo de la cabeza y con la otra se tapaba. Este ser agarró al mameluco que le había dado el puntapié y se lo llevó hacia el interior de la isla. Ésta se encontraba repleta de ogros que comían seres humanos. El mameluco llamó a sus compañeros y les dijo: «¡Salvaos! ¡Ésta es la isla de los ogros que comen seres humanos! ¡Quieren despedazarme y comerme!» Al oír estas palabras, emprendieron la huida, dejaron la tierra y subieron a la barca sin haber recogido ningún fruto. Navegaron unos cuantos días. Cierto día descubrieron otra isla: al llegar a ella vieron que estaba formada por un monte altísimo. Treparon por él. Estaba recubierto por una selva con muchísimos árboles. Estaban hambrientos y se dedicaron a comer sus frutos sin darse cuenta de que desde detrás de los árboles se les avecinaban personas de aspecto terrorífico, cada una de las cuales tenía una estatura de cincuenta codos; los colmillos les salían de la boca como si fuesen las defensas del elefante. Descubrieron un negro que estaba sentado en un pedazo de fieltro colocado encima de una piedra; a su alrededor había multitud de negros dispuestos a servirle. Éstos se acercaron a Sayf al-Muluk y a sus mamelucos y los condujeron ante el rey. Le dijeron: «¡Hemos encontrado estos pájaros entre los árboles!» El rey estaba hambriento: cogió dos mamelucos, los degolló y se los comió.

Sahrazad se dio cuenta de que amanecía e interrumpió el relato para el cual le habían dado permiso.

Cuando llegó la noche *setecientas sesenta y seis,* refirió:

—Me he enterado, ¡oh rey feliz!, de que Sayf al-Muluk, al ver lo que sucedía, temió por su vida, rompió a llorar y recitó estos dos versos:

> Las calamidades se han hecho familiares a mi vida
> y yo, después de haberme mantenido apartado, he simpatizado con ellas: el hombre generoso es sociable.

Mis preocupaciones no son de una sola clase.
¡Gracias a Dios las tengo a miles!

Suspiró profundamente y recitó estos dos versos:

El Destino me ha asaeteado con desgracias: mi corazón está repleto de flechas.
Ahora, cuando me alcanza un dardo, éste se rompe sobre los demás.

El rey, al oír su llanto y sus quejas, dijo: «Estos pájaros tienen buena voz; su canto me gusta: colocad cada uno de ellos en una jaula». Los enjaularon y los colgaron encima de la cabeza del rey para que éste pudiese oír su voz. Sayf al-Muluk y sus mamelucos permanecían en las jaulas. Los negros les daban de comer y de beber. Ellos lloraban a ratos o reían o hablaban o permanecían callados, mientras el rey de los negros disfrutaba con su voz. Así siguieron durante cierto tiempo.

Aquel rey tenía una hija casada que vivía en otra isla. Ésta oyó decir que su padre tenía unos pájaros de buena voz y envió una comisión a su padre para pedirle que le enviase unos cuantos. Le mandó a Sayf al-Muluk con tres mamelucos en cuatro jaulas. Los mensajeros que habían ido a buscarlos se los llevaron. Al verlos, le gustaron y mandó que los colgasen encima de su cabeza. Sayf al-Muluk estaba maravillado de todo lo que le ocurría y meditando en su anterior poderío rompió a llorar. Lo mismo hicieron los otros tres mamelucos. La hija del rey creía que estaban cantando. Ésta cuando se apoderaba de algún habitante de Egipto o de otro país, tenía por costumbre, si le gustaba, concederle un rango importante a su lado. Por un decreto de Dios (¡ensalzado sea!), quedó prendada de la belleza, hermosura y bellas proporciones de Sayf al-Muluk en cuanto le vio y mandó que le tratasen con miramientos. Cierto día Sayf al-Muluk se quedó a solas con la mujer. Ésta le pidió que se uniese a ella, pero el príncipe no quiso. Le dijo: «¡Señora mía! Yo soy un hombre extranjero afligido por el amor de aquel a quien amo; no me apetece unirme a nadie más que a él». La hija del rey empezó a halagarle y a solicitarle; pero él se abstuvo y la mujer no pudo acercársele ni llegar hasta él de modo alguno. Al ver su impotencia, la mujer se enfadó con él y con sus mamelucos y les mandó que la sirviesen llevándola el agua y la leña. En esta situación vivieron durante cuatro años. Esta vida se hizo insoportable para Sayf al-Muluk. Envió un mensajero a la reina, pues tal vez ésta se decidiese a libertarle y dejarle seguir su vida descansando de las fatigas que sufría. La mujer mandó comparecer a Sayf al-Muluk y le dijo: «Si accedes a satisfacer mi deseo dejaré en libertad a ti y a tus compañeros y así podrás volver a tu país sano y salvo». La mujer siguió suplicando y halagándole pero él no quiso complacerla por lo cual, enfadada, se marchó de su lado. Sayf al-Muluk y sus mamelucos continuaron sirviéndola en la misma isla.

Los habitantes de ésta los conocían por «los pájaros de la hija del rey» de tal modo que ninguno de los habitantes de la ciudad osaba hacerles daño. La hija del rey estaba segura y convencida de que encontrarían modo de escapar de la isla. Ellos, por su parte, pasaban dos o tres días sin comparecer, recorriendo el campo, haciendo madera en todas las regiones de la isla para llevarla a la cocina de la hija del rey. Permanecieron en esta situación durante cinco años.

Cierto día Sayf al-Muluk y sus mamelucos estaban sentados en la orilla del mar hablando de lo que les sucedía. Sayf al-Muluk clavó la vista en sí mismo y en sus mamelucos; al verse en tal lugar se acordó de su padre, de su madre y de su hermano Said; recordó el poder de que había gozado y rompió a llorar; el llanto y los sollozos fueron en aumento; los mamelucos le siguieron. Después le dijeron: «¡Rey del tiempo! ¿Hasta cuándo vamos a llorar? El llanto no sirve de nada y todo esto estaba escrito en nuestras frentes por un decreto de Dios, Todopoderoso y excelso. La pluma corre según lo que Dios ha decidido y sólo la paciencia tiene utilidad. Dios (¡gloriado y ensalzado sea!), que nos ha probado con estas calamidades, tal vez nos libre de ellas». Sayf al-Muluk les replicó: «¡Hermanos míos! ¿Qué haríamos para librarnos de esta maldita? No veo medio de escapar a menos de que Dios nos libre de ella con su gracia. Pero se me ocurre que podríamos huir; así podríamos descansar de estas fatigas». «¡Rey del tiempo! ¿A qué lugar iremos de esta isla si toda ella está poblada por ogros que comen a los seres humanos? A cualquier lugar hacia el que nos dirijamos los encontraremos y entonces o nos comerán o nos aprisionarán o nos devolverán a nuestro puesto y entonces la hija del rey se enfadará con nosotros.» Sayf al-Muluk les replicó: «Yo haré algo por vosotros. Tal vez Dios nos ayude a salvarnos y consigamos escapar de esta isla». Le preguntaron: «¿Qué harás?» «Cortaremos estas largas maderas y trenzaremos sus cortezas haciendo una cuerda. Ataremos unos maderos a otros, construiremos una balsa, la meteremos en el mar, la cargaremos de frutas, haremos remos y nos embarcaremos. Tal vez Dios (¡ensalzado sea!) nos conceda el medio de escapar, pues Él es poderoso sobre todas las cosas. Tal vez Dios nos conceda vientos favorables que nos conduzcan a la tierra de la India, salvándonos así de esta maldita.» Le replicaron: «Es una buena idea».

Se pusieron muy contentos y empezaron a cortar, en seguida, los maderos para hacer la balsa. Después trenzaron las cuerdas para atar los maderos unos a otros y trabajaron así durante un mes. Cada día, al terminar la jornada, cogían algo de madera y la llevaban a la cocina de la hija del rey dedicando el resto del día a construir la balsa. Así siguieron hasta concluirla.

Sahrazad se dio cuenta de que amanecía e interrumpió el relato para el cual le habían dado permiso.

Cuando llegó la noche *setecientas sesenta y siete*, refirió:

—Me he enterado, ¡oh rey feliz!, de que una vez concluida la echaron al agua y la cargaron con los frutos que daban los árboles de la isla y la aparejaron al caer el día: no dijeron a nadie lo que habían hecho. A continuación embarcaron en la balsa y navegaron por el mar durante cuatro meses sin saber adónde iban. Se les concluyeron las provisiones y sufrieron gran hambre y mucha sed. El mar se encrespó y se cubrió de espuma y las olas crecieron. Un horroroso cocodrilo se acercó a ellos, tendió una pata, agarró a uno de los mamelucos y lo engulló. Sayf al-Muluk rompió a llorar al ver lo que el cocodrilo había hecho con su compañero. Él y el otro mameluco se acurrucaron lo más lejos posible del sitio por donde había salido el cocodrilo: estaban atemorizados. Siguieron así hasta que cierto día divisaron un gran monte, de aspecto terrorífico, tan alto que remontaba los aires. Se pusieron contentos. Después apareció una isla. Muy satisfechos apresuraron la marcha en aquella dirección. Mientras así hacían el mar se agitó, las olas crecieron y su estado empeoró. Un cocodrilo sacó la cabeza, extendió la pata, agarró al único mameluco que le quedaba a Sayf al-Muluk y lo engulló. El príncipe, ya solo, llegó a la isla y se esforzó en alcanzar la cima del monte. Observó y descubrió una selva. Se internó por ella, recorrió por entre los árboles y empezó a comer sus frutos. Descubrió que en su copa había más de veinte monas, cada una de las cuales era más grande que un mulo. Al descubrir a tales monas se llenó de terror. Los monos bajaron, le rodearon por todos lados y echaron a andar delante suyo indicándole por señas que los siguiera. Se pusieron en marcha y Sayf al-Muluk fue tras ellos. Avanzaron sin descanso seguidos por el príncipe. Así llegaron a una fortaleza de altos edificios, sólidamente construida. Entraron en ella y lo mismo hizo el príncipe. Éste vio que estaba repleta de objetos preciosos, aljófares y metales nobles hasta tal punto que la lengua era incapaz de describirlo. En la fortaleza había un muchacho sin bozo: era de elevada estatura. A Sayf al-Muluk le gustó aquel muchacho en cuanto le vio: era el único ser humano que había en la fortaleza. El joven, al ver a Sayf al-Muluk, quedó maravillado en extremo. Le preguntó: «¿Cómo te llamas? ¿De qué país eres? ¿Cómo has llegado hasta aquí? ¡Cuéntame tu historia y no me ocultes nada!» Sayf al-Muluk replicó: «¡Por Dios! No he llegado hasta aquí por mi voluntad ni era ése mi propósito. Lo único que puedo hacer es seguir andando de un sitio a otro hasta conseguir mi objetivo». «¿Y cuál es?» «Yo soy de Egipto y me llamo Sayf al-Muluk. Mi padre es el rey Asim b. Safwán.» A continuación le contó todo lo que le había ocurrido desde el principio hasta el fin. Aquel muchacho se puso al servicio de Sayf al-Muluk diciendo: «¡Rey del tiempo! Yo estuve en Egipto y oí que tú te habías marchado al país de la China. Pero China está lejos de aquí. ¡Qué maravilloso es esto! ¡Qué portentoso!» Sayf al-Muluk replicó: «Tus palabras son ciertas. Pero después, de la China me dirigí a la India. Nos sorprendió un viento huracanado que encabritó el mar y destrozó todos los navíos que yo tenía», y siguió contándole todo lo que le había ocurrido, concluyendo: «Así he llegado a tu lado, a este lugar». El joven le dijo: «¡Hijo del rey! ¡Basta ya de las desgracias que te han ocurrido durante tu ausencia! ¡Gracias a Dios que te ha hecho llegar a este sitio! Quédate conmigo para que yo pueda disfrutar contigo hasta mi muerte. Tú serás rey de esta región que comprende esta isla, sin límites. Estos monos son artesanos y te harán aquí cualquier cosa que les pidas». Sayf al-Muluk replicó: «¡Hermano! No podré detenerme en ningún sitio hasta haber conseguido mi deseo, aunque para ello tenga que recorrer el mundo pidiendo lo que deseo. Tal vez Dios me haga conseguir mi propósito o me lleve a un lugar en el que encuentre la muerte». El muchacho se volvió hacia un mono, le hizo un signo y el animal se ausentó por un momento. Regresó acompañado por unos monos que llevaban atados pañuelos de seda a la cintura. Pusieron los manteles sobre los que colocaron cerca de cien platos de oro y plata que contenían toda clase de guisos. Los monos se quedaron de pie, tal y como acostumbran a hacer los servidores de los reyes cuando están ante éstos. El joven hizo gesto a los chambelanes para que se sentasen. Se sentaron quedando en pie únicamente aquellos que tenían costumbre de servir. Comieron hasta quedar hartos. Después quitaron los manteles y llevaron las palanganas con aguamaniles de oro. Se lavaron las manos. Llevaron los vasos de bebida casi en número de cuarenta. Cada vaso contenía una clase de bebida. Bebieron, disfrutaron y se alegraron pasando un buen rato. Mientras comían los monos bailaban y jugaban. Saif al-Muluk al ver todo esto quedó admirado y olvidó las desgracias que le habían ocurrido.

Sahrazad se dio cuenta de que amanecía e interrumpió el relato para el cual le habían dado permiso.

Cuando llegó la noche *setecientas sesenta y ocho,* refirió:

—Me he enterado, ¡oh rey feliz!, de que al llegar la noche encendieron las velas y las colocaron en candelabros de oro y plata. Después llevaron las bandejas con fruta seca y del tiempo. Comieron. Al llegar la hora de acostarse, extendieron los tapices y durmieron. Al día siguiente por la mañana se levantó según tenía por costumbre, despertó a Sayf al-Muluk y le dijo: «Asoma tu cabeza por esa ventana y mira lo que sucede debajo». Miró y vio que los monos habían ocupado toda la explanada y toda la tierra: sólo Dios (¡ensalzado sea!) era capaz de conocer el número de monos. Sayf al-Muluk dijo: «Estos monos son muy abundantes: llenan todo el terreno. ¿Por qué se han reunido ahora?» El muchacho le explicó: «Ésta es la costumbre que tienen ellos y todos los que hay en la isla. Algunos han hecho un viaje de dos o tres días para llegar. Acuden todos los sábados y permanecen aquí hasta que despierto de dormir y saco la cabeza por esta ventana. En cuanto me ven besan el suelo ante mí y se marchan a su trabajo». Sacó la cabeza por la ventana, le vieron, besaron el suelo ante él y se marcharon. Sayf al-Muluk se quedó con el muchacho durante un mes entero. Después, se despidió y se marchó. El muchacho mandó a un grupo de monos, cerca de cien, que le acompañasen. Estuvieron al servicio de Sayf al-Muluk durante siete días, hasta que llegaron a los confines de la isla. Entonces se despidieron de él y regresaron a sus lares. El príncipe siguió el viaje solo a través de montes, colinas, campos y desiertos durante cuatro meses: un día pasaba hambre, otras andaba harto; un día comía hierbas y otros frutos de los árboles. Empezó a arrepentirse del disparate que había hecho al marcharse de junto al joven y estaba ya decidido a volver sobre sus pasos. Pero vio algo confuso, negro, que brillaba a lo lejos y se dijo: «¿Será esto una aldea de negros? ¿Qué será? No regresaré hasta haber averiguado qué es ese bulto». Al aproximarse vio que se trataba de un alcázar con edificios elevados. Lo había construido Jafet, hijo de Noé (¡sobre el cual sea la paz!). Era el castillo que menciona Dios (¡ensalzado sea!) en su noble libro al decir: «Un pozo abandonado y un palacio bien construido». Sayf al-Muluk se sentó junto a la puerta del alcázar y se dijo: «¡Ojalá supiera qué hay en el interior de este alcázar! ¿Qué rey habrá en él? ¿Quién me informará de la verdad? ¿Sus habitantes serán hombres o genios? Se sentó para meditar durante una hora, pero no encontró a nadie que entrara o saliera. Se puso de pie, paseó, se confió a Dios y entró en el palacio. Encontró en el camino siete vestíbulos, pero no halló a nadie. Descubrió tres puertas a su derecha y una delante sobre la cual estaba corrida una cortina. Se adelantó hacia ésta, levantó la cortina con la mano, cruzó el dintel y se encontró en un gran pabellón recubierto por tapices de seda. En la testera del mismo había un trono de oro en el cual estaba sentada una joven cuyo rostro parecía la luna; vestía trajes regios y parecía una novia en la noche en que es entregada al marido. A los pies del trono había cuarenta manteles encima de los cuales se veían escudillas de oro y plata. Todas estaban repletas de exquisitos guisos. Sayf al-Muluk, al ver a la joven se aproximó a ella y la saludó. Ella le devolvió el saludo y le preguntó: «¿Eres un ser humano o un genio?» «Soy un hombre escogido, puesto que soy un rey hijo de rey.» «¿Qué quieres? Aquí tienes comida. Después me contarás tu historia desde el principio hasta el fin y cómo has llegado hasta este lugar.» Sayf al-Muluk se sentó en una mesa, quitó la tapadera de una escudilla y como estaba hambriento comió de aquellos guisos hasta quedar harto. Se lavó la mano, subió al trono y se sentó junto a la muchacha. Ésta le preguntó: «¿Quién eres? ¿Cómo te llamas? ¿De dónde vienes? ¿Quién te ha hecho llegar hasta aquí?» Sayf al-Muluk le contestó: «Mi relato es largo». «Dime de dónde vienes, cuál ha sido la causa de tu venida hasta aquí y qué deseas.» «Cuéntame tú —replicó el príncipe— qué haces aquí, cómo te llamas, quién te trajo y por qué estás sentada, sola, en este lugar.» La muchacha explicó: «Me llamo Dawlat Jatún y soy la hija del rey de la India. Mi padre habita la ciudad de Sarandib y posee el jardín más grande y más hermoso que hay en toda la India. En él hay una gran alberca. Cierto día, acompañada por mis esclavas, entré en el jardín; nos desnudamos, nos metimos en el agua y empezamos a jugar y a distraernos. Antes de que yo pudiera darme cuenta, algo parecido a una nube descendió; me arrebató de entre mis esclavas y se remontó conmigo volando entre cielo y tierra. Me decía: "¡Dawlat Jatún! No temas, tranquiliza tu corazón". siguió volando durante un espacio de tiempo y me bajó en este alcázar. Inmediatamente después se transformó en un muchacho hermoso, guapo, joven y de limpios vestidos. Me preguntó: "¿Me conoces?" Contesté: "No, señor mío". Explicó: "Yo soy el hijo del rey al-Azraq, rey de los genios. Mi padre habita la fortaleza de al-Qulzum y le acatan seiscientos mil genios, voladores y buceadores. Ha ocurrido lo siguiente: yo seguía mi camino y me dirigía a mis quehaceres. Entonces te vi, me enamoré de ti, descendí, te rapté de en medio de tus esclavas y te he traído a este alcázar, que está bien construido, y en el cual tengo mi morada y domicilio. Ni hombres ni genios podrán llegar jamás hasta él. Desde aquí a la India hay una distancia de ciento veinte años de camino. Puedes estar segura de que no volverás jamás a ver el país de tu padre y de tu madre. Quédate conmigo en este lugar, ten corazón y pensamiento tranquilos, pues yo te traeré todo lo que me pidas". Después me abrazó, me besó...

Sahrazad se dio cuenta de que amanecía e interrumpió el relato para el cual le habían dado permiso.

Cuando llegó la noche *setecientas sesenta y nueve,* refirió:

—Me he enterado, ¡oh rey feliz!, de que [la muchacha prosiguió: »...me besó] y repitió: "Quédate aquí. Nada temas". Me dejó sola, se ausentó un rato y regresó con estos manteles, tapices y alfombras. Viene todos los miércoles y al llegar come y bebe conmigo, me besa y me abraza, pero aún sigo siendo virgen, tal y como Dios (¡ensalzado sea!) me creó, pues él no me ha hecho nada. Mi padre se llama Tach al-Muluk y no tiene ninguna noticia mía ni ha hallado huella de mí. Ésta es mi historia. Cuéntame la tuya». Sayf al-Muluk le dijo: «Mi relato es largo y temo que contándotelo pase el tiempo y nos sorprenda el *efrit*». «Se ha marchado de mi lado un rato antes de tu llegada. No volverá hasta el miércoles. Siéntate, tranquilízate, no te inquietes y cuéntame todo lo que te ha ocurrido desde el principio hasta el fin.» «¡Oír es obedecer!», replicó Sayf al-Muluk y empezó a contar su historia desde el principio hasta el fin, hasta completarla. Al hablar de Badia al-Chamal los ojos de la joven se llenaron de lágrimas y lloró abundantemente. Exclamó: «¡No pensaba esto de ti, Badia al-Chamal! ¡Cómo pasa el tiempo, Badia al-Chamal! Cómo no te acuerdas de mí y preguntas "¿Adónde fue mi hermana Dawlat Jatún?"» El llanto fue en aumento y empezó a lamentarse porque Badia al-Chamal no se acordaba de ella. Sayf al-Muluk dijo: «¡Dawlat Jatún! ¿Eres un ser humano o un genio? ¿De dónde deduces que sea tu hermana?» «¡Es mi hermana de leche! He aquí la causa: mi madre salió a pasear por el jardín. La sorprendieron los dolores del parto y me dio a luz al aire libre. La madre de Badia al-Chamal y el séquito de ésta se encontraban en el jardín. Los dolores del parto la sorprendieron y dio a luz en un extremo del jardín. Envió a mi madre una de sus esclavas para pedirle comida y lo que era necesario para una parturienta. Mi madre le envió lo que la había pedido y la invitó a sus habitaciones. Cogió a Badia al-Chamal y con ésta se acercó a mi madre, la cual amamantó a aquélla. Permanecieron con nosotros en el jardín durante dos meses, al cabo de los cuales se marcharon a su país. Entregó un objeto a mi madre diciéndola: "Si me necesitas acudiré ante ti en el centro del jardín". Badia al-Chamal y su madre venían todos los años a pasar una temporada con nosotros y después regresaban a su país. Si yo —¡oh, Sayf al-Muluk!— fuera mi madre y te viera en nuestro país mientras estuviéramos reunidos, según tenemos por costumbre, con nuestros huéspedes, me las ingeniaría para hacerte conseguir tu deseo. Pero ahora me encuentro en este lugar y no tienen noticias mías. ¡Si las tuvieran y supieran que estoy aquí! Son suficientemente poderosos para salvarme. Pero a Dios (¡ensalzado y gloriado sea!) incumbe el mandar. ¿Qué haré?» Sayf al-Muluk le dijo:

«Ven, sígueme y huiremos hacia donde Dios (¡ensalzado sea!) quiera». «¡No podemos hacerlo! Aunque recorriéramos la distancia de un año ese maldito nos alcanzaría en un instante y nos aniquilaría.» «Yo me esconderé en un sitio. Cuando pase cerca de mí le daré un mandoble con la espada y le mataré.» «¡No podrás matarle a menos de que mates su alma!» «¿Y dónde la tiene?» «Le he preguntado por ella muchas veces, pero no me ha dicho el lugar. Cierto día me ocurrió esto: se lo pregunté con insistencia, se enfadó conmigo y me dijo: "¡Cuánto me preguntas por mi alma! ¿Por qué preguntas por ella?" Le repliqué: "Hatim. Tú eres la única persona, excepción hecha de Dios, que tengo. Mientras me dure la vida estaré apegada a ti, pero si no conservo tu espíritu y lo coloco entre mis ojos ¿cómo podré vivir después de tu muerte? Si supiese dónde está tu alma la guardaría como si fuese mi ojo derecho". Entonces me explicó: "En el momento de mi nacimiento los astrólogos predijeron que mi alma sería muerta por un hijo de rey humano. Por ello la he cogido y la he colocado en el buche de un gorrión; a éste lo metí en una cajita, la cajita en un cajón, el cajón en el interior de siete cajas y las cajas debajo de una losa de mármol, junto al océano de esta región, pues está lejos del país de los hombres y ninguno de ellos puede llegar hasta él. Ya te lo he dicho. Pero no se lo cuentes a nadie, pues es un secreto que existe entre nosotros dos".

Sahrazad se dio cuenta de que amanecía e interrumpió el relato para el cual le habían dado permiso.

Cuando llegó la noche *setecientas setenta,* refirió:

—Me he enterado, ¡oh rey feliz!, de que [la muchacha prosiguió:] »...Yo le objeté: "¿Y a quién puedo contárselo si eres la única persona que llega aquí? ¡Por Dios que has metido tu alma en una grande y fuerte ciudadela a la que nadie puede llegar! ¿Cómo habrá de llegar hasta ella un hombre? Suponiendo lo que es imposible, que Dios haya decretado lo que han dicho los astrólogos. ¿Cómo podría llegar un hombre hasta ahí?" Dijo: "Tal vez sea uno que tenga en el dedo el anillo de Salomón, hijo de David (¡sobre ambos sea la paz!). Llegaría hasta allí, pondría la mano en que estuviera el anillo encima del agua y, a continuación, diría: "¡Por el poder de estos conjuros! ¡Que salga el alma de fulano!" El cajón saldría al acto, rompería todas las cajas, la gaveta, sacaría al gorrión de la cajita, le estrangularía y yo moriría"». Sayf al-Muluk exclamó: «¡El hijo del rey soy yo! ¡Éste es el anillo de Salomón, hijo de David (¡sobre ambos sea la paz!). ¡Está en mi dedo! ¡Vamos a la orilla del mar para ver si sus palabras son verdad o mentira!» Los dos se pusieron en marcha y llegaron a la orilla del mar. Dawlat Jatún se detuvo en la playa. Sayf al-Muluk se metió en el agua hasta que ésta le llegó a la cintura. Dijo: «¡Por el poder de los conjuros y talismanes de este anillo! ¡Por el poder de Salomón (¡sobre el cual sea la paz!) que salga el alma de fulano, hijo del rey al-Azraq, el genio!» Las aguas se encresparon y surgió un cajón. Sayf al-Muluk lo cogió, lo golpeó con piedras y lo rompió. Hizo lo mismo con las cajas y la gaveta; sacó de la cajita al gorrión y ambos regresaron al alcázar y se instalaron en el trono. De repente una polvareda horripilante, algo enorme apareció volando y gritando: «¡Hijo del rey! ¡No me mates! ¡Consérvame la vida! ¡Haz que sea tu esclavo y yo te facilitaré tu propósito!» Dawlat Jatún dijo: «¡El genio llega! ¡Mata al gorrión para que ese maldito no entre en el palacio, te lo arrebate y te mate a ti y después a mí!» El príncipe estranguló al gorrión. Éste murió y el genio cayó al suelo reducido a un montón de ceniza negra. Jatún exclamó: «¡Nos hemos librado de las manos de ese maldito! ¿Qué haremos?» Sayf al-Muluk replicó: «¡Pidamos auxilio a Dios (¡ensalzado sea!) que es quien nos ha puesto a prueba! Él nos ayudará a salvarnos y a salir de la situación en que nos encontramos». El príncipe sacó de cuajo unas diez puertas del palacio. Éstas eran de sándalo y áloe con clavos de oro y plata. Cogió cordones de seda y brocado de los que allí habían, ató las puertas unas con otras y con el auxilio de Dawlat Jatún las llevó al mar, las metió en él y quedaron transformadas en una balsa que amarró a la orilla. Regresaron a palacio, cogieron los vasos de oro y plata, los aljófares, jacintos y metales preciosos y trasladaron todo lo que contenía el palacio, de poco peso y mucho valor. Lo colocaron en la balsa y embarcaron en ella confiándose a Dios (¡ensalzado sea!), Aquel que acoge y no defrauda a quien en Él confía. Utilizaron dos maderos como remos, rompieron amarras y dejaron que la balsa siguiera su camino en el mar. En esta situación navegaron durante cuatro meses hasta que se les terminaron los víveres y la angustia les hizo mella. Estaban afligidos y rogaron a Dios que les salvara de la situación en que se encontraban. Durante su ruta, Dawlat Jatún apoyaba su espalda contra Sayf al-Muluk mientras éste dormía; cuando él daba la vuelta, la espada estaba entre ambos. De este modo, una noche, mientras Sayf al-Muluk dormía y Dawlat Jatún velaba, la balsa bordeó un espolón de tierra y se metió en un puerto repleto de buques. La princesa observó las naves y oyó hablar a un hombre con el jefe de los capitanes de barco. Al oír la voz del arráez se dio cuenta de que se encontraba en el puerto de una ciudad, comprendió que habían llegado a la civilización. Se alegró muchísimo y despertó a Sayf al-Muluk diciendo: «Incorpórate y pregunta a ese arráez por el nombre de esta ciudad y de este puerto». El príncipe, contento, se incorpó y le dijo: «¡Hermano mío! ¿Cuál es el nombre de esta ciudad? ¿Cómo se llama este puerto? ¿Cuál es el nombre de su rey?» El arráez le replicó: «¡Rostro de burlón! ¡Barba fría! Si no conoces ni el puerto ni la ciudad ¿cómo has podido llegar hasta aquí?» «Soy extranjero. Iba a bordo de un navío de comerciantes que naufragó. Se ahogaron todos sus tripulantes, pero yo conseguí subir a unos maderos y llegar hasta aquí. Te he hecho una pregunta y en ella nada hay de malo.» «Ésta es la ciudad de Amariyya y el puerto se llama Kamin al-Bahrayn.» Dawlat Jatún se alegró mucho al oír estas palabras y exclamó: «¡Loado sea Dios!» Sayf al-Muluk le preguntó: «¿Qué pasa?» «¡Sayf al-Muluk! ¡Albricias! ¡La buena noticia está próxima! El rey de esta ciudad es mi tío, el hermano de mi padre...

Sahrazad se dio cuenta de que amanecía e interrumpió el relato para el cual le habían dado permiso.

Cuando llegó la noche *setecientas setenta y una,* refirió:

—Me he enterado, ¡oh rey feliz!, de que [la joven prosiguió:] »...que se llama Alí al-Muluk. Di al arráez: "El sultán de esta ciudad, Alí al-Muluk ¿se encuentra bien?"»

Se lo preguntó y el arráez le contestó indignado: «Tú dices: "¡Por vida mía! ¡Jamás he estado aquí! ¡Soy un extranjero!" ¿Quién, pues, te ha informado del nombre del dueño de la ciudad?» Dawlat Jatún se alegró. Conocía al arráez que se llamaba Muin al-Din, pues era uno de los capitanes de su padre. El capitán había salido en su busca en el momento de su desaparición y no encontrándola había seguido dando vueltas hasta llegar a la ciudad de su tío. La joven le dijo a Sayf al-Muluk: «Dile: "¡Muin al-Din! Ven y habla con tu señora"». Le llamó y le dijo lo que le había indicado. El capitán se enfadó muchísimo al oír las palabras de Sayf al-Muluk y le dijo: «¡Perro! ¿Quién eres? ¿Cómo me conoces? —y dirigiéndose a sus marineros les dijo—: ¡Traedme un bastón de fresno para que me acerque a ese hombre de mal agüero y le parta la cabeza!» Tomó el bastón se dirigió hacia Sayf al-Muluk y descubrió la balsa en la que vio cosas estupendas, maravillosas. Quedó perplejo. Aguzó la vista y vio a Dawlat Jatún que estaba sentada como si fuese un pedazo de luna. El capitán preguntó: «¿Quién está contigo?» «Una muchacha que se llama Dawlat Jatún.» Al oír estas palabras el capitán cayó desmayado, pues al oír el nombre había reconocido a su señora, a la hija de su rey. Al volver en sí dejó la balsa y lo que contenía, se marchó a la ciudad, subió al alcázar del rey y pidió audiencia. El chambelán se presentó ante el rey y le dijo: «El capitán Muin te trae una buena noticia». Le concedió permiso para entrar. Se presentó ante el rey, besó el suelo ante él y le dijo: «¡Rey! ¡Tienes una buena noticia! Dawlat Jatún, la hija de tu hermano, ha llegado perfectamente a esta ciudad. Se encuentra en una balsa. La acompaña un joven semejante a la luna en la noche de plenilunio». El rey se alegró muchísimo de oír noticias de su sobrina, dio un precioso traje de honor al arráez y mandó, al acto, que engalanasen la ciudad porque se había salvado la hija de su hermano. Mandó a buscarla y llegó acompañada de Sayf al-Muluk. El rey saludó a los dos y los felicitó por haberse salvado. Inmediatamente después envió un mensajero a su hermano para informarle de que su hija estaba con él. Tach al-Muluk, padre de Dawlat Jatún, reunió sus tropas, se puso en camino, llegó junto a su hermano Alí al-Muluk y se reunió a su hija Dawlat Jatún. Todos sintieron gran alegría. Tach al-Muluk permaneció una semana con su hermano. Después tomó consigo a su hija y a Sayf al-Muluk y emprendieron el viaje hasta llegar a la ciudad de Sarandib, capital del padre. Dawlat Jatún se reunió con su madre y todos se pusieron contentos de que se hubiese salvado. Tuvieron lugar fiestas y así fue un día grande como no se había visto otro. El rey trató con honor a Sayf al-Muluk y le dijo: «¡Sayf al-Muluk! Tú te has comportado bien conmigo y con mi hija. Yo no podría recompensarte por ello, pues sólo puede hacerlo el Señor de los mundos. Querría que ocupases el trono en mi lugar y que gobernases el país de la India. Te regalo mi reino, mi trono, mis tesoros, mis criados. Todo esto constituye el don que te hago». Sayf al-Muluk se incorporó, besó el suelo ante el rey, le dio las gracias y le dijo: «¡Rey del tiempo! Acepto todo lo que me has regalado y te lo devuelvo como regalo mío: Yo, rey del tiempo, no quiero ni reino ni poder. Sólo deseo que Dios (¡ensalzado sea!) me haga alcanzar mi propósito». «¡Sayf al-Muluk! Mis tesoros te pertenecen. Coge lo que desees sin consultarme. ¡Que Dios te pague, por mí, tanto bien!» «¡Que Dios haga poderoso al rey! Ni las riquezas ni el poder contribuyen a satisfacer mi deseo. Pero ahora me gustaría visitar esta ciudad y ver sus calles y sus plazas.» Tach al-Muluk mandó que le llevasen un estupendo corcel. Le ofrecieron una yegua de noble raza ensillada y embridada. Montó, fue al zoco y cruzó las calles de la ciudad. Mientras miraba a derecha e izquierda descubrió a un muchacho que llevaba una capa y anunciaba venderla en almoneda por quince dinares. Contempló al joven y vio que se parecía a su hermano Said. Era él mismo; sólo había mudado algo el color por la larga ausencia y las fatigas del viaje. Pero no acabó de reconocerlo. Dijo a los que estaban a su alrededor: «¡Traedme ese muchacho para que le interrogue!» Se lo acercaron y dijo: «¡Detenedlo! ¡Llevadlo al alcázar en que me alojo! ¡Dejadle allí hasta que yo regrese de mi excursión!» Los esbirros entendieron que les decía: «¡Detenedlo! ¡Llevadlo a la cárcel!» Se dijeron: «Tal vez éste sea uno de sus mamelucos que haya huido». Lo detuvieron, lo condujeron a la prisión, le pusieron argollas y le dejaron sentado. Sayf al-Muluk regresó de la excursión y subió al alcázar, habiéndose olvidado ya de Said; nadie se lo recordó. Said se quedó en la cárcel. Cuando sacaron a los presos para los trabajos, el joven salió con ellos, trabajó junto a los cautivos y se ensució de mala manera. En esta situación permaneció durante un mes. Recordaba su pasado y se decía: «¿Cuál será la causa de que me hayan encarcelado?» Sayf al-Muluk, entregado a los placeres y otras cosas se había descuidado de él. Cierto día, mientras estaba sentado, empezó a pensar en su hermano Said y preguntó a los mamelucos que estaban con él: «¿Dónde está el mameluco que cogisteis tal día?» Contestaron: «¿Es que no nos dijiste "Llevadlo a la cárcel"?» «No os dije esas palabras. Os dije: "Llevadlo al alcázar en que me alojo"». Mandó a los chambelanes a que fuesen a buscar a Said. Le condujeron con los grillos. Le quitaron las cadenas y le colocaron ante Sayf al-Muluk. Éste le preguntó: «¡Muchacho! ¿De qué país eres?» «Soy de Egipto y me llamo Said; soy hijo del visir Faris.» Sayf al-Muluk bajó del trono, se dirigió hacia él, se arrojó en sus brazos, se colgó de su cuello y de tanta alegría como experimentaba rompió a llorar copiosamente. Le dijo: «¡Hermano Said! ¡Gracias a Dios! ¡Estás vivo y te veo! Yo soy tu hermano Sayf al-Muluk, hijo del rey Asim». Al oír estas palabras y reconocerle, ambos se abrazaron y lloraron conjuntamente. Todos los presentes quedaron admirados. Sayf al-Muluk ordenó que acompañasen al baño a Said. Le condujeron al baño. Al salir de éste le pusieron un vestido precioso y lo condujeron a la audiencia de Sayf al-Muluk. Éste le hizo sentar a su lado en el solio. El rey Tach al-Muluk se alegró muchísimo al enterarse de la reunión del príncipe con su hermano Said. Acudió y los tres se sentaron para contarse lo que les había sucedido desde el principio hasta el fin.

Said explicó: «¡Hermano, Sayf al-Muluk! Al naufragar la embarcación y ahogarse los mamelucos yo, con un grupo de éstos, conseguí encaramarme a un madero. El mar nos arrastró durante todo un mes y después, el viento, por un decreto de Dios (¡ensalzado sea!) nos arrojó a una isla. Hambrientos, pusimos pie en ella, nos internamos entre los árboles, comimos sus frutos y sólo nos precupamos de alimentarnos sin darnos cuenta de que se nos acercaban gentes que parecían *efrites*. Saltaron sobre nosotros, montaron encima de nuestros hombros y nos dijeron: "¡Llevadnos! ¡Sois nuestros asnos!" Yo pregunté al que me montaba: "¿Qué eres? ¿Por qué has montado en mí?" Al oír estas palabras estrechó mi cuello con su pierna y estuve a punto de morir; con el otro pie me golpeó en la espalda y creí que me la iba a destrozar. Caí de bruces en el suelo. A causa del hambre y de la sed no tenía fuerzas. Al caer se dio cuenta de que yo estaba hambriento. Me cogió por la mano y me condujo hasta un peral que tenía numerosos frutos. Me dijo: "Come de este árbol hasta hartarte". Comí hasta la saciedad y me puse en marcha sin poderlo evitar. Poco es lo que anduve, pues aquella persona se plantó de un salto encima de mis hombros. Yo corría a trechos, a ratos andaba y trotaba. Él seguía a horcajadas y decía: "¡Jamás en mi vida he visto un asno como tú!" Cierto día reunimos algunos racimos de uva, los colocamos en un hoyo, los prensamos con nuestros pies. El hoyo se transformó en una gran alberca. Esperamos algún tiempo y regresamos al hoyo. El sol había tocado de lleno en el zumo, el cual se había transformado en vino. Bebimos, nos embriagamos, nuestras caras se sonrojaron y empezamos a cantar y a bailar debido a los efectos del vino. Preguntaron: "¿Qué es lo que os ha sonrojado la cara haciéndoos cantar y bailar?" Contestamos: "¡Es el zumo de uva!" Nos condujeron a un valle del cual no pudimos distinguir ni la anchura ni la longitud. Todo él estaba repleto de vides: era imposible ver la primera o la última. Cada racimo pesaba veinte *ratl* y todos eran fáciles de vendimiar. Allí vi un hoyo grande, mayor que un gran estanque. Lo llenamos de uva, la prensamos con los pies e hicimos lo mismo que habíamos hecho la primera vez y se transformó en vino. Les dijimos: "¡Está a punto! ¿Con qué lo beberéis?" "Hemos tenido unos asnos como vosotros, pero nos los comimos. Guardamos las cabezas. Dadnos de beber en su cráneo." Les escanciamos. Bebieron y se quedaron dormidos. Eran cerca de doscientos. Nos dijimos unos a otros: "¡No les basta con montarnos que aún han de comernos!

¡No hay fuerza ni poder sino en Dios, el Altísimo, el Grande! Los embriagaremos por completo, los mataremos, quedaremos libres de ellos y nos salvaremos de su mano". Los despertamos y empezamos a llenarles las calaveras y a escanciarles. Decían: "¡Es amargo!" Les replicábamos: "¿Por qué decís 'Es amargo'? Quien dice esto y no bebe diez veces muere en el mismo día". Temieron morir y nos dijeron: "¡Escanciad hasta que hayamos bebido diez veces!" Cuando terminaron de beber dicha cantidad estaban ya tan borrachos que las fuerzas les faltaron. Los arrastramos tirándoles de la mano, reunimos madera de vid en gran cantidad, la colocamos encima y alrededor suyo y le prendimos fuego. Nos colocamos a lo lejos para ver lo que les pasaba.

Sahrazad se dio cuenta de que amanecía e interrumpió el relato para el cual le habían dado permiso.

Cuando llegó la noche *setecientas setenta y dos* refirió:

—Me he enterado, oh rey feliz!, de que [Said prosiguió:] Extinguido el fuego nos acercamos y vimos que se habían transformado en montones de ceniza. Alabé a Dios que nos había librado de ellos y salimos del interior de la isla en busca de la costa del mar. Allí nos separamos. Yo me puse en marcha con dos mamelucos y así llegamos a un gran bosque, muy poblado de árboles. Mientras estábamos comiendo se nos acercó una persona de elevada estatura, de larga barba, orejas colgantes y ojos que parecían tizones encendidos. Llevaba por delante un rebaño numeroso al que apacentaba. Cerca de él había otros grupos de seres del mismo aspecto. Al vernos se alegró, nos hizo los saludos de rigor, nos acogió y dijo: "¡Sed bien venidos! Venid conmigo. Degollaré una de las ovejas de este rebaño, la asaré y os la daré a comer". Le preguntamos: "¿Dónde está tu domicilio?" "Cerca de ese monte. Id en aquella dirección hasta encontrar una cueva y entrad. En su interior hallaréis muchos huéspedes como vosotros. Id y quedaos con ellos para que os preparemos la hospitalidad." Creímos que sus palabras eran ciertas y nos marchamos hacia allí. Entramos en ella y vimos los huéspedes que esperaban: todos estaban ciegos. Cuando entramos uno de ellos decía: "Yo estoy enfermo". Otro añadía: "Y yo me encuentro débil". Les preguntamos: "¿Cómo decís eso? ¿Cuál es la causa de vuestra debilidad y de vuestra enfermedad?" Replicaron: "¿Quiénes sois?" "¡Somos los huéspedes!" "¿Cómo habéis caído en las manos de ese maldito? ¡No hay fuerza ni poder sino en Dios, el Altísimo, el Grande! Este ogro come a los seres humanos y es quien nos ha cegado, pues quiere devorarnos." Les preguntamos: "El ogro ¿cómo os ha cegado?" "Ahora mismo os cegará a vosotros igual que hizo con nosotros." "¿Cómo lo hará?" "Os ofrecerá vasos de leche y os dirá: 'Estáis cansados del viaje. Tomad esta leche, bebedla'. Una vez la hayáis bebido estaréis como nosotros." Yo me dije: "Sólo podemos salvarnos con una estratagema". Cavé un hoyo en el suelo y me senté encima. Al cabo de un momento entró el maldito ogro trayéndonos los vasos de leche. Me entregó un vaso y dio uno a cada uno de mis compañeros. Dijo: "Habéis venido por tierra y estáis sedientos. Tomad esta leche. Bebed mientras aso la carne". Yo cogí el vaso y me lo acerqué a la boca, pero lo vacié en el hoyo gritando: "¡Ah! ¡He perdido los ojos! ¡Me he quedado ciego!" Tapé los ojos con las manos y me puse a llorar y a gritar mientras el ogro reía y me decía: "¡No temas!" Mis dos compañeros bebieron la leche y quedaron ciegos. El maldito se levantó al instante, cerró la puerta de la cueva, se acercó a mí, palpó mis costados y reconoció que estaba delgado, que no tenía nada de carne. Palpó a otro, vio que estaba grueso y se alegró. Degolló tres ovejas, las despellejó, tomó el asador de hierro, colocó en él la carne, lo colocó sobre el fuego y lo asó. Se la ofreció a mis dos compañeros. Comieron y él los acompañó. Después sacó un odre lleno de vino, bebió, se puso a dormir cabeza abajo y empezó a roncar. Me dije: "Ahora está sumergido en el sueño ¿cómo lo mataré?" Me acordé de los asadores, cogí dos de ellos, los coloqué al fuego y esperé hasta que estuvieron como una brasa. Me puse de pie, me estreché el cinturón y me puse en marcha. Cogí los dos asadores de hierro con la mano, me acerqué al maldito, se los metí en los ojos y me apoyé con toda mi fuerza. Incitado por los deseos de vivir se puso de pie y ciego como estaba quiso agarrarme. Yo huí por el interior de la cueva mientras él me perseguía. Pregunté a los ciegos que estaban allí: "¿Qué hay que hacer con este maldito?" Uno me contestó: "¡Said! ¡Ven! ¡Sube a esta ventana! Encontrarás una espada bien afilada. Cógela y ven a mi lado para que te diga lo que has de hacer". Subí a la ventana, cogí la espada y me acerqué al hombre. Dijo: "Cógela bien y golpéale en la cintura: morirá en el acto". Me acerqué hacia él, corrí en pos suyo. El ogro estaba cansado de tanto correr y se acercó a los ciegos para matarlos. Yo me aproximé, le di un mandoble en la cintura y quedó partido en dos mitades. Chilló y dijo: "¡Hombre! ¡Si quieres matarme dame otro golpe!" Me disponía a darle el segundo mandoble cuando aquel que me había indicado dónde estaba la espada gritó: "¡No se lo des! ¡No moriría! Al contrario, volvería a la vida y nos mataría!"

Sahrazad se dio cuenta de que amanecía e interrumpió el relato para el cual le habían dado permiso.

Cuando llegó la noche *setecientas setenta y tres,* refirió:

—Me he enterado, ¡oh rey feliz!, de que [Said prosiguió] »Yo me atuve a las instrucciones que me daba y no le volví a herir. El maldito expiró. El hombre en cuestión me dijo: "Ven, abre la cueva y déjanos salir. Tal vez Dios nos auxilie y podamos descansar de este lugar". Repliqué: "No nos puede ocurrir ningún daño. Descansemos aquí, degollemos unas ovejas y bebamos ese vino, pues la tierra es larga". Permanecimos en aquel sitio durante dos meses. Comíamos las ovejas y los frutos.

»Cierto día, mientras estábamos sentados a la orilla del mar, vimos a lo lejos una gran nave. Hicimos señales y llamamos a sus tripulantes. Pero éstos tenían miedo al ogro, pues sabían que en la isla había un monstruo que devoraba a los hijos de Adán, por lo cual emprendieron la huida. Nosotros hicimos más señales con la extremidad de nuestro turbante y nos aproximamos más a ellos chillando. Uno de los viajeros que tenía la vista muy aguda dijo: "¡Viajeros! ¡Veo que ésas son figuras de hombres como nosotros! ¡No tienen aspecto de ogros!" Se fueron aproximando poco a poco hasta llegar cerca. Cuando se convencieron de que éramos seres humanos

nos saludaron y les devolvimos el saludo. Nos felicitaron y nos dieron las gracias por haber matado al maldito ogro. Recogieron fruta de la isla como vituallas. Subimos a bordo y navegamos con ellos. El viento nos fue favorable durante tres días, al cabo de los cuales se levantó un aire huracanado y las tinieblas cubrieron la atmósfera. Al cabo de una hora el temporal había arrastrado a la nave estrellándola en un monte. El buque se hizo añicos y sus tablones se separaron. Dios, el Grande, dispuso que yo pudiera colgarme de uno de sus palos y montar encima a horcajadas. Durante dos días fui arrastrado. Después se levantó un viento favorable y empecé a utilizar mis pies como remos durante una hora hasta que Dios (¡ensalzado sea!) me hizo llegar salvo a tierra. Así entré en esta ciudad en la que era un extraño, solo, aislado, sin saber qué hacer. El hambre me había descompuesto y yo había hecho un gran esfuerzo. Me llegué al zoco, me tapé como pude y quitándome esta túnica me dije: "La venderé y comeré con lo que me den hasta que Dios decrete lo que ha de suceder". Después, hermano, cogí la túnica con las manos. La gente la examinó y fue pujando hasta el momento que tú llegaste, me viste y mandaste que me condujeran al alcázar. Pero los pajes me detuvieron y me encarcelaron. Después de un tiempo te acordaste de mí y me mandaste comparecer. Te he explicado lo que me ha sucedido. ¡Loado sea Dios que nos ha reunido!»

Sayf al-Muluk y Tach al-Muluk, padre de Dawlat Jatún, quedaron muy admirados del relato que acababan de oír al visir Said. Tach al-Muluk, padre de Dawlat Jatún, preparó un hermoso departamento para Sayf al-Muluk y su hermano Said. Dawlat Jatún acudía a visitar a Sayf al-Muluk, conversaba con éste y le daba las gracias por sus favores. El visir Said le dijo: «¡Oh, reina! Queremos que nos auxilies a conseguir su deseo». «Sí; me apresuraré a ayudarle para que consiga lo que apetece, si Dios (¡ensalzado sea!) lo quiere.» Volviéndose hacia Sayf al-Muluk le dijo: «¡Tranquilízate y refresca tus ojos!» Esto es lo que se refiere a Sayf al-Muluk y a su visir Said.

He aquí lo que hace referencia a la reina Badia al-

Chamal: Ésta recibió noticias del regreso junto a su padre y a su reino de su hermana Dawlat Jatún y dijo: «He de ir sin falta a visitarla y a saludarla. Iré magníficamente arreglada con joyas y brazaletes». Fue a verla y cuando estaba cerca de la residencia de Dawlat Jatún, ésta salió a recibirla, la saludó, la abrazó y la besó entre los ojos. La reina Badia al-Chamal le dio la enhorabuena por haberse salvado y ambas se sentaron a conversar. Badia al-Chamal preguntó a Dawlat Jatún: «¿Qué te ha ocurrido durante la ausencia?» «¡Hermana mía! ¡No me preguntes por lo ocurrido! ¡Cuántas desgracias han de soportar las criaturas!» «¿Y cómo ha sido?» La princesa empezó a contar: «¡Hermana mía! Yo me encontraba en aquel formidable alcázar y de él me raptó el hijo del rey al-Azraq». A continuación le explicó todo el resto de la historia desde el principio hasta el fin; habló de Sayf al-Muluk, lo que le ocurrió a éste en el alcázar y las muchas fatigas y miedos que había pasado hasta llegar al castillo al-Musayyad; cómo el príncipe había dado muerte al hijo del rey al-Azraq, cómo había arrancado las puertas de cuajo y con ellas había construido una balsa; cómo había fabricado unos remos y cómo había llegado hasta allí. La reina Badia al-Chamal quedó boquiabierta. A continuación añadió: «¡Por Dios, hermana mía! ¡Ésta es una de las cosas más prodigiosas!» «Querría contarte una historia, pero la vergüenza me impide hacerlo.» Badia al-Chamal preguntó: «¿De dónde viene la vergüenza? Tú eres mi hermana y compañera. Entre nosotras dos hay mucho afecto y yo sé que tú sólo me quieres bien. ¿Por qué te has de avergonzar ante mí? Dime lo que tengas que decir y no te avergüences ni me ocultes nada». Dawlat Jatún explicó: «Él vio tu retrato en la túnica que tu padre había enviado a Salomón, hijo de David (¡sobre ambos sea la paz!). Éste, sin abrirla ni ver lo que contenía, se la remitió al rey Asim b. Safwán, rey de Egipto, como uno más de los regalos que le enviaba. El rey Asim, sin abrirla, se la regaló a su hijo Sayf al-Muluk. Éste la cogió, la desdobló y estaba a punto de ponérsela cuando vio tu imagen, se enamoró de ella, salió en tu busca y le acontecieron todas esas calamidades por tu causa».

Sahrazad se dio cuenta de que amanecía e interrumpió el relato para el cual le habían dado permiso.

Cuando llegó la noche *setecientas setenta y cuatro,* refirió:

—Me he enterado, ¡oh rey feliz!, de que Badia al-Chamal se sonrojó y se avergonzó delante de Dawlat Jatún. Exclamó: «¡Esto no ocurrirá jamás! ¡Los hombres no concuerdan con los genios!» Dawlat Jatún empezó a describirle el buen aspecto, la magnífica figura y la caballerosidad de Sayf al-Muluk; le alabó sin tregua y le citó todas sus cualidades hasta que dijo: «¡Hermana mía! ¡Por Dios (¡ensalzado sea!) y por mí! ¡Ven! ¡Habla con él! ¡Dile una sola palabra!» «¡No he oído las palabras que acabas de pronunciar! ¡No te haré caso!» Badia al-Chamal hablaba como si nada hubiese oído, como si no hubiese hecho mella en su corazón la pasión de Sayf al-Muluk, su buen aspecto, la magnífica figura y su caballerosidad. Dawlat Jatún se humilló ante ella y le besó los pies diciéndole: «¡Badia al-Chamal! ¡Por la leche de la que nos hemos amamantado las dos! ¡Por la figura grabada en el anillo de Salomón (¡sobre el cual sea la paz!), escucha estas palabras mías! En el alcázar al-Musayyad le he prometido que conseguiría que viera tu rostro. ¡Te conjuro, por Dios, a que se lo muestres, aunque sea una sola vez y para complacerme. Tú le mirarás a tu vez». Lloró, se rebajó y le besó las manos y los pies hasta que accedió diciendo: «¡Por ti le mostraré mi cara una sola vez!» El corazón de Dawlat Jatún se tranquilizó; besó las manos y los pies de Badia al-Chamal y se marchó. Se dirigió al alcázar principal, en el que estaba el jardín, y mandó a las esclavas que lo cubriesen de tapices y pusiesen en él un solio de oro; que colocasen, alineados, vasos con bebidas. A continuación fue a ver a Sayf al-Muluk y al visir Said. Ambos estaban sentados en su puesto. Dio al príncipe la buena noticia de que había conseguido su propósito y alcanzado su deseo. Le dijo: «Tú y tu hermano id al jardín, entrad y ocultaos a la vista de la gente de tal modo que ninguno de los que están en el alcázar os pueda ver. Yo acudiré a vuestro lado con Badia al-Chamal». Sayf al-Muluk y Said fueron al lugar que les había indicado Dawlat Jatún. Al entrar hallaron un estrado de oro sobre el cual estaban alineados cojines. También había comida y bebidas. Se sentaron un rato y a Sayf al-Muluk, al recordar a su amada, se le oprimió el pecho y las olas de la pasión y del deseo le acometieron. Se puso en pie, echó a andar y salió del vestíbulo del alcázar. Said, su hermano, le siguió, pero el príncipe le dijo: «¡Hermano mío! Siéntate en tu sitio y no me sigas hasta que yo haya regresado». Said se sentó. Sayf al-Muluk bajó al jardín, se internó en él ebrio del vino de la pasión, absorto por el mucho amor y los celos. El deseo le había vencido y el cariño le había conmovido. Recitó estos versos:

> ¡Oh, Badia al-Chamal! ¡Sólo te tengo a ti! ¡Ten compasión de mí que soy prisionero de tu amor!
> Tú eres mi deseo, el objeto de mi atención y de mi alegría. Mi corazón no desea querer a nadie más.
> ¡Ojalá supiera si tú estás enterada de mi llanto! Paso todo lo largo de la noche insomne, con los ojos anegados en llanto.
> ¡Ordena al sueño que visite mis párpados! Tal vez así, en sueños, te vea.
> ¡Ten compasión, en el amor, de un enamorado! ¡Sálvale de los sobresaltos de tu dureza!
> ¡Ojalá Dios aumente tu belleza y tu alegría y todos tus enemigos puedan servirte de rescate!
> Todos los amantes se han reunido bajo mi bandera y todas las hermosas bajo la tuya.

Siguió llorando y recitó este par de versos:

> La hermosa sin par será siempre objeto de mi deseo, puesto que constituye mi secreto en lo más íntimo del corazón.
> Si hablo, hablo de su belleza; si callo, ella constituye mi pensamiento.

Continuó llorando a lágrima viva y recitó además estos versos:

En mi corazón hay una llama que lo abrasa. Vos constituís mi deseo y la pasión se prolonga.
Me inclino hacia vos; a nadie más pretendo. Espero vuestro consentimiento. ¡Cuántas cosas soporta el amante!
Todo a fin de que tengáis compasión de una persona cuyo cuerpo está extenuado por el amor, cuyo corazón está enfermo.
¡Tened piedad! ¡Sed generosos! ¡Haced bien! ¡Sed virtuosos! Yo no me marcho de vuestro lado ni me aparto.

Siguió llorando y recitó también este par de versos:

Al llegar tu amor me asaltaron las preocupaciones; el sueño me ha abandonado al mismo tiempo que llegaba la dureza de tu corazón.
El mensajero me ha dicho que tú estabas enfadada. ¡Que Dios me guarde del mal que se ha anunciado!

Said, cansado de esperarlo, salió del alcázar y fue a buscarlo por el jardín. Le vio andando desorientado mientras recitaba:

¡Por Dios! ¡Por Dios el Grande! ¡Por Aquel que recita en el Corán la azora del Creador!
Apenas mi mirada ha visto la belleza de quien veo y ya tu persona, ¡oh, Badia!, es mi compañera por la noche.

Said se reunió con su hermano Sayf al-Muluk y ambos empezaron a pasear por el jardín y a comer de sus frutos. Esto es lo que hace referencia a Said y a Sayf al-Muluk.

He aquí lo que se refiere a Dawlat Jatún. Ésta y Badia al-Chamal llegaron al alcázar y entraron. Los criados lo habían ya arreglado con toda clase de ornamentos y habían hecho todo lo que les había mandado Dawlat

Jatún: habían preparado un solio de oro para que Badia al-Chamal se sentase en él. Ésta, al descubrir el estrado, se sentó. Al lado había una ventana que daba al jardín. Los criados sirvieron los guisos más exquisitos. Las dos mujeres comieron. Dawlat Jatún le preparó los bocados hasta dejarla satisfecha. Pidieron toda suerte de dulces. Los criados los sirvieron y comieron los que les parecieron suficientes. Se lavaron las manos, prepararon las bebidas, los vasos de vino, los aguamaniles y las copas. Dawlat Jatún servía y escanciaba a Badia al-Chamal. Llenaron las copas y bebieron las dos. Badia al-Chamal miró al jardín por la ventana que tenía al lado: contempló los frutos y las ramas. Pero observaba en la dirección en que estaba Sayf al-Muluk. Vio que éste paseaba por el jardín seguido por el visir Said; oyó cómo el primero recitaba versos y distinguió las lágrimas que corrían a mares. Aquella mirada le iba a causar mil pesares.

Sahrazad se dio cuenta de que amanecía e interrumpió el relato para el cual le habían dado permiso.

Cuando llegó la noche *setecientas setenta y cinco,* refirió:

—Me he enterado, ¡oh rey feliz!, de que el vino la había embriagado. Volviéndose a Dawlat Jatún le dijo: «¡Hermana mía! ¿Quién es ese joven que he visto en el jardín? Está perplejo, turbado, triste y afligido». «¿Permites que venga aquí? Así lo veremos.» «Si puedes hacerle venir, hazlo.» Dawlat Jatún le llamó: «¡Hijo del rey! ¡Sube a nuestro lado! ¡Tráenos tu belleza y tu hermosura!» Sayf al-Muluk reconoció la voz de Dawlat Jatún. Subió al alcázar. Sus ojos se posaron en Badia al-Chamal y cayó desmayado. Dawlat Jatún le roció con agua de rosas. Volvió en sí y se puso de pie, besó el suelo ante Badia al-Chamal y ésta quedó estupefacta ante tal belleza y hermosura. Dawlat Jatún dijo: «¡Sabe, oh reina! que éste es Sayf al-Muluk, aquel que me ha salvado por un decreto de Dios (¡ensalzado sea!). A él le han ocurrido toda suerte de desgracias por tu causa. Deseo que le concedas tu favor». Badia al-Chamal rompió a reír y dijo: «¿Qué hombre hay que respete los pactos? Los hombres no pueden sentir cariño. ¿Cómo los va a respetar este joven?» Sayf al-Muluk intervino:

«¡Oh, reina! ¡Jamás faltaré a la fidelidad! ¡Todas las criaturas no son iguales!» Rompió a llorar delante de ella y recitó estos versos:

> ¡Badia al-Chamal! Ten piedad de un espectro extenuado y afligido, a causa de una mirada embrujadora, enloquecedora.
> ¡Por las bellezas que reúnen tus mejillas, el blanco y el rojo oscuro de las anémonas.
> No te ensañes abandonando a un enfermo: mi cuerpo está marchito por la larga separación!
> Tal es mi deseo, tal es el término de mi esperanza: mi propósito consiste en unirme a ti según la medida de mis posibilidades.

Rompió a llorar desesperadamente, la pasión y el desvarío se adueñaron de él y la saludó con estos versos:

> Os saluda un amante locamente enamorado. Los generosos se portan bien con los generosos.
> ¡Os saludo! ¡Que jamás me falte vuestra imagen! ¡Que ninguna reunión, que ningún lugar de reposo quede privado de vos!
> Estoy celoso de vos y sólo pronuncio vuestro nombre. El amante se inclina siempre por el amante.
> No dejéis de conceder vuestros favores a aquel que os ama. El descontento le aparta, está afligido.
> Contemplo los astros brillantes y éstos me impresionan. Mi coche transcurre lentamente a causa de mi gran pasión.
> He perdido la paciencia y no sé qué hacer ¿qué palabras he de pronunciar para pedir amor?
> En el momento del enfado, recibid la paz de Dios; os saluda quien no sabe qué hacer pero tiene paciencia.

Era tan grande su afecto y su pasión que recitó también estos otros versos:

¡Señores míos! Si me propusiera otro amor que
no fuera el vuestro no conseguiría que me concedierais mi deseo y lo que apetezco.
¿Quién, dejándoos aparte, posee la belleza para
que yo pueda dirigirme hacia él?
¡Jamás podré consolarme del amor! Por vos he
aniquilado mi vida y mi último aliento.

Al terminar los versos lloró amargamente. Badia al-Chamal le habló: «¡Hijo del rey! Temo que de acceder a todo no conseguiré ni tu afecto ni tu amor. Parece que el bien que hacen los hombres es poco y que sus engaños son muchos. Sabe que el señor Salomón, hijo de David (¡sobre ambos sea la paz!), se unió con Bilquis por amor, pero después, habiendo visto otra mujer más hermosa, se apartó de ella». Sayf al-Muluk le replicó: «¡Ojos míos! ¡Alma mía! Dios no ha creado a todos los hombres iguales. Yo, si Dios quiere, cumpliré mi promesa y moriré a tus pies. Verás lo que hago para mantener en pie lo que digo. ¡Dios sale garante de lo dicho!» Badia al-Chamal replicó: «¡Siéntate y tranquilízate! ¡Júrame por tu religión que pactamos que ninguno de nosotros traicionará al otro! Dios (¡ensalzado sea!) castigará al que traicione». Sayf al-Muluk, al oír estas palabras, se sentó. Cada uno entregó la mano a su compañero y juraron que ninguno de ellos buscaría otro compañero ni entre los genios ni entre los hombres. A continuación permanecieron abrazados durante una hora y rompieron a llorar por la mucha alegría que experimentaban. La pasión se enseñoreó de Sayf al-Muluk, el cual recitó estos versos:

Lloro de amor, de pasión y de angustia a causa
de aquel que aman mi corazón y mi alma.
Vuestra larga separación ha aumentado mis dolores. Mi brazo es incapaz de aproximarme a
quien amo.
Mi tristeza, por aquello que ya no puede soportar
mi paciencia, ha aclarado a los censores parte
de mi llaga.

Mi paciencia es bien poca después de haber sido
mucha; no tengo fuerza para arreglarlo.
¡Ojalá supiera si Dios me reunirá con mi deseo y
si mi pena curará de los dolores y la enfermedad!

Una vez hubieron jurado Badia al-Chamal y Sayf al-Muluk, éste se puso en pie y echó a andar. Lo mismo hizo aquélla. Le acompañaba una esclava que llevaba algo de comida y también una botella repleta de vino. Badia al-Chamal se sentó. La esclava colocó delante la comida y el vino. Un instante después llegaba Sayf al-Muluk. La joven le acogió bien, le saludó, se abrazaron y se sentaron...

Sahrazad se dio cuenta de que amanecía e interrumpió el relato para el cual le habían dado permiso.

Cuando llegó la noche *setecientas setenta y seis,* refirió:

—Me he enterado, ¡oh rey feliz!, de que [se sentaron] ...a cenar y a beber. Badia al-Chamal refirió: «¡Hijo del rey! Cuando entres en el jardín de Iram verás levantada una tienda enorme de raso rojo; su interior será de seda verde. Entra en la tienda y fortifica tu corazón. Verás una vieja sentada en un trono de oro rojo incrustado de perlas y aljófares. Pasa y salúdala con corrección y respeto. Mira en la dirección del trono; debajo encontrarás unas sandalias tejidas con varitas de oro incrustadas de metales. Coge esas sandalias, bésalas y colócalas encima de la cabeza. Después, colócalas debajo del hombro derecho y plántate, sin pronunciar una palabra, ante la vieja. Mantén gacha la cabeza. Permanecerás callado, si ella te interroga y te pregunta: "¿De dónde vienes? ¿Cómo has llegado hasta aquí? ¿Quién te ha enseñado este lugar? ¿Por qué has cogido estas sandalias?" Pero cuando entre esta esclava mía, hablarás con ella, la tratarás con miramientos y halagarás sus entendederas con palabras. Quizá, Dios (¡ensalzado sea!) haga que su corazón tenga piedad de ti y te conceda lo que deseas». A continuación llamó a la joven, que se llamaba Marchana, y le dijo: «¡Por la estima en que te tengo! Haz esto hoy mismo y no me traiciones. Si así haces, hoy quedas libre ante la faz de Dios (¡ensalzado sea!) y recibirás toda suerte de favores; tú serás la persona que más estime y sólo a ti explicaré mis secretos». Le replicó: «¡Señora mía! ¡Luz de mis ojos! Dime qué es lo que necesitas para que pueda hacerlo: está sobre mi cabeza y mis ojos». «Transporta, sobre tus hombros, a este ser humano y condúcelo al jardín de Iram, junto a mi abuela, la madre de mi padre; llévalo a su tienda y obsérvalo: Cuando tú y él hayáis entrado en la tienda y hayas visto que él ha cogido las sandalias, se ha puesto a su servicio y que ella le pregunta: "¿De dónde procedes?, ¿por qué camino has venido?, ¿quién te ha traído hasta este lugar?, ¿por qué has cogido estas sandalias?, dime qué es lo que necesitas para que pueda concedértelo", tú entrarás, rápida, en ese momento, la saludarás y le dirás: "¡Señora mía! Yo lo he traído aquí. Es el hijo del rey de Egipto; es quien ha ido al alcázar al-Musayyad y ha dado muerte al hijo del rey al-Azraq salvando a la reina Dawlat Jatún y devolviéndosela, sana y salva, a su padre. Lo he traído ante ti para que te informe y te dé la buena nueva de su salvación y que tú le concedas regalos". A continuación añade: "¡Te conjuro, por Dios, señora mía! ¿El muchacho es hermoso?" Ella contestará: "Sí". Dile: "Es un hombre serio, valiente y de honor; es dueño y rey de Egipto y encierra en sí toda clase de cualidades loables". Cuando te pregunte: "¿Qué desea", contesta: "Mi señora Badia al-Chamal te saluda y te pregunta hasta cuándo permanecerá en casa soltera, sin contraer matrimonio. El tiempo va pasando. ¿Qué os proponéis al dejarla sin casar? ¿Por qué no la casas aún en vida y en vida de su madre, tal y como se hace con las hijas?" Si te pregunta: "¿Y cómo lo haremos? Si ella conociera a alguien o alguien le pasase por el pensamiento y nos lo hiciera saber, nosotros consentiríamos con su deseo, mientras estuviese en el límite de lo posible". Entonces dile: "Señora mía, tu hija te dice: 'Quisisteis casarme con Salomón (¡sobre el cual sea la paz!), y dibujasteis mi retrato en la túnica. Pero yo no le correspondía. Envió la túnica al rey de Egipto. Éste se la entregó a su hijo, el cual me vio bordada allí y se enamoró de mí.

Abandonó el reino de su padre y de su madre, se separó del mundo y de sus cosas y se marchó en busca de su destino. Por mí ha pasado los mayores peligros y daños"'.»

La joven se cargó a Sayf al-Muluk y le dijo: «¡Cierra los ojos!» Cerró los ojos, ella remontó el vuelo por el aire y al cabo de un rato le dijo: «¡Hijo del rey! ¡Abre los ojos!» Los abrió y se encontró en un jardín: era el jardín de Iram. Marchana, la esclava, añadió: «¡Sayf al-Muluk! Entra en esta tienda». El príncipe mencionó los nombres de Dios, cruzó la puerta, aguzó la vista y vio a la vieja sentada en el trono; las criadas estaban a su servicio. Se acercó a ella con corrección y respeto; tomó las sandalias, las besó e hizo lo que le había dicho Badia al-Chamal. La vieja le preguntó: «¿Quién eres? ¿De dónde vienes? ¿De qué país eres? ¿Quién te ha traído hasta este lugar? ¿Por qué has cogido y besado estas sandalias? ¿Cuándo me has manifestado un deseo que yo no haya cumplido?» En ese momento entró la joven Marchana. Saludó a la vieja con corrección y respeto y dijo lo que le había ordenado Badia al-Chamal. La vieja, al oír estas palabras, la riñó y se enfadó con ella, increpándola: «¿Cómo pueden estar de acuerdo hombres y genios?»

Sahrazad se dio cuenta de que amanecía e interrumpió el relato para el cual le habían dado permiso.

Cuando llegó la noche *setecientas setenta y siete,* refirió:

—Me he enterado, ¡oh rey feliz!, de que Sayf al-Muluk intervino: «Yo estaré siempre de acuerdo contigo, seré tu paje y moriré por amor tuyo; observaré mi pacto y no miraré más que a ti: verás cómo digo la verdad y no miento; observarás mi buena conducta contigo, si Dios (¡ensalzado sea!) lo quiere». La vieja meditó durante una hora con la cabeza baja y dijo: «¡Hermoso muchacho! ¿Guardarás el pacto y la promesa?» «¡Sí! ¡Lo juro por Quien ha levantado los cielos y ha extendido la tierra: observaré el pacto!» La vieja añadió: «Si Dios (¡ensalzado sea!) lo quiere, he de acceder a tu deseo. Ve ahora mismo al jardín, observa lo que hay en él, come sus frutos sin par, pues en el mundo no se encuentran otros iguales, hasta que yo haya mandado a buscar a mi hijo Sahyal. Éste acudirá, hablaré con él del asunto y si Dios (¡ensalzado sea!) lo quiere, sólo saldrá bien, pues él no me contraría ni se aparta de mis órdenes. Te casaré con su hija Badia al-Chamal. Puedes estar tranquilo: ella será tu esposa, Sayf al-Muluk». Al oír tales palabras, éste le dio las gracias, le besó las manos y los pies y la dejó para dirigirse al jardín. La vieja se volvió hacia la joven y le dijo: «Ve a buscar a mi hijo Sahyal, fíjate en qué región o lugar está y haz que comparezca ante mí». La joven se marchó, buscó al rey Sahyal, se reunió con él y le hizo acudir ante su madre. Esto es lo que a ella se refiere.

He aquí lo que hace referencia a Sayf al-Muluk: salió a pasear por el jardín y le vieron cinco genios, súbditos del rey al-Azraq, que se preguntaron: «¿Quién es éste? ¿Quién le habrá traído hasta este lugar? Tal vez sea quien mató al hijo del rey al-Azraq». Se dijeron unos a otros: «Busquemos una estratagema e interroguémosle. Informémonos de sus propios labios». Poco a poco se dirigieron hacia Sayf al-Muluk y le alcanzaron en los confines del jardín. Se sentaron a su lado y le preguntaron: «¡Hermoso muchacho! Has hecho bien al matar al hijo del rel al-Azraq y salvar de sus manos a Dawlat Jatún. Era un perro traidor que se había apoderado de ella mediante engaño. Si Dios no te hubiese puesto en su camino jamás se hubiese salvado, ¿cómo le mataste?» Sayf al-Muluk los examinó y les dijo: «Lo maté gracias a este anillo que llevo en el dedo». Esto les confirmó que él era quien lo había matado. Dos le sujetaron las manos y otros dos, los pies. El quinto le tapó la boca para que no gritara y no le oyeran los súbditos del rey Sahyal y lo salvasen. Se lo cargaron encima, remontaron el vuelo con él y no pararon de volar hasta descender ante su rey. Le colocaron ante éste y dijeron: «¡Rey del tiempo! Te traemos al asesino de tu hijo». «¿Dónde está?» «¡Éste es!» «¿Eres tú quien mataste a mi hijo, al aliento de mi corazón, a la luz de mis ojos, sin razón ninguna, sin que te hubiese faltado?» Sayf al-Muluk le replicó: «¡Sí, yo lo maté! Pero lo hice porque era injusto y tirano: raptaba a los hijos de los reyes y los llevaba al pozo abandonado y al alcázar al-Musayyad. Los separaba de su familia y los corrompía. Lo maté con el anillo que tengo en el dedo. Dios se apresuró a llevar su alma al fuego ¡y qué pésima morada es!» El rey al-Azraq quedó convencido de que él era el asesino de su hijo. Entonces llamó a su visir y le dijo: «Éste es el asesino de mi hijo; no cabe la menor duda. ¿Qué me aconsejas que haga? ¿Debo matarlo del modo más horrible? ¿Debo imponerle el tormento más doloroso? ¿Qué he de hacer?» El gran visir contestó: «¡Córtale los miembros!» Otro aconsejó: «¡Dale cada día una buena paliza!» Un tercero sugirió: «¡Córtalo por la mitad!» El cuarto indicó: «¡Córtale todos los dedos y quémale al fuego!» El quinto aconsejó: «¡Crucifícalo!» Así, cada uno de ellos fue dando su opinión.

El rey al-Azraq tenía un príncipe de alto rango, buen conocedor de los asuntos, experto en las vicisitudes del destino. Éste intervino: «¡Rey del tiempo! He de decirte unas palabras. El buen consejo reside en que escuches lo que te voy a aconsejar». Este Emir era el consejero de su reino, el primero de los príncipes de su imperio; el rey atendía a sus consejos, seguía su opinión y no le contradecía en nada. El Emir se puso de pie, besó el suelo ante él y dijo: «¡Rey del tiempo! Si te doy una opinión en este asunto ¿la seguirás? ¿me concederás el perdón?» «¡Di francamente tu parecer, pues tienes el perdón!» «¡Rey del tiempo! Tú, prescindiendo de mi consejo, haciendo caso omiso de mis palabras, puedes matar a éste. Pero ahora no es el momento oportuno de matarlo: él está en tu mano, bajo tu protección y es tu prisionero; cuando lo busques lo encontrarás; podrás hacer de él lo que quieras. Pero ten paciencia, rey del tiempo, pues éste entró en el jardín de Iram para casarse con Badia al-Chamal, hija del rey Sahyal, pasando a ser uno de ellos. Tus súbditos lo han detenido y te lo han traído; esto lo sabes tú, pero también lo saben ellos. Si tú le matas, el rey Sahyal intentará vengarse de ti, será tu enemigo y vendrá con su ejército a causa de su hija. Tú no puedes oponerte a su ejército y no tienes poder para hacerle frente.» El rey al-Azraq escuchó estas palabras y mandó encarcelarlo. Esto es lo que hace referencia a Sayf al-Muluk.

He aquí lo que hace referencia a la señora Badia al-Chamal: Ésta se reunió a su padre Sahyal y despachó a su esclava en busca de Sayf al-Muluk; pero no lo encontró. Regresó ante su señora y le dijo: «No lo he hallado en el jardín». Entonces mandó llamar a los jardineros y les preguntó por Sayf al-Muluk. Le contestaron: «Nosotros le vimos sentado debajo de ese árbol. De repente, cinco súbditos del rey al-Azraq se le acercaron, hablaron con él, se lo cargaron encima, le taparon la boca, remontaron el vuelo con él y se marcharon». La señora Badia al-Chamal, al oír tales palabras, no pudo contenerse: se encendió de furor, corrió ante su padre, el rey Sahyal, y le dijo: «¡Cómo! ¿Tú eres un rey y los súbditos del ray al-Azraq vienen a nuestro jardín, raptan a nuestro huésped y se marchan, salvos, con el preso? ¡Y todo estando tú en vida!» Su madre le incitaba y le decía: «¡Mientras tú vivas nadie debe atacarnos!» El rey le contestó: «¡Madre!, ése hombre ha matado al hijo del rey al-Azraq, que era un genio. Dios le ha abandonado en las manos del rey. ¿Cómo he de ir contra éste y atacarle por culpa de un hombre?» La madre le replicó: «¡Ve ante él y reclámale nuestro huésped! Si está con vida y te lo entrega, cógelo y vuelve. Pero si le ha matado, apodérate del rey al-Azraq, de sus hijos, de sus mujeres y de los vasallos que se encuentren con él y tráemelos bien vivos para que les degüelle con mi propia mano. Arruina sus casas. Si no ejecutas lo que te he ordenado creeré que la leche y la educación que te he dado, han sido en vano!»

Sahrazad se dio cuenta de que amanecía e interrumpió el relato para el cual le habían dado permiso.

Cuando llegó la noche *setecientas setenta y ocho,* refirió:

—Me he enterado, ¡oh rey feliz!, de que el rey Sahyal se puso en movimiento en seguida y ordenó a sus soldados que salieran para honrar a su madre, hacer caso de sus deseos y satisfacer a las personas que amaba, realizando así lo que estaba decretado desde la eternidad. El rey Sahyal se puso en marcha con su ejército y viajaron sin cesar hasta llegar ante el rey al-Azraq. Los dos ejércitos chocaron y el rey al-Azraq con sus hombres quedó vencido. Sus hijos, grandes y pequeños, los grandes y los magnates de su reino quedaron prisioneros. Fueron atados y conducidos ante el rey Sahyal, que les preguntó: «¡Azraq! ¿Dónde está Sayf al-Muluk, el hombre que era mi huésped?» «¡Sahyal! Tú eres un genio y yo soy un genio. ¿Por causa del hombre que ha matado a mi hijo haces tú esto? Él es el asesino de mi hijo, refresco de mi corazón, aliento de mi alma. ¿Cómo has podido realizar tales hechos y has derramado la sangre de éste y éste, de mil genios?» «¡Déjate de tales palabras! Si aún está vivo, tráelo; yo te pondré en libertad y soltaré a tus hijos, aquellos que he hecho prisioneros. Pero si le has matado, te degollaré a ti y a tus hijos.» El rey al-Azraq preguntó: «¡Rey! ¿Le prefieres a mi hijo?» «Tu hijo era un libertino que raptaba a los hijos e hijas de los reyes encerrándolos en el alcázar al-Musayyad y en el pozo abandonado y los corrompía.» «Sayf al-Muluk está en mi poder. Nos reconciliaremos con él.» Hicieron las paces y al-Sahyal le dio trajes de honor y estableció un contrato en el que al-Azraq y Sayf al-Muluk arreglaban el problema de la muerte del hijo del primero. Al-Sahyal se hizo cargo del príncipe y le concedió una magnífica hospitalidad. El rey al-Azraq y su ejército permanecieron con él durante tres días. Después al-Sahyal tomó consigo a Sayf al-Muluk y lo condujo ante su madre. Ésta se alegró muchísimo. Sahyal quedó encantado de la belleza, perfección y hermosura del príncipe y éste le contó toda su historia, desde el principio hasta el fin, y lo que le había sucedido con Badia al-Chamal. El rey Sahyal, después, dijo: «¡Madre mía! Ya que a ti te satisface el casarlo, yo oigo y obedezco todas las órdenes que te causen satisfacción. Cógelo, llévalo a Sarandib y da una gran fiesta nupcial. Es un hermoso muchacho que ha sufrido muchas fatigas por causa de mi hija». La mujer y sus servidoras marcharon sin cesar hasta llegar a Sarandib. Entraron en el jardín que pertenecía a la madre de Dawlat Jatún. Badia al-Chamal le vio después de llegar a la tienda y la vieja les contó lo que había ocurrido con el rey al-Azraq y cómo el príncipe había estado a punto de morir en la prisión de dicho rey. Pero de nada sirve volver a repetirlo.

A continuación el rey Tach al-Muluk, padre de Dawlat Jatún, reunió a los grandes del reino y celebró el matrimonio de Badia al-Chamal y Sayf al-Muluk; dio preciosos regalos y mandó dar un banquete a todas las gentes.

Después, el príncipe besó el suelo ante el rey Tach al-Muluk y dijo: «¡Rey del perdón! Tengo algo que pedirte, pero temo que me dejes desilusionado». El rey replicó: «Aunque me pidieras mi propia alma no te la negaría, dado el bien que has hecho». «Quiero pedirte en matrimonio, para mi hermano Said, a Dawlat Jatún. Así todos seremos tus esclavos.» «¡Oír es obedecer!», replicó el soberano. Reunió por segunda vez a los grandes de su reino y puso por escrito el contrato matrimonial de su hija Dawlat Jatún con Said. Terminada la redacción del contrato se distribuyó oro y plata y el rey mandó que se engalanase la ciudad. Se celebraron las fiestas y Sayf al-Muluk y Said consumaron su matrimonio en la misma noche: el primero con Badia al-Chamal y el segundo con Dawlat Jatún.

Sayf al-Muluk se quedó a solas durante cuarenta días con Badia al-Chamal. Uno de los días ésta le dijo: «¡Hijo del rey! ¡Te queda en el corazón un pesar!» «¡Dios no lo quiera! He satisfecho mi deseo y jamás volveré a tener ningún pesar. Pero querría reunirme con mi padre y mi madre en Egipto y ver si continúan bien o no». La mujer mandó a un grupo de sus criados que le trasladasen a él y a Said a Egipto. Llegaron al lado de su familia y Sayf al-Muluk se reunió con su padre y su madre. Said hizo lo mismo. Permanecieron allí durante una semana. Después los dos se despidieron de sus padres y regresaron a la ciudad de Sarandib. Siempre que deseaban ver a su familia iban y volvían. Sayf al-Muluk y Badia al-Chamal vivieron en la más dulce y feliz de las vidas. Lo mismo ocurrió con Said y Dawlat Jatún. Así fue hasta que les alcanzó el destructor de las dulzuras y el separador de los amigos. ¡Gloria a Dios, el Viviente, el que no muere, creador de las criaturas a las que ha destinado la muerte! Él es el primero, sin principio ni fin ni límite.

HISTORIA DE HASÁN DE BASORA, EL ORFEBRE

Se cuenta también que en lo más antiguo del tiempo, en épocas pasadas y siglos remotos, vivió un hombre que era comerciante y estaba instalado en tierra de Basora. Este comerciante tenía dos hijos varones y muchísimas riquezas. Dios, el Oyente, el Omnisciente, dispuso que el comerciante muriera, compareciendo ante la misericordia de Dios (¡ensalzado sea!) y abandonando aquellas riquezas. Los dos hijos lo prepararon y lo enterraron. Después partieron las riquezas y cada uno se quedó la mitad y abrió una tienda. Uno de ellos era mercader de cobre y el otro orfebre. Cierto día, mientras éste se hallaba sentado en su tienda, apareció un persa que recorría el mercado cruzando entre la gente. Pasó por la tienda del orfebre, observó su producción y la contempló como un experto. Le gustó. El joven orfebre se llamaba Hasán. El persa meneó la cabeza y dijo: «¡Por Dios! ¡Eres un buen orfebre!» Continuó mirando su trabajo y leyendo en un libro viejo que tenía en la mano. La gente admiraba la hermosura, belleza, talle y bellas proporciones de Hasán. A la hora del *asr* la gente desalojó las tiendas. Entonces el persa se acercó a Hasán y le dijo: «¡Hijo mío! Eres un hermoso muchacho. ¿Qué libro es éste? Yo no tengo hijos, pero sé un arte que no tiene par en el mundo.

Sahrazad se dio cuenta de que amanecía e interrumpió el relato para el cual le habían dado permiso.

Cuando llegó la noche *setecientas setenta y nueve*, refirió:

—Me he enterado, ¡oh rey feliz!, de que [el persa prosiguió:]

—»Mucha gente me ha preguntado por él para que se lo enseñara, mas no he querido explicárselo a nadie. Pero me permitiré explicártelo y hacer de ti mi hijo; extenderé un velo que te separará de la pobreza y podrás descansar con este oficio de las fatigas del martillo, carbón y fuego». Hasán replicó: «¡Señor mío! ¿Cuándo me lo enseñarás?» «Mañana vendré aquí y en tu propia presencia transformaré el cobre en oro puro.» Hasán se alegró y se despidió del persa. Marchó a ver a su madre, entró, la saludó y comió con ella, pero se encontraba absorto, distraído y sin atención. La madre le preguntó: «¿Qué te pasa, hijo mío? ¡Guárdate de escuchar las palabras de la gente, en especial las de los persas! No los obedezcas en nada, pues son unos enredones que ejercen el arte de la alquimia y engañan a la gente robándoles sus riquezas y gastándolas en cosas fútiles». «¡Madre mía! Nosotros somos pobres y no tenemos nada que puedan apetecer. Por tanto no se molestarán en engañarnos. Me ha visitado un hombre persa, que es un buen anciano y tiene aspecto de ser un hombre bondadoso: Dios lo ha mandado en mi auxilio.» La madre, indignada, calló. El hijo siguió meditabundo y no pudo conciliar el sueño en toda la noche por la gran alegría que le causaban las palabras del persa. Al amanecer se levantó, cogió las llaves y abrió la tienda. El persa acudió. Hasán se puso en pie y quiso besarle las manos. Pero aquél se lo impidió y no lo admitió. Después dijo: «¡Hasán! Pon el crisol y monta el soplete». Hizo lo que el persa le mandaba y encendió el carbón. El persa siguió: «¡Hijo mío! ¿Tienes cobre?» «Tengo una bandeja rota.» Le mandó que recortase el metal y lo dejase en pequeños pedazos; luego lo arrojó al crisol e inyectó aire con el soplete hasta que quedó fundido. El persa metió la mano en un turbante, sacó una hoja doblada, la abrió y espolvoreó en el crisol por peso de medio dirhem. El polvo en cuestión parecía ser un *kohol* amarillo. Ordenó a Hasán que inyectase aire con el soplete y éste hizo lo que le había mandado, hasta que todo se hubo transformado en un lingote de oro. Hasán, al verlo, quedó boquiabierto; las ideas se le confundieron por la alegría que experimentaba. Tomó el lingote, lo examinó por todos lados, tomó la lima y vio que era oro puro, de la mejor ley. Había perdido la razón y quedado estupefacto por la gran alegría. Se inclinó y besó la mano del persa quien le dijo: «¡Toma este lingote, llévalo al zoco, véndelo, cobra su precio y no hables». Hasán se marchó al zoco y entregó el lingote al corredor. Éste lo cogió, lo limó y vio que era oro puro y abrió la subasta con diez mil dirhemes. Los comerciantes fueron pujando y lo vendió por quince mil dirhemes. Hasán tomó el dinero, se marchó a su casa y contó a su madre todo lo que había hecho. Dijo: «¡Madre mía! He aprendido a hacerlo». La madre rompió a reír y replicó: «¡No hay fuerza ni poder sino en Dios, el Altísimo, el Grande!»

Sahrazad se dio cuenta de que amanecía e interrumpió el relato para el cual le habían dado permiso.

Cuando llegó la noche *setecientas ochenta*, refirió:

—Me he enterado, ¡oh rey feliz!, de que después, turbada, se calló. Hasán, ignorante de todo, cogió un mortero y se fue con él en busca del persa. Éste seguía sentado en la tienda. Se lo colocó delante y el hombre preguntó: «¡Hijo mío! ¿Qué quieres hacer con este mortero?» «Lo meteremos en el fuego y haremos lingotes de oro.» El persa rompió a reír y replicó: «¡Hijo mío! ¿Estás loco para llevar al zoco dos lingotes en el mismo día? ¿Es que no sabes que la gente nos reprueba? Perderíamos la vida. Una vez que te haya enseñado este arte, hijo mío, no debes utilizarlo más que una vez al año, pues ello te basta para ir viviendo de año en año». «Tienes razón, señor mío.» Se sentó en la tienda, montó el crisol y echó carbón en el fuego. El persa le preguntó: «¡Hijo mío! ¿Qué quieres?».«¡Que me enseñes el arte!» El persa rompió a reír y dijo: «¡No hay fuerza ni poder sino en Dios, el Altísimo, el Grande! Eres corto de entendederas, hijo. Este arte no te conviene. ¿Es que alguien, en plena vida, lo enseña en medio de la calle o en los zocos? Si nos ponemos a trabajar en este lugar la gente se echará sobre nosotros diciendo: "¡Hacen alquimia!" El Gobernador oirá hablar de nosotros y perderemos la vida. Si quieres que te enseñe este arte, hijo mío, acompáñame a mi casa». Hasán se puso en pie, cerró la tienda y se marchó con el persa. Pero en el camino recordó las palabras de su madre y por la cabeza le pasaron mil sospechas.

Se detuvo y permaneció mirando el suelo durante una hora. El persa se volvió hacia él y al verlo rompió a reír y le dijo: «¿Estás loco? Yo, en mi corazón, sólo te deseo bien; en cambio tú crees que te voy a perjudicar. Si es que temes venir a mi casa, yo iré a la tuya y te enseñaré en ella». «Sí, tío.» «¡Pues ve delante!» Hasán le precedió y se dirigió hacia su casa. El persa le seguía detrás. Así llegaron a su domicilio. Hasán entró en la casa y encontró a su madre. Le explicó que el persa había llegado con él y que estaba esperando en la puerta. La madre arregló y puso en orden la casa y una vez terminadas sus faenas se marchó. Entonces Hasán permitió al persa que entrara. Entró y el muchacho tomó una bandeja y se marchó al mercado para comprar de comer. Fue y regresó con la comida. La colocó ante él y le dijo: «¡Come, señor mío! Así existirá entre nosotros el lazo del pan y de la sal. Dios (¡ensalzado sea!) castiga al que traiciona la alianza del pan y de la sal». «Dices verdad, hijo mío», replicó el persa sonriéndose. A continuación añadió: «¡Quién sabe el poder del pan y de la sal!» El persa se acercó a Hasán y comieron juntos hasta quedar hartos. Después, aquél, dijo: «¡Hasán, hijo mío! Danos algunos dulces». Hasán marchó al zoco y regresó con diez bandejas de dulces. El joven estaba muy contento de las palabras del persa. Le ofreció los dulces y comieron parte de ellos. El anciano le dijo: «¡Dios te recompense con bien, hijo mío! Las gentes que se parecen a ti son dignas compañeras; se les descubren los secretos y se les enseña lo que es útil. Hasán, trae los utensilios». El muchacho apenas daba crédito a estas palabras. Salió corriendo como si fuera un potro al que se diera suelta en primavera, fue a la tienda, tomó los instrumentos y regresó. Los colocó delante de él. El persa sacó un pedazo de papel y le dijo: «¡Hasán! Juro por el pan y la sal que si tú no me fueses más querido que mi hijo, no te enseñaría este arte. Sólo me queda este papel de elixir, pero fíjate cuando machaque los simples y los coloque ante ti. Sabe hijo mío, Hasán, que por cada diez *ratl* de cobre has de poner medio dirhem de esto que contiene el papel. Entonces los diez *ratl* se transforman en oro purísimo. Añadió: En este papel hay tres onzas egipcias de piedra filosofal. Cuando se termine lo que contiene te fabricaré más». Hasán cogió la hoja y vio que contenía algo amarillo, más menudo aún que lo de la vez anterior. Preguntó: «¡Señor mío! ¿Cómo se llama? ¿Dónde se encuentra? ¿De qué se fabrica?» El persa se rio por la avidez demostrada por Hasán y le replicó: «¿Por qué preguntas? ¡Trabaja en silencio!» Hasán sacó un recipiente que tenía en su casa, lo cortó, lo arrojó en el crisol y puso encima un poco de polvo que contenía aquel papel: se transformó en un lingote de oro puro. Hasán se alegró muchísimo al verlo y se quedó perplejo y preocupado examinando el lingote. El persa sacó rápidamente una bolsita que llevaba en la cabeza, la cortó y colocó el contenido en un pedazo de dulce. Dijo: «Hasán: tú eres mi hijo, me eres más caro que mi espíritu y mis bienes. Tengo una hija y te casaré con ella». «Yo soy tu paje. Dios (¡ensalzado sea!) tendrá en cuenta cualquier cosa que hagas conmigo.» «¡Hijo mío! Sé comprensivo, ten paciencia y recibirás bien.» A continuación le entregó el pedazo de dulce. Hasán lo cogió, le besó la mano y se lo metió en la boca sin saber lo que el Destino le había preparado. Engulló el dulce: la cabeza le cayó a los pies, y perdió el mundo de vista. El persa, al verlo en poder de la desgracia, se alegró mucho. Se puso en pie y dijo: «¡Ya has caído, carne de horca, perro árabe! ¡Hace muchos años que te busco! ¡Te he encontrado, Hasán!»

Sahrazad se dio cuenta de que amanecía e interrumpió el relato para el cual le habían dado permiso.

Cuando llegó la noche *setecientas ochenta y una*, refirió:

—Me he enterado, ¡oh rey feliz!, de que se quitó el cinturón, lo ató y le ligó, juntos, pies y manos. Cogió una caja, sacó las cosas que contenía; metió a Hasán en el interior y lo encerró en ella. Vació otra caja, metió en ella todos los bienes propiedad del joven y los lingotes de oro hechos la primera y la segunda vez y la cerró. Salió, fue al zoco, contrató un faquín y éste cargó con las dos cajas y las llevó a un barco anclado que había sido fletado por el persa. El capitán le estaba esperando. Los marineros, al verlo, le salieron al encuentro, cargaron las dos cajas y las colocaron en el buque. El persa chilló al capitán y a los marineros: «¡En marcha! ¡El asunto está listo! ¡Hemos conseguido nuestro deseo!» El capitán chilló al equipaje: «¡Levad las anclas! ¡Desplegad las velas!» La nave se puso en marcha con viento favorable. Esto es lo que hace referencia al persa y a Hasán.

He aquí lo que se refiere a la madre de Hasán: Ésta aguardó hasta la cena, pero como ni oyera voces, ni tuviera noticia alguna se dirigió a la casa: la encontró abierta y no vio a nadie en ella. No encontró ni las cajas ni las riquezas y comprendió que su hijo había desaparecido cumpliéndose así el destino. Se abofeteó la cara, desgarró sus vestidos y empezó a gritar y a emitir alaridos de dolor. Decía: «¡Hijo! ¡Fruto del corazón!» Recitó estos versos:

Mi paciencia disminuye y mi ansiedad crece. Después de vuestra marcha aumentan mis sollozos y mis gemidos.
¡Por Dios! He agotado la paciencia después de vuestra partida. Después de haber perdido la esperanza ¿cómo puedo tener paciencia?
¿Cómo he de disfrutar del sueño después de la marcha de mi amado? ¿Quién goza llevando una vida vil?
Te has marchado y has dejado desierta la casa, solos a sus habitantes. Has enturbiado la pureza de mi fuente, tan clara hasta ahora.
Eras mi auxilio en todas las calamidades, mi fuerza, mi honra y mi intermediario con los hombres.
El día en que permanecías lejos de mi vista, no existía hasta que estabas de regreso.

Siguió llorando y sollozando hasta la mañana. Los vecinos acudieron a preguntarle por su hijo y les explicó lo que había sucedido con el persa. Convencida de que no le volvería a ver jamás, empezó a dar vueltas, llorando, por la casa. Mientras recorría su domicilio vio escritas en la pared dos líneas. Mandó llamar al alfaquí quien se las leyó. Decían:

> Cuando el sueño me venció apareció, antes del amanecer, el fantasma de Layla. Mis compañeros dormían en el desierto.
>
> Al desvelarme para ver el fantasma que había acudido vi el aire vacío, la meta lejana.

La madre de Hasán, al oír tales versos, gritó y dijo: «¡Sí, hijo mío! La casa se ha quedado vacía y la meta está lejos». Los vecinos le rogaron que tuviera paciencia y le auguraron que se reuniría pronto con su hijo; después se despidieron. La madre de Hasán siguió llorando durante toda la noche y el día. Construyó en el centro de la casa una tumba sobre la cual puso el nombre de Hasán y la fecha en que había desaparecido; no se separó ya de la tumba desde el momento de la desaparición de su hijo. Esto es lo que a ella se refiere.

He aquí lo que hace referencia a su hijo Hasán y al persa. Éste era un mago que odiaba muchísimo a los musulmanes. Cada vez que se apoderaba de uno de éstos le mataba; era un estupendo y maldito alquimista, como sobre él dijo el poeta:

> Es un persa; su padre era un perro y su abuelo también: no puede esperarse bien de un perro que desciende de otro perro.

Ese maldito se llamaba Bahram el mago y todos los años raptaba y degollaba a un musulmán para conseguir un tesoro. Cuando hubo triunfado mediante su estratagema de Hasán el orfebre, viajó con éste desde el principio del día hasta la noche. Entonces el buque ancló junto a la tierra. Al día siguiente, al salir el sol, la nave reanudó el viaje. El persa mandó a sus esclavos y pajes que le llevasen la caja en que se encontraba Hasán. La llevaron, la abrieron, le sacaron de ella, le hicieron oler vinagre y le puso en la nariz unos polvos. Hasán tosió, vomitó el narcótico, abrió los ojos y miró a derecha e izquierda. Se encontró en alta mar mientras la nave seguía su ruta. El persa estaba sentado a su lado. Se dio cuenta de que había sido víctima de la astucia del maldito persa y que había caído en aquello que su madre temía. Pronunció las palabras que no avergüenzan a quien las dice, o sea, «¡No hay fuerza ni poder sino en Dios, el Altísimo, el Grande! ¡Nosotros somos de Dios y a Él volvemos! ¡Señor mío! Sé bondadoso conmigo en la ejecución de tus deseos y haz que tenga resignación en las desgracias, Señor de los mundos.» A continuación se volvió hacia el persa y le habló con palabras suaves. Le dijo: «¡Padre mío! ¿Qué significan estos actos? ¿Dónde están el pan, la sal y los juramentos que me has hecho?» El otro le miró y le replicó: «¡Perro! ¿Es que uno como yo reconoce el pan y la sal? He matado novecientos noventa y nueve jóvenes como tú. Tú serás el milésimo». Le chilló y Hasán calló: se dio cuenta de que la saeta del destino le había alcanzado.

Sahrazad se dio cuenta de que amanecía e interrumpió el relato para el cual le habían dado permiso.

Cuando llegó la noche *setecientas ochenta y dos*, refirió:

—Me he enterado, ¡oh rey feliz!, de que entonces aquel maldito mandó que le quitasen las ligaduras. Después le dieron un poco de agua mientras el mago reía y le decía: «¡Juro por el fuego y la luz, la tiniebla y el calor que jamás había creído que cayeras en mi red! Pero el fuego me ha dado fuerzas y me ha ayudado a capturarte para que pudiera realizar mi deseo de regresar contigo y hacerle así un sacrificio para que quede satisfecho de mí». «¡Has traicionado el pan y la sal!» El mago levantó la mano y le dio un golpe. Hasán cayó y mordió el suelo con sus dientes: se desmayó mientras las lágrimas corrían por sus mejillas. El mago ordenó que le encendiesen fuego. Hasán preguntó: «¿Qué harás con él?» «Esto es el fuego, el señor de la luz y de las chispas. Yo le adoro. Si tú le adoras como yo, te regalaré la mitad de mis riquezas y te casaré con mi hija». Hasán le chilló: «¡Ay de ti! Tú eres todopoderoso, Creador de la noche y del día: ¡Eso es una desgracia y no una religión!» El persa se enfadó y le replicó: «¿No aceptas y entras en mi religión, perro árabe?» Hasán no le contestó. El maldito persa se incorporó y se prosternó ante el fuego ordenando a sus pajes que pusiesen a Hasán de bruces. El mago le azotó con un látigo anudado de piel hasta que le desgarró los flancos. Hasán pedía clemencia, pero no le era concedida; pedía auxilio, mas nadie acudía. Levantó su vista hacia el Rey Todopoderoso y pidió la intercesión del Profeta elegido: la paciencia se había terminado y las lágrimas corrían sobre sus mejillas como si fuesen lluvia. Recitó estos dos versos:

> ¡Paciencia ante tu ciencia en los juicios, Dios mío!
> Si eso te satisface yo tengo paciencia.
> Hemos sido vejados, ofendidos y maltratados.
> Tal vez con tu benevolencia perdonarás lo pasado.

A continuación el persa mandó a los esclavos que se sentasen y ordenó que le dieran algo de comer y de beber. Lo sirvieron pero Hasán se negó a comer y a beber. El persa le atormentaba de noche y de día a todo lo largo del camino. Pero el joven tenía paciencia y se mostraba humilde ante Dios (¡gloriado y ensalzado sea!). El corazón del mago era cada vez más duro con él. Navegaron sin cesar por el mar durante tres meses. Hasán era constantemente atormentado por el mago. Al cabo de los tres meses, Dios (¡ensalzado sea!) envió un viento contra la embarcación: el mar se enturbió, el fuerte viento hizo cabecear a la nave. El capitán y los marineros dijeron: «Esto, ¡por Dios!, ocurre a causa de este muchacho, al que este mago hace tres meses que está atormentando. Esto no es lícito ante Dios (¡ensalzado sea!)». Fueron en busca del mago y mataron a sus pajes y a todos los que le acompañaban. El mago, al ver que mataban a sus pajes se convenció de que iba a morir; temiendo por sí mismo quitó las ligaduras a Hasán, le quitó los vestidos de harapos que llevaba, le puso otro, se reconcilió con él y le prometió que le enseñaría su arte y le devolvería a su país. Añadió: «¡Hijo mío! ¡No me reprendas por lo que he hecho contigo!» «¿Cómo he de tener confianza en tí?» «¡Hijo mío! Si la culpa no existiera ¿cómo iba a existir el perdón? Todo lo que te he hecho no tenía más objeto que el de ver hasta dónde llegaba tu paciencia.

Tú sabes que todas las cosas están en manos de Dios.» Los marineros y el capitán se alegraron de verlo en libertad. Hasán hizo votos por ellos y loó y dio gracias a Dios (¡ensalzado sea!). El viento se calmó, las tinieblas se disiparon; el viento sopló favorablemente y el viaje siguió bien. Hasán preguntó al mago: «¡Persa! ¿Adónde vas?» «¡Hijo mío! Me dirijo al monte de la nube en el cual se encuentra el elixir que empleamos en la alquimia.» Juró por el fuego y por la luz que no ocultaba nada a Hasán. El corazón de éste se tranquilizó y se alegró al oír las palabras del persa. Comía, bebía y dormía con él, y éste le vestía con sus trajes. Siguieron viajando durante otros tres meses al cabo de los cuales la nave ancló ante una tierra muy larga repleta de guijarros blancos, amarillos, azules, negros y de todos los colores. Al detenerse la nave, el persa se incorporó y dijo: «¡Hasán! ¡Ven, desembarca! Hemos llegado a nuestro objetivo, a donde queríamos». Hasán desembarcó con el persa y éste recomendó sus cosas al capitán. Hasán y el persa se marcharon, se alejaron de la nave y se perdieron de vista. El mago se sentó, sacó del bolsillo un tambor de cobre y una acción de seda con hilos de oro que llevaba inscritos nombres mágicos y golpeó el tambor. Inmediatamente, al terminar, se levantó una nube desde el suelo. Hasán se admiró de lo que había hecho, pero se llenó de miedo y se arrepintió de haber desembarcado con él; perdió el color. El persa lo vio y le preguntó: «¿Qué te sucede, hijo mío? ¡Juro por el fuego y la luz que no has de temer nada de mí! Si no fuera porque sólo conseguiré mi deseo gracias a tu nombre, no te hubiese hecho desembarcar. Aguarda toda suerte de bienes, pues esta polvareda la produce algo que nosotros montaremos y que nos ayudará a cruzar esta tierra, evitándonos las fatigas».

Sahrazad se dio cuenta de que amanecía e interrumpió el relato para el cual le habían dado permiso.

Cuando llegó la noche *setecientas ochenta y tres,* refirió:

—Me he enterado, ¡oh rey feliz!, de que al cabo de poco, debajo de la nube, se vieron tres camellos de pura raza. El persa montó en uno, Hasán en otro y los transportó al tercero. Viajaron durante siete días. Al octavo llegaron a una amplia tierra. Al apearse vieron una cúpula que se levantaba sobre cuatro columnas de oro rojo. Descendieron de los camellos, entraron en el pabellón, comieron, bebieron y descansaron. En un momento dado, Hasán vio algo elevado y preguntó: «¿Qué es eso, tío?» El mago replicó: «Es un palacio». «¿Por qué no entramos en él para descansar y visitarlo?» El mago se indignó: «¡No me menciones ese palacio!» Pertenece a un enemigo mío y hay una historia acerca de lo sucedido entre nosotros dos. No es éste momento de contártela». Golpeó el tambor, acudieron los camellos, volvieron a montar y prosiguieron el viaje durante siete días. Al octavo el mago dijo: «¡Hasán! ¿Qué ves?» «Nubes y niebla que se extienden desde Oriente a Occidente.» «No son ni nubes ni niebla: es un monte elevado en el cual chocan las nubes; en él no hay nubes dada la gran altura de su cima, su gran elevación. Éste es el monte al que me dirigía. En su cima está lo que buscamos, eso por lo cual te he traído conmigo, puesto que sólo puedo conseguirlo por tu mano.» Hasán desesperó de conservar la vida y dijo al mago: «¡Por aquel al que adoras y en cuya religión crees! ¿Qué necesidad es ésa por la que me has traído aquí?» «La alquimia sólo puede ejercerse con una hierba que crece en el lugar por donde pasan y chocan las nubes. Éste es el monte y la hierba se halla en su cima. Cuando consigamos la hierba te haré ver algo de este arte.» De tanto miedo como tenía, Hasán replicó: «Sí, señor mío». Desesperaba ya de salir con vida y lloraba por encontrarse separado de su madre, de su familia y de su patria; se arrepintió de haber contrariado a su madre y recitó este par de versos:

> Contempla los hechos de tu Señor como si te trajeran la alegría inmediata que deseas.
> No desesperes cuando te alcanza una desgracia ¡cuánta bondad divina puede encontrarse en esa desgracia!

Siguieron el viaje hasta llegar al monte. Se detuvieron en su pie y Hasán vio que en la cima del monte había un alcázar. Preguntó al mago: «¿Qué es este alcázar?»

«Es la morada de los genios, de los ogros y de los demonios.» Se apeó del camello y mandó a Hasán que bajase. Después se acercó a éste, le besó en la cabeza y le dijo: «No me reprendas por lo que te hice. Yo me preocuparé de ti mientras subes al alcázar, pero es preciso que tú no me ocultes nada de lo que traigas. Tú y yo nos lo repartiremos por mitad». «¡Oír es obedecer!», replicó. A continuación, el persa abrio un saco, extrajo de él un molinillo y una cierta cantidad de grano. Molió este último, amasó con la harina tres tortas, encendió fuego y las coció. Después sacó el tambor de cobre, y la ación. Repicó en el tambor acudieron camellos de raza y escogió uno de ellos: lo degolló y lo despellejó. A continuación se volvió a Hasán y le dijo: «Escucha, hijo mío, Hasán, lo que te voy a recomendar». «¡Sí!» «Métete en este pellejo. Yo coseré la piel y la dejaré en el suelo. Acudirán los pájaros de presa, quienes te recogerán y subirán volando contigo hasta lo más alto del monte. Tú coge este cuchillo. Cuando hayan terminado su vuelo y tú estés convencido de que te han depositado en la cima, abre la piel con el cuchillo y sal. Los pájaros se asustarán y se alejarán volando de tu lado. Entonces asómate por la cima del monte y háblame para que yo pueda informarte de lo que has de hacer.» Le preparó las tres tortas y una cantimplora con agua, colocó esto a su lado en el interior de la piel y después la cosió. El persa, luego, se alejó. Se acercó un ave de presa, lo cogió y remontó el vuelo con él hacia lo más alto del monte, depositándolo allí. Hasán, al darse cuenta de que el ave le había depositado en la cima, hendió la piel, salió de ella y llamó al persa. Éste se puso muy contento al oír sus palabras y bailó de alegría. Le dijo: «Ponte a andar en la dirección de tu espalda y dime todo lo que veas». Hasán obedeció. Vio muchos huesos y mucha leña de quemar. Le explicó todo lo que veía. El mago le replicó: «Esto es lo que buscaba y quería. Coge seis botes de leña y échamelos, pues con ellos practicaremos la alquimia». Le arrojó los seis hatos. El mago, al tenerlos consigo, gritó a Hasán: «¡Carne de horca! ¡He conseguido el servicio que quería que me prestaras! Si quieres puedes quedarte en ese monte o si lo prefieres puedes matarte arrojándote aquí abajo». El mago se marchó y Hasán exclamó: «¡No hay fuerza ni poder sino en Dios, el Altísimo, el Grande! Ese perro me ha engañado». Se sentó a llorar por sí mismo y recitó estos versos:

Cuando Dios quiere que suceda algo a un hombre por más que éste sea inteligente, tenga buen oído y vista.

Lo hace sordo de oídos, ciega su corazón y le quita la inteligencia del mismo modo que se quitan los cabellos.

Una vez realizada su voluntad le devuelve el entendimiento para que reflexione.

No preguntes cómo ocurrió lo ocurrido: Todas las cosas tienen lugar según el decreto y la voluntad de Dios.

Sahrazad se dio cuenta de que amanecía e interrumpió el relato para el cual le habían dado permiso.

Cuando llegó la noche *setecientas ochenta y cuatro*, refirió:

—Me he enterado, ¡oh rey feliz!, de que se puso en marcha y anduvo por la cima del monte a derecha e izquierda. Se convenció de que estaba destinado a morir y siguió paseando hasta llegar a la otra vertiente. Descubrió, en el flanco del monte, las olas del mar azul de ondas encrespadas y espumosas; cada una de ellas era tan alta como un monte enorme. Se sentó, recitó la sección que más convenía del Corán y rogó a Dios (¡ensalzado sea!) que le facilitase o bien la muerte o bien la salvación de esas calamidades. Rezó por sí mismo las oraciones propias del entierro y se arrojó al mar. Las olas, gracias al favor que Dios (¡ensalzado sea!) le había concedido, le transportaron, por decreto de Dios (¡ensalzado sea!) sano y salvo por el mar. Hasán se alegró, salió del agua indemne y le dio las gracias y lo alabó. Empezó a andar buscando algo de comer.

Mientras hacía esto, se encontró, de pronto, en el mismo lugar en que había estado con Bahram el mago. Siguió andando un rato y llegó a un gran alcázar que se elevaba por los aires. Entró. Era el palacio sobre el cual había preguntado al mago recibiendo la respuesta: «Este alcázar es de mi enemigo ». Hasán se dijo: «¡Por Dios! ¡Es necesario que entre en este alcázar! Tal vez Dios me conceda una alegría». Se acercó y vio que la puerta estaba abierta. La cruzó y vio, en el vestíbulo, un banco. En él estaban sentadas dos jóvenes que parecían la luna en la noche del plenilunio. Delante tenían un tablero de ajedrez y jugaban. Una de ellas levantó la cabeza, lo vio y dio un grito de alegría. Exclamó: «¡Por Dios! ¡Éste es un ser humano! Creo que es el que ha traído este año Bahram el mago». Al oír tales palabras, Hasán se arrojó al suelo ante ellas, rompió a llorar a lágrima viva y dijo: «¡Señoras mías! ¡Yo soy ese desgraciado!» La hermana menor dijo a la mayor: «Da fe, hermana mía, de que éste es mi hermano, ante la ley y el tribunal de Dios: moriré si muere y viviré si vive; me alegraré de sus alegrías y sentiré sus penas». A continuación se puso de pie, lo abrazó, lo besó, lo cogió de la mano y le hizo entrar en el alcázar. Su hermana le acompañaba. Le quitó los harapos que llevaba puestos, le llevó una túnica propia de un rey y se la endosó. Le preparó comida de todas clases y se la ofreció. Ella y su hermana se sentaron a comer con él. Le dijeron: «Cuéntanos tu historia con ese perro perverso y brujo desde el momento en que caíste en su poder hasta que te libraste de él. Nosotras te contaremos lo que nos ha ocurrido con él desde el principio hasta el fin para que estés en guardia cuando lo vuelvas a ver». Hasán, al oír estas palabras y la buena acogida que le hacían, se tranquilizó, recuperó sus entendederas y les refirió todo lo que le había ocurrido con él desde el principio hasta el fin. Le preguntaron: «¿Y le interrogaste acerca de este alcázar?» «Sí; le pregunté y me contestó: "No quiero oír hablar de él, pues este alcázar pertenece a los demonios y los espíritus malignos". Las dos jóvenes se encolerizaron de mala manera y exclamaron: «¿Es que ese descreído nos coloca entre los demonios y los espíritus malignos?» Hasán dijo: «¡Sí!» La pequeña, la hermana de Hasán, exclamó: «¡Por Dios! ¡He de matarlo del peor modo posible privándole del aliento del mundo!» «¿Cómo llegarás hasta él y le matarás?», preguntó Hasán. Le contestó: «Él vive en un jardín que se llama al-Musayyad. Lo he de matar dentro de poco».

Su hermana intervino: «Hasán, ha dicho la verdad y todo lo que ha contado de ese perro es cierto. Pero cuéntale toda nuestra historia para que le quede en la cabeza».

La muchacha más joven refirió: «Sabe, hermano mío, que nosotras somos hijas de reyes y que nuestro padre es el rey de reyes de los genios; es muy importante, y tiene genios, auxiliares y criados que son *marides*. Dios (¡ensalzado sea!) le concedió siete hijas de su única mujer. Él es completamente tonto, celoso y engreído de tal modo que no nos quiso casar con ningún hombre. Mandó llamar a sus ministros y amigos y les preguntó: "¿Conocéis algún lugar en el que no pueda llamar ningún viandante, sea hombre o sea genio? Debe tener muchos árboles, frutos y ríos". Le preguntaron: "¿Qué vas a hacer, oh rey del tiempo?" "Quiero llevar ahí a mis siete hijas." "¡Oh, rey! Lo más apropiado para ellas es el alcázar del Monte de las Nubes que ha construido un *efrit* de los genios *marides* que se sublevaron en tiempos de Salomón (¡sobre el cual sea la paz!). Desde que éste los aniquiló no lo han ocupado ni genios ni hombres, ya que está muy alejado y nadie puede llegar hasta él; a su alrededor hay árboles, frutos y ríos y por éstos fluye un agua más dulce que la miel y más fresca que la nieve. Cualquier leproso, enfermo de elefantiasis o de otra enfermedad la bebe y queda curado al acto." Cuando nuestro padre oyó tales palabras nos envió a este alcázar escoltadas por un ejército de genios. Acumuló aquí cuanto podíamos necesitar. Cuando quiere montar a caballo toca un tambor, acuden todos sus soldados, escoge a los que le han de acompañar y concede licencia al resto. Si quiere que seamos nosotras las que vayamos, ordena a los brujos de su séquito que nos hagan comparecer. Vienen, nos cogen y nos conducen ante él para que goce de nuestra compañía y satisfacemos nuestros deseos con él. Después nos devuelve a nuestra morada. Tenemos cinco hermanas que han salido de caza por este desierto, en el cual se encuentran tal cantidad de fieras que es imposible contarlas. Dos de nosotras, por turno, hemos de quedarnos aquí para preparar la comida. Ahora nos toca a mí y a esta hermana prepararles la comida. Rogábamos a Dios (¡glorificado y ensalzado sea!) que nos deparase un ser humano para distraernos con él. ¡Gracias a Dios que te ha hecho llegar a nuestro lado! Tranquilízate y alegra tus ojos, pues no te ha de ocurrir ningún daño». Hasán se alegró y exclamó: «¡Gracias a Dios que nos ha conducido por este camino de salvación y que ha hecho que los corazones tengan compasión de nosotros!» La joven se puso de pie, le cogió por la mano, le hizo entrar en una habitación y sacó ropas y tapices tales como ninguna criatura podía poseer.

Al cabo de un rato regresaron sus hermanas de caza y pesca. Les explicaron la historia de Hasán y se alegraron mucho de su llegada. Entraron en su habitación, le saludaron y le felicitaron por haberse salvado. Se quedó con ellas viviendo en la más dulce vida y en la más feliz alegría: salía con ellas de caza y pesca, y mataba a las presas. Hasán vivía amigablemente con ellas y en esta situación siguió hasta que su cuerpo se hubo repuesto y curado de lo que había padecido: recuperó fuerzas, engordó y echó carnes debido a lo bien tratado que estaba y a permanecer con ellas en aquel lugar: se divertía con ellas en aquel palacio fastuoso, en todos los jardines y entre las flores. Las jóvenes le trataban bien y le hablaban dulcemente haciéndole olvidar las fatigas. Las muchachas estaban cada vez más contentas y también él lo estaba, incluso más que ellas. La pequeña explicó a sus hermanas la historia de Bahram el mago y cómo éste las había llamado genios malignos, demonios y ogros. Le juraron que lo matarían.

Al año siguiente el maldito llegó con un hermoso joven musulmán que parecía la luna. Le llevaba encadenado y completamente extenuado por el tormento. Desembarcó con él al pie del alcázar en el que se encontraba Hasán con las muchachas. Aquél estaba sentado junto al río, debajo de los árboles. Al verlo, el corazón de Hasán empezó a palpitar. Cambió de color y palmoteó.

Sahrazad se dio cuenta de que amanecía e interrumpió el relato para el cual le habían dado permiso.

Cuando llegó la noche *setecientas ochenta y cinco*, refirió:

—Me he enterado, ¡oh rey feliz!, de que [Hasán] dijo a las muchachas: «¡Por Dios, hermanas mías! ¡Ayudadme a matar a este maldito! Él ha venido y lo tenéis en vuestro puño; lo acompaña, preso, un musulmán de buena familia; le martiriza con toda clase de torturas dolorosas. Voy a matarlo, a tranquilizar mi corazón, a librar a ese joven de sus tormentos para ganar la recompensa y para que ese musulmán regrese, salvo, a su patria y se reúna con sus amigos, familiares y personas queridas. Esto constituirá una buena acción por vuestra parte y recibiréis la recompensa de Dios (¡ensalzado sea!)». Las muchachas le replicaron: «Hay que escuchar a Dios, obedecerlo y hacerte caso, Hasán». Se pusieron el velo, tomaron los instrumentos de guerra, ciñeron las espadas y ofrecieron a Hasán un espléndido corcel; le pusieron todos sus arreos y le armaron del mejor modo. Todos se pusieron en marcha. Alcanzaron al mago cuando éste ya había degollado el camello y, atormentando al muchacho, decía: «¡Métete en esta piel!» Hasán se le aproximó por la espalda sin que aquél se diese cuenta: chilló aturdiéndole y atontándole. Acercándose le increpó: «¡Levanta tu mano, maldito! ¡Enemigo de Dios y de los musulmanes! ¡Perro! ¡Traidor! ¡Adorador del fuego! ¡Viandante por el camino extraviado! ¿Cómo adoras al fuego y a la luz? ¿Cómo juras por las tinieblas y el calor?» El mago se volvió y reconoció a Hasán. Le preguntó: «¡Hijo mío! ¿Cómo te salvaste? ¿Por dónde bajaste al suelo?» «Me salvó Dios. Éste ha entregado tu alma en mano de tus enemigos. Del mismo modo que me atormentaste a lo largo del camino, incrédulo y zendo, has caído en la angustia y te has apartado de la recta senda. Ni madre ni hermano ni amigo ni pacto solemne te han de salvar; tú eres quien ha dicho que Dios se venga del que traiciona el pan y la sal. ¡Tú has traicionado el pan y la sal y Dios te ha hecho caer en mi poder! ¡No podrás escapar de mí!» «¡Por Dios, hijo mío! Me eres más querido que mi propia vida, que la luz de mis ojos.» Hasán se acercó a él, se apresuró a darle un golpe en el cuello y la espada salió brillando con los tendones. Dios precipitó su alma en el fuego ¡qué pésima morada! Hasán tomó el saco que llevaba, lo abrió, sacó el tambor y la ación, repiqueteó con ésta sobre aquél y al momento, como relámpagos, acudieron los camellos. Quitó las ligaduras del joven, le hizo montar en un camello y en los restantes colocó los víveres y el agua. Le dijo: «Vete a donde quieras». Dios le había librado de las dificultades gracias a la mediación de Hasán. El joven se marchó. Las muchachas se alegraron muchísimo al ver cómo Hasán cortaba la cabeza del mago. Formaron círculo a su alrededor admiradas de su valentía y de su bravura. Le dieron las gracias por lo que había hecho, le felicitaron por haberse salvado y añadieron: «¡Hasán! Has hecho algo que ha saciado al sediento y que ha satisfecho al Rey, al Excelso». Regresó con las muchachas al palacio y siguió con ellas comiendo, bebiendo, jugando y divirtiéndose. De tanto como le gustaba vivir con ellas olvidó a su madre.

Siguió en esta vida agradable hasta que un día se se levantó, desde el suelo, una polvareda enorme que oscureció el horizonte. Las jóvenes le dijeron: «¡Hasán! Métete en tu habitación y escóndete; si prefieres ir al jardín, ocúltate entre los árboles y las vides; no te ocurrirá nada malo». Marchó, entró, se escondió en su habitación y la cerró por dentro. Al cabo de un rato aclaró la polvareda y debajo distinguió un ejército que avanzaba como si fuese el mar tumultuoso. Lo había enviado el rey, padre de las muchachas. Éstas alojaron con muchos miramientos a los soldados durante tres días y, transcurridos éstos, les preguntaron cómo se encontraban y qué noticias llevaban. Respondieron: «El rey nos envía a buscaros». «¿Qué quiere el rey?» «Un rey prepara una gran boda y quiere que estéis presentes en la ceremonia para que os divirtáis.» «¿Cuánto tiempo permaneceremos ausentes de nuestro domicilio?» «El tiempo de ir, volver y quedaros allí durante dos meses.» Las jóvenes entraron en el alcázar e informaron a Hasán de lo que ocurría. Le dijeron: «Este sitio te pertenece; nuestra casa es la tuya. Tranquilízate, refresca tus ojos y no temas ni te entristezcas, ya que nadie puede llegar hasta este lugar. Tranquiliza tu corazón y distrae tu pensamiento hasta que volvamos a tu lado. Aquí tienes las llaves de todas nuestras habitaciones pero, hermano nuestro, por el derecho que concede la amistad te conjuramos a que no abras esta puerta, ya que no la necesitas para nada». Después se despidieron y se marcharon acompañadas por los soldados. Hasán se quedó solo en el palacio. El pecho se le angustió, terminó la paciencia, la pena creció, se sintió intranquilo y se entristeció muchísimo por hallarse separado de ellas. El palacio, a pesar de su tamaño, le pareció pequeño. Al verse aislado e intranquilo y al acordarse de ellas recitó estos versos:

> Todo el espacio se ha vuelto pequeño ante mis ojos; todos mis pensamientos son confusos.
> Desde el momento en que mis amados han partido se ha enturbiado mi serenidad; las lágrimas desbordan mis ojos.
> El sueño ha abandonado mi pupila desde el momento de su partida; todos mis pensamientos son negros.
> ¿Volverá el tiempo a unirnos con nuestro deseo? ¿Volveré a regocijarme con ellos y a ser su contertulio?

Sahrazad se dio cuenta de que amanecía e interrumpió el relato para el cual le habían dado permiso.

Cuando llegó la noche *setecientas ochenta y seis*, refirió:

—Me he enterado, ¡oh rey feliz!, de que empezó a salir de caza, solo, por la campiña; cobraba las piezas, las degollaba y las comía. La soledad y la inquietud por estar aislado fueron en aumento. Recorrió el alcázar, husmeó por todas partes, abrió las habitaciones de las jóvenes y encontró en ellas riquezas capaces de hacer perder la razón a cuantos las viesen. Pero, como las muchachas estaban ausentes, nada le satisfacía y su corazón se inflamaba al pensar en la puerta que su hermana le había recomendado que no abriese; que no se acercase ni la traspasara jamás. Se dijo: «Mi hermana me ha recomendado que no abra esa puerta, puesto que tras ella hay algo que no quiere que vea nadie. ¡Por Dios! ¡He de abrirla y ver lo que contiene aunque eso haya de causarme la muerte!» Cogió la llave y abrió; pero no vio ninguna riqueza; sólo distinguió, en la testera del lugar, una escalera construida con ónix yemení. Subió por ella hasta llegar a la azotea del alcázar. Se dijo: «Esto es lo que me prohibía hacer». Recorrió la terraza y descubrió, al pie del palacio, un lugar lleno de cultivos, jardines, árboles, flores, animales y pájaros que cantaban y loaban a Dios el Único, el Todopoderoso. Clavó los ojos en aquellos paseos y descubrió un mar proceloso cuyas olas entrechocaban. Siguió paseando por el palacio, a derecha e izquierda, hasta llegar a un pabellón construido sobre cuatro columnas. En él se hallaba un asiento que tenía engarzadas toda clase de piedras: jacintos, esmeraldas, rubíes y gemas. Estaba construido de ladrillos de oro, plata, jacintos y verdes esmeraldas. En el centro había una alberca repleta de agua que contenía un enrejado de sándalo y áloe que tenía incrustadas varitas de oro rojo, esmeralda verde y toda suerte de aljófares y perlas; cada grano de éstas tenía el tamaño de un huevo de paloma. Al lado de la alberca, había un trono de madera de áloe cuajado de perlas, aljófares entrelazados con oro rojo, gemas coloreadas de todos los tipos y metales preciosos; todo ello dispuesto simétricamente. A su alrededor había pájaros que cantaban con distintas voces y que alababan a Dios (¡ensalzado sea!) con sus más bellos trinos y más variadas melodías. Un palacio como ése no lo habían poseído ni Cosroes ni César. Hasán había quedado estupefacto ante lo que veía. Se sentó para contemplar lo que le rodeaba. Permanecía quieto y admiraba lo bien hecho que todo estaba, la hermosura de las perlas y jacintos que contenía, la perfección de todo lo que allí había y los sembrados y pájaros que alababan a Dios, el Único, el Todopoderoso; examinaba los indicios del poder de Dios (¡ensalzado sea!) que quedaban manifiestos en la construcción de dicho alcázar que era algo imponente. De pronto aparecieron diez pájaros que llegaban por el lado de tierra y se dirigían hacia el pabellón y la alberca. Cuando Hasán se dio cuenta de que se dirigían a la alberca a beber agua se ocultó, pues temía que le vieran y huyeran. Los pájaros se posaron en un árbol muy grande y hermoso y dieron vueltas en torno de éste. Hasán se fijó en un pájaro mayor, estupendo, que era más bonito que los otros. Éstos le rodeaban y estaban a su servicio. El muchacho quedó admirado. Aquel pájaro empezó a picotear a los otros nueve, mostrándose superior a éstos que huían de él. Hasán lo observaba todo desde lejos. Después se sentaron en el trono. Cada animal abrió con sus garras la piel y salió: se trataba de un vestido de plumas de cuyo interior surgieron diez muchachas vírgenes cuya hermosura afrentaba a la de la luna. Se quitaron los trajes, se metieron todas en la alberca, se lavaron y empezaron a jugar y a retozar. El pájaro que las mandaba salpicaba y sumergía a la fuerza a las demás que huían de ella, pues no podían alcanzarla con su mano. Hasán al verla perdió la razón y la inteligencia y comprendió que las jóvenes le habían prohibido abrir la puerta por eso. El muchacho quedó prendado al contemplar su belleza, hermosura, su talle y bellas proporciones. La muchacha jugaba, bromeaba y salpicaba de agua a las demás mientras Hasán las observaba y suspiraba por no poder encontrarse a su lado. Su entendimiento había quedado perplejo y su corazón preso en su amor: cayó en las redes de la pasión: los ojos miraban mientras el corazón ardía y el alma era presa del sufrimiento. Hasán rompió a llorar de pasión por su belleza y en sus entrañas prendieron las brasas del afecto, una llama cuyas chispas no se apagan y una pasión cuya impresión no se esconde. Las muchachas salieron de la alberca sin descubrir a Hasán. Éste no las perdía de vista y seguía admirando su belleza y hermosura, sus atractivos y sus buenos modos. Al volver la vista contempló a la muchacha mayor, que estaba desnuda y descubrió entre sus muslos una cúpula magnífica, redondeada, con cuatro pilastras: parecía un tazón de plata o de cristal que recordaba el decir del poeta:

Cuando quitó el vestido que cubría sus partes encontré un desfiladero que era tan angosto como mi carácter y mis recursos.
Metí la mitad y ella suspiró. Le pregunté: «¿Por qué?» Respondió: «Por lo que falta».

Cada una de ellas se puso el vestido al salir del agua. La joven mayor se cubrió con una túnica verde y su belleza sobrepujó a la hermosura de los horizontes; su rostro relució más que la luna llena cuando aparece por el horizonte y sus cimbreos superaron los de las ramas haciendo perder la cabeza por la incitación del deseo. Era tal como dijo el poeta:

> Apareció una muchacha nerviosa; el sol la había pedido en préstamo la mejilla.
> Llevaba puesta una camisa verde, verde como las ramas del granado.
> Le pregunté: «¿Cómo se llama este vestido?» Respondió con palabras de dulce significado:
> «Hemos despedazado el corazón de nuestros enamorados y el céfiro quema los corazones».

Sahrazad se dio cuenta de que amanecía e interrumpió el relato para el cual le habían dado permiso.

Cuando llegó la noche *setecientas ochenta y siete*, refirió:

—Me he enterado, ¡oh rey feliz!, de que las muchachas, puestos los vestidos, se sentaron a hablar y reír mientras Hasán no las perdía de vista y seguía sumergido en el mar del amor y perdido en el valle de sus pensamientos. Se decía: «¡Por Dios! Mi hermana me dijo: "No abras esa puerta" únicamente a causa de estas muchachas, pues debía temer que me prendase de alguna de ellas». Siguió observando los encantos de la joven que era el ser más perfecto creado por Dios en su época, pues sobrepujaba con su belleza a todos los seres humanos. Tenía una boca que parecía el sello de Salomón; un cabello negro como la noche en que el amante triste se separa de la amada; su frente brillaba como la luna de ramadán; los ojos competían con los de las gacelas; nariz resplandeciente y aguileña; mejillas como anémonas; labios que parecían de coral y dientes alineados como perlas engarzadas en un collar de oro; el cuello parecía un lingote de plata que se hubiese extendido sobre una rama de sauce; el vientre tenía pliegues y rincones sobre los cuales levantaba sus súplicas el amante; el ombligo tenía capacidad para una onza del mejor almizcle perfumado. Los muslos eran llenos y redondos como si fuesen columnas de mármol o dos cojines de pluma de avestruz; entre ellos se veía algo que era mayor que un gran collado o que una liebre con las orejas gachas: tenía azoteas y columnas. Esta muchacha sobrepujaba en belleza y en talle a la rama de sauce y a la caña de bambú. Tal como dijo el poeta enamorado:

> Es una muchacha cuya saliva compite con la miel: tiene una mirada más penetrante que la espada india.
>
> Al moverse avergüenza a las ramas de sauce y cuando sonríe aparece en su boca un relámpago.
>
> He comparado su mejilla a rosas ensartadas, pero se ha apartado y ha dicho: «¿Quién se atreve a compararme con la rosa y
>
> a decir que mi seno se parece a la granada? ¿no se avergüenza? ¿Desde cuándo el granado tiene ramas como la que sostiene mi seno?
>
> ¡Juro por mi belleza, mis ojos, y la sangre de mi corazón; por el paraíso que se encuentra en mi amor y lo duro que resulta mi separación!
>
> Si vuelve a compararme le privaré de la dulzura de mi unión; le castigaré apartándome de él.
>
> Dicen: "En el jardín hay rosas ensartadas". Pero sus rosas no son como mi mejilla ni sus ramas como mi talle.
>
> Si en los jardines encuentra algo que se me parezca ¿qué es lo que ha venido a pedirme?»

Las muchachas no pararon de reír y jugar bajo la mirada de Hasán que seguía de pie. Éste se olvidó de comer y beber hasta la tarde. La muchacha dijo a sus compañeras: «¡Hijas de reyes! El tiempo pasa y nuestro país queda lejos. Hemos estado a placer en este lugar. Marchémonos y regresemos a nuestro domicilio». Cada una de ellas se puso el vestido de plumas; una vez endosados volvieron a ser aves como antes y remontaron todas el vuelo llevando en el centro a la muchacha. Hasán desesperó. Quería levantarse y bajar pero no podía ponerse en pie. Las lágrimas resbalaban por sus mejillas. La pena se apoderó de él y recitó estos versos:

> Si después de vuestra partida conozco las dulzuras del sueño, jamás seré fiel a un pacto.
> Después de vuestra partida no he pegado los ojos; no he tenido reposo después de vuestra marcha.
> Creo veros en sueños, ¡ojalá los sueños fuesen realidad!
> Aunque no lo necesite quiero dormir, ¡quizás os encuentre en sueños!

Hasán anduvo un poco sin acertar a seguir el camino para descender a la planta inferior del palacio. Se arrastró hasta llegar a la puerta de su habitación. Entró, cerró tras él y se tendió, enfermo, sin poder comer ni beber. Estaba sumergido en el mar de sus pensamientos. Lloró y se lamentó hasta el día siguiente. Al amanecer recitó estos versos:

> Por la tarde los pájaros han levantado el vuelo gritando; pero quien muere de amor no tiene alas.
> Guardo secreto el relato de mi amor mientras puedo, pero cuando me desborda la pasión queda al descubierto.
> El fantasma de aquel cuyo rostro se parece a la aurora viene de noche a visitarme. Mi noche, en la pasión, no conoce aurora.
> Me lamento por ella mientras que los que no aman, duermen; los vientos de la pasión juegan conmigo.
> He dado suelta a mis lágrimas; después a mis bienes, a mi sangre, a mi razón y a mi alma. En la generosidad reside la ganancia.
> Las peores desgracias y penas se experimentan cuando las hermosas resisten.
> Dicen que es pecado unirse a las mujeres castas y que es lícito derramar la sangre de los enamorados.
> El único remedio del amante extenuado reside en

darse con generosidad en amor, aunque sea en broma.
Grito de pasión y de dolor por el amado; gritar es el único bien del apasionado.

Al salir el sol abrió la puerta de su cuarto y subió al sitio en que había estado; se sentó allí, enfrente del pabellón, hasta la caída de la noche. Pero no acudió ningún pájaro. Permaneció sentado en su espera y lloró muchísimo, hasta el punto de caer desmayado y quedar tumbado en el suelo. Al volver en sí se arrastró y fue a la parte baja del palacio. Llegó la noche; el mundo le pareció algo desdeñable; siguió llorando y sollozando durante toda la noche. Así llegó la aurora y el sol se levantó sobre colinas y llanuras. Ni comía, ni bebía, ni dormía, ni podía estarse quieto; durante el día vivía perplejo y durante la noche desvelado, estupefacto y ebrio por el pensamiento que le atormentaba, dada la mucha pasión. Recitó las palabras del poeta:

¡Oh, tú, que afrentas los rayos del sol matutino!
¡Oh, tú, que, sin saberlo, desbancas las ramas!
¿Permitirán los días que vuelvas y apagues los fuegos encendidos en mis entrañas?
¿Nos reunirá el abrazo en el momento del encuentro y tu mejilla rozará con la mía y tu seno se apoyará en el mío?
¿Quién ha hablado de las dulzuras del amor? En el amor hay días más amargos que el acíbar.

Sahrazad se dio cuenta de que amanecía e interrumpió el relato para el cual le habían dado permiso.

Cuando llegó la noche *setecientas ochenta y ocho*, refirió:

—Me he enterado, ¡oh rey feliz!, que mientras él era presa de la pasión se levantó una polvareda desde el suelo. Se apresuró a bajar al alcázar y a ocultarse, pues se dio cuenta de que llegaban las dueñas del castillo. Al cabo de un rato descabalgaron los soldados y rodearon el alcázar. Las siete muchachas se apearon, entraron en el palacio, se quitaron los arreos y las armas de guerra que llevaban puestos. Pero la hermana menor, la hermana de Hasán, no se quitó las armas sino que corrió a la habitación del joven. No le vio. Le buscó y le encontró en una celda: estaba débil, delgado; el cuerpo había enflaquecido y tenía los huesos deshechos; se había vuelto pálido y los ojos se le habían hundido en la cara por lo poco que había comido y bebido y las muchas lágrimas que había derramado a causa de su pasión y de su amor por la muchacha. Su hermana, la genio, al verlo en esta situación quedó estupefacta, perdió la mesura y le preguntó por lo que le ocurría, por la situación en que se encontraba y por el mal que le había herido, añadiendo: «¡Cuéntamelo, hermano mío, para que yo pueda ingeniármelas y hacer desaparecer tu mal! ¡Yo seré tu rescate!» El joven rompió a llorar amargamente y recitó:

El enamorado, cuando se ha apartado de él la amada, no puede estar más que triste y atormentado.
Su interior está enfermo, su exterior lleno de pasión. Lo primero lo debe a la memoria y lo segundo al pensamiento.

Al oírle recitar esto su hermana quedó admirada de su elocuencia, de su facilidad de palabra, y de la hermosa dicción de que daba muestras al responderle en verso. Le preguntó: «¡Hermano mío! ¿Cuándo has caído en la situación en que te encuentras? ¿Cuándo te ha sucedido esto? Veo que hablas en verso y derramas abundantes lágrimas. ¡Te conjuro por Dios y por el sagrado lazo de amor que hay entre nosotros, hermano mío, a que me expongas tu situación y me des a conocer tu secreto! No temas daño por mi parte por aquello que te haya podido suceder en nuestra ausencia; mi pecho está acongojado, la vida me es dura por tu causa». El muchacho suspiró, derramó lágrimas tan abundantes como la lluvia y replicó: «¡Hermana mía! Temo que si te lo explico no me ayudes a conseguir mi deseo y me dejes morir de pena sumergido en mi desgracia». «¡Hermano mío! ¡Por Dios! ¡No te abandonaré aunque me cueste la vida!» Le explicó lo que le había sucedido y lo que había visto al abrir la puerta. Le informó de que la causa de las penas y de las aflicciones era el amor que sentía por la muchacha a la que había visto; que estaba enamorado de ella; que llevaba diez días sin probar bocado ni beber. Rompió a llorar amargamente y recitó estos dos versos:

> Devolved, como tenía, el corazón a la víscera; las pupilas al sueño; después, partid.
> ¿Creéis que las noches cambian el pacto de amor? ¡Muera aquel que cambia!

Su hermana le acompañó en el llanto, se apiadó de su situación y tuvo misericordia de su exilio. Le dijo: «¡Hermano mío, tranquilízate y refresca tus ojos! Arriesgaré mi vida por ti y perderé mi existencia por satisfacerte. Aunque me cueste la vida he de idear una estratagema para que consigas, si Dios (¡ensalzado sea!) lo quiere, tu propósito. Pero te aconsejo, hermano mío, que ocultes tu secreto a mis hermanas y que no expongas a ninguna de ellas tu situación, pues los dos perderíamos la vida. Si te preguntan si has abierto la puerta contesta: "Jamás la he abierto, pero tenía el corazón preocupado porque estabais separadas de mí; deseaba veros y estaba solo en el palacio"». «Sí; eso es lo correcto.» Hasán la besó en la cabeza, tranquilizó sus ideas y dio reposo a su pecho. Antes, por haber abierto la puerta, había temido a su hermana. Pero después de haber estado a punto de morir, por el mucho miedo, recuperó el ánimo. Pidió a la muchacha algo de comer. Ésta salió de su habitación y fue llena de pena y llorando a ver a sus hermanas. Le preguntaron qué le ocurría y les respondió que estaba preocupada por su hermano que se encontraba enfermo y que no había probado bocado desde hacía diez días. Le preguntaron por la causa de la enfermedad y contestó: «Lo largo de nuestra ausencia hasta el punto de que le ha entrado morriña. Estos días que hemos permanecido lejos de él, le han parecido más largos que mil años. Tiene perdón porque es un extranjero y estaba solo. Le hemos dejado aislado, sin nadie que le hiciese compañía y le distrajese. En todo caso es un muchacho joven y tal vez se haya acordado de su madre, que es una mujer mayor, y haya pensado que debe estar llorando de tristeza por él a todo lo largo de la noche y durante todas las horas del día. Hemos de consolarle con nuestra compañía». Sus hermanas, al oír estas palabras, rompieron a llorar, llenas de tristeza, y le dijeron: «¡Por Dios que tiene disculpa!» Salieron al encuentro de los soldados, los despidieron y entraron a saludar a Hasán. Vieron que su belleza se había alterado; su rostro, palidecido; su cuerpo, adelgazado. Rompieron a llorar de compasión, se sentaron a su lado, le trataron con cariño y tranquilizaron su corazón contándole todos los prodigios y maravillas que habían visto y lo que había ocurrido entre el novio y la novia. Las muchachas permanecieron a su lado durante un mes entero; le trataron con cariño y amabilidad, pero su enfermedad siguió empeorando. Siempre que le veían así lloraban copiosamente y el llanto más abundante era el de la hermana menor.

Al cabo de un mes las muchachas desearon montar a caballo y salir de caza y pesca. Se dicidieron a hacerlo y rogaron a su hermana pequeña que las acompañase, pero ella les replicó: «¡Por Dios, hermanas mías! No puedo acompañaros dejando a mi hermano en este estado. Antes debe desaparecer la situación en que se encuentra y cupar. Me quedaré con él para atenderlo». Al oír estas palabras le dieron las gracias por su generosidad y añadieron: «Serás recompensada por todo lo que haces con este extranjero». La dejaron en el alcázar, montaron a caballo y tomaron consigo provisiones para veinte días.

Sahrazad se dio cuenta de que amanecía e interrumpió el relato para el cual le habían dado permiso.

Cuando llegó la noche *setecientas ochenta y nueve*, refirió:

—Me he enterado, ¡oh rey feliz!, de que la hermana pequeña se quedó con Hasán en el palacio. Cuando calculó que sus hermanas se habían alejado mucho se acercó a su hermano y le dijo: «Levántate y muéstrame el lugar en que has visto a las muchachas». Respondió: «¡En el nombre de Dios, en seguida!» Se puso muy contento y se convenció de que iba a conseguir su propósito. Quiso incorporarse para ir a enseñarle el sitio, pero no tuvo fuerzas para andar. La joven lo cogió en brazos y lo llevó al alcázar. Cuando llegaron a la azotea le mostró el lugar en que había visto a las muchachas, le enseñó el trono y la alberca de agua. Su hermana le dijo: «Descríbeme el modo cómo han llegado». Le explicó lo que había visto y en especial lo que se refería a la joven de la que se había prendado su corazón. Al oír su descripción la reconoció: palideció y se puso nerviosa. El muchacho le preguntó: «¡Hermana mía! Tu rostro ha palidecido y estás intranquila». «¡Hermano! Sabe que esa joven es la hija del rey de reyes de los genios, del rey más poderoso. Su padre es señor de hombres y genios; de brujos y sacerdotes; de clanes y servidores; de regiones y numerosas ciudades. Posee un sinfín de riquezas y nuestro padre es uno cualquiera de sus lugartenientes. Dado los muchos soldados de que dispone, la magnitud de su reino y la gran cantidad de riquezas que posee nadie puede hacerle frente. Ha concedido a las muchachas que has visto, sus hijas, terrenos que miden un año completo a lo largo y a lo ancho. Este territorio lo ha rodeado por un río al que nadie, sea genio o sea hombre, puede alcanzar. Dispone de veinticinco mil amazonas que guerrean con la lanza y con la espada; cada una de ellas monta a caballo, ciñe los instrumentos de guerra y es capaz de hacer frente a mil caballeros valientes. Siete de éstas, por su valor y adiestramiento, equivalen a todas las restantes o aún más. Ha confiado el gobierno de la región que te he citado, a su hija mayor, la cual es la mayor de las hermanas. Es más valiente, caballeresca, hábil, lista y bruja que todos sus súbditos. Las muchachas que la acompañaban eran los grandes de su reino, sus servidoras y sus allegadas. El manto de plumas con el cual vuelan es un producto de la magia de los genios. Si quieres poseer a esa muchacha y casarte con ella quédate aquí y espérala. Esas muchachas acuden a este lugar al principio de cada mes. Cuando veas que llegan ocúltate y guárdate de aparecer, pues si te viesen perderíamos todos la vida. Fíjate en lo que te digo y consérvalo en la memoria. Permanece en un lugar próximo de aquel en que ellas estén y obsérvalas sin que te vean. Una vez se hayan desnudado pon tus ojos en el manto de plumas que pertenece a la mayor, ésa a la que deseas. Cógelo y no toques nada más. Esto te permitirá llegar a su país. Mientras tengas el vestido, tendrás a la mujer. Pero ¡ay de ti si te dejas engañar! Ella te dirá: "¡Oh, tú, que has robado mi vestido, devuélvemelo, ya que yo estoy ante ti, a tu disposición y en tu poder". Si se lo entregas, te matará, arruinará nuestros palacios y matará a nuestro padre. Entérate ahora de lo que te va a suceder: Sus hermanas, al darse cuenta del robo del vestido, levantarán el vuelo y la dejarán sola. Entonces te acercarás a ella, la cogerás por los cabellos y la atraerás hacia ti: la poseerás y será tu propiedad. Después guarda bien el manto de plumas, pues mientras esté en tu poder ella será tuya, será tu prisionera, ya que no podrá levantar el vuelo hacia su país si no es con él. Cuando te hayas apoderado de ella, cógela en brazos, bájala a tu habitación, pero no le dejes ver que te has apoderado del vestido». El corazón de Hasán se tranquilizó al oír las palabras de su hermana; su temor desapareció y cesó su dolor. Se puso de pie, la besó en la cabeza y bajó de la azotea. Ambos se fueron a dormir y él se cuidó de sí mismo hasta la mañana.

Al salir el sol se puso de pie, abrió la puerta, subió a la azotea, se sentó y no se movió hasta la caída de la tarde. Su hermana le llevó algo de comer y de beber. Después durmió.

Este sistema de vida siguió hasta que apareció el novilunio del nuevo mes. Hasán, al ver el creciente, se puso al acecho de las muchachas. Éstas aparecieron como el relámpago. Al verlas se escondió en un lugar desde donde las veía y no le veían. Los pájaros descendieron y cada uno se posó en un sitio. Se quitaron los mantos y lo mismo hizo la joven a la que amaba. Esto ocurría en un sitio muy próximo de aquel donde estaba Hasán. La joven se metió en la alberca con sus hermanas. Entonces el muchacho se incorporó, anduvo un poco, escondiéndose, y Dios lo ocultó. Cogió el manto sin que ninguna de ellas lo viese, puesto que jugaban unas con otras. Al terminar salieron y cada una se puso su traje de plumas. La que él amaba buscó su vestido, pero no lo encontró. Gritó, se abofeteó la cara y desgarró sus ropas. Las hermanas se acercaron y le preguntaron qué le ocurría. Les explicó que había perdido su vestido de plumas. Lloraron, gritaron y se abofetearon la cara. Pero cuando se aproximó la noche no pudieron continuar a su lado y la dejaron en el pabellón.

Sahrazad se dio cuenta de que amanecía e interrumpió el relato para el cual le habían dado permiso.

Cuando llegó la noche *setecientas noventa,* refirió:

—Me he enterado, ¡oh rey feliz!, de que Hasán, al ver que levantaban el vuelo y que la abandonaban, escuchó con atención y oyó que decía: «¡Oh, tú, que has cogido mi vestido y me has desnudado! Te ruego que me lo devuelvas para cubrir mis vergüenzas. ¡Ojalá Dios no te haga probar mi pesar!» Hasán, al oír estas palabras, perdió la razón de amor, quedó aún más prendado de ella y no pudo contenerse. Abandonó el lugar en que se encontraba y corrió a arrojarse encima. La cogió, la atrajo hacia sí, la llevó a la parte inferior del castillo, la metió en su habitación y le dio un manto suyo. Ella seguía llorando y mordiéndose las manos. Hasán cerró la puerta, corrió a buscar a su hermana y le informó de que la había conseguido y que se había apoderado de ella haciéndola bajar a su habitación. Añadió: «Ahora está sentada llorando y mordiéndose las manos». Su hermana, al oír estas palabras, se incorporó, se dirigió a la habitación y entró. La encontró llorando y triste. Besó el suelo ante ella y la saludó. La joven le increpó: «¡Muchacha! ¡Hija de reyes! ¿Las gentes como tú hacen cometer atentados detestables con las hijas de los reyes? Tú sabes que mi padre es un rey poderoso, que todos los reyes de los genios le respetan y temen su ira; dispone de brujos, sabios, sacerdotes, demonios y *marides* a los que nadie puede resistir; sólo Dios conoce el número de criaturas que le obedecen; ¿cómo, pues, os parece bien, hijas de reyes, acoger a seres humanos enseñándoles nuestra situación y la vuestra? Si no fuese así ¿cómo habría llegado este hombre hasta nosotras?» La hermana de Hasán replicó: «¡Hija del rey! Este hombre es un perfecto caballero; no se propone nada deshonesto. Pero él te ama y las mujeres fueron creadas para los hombres. Si él no te amase no habría enfermado por ti hasta el punto de morir de amor». Siguió contándole toda la historia del amor de Hasán como éste se la había referido: cómo habían llegado volando las muchachas y se habían bañado; que ella era la única que le había gustado, puesto que era la que podía sumergir a las demás en la alberca mientras que ninguna de las otras podía extender su mano en contra. Al oír estas palabras la joven desesperó de salvarse. La hermana de Hasán se puso de pie, se marchó y regresó con una túnica preciosa que le hizo vestir. Le llevó algo de comer y beber. Comieron juntas las dos jóvenes y la hermana tranquilizó el corazón y calmó el temor que la otra sentía. La trató con cariño y dulzura y le dijo: «¡Concédele tu mirada, pues está muerto de amor por ti!» Siguió hablándole con cariño, tranquilizándola y halagándola. Pero la joven siguió llorando hasta la aparición de la aurora. Cuando se convenció de que había caído y que no tenía posibilidad de escapar, se tranquilizó, detuvo su llanto y dijo a la hermana de Hasán: «¡Hija del rey! Dios ha decretado que mi destino sea el de estar ausente y separada de mi país, mi familia y mis hermanas. ¡Hay que tener una bella paciencia con lo que mi Señor ha decretado!» La hermana de Hasán la instaló en la habitación más hermosa del palacio. Siguió a su lado, consolándola y tranquilizándola hasta que se resignó, se ensanchó su pecho y rompió a reír, dejando de lado la pena y la angustia que experimentaba por encontrarse separada de su familia, de la patria, de sus hermanas, de su padre y de su reino. Entonces la hermana de Hasán fue a buscar a éste y le dijo: «¡Vamos! ¡Entra a verla en su habitación y bésale manos y pies!» Acudió, hizo lo que le había indicado y la besó entre los ojos diciendo: «¡Hermosa señora! ¡Vida del espíritu! ¡Regocijo de los videntes! Tranquiliza tu corazón. Yo sólo te he capturado para transformarme en tu esclavo hasta el día de la resurrección. Ésta, mi hermana, es tu servidora y yo, señora mía, sólo quiero casarme contigo según la azuna de Dios y de su Profeta y marcharme a mi país. Tú y yo viviremos en la ciudad de Bagdad. Te compraré doncellas y esclavos. Tengo madre, una de las mejores mujeres, que estará a tu servicio. No hay país más hermoso que el nuestro. Todo lo que éste contiene es mejor que lo de cualquier otra región: sus habitantes, sus súbditos, son gentes buenas, de rostro luminoso». Mientras le hablaba, la halagaba y ella no contestaba ni una letra, alguien llamó a la puerta del alcázar. Hasán salió a ver quién llamaba: Eran las muchachas que regresaban de caza. Se alegró de volverlas a ver, salió a recibirlas, y las saludó. Éstas le desearon que se encontrase bien y con salud y el joven hizo las mismas manifestaciones. Después se apearon de los caballos, entraron en el alcázar y cada una de ellas se fue a su habitación. Se cambiaron los vestidos usados por hermosas ropas. Habían salido de caza y habían cobrado gran número de gacelas, vacas salvajes, liebres, fieras, hienas, etcétera. Degollaron una parte de estos animales y el resto lo enjaularon en el palacio. Hasán, de pie entre ellas, con la cintura ceñida, los degollaba mientras ellas jugaban y se divertían muchísimo. Cuando terminaron de sacrificar los animales se sentaron para preparar algo de comer. Hasán, entonces, se acercó a la hermana mayor y le besó la cabeza. Después besó la cabeza de las restantes. Le dijeron: «¡Hermano nuestro! Tú te has humillado ante nosotras. Nos admira el mucho amor en que nos tienes siendo, como eres, un hombre y nosotras genios». Las jóvenes rompieron a llorar y el muchacho hizo lo mismo. Le preguntaron: «¿Qué ocurre? ¿Qué te hace llorar? Tu llanto nos amarga el día de hoy. Parece ser que deseas volver a ver a tu madre y a tu país. Si tal es tu deseo haremos nuestros preparativos y te acompañaremos a tu patria, junto a las personas a las que amas». Les replicó: «¡Por Dios! ¡No quiero separarme de vosotras!» «Entonces, ¿cuál de nosotras te ha turbado hasta el punto de preocuparte?» Hasán tuvo vergüenza de contestar que era el amor por la joven que estaba escondida el que le hacía estar así, temeroso de que le reprendieran. Calló y no les explicó nada de lo que le ocurría. Pero su hermana se puso de pie y les dijo: «Ha sido presa del pájaro del amor. Os pide que le ayudéis a domesticarlo». Todas las jóvenes se volvieron hacia él y le dijeron: «Nosotras estamos a tu servicio: haremos cualquier cosa que nos pidas, pero cuéntanos tu historia y no nos ocultes nada de lo que te sucede». Hasán, volviéndose a su hermana, dijo: «¡Cuéntales lo que me ha sucedido, ya que yo siento vergüenza y no puedo decir tales palabras!»

Sahrazad se dio cuenta de que amanecía e interrumpió el relato para el cual le habían dado permiso.

Cuando llegó la noche *setecientas noventa y una,* refirió:

—Me he enterado, ¡oh rey feliz!, de que la joven contó: «¡Hermanas mías! Cuando salimos de viaje y dejamos solo a este desgraciado, Hasán se encontró intranquilo y temeroso de que alguien le saliese al encuentro. Ya sabéis que los hijos de Adán son miedosos. Abrió la puerta que conduce a la azotea del palacio mientras se sentía angustiado y solo; subió, se sentó allí y contempló el valle sin perder de vista la puerta por temor de que alguien penetrase en el alcázar. Cierto día, mientras estaba allí sentado, vio que diez pájaros se acercaban hacia él, pues venían hacia el alcázar. Volaron sin cesar hasta posarse en la alberca que está al pie del mirador. Hasán clavó la vista en el más hermoso, en el que picoteaba a los demás que no podían extender sus manos hacia él. A continuación llevaron las garras a sus collares, abrieron los vestidos de plumas y salieron: cada uno de ellos se había transformado en una joven parecida a la luna en la noche del plenilunio y se quitaron los vestidos que llevaban puestos mientras Hasán las contemplaba. Se metieron en el agua y jugaron. La muchacha mayor las sumergía sin que ninguna de ellas pudiese extender su mano hacia ella que era la de rostro más hermoso, la de talle más sutil y la de vestidos más limpios. Continuaron así hasta mediada la tarde. Entonces, salieron de la alberca, se pusieron los vestidos, se metieron en el manto de plumas y, volviéndole la espalda, remontaron el vuelo. Quedó con el corazón preocupado: el fuego prendió en sus entrañas a causa del pájaro mayor y se arrepintió de no haberle robado el manto de plumas. Enfermó. Se quedó en la azotea del palacio esperándola; perdió el apetito, la sed y el sueño. En esta situación continuó hasta que apareció el creciente. Mientras se encontraba allí sentado, las jóvenes se presentaron de nuevo según su costumbre: se quitaron los vestidos y se metieron en la alberca. Hasán robó el manto de la mayor, puesto que se había dado cuenta de que no podía levantar el vuelo sin él. Lo cogió y lo escondió bien, temeroso de que lo descubrieran y lo mataran. Esperó hasta que remontaron el vuelo. Entonces se puso en pie, la capturó y bajó con ella a los aposentos inferiores del palacio.» Sus hermanas preguntaron: «¿Y dónde está?» «Está con él en tal aposento.» «¡Hermana! ¡Descríbenosla!»

La pequeña siguió: «Es más hermosa que la luna en la noche del plenilunio; su rostro es más brillante que el sol; su saliva más dulce que un sorbete; su cintura más esbelta que una caña; tiene mirada de hurí; rostro luminoso; frente brillante; un pecho que parece de aljófares y dos senos como granadas; sus mejillas parecen dos manzanas; el vientre tiene pliegues y el ombligo parece de marfil repleto de almizcle; las piernas parecen dos columnas de mármol. Arroba los corazones con sus miradas alcoholadas, con la esbeltez del talle, la pesadez de sus caderas y con palabras capaces de curar al enfermo. De hermosas formas y graciosa sonrisa, asemējase a la luna en el plenilunio». Las jóvenes, escuchada esta descripción, se volvieron a Hasán y le dijeron: «Deja que la veamos». El muchacho, lleno de amor, las acompañó hasta la habitación en que se encontraba la hija del rey. Abrió la puerta, entró y ellas lo siguieron. Al verla y al contemplar su belleza, besaron el suelo ante ella, quedaron boquiabiertas de la hermosura de su aspecto y lo lindo de sus cualidades. Le dijeron: «¡Por Dios, hija del gran rey! Esto es algo enorme. Si tú oyeras lo que las mujeres dicen de ese hombre, quedarías boquiabierta ante él durante toda tu vida. Está completamente enamorado de ti, pero no te solicita para ninguna mala acción y sólo te pide algo lícito. Si supiéramos que las muchachas pueden prescindir de los hombres, le hubiésemos disuadido de su deseo, a pesar de que no te ha enviado ningún mensajero y se ha presentado, en persona, ante ti. Nos ha dicho que ha quemado el manto de plumas; de lo contrario se lo hubiésemos arrebatado». Después, una de las jóvenes se puso de acuerdo con la princesa, realizó las negociaciones para el matrimonio y estipuló las condiciones del mismo con Hasán. Hasán le dio la mano y la intermediaria, obtenido el consentimiento, la casó con él. Las muchachas prepararon las cosas que eran propias de la hija de un rey y condujeron a Hasán ante ella. Éste abrió la puerta, le quitó el velo, le arrebató la virginidad y su amor por ella creció así como la pasión. Al conseguir su deseo se felicitó y recitó estos versos:

Tu figura seduce; tus ojos son de hurí; en tu cara gotea el agua de la belleza.
Has quedado grabada en mi retina del mejor modo: la mitad eres jacinto, el tercio aljófar,
El quinto almizcle y el sexto ámbar. Te pareces a una perla, pero brillas más.
Eva no ha dado a luz a nadie que pueda compararsete y en el paraíso eterno no existe una mujer como tú.
Atorméntame si quieres, pues es ley de amor; si quieres perdonarme, a ti te incumbe.
¡Oh, adorno del mundo! ¡Oh, sumo deseo! ¿Quién puede prescindir de la belleza de tu rostro?

Sahrazad se dio cuenta de que amanecía e interrumpió el relato para el cual le habían dado permiso.

Cuando llegó la noche *setecientas noventa y dos,* refirió:

—Me he enterado, ¡oh rey feliz!, de que las otras jóvenes estaban plantadas detrás de la puerta. Cuando oyeron los versos le dijeron: «¡Hija del rey! ¿Has oído las palabras de este ser humano? ¿Cómo puedes censurarnos si recita versos sobre tu amor?» La princesa, al oír esto, sonrió y se puso contenta y alegre. Hasán permaneció con ella durante cuarenta días; estaba contento, feliz, satisfecho y alegre. Las jóvenes renovaban cada día, en su honor, la alegría, los dones, los regalos y los presentes. Entre ellas el muchacho se encontraba bien y la princesa estaba tan satisfecha que terminó por olvidar a su familia.

Al cabo de los cuarenta días Hasán vio en sueños a su madre: estaba apenada, con los huesos descoyuntados, el cuerpo exhausto y el rostro pálido: había cambiado su situación mientras él se encontraba estupendamente. La madre, al verlo así, le dijo: «¡Hijo mío! ¡Hasán! ¿Cómo puedes ser feliz en el mundo y olvidarme? Mira la situación en que me encuentro después de tu marcha: yo no te olvido; mi lengua no dejará de mencionarte hasta el momento de la muerte. Para no olvidarte te he construido, en casa, una sepultura. ¿Viviré, hijo mío, para volver a verte a mi lado y vivir juntos como en el pasado?» Hasán se despertó llorando y sollozando; las lágrimas resbalaban por sus mejillas como si fuesen agua de lluvia. Se encontraba triste, afligido y no podía ni contener el llanto ni reconciliar el sueño; no podía estar quieto ni tener paciencia. Al amanecer las jóvenes fueron a verlo y a distraerse con él conforme tenían por costumbre. Pero no les hizo caso. Preguntaron a su esposa qué le ocurría. Replicó: «No lo sé». Le dijeron: «¡Pregúntaselo!» Se acercó a él y le dijo: «¿Qué te sucede, señor mío?» Hasán, entre suspiros y lamentos, le informó de lo que había visto en sueños. Después recitó este par de versos:

> Hemos permanecido irresolutos y perplejos buscando una vecindad imposible de alcanzar.
> Las calamidades del amor crecen sobre nosotros: pesado es el lugar que en nosotros ocupa el amor.

Su esposa les explicó lo que había dicho. Las jóvenes, al oír al verso, tuvieron piedad de su situación y le dijeron: «¡En el nombre de Dios! Haz lo que bien te plazca. Nosotras no podemos impedirte que vayas a visitarla; al contrario: te auxiliaremos en todo lo que podamos. Pero para ello es necesario que no cortes tus relaciones con nosotras y nos visites, aunque sólo sea una vez al año». Les replicó: «¡Oír es obedecer»! Las jóvenes se pusieron en seguida de pie, prepararon víveres y engalanaron a la novia con joyas, vestidos y muchas cosas de gran valor cuya descripción es imposible. Para él prepararon regalos que ninguna pluma puede describir. Después, repicaron en el tambor y de todas partes acudieron camellos de raza. Escogieron algunos para que transportasen todo lo que habían preparado e hicieron montar a Hasán y su esposa. Les llevaron veinticinco literas de oro y cincuenta de plata. Los acompañaron durante tres días en los cuales recorrieron una distancia de tres meses. Entonces se despidieron de los dos y se dispusieron para el regreso. La hermana pequeña rompió a llorar hasta el punto de desmayarse. Al volver en sí recitó este par de versos:

¡Ojalá jamás hubiese existido el día de la separación que arrebata el sueño a las pupilas!
Ha roto, entre nos y vos, la unión destruyendo las fuerzas y el cuerpo.

Al terminar estos versos se despidió de ellos. Hasán le había asegurado que una vez llegado a su país, reunido con su madre y tranquilizado su corazón, acudiría a verlas una vez cada seis meses. La joven le dijo: «Si algún asunto te preocupase o temieses alguna faena, toca el tambor del mago y acudirán los camellos. Monta, regresa a nuestro lado y no te separes de nosotras». Hasán se lo juró. Después les rogó que regresasen y, tras despedirse, se marcharon tristes por tener que separarse de él. Pero su hermana pequeña estaba más triste que las demás: no podía estarse quieta, había perdido la paciencia y lloraba noche y día. Esto es lo que a ellas se refiere.

He aquí lo que hace referencia a Hasán: Viajó durante toda la noche y el día y cruzó con su esposa campiñas, desiertos, valles y terrenos rocosos por la mañana y por la tarde. Dios les prescribió que quedaran a salvo y así llegaron a la ciudad de Basora. Siguieron camino hasta hacer arrodillar sus camellos en la puerta de su casa. Desmontaron, despidió los camellos, se acercó a la puerta para abrirla y oyó que su madre lloraba y con voz tenue, por el fuego que abrasaba su corazón, recitaba estos versos:

¿Cómo ha de gustar el sueño quien vive en el insomnio y vela durante la noche mientras las gentes reposan?
Poseía bienes, familia y poder, pero ha pasado a ser un extraño y a vivir solo.
La brasa ardiente está entre sus costillas; tiene tal amor que no admite más.
Ha sido vencido por la pasión y ésta le señorea; gime, a pesar de su ánimo, por lo que ha llegado.
El amor le mantiene triste, cabizbajo; las lágrimas lo atestiguan.

Hasán rompió a llorar al oír sollozar y llorar a su madre. Llamó con fuerza a la puerta. La madre preguntó: «¿Quién hay?» «¡Abre!», contestó. Abrió, le vio y al reconocerlo cayó desmayada. El muchacho la trató con cuidado hasta que volvió en sí. Entonces se abrazaron y ella le besó. Trasladó, después, sus cosas y objetos al interior de la casa, mientras la princesa examinaba a Hasán y a su madre. Ésta, cuando hubo tranquilizado su corazón, puesto que Dios la había reunido con su hijo, recitó estos versos:

El tiempo tuvo misericordia de mi situación y se apiadó de mi largo sufrimiento.
Uniéndome con lo que ansiaba y poniendo fin a lo que temía.
Perdonémosle de las faltas que cometió en el pasado e incluso la de haber vestido mi cabeza con cabellos blancos.

Sahrazad se dio cuenta de que amanecía e interrumpió el relato para el cual le habían dado permiso.

Cuando llegó la noche *setecientas noventa y tres,* refirió:

—Me he enterado, ¡oh rey feliz!, de que Hasán y su madre se sentaron a conversar. Ella le preguntó: «¿Cómo te trató el persa, hijo mío?» Le contestó: «¡Madre! No era un persa sino un mago que adoraba al fuego prescindiendo del Rey Todopoderoso». A continuación le explicó lo que había hecho con él desde el momento en que emprendieron el viaje hasta aquél en que le metió dentro de la piel de camello, le cosió en el interior y los pájaros le agarraron y le depositaron en la cima de la montaña; le explicó las criaturas muertas como consecuencia de los engaños del mago que había hallado en la cima del monte; éste los había abandonado allí después de haber satisfecho sus instintos; le refirió cómo se había arrojado al mar desde la cima y cómo Dios (¡ensalzado sea!) le había salvado y le había conducido hasta el alcázar de las muchachas, una de las cuales se había convertido en su hermana; cómo había vivido con ellas y cómo Dios le había hecho apoderarse del mago; después le explicó cómo se había enamorado de la adolescente y la había cazado, y le terminó de referir la historia hasta el momento en que Dios los había unido. La madre quedó boquiabierta al oír su relato y dio gracias a Dios (¡ensalzado sea!) porque estaba bien y con salud. Se acercó a los fardos, los examinó y le preguntó por ellos. Le dijo lo que contenían. La madre se alegró muchísimo. Después se aproximó para hablar con la princesa y la trató afectuosamente. Al verla quedó estupefacta ante tanta belleza, se alegró y se maravilló de su hermosura, belleza, talle y justas proporciones. Dijo: «¡Hijo mío! ¡Loado sea Dios que te ha salvado y ha permitido que regreses sin contratiempos!» Después se sentó al lado de la joven, la trató con cariño y la tranquilizó. Al día siguiente por la mañana se dirigió al mercado, compró diez de las más preciosas túnicas que había en la ciudad, preparó magníficos tapices e hizo que la princesa se pusiese lo mejor de todo aquello. Después se acercó a su hijo y le explicó: «¡Hijo mío! Con semejantes riquezas no podemos vivir en esta ciudad. Sabes que somos personas pobres: la gente nos acusará de practicar la alquimia. Pongámonos en viaje y marchémonos a Bagdad, ciudad de la paz; así estaremos bajo la protección del Califa. Tú abrirás una tienda, venderás y comprarás y temerás a Dios (¡gloriado y ensalzado sea!). Éste te auxiliará con esos bienes». Hasán escuchó estas palabras, las encontró justas y al momento salió, vendió la casa, hizo comparecer los camellos, cargó en ellos todos sus bienes y enseres; ayudó a montar a su madre y a su esposa y viajaron sin descanso hasta llegar a orillas del Tigris. Allí alquiló una embarcación para llegar a Bagdad, trasladó a ella todos sus bienes y enseres, hizo embarcar a su madre y a su esposa y después subió él a bordo. El viento le fue favorable y al cabo de diez días divisaron Bagdad. Al verla se alegraron. El buque entró con ellos en la ciudad e inmediatamente después desembarcaron. Hasán alquiló un almacén en una caravanera y trasladó a éste las mercancías que tenía en la nave. Pasaron la noche en la fonda. Al día siguiente cambió los vestidos que llevaba puestos. El corredor, al verlo, le preguntó si necesitaba algo y lo que quería. Le contestó: «Quiero una casa amplia y espaciosa». Le mostró las casas de que disponía. Le gustó una que había pertenecido a un visir. Hasán la compró por cien mil dinares de oro y le pagó su precio. Después volvió a la fonda en que se había hospedado y trasladó todas sus riquezas y enseres a la casa. Salió al zoco a comprar los vasos, tapices y demás enseres que necesitaba; además compró criados y un pequeño esclavo para la casa.

Vivió tranquilo con su esposa en la más dulce y alegre de las vidas durante tres años. Su mujer le dio dos hijos: a uno le llamó Nasir y al otro Mansur. Después de este tiempo se acordó de sus amigas, las muchachas; pensó en los favores que le habían hecho y en cómo le habían ayudado a conseguir su propósito. Deseó volver a verlas. Recorrió los zocos de la ciudad comprando joyas, telas preciosas y golosinas como ellas no habían visto ni conocido jamás. Su madre le preguntó por la causa de la compra de tales regalos. Le replicó: «He decidido ponerme en viaje para ir a ver a mis hermanas, aquellas que me hicieron tanto bien; la situación desahogada en que ahora me encuentro es debida a sus beneficios y favores. Quiero ir, a verlas y regresar en breve si Dios (¡ensalzado sea!) lo quiere». «¡Hijo mío! ¡No te ausentes!» «Sabe (¡oh, madre!) que te quedarás con mi esposa. El manto de plumas está guardado en una caja enterrada en el suelo. Vigila para que no lo encuentre, pues si lo cogiese remontaría el vuelo llevándose a sus hijos. Yo, al no tener noticias de ella, moriría de dolor. Sabe, madre, que te prevengo para que no hables de esto con ella. Sabe también que es hija de un rey de los genios y que ninguno de éstos es más grande ni posee mayores ejércitos y riquezas que él. Sabe también que ella gobierna a sus propios súbditos y que su padre la quiere mucho. Es una mujer de mucho valor: por tanto sírvela tú misma y no le permitas que cruce la puerta o que se asome por la ventana o por encima de la tapia. Yo temo que el soplo del viento la dañe. Si le ocurriese alguna desgracia yo me suicidaría.» La madre le replicó: «¡Dios me libre de no hacerte caso, hijo mío! ¿Es que estoy loca para desobedecerte y que tengas que hacerme tales recomendaciones? Vete tranquilo y sin preocupaciones. Cuando regreses, si Dios (¡ensalzado sea!) lo quiere, volverás a verla y te explicará mi comportamiento. Pero, hijo mío, no te entretengas más que el tiempo necesario para el camino».

Sahrazad se dio cuenta de que amanecía e interrumpió el relato para el cual le habían dado permiso.

Cuando llegó la noche *setecientas noventa y cuatro*, refirió:

—Me he enterado, ¡oh rey feliz!, de que el hado había querido que la mujer oyera las palabras que decía a su madre sin que ninguno de los dos se diera cuenta. Hasán salió fuera de la ciudad, tocó el tambor y al instante aparecieron los camellos. Cargó veinte con regalos del Iraq, se despidió de su madre, esposa e hijos. Uno de éstos tenía un año y el otro dos. Regresó al lado de su madre, le dio sus consejos por segunda vez, montó y se puso en camino para ir a ver a sus hermanas. Viajó sin cesar noche y día por valles, montes, llanuras y pedregales durante diez días. El undécimo llegó al alcázar. Entró a ver a sus hermanas llevándoles sus regalos. Cuando le vieron se alegraron muchísimo y le felicitaron por encontrarse a salvo. Su hermana engalanó el alcázar por dentro y por fuera. Cogieron los regalos, y le instalaron en una habitación, como de costumbre. Le preguntaron por su madre y por su esposa y les refirió que ésta había dado a luz dos hijos. Su hermana menor, al verle tan bien, se puso muy contenta y recitó este verso:

> Pregunto al viento, cuando sopla, por vos; sólo
> vos habéis ocupado siempre mi corazón.

Permaneció con ellas como huésped honrado durante tres meses. Vivía alegre, contento, satisfecho y feliz, dedicado a la caza y a la pesca. Ésa es su historia.

He aquí la historia que hace referencia a su madre y a su esposa. Después de la marcha de Hasán, ésta permaneció con su madre el primero y segundo día. El tercero le dijo: «¡Gloria a Dios! ¡He vivido con él durante tres años sin haber ido nunca al baño!» Rompió a llorar y la madre se apiadó de ella. Le dijo: «¡Hija mía! Nosotras somos extrañas en este lugar y tu marido no está en la ciudad. Si estuviera aquí permanecería a tu servicio. Yo no conozco a nadie. Pero, hija mía, te calentaré agua y te lavaré la cabeza en el baño de casa». «¡Señora mía! Si dijeras tales palabras a las esclavas, éstas pedirían ser vendidas en el zoco y no querrían seguir contigo. Pero, señora mía, los hombres tienen excusa, pues padecen de celos y su razón les dice que si la mujer sale de casa va a cometer una torpeza. Las mujeres, señora mía, no son todas iguales: sabes bien que nadie puede conseguir impedir a la mujer hacer lo que quiere ni puede guardarla ni protegerla ni impedirla ir al baño, o a otro lugar cualquiera o hacer lo que le plazca.» Rompió a llorar, se lamentó de su situación y se recriminó por encontrarse en tierra extraña. La madre se apiadó de su situación y comprendió que era verdad lo que le había dicho. Preparó los utensilios que eran necesarios para tomar un baño las dos, los cogió y salieron. Al entrar en el baño se desnudaron. Todas las mujeres la miraron, loaron a Dios (¡ensalzado y gloriado sea!) y contemplaron la bella figura creada por Él. Todas las mujeres que pasaban por la puerta entraban a contemplarla. La noticia se difundió por la ciudad, las mujeres se aglomeraron y no se podía entrar en el baño dado el gran número de mujeres que lo llenaban.

Coincidió este hecho portentoso con la ida al baño, aquel día, de una de las esclavas del Emir de los creyentes, Harún al-Rasid, llamada Tuhfa la del Laúd. Ésta observó la aglomeración de mujeres y vio que no se podía transitar dado el gran número de viejas y jóvenes. Preguntó por lo que ocurría y le informaron de la joven que allí estaba. Se aproximó, la miró y la examinó: ante su belleza y hermosura quedó con la razón en suspenso y alabó a Dios, Todopoderoso y Excelso, por los hermosos seres que había creado. No siguió adelante ni se lavó: se quedó sentada admirando a la joven hasta que ésta, habiendo terminado de lavarse, salió y se vistió añadiendo belleza a su belleza. Cuando salió de la terma se sentó en el tapiz y los almohadones. Las mujeres la miraban. Se volvió hacia ellas y salió. Tuhfa la del Laúd, la esclava del Califa, salió en pos de ella, averiguó la casa en que vivía y regresó al alcázar del Califa sin detenerse hasta llegar a presencia de la señora Zubayda. Besó el suelo ante ella y ésta preguntó: «¡Tuhfa! ¿Cuál es la causa de que te hayas retrasado en el baño?» «¡Señora mía! He visto un prodigio como jamás han visto hombres ni mujeres; esto me ha distraído, ha turbado mi entendimiento y me ha dejado perpleja hasta el punto de no lavarme ni la cabeza.» «¿Y qué era, Tuhfa?» «¡Señora mía! En el baño he visto una joven acompañada por dos muchachos pequeños que parecían dos lunas como no se han visto antes ni se verán después; pero en todo el mundo no hay una mujer como ella. Juro por tus favores, señora mía, que si el Emir de los creyentes la conociera, mataría a su esposo para apoderarse de ella, ya que no hay mujer que pueda compararársela. He preguntado por el marido y me han respondido: "Es un comerciante que se llama Hasán al-Basrí". La he seguido, al salir del baño, hasta que ha entrado en su casa. Ésta es la del visir, aquélla que tiene dos puertas, una cara al río y la otra cara a la tierra. Temo, señora mía, que si el Emir de los creyentes oye hablar de ella, va a violar la Ley, a matar al marido y a casarse con ella.»

Sahrazad se dio cuenta de que amanecía e interrumpió el relato para el cual le habían dado permiso.

Cuando llegó la noche *setecientas noventa y cinco*, refirió:

—Me he enterado, ¡oh rey feliz!, de que la señora Zubayda replicó: «¡Ay de ti, Tuhfa! ¿Esa muchacha alcanza tal grado de belleza y hermosura como para hacer que el Emir de los creyentes trueque su religión por el mundo y por su causa desobedezca la ley? Es preciso que vea a esa muchacha. Si no es tal como dices haré que te corten el cuello, libertina. En el harén del Emir de los creyentes hay trescientas sesenta jóvenes, tantas como días tiene el año, ¿es posible que ninguna se parezca a la que citas?» «¡Señora! ¡No, por Dios! En todo Bagdad no hay una mujer como ésa; ni tan siquiera la hay ni en la tierra de los persas o de los árabes. Dios, Todopoderoso y Excelso, no ha creado otra igual que ella.»

Entonces, la señora Zubayda, llamó a Masrur. Éste compareció y besó el suelo ante ella. Le dijo: «Masrur: ve a la casa del visir, una de cuyas puertas da al río y la otra a la tierra. Tráeme a la adolescente, a los hijos de ésta y la vieja que encuentres allí. Vuelve en seguida y no te entretengas». «¡Oír es obedecer!», contestó Masrur. Se marchó, corrió a la puerta de la casa y llamó. La anciana, la madre de Hasán, salió y preguntó: «¿Quién está en la puerta?» «¡Masrur, el criado del Emir de los creyentes!» Le abrió la puerta, le saludó y le preguntó qué necesitaba. Contestó: «La señora Zubayda, hija de al-Qasim y esposa del Emir de los creyentes, Harún al-Rasid, sexto de los descendientes de al-Abbás, tío paterno del Profeta (¡Dios le bendiga y le salve!), te manda llamar, al igual que a la mujer de tu hijo y a tus nietos. Las mujeres le han hablado de su belleza y hermosura». La madre de Hasán replicó: «¡Masrur! Nosotros somos extranjeros; el esposo de la muchacha, mi hija, no se encuentra en la ciudad; él no me ha autorizado a salir ni a mí ni a ella ni a ninguna de las criaturas de Dios (¡ensalzado sea!). Temo que ocurra alguna cosa y que al regresar mi hijo se suicide. Pido de tu bondad, Masrur, que no nos obligues a hacer lo que no podemos». «¡Señora mía! Si creyera que esto constituye un peligro para vosotros no os obligaría a salir. Pero la señora Zubayda quiere verla y después la dejará regresar. No me contradigas, pues te arrepentirás. Del mismo modo como ahora os llevo os traeré de nuevo aquí, a salvo, si Dios (¡ensalzado sea!) lo quiere.» La madre de Hasán no pudo negarse. Pasó al interior, arregló a la joven y salió con ella y con sus hijos siguiendo a Masrur. Éste las precedía en el camino al alcázar del Califa. Las hizo pasar hasta colocarlas ante la señora Zubayda. Besaron el suelo ante ella y formularon los votos de rigor. La joven tenía el rostro cubierto. La señora Zubayda le dijo: «¿Por qué no destapas tu cara para que la vea?» La joven besó el suelo ante ella y descubrió un rostro que avergonzaba a la luna en el momento de aparecer por el horizonte del cielo. La señora Zubayda, al verla, clavó los ojos en ella; el alcázar resplandeció con su luz y el brillo de su cara. Ante tanta hermosura Zubayda quedó estupefacta; lo mismo ocurrió a todos los que estaban allí. Todo aquel que la veía enloquecía y no podía decir palabra. La esposa del Califa se puso de pie, se acercó a la princesa, la estrechó contra su pecho, la obligó a sentarse a su lado en el trono y mandó que engalanasen el alcázar. A continuación ordenó que le llevasen una túnica del más precioso tejido y un collar hecho con las más valiosas gemas. Ella misma se lo endosó a la princesa y le dijo: «¡Hermosa señora! Me has dejado admirada y mi vista se recrea en ti, ¿qué tesoros posees?» «¡Señora mía! Tengo un vestido de plumas. Si me lo pusiese ante ti verías cosas magníficas, quedarías admirada de él y hablarían de su belleza, de generación en generación, todos aquellos que lo viesen.» «¿Y dónde está ese vestido?» «En el domicilio de mi suegra. Pídeselo.» La señora Zubayda dijo: «¡Madre! Te conjuro a que vayas y me traigas el vestido de plumas para que podamos ver lo que hace; después volverás a recuperarlo». «¡Señora mía! ¡Es una embustera! ¿Es que se ha visto alguna vez una mujer con un vestido de plumas? ¡Así sólo van los pájaros!» La princesa terció: «¡Por tu vida señora! Ella tiene un vestido de plumas que es mío. Está en una caja enterrada en una alhacena que hay en la casa». La señora Zubayda se quitó del cuello un collar de aljófares que valía tanto como los tesoros de Cosroes y de César y le dijo: «¡Madre mía! ¡Toma este collar!» Se lo entregó y añadió: «¡Te conjuro, por mi vida, a que vayas y me traigas el vestido para poder verlo! Después te lo volverás a llevar». La anciana juró que jamás había visto tal vestido y que no sabía cómo conseguirlo. La señora Zubayda chilló a la vieja, le arrancó la llave y llamó a Masrur. Éste compareció y le dijo: «Coge esta llave, ve a la casa, ábrela y entra en la alhacena cuya puerta es así y asá. En el centro hay una caja. Sácala, fuérzala, coge el vestido de plumas que contiene y tráelo».

Sahrazad se dio cuenta de que amanecía e interrumpió el relato para el cual le habían dado permiso.

Cuando llegó la noche *setecientas noventa y seis*, refirió:

—Me he enterado, ¡oh rey feliz!, de que [Masrur] contestó: «¡Oír es obedecer!» Tomó la llave que le tendía la señora Zubayda y se marchó. La anciana madre de Hasán lo acompañó: lloraba y se arrepentía de haber hecho caso a la muchacha y haberla llevado al baño, ya que ésta sólo lo había utilizado como un medio. Llegó a la casa con Masrur y abrió la alhacena. Éste entró, sacó la caja, extrajo de ella la camisa de plumas, la envolvió en un paño y la llevó a la señora Zubayda. Ésta la cogió, la miró por todas partes y quedó admirada de lo bien hecha que estaba. Después se la entregó a la princesa y le preguntó: «¿Es éste tu vestido de plumas?» «¡Sí, señora!» La joven alargó su mano hasta el traje, y lo cogió llena de alegría; lo examinó y vio que estaba intacto, como antes, que no había caído ni una pluma. Se puso contenta y se acercó a la señora Zubayda. Tomó la camisa, la abrió, colocó a sus hijos en su seno, se metió dentro y, por un decreto de Dios Excelso y Todopoderoso, se transformó en un pájaro. La señora Zubayda y todos los allí presentes quedaron admirados, boquiabiertos por lo que había hecho. La princesa empezó a balancearse, a andar, bailar y jugar. Nadie la perdía de vista; todos estaban maravillados de sus actos. A continuación dijo con lengua elocuente: «¡Señora mía! ¿Es esto hermoso?» Todos contestaron: «¡Sí, señora de la belleza! ¡Todo lo que haces es magnífico!» «Pues lo que voy a hacer será más hermoso aún, señora.» Extendió las alas y remontó el vuelo con sus hijos: se colocó encima de la cúpula y se detuvo en la azotea de la habitación. Todas las pupilas estaban fijas en ella. Gritaron: «¡Por Dios! ¡Esto es prodigioso, maravilloso! ¡Jamás lo habíamos visto!» Dispuesta a levantar el vuelo hacia su país y acordándose de Hasán dijo: «¡Escuchad, señores!» y recitó:

¡Oh, tú, que abandonaste esta morada y te marchaste raudo y veloz junto a tus seres queridos!
¿Es que creías que yo era feliz entre vosotros, que vuestra vida no me disgustaba?
Cuando fui aprisionada y quedé prendida en las redes del amor, él hizo de éste mi cárcel y se alejó.
Cuando escondió mi traje quedó convencido de que yo no iba a rogar al Único, al Todopoderoso.
Y entonces recomendó a su madre que lo guardase en un rincón; fue injusto y tirano conmigo.
Yo oí lo que decían y lo aprendí de memoria en espera de obtener un beneficio creciente y abundante.
Mi ida al baño sólo fue un medio; por mí, los entendimientos quedaron perplejos.
La esposa de al-Rasid quedó admirada de mi belleza después de haberme examinado de izquierda a derecha.
Dije: "¡Mujer del Califa! Poseo un vestido de plumas magníficas, preciosas;
Si me lo pusiera verías cosas maravillosas capaces de hacer desaparecer las preocupaciones y disipar las angustias".
La mujer del Califa me preguntó: "¿Dónde está?" Contesté: "En casa de ése está oculto".
Masrur corrió a buscarlo y lo trajo: relucía de luz.
Lo tomé de sus manos y lo abrí; vi el hueco y los botones.
Me metí en el interior con mis hijos; extendí las alas y emprendí la huida.
¡Madre de mi esposo! Infórmale, cuando vuelva, que si quiere reunirse conmigo ha de abandonar su casa.

Al terminar de recitar estos versos la señora Zubayda le dijo: «¿Por qué no desciendes a nuestro lado para que podamos gozar de tu belleza, señora de las hermosas? ¡Gloria a Quien te ha concedido tal elocuencia y esplendor!» «¡Jamás volveré al pasado!», y a continuación, dirigiéndose a la madre de Hasán, que estaba triste y desamparada, le dijo: «¡Por Dios, señora mía, madre de Hasán! Me aflige el separarme de ti. Si regresa tu hijo y los días de la separación le son largos y ansía reunirse conmigo y los vientos del amor y el deseo le agitan, puede venir a buscarme a la isla de Waq». A continuación remontó el vuelo con sus hijos en busca de su país. Al verlo, la madre de Hasán, rompió a llorar y se abofeteó la cara hasta caer desmayada. Al volver en sí la señora Zubayda le dijo: «¡Señora peregrina! Yo no sabía que esto iba a ocurrir; si me lo hubieses advertido no te hubiese llevado la contraria. Pero yo no he sabido que ella fuese un genio-pájaro volador hasta ahora. Si hubiese conocido esta característica suya no le hubiese permitido ponerse el traje ni la hubiese dejado coger a sus hijos. ¡Señora! ¡Perdóname!» La anciana no supo qué decir y contestó: «¡Quedas perdonada!» Después salió del alcázar del Califa y anduvo sin parar hasta llegar a su casa. Entró y se abofeteó en la cara hasta caer desmayada. Al volver en sí, se encontró desolada por la ausencia de la princesa, de sus nietos y de su hijo y recitó estos versos:

> El día de vuestra separación me hace llorar por el daño que me causa vuestra marcha.
>
> Grité por el dolor de la separación que me abrasaba; las lágrimas ulceraban con su fluir mis párpados.
>
> ¡Tal es la separación! ¿Volveremos a encontrarnos? Vuestra marcha ha hecho que deje de guardar el secreto.
>
> ¡Ojalá volváis a guardar el pacto de fidelidad! Tal vez, si volvéis, yo recupere mi buena suerte.

A continuación cavó en la casa tres tumbas y se acercó a ellas para llorar a todo lo largo de la noche y a todas las horas del día. Al prolongarse la ausencia de su hijo y aumentar su intranquilidad, ansia y tristeza, recitó estos versos:

Tu imagen está clavada en el dorso de mis párpados. Pienso en ti tanto en la sístole como en la diástole.

Tu amor recorre mis huesos como recorre la savia los frutos de las ramas.

El día que no te veo mi pecho se angustia y los censores no me reprochan.

¡Oh, tú, cuyo amor me domina y cuyo afecto llega más allá de la locura!

Teme al Misericordioso y sé clemente: tu amor me ha hecho probar las angustias de la muerte.

Sahrazad se dio cuenta de que amanecía e interrumpió el relato para el cual le habían dado permiso.

Cuando llegó la noche *setecientas noventa y siete,* refirió:

—Me he enterado, ¡oh rey feliz!, de que la madre de Hasán siguió llorando noche y día por su hijo, su nuera y sus nietos. Esto es lo que a ella se refiere.

He aquí lo que se refiere a su hijo Hasán: Éste llegó junto a las muchachas, las cuales le conjuraron a que permaneciese con ellas durante tres meses. Al cabo de éstos prepararon riquezas y diez fardos: cinco de oro y cinco de plata; dispusieron además una carga de víveres. Le pusieron en camino, salieron con él y le conjuraron a que regresase. En el momento de la despedida se acercaron a abrazarlo. La menor de las hermanas se le acercó, lo abrazó y rompió a llorar hasta caer desmayada. Después recitó estos dos versos:

¿Cuándo se apagará el fuego de la separación con vuestro regreso y conseguiré mi deseo de volver a vivir como vivimos?

El día de la separación me asusta y me daña. El adiós, señores míos, aumenta mi debilidad.

Después se acercó la segunda; lo abrazó y recitó este par de versos:

Me despido de ti como me despediría de la vida; perderte es lo mismo que perder un contertulio.
Después de tu marcha el fuego abrasa mis entrañas mientras que cuando estás cerca me encuentro en el paraíso de la felicidad.

Después se acercó la tercera; lo abrazó y recitó este par de versos:

Dejamos de despedirnos el día de la separación por inconstancia o malhumor.
Tú eres, en verdad, mi espíritu, ¿cómo puedo separarme de mi propio espíritu?

Después se le acercó la cuarta; lo abrazó y recitó este par de versos:

La historia de su partida me hizo llorar, cuando en el momento de la partida me lo dijo.
La lágrima es la confidencia que depositó en mi oído y que resbala por mis ojos.

Después se le acercó la quinta; lo abrazó y recitó este par de versos:

¡No partáis! Yo no tengo fuerza para acompañaros y despedirme del que parte.
Ni paciencia para soportar la partida, ni lágrimas que derramar sobre el campamento abandonado.

Después se le acercó la sexta; lo abrazó y recitó este par de versos:

Cuando la caravana se puso en marcha con ellos, mientras el deseo desgarraba el corazón, dije:
«Si hubiese tenido el poder de un rey me hubiese apoderado de todos los navíos por la fuerza.»

Después se acercó la séptima; lo abrazó y recitó este par de versos:

> Si ves la hora de la despedida, ten paciencia y no permitas que la separación te desgarre.
> Espera un pronto regreso, pues el corazón que se marcha, regresa.

A continuación Hasán se despidió de ellas, lloró por el dolor de tener que separarse hasta caer desmayado y recitó estos versos:

> El día de la separación mis ojos derramaron perlas como lágrimas que se ordenaron formando un collar.
> El camellero guió con su canto la caravana sin que yo me resignase, tuviese paciencia ni pudiese aplacarme.
> Me despedí de ellos, me separé con tristeza, abandoné mi domicilio y dejé de frecuentar los sitios habituales y el campamento.
> Volví atrás sin saber el camino; sólo estaba tranquilo viéndote en el camino de vuelta.
> ¡Señor mío! Escucha las noticias de amor y evita que tu corazón olvide lo que digo.
> ¡Oh, alma! Desde que te has separado de ellas, abandona las dulzuras de la vida y renuncia al deseo de vivir.

Después recorrió de prisa el camino, noche y día, hasta llegar a Bagdad, la ciudad de la paz, protegida por el califato abbasí, sin sospechar nada de lo que había ocurrido durante su viaje. Entró en su casa y saludó a su madre. Vio que el cuerpo de ésta había enflaquecido y que sus huesos se habían descoyuntado por los sollozos, el insomnio, el llanto y los lamentos; había quedado como un palillo y era incapaz de responder palabra. Despidió a los camellos y se acercó a ella. Al verla en tal situación entró en la casa, buscó a su esposa y a sus hijos y no encontró ni rastro. A continuación examinó la alhacena: la encontró abierta; la caja había sido forzada y el vestido no estaba. Entonces comprendió que su esposa había conseguido el traje de plumas y que había remontado el vuelo llevándose a sus hijos. Volvió junto a su madre cuando ésta se hubo repuesto del desmayo. Le preguntó por su esposa y por sus hijos y rompió a llorar. Respondió: «¡Hijo mío! Dios (¡ensalzado sea!) te recompensará con creces por su pérdida. Éstas son las tres tumbas» Al oír tales palabras, Hasán emitió un grito terrible y cayó desmayado.

Permaneció inconsciente desde el amanecer hasta el mediodía haciendo crecer la pena que ya tenía su madre, la cual desesperó de poder salvarle la vida. Al volver en sí lloró, se abofeteó el rostro, desgarró los vestidos y deambuló por la casa sin saber qué hacer. A continuación recitó este par de versos:

> Las quejas de las gentes sobre el dolor de la separación me precedieron; vivos y muertos temieron la partida.
> Pero jamás he oído o visto un dolor como el que encierran mis flancos.

Al terminar de recitar estos versos, cogió la espada, la desenvainó y se acercó a su madre increpándola: «¡Es que no sabías la verdad! ¡Voy a cortarte el cuello y a matarte!» «¡Hijo mío! ¡No lo hagas! Te contaré. ¡Envaina la espada y siéntate para que te pueda contar lo ocurrido!» Una vez hubo envainado la espada se sentó a su lado y la madre le refirió la historia desde el principio hasta el fin. Añadió: «¡Hijo mío! Si no la hubiese visto llorar pidiendo ir al baño y no hubiese temido que al volver tú iba a quejársete con lo cual te enfadarías conmigo, no la hubiese acompañado; si Zubayda no se hubiese enfadado conmigo y arrebatado la llave a viva fuerza, no le hubiese entregado el vestido ni aun muerta. Tú sabes, hijo mío, que ninguna mano es tan larga como la del Califa. Cuando le mostraron el vestido lo cogió y lo miró por todos lados, pues debía temer que algo se hubiese estropeado; vio que no le faltaba nada y se alegró. Cogió a sus hijos y los sujetó a su cintura. La señora Zubayda, para honrarla y en homenaje a su belleza, se quitó todo lo que llevaba encima y se lo dio. Entonces, tu mujer se cubrió con el manto de plumas, se movió en su interior y quedó transformada en un pájaro; recorrió el alcázar bajo la mirada de todos los presentes que quedaron admirados de su belleza y hermosura. Después, remontó el vuelo, se posó encima del palacio y mirándome dijo: "Si regresa tu hijo y las noches de la separación le son largas, ansía reunirse conmigo y los vientos del amor y del deseo le agitan, puede abandonar su patria y venir a las islas de Waq". Esto es lo que ella dijo mientras tú estabas ausente».

Sahrazad se dio cuenta de que amanecía e interrumpió el relato para el cual le habían dado permiso.

Cuando llegó la noche *setecientas noventa y ocho,* refirió:

—Me he enterado, ¡oh rey feliz!, de que al oír estas palabras Hasán dio un alarido enorme y cayó desmayado; estuvo inconsciente hasta la caída del día. Cuando volvió en sí se abofeteó la cara y se revolcó por tierra como si fuera una serpiente. La madre se sentó a su cabecera para llorar hasta mediada la noche. Cuando Hasán se recuperó del desmayo rompió a llorar y recitó estos versos:

> ¡Deteneos y observad la situación de aquel al que abandonáis! Tal vez, después de haber sido duros tengáis misericordia.
>
> Si lo observáis no lo reconoceréis a causa de su enfermedad; como si, ¡por Dios!, no le conocierais.
>
> A causa de vuestro amor él es un muerto; si no fuese por los gemidos se contaría entre los muertos.
>
> No creáis que la separación es fácil; el enamorado prefiere la muerte a la separación.

Al terminar de recitar estos versos se puso en pie y empezó a recorrer la casa sollozando, llorando y lamentándose durante cinco días; en ellos no probó bocado ni bebió. Su madre se le acercó y le conjuró y rogó a que dejase de llorar. Pero no hizo caso de sus palabras y siguió llorando y sollozando; su madre intentaba calmarlo, pero él no le hacía caso. Recitó estos versos:

> ¿Es así como se recompensa el amor de los esposos? ¿O es una costumbre de las gacelas de ojos negros?
> ¿Es que, entre sus labios, no está el panal de miel que gotea o el dulce licor?
> ¡Contadme la historia de aquel que muere de amor! El consuelo da vida a quien está triste[1].

Hasán siguió llorando hasta la mañana. Entonces sus ojos se cerraron y vio a su esposa, triste y llorando. Se despabiló, gritó y recitó este par de versos:

> Tu imagen no se aparta de mí ni un instante: la he consagrado el lugar más noble de mi corazón.
> Si no tuviese la esperanza de reunirme contigo no viviría ni un segundo y no descansaría si no fuese por tu figura que se me aparece en sueños.

Al día siguiente por la mañana fueron en aumento los sollozos y el llanto; ojos anegados en lágrimas, corazón triste, insomne durante la noche y sin probar bocado vivió durante un mes entero. Al cabo de este plazo le pasó por la cabeza el ponerse en viaje e ir a visitar a sus hermanas, las cuales le ayudarían a conseguir el deseo de reunirse con su esposa. Hizo que acudiesen los camellos, cargó cincuenta dromedarios con preciosos regalos del Iraq, montó en uno de ellos y encargó a su madre que cuidase de la casa; excepción hecha de unos cuantos objetos, dejó todo lo demás en depósito y a continuación se puso en camino para ir a reunirse con sus hermanas por si acaso ellas podían ayudarlo a reunirse con su esposa. Anduvo sin cesar hasta llegar al alcázar de las jóvenes situado en el Monte de las Nubes. Al

[1] En el texto árabe (distinto según las ediciones) siguen varios versos cuyo sentido escapa.

encontrarse ante ellas les ofreció los regalos. Se alegraron mucho, lo felicitaron por llegar sano y salvo y le preguntaron: «¡Hermano nuestro! ¿Cuál es la causa de tu vuelta? Hace tan solo dos meses que estabas con nosotras». Hasán rompió a llorar y recitó estos versos:

Veo que está pensativo por la pérdida de su amada: no goza ni de la vida ni de sus delicias.
Mi enfermedad constituye un mal desconocido para el médico, pero ¿es que quien no es médico puede curar las enfermedades?
¡Oh, tú, que me has privado de las delicias del sueño y me has abandonado haciendo que pregunte por ti al viento cuando sopla!
Aún está próximo el tiempo en que estaba con mi amado cuyos atractivos hacían derramar lágrimas a mis ojos.
¡Oh, tú, que corres por su país! Es posible que el aspirar tu aroma dé vida al corazón.

Al terminar de recitar estos versos dio un alarido y cayó desmayado. Las muchachas, llorando, se sentaron a su alrededor y esperaron a que volviese en sí. Entonces recitó este par de versos:

Es posible que el destino, tascando sus riendas, me devuelva el amado: el tiempo es voluble.
Que el hado me ayude a conseguir mis deseos y que a estas cosas sigan otras.

Al terminar de recitar estos versos lloró amargamente y cayó desmayado. Al volver en sí recitó este otro par:

¡Por Dios! ¡Oh, tú, límite de mi enfermedad y de mis males! ¿Estás satisfecho? Yo estoy contento con mi amor.
¿Te alejarás sin causa ni culpa mía? ¡Vuelve a mí y ten piedad de tu pasada partida!

Cuando hubo terminado de recitar estos versos lloró amargamente y cayó desmayado. Al volver en sí recitó estos versos:

El sueño me ha abandonado; el desvelo ha llegado; el ojo derrama abundantes lágrimas que estaban guardadas.
Llora con lágrimas que parecen rojas conchas; crecen y se multiplican a lo largo de su curso.
¡Oh, enamorados! La pasión me ha hecho regalo de un fuego que arde entre las costillas.
Cuando te cito, las lágrimas que derramo van acompañadas de relámpagos y truenos.

Cuando hubo terminado de recitar estos versos lloró hasta caer desmayado. Al volver en sí recitó estos otros:

¿No estuvisteis próximos en el amor y en la pena como nosotros? ¿Nuestro amor por vos no fue el mismo que sentíais por nos?
¡Maldiga Dios al amor! ¡Qué amargo es! ¡Ojalá supiera qué es lo que el amor desea de nosotros!
Vuestros hermosos rostros se muestran ante nuestra vista dondequiera que estemos y aunque la distancia sea mucha.
Mi corazón está absorto pensando en vuestra tribu; el zureo de la paloma me turba.
¡Oh, paloma que pasas la noche llamando a tu compañero! Aumentas mi pasión y haces que la tristeza sea mi compañera.
Has hecho que mis párpados lloren sin fatiga por unas señoras que hemos perdido de vista.
En cada momento, en cada instante, gemimos por ellas; en la cerrada y negra noche la deseo.

Cuando hubo terminado de pronunciar estas palabras, su hermana corrió hacia él: lo halló desmayado. Gritó, se abofeteó la cara y sus hermanas se le acercaron. Al darse cuenta de que Hasán estaba desmayado, se inclinaron, llorando, hacia él. Al verle así no se les ocultó más la pasión, el desvarío, el amor y el cariño que le atormentaban. Le preguntaron por su situación. Llorando les explicó todo lo que había ocurrido durante su ausencia y cómo su esposa, después de coger a sus hijos, había remontado el vuelo. Se entristecieron y le preguntaron por lo que había dicho en el momento de marcharse. Contestó: «¡Hermanas mías! Dijo a mi madre: "Si regresa tu hijo y las noches de la separación le son largas, ansía reunirse conmigo y los vientos del deseo le agitan, puede venir a las islas Waq"». Al oír tales palabras las jóvenes empezaron a hacerse signos y hablar. Cada una de ellas miraba a su hermana mientras Hasán las observaba. Después, inclinaron un rato la cabeza hacia el suelo, la levantaron y exclamaron: «¡No hay fuerza ni poder sino en Dios, el Altísimo, el Grande!» Dirigiéndose a Hasán añadieron: «¡Levanta tu mano al cielo! Si puedes alcanzarlo, conseguirás reunirte con tu esposa...

Sahrazad se dio cuenta de que amanecía e interrumpió el relato para el cual le habían dado permiso.

Cuando llegó la noche *setecientas noventa y nueve,* refirió:

—Me he enterado, ¡oh rey feliz!, de que [las muchachas dijeron a Hasán: »...Si puedes alcanzar con la mano el cielo, te reunirás con tu esposa] y con tus hijos». Al oír estas palabras las lágrimas resbalaron por sus mejillas como si fuesen lluvia y empaparon sus vestidos. Recitó estos versos:

> Las rojas mejillas y las pupilas me han turbado; la llegada del insomnio me ha hecho perder la paciencia.
> Mi cuerpo se consume por la dureza de las bellas; no queda en él aliento de vida como creen las gentes.
> Ojos de hurí que brillan como los de gacelas, descubren una belleza capaz de enamorar a los santos si la vieran.
> Andan como el céfiro matutino cuando cruza los arriates; su amor me ha causado pena e intranquilidad.

Mis esperanzas quedaron prendidas de una de sus bellas; por eso se abrasa mi corazón en la llama del fuego.
Muchacha de miembros armoniosos, graciosa; la aurora reside en su cara y la tiniebla en su cabello.
Me turbó. ¡Pero cuántos héroes quedaron impresionados por los párpados y las pupilas de las hermosas!

Cuando hubo terminado de recitar estos versos rompió a llorar. Las jóvenes lo acompañaron con sus lágrimas, se apiadaron, tuvieron compasión de él y lo trataron con cariño aconsejándole que tuviese paciencia y deseándole que volviese a reunirse con su esposa. Su hermana se acercó y le dijo: «¡Hermano mío! ¡Tranquilízate! ¡Refresca tus ojos! Ten paciencia y conseguirás tu deseo. Quien tiene paciencia y espera consigue lo que quiere. La paciencia constituye la llave de la alegría. El poeta ha dicho:

Deja que los hados corran según sus riendas y duerme tranquilo por la noche.
En el tiempo que transcurre entre cerrar los ojos y abrirlos Dios transforma una cosa en otra».

La joven siguió: «Fortalece tu corazón y ten valor. Quien ha de vivir diez años no muere a los nueve. Las lágrimas, las penas, la tristeza hacen enfermar. Quédate con nosotras, descansa y yo idearé el medio para que te reúnas con tu esposa y con tus hijos si Dios (¡ensalzado sea!) lo quiere».

Hasán lloró amargamente y recitó estos versos:

Si se curase la enfermedad de mi cuerpo, no se curaría la que hay en mi corazón.
El único remedio para las enfermedades de amor consiste en la unión del amante con el amado.

A continuación se sentó al lado de su hermana. Ésta le habló, lo consoló y le preguntó por la causa que había motivado la partida de su esposa. Se lo explicó. Le dijo: «¡Por Dios, hermano mío! Yo quería decirte que quemaras el traje de plumas pero el demonio hizo que me olvidara». Siguió hablando con él y tratándolo con cariño. Pero su situación le pareció insoluble, su intranquilidad creció. Recitó estos versos:

Se apoderó de mi corazón un amigo al que traté con cariño, pero no hay modo de detener el decreto de Dios.
Poseía toda la belleza de los árabes. Es una gacela a la que mi corazón servía de pasto.
He puesto mi paciencia y mi astucia en su amor; lloro por ella cuando de nada sirve el llanto.
Era una hermosa que tenía siete más siete años, que parecía ser la luna cuando tiene cinco más cinco más cuatro días[2].

La hermana se dio cuenta de la pasión, el desvarío de amor y el cariño que le tenía. Entonces se dirigió, llorando y con el corazón triste, a sus hermanas; continuó el llanto ante ellas, se echó encima, les besó los pies y les rogó que ayudasen a su hermano a conseguir su propósito, a reunirse con sus hijos y su mujer. Les rogó que ideasen un medio para que pudiese llegar a las islas Waq. Siguió llorando ante sus hermanas hasta que les contagió las lágrimas y le dijeron: «¡Tranquiliza tu corazón! Si Dios quiere nos esforzaremos en reunirle con tu familia».

El joven permaneció con ellas un año entero durante el cual no cesó de derramar lágrimas. Dichas muchachas tenían un tío, hermano de su padre, que se llamaba Abd al-Quddus. Éste quería muchísimo a la hermana mayor y acudía una vez al año a visitarla para atender a sus necesidades. Las jóvenes le habían referido la historia de Hasán y lo que había acaecido a éste con el mago y cómo había conseguido darle muerte. Esto le había alegrado. El tío había entregado a la hermana mayor una bolsa conteniendo un sahumerio diciéndole: «¡Hija de mi hermano! Si alguna cosa te preocupa, si te sucede

[2] Obsérvese que la suma de estas cifras da catorce o sea la edad de la luna en el momento del plenilunio.

algo desagradable o te ocurre cualquier cosa, pon este sahumerio en el fuego y cita mi nombre. Yo acudiré en seguida para satisfacer tu necesidad». Estas palabras las había pronunciado al principio del año. La joven dijo a una de sus hermanas: «Ha transcurrido un año completo y mi tío aún no ha venido. Álzate, enciende el fuego y tráeme la caja que contiene el sahumerio». La otra se levantó la mar de alegre y le llevó la caja. La abrió, cogió un poco y se lo dio a su hermana. Ésta lo tomó y lo echó al fuego pronunciando el nombre de su tío. Aún no se había disipado cuando ya se levantaba, por la desembocadura del valle, una polvareda. Al cabo de un rato se disolvió el polvo y debajo apareció el jeque montado en un elefante que berritaba. Cuando llegó al alcance de la vista de las jóvenes empezó a hacerles señales con las manos y los pies. Al cabo de un rato las alcanzó. Se apeó del elefante, entró a verlas y las abrazó. Ellas le besaron las manos y lo saludaron. Después se sentó; las jóvenes hablaron con él y le preguntaron por su ausencia. Contestó: «Ahora me encontraba sentado al lado de mi mujer, vuestra tía. Al percibir el olor del sahumerio me he apresurado a venir a vuestro lado y he montado en ese elefante. ¿Qué es lo que quieres, hija de mi hermano?» Le contestó: «¡Tío! Estábamos deseosas de verte, ya que ha transcurrido un año. Tú no acostumbras a estar ausente más de un año». «Estaba ocupado. Pero tenía decidido venir a veros mañana.» Le dieron las gracias, hicieron los votos de rigor y se sentaron para hablar con él.

Sahrazad se dio cuenta de que amanecía e interrumpió el relato para el cual le habían dado permiso.

Cuando llegó la noche *ochocientas*, refirió:

—Me he enterado, ¡oh rey feliz!, de que la mayor dijo: «¡Tío! Ya te hemos contado la historia de Hasán al-Basrí que, raptado por Bahram el mago, dio muerte a éste; te hemos contado que se enamoró de una muchacha, hija del gran rey, la cual le hizo sufrir mucho y pasar toda clase de amarguras para terminar apoderándose y casándose con ella y que después regresó a su país». «Sí; ¿qué le ha ocurrido?» «Después de haberle dado dos hijos lo ha traicionado: ha cogido a los niños y ha huido a su país mientras él estaba ausente. Dijo a su madre: "Si regresa tu hijo y las noches de la separación le son largas, ansía reunirse conmigo y los vientos del amor y del deseo le agitan, puede abandonar su patria y venir a las islas de Waq".» El viejo movió la cabeza, se mordió los dedos, bajó la cabeza hacia el suelo y empezó a golpear la tierra con los dedos; se volvió a derecha e izquierda y meneó la cabeza. Hasán, que estaba escondido, lo observaba. Las mujeres dijeron a su tío: «¡Contéstanos! ¡Tenemos el corazón deshecho!» Levantó la cabeza hacia ellas y replicó: «¡Hijas mías! Ese hombre se fatigará mucho, se expondrá a grandes peligros y enormes dificultades, pero no podrá llegar a las islas de Waq». Las jóvenes, entonces, llamaron a Hasán. Éste acudió, se aproximó al jeque Abd al-Quddus, le besó la mano y lo saludó. El viejo se alegró de verlo y le hizo sentar a su lado. Las muchachas le dijeron: «¡Tío! Expón a nuestro hermano la verdad de lo que has dicho». Explicó: «¡Hijo mío! Olvida este gran tormento, pues no podrás llegar nunca a las islas Waq, aunque fueses un genio volador o una estrella fugaz. Te separan de esas islas siete valles, siete mares y siete grandes cordilleras. ¿Cómo has de poder llegar hasta ese lugar? ¿Quién te llevaría? ¡Te conjuro, por Dios, a que desistas inmediatamente y a que no pienses más en ello!» Hasán, al oír las palabras del viejo Abd al-Quddus, rompió a llorar hasta caer desmayado. Las muchachas se sentaron a su alrededor llorando. La hermana menor desgarró sus vestidos y se abofeteó la cara hasta caer desmayada. El jeque Abd al-Quddus se apiadó y tuvo compasión de todos al ver su situación y la gran pena, dolor y aflicción que experimentaban. Les dijo: «¡Callad!» Dirigiéndose a Hasán añadió: «¡Tranquiliza tu corazón y alégrate! Conseguirás tu deseo, si Dios (¡ensalzado sea!) quiere. ¡Hijo mío! Ponte en pie, ten valor y sígueme». Después de despedirse de las muchachas y haber hecho acopio de valor lo siguió lleno de alegría, pues su deseo iba a realizarse. El jeque Abd al-Quddus llamó al elefante y éste acudió. Montó en él y Hasán se colocó en la grupa.

Anduvieron sin cesar durante tres días con sus noches a la velocidad del relámpago cegador. Así llegaron a un gran monte cuyas piedras eran todas de color azul. En dicho monte había una cueva cerrada con una fuente de hierro chino. El jeque tomó de la mano a Hasán y lo ayudó a descabalgar. Después despidió al elefante, se acercó a la puerta de la cueva y llamó. La puerta se abrió y apareció un esclavo negro y calvo que parecía un *efrit*. Con la diestra empuñaba una espada y con la siniestra un escudo de acero. Al ver al jeque Abd al-Quddus soltó la espada y el escudo, se le acercó y le besó la mano. El jeque cogió a Hasán de la mano y entró con él. El esclavo cerró la puerta tras ellos. Hasán observó que era una cueva muy grande y espaciosa que tenía un vestíbulo, con bóveda. Marcharon sin cesar durante una milla. Entonces llegaron a una gran explanada y se dirigieron hacia un rincón en el que había dos puertas enormes de bronce amarillo. El jeque Abd al-Quddus abrió una de ellas, entró, la volvió a cerrar y dijo a Hasán: «¡Quédate junto a esta puerta y no la abras ni entres hasta que yo haya regresado a tu lado, lo cual haré pronto!» El jeque estuvo ausente durante una hora. Regresó con un caballo ensillado y embridado: no galopaba sino que volaba y el polvo no le alcanzaba. El jeque dijo a Hasán: «¡Monta!» Después abrió la segunda puerta y apareció una tierra espaciosa. Una vez hubo montado el joven, los dos salieron por esa puerta y recorrieron dicha región. El jeque le dijo: «¡Hijo mío! Coge esta carta y ve al lugar al que te lleve este corcel. Cuando se detenga en la puerta de una caverna como ésta, pon pie en tierra, coloca las riendas en el arco de la silla y déjalo en libertad. Si después entrase en la cueva no lo sigas; permanece en la puerta durante cinco días sin cansarte. El sexto día acudirá ante ti un jeque negro, trajeado de negro, pero con luenga barba blanca que le llegará hasta el ombligo. Cuando lo veas, bésale las manos, agárrate al faldón de su traje, ponlo encima de tu cabeza y llora ante él hasta que se apiade de ti y te pregunte qué es lo que necesitas. Entonces dile lo que quieres y entrégale esta carta: la cogerá sin decirte ni una palabra, se volverá adentro y te dejará solo. Quédate en el mismo sitio durante otros cinco días; no te canses, pues el sexto día volverás a verlo y se acercará. Si acude en persona puedes estar seguro de que conseguirás tu propósito; si acude uno de sus servidores tienes que comprender que quiere matarte. Y la paz. Sabe, hijo mío, que aquel que se expone al peligro encuentra la muerte.

Sahrazad se dio cuenta de que amanecía e interrumpió el relato para el cual le habían dado permiso.

Cuando llegó la noche *ochocientas una*, refirió:

—Me he enterado, ¡oh rey feliz!, de que [Abd al-Quddus prosiguió:] »...Si temes por tu vida no te expongas a la muerte, pero si no tienes miedo aquí tienes lo que te interesa. Te he explicado las cosas: si quieres regresar al lado de tus amigas, aquí tienes el elefante: te conducirá junto a mis sobrinas, éstas te facilitarán medios para llegar a tu país, te devolverán a tu patria y Dios te recompensará por la pérdida de la muchacha de la que te has enamorado». Hasán contestó al jeque: «Si no consigo mi deseo ¿cómo puede serme útil la vida? ¡Por Dios! No desistiré hasta conseguir reunirme con mi amada o que la muerte me alcance». Rompió a llorar y recitó estos versos:

Al perder mi amor y aumentar mi desvarío me detuve a gritar mi dolor y mi abatimiento.
Mi amor por él me llevó a besar la tierra en que había estado su campamento, pero sólo sirvió para aumentar mi pesar.
¡Cuide Dios de los que se alejan! En mi corazón queda su recuerdo. Me he reunido con las penas abandonando la dulzura.
Me dicen: "¡Paciencia!" Pero la paciencia se marchó con ella. El día de la marcha se encendieron mis suspiros.
Sólo me asustaron los adioses y sus palabras: "Una vez me haya ido recuérdame y no te olvides de mi compañía".
Después de su partida ¿en quién encontraré consuelo? Eran mi esperanza tanto en el bienestar como en la pena.
¡Oh, pena mía, cuando regresé después de la despedida! Mis odiosos enemigos se alegraron de mi vuelta.

¡Qué tristeza! Esto es lo que temía. ¡Oh, pasión! ¡Aumenta la llama de mi corazón!
Después de la marcha de mis amigos he perdido la vida. Si regresasen ¡qué alegría! ¡qué satisfacción!
¡Por Dios! Mi llanto por su pérdida no se ha derramado a mares; al contrario: cae gota tras gota.

Al oír sus versos y sus palabras el jeque Abd al-Quddus, comprendió que no renunciaría a su deseo y que los consejos no le harían mella. Quedó convencido de que iba a arriesgarse a perder la vida. Le dijo: «Sabe, hijo mío, que son siete las islas Waq y que en ellas reside un gran ejército. Todo él está formado por mujeres vírgenes. Los habitantes de las islas son genios, demonios, *marides*, brujos y distintos clanes de gentes similares: no regresa ninguno de los viajeros que los visita ni jamás uno de éstos ha conseguido llegar a su país. Te conjuro, por Dios, a que regreses en seguida al lado de tu familia. Tú sabes que la muchacha, en cuya búsqueda vas, es hija del rey de todas estas islas ¿cómo has de poder alcanzarla? Escúchame hijo mío y tal vez Dios te compense con creces por su pérdida». Hasán replicó: «¡Por Dios, señor mío! Aunque se me hiciera pedazos por ella, mi pasión y mi cariño no harían más que crecer. Es necesario que vea a mi esposa y a mis hijos y que llegue a las islas Waq. Si Dios (¡ensalzado sea!) lo quiere, no regresaré más que con ella y mis hijos». El jeque Abd al-Quddus replicó: «¿Entonces debes continuar el viaje?» «Sí; sólo quiero pedirte que reces por mí pidiendo ayuda y fuerza. Tal vez Dios me reúna dentro de poco con lo que deseo: mi esposa y mis hijos.»

Rompió a llorar de tanta pasión como experimentaba y recitó estos versos:

Vos constituís mi deseo y sois la más bella criatura: Me sois tan querido como el oído y la vista.
Os habéis enseñoreado de mi corazón que ha pasado a ser vuestra morada; después de que os

marchásteis, señores míos, constituye mi amargura.
No creáis que yo me he apartado de vuestro amor; vuestro amor causa la pena del mezquino.
Os marchásteis y desde el momento de vuestra partida perdí mi alegría; mi serenidad se ha transformado en inmensa pena.
Me abandonásteis: el dolor me lleva a contemplar los astros y lloro con lágrimas que se parecen a grandes gotas de lluvia.
¡Oh, noche! Sé larga para aquél que, intranquilo por el mucho amor, vela observando la paz de la luna.
¡Oh, viento! Si soplas en el lugar en que han acampado, dales mi saludo, pues la vida es breve.
Diles algo del dolor que experimento; mis amigos nada saben de mí.

Al terminar Hasán de recitar estos versos rompió a llorar a lágrima viva hasta caer desmayado. Al volver en sí el jeque Abd al-Quddus le dijo: «¡Hijo mío! Tú tienes madre: no la hagas experimentar el dolor de tu pérdida». «¡Señor mío! O regresaré con mi esposa o me llegará la muerte.» Lloró, sollozó y recitó estos versos:

¡Por el amor! La separación no ha alterado vuestro pacto y yo no soy de los que traicionan los pactos.
Tengo tales sentimientos que si se los explicase a la gente dirían: "La locura lo domina".
Pasión, tristeza, sollozo, quemazón; quien vive de este modo ¿cómo puede vivir?

Cuando hubo terminado de recitar estos versos, el jeque Abd al-Quddus comprendió que no renunciaría a su propósito ni aun a riesgo de la vida. Le entregó la carta, rogó por él, le recomendó lo que debía hacer y le dijo: «En la carta te recomiendo a Abu-l-Ruways, hijo de Bilqis, hija de Muin; es mi jefe y mi maestro; todos los hombres y los genios lo respetan y lo temen. Ahora vete con la bendición de Dios (¡ensalzado sea!)». Hasán tomó su camino, dio rienda suelta al corcel y éste voló más rápido que el relámpago. Durante diez días sin interrupción corrió a lomos del animal. Así llegó ante un anciano muy viejo más negro que la noche; que ocluía el horizonte comprendido entre oriente y occidente. El caballo relinchó al acercarse. Acudieron a reunirse con él otros caballos tan numerosos como el agua de la lluvia cuyas gotas no se pueden contar ni calcular. Los otros corceles empezaron a acariciarse con el de Hasán mientras éste se asustaba y tenía miedo. Pero Hasán no paró de avanzar rodeado de caballos, hasta llegar a la cueva que le había descrito el jeque Abd al-Quddus. El caballo se detuvo ante su puerta. Hasán se apeó, colocó las riendas encima de la silla y el corcel entró en ella. Hasán se quedó en la puerta, conforme le había mandado el jeque, meditando, perplejo y agitado, en cuáles podían ser las consecuencias de su aventura y sin saber lo que iba a suceder.

Sahrazad se dio cuenta de que amanecía e interrumpió el relato para el cual le habían dado permiso.

Cuando llegó la noche *ochocientas dos,* refirió:

—Me he enterado, ¡oh rey feliz! de que permaneció al lado de la puerta durante diez días con sus noches; desvelado, triste, perplejo meditaba en cómo había abandonado su familia, patria, amigos y compañeros; los ojos lloraban; el corazón estaba triste. Pensando en su madre, reflexionando en lo que le había ocurrido, en la separación de su esposa y sus hijos y en lo que había sufrido, recitó estos versos:

Junto a vos está la cura de mi corazón, corazón
que se me ha escapado; de mis párpados caen
lágrimas a raudales.
Separación, tristeza, pasión, ausencia, alejamiento
de la patria y amor, siempre en aumento, son
mis males.
Yo sólo soy un enamorado lleno de pasión: la
desgracia lo ha afligido separándolo de quien
ama.
Si mi amor me ha lanzado a tal desgracia decidme

¿a qué hombre generoso no han alcanzado las
vicisitudes del destino?

Apenas acababa Hasán de recitar estos versos cuando ya aparecía el anciano Abu-l-Ruways; era negro y llevaba vestidos negros. Hasán, al verlo, lo reconoció por la descripción que le había hecho el jeque Abd al-Quddus; se acercó a él, acarició con las mejillas sus pies y le cogió uno de éstos y lo puso encima de su cabeza llorando. El jeque Abu-l-Ruways le preguntó: «¿Qué necesitas, hijo mío?» Hasán le alargó la carta con la mano y se la entregó. El jeque la cogió y se metió en la cueva sin contestarle. Hasán siguió en su sitio, llorando al lado de la puerta, tal como le había dicho el jeque Abd al-Quddus. Permaneció allí sin moverse durante otros cinco días. Presa de la intranquilidad, del temor y del insomnio lloró por el dolor de la separación, por el largo insomnio y recitó estos versos:

¡Gloria al Todopoderoso del cielo! El amante está
inquieto.
Quien no ha probado el fruto del amor no sabe
lo que es la fatiga de la pena.
Si pudiese contener las lágrimas, derramaría ríos
de sangre.
¡Cuántos amigos tienen el corazón duro y viven
ávidos de la desgracia de los demás!
Si se muestra compasivo, le respondo: "No me
quedan más lágrimas".
Fui a envolverme en un manto, pero el ojo de la
desgracia me hirió.
Las fieras lloran por mi soledad y lo mismo
hacen los habitantes del cielo.

Hasán no paró de llorar hasta la aparición de la aurora. Entonces el jeque Abu-l-Ruways salió a verlo vestido de blanco. Con la mano le hizo gestos para que entrase. Hasán pasó. El jeque lo cogió de la mano y entró con él en la cueva. El muchacho se puso muy contento y quedó convencido de que iba a conseguir su deseo. El jeque y Hasán anduvieron durante medio día hasta llegar a un arco de medio punto cerrado por una puerta de acero. El anciano abrió la puerta y entró con Hasán. Se encontraron en un vestíbulo con bóveda de piedra de ónice incrustada en oro. Siguieron avanzando hasta llegar a una gran habitación de mármol en cuyo centro había un jardín con toda clase de árboles, flores y frutos. Los pájaros, sobre los árboles, gorjeaban loando a Dios, el Rey todopoderoso. En la habitación había cuatro testeras unas enfrente de otras; en cada una de ellas había un estrado y en su centro un surtidor. En cada ángulo del mismo se encontraba la estatua de un león de oro. En cada estrado había un trono en el cual estaba sentada una persona que tenía delante numerosos libros y una serie de incensarios de oro con brasas y sahumerios. Delante de cada uno de estos jeques se hallaban unos estudiantes que leían los libros. Cuando llegó Hasán con el viejo todos se pusieron de pie y los trataron bien. Abu-l-Ruways se acercó a ellos y les hizo señas para que alejasen a los presentes. Así lo hicieron y los cuatro jeques se quedaron solos. Se sentaron delante de Abu-l-Ruways y le preguntaron qué ocurría a Hasán. Entonces aquél dijo a éste: «Cuenta a los reunidos tu historia y todo lo que te ha ocurrido desde el principio hasta el fin». El muchacho rompió a llorar a lágrima viva y les refirió su historia. Al terminar todos los ancianos gritaron: «¿Es éste el chico encerrado por el mago dentro de un pellejo y subido por las águilas al Monte de la Nube?» Hasán contestó que sí. Entonces se acercaron al jeque Abu-l-Ruways y le dijeron: «¡Maestro! Bahram se las ingenió para hacerle subir al Monte pero ¿cómo consiguió bajar? ¿qué prodigios vio en la cima del monte?» El jeque Abu-l-Ruways dijo: «¡Hasán! ¡Cuéntales cómo bajaste del monte e infórmales de los prodigios que viste!» Les explicó lo que le había ocurrido desde el principio hasta el fin y cómo había vencido al mago y le había dado muerte. Les refirió cómo le había traicionado su esposa llevándose a sus hijos y todos los horrores y penalidades pasadas. Los allí presentes se admiraron de lo que les había sucedido. Después se acercaron al jeque Abu-l-Ruways y le dijeron: «¡Jeque de los jeques! ¡Por Dios!

Este joven es un desgraciado. Tal vez tú puedas ayudarlo salvando a su mujer y a sus hijos».

Sahrazad se dio cuenta de que amanecía e interrumpió el relato para el cual le habían dado permiso.

Cuando llegó la noche *ochocientas tres,* refirió:

—Me he enterado, ¡oh rey feliz!, de que [Abu-l-Ruways replicó:] «¡Hermanos míos! Es un asunto difícil, peligroso. Este joven es la única persona que conozco que detesta la vida. Vosotros sabéis que es difícil llegar a las islas Waq y que nadie llega a ellas sin exponerse a perder la vida; sabéis cual es la fuerza de sus habitantes y de sus servidores. Yo he jurado no pisar su país y no causarles molestias. ¿Cómo podría llegar éste hasta la hija del gran rey y quién podría llevarlo hasta ella y auxiliarlo en un tal asunto?» Contestaron: «¡Jeque de los jeques! Este hombre ha sido presa del amor, ha puesto en peligro su vida y ha llegado hasta ti con una carta de tu hermano, el jeque Abd al-Quddus. Por tanto, es necesario que le ayudes». Hasán besó los pies de Abu-l-Ruways, levantó el faldón de su traje y lo colocó encima de su cabeza llorando. Le dijo: «Te conjuro, por Dios, a que me reúnas con mis hijos y esposa, aunque ello haya de costarme la vida y la sangre». Los allí presentes rompieron a llorar e intervinieron: «Da su salario a este desgraciado, hazlo como un favor a tu hermano el jeque Abd al-Quddus». Les contestó: «Este joven es un desgraciado que no sabe lo que está ante él. Pero le ayudaremos dentro del límite de lo posible». Hasán se alegró al oír estas palabras y besó las manos de todos los presentes, unos tras otros, al tiempo que les pedía auxilio. Abu-l-Ruways tomó una hoja de papel y tinta y escribió una carta. La selló y se la entregó a Hasán con una bolsa de piel que contenía sahumerios y los instrumentos de hacer fuego como eslabón, etcétera. Le dijo: «Guarda esta bolsa: cuando te encuentres en alguna dificultad quema un poco de su contenido y llámame. Yo acudiré a tu lado y te libraré de él». A continuación mandó a uno de los presentes que hiciese comparecer, inmediatamente, a uno de los *efrites* de los genios voladores. Éste acudió al acto. El jeque le preguntó: «¿Cuál es tu nombre?» «Soy tu esclavo Dahnas b. Faqtás.»

«¡Acércate!» Se acercó. El jeque Abu-l-Ruways colocó su boca en el oído del *efrit* y le dijo unas palabras a las que éste asintió con la cabeza. El jeque dijo a Hasán: «¡Hijo mío! Monta sobre los hombros de este *efrit,* Dahnas el volador. Cuando remonte el vuelo hacia el cielo oirás que los ángeles cantan las glorias de Dios en el firmamento, pero tú no lo alabes, pues perecerías tú y él». «¡Jamás hablaré!», replicó Hasán. El jeque añadió: «¡Oh, Hasán! Después de marcharte con él, a la hora de la aurora del segundo día, te depositará en una tierra blanca, pura como el alcanfor. Una vez en ella avanzarás, solo, durante diez días hasta llegar a la puerta de la ciudad. Cuando estés ante ella, entra y pregunta por su rey. Al llegar ante éste salúdalo, bésale la mano y dale esta carta. Presta atención a cualquier cosa que te indique». Hasán replicó: «¡Oír es obedecer!» Se puso en pie al mismo tiempo que el *efrit.* Los jeques se despidieron y le recomendaron al genio. Éste lo colocó encima de su hombro y remontó el vuelo hasta la cúspide de los cielos volando con él día y noche hasta que oyó, en el firmamento, los cánticos de los ángeles. Al llegar la aurora lo depositó en una tierra blanca como el alcanfor, lo dejó y se marchó. Hasán, al darse cuenta de que estaba en aquella tierra y de que nadie lo acompañaba, anduvo día y noche durante diez días hasta llegar a la puerta de la ciudad. Entró, preguntó por el rey y le guiaron. Le dijeron: «Se llama el rey Hassún, es rey de la tierra del alcanfor y tiene ejércitos y soldados que llenan todo lo largo y ancho de la tierra». Hasán pidió audiencia y se la concedió. Al encontrarse ante él se dio cuenta de que era un gran rey. Besó el suelo ante él. El soberano le preguntó: «¿Qué necesitas?» Hasán besó la carta y se la entregó. La cogió, la leyó y meneó un momento la cabeza. Luego dijo a uno de sus cortesanos: «Coge a este muchacho y alójalo en la casa de los huéspedes». Lo acompañaron y lo hospedaron allí. Residió en ella durante tres días comiendo y bebiendo, pero sin tener a su lado más que un criado. Éste hablaba con él, lo trataba con miramientos y le preguntaba por su historia y el modo cómo había llegado a aquel país. Hasán le informó de todo lo que le había sucedido y de la situación en que se encontraba. Al cuarto día, el muchacho lo cogió y le hizo comparecer ante el rey. Éste le dijo: «¡Hasán! Tú has llegado hasta mí pues quieres entrar en las islas Waq según nos dice el jeque de los jeques. ¡Hijo mío! Yo te mandaría estos días, pero en tu camino se encuentran muchos peligros y campiñas sin agua que encierran grandes terrores. Ten paciencia pues sólo ha de ocurrirte bien. No cabe duda de que he de ingeniármelas para hacerte conseguir lo que deseas si Dios (¡ensalzado sea!) lo quiere. Sabe, hijo mío, que aquí hay un ejército de daylamíes que quieren invadir las islas Waq; tienen preparados armas, caballos y refuerzos, pero no podrán ponerse en campaña. ¡Hijo mío!, a causa del jeque de los jeques, Abu-l-Ruways b. Bilqis b. Muin, yo no puedo negarte nada y no puedo hacer más que satisfacer tu deseo. Dentro de algún tiempo llegarán los navíos de las islas Waq; falta ya poco. Cuando toque tierra uno de éstos te haré embarcar, y te recomendaré a su equipaje para que te traten bien y te hagan llegar a las islas Waq. A todos aquellos que te pregunten por tu situación y tu historia, responde: "Soy pariente del rey Hassún, señor de la tierra del alcanfor". Cuando la nave ancle en la isla Waq y el capitán te diga: "¡Desembarca!", desembarca. Verás numerosos bancos en todas partes de la tierra. Escoge uno, siéntate debajo y no te muevas. Cuando la noche despliegue sus tinieblas y veas que el ejército de mujeres rodea las mercancías, extiende tu mano, sujeta a la que se siente encima del banco del cual estás tú y pídele su protección. Sabe, hijo mío, que si ella acepta protegerte conseguirás tu deseo y te reunirás con tu esposa y tus hijos. Si no te protege puedes entristecerte, desesperar de la vida y estar seguro de que vas a morir. ¡Hijo mío! Tú te expones al peligro y yo sólo puedo hacer esto.

Sahrazad se dio cuenta de que amanecía e interrumpió el relato para el cual le habían dado permiso.

Cuando llegó la noche *ochocientas cuatro*, refirió:

—Me he enterado, ¡oh rey feliz!, de que [Hassún prosiguió:] »...Sabe que si no hubieses tenido el auxilio del Señor del cielo no hubieses llegado hasta aquí». Hasán, al oír las palabras del rey Hassún, rompió a llorar hasta caer desmayado. Al volver en sí recitó este par de versos:

> No hay escapatoria: tengo un número de días fijado para vivir; cuando estos días concluyan, moriré.
>
> Si tuviera que luchar con los leones en la selva los vencería mientras durase mi plazo.

Cuando Hasán hubo terminado de recitar sus versos, besó el suelo ante el rey y dijo: «¡Gran rey! ¿Cuántos días faltan para que lleguen los navíos?» «Un mes; permanecen aquí, para la compraventa, un par de meses. Después regresan a su país. No esperes partir antes de que hayan transcurrido seis meses completos.» El rey ordenó a Hasán que se marchase a la casa de los huéspedes y mandó que le llevasen cuanto pudiera necesitar: comida, bebida, vestidos y todo aquello que es propio de los reyes. Permaneció en la casa de los huéspedes durante un mes, al cabo del cual llegaron los navíos. El rey, acompañado por Hasán y los comerciantes, salió a recibirlos. El muchacho se dio cuenta de que se trataba de naves que transportaban un gentío inmenso, tan numeroso que parecía un montón de guijarros y cuyo número sólo lo conocía el Creador. La nave estaba en medio del mar y pequeñas barcas transportaban las mercancías a la costa. Hasán permaneció entre ellos hasta que sus tripulantes hubieron trasladado las mercancías a tierra e iniciaron la compraventa.

Cuando sólo faltaban tres días para la partida el rey mandó comparecer a Hasán; le preparó lo que necesitaba, le hizo grandes regalos y lo recomendó al capitán de la nave. Le dijo: «Lleva contigo, en el buque, a este muchacho y no informes a nadie. Haz que llegue a la isla Waq y déjalo allí; no regreses con él» «¡Oír es obedecer!», replicó el capitán. Después el rey dio consejos a Hasán y le dijo: «No expliques a ninguno de tus compañeros de viaje tu situación; no refieras a nadie tu historia, pues morirías». «¡Oír es obedecer!», contestó el muchacho. Éste se despidió del rey después de hacer votos por su larga vida y desearle que venciese a todos sus rivales y enemigos. El rey le dio las gracias, le deseó que escapase con vida y consiguiese su propósito. Después le confió al capitán. Éste le cogió, lo metió en un cofre, embarcó éste en un bote y no lo sacó de su interior, en el navío, hasta que vio que la gente estaba ocupada en el acondicionamiento de las mercancías.

Los buques zarparon y navegaron durante diez días. El día undécimo llegaron a tierra. El capitán le desembarcó de la nave. Hasán al encontrarse en tierra vio bancos en tal número que sólo Dios lo conocía. Anduvo hasta llegar a uno que no tenía par. Se ocultó debajo. Al llegar la noche apareció tal número de mujeres que parecían una plaga de langosta. Avanzaban a pie, empuñando la espada desenvainada y protegidas por una cota de malla. Las mujeres examinaron las mercancías y se distrajeron con ellas. Después se sentaron a descansar. Una de ellas se sentó en el banco debajo del cual estaba escondido Hasán. Éste cogió el faldón de su traje, lo colocó encima de su cabeza, se acercó a ella y le besó, llorando, manos y pies. Le dijo: «¡Oh, tú! ¡Levántate antes de que nadie te vea y te mate!» Entonces Hasán salió de debajo del banco, se puso en pie y le besó las manos. Le dijo: «¡Señora mía! ¡Estoy bajo tu protección!» Rompió a llorar y añadió: «¡Ten misericordia de aquel que está separado de su familia, de su esposa y de sus hijos; de aquel que corre a reunirse con ellos arriesgando su vida! ¡Ten misericordia de mí y serás recompensada con el Paraíso! Si no quieres acogerme te ruego por Dios, el Grande, El que todo lo oculta, que me escondas!» Los mercaderes lo observaban mientras él le hablaba. La mujer, al oír estas palabras y ver su humildad, tuvo compasión y su corazón se apiadó. Se dio cuenta de que si había arriesgado su vida y llegado hasta aquel lugar, era debido a algún asunto importante. Entonces le dijo: «¡Hijo mío! Tranquiliza tu alma, refresca tus ojos, ten corazón y pensamiento firmes, vuelve a tu lugar y permanece escondido debajo del banco, como estabas antes, hasta la próxima noche. Dios hace todo lo que quiere». Se despidió de él y Hasán se escondió debajo del banco del mismo modo que antes. Los soldados pasaron la noche: encendieron velas hechas con una mezcla de áloe y ámbar. Al día siguiente las naves se acercaron a tierra y los comerciantes se dedicaron a desembarcar mercancías y objetos hasta la caída de la noche. Hasán, llorando y con el corazón triste, permaneció escondido debajo del banco sin saber lo que le reservaba el destino. Mientras así estaba, llegó la mujer comerciante que le había tomado bajo su protección: le dio una cota de mallas, una espada, un cinturón dorado y una lanza. A continuación se marchó de su lado por temor a los soldados. Hasán al ver estos objetos comprendió que la comerciante se los había dado para que se los pusiera. El joven endosó la cota de mallas, se colocó el cinturón, ciñó la espada debajo de la axila y empuñó la lanza. Después se sentó en el banco mientras su lengua no paraba de pronunciar el nombre de Dios (¡ensalzado sea!); al contrario, le pedía que le hiciese pasar inadvertido.

Sahrazad se dio cuenta de que amanecía e interrumpió el relato para el cual le habían dado permiso.

Cuando llegó la noche *ochocientas cinco,* refirió:

—Me he enterado, ¡oh rey feliz!, de que mientras estaba sentado se acercaron las antorchas, los fanales y las velas y reapareció el ejército de mujeres. Hasán se incorporó y se mezcló con ellas como si fuese una más. Al acercarse la aurora, Hasán y los soldados se pusieron en marcha hasta llegar a sus tiendas. Cada una se metió en la suya y Hasán lo hizo en la de una de ellas: era la de la mujer que le había concedido protección. Una vez en el interior soltó las armas, se quitó la cota de malla y el velo. Hasán soltó a su vez las armas, miró a su dueña y vio que tenía los ojos azules y la nariz grande: era una calamidad entre las calamidades; era el ser más feo de la creación: rostro picado de viruelas, cejas despobladas; dientes rotos, mejillas arrugadas, cabellos blancos, boca babosa. Era tal como el poeta dijo de una parecida:

> En los ángulos de su cara hay nueve calamidades:
> cada una de ellas muestra un infierno.
> Rostro repugnante y feo como si fuese de un
> cerdo que remueve lo sucio y come.

Era calva como una serpiente pelada. La vieja se admiró al ver a Hasán y le preguntó: «¿Cómo has llegado hasta este país? ¿Qué nave te ha traído? ¿Cómo te has salvado?» Quedó maravillada de que hubiese podido llegar y le interrogó. Entonces Hasán cayó a sus pies, los frotó con su rostro y rompió a llorar hasta caer desmayado. Cuando volvió en sí recitó estos versos:

¿El transcurso de los días, cuándo permitirá la reunión y nos unirá con el amado después de habernos separado?
¿Cuándo conseguiré aquello que me satisface? Los reproches tienen fin y el amor es eterno.
Si el Nilo llevase tanta agua como mis lágrimas no quedaría ningún desierto en el mundo:
Habría inundado el Hichaz, todo Egipto y el Iraq.
Y todo esto porque te alejaste de mí, amigo mío; tenme compasión y regresa.

Cuando hubo terminado de recitar estos versos cogió el faldón de la vieja, lo colocó encima de su cabeza y rompió a llorar pidiéndole su protección. La anciana se dio cuenta de su amor, turbación, dolor y pena; su corazón se apiadó, le concedió su protección y le dijo: «¡No temas!» Le preguntó qué le ocurría y él le refirió todo lo que le había sucedido desde el principio hasta el fin. La vieja quedó admirada de su historia y le dijo: «Tranquiliza tu corazón y tu pensamiento; no temas; has conseguido tu deseo y si Dios (¡ensalzado sea!) quiere, conseguirás lo que necesitas». Hasán se alegró muchísimo al oírla. La vieja mandó que compareciesen los alcaides de su ejército. Era el último día del mes. Cuando los tuvo delante dijo: «Salid y congregad todas las tropas para mañana por la mañana. Que nadie desobedezca, pues quien falte será castigado con la muerte». Contestaron: «¡Oír es obedecer!» y se marcharon. Dieron orden a todas las tropas para que se preparasen para partir al día siguiente por la mañana. Después regresaron a informar de lo que habían hecho. Así se enteró Hasán de que ella era la jefe del ejército, su consejero y su comandante. El joven no se quitó las armas de encima del cuerpo durante todo aquel día. La vieja en cuya casa estaba, se llamaba Sawahi y la apodaban Umm al-Dawahi. Antes de que terminase de emitir órdenes y prohibiciones apareció la aurora. Las tropas salieron de sus acantonamientos, pero la vieja no les acompañó. Una vez se hubieron marchado dejando vacías sus bases Sawahi dijo a Hasán: «¡Acércate, hijo mío!» El joven se aproximó y se detuvo ante ella, la cual, a su vez, se acercó y le preguntó: «¿Cuál es la causa que te ha hecho arriesgar tu vida y entrar en nuestro país? ¿Cómo puedes ir en busca de la muerte? Cuéntame la verdad de todo tu asunto y no temas nada de mí; no temas pues te he dado mi palabra y te he puesto bajo mi protección y mi clemencia, ya que tu situación me ha conmovido. Si me cuentas la verdad te ayudaré a conseguir tus deseos aunque ello haya de costarme la vida y la pérdida del espíritu. Desde el momento en que has llegado ante mí, no corres ningún peligro y no permitiré a ninguno de los habitantes de las islas Waq que te cause daño».

Hasán le contó toda su historia desde el principio al fin y la explicó lo sucedido con su esposa y con los diez pájaros: cómo la había cazado y se había casado con ella; cómo habían vivido juntos y le había dado dos hijos y cómo después de descubrir dónde estaba el vestido de plumas había remontado el vuelo llevándose los niños. No le ocultó ningún detalle de lo que había sucedido desde el primer día hasta aquel en que se encontraba. La vieja movió la cabeza después de haber oído sus palabras. Exclamó: «¡Gloria a Dios que te ha salvado, que te ha hecho llegar hasta aquí y que te ha puesto en mi poder! Si hubieses caído en otras manos hubieses perdido la vida y no hubieses conseguido tu deseo. La pureza de tu intención, tu amor, tu gran pasión por tu esposa e hijos es lo que te permite realizar tu deseo. Si tú no la amases y no estuvieses enamorado no te hubieses arriesgado por ella. ¡Alabado sea Dios que te ha salvado! Es necesario que satisfagamos tu deseo y te auxiliemos a buscarla hasta que, en el plazo más breve, si Dios (¡ensalzado sea!) lo quiere, consigas lo que apeteces. Pero sabe, hijo mío, que tu esposa vive en la séptima de las islas Waq y que de ésta nos separan siete meses de viaje de día y de noche. Nos marcharemos desde aquí a una región que se llama "Región de los Pájaros", ya que el piar y el aletear de éstos impide oír a una persona lo que dice otra...

Sahrazad se dio cuenta de que amanecía e interrumpió el relato para el cual le habían dado permiso.

Cuando llegó la noche *ochocientas seis,* refirió:

—Me he enterado, ¡oh rey feliz!, de que [Sawahi prosiguió:] »...en este país andaremos durante once días con sus noches. Después saldremos de él y entraremos en una tierra llamada "Tierra de las fieras", ya que en ella sólo se oyen los gritos de las fieras, de las hienas y de los animales; el ulular de los lobos y el rugido de los leones. La cruzaremos en veinte días al cabo de los cuales estaremos en una tierra llamada "Tierra de los Genios". Los gritos de éstos, las llamas de los fuegos, las chispas y el humo que salen de su boca, sus suspiros y sus insolencias nos cerrarán el camino, nos ensordecerán y nos cegarán: no veremos ni oiremos; no podremos volvernos atrás, pues todo aquel que lo hace, muere. El caballero que cruza esa región tiene que llevar pegada la cabeza al arco de su silla y no levantarla durante tres días. Después nos encontraremos ante un gran monte y un río de gran caudal. Ambos están junto a las islas Waq. Sabe, hijo mío, que estas tropas están formadas por muchachas vírgenes y que el rey que las gobierna es una mujer de las siete islas Waq. Un jinete experto necesitaría un año entero para recorrer las siete islas. Junto a la orilla de ese río hay otro monte que se llama "Monte de Waq". Se llama así debido a un árbol cuyas ramas parecen ser cabezas de hombres. Éstas gritan todas a la vez, cuando sale el sol: "¡Waq! ¡Waq! ¡Gloria al Rey de las criaturas!" Al oír estas palabras sabremos que el sol ha salido. Cuando el sol se pone gritan también: "¡Waq! ¡Waq! ¡Gloria al Rey de las criaturas!" Entonces sabremos que el sol se ha puesto. Ningún hombre puede vivir entre nosotras, llegar hasta aquí o pisar nuestra tierra. Desde allí hasta donde reside la reina que gobierna nuestra tierra, hay una distancia de un mes. Todos los súbditos que hay en esos lugares están a su disposición y lo mismo ocurre con las tribus de los genios y de los demonios. Acatan, además, sus órdenes, brujos cuyo número sólo sabe Quien los ha creado. Si tú tienes miedo puedo hacerte acompañar por alguien que te lleve a la costa y que te presente a quien pueda hacerte embarcar y alcanzar tu país. Pero, si tu corazón prefiere permanecer entre nosotras, no he de impedírtelo y tú vivirás conmigo hasta que consigas realizar tu propósito si Dios (¡ensalzado sea!) lo quiere». Hasán replicó: «¡Señora mía! ¡No me separaré de ti hasta haberme reunido con mi esposa o haber perdido la vida!» La vieja le dijo: «Esto es cosa fácil: tranquiliza tu corazón y conseguirás lo que deseas si Dios (¡ensalzado sea!) lo quiere. Pero es necesario que yo informe a la reina de tu presencia para que ésta pueda ayudarte a conseguir tu propósito». Hasán hizo votos por ella, le besó las manos y la cabeza y le dio las gracias por lo que había hecho y por su gran generosidad. La acompañó pensando en las consecuencias de su acto, en los terrores que había sufrido durante su exilio y empezó a llorar y a sollozar. Recitó estos versos:

> El céfiro sopla desde el lugar en que está el amado y tú me ves enloquecer por mi gran amor.
>
> La noche de la unión constituye una mañana luminosa, mientras el día de la separación es una noche oscura.
>
> El adiós del amigo es cosa bien difícil; la separación del contertulio es un asunto grave.
>
> Sólo a él me quejo de su dureza; en todo el género humano no existe un amigo sincero.
>
> No encuentro consuelo por vuestra separación; un reprobable censor no puede consolar mi corazón.
>
> ¡Oh, belleza única! Mi amor también es único. ¡Oh, tú que no tienes par! Mi corazón tampoco lo tiene.
>
> Todo aquel que pretende vuestro amor y teme las censuras es digno de ser censurado.

A continuación la vieja ordenó que repicaran los tambores dando la orden de partida; el ejército, la vieja y Hasán se pusieron en marcha. Éste avanzaba sumergido en el mar de sus pensamientos, fastidiado y recitando versos mientras la anciana le aconsejaba tener paciencia y lo consolaba. Pero él no le hacía caso ni oía lo que le decía.

Anduvieron sin cesar hasta llegar a la primera de las siete islas, la de los Pájaros. Al penetrar en ella Hasán creyó que el mundo se había vuelto al revés dado el continuo piar de las aves; esto le causó dolor de cabeza, confundió sus pensamientos, le cegó la vista y le tapó los oídos. Sintió gran temor y se convenció de que iba a morir. Se dijo: «Si la Tierra de los Pájaros es así ¿cómo será la de las fieras?» La vieja llamada Sawahi al ver su situación rompió a reír y le dijo: «¡Hijo mío! Si te pones así en la primera de las islas, ¿qué harás cuando crucemos las otras? Ruega a Dios, humíllate ante Él y pídele que te ayude en las dificultades en que te encuentras y que te haga conseguir tus deseos». Viajaron sin cesar hasta haber cruzado la Tierra de los Pájaros. Al salir de ésta entraron en la de los genios. Hasán, al verlos, se asustó y se arrepintió por haber acompañado a las amazonas hasta aquel lugar. Pidió auxilio a Dios (¡ensalzado sea!) y siguió la marcha junto a las tropas. Al abandonar este territorio llegaron al río, acamparon al pie del grande y elevado monte y levantaron las tiendas a la orilla del río. La vieja colocó aquí un estrado de mármol cuajado de perlas, aljófares y lingotes de oro rojo e hizo sentar a Hasán en él. A continuación le mostró a las tropas. Éstas colocaron las tiendas a su alrededor, descansaron un rato y después comieron, bebieron y durmieron tranquilas porque habían llegado a su país. Hasán se había cubierto la cara con un velo para que sólo pudiesen verle los ojos. Un grupo de amazonas se acercó a la orilla del río, se quitó los vestidos y se metió en el agua. El muchacho las contempló mientras ellas se lavaban, jugaban y se distraían sin saber que un muchacho las estaba observando, ya que creían que era la hija de un rey. Hasán se excitó al verlas sin sus vestidos, pues contempló las distintas formas de lo que había entre sus muslos: labios tensos, redondeados, gruesos, carnosos, anchos, perfectos y extendidos. Sus caras sin velo parecían lunas y sus cabellos negros constituían la noche que cubría al día. Todas ellas eran hijas de reyes. La vieja había levantado un estrado y había ordenado a Hasán que se sentase encima. Cuando las jóvenes hubieron terminado de bañarse salieron del agua desnudas, como si fuesen lunas en la noche de su plenitud. La anciana había ordenado a todas las tropas que se reuniesen ante la tienda del muchacho, que se quitasen los vestidos y que se metiesen en el río para lavarse, pues si su esposa estaba entre ellas la reconocería. La vieja interrogó pelotón tras pelotón, pero sólo obtuvo la respuesta: «¡Señora mía! ¡No está entre ésas!»

Sahrazad se dio cuenta de que amanecía e interrumpió el relato para el cual le habían dado permiso.

Cuando llegó la noche *ochocientas siete*, refirió:

—Me he enterado, ¡oh rey feliz!, de que finalmente se adelantó una joven que tenía a su servicio treinta criadas vírgenes, con los senos tersos. Se quitaron los vestidos y entraron en el agua. La joven empezó a corretear con las criadas: las arrojaba al río y las zambullía. Así siguieron durante una hora. Después, salieron del agua, se sentaron y ofrecieron a su señora toallas de seda ribeteadas de oro. Las cogió y se secó. Luego le dieron los vestidos, las joyas y los adornos, hechos por los genios. Los cogió, se los puso y se dirigió con sus criadas hacia las tropas. El corazón de Hasán, al verla, tuvo un sobresalto. Dijo: «Ésta es la que más se asemeja al pájaro que vi en la alberca que está en el alcázar de las jóvenes, mis hermanas. Igual que ésta, aquélla jugueteaba con su séquito». La anciana le preguntó: «¡Hasán! ¿Es ésta tu esposa?» «¡No, señora mía! ¡Por vida de tu cabeza! Ésta no es mi esposa y no la he visto jamás en mi vida. Entre todas las jóvenes que hay en la isla no he visto ni una sola que pueda compararse con mi esposa, ni por el talle, ni por la armonía del cuerpo ni por la belleza ni por la hermosura.» La vieja le dijo: «¡Descríbemela y dame a conocer todas sus cualidades para que yo pueda imaginarla! Conozco a todas las muchachas de las islas Waq, ya que soy la comandante y la gobernadora de todas las tropas de mujeres. Si me la describes la reconoceré e idearé el modo de que la recuperes». Hasán explicó: «Mi esposa tiene un rostro precioso, cintura prodigiosa, tersas mejillas, senos turgentes, grandes ojos negros, gruesas piernas, dientes blancos, dulce lengua; todo su ser es delicado como si fuese una flexible rama; tiene hermosas cualidades, rojos labios, ojos alcoholados y labios delgados; en su mejilla derecha hay un lunar y en su vientre, debajo del ombligo, una señal. Su rostro brilla como la luna redonda; tiene el cuerpo delgado, las caderas pesadas y su saliva es capaz de curar al enfermo como si fuese el Kawtar o el Salsabil». La anciana dijo: «¡Dame más detalles y que Dios aumente tu amor!» Hasán siguió: «Mi mujer tiene un rostro hermoso, mejilla tersa, cuello largo, mirada alcoholada, mejillas como anémonas y boca que parece un sello de cornalina; sus dientes, brillantes como el relámpago, hacen olvidar la copa y el aguamanil. Ha sido formada en el templo de la delicadeza. Entre sus muslos se encuentra el solio del califato: no hay un santuario tal entre los lugares sagrados; es como dijo con razón, en su alabanza, el poeta:

> El nombre de aquel que me deja perplejo tiene letras bien conocidas.
> Son cuatro por cinco y seis por diez[3].

Hasán rompió a llorar y cantó este *mawwal*[4]:

> Mi amor por vos es el amor de un indio que ha perdido su agujero[5].

La vieja bajó la cabeza hacia el suelo y permaneció así durante una hora de tiempo. Después la levantó hacia Hasán y dijo: «¡Gloria a Dios, todopoderoso! Yo me he preocupado por ti, Hasán, pero ¡ojalá no te hubiese conocido! Al oír la descripción de la mujer que acabas de citar como tu esposa la he identificado: es la hija ma-

[3] Cuatro por cinco, veinte y seis por diez, sesenta. Las letras que tienen estos dos valores numéricos en el abecedario árabe (*kaf* y *sin*) componen la palabra *kuss* que designa las partes sexuales de la mujer.

[4] *Mawwal,* nombre de una estrofa popular que generalmente sirve para cantos de amor.

[5] Las ediciones discrepan sobre el texto de este *mawwal.*

yor del gran rey que gobierna todas las islas Waq. ¡Abre tus ojos y piensa en tu asunto! Si estás durmiendo, despierta, ya que no podrás llegar hasta ella jamás; y si llegas no podrás alcanzarla, ya que os separa lo mismo que separa el cielo de la tierra. Desiste, hijo mío, y no te arrojes a la perdición ni causes la mía propia. Creo que no tienes posibilidad de éxito. Vuélvete desde donde estás para que no perdamos la vida». La vieja temía por sí misma. Hasán rompió a llorar amargamente al oír sus palabras y cayó desmayado. La vieja le roció el rostro con agua hasta que volvió en sí. Siguió llorando y las lágrimas empaparon sus vestidos debido a la pena y pasión que le habían causado las palabras de la vieja. Desesperando de la vida, le dijo: «¡Señora mía! ¿Cómo he de volver atrás después de haber llegado hasta aquí? Jamás hubiera creído que tú fueses incapaz de hacerme conseguir mi deseo y más teniendo en cuenta que tú eres la comandante y la gobernante del ejército de las amazonas». Le replicó: «¡Por Dios, hijo mío! Si eliges una de esas muchachas, te la daré a cambio de tu esposa, pues si cayeras en manos del rey yo no encontraría ningún recurso para salvarte. Te conjuro, por Dios, a que escuches mis palabras y escojas una de esas muchachas prescindiendo de aquélla. Regresarás inmediatamente a tu país sano y salvo. No hagas que te cause alguna pena, pues tendría que lanzarte a grandes peligros y fuertes dificultades de las que nadie podría salvarte». Entonces, Hasán bajó la cabeza, rompió a llorar y recitó:

> Dije a mis censores: «No me critiquéis». Mis párpados fueron creados para el llanto.
> Las lágrimas desbordaron de mis ojos e inundaron las mejillas; mis amigos me han rechazado.
> Dejadme en el amor que ha adelgazado mi cuerpo ya que, del amor, me gusta mi locura.
> ¡Amigos míos! Mi pasión por vosotros va en aumento ¿qué os sucede que no tenéis piedad de mí?
> Después de haber prometido y concluido un pacto conmigo, os mostráis injustos. Habéis traicionado mi compañía, y me habéis abandonado.

El día de la separación, cuando partísteis, fui abrevado, al alejaros, con el líquido de la humillación.
¡Oh, corazón! ¡Ámalos! ¡Ojos! ¡Derramad abundantes lágrimas!

Sahrazad se dio cuenta de que amanecía e interrumpió el relato para el cual le habían dado permiso.

Cuando llegó la noche *ochocientas ocho,* refirió:

—Me he enterado, ¡oh rey feliz!, de que cuando hubo terminado de recitar sus versos rompió a llorar hasta caer desmayado. La vieja le roció el rostro con agua hasta que volvió en sí. Insistió: «¡Señor mío! ¡Vuelve a tu país! Si yo te acompañase a la ciudad, los dos perderíamos la vida ya que la reina, al enterarse, me reprendería por haberte introducido en su país y en sus islas a las que no ha llegado ningún ser humano, me mataría por haberte llevado conmigo y por haberte mostrado las vírgenes que viste en el río a pesar de que no las ha tocado ningún macho ni se las ha acercado ningún hombre». Hasán le juró que jamás las miraría con malas intenciones. La vieja, sin embargo, insistió: «¡Hijo mío! ¡Vuelve a tu país y yo te daré riquezas, tesoros y regalos que te harán olvidar a todas las mujeres! Escucha mis palabras, regresa lo antes posible y no arriesgues tu vida. Te he dado un consejo». Hasán, al oírla, rompió a llorar, le acarició los pies con sus mejillas y dijo: «¡Señora mía! ¡Dueña mía! ¡Pupila de mis ojos! ¿Cómo he de regresar después de haber llegado a este lugar y sin haber visto a quien quiero? Me he acercado al domicilio del amado y espero encontrarlo en plazo breve. Tal vez encuentre algún recurso para reunirme con él». A continuación recitó estos versos:

¡Reyes de belleza! ¡Piedad para el esclavo de los párpados que se han enseñoreado del reino de Cosroes!
Habéis superado el olor del almizcle y habéis sobrepasado, como flor, las bellezas de la rosa;
Donde estáis sopla el céfiro suave; la brisa sopla impregnada de perfume.

¡Censor! Déjate de criticar y de darme consejos; has venido a aconsejarme con malas artes.
¿Cómo puedes censurarme y reprenderme si no tienes experiencia de mi pasión?
Me han cautivado unos ojos lánguidos y me han arrojado al amor con violencia, con ímpetu.
Derramo lágrimas cuando compongo versos: he aquí mi historia rimada, mi canción.
Sus mejillas sonrojadas han fundido mi corazón y mis miembros arden como si fuesen brasas.
¡Vosotros dos! ¡Decidme! Cuando deje de explicar mi historia ¿con qué relato aliviaré el pecho?
He amado a las hermosas a todo lo largo de mi vida. Después, Dios hará que ocurran nuevos sucesos.

El corazón de la vieja tuvo piedad de Hasán cuando hubo terminado de recitar estos versos. Se acercó a él, le tranquilizó y le dijo: «¡Tranquiliza el alma, alegra tus ojos y saca la pena que tienes en el pensamiento! ¡Por Dios! Expondré mi vida al mismo tiempo que la tuya para que puedas conseguir tu propósito o iré en busca de la muerte». El corazón de Hasán se tranquilizó, su pecho respiró y se sentó para hablar con la anciana hasta el fin del día. Al llegar la noche las jóvenes se marcharon. Unas entraron en el alcázar que estaba en la ciudad y otras pernoctaron en las tiendas. Entonces la anciana, tomando consigo a Hasán, entró en la ciudad y lo llevó a un lugar solitario en el que nadie pudiera verlo e informar a la reina de su presencia, pues ésta le daría muerte y haría lo mismo con quien le había llevado. Ella misma le sirvió y le fue inspirando miedo ante la violencia del gran rey, padre de su esposa. Hasán lloraba ante ella y decía: «¡Señora mía! Para mí he escogido la muerte, puesto que odio la vida mundanal. Si no me reúno con mi esposa y con mis hijos me expondré a los mayores peligros o iré en busca de la muerte». La vieja empezó a meditar en lo que debía hacer para conseguir que llegase ante su esposa y se reuniese con ella; en la treta que debía emplear para favorecer a ese desgraciado que se exponía a la muerte y al que el miedo o cualquier otra consideración no le hacían desistir de su propósito. Él no se preocupaba de su propia vida. El autor del refrán dice: «El enamorado no escucha las palabras de quien no lo está».

La muchacha que era reina de la isla en que se encontraban se llamaba Nur al-Huda. Esta reina tenía siete hermanas, todas ellas vírgenes, que vivían junto a su padre, el gran rey, el cual gobernaba las siete islas y las regiones Waq. El trono de este rey se encontraba en la mayor de todas las ciudades que había en aquella tierra. Su hija mayor era Nur al-Huda y gobernaba la ciudad y las regiones en que se encontraba Hasán. La anciana, al ver que éste ardía en deseos de reunirse con su esposa y con sus hijos, se dirigió al alcázar de la reina Nur al-Huda, se presentó ante ella y besó el suelo. La vieja era tenida en mucha estima, pues había criado a todas las hijas del rey y gozaba, ante éstas, de autoridad y respeto; además, era apreciada por el soberano. La reina Nur al-Huda se puso de pie en el momento en que vio a la anciana, la abrazó, la hizo sentar a su lado y le preguntó por su viaje. Le contestó: «¡Por Dios, señora mía! Ha sido un viaje bendito y te he traído un regalo que te daré en seguida. Pero, ¡oh, reina!, la época y el tiempo me han hecho traer una cosa prodigiosa que deseo mostrarte para que tú me auxilies a conseguir su deseo». La reina preguntó: «¿De qué se trata?» La anciana le explicó toda la historia de Hasán desde el principio hasta el fin; al hablar temblaba como si fuese una caña azotada por un viento huracanado, y acabó cayendo ante la hija del rey diciendo: «¡Señora mía! Una persona que estaba escondida debajo de un banco, junto a la orilla del mar, me pidió protección. Yo se la concedí y la he traído conmigo, con el ejército de mujeres; llevaba armas y así nadie le ha reconocido. Le hecho entrar en la ciudad. He intentado atemorizarla hablando de tu violencia, de tu mal genio y de tu fuerza. Pero cada vez que le amenazaba, empezaba a recitar versos y decía: "Iré a ver a mi esposa y mis hijos o moriré; pero no regresaré a mi país sin ellos". Él ha arriesgado su vida al venir a las islas Waq. Jamás en mi vida he visto un hombre de corazón más firme ni que sea más valiente. El amor le ha hecho alcanzar el límite de lo posible».

Sahrazad se dio cuenta de que amanecía e interrumpió el relato para el cual le habían dado permiso.

Cuando llegó la noche *ochocientas nueve*, refirió:

—Me he enterado, ¡oh rey feliz!, de que la reina, oídas estas palabras y habiendo meditado en la historia de Hasán, se enfadó muchísimo. Durante un rato tuvo inclinada la cabeza hacia el suelo. Después la levantó, miró a la vieja y la increpó: «¡Vieja de mal agüero! ¿Tu desvergüenza ha llegado hasta el punto de importar varones, pasearlos por las islas Waq y traerlos a mi presencia sin temer mi ira? ¡Juro por la cabeza del rey que si no tuvieses sobre mí el derecho que te concede el haberme criado, hubiese matado del modo más terrible a los dos, a ti y a él, ahora mismo para que constituyerais un escarmiento para los viajeros que fuesen contigo, maldita, y para que no volviese a cometerse un acto tan enorme que nadie, hasta la fecha, había realizado! Sal y traémelo ahora mismo para que lo vea».

La vieja se marchó aturdida y sin saber adónde ir. Decía: «Toda la desgracia que cae sobre mí de parte de la reina, me la ha enviado Dios por mediación de Hasán». Anduvo hasta encontrarse ante el joven. Le dijo: «¡Ven a hablar con la reina, oh, tú, que has llegado al fin de tu vida!» Salió con ella mientras su lengua no dejaba de mencionar a Dios (¡ensalzado sea!). Decía: «¡Dios mío! ¡Sé bondadoso conmigo en tus decretos! ¡Líbrame de tus castigos!». La vieja lo acompañó hasta dejarlo ante la reina Nur al-Huda. La anciana le había recomendado en el camino lo que tenía que decirle. Al hallarse en presencia de la soberana se dio cuenta de que ésta se había puesto el velo. Hasán besó el suelo ante ella, la saludó y recitó este par de versos:

> ¡Haga durar Dios sin preocupaciones tu poderío
> y te conceda cuanto desees!
> ¡Que Nuestro Señor te conceda fuerza y gloria!
> ¡Que el Todopoderoso te ayude contra tus enemigos!

Al terminar de recitar estos versos, la reina hizo señas a la vieja para que ésta le interrogara en su presencia, pues quería oír las contestaciones. La anciana le dijo: «La reina te devuelve el saludo y te pregunta cómo te llamas, de qué país vienes, cómo se llama tu esposa y tus hijos por los cuales has venido; cómo se llama tu país». Hasán, haciéndose el fuerte y con el auxilio de los hados contestó: «¡Reina del tiempo y de la época! ¡Señora única de nuestro siglo! Yo me llamo Hasán, el de las muchas penas, y soy de la ciudad de Basora; desconozco el nombre de mi esposa, pero los nombres de mis hijos son Nasir y Mansur». La reina, al oír sus palabras y el relato preguntó: «¿Y desde dónde se ha llevado a tus hijos?» «¡Reina! ¡Desde la ciudad de Bagdad, sede del califato!» «¿Os ha dicho algo en el momento de remontar el vuelo?» «Dijo a mi madre: "Si regresa tu hijo y los días de la separación le son largos, ansía de reunirse conmigo y los vientos del deseo y del amor le agitan, puede venir a buscarme a las islas de Waq".» La reina Nur al-Huda movió la cabeza y dijo: «Si no te amara no hubiese dicho a tu madre esas palabras; si ella no te quisiera y gustara de tu compañía no le hubiese dicho dónde residía ni te hubiese invitado a ir a su país». Hasán dijo: «¡Señora de los reyes! ¡Gobernadora de todos, ricos y pobres! Te he contado lo sucedido y no te he ocultado nada. Yo pido protección a Dios y a ti. ¡No me oprimas, ten compasión de mí y ganarás una recompensa y una remuneración! ¡Ayúdame a reunirme con mi esposa y con mis hijos; devuélveme mi perdida felicidad, la alegría de mis ojos y ayúdame a volverlos a ver!» Rompió a llorar, a gemir y a quejarse y recitó este par de versos:

Te daré las gracias mientras zuree la paloma de
collar y todavía no habré cumplido mi deber.
Me moveré entre copiosos favores reconociendo
que tú eres el origen y la causa.

La reina Nur al-Huda inclinó la cabeza hacia el suelo, la movió durante largo rato y después la levantó y le dijo: «Te tengo compasión; me he apiadado de ti y he decidido mostrarte a todas las muchachas de la ciudad y de las regiones de mi isla. Si descubres a tu esposa te la entregaré pero, si no la encuentras, te mataré y te crucificaré en la puerta de la casa de la vieja». Hasán replicó: «Acepto la condición, reina del tiempo». A continuación recitó estos versos:

Animasteis mi pasión de amor y quedasteis tranquilos; mantuvisteis en vela mis párpados ulcerados y os dormisteis.
Me prometisteis que no tardaríais en cumplir vuestra promesa, pero en cuanto os hicisteis con las riendas traicionasteis.
Os amé desde la infancia, cuando no sabía lo que era el amor; no me matéis, pues he sido vejado.
¿Es que no teméis a Dios y vais a matar a un enamorado que pasa la noche observando las estrellas mientras la gente duerme?
¡Por Dios, gentes mías! Cuando muera escribid sobre la losa de mi tumba: «Éste fue un enamorado».
Tal vez, algún joven como yo, herido de amor, al ver mi tumba me salude.

Al concluir de recitar estos versos dijo: «Acepto la condición que me has impuesto; ¡no hay fuerza ni poder sino en Dios, el Altísimo, el Grande!» Entonces la reina Nur al-Huda ordenó que todas las muchachas de la ciudad acudiesen a palacio y desfilasen ante él. Mandó a la vieja Sawahi que ella misma bajase a la ciudad y que condujese a todas las jóvenes al alcázar. La reina hacía que las muchachas se presentasen de cien en cien ante Hasán. Así le presentó todas las que habitaban en la ciudad, pero no encontró, entre ellas, a su esposa. La reina le interrogó y le dijo: «¿Has visto a ésas?» «¡Por tu vida, reina! ¡No está!» La soberana se encolerizó y dijo a la vieja: «¡Entra y saca todas las que viven en el alcázar! ¡Muéstraselas!» Las miró a todas pero, entre ellas, no encontró a su esposa. Dijo a la reina: «¡Por vida de tu cabeza, oh reina, no está!» La soberana se indignó y chilló a todos los que estaban a su alrededor:

«¡Cogedlo! ¡Arrastradlo boca abajo! ¡Cortadle la cabeza para que nadie más, siguiendo sus pasos, arriesgue su vida para espiarnos, cruzar nuestro país y hollar nuestra tierra y nuestras islas!» Le tiraron al suelo, le arrastraron de bruces, le pusieron por encima los faldones de su propio traje, le vendaron los ojos, desenvainaron la espada encima de su cabeza y se quedaron en espera de órdenes. Entonces Sawahi se acercó a la reina, besó el suelo ante ella, se agarró a sus faldones y los colocó encima de su cabeza. Le imploró: «¡Reina! ¡Por el derecho que me concede el haberte criado! ¡No te precipites con él! Sabes que es un desgraciado extranjero que ha arriesgado su vida y sufrido más peripecias que las que haya podido soportar persona alguna. Dios, Todopoderoso y Excelso, le ha salvado de la muerte para toda su vida. Él ha oído hablar de tu justicia; ha venido a tu país y se ha puesto bajo tu protección. Si le matas los viajeros divulgarán noticias diciendo que tú maltratas a los forasteros y que los matas. En cualquier circunstancia él está bajo tu poder y podrás matarle con tu espada si su mujer no aparece en el país; en cualquier momento en que desees hacerle comparecer yo podré traértelo. Yo le protegí porque deseaba que ejercieras la magnanimidad que me debes a causa del derecho que me concede el haberte criado; conociendo tu justicia y tu equidad le garanticé que lo ayudarías a conseguir su deseo; si yo me hubiese imaginado esto no le hubiese introducido en la ciudad. Al contrario, me dije: "La reina se alegrará de verlo y de oír sus versos, las hermosas y elocuentes palabras que dice y que asemejan perlas engarzadas". A éste, que ha entrado en nuestro país y ha comido de nuestros víveres es necesario que le tratemos con miramientos.

Sahrazad se dio cuenta de que amanecía e interrumpió el relato para el cual le habían dado permiso.

Cuando llegó la noche *ochocientas diez,* refirió:

—Me he enterado, ¡oh rey feliz!, de que [Sawahi prosiguió: »...es necesario que le tratemos con miramientos] y más aún teniendo en cuenta que yo le prometí que lo reuniría contigo y tú sabes que la separación es dura y mortal sobre todo cuando se está lejos de los hijos. Ha visto a todas nuestras mujeres excepción hecha de ti: ¡Muéstrale tu cara!» La reina se sonrió y contestó: «¿De dónde ha de ser él mi esposo? ¿Cómo puede haber tenido dos hijos conmigo? ¿Por qué he de enseñarle mi cara?» Mandó que llevasen a Hasán ante ella. Lo introdujeron y lo colocaron delante. La reina descubrió su cara. Hasán, al verla, dio un alarido y cayó desmayado. La vieja le trató con cariño hasta que volvió en sí. Al despertar de su desmayo recitó:

¡Oh, céfiro que soplas de la tierra del Iraq hacia los ángulos del país de quien dijo Waq!
Informa a los amigos de mi muerte por haber gustado comida de amor, de sabor amargo.
¡Amada mía! Sé generosa y ten indulgencia: mi corazón se consume por el tormento de la separación.

Cuando hubo terminado de recitar sus versos se puso de pie, miró a la reina y dio un grito tan fuerte que poco faltó para que el palacio se derrumbase encima de todos los que cobijaba. A continuación volvió a caer desmayado. La vieja lo trató amorosamente y cuando recuperó el sentido le preguntó qué le ocurría. Replicó: «Esta reina o es mi esposa o es la persona que más se le parece».

Sahrazad se dio cuenta de que amanecía e interrumpió el relato para el cual le habían dado permiso.

Cuando llegó la noche *ochocientas once,* refirió:

—Me he enterado, ¡oh rey feliz!, de que la reina chilló a la anciana: «¡Ay de ti, nodriza! ¡Este extranjero está loco o chiflado, pues me mira fijamente a la cara!» La vieja le replicó: «¡Oh reina! Tiene disculpa. No le reprendas, pues en el refrán se dice: "El enfermo de amor no tiene remedio y se parece al loco"». Hasán rompió a llorar amargamente y recitó este par de versos:

Veo sus huellas y muero de pasión; derramo mis lágrimas sobre su domicilio.
Ruego a Aquel que me puso a prueba con su se-

paración que me conceda el favor de su regreso.

Hasán dijo a la reina: «¡Por Dios! Tú no eres mi esposa, pero eres la persona que más se le parece». La reina Nur al-Huda rompió a reír hasta caer de espaldas y tener que apoyarse por un lado. Le contestó: «¡Amado mío! Cólmate, mírame con atención y contéstame a lo que te voy a preguntar; déjate de locuras, perplejidades e indecisiones, pues está próxima la hora de tu regocijo». Hasán le dijo: «¡Señora de reyes! ¡Refugio de pobres y ricos! He enloquecido desde el instante en que te vi, ya que tú eres mi esposa o eres la persona que más se le parece. Pregúntame ahora mismo lo que quieras». «¿En qué cosas se parece tu mujer a mí?» «¡Señora mía! La hermosura, la belleza, la armonía de tus proporciones, la dulzura de tus palabras, el color de tus mejillas, el relieve de tus senos, etcétera, se parecen a los suyos.» La reina se volvió a Sawahi Umm al-Dawahi y le dijo: «¡Madre mía! Vuelve a llevarlo al lugar en que le tenías y sírvele tú misma hasta que yo haya examinado su caso. Si este hombre tiene honor hasta el punto de conservar la amistad y el afecto, es necesario que le ayudemos a conseguir su deseo, y más aún cuando ha venido a nuestra tierra y ha comido nuestros alimentos a pesar de las calamidades del viaje, de los peligros y terrores que ha tenido que soportar. Cuando le hayas acompañado a tu casa recomiéndale a tus servidores y vuelve en seguida. Si Dios (¡ensalzado sea!) lo quiere, todo será para bien».

La vieja salió llevándose a Hasán, condujo a éste a su casa y ordenó a sus doncellas, criados y eunucos que se pusiesen a su servicio mandándole que le llevaran todo lo que necesitase y que no descuidasen nada. Después regresó rápidamente al lado de la reina y ésta le ordenó que empuñase las armas y tomase consigo mil valientes amazonas de a caballo. La anciana Sawahi cumplió la orden: se puso la coraza, congregó los mil jinetes y cuando los tuvo ante sí corrió ante la reina para informarla. Ésta la ordenó que marchasen a la ciudad del gran rey, su padre, que fuese a ver a su hermana Manar al-Sana y le dijese: «Pon a tus dos hijos las cotas de malla que les has confeccionado y envíaselos a su tía. Ésta tiene ganas de verlos». «Te recomiendo, madre mía —añadió—, que ocultes el asunto de Hasán. Cuando tengas a los niños le dirás: "Tu hermana te ruega que le hagas una visita". Tan pronto como te haya entregado a los chicos y salga para venir a visitarme, tú te adelantarás con ellos y la dejarás que avance lentamente. Tú ven por un camino que no sea el suyo, anda sin parar de noche y de día y procura que nadie se entere de este asunto. Yo te juro del modo más solemne que si mi hermana es su esposa y los dos muchachos son sus hijos, no impediré a Hasán el que se marche con su familia...

Sahrazad se dio cuenta de que amanecía e interrumpió el relato para el cual le habían dado permiso.

Cuando llegó la noche *ochocientas doce,* refirió:

—Me he enterado, ¡oh rey feliz!, de que [Nur al-Huda prosiguió:] »...lo ayudaré y favoreceré el regreso a su país.»

La vieja creyó en sus palabras sin saber lo que aquella desvergonzada ocultaba en su interior: si no era su esposa o los chicos no se le parecían iba a matarlo. La reina añadió: «¡Madre mía! Si mis ideas son exactas su esposa es mi hermana Manar al-Sana. Pero Dios es más sabio; esa descripción corresponde con la suya y todos los detalles que ha citado: belleza prodigiosa y hermosura resplandeciente sólo corresponden a mis hermanas y de modo especial a la menor». La vieja le besó la mano, regresó al lado de Hasán y le informó de lo que la reina le había dicho. El entendimiento del muchacho voló de alegría, se acercó a la anciana y le besó la cabeza. Ésta añadió: «¡Hijo mío! ¡No me beses la cabeza! Tengo el corazón en la boca; sea este beso la dulzura de la salvación; tranquiliza tu alma, alegra tus ojos, dilata tu corazón y no tengas escrúpulos de besarme en la boca, pues yo he sido la causa de que te reúnas con ella; tranquiliza tu corazón y pensamiento, respira sin fatiga, alegra tus ojos y tranquiliza tu ánimo». A continuación se despidió de él y se marchó. Hasán recitó estos dos versos:

Tengo cuatro testigos de mi amor por vos cuando en cualquier pleito dos son suficientes:
Los latidos de mi corazón, la excitación de mis miembros, la delgadez del cuerpo y el tartamudeo de mi lengua.

A continuación recitó este par de versos:

Hay dos cosas que aunque mis ojos derramaran lágrimas por vos hasta el punto de estropearse
Yo no podría pagar ni en su décima parte: la flor de la juventud y la separación de los amigos.

La anciana empuñó sus armas, tomó consigo mil caballeros bien equipados y se marchó hacia la isla en que vivía la hermana de la reina y anduvo sin cesar hasta llegar a ella. Entre la ciudad de Nur al-Huda y la de su hermana había una distancia de tres días. Sawahi, al llegar, corrió a buscar a la hermana de la reina, Manar al-Sana, la saludó de parte de Nur al-Huda y le informó de que ésta deseaba verla al mismo tiempo que a sus hijos; le informó de que su hermana estaba molesta con ella por el largo tiempo que llevaba sin ir a visitarla. La reina Manar al-Sana le replicó: «Mi hermana tiene razón y yo estoy en falta con ella por lo poco que la veo. Pero ahora iré». Ordenó que le preparasen las tiendas en el exterior de la ciudad y tomó los presentes y regalos que más podían convenir a su hermana. El rey, su padre, estaba mirando desde las ventanas del alcázar y vio las tiendas levantadas. Preguntó por la causa y le contestaron: «La reina Manar al-Sana ha levantado sus tiendas en aquel camino, ya que se dispone a visitar a su hermana Nur al-Huda». El rey, al oír esto, ordenó al ejército que la acompañase y sacó del tesoro riquezas, comestibles, bebidas, regalos y aljófares en tal cantidad que se hace imposible describirlo. Las siete hijas del rey eran hermanas uterinas excepción hecha de la menor. La mayor se llamaba Nur al-Huda; la segunda Nachm al-Sabah, la tercera Sams al-Duha, la cuarta Sachar al-Durr, la quinta Qut al-Qulub, la sexta Saraf al-Banat y la séptima Manar al-Sana. Ésta era la menor y la mujer de Hasán; las demás sólo eran sus hermanas por parte de padre. La vieja se acercó y besó el suelo ante Manar al-Sana. Ésta le preguntó: «¿Tienes algún deseo, madre mía?» La reina, Nur al-Huda, tu hermana, te manda que cambies los vestidos a tus hijos, les pongas la cota de malla que tú les hiciste y que se los envíes. Yo los tomaré conmigo, me adelantaré y seré el mensajero que anunciará tu llegada». Manar al-Sana, al oír las palabras de la anciana, inclinó la cabeza hacia el suelo, cambió de color y permaneció reflexionando largo rato. Después movió la cabeza, la dirigió hacia la vieja y le dijo: «¡Madre mía! Mis entrañas se han asustado y mi corazón palpita desde el momento en que has mencionado a mis hijos: ningún hombre ni varón ni hembra ni genio les ha visto la cara desde el momento de su nacimiento. Yo tengo celos del mismo céfiro cuando sopla». La vieja preguntó: «¿Qué significan estas palabras, señora mía? ¿Es que no tienes confianza en tu hermana?

Sahrazad se dio cuenta de que amanecía e interrumpió el relato para el cual le habían dado permiso.

Cuando llegó la noche *ochocientas trece*, refirió:

—Me he enterado, ¡oh rey feliz!, de que [la vieja prosiguió:] »Ten claro el entendimiento: no puedes contradecir a la reina en este asunto, pues ella se enfadaría contigo. Pero, señora mía, tus hijos son pequeños y tienes disculpa por sentir miedo; el amor hace mal pensar. Hija mía: tú conoces mi afición y mi amor por ti y por tus hijos; yo os he criado antes que a éstos. Los tomaré bajo mi responsabilidad: les ofreceré mis mejillas, les abriré mi corazón, los colocaré en su interior; no necesito consejos sobre estas cosas; tranquilízate, alegra tus ojos y envíaselos. No puedo adelantarte más allá de uno o dos días». La anciana insistió tanto y tanto temía la cólera de su hermana que accedió a dejarlos marchar con la vieja sin saber lo que el destino ocultaba. Los llamó, los hizo entrar en el baño, los arregló, les cambió sus vestidos por las cotas de malla y se los entregó a la nodriza. Ésta aceleró la marcha, como si fuera un pájaro, por un camino distinto del ordinario e hizo lo que le había ordenado la reina Nur al-Huda; anduvo sin descanso, temiendo siempre que ocurriese cualquier cosa a los niños y así llegó a la ciudad de la reina Nur al-Huda; cruzó el río, entró en la villa y corrió a presentarse, con los niños, ante la soberana, su tía. Ésta, al verlos, se alegró, los abrazó, los estrechó contra su pecho y sentó a uno en la rodilla derecha y al otro en la izquierda. A continuación, volviéndose hacia la vieja le dijo: «Tráeme a Hasán ahora mismo; yo le he dado mi promesa, le he salvado del filo de mi espada, ha encontrado asilo en mi casa y ha vivido entre mis servidores después de haber pasado miedos y calamidades; después de haber superado peligros mortales y crecientes. Pero, a pesar de todo, aún no se ha salvado de tener que beber la copa de la muerte y de perder el hábito de la vida».

Sahrazad se dio cuenta de que amanecía e interrumpió el relato para el cual le habían dado permiso.

Cuando llegó la noche *ochocientas catorce*, refirió:

—Me he enterado, ¡oh rey feliz!, de que la vieja le preguntó: «Si te lo traigo ¿vas a reunirle con los niños? Si resulta que éstos no son sus hijos ¿vas a perdonarlo y permitirle que regrese a su país?» La reina al oír estas palabras se enfadó de mala manera y dijo: «¡Ay de ti, vieja de mal agüero! ¿Hasta cuándo vas a intrigar en favor de ese hombre extranjero que se ha atrevido a venir hasta nosotras, que ha levantado nuestro velo y ha visto nuestra situación? ¿Es que él cree que una vez llegado a nuestro país, vista nuestra cara y profanado nuestro honor ha de regresar al suyo sano y salvo para explicar nuestra situación en su país y a sus gentes, transmitiendo nuestras noticias a los reyes de todas las regiones de la tierra? Los comerciantes las difundirían por todas partes diciendo: "Un hombre consiguió entrar en las islas Waq tras cruzar el país de los brujos y de los sacerdotes y hollar las tierras de los genios, de las fieras y de los pájaros regresando salvo". ¡Esto no ocurrirá jamás! ¡Lo juro por el Creador y Constructor del cielo, por Aquel que alisó la tierra y la extendió, por el Creador de las criaturas, cuyo número conoce, que si no son sus hijos he de matarlo! Yo misma le cortaré el cuello con mi mano». A continuación dio un chillido a la vieja, la cual se cayó de miedo; dio orden al chambelán de que la escoltase con veinte mamelucos y les dijo: «¡Acompañad a esta vieja y traedme inmediatamente al joven que está en su casa!» La anciana salió acompañada por el chambelán y los mamelucos; estaba pálida, sus venas palpitaban. Avanzó hasta su casa y entró a ver a Hasán. Éste, al verla, le salió al encuentro, le besó las manos y la saludó; ella no se lo devolvió. Le dijo: «Ve a hablar con la reina. ¿Es que no te dije: "Vete a tu país y déjate de todo esto"? Tú no escuchaste mis palabras. Te dije: "Te daré cosas que nadie tiene pero vuelve en seguida a tu país". Pero tú ni me obedeciste ni me escuchaste, al contrario, me contradijiste y preferiste la muerte para ti y para mí. Ahí tienes lo que escogiste: la muerte está próxima. Ve a hablar con esa perversa, desvergonzada, libertina y tirana».

Hasán salió con las ideas deshechas y el corazón triste y amedrantado. Decía: «¡Salvador! ¡Sálvame! ¡Dios mío! ¡Sé indulgente conmigo en aquellas penas que hayas decretado! ¡Oh, el más misericordioso de los misericordiosos! ¡Protégeme!» Desesperando de la vida avanzó escoltado por los veinte mamelucos, el chambelán y la anciana. Se presentaron a la reina. Hasán vio a sus hijos Mansur y Nasir sentados en el regazo de la soberana, quien los trataba con cariño y los distraía. Al verlos los reconoció, dio un alarido y cayó desmayado por la gran alegría que experimentaba.

Sahrazad se dio cuenta de que amanecía e interrumpió el relato para el cual le habían dado permiso.

Cuando llegó la noche *ochocientas quince,* refirió:

—Me he enterado, ¡oh rey feliz!, de que al volver en sí los reconoció; los chiquillos, al ver a su padre, llevados por su gran amor, escaparon del regazo de la reina y corrieron junto a Hasán. Dios, Todopoderoso y Excelso, les concedió la palabra y dijeron: «¡Padre!» La anciana y todos los presentes rompieron a llorar llenos de misericordia y compasión por él. Exclamaron: «¡Alabado sea Dios que os ha reunido con vuestro padre!» Hasán, al volver en sí del desmayo, abrazó a sus hijos y volvió a perder el conocimiento. Al recuperarlo recitó estos versos:

> ¡Juro que mi alma es incapaz de soportar la separación aunque la unión hubiera de causarme la muerte!
> Vuestra imagen me dice: «El encuentro tendrá lugar mañana». Pero ¿viviré yo, a pesar de los enemigos, mañana?
> ¡Juro por vosotros, señores míos, que desde el día en que os marchasteis, no he vuelto a gozar de la vida!
> Si Dios ha decretado que muera por mi amor con vos, moriré por vos como un buen mártir.
> Hay una gacela que pace en las entretelas de mi corazón, mientras su figura, como el sueño, huye de mis ojos.
> Si ella, en el campo de la ley, negase haber derramado mi sangre, la que hay sobre sus dos mejillas testimoniaría en contra suyo.

La reina, al darse cuenta de que los niños eran sus hijos y la señora Manar al-Sana su esposa, aquella en cuya búsqueda había ido, se enfadó de manera inimaginable.

Sahrazad se dio cuenta de que amanecía e interrumpió el relato para el cual le habían dado permiso.

Cuando llegó la noche *ochocientas dieciséis,* refirió:

—Me he enterado, ¡oh rey feliz!, de que [Nur al-Huda] chilló a Hasán y éste cayó desmayado. Al volver en sí recitó estos versos:

> Os marchasteis, pero sois la persona más próxima a mis entrañas; os alejasteis, pero vivís presente en mi corazón.
> ¡Por Dios! Mi corazón no se inclina hacia nadie más; yo tengo mucha paciencia ante la tiranía del tiempo.
> Paso las noches pensando en vuestro amor; en mi corazón hay suspiros y llamas.
> Soy un muchacho que no podía soportar ni un

instante la separación. ¿Qué haré ahora que han transcurrido seis meses?
Tengo celos del céfiro que te acaricia; tengo celos por la hermosa mujer.

Hasán cayó desmayado al terminar de recitar estos versos. Al volver en sí se dio cuenta de que le habían sacado arrastrándolo de bruces. Se puso de pie y empezó a andar enredándose en los faldones de su traje; apenas creía que estuviese a salvo después de lo que la reina le había hecho sufrir. Esto dolió a la vieja Sawahi, la cual no pudo hablar a la reina de lo que hacía referencia a Hasán dado el gran enfado de la soberana. Una vez fuera del alcázar, el muchacho echó a andar desorientado, sin saber ni adónde ir, hacia dónde dirigirse ni qué camino tomar. La tierra le pareció angosta a pesar de lo ancha que es; no encontró a nadie que le hablara con afecto, ni que lo consolara; no halló a nadie a quien consultar ni a quien dirigirse en busca de refugio. Creyó que iba a morir, ya que no podía marcharse ni conocía a quien pudiera acompañarlo ni sabía el camino ni podía atravesar de nuevo el Valle de los Genios ni la Tierra de las Fieras ni las islas de los Pájaros. Desesperó de la vida. Rompió a llorar hasta caer desmayado. Al volver en sí pensó en sus hijos, en su esposa, en cómo ésta había llegado junto a su hermana y en lo que podía sucederla por causa de la reina. Se arrepintió de haber llegado hasta esas regiones y por no haber querido escuchar a nadie. Recitó estos versos:

Dejad que mis pupilas lloren por la pérdida de los que amo: es difícil que me consuele mientras mis penas aumentan.
He bebido el vaso de las vicisitudes de la separación hasta el fin. ¿Quién es el que tiene fuerza ante la pérdida de los seres amados?
Habéis extendido entre vos y yo el tapiz de los reproches; ¿cuándo te plegarás, tapiz de los reproches, lejos de nosotros?
Volé mientras vosotros dormíais; asegurabais que

yo me había olvidado de vuestro amor, cuando
lo único que he olvidado ha sido el olvido.
Mi corazón ansía la unión con vosotros: vosotros
sois mis médicos; ¡guardaos de los medicamentos!
¿Es que no veis lo que me ha sucedido con vuestra separación? Me he humillado ante los iguales y los que no lo son.
He ocultado vuestro amor cuando la pasión delataba; mi corazón siempre se ha cocido en el fuego del amor.
Tened piedad y misericordia de mi situación, ya que yo he sido fiel al pacto de amor en secreto y en la confidencia.
¡Ah! ¿Es que crees que el transcurso de los días me reunirá con vos? Sois mi corazón, y mi alma por vos arde.
Mi corazón está herido por la separación. ¡Ojalá nos enviéis noticias de vuestra tribu!

Una vez terminó de recitar los versos siguió andando hasta salir al exterior de la ciudad. Llegó al río y remontó su orilla sin saber hacia dónde iba. Esto es lo que hace referencia a Hasán.

He aquí lo que se refiere a su esposa Manar al-Sana: Al día siguiente de la partida de la anciana se dispuso a emprender el viaje. Cuando ya estaba decidida a salir, llegó el chambelán del rey, su padre. Besó el suelo ante ella...

Sahrazad se dio cuenta de que amanecía e interrumpió el relato para el cual le habían dado permiso.

Cuando llegó la noche *ochocientas diecisiete,* refirió: —Me he enterado, ¡oh rey feliz!, de que [el chambelán] ...le dijo: «¡Oh reina! Tu padre, el gran rey, te saluda y te pide que te presentes ante él». La joven, acompañada por el chambelán, fue a ver qué deseaba el soberano. Éste la hizo sentar a su lado, encima del estrado, y le dijo: «¡Hija mía! Esta noche he tenido un sueño y estoy asustado por ti, pues temo que como consecuencia de este viaje, caigas en una gran dificultad». «¡Padre mío! ¿Por qué? ¿Qué has visto en sueños?» El rey explicó: «Me ha hecho el efecto de que entrabas en un tesoro. Éste estaba repleto de grandes riquezas, aljófares y muchos jacintos. De todo el tesoro sólo me gustaban siete perlas que eran lo más precioso que había allí. De las siete escogí una: la más pequeña, hermosa y de mayor luz. Me gustaba tanto que la cogí con la mano y salí del tesoro. Una vez cruzada la puerta abrí la mano lleno de alegría y besé la perla. De pronto apareció un pájaro extraordinario que venía de un país lejano, puesto que no se parecía a los del nuestro. Desde el cielo se avalanzó encima mío, me arrebató la perla que tenía en la mano y se alejó por el mismo lugar por donde había llegado. La pena, la tristeza y la angustia hicieron presa de mí; me asusté de un modo inconcebible y me desperté del sueño. Al desvelarme me encontraba triste y afligido por causa de la perla. Llamé inmediatamente a los oneirólogos y a los ocultistas y les conté mi sueño. Me dijeron: "Tienes siete hijas: perderás a la menor, la cual te será arrebatada por la fuerza y sin tu consentimiento". Tú eres la menor de mis hijas, eres la que más quiero y aprecio... y ahora tú te marchas al lado de tu hermana. No sé lo que te puede hacer. No vayas y vuélvete a tu alcázar». Las palabras del padre, oídas que fueron por Manar al-Sana, hicieron palpitar su corazón, temió que ocurriese algo a sus hijos y bajó la cabeza durante rato. Después miró a su padre y le dijo: «¡Oh, rey! La reina Nur al-Huda ha preparado fiestas en mi honor y espera mi llegada hora tras hora; hace cuatro años que no me ha visto. Si desisto de visitarla se enfadará conmigo. Permaneceré a su lado, como máximo, un mes y después volveré a tu lado. ¿Quién puede recorrer nuestro país y llegar a las islas Waq? ¿Quién puede llegar a la Tierra Blanca y al Monte Negro, alcanzar la isla del alcanfor y a la fortaleza de los pájaros? ¿Cómo podría atravesar el Valle de los Pájaros y después el de las Fieras y el de los Genios y alcanzar nuestras islas? Si un extranjero llegase hasta aquí naufragaría en los mares de la perdición. Tranquilízate y refresca tus ojos en lo que se refiere a mi viaje: no hay nadie que pueda hollar nuestra tierra».

Siguió dando razones a su padre hasta que éste le concedió permiso para partir.

Sahrazad se dio cuenta de que amanecía e interrumpió el relato para el cual le habían dado permiso.

Cuando llegó la noche *ochocientas dieciocho,* refirió:

—Me he enterado, ¡oh rey feliz!, de que el rey mandó a mil caballeros que la acompañasen hasta el río; debían permanecer en este lugar hasta que llegase a la ciudad y entrase en el alcázar de su hermana. Les ordenó que permaneciesen a su lado hasta que la recogieran y la devolvieran junto a su padre. Luego le aconsejó que sólo permaneciese dos días con su hermana y que regresase inmediatamente. La princesa dijo: «¡Oír es obedecer!» Se puso en pie y salió. Su padre la acompañó para despedirse. Las palabras del padre habían hecho mella en su corazón y temía que sucediera algo a sus hijos. Pero de nada sirve encastillarse contra los embates del destino.

Se puso en camino y durante tres días con sus noches avanzó sin cesar hasta llegar al río. Levantaron las tiendas en la orilla. Después lo cruzó acompañada por algunos pajes y escoltada por su séquito y sus visires.

Al llegar a la ciudad de la reina Nur al-Huda se dirigió al alcázar, se presentó ante su hermana y vio que sus hijos estaban al lado de ésta llorando y gritando: «¡Padre!» Las lágrimas resbalaron de los ojos de la princesa. Estrechó a los chiquillos contra su pecho y les preguntó: «¿Habéis visto a vuestro padre? ¡Ojalá no hubiera existido la hora en que lo abandoné! Si hubiese sabido que aún estaba vivo os hubiese llevado junto con él». Sollozó por sí misma, por su esposo y por el llanto de los niños y recitó estos versos:

> ¡Amigos míos! A pesar de la distancia y la dureza os amo y me enternezco dondequiera que estéis.
> Mi mirada se vuelve en vuestra busca y mi corazón se queja por los días pasados con vosotros.
> ¡Cuántas noches pasamos libres de angustia, amándonos, gozando de la fidelidad y del cariño!

Nur al-Huda, al ver cómo abrazaba a los niños y decía: «¡Yo hice eso conmigo y con mis hijos arruinando mi familia!», no la saludó y la increpó: «¡Libertina! ¿Cómo tienes esos hijos? ¿Te has casado con alguien sin que lo supiese tu padre o has cometido adulterio? Si es esto último hay que castigarte y si te has casado sin que lo supiéramos nosotros ¿por qué has abandonado a tu esposo llevándote a tus hijos...»

Sahrazad se dio cuenta de que amanecía e interrumpió el relato para el cual le habían dado permiso.

Cuando llegó la noche *ochocientas diecinueve*, refirió:

—Me he enterado ¡oh rey feliz!, de que [Nur al-Huda prosiguió: »...por qué te has llevado a tus hijos] separándolos de su padre, regresando a nuestro país y ocultándolos? ¿Es que creías que no nos ibamos a enterar? Dios (¡ensalzado sea!) que conoce perfectamente las cosas ocultas nos ha desvelado tu historia y ha puesto al descubierto tu situación mostrando tus vergüenzas». Después ordenó a sus servidores que la detuviesen. La cogieron, Nur al-Huda la cargó con argollas y cadenas de hierros y le dio una paliza muy dolorosa que le desgarró la piel; luego la arrastró tirando de los cabellos y la encerró en la cárcel. Escribió una carta al gran rey, su padre, en la que le contaba toda la historia y le decía: «Se ha presentado en nuestra tierra un hombre. Mi hermana Manar al-Sana ha confesado que es su esposo legal habiendo tenido, con él, dos hijos; los ha mantenido ocultos ante nosotros y nadie lo hubiese descubierto de no haber llegado ese hombre, ese ser humano; se llama Hasán y nos ha informado que se había casado con mi hermana, la cual vivió en su casa un largo período de tiempo. Después se marchó llevándose los niños sin que él lo supiera. Pero avisó a su madre a la que dijo: "Di a tu hijo, que si tiene nostalgia, que venga a buscarme a las islas Waq". Encontramos en nuestra tierra a ese hombre y entonces mandé a la vieja Sawahi que trajese a la madre y a los niños. Manar al-Sana se preparó para el viaje, pero yo había ordenado a la vieja que me trajese a los niños antes de que ella llegase. Por tanto se adelantó con éstos; después mandé a buscar al hombre que aseguraba ser su esposo. Al llegar ante mí y ver a los chiquillos los reconoció. Entonces me convencí de que éstos eran sus hijos y Manar al-Sana su esposa; de que las palabras de aquel hombre eran verdad y de que él no había cometido ninguna falta; comprendí que la falta y la culpa recaían sobre mi hermana; temí que nuestra reputación padeciese entre los habitantes de las islas. Cuando esa libertina traidora se presentó ante mí, me enfadé con ella, la azoté de modo doloroso y la arrastré tirando de su cabellos. Te he informado de lo que ocurre, pero es a ti a quien incumbe el asunto. Haremos lo que nos mandes. Tú sabes que nuestra reputación depende de este asunto, pues constituye una ignominia para todos. Si los habitantes de la isla se enteran nos haremos proverbiales ante ellos. Es necesario que nos contestes inmediatamente».

Entregó la carta a un mensajero, el cual se puso en camino. El gran rey, al leerla, se encolerizó enormemente contra su hija Manar al-Sana. Contestó a Nur al-Huda con una carta en la que decía:

«Te entrego el caso a ti y te concedo poder sobre su vida. Si la cosa es tal como dices, mátala sin pedirme consejo».

Al recibir la carta de su padre la leyó y mandó a buscar a Manar al-Sana. Ésta compareció ante ella anegada en su propia sangre, con el cabello recogido, sujeta por una pesada cadena de hierro y cubierta por un vestido de pelo. La colocaron ante la reina. Permaneció quieta, humillada, despreciada. Al verse tan abatida y caída tan bajo meditó en el puesto tan alto que había ocupado y rompió a llorar amargamente. Recitó este par de versos:

> ¡Señor! Mis enemigos se esfuerzan en perderme
> y aseguran que no tengo salvación.
> Pero espero que Tú hagas vanas sus obras. ¡Señor!
> Tú eres el refugio de los que temen y esperan.

Siguió llorando hasta caer desmayada. Al volver en sí recitó estos dos versos:

> Las vicisitudes se me han hecho familiares y yo
> misma, después de haberme mantenido apar-

tada, he vuelto a tratarlas, pues quien es generoso es sociable.
Las preocupaciones que me oprimen no son de una clase; gracias a Dios lo son de miles.»

A continuación recitó este par de versos:

¡Cuántas desgracias se abaten sobre el hombre sin que éste pueda hacerles frente! Pero Dios tiene la salida.
Cuando sus argollas iban cerrándose más y más llegó la salvación. Ya había creído que no llegaría.

Sahrazad se dio cuenta de que amanecía e interrumpió el relato para el cual le habían dado permiso.

Cuando llegó la noche *ochocientas veinte*, refirió:

—Me he enterado, ¡oh rey feliz!, de que la reina mandó que le llevasen una escalera de madera y ordenó a los criados que la extendieran y la atasen con la espalda apoyada en las escaleras. Extendieron sus brazos y los ataron con cuerdas. Después le descubrieron la cabeza y ligaron los cabellos a la escalera de madera. La piedad había desaparecido del corazón de la reina. Manar al-Sana al verse tan humillada y envilecida gritó y lloró, pero nadie acudió en su auxilio. Dijo: «¡Hermana mía! ¡Qué cruel es tu corazón conmigo! ¿No te apiadas de mí ni de esos niños pequeños?» La dureza de la reina aumentó al oír estas palabras. La injurió y le dijo: «¡Enamoradiza! ¡Desvergonzada! ¡Qué Dios no tenga piedad de quien de ti la tenga! ¿Cómo he de apiadarme de ti, traidora?» Manar al-Sana, estirada como estaba, replicó: «¡Invoco contra ti al señor del cielo ya que me calumnias! ¡Soy inocente! ¡Por Dios! ¡No he cometido adulterio! Me he casado legalmente y mi Señor sabe si lo que digo es cierto o no. La dureza de tu corazón ha indignado al mío ¿cómo me acusas de adulterio sin saberlo? Pero mi Señor me librará de ti. Si esa acusación de adulterio que me haces es verdad ¡que Dios me castigue por ello!» La reina meditó en las palabras que había oído y le replicó: «¿Cómo me diriges ese discurso?» Se acercó a ella y la azotó hasta que perdió el sentido. Le rociaron la cara con agua. Al volver en sí, los golpes, las ligaduras apretadas y las injurias sufridas habían marchitado su belleza. La joven recitó este par de versos:

> Si he cometido algún pecado y he hecho algo reprobable
> Yo me arrepiento por lo pasado y acudo a vos pidiendo perdón.

Nur al-Huda se indignó aún más al oír estos versos. La increpó: «¡Desvergonzada! ¿Aún hablas delante mío y te disculpas, en verso, por las barbaridades que has hecho? Querría devolverte a tu marido para ver tu libertinaje y tu desvergüenza, ya que todavía te vanaglorias de las torpezas, barbaridades y excesos que has cometido». Mandó a los pajes que le llevasen un azote de palma. Se lo entregaron. Se acercó a la víctima, se remangó y empezó a azotarla desde la cabeza hasta los pies; después pidió un látigo anudado de tal modo que si con él se hubiese azuzado a un elefante hubiese emprendido una rápida marcha. Se acercó de nuevo y la azotó por la espalda, en el vientre y en todos sus miembros hasta que perdió el conocimiento.

La vieja Sawahi, al ver lo que hacía la reina, huyó llorando y maldiciéndola. Pero la reina chilló a los criados: «¡Traedmela!» Se avalanzaron sobre ella, la sujetaron y se la llevaron. Mandó que la tendieran en el suelo y entonces dijo a las doncellas: «Arrastradla de bruces y sacadla». La arrastraron y se la llevaron. Esto es lo que a ellas se refiere.

He aquí lo que hace referencia a Hasán: Se cargó de paciencia, anduvo por la orilla del río y avanzó hacia la campiña. Estaba perplejo y afligido y desesperaba de la vida. Aturdido por la dureza de lo que le había sucedido no distinguía la noche del día y avanzaba sin cesar. Así llegó junto a un árbol; había una hoja colgada en él. La cogió, la examinó y vio que tenía escritos estos versos:

He dispuesto tus cosas desde que estabas en embrión dentro del vientre de tu madre.
Hice su corazón tan generoso contigo que hasta te meció en sus brazos.
Nos te bastamos frente a cualquier preocupación o pena que te aflija.
Ponte en pie y adóranos, pues te conduciremos de la mano a través de tus preocupaciones.

Hasán, al terminar de leer la hoja, quedó convencido de que se salvaría de las dificultades y que conseguiría reunise con los suyos. Dio un par de pasos y se halló solo en un lugar desierto y peligroso en el que no había nadie que le hiciese compañía. La soledad y el miedo le hacían perder el corazón. Ese sitio aterrador hacía temblar a sus miembros. Recitó estos versos:

¡Oh, céfiro de la mañana! Si cruzas por la tierra en que están mis caros, dáles mis más copiosos saludos.
Diles que soy rehén de la pasión y que mi pena está por encima de cualquier otra.
Es posible que el céfiro me traiga su recuerdo y vivifique estos huesos carcomidos.

Sahrazad se dio cuenta de que amanecía e interrumpió el relato para el cual le habían dado permiso.

Cuando llegó la noche *ochocientas veintiuna*, refirió:

—Me he enterado ¡oh rey feliz!, de que siguió andando por la orilla del río; encontró dos niños pequeños que eran hijos de brujos y magos: tenían delante una varita de bronce en que estaban grabados los talismanes; junto a la varita tenían un birrete de piel de tres piezas en el cual se habían grabado en acero los nombres y los sellos. Ambos objetos estaban en el suelo. Los dos niños se pelearon y golpearon por ellos hasta el punto de hacerse sangre. Uno decía: «¡Yo seré el único en tener la varita!» y el otro le replicaba: «¡No! ¡Seré yo!» Hasán se interpuso y los separó. Les preguntó: «¿Por qué os querelláis?» Le contestaron: «¡Oh, tío! Haznos justicia. Tal vez Dios (¡ensalzado sea!), te ha conducido para que juzgues de acuerdo con la verdad». «Contadme vuestra historia y yo sentenciaré.» «Somos hermanos uterinos. Nuestro padre era un mago poderoso que vivía en una cueva de este monte. Al morir nos legó el birrete y la varita. Mi hermano dice: "Yo seré el único en tener la varita" y yo digo: "¡No! ¡Seré yo!" Juzga y líbranos al uno de las manos del otro.» Hasán, una vez oídos, les dijo: «¿Cuál es la diferencia que hay entre la varita y el birrete? ¿Cuál es su poder? Según las apariencias la varita vale seis *chudad* y el birrete tres». «¡Tú no conoces sus virtudes!» «¿Cuáles son?» «Cada uno de estos objetos tiene poderes ocultos; la varita por sí sola vale tanto como la contribución territorial de todas las islas Waq y lo mismo ocurre con el birrete.» Hasán le dijo: «¡Hijos míos! Os conjuro, por Dios, a que me expliquéis sus virtudes». «¡Tío! Son inmensas. Nuestro padre vivió durante ciento treinta y cinco años mejorando sus cualidades hasta conseguir el máximo de perfección: involucró en ellas secretos ocultos, las utilizó para servicios extraordinarios y las dispuso a semejanza del firmamento que gira y a ellos sometió todos los encantamientos. Cuando hubo concluido de perfeccionarlos le sorprendió la muerte, pues ésta ha de alcanzar, sin remedio, a cada uno de nosotros. El birrete tiene las siguientes propiedades: todo aquel que se lo coloca en la cabeza se hace invisible y nadie lo ve mientras lo tiene puesto; todo aquel que posee la varita gobierna a siete taifas de genios y todos ellos lo obedecen y ejecutan las órdenes y decisiones de quien la tiene; cuando éste golpea con ella el suelo se humillan ante él todos los reyes y todos los genios acuden a servirlo». Hasán, al oír estas palabras, inclinó la cabeza hacia el suelo. Se dijo: «¡Por Dios! Con la varita y el birrete, si Dios (¡ensalzado sea!) lo quisiera, vencería. Además, ahora, yo tengo más derecho que ellos a poseerlos. He de idear el modo de conseguirlos para poder emplearlos en mi salvación y en la de mi esposa y mis hijos de las manos de esta reina injusta. Nos marcharemos de este lugar depresivo en el cual no hay ningún ser humano y del cual no se puede escapar. Tal vez Dios (¡ensalzado sea!) me ha conducido hasta estos dos niños para que me apodere de la varita y el birrete». Levantó la cabeza y les dijo: «Si queréis que yo zanje la cuestión he de imponeros una prueba. Quien venza a su compañero se quedará con la varita y el que pierda cogerá el birrete. Sólo después de haberos examinado y puesto a prueba sabré lo que merece cada uno de vosotros». «¡Tío! Te encomendamos que nos examines, nos pongas a prueba y juzgues lo que bien te parezca.» Hasán les preguntó: «¿Me haréis caso y estaréis conformes con mis palabras?» «Sí.» «Cogeré una piedra y la tiraré; aquel de vosotros que consiga llegar primero hasta ella y que la coja antes que su compañero, recibirá la varita; el que quede atrás y no la consiga tendrá el birrete.» «Aceptamos tus palabras y estamos conformes.» Hasán cogió una piedra y la lanzó con tanta fuerza que se perdió de vista. Los dos muchachos echaron a correr. En cuanto se alejaron, Hasán cogió el birrete y se lo puso, tomó la varita en la mano y se marchó del sitio en que estaba para comprobar si eran verdad sus palabras acerca de los secretos de su padre. El chico más pequeño ganó la carrera, cogió la piedra y regresó al sitio en que se encontraba Hasán. Pero no vio ni rastro de éste. Gritó a su hermano: «¿Dónde está el hombre que hacía de juez entre nosotros?» El otro replicó: «No lo veo; no sé si ha subido al cielo altísimo o ha descendido al fondo de la tierra». Los dos le buscaron, pero no le vieron, mientras Hasán seguía inmóvil en su sitio. Se insultaron el uno al otro y exclamaron: «La varita y el birrete se han perdido; no es ni tuya ni mío. Nuestro padre nos había dicho estas mismas palabras pero tú y yo hemos olvidado sus advertencias». Ambos volvieron sobre sus pasos.

Hasán, con el birrete en la cabeza y la varita en la mano, entró en la ciudad sin que nadie le viera. Penetró en el alcázar y se dirigió al sitio en que estaba Sawahi Dat al-Dawahi. Entró con el birrete puesto y la vieja no lo vio; siguió avanzando y llegó a un estante repleto de vidrio y porcelanas chinas que estaba encima de la cabeza de la anciana. Lo tiró con la mano al suelo. Sawahi Dat al-Dawahi chilló y se abofeteó la cara. Se puso de pie, volvió a colocar en su sitio todo lo que había caído y se dijo: «¡Por Dios! Creo que la reina

Nur al-Huda me ha enviado un demonio que es el que me ha hecho esta faena. ¡Ruego a Dios (¡ensalzado sea!) que me libre de ella y me salve de su enojo! ¡Señor mío! Si ella ha hecho tanto mal, azotando y maltratando a su hermana, que tan cara es a su padre ¿qué hará con aquel que le es extraño, como es mi caso, cuando se enfade?»

Sahrazad se dio cuenta de que amanecía e interrumpió el relato para el cual le habían dado permiso.

Cuando llegó la noche *ochocientas veintidós,* refirió:

—Me he enterado, ¡oh rey feliz!, de que [Sawahi prosiguió:] «¡Te conjuro, demonio, en nombre del Compadeciente, el Generoso, el Todopoderoso, el Omnipotente creador de hombres y genios, en nombre del que ha grabado el anillo de Salomón, hijo de David (¡sobre ambos sea la paz!) a que me hables y me contestes!» Hasán dijo: «Yo no soy un demonio, sino Hasán, el enamorado, el amante, el perplejo». Se destocó la cabeza y se apareció a la anciana, la cual le reconoció. Se lo llevó aparte y le preguntó: «¿Qué te ha pasado en la cabeza para venir hasta aquí? ¡Vete! ¡Escóndete! Si esa desvergonzada ha infligido a tu esposa el castigo que la ha infligido a pesar de ser su hermana, ¿qué hará si te coge?» A continuación le refirió todo lo que había sucedido a su esposa y los tormentos y angustias que pasaba; le contó también el castigo que ella misma había sufrido. Añadió: «La reina se ha arrepentido de haberte dejado en libertad y ha despachado un mensajero para que te lleve ante ella; lo recompensará con un quintal de oro y le concederá el cargo que yo desempeñaba; ha jurado que cuando tú vuelvas te matará junto con tu esposa y tus hijos». La anciana rompió a llorar y mostró a Hasán lo que la reina le había hecho. Hasán la acompañó en el llanto y le dijo: «¡Señora mía! ¿Cómo escapar de estas regiones y de esta reina injusta? ¿Qué medio he de emplear para salvar a mi mujer y a mis hijos y regresar, después, a mi país?» «¡Ay de ti! ¡Escapa tú solo!» «¡No! He de salvar a mi mujer y a mis hijos aunque sea en contra de la voluntad de la reina.» «¿Cómo podrás librarlos a la fuerza? Vete y escóndete, hijo mío, hasta que Dios (¡ensalzado sea!) te conceda algún medio.» Hasán le enseñó la varita de cobre y el birrete. La anciana, al verlos, se alegró muchísimo y exclamó: «¡Gloria a Aquel que hace resucitar a los huesos cuando ya son carroña![6] ¡Por Dios, hijo mío! Tú y tu mujer estabais bien muertos, pero ahora, hijo mío, os habéis salvado los dos junto con tus hijos. Yo reconozco la varita y sé quién es su autor. Él fue mi maestro en brujería. Era un gran sabio que empleó ciento treinta y cinco años en terminar la varita y el birrete. Una vez los hubo perfeccionado, le llegó la muerte, que acude sin remedio. Le oí decir a sus hijos: "¡Hijos míos! Estos dos objetos no harán vuestra fortuna, pues vendrá un extranjero y os los arrebatará por la fuerza sin que sepáis cómo". Le preguntaron: "¡Padre! ¡Dinos cómo llegará a arrebatárnoslos!" Les contestó: "No lo sé"». La anciana siguió: «¡Hijo mío! ¡Dime cómo llegaste a apoderarte de ellos!» Hasán le explicó cómo se los había quitado a los dos muchachos. La anciana, al oírlo, se alegró y le dijo: «Como tu esposa y tus hijos están en tu poder oye lo que te voy a decir: yo no puedo continuar junto a esta desvergonzada después de haberme dado tormento. Yo me marcharé a la cueva de los brujos y viviré con ellos hasta la muerte. Tú, hijo mío, ponte el birrete y empuña la varita. Preséntate ante tu esposa y tus hijos en el lugar en que están ahora; golpea el suelo con la varita y di: "¡Servidores de estos nombres!" Éstos se presentarán ante ti. Cuando aparezca uno de los jefes de las tribus mándale lo que desees y prefieras». Hasán se despidió de la anciana, se puso el birrete, cogió la varita y entró en el lugar en que se encontraba su esposa: la vio carente de todo, sujeta a la escalera y con los cabellos atados a ésta; lloraba, tenía el corazón triste, se encontraba en el peor de los estados y no sabía por dónde escapar con sus hijos que jugaban al pie de la escalera. Los miraba y lloraba por lo que le había ocurrido, por los tormentos y golpes dolorosos que había soportado. Cuando la vio en tan mala situación recitó estos versos:

[6] Cf. *El Corán* 36, 78.

No queda más que un aliento que tremola y un ojo cuya pupila está apagada.
Y un amante en cuyas entrañas arde el fuego aunque él calle.
El censor se apiada por lo que ve ¡ay de aquel de quien se apiada el que injuria!

Hasán, al ver el tormento, la humillación y la ignominia en que se encontraba su esposa rompió a llorar hasta caer desmayado. Al volver en sí y ver cómo jugaban sus hijos y al darse cuenta de que su madre se había desmayado por el gran dolor que sentía, se quitó el birrete de la cabeza. Los niños gritaron: «¡Padre!» Él volvió a ponérselo al tiempo que sus gritos hacían volver en sí a la mujer. Ésta no pudo verlo; los niños lloraban y gritaban: «¡Padre!» La madre, al oír que se acordaban del padre y lloraban, notó que el corazón se le desgarraba y que sus entrañas se hendían. Desde el fondo de sus entrañas, con el corazón dolorido, exclamó: «¿Dónde estáis? ¿Dónde está vuestro padre?» Después, acordándose del tiempo en que había permanecido con los seres amados y pensando en lo que le había ocurrido tras su marcha, rompió a llorar tan amargamente que las lágrimas resbalaron sobre sus mejillas, las ulceraron y fueron a empapar el suelo; la gran cantidad de lágrimas le anegaban la cara y como no tenía libres las manos para secárselas, las moscas se saciaban sobre su piel. La pobre mujer no tenía más recurso que el llanto ni otro consuelo que el de recitar versos. Recitó los siguientes:

Recuerdo el día de la separación después de alejarme de quien me despidió; las lágrimas corrían a ríos a mi alrededor.
El camellero de la caravana entonó la *hida* pero yo no encontré ni paciencia ni consolación ni el corazón se quedó conmigo.
Regresé sin saber el camino; no me recuperé ni de la angustia ni del dolor ni de la pasión.
Pero lo más doloroso fue que a mi regreso se me acercó un malvado de aspecto humilde.

¡Oh, alma! Ya que el amado ha partido, abandona las dulzuras de la vida y no ansíes la vida eterna.
¡Amigo mío! Escucha la historia de mi amor, que tu corazón oiga lo que digo:
Yo cuento mi pasión que va engarzada a hechos prodigiosos, maravillosos, hasta el punto que parece que yo sea al-Asmaí.

Sahrazad se dio cuenta de que amanecía e interrumpió el relato para el cual le habían dado permiso.

Cuando llegó la noche *ochocientas veintitrés,* refirió:

—Me he enterado, ¡oh rey feliz!, de que la mujer se volvía a derecha e izquierda para ver cuál era la causa de los gritos y de las llamadas de los dos niños a su padre. Pero no vio a nadie: quedó extrañada de que sus hijos llamaran al padre en ese momento. Esto es lo que a ellos se refiere.

He aquí lo que hace referencia a Hasán: Al oír recitar los versos cayó desmayado y las lágrimas corrieron por sus mejillas como si fuesen lluvia. Se acercó a los chiquillos y se quitó el birrete. Al verlo le reconocieron y gritaron: «¡Padre!» Al oírles mencionar a su padre, la mujer rompió a llorar y exclamó: «¡No hay subterfugio que permita escapar al decreto de Dios!», y se dijo: «¡Qué maravilla! ¿Cuál será la causa que les hace acordarse y llamar a su padre en este momento?» Rompió a llorar y recitó estos versos:

El país ha quedado privado de la lámpara que surgió. ¡Pupilas mías! ¡Sed generosas al derramar las lágrimas!
Se marcharon. ¿Cómo podré tener paciencia después de su partida? ¡Juro que no me quedan ni corazón ni paciencia!
¡Oh, viajeros! En mi corazón está su morada. ¡Señores míos! ¿Es que después de esto regresaréis?
¿Qué mal ocurriría si regresasen y yo pudiese disfrutar de su compañía y ellos se apiadasen de mis lágrimas y mis sufrimientos?

El día de la partida se nublaron mis ojos pero
—¡oh, maravilla!— no por eso se apagó lo
que ardía en mis costillas.
Quería que se quedasen, pero no pude seguir a
su lado y mis deseos fueron defraudados por la
separación.
¡Por Dios, amados nuestros! ¡Volved a nuestro
lado! Ya basta con las lágrimas que he derramado.

Hasán ya no pudo soportar más: se quitó el birrete de la cabeza. Su esposa lo vio, lo reconoció y dio un grito que conmovió a cuantos estaban en el alcázar. A continuación preguntó: «¿Cómo has llegado hasta aquí? ¿Has bajado del cielo o has salido del suelo?» Los ojos se le llenaron de lágrimas y Hasán también lloró.

Ella le dijo: «¡Hombre! No es éste el momento de llorar ni de hacernos reproches. Se ha cumplido el destino; los ojos humanos son ciegos y la pluma escribe lo que Dios decreta para el futuro. ¡Te lo suplico por Dios! ¡Vete por donde viniste y ocúltate para que nadie te vea! Si mi hermana se entera nos degollará a los dos». Hasán le replicó: «¡Señora mía! ¡Señora de todas las reinas! Yo he arriesgado mi vida para llegar hasta aquí; por tanto o muero o te salvo de la situación en que te encuentras. Tú, los niños y yo regresaremos a nuestro país por más que pese a esa desvergonzada de tu hermana». La joven, al oír estas palabras, sonrió, rió, meneó la cabeza largo rato y le replicó: «¡Alma mía! Sólo Dios (¡ensalzado sea!) podrá salvarme de la situación en que me encuentro. Ponte a salvo, vete y no te arrojes a la perdición. Ésta posee un ejército en marcha al que nadie puede hacer frente. Pero supón que me coges y me sacas de aquí: ¿cómo llegarás a tu país y escaparás de éstas y de las dificultades de estos lugares? Al venir ya has visto los prodigios, maravillas, terrores y penalidades que existen y de los cuales no escaparía ni un genio rebelde. Vete en seguida y no añadas pena a mis penas ni preocupación a mis preocupaciones; no pretendas librarme de esto, pues ¿quién podrá conducirme a tu país a través de estos valles, de estas tierras desiertas y de estos sitios aterradores?» Hasán le replicó: «¡Por tu vida, luz de mis ojos! No saldré de aquí ni me pondré en viaje si no es contigo». «¡Hombre! ¿Cómo podrás hacerlo? ¿De qué raza eres? No sabes lo que dices: aunque fueses señor de genios, *efrites*, brujos, clanes y servidores, no podrías escapar de estos lugares. Sálvate tú solo y déjame. Tal vez Dios traiga otros acontecimientos después de éstos.» Hasán le replicó: «¡Señora de las bellas! Yo he venido aquí a salvarte con el auxilio de esta varita y este birrete», y, a continuación le refirió toda la historia de los dos muchachos. Mientras él hablaba llegó la reina y oyó su conversación. Él, al verla, se puso el birrete. Aquélla dijo a su hermana: «¡Desvergonzada! ¿Con quién hablabas?» «¿Quién hay aquí para hablar si no son los niños?» La reina empuñó el látigo y la azotó. Hasán permanecía inmóvil mirándola. Los azotes siguieron hasta que la víctima se desmayó. La reina mandó que la trasladasen desde aquel sitio a otro. La desataron y la transportaron a otro lugar. Hasán los acompañó. Los carceleros la dejaron desmayada en su nueva habitación y se quedaron allí contemplándola. Al volver en sí recitó estos versos:

Me he arrepentido tan completamente de mi separación que mis párpados derraman raudales de lágrimas.

He hecho voto de que si el tiempo vuelve a reunirme con el amado jamás mi lengua volverá a pronunciar la palabra «separación».

Diré a los envidiosos: «¡Morid de pena! ¡Por Dios, yo ya he alcanzado mi deseo!»

La alegría desbordó en mí hasta el punto de hacerme llorar.

¡Ojo! ¿Por qué te has acostumbrado al llanto? Derramas lágrimas de alegría y de tristeza.

Las esclavas se marcharon cuando hubo terminado de recitar sus versos. Entonces, Hasán, se quitó el birrete y su esposa le dijo: «¡Hombre! Observa que me ocurre todo esto por haberte desobedecido, no haber hecho caso de tu orden y haber salido sin tu permiso. Te pido por Dios, ¡oh hombre!, que no me reprendas por mi culpa. Sabe que la mujer no conoce el valor del hombre hasta que se encuentra separada de él. Yo he cometido una falta y he pecado, pero pido perdón a Dios, el Grande, por todo lo que hice. Si Dios nos reúne no volveré a desobedecer tus órdenes jamás».

Sahrazad se dio cuenta de que amanecía e interrumpió el relato para el cual le habían dado permiso.

Cuando llegó la noche *ochocientas veinticuatro,* refirió:

—Me he enterado, ¡oh rey feliz!, de que Hasán, que tenía el corazón dolorido por su causa, le contestó: «Tú no cometiste falta alguna. Quien la cometió fui yo al irme de viaje y dejarte confiada a quien ni conocía tu valor ni sabía tu rango ni tu posición. Pero sabe, amada de mi corazón, fruto de mis entrañas, luz de mis ojos, que Dios (¡exaltado sea!) me ha concedido poder para ponerte en libertad, ¿quieres que te haga llegar a casa de tu padre y recibir de él lo que Dios te haya decretado o marchar directamente a nuestra tierra, allí donde fuiste feliz?» «¿Quién puede salvarme si no es el Señor de los cielos? Regresa a tu país y abandona tus deseos; tú desconoces los peligros de estas regiones. Si no me obedeces, verás.» A continuación recitó estos versos:

> En mí y alrededor mío está la satisfacción que deseas. ¿Por qué me miras enfadado y te apartas?
>
> Lo sucedido, el amor que antes nos unía, no puede ser olvidado ni destruido.
>
> El calumniador se ha mantenido lejos de nosotros, pero cuando descubrió indicios de ruptura se presentó.
>
> Estoy seguro de que piensas bien de mí aunque el calumniador ignorante diga e incite.
>
> Callaremos y custodiaremos el secreto que entre nosotros existe, aunque la espada de la injusticia se desenvaine.

Paso toda mi jornada observando; tal vez un mensajero tuyo me traiga el consuelo.

Ella y los niños rompieron a llorar. Las esclavas, al oír el llanto entraron y vieron a la reina Manar al-Sana llorando junto con sus hijos, pero no consiguieron descubrir a Hasán que estaba a su lado. Las jóvenes, llenas de compasión, rompieron también a llorar y maldijeron a la reina Nur al-Huda.

Hasán esperó hasta la noche; los guardianes encargados de la custodia de su esposa fueron a acostarse. Entonces se ciñó el cinturón, se acercó a su esposa, la desató, la besó en la cabeza, la estrechó contra el pecho y la besó en la frente. Le dijo: «¡Cuán largamente hemos deseado estar en nuestro país y conseguir nuestra reunión allí! ¿Estamos juntos en sueños o despiertos?» Él cogió al niño mayor y ella al menor. Salieron del alcázar y Dios corrió un velo a su alrededor. Marcharon, salieron del alcázar y llegaron hasta la puerta que daba al serrallo de la reina. Vieron que estaba cerrada. Hasán exclamó: «¡No hay fuerza ni poder sino en Dios, el Altísimo, el Grande! ¡Nosotros somos de Dios y a Él volvemos!» Los dos desesperaron de llegar a salvarse. Hasán exclamó: «¡Oh, Tú que disipas las penas!»; dio una palmada y siguió: «Todo lo había imaginado y previsto sus consecuencias excepto esto. Cuando se haga de día nos detendrán. ¿Qué hay que hacer en este caso?» A continuación Hasán recitó este par de versos:

Tuviste una buena opinión del transcurso de los días mientras éstos fueron favorables y no temiste las desgracias que trae el destino.

Las noches te fueron favorables y te engañaste: tras la serenidad de las noches llega la desgracia.

Hasán y su esposa rompieron a llorar; ésta derramaba lágrimas por la humillación en que se encontraba y por los dolores que el destino le había reservado. Hasán se volvió hacia su mujer y recitó estos dos versos:

> El destino me hace frente como si yo fuese su enemigo; cada día me aflige con una desgracia.
> Si busco el bien me trae lo contrario; si un día me favorece al día siguiente me trae una desgracia.

Recitó, además, este par de versos:

> El destino está en contra mío sin saber que yo estoy bien alto y que las calamidades me son leves.
> Mientras paso la noche me muestra cómo es su enemistad pero, mientras él la pasa, yo le enseño cómo es la verdadera paciencia.

La esposa le dijo: «¡Por Dios! No tenemos más escapatoria que la de matarnos; así descansaremos de tan grandes fatigas; de lo contrario tendremos que soportar dolorosos tormentos». Mientras así hablaban se oyó una voz que decía desde el otro lado de la puerta: «¡Por Dios! No te abriré la puerta, mi señora Manar al-Sana ni a ti ni a tu esposo Hasán a menos de que me obedezcáis en lo que os diré». Los dos se callaron al oír estas palabras y quisieron alejarse del lugar en que se encontraban. La misma voz siguió: «¿Qué os ocurre que os calláis y no me contestáis?» Entonces, por la voz, reconocieron que era la anciana Sawahi Dat al-Dawahi la que les hablaba. Replicaron: «Haremos cualquier cosa que nos mandes, pero ábrenos la puerta, pues no es éste el momento de hablar». «¡Por Dios! ¡No os abriré hasta que no me hayáis jurado que me llevaréis con vosotros y que no me dejaréis en poder de esta desvergonzada! El daño que os ha hecho también me lo ha hecho a mí. Si os salváis me salvaré y si perecéis, pereceré. Esa depravada, perversa, me desprecia y me atormenta a cada instante por vuestra causa. Tú, hija mía, sabes mi valor.» Una vez la hubieron reconocido, se tranquilizaron y juraron para tranquilizarla. Después que hubieron prestado juramento solemne, les abrió la puerta y salieron. Encontraron a la anciana montada en una jarra griega hecha de arcilla roja. En el cuello de la jarra estaba atada una cuerda de palma que giraba debajo y que corría más que una potra del Nachd. Se acercó a ellos y les dijo: «Seguidme y no temáis nada. Conozco cuarenta capítulos de magia, el más pequeño de los cuales me permitiría transformar esta ciudad en un mar encrespado, cuyas olas entrechocasen; o embrujar a esa mujer transformándola en un pez. Y todo esto antes de la llegada de la aurora. Pero yo no puedo hacer ese daño por temor del rey, su padre, y por respeto a sus hermanas, ya que éstos son poderosos por el gran número de servidores, clanes y criados de que disponen. Pero os haré ver los prodigios de mi magia. Andad a mi lado con la bendición y el auxilio de Dios (¡ensalzado sea!).» Hasán y su esposa se alegraron y estuvieron seguros de que iban a salvarse.

Sahrazad se dio cuenta de que amanecía e interrumpió el relato para el cual le habían dado permiso.

Cuando llegó la noche *ochocientas veinticinco*, refirió:

—Me he enterado, ¡oh rey feliz!, de que una vez fuera de la ciudad Hasán empuñó la varita, golpeó el suelo con ella y haciendo acopio de valor dijo: «¡Servidores de estos nombres! Acudid y hacedme conocer a vuestros hermanos». La tierra se hendió y salieron diez *efrites*; cada uno de ellos tenía los pies en el fondo de la tierra y la cabeza en las nubes. Besaron el suelo tres veces consecutivas ante Hasán y dijeron todos a la vez: «¡Henos aquí, señor nuestro! Escucharemos y ejecutaremos cualquier cosa que nos mandes; si lo quieres podemos secar los mares y trasladar los sitios de su lugar». Hasán se alegró de lo que decían y de lo rápidamente que habían contestado. Cobró ánimos y se decidió. Les preguntó: «¿Quiénes sois? ¿Cómo os llamáis? ¿A qué tribu, clan y grupo pertenecéis?» Besaron otra vez el suelo y contestaron todos a la vez: «Somos siete reyes y cada uno de nosotros gobierna siete tribus de genios, demonios y *marides*; somos siete reyes, pero gobernamos cuarenta y nueve tribus que tienen toda clase de genios, demonios, *marides*, clanes, servidores que vuelan y que bucean; que habitan las montañas, las campiñas, los desiertos y los mares. Mándanos lo que quieras, pues nosotros somos tus criados y tus esclavos; todo aquel que es dueño de esta varita es nuestro dueño y nosotros nos debemos a él». Hasán, su esposa y la anciana se alegraron muchísimo al oír estas palabras. Entonces Hasán dijo a los genios: «Quiero que me mostréis vuestros clanes, ejércitos y servidores». «¡Señor nuestro! Tenemos reparos en mostrarte, a ti y a tus acompañantes, a nuestros vasallos. Éstos forman ejércitos numerosos, tienen formas diversas; colores, caras y cuerpos muy distintos: unos tienen cabeza sin cuerpo y otros cuerpo sin cabeza; unos se parecen a los animales y otros a las fieras. Pero si lo deseas te los mostraremos empezando por los que tienen aspecto de animal. ¡Señor mío! ¿Qué es lo que quieres ahora de nosotros?» «Que me llevéis a mí, a mi mujer y a esta mujer pía a Bagdad sin pérdida de tiempo.» Al oír estas palabras bajaron la cabeza. Hasán les preguntó: «¿No contestáis?» Replicaron todos a la vez: «¡Oh, señor que nos gobiernas! En la época de Salomón, hijo de David (¡sobre ambos sea la paz!), juramos que no transportaríamos sobre nuestra espalda a ningún hijo de Adán. Desde entonces no hemos transportado a ningún hombre ni sobre nuestra espalda ni sobre nuestros hombros. Pero ahora mismo vamos a ensillar caballos de genios para que te transporten a ti y a quienes te acompañan, hasta tu país». Hasán les preguntó: «¿Qué distancia nos separa de Bagdad?» «Siete años para un jinete hábil.» Hasán quedó admirado y les dijo: «¿Y cómo he podido llegar yo aquí en menos de un año?» «Porque Dios ha hecho que el corazón de los hombres puros se apiadara de ti. De no haber sido así no hubieses llegado ni a estas regiones ni a este país y jamás lo hubieses visto con tus propios ojos. El jeque Abd al-Quddus te hizo montar en un elefante y el corcel afortunado recorrió contigo, en tres días, el camino en que un jinete experto hubiese empleado tres años. El jeque Abu-l-Ruways te confió a Dahnas y éste, en un día y una noche, recorrió la distancia de tres años. Todo esto ha sido así debido a la bendición de Dios, el Grande, ya que el jeque Abu-l-Ruways es de la estirpe de Asaf b. Barjiya y conoce el gran nombre de Dios. Además, desde Bagdad hasta el palacio de las muchachas hay un año; es decir, siete en total.» Al oír Hasán estas palabras quedó admirado y exclamó: «¡Gloria a Dios que hace fáciles las cosas difíciles, que reúne lo que está roto, acerca al que está lejos y humilla a todo tirano prepotente, que nos ha hecho fáciles todas las cosas, que me ha traído hasta este país y me ha sometido todos estos seres reuniéndome con mi esposa y con mis hijos. Ignoro si estoy dormido o despierto, si estoy sereno o embriagado». Dirigiéndose a ellos les preguntó: «Una vez me hayáis instalado a lomo de vuestros caballos ¿en cuántos días llegaré a Bagdad?» «Llegarás en menos de un año después de haber pasado apuros, penalidades y terrores; después de haber cruzado valles estériles, desiertos vírgenes y numerosos territorios. Pero, señor mío, no podemos garantizarte frente a los habitantes de estas islas...»

Sahrazad se dio cuenta de que amanecía e interrumpió el relato para el cual le habían dado permiso.

Cuando llegó la noche *ochocientas veintiséis*, refirió:

—Me he enterado, ¡oh rey feliz!, de que [los genios le contestaron: »...no podemos garantizarte frente a los habitantes de estas islas] ni frente a la maldad del gran rey ni la de estos brujos y sacerdotes. Puede ser que nos venzan y os saquen de nuestro poder. Lo sentiríamos. Todos aquellos que se enterasen de esto nos dirían: "Vosotros tenéis la culpa, ¿cómo os atrevisteis a desafiar al gran rey y sacasteis del país seres humanos entre los cuales se encontraba su hija?" Si fueses tú solo la cosa nos sería fácil. Pero aquel que te hizo llegar hasta estas islas puede devolverte a tu país y reunirte con tu madre en breve. Ten valor, confía en Dios y no temas. Estaremos a tu disposición hasta que consigas llegar a tu país». Hasán les dio las gracias y les dijo: «¡Que Dios os recompense con bien! ¡Apresuraos a traernos los caballos!» «¡Oír es obedecer!», replicaron. Dieron unas patadas en el suelo y éste se abrió. Desaparecieron un instante y regresaron con tres caballos ensillados y embridados; en el arnés de cada silla había una alforja; un lado contenía una cantimplora llena de agua y el otro estaba repleto de provisiones. Les acercaron los caballos y Hasán montó en uno colocando delante de él a un niño. La madre montó en el segundo corcel y colocó delante al otro muchacho; la vieja se apeó de la jarra y montó en el tercero. Después se pusieron en camino. Avanzaron sin parar durante toda la noche hasta que apareció la aurora, abandonaron el camino y se internaron por el monte mientras su lengua no paraba de mencionar el nombre de Dios. Viajaron durante todo el día faldeando la montaña. Mientras andaban, Hasán vio frente a él algo que parecía ser una enorme columna de humo que ascendía hacia el cielo. Recitó una parte de El Corán y buscó refugio en Dios frente al demonio lapidado. Aquella cosa negra se veía mejor conforme se acercaba. Al llegar a sus inmediaciones vieron que era un *efrit* cuya cabeza parecía ser una cúpula enorme; los colmillos eran garfios; las narices, aguamaniles; las orejas, adargas; la boca, una caverna; los dientes, columnas de piedra; las manos, horquillas; los pies, mástiles de un buque; tenía la cabeza en las nubes y los pies se hundían en el suelo, debajo de la tierra. Hasán, al ver al *efrit,* se inclinó y besó el suelo ante él. Le dijo: «¡Hasán! ¡No temas! Soy el jefe de esta tierra, de la primera de las islas Waq. Soy musulmán y profeso la unidad de Dios. Oí hablar de vosotros y me enteré de vuestra llegada. Cuando me informé de vuestra situación tuve ganas de abandonar el país de los brujos y marcharme a otra parte, despoblada, lejos de la tierra de los hombres y de los genios, para vivir yo solo en ella y consagrarme a Dios hasta que me llegue el plazo. Deseo acompañaros y ser vuestro guía hasta que abandonéis estas islas. Yo sólo me muestro de noche. Tranquilizad vuestros corazones por lo que a mí se refiere, pues al igual que vosotros soy musulmán». Hasán se alegró muchísimo al oír las palabras del *efrit* y se convenció de que se salvarían. Volviéndose hacia él le dijo: «¡Que Dios te recompense con bien! Ven con nosotros con la bendición de Dios». El *efrit* se puso en cabeza y empezó a hablar y bromear tranquilizando el pecho y distrayendo a los viajeros. Hasán explicó a su esposa todo lo que le había sucedido y cuánto había sufrido. Avanzaron sin descanso durante toda la noche...

Sahrazad se dio cuenta de que amanecía e interrumpió el relato para el cual le habían dado permiso.

Cuando llegó la noche *ochocientas veintisiete*, refirió:

—Me he enterado, ¡oh rey feliz!, de que los caballos marchaban como el relámpago cegador. Al aparecer el día, cada uno metió la mano en la alforja: sacó algo de comer y agua para beber. Siguieron avanzando rápidamente, sin detenerse: el *efrit* que los precedía abandonó el camino y tomó otro apenas hollado que bordeaba la orilla del mar. Continuaron cruzando valles y desiertos por espacio de un mes entero. El día trigésimo primero vieron levantarse una polvareda que ocultaba todas las regiones y apagaba la luz del día. Hasán palideció al verla; oyeron un ruido atronador. La anciana se volvió hacia Hasán y le dijo: «¡Hijo mío! ¡Es el ejército de las islas Waq que nos da alcance! Ahora mismo van a capturarnos». Hasán preguntó: «¿Qué haré, madre mía?» «¡Golpea el suelo con la varita!» Así lo hizo. Los siete reyes comparecieron, lo saludaron y besaron el suelo ante él. Le dijeron: «¡No temas ni te entristezcas!» Estas palabras alegraron a Hasán. Les replicó: «¡Magnífico, señores de los genios y de los *efrites*! ¡Os ha llegado la hora!» «¡Sube con tu esposa, tus hijos y quienes te acompañan a la cima de ese monte! Déjanos solos con ellos; sabemos que vosotros tenéis razón y ellos no. Dios nos auxiliará». Hasán, su esposa, sus hijos y la anciana descabalgaron, dieron suelta a los caballos y subieron a la cima del monte.

Sahrazad se dio cuenta de que amanecía e interrumpió el relato para el cual le habían dado permiso.

Cuando llegó la noche *ochocientas veintiocho,* refirió:

—Me he enterado, ¡oh rey feliz!, de que la reina Nur al-Huda llegó acompañada, a diestra y siniestra, por sus tropas. Los jefes las recorrían ordenándolas grupo tras grupo. Los dos ejércitos chocaron y las dos tropas se enfrentaron: los fuegos ardieron, los valientes avanzaron, los cobardes retrocedieron y los genios arrojaron por la boca llamas de chispas hasta que llegó la noche tenebrosa; entonces se separaron los dos grupos y los dos enemigos se alejaron. Al bajar de sus caballos, se plantaron en el suelo, encendieron los fuegos y los siete reyes subieron a presentarse ante Hasán y besaron el suelo; el joven se acercó a ellos, les dio las gracias, hizo votos para que consiguiesen el triunfo y les preguntó qué les había sucedido con el ejército de la reina Nur al-Huda. Le replicaron: «No nos resistirá más de tres días. Hoy le hemos vencido haciendo más de dos mil prisioneros y matando una multitud cuyo número no puede calcularse. Tranquilízate y respira con tranquilidad». Se despidieron del joven y bajaron a reunirse con sus soldados y a vigilarlos. Los fuegos siguieron encendidos hasta que apareció la mañana y brilló la luz del día. Entonces los caballeros montaron en sus corceles de raza y reanudaron la lucha con las afiladas espadas y se alancearon con las negras lanzas. Montados en sus caballos chocaban como las olas del mar y el ardor de la lucha encendía la llama del fuego. Siguieron combatiendo y compitiendo hasta que las tropas de Waq se dejaron vencer, fue rota su resistencia; su decisión disminuyó; sus pies resbalaron y donde quiera que se dirigían encontraban el desastre. Volvieron la espalda y se confiaron a la fuga. Fueron matados en su mayor parte y la reina Nur al-Huda, los grandes de su reino y los cortesanos fueron hechos prisioneros. Al día siguiente los siete reyes comparecieron ante Hasán y le erigieron un trono de mármol cuajado de perlas y aljófares. Hasán se sentó en él. Colocaron un estrado de marfil chapeado con oro reluciente para su esposa Manar al-Sana y, a su lado, pusieron otro para la anciana Sawahi Dat al-Dawahi. A continuación hicieron comparecer a los prisioneros entre los cuales se encontraba la reina Nur al-Huda con las manos atadas y los pies en grillos. La anciana, al verla, dijo: «Tu recompensa, desvergonzada tirana, consistirá en atarte junto a dos perras hambrientas, a la cola de caballos; se conducirá los caballos hacia el mar para que así se desgarre tu piel; se te cortará la carne y ésta les servirá de alimento. Es lo mismo que tú hiciste con ésta tu hermana, ¡desvergonzada!, a pesar de que ella se había casado lícitamente de acuerdo con la azuna de Dios y de su Profeta, ya que en el Islam no existe el celibato; el matrimonio es una de las instituciones de los enviados de Dios (¡sobre todos ellos sea la paz!); además las mujeres han sido creadas para los hombres». Hasán ordenó entonces matar a todos los prisioneros y la anciana chilló y dijo: «¡Matadlos a todos y no dejéis ni a uno solo!» La reina Manar al-Sana, al ver la situación en que se encontraba su hermana, en argollas y presa, rompió a llorar y le dijo: «¡Hermana mía! ¿Quién es el que nos ha hecho prisioneros en nuestro propio país y nos ha vencido?». Nur al-Huda intervino: «¡Es algo increíble! Ese hombre que se llama Hasán se ha apoderado de nosotros. Dios le ha concedido el gobierno sobre nosotros y sobre nuestro reino; nos ha vencido a nosotros y a los reyes de los genios». Manar al-Sana prosiguió: «Dios es quien le ha concedido la victoria sobre vosotros; os ha vencido y os ha aprisionado gracias a este birrete y a esta varita». Nur al-Huda se dio cuenta y quedó convencida de que Hasán había puesto en libertad a su esposa con esos objetos. Se humilló ante su hermana y consiguió enternecerla. Preguntó a su esposo Hasán: «¿Qué quieres hacer con mi hermana? Está a tu disposición. No ha hecho nada por lo que podamos reprenderla». «¡Basta con lo que te ha atormentado!» «Todo lo que me ha hecho tiene disculpa. Tú eres el que ha abrasado el corazón de mi padre raptándome; ¿qué le ocurrirá si también pierde a mi hermana?» «Pienso lo que tú piensas. Di lo que quieres y lo haré.» La reina Manar al-Sana mandó poner en libertad a todos los prisioneros. Los soltaron y lo mismo hicieron con Nur al-Huda. Ésta se acercó a su hermana, la abrazó y ambas rompieron a llorar. Sollozaron durante una hora. La reina Nur al-Huda dijo a su hermana: «¡Hermana mía! ¡No me reprendas por lo que he hecho contigo!» Manar al-Sana replicó: «¡Hermana! Eso me estaba predestinado». Después las dos se sentaron en el trono para hablar. La mujer de Hasán reconcilió a su hermana con la anciana y las dos quedaron tranquilas y en buenas relaciones. A continuación Hasán despidió al ejército que estaba al servicio de la varita y dio las gracias a sus hombres por haber obtenido la victoria sobre los enemigos. Después la reina Manar al-Sana contó a su hermana todo lo que le había ocurrido con su esposo Hasán; lo sucedido a éste y lo mucho que había sufrido por ella. Añadió: «¡Hermana mía! Desde el momento en que ha acometido estas empresas y esta fuerza es suya; desde el momento en que Dios le ha ayudado con esa resolución que le ha llevado a entrar en nuestro país, a cogerte, a hacerte prisionera, a poner en fuga a tu ejército y a intimidar a tu padre, el gran rey que gobierna a los reyes de los genios, desde ese momento, es necesario que se le dé lo que merece». Nur al-Huda replicó: «¡Por Dios, hermana! Has dicho la verdad en cuanto se refiere a todos los prodigios que a este hombre le han tocado sufrir, pero ¿todo ha sido por tu causa, hermana?»

Sahrazad se dio cuenta de que amanecía e interrumpió el relato para el cual le habían dado permiso.

Cuando llegó la noche *ochocientas veintinueve,* refirió:

—Me he enterado, ¡oh rey feliz!, de que [Manar al-Sana respondió:] «¡Sí!» Pasaron la noche conversando hasta que se hizo de mañana. Al salir el sol se dispusieron a partir: se despidieron unos de otros. Manar al-Sana se despidió de la anciana después de haber reconciliado a ésta con su hermana Nur al-Huda. Entonces Hasán golpeó el suelo con la varita y comparecieron sus servidores. Le saludaron y le dijeron: «¡Loado sea Dios que te ha tranquilizado el corazón! ¡Mándanos lo que desees para que lo ejecutemos más rápidamente que un abrir y cerrar de ojos». Les dio las gracias y les dijo: «¡Que Dios os pague tanto bien! ¡Preparadnos dos estupendos corceles!» Hicieron en seguida lo que les había mandado y le ofrecieron corceles ensillados. Hasán montó en uno y colocó delante a su hijo mayor. La esposa montó en el otro corcel tomando consigo al menor. Por su parte la reina Nur al-Huda y la anciana montaron en sus caballos y regresaron a su país con todo su séquito. Hasán y su esposa torcieron a la derecha; Nur al-Huda y la anciana se volvieron hacia la izquierda. Hasán caminó sin cesar en compañía de su esposa y de sus hijos durante un mes entero. Al cabo de éste divisaron una ciudad rodeada de árboles frutales y ríos. Al llegar a la arboleda bajaron del lomo de los caballos y se dispusieron a descansar; se sentaron para hablar. De pronto apareció un gran número de jinetes que se dirigían a su encuentro. Hasán, al verlos, se incorporó y les salió al encuentro: se trataba del rey Hassún, señor de la Tierra del Alcanfor y de la Fortaleza de los Pájaros. El joven se aproximó hacia él, besó el suelo y le saludó. El soberano, al reconocerlo descabalgó y se sentó con Hasán encima de los tapices, debajo de los árboles. Saludó al muchacho, le felicitó por haberse salvado y se puso muy contento. Le dijo: «¡Hasán! ¡Cuéntame lo que te ha ocurrido desde el principio hasta el fin!» El joven se lo refirió todo. El rey Hasán quedó admirado y le dijo: «¡Hijo mío! ¡Ninguno de los que han llegado a las islas Waq ha regresado! Tú eres el único y te ha sucedido algo prodigioso. ¡Loado sea Dios que te ha salvado!» El rey, después de esto, se incorporó, montó a caballo y mandó a Hasán que hiciese lo mismo y le acompañase. Obedeció. Anduvieron hasta llegar a la ciudad. Entraron en la casa del rey y éste concedió hospitalidad durante tres días a Hasán, a su esposa y a sus hijos en las habitaciones de los huéspedes. Transcurrieron los tres días comiendo, bebiendo, jugando y divirtiéndose. Al fin de este plazo Hasán pidió permiso al rey Hassún para reemprender el viaje hacia su país. Se lo concedió. Él, su esposa y sus hijos montaron a caballo. El soberano los acompañó durante diez días. Cuando éste quiso regresar se despidió de Hasán, el cual, con su familia, siguió avanzando durante un mes entero, al cabo del cual descubrieron una cueva enorme cuyo piso era de cobre amarillo. Hasán dijo a su esposa: «¡Contempla esta cueva! ¿La reconoces?» «¡Sí!» «Pues en ella habita un jeque que se llama Abu-l-Ruways y yo le debo grandes favores, ya que él fue la causa de que yo conociera al rey Hassún.»

A continuación explicó a su esposa toda la historia de Abu-l-Ruways. Éste salió por la puerta. Hasán, al verlo, echó pie a tierra y le besó las manos. El jeque lo saludó, lo felicitó por haberse salvado y se alegró de ello. Lo tomó consigo, entró con él en la cueva y los dos se sentaron a conversar. El joven refirió al jeque Abu-l-Ruways todo lo que le había sucedido en las islas Waq. El jeque quedó sumamente admirado y preguntó: «¡Hasán! ¿Cómo pudiste librar a tu esposa y a tus hijos?» Entonces le contó la historia de la varita y del birrete. El jeque, al oír sus palabras, quedó boquiabierto y dijo: «¡Hasán! ¡Hijo mío! Si no hubiera sido por esa varita y ese birrete no hubieses podido salvar ni a tu esposa ni a tus hijos!» «¡Es cierto, señor mío!» Mientras estaban conversando, alguien llamó a la puerta de la cueva. El jeque Abu-l-Ruways, salió, abrió y se encontró con el jeque Abd al-Quddus que llegaba montado encima de su elefante. Aquél salió al encuentro de éste, lo saludó, lo abrazó; se alegró muchísimo; y le felicitó por encontrarse bien. Después, el jeque Abu-l-Ruways dijo a Hasán: «¡Cuenta al jeque Abd al-Quddus todo lo que te ha sucedido!» El joven empezó a referir al jeque todo lo ocurrido desde el principio hasta el fin y así llegó a lo de la varita...

Sahrazad se dio cuenta de que amanecía e interrumpió el relato para el cual le habían dado permiso.

Cuando llegó la noche *ochocientas treinta*, refirió:

—Me he enterado, ¡oh rey feliz!, de que [el joven llegó a lo de la varita] y a lo del birrete. El jeque Abd al-Quddus dijo a Hasán: «¡Hijo mío! Tú te has salvado, has recuperado a tu esposa y a tus hijos y ya no te queda ningún deseo. Pero en cambio, yo que he sido la causa de que llegases a las islas Waq, que te he tratado bien debido a la recomendación de mis sobrinos, tengo que pedir algo de tu generosidad y bondad: dame a mí la varita y entrega al jeque Abu-l-Ruways el birrete». Al oír Hasán las palabras del jeque Abd al-Quddus inclinó la cabeza hacia el suelo avergonzándose de tener que decir: «No os los entregaré». Se dijo: «Estos dos ancianos me han hecho un gran favor puesto que ambos han sido la causa de que llegase a las Islas Waq; si no hubiese sido por ellos jamás hubiese llegado a tales lugares ni hubiese salvado a mi esposa ni a mis hijos ni hubiese conseguido el birrete ni la varita». Levantó la cabeza y dijo: «Sí; os los entrego. Pero, señores míos; yo temo que el gran rey, padre de mi esposa, venga con sus ejércitos a nuestro país y me ataque; yo no podré hacerle frente si os entrego la varita y el birrete». El jeque Abd al-Quddus contestó a Hasán: «¡No temas, hijo mío! Nosotros seremos tus espías y te auxiliaremos desde este lugar. Rechazaremos todo aquél que, enviado por tu suegro, vaya a buscarte; no temas nada en absoluto: tranquilízate, alegra tus ojos y respira hondo pues no te ha de ocurrir daño». Lleno de vergüenza, Hasán, al oír estas palabras, entregó el birrete al jeque Abu-l-Ruways y dijo al jeque Abd al-Quddus: «Acompáñame a mi país y una vez en éste te daré la varita». Los dos jeques se alegraron muchísimo, y prepararon tan grandes riquezas y tesoros para Hasán que son imposibles de describir. Permanecieron con él durante tres días al cabo de los cuales se dispuso a partir. El jeque Abd al-Quddus se preparó para acompañarlo. Hasán y su esposa montaron en las respectivas monturas. El jeque silbó y al acto compareció un gran elefante que salía de la campiña y llegaba al trote de sus pies y manos. El jeque Abd al-Quddus montó en él y, junto con Hasán, su esposa y sus hijos, se pusieron en marcha. El jeque Abu-l-Ruways regresó al interior de la cueva.

Los viajeros anduvieron sin cesar cruzando la tierra a todo lo largo y lo ancho; el jeque Abd al-Quddus les enseñaba el camino más fácil y los atajos. Así se aproximaron a la patria. Hasán se puso muy contento al darse cuenta de que regresaba al lado de su madre acompañado por su esposa e hijos. Al llegar a su país después de tantos terrores loó a Dios (¡ensalzado sea!), le dio gracias por sus favores y beneficios y recitó estos versos:

> Tal vez Dios nos reúna en breve y nos ayude el abrazo.
> Os contaré las cosas prodigiosas que me han sucedido y lo que me ha hecho sufrir el dolor de la separación.
> Curaré mis pupilas contemplándoos, pues mi corazón es presa del amor.
> He guardado en mi corazón una historia para contárosla en el momento del encuentro.
> Os reprenderé un momento por lo que hicisteis mientras que el amor será eterno.

Al terminar de recitar estos versos levantaron la vista y vieron brillar la cúpula verde, el surtidor y el alcázar verde; descubrieron a lo lejos el monte de las Nubes. El jeque Abd al-Quddus dijo: «¡Hasán! Te doy una buena noticia: esta noche serás huésped de mis sobrinas. El joven y su esposa se alegraron muchísimo. Acamparon junto a la cúpula, descansaron, comieron y bebieron y volvieron a caminar hasta llegar a las inmediaciones del alcazár. Entonces salieron a recibirlos las sobrinas del jeque Abd al-Quddus; saludaron a su tío y a sus acompañantes y ellos les devolvieron el saludo. El anciano dijo: «¡Hijas de mi hermano! Yo he satisfecho el deseo de vuestro amigo Hasán y le he auxiliado a rescatar a su esposa e hijos!» Las jóvenes se acercaron a él, le abrazaron, se alegraron de verlo y lo felicitaron por haber escapado sano y salvo y haberse reunido con su esposa y sus hijos; aquél fue un día de fiesta. La hermana pequeña de Hasán se acercó, le abrazó y rompió a llorar. El muchacho la acompañó en el llanto debido a la gran soledad en que se había encontrado. La joven se le quejó del dolor de la separación, la pena de su corazón y de lo que había hecho sufrir su alejamiento. Recitó este par de versos:

> Después de tu marcha mi pupila no ha podido
> fijarse en nadie sin verte a ti en su lugar.
> Jamás se plegó al sueño sin contemplarte como si
> tú te encontrases entre el párpado y el ojo.

Una vez recitados los versos se alegró muchísimo. Hasán le dijo: «¡Hermana mía! Yo te doy las gracias, por todo el asunto, con preferencia a las demás hermanas. Dios (¡ensalzado sea!) te ayude y te auxilie». A continuación le refirió todo lo que le había sucedido, desde el principio hasta el fin, durante el viaje; lo que había sufrido, lo que le había ocurrido con la hermana de su esposa y cómo había recuperado a ésta y a sus hijos; le contó, también, los prodigios y las grandes calamidades que había pasado hasta el punto de que su cuñada había querido matarlo a él, a su esposa y a sus hijos; pero Dios (¡ensalzado sea!) lo había salvado; luego le refirió la historia de la varita y del birrete y que los jeques Abu-l-Ruways y Abd al-Quddus le habían pedido estos objetos y que él se los había entregado por deferencia hacia ella. La joven le dio las gracias, le deseó una larga vida y Hasán le replicó: «¡Jamás olvidaré todo el bien que me has hecho desde el principio hasta el fin!»

Sahrazad se dio cuenta de que amanecía e interrumpió el relato para el cual le habían dado permiso.

Cuando llegó la noche *ochocientas treinta y una*, refirió:

—Me he enterado, ¡oh rey feliz!, de que la hermana se volvió hacia su esposa Manar al-Sana, la abrazó, estrechó a los niños contra su pecho y dijo: «¡Hija del gran rey! ¿Es que tu corazón no conoce la misericordia para haberlo separado así de sus hijos abrasándole las entrañas? ¿Es que querías matarle con este hecho?» Manar al-Sana rompió a reír y contestó: «Dios (¡glorificado y ensalzado sea!) lo había decretado así. Aquel que se burla de la gente sufre las burlas de Dios». A continuación les sirvieron algo de comer y beber. Comieron, bebieron y se pusieron alegres. Hasán permaneció a su lado, comiendo, bebiendo, distrayéndose y entreteniéndose durante diez días, al cabo de los cuales hizo los preparativos de viaje. Su hermana le arregló riquezas y regalos cuya descripción es imposible de hacer. A continuación, como despedida, le estrechó contra su pecho y le abrazó. Hasán la aludió en estos versos:

> El consuelo de los enamorados está lejos y la separación del amor es bien duro.
> La crueldad y la lejanía son una desgracia; el que muere de amor es un mártir.
> ¡Cuán largas son las noches para el enamorado que se ha separado del amigo y ha quedado solo!
> Las lágrimas corren por sus mejillas y dice: "¡Oh, lágrimas! ¿No sois más?"

Hasán entregó al jeque Abd al-Quddus la varita. Éste se alegró mucho, le dio las gracias y una vez la tuvo en la mano montó a caballo y regresó a su residencia. Hasán, su esposa y los niños montaron y emprendieron el camino. Las muchachas salieron a despedirlo y después regresaron. A continuación Hasán regresó a su país cruzando campiñas y desiertos durante dos meses y diez días y así llegó a la ciudad de Bagdad, morada de la paz. Entró en su casa por la puerta secreta que daba al desierto y al campo y llamó. Su madre, dado lo largo de la ausencia, había perdido el sueño y sólo tenía por compañeros la tristeza, el llanto y los ayes; había caído enferma y no probaba bocado ni gustaba del sueño; al contrario: lloraba de noche y de día y no dejaba de recordar a su hijo: desesperaba de verlo regresar. Hasán, al detenerse ante la puerta, la oyó llorar y recitar estos versos:

¡Por Dios, señores míos, curad a vuestro enfermo! Tiene el cuerpo delgado y el corazón partido.
Si, generosamente, le concedéis vuestra reunión, el amante quedará cubierto por las gracias del amado.
No desespero de reunirme a vos: Dios es todopoderoso y en medio de las dificultades hay suspiros.

Cuando terminó de recitar estos versos oyó que su hijo Hasán gritaba desde la puerta: «¡Madre mía! ¡El transcurso de los días ha permitido que nos reunamos!» La anciana lo reconoció al oír estas palabras. Se acercó a la puerta sin saber si debía dar crédito o no a lo que oía. La abrió y encontró a su hijo en compañía de su esposa y sus hijos. La inmensa alegría la hizo proferir un alarido y cayó, desmayada, al suelo. Hasán la atendió con cariño hasta que volvió en sí; la abrazó. La madre rompió a llorar, llamó a los pajes y a los esclavos y les mandó que metiesen en la casa todo lo que llevaba su hijo. Entraron los fardos. Después pasaron la esposa y los niños. La anciana se acercó hacia aquélla, la abrazó y la besó en la cabeza y en los pies. Le dijo: «¡Hija del gran rey! Si he cometido alguna falta en lo que a ti respecta pido perdón de ello a Dios, el Grande!» A continuación se volvió hacia su hijo y le dijo: «¡Hijo mío! ¿Cómo ha sido tan larga la ausencia?» Al oír estas palabras le refirió todo lo que le había ocurrido desde el principio hasta el fin. Al oír el relato dio un grito enorme y cayó desmayada en el suelo al recapacitar en todo lo que había ocurrido a su hijo. Éste la trató con cariño hasta que volvió en sí. La anciana dijo: «Has obrado despreocupadamente con la varita y el birrete; si los hubieras conservado serías el rey de la tierra, a todo lo largo y ancho de la misma. Pero, loado sea Dios, hijo mío, que te ha salvado junto con tu esposa y tus hijos». Pasaron una noche feliz.

Al día siguiente por la mañana Hasán cambió los vestidos, se puso una túnica preciosa, salió al zoco y se dedicó a comprar esclavos, esclavas, telas y objetos preciosos: joyas, ropas, tapices y vasos de metales preciosos como no se encuentran ni entre los reyes; a continuación compró casas, jardines, fincas, etcétera.

Él, su esposa, sus hijos y su madre siguieron comiendo, bebiendo, disfrutando y gozando de la vida más dulce y feliz hasta que les llegó el destructor de las dulzuras y el separador de las sociedades. ¡Gloriado sea el Poseedor, el Rey excelso! ¡Él es el eterno Viviente, el que nunca muere!

HISTORIA DE JALIFA EL PESCADOR CON LAS MONAS

SE cuenta también que en lo más antiguo del tiempo, en los siglos y épocas pasadas, vivía en la ciudad de Bagdad un hombre que era pescador y se llamaba Jalifa. Era pobre, desgraciado, y no se había casado jamás en la vida. Cierto día cogió la red y se marchó al río como de costumbre, para pescar antes que los demás. Al llegar, se apretó el cinturón y se arremangó. Se adentró un poco, preparó la jábega y la arrojó una y dos veces sin sacar nada. Siguió echándola hasta la décima, sin conseguir nada. El pecho se le acongojó, quedó perplejo y dijo: «¡Pido perdón a Dios, el Grande! No hay más Dios, que Él, el Viviente, el Inmutable. Ante Él me arrepiento. No hay fuerza ni poder sino en Dios, el Altísimo, el Grande. Sucede lo que Dios quiere, y lo que Él no quiere, no sucede. Dios, todopoderoso y excelso, concede el sustento. Cuando Dios concede algo a su siervo, nada podrá privar a éste de ello. Pero cuando le niega algo, nadie podrá dárselo». Profundamente afligido, recitó estos versos:

Si el destino te concede alguna desgracia, ten paciencia y no te acongojes.
El Señor de los mundos, con su generosidad, hace que a las dificultades sucedan las alegrías.

A continuación se sentó un rato para meditar en lo que le ocurría; tenía la cabeza inclinada hacia el suelo. Después recitó estos versos:

Ten paciencia en las horas dulces y amargas,
y date cuenta de que Dios hace su voluntad.
¡Cuántas noches pasé entre preocupaciones como
un absceso, al que dominé con la llegada de
la aurora!
Los sucesos transcurren en la vida del hombre
hasta borrarse del pensamiento.

A continuación se dijo: «Tiraré la jábega otra vez y pondré en Dios mi esperanza. Tal vez Él no me defraude». Se acercó al río y la echó con toda la fuerza de su brazo; dio cuerda y esperó durante una hora; después la retiró y notó que pesaba...

Sahrazad se dio cuenta de que amanecía e interrumpió el relato para el cual le habían dado permiso.

Cuando llegó la noche *ochocientas treinta y dos*, refirió:

—Me he enterado, ¡oh rey feliz!, de que la arrastró hacia la orilla, la sacó y vio que contenía una mona tuerta y coja. Jalifa, al ver aquello, exclamó: «¡No hay fuerza ni poder sino en Dios! ¡Nosotros somos de Dios y a Él volvemos! ¿Qué significa tanta desgracia y un ascendente tan nefasto? ¿Qué es lo que me sucede en este día bendito? Pero todo ello se debe a los decretos de Dios (¡ensalzado sea!)». Cogió la mona, la ató con una cuerda y, dirigiéndose a un árbol que crecía en la orilla, la ató. Tenía un látigo: lo cogió con la mano, lo levantó en el aire y se dispuso a dejarlo caer encima de la mona. Pero Dios concedió la palabra, del modo más elocuente, al animal, que dijo: «¡Jalifa! ¡Detén tu mano y no me golpees! Déjame atada a este árbol, vuelve al mar, arroja tu red y confía en Dios, pues Él te concederá tu sustento». El pescador, al oír las palabras de la mona, se dirigió al mar, lanzó la jábega y tiró de la cuerda. Advirtió que pesaba más que la vez anterior; siguió tirando hasta que consiguió llevarla a la orilla: vio que contenía otra mona con los dientes muy separados, ojos alcoholados y manos teñidas de alheña; llevaba un harapo en la cintura y reía. Jalifa exclamó: «¡Loado sea Dios, que ha transformado todos los peces del mar en monas!» Se acercó a la que estaba atada al árbol y le dijo: «¡Mira el mal consejo que me has dado! ¡Sólo he conseguido esta otra mona! Me has amenizado la mañana con tu cojera y tu ojo tuerto: me encuentro vencido, fatigado, y no poseo ni un dirhem ni un dinar». Empuñó el látigo, lo restalló en el aire tres veces consecutivas y se dispuso a dejarlo caer sobre el animal. Éste le pidió perdón, diciendo: «¡Te conjuro, por Dios, a que me perdones en gracia a mi compañero! Pídele lo que necesites, y él te indicará cómo has de conseguirlo». Jalifa tiró el látigo y lo perdonó. Se dirigió hacia el otro mono y se plantó ante él. El animal le dijo: «¡Jalifa! Las palabras que vas a oír no te serán útiles a menos que me escuches y me obedezcas sin contrariarme, ya que yo voy a ser la causa de tu riqueza». Jalifa le preguntó: «Di lo que tengas que decir, pues obedeceré». «¡Déjame atada en este lugar, vete a la orilla del río y arroja tu jábega! Ya te diré luego lo que tienes que hacer.» Jalifa tomó la red, se dirigió a la orilla del río, la arrojó y esperó un rato. Después tiró de ella hacia la costa y notó que pesaba mucho. Siguió maniobrando con ella hasta conseguir subirla a tierra. Contenía otro mono; pero éste era rojo, llevaba un paño en la cintura, alheña en pies y manos y los dos ojos alcoholados. Jalifa, al verlo, exclamó: «¡Gloria a Dios, el Grande! ¡Gloria al Rey de los reyes! Este día es bendito desde el principio hasta el fin; su ascendente es feliz, pues apareció la primera mona; el contenido de una página se conoce desde el inicio. Este día es el de los monos, y en el río ya no queda ni un pez; hoy hemos salido a cazar monos: ¡Loado sea Dios que ha metamorfoseado los peces en monas!» Dirigiéndose al tercer mono, le dijo: «¿Qué eres tú, desgraciada?» «¿Es que no me reconoces, Jalifa?» «¡No!» «Yo soy el mono de Abu-l-Saadat, el judío, el cambista.» «¿Y qué le haces?» «Por la mañana lo acompaño y gano cinco dinares; hago lo mismo a la caída de la tarde, y gano otros cinco.» Jalifa se dirigió a la primera mona y exclamó: «¡Mira, desgraciada, qué buenos monos tiene la gente! Tú, en cambio, me das los buenos días con tu cojera y tu ojo tuerto. ¡Qué mal ascendente! Yo soy pobre, sin un céntimo y estoy hambriento». Levantó el látigo, lo chasqueó tres veces en el aire y trató de restallarlo sobre el animal. Pero el mono de Abu-l-Saadat intervino: «¡Déjalo, Jalifa! ¡Levanta tu mano y ven conmigo para que te diga lo que has de hacer!» Jalifa tiró el látigo, se acercó a él y le preguntó: «¿Qué me dices, señor de todos los monos?» «Coge la jábega y tírala al río; yo permaneceré a tu lado con estos monos; tráeme lo que saques y yo te diré algo que te ha de alegrar.»

Sahrazad se dio cuenta de que amanecía e interrumpió el relato para el cual le habían dado permiso.

Cuando llegó la noche *ochocientas treinta y tres*, refirió:

—Me he enterado, ¡oh rey feliz!, de que Jalifa replicó: «¡Oír es obedecer!» Cogió la jábega, la plegó en su mano y recitó estos versos:

> Cuando mi pecho se acongoja, pido auxilio a mi Creador; es Todopoderoso y hace fáciles las cosas difíciles.
>
> En un abrir y cerrar de ojos, por gracia de Nuestro Señor, queda en libertad un preso y se cura un enfermo.
>
> Confía a Dios todas las cuestiones: todo hombre perspicaz conoce sus favores.

Y luego recitó estos otros:

> Tú eres quien ha arrojado a las gentes en la tribulación, pero Tú apartas también penas y preocupaciones.
>
> No apetezco lo que no puedo alcanzar ¡Cuántos ambiciosos no han podido alcanzar lo que deseaban!

Jalifa, al terminar de recitar estos versos, se acercó al río, arrojó la red y esperó un rato. Después la arrastró y sacó un pez muerto, de cabeza grande, orejas como cucharones y ojos como dos dinares. El hombre, al verlo, se alegró mucho, pues jamás en su vida había visto nada parecido. Boquiabierto, se lo llevó al mono de Abul-Saadat, el judío; le parecía que era dueño de todo el mundo. El mono le dijo: «¿Qué quieres hacer con esto, Jalifa? ¿Qué harás con tu mono?» «Te comunico, señor de todos los monos, lo que haré: primero me las ingeniaré para matar a esa maldita, a mi mona, te tomaré a ti en su lugar y cada día te daré de comer lo que apetezcas». «Puesto que tú me has informado, yo te diré lo que has de hacer; de esta forma si Dios (¡ensalzado sea!) quiere, mejorarás tu situación. Medita en lo que te voy a decir. Prepara una cuerda para mí, átame al árbol, déjame así y vete al medio del dique; arroja la jábega en el Tigris y aguarda un poco; después, sácala: hallarás un pez. Jamás en toda tu vida habrás visto otro más hermoso que él; lo cogerás y me lo traerás. Yo te diré lo que has de hacer después.» Jalifa se marchó al momento, tiró la red en el Tigris y la sacó. Encontró un pez blanco, del tamaño de un cordero; jamás en su vida había visto otro igual; era más grande que el pez anterior. Lo cogió y se lo llevó al mono. Éste le dijo: «Toma un poco de hierba verde; coloca la mitad en una alcofa, pon el pez encima y cúbrelo con la otra mitad. Déjanos atados aquí, carga la alcofa sobre tus hombros, entra en la ciudad de Bagdad y no contestes a quien te hable ni te interrogue, hasta que hayas entrado en el zoco de los cambistas. Al principio de éste encontrarás la tienda del maestro Abu-l-Saadat el judío, jeque de los cambistas. Verás que está sentado en su escabel, reclinado en cojines y que tiene delante dos cajas, una para el oro y otra para la plata; junto a él hay mamelucos, esclavos y pajes. Acércate. Coloca la alcofa ante él y dile: "Abu-l-Saadat: hoy he salido a pescar y he arrojado mi jábega pronunciando tu nombre. Dios (¡ensalzado sea!) me ha concedido este pez". Él dirá: ¿"Lo ha visto otra persona?" Contesta: "¡No, por Dios!" Lo cogerá y te dará un dinar. Devuélveselo. Te dará dos dinares. Devuélveselos; cada vez que te dé algo más, devuélveselo siempre; y aunque te dé su peso en oro, no lo cojas. Te dirá: "Di lo que quieres". Responde: "¡Por Dios! Sólo he de venderlo por un par de palabras". Te preguntará: "¿Y cuáles son?" Contesta: "Ponte en pie y di: 'Atestiguad todos los que estáis en el mercado de que cambio mi mono por el de Jalifa el pescador; cambio mi suerte por su suerte y mi destino por el suyo'. Tal es su precio, pues yo no quiero oro". Si él lo hace, cada día, mañana y tarde, te saludaré y ganarás diez dinares de oro; en cambio, Abu-l-Saadat el judío tendrá por compañero a esta mona tuerta y coja, y Dios lo pondrá a prueba cada día con las penas que te afligían antes a ti. Así seguirá: quedará pobre y no poseerá nada jamás. Oye lo que te digo: serás feliz y te encontrarás en el buen camino». Jalifa el pescador, oídas las palabras del mono, le dijo: «¡Acepto tu consejo, rey de todos los monos! En cuanto a ese desgraciado, ¡que la bendición de Dios no le llegue! No se qué hacer con él». «¡Échanos al agua a las dos!» «¡Oír es obedecer!» El pescador se acercó a las monas, las soltó y las dejó en libertad; ellas se metieron en el río. Jalifa se acercó al pez, lo cogió, lo lavó, colocó en el fondo de la alcofa hierba verde, metió el pez, lo cubrió de hierba y, cargándolo en sus hombros, se echó a andar, cantando este *mawwal*:

> Confía tus asuntos al Señor de los cielos y estarás a salvo; haz el bien a todo lo largo de tu vida y no te arrepentirás.
> No frecuentes el trato de los sospechosos, pues serás sospechoso; guarda tu lengua y no injuries, pues serías injuriado.

Sahrazad se dio cuenta de que amanecía e interrumpió el relato para el cual le habían dado permiso.

Cuando llegó la noche *ochocientas treinta y cuatro,* refirió:

—Me he enterado, ¡oh rey feliz!, de que anduvo hasta entrar en la ciudad de Bagdad. La gente lo reconoció y empezó a gritar y a decir: «¿Qué llevas, Jalifa?» Pero él no se volvió hacia nadie. Así llegó al zoco de los cambistas; pasó por delante de las tiendas, como le había aconsejado el mono. Vio que el judío estaba sentado en su tienda; los pajes estaban a su servicio, y él parecía el rey de los reyes del Jurasán. Jalifa lo reconoció. Avanzó hasta colocarse delante. El judío levantó la cabeza, lo vio y le dijo: «¡Bien venido, Jalifa! ¿Qué necesitas?

¿Qué deseas? Si alguien te ha dicho algo o se ha querellado contra ti, dímelo para que te acompañe al gobernador: te hará justicia». «¡No, por vida de tu cabeza! ¡Cabeza de los judíos! Nadie me ha dicho nada. Hoy he salido de casa invocando tu suerte, me he dirigido al río, he echado mi jábega en el Tigris y he sacado este pez.» Abrió la alcofa y puso el pez ante el judío. Éste, al verlo, se admiró y exclamó: «¡Juro por la Torá y las palabras! Ayer, durmiendo, vi en sueños al Todopoderoso, que me decía: "Sabe, ¡oh Abu-l-Saadat!, que te he enviado un magnífico regalo". Debe ser sin duda este pez». Dirigiéndose a Jalifa dijo: «¡Por tu religión! ¿Lo ha visto alguna otra persona?» «No, jefe de los judíos, lo juro por Dios y por Abu Bakr el Verídico! Tú eres el único que lo ha visto.» El judío se volvió a uno de sus pajes y le dijo: «Coge ese pez y llévalo a casa; deja que Saada lo prepare, lo fría y lo ase; cuando termine mi trabajo iré a casa». Jalifa repitió: «¡Muchacho! Deja que la mujer del Maestro lo fría y lo ase». El paje contestó: «¡Oír es obedecer, señor mío!» Cogió el pez y lo llevó a la casa. El judío, por su parte, extendió la mano con un dinar y se lo entregó a Jalifa el pescador, diciéndole: «Quédate con eso, Jalifa, y gástatelo con tu familia». Pero Jalifa, al tenerlo en la mano, exclamó: «¡Gloria al Poseedor de la creación!» Jalifa tomó el dinar como si jamás en la vida hubiera visto otro, y anduvo unos pasos; pero en seguida, recordando el consejo del mono, regresó, le devolvió el dinar y le dijo: «¡Coge tu oro y devuelve el pescado que pertenece al prójimo! ¿Es que vas a burlarte del prójimo?» El judío, al oír estas palabras, creyó que bromeaba; le entregó dos dinares a más del anterior. Pero Jalifa insistió: «Dame el pez y no hagas bromas. ¿Es que crees que voy a vender el pez por tal precio?» El judío tendió su mano en busca de otros dos dinares y le dijo: «Quédate con estos cinco dinares; es el precio del pez: no seas ambicioso». Jalifa los cogió y se marchó lleno de alegría, contemplando el oro y admirándose de él. Decía: «¡Gloria a Dios! El califa de Bagdad no tiene hoy lo que yo poseo». Siguió andando hasta llegar a la entrada del mercado; entonces se acordó del consejo que le había dado el mono. Regresó al lado del judío y le tiró el oro. Éste le preguntó: «Jalifa, ¿qué es lo que pides? ¿Es que quieres que te cambie los dinares en dirhemes?» «¡No quiero ni dirhemes ni dinares! Sólo quiero que me devuelvas el pez del prójimo». El judío se enfadó y le gritó: «¡Pescador! Me traes un pez que no vale ni un dinar, te pago cinco; ¿aún no estás contento? ¿Es que estás loco? ¡Dime por cuánto lo vendes!» «No te lo venderé ni por plata ni por oro; sólo te lo venderé por un par de palabras.» El judío, al oír «dos palabras» notó que los ojos se le salían de las órbitas; respiró con dificultad, y castañetearon sus dientes. Lo increpó: «¡Pedazo de musulmán! ¿Quieres que abandone mi religión a cambio de tu pez? ¿O que corrompa la creencia y la fe que vi practicar a mis padres?» Llamó a sus pajes, y éstos acudieron. Les dijo: «¡Ay de vosotros! ¡Haceos cargo de ese hombre de mal agüero! ¡Rompedle a palos la nuca! ¡Pegadle en los oídos!» Se abalanzaron sobre él y no pararon de pegarle hasta que cayó al pie de la tienda. El judío intervino: «¡Dejad que se levante!» Jalifa se levantó, como si nada hubiese pasado. El judío le preguntó: «¿Qué quieres como precio de ese pez? Te lo daré, ya que hasta ahora no has obtenido ningún bien nuestro». Jalifa replicó: «¡No temas nada por los golpes administrados, maestro; yo admito tantos palos como diez asnos!». El judío rompió a reír al oír aquellas palabras. Le dijo: «¡Te conjuro, por Dios, a que me digas qué es lo que quieres, y yo lo prometo por mi religión, te lo daré!» «Sólo me satisfará un par de palabras[1] como pago de ese pez». «Imagino que me pides que me convierta al Islam.» «¡Por Dios, judío! Si te conviertes, ni serás útil a los musulmanes, ni perjudicarás a los judíos; si continúas siendo infiel, tu infidelidad no perjudicará a los musulmanes ni será útil a los judíos. Lo que yo te pido es que te pongas de pie y digas: "¡Sedme testigos, oh gentes del zoco, de que cambio mi mono por el mono de Jalifa el pescador; de que cambio mi suerte en este mundo

[1] Esta expresión alude a la profesión de fe musulmana. El judío entendió que quería que se convirtiera al islam.

por la suya, y mi destino por el suyo!». El judío replicó: «Si tal es tu deseo, me es fácil complacerte».

Sahrazad se dio cuenta de que amanecía e interrumpió el relato para el cual le habían dado permiso.

Cuando llegó la noche *ochocientas treinta y cinco,* refirió:

—Me he enterado, ¡oh rey feliz!, de que el judío se puso en seguida de pie y pronunció las palabras que le había indicado Jalifa el pescador. Después, volviéndose hacia éste, le dijo: «¿Quieres algo más de mí?» «¡No!» «Pues vete.» Jalifa se marchó al momento, cogió su jábega, se fue al Tigris y la echó. Al retirarla vio que pesaba mucho. La sacó con trabajo, y la halló repleta de peces de todas clases. Se le acercó una mujer que llevaba un plato y le dio un dinar por un pez; se le acercó otro criado y compró por valor de un dinar; de este modo fue vendiendo peces hasta tener diez dinares. Cada día vendía por valor de diez dinares. Al cabo de diez días había reunido cien dinares de oro. El pescador vivía en una casa situada en el interior del pasaje de los comerciantes. Cierta noche, mientras descansaba, se dijo: «¡Jalifa! Todas las gentes saben que eres un pobre hombre, pescador. Pero has reunido cien dinares de oro. El Emir de los creyentes, Harún al-Rasid, se enterará de ello por algunas personas, y si necesita dinero te enviará a buscar y te dirá: "Yo necesito cierta suma de dinares. Me he enterado de que tú tienes cien dinares. ¡Préstamelos!" Yo le diré: "Emir de los creyentes: yo soy un hombre pobre, y quien te ha informado de que tengo cien dinares, ha mentido; no tengo ni poseo nada de todo eso". Entonces me entregará al gobernador, y le dirá: "Arráncale los vestidos y muélelo a palos hasta que confiese y saque el dinero que tiene". Para salvarme de tal desgracia, lo mejor que puedo hacer es levantarme ahora mismo y darme latigazos; así me acostumbraré a recibir palos». El haxix que había ingerido le sugirió: «¡Desnúdate!». Se puso de pie al momento, se quitó los vestidos, cogió un látigo, y como tenía al lado un cojín de piel, empezó a dar un azote al cojín y otro a su piel. Gritaba: «¡Ay! ¡Ay! ¡Por Dios! ¡Eso es falso, señor mío! ¡Mienten! ¡Soy un hombre pobre, un pescador! ¡No poseo ninguno de los bienes de este mundo!» La gente oyó que Jalifa el pescador se atormentaba y azotaba el cojín con el látigo; los golpes que se propinaba y dejaba caer en el cojín se difundían en la noche. Entre las personas que lo oían estaban los comerciantes. Dijeron: «¡Quién supiera lo que le ocurre a ese desgraciado que grita así! Oímos que lo están azotando. Parece que los ladrones han entrado en su casa y lo atormentan». El ruido de los golpes y el alboroto de los gritos hizo que se levantasen todos. Salieron de su casa y fueron a la de Jalifa. Vieron que estaba cerrada y se dijeron: «Tal vez los ladrones hayan bajado por detrás de la habitación. Es necesario que subamos a la azotea». Treparon al techo, se metieron por la claraboya y vieron que Jalifa, desnudo, estaba castigándose. Le preguntaron: «¿Qué te ocurre, Jalifa? ¿Cuál es tu historia?» «Sabed, ¡oh gentes!, que me he hecho con algunos dinares, y temo que se entere de ello el Emir de los creyentes, Harún al-Rasid. Éste me mandará comparecer y me pedirá el dinero, y yo me negaré. Al negarme, temo que me haga atormentar; por eso estoy castigándome y preparándome para lo que venga.» Los comerciantes rompieron a reír y le dijeron: «¡Deja de hacerlo! ¡Que Dios no te bendiga ni a ti ni los dinares que has conseguido! Esta noche nos has inquietado y has turbado nuestro corazón». Jalifa dejó de azotarse y se durmió hasta el día siguiente. Se dispuso a marcharse al trabajo, pero, meditando en los cien dinares que poseía, se dijo: «Si los dejo en casa, los ladrones los robarán; si los coloco en la correa alrededor de mi cintura, es posible que alguien los vea y me vigile, para sorprenderme en un lugar desierto; entonces me matará y me robará. Tengo un recurso magnífico». Se puso en pie al momento, cosió un bolsillo en el interior de la aljuba, metió los cien dinares en una bolsa, que cosió, y metió ésta en el nuevo bolsillo. A continuación se puso de pie, cogió la jábega y el bastón y se echó a andar hasta llegar al Tigris.

Sahrazad se dio cuenta de que amanecía e interrumpió el relato para el cual le habían dado permiso.

Cuando llegó la noche *ochocientas treinta y seis,* refirió:

—Me he enterado, ¡oh rey feliz!, de que tiró la red y la sacó, pero no obtuvo nada; entonces se trasladó a otro sitio: tiró la red, pero no sacó nada. Siguió cambiando de sitio hasta llegar a medio día de distancia de la ciudad; arrojaba la red, pero nunca sacaba nada. Se dijo: «¡Por Dios! Ésta es la última vez que tiro mi jábega; tanto si tengo suerte como si no». La arrojó con gran fuerza, lleno de furia; la violencia hizo saltar la bolsa que contenía los cien dinares, la cual cayó en el centro del río y fue arrastrada por la corriente. El pescador soltó la red de la mano, se quitó los vestidos, que abandonó en la orilla, se metió en el agua y se zambulló tras la bolsa; buceó y salió a la superficie cerca de cien veces; perdió sus fuerzas sin dar con la bolsa. Cuando desesperó de alcanzarla, subió a tierra y sólo encontró el bastón, la jábega y la alcofa. Buscó sus vestidos, pero no halló ni rastro. Se dijo: «Esto es más vil que lo que dice el refrán: "La peregrinación no es completa si no se toma el camello[2]"». Arregló la red, la arrolló, tomó el bastón en la mano, colocó la alcofa en la espalda y empezó a trotar como un camello perdido, de derecha a izquierda, de atrás adelante, cubierto de polvo, como si fuese un *efrit* rebelde escapado de la prisión salomónica. Esto es lo que hace referencia a Jalifa el pescador.

He aquí ahora lo que se refiere al califa Harún al-Rasid. Éste era amigo de un joyero llamado Ibn al-Qirnas. Toda la gente, comerciantes, corredores y comisionistas, sabían que Ibn al-Qirnas operaba por cuenta del Califa, por lo cual todos los regalos y objetos preciosos que se vendían en la ciudad de Bagdad no eran puestos en venta pública sin antes mostrárselos, y lo mismo se hacía con esclavos y esclavas. Cierto día, Ibn al-Qirnas estaba sentado en su tienda. Fue a verlo el síndico de los corredores, acompañado de una esclava como jamás se había visto otra igual: era la culminación de la hermosura y de la belleza; bien proporcionada

[2] Alusión al retorno a la vida cotidiana.

y de talle esbelto. Tenía, como cualidades, el conocer todas las ciencias y las artes, saber componer versos y tocar toda clase de instrumentos musicales. Ibn al-Qirnas, el joyero, la compró por cinco mil dinares y la llevó ante el Emir de los creyentes. Éste pasó con ella la noche y la examinó en todas las ciencias y las artes. Se dio cuenta de que era experta en ciencias y oficios y comprendió que no había en su época, otra muchacha igual.

Se llamaba Qut al-Qulub, y era tal como dijo el poeta:

> Clavo la mirada en ella cada vez que levanta el velo, pero su esquivez la rechaza.
> Cada vez que se vuelve, su cuello parece el de una gacela; las gacelas son proverbiales en cuanto a mover el cuello.

Pero, ¿qué es eso en comparación de esto otro?:

> ¿Quién me trae una morena cuyo cuello es como las lanzas de Samhar, alto y esbelto?
> Ojos lánguidos, mejillas de seda, que vive en el corazón del amante extenuado.

Al día siguiente, el califa Harún al-Rasid mandó llamar a Ibn al-Qirnas el joyero. En cuanto se presentó, le dio diez mil dinares como precio de aquella muchacha. El corazón del Califa había quedado prendado de Qut al-Qulub; abandonó a la señora Zubayda, hija de al-Qasim, a pesar de ser éste su tío; olvidó a todas sus favoritas, y durante un mes sólo se separó de aquella joven para hacer la plegaria del viernes; en cuanto terminaba, corría de nuevo a su lado. Esto les pareció mal a los grandes del reino, los cuales se quejaron del asunto al visir, Chafar, el barmekí. Éste esperó que llegara el viernes. Entonces entró en la mezquita, se reunió con el Emir de los creyentes y le refirió las historias de amor más prodigiosas que le habían sucedido, con el fin de que el Califa sacase a relucir lo que celaba. Éste le dijo: «¡Chafar! Esto no me ha ocurrido voluntariamente. Mi corazón ha caído en la red del amor y no sé qué hacer». El visir le replicó: «Sabe, ¡oh Emir de los creyentes!, que esa favorita, Qut al-Qulub, está siempre a tus órdenes y forma parte de tus servidores; no se apetece aquello que se tiene en la mano. He de decirte otra cosa: aquello de que más se vanaglorian los reyes y sus hijos es la caza, la pesca y el saber aprovechar los motivos de diversión. Si tú te dedicas a esto, es posible que te distraigas y la olvides». El Califa replicó: «Sí, es cierto lo que dices; marchémonos inmediatamente de caza y de pesca». Al terminar la oración del viernes, ambos salieron de la mezquita, montaron en seguida a caballo y se fueron de caza y de pesca.

Sahrazad se dio cuenta de que amanecía e interrumpió el relato para el cual le habían dado permiso.

Cuando llegó la noche *ochocientas treinta y siete*, refirió:

—Me he enterado, ¡oh rey feliz!, de que anduvieron sin parar hasta que llegaron al campo. El Emir de los creyentes y el visir Chafar montaban en sendas mulas e iban distraídos hablando. Los soldados los precedían. El calor era sofocante. Al-Rasid dijo: «¡Chafar, tengo mucha sed!» El Califa lanzó una mirada y vio una facha en lo alto de una colina. Preguntó al visir: «¿Ves lo mismo que yo?» «Sí, Emir de los creyentes. Veo una figura borrosa en una colina elevada. Debe ser el guardián de un jardín o el de un campo de cohombros; en cualquier caso, debe haber agua allí arriba. Iré hasta allí y te traeré agua.» Al-Rasid replicó: «Mi mula es más rápida que la tuya; quédate aquí con los soldados, pues yo iré, beberé allí mismo, junto a aquella persona, y regresaré». El Califa espoleó la mula y ésta partió como el viento cuando corre o como el agua de una acequia. Corrió sin parar hasta llegar, en un abrir y cerrar de ojos, adonde estaba aquella figura, que no era sino Jalifa el pescador. Al-Rasid vio que estaba desnudo, envuelto en la jábega, con los ojos inyectados en sangre que parecían tizones de fuego; tenía un aspecto aterrador; estaba sucio, cubierto de polvo; parecía un *efrit* o un león furioso. Al-Rasid lo saludó, y Jalifa, enfadado y sobre ascuas, le devolvió el saludo. El soberano le dijo: «¡Hombre! ¿Tienes agua?» Le replicó: «¡Mira éste! ¿Estás ciego o loco? Tienes ahí mismo, detrás de esa colina, el Tigris». Al-Rasid rodeó el montículo, bajó al Tigris, bebió y dejó beber a su mula. Subió al momento y regresó adonde estaba Jalifa el pescador. Le preguntó: «¡Oh, hombre! ¿Qué te sucede para estar aquí, en pie? ¿Cuál es tu oficio?» «Esta pregunta es más peregrina y extraña que el pedirme agua. ¿Es que no ves los útiles de mi oficio en el hombro?» «Parece ser que eres pescador.» «Sí.» «¿Y dónde están tu aljuba, tu turbante, tus zaragüelles y tu vestido?» Las ropas que habían quitado a Jalifa eran las mismas que acababa de enumerar el Emir de los creyentes; creyó que hablaba con la persona que le había robado sus cosas en la orilla del río. Jalifa bajó, más rápido que el rayo cegador, de la cima de la colina, y agarró la rienda de la mula del Califa. Le dijo: «¡Hombre! Devuélveme mis cosas y déjate de juegos y bromas». «¡Por Dios! Yo no he visto tus vestidos ni los conozco.» Al-Rasid tenía las mejillas grandes, y la boca pequeña. Jalifa le dijo: «Tal vez tu oficio sea el de cantante o músico. Pero si no me devuelves los vestidos por las buenas, te daré de palos con este bastón hasta que te orines encima o ensucies tu traje». El Emir de los creyentes, al ver el bastón que tenía Jalifa, se dijo: «¡Por Dios! ¡No podría soportar ni la mitad de un golpe de este mendigo con semejante bastón!» Al-Rasid llevaba un manto de raso. Se lo quitó y dijo a Jalifa: «¡Hombre! Toma este manto a cambio de tus vestidos». El pescador lo cogió y se lo puso. Dijo: «Mis vestidos valían diez veces más que esta capa de colorines». «Póntela mientras te traigo tus ropas.» Jalifa la cogió, se la puso y advirtió que le iba larga. En el asa de la alcofa tenía atado un cuchillo: lo cogió y cortó un tercio del faldón del manto, hasta que sólo le llegó a la rodilla. Se volvió hacia al-Rasid y le dijo: «¡Por Dios, flautista! Dime cuánto pagas por mes a tu maestro para que te enseñe a tocar». «Cada mes le pago diez dinares de oro.» «¡Por Dios, desgraciado! Me das pena. Yo gano diez dinares cada día. ¿Quieres trabajar a mi servicio? Yo te enseñaré a pescar y te asociaré a las ganancias; cada día te daré cinco dinares, serás mi paje, y yo te protegeré, ante tu maestro, con este bastón.» El Califa contestó:

«Acepto». Jalifa le dijo: «Apéate del asno y átalo para que pueda sernos útil en el transporte del pescado. Ven para que te enseñe a pescar ahora mismo». Al-Rasid bajó de la mula, la ató y se remangó los vestidos hasta el cinturón. Jalifa le dijo: «¡Flautista! Coge esta red así, colócala encima de tu brazo de este modo y arrójala al Tigris en este sentido». Al-Rasid, haciendo de tripas corazón, llevó a cabo lo que le había dicho Jalifa. Echó la red al agua y luego tiró de ella, pero fue incapaz de sacarla. Jalifa se acercó a ayudarlo, pero entre los dos no pudieron subirla a la orilla. Jalifa exclamó: «¡Flautista de mal agüero! Si la primera vez te he cogido el manto a cambio de mis vestidos, ahora veo que si mi red se rompe, te voy a coger el asno y te voy a moler a palos hasta que pierdas la vida». Al-Rasid le replicó: «¡Tiremos los dos a la vez!» Tiraron los dos conjuntamente y lograron sacar la red, aunque con mucha fatiga. Al tenerla fuera la examinaron y vieron que estaba repleta de peces de todas clases y de todos los colores.

Sahrazad se dio cuenta de que amanecía e interrumpió el relato para el cual le habían dado permiso.

Cuando llegó la noche *ochocientas treinta y ocho,* refirió:

—Me he enterado, ¡oh rey feliz!, de que Jalifa exclamó: «¡Por Dios, flautista! Eres feo, pero si te dedicas a la pesca, serás un gran pescador. El buen consejo consiste en que montes en tu asno, vayas al mercado y me traigas dos cestas. Yo guardaré los peces hasta que vuelvas; los colocaremos, entre los dos, a lomos de tu asno. Yo tengo balanzas, pesos y todo lo necesario; lo llevaremos todo, y tú lo único que tendrás que hacer es sujetar la balanza y cobrar. Tenemos peces por valor de veinte dinares. Corre, tráeme las dos cestas y no tardes». «¡Oír es obedecer!», replicó el Califa. Dejó a Jalifa con los peces y azuzó a la mula, lleno de alegría. Iba riéndose de lo que le había sucedido con el pescador. Llegó junto a Chafar. Éste, al verlo, preguntó: «¡Emir de los creyentes! ¿Tal vez al ir a beber has encontrado un hermoso jardín, has entrado en él y has gozado a solas de sus delicias?» Al-Rasid, al oír las palabras de Chafar, rió aún más. Entonces todos los barmequíes besaron el suelo ante él y dijeron: «¡Emir de los creyentes! ¡Que Dios haga durar tu alegría y aleje de ti toda preocupación! ¿Por qué has tardado tanto al ir a beber? ¿Qué te ha ocurrido?» «Me ha sucedido algo prodigioso, emocionante, magnífico.» Y les refirió la historia de Jalifa el pescador y lo que le había sucedido con éste cuando le dijo: «Tú has robado mis vestidos»; cómo le había entregado el manto y cómo lo había cortado al ver que le iba largo. Chafar intervino: «¡Por Dios, Emir de los creyentes! Se me había ocurrido pedirte el manto, pero iré ahora mismo junto al pescador y se lo compraré». «¡Por Dios! ¡Pero si ha cortado un tercio del faldón y lo ha estropeado! Chafar: Me he roto los riñones pescando en el río, ya que he cogido numerosos peces que ahora se encuentran en la orilla junto a mi maestro, Jalifa, el cual está esperando que regrese con dos cestas para después marcharnos a venderlos al mercado y repartirnos las ganancias.» «¡Emir de los creyentes! Yo iré a comprarlos.» «¡Chafar! Juro por mis antepasados que daré un dinar de oro a todo aquel que me traiga uno de los peces que se encuentran ante ese Jalifa que me ha enseñado a pescar.» El pregonero anunció a los soldados: «¡Id a comprar peces para el Emir de los creyentes!» Los mamelucos corrieron a la orilla del río. Mientras Jalifa esperaba que el Emir de los creyentes le llevara los dos cestos, los mamelucos cayeron sobre él como si fuesen cuervos, le arrebataron los peces y los colocaron en sus mandiles, bordados en oro. Jalifa exclamó: «¡No cabe duda de que estos peces son del paraíso!» Cogió dos con la mano derecha y dos con la izquierda, se metió en el agua hasta el cuello y exclamó: «¡Dios! ¡Por la virtud de estos peces! Haz que tu esclavo, el flautista, llegue ahora mismo». En aquel momento apareció un esclavo, el jefe de todos los esclavos que estaban con el Califa. Se había retrasado porque su caballo tuvo que detenerse en el camino para orinar. Al llegar junto a Jalifa se dio cuenta de que ya no quedaban peces. Miró a derecha e izquierda y vio al pescador en medio del agua con algunos peces. Entonces le gritó: «¡Pescador! ¡Ven!» Él replicó: «¡Vete sin más!» El criado se ade-

lantó hacia él y le dijo: «¡Dame esos peces y te pag
su valor!» Jalifa le replicó: «¿Es que estás loco? N
los venderé». El criado empuñó la maza. El pescador le dijo: «¡Desgraciado! ¡No me pegues! La generosidad puede más que la maza». Le tiró los peces, el criado los cogió, los colocó en el mandil, metió la mano en el bolsillo pero no encontró ni un solo dirhem. Dijo: «¡Pescador! Tienes mala suerte. ¡Por Dios! No tengo ni un solo dirhem. Pero mañana ven a la sede del Califato y di: "Conducidme ante el eunuco Sandal". Los criados te llevarán a mi presencia. Cuando estés allí, te pagaré lo que te corresponde; lo cogerás y te marcharás a tus quehaceres». Jalifa exclamó: «Éste es un día bendito; su buena suerte se manifiesta desde el principio». Se colocó la red encima del hombro y anduvo hasta entrar en Bagdad. Recorrió los zocos. La gente se dio cuenta de que llevaba el manto del Califa. Lo empezaron a observar; entró en un callejón en cuya puerta se encontraba la tienda del sastre del Emir de los creyentes. El sastre del Califa descubrió que el pescador llevaba un manto perteneciente a la guardarropía del soberano y que valía mil dinares. Preguntó: «Jalifa! ¿De dónde has sacado este vestido?» Le contestó: «¿Qué te ocurre para ser tan curioso? Me lo ha dado una persona a la que he enseñado a pescar y que ahora es mi paje, pues lo he salvado de que le cortasen la mano, ya que me había robado los vestidos. Me ha entregado este manto a cambio de aquéllos». El sastre comprendió que el Califa habría pasado junto al pescador mientras éste pescaba, se habría reído de él y le habría regalado el traje.

Sahrazad se dio cuenta de que amanecía e interrumpió el relato para el cual le habían dado permiso.

Cuando llegó la noche *ochocientas treinta y nueve*, refirió:

—Me he enterado, ¡oh rey feliz!, de que el pescador, después, se marchó a su casa. Esto es lo que a él se refiere.

He aquí ahora lo que hace referencia al califa Harún al-Rasid. Éste había salido de caza y pesca con el único objeto de olvidar a la esclava Qut al-Qulub. Zubayda, al enterarse de la existencia de ésta y de que el Califa se había enamorado de ella, se puso celosa como se ponen las mujeres; se negó a comer y beber, perdió la dulzura del sueño y empezó a espiar las ausencias y viajes del Califa para tender la red del engaño a Qut al-Qulub. Al enterarse de que el Califa había salido de caza y pesca, mandó a las esclavas que alfombrasen la casa, que la adornasen y que sirviesen comidas y dulces. Hizo un pastel, que colocó en una bandeja de porcelana china, y en él metió un narcótico. Luego mandó a un criado que fuese a ver a la joven Qut al-Qulub y la invitase a comer con Zubayda, hija de al-Qasim, esposa del Emir de los creyentes, diciéndole: «La esposa del Emir de los creyentes toma hoy una medicina. Ha oído hablar de tu buena voz y desearía comprobar cómo ejecutas parte de tu repertorio». La esclava replicó: «¡Oír es obedecer a Dios y a la señora Zubayda!», y se fue a verla, al momento, sin saber lo que el destino le reservaba. Tomó consigo todos los intrumentos necesarios y salió con el criado. Anduvieron sin parar hasta encontrarse ante la señora Zubayda. Al llegar ante ésta, besó el suelo muchas veces. Luego se puso en pie y dijo: «¡La paz sea sobre la bien guardada, la inaccesible señora de la estirpe abbasí, la descendiente del Profeta! ¡Que Dios te conceda salud y bienestar en el transcurso de los días y de los años!» La joven se quedó entre esclavos y criados. La señora Zubayda volvió la cabeza hacia ella, observó su belleza y hermosura y descubrió sus tersas mejillas; su rostro, como la Luna; la frente, clarísima, y la mirada, de hurí; los párpados, lánguidos; su rostro irradiaba luz como si el Sol saliera por la frente y las tinieblas de la noche por sus tirabuzones; su aliento olía a almizcle, y su belleza resplandecía por todas partes; la Luna aparecía por su frente, y la rama cimbreaba en su cintura: era como la Luna llena cuando aparece por Oriente en medio de las tinieblas; tenía ojos arrebatadores, las cejas en arco, y los labios de coral. Todo el que la veía quedaba prendado de su hermosura, embrujado por su mirada. ¡Gloria a Quien la creó e hizo perfecta sin par! Era tal y como dijo el poeta de una mujer que se le parecía:

Cuando se enfada, ves que la gente muere; cuando está contenta, recupera la vida.
Tiene en la mirada un embrujo con el cual mata o da la vida a quien quiere.
Con sus ojos encadena a todo el mundo, como si éste fuera su esclavo.

La señora Zubayda le dijo: «¡Bien venida, Qut al-Qulub! Siéntate y alégranos con tu trabajo y tu bello arte!» «¡Oír es obedecer!», replicó ella. Se sentó, extendió la mano y cogió el adufe, del cual, uno de sus descriptores ha dicho estos versos:

Tú que tocas el adufe inflamas de amor mi corazón; mientras tú lo tocas, grita de pasión.
Sólo has capturado un corazón herido: el hombre apetece mientras tú tocas.
Pronuncia palabras graves o agudas, toca lo que quieras, pues en cualquier caso conmueves.
Sé bueno, descubre tus mejillas, amado, y ven, baila, danza, agrada y encanta.

La joven empezó a tocar y a cantar hasta que los pájaros detuvieron su vuelo en el cielo y la habitación se movió. Luego dejó el adufe y tomó la flauta, sobre la cual se ha compuesto este verso:

Tienes ojos que, con auxilio de los dedos, dan un canto que, sin duda, es magnífico.

O como dijo el poeta:

Cuando la flauta hace llegar los cantos a su punto, el tiempo pasa feliz por la unión.

Dejó la flauta, después de haber impresionado a todos los presentes, y tomó el laúd, sobre el cual ha dicho el poeta:

El laúd de la cantante se parece a las frescas ramas; las personas nobles y virtuosas suspiran por él.
Sus dedos lo tocan y lo tañen con arte excelso, y sus cuerdas producen los hermosos tonos.

Tensó las cuerdas, arregló sus resortes, lo apoyó en su seno y se inclinó sobre él del mismo modo que la madre se inclina sobre su hijo. Parecía como si el poeta hubiese aplicado a ella y a su laúd estos versos:

Hizo hablar claramente la cuerda persa, e hizo comprender al que no entendía.
Explicó que el amor es un asesino que causa la pérdida de la razón al hombre musulmán.
Es una muchacha, ¡por Dios, que maravilla!, que, con su mano, arranca palabras de algo que no tiene boca.
Con el laúd ha detenido el curso del amor, del mismo modo que el médico experto detiene el correr de la sangre.

A continuación tocó de catorce modos distintos y cantó una pieza entera: todos los allí presentes quedaron perplejos, impresionados. Luego recitó este par de versos:

Te ha llegado alguien bendito que da nueva alegría.
Da alegría sin fin, y sus dones no se agotan.

Sahrazad se dio cuenta de que amanecía e interrumpió el relato para el cual le habían dado permiso.

Cuando llegó la noche *ochocientas cuarenta,* refirió:

—Me he enterado ¡oh rey feliz!, de que Qut al-Qulub, después de haber tocado y cantado versos ante la señora Zubayda, se puso de pie y realizó juegos de habilidad y de salón, de un modo maravilloso. La señora Zubayda estuvo a punto de enamorarse de ella y se dijo: «No se puede censurar a mi primo al-Rasid de que se haya prendado de ella». Al fin, la joven besó el suelo ante Zubayda y se sentó. Le acercaron la comida y los dulces y luego el plato en que se encontraba el narcótico. Comió.

Apenas llegó el pastel a su estómago, le entraron mareos y cayó, inconsciente, al suelo. La señora Zubayda dijo a las criadas: «Llevadla a una habitación cualquiera hasta que os mande a buscarla». Le contestaron: «¡ Oír es obedecer !» Dijo a un criado: «Haz una caja y tráemela». Luego ordenó que se construyera una especie de tumba y que se difundiera la noticia de que la esclava había muerto ahogada. Advirtió a todos sus familiares que cortaría la cabeza al que dijera que la muchacha aún vivía.

El Califa regresó entonces de la pesca y de la caza y lo primero que hizo fue preguntar por la joven. Se le acercó un criado, al cual había recomendado Zubayda que dijera al Califa, si le preguntaba. «¡ Ha muerto !» El criado besó el suelo ante el soberano y le dijo: «¡ Señor mío ! ¡ Viva tu cabeza ! Qut al-Qulub ha muerto atragantada por la comida». El Califa replicó: «¡ Que Dios no te conceda ningún bien, esclavo de mal agüero !» Entró en el alcázar y oyó que todo el mundo hablaba de la muerte de la muchacha. Preguntó: «¿ Dónde está su tumba ?» Lo llevaron al mausoleo y le mostraron la tumba que se le había levantado. Le dijeron: «¡ Ésta es !» Al verla, gritó, se abrazó al sepulcro, rompió a llorar y recitó estos versos:

> ¡ Por Dios, tumba ! ¿ Han desaparecido sus bellezas ? ¿ Aquel rostro sonriente se ha descompuesto ?
> ¡ Tumba ! Tú no eres ni jardín ni firmamento, ¿ cómo puedes reunir en ti la rama y la Luna ?

El Califa lloró amargamente y permaneció allí una hora. Luego se alejó, muy triste, de la tumba. La señora Zubayda se enteró de que su treta había dado resultado. Dijo al criado: «¡ Tráeme la caja !» Se la llevó. Mandó que le trajeran la esclava, la colocó en el interior y dijo al criado: «Procura vender esta caja con la condición de que quien la compre la adquiera sin abrirla; el dinero que obtengas dalo como limosna». El criado se llevó la caja dispuesto a cumplir las órdenes que había recibido. Esto es lo que a ellos se refiere.

He aquí lo que hace referencia a Jalifa el pescador. Al hacerse de día, se dijo: «Hoy tengo que trabajar. Lo mejor que puedo hacer es marcharme a ver al eunuco que me compró los peces. Él me ha citado en el palacio Califal». Salió de su casa y se marchó a la sede del Califato. Al llegar a ésta encontró mamelucos y esclavos y criados que estaban de pie o sentados. Los observó y de pronto descubrió al criado que le había comprado el pescado. Estaba sentado, y los mamelucos lo rodeaban dispuestos a servirle. Un paje de los mamelucos interrogó al pescador. El eunuco se volvió a ver de quién se trataba y descubrió a Jalifa. Éste, al darse cuenta de que lo había visto y de que era él mismo le dijo: «¡Rubio! No me he retrasado. Así obran los hombres de palabra». El eunuco, al oír tales palabras, se echó a reír y le dijo: «¡Por Dios! ¡Dices la verdad, pescador!» El criado Sandal quiso darle algo y se echó la mano al bolsillo. De pronto se elevó un gran griterío. El criado levantó la cabeza para ver qué ocurría y distinguió al visir Chafar, el barmekí que salía de visitar al Califa. Al verlo, se puso de pie, se colocó a su lado, y se pusieron a hablar mientras andaban. Jalifa el pescador esperó un rato, pero el tiempo pasaba sin que el eunuco regresara. Harto de esperar, salió a su encuentro y, desde lejos, haciendo señas con la mano, le dijo: «¡Señor mío! ¡Rubio! ¿Dejas que me marcche?» El criado tuvo vergüenza de contestar, puesto que se encontraba ante Chafar; siguió hablando con éste, haciendo caso omiso del pescador. Jalifa lo increpó: «¡Tú, pagador moroso! ¡Que Dios cargue de infamia a todas las personas pesadas y a todos aquellos que, después de haberse apoderado de los bienes de la gente, se desentiendan del pago! Te pido protección, señor de la tripa de salvado. Dame lo que me debes para que me vaya». El criado le oyó y quedó avergonzado porque Chafar había oído aquello. Éste había visto al pescador hacer señas y hablar con el criado, pero no entendió bien lo que quería decir. Preguntó al criado: «¡Eunuco! ¿Qué te pide ese desgraciado pedigüeño?» «¿Es que no lo reconoces, señor visir?» «¡Por Dios! No lo recuerdo. ¿De dónde he de conocerlo si acabo de verlo ahora mismo?» «¡Señor mío! Éste es el pescador al que ayer quitamos sus peces en la orilla del Tigris. Yo no pude coger ninguno, y me avergonzé de tener que volver junto al Emir de los creyentes sin nada mientras que todos los mamelucos habían cogido lo suyo. Al llegar a su lado lo encontré en medio del agua rezando a Dios; tenía cuatro peces. Le dije "Dame lo que tienes y cobra su precio". Al entregarme los peces metí la mano en el bolsillo para pagarle algo. Pero no encontré ni una moneda. Le dije: "Ven a verme mañana al alcázar y te daré algo que pueda aliviar tu pobreza". Y ha venido a eso. Tenía metida ya la mano en el bolsillo para pagarle cuando viniste tú, y me he puesto a tu servicio desentendiéndome de él. Así, ha perdido la paciencia. Tal es mi historia y la causa de que ése esté aquí.»

Sahrazad se dio cuenta de que amanecía e interrumpió el relato para el cual le habían dado permiso.

Cuando llegó la noche *ochocientas cuarenta y una*, refirió:

—Me he enterado, ¡oh rey feliz!, de que el visir, al oír las palabras del eunuco, sonrió y le dijo: «¡Eunuco! ¡Qué! ¿Este pescador viene a verte en un momento en que necesita algo y no lo atiendes? ¿Pero no lo conoces, jefe de los eunucos?» «¡No!» «Pues es el maestro y el socio del Emir de los creyentes. El Califa, nuestro señor, se encuentra con el pecho oprimido, tiene el corazón triste y está preocupado. Sólo este pescador es capaz de distraerlo; no permitas que se marche hasta que yo haya consultado con el Califa y lo haya conducido ante él. Tal vez Dios lo distraiga y lo consuele, mediante Jalifa, por la pérdida de Qut al-Qulub; quizá le dé algo que lo ayude: tú serías la causa de todo ello.» El criado replicó: «¡Señor mío! Haz lo que quieras. ¡Que Dios (¡ensalzado sea!) te conserve como pilar del imperio del Emir de los creyentes. (¡Él haga que dure su sombra y conserve sus ramas y sus raíces!)»

El visir Chafar corrió al lado del Califa. El criado ordenó a los mamelucos que no se separaran del pescador. Entonces, Jalifa el pescador le dijo: «¡Rubio! ¡Qué estupenda es tu generosidad! El que reclamaba ha pasado a ser deudor. Yo he venido a pedirte mi dinero y me encarcelan por los impuestos que no he pagado». Chafar se presentó ante el Califa, al que encontró sentado, con la cabeza baja y el pecho oprimido, pensativo. Salmodiaba estas palabras del Profeta:

Mis censores me exigen que me consuele; pero yo no tengo poder para que mi corazón obedezca más.
¿Cómo podría consolarme del amor de una joven, si no supe tener paciencia cuando se alejó?
No la olvidaré: la copa ha girado en ruedo entre nosotros, y el vino de sus miradas me ha emborrachado.

Chafar, al encontrarse ante el Califa dijo: «¡La paz sea sobre ti, Emir de los creyentes, Protector de los fundamentos de la religión, descendiente del tío del Señor de los enviados (¡Él lo bendiga y lo salve, así como a su familia!)». El Califa levantó la cabeza y contestó: «¡Sobre ti sean la paz, la misericordia y la bendición de Dios!» Chafar siguió: «¿Concede permiso el Emir de los creyentes para que su siervo hable con libertad?» «¿Desde cuándo se te han puesto impedimentos para hablar siendo, como eres, el señor de los visires? ¡Di lo que quieras!» «Acababa de marcharme de tu lado, señor nuestro, y me dirigía a mi casa. Pero me he encontrado con tu maestro, tu profesor y tu socio, Jalifa el pescador. Estaba perplejo por ti, ante la puerta, y se quejaba. Decía: "¡Gloria a Dios! Yo lo enseñé a pescar. Se marchó por un par de cestas y no regresó. ¿Dónde terminará la sociedad y el respeto que se debe a los maestros?" Si te propones mantener la sociedad, sigue adelante, y, en caso contrario, díselo para que busque otro socio.» El Califa sonrió al oír estas palabras, y se le ensanchó el pecho. Dijo a Chafar: «¡Por tu vida! ¿Es verdad lo que dices de ese pescador? ¿Está esperando en la puerta?» «¡Por vida tuya, Emir de los creyentes! ¡Está esperando en la puerta!» «¡Chafar, por Dios! He de esforzarme en satisfacer lo que le debo: si Dios quiere que mi mano le cause una desgracia, la tendrá; si mi mano le ha de conceder la felicidad, la tendrá.» El Califa cogió una hoja de papel, la partió en pedazos y dijo: «¡Chafar! Escribe con tu mano veinte cifras en dinares, hasta mil; los cargos administrativos y los gobiernos de las provincias, desde el menor de los oficios hasta el Califato; escribe también veinte clases distintas de castigos, desde el más insignificante hasta la muerte». «¡Oír es obedecer al Emir de los creyentes!», replicó Chafar. Escribió en los pedazos de papel tal como se lo había mandado el Califa. Luego éste le dijo: «¡Chafar! ¡Juro por mis puros antepasados, por mis ascendientes Hamza y Aqil, que quiero que comparezca aquí Jalifa el pescador. Le ordenaré que tome una hoja de éstas, cuyo contenido sólo conocemos tú y yo; le daré lo que indique la hoja; si le he de entregar el Califato, yo mismo dimitiré y se lo entregaré sin regatear, pero si he de ahorcarle, cortarle algún miembro o matarlo, también lo haré. ¡Ve! ¡Tráemelo!» Chafar, al oír estas palabras, se dijo: «¡No hay fuerza ni poder sino en Dios, el Altísimo, el Grande! Tal vez ocurra una desgracia a ese pobre diablo, y yo seré la causa. Pero el Califa ha jurado, y no me queda más remedio que llevarlo a su presencia. Sólo ocurrirá lo que Dios quiera». Fue en busca de Jalifa el pescador y lo cogió de la mano para llevarlo ante el soberano. La razón abandonó la cabeza de Jalifa el pescador. Se dijo: «¡Qué me habrá traído en busca de este esclavo rubio de mal agüero! Me ha dado a conocer a esta tripa de salvado». Chafar avanzaba sin cesar, precedido y seguido por esclavos y mamelucos. Jalifa se decía: «No bastaba con tenerme prisionero: han de ponerme gente delante y detrás para impedirme que huya». Chafar siguió avanzando cruzó siete pórticos y dijo a Jalifa: «¡Ay de ti, pescador! ¡Vas a encontrarte ante el Emir de los creyentes, ante el defensor de la religión!» Levantó la gran cortina. Los ojos de Jalifa el pescador vieron al Califa sentado en el trono; los grandes del reino estaban de pie, dispuestos a servirle. Al reconocerlo, se acercó a él y le dijo: «¡Bien venido, flautista! No has hecho bien transformándote en pescador y abandonándome luego allí, junto a los peces, mientras tú te ibas para no volver. Antes de que pudiera darme cuenta de ello, se abalanzaron sobre mí mamelucos montados en distintas cabalgaduras, y me arrebataron los peces mientras yo estaba solo. Todo eso me ocurrió por tu culpa. Si hubieses regresado en seguida, con las cestas, habríamos vendido el pescado por cien dinares. Yo he venido a reclamar lo que me deben y me han detenido. ¿Tú también estás detenido aquí?» El Califa se sonrió, levantó la punta de la cortina, sacó la cabeza por debajo y dijo: «¡Acércate y coge una hoja de éstas!» Jalifa el pescador replicó al Emir de los creyentes: «Tú eres pescador, y hoy te has transformado en un astrólogo. Hombre de muchos oficios, pobre seguro». Chafar le dijo: «Coge inmediatamente, sin chistar, una hoja y obedece la orden del Emir de los creyentes». El pescador se adelantó, extendió la mano y dijo: «¡Que este flautista no vuelva a ser mi paje ni a pescar conmigo!» Cogió una hoja y se la entregó al Califa. Exclamó: «¡Flautista! ¿Qué es lo que se me destina? ¡No me ocultes nada!»

Sahrazad se dio cuenta de que amanecía e interrumpió el relato para el cual le habían dado permiso.

Cuando llegó la noche *ochocientas cuarenta y dos*, refirió:

—Me he enterado, ¡oh rey feliz!, de que el Califa la cogió y se la entregó al visir Chafar. Le dijo: «Lee lo que contiene». Chafar la miró y exclamó: «¡No hay fuerza ni poder sino en Dios, el Altísimo, el Grande!» «¡Di lo que has leído!» «¡Emir de los creyentes! La hoja dice que hay que dar cien palos al pescador.» Obedecieron su orden y dieron cien bastonazos a Jalifa. Éste dijo al final: «¡Que Dios maldiga este juego, tripa de salvado! ¿Es que la cárcel y los palos forman parte del juego?» Chafar intervino: «¡Emir de los creyentes! Este desgraciado ha venido al mar, ¿cómo vamos a dejar que se vuelva sediento? Esperamos del espíritu caritativo del Emir de los creyentes que pueda coger otra hoja: tal vez obtenga algo con que pueda marcharse y le sirva de auxilio en su pobreza». El Califa le contestó: «¡Por Dios, Chafar! Si saca una hoja y en ella está escrita la muerte, lo mataré y tú serás la causa!» «Si muere, descansará.» Jalifa le dijo: «¡Que Dios no te conceda jamás una buena noticia! ¿Es que os he hecho imposible la vida en Bagdad para que queráis darme muerte?» Chafar le dijo: «Coge una hoja y pide a Dios (¡ensalzado sea!) que te conceda un bien». Extendió la mano, cogió una hoja y se la dio a Chafar. Éste la tomó, la leyó y se quedó callado. El Califa le preguntó: «¿Qué te ocurre para que te quedes callado, hijo de Yahya?» «¡Emir de los creyentes! En la hoja ha salido que no darás nada al pescador.» «¡Pues no le daremos nada! ¡Dile que se marche!» Chafar intervino: «¡Por tus puros antepasados! Si le permitieras coger otra hoja, tal vez obtuviera algún beneficio». «Pues que coja otra, ¡y basta!» El pescador extendió la mano y cogió la tercera hoja. En ella decía que había que entregarle un dinar. Chafar dijo a Jalifa: «He buscado tu suerte, pero Dios sólo te ha concedido un dinar». El pescador exclamó: «¡Cien palos por un dinar es un gran bien! ¡Que Dios niegue la salud a tu cuerpo!» El Califa rompió a reír. Chafar tomó de la mano a Jalifa y lo sacó.

Al cruzar la puerta lo vio Sandal, el criado, quien le gritó: «¡Pescador! ¡Ven! ¡Danos parte de lo que te ha concedido el Emir de los creyentes, ya que ha bromeado contigo!» Jalifa le replicó: «¡Dices la verdad, rubio! ¿Quieres compartir conmigo, ¡piel negra!, los cien palos que he aguantado y quedarte con el dinar? ¡Quédatelo!» Tiró el dinar al criado y salió; las lágrimas corrían por sus mejillas. El criado, al darse cuenta de la situación en que se encontraba, comprendió que decía la verdad. Se volvió hacia él y gritó a los pajes: «¡Traédmelo!» Se lo llevaron. Metió la mano en el bolsillo y sacó una bolsa roja. La abrió y la vació en sus manos: contenía cien dinares de oro. Dijo: «¡Pescador! Este oro es el precio de tus peces. Vete a tus quehaceres». Jalifa se alegró mucho, cogió los cien dinares a más del dinero del Califa y se marchó, sin acordarse ya de los golpes. Pero Dios (¡ensalzado sea!) quería que se realizase lo que tenía dispuesto: Jalifa el pescador cruzó por el zoco de las doncellas y vio un corro en el que había mucha gente. Se dijo: «¿Qué pasará?» Se acercó y cruzó entre la muchedumbre compuesta de comerciantes y otros. Los comerciantes dijeron: «¡Haced sitio al piloto tunante!» Le hicieron un hueco, y Jalifa pudo ver a un anciano que estaba de pie; ante él tenía una caja, y a su lado había un criado sentado. El jeque gritaba y decía: «¡Comerciantes! ¡Hombres ricos! ¿Quién se arriesga e invierte el dinero en esta caja de contenido desconocido? Proviene del palacio de la señora Zubayda, hija de al-Qasim, esposa del Emir de los creyentes, al-Rasid. ¡Que Dios os bendiga! ¿Cuánto dais?» Un comerciante exclamó: «¡Por Dios! Esto constituye un riesgo. Pero diré unas palabras, por las cuales no se me podrá censurar: ¡Me la quedo por veinte dinares!» Otro gritó: «¡Doy cincuenta!» Los comerciantes fueron pujando hasta llegar a los cien. El pregonero gritó: «¡Comerciantes! ¿Alguno de vosotros da más? Jalifa el pescador chilló: «¡Me la quedo por ciento un dinar!» Los comerciantes, al oír las palabras de Jalifa, creyeron que bromeaba. Rompieron a reír, y dijeron: «¡Eunuco! ¡Véndesela a Jalifa por ciento un dinar!» El criado dijo: «¡Por Dios que sólo he de vendérsela a él! ¡Pescador! ¡Que Dios te bendiga! ¡Dame el oro!» Jalifa sacó el dinero y se lo entregó. Concluida la operación, el criado dio como limosna el dinero obtenido en aquel sitio y regresó al alcázar para informar a la señora Zubayda de lo que había hecho. Ésta se alegró. A continuación, Jalifa el pescador cargó la caja sobre sus hombros; dado lo mucho que pesaba, no pudo transportarla. Se la puso encima de la cabeza y se marchó a su barrio. Una vez en éste, se la bajó de la cabeza, completamente extenuado. Se sentó a meditar en lo que le había ocurrido y empezó a decirse: «¡Ojalá supiera lo que contiene esta caja!» Abrió la puerta de su casa, y, como pudo, consiguió meterla y después se las ingenió para abrirla. Pero no lo logró. Se dijo: «Pero ¿cómo se me habrá ocurrido comprar esta caja? Es necesario que la rompa y vea lo que contiene». Removió la cerradura, pero no pudo abrirla. Se dijo: «Lo dejaré para mañana». Se dispuso a dormir, pero no encontró sitio dónde hacerlo, ya que la caja tenía el mismo tamaño de la habitación. Entonces se subió encima y se durmió. Así transcurrió un tiempo. De pronto, algo se movió. Jalifa se asustó, el sueño lo abandonó, y perdió la razón.

Sahrazad se dio cuenta de que amanecía e interrumpió el relato para el cual le habían dado permiso.

Cuando llegó la noche *ochocientas cuarenta y tres*, refirió:

—Me he enterado, ¡oh rey feliz!, de que [Jalifa] dijo: «Parece ser que contiene un genio. ¡Loado sea Dios que ha hecho que no la pudiera abrir! Si la hubiese abierto, me habría acometido en medio de las tinieblas y me habría matado; no habría obtenido ningún bien». Volvió a su sitio y se durmió; la caja se movió de nuevo con más fuerza que la vez anterior. Jalifa se desveló y dijo: «Vuelve a repetirse, y esta vez aterroriza». Corrió a buscar una lámpara, pero no la encontró; además no tenía dinero para comprarla. Salió de la casa y gritó: «¡Gentes del barrio!» Casi todos estaban durmiendo, y se despertaron al oír sus gritos. Preguntaron: «¿Qué te ocurre, Jalifa?» «¡Dadme una lámpara! ¡Los genios me han acometido!» Se rieron de él, pero le dieron la lámpara. La cogió, volvió a entrar en su casa, golpeó la cerradura con una piedra y la rompió. Abrió la caja y apareció una joven que parecía una hurí; dormía en su interior, aletargada por el narcótico, que acababa de vomitar en aquel momento. Se despertó, abrió los ojos y, al notarse aprisionada, se movió. Jalifa, al verla, le dijo: «¡Te conjuro por Dios, señora! ¿De dónde vienes?» La joven abrió sus ojos y le dijo: «Tráeme jazmín y narciso». Jalifa le replicó: «Sólo tengo alheña». La muchacha, al reponerse del todo, se fijó en el pescador y le preguntó: «¿Quién eres? ¿Dónde me encuentro?» «Estás en mi casa.» «¿No estoy en el alcázar del Califa Harún al-Rasid?» «¿Qué dices de al-Rasid, loca? Tú eres mi esclava, y hoy mismo te he comprado por ciento un dinar y te he traído a mi casa; estabas metida en esa caja y dormías.» La esclava, al oír estas palabras, preguntó: «¿Cuál es tu nombre?» «Me llamo Jalifa; pero, ¿qué hace mi estrella que ahora me es favorable? ¡Jamás he conocido así a mi estrella!» La muchacha se rió y dijo: «Déjate de tonterías. ¿Tienes algo de comer?» «¡Por Dios que no! Y tampoco tengo nada de beber.

Llevo dos días que no como nada; ahora mismo necesito un bocado.» «¿Pero no tienes ni un dirheme?» «¡Que Dios conserve esta caja que me ha empobrecido! He gastado en ella cuanto tenía y no me ha quedado ni un céntimo.» La muchacha se echó a reír y le dijo: «Pide algo de comer a tus vecinos, pues tengo hambre». Jalifa salió de su casa y gritó: «¡Gente del barrio!» Estaban durmiendo y se despertaron. Preguntaron: «¿Qué te ocurre, Jalifa?» «¡Vecinos! Tengo hambre, y ahora no dispongo de nada». Uno de ellos le dio un panecillo; otro, una rebanada de pan; un tercero, un pedazo de queso, y otro, un cohombro. Con la falda del traje llena regresó a su casa, y colocó todo ante la muchacha. Le dijo: «¡Come!» La mujer se rió de él y le dijo: «¿Cómo he de comer esto si no tengo un vaso de agua para beber? Temo que se me atragante un pedazo y muera». «Te llenaré de agua esta jarra.» La cogió, corrió al centro de la calle y gritó: «¡Vecinos!» Le replicaron: «¿Qué desgracia te ha ocurrido esta noche, Jalifa?» «¡Vosotros me habéis dado de comer, pero yo tengo sed! ¡Dadme de beber!» Uno le bajó un vaso; el otro, un aguamanil, y otro, un ánfora; así llenó su jarra y volvió a entrar en su casa. Dijo: «¡Señora mía! ¿Necesitas algo más?» «No, no necesito nada más.» «¡Pues habla y cuéntame tu historia!» «¡Ay de ti! Si no me conoces, voy a decirte quién soy: me llamo Qut al-Qulub, y soy la favorita del califa Harún al-Rasid. La señora Zubayda ha tenido celos de mí; me ha narcotizado y me ha metido en esa caja. ¡Loado sea Dios que ha hecho del asunto una cosa fácil y sin consecuencias! Todo esto me ha sucedido a causa de tu buena estrella. No cabe duda de que obtendrás grandes riquezas del Califa al-Rasid, que serán la base de tu enriquecimiento.» «Pero, ¿al-Rasid no es ése en cuyo palacio he estado prisionero?» «¡Sí!» «¡Por Dios! ¡No he visto nunca persona más avara que ese flautista! Es poco desprendido, y carece de entendimiento: ayer me mandó dar cien bastonazos y sólo me regaló un dinar, a pesar de ser yo quien le enseñó a pescar y lo asoció al negocio. Me ha traicionado.» «¡No digas eso, abre los ojos y sé educado cuando vuelvas a verlo! Obtendrás tu deseo.»

Jalifa oyó estas palabras como si estuviese soñando; se desveló, y Dios descorrió el velo que ocultaba su perspicacia, con el fin de hacer su felicidad. Dijo: «Estoy a tus órdenes», y añadió: «Te conjuro, por el nombre de Dios, a que duermas». La joven se durmió, y Jalifa hizo lo mismo separado de ella.

Al día siguiente por la mañana, la joven le pidió tintero y papel. Él se los llevó. Ella escribió al comerciante amigo del Califa y lo informó de su situación, de lo que le había ocurrido y de que se encontraba en casa de Jalifa el pescador, el cual la había comprado. Le entregó la hoja y le dijo: «Coge esta carta, llévala al mercado de los joyeros y pregunta por la tienda de Ibn al-Qirnas. Entrégasela y no digas nada». Jalifa replicó: «¡Oír es obedecer!» Cogió la hoja, corrió al zoco de los joyeros y preguntó por la tienda de Ibn al-Qirnas. Le indicaron dónde estaba. Se acercó a él y lo saludó; el otro le devolvió el saludo, vio que el pescador era un ser insignificante y le preguntó: «¿Qué necesitas?» Jalifa le entregó la hoja. La cogió y no la leyó, pues creyó que se trataba de un pobre que pedía una limosna. Dijo a uno de sus criados: «¡Dale medio dirhem!» Jalifa intervino: «¡No necesito limosna, sino que leas la hoja!» La cogió, la leyó y comprendió su contenido. Al darse cuenta de lo que quería decir, la besó y la colocó encima de su cabeza.

Sahrazad se dio cuenta de que amanecía e interrumpió el relato para el cual le habían dado permiso.

Cuando llegó la noche *ochocientas cuarenta y cuatro,* refirió:

—Me he enterado, ¡oh rey feliz!, de que se puso de pie y le preguntó: «¡Hermano mío! ¿Dónde está tu casa?» «¿Qué quieres de mi casa? ¿Te propones ir a ella para robarme la esclava?» «¡No! Quiero comprar algo para que podáis comer los dos.» «Mi casa está en tal calle.» «¡Magnífico! ¡Que Dios no te conceda salud, desgraciado!» Llamó a dos de sus esclavos y le dijo: «Acompañad a este hombre a la tienda de Muhsin el cambista y decidle "¡Muhsin! Dale mil dinares de oro". Luego volvéis aquí con él». Los dos esclavos acompañaron a Jalifa a la tienda del cambista y dijeron: «¡Muhsin! ¡Da mil dinares de oro a este hombre!» Él se los dio. Jalifa los cogió y regresó con los dos esclavos a la tienda de su señor. Lo encontraron montado en una mula parda que costaba mil dinares; los mamelucos y los pajes estaban a su alrededor; al lado de su montura había otra mula ensillada y embridada. Dijo a Jalifa: «¡En el nombre de Dios! Monta en esta mula». «¡Por Dios que no montaré! ¡Tengo miedo de que me tire!» El comerciante Ibn al-Qirnas, dijo: «¡Por Dios que es necesario que montes!» Jalifa se acercó para subir: se colocó al revés, se agarró a la cola y chilló: el animal lo tiró al suelo. Todos se rieron de él. Se incorporó y le dijo: «¿No te he dicho que no quería montar en un asno tan grande?» Ibn al-Qirnas dejó a Jalifa en el mercado y se marchó a ver al Emir de los creyentes para darle noticias de la esclava. Después regresó y llevó a ésta a su casa. Jalifa volvió a su casa para ver a la esclava. Encontró a todos los vecinos de la calle reunidos. Decían: «Jalifa se encuentra hoy en mala situación. ¡Ojalá supiéramos de dónde le ha venido la esclava!» Otro dijo: «Ése es un alcahuete que está loco. Tal vez la haya encontrado en su camino, ebria, y la ha traído a su casa. Se ha ido al comprender la falta cometida». Mientras así hablaban, llegó Jalifa. Le dijeron: «¿Cuál es tu situación, desgraciado? ¿Es que no sabes lo que te ha ocurrido?» «¡No, por Dios!» «Acaban de llegar los mamelucos, se han apoderado de tu esclava y te han buscado, pero no te han encontrado.» «¿Y cómo me han quitado la esclava?» Uno de los presentes le dijo: «¡Si te llegan a encontrar, te matan!» Jalifa no les hizo caso y regresó a la tienda de Ibn al-Qirnas. Lo encontró montado a caballo. Lo increpó: «¡Por Dios! ¡No está bien lo que has hecho! Me has entretenido mientras enviabas a tus mamelucos a robar mi esclava». «¡Loco! ¡Ven y calla!» Lo llevó consigo a una casa bien construida. Entró con él y halló a la esclava sentada en un estrado de oro; a su alrededor había diez jóvenes que parecían lunas. Ibn al-Qirnas, al verla, besó el suelo. La joven preguntó: «¿Qué has hecho de este mi nuevo señor, que me compró por todo lo que poseía?» «¡Señora mía! Le he dado mil dinares de oro.» Ibn al-Qirnas le refirió, desde el principio hasta el fin, todo lo que le había sucedido con Jalifa. La joven se echó a reír y le dijo: «¡No lo reprendas! ¡Es un infeliz!» Volviéndose hacia el pescador, añadió: «Estos otros mil dinares son un regalo que te hago. Pero si Dios (¡ensalzado sea!) quiere, obtendrás del Califa lo que ha de enriquecerte». Mientras estaban hablando se presentó un criado del Califa, que iba en busca de Qut al-Qulub, puesto que sabía que estaba en el domicilio de Ibn al-Qirnas; el Califa, al saber lo ocurrido, como no podía pasar sin ella, le enviaba a buscar. La joven se llevó consigo a Jalifa y se presentó al Emir de los creyentes. Una vez ante él, besó el suelo. El soberano salió a su encuentro, la saludó, le dio la bienvenida y le preguntó cómo se había encontrado con su comprador. Ella contestó: «Ese hombre se llama Jalifa el pescador y está esperando en la puerta. Me ha contado que nuestro señor, el Emir de los creyentes, tiene que liquidar con él las cuentas de una sociedad que formaron para la pesca». «¿Y está esperando?» «¡Sí!» El soberano lo hizo entrar. Pasó, besó el suelo ante el Califa e hizo los votos de rigor. El soberano se quedó admirado y luego rompió a reír. Le dijo: «¡Pescador! ¿Ayer fuiste mi socio de verdad?» Jalifa comprendió la intención de estas palabras; haciendo de tripas corazón, replicó: «¡Juro por Aquel que te designó para la sucesión de tu primo, que no la conozco, y que nuestras únicas relaciones han sido las miradas y las palabras». Y le contó todo lo que le había ocurrido, desde el principio hasta el fin. El Califa no hacía más que reírse. A continuación le refirió la historia del criado y lo que le había sucedido con él, y cómo éste le había dado cien dinares además del dinar que le había entregado el propio Califa. Le refirió también cómo había entrado en el mercado y había comprado una caja, cuyo contenido ignoraba, por ciento un dinar. Le contó toda la historia, desde el principio hasta el fin. El Califa se rió y cesó la congoja que sentía. Le dijo: «¡Nosotros te concederemos lo que deseas, pues devuelves los bienes a su legítimo poseedor!» Calló y mandó que entregasen al pescador cincuenta mil dinares de oro, un traje de Corte como sólo tenían los más poderosos califas, y una mula; le regaló esclavos negros para que lo sirviesen y el pescador se convirtió en una especie de rey por su opulencia. El Califa estaba muy contento por el retorno de su esclava y comprendió que todo había sido una maniobra de la señora Zubayda, la hija de su tío.

Sahrazad se dio cuenta de que amanecía e interrumpió el relato para el cual le habían dado permiso.

Cuando llegó la noche *ochocientas cuarenta y cinco*, refirió:

—Me he enterado, ¡oh rey feliz!, de que [el Califa] se enfadó mucho y permaneció largo tiempo apartado de ella, sin ir a visitarla ni demostrarle el menor afecto. Zubayda se dio cuenta de que todo esto le ocurría por el gran enfado que tenía su marido; su rostro perdió el color y palideció. Agotada la paciencia, escribió a su primo, el Emir de los creyentes, pidiéndole perdón y confesando su falta.

Terminaba con los siguientes versos:

> Recurro a la satisfacción que teníais para poner fin a mi pena y a mi tristeza.
> ¡Señores míos! ¡Tened compasión de mi cariño! ¡Basta ya con lo que he recibido de vuestra parte!
> ¡Oh, amado mío! Mi paciencia se ha agotado con vuestro alejamiento; habéis amargado mi vida, que era tranquila.
> Mi vida depende de que cumpláis vuestras promesas; si no las cumplís, moriré.
> Sed indulgente, aunque yo haya cometido una falta. ¡Por Dios! ¡Qué dulce es el amado cuando perdona!

Cuando la carta de Zubayda llegó al Emir de los creyentes, éste la leyó, se dio cuenta de que confesaba su falta y de que le había escrito pidiéndole perdón por lo que había hecho. Se dijo: «Dios perdona todos los pecados; Él es indulgente y misericordioso[3]». Le contestó con una carta que contenía palabras de perdón y olvido

[3] Cf. *El Corán* 39, 54.

por lo que había pasado. Zubayda se alegró mucho al recibirla.

El Califa asignó a Jalifa una renta mensual de cincuenta dinares como recompensa, y el pescador ocupó un rango elevado y un puesto de honor y prestigio junto al soberano. Antes de marcharse, Jalifa besó el suelo ante el Emir de los creyentes y salió tranquilamente. El eunuco que le había dado los cien dinares, lo reconoció al cruzar la puerta y le dijo: «¡Pescador! ¿Cómo has obtenido todo esto?» Jalifa le refirió todo lo que le había ocurrido, desde el principio hasta el fin. El criado se alegró de haber sido él la causa de su enriquecimiento. Le dijo: «¿No me haces ningún regalo con todos esos bienes que has obtenido?» Jalifa se metió la mano en el bolsillo, sacó una bolsa que contenía mil dinares de oro y se la entregó. El criado le dijo· «¡Quédate con tus bienes y que Dios te los bendiga!» Jalifa quedó admirado de su nobleza, y desprendimiento, a pesar de que era pobre. El pescador dejó al eunuco y salió montado en una mula; los criados lo seguían. Anduvo hasta llegar a su barrio: las gentes lo observaban y se admiraban del alto rango que había alcanzado. Una vez descabalgado, los vecinos se le acercaron y le preguntaron por el origen de su buena suerte. Les refirió todo lo que le había ocurrido, desde el principio hasta el fin. Luego compró una casa bien construida, invirtió gran cantidad de dinero en su arreglo y se instaló en ella; recitó estos versos:

> Mira esta casa que parece ser el paraíso; disipa las penas y cura al enfermo.
> Fue edificada para las más altas cosas, y el bien reside permanentemente en ella.

Una vez instalado en su domicilio, pidió por esposa a la hija de uno de los notables de la ciudad, que era muy bella, y consumó el matrimonio. Vivió con la máxima felicidad, con suerte y bienes siempre en aumento, y en el más completo bienestar. Al verse tan feliz, dio gracias a Dios (¡gloriado y ensalzado sea!) por los grandes dones y los ininterrumpidos favores que le hacía. Se mostró reconocido con su Señor y cantó los siguientes versos:

> ¡A Ti se te deben las loas, Señor, que das tu gracia sin cesar! Tu generosidad es inmensa, enorme.
>
> A Ti debo yo mis loas; acéptalas, pues me acuerdo de tu generosidad, beneficios y favores.
>
> Me has abrumado con tus dones, presentes y regalos, y ahora te doy las gracias.
>
> Todo el género humano abreva en el mar de tu generosidad; Tú le concedes auxilio en las adversidades.
>
> Tú, Señor, nos has concedido abundantemente las huellas de tus favores; Tú perdonas mis faltas.
>
> ¡Por la gracia de Aquel que tiene misericordia de la gente, del Profeta generoso, sincero y puro:
>
> Que la bendición de Dios descienda sobre él, sus auxiliares y su familia, mientras lo visite un peregrino;
>
> Sobre sus nobles compañeros, sabios e ilustres, durante todo el tiempo que cantan en el bosque los pájaros!

Jalifa hizo frecuentes visitas al califa Harún al-Rasid y fue siempre bien recibido; el soberano lo colmaba de regalos y favores. Jalifa siguió viviendo en el más completo bienestar; fue respetado y querido, sus bienes fueron en aumento, su rango, creciendo: su vida fue tranquila y feliz, llena de goces serenos, hasta que se le presentó el destructor de todas las dulzuras, el que separa a los amigos. ¡Gloria a Dios Todopoderoso y Eterno! ¡Él vive eternamente, jamás muere!

HISTORIA DEL COMERCIANTE MASRUR Y DE SU AMADA ZAYN AL-MAWASIF

TAMBIÉN se cuenta que en lo antiguo del tiempo, en las épocas y siglos pasados, vivía un hombre que se llamaba Masrur: era uno de los más hermosos de su época, tenía mucho dinero, vivía desahogadamente, gustaba pasearse por los arriates y jardines y le complacía el amor de las mujeres hermosas. Cierta noche, mientras dormía, se vio en sueños: estaba en un magnífico huerto en el cual había cuatro pájaros y, entre éstos, una paloma blanca como la plata más pura. La paloma le gustó y quedó enamorado apasionadamente de ella. Poco después se abatió encima de ésta un pájaro enorme y se la arrebató de las manos. Esto le apenó mucho, se despertó, pero no encontró la paloma y fue presa de la pasión hasta que llegó la mañana. Se dijo: «He de ir hoy, sin falta, a un oneirólogo para que me interprete el sueño».

Sahrazad se dio cuenta de que amanecía e interrumpió el relato para el cual le habían dado permiso.

Cuando llegó la noche *ochocientas cuarenta y seis*, refirió:

—Me he enterado, ¡oh rey feliz!, de que salió, corrió a derecha e izquierda, se alejó de su casa pero no halló nadie que le explicase este sueño. Después regresó a su casa. Mientras recorría el camino le pasó por la mente entrar en el domicilio de un comerciante. Pertenecía a una persona rica. Al llegar oyó una voz quejosa, propia de un corazón triste, que recitaba estos versos:

El céfiro de la aurora sopla desde su campamento trayendo un perfume que cura al enfermo.
Permanecí junto a los vestigios del campamento preguntando; pero las ruinas no contestaban a las lágrimas.
Dije: «Céfiro, ¡por Dios!, dime ¿recuperará esta casa su esplendor
Para que yo pueda gozar de una gacela que inclinó hacia mí su persona y cuyos párpados lánguidos me consumieron con su ardor?»

Masrur, al oír esta voz, miró al interior de la casa: vio el jardín más hermoso que imaginarse pueda; en su interior había una cortina de brocado rojo bordado con perlas y aljófares; en él, detrás de la cortina, había cuatro esclavos entre los cuales se hallaba una adolescente menor de quince años y mayor de catorce; parecíase a la luna llena cuando brilla. Tenía ojos alcoholados, cejas arqueadas y una boca que parecía el sello de Salomón; los labios y los dientes parecían perlas y coral; arrobaba el entendimiento con su belleza, hermosura, talle y proporciones. Masrur, al verla, entró en la casa y siguió adelante hasta alcanzar la cortina. La adolescente levantó la cabeza y le miró. Él la saludó y ella le devolvió el saludo con dulces palabras. Al verla y contemplarla el joven perdió el entendimiento y el dominio de su corazón. Miró el jardín: estaba repleto de jazmines, alhelíes, violetas, rosas, naranjos y toda clase de flores olorosas. Los árboles estaban cargados de frutos y el agua corría desde cuatro pabellones que estaban unos enfrente de otros. Masrur miró hacia el primero y vio que tenía escrito en círculo, con bermellón, este par de versos:

¡Oh, casa! ¡Ojalá jamás penetre en ti la tristeza ni el tiempo traicione a tu dueño!
¡Qué bella es la casa que acoge a cualquier huésped aunque éste se encuentre angustiado!

En el segundo pabellón vio escrito en círculo, con oro rojo, estos versos:

¡Brille en ti el vestido de la suerte, ¡oh casa!, mientras canten en las ramas del jardín los pájaros!
Perduren en ti los penetrantes perfumes y en ti disfruten la felicidad los amantes.
Que tus moradores vivan en el poder y el bienestar todo el tiempo que el lucero recorra el firmamento.

Contempló el tercer pabellón y vio que tenía inscrito, en círculo, con lapislázuli azul, este par de versos:

¡Ojalá perdures ¡oh casa! en el poder y el bienestar mientras la noche despliegue sus tinieblas y el día levante sus luces!
Que la felicidad resida en tu puerta, acoja a todos los que entren y conceda bienes sin cese a quien a ti vaya.

Contempló el cuarto pabellón y vio que tenía inscrito, en círculo, con tinta amarilla, este verso:

Esto es el jardín y ése el estanque: un magnífico lugar y un dueño comprensivo.

En el jardín había pájaros: tórtolas, palomas, ruiseñores, pichones; todos cantaban. La adolescente se balanceaba: su belleza, hermosura, talle y proporciones ponían a prueba a todo el que la veía. Preguntó: «¡Hombre! ¿Qué es lo que te ha traído a una casa que no es la tuya? ¿Por qué has venido a ver, sin permiso del dueño, unas jóvenes que no te pertenecen?»
Le contestó: «¡Señora mía! He visto este jardín y me ha gustado su bello color verde, el aroma de sus flores y el canto de sus pájaros. He entrado para pasar en él un rato; luego seguiré a mis quehaceres». «¡De mil amores!» Masrur el comerciante, al oír sus palabras, cruzó la mirada con ella, se fijó en la esbeltez del talle y en la hemosura del jardín y de los pájaros. Todo esto le hizo perder la razón, quedó perplejo por lo que le sucedía y recitó estos versos:

Es una luna que aparece con toda su prodigiosa belleza entre colinas, brisas y aromas.
El mirto, el escaramujo y la violeta difunden su aroma desde las ramas.
¡Oh, jardín que encierras todas las cualidades, que contienes toda clase de flores y ramas!
La luna resplandece bajo la sombra de sus ramas mientras los pájaros improvisan sus mejores melodías.
La tórtola, el ruiseñor y la paloma y también la filomela excitaron mi pasión.
Pasión que por su belleza quedó indecisa en mi corazón igual que la perplejidad de los borrachos.

Zayn al-Mawasif, al oír los versos de Masrur, dirigió a éste una mirada que le iba a causar mil pesares y a robarle el entendimiento y el corazón. Le contestó con estos otros:

No esperes unirte con aquella de la que te has prendado y corta las esperanzas que acaricias.
Abandona lo que esperas: no podrás apartar a la hermosa de la que te has enamorado.
Mis miradas cosechan amantes, pero a mí no me saben mal las palabras que te he dicho.

Masrur, al oír estos versos, se hizo el fuerte y tuvo paciencia ocultando en su interior lo que le ocurría y disimulándolo. Se dijo: «La pena no tiene más remedio que la paciencia». Siguieron juntos hasta la caída de la noche. La adolescente mandó que llevaran la mesa; se la colocaron delante; contenía toda suerte de guisos: codornices, palomas y carne de cordero. Comieron hasta hartarse. Mandó luego que quitaran la mesa; se la llevaron. Les ofrecieron los utensilios para lavarse las manos y se las lavaron. A continuación ordenó que colocasen los candelabros y pusieron en ellos velas de cera alcanforada. Zayn al-Mawasif dijo después: «¡Por Dios! Esta noche tengo el pecho acongojado, tengo fiebre». Masrur le contestó: «¡Que Dios te consuele y te quite la pena!» «¡Masrur! Estoy acostumbrada a jugar al ajedrez, ¿sabes?» «Sí; sé.» Les llevaron el tablero, era de ébano con incrustaciones de marfil; el marco era de oro reluciente; las figuras tenían embutidas perlas y jacintos.

Sahrazad se dio cuenta de que amanecía e interrumpió el relato para el cual le habían dado permiso.

Cuando llegó la noche *ochocientas cuarenta y siete,* refirió:

—Me he enterado, ¡oh rey feliz!, de que Masrur quedó perplejo al verlo. Zayn al-Mawasif se volvió hacia él y le preguntó: «¿Quieres las blancas o las rojas?» «¡Hermosa señora! ¡Adorno del aura matutina! Coge tú las rojas porque son bellas y te convienen más; déjame las piezas blancas.» «Estoy conforme.» Cogió las rojas y las colocó enfrente de las blancas. Alargó la mano hacia la pieza con la cual pensaba iniciar la partida. El joven miró la punta de sus dedos y vio que eran muy blancos. Quedó admirado de sus dedos y de su magnífica belleza. La joven se volvió hacia él y le dijo: «¡Masrur! No te distraigas, ten paciencia y calma». Le contestó: «Señora de la hermosura, que estás por encima de la luna cuando te contempla el amante, ¿cómo he de tener paciencia?» Mientras él se encontraba así ella le dijo: «¡Jaque mate!», y le ganó. Zayn al-Mawasif, que se había dado cuenta de que estaba loco de amor, le dijo: «¡Masrur! No jugaré contigo si no es apostando una prenda dada o una suma conocida». «¡Oír es obedecer!» «¡Júramelo y yo te prestaré el mismo juramento para que nadie engañe a su adversario!» Ambos prestaron juramento. La joven dijo: «¡Masrur! ¡Si te venzo te cogeré diez dinares, pero si tú me vences yo no te daré nada!» El muchacho creyó que la iba a ganar y contestó: «¡Señora mía! Sé fiel a tu juramento, pues veo que eres experta en el juego». «¡Estoy de acuerdo!» Empezaron la partida moviendo los peones; ella los hizo seguir por la reina, los alineaba, acercaba a ellos la torre hasta que juzgó oportuno avanzar los caballos. Zayn al-Mawasif llevaba encima de la cabeza un paño de brocado azul: se lo quitó y remangó una manga: apareció una columna de luz. Alargó la mano hacia las piezas rojas y dijo: «¡Ten cuidado!» Masrur se quedó admirado, perdió el entendimiento y el corazón: miraba su exquisitez, la dulzura de sus rasgos y quedó desorientado y confuso; extendió la mano hacia las blancas, pero fue a parar a las rojas. La joven le dijo: «¡Masrur! ¿Dónde tienes la razón? Las rojas son las mías y las blancas las tuyas». «Quien te mira pierde la razón.» Zayn al-Mawasif, al verlo en esta situación, cogió las rojas y le dio las blancas. Jugó con aquéllas, pero la joven volvió a vencerlo. Siguieron jugando. Ella ganaba y él le pagaba, cada vez, diez dinares. Zayn al-Mawasif, al darse cuenta de que el muchacho sólo pensaba en su amor, le dijo: «¡Masrur! No obtendrás lo que deseas a menos de que me hayas vencido tal y como te lo has propuesto; no seguiré jugando contigo a menos de que apuestes cien dinares por partida». «¡De mil amores!», replicó. Volvieron a jugar y la joven le fue venciendo; el muchacho pagaba cien dinares por partida y así siguieron hasta la mañana sin que él la hubiese vencido ni una vez. El muchacho se puso de pie. La joven le preguntó: «¿Qué quieres, Masrur?» «Marcharme a mi casa y traerte mis bienes. Tal vez así consiga mis deseos.» «¡Haz lo que bien te parezca!» El joven marchó a su casa y le llevó todos sus bienes. Al encontrarse de nuevo a su lado recitó este par de versos:

> En sueños vi un pájaro que cruzaba junto a mí
> en un jardín acogedor cuyas flores sonreían.
> Lo capturé en cuanto apareció. De ti, si eres fiel,
> espero la interpretación del sueño.

Cuando estuvo junto a ella con todo su dinero, empezó a jugar y ella a vencerlo sin que él consiguiera el triunfo ni en una sola partida. Siguieron jugando durante tres días y la joven le ganó sus bienes. Cuando los hubo perdido le preguntó: «Masrur ¿qué es lo que quieres?» «¡Apostar la tienda de droguista!» «¿Cuánto vale?» «¡Quinientos dinares!» Jugó cinco partidas y volvió a ganarle. Siguió jugándose las esclavas, las fincas, los jardines y las cosas. La joven le quitó así todo cuanto poseía; después se volvió hacia él y le dijo: «¿Te queda algún dinero para jugar?» «¡Juro por Aquel que me ha hecho caer en las redes de tu amor que ya no poseo nada: ni bienes ni cosa parecida sea poco o mucho!» «¡Masrur! Una cosa que ha tenido buen principio no puede tener mal fin; si estás arrepentido recoge tus bienes y vete a tus quehaceres. Yo te considero libre en lo que a mí respecta.» «¡Juro por Aquel que nos ha destinado estas cosas que si te complaciera el arrebatarme la vida esto me parecería bien poca cosa con tal de complacerte! Sólo te amo a ti.» «Entonces, Masrur, ve a buscar al cadí y a los testigos y pon a mi nombre todos tus bienes y fincas.» «¡De mil amores!» Se puso en pie al momento, fue a buscar el cadí y los testigos y los llevó a su domicilio.

El cadí, al verla, perdió el entendimiento y el corazón y su pensamiento quedó turbado al contemplar la belleza de sus dedos. Le dijo: «¡Señora mía! No firmaré el acta si no es a condición de que tú compres las fincas, los esclavos y las posesiones y que todo esto pase a ser tu propiedad y tu dominio».

Zayn al-Mawasif le dijo: «Estamos de acuerdo en ello. Escribe el contrato en que conste que las esclavas, tierras y fincas de Masrur pasan a ser propiedad de Zayn al-Mawasif por tal y tal cantidad». El cadí lo puso por escrito, los testigos pusieron sus firmas y la joven cogió el documento.

Sahrazad se dio cuenta de que amanecía e interrumpió el relato para el cual le habían dado permiso.

Cuando llegó la noche *ochocientas cuarenta y ocho,* refirió:

—Me he enterado, ¡oh rey feliz!, de que la joven dijo: «¡Masrur! ¡Vete a tus quehaceres!» La esclava Hubub se volvió hacia él y le dijo: «Recítanos algunos versos». El muchacho recitó los siguientes acerca del ajedrez:

Me quejo al tiempo por lo que me ha sucedido;
me quejo de la pérdida, del ajedrez y de la mirada.
Por el amor de una muchacha esbelta y delicada

que no tiene igual en el género humano ni entre varones ni hembras.

Las flechas de su mirada han hecho mella en mí y ha avanzado hacia mí con ejércitos que vencen a los hombres:

Rojos y blancos; caballeros dispuestos al combate. Me incitó a la lucha y me dijo: «¡Ponte en guardia!»

Al mover la punta de los dedos me anonadaron en el ala de la oscura noche que parecían los cabellos.

No pude librar a las blancas de sus movimientos; la pasión me hacía derramar abundantes lágrimas.

Peones y torres, con su reina, atacaron; las blancas se replegaron vencidas.

Sus ojos me habían asaeteado con las flechas de su mirada y mi corazón estaba desgarrado con ese dardo.

Ella me dejó escoger entre los dos ejércitos y yo tomé al azar el ejército blanco.

Dije: «Este ejército blanco me conviene; es lo que deseo. Para ti el rojo».

Jugó conmigo una prenda y yo acepté, pero no conseguí satisfacer mi deseo.

¡Pobre corazón mío! ¡Oh, mi deseo y mi pena por haber querido unirme a una muchacha que parecía la luna!

Mi corazón no arde ni está triste por la pérdida de mis bienes; sólo se preocupa de tus miradas.

Quedé perplejo, atónito y temeroso reprendiendo al destino por todo lo que me había ocurrido.

Ella preguntó: «¿Por qué estás perplejo?» Respondí: «¿El que bebe vino puede evitar la embriaguez?»

Un ser humano me ha arrancado el entendimiento con su figura, ¡si su corazón que parece de piedra fuese indulgente!

Mantuve quieto el ánimo y dije: «Hoy la poseeré como prenda sin temor ni preocupación».

Mi corazón deseó continuamente unirse a ella
hasta que quedó pobre en los dos sentidos.
El amante apasionado ¿puede desistir de su amor,
aunque éste le dañe, cuando está metido en el
mar de la pasión?
Ha pasado a ser un esclavo sin riquezas; es un
prisionero del amor ardiente que no ha conseguido su propósito.

Zayn al-Mawasif, al oír estos versos, quedó admirada de la elocuencia de su lengua y le dijo: «¡Masrur! Deja esa locura, recupera tu razón y vete a tus quehaceres. Has perdido tus bienes y tus fincas jugando al ajedrez sin llegar a conseguir tu propósito; no tienes ningún medio para alcanzarlo». El joven se volvió hacia la muchacha y le contestó: «¡Señora mía! ¡Pídeme cualquier cosa que desees, pues yo te traeré y te colocaré delante lo que pidas». «¡Masrur! ¡Si no te queda dinero!» «¡Extremo límite de los deseos! Si nada me queda los hombres me ayudarán.» «¿Aquel que hacía regalos va a ser un pedigüeño?» «Tengo parientes y amigos y me darán cualquier cosa que les pida.» «Pues te pido cuatro vesículas de almizcle aromático; cuatro onzas de algalia; cuatro libras de ámbar; cuatro mil dinares; cuatrocientos mantos de regio brocado recamado. Si me traes todo esto, Masrur, te concederé mis favores.» «¡Todo esto me es fácil de conseguir, oh, tú que avergüenzas las lunas!»

Masrur se separó de ella para ir a buscar lo que le había pedido. La joven despachó, en pos suyo, a Hubub para que ésta averiguase la influencia que tenía con las personas que había mencionado. Mientras el muchacho recorría las calles de la ciudad dio media vuelta y vio a Hubub a los lejos. Se detuvo y dejó que le alcanzase. Le preguntó: «¡Hubub! ¿Adónde vas?» «Mi señora me ha mandado que te siga para ver tal y tal cosa», y a continuación le refirió todo lo que la había dicho Zayn al-Mawasif desde el principio hasta el fin. El joven exclamó: «¡Por Dios, Hubub! ¡No poseo ni un céntimo!» «¿Y por qué se lo prometiste?» «¡Cuántas promesas no se cumplen! En el amor hay que hacer grandes promesas.» La muchacha, al oírlo, le dijo: «¡Masrur! Tranquilízate y alegra tus ojos. Yo seré la causa de que te reúnas con ella». La joven le dejó y se marchó. Corrió a presentarse a su señora llorando amargamente. Le dijo: «¡Señora mía! ¡Por Dios! Es un hombre de grandes recursos y muy respetado por la gente». Su dueña replicó: «¡No hay astucia que nos libre del decreto de Dios, (¡ensalzado sea!)! Este hombre no nos ha encontrado con un corazón misericordioso, ya que le hemos arrebatado todos sus bienes y no ha hallado en nosotros ni afecto ni compasión para que le concediéramos favores. Si accedo a su deseo temo que el asunto se divulgue». Hubub le dijo: «¡Señora mía! Nos preocupa su situación y el haberle quitado todo lo que poseía. Pero tú sólo me posees a mí y a tu esclava Sakub ¿cuál de nosotras podría hablar de lo que haces si somos tus esclavas?» La joven inclinó su cabeza hacia el suelo. Las esclavas le dijeron: «¡Señora mía! Nuestra opinión consiste en que mandes a buscarlo, le concedas tus favores y que no le dejes ir a pedir algo a personas de baja estofa. ¡Cuán amargo es tener que pedir!» Zayn al-Mawasif aceptó el consejo de las esclavas, pidió papel y pluma y le escribió estos versos:

¡Masrur! La hora de la unión se acerca. ¡Alégrate sin dudar! Cuando el ala de la noche se extienda, ven al acto.

¡Muchacho! No pidas dinero a seres reprobables. Yo estaba ebria y ahora he recuperado la razón.

Todo lo que te pertenecía te será devuelto y por encima te daré, Masrur, mis favores

Ya que has tenido paciencia y dulzura frente a la tiranía del amado que te ha tratado injustamente.

Corre a gozar de lo que deseas y sé feliz y no te descuides para que mis familiares no se enteren.

Ven a nuestro lado rápidamente, sin demora y come, del fruto del amor, en la ausencia del marido.

Dobló el escrito y lo entregó a su esclava. Ésta lo cogió y fue a buscar a Masrur. Le encontró llorando y recitando estos versos:

> El céfiro del amor sopló sobre mi corazón y las entrañas se conmovieron por el excesivo dolor.
>
> Después de la marcha de los seres amados mi pasión ha crecido y mis párpados desbordan con el llanto siempre creciente.
>
> Se me ocurren tales ideas que si las expusiese, los guijarros y las piedras se apiadarían en seguida.
>
> ¡Ojalá supiera si volveré a ver a la que me alegra y conseguiré, según espero, la realización de mi deseo!
>
> Y que las noches de la separación que han seguido a su marcha cesen y que los dolores que en mi corazón residen, tengan fin.

Sahrazad se dio cuenta de que amanecía e interrumpió el relato para el cual le habían dado permiso.

Cuando llegó la noche *ochocientas cuarenta y nueve,* refirió:

—Me he enterado, ¡oh rey feliz!, de que Masrur se encontraba en el extremo límite del deseo. Mientras recitaba sus versos y los repetía, Hubub, que estaba escuchándole, llamó a la puerta. Abrió. La joven entró y le entregó la carta. La cogió, la leyó y dijo: «¡Hubub! ¿Qué otras noticias me traes de tu señora?» «¡Señor mío! Esa carta contiene lo suficiente para evitar que yo tenga que contestarte. Tú eres inteligente.» Masrur se alegró muchísimo y recitó este par de versos:

> Ha llegado la carta: su contenido me ha alegrado y he querido guardarla en mi corazón.
>
> Mi pasión ha aumentado desde el instante en que la he besado; parece que encierra en sí la perla de la pasión.

A continuación escribió una carta de contestación y se la entregó a Hubub. Ésta la cogió y se la llevó a Zayn al-Mawasif. Cuando llegó junto a la joven empezó a alabar las cualidades, la hermosura y la generosidad del muchacho ayudándolo así a conseguir su propósito. Zayn al-Mawasif le dijo: «¡Hubub! Tarda en venir a nuestro lado.» «Vendrá en seguida», le replicó. Apenas terminaba de pronunciar estas palabras cuando ya llegaba el joven y llamaba a la puerta. Le abrió, le condujo y le hizo sentar junto a su señora Zayn al-Mawasif. Ésta lo saludó, lo acogió bien, e hizo que se colocase a su lado. Dijo a su esclava Hubub: «¡Tráeme mi más hermoso traje!» La joven la entregó un manto bordado en oro. Lo cogió e hizo que se lo pusiera Masrur mientras ella misma se ponía otro preciosísimo y tocaba su cabeza con una redecilla de perlas relucientes; encima de ésta colocó una cinta de brocado recamado con perlas, aljófares y jacintos; por debajo de la cinta descendían dos trenzas en cada una de las cuales había un rubí engastado en oro brillante; sus cabellos caían como si fuesen la noche tenebrosa; se perfumó con áloe y se sahumó con almizcle y ámbar. Hubub le dijo: «¡Que Dios te guarde del mal de ojo!» Zayn al-Mawasif empezó a pasear contoneándose y balanceándose. La esclava recitó estos estupendos versos:

Sus pasos avergüenzan a las ramas de sauce y
sus miradas embrujan a los enamorados.
Es una luna que aparece entre las tinieblas de
sus cabellos y resplandece como el sol entre
sus rizos.
Feliz aquel junto al cual pasa la noche su belleza:
jura por su vida y muere por ella.

Zayn al-Mawasif le dio las gracias. Después se acercó a Masrur como si fuese la luna llena en todo su esplendor. El joven, al verla, se puso en pie y le dijo: «Si mi razón dice la verdad ésta no es un ser humano sino una de las esposas del paraíso». La joven pidió la mesa. La llevaron. En sus extremos tenía grabados los siguientes versos:

Entra con la cuchara en el campo de las sopas
y disfruta con los fritos y los asados.
Encima hay un plato que siempre me gusta: magníficos pollos y gallinas.

¡Qué estupendo es el asado en que brilla lo dorado y la verdura cubierta por el vinagre de la escudilla!
¡Qué bueno es el arroz con leche en el que se mete la mano hasta los brazaletes!
¡Qué pena la de mi corazón por esos dos platos de pescado junto a dos panecillos de *tawarich*!

Ambos comieron, bebieron, disfrutaron y gozaron. Después retiraron la mesa y colocaron el servicio del vino: la copa y el vaso giraron en rueda y fueron la delicia del alma. Masrur llenó la copa y dijo: «¡Oh, tú de quien soy esclavo, señora mía!», y a continuación recitó los siguientes versos:

Me maravilla el que mis ojos puedan saciarse de una hermosa muchacha cuya belleza resplandece.
No hay, en su época, quien se la parezca por la delicadeza de su cuerpo y la hermosura de su naturaleza.
La rama de sauce envidia la esbeltez de su talle cuando se mueve, con mesura, en el interior del vestido.
Tiene una cara que resplandece y avergüenza a la luna en medio de la tiniebla y una raya que compite, en luz, con la luz del creciente.
Cuando se mueve sobre la tierra, extiende un aroma que alcanza llanuras y montes.

El joven terminó de recitar estos versos y ella le dijo: «¡Masrur! Nos es necesario dar lo que merece a aquel que se ha mantenido firme en su religión y ha comido nuestro pan y nuestra sal. No te preocupe, pues yo te restituiré tus bienes y todo lo que te he cogido». «¡Señora mía! Todo lo que has citado te pertenece lícitamente, aunque tú hayas violado el juramento que existía entre nosotros dos. Yo voy a hacerme musulmán.» La joven Hubub intervino: «¡Señora mía! Tú eres muy joven y sabes mucho. Yo pido a Dios, el Grande, que interceda junto a ti; si no me haces caso y no me atiendes, no pasaré esta noche en tu casa». «¡Hubub! Sólo he de hacer lo que tú quieras. Ponte en pie y arréglanos otra habitación.» La criada les preparó y les arregló una cámara; la perfumó con los mejores aromas, tal como gustaba y prefería su dueña, preparó comida, sirvió vino, y el vaso y la copa giraron entre ellos haciendo la delicia del alma.

Sahrazad se dio cuenta de que amanecía e interrumpió el relato para el cual le habían dado permiso.

Cuando llegó la noche *ochocientas cincuenta,* refirió:

—Me he enterado, ¡oh rey feliz!, de que Zayn al-Mawasif dijo: «¡Masrur! Ha llegado el momento del encuentro y de la unión. Si pretendes estar celoso de mi amor recita un verso de ideas peregrinas». Masrur recitó esta casida:

> Soy prisionero y tengo en el corazón una llama que arde a causa de que el ligamen del amor se rompió con la separación.
> Por el amor de una muchacha cuya silueta desgarró mis entrañas y cuyo terso rostro arrobó mi entendimiento.
> Tiene cejas unidas, mirada de hurí; cuando sonríe, su boca compite, en resplandor, con el relámpago.
> Tiene sólo catorce años; mis lágrimas, por su amor, parecen ser la sangre del dragón.
> La vi entre el río y el jardín; su rostro sobrepujaba a la luna llena cuando aparece por el horizonte.
> Se inclinó, cual rama de sauce, bajo sus vestidos y consintió en la unión antes prohibida.
> Pasamos una noche satisfaciendo el deseo de estar unidos, besando y chupando labios rojos.
> ¡No hay delicia en el mundo comparable a la de tener a quien amas a tu lado y poder disponer de él!
> Al aparecer la aurora se puso en pie y se despidió con una hermosa cara que superaba a la luna del cielo.
> En el momento de la despedida, mientras las

lágrimas que resbalaban por la mejilla formaban un collar, recitó:

«¡Mientras viva entre hombres no olvidaré el pacto contraído ante Dios, ni la belleza de la noche ni el solemne juramento!»

Zayn al-Mawasif se emocionó y dijo: «¡Masrur! ¡Qué bellas son tus palabras! ¡Ojalá perezca aquel que es tu enemigo!» Entró en su habitación y llamó al joven. Éste pasó, la tomó en sus brazos, la abrazó, la besó, y obtuvo de ella lo que deseaba, alegrándose de conseguir la bella unión. Después, Zayn al-Mawasif le dijo: «¡Masrur! No es lícito que continúe teniendo tus bienes legalmente ahora que somos amantes». Le devolvió todas las riquezas que le había arrebatado y le dijo: «¡Masrur! ¿Tienes un jardín al que podamos ir a pasear?» «¡Sí, mi señora! Tengo un jardín que no tiene par.» El joven se marchó a su casa y ordenó a sus criadas que preparasen un magnífico banquete en una hermosa sala y dispusiesen una hermosa compañía. Después invitó a Zayn al-Mawasif a ir a su casa. Ésta acudió con sus criadas. Comieron, bebieron, disfrutaron y se divirtieron. La copa y el vaso giraron en ruedo y fueron la delicia del alma. El amante quedó a solas con su amado. La joven le dijo: «¡Masrur! Me pasan por la cabeza unos versos delicados. Querría recitarlos acompañándome del laúd». «¡Recítalos!» La muchacha tomó el laúd en la mano, lo afinó, tocó sus cuerdas, moduló y recitó estos versos:

La alegría de las cuerdas me afecta; bebemos el vino puro en el momento de la aurora.
El amor descubre un corazón enamorado y la pasión aparece cuando se desgarran los velos.
Su belleza resplandece con el vino como el sol que brilla en manos de las lunas.
Todo esto en una noche que nos trajo su alegría borrando, con su tranquilidad, todas las contrariedades.

Al terminar de recitar estos versos dijo: «¡Masrur! Di uno de tus versos y permite que gocemos de tus frutos». El joven recitó este par de versos:

> Nos ha impresionado una luna que sirve el vino y la melodía de un laúd en los arriates en que nos encontramos.
>
> La tórtola ha cantado; las ramas se han inclinado durante la aurora: en aquel lugar está el límite de la pasión.

Al terminar de recitar esto, Zayn al-Mawasif le dijo: «Si es que realmente me amas recita versos en que se aluda a lo que nos ha sucedido».

Sahrazad se dio cuenta de que amanecía e interrumpió el relato para el cual le habían dado permiso.

Cuando llegó la noche *ochocientas cincuenta y una,* refirió:

—Me he enterado, ¡oh rey feliz!, de que Masrur replicó: «¡De mil amores!» e improvisó la siguiente casida:

> Detente y escucha lo que me ha sucedido por el amor de esta gacela.
>
> Una gacela que me ha disparado un dardo y cuya mirada me ha herido.
>
> La pasión me dominó y me he quedado sin recursos en el amor.
>
> Me enamoré de una bella protegida por un valladar de flechas.
>
> La vi en el centro de un jardín; su cuerpo era bien proporcionado.
>
> La saludé. Contestó: «¡La salud!», al oír mis palabras.
>
> Le pregunté: «¿Cómo te llamas?» Contestó: «Mi nombre corresponde a mi belleza;
>
> Me llamo Zayn al-Mawasif». Le dije: «¡Apiádate de mi situación!
>
> En mí hay un gran amante; no hay ningún otro enamorado como yo».
>
> Me dijo: «Si me amas y quieres unirte conmigo sabe que quiero grandes riquezas, que superan a todos los regalos;

Quiero que me des costosos vestidos de seda
Y un cuarto de quintal de almizcle por pasar una sola noche conmigo;
Perlas y cornalina de alto precio:
Plata y oro purísimos para los adornos».
Yo hice gala de la hermosa paciencia a pesar de lo grande de mi preocupación,
Ella me concedió sus gracias ¡qué hermosa unión!
Si el prójimo me censurase yo diría: «¡Hombres!
Tiene cabellos largos del color de la noche
Sobre sus mejillas hay rosas iguales a la llama cuando arde
Sus párpados son la funda de las espadas y sus miradas son como dardos.
Su boca es roja y su saliva como agua purísima.
Sus dientes son un collar de perlas blanquísimas.
Su cuello parece ser el de una gacela, estupenda en su perfección.
El pecho parece de mármol y los senos colinas.
El vientre tiene un recoveco perfumado con los mejores aromas.
Debajo de esto hay algo que constituye el objeto de mi esperanza:
Redondeado, carnoso ¡es tan magnífico, señores!
Parece que sea el solio de un rey a quien he de exponer mi situación.
Entre sus muslos se encuentran estrados elevados;
Pero su descripción es capaz de extraviar la razón de los hombres.
Tiene grandes labios y un umbral como el de los mulos.
Se muestra con el color rojo del ojo y la baba de un camello.
Cuando te acercas a él, resuelto a la acción,
Encuentras una cálida acogida, afectuosa y satisfactoria.
Rechaza el combatiente extenuado que no está presto para el combate.
Alguna vez lo encuentras con barba larga.
Te lo anuncia un hombre hermoso y bello,

Al igual como Zayn al-Mawasif es hermosa en sus perfecciones.
Una noche me llegué hasta ella y obtuve, lícitamente, sus favores.
¡Qué noche la que pasé con ella! ¡Sobrepuja a todas las otras noches!
Al llegar la aurora se incorporó mientras su rostro parecía el creciente.
Vibraba todo su cuerpo como vibran las más largas lanzas.
Se despidió de mí y dijo: "¿Cuándo volverán estas noches?"
Contesté: "¡Luz de mis ojos! ¡Ven cuando quieras!"»

Zayn al-Mawasif se alegró muchísimo al oír esta casida y llegó al límite máximo de satisfacción. Dijo: «¡Masrur! Llega ya la mañana y no queda más remedio que separarnos para evitar un escándalo». Contesté: «¡De mil amores!» Se puso de pie, acompañó a la muchacha hasta su casa y después se marchó a su domicilio meditando en sus hermosuras. Al día siguiente por la mañana, cuando brilló la luz del día, preparó un estupendo regalo para ella y se lo llevó. Se sentó a su lado. En esta situación pasaron cierto número de días viviendo en la más cómoda y feliz de las vidas.

Pero cierto día la joven recibió una carta de su esposo en la que éste le anunciaba que llegaría en breve. La muchacha se dijo: «¡Que Dios no le salve ni le conceda la vida! Si viene a nuestro lado nos va amargar la existencia. ¡Ojalá hubiese desesperado ya de su vida!» Cuando Masrur llegó a su lado, se sentó y habló con ella como tenía por costumbre. La joven le interrumpió: «¡Masrur! Acaba de llegarnos una carta de nuestro esposo. Dice que dentro de poco estará a nuestro lado de regreso de su viaje. ¿Qué hay que hacer si ninguno de nosotros dos puede soportar la separación del otro?» «No sé lo que ocurrirá. Tú estás más informada. Explícame las costumbres de tu esposo; sobre todo, tú eres una mujer muy inteligente y conoces los engaños; ya idearás algo mejor que lo que puedan hacer los hombres.» «¡Él es un hombre difícil! Tiene celos incluso de las gentes de la casa. Cuando haya regresado del viaje y tú te hayas enterado de su llegada, ven, salúdale, siéntate a su lado y dile: "¡Hermano mío! Yo soy un droguero". Cómprale algún producto y trátale con frecuencia, habla mucho con él, y haz cualquier cosa que te mande sin rechistar. Tal vez lo que yo idee tenga éxito.» Masrur replicó: «¡Oír es obedecer!» El joven se marchó de su lado llevando prendida, en el corazón, la llama del amor.

Al llegar a su casa el marido de la joven, ésta demostró gran alegría, lo acogió bien y lo saludó. El marido clavó la vista en la cara de su mujer y vio que estaba pálida; así era porque antes se la había lavado con azafrán empleando una de las tretas de las mujeres. Le preguntó cómo se encontraba y le replicó que ella y las esclavas se habían puesto enfermas desde el mismo instante en que había emprendido el viaje. Añadió: «Tu larga ausencia ha llenado de preocupación nuestro corazón». Siguió quejándose ante él de las penas de la separación y lloró a mares. Le dijo: «Si hubieses ido con un compañero mi corazón no hubiese experimentado toda esta pena. ¡Te conjuro por Dios, señor mío, a que no vuelvas a emprender un viaje si no va contigo un amigo; no vuelvas a interrumpir tus noticias para que yo pueda tener el corazón y el pensamiento tranquilos!»

Sahrazad se dio cuenta de que amanecía e interrumpió el relato para el cual le habían dado permiso.

Cuando llegó la noche *ochocientas cincuenta y dos*, refirió:

—Me he enterado, ¡oh rey feliz!, de que el marido le contestó: «¡De mil amores! Tu idea es buena y tu consejo certero. ¡Juro por el aprecio que tiene mi corazón a tu vida que ha de ser tal como deseas!» Trasladó parte de las mercancías a la tienda, las abrió, y se sentó a vender en el zoco. Mientras estaba en su tenducho apareció Masrur. Se aproximó, lo saludó, se sentó a su lado y pronunció las fórmulas de rigor. Estuvo hablando un rato con él. A continuación sacó una bolsa, la desató, sacó algo de dinero, se lo entregó al marido de Zayn al-Mawasif y le dijo: «Dame unas drogas a cambio de estos dinares para que yo las pueda vender en mi tienda».

«¡Oír es obedecer!», y le entregó lo que le había pedido. Masrur le frecuentó durante varios días. El esposo de Zayn al-Mawasif, volviéndose hacia él, le dijo: «Tengo el propósito de asociar un hombre a mi comercio». «Pues yo soy el otro —replicó Masrur—; yo busco un hombre para asociarlo a mi negocio ya que mi padre era un mercader del Yemen que me legó una gran riqueza. Temo perderla.» El marido de Zayn al-Mawasif volviéndose hacia él, le dijo: «¿Te complacería ser mi compañero? Yo sería el tuyo, sería tu socio y amigo tanto en los viajes como en la ciudad: te enseñaría a vender y a comprar, a tomar y a dar.» Masrur replicó: «¡De mil amores!» El otro se lo llevó a su casa, le invitó a sentarse en el vestíbulo y corrió a presentarse a su esposa Zayn al-Mawasif. Le dijo: «He encontrado un compañero y lo he invitado a comer. Prepáranos una buena hospitalidad». La mujer se alegró, ya que se dio cuenta de que se trataba de Masrur. Preparó un magnífico banquete y guisó sabrosos platos de tanta alegría como tenía al ver a Masrur y lo que había conseguido con su astucia. Cuando el joven llegó a la casa del matrimonio, el marido dijo a la mujer: «Sal conmigo, recíbele bien y dile: "Nos haces felices"».

Zayn al-Mawasif se enojó y replicó: «¿Es que me vas a presentar a un hombre extraño? ¡Busco refugio en Dios! ¡Aunque me cortaras a pedazos no me presentaría ante él!» «¿Pero de qué te avergüenzas si es un cristiano y nosotros somos judíos? Seremos amigos.» «¡Yo no quiero dejarme ver por un hombre extranjero al cual ni he visto antes ni conozco!» El marido se creyó que decía la verdad y siguió tratándola con miramientos hasta convencerla: la joven se incorporó, se puso el velo, tomó la comida y se presentó ante Masrur y le dio la bienvenida. Éste inclinó la cabeza hacia el suelo como si se avergonzase. El marido, al ver el gesto, dijo: «No cabe duda de que se dedica al ascetismo». Comieron hasta hartarse. Después quitaron la mesa y sirvieron el vino. Zayn al-Mawasif se sentó enfrente de Masrur y empezó a mirarlo; él la correspondía. Así transcurrió el día. Entonces Masrur se fue a su casa; la llama del amor había prendido en su corazón. El marido, en cambio, estaba pensativo, por la dulzura y hermosura de su compañero. Apenas llegó la noche, la esposa le sirvió la cena conforme tenía por costumbre. El marido poseía un ruiseñor en la casa. Cuando se sentaba en la mesa, el pájaro acudía a comer con él y aleteaba encima de su cabeza. Dicho pájaro se había familiarizado con Masrur, y acudía a posarse en la cabeza de éste cada vez que se sentaba a comer. Pero cuando el muchacho se hubo ausentado y regresó el dueño, el pájaro no quiso reconocer a éste ni se le aproximó. El marido empezó a meditar acerca del pájaro y en el modo que tenía de apartarse de él. Por su parte, Zayn al-Mawasif no dormía, pues tenía el corazón pendiente de Masrur. Lo mismo ocurrió la segunda y tercera noches. El judío pensó en todo, observó con atención a su mujer mientras estaba ocupada y notó algo raro. La cuarta noche, se despertó a mitad del sueño y oyó que su mujer, mientras dormía apoyada en su seno, pronunciaba el nombre de Masrur. El marido disimuló y ocultó lo que ocurría. El día siguiente, por la mañana, se marchó a la tienda y se sentó. Mientras así estaba llegó Masrur; lo saludó y le devolvió el saludo. Le dijo: «¡Bienvenido, amigo! ¡Tenía ganas de verte!» Se sentó y charló con él durante una hora. A continuación le dijo: «¡Amigo mío! ¡Acompáñame a mi casa y confirmaremos nuestra amistad!» «¡De mil amores!», replicó Masrur. Al llegar a su domicilio, el judío informó a Zayn al-Mawasif de la llegada del joven y de que estaba dispuesto a asociarle en su negocio. Le dijo: «Prepara una hermosa fiesta; es necesario que tú estés con nosotros y que observes nuestra amistad». «Por Dios que no he de mostrarme ante ese hombre extraño! ¡No tengo por qué presentarme ante él!» No le contestó y ordenó a las criadas que sirviesen la comida y la bebida; a continuación llamó al ruiseñor, pero éste fue a posarse en el seno de Masrur sin reconocer a su dueño. Entonces preguntó: «¡Señor mío! ¿Cómo te llamas?» «¡Masrur!» Pero el caso era que su esposa había estado pronunciando este nombre a todo lo largo de la noche. Levantó la cabeza y vio a ésta que estaba haciendo señas y guiños al contertulio y se dio cuenta de que había tenido éxito la treta que había empleado con él. Dijo:

«¡Señor mío! Permíteme un momento: voy en busca de mis primos para que vean nuestro pacto de fraternidad». «¡Haz lo que bien te parezca!», le replicó Masrur. El esposo de Zayn al-Mawasif se puso de pie, salió de la casa y rodeando a ésta fue a colocarse detrás del salón.

Sahrazad se dio cuenta de que amanecía e interrumpió el relato para el cual le habían dado permiso.

Cuando llegó la noche *ochocientas cincuenta y tres,* refirió:

—Me he enterado, ¡oh rey feliz!, de que se plantó allí, pues había una ventana desde la que podía verlos; se acercó y los observó sin que ellos pudieran verlo.

Zayn al-Mawasif preguntó a su criada Sakub: «¿Adónde ha ido tu señor?» «¡Ha salido de casa!» «¡Cierra la puerta, asegúrala con el cerrojo y no la abras hasta que llame y sólo después de haberme informado!» «¡Así se hará!», replicó la criada. Todo esto sucedía bajo la mirada del marido. Zayn al-Mawasif cogió la copa, la perfumó con agua de rosas y almizcle en polvo y corrió al lado de Masrur. Éste salió a recibirla. Le dijo: «¡Por Dios! ¡Tu saliva es más dulce que esta bebida! Empezaron a escanciarse mutuamente; después ella le roció con agua de rosas desde la cabeza hasta los pies; hasta que el aire de toda la habitación hubo quedado impregnado de aquel olor. Y todo esto ocurría bajo la mirada del marido, el cual se admiraba del gran amor que existía entre los dos. Pero su corazón se llenó de rabia ante lo que veía; la cólera y los celos más tremendos se apoderaron de él: corrió a la puerta y vio que estaba cerrada; llamó fuerte. La criada dijo: «¡Señora! ¡El señor ha llegado!» «¡Ábrele la puerta y que Dios le niegue la salud!» Sakub corrió a la puerta y la abrió. El marido preguntó a ésta: «¿Qué te ha ocurrido para cerrar la puerta?» «Mientras tú estás ausente permanece siempre cerrada; no se abre ni de día ni de noche.» «Magnífico! ¡Esto me gusta!» Se presentó ante Masrur riendo y ocultando lo que le sucedía. Le dijo: «¡Masrur! Dejemos por hoy el pacto de fraternidad! Ya lo contraeremos otro día». «¡Oír es obedecer! ¡Haz lo que quieras!», le respondió el muchacho. Después se marchó a su casa mientras el marido de Zayn al-Mawasif se quedaba pensando en lo que le sucedía, sin saber qué hacer, con el pensamiento lleno de amargura. Se dijo: «El ruiseñor no me ha reconocido y las esclavas me han cerrado la puerta en mis mismas narices puesto que tienen simpatía por otro». De tanto furor como tenía empezó a recitar estos versos:

Masrur vivió, durante una temporada, feliz y contento de la dulzura de sus días mientras mi vida se truncaba.
El transcurso del tiempo me fue infiel en aquel a quien amo mientras que mi corazón arde siempre más en el fuego de la pasión.
El destino te fue favorable en el amor de una hermosa, pero ya ha pasado su época aunque sigas enamorado de sus gracias.
Mis propios ojos habían contemplado sus encantos y mi corazón estaba apasionado por ella.
Durante largo tiempo, con su amor, me dio a sorber, con su propia boca, su dulce saliva para apagar mi sed.
¿Qué te ocurre, ruiseñor, para abandonarme y pasar a ser esclavo de aquel que me ha sustituido en el amor?
Mis ojos han visto cosas prodigiosas que me han hecho abrir los párpados cuando dormía.
He visto que mi amado se ha desprendido de mi amor y que mi ruiseñor ya no revolotea a mi alrededor.
¡Juro por el Señor de los mundos, Aquel que cuando quiere imponer algo a las criaturas lo consigue,
Que haré cuanto se merece ese injusto que imprudentemente se ha acercado y ha buscado su amor!

Todas las venas de Zayn al-Mawasif temblaron al oír estos versos; palideció y preguntó a su doncella: «¿Has oído la poesía?» «¡Jamás en mi vida he oído tales versos! ¡Déjale que diga lo que le plazca!» Cuando el marido se dio cuenta de que la cosa era seria empezó a vender todo lo que poseía. Se dijo: «¡Si no les saco de su tierra jamás volverán en sí de la situación en que se encuentran». Una vez tuvo vendidos todos sus bienes escribió una carta falsa y se la leyó a Zayn al-Mawasif; pretendía que era de sus primos los cuales le pedían que fuese a visitarlos. La joven le preguntó: «¿Cuánto tiempo pasaremos con ellos?» «Doce días.» Le dio su conformidad y le preguntó: «¿Debo llevar conmigo alguna doncella?» «Llévate a Hubub y Sakub y deja aquí a Jatub.» El marido preparó un hermoso palanquín para poder marcharse con las mujeres. Zayn al-Mawasif envió a decir a Masrur: «Si transcurrido el plazo fijado no hemos regresado debes entender que él nos ha engañado y nos ha tendido una trampa para separar al uno del otro. Pero tú no olvides ni los pactos ni los juramentos que tenemos. Yo temo cualquier cosa de su astucia y mala fe». El marido se preparaba para el viaje mientras Zayn al-Mawasif pasaba el tiempo llorando y sollozando, sin poder estarse quieta ni de día ni de noche. El marido se daba cuenta de ello, pero no le hacía caso. La mujer, al comprender que su esposo no iba a desistir del viaje, reunió sus ropas y enseres, lo depositó todo en casa de su hermana y la informó de lo que le había sucedido. Se despidió de ella y regresó, llorando, a su casa. El marido ya había reunido los camellos, colocado encima los fardos y reservado la montura más hermosa para Zayn al-Mawasif. Ésta, al comprender que tenía que separarse de Masrur, quedó perpleja en el preciso momento en que su esposo salía para algunos quehaceres. Entonces, la mujer se acercó a la primera puerta y escribió estos versos:

Sahrazad se dio cuenta de que amanecía e interrumpió el relato para el cual le habían dado permiso.

Cuando llegó la noche *ochocientas cincuenta y cuatro*, refirió:

> ¡Paloma de la casa! Transmite nuestro saludo, el del amante al amado, en el momento de la separación.
>
> Dile que siempre estoy triste y que lamento el hermoso tiempo pasado,

Que mi amor sigue siendo apasionado, que estoy apenada por la alegría transcurrida.
Pasamos nuestros días felices y contentos, permanecíamos juntos de día y de noche.
Pero cuando menos lo esperábamos, el cuervo de la separación empezó a graznar anunciando la partida.
Nos marchamos dejando vacías las mansiones ¡Ojalá nunca hubiésemos abandonado estas casas!

Después se acercó a la segunda puerta y escribió estos versos:

¡Oh, tú, que llegas ante esta puerta! Te conjuro, por Dios, a que observes la belleza de mi amado en las tinieblas y le informes,
De que lloro cuando recuerdo nuestra unión, que las lágrimas del llanto corren sin cesar.
Dile: «Si no encuentras consuelo por lo que me ha sucedido, cubre de polvo y de tierra tu cabeza,
Recorre el país por oriente y occidente y vive con resignación, pues Dios es todopoderoso».

Después se acercó a la tercera puerta, lloró amargamente y escribió estos versos:

Ten cuidado, Masrur, cuando visites su casa: recorre las puertas y lee sus líneas.
No olvides el pacto del amor si eres fiel ¡cuántas veces ella gozó de dulzuras y amarguras en la noche!
Te conjuro, Masrur, a que no olvides que la tuviste al lado y te dejó satisfecho y feliz.
Llora por los días afortunados en que estabais juntos: cuando tú llegabas, ella corría las cortinas.
Por nuestra causa se marchó a lejanos países; síguela; afronta los mares y cruza los desiertos.
Han pasado ya las noches en que estuvimos uni-

dos y la intensidad de las tinieblas de la separación apagan su resplandor.
¡Bendiga Dios los días transcurridos! ¡Qué felices eran cuando recogíamos las flores en el jardín de los deseos!
¿Por qué no han durado conforme yo esperaba? Quiera Dios que tal como han pasado, vuelvan.
¿Volverá el transcurso de los días a reunirnos con nuestro deseo y podré ser fiel, cuando lleguen en votos, al Señor?
Sabe que todos los asuntos dependen de Aquel que escribe sus líneas en la pizarra de la frente.

Derramó de nuevo abundantes lágrimas, regresó a la casa y rompió a llorar y sollozar. Recordando todo lo sucedido exclamó: «¡Gloria a Dios que dispuso que nos sucediera todo esto!» Siguió lamentándose por tener que separarse de los seres amados y verse obligada a dejar su domicilio. Recitó estos versos:

¡Que la paz del Señor quede contigo, oh, casa vacía! Para ti se han terminado ya los días felices.
¡Paloma de la casa! Sigue zureando por aquel que ha abandonado sus lunas y sus astros.
¡Poco a poco, Masrur! Llora por nuestra separación; mis ojos han perdido la luz desde que han dejado de verte.
¡Si hubieses contemplado con tus propios ojos el día de nuestra partida, mientras mis lágrimas azuzaban el fuego de mi corazón!
No olvides el pacto contraído a la sombra de un jardín que tendió sus velos mientras estuvimos juntos.

A continuación se presentó ante su esposo. Éste la colocó en el palanquín que le había preparado. Cuando estuvo en lomos del camello recitó estos versos:

¡Que la paz de Dios quede contigo, oh, casa vacía! En ti, disfrutamos con creces en el tiempo pasado.

¡Ojalá mi vida hubiese concluido mientras estaba bajo tu protección y hubiese muerto de pasión!
Estoy desesperado por estar lejos; mi corazón queda en un refugio que le apasiona; pero no sé lo que le ha sucedido.
¡Ojalá supiera si he de volver a verlo y si será tan acogedor como lo fue la primera vez!

Su esposo le dijo: «¡Zayn al-Mawasif! No te entristezcas por separarte de tu casa; dentro de poco volverás». Siguió tranquilizándola y tratándola con cariño. Se pusieron en marcha, salieron fuera de la ciudad y emprendieron la ruta. La joven se dio cuenta de que la separación era algo real y esto le dolió mucho.

Mientras tanto, Masrur se encontraba sentado en su casa meditando en su caso y en el de su amada: el corazón presentía que se había marchado. Se incorporó al momento, y se puso en camino hasta llegar a su domicilio. Encontró la puerta cerrada y descubrió los versos que había escrito Zayn al-Mawasif. Leyó los que estaban en la primera puerta y al terminar, cayó desmayado al suelo. Al volver en sí, abrió la puerta y llegó hasta la segunda: leyó lo que había escrito en ésta y en la tercera. Una vez leídos todos los mensajes fue presa de la pasión, del deseo y del desvarío y salió corriendo en pos de sus pasos hasta conseguir alcanzar la caravana. Vio a la amada en la zaga y al marido delante de todo debido a la disposición del equipaje. Al verla, se colgó del palanquín llorando; triste por el dolor de la separación recitó estos versos:

¡Ojalá supiera a causa de qué pecado hemos sido asaeteados para largos años por la flecha de la separación!
¡Oh, deseo del corazón! Un día, cuando la llama de mi pasión por ti se avivó, acudí a tu casa.
Pero la vi en ruinas, desierta; me quejé por la separación y mis gemidos fueron en aumento.
Pregunté a los muros por todo aquello que deseo: «¿Adónde fueron llevándose mi corazón prisionero?»

Contestaron: «Se marcharon de sus moradas amagando la pasión en sus entrañas».
Ella me ha escrito unas líneas en las paredes tal y como hacen las gentes fieles de todo el mundo.

Zayn al-Mawasif, al oír estos versos, supo que los recitaba Masrur.

Sahrazad se dio cuenta de que amanecía e interrumpió el relato para el cual le habían dado permiso.

Cuando llegó la noche *ochocientas cincuenta y cinco*, refirió:

—Me he enterado, ¡oh rey feliz!, de que ella y sus esclavas rompieron a llorar. Dijo: «¡Masrur! ¡Te conjuro, por Dios, a que te alejes de nosotras para que mi marido no nos vea!» El joven, al oír estas palabras, cayó desmayado. Al volver en sí se despidieron. Él recitó:

El camellero dio el grito de partida antes de amanecer, aún de noche, y el céfiro difundió su voz.
Ensillaron las acémilas y se pusieron en marcha; ésta fue en aumento cuando inició el camellero su canción.
Perfumaron todas las partes del suelo y apresuraron el paso por aquel valle.
En el momento de la partida se apoderaron de mi corazón y me dejaron, sobre sus huellas, bien de mañana.
¡Vecinos! Tengo el propósito de no abandonarles hasta haber empapado el polvo con mis lágrimas tempranas.
Después de su partida ¡ay de mi corazón! ¿Qué ha hecho con mis entrañas a pesar mío, la mano de la separación?

Masrur seguía la caravana llorando y sollozando mientras ella le rogaba que volviese atrás, antes de despuntar la mañana, pues temía un escándalo. El joven se acercó al palanquín, se despidió de nuevo de ella, y cayó desmayado. Así permaneció durante una hora. Al volver en sí los había perdido de vista. Aspiró la brisa y declamó los siguientes versos:

Si sopla el viento de la cercanía hacia el enamorado, éste se queja de la comezón del amor.
El aura matinal ha soplado hacia él, pero al despertar ha visto que se encontraba en el campo.
Tendido, por la consunción, sobre el lecho del enfermo; sus lágrimas, abundantes, eran de sangre.
Por unos vecinos que partieron llevando con ellos, entre los viajeros que guiaba el jefe de la caravana, mi corazón.
¡Por Dios! Basta con que sople el céfiro en mis cercanías para que yo clave mis pupilas en el horizonte.

Masrur regresó a su domicilio presa de la pasión más agobiante; pero encontró que carecía de interés, que no había amigos. Rompió a llorar hasta dejar empapados los vestidos y cayó desmayado faltando poco para que el alma abandonara su cuerpo. Al volver en sí recitó este par de versos:

¡Oh, casa! ¡Ten piedad de mi humillación, desgracia, delgadez de mi cuerpo y fluir de mis lágrimas!
Difunde entre nosotros el aroma de su céfiro que basta para sanar el pensamiento del atormentado.

Masrur, una vez en su casa, quedó perplejo y llorando por causa de todo eso y así siguió durante diez días.

He aquí lo que hace referencia a Zayn al-Mawasif: Ésta se había dado cuenta de que el engaño empleado por su marido había tenido éxito. El viaje continuó durante diez días al cabo de los cuales llegaron a una ciudad. Zayn al-Mawasif escribió una carta a Masrur, la entregó a su esclava Hubub y le dijo: «Haz llegar esta carta a Masrur para que sepa que el engaño empleado con nosotros ha tenido éxito y que el judío nos ha traicionado». La joven tomó la carta y se la envió a Masrur. Éste se apenó mucho al recibirla y rompió a llorar hasta dejar empapado el suelo. Escribió una carta de contestación y se la envió a Zayn al-Mawasif; terminaba con estos versos:

> ¿Cuál es el camino que conduce a las puertas del consuelo? ¿Cómo ha de consolarse quien está en el ardor del fuego?
>
> ¡Qué suaves eran los tiempos ya pasados! ¡Ojalá estuviesen cerca de nosotros en algunas ocasiones!

La carta llegó hasta Zayn al-Mawasif, quien la cogió, la leyó y la entregó a su criada Hubub. Le dijo: «¡Escóndela!» Pero el marido se enteró de que mantenía correspondencia. Entonces, cogió a Zayn al-Mawasif y a su esclava y emprendió un viaje durante veinte días al cabo de los cuales se instaló con ellas en otra ciudad. Esto es lo que hace referencia a Zayn al-Mawasif.

He aquí lo que hace referencia a Masrur: Éste no conseguía conciliar el sueño ni podía estarse quieto ni tener paciencia. Siguió en esta situación hasta una noche en que vio en sueños a Zayn al-Mawasif. Ésta se le acercaba, cuando estaba en un jardín, y lo abrazaba. Al despertarse no la encontró a su lado: perdió la razón, quedó confuso y sus ojos se le llenaron de lágrimas. Los mayores dolores hacían presa en sus entrañas. Recitó estos versos:

> ¡Salud a aquella cuyo espectro me ha visitado en sueños, excitando mi pasión y aumentando mi desvarío!
>
> Me he despertado del sueño dolorido por la visión de un espectro que se me ha presentado cuando dormía.
>
> Pero los sueños ¿me informan con certeza sobre quien amo, sacian mi sed ardiente de amor y curan mi enfermedad?
>
> Unas veces se presenta generosa, otras me abraza

y en ciertos casos me habla con hermosas palabras.
Pero cuando en sueños llegamos a los reproches, mis ojos se ensangrientan con el llanto.
Sorbí la saliva de sus labios rojos como si fuese néctar cuyo perfume era de almizcle de marca.
Quedé maravillado de cuanto en sueños ocurrió entre nosotros, pues obtuve de ella lo que era mi deseo y mi propósito.
Me desperté y no encontré, de aquel espectro, más que mi comezón y mi dolor.
Al verla me puse como un loco y quedé borracho sin necesidad de vino.
¡Céfiro! Te conjuro, por Dios a que les hagas llegar mis deseos y mis saludos.
Diles: «Las vicisitudes del destino han escanciado la copa de la muerte a aquel con quien pactasteis».

A continuación se marchó a su casa y llegó hasta allí sin dejar de llorar. Observó el lugar y vio que estaba desierto; pero la imagen de la amada brillaba siempre ante él como si estuviese realmente presente. El fuego que le atormentaba se avivó, la tristeza fue en aumento y cayó desmayado.

Sahrazad se dio cuenta de que amanecía e interrumpió el relato para el cual le habían dado permiso.

Cuando llegó la noche *ochocientas cincuenta y seis*, refirió:

—Me he enterado, ¡oh rey feliz!, de que al volver en sí recitó estos versos:

He aspirado el olor de perfume y de sangre que exhalaban y me he alegrado con un corazón amoroso y atormentado.
Cabizbajo y apasionado soporto mi pasión, en una morada desierta del amado y los amigos...
La separación, el amor y el desespero me han puesto enfermo, pues me han recordado el tiempo pasado en compañía de mis amigos.

Terminados de recitar estos versos, oyó un cuervo que graznaba al lado de la casa. Rompió a llorar y exclamó: «¡Gloria a Dios! ¡El cuervo sólo grazna encima de las ruinas!» Gimió, suspiró y recitó estos versos:

¿Por qué llora el cuervo ante la casa del amor
mientras el fuego tuesta y abrasa mis entrañas?
Por el recuerdo del tiempo pasado en su amor
mi corazón se ha extraviado en sus precipicios.
Muero de pasión mientras el fuego del amor
abrasa mis entrañas y escribo cartas para las
que no encuentro mensajero.
¡Qué pena tener el cuerpo extenuado! Mi amada
ha partido. ¡Ojalá volviesen sus noches!
¡Aura matinal! Si la visitas de mañana, salúdala
y quédate en su morada.

Zayn al-Mawasif tenía una hermana que se llamaba Nasim y que vigilaba a Masrur desde un sitio elevado. Al verlo en esta situación rompió a llorar, sollozó y recitó:

¿Cuánto tiempo durarán estas visitas, llorando,
a su morada, mientras la casa gime de pena
por aquella que la edificó?
Antes de la partida de sus inquilinos albergaba
la alegría y en ella brillaba el sol.
¿Dónde están las lunas que en ella surgían? Las
vicisitudes del destino han borrado sus más
espléndidas manifestaciones.
Deja de pensar en aquella hermosa a la que fre-
cuentaste y espera: tal vez, el transcurso de
los días la haga reaparecer.
Si no hubiese sido por tu causa, sus moradores
no hubiesen partido jamás y tú no habrías visto
en su azotea al cuervo.

Al oír tales palabras, Masrur rompió a llorar a lágrima viva, pues comprendió el significado de los versos y de la poesía. La hermana de Zayn al-Mawasif sabía la pasión y el amor que experimentaba, el afecto y el desvarío que le embargaba. Le dijo: «¡Te conjuro, por Dios, Masrur!

Deja esta casa para que nadie pueda creer que vienes aquí por mí. Has sido la causa de la partida de mi hermana; ¿quieres también que yo tenga que marcharme? Sabes perfectamente que de no ser por ti la casa no se hubiese quedado sin sus habitantes. Abandónala y déjala. Ha pasado lo que ha pasado». Masrur, al oír las palabras de la hermana, rompió a llorar y le contestó: «¡Nasim! Si pudiese volar, remontaría el vuelo y correría a su lado de tanto como la quiero. ¿Pero cómo puedo consolarme?» «¡No tienes más remedio que tener paciencia!» «¡Te conjuro, por Dios, a que tú misma le escribas una carta y que me hagas llegar su contestación con el fin de tranquilizar mi pensamiento y apagar el fuego que abrasa mi pecho!» «¡De mil amores!» La joven cogió tinta y papel. Masrur le describió su gran pasión y lo mucho que le hacía sufrir el dolor de la separación. Decía: «Esta carta procede de la lengua del apasionado, triste, desgraciado y alejado amante que no encuentra reposo ni de noche ni de día; que derrama lágrimas abundantes las cuales le producen llagas en los párpados; la tristeza le ha encendido una llama en sus entrañas; grande es su desespero e inmensa su intranquilidad tal como ocurre al pájaro que ha perdido su pareja y cuyo fin está próximo. ¡Qué desgracia que estés lejos! ¡Qué angustia por no tener tu compañía! Mi cuerpo ha enflaquecido, mis lágrimas corren a raudales y montes y llanuras me parecen angostos. De tan grande como es mi pasión digo:

> Mi afecto por esas moradas continúa igual; mi pasión por sus habitantes ha crecido.
>
> Os he enviado el relato de mi pasión, pues el copero me ha escanciado del vaso de vuestro amor.
>
> Vuestro viaje, el alejamiento de vuestra casa ha hecho correr por los párpados lágrimas abundantes.
>
> ¡Oh, tú que conduces las literas! ¡Detente junto a la cerca pues el fuego crece en mi corazón!
>
> Da mis saludos al amado y dile: «Sólo estos labios rojos pueden curarlo.
>
> El destino le ha herido, le ha separado del amado

y la flecha de la separación le ha arrancado el último aliento».
Infórmale de mi pasión, de mi gran dolor, de la pena que sufro desde que se ha alejado de mí.
«¡Juro por vuestro amor que os he sido fiel al pacto y a la promesa!
Jamás me he apartado ni me he consolado de vuestro amor ¿cómo podría consolarse el enamorado fiel?
Recibid mi saludo perfumado de almizcle que llevan las hojas.»

La hermana, Nasim, quedó admirada de la elocuencia de su lengua, de la belleza del contenido y de la delicadeza de los versos. Se apiadó de Masrur, selló la carta con almizcle puro y la perfumó con áloe y ámbar. La entregó a un comerciante y le dijo: «Dáselo únicamente a mi hermana o a su esclava Hubub». «¡Así lo haré!», le replicó. Zayn al-Mawasif, al recibir la carta, se dio cuenta de que había sido redactada por Masrur y le reconoció por sus agradables palabras. La besó y la colocó encima de sus ojos: las lágrimas desbordaron de sus párpados y lloró sin cesar hasta caer desmayada. Al volver en sí pidió tintero y pluma y escribió la contestación a la carta describiendo en ella su pasión, su afecto y la nostalgia que sentía por estar separada de los seres amados. Se quejó de la situación en que se encontraba y de lo que le había ocurrido por el mucho afecto en que le tenía.

Sahrazad se dio cuenta de que amanecía e interrumpió el relato para el cual le habían dado permiso.

Cuando llegó la noche *ochocientas cincuenta y siete*, refirió:

—Me he enterado, ¡oh rey feliz!, de que [Zayn al-Mawasif] decía: «Esta carta está destinada a mi señor, a mi dueño y poseedor, al que posee todos mis secretos y confidencias. Y después: El insomnio me turba, las preocupaciones van en aumento y no sé estar separada de ti, de ti cuya belleza sobrepuja a la del sol y la luna. La pasión me atormenta y el amor me mata y ¿cómo no ha de ser así si soy un ser humano? ¡Resplandor del mundo! ¡Adorno de la vida! ¿Es que puede beber la copa aquel a quien le falta el aliento? Él no está ni entre los vivos ni entre los muertos». A continuación compuso estos versos:

Tu carta, Masrur, ha excitado mi pena. ¡Por Dios! Lejos de ti carezco de paciencia y de consuelo.
Cuando leí tus letras mis miembros se enternecieron y seguía abrevándome, sin interrupción, con mis propias lágrimas.
Si fuese un pájaro volaría en medio de la tiniebla nocturna; después de alejarme de ti no he vuelto a conocer el sabor de la comida ni el de la tranquilidad.
Después de separarme de ti, la vida constituye para mí un pecado y no puedo resistir el ardor de la separación.

A continuación secó la carta con polvo de almizcle y ámbar, la selló y la envió con un comerciante. Le dijo: «¡Entrégasela únicamente a mi hermana Nasim!» El comerciante se presentó ante ésta, quien a su vez la remitió a Masrur. Éste, al recibirla, la colocó encima de sus ojos y rompió a llorar hasta caer desmayado. Esto es lo que a ellos se refiere.

He aquí lo que hace referencia al marido de Zayn al-Mawasif: Éste, al descubrir la existencia de correspondencia entre los dos amantes, empezó a viajar, con su esposa y su esclava, de un sitio a otro. Zayn al-Mawasif le dijo: «¡Gloria a Dios! ¿Adónde nos llevas? Nos alejas de nuestra patria». «He de alejarme, con vosotras, durante un año de marcha, hasta que no recibáis más cartas de Masrur. Ahora veo cómo me habéis arrebatado toda mi riqueza para dársela a Masrur. Pero todo lo que he perdido me lo cobraré en vosotras y veré si Masrur os sirve de algo u os puede salvar de mi mano.» A continuación el marido se fue en busca del herrero y le hizo fabricar tres argollas de hierro. Regresó con ellas al lado de las mujeres. Les quitó los vestidos de seda y les puso otros de pelo y las ahumó con azufre. A continuación llamó al herrero y le dijo: «Pon estas argollas en los pies de esas muchachas». La primera en adelantarse fue Zayn al-Mawasif. El herrero, al verla, perdió la razón, se mordió la punta de los dedos y el entendimiento le voló de la cabeza al tiempo que quedaba enamorado. Preguntó al judío: «¿Cuál es la falta de estas muchachas?» «Son mis esclavas; me han robado el dinero y han huido.» «¡Que Dios te defraude en lo que piensas! ¡Por Dios! Si esta esclava estuviese en casa del cadí de los cadíes y cometiese cada día mil faltas, éste no la reprendería. Además no muestra indicios del hurto y no podrá soportar los grillos en los pies.» A continuación le rogó que no la aherrojase y siguió intercediendo ante el marido para que no la encadenase. Zayn al-Mawasif, al ver que el herrero intercedía por ella, dijo al judío: «¡Te ruego, por Dios, que no me hagas mostrar a ese hombre extraño!» «¿Y cómo, pues, saliste ante Masrur?» La joven no contestó. Entonces, el marido aceptó la intercesión del herrero y colocó en sus pies un grillete ligero colocando los más pesados a la esclava. Zayn al-Mawasif tenía un cuerpo esbelto, incapaz de soportar malos tratos. Ella y su esclava siguieron vistiendo los trajes de pelo día y noche hasta que su cuerpo se debilitó y perdieron el color. Por su parte el herrero había quedado locamente enamorado de Zayn al-Mawasif y se había marchado a su casa lleno de los pesares más profundos. Empezó a recitar estos versos:

¡Herrero! ¡Séquese tu diestra por haber aherrojado aquellos pies y músculos!
Has aherrojado los pies de una esbelta dama, de una belleza creada de la más maravillosa de las maravillas.
Si hubieses sido justo, sus ajorcas no hubiesen sido de hierro sino de oro.
Si el cadí de los cadíes viese su belleza, se apiadaría de ella y la instalaría, orgulloso, en su estrado.

El cadí de los cadíes cruzaba por delante de la casa del herrero mientras éste recitaba los versos. Le hizo comparecer y le preguntó: «¡Oh herrero! ¿Quién es ésa a la que mencionas y cuyo amor ocupa tu corazón?» El herrero se puso de pie ante el cadí, le besó la mano y le replicó: «¡Que Dios prolongue los días de nuestro señor el cadí y le dé larga vida! Se trata de una esclava cuyo aspecto es éste y éste». Le describió la esclava y su mucha hermosura, belleza, esbeltez y agradables proporciones; le dijo que tenía un rostro perfecto, cintura delgada y pesadas nalgas. A continuación le explicó la situación humillante en que se encontraba: detenida, aherrojada y con escasa comida. El cadí le dijo: «¡Herrero! Indícanos dónde está, condúcela ante nosotros para que esa esclava obtenga justicia, ya que eres responsable de ella. Si no nos lo indicas, Dios te castigará el día del juicio». «¡Oír es obedecer!», replicó el herrero. Marchó al momento a casa de Zayn al-Mawasif. Encontró la puerta cerrada. Pero oyó una voz dulce que salía de un corazón triste: la joven recitaba en aquel momento estos versos:

Estaba en mi patria reunida con mis amigos; el amor me llenaba las copas con vino puro.
Circulaban entre nosotros con la alegría que deseábamos y no se alteraban ni por la mañana ni por la tarde.
Pasamos una época en que la copa, el laúd, el arpa y la alegría nos distraían.
Pero el destino y las visicitudes de la suerte nos separaron; el amor pasó y los tiempos tranquilos se alejaron.
¡Ojalá el cuervo de la separación se aleje! ¡Ojalá brille la aurora de la unión de amor!

El herrero, al oír tales versos y tal composición, rompió a llorar como si fuese una nube. Después llamó en la puerta. Preguntaron: «¿Quién hay en la puerta?» «¡Soy el herrero!» A continuación les refirió lo que le había dicho el cadí y que éste quería recibirlas para que le expusiesen la querella y poder hacer justicia...

Sahrazad se dio cuenta de que amanecía e interrumpió el relato para el cual le habían dado permiso.

Cuando llegó la noche *ochocientas cincuenta y ocho,* refirió:

—Me he enterado, ¡oh rey feliz!, de que [el herrero les dijo que el cadí quería hacer justicia] castigando a su opresor. La joven dijo al herrero: «¿Cómo hemos de poder ir si la puerta está cerrada, si tenemos los grillos puestos y el judío tiene las llaves?» El herrero les contestó: «Haré llaves para tales cerraduras y abriré la puerta y los grillos». «¿Y quién nos guiará a casa del cadí?» «Yo os la enseñaré.» Zayn al-Mawasif preguntó: «¿Y cómo hemos de ir a casa del cadí si estamos vestidas con vestidos de pelo que han sido sahumados con azufre?» «El cadí no os ha de reprender dada vuestra situación.» El herrero fabricó al momento llaves para las cerraduras y abrió la puerta y los grillos. Les quitó éstos de los pies, las hizo salir y las condujo a la casa del cadí. A continuación la esclava Hubub quitó a su dueña los vestidos de pelo que llevaba, la acompañó al baño, la lavó y le puso vestidos de seda. Así recuperó su color. Para colmo de la felicidad, su marido se encontraba en un banquete en casa de cierto comerciante. Zayn al-Mawasif se arregló del modo más completo y marchó a casa del cadí. Éste, al verla, se puso de pie y la saludó con dulces palabras y frases zalameras; mientras tanto ella le asaetaba con los dardos de su mirada. Dijo: «¡Que Dios conceda larga vida a nuestro señor el cadí y auxilie, por su mediación, a los que pleitean!» A continuación le explicó el asunto del herrero y el modo generoso con que éste se había comportado y le refirió los tormentos, capaces de aturdir cualquier entendimiento, que le había infligido el judío y añadió que él esperaba darles muerte de no haber quien las rescatase. El cadí replicó: «¡Doncella! ¿Cómo te llamas?» «Zayn al-Mawasif. Esta criada mía se llama Hubub.» «Tu nombre concuerda con quien lo lleva y sus palabras corresponden a su significado.» La joven sonrió y tapó su rostro. El cadí la preguntó: «¡Zayn al-Mawasif! ¿Tienes marido o no?» «Tengo marido.» «¿Cuál es tu religión?» «La del Islam, la del mejor de los hombres.» «¡Júrame, según la *xaraa,* aquella que contiene los versículos de El Corán y las amonestaciones, que tú perteneces a la religión del mejor de los seres humanos!» La joven lo juró y dio fe de ello. El cadí preguntó: «¿Y cómo pasas tu juventud con ese judío?» «Sabe, ¡oh cadí! (¡que Dios alargue tus días felices, te haga conseguir tus deseos y recompense tus actos del mejor modo!) que mi padre, al morir, me legó quince mil dinares, cuya administración confió a ese judío para que negociase con ellos y que partiese los beneficios con nosotros. El capital quedaba garantizado según las prescripciones de la *xaraa*. Muerto mi padre, el judío me apeteció y me pidió a mi madre como esposa. Mi madre le replicó: "¿Cómo he de obligarla a salir de su religión y hacerse judía? ¡Por Dios! ¡Te denunciaré a la autoridad!" El judío se asustó de estas palabras: tomó consigo el dinero y huyó a la ciudad de Aden. Cuando nos enteramos de que estaba en esta ciudad, corrimos en su busca. Al llegar a su lado nos recordó que él comerciaba con mercancías, que compraba fardo tras fardo. Siguió engañándonos hasta que consiguió encarcelarnos, ponernos en grillos y hacernos gustar los peores tormentos. Nosotros somos extranjeros y no tenemos más auxilio que el de Dios (¡ensalzado sea!) y el de nuestro señor el cadí.» El juez, al oír la historia, preguntó a la criada Hubub: «¿Es ésta tu señora? ¿Vosotras sois extranjeras y ella no tiene marido?»[1] «Es cierto.» «¡Cásame con ella y yo me comprometo a manumitir mis esclavos, ayunar, peregrinar y hacer limosna si no os concedo frente a ese perro aquello a lo que tenéis derecho después de haberlo castigado por su acción!» Hubub le replicó: «¡A ti es a quien hay que oír y obedecer!» El cadí siguió: «Ve, tranquilízate y tranquiliza a tu señora. Si Dios (¡ensalzado sea!) quiere, mañana enviaré a buscar a ese infiel y os obtendré aquello a que tenéis derecho; verás cosas portentosas en su castigo». La joven se despidió de él y se marchó, dejándole presa de amor, de pasión y de cariño. Ella y su señora se marcharon y preguntaron por la casa del segundo cadí. Les indicaron dónde vivía. Al hallarse ante este último le informaron de lo que ocurría. Lo mismo hicieron con el tercero y con el cuarto, con lo cual su

[1] Alude a la nulidad del matrimonio contraído por las musulmanas con hombres de otra religión.

asunto quedó en conocimiento de los cuatro cadíes. Cada uno de éstos la había solicitado en matrimonio y la joven le había contestado que sí. Pero ninguno de los cadíes sabía lo ocurrido con los demás y cada uno de ellos ansiaba poseerla, sin que el judío supiese nada, ya que estaba en un banquete. Al día siguiente, la joven se levantó, se puso su vestido más precioso y se presentó ante los cuatro cadíes en el juzgado. Al encontrar a los cuatro a la vez, palideció y se cubrió la cara con el velo. Los saludó y le devolvieron el saludo, ya que todos la habían reconocido. A uno de ellos, que estaba escribiendo, se le cayó la pluma de la mano; a otro, que estaba hablando, se le trabó la lengua; el tercero, que estaba contando, se equivocó en la cuenta. Le dijeron: «¡Hermosa señora! ¡Portento de belleza! ¡Que tu corazón sea feliz! Es necesario que te hagamos justicia y permitamos que consigas tu deseo». La joven pronunció las palabras de ritual y se marchó.

Sahrazad se dio cuenta de que amanecía e interrumpió el relato para el cual le habían dado permiso.

Cuando llegó la noche *ochocientas cincuenta y nueve*, refirió:

—Me he enterado, ¡oh rey feliz!, de que a todo esto el judío seguía en el banquete, en casa de sus amigos, sin saber nada de lo que ocurría. Zayn al-Mawasif pedía a los magistrados y funcionarios que la ayudaran contra ese incrédulo hereje y que la libraran del tormento doloroso. Rompiendo a llorar recitó estos versos:

¡Oh, ojos! Derramad lágrimas como si se tratase del diluvio; tal vez las lágrimas laven y me limpien de penas.

Después de llevar trajes de seda recamados, mis vestidos han pasado a ser como los de los monjes.

El perfume de mis ropas es sahumerio de azufre ¡qué diferencia hay entre el ámbar gris y el arrayán!

¡Oh, Masrur! Si supieses cuál es nuestra situación, no tolerarías nuestra humillación e ignominia.

Hubub se encuentra presa en argollas de hierro
a causa de quien no cree en el Único, en el
Retribuidor.
He repudiado los ritos judíos y su religión y hoy,
mi fe, es la más noble de todas.
Me inclino ante el Clemente como se inclina un
musulmán y sigo la *xaraa* de Mahoma.
No olvides, Masrur, el afecto que entre los dos
existe y guarda el pacto de amor y de fe.
Por tu amor he cambiado de fe, pero mi gran
pasión por ti siempre permanece oculta.
Si has conservado nuestro amor, tal como lo guardan los seres generosos, corre a nuestro lado sin
retraso.

A continuación escribió una carta en la que refería todo lo que el judío había hecho con ella desde el principio hasta el fin y en ella insertó los versos. Dobló la carta y se la entregó a la joven Hubub. Le dijo: «Guarda esta carta en tu bolsillo hasta que podamos enviarla a Masrur». Mientras hablaban llegó el judío. Al ver que estaban alegres les preguntó: «Veo que estáis contentas, ¿es que habéis recibido alguna carta de vuestro amigo Masrur?» Zayn al-Mawasif le replicó: «Contra ti no tenemos más auxilio que el de Dios (¡gloriado y ensalzado sea!). Él es quien nos va a salvar de tu tiranía. Si no nos devuelves a nuestro país y a nuestra patria, mañana elevaremos pleito contra ti ante el gobernador y los jueces de esta ciudad». El judío preguntó: «¿Y quién os ha librado de los grillos que teníais en los pies? No me va a quedar más remedio que el haceros grillos de diez *ratl* de peso y mandaros dar la vuelta a la ciudad». Hubub le replicó: «Si Dios quiere, todo lo que nos has preparado recaerá sobre ti. Del mismo modo como nos has alejado de nuestra patria, mañana te conduciremos ante el gobernador de la ciudad». Así continuaron hasta la llegada de la aurora. Entonces el judío se levantó y fue en busca del herrero para que le fabricase grillos. Por su parte Zayn al-Mawasif y su doncella se fueron al palacio del gobierno y entraron. Encontraron a los cuatro cadíes y los saludaron. Los cuatro les devolvieron el saludo. El cadí de los cadíes dijo a los que estaban a su alrededor: «Esta muchacha es un sol; todo aquel que la ve queda prendado de ella y se humilla ante su belleza y hermosura». El cadí mandó con ella cuatro nobles como mensajeros. Les dijo: «¡Traedme a su ofensor a viva fuerza!» Esto es lo que a ella se refiere.

He aquí lo que hace referencia al judío: Una vez tuvo hechas las argollas se marchó a su casa. No encontró a la joven y quedó perplejo. Mientras se encontraba en esta situación llegaron los mensajeros: se apoderaron de él, le dieron tremendos golpes y le arrastraron de bruces hasta llegar ante el cadí. Éste, al verlo, le gritó a la cara: «¡Ay de ti, enemigo de Dios! ¡Has llegado hasta el punto de hacer esto y esto! Has alejado a esas personas de su país, les has robado sus riquezas y quieres que se conviertan al judaísmo. ¿Cómo te atreves a pedir a un musulmán que sea infiel?» El judío replicó: «¡Señor mío! ¡Es mi esposa!» Todos los jueces a la vez, al oír tales palabras, le gritaron: «¡Extended este perro en el suelo! ¡Golpeadle la cara con las sandalias y hacedlo del modo más doloroso posible! Su falta no tiene perdón».

Le quitaron los vestidos de seda, le pusieron otros de pelo, le arrojaron al suelo, le arrancaron la barba y le golpearon en la cara con sus sandalias del modo más doloroso posible Después le obligaron a montar en un asno con el rostro hacia atrás y ataron la cola del asno a su mano. Le hicieron recorrer la ciudad poniéndole en la picota en todos los barrios. Después le condujeron de nuevo ante el cadí: se encontraba terriblemente humillado. Los cuatro cadíes sentenciaron que tenían que cortarle las manos y los pies y después crucificarlo. El maldito quedó estupefacto ante tales palabras y perdió la razón. Dijo: «¡Señores cadíes! ¿Qué es lo que queréis de mí?» «Di: "Esta joven no es mi esposa; mis bienes le pertenecen y yo la he ofendido y la he alejado de su patria".» El judío lo confesó todo y levantaron el acta de prueba. Le quitaron sus bienes y se los entregaron a Zayn al-Mawasif, junto con el atestado.

La joven se marchó: todos los que veían su belleza y hermosura quedaban perplejos. Cada uno de los jueces creía que ella terminaría perteneciéndole. Una vez en su casa preparó todo lo que necesitaba y esperó la llegada de la noche. Entonces tomó lo que tenía poco peso y mucho valor y se marchó junto con su doncella aprovechando las tinieblas. Viajaron sin cesar durante una distancia de tres días con sus noches. Esto es lo que hace referencia a Zayn al-Mawasif.

He aquí lo que hace referencia a los cadíes. Una vez se hubo marchado la joven dieron orden de encarcelar al judío, su esposo.

Sahrazad se dio cuenta de que amanecía e interrumpió el relato para el cual le habían dado permiso.

Cuando llegó la noche *ochocientas sesenta,* refirió:

—Me he enterado, ¡oh rey feliz!, de que al día siguiente, por la mañana, los jueces y los testigos esperaban que acudiese Zayn al-Mawasif. Pero ésta no se presentó. Entonces, el juez ante quien ella había comparecido primero, dijo: «Hoy quiero salir fuera de la ciudad, pues tengo algo que hacer». Montó en su mula, tomó consigo un paje y empezó a recorrer todo lo largo y ancho de las calles de la ciudad en busca de Zayn al-Mawasif. Pero no pudo hallar ninguna noticia. Mientras se encontraba en esta situación tropezó con los restantes cadíes, pues cada uno de ellos creía ser el único en tener una cita con ella. Les preguntó la causa de que hubiesen montado a caballo y de que recorriesen las callejas de la ciudad. Le refirieron lo que les sucedía. Entonces se dio cuenta de que estaban en su misma situación y de que su problema era el suyo propio. Todos juntos se lanzaron en su busca, pero no encontraron ningún rastro, por lo cual cada uno de ellos se marchó enfermo a su casa y tuvo que meterse en la cama extenuado. Entonces el cadí de los cadíes se acordó del herrero y le mandó a buscar. Una vez le tuvo delante le dijo: «¡Herrero! ¿Sabes algo de la joven sobre cuya pista nos pusiste? ¡Por Dios! ¡Si no me das noticias te haré moler a latigazos!» El herrero, al oír las palabras del cadí, recitó estos versos:

Aquella que se ha enseñoreado de mi amor posee todas las bellezas, sin que le falte ni una.
Mira como una gacela; huele como el ámbar; resplandece como el sol, se mueve como las ondas del estanque y se curva como la rama.

A continuación el herrero siguió: «¡Señor mío! Desde el instante en que me marché de tu noble presencia no la he vuelto a ver, a pesar de que se ha enseñoreado de mi razón y de mi entendimiento y sólo sé hablar o pensar en ella. He ido a su domicilio y no la he encontrado ni he hallado a nadie que me informara de lo que ha hecho. Parece ser como si se hubiese sumergido en las profundidades de las aguas o hubiese trepado al cielo». El cadí, al oír estas palabras, dejó escapar un sollozo y poco le faltó para perder la vida. Exclamó: «¡Por Dios! ¡No teníamos ninguna necesidad de verla!» El herrero se marchó y el cadí cayó encima de su cama y se puso enfermo de la consunción que experimentaba por ella. Lo mismo ocurrió a los testigos y los jueces restantes. Los médicos acudieron a visitarlos, pero ellos no tenían una enfermedad que necesitara médicos. Las gentes notables acudieron a ver al primer cadí. Le saludaron y le preguntaron por su salud. Suspiró y descubrió lo que celaba su pensamiento recitando estos versos:

¡Basta de censuras! Tengo suficiente con el dolor de la enfermedad. Excusad a un juez que sentencia entre las gentes.
Que me perdone aquel que me censuraba por amor; que no me reprenda, pues la víctima de la pasión no es censurable.
Fui juez y los hados me ayudaron con mi suerte y con mi pluma a escalar altos puestos.
Hasta el momento en que fui herido por una flecha ante la cual no sirve el médico: la mirada de una muchacha que vino a derramar mi sangre.
Como una musulmana que se queja de una injusticia: su boca presentaba una hilera de raras perlas engarzadas.

Debajo del velo, que había descorrido, una luna llena brillaba en medio de las tinieblas nocturnas.
Era un rostro resplandeciente, una boca cuya sonrisa mostraba prodigios: la belleza la comprendía desde la raya de la cabeza hasta los pies.
¡Por Dios! Mis ojos no han visto jamás un rostro como el suyo entre las criaturas árabes o persas.
¡Oh, qué bella promesa la que me hizo al decir: «Si prometo, cumplo, cadí de las gentes»!
Tal es mi situación y ésta es la desgracia que me aflige. ¡No me preguntéis por mi sufrimiento, gentes de buen consejo!

El cadí, al terminar de recitar estos versos, rompió a llorar a lágrima viva. Sufrió un estertor y el alma abandonó su cuerpo. Al darse cuenta de lo ocurrido le lavaron, lo amortajaron, rezaron por él, lo enterraron y sobre su tumba escribieron estos versos:

Aquel que yace en la tumba fue víctima del amado y de su apartamiento; pero tuvo todas las cualidades de los amantes.
Entre los vivos fue un juez cuyas sentencias mantenían en la vaina la espada de los malhechores.
Pero el amor sentenció contra él. Jamás, antes, hubo entre los hombres quien tratate con más deferencia al esclavo.

Apiadándose de él se marcharon a visitar al segundo cadí. El médico le acompañaba. Pero encontraron que no tenía dolor o enfermedad que necesitase doctor. Le preguntaron cómo se encontraba y qué le preocupaba. Les informó de lo que le sucedía. Entonces le reprendieron y censuraron por encontrarse así. Pero les contestó declamando estos versos:

Me encuentro desahuciado, pero a personas como yo no se las censura. Me ha herido el dardo lanzado por la mano de un arquero.

Acudió ante mí una mujer llamada Hubub, que cuenta el tiempo año tras año.
La acompañaba una adolescente que tenía un rostro que sobrepujaba a la luna llena cuando brilla en medio de las tinieblas.
Mientras se querellaba mostró sus bellezas: las lágrimas fluían de sus párpados.
Escuché sus palabras; la miré y una boca sonriente me extenuó.
Mi corazón se marchó con ella y me dejó rehén de mi pasión.
Tal es mi historia; apiadaos de mí y nombrad cadí, en mi lugar, a mi hijo.

A continuación sufrió un estertor y el alma se separó de su cuerpo. Lo prepararon, lo enterraron y se apiadaron de él. Fueron a ver al tercer cadí. Lo encontraron enfermo. Le sucedió lo mismo que al segundo. Lo mismo pasó con el cuarto. A todos los encontraron enfermos de amor. También los testigos habían enfermado de amor: todo aquel que la había visto murió de amor; y si no murió vivió sufriendo el aguijón de la pasión.

Sahrazad se dio cuenta de que amanecía e interrumpió el relato para el cual le habían dado permiso.

Cuando llegó la noche *ochocientas sesenta y una*, refirió:

—Me he enterado, ¡oh rey feliz!, de lo que hace referencia a Zayn al-Mawasif: Ésta marchó rápidamente durante unos días y así recorrió una gran distancia. Ella y su esclava encontraron un convento junto al camino. En él vivía un superior que se llamaba Danis. Gobernaba a cuarenta monjes. Al ver la belleza de Zayn al-Mawasif le salió al encuentro y la invitó diciendo: «¡Descansad en nuestra casa durante diez días! ¡Después seguid el viaje!» Ella y su esclava se hospedaron en el convento. El superior, al ver su belleza y hermosura, perdió su propia fe, se enamoró de ella y empezó a enviarle monje tras monje para que la solicitasen. Pero todo aquel a quien enviaba quedaba enamorado de ella y la solicitaba para sí mismo. La joven se excusaba y se negaba. Danis la siguió enviando monje tras monje y así fueron a verla los cuarenta. En cuanto la contemplaban se enamoraban de ella, la trataban galantemente y la solicitaban sin acordarse ni del nombre de Danis. Ella se negaba y les contestaba con malos modos.

La paciencia del superior se acabó y al mismo tiempo la pasión se hizo más violenta. Se dijo: «El autor de los proverbios dice: "Sólo mis uñas rascan el cuerpo y mis pies me conducen al objeto de mis deseos"». Se puso de pie, preparó una comida exquisita, la cogió con sus propias manos y fue a colocarla ante la joven. Aquel día era el noveno de los diez que había convenido con ella que duraría su estancia de reposo en el convento. Al dejar la comida ante la joven le dijo: «¡Hónrame, en nombre de Dios! ¡Es la mejor comida que tenemos!»

La joven alargó la mano y dijo: «¡En el nombre de Dios, el Clemente, el Misericordioso!» Ella y su esclava empezaron a comer. Al terminar, el superior le dijo: «¡Señora mía! Quiero recitarte unos versos». «Recítalos.» Empezó:

> Te has apoderado de mi corazón con tus miradas y tus mejillas: mi prosa y mis versos cantan tu amor.
> ¿Me dejarás abandonado, presa de amor, de pasión, sufriendo de querer incluso en sueños?
> No me abandones presa de inquietud: he plantado mis deberes con el convento para después del placer.
> ¡Muchacha! Has tenido por lícito, en el amor, derramar mi sangre: apiádate de mi situación y sé generosa con mis lamentos.

Zayn al-Mawasif, al oír estos versos, le replicó con este pareado:

> ¡Oh, tú que buscas la unión amorosa! No te engañe la esperanza en lo que a mí respecta. ¡Oh, hombre! Desiste de tal petición.

No hagas que el alma apetezca lo que no ha de
poseer. Los deseos van junto con la muerte.

El superior, al oír estos versos, regresó pensativo a su celda sin saber qué había de hacer para conseguirla. Pasó aquella noche en el peor de los estados. Al caer las tinieblas, Zayn al-Mawasif dijo a su esclava: «Levántate y vámonos, pues no podemos hacer frente a cuarenta monjes, cada uno de los cuales me solicita para sí mismo». La esclava respondió: «¡De mil amores!» Montaron en sus caballos y salieron, de noche, por la puerta del convento...

Sahrazad se dio cuenta de que amanecía e interrumpió el relato para el cual le habían dado permiso.

Cuando llegó la noche *ochocientas sesenta y dos*, refirió:

—Me he enterado, ¡oh rey feliz!, de que [las muchachas salieron por la puerta del convento] y corrieron sin cesar hasta encontrar una caravana en marcha. Se sumaron a ella: era una caravana de la ciudad en que había estado Zayn al-Mawasif, Adén. Los viajeros habían oído referir la historia de la joven y sabían que los cadíes y los testigos habían muerto de amor por ella, teniendo que nombrar los habitantes de la ciudad otros jueces y otros testigos. Éstos habían sacado de la prisión el marido. Zayn al-Mawasif, al oír estas palabras se volvió a su criada y la preguntó: «¡Hubub! ¿No has oído esas palabras?» «Si los monjes, cuya regla les impide amar a las mujeres, se han enamorado de ti, ¿qué han de hacer los cadíes cuya fe dice que en el Islam no existe el ascetismo? Marchemos con ellos hacia nuestra patria mientras podamos ocultar nuestra historia.» Así continuaron su viaje rápidamente. Esto es lo que hace referencia a Zayn al-Mawasif y a su criada.

He aquí lo que hace referencia a los monjes: Al hacerse de día corrieron todos en busca de Zayn al-Mawasif para saludarla, pero vieron que su habitación estaba vacía. La enfermedad hizo mella en sus entrañas. El primer monje desgarró sus vestidos y empezó a recitar estos versos:

¡Amigos míos, venid! Dentro de poco me separaré de vosotros y me iré.

En mis entrañas reside una enfermedad y un dolor y mi corazón muere por el suspiro del enamorado.

Por una muchacha que vino a nuestra tierra y que era igual a la luna llena cuando aparece por el horizonte.

Se marchó, pero me dejó víctima de su belleza; las flechas me alcanzaron en las partes vitales.

El segundo monje recitó estos versos:

¡Oh, tú, que al marchar te llevaste mi sangre! Ten piedad de quien has hecho desgraciado y concédele el favor de tu regreso.

Marcharon y mi tranquilidad se fue en pos de ellos; se alejaron mientras la dulzura de sus palabras resonaba en mis oídos.

Se fueron instalando, lejos, su morada ¡ojalá me concedáis el favor de presentaros en sueños!

En el momento de partir me arrancaron mis entrañas, dejándome sumergido en mis lágrimas.

El tercer monje recitó estos versos:

Mi corazón, mis ojos y mis oídos reconstruyen vuestra imagen: mi corazón y todo mi ser os sirven de asilo.

Vuestro recuerdo me es más dulce que la miel en la boca y corre, como el espíritu vital, entre mis costillas.

Me habéis transformado, por consunción, en algo así como una astilla y me habéis ahogado en la pasión con mis lágrimas.

Dejadme que os vea en sueños: tal vez refresquéis mis mejillas de los ardores del llanto.

El cuarto monje recitó estos versos:

La lengua ha enmudecido y apenas hablo de ti: el amor es mi sufrimiento y mi enfermedad.
¡Oh, luna llena que resides en el cielo! ¡Por ti crece mi amor y mi pasión!

El quinto monje recitó estos versos:

Amo a una luna de hermosas formas cuya esbelta cintura se queja de fatiga.
Su saliva es como el mosto o el vino de calidad y sus pesadas nalgas constituyen la delicia de los humanos.
El corazón se enciende de pasión y el amante cae muerto durante la noche.
Las lágrimas resbalan sobre mi mejilla como la lluvia que corriese sobre la roja cornalina.

El sexto monje recitó estos versos:

¡Oh, tú, que con tu alejamiento me has herido de amor! ¡Oh, rama de sauce cuya buena estrella se ha levantado!
Me quejo ante ti por mi tristeza y mi pasión ¡Oh, tú, que me abrasas en el fuego de las rosas de tu mejilla!
¿Hay algún amor como el mío que me lleva a traicionar mis votos y a dejar de inclinarme y prosternarme?

El séptimo monje recitó estos versos:

Ha aprisionado mi corazón, dado vuelta a mis lágrimas, despertado mi amor y desgarrado mi paciencia.
¡Qué amarga es la separación de ese ser de dulce apariencia! En el momento del encuentro asaetea el corazón con sus flechas.
¡Censor! Deja de criticarme y arrepiéntete del pasado: tú no puedes ser verídico en los asuntos de amor.

De este modo todos los monjes y ermitaños lloraron y recitaron versos. Su superior, Danis, lloró y gimió con fuerza al no tener medio de unirse con ella. Después declamó los siguientes versos:

> Perdí la paciencia el día en que se marchó mi amado; se apartó de mí quien era mi extremo deseo y mi amor.
>
> ¡Oh, tú que conduces las literas! Azuza con cuidado a los animales: tal vez así me concedan la gracia de regresar a mi domicilio.
>
> El día de su marcha mis párpados se negaron al sueño: mis penas se renovaron, mis dulzuras, cesaron.
>
> Me quejo a Dios por los sufrimientos que me causa su amor: ha extenuado mi cuerpo y ha destruido mi fuerza.

Cuando los monjes perdieron la esperanza de que regresase, se pusieron de acuerdo en retratarla en un cuadro que conservaron hasta que se les presentó el destructor de las dulzuras.

Esto es lo que se refiere a los monjes que vivían en el convento.

He aquí lo que hace referencia a Zayn al-Mawasif: Siguió viajando en busca de su amado Masrur. Así, sin descansar, llegó a su casa, abrió la puerta y entró. Mandó llamar a su hermana Nasim. La hermana, al enterarse, se alegró muchísimo y le ofreció tapices y telas preciosas; cubrió la casa de alfombras, la adornó, corrió las cortinas ante la puerta, la aromatizó con áloe, incienso, ámbar y almizcle de la mejor clase hasta impregnar todo el ambiente del modo más suave. A continuación Zayn al-Mawasif se puso sus más preciosos vestidos y se engalanó de la manera más perfecta. Todo esto sucedía sin que Masrur supiese que había regresado; al contrario: se encontraba completamente agobiado de pena y de tristeza.

Sahrazad se dio cuenta de que amanecía e interrumpió el relato para el cual le habían dado permiso.

Cuando llegó la noche *ochocientas sesenta y tres*, refirió:

—Me he enterado, ¡oh rey feliz!, de que después, Zayn al-Mawasif se sentó para hablar con sus criadas, con aquellas que no la habían acompañado en el viaje. Les contó todo lo que le había sucedido desde el principio hasta el fin. Volviéndose a Hubub, le dio unos dirhemes y le mandó que se marchase y regresara con algo de comer para ella y sus esclavas. La doncella salió y regresó con los alimentos y bebidas que le habían pedido. Una vez hubieron terminado de comer y beber, Zayn al-Mawasif mandó a Hubub que fuese en busca de Masrur, averiguase dónde se encontraba y viese la situación en que se encontraba.

Masrur no podía estarse quieto ni tener paciencia. Cuando la pena, la pasión, el amor y el desvarío le vencían, se consolaba recitando versos, yendo a su casa y besando las paredes. Un día, Masrur se dirigió al lugar en que se habían despedido y recitó estos magníficos versos:

> He ocultado lo que me sucede por su causa, pero es bien manifiesto. El sueño de mis ojos se ha transformado en insomnio.
>
> Cuando mi corazón fue esclavo del pensamiento grité: «¡Oh, destino! ¡Líbrame de tus cambios y no me atormentes!»
>
> Mi vida se encuentra entre la pena y el peligro.
>
> Si el sultán del amor hubiese sido equitativo conmigo, el sueño no se hubiese apartado de mis ojos.
>
> ¡Señores míos! Tened piedad de un amante moribundo y lamentad la situación de quien fue el jefe de la gente y hoy se encuentra humillado.
>
> En la ley del amor ¡cuántos ricos se empobrecen!
>
> Los censores se cebaron en ti, pero yo no los escuché: cerré mis oídos y los ignoré.

Guardé la promesa hecha a los que amo. Dijeron: «¿Amas a quien se marchó?»
Contesté: «¡Basta! Cuando se cumple el destino la vista está ciega».

Entonces el joven regresó, llorando, a su casa. El sueño le venció. Durmiendo vio que Zayn al-Mawasif llegaba a su domicilio. Se despertó llorando y se marchó a la casa de Zayn al-Mawasif recitando estos versos:

¿Puedo olvidar a aquella que me hizo prisionero con su amor? Mi corazón está sobre un fuego más ardiente que la brasa.
Me he enamorado de aquella que me hace quejar ante Dios por su lejanía, por el mudar mis noches y los sucesos de mi destino.
¿Cuándo nos reuniremos ¡oh, límite extremo del corazón y del deseo! y podré gozar, ¡oh luna llena! de nuestra unión?

Recitó los últimos versos de la poesía mientras cruzaba por la calle de Zayn al-Mawasif. Aspiró su aroma penetrante: perdió la cabeza; el corazón marchó de su pecho, la pasión se apoderó de él y creció su desvarío. En ese momento Hubub se dirigió hacia él para cumplir el encargo. Vio que se le acercaba desde el otro extremo del callejón. Al darse cuenta de que la muchacha iba en su busca experimentó una gran alegría. La joven lo saludó y le dio la buena nueva de la llegada de su señora, Zayn al-Mawasif. Le dijo: «Ella me ha ordenado que te buscara». Masrur experimentó una alegría sin igual. Hubub lo acompañó hasta Zayn al-Mawasif. Ésta, al verle, bajó de su estrado, le acogió bien, lo besó y lo abrazó; él también la estrechó entre sus brazos. Siguieron besándose y abrazándose hasta que cayeron desmayados. Permanecieron así largo rato por lo mucho que se querían y por la angustia que les había causado la separación. Al volver en sí del desmayo la joven mandó a su esclava Hubub que le llevase una jarra llena de un sorbete azucarado y otra con un sorbete de limón. La joven le llevó todo lo que le había pedido. Comieron, bebieron y pasaron el tiempo hasta que llegó la noche. Se contaron lo que les había ocurrido desde el principio hasta el fin. Después la muchacha le explicó que se había convertido al Islam. El muchacho se alegró y se convirtió también; lo mismo hicieron las restantes esclavas y todos se arrepintieron ante Dios (¡ensalzado sea!). Al día siguiente por la mañana mandaron llamar al cadí y a los testigos, les dijeron que la joven era viuda, que había cumplido el retiro y que quería casarse con Masrur. Escribieron el contrato matrimonial y vivieron en la más dulce de las vidas. Esto es lo que hace referencia a Zayn al-Mawasif y Masrur.

He aquí lo que hace referencia al esposo judío. Una vez que la gente de la ciudad lo sacó de la prisión, se puso en viaje dirigiéndose a su país. Viajó sin descanso hasta llegar a tres días de distancia de la ciudad en que estaba Zayn al-Mawasif. Ésta se enteró, llamó a su esclava Hubub y le dijo: «Ve al cementerio de los judíos, abre una tumba, planta arrayanes y rodéalos de agua. Si el judío se presenta y te pregunta por mí responde: "Mi señora murió de dolor por ti. Han transcurrido ya veinte días desde su muerte". Si te dice: "Muéstrame su tumba", condúcelo a la fosa y procura ingeniártelas para enterrarlo vivo». «¡Oír es obedecer!», replicó Hubub. Los novios se levantaron de la cama y escondieron ésta en una buhardilla. Zayn al-Mawasif se fue a casa de Masrur y permanecieron juntos, comiendo y bebiendo, durante los tres días. Esto es lo que a ellos se refiere.

He aquí lo que hace referencia a su esposo: En cuanto llegó del viaje llamó a la puerta. Hubub preguntó: «¿Quién hay en la puerta?» «¡Tu señor!» Le abrió la puerta. El judío vio que las lágrimas le corrían por las mejillas. Le preguntó: «¿Qué te hace llorar? ¿Dónde está tu señora?» «¡Ha muerto de dolor por ti!» El judío, al oír estas palabras, quedó perplejo y rompió a llorar amargamente. Luego dijo: «¡Hubub! ¿Dónde está su tumba?» Le acompañó al cementerio y le mostró la tumba que había abierto. Entonces, el judío, reanudó su llanto y recitó este par de versos:

Hay dos cosas por las que, si mis ojos derramaran lágrimas de sangre hasta casi desaparecer,
No pagarían ni la décima parte de su valor: la flor de la juventud y la separación de los seres amados.

Siguió llorando y recitó estos versos:

¡Ah! ¡Qué pena! Mi cuerpo me traiciona y muero de dolor por encontrarme separado de mi amado.
¡Ah! ¡Qué es lo que me ha ocurrido lejos de él! Tengo el corazón desgarrado por obra de mis propias manos.
¡Ojalá hubiese callado el secreto toda mi vida y no hubiese revelado la pena que agitaba mi corazón!
Vivía en una vida feliz y tranquila; pero después quedé humillado y envilecido.
¡Hubub! Tú me has llenado de pena al informarme de la muerte de quien, prescindiendo de las demás criaturas, era mi sostén.
¡Zayn al-Mawasif! ¡Ojalá nunca hubiese existido la ruptura que me separa el alma del cuerpo!
Me arrepiento por no haber cumplido el pacto y mi alma me censura por lo exagerado de mi resolución.

Al terminar de recitar estos versos rompió a llorar y a quejarse. Cayó desmayado. Mientras estaba sin sentido, Hubub le arrastró y le depositó, vivo pero sin conocimiento, en la tumba. Cerró ésta, regresó al lado de su señora y le informó de lo ocurrido. Zayn al-Mawasif se alegró muchísimo y recitó este par de versos:

El destino había jurado que me causaría amarguras; pero has faltado al juramento ¡oh, tiempo!: paga el precio de la expiación.
El censor ha muerto y tengo al lado aquel a quien amo. ¡Ve al que da la alegría y cíñete el vestido!

Después se dedicaron a comer, a beber, a jugar y a distraerse hasta que les llegó el destructor de las dulzuras, el separador de los amigos, el que hace morir hombres y mujeres.

HISTORIA DE NUR AL-DIN Y MARYAM LA CINTURONERA

Se cuenta que en lo antiguo del tiempo, en lo más remoto de las épocas y siglos pasados, vivió un comerciante egipcio llamado Tach al-Din. Era uno de los mayores traficantes y de los más fieles sindicados. Le gustaba visitar todos los países y tenía tendencia a recorrer campiñas, desiertos, llanuras, lugares abruptos e islas del mar en busca de dirhemes y dinares. Tenía esclavos y mamelucos, criados y esclavas. Había pasado peligros y afrontado calamidades capaces de hacer encanecer a los niños pequeños. Era el comerciante más rico de su tiempo, el que mejor hablaba; poseía caballos, mulos, camellos, dromedarios, sacos grandes y medianos; mercancías y riquezas; telas sin par; tejidos de Homs, vestidos de Baalbek, piezas de raso, trajes de Merw, confecciones indias, botones de Bagdad, albornoces magrebíes, así como mamelucos turcos, criados abisinios, esclavas romanas y pajes egipcios. Los trapos que tapaban sus fardos eran de seda, pues poseía enormes riquezas. Era muy hermoso, de buenos andares, llamaba la atención tal y como dijo de él uno de sus descriptores:

> He visto un comerciante entre cuyos admiradores ardía la guerra.
> Preguntó: «¿Por qué arma la gente ese alboroto?»
> Contesté: «Por tus ojos, comerciante».

Otro, que hizo una magnífica descripción, dijo en este sentido:

Un comerciante nos ha visitado de buen talante;
el corazón queda perplejo ante sus miradas.
Me dijo: «¿Qué es lo que te ha aturdido?» Respondí: «Tus ojos, comerciante».

Aquel mercader tenía un hijo varón que se llamaba Nur al-Din. Éste parecía ser la luna cuando brilla en la noche de su plenilunio: era de extraordinaria belleza y hermosura, gracioso talle y de armónicas proporciones. Cierto día el muchacho se sentó, como tenía por costumbre, en la tienda del padre para vender y comprar, tomar y dar. Los hijos de los demás comerciantes lo rodeaban y él, entre ellos, parecía ser la luna cuando brilla entre las estrellas: frente clara, mejillas sonrosadas, bozo oscuro y cuerpo como el mármol. Tal como dijo de él el poeta:

Un hermoso joven me ha dicho: «Descríbeme;
tú eres experto en las descripciones».
Respondí brevemenete: «Todo lo que hay en ti
es hermoso».

O bien como dijo uno de sus descriptores:

Tiene un lunar en la superficie de la mejilla que
parece ser un punto de ámbar en una superficie de mármol.
Sus miradas son espadas que gritan, al acometer
al que desobedece en amor: «¡Dios es grande!»

Los hijos de los comerciantes lo invitaron diciendo: «Señor mío Nur al-Din. Nos gustaría que hoy nos acompañases a visitar tal jardín». Les contestó: «Esperad a que pida consejo a mi padre. Yo no puedo marcharme sin su consentimiento». Mientras hablaban así llegó su padre, Tach al-Din. El muchacho lo miró y le dijo: «¡Padre mío! Los hijos de los comerciantes me invitan para que los acompañe a visitar tal jardín ¿me lo permites?» «Sí, hijo mío.» Le dio algún dinero y le dijo: «Ve con ellos». Los hijos de los comerciantes montaron en asnos y mulos. Nur al-Din subió a una mula y los acompañó a un jardín en el que había cuanto podía apetecer al ánimo y distraer la vista. Estaba sólidamente construido, los muros eran altos y tenía una entrada de bóveda de cañón que parecía un salón; una puerta celeste que asemejaba a las del paraíso. El portero se llamaba Ridwán y encima había cien parras de uva de todos los colores: rojas como el coral; negras como las narices de los sudaneses, blancas como huevos de paloma. Había además ciruelas, granadas, peras, albaricoques y manzanas de todas las clases sueltas o aisladas...

Sahrazad se dio cuenta de que amanecía e interrumpió el relato para el cual le habían dado permiso.

Cuando llegó la noche *ochocientas sesenta y cuatro*, refirió:

—Me he enterado, ¡oh rey feliz!, de que [había frutas] ...tal y como dijo el poeta:

> Uva cuyo gusto es el mismo del vino; el color negro es como el del cuervo.
> Aparece entre las hojas y la ves como si fuese las puntas de los dedos de las mujeres, libres de alheña.

O como dijo también un poeta:

> Racimos que cuelgan de una rama y que se asemejan a mi cuerpo extenuado.
> Se parecen a la miel y al agua en un ánfora; tras haber sido ácido se transforma en vino.

Después se dirigieron hacia las parras del jardín: descubrieron a Ridwán, el portero, que estaba sentado debajo de su sombra. Parecía ser el Ridwán que guarda el paraíso. En la puerta de entrada de la pérgola vieron escritos este par de versos:

> ¡Riegue Dios un jardín del que cuelgan los racimos cuyo jugo abundante hace que se inclinen las ramas!
> Cuando el soplo del céfiro las hace bailar la lluvia las cuaja de perlas.

En el interior de la pérgola vieron escritos este par de versos:

¡Amigo! Entra con nosotros en un jardín que aleja las penas del corazón.
El céfiro tropieza con su propio faldón y la flor sonríe en el cáliz.

En aquel jardín había árboles frutales de distintas especies, pájaros de todas clases y colores tales como palomas, ruiseñores, chorlitos, tórtolas y pichones que cantaban en sus ramas; ríos que llevaban agua corriente y en cuyas orillas crecían flores y frutos sabrosos. Tal y como de ellos dijo el poeta en este par de versos:

El céfiro corre entre las ramas que se asemejan a una hermosa que tropieza con sus magníficas ropas.
Sus riachuelos parecen espadas en el momento en que la mano de los caballeros las sacan de la vaina.

O como ha dicho otro poeta:

El río avanza hacia las ramas y refleja el cuerpo de éstas en su corazón.
Hasta el punto de que el céfiro, cuando se da cuenta, tiene celos, corre hacia ellas y las aparta de su lado.

Los árboles del jardín tenían dos especies de cada fruto; entre ellos había granadas que parecían pelotas de plata. Tal y como dijo, acertadamente, el poeta:

Granadas de piel tersa que parecen senos vírgenes cuando aparece el varón;
Si las pelo aparecen granos como rubíes ante los que queda absorta la mente.

Y como dijo el poeta:

Redondo, muestra, a quien lo busca, un interior de rubíes rojos escondidos en un magnífico envoltorio.
Es una granada; cuando la miras parece ser un seno virgen o una cúpula de mármol.
Guarda en sí la curación y la salud del enfermo y sobre ella existe una tradición del Profeta puro.
Acerca de ella ha dicho Dios: «¡Grande es su Majestad!» Unas palabras certeras que figuran en el libro escrito[1].

Había en aquel jardín unas manzanas azucaradas y almizcladas que dejaban perplejo a quien las miraba. Tal como dijo el poeta:

Una manzana que tiene dos colores a la vez: los de las mejillas del amado y del amante están juntas.
Brillan en la rama como los dos extremos de un prodigio: una oscura y la otra resplandeciente.
Ambas se abrazan: al aparecer el censor una se sonroja de vergüenza y la otra palidece de pasión.

En aquel jardín había melocotones almendrados y alcanforados, unos de Chilán y otros de Antab. Tal como dijo el poeta:

El melocotón almendrado parece un amante al que la llegada del amado haya dejado perplejo.
Lo que en sí encierra basta para describir al amante, pálido exteriormente y despedazado por dentro.

Otro poeta ha dicho muy bien:

Mira el melocotón: en sus flores hay jardines cuyo resplandor recrea la pupila.

[1] Cf. *El Corán* 6, 99 y 142; 55, 68.

Cuando brotan las flores parecen estrellas. La
rama brilla con ellas entre las hojas.

En el mismo jardín había albaricoques, cerezas y uvas capaces de curar al enfermo de todos sus males; los higos de color entre rojo y verde, colgaban de las ramas de tal modo que la vista y el entendimiento quedaban estupefactos. Tal y como dijo el poeta:

Los higos que muestran rojo y verde entre las
hojas del árbol parecen ser
Muchachos griegos plantados en lo alto del castillo
que, caídas las tinieblas, montan la guardia.

¡Qué bien dijo otro!:

¡Bien venidos los higos alineados en la bandeja!
Parecen una mesa doblada que queda cerrada
sin anillo.

¡Qué bien dijo otro!:

¡Dame un higo de buen sabor y bien vestido!
Su aspecto externo da noticia del interior.
Cuando lo pruebas da aroma de camomila y
gusto de azúcar.
Si los colocas en el plato parecen ser bolas hechas
de seda verde.

¡Qué bien dijo otro!:

Cuando ya me había acostumbrado a comer higos
prescindiendo de los demás frutos me preguntaron:
«¿Por qué prefieres los higos?» Les contesté:
«Unos prefieren los higos y otros el sicómoro».

¡Qué bien dijo otro!:

Los higos me gustan más que los restantes frutos
cuando, maduros ya, se pliegan a la rama.

Parece que sea un asceta que, cuando la nube derrama la lluvia, deja escapar lágrimas por temor de Dios.

En aquel jardín había peras del Sinaí, de Alepo y de Grecia, formando grupos o aisladas...

Sahrazad se dio cuenta de que amanecía e interrumpió el relato para el cual le habían dado permiso.

Cuando llegó la noche *ochocientas sesenta y cinco,* refirió:

—Me he enterado, ¡oh rey feliz!, de que [había peras] cuyos colores, que iban del amarillo al verde, dejaban admirados a cuantos los veían. Tal y como dijo el poeta:

Que te sienten bien las peras cuyo color es el de un amante muy pálido.
Parecen ser vírgenes que están en su habitación y se han cubierto con el velo.

Había en aquel jardín ciruelas sultaníes con colores distintos que iban desde el amarillo al rojo. Tal y como dijo el poeta:

Las ciruelas que están en el jardín y que se han recubierto con sangre de dragón parecen ser
Avellanas de oro amarillo cuya superficie se hubiese recubierto con sangre.

Había en aquel jardín almendras verdes muy dulces que parecían ser meollo de palma; su carne estaba recubierta por tres membranas que constituían una de las obras del Rey Generoso, tal y como dijo el poeta:

Tres membranas sobre la carne fresca; por obra del Señor tienen distinta forma.
Noche y día amenaza la muerte sin que el prisionero tenga la menor culpa.

¡Qué bien dijo otro!:

¿Es que no ves la almendra cuando la arranca
la mano del recolector de la rama?
Las cáscaras nos muestran el corazón; parece una
perla en el interior de la concha.

¡Qué bien dijo otro!:

¡Qué hermosura de almendra verde más pequeña
que el contenido de la mano!
Parece como si sus pelillos fuesen el bozo que
nace en el rostro del adolescente.
Su cauce, amigo mío, es doble o sencillo
Como si fuesen perlas escondidas en el interior
de una esmeralda.

¡Qué bien dijo otro!:

Mis ojos no han visto jamás nada tan hermoso
como la almendra cuando aparecen sus flores.
La cabeza se enciende de cabellos grises mientras
se vuelve verde el bozo.

En aquel jardín había frutos de loto de múltiples colores formando grupo o bien separados. Uno de sus descriptores dijo estos versos:

Observa el loto, que se alinea en las ramas;
parece ser magníficos melocotones que brillan
en el árbol.
Su color amarillo parece, ante los ojos de quien
los mira, campanillas que se hayan teñido de
rojo.

¡Qué bien dijo otro!:

El árbol de loto presenta cada día más encantos.
Como si sus flores, los lotos, cuando se muestran
ante los ojos,
Fuesen campanillas de oro colgadas de las ramas.

En aquel jardín también había naranjos parecidos al *jalanch,* tal y como dijo el poeta enamorado:

> Fruto encarnado, del tamaño de una mano, que por fuera parece de fuego y por dentro de nieve.
> Lo curioso es que la nieve no se funda con tanto fuego y que el fuego carezca de llamas.

¡Qué bien dijo otro!:

> Cuando se mira fijamente a los naranjales, parece que sus frutos sean
> Mejillas de mujer, cubiertas de galas en día de fiesta y vestidas de seda.

¡Qué bien dijo otro!:

> Cuando sopla la brisa en las colinas de naranjales y sus ramas se balancean parecen
> Mejillas hermosísimas a cuyo encuentro salen, en el momento del saludo, otras mejillas.

¡Qué bien dijo otro!:

> Era una gacela. Le dijimos: «Descríbenos este jardín y sus naranjales».
> Me contestó: «Vuestro jardín es como mi rostro; quien recoge naranjas cosecha fuego».

Tenía aquel jardín unas toronjas del mismo color amarillo; estaban colocadas en lo alto y pendían de las ramas como si fuesen barras de oro. Acerca de ellas dijo el poeta apasionado:

> ¿No ves la rama con las toronjas en flor? Inclinándose por el peso hace temer su fin.
> Cuando sopla el céfiro parece como si la rama agitase varitas de oro.

También tenía aquel jardín limones grandes que colgaban de las ramas como si fuesen pechos de mujeres vírgenes, bellas cual gacelas; eran muy apetitosos. ¡Qué bien dijo el poeta!:

> ¡Cuántos limones he visto en las ramas del jardín, que parecen el talle de una persona!
> Cuando el viento los curva se inclinan como pelota de oro en pala de esmeralda.

También tenía aquel jardín limones de aroma penetrante que parecían huevos de gallina; su color amarillo constituía el adorno de las cosechas y su olor placía al cosechero tal y como dijo uno de sus descriptores:

> ¿No ves el limón, que cuando se muestra, conquista la vista con su brillo?
> Parecen huevos de gallina a los que una mano haya recubierto de azafrán.

En aquel jardín había toda clase de frutos; arrayanes y plantas; flores como el jazmín, la alheña, la pimienta, espigas ambarinas, rosas de toda clase, zaragatona, mirto y toda clase de flores; aquel jardín no tenía igual y parecía un trozo del paraíso. Si entraba en él un enfermo salía de allí como un león furioso; no había lengua capaz de describirlo dados los muchos prodigios y maravillas que contenía y que sólo se encuentran en el Edén. ¿Y cómo no iba a ser así si su portero se llamaba Ridwán? Pero, entre los dos sitios hay diferencia.

Los hijos de los comerciantes recorrieron el jardín y después se sentaron debajo de uno de sus pabellones y colocaron a Nur al-Din en el centro...

Sahrazad se dio cuenta de que amanecía e interrumpió el relato para el cual le habían dado permiso.

Cuando llegó la noche *ochocientas sesenta y seis*, refirió:

—Me he enterado, ¡oh rey feliz!, de que [colocaron a Nur al-Din en el centro] encima de un tapete de cuero bordado en oro y colocado encima de un cojín relleno de plumas de avestruz, redondo, cubierto de armiño. Le ofrecieron un abanico de plumas de avestruz en que estaban escritos este par de versos:

Un abanico de olor perfumado recuerda la época
feliz
Y en cada momento lleva su aroma al rostro de
un muchacho libre y generoso.

Aquellos muchachos se quitaron los turbantes y los vestidos y se sentaron a hablar, a entretenerse y a decirse palabras amables. Todos contemplaban a Nur al-Din y examinaban su belleza y hermosura. Al cabo de un rato de estar tranquilos, apareció un criado llevando en la cabeza una mesa de comida que contenía platos de porcelana china y de cristal. Y esto porque uno de los hijos de los comerciantes lo había pedido a sus familiares antes de marcharse al jardín. La mesa contenía toda clase de animales que andan, vuelan o nadan en los mares, tales como perdices y codornices, pichones, corderos y peces finos. Colocó la mesa ante ellos, se acercaron y comieron según el apetito que tenían. Al terminar retiraron la mesa, se lavaron las manos con agua pura y jabón almizclado. Después secaron sus manos con toallas tejidas con seda y lino. A Nur al-Din le ofrecieron una toalla bordada con oro rojo. Se secó las manos. Sirvieron el café y cada uno de ellos bebió el que le apetecía. A continuación se sentaron para hablar. Entonces el jardinero se alejó para regresar con un cesto lleno de rosas. Preguntó: «¡Señores míos! ¿Qué decís de estas flores?». Uno de los muchachos replicó: «No hay inconveniente en aceptarlas; en especial las rosas no serán rechazadas». «Sí; pero tenemos por costumbre el no dar las rosas más que a cambio de una tertulia. Quien quiera cogerlas debe recitar algún verso que corresponda al momento presente.» Los hijos de los comerciantes eran diez. Uno de ellos dijo: «Dámelas y te recitaré lo que hace al caso». El jardinero le entregó un ramillete de rosas. Lo cogió y recitó estos versos:

Aprecio la rosa, pues no cansa.
Todas las flores forman un ejército del que ella
es el comandante en jefe.
Cuando se ausenta todas se enorgullecen y discuten; pero cuando vuelve, se humillan.

Entregó un ramillete de rosas al segundo; éste las cogió y recitó este par de versos:

> ¡Señor mío! Toma una rosa cuyo olor te recuerda el almizcle.
> Parece una esbelta muchacha que se ha cubierto la cabeza con sus pétalos porque la veía el amante.

Entregó un ramillete de rosas al tercero; éste las cogió y recitó este par de versos:

> ¡Preciosa rosa que alegra el corazón de quien la ve! Su olor parece el del ámbar gris.
> El talle la ha abrazado cariñosamente con sus propias hojas del mismo modo que quien presta su boca al beso.

Entregó un ramillete de rosas al cuarto; éste las cogió y recitó este par de versos:

> ¿No ves el rosal que muestra maravillas engarzadas en sus ramas?
> Parecen jacintos que cercan las esmeraldas que contienen incrustaciones de oro.

Entregó un ramillete de rosas al quinto; éste lo cogió y recitó este par de versos:

> Las soportan tallos de esmeralda cuyos frutos son lingotes de oro puro.
> La gota que cae encima de sus pétalos parece ser una lágrima vertida por los párpados.

Entregó un ramillete de rosas al sexto; éste lo cogió y recitó este par de versos:

> ¡Rosa! ¡Reunes en ti prodigiosa belleza! Dios ha depositado en ti sutiles secretos.
> Parece ser la mejilla del amado a la que, el aman-

te, en el momento de la unión, ha punteado
con un dinar.

Entregó un ramillete al séptimo; éste lo cogió y recitó este par de versos:

Dije a la rosa: «Tus espinas hieren instantánea-
mente a todo aquel que te acaricia».
Me contestó: «Todas las flores constituyen mi
ejército. Yo soy su jefe y la espina mi arma».

Entregó un ramillete de rosas al octavo; éste lo cogió y recitó este par de versos:

¡Guarde Dios la rosa amarilla fresca y resplandeciente como el oro,
Y la bella rama en la que ha florecido y que soporta pequeños soles!

Entregó un ramillete de rosas al noveno; éste lo cogió y recitó este par de versos:

Los arbustos de rosas amarillas renuevan la pasión
en el corazón del enamorado.
¡Prodigio es que el rosal, regado con agua como
la plata, dé frutos de oro!

Entregó un ramillete de rosas al décimo; éste lo cogió y recitó este par de versos:

¿No ves el ejército de las rosas que resplandece,
amarillo y rojo, en el avance?
Las rosas con sus espinas parecen flechas de esmeralda tras un escudo de oro.

Cuando les hubo distribuido las rosas, el jardinero les presentó el servicio del vino. Colocó ante ellos una jarra de porcelana con dibujos de oro rojo y recitó este par de versos:

La aurora anuncia la luz, escancia el vino viejo
que hace del cuerdo un loco.
No sé, tal es su transparencia, si está dentro de
la copa o la copa está dentro de él.

El jardinero llenó la copa, bebió y así fue girando en ruedo hasta llegar a Nur al-Din, hijo del comerciante Tach al-Din. El jardinero llenó la copa y se la entregó. El muchacho le dijo: «Sabe que ignoro lo que es eso y que no he bebido jamás, ya que el hacerlo constituye un gran pecado y está prohibido en el libro del Señor Todopoderoso». El jardinero replicó: «¡Señor mío, Nur al-Din! Si te abstienes de beberlo por el mero hecho de que es pecado, debes recordar que Dios (¡gloriado y ensalzado sea!), es generoso, clemente, indulgente y misericordioso; que perdona las mayores faltas y que su indulgencia abarca todas las cosas. ¡Él tenga piedad del poeta que dijo!:

Sé como quieras ser, pues Dios es generoso; no
hay ningún mal en que cometas pecados
Excepción hecha de dos: el asociar a Dios otros
dioses y el causar daño al prójimo».

Uno de los hijos de los comerciantes dijo: «¡Te conjuro, por mi vida, señor mío Nur al-Din, a que bebas esta copa!» Otro lo invitó jurando que repudiaría a su mujer y otro se le plantó delante. Nur al-Din se avergonzó, cogió la copa que le ofrecía el jardinero y tomó un sorbo que escupió en seguida diicendo: «¡Es amargo!» El jardinero le replicó: «¡Señor mío Nur al-Din! Si no fuese amargo no tendría estas virtudes; ¿es que no sabes que si se toma una cosa dulce, por vía de medicina, parece ser que es amarga? Este vino tiene muchas propiedades y entre ellas se cuentan: el que hace digerir bien, disipa la pena y la congoja, suprime los vientos, limpia la sangre, purifica el color, vigoriza el cuerpo, del cobarde hace un valiente y acrece el apetito sexual del hombre; ¡qué largo sería si tuviésemos que citar todas sus virtudes! Un poeta ha dicho:

Hemos bebido y el perdón de Dios nos llega por todas partes; he curado mis dolencias sorbiendo de la copa.

Sé el pecado que es y sólo me ha extraviado las palabras de Dios: "En él hay ventajas para los hombres[2]"».

En aquel mismo momento el jardinero se puso de pie, abrió una de las habitaciones del pabellón, sacó un pan de azúcar refinado, partió un buen pedazo y lo colocó en la copa de Nur al-Din. Le dijo: «¡Señor mío! Temías beber el vino por lo amargo que estaba, pero puedes beberlo ahora pues está dulce». El muchacho cogió la copa y la vació; se la llenó de nuevo uno de los hijos de los comerciantes y le dijo: «¡Señor mío Nur al-Din! Soy tu esclavo». Otro le dijo: «Y yo soy tu criado». El tercero le dijo: «Bébela en mi honor». El cuarto exclamó: «¡Te conjuro por Dios, señor Nur al-Din! ¡Bebe a mi salud!» Los restantes obraron de modo parecido con el joven y así le hicieron beber diez copas; una por cada uno de ellos. El vientre de Nur al-Din estaba virgen de vino, no lo había bebido jamás hasta entonces, razón por la cual sus vapores se le subieron a la cabeza y se emborrachó de mala manera. Se puso de pie, pero tenía la lengua pesada y apenas podía articular una palabra. Dijo: «¡Compañeros! ¡Por Dios! Sois hermosos y vuestras palabras son hermosas. Pero es necesario complacer al oído pues beber sin satisfacer a ese sentido carece de razón tal y como dijo el poeta en este par de versos:

Haz girar la copa entre grandes y pequeños y cógela de la mano de la luna resplandeciente.

No bebas sin música, pues he visto que hasta los caballos beben al son del pífano».

Entonces, se incorporó el dueño del jardín, montó en una de las mulas que pertenecían a los hijos de los comerciantes y se marchó. Regresó acompañado por una muchacha egipcia que parecía ser una áloe fresca, pura

[2] Cf. *El Corán* 2, 216.

plata o un dinar que estuviese en una vasija o una gacela en la campiña; su rostro avergonzaba al del sol de la mañana; tenía ojos encantadores y unas cejas que parecían arcos curvados; mejillas sonrosadas, dientes como perlas, labios de azúcar, ojos lánguidos, senos ebúrneos, vientre sutil con pliegues recónditos, nalgas como cojines rellenos; dos muslos que parecían columnas sirias y entre ellos había una bolsita dentro de un envoltorio de tela. Tal y como dijo el poeta en estos versos:

> Si ella se presentase a los idólatras, tomarían su rostro como Dios y prescindirían de los ídolos.
> Si ella se mostrase, en Oriente, a un monje, éste dejaría de dirigirse a Oriente para volverse hacia Occidente.
> Si escupiese en el mar, y eso que el mar es amargo, sus aguas se volverían dulces gracias a su saliva.

Otro recitó estos versos:

> Más brillante que la luna, con ojos negros, se ha mostrado como una gacela dispuesta a cazar cachorros de león.
> La noche de sus trenzas la ha levantado una casa de cabellos que no necesita pivotes para cerrarse.
> El fuego de la rosa de sus mejillas sólo se alimenta de corazones derretidos y de entrañas.
> Si la viesen las hermosas de la época se pondrían en pie y dirían: «¡La palma corresponde a la que viene!»

¡Qué bien ha dicho un poeta!:

> Tres cosas la impiden venir a visitarnos por temor del espía y el miedo del envidioso enfadado:
> La luz de su frente, el tintineo de las joyas y el perfume de ámbar que exhalan sus miembros.
> Puede tapar la frente con la manga y quitarse las joyas pero ¿cómo podrá suprimir su fragancia?

Esa muchacha era como la luna cuando aparece en la catorceava noche; llevaba puesta una túnica azul; un velo verde cubría su radiante frente, dejaba aturdido el entendimiento y perplejos a aquellos que piensan.

Sahrazad se dio cuenta de que amanecía e interrumpió el relato para el cual le habían dado permiso.

Cuando llegó la noche *ochocientas sesenta y siete*, refirió:

—Me he enterado, ¡oh rey feliz!, de que el jardinero condujo a la adolescente que hemos descrito y que era extraordinariamente bella y hermosa, de esbelta estatura y bien proporcionada. Tal y como aludió el poeta:

> Se ha presentado vestida de azul lapislázuli, color del cielo
> En esos vestidos he reconocido la luna de verano en las noches de invierno.

¡Qué bien dijo otro poeta!:

> Llegó velada y le dije: «Descubre tu rostro, luna resplandeciente y brillante».
> Replicó: «Temo deshonrarme». Le dije: «¡Habla poco! ¡Que el transcurso de los días no te asuste!»
> Levantó, de encima de sus mejillas, el velo de la hermosura y el cristal caía sobre la perla.
> De tanto como la quería me decidí a matarla con el fin de que fuese mi acreedor en el día de la resurrección.
> Y que fuésemos, el día del juicio, los primeros amantes que se querellasen ante el sumo Señor.
> Para poder decir: «¡Prolonga nuestro juicio y así seguiré gozando de la visión de la amada!»

El joven dueño del jardín dijo a la adolescente: «Sabe, señora de las bellas y de todos los astros que brillan, que te hemos traído a este lugar para que entretengas a este hermoso muchacho, nuestro señor Nur al-Din, pues jamás, hasta hoy, ha venido a nuestra casa». Le replicó: «Si me lo hubieses dicho hubiera traído todo lo que poseo».

«¡Señora mía! ¡Voy a buscártelo y regreso!» «¡Haz lo que bien te parezca!» «¡Dame una señal!» La muchacha le entregó un pañuelo. Entonces se marchó en seguida, estuvo ausente una hora y regresó con una bolsa de seda de raso verde con dos lazos de oro. La adolescente lo cogió, lo desató y la vació: salieron treinta y dos pedazos de madera; montó unos encima de otros: macho sobre hembra y hembra sobre macho; se descubrió las muñecas, los montó y construyó un magnífico laúd liso de tipo indio. Se inclinó sobre él como la madre se dobla sobre el hijo y le pulsó con las yemas de sus dedos. El laúd resonó y gimió por las antiguas moradas recordando las aguas que las habían regado, la tierra en que había germinado y crecido, los leñadores que lo habían cortado, los barnizadores que lo habían preparado, los comerciantes que lo habían exportado y los buques que lo habían transportado. Chilló, gritó y gimió como si la muchacha le hubiese preguntado todo eso y él contestase, de acuerdo con las circunstancias, recitando los siguientes versos:

Era un tronco que servía de refugio a los ruiseñores; tenía afición por ellos y mi rama era verde.
Cantaban en mi copa y yo comprendía sus trinos, pero éstos fueron causa de que mi secreto fuese conocido.
Sin culpa alguna por mi parte, el leñador me derribó al suelo y me transformó como me ves, en un madero delgado.
Por las pulsaciones que yo soporto dicen que soy una víctima paciente entre las criaturas.
Por esto todo comensal que oye mi canto se embelesa y embriaga.
El Señor ha hecho que sus corazones tengan compasión de mí y, por encima de todos los pechos, paso yo.
Las más hermosas abrazan mi talle y lo mismo hace la gacela flexible con mirada de hurí.
¡Que Dios no separe de nosotros a los enamorados! ¡Que no exista ningún amado que se separe y se aleje!

La adolescente calló un momento. Después apoyó el laúd contra su seno como la madre que se reclina sobre su hijo y tocó una serie de tonadas para volver a recoger la primera y cantar estos versos:

> Si ellos volviesen hacia el enamorado o le visitasen, pronto quedaría libre de sus graves preocupaciones.
> ¡Cuántos ruiseñores cantan sobre las ramas como si fuesen enamorados que están lejos de la morada!
> ¡Levántate! ¡Despierta! Las noches de la unión están iluminadas por la luna; parece que sean auroras por la alegría que dan.
> Hoy no se fijan en nosotros los envidiosos y las cuerdas nos invitan al placer.
> ¿No ves las cuatro delicias que hoy se han reunido? ¿El mirto y la rosa; el alelí y la anémona?
> Hoy se han juntado cuatro cosas bajo la mirada: el amante, el amigo, la bebida y el dinar.
> Disfruta, según tu destino, en este mundo pues sus dulzuras son perecederas y sólo quedan tradiciones y relatos.

Nur al-Din al oír estos versos de la adolescente la miró con ojos de amante y de tanta pasión como sentía apenas pudo contenerse. La muchacha se encontraba en idénticas circunstancias, pues después de haber examinado a todos los hijos de los comerciantes allí reunidos y a Nur al-Din, había visto que éste era como una luna entre las estrellas; que tenía dulces palabras, coqueto, de esbelto talle, resplandeciente, hermoso, más ligero que el céfiro, más suave que el Tasnim[3]. Tal y como se dice en estos versos:

> Juro por sus mejillas, por el nombre de su boca por las flechas que dispara con sus gracias.
> Por la delicadeza de su cuello, por los dardos

[3] Cf. *El Corán* 83, 27.

de su mirada, por la nitidez de su frente, por lo negro de sus cabellos.
Por los escorpiones que avanzan por sus aladares y que se apresuran a matar al amado con su desvío.
Por la rosa de sus mejillas y el mirto de su bozo, por el coral de su sonrisa y las perlas de su boca.
Por la rama esbelta de su cintura adornada con frutos de granada que adornan el pecho.
Por sus nalgas tiernas cuando se mueve o está en reposo, por lo estrecho de su talle,
Por la seda que viste, por su propia ligereza, por toda la belleza que contiene su ser.
Juro por el aroma de almizcle que exhala su aliento y la brisa que lo difunde por doquier.
El sol resplandeciente vale menos que ella y la luna en creciente es sólo un recorte de su uña.

Sahrazad se dio cuenta de que amanecía e interrumpió el relato para el cual le habían dado permiso.

Cuando llegó la noche *ochocientas sesenta y ocho*, refirió:

—Me he enterado, ¡oh rey feliz!, de que Nur al-Din, al oír las palabras y los versos de esa adolescente, quedó admirado de lo hermosos que eran. La embriaguez le venció y empezó a alabarla diciendo:

La tocadora de laúd se inclinó hacia nosotros, dada la embriaguez del vino.
Las cuerdas dijeron: «¡Dios nos ha concedido el don de la palabra!»

Apenas acabó Nur al-Din de pronunciar estas palabras y de recitar esta composición, la adolescente clavó en él una mirada amorosa que aumentó el amor y la pasión que el joven sentía. La muchacha estaba admirada de la belleza, hermosura, esbeltez de talle y bellas proporciones de Nur al-Din. No pudiéndose contener se abrazó por segunda vez al laúd y recitó estos versos:

Me censuran porque le miro, pero él me rehuye
a pesar de que mi alma está en sus manos.
Me aleja cuando sabe que está en mi corazón:
parece como si Dios se lo hubiese revelado.
He dibujado su imagen en la palma de mi mano
y he dicho a mis ojos: «¡Llorad encima!»
Mis ojos jamás vieron uno igual y mi corazón,
a su lado, no sabe tener paciencia.
¡Corazón! Te arrancaré de mi pecho, pues tú
eres uno de quienes me lo envidian.
Si digo: «¡Corazón! ¡Ten paciencia!», mi corazón
sigue inclinándose por él.

Cuando la joven terminó de recitar estos versos, Nur al-Din estaba impresionado por la hermosura de la composición, la elocuencia de sus palabras, la elegancia de su dicción y la facundia de su lengua. La pasión, desvarío y amor le hicieron perder la razón; fue incapaz de esperar ni un instante, se inclinó hacia ella y la estrechó contra su pecho. La joven se pegó a él y se le entregó por completo besándole entre los ojos; él la besó en la boca y, después de estrecharla por la cintura, empezó a jugar con ella, besándola, como si fuesen un par de palomos que se dan el pico; la muchacha le correspondía del mismo modo. Los allí reunidos, sintiéndose incómodos, se pusieron de pie. Nur al-Din se avergonzó y retiró de ella las manos. La muchacha, entonces, tomó el laúd, tocó numerosas melodías y, volviendo a la primera, recitó estos versos:

Es una luna que, cuando se inclina, desenvaina
de sus párpados la afilada espada y cuando mira
toma a burla la gacela.
Es un rey cuyos prodigiosos encantos le sirven de
ejército y que en el momento del combate utiliza
su estatura como lanza.
Si la extenuación del talle estuviera en su corazón
no sería dura ni cruel con quien ama.
¡Cuán duro es su corazón y cuán delicado es su
talle! ¿Por qué no será al revés?
¡Oh tú que censuras el amor en que la tengo!

Quédate con su belleza eterna; yo me contento
con la perecedera.

Cuando Nur al-Din hubo oído sus dulces palabras y lo exquisito de su música, quedó maravillado y se prendó de ella. No pudiendo contenerse recitó estos versos:

La he retenido hasta estar alto el sol de la mañana; el amor que irradia me abrasa el corazón.
¿Qué la impide saludarme con un gesto, con la extremidad de los dedos o guiñando los ojos?
El calumniador vio su rostro y perplejo ante los encantos que irradiaba su belleza dijo:
«¿Es ésta la que amas perdidamente de pasión? Tienes disculpa». Repliqué: «Ésa es:
Me asaeteó intencionadamente con una mirada y no se ha apiadado de mi situación, ni de mi abatimiento ni de mi malestar ni de mi enajenación.
Con el corazón arrobado, apasionado, gimo y lloro a todo lo largo del día y de la noche».

Cuando Nur al-Din hubo terminado de recitar estos versos la adolescente quedó boquiabierta de su elocuencia y de la delicadeza de sus palabras. Tomó el laúd, tocó diversos movimientos y volviendo a la primera melodía recitó estos versos:

¡Por tu cara, vida de las almas! No me alejaré de ti tenga que desesperar o no.
Si tú me eres cruel, tu imagen acude ante mí; si te pierdo de vista, tu recuerdo es mi compañero.
¡Oh, tú que has alterado mi mirada! Sabes que nunca, fuera de tu amor, me he sentido feliz.
Tus mejillas son rosas, tu saliva es vino ¿por qué no me las has ofrecido en esta reunión?

Nur al-Din quedó impresionado del modo emocionante con que recitaba la muchacha. Quedó estupefacto y le contestó con estos versos:

Desveló su rostro cual sol en medio de la noche para eclipsar a la luna llena que estaba en el horizonte
Mostró, ante los ojos de la aurora, su trenza, para preservar la raya con la penumbra[4].
Recoge el fluir de mis lágrimas engarzadas cual cadenas y haz que te cuenten la historia de amor del modo más breve.
Cuántas veces he dicho a una lanzadora de dardos: «Ve con cuidado con tus dardos, pues mi corazón está partido.
Si mis lágrimas son como la corriente del Nilo, tu amor tiene relación con la tierra de Malaq».
Contestó: «¡Trae todas tus cosas!» Repliqué: «¡Cógelas!» Dijo: «Y también el sueño». Repliqué: «Cógelo de mis pupilas».

El corazón de la adolescente, al oír las dulces palabras de Nur al-Din y su estupenda elocuencia, empezó a palpitar y quedó conmovido; el amor ocupó las entretelas de su corazón y le estrechó contra su pecho y empezó a besarle del mismo modo como el palomo da el pico a la paloma; el muchacho también la besaba, pero el mérito corresponde al que empieza. Cuando hubieron terminado de besarse, la joven cogió el laúd y recitó estos versos:

¡Ay de él y ay de mí por los reproches de quien me censura! ¿Me quejaré a él o le expondré mi nerviosidad?
¡Oh, tú, que me rehúyes! No pensé que llegara a merecer tu desprecio, amándote, mientras tú me perteneces.
He tratado injustamente a los amantes apasionados y por ti he ofrecido mi humillación a quien te censuraba.
Ayer criticaba a los que amaban y hoy encuentro disculpa para todo amante apasionado.
Si tu separación me ha causado pena, invoco a Dios con tu nombre, ¡oh, Alí!

[4] Alude, probablemente, a la azora 113 de *El Corán.*

Una vez hubo terminado de recitar estos versos la adolescente recitó este par:

> Los enamorados dicen: «Si no nos escancia su saliva o el vino de su boca
> Rogamos al Señor de los mundos que nos escuche y todos diremos: "¡Oh, Alí!"».

Nur al-Din, al oír estas palabras, verso y poesía de la adolescente, quedó admirado de su elocuencia y le dio las gracias por su seductora gentileza. La joven, al oír los elogios que le hacía Nur al-Din, se puso en seguida de pie, se quitó todos los vestidos y pulseras que llevaba puestos; se lo arrancó, se sentó sobre sus rodillas y le besó entre los ojos y en las lunares de sus mejillas; le hizo ofrenda de todo aquello...

Sahrazad se dio cuenta de que amanecía e interrumpió el relato para el cual le habían dado permiso.

Cuando llegó la noche *ochocientas sesenta y nueve*, refirió:

—Me he enterado, ¡oh rey feliz!, de que [la joven le hizo ofrenda de todo aquello] que tenía y le dijo: «Sabe, amigo de mi corazón, que el regalo es siempre proporcionado a quien lo hace». Nur al-Din lo aceptó y después se lo devolvió; la besó en la boca, en las mejillas y en los ojos. Cuando todo se hubo terminado —y no hay nada que dure si no es el Viviente, el Subsistente, el que conserva la vida al pavo y al búho— Nur al-Din se retiró de la reunión; se puso en pie. La adolescente le dijo: «¿Adónde vas, señor?» «A casa de mi padre.» Los hijos de los comerciantes le rogaron que pasase la noche allí, pero él se negó, montó en la mula, y anduvo sin parar hasta llegar a casa de su padre. Su madre le salió a recibir y le dijo: «¡Hijo mío! ¿Cuál es la causa de que hayas estado ausente hasta ahora? ¡Por Dios! Tu ausencia nos ha hecho estar intranquilos a mí y a tu padre. Estábamos preocupados». La madre se acercó para besarle en la boca y percibió el olor del vino. Le dijo: «¿Después de haber rezado y hecho tus devociones te pones a beber vino y a desobedecer a Quien es dueño de todas las criaturas y del destino?» Mientras hablaban llegó el padre. Nur al-Din se estiró en la cama y se durmió. Aquél preguntó: «¿Qué le ocurre al chico para estar así?» La madre contestó: «Parece ser que el aire del jardín le ha causado dolor de cabeza». El padre se acercó para preguntarle qué le dolía y saludarlo. Percibió el olor del vino. Ese comerciante, llamado Tach al-Din, no era partidario de beber vino. Le increpó: «¡Ay de ti, hijo mío! ¿Es que tu necedad llega hasta el extremo de beber vino?» El muchacho, borracho, al oír estas palabras levantó la mano y lo abofeteó. El destino tenía dispuesto que dicha bofetada cayese sobre el ojo derecho del padre, el cual se desprendió de su sitio y resbaló por la mejilla. El padre cayó desmayado al suelo y permaneció así un rato. Lo rociaron con agua de rosas y cuando volvió en sí quiso dar una paliza al muchacho.

La madre lo impidió y el padre juró que repudiaría a su mujer si al día siguiente no hacía cortar la mano diestra del muchacho. El pecho de la madre quedó oprimido al oír las palabras de su marido y temió que ocurriese algo a su hijo. Procuró calmar y tranquilizar al padre hasta que el sueño le venció. La mujer esperó a que saliese la luna y fue en busca de su hijo cuya borrachera había ya desaparecido. Le dijo: «¡Nur al-Din! ¿Qué es esa fea acción que has realizado con tu padre?» «¿Qué es lo que he hecho a mi padre?» «¡Le has dado una bofetada en el ojo derecho y éste ha resbalado por su mejilla! Ha jurado, por el repudio, que mañana te ha de hacer cortar la mano derecha.» Nur al-Din se arrepintió de lo hecho cuando ya de nada le servía el arrepentimiento. La madre siguió: «¡Hijo mío! Este arrepentimiento no te sirve de nada. Necesitas levantarte ahora mismo y huir en busca de tu salvación; sal y escóndete hasta llegar junto a uno de tus compañeros y espera a que Dios decida. Él hace que una situación suceda a otra». Su madre abrió el cofre en que estaba el dinero y sacó una bolsa que contenía cien dinares. Le dijo: «¡Hijo mío! Toma estos dinares y atiende con ellos tus necesidades. Cuando se te terminen haz que me informen para que te pueda enviar más. Cuando me los hagas pedir aprovecha para darme, confidencialmente, noticias tuyas. Tal vez Dios te conceda alguna escapatoria y regreses a tu casa». La madre se despidió de él llorando del modo más amargo. Nur al-Din cogió la bolsa con los dinares que le daba su madre y se dispuso a salir. En aquel momento vio una bolsa muy grande que su madre había olvidado al lado del cofre y que contenía mil dinares. El joven la cogió. Se ató las dos bolsas a la cintura y salió a la calle dirigiéndose, antes de que apareciese la aurora, hacia Bulaq. Al amanecer, a la hora en que se levantan todas las criaturas proclamando la unidad del Rey todopodoreso saliendo cada uno de su casa para ir a obtener lo que Dios le concede, llegó a Bulaq. Empezó a pasear por la orilla del río y descubrió un buque con la escala en tierra; por ella subía y bajaba la gente; sus cuatro anclas estaban clavadas en tierra y los marinos estaban prestos. Nur al-Din les preguntó: «¿Adónde vais?» Contestaron: «A la ciudad de Alejandría». «¡Llevadme con vosotros!» «¡De buen grado! ¡Sé el bien venido, hermoso joven!» Nur al-Din corrió inmediatamente al mercado, compró los víveres que necesitaba, una colchoneta y una sábana y regresó al barco cuando éste estaba aparejado. El muchacho subió a bordo y tuvo que esperar poco, pues se puso en seguida en movimiento. El buque navegó sin cesar hasta llegar a la ciudad de Rasid. Al llegar a ésta, Nur al-Din descubrió una barquichuela que se dirigía a Alejandría. Embarcó en ella, atravesó el canal y navegó sin parar hasta llegar a un puente que se llamaba Bab Sidra y Dios le hizo pasar inadvertido de tal modo que ninguno de los que estaban en ella se dio cuenta de él. Nur al-Din siguió andando hasta llegar a Alejandría.

Sahrazad se dio cuenta de que amanecía e interrumpió el relato para el cual le habían dado permiso.

Cuando llegó la noche *ochocientas setenta*, refirió:

—Me he enterado, ¡oh rey feliz!, de que vio que ésta era una ciudad de sólidas murallas, de hermosos paseos, que complacía a sus habitantes e invitaba a tomarla por morada; el invierno con sus fríos se había ido y había llegado la primavera con sus rosas: las flores habían abierto sus capullos, los árboles se habían cubierto de hojas, los frutos estaban maduros y los arroyuelos corrían a borbotones. Era una ciudad bien trazada y construida y sus habitantes eran los mejores soldados. Cuando se cerraban las puertas sus moradores quedaban bien protegidos. Era tal y como se dice en estos versos:

Un día dije a un amigo de elocuente palabra: «¡Describe a Alejandría!» Replicó: «Es una hermosa frontera».
Pregunté: «¿Y en ella se puede vivir?» Replicó: «Si sopla el viento».

Un poeta ha dicho:

Alejandría es una ciudad fronteriza de dulce saliva.
¡Qué hermoso sería reunirse en ella con el amado si no existiese el cuervo de la separación!

Nur al-Din recorrió la ciudad y no cesó de andar hasta haber visitado el zoco de los carpinteros, el de los cambistas, el de los vendedores de fruta seca, el de los fruteros y el de los drogueros. Estaba admirado de dicha ciudad, ya que su descripción estaba de acuerdo con su nombre. Mientras recorría el zoco de los drogueros tropezó con un hombre muy anciano que salía de su tienda. Lo saludó, lo cogió de la mano y le condujo a su domicilio. Nur al-Din vio un hermoso callejón barrido y regado, en el que soplaba fresca la brisa y al que daban sombra las hojas de un árbol. En dicho azucaque había tres casas y en el fondo se encontraba otra cuyos fundamentos se sumergían en el agua y cuyos muros se elevaban a la cúpula de los cielos; habían barrido y regado la plaza que estaba delante; quien iba a ella percibía el aroma de las flores y era acariciado por el céfiro tal y como si estuviese en el paraíso terrenal. El principio del callejón estaba barrido y regado y el fin con pavimento de mármol. El anciano entró en aquella casa con Nur al-Din y le ofreció algo de comer. Comieron juntos. Una vez hubieron terminado el anciano le preguntó: «¿Cuándo has llegado desde el Cairo a esta ciudad?» «Esta noche, padre.» «¿Y cómo te llamas?» «Alí Nur al-Din.» «¡Hijo mío, Nur al-Din! Me forzarás a pronunciar el triple repudio si tú, mientras permaneces en esta ciudad, te separas de mí. Yo te arreglaré un lugar en el que puedas vivir.» Nur al-Din replicó: «¡Señor mío! ¡Anciano! ¡Explícame parte de tu historia!» El viejo refirió: «¡Hijo mío! Un año fui al Cairo con mercancías; las vendí y compré otras, pero me hicieron falta cien dinares y tu padre Tach al-Din me los dio sin necesidad de escritura a pesar de no conocerme y esperó hasta que yo hube regresado a esta ciudad desde donde despaché a un paje para que se los devolviera y le entregara un regalo. Cuando yo te conocí tú eras pequeño. Si Dios (¡ensalzado sea!) lo quiere, te pagaré parte del favor que me hizo tu padre».

Nur al-Din al oír estas palabras se llenó de alegría, sonrió y sacando la bolsa en que tenía los mil dinares se la entregó al viejo y le dijo: «Guárdame esto en depósito hasta que haya comprado algunas mercancías para comerciar». Nur al-Din permaneció unos días en la ciudad de Alejandría; cada día recorría sus callejas, comía, bebía, se divertía y disfrutaba. Así concluyó los cien dinares que tenía para sus gastos. Entonces fue a visitar al viejo droguero para recoger una parte de los mil dinares y gastarla. Pero no lo encontró en la tienda. Se sentó a esperar a que regresara y se entretuvo en contemplar a los comerciantes y mirar a derecha e izquierda. Mientras estaba allí, entró un persa en el mercado; montaba en una mula y a su grupa iba una esclava que parecía ser o plata purísima o peces del Nilo o una gacela de la estepa; su rostro avergonzaba al sol resplandeciente, ojos embelesadores, senos de marfil, dientes cual perlas, vientre delgado, costados redondeados, muslos como cola de carnero; su belleza era perfecta, el talle esbelto y bien proporcionado. Tal y como dijo de ella uno de sus descriptores:

Ella es como tú puedes desearlo: ha sido creada
del modo más hermoso: ni alta ni baja.
Ante sus mejillas la rosa se sonroja de vergüenza
y la de su talle muestra los frutos.
La luna es su cara; el almizcle, su aliento; la rama,
su cuerpo; ningún ser humano la iguala.

Parece como si ella hubiese sido moldeada en agua de perlas; la belleza de cada uno de sus miembros asemeja la luna.

El persa se apeó de la mula e hizo desmontar a la adolescente. Llamó al corredor y éste corrió a su lado. Le dijo: «Toma esta muchacha y ofrécela por el mercado». El corredor la cogió, la condujo al centro del mercado, estuvo un momento ausente y regresó con una silla de ébano con incrustaciones de marfil blanco. Colocó la silla en el suelo e hizo sentar en ella a la adolescente. Después le quitó el velo de la cara y debajo apareció un rostro que parecía ser un escudo daylamí o un lucero resplandeciente. Parecía la luna cuando se muestra en la noche decimocuarta con todo su brillo deslumbrante. Tal como dijo el poeta:

La luna, estúpidamente, quiso competir con su bella figura, pero quedó eclipsada y se fue furiosa.

Si el tronco de sauce osa compararse con su esbeltez ¡perezcan las manos de quien acarree su leña![5]

¡Qué hermoso es lo que dijo el poeta!:

Di a la hermosa de velo dorado: «¿Qué has hecho de un asceta consagrado a Dios?

La luz de tu velo debajo del cual brilla la de tu rostro ha puesto en fuga, con su resplandor los ejércitos de las tinieblas».

Si mis ojos consiguen lanzar una mirada furtiva a su mejilla, allí tropieza con unos guardianes que la asaetean con un lucero.

El corredor gritó entonces a los comerciantes: «¡Cuánto dais por una perla del buceador, por una presa del cazador!» Un comerciante gritó: «¡Cien dinares!» Otro: «¡Doscientos!» El tercero: «¡Trescientos!» De este modo

[5] Cf. *El Corán,* azora 111.

los comerciantes fueron pujando por aquella esclava hasta llegar a los novecientos cincuenta dinares. Aquí se detuvo la puja en espera del contrato de compraventa.

Sahrazad se dio cuenta de que amanecía e interrumpió el relato para el cual le habían dado permiso.

Cuando llegó la noche *ochocientas setenta y una*, refirió:

—Me he enterado, ¡oh rey feliz!, de que entonces el corredor se acercó al persa, su dueño, y le dijo: «Tu esclava ha subido hasta novecientos cincuenta dinares ¿la cedes y tomas el precio?» El persa preguntó: «¿Ella está conforme? Quiero tratarla con miramientos, ya que cuando me puse enfermo en el curso del viaje, esta esclava me trató de modo excelente y yo juré que sólo la vendería a quien ella quisiera y deseara. He confiado la venta a sus manos. Pídele consejo y si ella está conforme, véndela a quien ella desea. Si dice que no, no la vendas». El corredor se dirigió a su lado y le dijo: «¡Señora de las hermosas! Sabe que tu dueño te ha confiado a ti misma la venta. Tu precio ha subido hasta novecientos cincuenta dinares. ¿Permites que realice tu venta?» La esclava dijo al vendedor: «Muéstrame quién quiere comprarme antes de hacer la venta en firme». El corredor le llevó un comerciante: era un anciano decrépito. La muchacha le examinó durante una hora y después se volvió al corredor y le dijo: «¡Corredor! ¿Es que estás loco o tienes mal la cabeza?» «¿Por qué me dices tales palabras, señora de las hermosas?» «¿Es que Dios te permite vender a un ser como yo a ese viejo decrépito que ha dicho de su mujer estos versos:

> Me dijo estando enfadada en su orgullo de mujer, pues me había incitado a algo que no tuvo lugar:
> "Si no haces conmigo lo que el hombre debe a su mujer no me censures si te transformas en un cornudo.
> Tu miembro tiene la maleabilidad de la cera: cuanto más lo froto, más tierno está".

»Y refiriéndose al miembro dijo:

"Tengo un miembro que duerme en la ignominia
y en la deshonra.
Al amanecer, cuando me encuentro solo en casa,
quiere alancear y combatir".

»Refiriéndose también al miembro dijo:

"Tengo un miembro pésimo, y muy cruel, que
trata mal a quien le honra.
Si duermo se incorpora y si me incorporo se duerme. ¡Que Dios no tenga piedad de quien le
tiene misericordia!"»

El anciano comerciante al oír la dura sátira de la adolescente se enfadó enormemente, hasta un límite extremo, y dijo al corredor: «¡Oh, corredor de infame agüero! Te has presentado ante nosotros, en el zoco, con una esclava vituperable que se propasa conmigo y me expone a la burla de los comerciantes». El corredor cogió a la muchacha y se separó del anciano. Le dijo: «¡Señora mía! No tengas tan poca educación. El anciano al que has ofendido es el síndico y el almotacén del mercado y el mejor consejero de los comerciantes». La joven rompió a reír y recitó este par de versos:

Es propio de los gobernantes de nuestros días y eso
es lo que se debe a la autoridad:
Ahorcar al gobernador en su puesto y apalear al
almotacén con el alguacil.

A continuación la muchacha dijo al corredor: «¡Por Dios Señor mío! No quiero ser vendida a ese viejo, véndeme a otro ya que éste, avergonzado de mí, me vendería a otro y pasaría a ser una criada y no es propio de mí que yo me humille sirviendo. Sé que el asunto de mi venta está en mi mano». «¡Oír es obedecer!», replicó el corredor. La condujo hacia un comerciante muy importante. Al llegar con ella ante aquel hombre preguntó: «¡Señora mía! ¿Te venderé a éste, mi señor Saraf al-Din, por novecientos cincuenta dinares?» La joven le observó y vio que era viejo a pesar de que tenía la barba teñida.

Le contestó: «¿Estás loco o mal de la cabeza para querer venderme a este viejo decrépito? ¿O es que yo estoy hecha para que vaya paseándome de anciano en anciano? Ambos son como un muro que está a punto de caer o como un demonio caído de un lucero. Del primero dicen las circunstancias, estos versos:

> La he pedido un beso en los labios. Contestó: "¡No! ¡Por Aquel que creó las cosas de la nada!"
> No necesito aliarme con la blancura de las canas ¿es que en plena vida el algodón ha de ser el relleno de mi boca?

»¡Qué hermosos son los versos del poeta!:

> Han dicho: "La blanca canicie difunde una luz resplandeciente que reviste el rostro de respeto y luz.
> Pero hasta que no aparezca la línea de canas junto a mi raya desearé no verme privada de las tinieblas.
> Aunque la barba de un hombre encanecida constituye la página de sus buenas acciones, el día del juicio él preferirá no tenerla blanca".

»¡Qué hermoso es lo que dijo otro poeta!:

> Un huésped sin vergüenza se ha instalado en mi cabeza; la espada haría, en las trenzas, una obra mejor que él.
> ¡Idos lejos, canas sin blancura! Ante mis ojos sois más negras que las tinieblas.

»En cuanto al otro tiene defectos y faltas y se ha ennegrecido las canas de la peor manera posible. A él hacen referencia este par de versos:

> Ella me ha dicho: "Veo que te has teñido las canas". Le contesté: "¡Oído mío! ¡Vista mía! Te las he escondido".

Ella se carcajeó y dijo: "¡Es maravilloso! ¡Tu falsedad ha crecido hasta alcanzar los cabellos!"

»¡Qué bien dijo el poeta!:

»¡Oh, tú, que te tiñes de negro las canas con el fin de retener y preservar la juventud!
¡Ah! ¡Tíñete una vez con el negro de mi suerte! Te garantizo que ésta no destiñe».

El anciano que tenía la barba teñida, al oír estas palabras de la joven, se enfadó terriblemente e increpó al corredor: «¡Oh, el más infausto de los corredores! Hoy nos has traído al mercado una adolescente necia que injuria a todos los que están en el zoco uno después de otro, que los satiriza con versos y con malas palabras». Este comerciante salió de su tienda y se marchó enfadado. Dijo: «¡Por Dios! Jamás en mi vida he visto una muchacha que tenga menos vergüenza que tú. Hoy me has hecho perder mis ingresos y los tuyos y has hecho que, por tu causa, todos los comerciantes se hayan enfadado conmigo». Un comerciante lo vio por el camino y pujó la oferta en diez dinares. Dicho comerciante se llamaba Sihab al-Din. El corredor pidió permiso a la muchacha para venderla. Le contestó: «Muéstramelo para que pueda verle y pedirle una cosa. Si la tiene en su casa seré vendida a él; de lo contrario no». El corredor la dejó allí, se acercó al comerciante y le dijo: «Señor mío Sihab al-Din: sabe que esa joven me ha dicho que te pedirá una cosa; que si la tienes se venderá a ti. Pero tú has oído lo que ha dicho a tus compañeros, los comerciantes...

Sahrazad se dio cuenta de que amanecía e interrumpió el relato para el cual le habían dado permiso.

Cuando llegó la noche *cchocientas setenta y dos,* refirió:

—Me he enterado, ¡oh rey feliz!, de que [el corredor prosiguió:] »...por eso, yo, por Dios, no me atrevo a presentártela pues hará contigo lo mismo que ha hecho con tus vecinos y yo me cubriré de vergüenza ante ti. Sólo si tú me concedes permiso para presentártela te la traeré». El otro le contestó: «Tráemela». «¡Oír es obedecer!», replicó el corredor. Le llevó la joven. Ésta lo miró y dijo: «¡Señor mío Sihab al-Din! ¿Tienes en tu casa cojines rellenos con retales de piel de armiño?» «¡Sí, señora de las hermosas! En casa tengo diez cojines rellenos con retales de piel de armiño, pero te conjuro, por Dios, a que me digas qué harás con ellos». «Esperar a que te quedes dormido y colocarlos encima de tu boca y de tu nariz para que te mueras.» A continuación la joven se volvió hacia el corredor y le dijo: «¡Oh, el más vil de los corredores! ¡Parece que estás loco! Hace un rato me presentaste a dos viejos cada uno de los cuales tenía dos defectos, pero ahora me presentas ante mi señor Sihab al-Din que tiene tres: El primero: que es bajo; el segundo: que tiene la nariz grande; el tercero: que tiene la barba larga. De él ha dicho un poeta:

»No hemos visto ni hemos oído decir que haya una criatura como ésta entre todas las criaturas.
Tiene una barba larga, de un codo, una nariz de un palmo y sólo tiene un dedo de estatura.

»Otro ha dicho:

»El alminar de la mezquita está en su casa y se yergue delgado como el meñique dentro del anillo.
Si el universo entrase por su nariz, el mundo se quedaría sin pobladores».

El mecader Sihab al-Din, al oír a la joven estas palabras, salió de la tienda, agarró por el cuello al corredor y le dijo: «¡Oh, el más infausto de los corredores! ¿Cómo nos presentas una esclava que se burla de nosotros y nos satiriza a uno en pos de otro en sus versos y sus vanas palabras?» El corredor cogió a la muchacha y se fue de su lado. Le dijo: «¡Por Dios! ¡He pasado todo lo largo de mi vida en esta profesión y jamás he visto una esclava menos educada que tú ni estrella más nefasta para mí que la tuya! Me has quitado mi sustento del día de hoy y sólo me has dado a ganar un pescozón en la nuca y un apretujón de cuello». Se plantó con la esclava ante un comerciante que tenía esclavos y pajes y le preguntó: «¿Quieres ser vendida a este comerciante, mi señor Ala al-Din?» La muchacha le miró y se dio cuenta de que era jorobado. Le contestó: «Éste es jorobado. El poeta ha dicho:

»Sus hombros se han encogido y sus vértebras alargado, se parece a un demonio que haya tropezado con una estrella.
Como si él hubiese gustado la primera vez y sentido la segunda transformándose en un jorobado.

»Un poeta dijo también:

»Cuando vuestro jorobado monta en una mula, los hombres le señalan
¿Es que no hace reír? No os admiréis si la mula se asusta debajo de él.

»O como dijo un poeta:

»¡Cuántos jorobados tienen otros defectos a más de su fea joroba que todos los ojos rehúyen!
Parece que sea una rama encogida y seca que se haya doblado bajo el peso de las toronjas.»

Entonces el corredor se precipitó sobre ella, la cogió y la llevó ante otro corredor. Le preguntó: «¿Te venderás a éste?» Le miró y vio que era legañoso. Replicó: «Éste es legañoso ¿cómo me vas a vender a él, del cual ha dicho un poeta:

»Al hombre cuyo ojo supura la enfermedad le aniquila la fuerza.
¡Gentes! Poneos en pie y mirad estos polvos que tiene en el ojo».

El corredor la cogió y la llevó a otro comerciante. Le preguntó: «¿Te venderás a éste?» Lo miró y vio que tenía una barba frondosa. Contestó: «¡Ay de ti! ¡Este hombre es un carnero cuya cola le ha crecido en el mentón! ¿Cómo has de venderme a él, oh, el más infausto de los corredores? ¿Es que no sabes que todo hombre de larga barba tiene poco entendimiento y que cuanto más larga sea la barba menos razón hay? Esto es bien sabido de las gentes inteligentes; como dijo un poeta:

»Jamás la luenga barba de un hombre ha hecho crecer su prestigio
Lo que pierde en entendimiento, que era largo, lo gana su barba.

»O como dijo también un poeta:

Tenemos un amigo cuya barba Dios alarga sin ninguna utilidad.
Parece que fuese una noche de invierno larga, oscura y fría».

El corredor la cogió y se la llevó. La joven le preguntó: «¿Dónde vas?» «En busca de tu señor, el persa. Lo que hoy, por tu causa, nos ha sucedido, basta: tu escasa educación ha impedido que él y yo nos ganásemos hoy el sustento.» La joven miró el mercado; se volvió a derecha e izquierda, hacia atrás y hacia delante y, porque así estaba decretado, su mirada cayó sobre Nur al-Din al-Misrí. Se dio cuenta de que éste era un hermoso muchacho, imberbe, esbelto, que tenía catorce años, prodigiosa hermosura, belleza, maneras elegantes; parecía la luna llena cuando se muestra en la noche decimocuarta: frente brillante, mejillas sonrojadas, cuello cual mármol, dientes como perlas y una saliva más dulce que el azúcar. Tal y como dijo uno de sus descriptores:

Se mostró para competir, con su belleza, con la luna y las gacelas. Le dijo: «¡Quédate!
Vosotras, gacelas, guardaos de competir con ella y vosotras, lunas, no os preocupéis».

¡Qué bello es el decir de un poeta!:

Esbelta de talle, por su cabello y su frente los seres humanos se encuentran en las tinieblas y en la luz.
No despreciéis el lunar que tiene en su mejilla: Todas las anémonas tienen un punto negro.

Apenas la joven vio a Nur al-Din, éste le hizo perder la razón, su entendimiento quedó profundamente impresionado y su corazón quedó prendado de su hermosura.

Sahrazad se dio cuenta de que amanecía e interrumpió el relato para el cual le habían dado permiso.

Cuando llegó la noche *ochocientas setenta y tres,* refirió:

—Me he enterado, ¡oh rey feliz!, de que se volvió hacia el corredor y le preguntó: «Ese joven comerciante que está sentado entre los demás, que se tapa con una túnica de trapo, ¿no ha pujado nada en mi precio?» «¡Señora de las hermosas! Éste es un joven extranjero, cairota, cuyo padre es uno de los más importantes comerciantes de El Cairo y está por encima de todos sus mercaderes y magnates. El muchacho hace poco que vive en esta ciudad; reside en el domicilio de un hombre que es amigo de su padre. Pero en lo que a ti se refiere ni ha pujado ni ha regateado.»

La muchacha, al oír las palabras del corredor, se quitó del dedo un valioso anillo que tenía un jacinto y dijo al corredor: «¡Condúceme junto a ese hermoso joven: si me compra, este anillo es para ti como recompensa por tu trabajo de hoy!» El corredor se alegró y la condujo hacia Nur al-Din. Cuando se encontró al lado de éste le contempló y le vio como si fuese una luna llena, ya que su belleza era prodigiosa, esbelto y bien proporcionado. Como dijo uno de sus descriptores:

El agua de la belleza purifica su rostro y sus miradas lanzan venablos.
Si castiga al amante con la amargura de la separación, éste se sofoca. Yo deseo la unión.
Su frente límpida, su persona y mi amor consti-

tuyen el colmo de la perfección entre las perfecciones.
Sus hermosos vestidos se abrochan sobre un cuello arqueado como la luna en creciente.
Su pupila, su trenza y mi estado constituyen la noche más negra entre las noches.
Sus cejas, su rostro y mi cuerpo constituyen un creciente en un creciente de un creciente.
Sus mejillas han servido en ruedo un vaso de vino entre los enamorados que amarga mi dulce.
Ha calmado mi ardiente sed con el agua pura de la sonrisa de su boca en el día de la unión.
Mis bienes, mi sangre y mi honor le pertenecen en la más lícita de las licitudes.

La joven, a continuación, miró a Nur al-Din y le dijo: «¡Señor mío! Te pregunto, por Dios: ¿soy hermosa?» «¡Señora de las hermosas! ¿Hay en el mundo otra más bella que tú?» «¿Y cómo has estado callado, sin pronunciar palabra ni pujar tan siquiera un dinar en mi precio mientras todos los comerciantes intervenían en la subasta? Parecía, señor mío, que no te gustaba.» «Señora mía, si hubiese estado en mi ciudad te hubiese comprado con todas mis riquezas.» «¡Señor mío! No te voy a decir que me compres contra tu voluntad, pero si hubieses pujado en algo mi precio me hubieses complacido, aunque luego no me hubieses comprado, pues así hubiesen dicho los comerciantes: "Si esta muchacha no fuese hermosa, este comerciante cairota no pujaría, ya que las gentes de El Cairo entienden de mujeres".» Nur al-Din se avergonzó y se sonrojó al oír las palabras dichas por la muchacha. Preguntó al corredor: «¿A cuánto ha llegado el precio de la muchacha?» «Sólo a novecientos cincuenta dinares. Los derechos del sultán van a cargo del vendedor.» Nur al-Din dijo al corredor: «Dámela por mil dinares, corretaje y precio incluidos». La joven se apartó y dijo al corredor: «Yo me vendo a este hermoso joven por mil dinares». Nur al-Din se había quedado callado. Uno de los concurrentes dijo: «¡Vendida!» Otro: «¡Le conviene!» Un tercero: «¡Maldito sea el hijo del maldito que puja y no compra!» Un cuarto: «¡Por Dios! ¡Son el uno para el otro!» Antes de que Nur al-Din se hubiese dado cuenta, el corredor ya había hecho acudir al cadí y a los testigos. Pusieron por escrito el acta de venta y compra y el corredor la entregó a Nur al-Din diciéndole: «¡Coge a tu esclava! ¡Que Dios te bendiga, pues sólo tú le convienes a ella y ella a ti!» A continuación recitó este par de versos:

> La felicidad se ha dejado conducir hacia él arrastrando su manto.
> Ella sólo le convenía a él y él no convenía más que a ella.

Entonces Nur al-Din, avergonzado ante los comerciantes, se levantó al momento y pesó los mil dinares que había dejado en depósito en casa del droguero amigo de su padre. Cogió a la joven y la condujo a la casa en que le había instalado el anciano droguero. La muchacha, al entrar, vio que contenía un tapiz en harapos y un viejo tapete de cuero. Dijo: «¡Señor mío! ¿Es que no merezco aprecio y no soy digna de que me conduzcas a tu casa particular, aquella en la que tienes tus bienes? ¿Por qué causa no me has presentado a tu padre?» Nur al-Din le replicó: «¡Señora de las hermosas! Ésta es la casa en que vivo, pero pertenece a un anciano droguero de esta ciudad que la ha preparado y me ha aposentado en ella. Ya te dije que soy un extranjero, que soy un cairota». La joven replicó: «¡Señor mío! La más pequeña basta hasta que regreses a tu país, pero, señor mío, te conjuro por Dios a que vayas a buscarme algo de carne asada, de vino y frutas secas y frescas». «¡Por Dios, señora de las hermosas! No tenía más dinero que los mil dinares que pesé como tu precio y, prescindiendo de ellos, no poseo nada más. Tenía unos cuantos dirhemes que gasté ayer.» «¿Y no tienes en esta ciudad un amigo que te preste cincuenta dirhemes para traerlos aquí? Yo te diré lo que has de hacer con ellos.» «No tengo más amigo que el droguero.» Nur al-Din se marchó al acto en busca de aquél y le dijo: «¡La paz sea sobre ti, tío!» Le devolvió su saludo y le preguntó: «¡Hijo mío! ¿Qué has comprado hoy con los mil dinares?» «¡Una esclava!» «¡Hijo mío! ¿Estás loco para comprar una sola esclava por mil dinares? ¡Ojalá supiera de qué raza es esta esclava!» «¡Tío! Es de la raza de los francos.»

Sahrazad se dio cuenta de que amanecía e interrumpió el relato para el cual le habían dado permiso.

Cuando llegó la noche *ochocientas setenta y cuatro*, refirió:

—Me he enterado, ¡oh rey feliz!, de que el viejo le aconsejó: «¡Hijo mío! Sabe que los francos de más categoría cuestan en esta nuestra ciudad cien dinares. ¡Por Dios! Te han preparado una encerrona con esta muchacha. Si la amas pasa la noche con ella, satisface tu deseo y al amanecer llévala al mercado y véndela aunque hayas de perder doscientos dinares; piensa que los has perdido en el mar o que te los han robado los ladrones». «Dices la verdad, tío; pero tú sabes que yo sólo tenía los mil dinares con que he comprado la esclava y que no me queda nada, ni un solo dirheme, para poderlo gastar. Quiero pedir de tu generosidad y bondad, que me prestes cincuenta dirhemes. Los gastaré de hoy a mañana, venderé la esclava y te los devolveré de su importe.» «Te los doy de buen grado», replicó el viejo. Pesó los cincuenta dirhemes y le dijo: «¡Hijo mío! Eres un muchacho de poca edad y esa joven es hermosa. Es posible que tu corazón se enamore de ella y te sea difícil venderla. Tú, que no posees nada, gastarás de estos cincuenta dirhemes y los terminarás. Volverás de nuevo a verme y te prestaré por primera, segunda, tercera vez y así, hasta la décima. Pero si vuelves, aun después, no te devolveré el saludo y se perderá el afecto que tenía por tu padre». El jeque le entregó los cincuenta dirhemes. Nur al-Din los cogió y se los llevó a la esclava. Ésta le dijo: «¡Señor mío! Ve al mercado ahora mismo y tráeme veinte dirhemes de seda de cinco colores distintos; con los otros treinta dirhemes trae carne, pan, frutos, sorbetes y flores». El muchacho se marchó al mercado y compró todo lo que le había pedido su esclava y luego regresó. La muchacha se puso a trabajar en seguida:

remangó las mangas e hizo una magnífica y estupenda comida. Dio de comer a Nur al-Din y ambos comieron juntos hasta hartarse. Después sirvió el vino: ambos bebieron. La esclava le fue llenando la copa y le trató cariñosamente hasta embriagarle y dejarlo dormido. Entonces la joven se puso en pie, sacó de su equipaje un saco de piel de Taif, lo abrió, sacó dos agujas, se sentó y empezó a trabajar hasta dejar terminado un magnífico cinturón; después de haberlo limpiado y pulido lo envolvió en un paño y lo colocó debajo del cojín. Entonces se desnudó, se tendió a dormir al lado de Nur al-Din y se pegó a éste quien, al despertarse, se encontró al lado de una adolescente que parecía plata purísima, más suave que la seda, más embrujadora que la cola de una oveja; más visible que una bandera y más hermosa que un camello rojo; tenía una estatura de cinco pies, senos notorios; cejas cual arcos para disparar flechas; ojos como los de las gacelas; mejillas cual anémonas; vientre con repliegues; ombligo capaz de contener una onza de ungüento de sauce; muslos como almohadas rellenas de plumas de avestruz y entre ellos se encontraba algo que la lengua es incapaz de describir y a cuya sola mención fluyen las lágrimas. Parece como si el poeta aludiese a ello en los siguientes versos:

> Sus cabellos son la noche; la raya, es la aurora;
> sus mejillas son rosas y su saliva, vino.
> Unirse a ella constituye un refugio; separarse, equivale a ir al fuego del infierno; sus labios son rosas y su cara, la luna.

¡Qué bello es el decir del poeta!:

> Aparece cual una luna; se contonea cual rama de sauce; exhala aroma de ámbar y tiene miradas de gacela.
> Parece como si la tristeza se hubiese enamorado de mi corazón: en el momento en que la amada se aleja de mí, aquélla consigue la unión.
> Tiene un rostro que supera las Pléyades y la luz de su frente sobrepuja al creciente.

Un poeta dijo:

Se desvelaron cual lunas y brillaron como el creciente; se balancearon cual ramas y volvieron la cabeza cual corzos.
Entre ellas hay una de ojos negros por la cual, las Pléyades, se transformarían en polvo para sus pies.

Nur al-Din se volvió al acto hacia la joven, la estrechó contra su pecho, y le chupó el labio superior, después el inferior; introdujo la lengua entre sus labios, se colocó encima de ella y vio que era una perla sin perforar y una montura que jamás había cabalgado nadie antes de él. Le arrebató la virginidad y la poseyó, ligando entre ambos el amor lazos inseparables e indestructibles; sus besos caían en la mejilla de la muchacha como los guijarros caen en el agua y se movía como la lanza que golpea en una dura algara, ya que Nur al-Din ansiaba abrazar muchachas con ojos de hurí, chupar sus labios, soltar sus cabellos, abrazar su pecho, morder sus mejillas, apretar sus senos con movimientos cairotas, con coqueterías yemeníes, ardor abisinio, abandonos indios, ardores nubianos, enojos campesinos, gemidos de Damieta, ardores de Said y descansos alejandrinos. Y esa muchacha poseía todas esas ventajas junto con una extraordinaria belleza y coquetería. Tal como dijo el poeta:

A ésta no podré olvidarla a lo largo del tiempo ni podré inclinarme hacia quien no se le parezca.
Por la constitución de su figura parece la luna. ¡Gloria a su Creador, a su Hacedor!
Mi falta es grave por amarla, pero no me arrepentiré el día que pueda esperar en ella.
Me ha vuelto triste, enamorado, enfermo; el corazón está perplejo pensando en sus cualidades.
He recitado un verso que sólo puede comprender el joven iniciado en las rimas de la poesía.
La pasión sólo la conoce quien la sufre y el amor sólo lo experimenta quien lo siente.

Después Nur al-Din y la muchacha pasaron la noche hasta el día siguiente...

Sahrazad se dio cuenta de que amanecía e interrumpió el relato para el cual le habían dado permiso.

Cuando llegó la noche *ochocientas setenta y cinco*, refirió:

—Me he enterado, ¡oh rey feliz!, de que [pasaron la noche] en medio de dulzuras y regocijos, revestidos por la túnica bien cerrada de los abrazos, a seguro de las vicisitudes de la noche y del día; pasaron la noche en el mejor de los estados sin preocuparse, en medio de la unión, de lo que se dice y dirá. Tal como acerca de ambos dijo el excelente poeta:

> Visita a quien amas y no te preocupes de las palabras del envidioso. La envidia, en asuntos de amor, no sirve de nada.
>
> El Clemente no ha creado cosa más hermosa de ver que un par de amantes sobre el mismo lecho,
>
> Abrazados, vestidos con el traje de la felicidad, teniendo por almohada la muñeca y el brazo.
>
> Si los corazones están de acuerdo en el amor, las gentes golpean en hierro frío.
>
> ¡Oh, tú, que censuras el amor de los amantes!, ¿puedes curar a un corazón enfermo?
>
> Si en toda tu vida se te aparece un solo amigo —¡excelente amigo!— vive para él solo.

Al día siguiente, al hacerse claro, Nur al-Din se despertó del sueño. Se dio cuenta de que la muchacha ya le había preparado el agua. Los dos, después de las abluciones, rezaron la plegaria al Señor. Tras esto la muchacha le ofreció de comer y beber cuanto podía serle grato.

Nur al-Din comió y bebió. La muchacha, después, metió la mano debajo de la almohada, sacó el cinturón que había hecho por la noche, se lo entregó a su dueño y le dijo: «¡Señor mío! ¡Coge este cinturón!» Le preguntó: «¿De dónde viene?» «¡Señor mío! Es la seda que ayer compraste por veinte dirhemes. Sal, ve al mercado de los persas y dáselo al corredor para que lo saque a subasta. Véndelo únicamente por veinte dinares cabales.» «¡Señora de las hermosas! ¿Algo que ha costado veinte dirhemes y que ha de venderse por veinte dinares puede ser hecho en una noche?» «¡Señor mío! Tú no conoces el precio de esto. Pero ve al mercado, dáselo al corredor y cuando lo anuncie te darás cuenta de su valor.» Nur al-Din cogió el cinturón que le entregaba la joven, lo llevó al mercado de los persas, lo entregó al corredor y le ordenó que lo anunciase. El muchacho se sentó en el banco de una tienda. El corredor permaneció ausente un rato y regresó diciendo: «Ven y toma el precio de tu cinturón: te quedan limpios veinte dinares». Nur al-Din al oír estas palabras se quedó muy admirado y se estremeció de emoción. Se incorporó para cobrar los veinte dinares sin saber si tenía que dar crédito o no a la noticia. Una vez tuvo el dinero en su poder corrió a comprar con ellos sedas de distintos colores para que la joven las emplease, por completo, en fabricar cinturones. Después regresó a su casa, le entregó la seda y dijo: «¡Empléala toda en hacer cinturones y enséñame también a fabricarlos! Jamás en mi vida he visto un oficio mejor que éste ni que dé mejores beneficios. ¡Por Dios! ¡Es mil veces mejor que el comercio!» La joven rompió a reír ante estas palabras y le dijo: «¡Señor mío Nur al-Din! Ve a ver a tu amigo el droguero y pídele en préstamo treinta dirhemes; mañana se los devolverás, junto con los cincuenta que le pediste anteriormente, de lo que cobres por el cinturón. Nur al-Din se incorporó y fue a ver a su amigo el droguero. Le dijo: «¡Tío! Préstame treinta dirhemes y mañana, si Dios (¡ensalzado sea!) lo quiere, te devolveré los ochenta dirhemes de una sola vez». El anciano tendero, entonces, le pesó los treinta dirhemes. El joven los tomó, se marchó al zoco y con ellos compró pan, frutas secas y frescas y flores del mismo modo como había hecho el día anterior. Se lo llevó a la esclava. Ésta se llamaba Miryam la cinturonera. Tomó la carne al momento, preparó una hermosa comida y la colocó delante de su señor Nur al-Din. Después arregló el servicio del vino, se lo ofreció y ambos bebieron juntos; ella llenaba el vaso y le daba de beber y él hacía lo mismo con ella. Una vez el vino se hubo enseñoreado de su razón, la muchacha admirada de la delicadeza y buenos modos del joven, recitó este par de versos:

Digo a un joven esbelto que ha brindado con una copa sellada con su hálito:
«¿Es que lo has exprimido de tus mejillas?» Contestó: «¡No! ¿Desde cuándo el vino se exprime de las rosas?»

La joven siguió invitando a Nur al-Din, y éste a ella: la muchacha le daba el cáliz y la copa y le pedía que se los llenase y le sirviese el líquido que regocija al alma. Cuando el muchacho le ponía la mano encima esquivaba con coquetería. La embriaguez había aumentado su belleza y hermosura, por lo que Nur al-Din recitó este par de versos:

Una esbelta que gustaba del vino dijo a su amante, que temía sus fastidios en una tertulia agradable:
«Si no haces girar en rueda el vaso y me escancias, te dejaré pasar la noche solo». El muchacho temió sus fastidios y sirvió.

Así siguieron hasta que la embriaguez se apoderó del joven y se quedó dormido. Ella se incorporó al momento y empezó a trabajar en el cinturón como tenía por costumbre. Una vez hubo terminado lo arregló y lo envolvió en una hoja de papel. Después se desnudó y pasó al lado de Nur al-Din...

Sahrazad se dio cuenta de que amanecía e interrumpió el relato para el cual le habían dado permiso.

Cuando llegó la noche *ochocientas setenta y seis,* refirió:

—Me he enterado, ¡oh rey feliz!, de que [la joven pasó al lado de Nur al-Din] y entre ambos, hasta la aurora, ocurrió la unión que ocurrió. Entonces el joven se levantó y una vez estuvo arreglado, la muchacha le entregó el cinturón y le dijo: «Ve al zoco y véndelo por veinte dinares tal y como ayer vendiste el otro». Nur al-Din lo cogió, se marchó al zoco y lo vendió por veinte dinares. Fue a visitar al droguero, le devolvió los ochenta dirhemes, le dio las gracias por su bondad e hizo por él los votos de rigor. El viejo le preguntó: «¡Hijo mío! ¿Has vendido la joven?» «¿Cómo he de vender mi alma y mi cuerpo?» y a continuación le refirió toda la historia desde el principio hasta el fin y le explicó todo lo que le había ocurrido. El viejo droguero se alegró muchísimo, de un modo indescriptible. Le dijo: «¡Por Dios, hijo mío! Me has dado gran alegría. Si Dios quiere tú estarás siempre en el bienestar. Yo, por afecto hacia tu padre y la larga amistad que tengo con éste, sólo te deseo bien».

A continuación Nur al-Din se separó del anciano droguero, se marchó en seguida al zoco, compró carne, frutas, bebidas y todo lo que según tenía por costumbre necesitaba y lo llevó a la muchacha. Nur al-Din y la joven siguieron comiendo, bebiendo, jugando, distrayéndose, gozando de su amor y de su compañía, durante un año entero. Ella hacía cada noche un cinturón; al día siguiente el muchacho lo vendía por veinte dinares que invertía en comprar lo que necesitaba y lo que sobraba se lo entregaba a la muchacha para que ésta lo guardase para un caso de necesidad.

Transcurrido el año la muchacha le dijo: «¡Señor mío, Nur al-Din! Mañana, cuando hayas vendido el cinturón, cómprame con su importe seda de seis colores distintos. Me ha pasado por la cabeza el hacerte un pañuelo para que con él puedas cubrirte los hombros; los hijos de los comerciantes y de los reyes no se alegrarán con otro igual». Nur al-Din, entonces, se dirigió al zoco, vendió el cinturón, compró la seda de colores conforme le había mandado la muchacha y se la llevó. Miryam la cinturonera empleó una semana entera en hacer el pañuelo, ya que cuando terminaba de confeccionar, de noche, el cinturón, trabajaba un poco en el pañuelo. De este modo lo concluyó y se lo entregó a Nur al-Din. Éste se lo puso sobre los hombros y fue con él al zoco. Los comerciantes, las gentes y los magnates de la ciudad formaron dos filas a su lado para poder admirar su hermosura, el pañuelo y lo bien hecho que éste estaba. Cierta noche Nur al-Din, que estaba durmiendo, se despertó y encontró a la joven llorando y recitando estos versos:

Se aproxima y se acerca el momento de la separación del amado, ¡qué pena causa la partida, qué pena!
Mis entrañas se desgarran doloridas por las noches que transcurrimos en medio de la alegría.
Sin duda el envidioso nos mira con malos ojos y conseguirá su deseo.
¿Qué cosas nos son más dañosas que la envidia, los ojos de los censores y del espía?

Nur al-Din le preguntó: «¡Miryam, señora mía! ¿Qué te hace llorar?» «Lloro por el dolor que me causa la separación. Mi corazón la presiente.» «¡Señora de las hermosas! ¿Quién ha de separarnos? Yo soy de todas las criaturas la que más te ama y te adora.» «Y yo experimento por partida doble lo que tú sientes. Pero cuando las gentes piensan bien del destino les acomete la desgracia.» ¡Qué bien dijo el poeta!:

Has pensado bien del transcurso de los días mientras te eran propicios y no has temido el daño que te podía traer el destino.
Las noches te han sido favorables y te has engañado con ellas; en medio de la noche apacible nace la desgracia.
En el cielo hay innumerables astros, pero sólo se eclipsan el sol y la luna.
¡Cuántas plantas verdes y secas se hallan sobre la tierra! Pero sólo se apedrean las que dan fruta.
¿No has visto que en el mar flotan las carroñas y que sólo, en lo más profundo, se encuentran las perlas?

Añadió: «¡Señor mío Nur al-Din! Si quieres evitar la separación ponte en guardia frente a un hombre franco que es tuerto del ojo derecho, cojo del pie izquierdo; es un viejo de cara oscura y espesa barba. Éste va a ser la causa de nuestra separación. He visto que ha llegado a esta ciudad y creo que sólo ha venido en mi busca». Nur al-Din replicó: «¡Señora de las hermosas! Si mis ojos lo ven, lo mato y así servirá de ejemplo». «¡Señor mío! No lo matarás, ni le hablarás, ni lo venderás, ni lo comprarás, ni lo tratarás, ni lo frecuentarás, ni lo acompañarás, ni hablarás jamás con él una sola palabra. Ruega a Dios para que nos proteja de sus tretas y males.» Al día siguiente Nur al-Din tomó el cinturón, lo llevó al mercado y se sentó en un banco para hablar con los hijos de los comerciantes. Le entró sueño y se durmió en aquel banco. Mientras estaba dormido, en aquel momento, el franco en cuestión, acompañado por otros siete, cruzó por el mercado. Descubrió a Nur al-Din que dormía encima del banco de la tienda con la cara envuelta en el pañuelo, uno de cuyos extremos sujetaba con la mano. El franco se sentó a su lado, cogió un extremo del pañuelo, lo examinó con la mano y siguió dándole vueltas durante un rato. Nur al-Din lo notó, se despertó del sueño y encontró al mismo franco descrito por la joven, sentado junto a su cabeza. Nur al-Din dio un alarido que asustó al otro, quien le preguntó: «¿Por qué nos chillas? ¿Es que te hemos quitado algo?» «¡Por Dios, maldito! —replicó el muchacho—. Si me hubieses arrebatado algo ya te hubiese conducido ante el gobernador.» «¡Musulmán! ¡Por tu religión y lo que crees! Dime de dónde te viene este pañuelo.» «Lo ha hecho mi madre...»

Sahrazad se dio cuenta de que amanecía e interrumpió el relato para el cual le habían dado permiso.

Cuando llegó la noche *ochocientas setenta y siete*, refirió:

—Me he enterado, ¡oh rey feliz!, de que [Nur al-Din dijo: »Lo ha hecho mi madre] con sus propias manos.» «¿Me lo vendes y cobras su precio?» «¡Por Dios, maldito, que no he de venderlo ni a ti ni a nadie! Sólo lo ha hecho para mí y para nadie más.» «¡Véndemelo y te pagaré y te daré su precio ahora mismo: quinientos dinares! Deja que quien te lo ha hecho te haga otro más hermoso aún.» «No lo venderé jamás, ya que en esta ciudad no se encuentra otro semejante.» «¡Señor mío! ¿Tampoco lo venderás por setecientos dinares de oro puro?» El franco siguió aumentando el precio de cien en cien dinares hasta llegar a los novecientos dinares. Nur al-Din exclamó: «¡Que Dios me abra la puerta de otros negocios! Yo no lo vendo ni por dos mil dinares, ni por una suma mayor». El franco siguió haciendo ofertas al joven por dicho pañuelo hasta llegar a los mil dinares. Un grupo de comerciantes allí presentes dijo: «Nosotros te lo vendemos: paga su importe». Nur al-Din exclamó: «¡Pero yo, por Dios, no lo vendo!» Uno de los comerciantes intervino: «Sabe, hijo mío, que el precio de este pañuelo es de cien dinares cuando más y eso si encontrases quien lo quisiera. Este franco te paga mil dinares en total, luego tu beneficio es de novecientos dinares. ¿Qué ganancia mayor que ésta quieres? Mi opinión es que debes vender este pañuelo, coger los mil dinares y decir a quien te lo ha hecho, que te haga otro más hermoso que éste; así quitarás a este franco maldito, enemigo de la religión, mil dinares». Nur al-Din, avergonzado ante los comerciantes, vendió al franco dicho pañuelo por mil dinares. El extranjero le pagó al contado. El muchacho se dispuso a marcharse en busca de la joven Miryam para darle la buena noticia de lo que le había sucedido con el franco. Éste dijo: «¡Comerciantes! ¡Detened a Nur al-Din! Vosotros y él seréis mis huéspedes esta noche. Tengo un ánfora de vino añejo griego, un cordero cebado, frutas del tiempo y secas y flores. Esta noche me honraréis con vuestra presencia. ¡Que nadie se retrase!» Los comerciantes dijeron: «¡Señor mío Nur al-Din! Desearíamos que nos acompañases en una tal noche para poder charlar contigo. Esperamos de tu bondad y cortesía el que vengas con nosotros. Todos seremos huéspedes de este franco, ya que es un hombre generoso». Los comerciantes le conjuraron por el divorcio y le impidieron, por la fuerza, el marcharse a su casa. En seguida cerraron las tiendas, tomaron con ellos a Nur al-Din y se marcharon con el franco a una hermosa y acogedora habitación que tenía dos pabellones. Los hizo sentarse, colocó ante ellos una mesa bien hecha, magníficamente acabada, que tenía esculpidas las figuras del vencedor y del vencido, del amante y del amado, del pedigüeño y del mecenas. El franco colocó en aquella mesa preciosos vasos de porcelana china y de cristal; todos ellos estaban repletos de frutas secas y del tiempo y flores. Después les ofreció un ánfora de vino añejo griego y mandó degollar al cordero cebado. El franco encendió el fuego, se dedicó a asar la carne y a dar de comer a los mercaderes, a escanciarles vino y hacía guiños a éstos para que escanciasen abundantemente a Nur al-Din. Le sirvieron de beber hasta que perdió la razón y se embriagó. El franco, al ver que estaba completamente ebrio, le dijo: «Esta noche nos haces feliz, señor mío Nur al-Din. ¡Bienvenido seas! ¡Bienvenido seas!» El franco siguió halagándolo con sus palabras. Después se acercó a él, se sentó a su lado y se dedicó a hablarle durante una hora. A continuación añadió: «¡Señor mío Nur al-Din! ¿Me vendes la esclava que compraste hace un año por mil dinares ante todos estos comerciantes? Yo te daré ahora como precio cinco mil dinares, es decir, cuatro mil más». El joven se negó. El franco siguió dándole de comer, de beber y pujando en el precio hasta llegar a ofrecerle diez mil dinares por la esclava. Entonces, Nur al-Din, ebrio, dijo ante todos los comerciantes: «¡Te la vendo! ¡Dame los diez mil dinares!» El franco se alegró muchísimo ante estas palabras y pidió el testimonio de los comerciantes. Pasaron la noche comiendo, bebiendo y divirtiéndose hasta la llegada de la mañana. Entonces el franco gritó a sus pajes: «¡Traedme el dinero!» Se lo llevaron y contó diez mil dinares en monedas para Nur al-Din. Le dijo: «¡Señor mío Nur al-Din! Toma este dinero como precio de tu esclava que me vendiste anoche en presencia de todos estos comerciantes musulmanes». El muchacho le replicó: «¡Maldito! ¡Yo no te he vendido nada! Me estás mintiendo. Yo no tengo esclavas». «Me has vendido tu esclava y estos comerciantes son testigos de la venta.» Los mercaderes dijeron todos a una: «¡Sí, Nur al-Din! Tú le vendiste la esclava delante de nosotros; nosotros somos testigos de que tú se la vendiste por diez mil dinares. Ven, coge el precio y entrégale la esclava. Dios te dará una mejor que ella. ¿Es que te parece poco, Nur al-Din, el haber comprado una esclava por mil dinares, el haber gozado durante año y medio todos los días y todas las noches de su hermosura, belleza, trato y posesión y después de todo esto ganar, por encima del precio primitivo, nueve mil dinares en la esclava? Además, cada día, te confeccionaba un cinturón que vendías por veinte dinares. ¿Tras todo esto te niegas a venderla y tienes en poco el beneficio? ¿Qué negocio hay mejor que éste? ¿Qué beneficio puede ser mayor? Si la amabas ya has quedado harto de ella durante este período. Coge su importe, compra otra que sea más hermosa que ella. Si lo prefieres te casaremos con una de nuestras hijas fijando una dote inferior a la mitad de esta suma; será más hermosa que tu esclava y el resto del dinero quedará en tu mano como capital». Los comerciantes siguieron hablando cariñosa y hábilmente a Nur al-Din hasta que éste aceptó tomar los diez mil dinares como precio de su esclava. Entonces, el franco, mandó a buscar inmediatamente a los jueces y los testigos los cuales pusieron por escrito el contrato de venta por parte de Nur al-Din de la esclava llamada Miryam la cinturonera. Esto es lo que hace referencia al muchacho.

He aquí lo que hace referencia a Miryam la cinturonera: Ésta esperó a su señor durante todo el día hasta la puesta del sol y luego desde la puesta del sol hasta la media noche. Pero su dueño no regresó. Se asustó y rompió a llorar amargamente. El viejo droguero oyó que lloraba y le mandó a su propia esposa. Ésta se presentó ante ella, la encontró sollozando y le preguntó: «¡Señora mía! ¿Qué te ocurre para llorar?» «¡Madre mía! Estoy esperando la llegada de mi señor Nur al-Din y hasta ahora no ha venido. Temo que alguien, y por mi causa, le haya enredado para que me venda y que él haya caído en la trampa y me haya vendido.»

Sahrazad se dio cuenta de que amanecía e interrumpió el relato para el cual le habían dado permiso.

Cuando llegó la noche *ochocientas setenta y ocho*, refirió:

—Me he enterado ¡oh rey feliz!, de que la esposa del droguero le replicó: «¡Señora mía! ¡Miryam! Aunque entregasen a tu señor, a cambio de ti, toda esta habitación llena de oro no te vendería y eso por el amor que yo sé que te tiene. Pero, señora Myriam, puede ser que haya llegado un grupo de la ciudad de El Cairo, de junto a sus padres, y les haya invitado a comer en el sitio en que se hospedan, pues habrá tenido vergüenza de traerlos a este lugar ya que no es suficientemente amplio o porque su rango no fuese suficiente para traerios a casa o por que haya querido ocultarle tu existencia. Pasará con ellos la noche hasta la aurora y luego mañana, si Dios (¡ensalzado sea!) lo quiere, vendrá a tu lado sano y salvo. No te preocupes ni te apenes, señora mía, porque esté separado de ti durante esta noche. Yo pasaré la noche contigo y te consolaré hasta que llegue tu señor». La esposa del droguero distrajo y consoló a Miryam con sus palabras hasta que la noche desapareció por completo. Apenas fue claro Miryam vio a su señor Nur al-Dim que entraba en su azucaque seguido por el franco y rodeado de un grupo de comerciantes. Los miembros de Miryam empezaron a temblar en cuanto los vio, palideció y se tambaleó como si fuese un navío azotado por un viento impetuoso en medio del mar. La mujer del droguero, al verla, le dijo: «¡Señora mía! ¡Miryam! ¿Qué te ocurre que veo que cambia tu estado, que tu cara palidece y se marchita?» «¡Señora mía! ¡Por Dios! Mi corazón ha presentido la separación y el alejamiento.» La esclava empezó a gemir con profundos suspiros y recitó estos versos:

> No te fíes de la separación, pues tiene un gusto amargo.
> El sol, cuando se pone, palidece por el dolor de la separación.
> Por eso mismo, cuando sale, su rostro resplandece por la alegría del encuentro.

A continuación Miryam la cinturonera rompió a llorar amargamente, de modo inigualable, y quedó convencida de que iban a separarse. Dijo a la esposa del droguero: «¿No te había dicho que han tendido una trampa a Nur al-Din para que me venda? No hay duda de que esta noche me ha cedido a ese franco a pesar de que le puse en guardia sobre él. Pero de nada sirve estar en guardia contra el destino. Ahora te das cuenta de que era verdad lo que te decía». Mientras dirigía estas palabras a la esposa del droguero llegó su señor Nur al-Din y entró en la habitación. La joven vio que había perdido el color, que sus miembros temblaban y que en el rostro se veían las huellas de la tristeza y del arrepentimiento. Le dijo: «¡Señor mío Nur al-Din! ¡Parece ser que me has vendido!» El joven rompió a llorar amargamente, gimió, y con un profundo suspiro recitó estos versos:

De nada sirve estar en guardia frente a los hados; si tú te equivocas el destino no falla.
Cuando Dios decreta que a un hombre le suceda algo, por más que tenga inteligencia, oído y vista,
Los oídos se le tapan, la vista se le ciega y pierde la razón con la misma facilidad que un cabello.
Una vez se ha cumplido en él su decreto, le devuelve la razón para que reflexione.
No preguntes por lo ocurrido, cómo ocurrió: todas las cosas están predestinadas y ordenadas.

A continuación Nur al-Din pidió perdón a la joven y le dijo: «¡Por Dios, señora mía, Miryam! La pluma escribe lo que Dios dispone. La gente, para conseguir que te vendiera, me ha tendido una trampa; yo he caído en ella y te he vendido cometiendo contigo la mayor injusticia. Es posible que quien ha dispuesto la separación nos conceda el favor de reunirnos de nuevo». La esclava le replicó: «Te había advertido y esto me preocupaba». A continuación le estrechó contra su pecho, le besó entre sus ojos y recitó estos versos:

¡Juro por vuestro amor que jamás me consolaré de vuestro cariño aunque tuviese que perder el alma por la pasión y el deseo!
Me lamento y lloro todo el día y la noche del mismo modo como gime la tórtola sobre el árbol que crece encima de un montículo de arena.

¡Amigos míos! Mi vida es amarga desde vuestra partida. Desde el momento en que os habéis ausentado se me ha negado la reunión.

Mientras ambos se encontraban en esta situación, el franco se adelantó, se acercó y besó las manos de la señora Miryam. Ésta le dio una bofetada en la mejilla y le dijo: «¡Aléjate, maldito! Me has perseguido hasta conseguir engañar a mi dueño pero, maldito, si Dios (¡ensalzado sea!) lo quiere, el resultado será feliz». El franco rompió a reír ante sus palabras, se admiró de su acción y le pidió disculpa. Le dijo: «¡Señora mía! ¡Miryam! ¿Cuál es mi culpa? Te ha vendido éste, tu señor Nur al-Din, de buen grado y sabiendo lo que se hacía. ¡Juro por el Mesías que si te hubiese amado no hubiese obrado contigo a la ligera; si no estuviese harto de ti no te hubiese vendido! Un poeta ha dicho:

»Márchese de mi lado, inmediatamente, quien me fastidia; si volviese a acordarme de él, no estaría más en la buena dirección.
El mundo entero no me parece tan pequeño para que me tengas que ver solicitando a quien no me quiere.»

Esta esclava era hija de un rey de Francia, ciudad amplia, con muchas industrias, maravillas y plantas: se parecía a Constantinopla. La causa de que esta muchacha hubiese abandonado la ciudad de su padre constituye un hecho prodigioso y un asunto admirable que expondremos con orden para que quienes escuchan disfruten y se deleiten.

Sahrazad se dio cuenta de que amanecía e interrumpió el relato para el cual le habían dado permiso.

Cuando llegó la noche *ochocientas setenta y nueve*, refirió:

—Me he enterado, ¡oh rey feliz!, de que Miryam había sido educada al lado del padre y de la madre, en medio del respeto y de las atenciones. Había estudiado elocuencia, escritura, aritmética, equitación; había aprendido a coser, tejer, fabricar cinturones, pasamanería, repujar oro sobre plata y plata sobre oro y había practicado todos los oficios propios de hombres y mujeres hasta el punto de ser la perla única de su tiempo, y constituir un caso singular en su época. Dios, (¡gloriado y ensalzado sea!) le había dado belleza, hermosura, distinción y cualidades que la hacían destacar entre todos sus contemporáneos. Los soberanos de las islas la habían pedido en matrimonio a su padre, pero éste se negaba a casarla con aquel que se la pedía de tan grande como era el amor en que la tenía y que no le permitía estar separado de ella ni un instante. No tenía ninguna hija más y en cambio, sí muchos hijos varones; pero la amaba a ella más que a los chicos. Un año la muchacha se puso gravemente enferma llegando a estar a punto de morirse; entonces hizo votos de que si se curaba de dicha enfermedad iría en visita piadosa a tal monasterio que se encontraba en determinada isla. Dicho monasterio era tenido en mucha estima por ellos los cuales cumplían sus votos en él y recibían sus bendiciones. Miryam se curó de la enfermedad y quiso cumplir la promesa que había hecho a aquel cenobio. Su padre, el rey de Francia, la envió a dicho convento en una nave pequeña y mandó con ella a algunas de las hijas de los grandes y de los patricios de la ciudad para que la sirviesen. Cuando estuvieron cerca del monasterio les salió al encuentro una nave ocupada por musulmanes consagrada a combatir en la senda de Dios. Éstos se apoderaron de todos los patricios, muchachas, riquezas y regalos que transportaba y vendieron lo que habían cogido en la ciudad de Qayrwan. Miryam fue a parar a poder de un comerciante persa impotente que no se acercaba a las mujeres y que jamás había desnudado a una de éstas. La utilizó para su servicio. Después el persa se puso gravemente enfermo y estuvo a punto de morir. La enfermedad fue larga, duró varios meses y Miryam le sirvió de modo muy diligente hasta el punto de que Dios le devolvió la salud. El persa se acordó de las atenciones y cuidados que le había prodigado, el servicio que le había hecho y quiso recompensarla por el bien que había recibido. Le dijo: «¡Miryam! ¡Pídeme algo!» «¡Señor mío! Te ruego que no me vendas más que a aquel a quien yo desee y quiera.» «¡Por Dios! Te lo concedo, Miryam. Sólo te venderé a quien tú quieras: tu venta queda en tu mano.» La joven se alegró muchísimo. El persa le explicó la religión del Islam y ella se convirtió. Después le enseñó los ritos del culto y durante un tiempo la joven aprendió la religión y las disciplinas relacionadas con ésta; le hizo saber de memoria El Corán, el *fiqh* y las tradiciones proféticas pertinentes. Luego la llevó a la ciudad de Alejandría y la vendió a quien ella quiso, pues le había dejado el derecho de venderse a sí misma conforme hemos dicho. Ya hemos referido cómo la compró Nur al-Din. Esto es lo que hace referencia a la salida de Miryam de su país.

He aquí lo que hace referencia a su padre, el rey de Francia: Cuando se enteró de lo sucedido a su hija y a quienes la acompañaban se puso en seguida en movimiento y despachó en pos de ella buques, patricios, caballeros y campeones. Pero después de haber hecho averiguaciones por las islas de los musulmanes y no haber encontrado noticias regresaron junto a su padre gimiendo, gritando de dolor y de la dureza del destino. El soberano se entristeció muchísimo por su pérdida y mandó en su búsqueda a ese tuerto del ojo derecho y cojo de la pierna izquierda que era el más importante de sus ministros, prepotente, vanidoso, maniobrero y astuto. Le ordenó que recorriese todos los países musulmanes hasta encontrarla y que la comprase aunque tuviese que pagar una nave repleta de oro. Aquel maldito la buscó por las islas del mar y por todas las ciudades, pero no encontró ni rastro hasta llegar a la ciudad de Alejandría. Aquí preguntó por ella y se enteró de que estaba en poder de Nur al-Din el cairota. Con éste le ocurrió lo que le ocurrió y le tendió una trampa hasta conseguir comprársela, conforme hemos dicho, después de haberla descubierto gracias al pañuelo que sólo podía haber hecho la propia princesa; él es quien se había puesto de acuerdo con los comerciantes y convenido con ellos la treta con que había de recuperarla.

La joven, al encontrarse en el domicilio del visir, lloró y gimió. Éste le dijo: «¡Señora mía! ¡Miryam! Abandona esta tristeza y este llanto; ven conmigo a la ciudad de tu padre, a la sede de tu reino, a la residencia de tu gloria, a tu patria, para vivir entre tus criados y tus pajes; deja esta humillación y esta vida en el extranjero. Basta ya con las fatigas y viajes que he hecho por tu causa, con el dinero que he gastado. Estoy cansado, pues llevo viajando casi un año y medio, ya que tu padre me ha ordenado que te comprase aunque tuviese que pagar un barco lleno de oro». A continuación el visir del rey de Francia empezó a besarle los pies y a humillarse ante ella y seguía besándole manos y pies. Pero la cólera de la muchacha iba en aumento con todas esas pruebas de cortesía. Le dijo: «¡Maldito! ¡Que Dios (¡ensalzado sea!) no permita que alcances tu deseo!» En aquel instante los pajes le acercaron una mula que llevaba una silla recamada. La ayudaron a montar y levantaron por encima de su cabeza un parasol de seda sostenido por varas de oro y de plata. Los francos la escoltaron disponiéndose a su alrededor y así salieron por la puerta del mar. La hicieron subir en una barca pequeña y remaron hasta llegar a un gran navío en el que la instalaron. Entonces, el visir tuerto se incorporó y gritó a los marineros: «¡Levantad el mástil!» Lo levantaron al momento, izaron las velas y las banderas, desplegaron el algodón y el lino, empezaron a remar y zarparon.

Mientras sucedía todo esto, Miryam tenía los ojos clavados en Alejandría hasta que la perdió de vista. Lloró amargamente a escondidas...

Sahrazad se dio cuenta de que amanecía e interrumpió el relato para el cual le habían dado permiso.

Cuando llegó la noche *ochocientas ochenta,* refirió:

—Me he enterado, ¡oh rey feliz!, de que [Miryam] sollozó, derramó abundantes lágrimas y recitó estos versos:

> ¡Morada de los amados! ¿Volverás a nuestro lado? No sé lo que Dios dispondrá.
>
> Los buques de la separación se alejan rápidamente; las lágrimas han llagado mis ojos
>
> Por haberme separado de un amigo que constituye mi máximo deseo; en él se curaba mi enfermedad y desaparecían mis dolores.

¡Dios mío! Sé mi representante a su lado. A ti pertenece el día en que no se pierden los depósitos.

Miryam, cada vez que se acordaba de Nur al-Din, lloraba y sollozaba. Los patricios corrían a su lado y la consolaban, pero ella no hacía caso de sus palabras y seguía sumergida en su pena de amor y pasión. Lloraba, gemía, se quejaba y recitaba estos versos:

La lengua del amor habla de ti en mis entrañas y te dice que yo te quiero.
Las brasas del amor han derretido mi corazón y éste, herido, palpita por estar separado de ti.
¡Cuántas veces escondo el amor que me consume! Mis párpados están ulcerados y mis lágrimas corren a raudales.

Miryam siguió en esta situación sin poder estar quieta ni conseguir tener paciencia durante toda la duración del viaje. Esto es lo que hace referencia a ella y al visir tuerto.

He aquí lo que hace referencia a Nur al-Din el cairota, hijo del comerciante Tach al-Din: Después de que Miryam hubo embarcado y partido, el mundo le pareció angosto y perdió la paciencia. Regresó a la habitación en que había vivido con ella y vio que era oscura y tenebrosa; contempló los instrumentos que empleaba para hacer los cinturones y los vestidos que habían cubierto su cuerpo. Estrechó éstos contra su pecho, rompió a llorar, las lágrimas rebosaron de sus párpados y recitó estos versos:

¡Ojalá supiera si después de la separación, de mi pena y de mi dolor volverá la unión!
¡Ay de ti! Lo que fue en el pasado no vuelve ¿tendré la suerte de reunirme de nuevo con mi amado?
¿Volverá a reunirme Dios con quien deseo?, mis amigos ¿observarán los pactos de mi amor?
¿Conservará su amor aquel al que he perdido

por mi ignorancia? ¿Observará las promesas
que me hizo y los lazos que antes nos unían?
Después de haberme apartado de él no soy más
que un muerto ¿Algún día les parecerá bien
mi muerte a los amigos?
¡Qué pena la mía si mi dolor sirviese de algo! Me consumo de pasión ante mi creciente
pesar.
Ha pasado ya el tiempo en que estábamos juntos,
¿será generoso el destino con mis deseos?
¡Corazón! ¡Aumenta tu amor! ¡Ojo! ¡Derrama
las lágrimas y no las dejes en mi pupila!
¡Oh, separación de los seres amados, paciencia
perdida! Pocos son mis defensores cuanto más
aumenta mi pena.
Ruego al Dios de los mundos que sea generoso
conmigo concediéndome el retorno de mi amado y la unión acostumbrada.

Después, Nur al-Din rompió a llorar desesperadamente, de un modo inigualable, miró los rincones de la habitación y recitó este par de versos:

Veo sus huellas y la pasión me derrite; derramo
lágrimas sobre sus moradas.
Ruego a Quien ha decretado que me separase de
ella que me conceda pronto el día de la reunión.

A continuación el joven se puso de pie, cerró la puerta de la casa y corrió al mar donde contempló el lugar desde el cual había zarpado la embarcación llevándose a Miryam. Rompió a llorar, exhaló profundos suspiros y recitó estos versos:

La paz sea sobre vosotros, pues nada más puedo
hacer: estar cerca o lejos, tal es mi situación.
En cada momento me acuerdo de vosotros y os
deseo del mismo modo que el sediento ansía la
fuente.
Mi oído, mi corazón y mi vista se han quedado

a vuestro lado. Recordaros es para mi algo mas dulce que la miel.
¡Qué pena la mía cuando vuestro buque zarpó! ¡Con él se desvaneció el objeto de mis deseos!

Nur al-Din, lloró, sollozó y gritó: «¡Miryam! ¡Miryam! ¿Te he visto en sueño o sólo en una pesadilla?» Al hacerse más hondos los suspiros recitó estos versos:

Después de esta separación, ¿volverán a veros mis ojos y oiré, en casa, vuestra voz?
¿Volverá a reunirnos la lar que nos era familiar de modo que a mí se me concedan los deseos de mi corazón y a ti los tuyos?
¡Llevad mis huesos en el ataúd donde quiera que vayáis! ¡Enterradme enfrente del lugar en que os instaléis!
Si tuviese dos corazones, con uno viviría y el otro lo dejaría presa de vuestro amor y pasión.
Si se me preguntase: «¿Qué queréis pedir a Dios?», respondería: «Merecer la satisfacción del Clemente y luego la vuestra!»

Mientras Nur al-Din se encontraba en esta situación diciendo: «¡Miryam! ¡Miryam!», desembarcó un anciano que le vio llorar y recitar este par de versos:

¡Vuelve, hermosa Miryam! Las nubes repletas de agua dejan correr la lluvia a través de mis pupilas.
Prescindiendo del vulgo, interroga a quienes me censuran: sabrás que los párpados de mis ojos están anegados de agua.

El anciano dijo: «¡Hijo mío! Parece ser que lloras por la esclava que se llevó ayer el franco». Nur al-Din cayó desmayado al oír las palabras del viejo y permaneció así durante una hora. Al recobrar el conocimiento rompió a llorar amargamente, de modo inigualable y recitó estos versos:

¿Después de esta separación puedo esperar reunirme de nuevo con ella y que vuelva en su plenitud la delicia del amor?
En mi corazón hay herida y pasión y me inquietan los dimes y diretes de los espías.
Paso el día perplejo, absorto; por la noche espero que me visite su imagen.
¡Por Dios! No me consolaré, ni por un instante de su amor, ¿cómo podría resignarme si mi corazón está harto de los espías?
Es una muchacha de miembros delicados, de esbelta cintura; tiene una pupila que asaetea con sus dardos mi corazón.
Su figura asemeja la rama de sauce en el jardín; su hermosura y su belleza avergüenzan la luz del sol.
Si no temiese a Dios (¡ensalzado sea en su Majestad!) diría a la hermosa: «¡Exaltada sea tu majestad!»

El corazón del anciano se entristeció y se apiadó de la situación de Nur al-Din, al darse cuenta de su belleza, hermoso talle, equilibrio de proporciones, elocuencia de dicción y su delicadeza. Ese anciano era capitán de un navío que iba a partir hacia la ciudad de aquella joven llevando a cien comerciantes musulmanes creyentes. Le dijo: «Ten paciencia, pues, si Dios (¡gloriado y ensalzado sea!) lo quiere, sólo te ha de llegar bien. Yo te conduciré a su lado...»

Sahrazad se dio cuenta de que amanecía e interrumpió el relato para el cual le habían dado permiso.

Cuando llegó la noche *ochocientas ochenta y una*, refirió:

—Me he enterado, ¡oh rey feliz!, de que [el capitán prosiguió: »...yo te conduciré a su lado] si Dios (¡ensalzado sea!) lo quiere». Nur al-Din preguntó: «¿Cuándo emprendemos el viaje?» «Dentro de tres días; entonces zarparemos en paz y con bien.» El joven se alegró muchísimo al oír las palabras del capitán y le dio las gracias por su bondad y el favor que le hacía. Después, acordándose de los días en que estaban reunidos y satisfacía su amor por aquella muchacha incomparable, rompió a llorar a lágrima viva y recitó estos versos:

¿El Clemente me reunirá con vos? ¡Señores míos! ¿Podré o no conseguir el objeto de mis deseos?
¿Las vicisitudes del destino permitirán vuestra visita? ¿Cerraré, ávidamente, mis párpados al veros?
Si vuestro amor se pusiera en venta le compraría a costa de mi alma; pero creo que vuestro amor vale más.

Inmediatamente después Nur al-Din se dirigió al mercado, compró todos los víveres y útiles que necesitaba para el viaje y se presentó ante el capitán. Éste, al verlo, le preguntó: «¡Hijo mío! ¿Qué es esto que traes?» «Los víveres y lo que necesito para el viaje.» El capitán se rió de sus palabras y dijo: «¡Hijo mío! ¿Es que vas de paseo a las columnas de Pompeyo? Si el viento y el tiempo nos son favorables, te separan dos meses de viaje del lugar al que te diriges». El anciano pidió unos dirhemes a Nur al-Din, se dirigió al zoco y le compró todo lo que precisaba de modo imprescindible para el viaje y le llenó un barril de agua dulce. Nur al-Din vivió en la embarcación los tres días. Cuando los comerciantes hubieron terminado sus quehaceres y subido a bordo, el capitán desplegó las velas. Navegaron durante cincuenta y un días al cabo de los cuales les salieron al encuentro los corsarios, los piratas del mar, los cuales saquearon la nave y capturaron a todos los que iban en ella. Los condujeron a una ciudad de los francos y los presentaron al rey. Nur al-Din se encontraba entre ellos. El soberano mandó que los encarcelasen; en el momento en que salieron de la sala de audiencias yendo a la cárcel, llegó la galera que transportaba a la reina Miryam la cinturonera y el visir tuerto. La galera atracó en la ciudad y el visir desembarcó, corrió ante el rey y le dio la buena nueva de la llegada sana y salva de su hija Miryam la cinturonera. Los tambores repicaron y la ciudad revistió sus mejores galas. El rey, los grandes del reino y todo el ejército montaron a caballo y se dirigieron a la orilla del mar a recibir a la princesa. Al llegar ante la nave desembarcó su hija, Miryam, y el padre la abrazó y la saludó. La muchacha le devolvió el saludo. Le ofreció un corcel y ella montó. Al llegar a palacio su madre la abrazó, la besó y le preguntó cómo se encontraba y si seguía siendo virgen como antes, cuando estaba con ellos, o era ya una mujer experta. Miryam le replicó: «¡Madre mía! ¿Cómo puede quedarse virgen una joven que ha sido vendida a un hombre del país de los musulmanes y ha pasado de mano en mano de los comerciantes? El que a mí me compró me amenazó con apalearme, me forzó y me arrebató la virginidad. Éste me vendió a otro y éste a otro». Para la madre, la luz se transformó en tinieblas al oír estas palabras. Contó al padre lo sucedido y éste se indignó, le supo muy mal y expuso lo sucedido a su hija a los grandes del reino y a sus patricios. Le replicaron: «¡Oh, rey! Ella se ha ensuciado al tener relaciones con los musulmanes, sólo la purificará la ejecución de cien de éstos». Entonces el rey mandó que le llevasen los prisioneros que estaban en la cárcel. Hicieron comparecer a todos, incluido Nur al-Din, ante él. El soberano ordenó que les cortasen el cuello. El primer ejecutado fue el patrón de la nave. Luego cortaron el cuello a todos los comerciantes, uno en pos de otro, hasta que sólo quedó Nur al-Din. Le arrancaron un pedazo del faldón de su traje, le vendaron los ojos, le condujeron al tapiz de la sangre y se dispusieron a cortarle el cuello. En aquel momento apareció una mujer anciana que se acercó al rey y le dijo: «¡Señor mío! Tú has hecho promesa de dar, a cada iglesia, si Dios te devolvía a tu hija Miryam, cinco esclavos musulmanes para consagrarlos a su servicio; ahora que has recuperado a tu hija, la señora Miryam, cumple la promesa que hiciste». El rey le contestó: «¡Madre mía! ¡Juro por el Mesías y la religión verdadera! De todos los prisioneros sólo me queda éste al cual me disponía a matar. Cógelo. Él te auxiliará en el servicio de la iglesia hasta que tengamos más prisioneros musulmanes: entonces te enviaré otros cuatro. Si hubieras llegado antes de cortar el cuello de estos prisioneros te hubiese dado todos los que hubieras querido». La vieja dio las gracias al rey por su acto e hizo votos para que viviese largo tiempo con poder y bienestar. A continuación la anciana se acercó a Nur al-Din, lo sacó del tapiz de la sangre y lo miró. Vio que era un muchacho hermoso, agradable, de buen ver y que su rostro parecía ser la luna llena cuando se muestra en su decimocuarta noche. Le tomó consigo y le llevó a la iglesia. Le dijo: «¡Hijo mío! Quítate los vestidos que llevas, pues no son propios para servir al sultán». Luego entregó a Nur al-Din una aljuba y una capucha de lana negra y un ancho cinturón. Le puso la aljuba, le colocó la capucha y ciñó su talle con el cinturón mandándole que sirviese a la iglesia. Así trabajó en la iglesia durante siete días. Mientras él estaba en sus faenas llegó la anciana y le dijo: «¡Musulmán! ¡Coge tus vestidos de seda y póntelos! Toma estos diez dirhemes y sal ahora mismo a distraerte durante todo el día; no te quedes aquí ni un instante, pues perderías la vida». «¡Madre mía! ¿Qué ocurre?» «Sabe, hijo mío, que la hija del rey, la señora Miryam la cinturonera, quiere venir, ahora, a la iglesia, para realizar una visita, santificarse en ella, hacer una ofrenda en acción de gracias por haber escapado del país de los musulmanes y cumplir los votos que hizo para el caso de que el Mesías la salvase. La acompañan cuatrocientas doncellas, cada una de las cuales es bella y hermosa. Entre ellas se encuentra la hija del visir y las hijas de los emires y de los grandes del reino. Vienen ahora: si te viesen en esta iglesia serías pasto de las espadas». Nur al-Din tomó los diez dirhemes que le daba la vieja y, tras haberse puesto sus vestidos, se dirigió al zoco y empezó a pasear por las calles de la ciudad para conocer sus barrios y sus puertas.

Sahrazad se dio cuenta de que amanecía e interrumpió el relato para el cual le habían dado permiso.

Cuando llegó la noche *ochocientas ochenta y dos*, refirió:

—Me he enterado, ¡oh rey feliz!, de que después regresó a la iglesia y vio que Miryam la cinturonera, la hija del rey de Francia, había llegado a ésta acompañada por cuatrocientas doncellas de senos vírgenes que parecían lunas. Entre ellas estaba la hija del visir tuerto y las hijas de los emires y de los grandes del reino. Miryam avanzaba entre ellas como si fuese la luna que rodean los luceros. Al verla, Nur al-Din no pudo contenerse y un grito escapó de lo más hondo de su corazón diciendo: «¡Miryam! ¡Miryam!» Las muchachas, al oír los gritos del joven que decía «¡Miryam!» se abalanzaron sobre él y el acero de las espadas brilló como un relámpago. Quisieron matarlo en aquel mismo instante. Miryam se volvió hacia él, lo observó y lo reconoció perfectamente. Dijo a las muchachas: «¡Dejadlo! ¡Este muchacho, sin duda, está loco, ya que en su cara se ven claros los indicios de la locura!» Nur al-Din, al oír las palabras de su señora Miryam, descubrió su cabeza, desorbitó los ojos, gesticuló con las manos, curvó los pies, sacó baba por la boca y por la comisura de los labios. La señora Miryam añadió: «¿No decía yo que éste estaba loco? Acercádmelo y alejaos para que yo oiga lo que dice, pues sé árabe. Veré cuál es su estado y si su locura tiene o no remedio». Las muchachas lo cogieron y se lo llevaron. Después se alejaron. La princesa preguntó: «¿Has venido hasta aquí por mi causa? ¿Te has expuesto y te has fingido loco por mí?» El muchacho replicó: «¡Señora mía! ¿No has oído lo que dice el poeta?:

»Me preguntaron: "¿Te has vuelto loco por quien amas?" Les contesté: "Sólo los locos gozan de las dulzuras de la vida;
¡Traed mi locura! ¡Traedme aquella que me ha vuelto loco! Si ella está conforme con mi locura, no me censuréis"».

Miryam le dijo: «¡Por Dios, Nur al-Din! Tú eres el propio culpable. Yo te había puesto en guardia sobre todo esto antes de que sucediese. Pero tú no hiciste caso de mis palabras y seguiste los impulsos de tu pasión. Yo no te había advertido ni por deducción, ni por fisiognómica, ni porque lo hubiera soñado, sino porque lo había visto con mis propios ojos, porque había visto al visir tuerto y me había dado cuenta de que sólo había ido a aquella ciudad en mi busca». «¡Señora mía! ¡Miryam! ¡Busquemos refugio en Dios ante los resbalones del hombre sensato!» La situación se había hecho penosa para Nur al-Din, por lo que recitó estos versos:

Perdona la culpa de aquel cuyo pie ha resbalado; al esclavo le pertoca la generosidad de sus señores.
A aquel que ha cometido una gran falta le basta con un gran arrepentimiento cuando el arrepentimiento no sirve de nada.
He hecho, lo confieso, algo que exige una reprimenda, pero ¿dónde está el perdón y la comprensión que requiere?

Nur al-Din y la señora Miryam la cinturonera siguieron haciéndose reproches que sería largo referir. Cada uno de ellos contó al otro lo que le había sucedido, le recitó versos y las lágrimas resbalaron por sus mejillas como si fuesen mares. Cada uno se quejó al otro de lo fuerte de su pasión, del dolor y la pasión que sentía por estar solo y así siguieron hasta que no les quedaron fuerzas para hablar. El día había desaparecido y las tinieblas llegado. La señora Miryam llevaba puesta una túnica verde bordada en oro rojo y cuajada de perlas y gemas que hacía resaltar su belleza, hermosura y encantos. ¡Qué bien lo dijo el poeta!:

Se mostró vestida con una túnica verde como si fuese la luna llena: botones desabrochados, cabellos sueltos.
Le pregunté: ¿Cuál es tu nombre?» Contestó: «Yo soy aquella que tuesta el corazón de los amantes sobre brasas;
Soy la blanca plata y el oro que rescatan al preso de la dureza de la cárcel».
Le dije: «La separación me ha afectado». Contestó: «¿Te quejas a mí, que tengo el corazón de piedra?»
Le repliqué: «Tú tienes el corazón de piedra, pero Dios ha hecho brotar de la roca agua purísima».

Al hacerse de noche, la señora Miryam se acercó a las jóvenes y les preguntó: «¿Habéis cerrado la puerta?» Le contestaron: «La hemos cerrado». Entonces, la señora Miryam, tomó consigo a las muchachas y las llevó a un lugar que llamaban «Camarín de la señora Virgen María, madre de la luz», ya que los cristianos creen que su espíritu y su secreto poder residen allí: Las jóvenes empezaron a impetrar su bendición y dar vueltas por toda la iglesia. Una vez terminada la visita la señora Miryam se volvió hacia ellas y les dijo: «Quiero entrar sola en la iglesia para implorar bendiciones; tengo gran deseo de ello a causa de mi larga ausencia en tierra de musulmanes. Vosotras, una vez hayáis terminado la visita, dormiréis donde queráis». Le replicaron: «¡De mil amores! Tú haz lo que desees». Se separaron de ella, se desparramaron por la iglesia y se durmieron.

Miryam, aprovechando su distracción, empezó a buscar a Nur al-Din. Lo encontró en un rincón sentado, como sobre brasas, esperándola. Cuando la princesa estuvo a su lado se puso de pie y le besó las manos. Se sentaron el uno al lado del otro. La princesa se quitó las joyas, la túnica y los preciosos vestidos, estrechó a Nur al-Din contra su pecho y lo colocó en su seno. Se besaron, abrazaron y jugaron la partida del amor sin descanso. Decían: «¡Qué corta es la noche de la unión y cuán largo el día de la separación!» Recitaron las palabras del poeta:

¡Oh, noche de la unión! ¡Oh, virgen del destino!
Tú eres la noche más clara de todas las noches.
La aurora se ha levantado en el momento del ocaso, ¿eres tú el colirio en los ojos de la aurora

O sueño en unos ojos enfermos?

¡Oh, noche de la separación! ¡Cuán larga eres!
El fin empalma con el principio
Como si fuese una argolla fundida cuyo principio no se encuentra: el día del juicio tendrá lugar antes.

Después de la resurrección el amante seguirá muerto por la separación.

Mientras ambos se encontraban en esta gran dulzura, en esta profunda alegría, uno de los pajes de la Virgen tocó el *naqus* en la azotea de la iglesia para recordar a los fieles los rezos de ritual. Era tal como dijo el poeta:

> Vi que tocaba el *naqus*. Le pregunté: «¿Quién ha enseñado a la gacela a tocar el *naqus*?»
> Me dije: «Qué sonido es más doloroso ¿el del *naqus* o el que anuncia la separación? Mide».

Sahrazad se dio cuenta de que amanecía e interrumpió el relato para el cual le habían dado permiso.

Cuando llegó la noche *ochocientas ochenta y tres,* refirió:

—Me he enterado, ¡oh rey feliz!, de que al oírlo, Miryam se incorporó y se puso sus ropas y joyas. Esto supo muy mal a Nur al-Din, quien se apenó y rompió a llorar con abundantes lágrimas y recitó estos versos:

> No paro de besar las mejillas de rosa fresca ni de morder, apasionado, lo que ella me ofrece.
> Hasta que, cuando gozábamos, mientras al espía se le cerraban los ojos de sueño,
> Tocó el *naqus* para despertar a sus fieles del mismo modo que el almuédano llama para la plegaria ritual.
> Ella se puso de pie y vistió, de prisa, sus vestidos temerosa de que el lucero de nuestro espía apareciese.
> Dijo: «¡Oh, mi deseo! ¡Oh, pasto de mi corazón! Ha llegado la mañana con su blanco rostro».
> Juro que si algún día alcanzo el poder y soy un sultán poderoso
> Destruiré hasta el último rincón de las iglesias y mataré a todos los sacerdotes de la tierra».

A continuación, la señora Miryam estrechó a Nur al-Din contra su pecho, le besó en la mejilla y le preguntó: «¡Nur al-Din! ¿Cuántos días hace que estás en la ciudad?» «¡Siete!» «¿La has recorrido? ¿Conoces sus calles, sus salidas y sus puertas, tanto las que dan al mar como a la tierra?» «¡Sí!» «¿Sabes dónde se encuentra la caja que está en la iglesia en que se guardan las ofrendas?» «¡Sí!» «Puesto que sabes todo eso, cuando haya transcurrido el primer tercio de la próxima noche ve a buscar la caja de las ofrendas y coge lo que desees y te guste; abre la puerta de la iglesia que da al pasadizo que conduce al mar: hallarás un barquichuelo con diez hombres marineros. El capitán, al verte, te extenderá la mano: dale la tuya y te hará subir a bordo; quédate con él hasta que yo llegue a tu lado y ten cuidado, pero mucho cuidado, en que el sueño no te venza esa noche, pues te arrepentirías cuando de nada sirviera el arrepentimiento». La señora Miryam se despidió de Nur al- Din y se marchó, en seguida, de su lado; despertó a las doncellas y a todas las muchachas que aún dormían, las tomó consigo, se dirigió a la puerta de la iglesia, llamó y la vieja la abrió. Al salir vio que los criados y los patricios estaban esperando: le ofrecieron una mula y montó en ella. Entonces los criados la cubrieron con un velo de seda, los patricios cogieron la mula por las riendas, las muchachas se colocaron detrás. Los soldados de escolta la rodearon con las espadas desenvainadas y la acompañaron hasta dejarla en el castillo de su padre. Esto es lo que hace referencia a Miryam la cinturonera.

He aquí lo que se refiere a Nur al-Din el cairota: Continuó oculto detrás de la cortina que le había permitido estar a solas con Miryam hasta que se hizo de día, se abrió la puerta de la iglesia y acudió gran número de fieles. Entonces se mezcló con éstos y se presentó a la vieja que custodiaba la iglesia. Le preguntó: «¿Dónde has dormido esta noche?» Le replicó: «En un sitio de la ciudad conforme me mandaste». «¡Has hecho bien, hijo mío! Si hubieses pasado la noche en la iglesia hubieses muerto de mala manera.» «¡Loado sea Dios que me ha salvado de los peligros de esta noche!» Nur al-Din siguió prestando sus servicios a la iglesia hasta que se terminó el día y llegó la noche con sus oscuras tinieblas. Entonces. el joven se dirigió a la caja de las ofrendas, cogió las joyas que tenían poco peso y mucho valor y esperó a que hubiese transcurrido el primer tercio de la noche para salir por la puerta que daba al pasadizo que conducía al mar, rogando a Dios que lo ocultase. Anduvo sin descanso hasta llegar a la puerta: la abrió, se internó en el pasadizo, llegó hasta el mar y encontró anclado el navío junto a la orilla del mar, al lado de la puerta. El capitán era un anciano jeque de larga barba que estaba plantado en el centro del puente: diez hombres se encontraban delante suyo. Nur al-Din le alargó la mano conforme le había mandado Miryam. El otro se la cogió, tiró de él y le dejó en medio del buque. Entonces el jeque gritó a los marineros: «¡Levad las anclas del buque de tierra y navegad por el mar antes de que sea de día!» Uno de los diez marinos le replicó: «¡Señor mío! ¡Capitán! ¿Cómo hemos de zarpar si el rey nos ha informado que mañana embarcará en el buque para hacer una gira por este mar y ver lo que hay en él, ya que teme que ocurra alguna desgracia a su hija Miryam a causa de los piratas musulmanes?» El capitán les gritó: «¡Ay de vosotros, malditos! ¿Habéis llegado al punto de contradecirme y no hacer caso de mis palabras?» A continuación, el anciano sacó la espada de la vaina, cortó el cuello del que había hablado y la espada salió brillante. Uno de los marinos le dijo: «¿Qué falta ha cometido nuestro compañero para que hayas tenido que cortarle el cuello?» El anciano alargó la mano a la espada y cortó el cuello al que había hablado. De este modo el capitán fue cortando el cuello de los marinos, uno en pos de otro, hasta haber dado muerte a los diez; los echó a la orilla del mar. Luego se volvió a Nur al-Din y le dijo con un grito que le dejó aterrorizado: «¡Ve a tierra y leva anclas!» El joven, temiendo que le matase con la espada, se puso en movimiento, saltó a tierra, levó el palo y subió de nuevo a bordo más rápido que el relámpago. El capitán le decía: «¡Haz esto y esto! ¡Mueve tal y tal! ¡Observa las estrellas!» y Nur al-Din hacía todo lo que le mandaba el arraez, pues tenía el corazón aterrorizado. Después izó la vela del navío y éste se adentró en el mar tumultuoso, cuyas olas entrechocan.

Sahrazad se dio cuenta de que amanecía e interrumpió el relato para el cual le habían dado permiso.

Cuando llegó la noche *ochocientas ochenta y cuatro*, refirió:

—Me he enterado, ¡oh rey feliz!, de que el viento les fue favorable. Nur al-Din sujetaba la vela con la mano mientras permanecía sumido en el mar de sus reflexiones, inmerso en sus propios pensamientos, pero ignoraba cuánto le guardaba oculto el destino: cada vez que miraba al capitán se quedaba con el corazón atemorizado; ignoraba adónde le conducía el capitán y era presa de temores y preocupaciones. Así siguió hasta que se hizo de día, momento en el cual clavó la vista en el capitán. Éste cogió su luenga barba con la mano, tiró de ella y la arrancó del mentón. Nur al-Din la examinó y vio que era una barba falsa; entonces contempló al capitán con miradas penetrantes y descubrió que era su enamorada, la señora Miryam, la amada de su corazón. Ésta había preparado una trampa al capitán, lo había matado y arrancado la piel de la cara con la barba y se la había colocado tal cual en su propia cara. Nur al-Din quedó admirado de lo que había hecho, de la valentía de su corazón y perdió la razón de alegría; su pecho se alegró y dilató. Le dijo: «¡Bien venida, amada mía, mi máximo deseo!» A continuación, el muchacho se sintió presa de ardor y deseo y quedó convencido de que había conseguido lo que apetecía y ansiaba. Moduló la voz sobre las más dulces melodías y recitó estos versos:

Di a la gente que ignora mi pasión por un amante al cual no han conseguido alcanzar:
«Preguntad a mis familiares por mi pasión; dulces son mis versos y delicado mi canto por amor de una gente que ha acampado en mi corazón».
Cuando los recuerdo cesa la enfermedad de mi pecho y desaparece mi dolor.
Mi pasión y mi amor van creciendo desde el momento en que el corazón ha quedado triste y enamorado.

Pasando a ser proverbial entre la gente.

No acepto censuras por él ni busco nada que de él me distraiga.
Pero el amor me ha causado un pesar que ha encendido una brasa en mi corazón.

Y su ardor quema mis entrañas.

¡Qué maravilla! Han considerado natural mi enfermedad y mi desvelo a lo largo de la noche.
¿Cómo han buscado mi fin con su desvío y han considerado, como cosa lícita en el amor, derramar mi sangre?

Pero aún, en su tiranía, han sido justos.

¡Oh! ¿Quién os ha recomendado apartaros de un joven que os amaba?
¡Por vida mía y por Aquel que os ha creado! Si los censores hablan una sola palabra sobre vos.

¡Mienten, por Dios, en lo que refieren!

¡Que Dios no cure mis males, no, ni calme el ardor que hay en mi corazón.
El día en que me queje de estar harto de vuestro amor! Nadie, más que vos, me satisface.

Atormentad mi corazón o, si lo preferís, uníos.

Tengo un corazón que jamás ha faltado a vuestro amor a pesar de que soporta el pesar de vuestra separación.
La pena y la alegría de vos proceden: haced lo que queráis de vuestro esclavo.

Él, por vos, daría sin reparo la vida.

La señora Miryam quedó muy admirada de los versos que acababa de recitar Nur al-Din y le dio las gracias por sus palabras. Dijo: «Quien se encuentra en esta situación debe recorrer el camino de los hombres sin cometer villanías ni bajezas». La señora Miryam tenía un corazón fuerte y conocía el arte de conducir las embarcaciones por el mar salado, distinguía todas las clases de viento y sabía todos los caminos del mar. Nur al-Din le dijo: «¡Por Dios, señora mía! Si me hubieses dejado más tiempo en esta situación hubiese muerto de pánico y de terror, dado que era presa de la llama de la pasión y del deseo; del dolor y del tormento de la separación». La joven se rió ante esas palabras, se puso de pie al momento, sirvió algo de comer y beber. Comieron, bebieron, gozaron y disfrutaron. Después sacó jacintos, gemas, distintos metales preciosos, objetos de gran valor y varias clases de oro y de plata; todo ello era fácil de llevar y tenía gran valor. Lo había tomado consigo arrebatándolo del palacio y de los tesoros de su padre. Se lo mostró a Nur al-Din y éste se alegró muchísimo. Todo esto ocurría mientras soplaba un viento moderado y la embarcación seguía su curso. Navegaron sin descanso hasta dar vista a Alejandría, hasta avizorar sus monumentos, antiguos y nuevos, y contemplar la Columna de Pompeyo. Nur al-Din desembarcó del buque en cuanto llegaron al puerto, amarró la nave a una de las piedras de los bataneros, tomó consigo parte de las riquezas que había llevado la joven consigo y dijo a la señora Miryam: «¡Señora! Quédate en el buque hasta que vuelva para conducirte a Alejandría conforme quiero y deseo». Le replicó: «Pero es preciso que resuelvas pronto tus asuntos: quien es moroso en los asuntos se arrepiente». «¡No me entretendré!» Miryam se quedó en el buque y Nur al-Din se dirigió a la casa del droguero, amigo de su padre, para pedir prestado para su mujer un velo, un manto, un par de sandalias y una capa de las que llevan normalmente las mujeres de Alejandría. Pero no había tenido en cuenta las vicisitudes del destino, padre de las más grandes maravillas. Esto es lo que se refiere a Nur al-Din y Miryam la cinturonera.

He aquí lo que hace referencia a su padre, el rey de Francia. Al amanecer buscó a su hija Miryam, pero no la encontró. Preguntó por ella a sus doncellas y criadas. Le contestaron: «Salió de noche y se fue a la iglesia. Después no hemos tenido ninguna noticia más». Mientras el soberano conversaba con las doncellas y los criados oyó dos gritos penetrantes que hicieron eco; procedían de la parte baja del palacio. Preguntó: «¿Qué ocurre?» Le contestaron: «¡Rey! Se han encontrado diez hombres muertos junto a la orilla del mar y el buque del rey ha desaparecido; hemos visto abierta la puerta de la iglesia que da al pasadizo que conduce al mar; el prisionero que estaba al servicio de la iglesia ha desaparecido». El rey dijo: «Si mi buque, que estaba en la mar, ha desaparecido quiere decir, sin duda alguna, que mi hija Miryam se encuentra en él».

Sahrazad se dio cuenta de que amanecía e interrumpió el relato para el cual le habían dado permiso.

Cuando llegó la noche *ochocientas ochenta y cinco,* refirió:

—Me he enterado, ¡oh rey feliz!, de que llamó al acto al capitán del buque y le dijo: «Si no capturas, inmediatamente, con un grupo de guerreros, mi buque, y a quienes en él se encuentran, juro por el Mesías y la religión verdadera que he de darte la muerte más cruel y hacer de ti un escarmiento». El rey le lanzó un grito de amenaza y el capitán salió corriendo, temblando, en busca de la vieja de la iglesia. Le preguntó: «¿Has oído decir al prisionero que tenías algo acerca de su país y de la ciudad de que es?» «Decía: "Yo soy de la ciudad de Alejandría"». El capitán, oídas las palabras de la vieja, regresó en seguida al puerto y gritó a los marinos: «¡Aparejad! ¡izad las velas!» Hicieron lo que les había mandado, emprendieron el viaje y no pararon de navegar, ni de noche ni de día, hasta que avistaron la ciudad de Alejandría en el preciso momento en que Nur al-Din desembarcaba dejando sola a la señora Miryam. Entre los francos se encontraba el visir cojo y tuerto que la había comprado a Nur al-Din. Vieron que el buque había atracado y lo reconocieron. Anclaron su buque lejos del que buscaban, tomaron una de sus chalupas que sólo desplazaba dos codos de agua y embarcaron en ella cien guerreros, entre los cuales se contaba el visir tuerto y cojo que era un gigante prepotente, un demonio maligno y un ladrón astuto al que nadie podía enredar; parecía ser Abu Muhammad al-Battal. Remaron hasta llegar junto al buque:

le acometieron con una carga inigualable, pero sólo encontraron a la señora Miryam. Se apoderaron de ella y del buque en que estaba; desembarcaron y estuvieron al acecho algún tiempo. Después volvieron a bordo de sus naves habiendo conseguido su objetivo sin necesidad de combate y sin haber sacado a luz sus armas regresaron hacia los países cristianos. Navegaron con viento favorable y realizaron el viaje a buen seguro hasta llegar al país de Francia. Llevaron a la señora Miryam ante su padre que se encontraba sentado en el trono de su reino. La miró y la increpó: «¡Ay de ti, traidora! ¿Cómo abandonas la religión de tus padres y de tus abuelos, te levantas contra la protección del Mesías en el cual confiamos y sigues la religión del Islam que ha empuñado la espada contra la Cruz y los ídolos?» Miryam replicó: «Yo no tengo culpa alguna. Había salido de noche para ir a la iglesia a hacer una visita a la Señora Virgen e impetrar su bendición. Mientras yo estaba absorta cayó sobre mí una partida de piratas musulmanes: me amordazaron la boca, me sujetaron con cuerdas; me colocaron en el buque y zarparon conmigo dirigiéndose hacia su país. Yo les engañé: hablé con ellos acerca de su religión hasta que soltaron mis ligaduras: jamás hubiese creído que tus hombres pudiesen llegar hasta mí y salvarme. ¡Lo juro por el Mesías y la religión verdadera! ¡Juro por la Cruz y Quien en ella fue crucificado que me he alegrado muchísimo al ser rescatada; mi pecho se ha dilatado al verme salvada del cautiverio de los musulmanes». Su padre la replicó: «¡Mientes, desvergonzada, libertina! ¡Juro por cuanto está mandado y prohibido en el verídico Evangelio que he de matarte del modo más cruel, que he de hacer contigo el escarmiento más ejemplar! ¿No te bastaba con lo que hiciste la primera vez cubriéndonos de vergüenza para reincidir ahora con tus mentiras?» El rey mandó matarla y crucificarla junto a la puerta del alcázar. Pero en este momento intervino el visir tuerto, que desde hacía tiempo estaba enamorado de ella y dijo: «¡Oh, rey! No la mates. Cásame con ella, pues yo la custodiaré del modo más completo. No tendré relaciones con ella hasta haber construido un alcázar de dura roca y de tan altos muros que ningún ladrón podrá trepar hasta su azotea. Una vez terminado el edificio sacrificaré, ante su puerta, treinta musulmanes que constituirán una ofrenda al Mesías en nombre suyo y mío». El rey consintió en dársela en matrimonio y autorizó a sacerdotes, monjes y patricios a que la casasen con él. La casaron con el visir y éste dispuso que se iniciase, inmediatamente, la construcción del elevado castillo que convenía a la joven. Los obreros empezaron el trabajo. Esto es lo que hace referencia a la reina Miryam, a su padre y al visir tuerto.

He aquí lo que se refiere a Nur al-Din y al anciano droguero. El joven se presentó ante el amigo de su padre y pidió prestado a su esposa un manto, unas sandalias y vestidos de los que usaban las mujeres de Alejandría. Regresó con ello a orillas del mar y buscó el navío en que estaba la señora Miryam. Pero vio que el aire estaba vacío y que la meta se encontraba distante.

Sahrazad se dio cuenta de que amanecía e interrumpió el relato para el cual le habían dado permiso.

Cuando llegó la noche *ochocientas ochenta y seis,* refirió:

—Me he enterado, ¡oh rey feliz!, de que el corazón se apenó, rompió a llorar desconsoladamente y recitó las palabras del poeta:

> El fantasma de Sada ha venido a llamar a mi puerta y me ha sobrecogido al amanecer, mientras mis compañeros aún dormían en el desierto.
> Cuando nos despertamos para acoger el fantasma que había llegado, encontré el aire vacío, la meta, lejana.

Nur al-Din se dirigió a la orilla del mar, volviéndose a derecha e izquierda; vio gran número de gente reunida junto a la orilla. Decían: «¡Musulmanes! La ciudad de Alejandría ya no es inviolable desde el momento en que los francos entran en ella, la saquean y regresan a su país sin dificultad, sin que ningún musulmán, ningún guerrero de la fe, salga en pos de ellos». Nur al-Din preguntó: «¿Qué ocurre?» Le contestaron: «¡Hijo mío! Una nave de los francos que transportaba soldados acaba de atacar el puerto apoderándose de un buque y de quienes había a bordo; estaba anclado aquí y ha podido zarpar, tranquilamente hacia su país». Nur al-Din al oír estas palabras cayó desmayado. Al volver en sí le preguntaron por su historia y les refirió todo desde el principio hasta el fin. Cuando la hubieron oído todos lo increparon y lo censuraron diciéndole: «¿Por qué no la bajaste a tierra sin manto y sin velo?» Unos le dirigían palabras injuriosas, otros decían: «¡Dejadlo estar! Le basta con lo que le ha sucedido!» Todos le dirigían palabras ofensivas y le lanzaban dardos de reproche: el muchacho cayó desmayado. Mientras se encontraban con Nur al-Din llegó el anciano. Vio a los drogueros y se dirigió hacia ellos para averiguar lo que pasaba. Distinguió a Nur al-Din tumbado entre ellos, desmayado. Se sentó junto a su cabeza y lo hizo volver en sí. Cuando hubo recuperado el conocimiento le dijo: «¡Hijo mío! ¿Cómo estás en tal situación?» «¡Tío! He traído aquí, desde la tierra de su padre, en una embarcación, pasando mil sufrimientos, a la esclava que había perdido. Al llegar a esta ciudad atraqué la embarcación a tierra, dejé en ella a la muchacha y me dirigí a tu casa. Tu esposa me dio las cosas que necesitaba la joven para poder entrar en la ciudad. Pero, entre tanto, llegaron los francos, se apoderaron del buque y de la esclava que estaba en él y se marcharon sin dificultad hasta sus propias embarcaciones.»

La luz se transformó en tinieblas ante la faz del anciano droguero al oír las palabras de Nur al-Din y se entristeció muchísimo. Le preguntó: «¿Por qué no la hiciste desembarcar sin manto? Pero ahora ya no sirven de nada las palabras. Ven, hijo; acompáñame a la ciudad. Tal vez Dios te conceda una esclava aún más hermosa que te consuele de su pérdida. ¡Loado sea Dios que no te ocasionó, con ella, ninguna pérdida y sí ganancia! Sabe hijo mío, que la reunión y la separación están en la mano del Rey excelso». «¡Tío! Yo no podré consolarme jamás y no pararé de buscarla aunque por su causa haya de apurar el vaso de la muerte.» El droguero le preguntó: «¡Hijo mío! ¿Qué piensas hacer?» «Voy a regresar al país de los cristianos, a entrar en la ciudad de Francia y a arriesgarme jugándome el todo por el todo.» «¡Hijo mío! Un refrán corriente dice que la jarra no se salva siempre. Si la primera vez no te hicieron nada es posible que ésta te maten, pues ahora, especialmente, te conocen a la perfección.» Nur al-Din le replicó: «¡Tío! Permite que me ponga en viaje y que muera por su amor inmediatamente antes de que sucumba de impaciencia y perplejidad por su abandono».

Por voluntad del destino, había en el puerto, anclada, una nave que estaba preparada para partir. Su equipaje había terminado con todos los trabajos y en aquel momento levaban anclas. Nur al-Din embarcó. El buque navegó unos días. El tiempo y el viento fueron favorables a sus pasajeros. Mientras seguían su rumbo aparecieron unas naves de los francos que recorrían el mar encrespado: capturaban al buque que veían temerosos de que los piratas musulmanes capturasen a la hija del rey. Cuando se apoderaban de una nave conducían a todos los que estaban a bordo ante el rey de Francia y éste los degollaba cumpliendo así el voto que había hecho por causa de su hija Miryam. Descubrieron la nave de Nur al-Din: le dieron caza, se apoderaron de todos los que iban en ella y los condujeron ante el rey, padre de Miryam. Cuando estuvieron plantados ante él, el soberano se dio cuenta de que eran cien musulmanes. Mandó degollarlos inmediatamente. Entre ellos estaba Nur al-Din.

Los degollaron a todos. Sólo faltaba éste, puesto que el verdugo le había dejado para el fin compadeciéndose de su juventud y de sus buenas formas. El rey, al verlo, le reconoció perfectamente. Le dijo: «Tú eres Nur al-Din, aquel que ya estuvo con nosotros una vez antes». Le replicó: «¡Jamás he estado con vosotros y no me llamo Nur al-Din, sino Ibrahim!» «¡Mientes! —clamó el rey—. Tú eres Nur al-Din y yo te cedí a la anciana que cuida de la iglesia para que la ayudases en su servicio.» «¡Señor mío! Me llamo Ibrahim.» «Vendrá la vieja que cuida de la iglesia, te verá y sabrá si eres o no Nur al-Din.» Mientras estaban hablando llegó el visir tuerto que se había casado con la hija del rey; entró al momento, besó el suelo ante el soberano y le dijo: «¡Oh, rey! Sabe que el castillo está terminado; sabe también que hice voto al Mesías de que cuando hubiese concluido de edificarlo, sacrificaría treinta musulmanes ante su puerta. Vengo a pedirte que me des treinta musulmanes a quienes degollar para cumplir así mi voto al Mesías; te los tomaré como préstamo y tan pronto como consiga prisioneros, te los daré en cambio». El rey le replicó: «¡Juro por el Mesías y la religión verdadera que sólo me queda este prisionero! —y señaló a Nur al-Din— ¡Cógelo! ¡Mátalo ahora mismo y espera hasta que te pueda enviar el resto en cuanto reciba más prisioneros musulmanes!» Entonces, el visir tuerto, tomó consigo a Nur al-Din, y le condujo al alcázar para sacrificarlo en el dintel de la puerta, pero los pintores le dijeron: «¡Señor nuestro! ¡Aún tenemos trabajo para pintar dos días! Ten paciencia con nosotros y retrasa el sacrificio de este prisionero hasta que hayamos terminado de pintar. Es posible que entretanto recibas los que te faltan hasta treinta y puedas sacrificarlos a todos de una vez y cumplir así tu voto en un mismo día». Entonces, el ministro mandó encarcelar a Nur al-Din.

Sahrazad se dio cuenta de que amanecía e interrumpió el relato para el cual le habían dado permiso.

Cuando llegó la noche *ochocientas ochenta y siete*, refirió:

—Me he enterado, ¡oh rey feliz!, de que lo cogieron, lo encadenaron y lo dejaron hambriento y sediento; el joven se afligió por sí mismo, pues veía la muerte con sus propios ojos.

Porque estaba destinado y decretado, el rey tenía dos caballos sementales hermanos uterinos. Uno se llamaba Sabiq y el otro Lahiq. Los reyes persas apetecían tener uno de ellos. El uno era de un gris inmaculado y el otro negro como la noche oscura. Los reyes de las islas decían: «Daremos todo lo que pida, oro rojo, perlas y aljófares, a aquel que robe, para nosotros, uno de estos dos corceles». Uno de ellos se puso enfermo de los ojos y el rey mandó que acudiesen todos los veterinarios para cuidarlo. Pero no tuvieron éxito. Entonces se presentó ante el soberano el visir tuerto que se había casado con su hija. Se dio cuenta de que el rey estaba preocupado por el caballo y quiso quitarle la pena. Le dijo: «¡Oh, rey! Dame ese corcel y yo lo curaré». Se lo entregó y el visir lo llevó al establo en que tenía encerrado a Nur al-Din. En el mismo momento en que el otro corcel se vio separado de su hermano lanzó un relincho penetrante y siguió inquieto, asustando a la gente. El visir comprendió que tales relinchos eran por verse separado de su hermano, por lo que marchó a informar al rey. Cuando éste comprendió sus palabras le dijo: «Si él, que es un animal, no puede soportar estar separado de su hermano ¿qué ha de ocurrir a los seres dotados de razón?» Mandó a los pajes que llevasen al animal junto a su hermano que se encontraba en la casa del visir, el esposo de Miryam. Les indicó: «Decid al visir: "El rey te dice: 'Los dos caballos constituyen un regalo que te hace como dote de su hija Miryam'"».

Mientras Nur al-Din permanecía en el establo, encadenado y sujeto, descubrió a los corceles. Vio que uno de ellos tenía los ojos cubiertos. El joven tenía idea de la hipología y práctica en la cura de caballos. Se dijo: «¡Por Dios! Éste es el momento oportuno: me dirigiré al ministro, le mentiré y le diré: "Yo puedo curar al caballo". Haré algo que le haga perder los ojos. El ministro me matará, pero yo descansaré de esta vida lamentable». El joven esperó a que el visir entrase en el establo para visitar los caballos. Entonces le dijo: «¡Señor mío! ¿Qué merecería yo que me dieras si te tratase este caballo e hiciese algo que le curase los ojos?» El visir replicó: «¡Por vida de mi cabeza! ¡Si le curas te rescataré del sacrificio y te permitiré que me pidas un favor!» «¡Señor mío! Manda que se me quiten las cadenas.» El visir mandó que lo soltasen. Nur al-Din se puso de pie, tomó vidrio virgen y lo pulverizó; cogió cal viva y la mezcló con jugo de cebollas y después lo aplicó todo al ojo del animal y se lo sujetó. Se dijo: «Ahora sus ojos perderán la luz, me matarán y yo descansaré de esta vida vituperable». El joven durmió aquella noche con el corazón libre de la menor preocupación. Se humilló ante Dios (¡ensalzado sea!) y dijo: «¡Señor mío! Tu ciencia es suficiente para prescindir de peticiones». Al día siguiente por la mañana, al salir el sol por encima de las colinas y las llanuras, el visir corrió al establo y quitó la venda que cubría los ojos del caballo: los observó y vio que estaban perfectamente bien gracias al poder del rey que todo lo puede. El visir dijo: «¡ Musulmán ! Jamás he visto en el mundo persona más experta que tú. ¡ Juro por el Mesías y la religión verdadera que me dejas admirado, pues todos los veterinarios de nuestro país han sido incapaces de curar a este animal !» Se acercó a Nur al-Din, le quitó los grillos de las manos, le hizo poner una túnica preciosa, le nombró jefe de sus cuadras, le asignó rentas y sueldos y le instaló en un departamento situado encima de la cuadra. El nuevo palacio que había construido para la señora Miryam tenía una ventana que daba a la casa del visir y al piso en que se alojaba Nur al-Din. Éste pasó cierto número de días comiendo, bebiendo, disfrutando y distrayéndose. Daba órdenes y fijaba prohibiciones a los mozos de cuadra; a aquel que se ausentaba o al que no daba el pienso que estaba asignado al caballo lo tumbaba por el suelo, le pegaba despiadadamente y ponía grillos y hierros en sus pies. El visir estaba muy contento, respiraba tranquilo y era feliz gracias a Nur al-Dien, pero él no sabía lo que el destino le reservaba. El muchacho bajaba cada día a atender a los caballos y los cuidaba con sus propias manos, pues sabía el aprecio y el cariño en que los tenía el ministro. El visir tuerto tenía una hija virgen muy hermosa: parecía ser una gacela fugitiva o una rama curvada. Cierto día estaba sentada en la ventana que daba a la casa del visir y al lugar en que vivía Nur al-Din. Éste cantaba y se consolaba de sus penas recitando estos versos:

> ¡ Oh, tú, que me censuras mientras vives feliz
> y te enorgulleces con tus delicias !
> Si el destino te mordiese con sus desgracias dirías,
> al probar sus amarguras:
>
> «¡ Ah ! el amor con sus vicisitudes me abrasa con
> fuerza el corazón».
>
> Pero hoy has escapado a su perfidia, a sus envidias,
> a su tiranía.

No censures a quien ha quedado preso en él sin saber qué hacer y dice por exceso de pasión:

«¡Ah! el amor con sus vicisitudes me abrasa con fuerza el corazón.

Sé indulgente con la situación de los enamorados y no auxilies a quien los vitupera.
¡Guárdate de caer en iguales redes y de tener que apurar la amargura de sus penas!

¡Ah! El amor con sus vicisitudes me abrasa con fuerza el corazón.

Antes de conocerte vivía entre los hombres como aquel que pasa la noche con el corazón tranquilo.
Desconocía lo que era el amor y el gusto del insomnio hasta que éste me invitó a sus tertulias.

¡Ah! El amor con sus vicisitudes me abrasa con fuerza el corazón.

No sabe lo que es el amor ni sus humillaciones sino aquel que lo ha sufrido largo tiempo.
Aquel cuyo entendimiento ha quedado enajenado por el amor y que ha bebido su amargo cáliz.

¡Ah! El amor con sus vicisitudes me abrasa con fuerza el corazón.

¡Cuántos ojos de amante ha hecho velar en las tinieblas! ¡A cuántos párpados ha privado de las dulzuras del sueño!
¡Cuántas lágrimas mezcladas con sus penas ha hecho correr a raudales sobre las mejillas!

¡Ah! El amor con sus vicisitudes me abrasa con fuerza el corazón.

A cuántos seres humanos, heridos por la pasión, insomnes, lejos del sueño por el amor,

Los ha vestido con el traje de la consunción y de
la enfermedad aquel que aleja de ellos el sueño.

¡Ah! El amor con sus vicisitudes me abrasa con
fuerza el corazón.

¡Cómo termina mi paciencia, se vuelven finos
mis huesos y mis lágrimas fluyen como sangre
de dragón!

Una persona de talle delicado ha hecho amarga
mi comida que antes tenía sabor dulce.

¡Ah! El amor con sus vicisitudes me abrasa con
fuerza el corazón.

Desgraciado es, entre las gentes, aquel que, como
yo, ama y pasa en vela las tinieblas de la noche.
Si nada en el mar de la separación se ahoga;
se queja del amor y de sus suspiros.

¡Ah! El amor con sus vicisitudes me abrasa con
fuerza el corazón.

¿Quién es aquel que no ha sido puesto a prueba
por el amor, quién se ha salvado de la más
simple de sus tretas?

¿Quién, con él, vive cual libre? ¿Dónde está
el que ha encontrado su reposo?

¡Ah! El amor con sus vicisitudes me abrasa con
fuerza el corazón.

¡Dios mío! Preocúpate de quien ha sido puesto
a prueba por él y protégelo, pues tú eres el
mejor Señor.

Concédele la constancia más excelsa y sé indulgente con él en todas sus calamidades.

¡Ah! El amor con sus vicisitudes me abrasa con
fuerza el corazón.

Al terminar Nur al-Din de recitar las últimas palabras de su composición la hija del visir se dijo: «¡Por el Mesías y la religión verdadera! Este musulmán es un hermoso muchacho, pero no cabe duda de que es un amante separado de su amada ¡ojalá supiera si su amada es tan bella como él y si ella sufre lo mismo que él o no! Si su amada es tan bella como él, hace bien en derramar lágrimas y en quejarse de su pasión; pero si no lo es, pierde la vida con sus suspiros privándose de gozar de sus dulzuras».

Sahrazad se dio cuenta de que amanecía e interrumpió el relato para el cual le habían dado permiso.

Cuando llegó la noche *oochocientas ochenta y ocho,* refirió:

—Me he enterado, ¡oh rey feliz!, de que el día anterior se había verificado el traslado al castillo de Miryam la cinturonera, la esposa del visir. La hija de éste se enteró de que tenía el pecho oprimido y resolvió ir a verla y contarle la historia de aquel muchacho y los versos que le había oído. Pero no había terminado de pensar en su discurso cuando ya, la señora Miryam, esposa de su padre, la mandaba buscar para distraerse con su conversación. La muchacha acudió a su lado y se dio cuenta de que tenía el corazón oprimido, que las lágrimas resbalaban por sus mejillas y que lloraba de modo inigualable; pero contuvo el llanto y recitó estos versos:

> Mi vida pasa, pero la vida del amor es eterna; mi corazón está agobiado por el exceso de pasión.
> Mi corazón se derrite por el dolor de la separación y espera la vuelta de los días de un nuevo encuentro.
>
> De modo que la unión llegue por sus pasos contados.
>
> Moderad las críticas de quien tiene el corazón robado y el cuerpo extenuado por el amor y la pena.

Y no asaeteéis su amor con la flecha del reproche:
en todo el universo no hay persona más desgraciada que el amante.

Pero la amargura del amor es dulce al paladar.

La hija del visir preguntó a la señora Miryam: «¿Qué te ocurre, oh, reina? Tienes el pecho oprimido y el pensamiento ocupado». La señora Miryam, al oír las palabras de la hija del visir y al recordar las grandes alegrías que había vivido, recitó este par de versos:

Soportaré con paciencia la separación de mi dueño
y mis lágrimas serán como un collar de perlas.
Es posible que Dios me conceda la alegría, pues
él esconde el consuelo debajo de la dificultad.

La hija del visir le dijo: «¡Oh, reina! No acongojes tu pecho y acompáñame ahora mismo a la ventana del alcázar. Tenemos en la cuadra un hermoso muchacho, de buen talle y de dulces palabras, que parece ser un enamorado separado de su amada». La señora Miryam preguntó: «¿Y por qué señal sabes que es un amante separado de la amada?» «¡Oh, reina! Lo sé porque recita casidas y versos a todas las horas del día y de la noche.» La señora Miryam se dijo: «Si es cierto lo que dice la hija del visir, estos atributos corresponden al afligido y desgraciado Nur al-Din ¡ojalá supiera si este muchacho que menciona la hija del visir es él!» La pasión, el desvarío, el amor y el cariño se avivaron en la joven. Se puso en pie al momento y, acompañada por la hija del visir se dirigió a la ventana. Miró por ella y vio a su amado, a su señor Nur al-Din: clavó la vista en él y le reconoció perfectamente a pesar de que estaba enfermo por el mucho cariño en que la tenía y que se hallaba consumido por la llama del amor, el dolor de la separación y de la tristeza; su cuerpo estaba extenuado. Recitó estos versos:

Mi corazón es un criado y mis ojos son una doncella con la que ninguna nube puede competir.
Llanto, insomnio, pasión, sollozos y tristeza sufro
por los que amo

Y también llama, pena y comezón: o sea, que en total soporto ocho calamidades.
Seguidas de seis por cinco; fijaos y escuchad mis palabras:
Recuerdo, meditación, suspiros, extenuación, ardiente deseo, preocupación.
Prueba, destierro, mal de amor, ardor y tristeza ves en mí.
Mi paciencia y mi capacidad de soportar la pasión disminuyen; la paciencia se va y la desesperación se aproxima.
En mi corazón aumentan las ansias de amor. ¡Oh, tú, que preguntas por la naturaleza del fuego de mi amor!
Porque las lágrimas me abrasan las entrañas y el fuego de mi corazón no para de arder:
Date cuenta de que me anego en el diluvio de mis lágrimas y que la llama de este amor me mantiene en el infierno.

La señora Miryam, al ver a su dueño Nur al-Din, al oír sus hermosos versos y su bella composición quedó convencida de que se trataba de él en persona. Pero lo ocultó a la hija del visir y le dijo: «¡Juro por el Mesías y la religión verdadera! ¡No creía que tú supieras nada de mi pena!» A continuación se alejó de la ventana y volvió a su habitación mientras la hija del visir se marchaba a sus quehaceres. La señora Miryam aguardó durante una hora y después se dirigió a la ventana, se sentó y empezó a mirar a su señor Nur al-Din y a contemplar su belleza y sus bellas proporciones: le parecía que era la luna cuando está en su decimocuarta noche. El muchacho seguía suspirando y derramando lágrimas, pues recordaba el pasado. Recitó estos versos:

He esperado unirme a mis amigos, pero no lo he conseguido jamás; en cambio he alcanzado la amargura de la vida.
Mis lágrimas, en su correr, asemejan al mar; pero, cuando veo a mis censores, los retengo.
¡Ah! ¡Desgraciado aquel que ha deseado nuestra

separación! Si pudiese alcanzar su lengua se la cortaría.
No hay por qué reprender a los días por sus hechos: han mezclado en mi copa la bebida con bilis.
¿Cómo he de buscar a otro en vez de vos si he dejado mi corazón donde tú estas?
¿Quién me hará justicia frente a un malvado que tiñe cada vez más sus juicios con la arbitrariedad?
Le he concedido poder sobre mi espíritu para que custodiase sus dominios, pero me ha perdido y ha perdido cuanto le había confiado.
He dilapidado mi vida en su amor ¡ojalá me concediera la unión por lo que he gastado!
¡Oh, gacela amada que estás en mis entrañas! ¡Ya basta con la separación que he probado!
Tú eres aquella en cuyo rostro se encuentran todas las bellezas, pero por el cual he perdido la paciencia.
La he instalado en mi corazón y en él he introducido la aflicción; pero yo estoy contento con quien se ha alojado.
Mis lágrimas fluyen como un mar encrespado. Si supiera dónde hay una senda la recorrería.
Temo que voy a morir de pena y perder todo lo que había esperado.

Miryam, al oír a Nur al-Din, el pobre, el enamorado, el separado de la amada, tales versos, notó que se encendían en ella llamas y llorando a lágrima viva recitó este par de versos:

Ansiaba hallar a quien amo y, al encontrarlo, no he podido dominar ni la lengua ni la vista.
Había preparado cuadernos de reproche, pero, al reunirnos, no he encontrado ni una letra.

Nur al-Din, al escuchar estas palabras, la reconoció y rompió a llorar amargamente. Dijo: «¡Por Dios! Éste es sin duda ni vacilación ni conjetura el canto de la señora Miryam la cinturonera».

Sahrazad se dio cuenta de que amanecía e interrumpió el relato para el cual le habían dado permiso.

Cuando llegó la noche *ochocientas ochenta y nueve,* refirió:

—Me he enterado, ¡oh rey feliz!, de que [Nur al-Din prosiguió:] »¡Ojalá supiera si lo que yo creo es verdad y si se trata de ella o de otra!» Los suspiros de Nur al-Din fueron en aumento y recitó estos versos:

> Quien me censura por mi pasión, al ver que había encontrado a mi amor en un sitio amplio
> Y que, al encontrarlo, no le había dirigido ningún reproche (¡y cuántas veces el reproche constituye la cura del afligido!)
> Dijo: «¿Qué significa este silencio que te ha distraído de dar la respuesta certera?»
> Respondí: «¡Oh, tú, que desconoces la situación de los enamorados como persona que duda!
> Es característico del enamorado callar cuando encuentra al amado».

Cuando el joven terminó de recitar estos versos, la señora Miryam tomó tinta y papel y después de haber puesto la noble eulogía, escribió: «La paz, la misericordia y la bendición de Dios sean sobre ti. Te informo de que tu esclava, Miryam, te saluda y te ama ardientemente. Ésta es una carta que te envía. Ponte en movimiento en el mismo instante en que tengas esta hoja entre las manos y haz con el mayor celo lo que quiere. Guárdate, guárdate de desobedecerla o de dormirte. Cuando haya transcurrido el primer tercio de las tinieblas nocturnas llegará el momento más feliz: no tendrás más trabajo que el de ensillar los dos caballos y conducirlos fuera de la ciudad. A todo aquel que te pregunte: «¿Adónde vas?», contesta: «Los llevo de paseo». Si dices esto nadie te pondrá dificultades, pues la gente de esta ciudad confía en el cierre de las puertas». A continuación la señora Miryam envolvió la carta en un pañuelo de seda y, desde la ventana, se lo arrojó a Nur al-Din. Éste lo cogió, leyó lo que contenía y reconoció la letra de la señora Miryam. Besó la misiva y la puso encima de sus ojos. Recordó todo lo que le había sucedido con ella y lo felices que habían sido juntos; rompió a llorar y recitó estos versos:

He recibido vuestra carta en las tinieblas de la noche; me ha curado y ha avivado mi deseo de vos.

Me ha recordado la vida que pasé a vuestro lado. ¡Gloria al Señor que me ha puesto a prueba con la separación!

Cuando la noche desplegó sus tinieblas, Nur al-Din se dedicó a preparar los dos corceles y esperó hasta que hubo transcurrido el primer tercio de las tinieblas. Entonces, tomó los caballos, les puso sus mejores sillas, salió por la puerta de la cuadra, que cerró, los llevó a la puerta de la ciudad y se sentó a esperar a Miryam. Esto es lo que se refiere a Nur al-Din.

He aquí lo que hace referencia a la reina Miryam: Esta se marchó al momento al salón que le habían preparado en el castillo y encontró sentado, reclinado en una almohada rellena de plumas de avestruz, al visir tuerto, quien se avergonzaba de alargar la mano hacia ella o de dirigirle la palabra. La muchacha, al verlo, rogó, con el corazón, a su señor, y dijo: «¡Dios mío! No permitas que consiga su deseo y no decretes que yo quede manchada después de haber permanecido limpia.» La joven se acercó hacia él aparentando tenerle cariño, se sentó a su lado, le trató con dulzura y le dijo: «¡Señor mío! ¿Por qué te apartas de nuestro lado? ¿Lo haces por orgullo o por coquetería? El autor de un proverbio corriente dice: "Si el saludo cae en desuso, los que están sentados saludan a los que están de pie". ¡Señor mío! Si no te acercas a hablar conmigo yo me aproximaré a ti y te dirigiré la palabra.» El visir le replicó: «A ti pertenece la gracia y el favor, reina de todo lo largo y ancho de la tierra. Yo soy uno de tus criados, el más ínfimo de tus pajes; me avergüenzo al oír tu preciosa conversación ¡oh, solitaria! Mi rostro se encuentra a tus pies». Le replicó: «¡Déjate de tales palabras y tráenos de comer y de beber!» El visir llamó inmediatamente a esclavos y servidores y les mandó que sirvieran de comer y de beber. Les acercaron una mesa que contenía animales de carrera y de vuelo y peces del mar; había codornices, perdices, palomos, corderos, gruesas gallinas asadas y animales de toda clase de formas y colores. La señora Miryam alargó la mano hacia la mesa, empezó a comer, a preparar bocados y a ofrecérselos al visir y a besarlo en la boca. Comieron hasta quedar hartos. Se lavaron las manos y los criados levantaron la mesa de comer y sirvieron la del vino. Miryam servía el vino, bebía y le escanciaba cuidando del visir con gran exquisitez; el corazón de éste estaba a punto de volar de alegría; su pecho se había tranquilizado y alegrado. Cuando la bebida hizo mella en él y perdió la justa razón, Miryam alargó la mano hacia su bolsillo, sacó una pastilla de purísimo narcótico magrebí, capaz de hacer dormir a un elefante de un año a otro con sólo haber aspirado una ínfima parte. Había preparado la pastilla para este momento: distrajo al visir, la desmenuzó en su copa, llenó ésta de vino y se la alargó; la razón del visir volaba de alegría y apenas podía creer que Miryam se lo ofrecía. Tomó la copa, la bebió y apenas le hubo llegado al vientre cayó tumbado, de repente, al suelo. Miryam se puso de pie, fue en busca de dos grandes alforjas, las llenó con las joyas, jacintos y distintas clases de gemas de poco peso y mucho valor; cogió algo de comer y de beber, se puso un traje de guerra y de combate, tomó armas y municiones y recogió aquello que podía ser útil a Nur al-Din: preciosos trajes reales y espléndidas armas. Cargó las alforjas encima de sus hombros y salió del alcázar y se fue, valiente y resuelta, en busca de Nur al-Din. Esto es lo que hace referencia a Miryam.

Sahrazad se dio cuenta de que amanecía e interrumpió el relato para el cual le habían dado permiso.

Cuando llegó la noche *ochocientas noventa,* refirió:

—Me he enterado, ¡oh rey feliz!, de lo que hace referencia a Nur al-Din, el pobre enamorado. Se sentó en la puerta de la ciudad en espera de la princesa conservando las riendas de los caballos. Dios (¡goriado y ensalzado sea!) le hizo entrar sueño y se durmió

(¡loado sea Aquel que no duerme!). En aquella época los reyes de las islas ofrecían dinero como recompensa a quien consiguiese los dos caballos o uno de ellos. Durante estos días, un esclavo negro que había crecido en las islas, se encontraba en la ciudad; estaba especializado en el robo de caballos. Los reyes francos le habían ofrecido grandes riquezas para que robase uno de los dos caballos y le habían prometido que si conseguía los dos, le regalarían una isla entera y le darían un precioso traje de Corte. Por eso, desde hacía largo tiempo, dicho esclavo recorría a escondidas la ciudad de Francia pero sin poder apoderarse de los corceles, puesto que ambos se encontraban al lado del rey. Cuando éste los regaló al visir tuerto, quien los trasladó a su cuadra, el esclavo se alegró muchísimo y, ansiando tener a los dos, exclamó: «¡Juro por el Mesías y la religión verdadera que los robaré!» Dicho esclavo se dirigía aquella noche a la cuadra para robarlos. Mientras recorría el camino, su vista tropezó con Nur al-Din, que estaba durmiendo con la rienda de los corceles en la mano. Les quitó el aparejo de la cabeza y se dispuso a cabalgar en uno y conducir al otro delante suyo. Pero, en este momento, apareció la señora Miryam cargada con las alforjas en la espalda. Creyendo que el esclavo era Nur al-Din, le entregó una de las alforjas que aquél colocó sobre el caballo; a continuación le dio la segunda, que colocó, sin decir palabra, en el otro caballo. La princesa seguía creyendo que era Nur al-Din. Luego ésta, acompañada por el esclavo que seguía mudo, salió por la puerta de la ciudad. Dijo: «¡Señor mío Nur al-Din! ¿Qué te ocurre que estás callado?» El esclavo, encolerizado, se volvió hacia ella y le replicó: «¿Qué dices, criada?» La princesa al oír su mala pronunciación se dio cuenta de que no se se trataba de la lengua de Nur al-Din. Levantó la cabeza hacia él, le miró y vio que tenía unas narices como aguamanil. La luz se transformó en tinieblas ante su rostro. Le dijo: «¿Quién eres, oh, jeque de los hijos de Cam? ¿Cómo te llamas entre las gentes?» Le replicó: «¡Muchacha desgraciada! Me llamo Masud, el que roba los caballos cuando la gente duerme». La princesa no contestó ni una sola palabra, desenvainó al instante el sable, le golpeó en el cuello y la lámina salió reluciente de tendones mientras el esclavo caía tumbado por el suelo debatiéndose en su propia sangre. Dios apresuró la marcha de su alma hacia el fuego y ¡qué pésima morada es! Entonces, la señora Miryam, recogió los dos corceles, montó en uno de ellos, sujetó el otro con la mano y volvió en busca de Nur al-Din. Le encontró durmiendo con las riendas en la mano en el sitio en que había quedado citado. Dormía de modo profundo y era incapaz de distinguir las manos de los pies. La joven se apeó del corcel y le sacudió con la mano. Se despertó sobresaltado. Le dijo: «¡Señora mía! ¡Loado sea Dios que llegas salva!» «¡Ponte en pie! Monta en este caballo y calla. Se incorporó, montó en el corcel; la señora Miryam hizo lo mismo en el otro y ambos salieron de la ciudad. Caminaron durante una hora y, al cabo de ésta, la señora Miryam se volvió a Nur al-Din y le dijo: «¿No te había dicho que no te durmieses? Quien duerme no triunfa». «¡Señora mía! Yo me he quedado dormido gracias al fresco que experimentaba mi corazón desde el momento en que me diste la cita. ¡Señora mía! ¿Qué ha ocurrido?» La princesa le refirió toda la historia del esclavo desde el principio hasta el fin. Nur al-Din exclamó: «¡Loado sea Dios que nos ha salvado!» A continuación apresuraron la marcha y confiaron su suerte al Atento, al Omnisciente. Siguieron andando hasta llegar al esclavo al que había dado muerte la señora Miryam; el joven le vio tendido en el polvo como si fuese un *efrit*. La princesa dijo al muchacho: «Apéate, quítale los vestidos y coge sus armas». «¡Señora mía! Yo no puedo bajar del lomo del caballo ni ponerme a su lado ni acercarme a él» Nur al-Din estaba atónito ante su corpulencia. Dio las gracias a la señora Miryam por lo que había hecho y quedó admirado de su valentía y de la fuerza de su corazón. Continuaron viajando rápidamente durante el resto de la noche, hasta que amaneció, apareció la luz, se hizo de día y el sol se extendió por colinas y llanuras. Llegaron a un amplio prado en el cual pacían las gacelas; estaba cubierto de verde por todas partes; los frutos se encontraban en todos los lugares; las flores, de todos colores, parecían vientres de serpientes; los pájaros cantaban y los torrentes corrían de distintos modos tal como dijo feliz y exactamente el poeta:

Un valle nos ha protegido del calor con la sombra espesa de sus árboles
Hemos acampado bajo su copa que se ha inclinado sobre nosotros con la ternura de la nodriza sobre el lactante.
Nos ha dado a beber, para calmar nuestra sed, agua purísima más dulce que el vino para el contertulio.
La floresta nos protegía de los rayos del sol, eclipsándolo y permitiendo el paso de la brisa.
Los guijarros causaban la admiración de las vírgenes cubiertas de joyas que buscaban en ellos sus collares.

O como dijo otro:

Es un valle en el que cantan pájaros y riachuelos, que gusta a los enamorados por la mañana
Sus orillas parecen las del Paraíso: tienen sombras, frutos y agua corriente.

Sahrazad se dio cuenta de que amanecía e interrumpió el relato para el cual le habían dado permiso.

Cuando llegó la noche *ochocientas noventa y una*, refirió:

—Me he enterado, ¡oh rey feliz!, de que en este valle comieron de sus frutos, bebieron de su agua y dieron suelta a los caballos para que pacieran comiendo y bebiendo en él. Nur al-Din y Miryam se sentaron a conversar; se contaron sus aventuras y lo que les había ocurrido; cada uno de ellos se quejaba a su compañero de lo que le había hecho sufrir el dolor de la separación y la pena que le había causado el apartamiento y la pasión. Mientras así estaban hablando se levantó un nube de polvo que cerró el horizonte; debajo de ella se oía el relincho de los caballos y el chocar de las armas. He aquí la causa: El rey había casado a su hija con el ministro, y éste había pasado con ella la primera noche. Al día siguiente por la mañana el soberano quiso, como es costumbre que hagan los soberanos con sus hijas, dar los buenos días a Miryam. Se levantó, tomó consigo un traje de seda y monedas de oro y de plata para arrojarlas a las criadas y peinadoras. El rey, acompañado por un paje, anduvo hasta llegar al alcázar nuevo; halló al visir tendido en la cama incapaz de distinguir su cabeza de los pies.

El rey recorrió el palacio a derecha e izquierda, pero no encontró a su hija. Esto le sentó mal y lo preocupó. Mandó que le llevasen agua caliente, vinagre puro e incienso. Cuando tuvo éste ante él, lo mezcló, lo hizo aspirar al ministro, le sacudió y éste expulsó el narcótico, que tenía en el estómago, como si fuese un pedazo de queso. Le hizo respirar la mezcla por segunda vez y se desveló. Le preguntó cómo se encontraba y qué había sido de su hija. Le replicó: «¡Rey poderoso! Lo único que sé de ella es que, con su propia mano, me llenó una copa de vino. Desde entonces hasta este momento he perdido el conocimiento e ignoro lo que ha sido de ella». La luz se transformó en tinieblas ante la faz del rey al oír las palabras del ministro; desenvainó la espada, dio un mandoble en la cabeza de éste y la lámina salió reluciente por entre los molares. A continuación mandó llamar a pajes y escuderos; cuando los tuvo ante él les preguntó por los dos caballos. Le replicaron: «¡Oh, rey! Esta noche han desaparecido los caballos y nuestro jefe. Al despertarnos hemos encontrado abiertas todas las puertas». El rey exclamó: «¡Juro por mi religión y lo que creo firmemente que sólo mi hija puede haberse apoderado de los caballos y del prisionero que estaba al servicio de la iglesia! Al verlo, lo reconocí perfectamente y sólo lo salvó de mi mano este ministro que ya ha recibido la recompensa de su acción». El rey mandó llamar, al instante, a sus tres hijos que eran valientes héroes; cada uno de ellos era capaz de hacer frente a mil caballeros en el campo de batalla, en la palestra de la lanza y de la espada. Les dio un grito ordenándoles que montasen a caballo. El soberano, los patricios de la corte, los grandes del reino y los magnates hicieron lo mismo. Siguieron las huellas de los dos jóvenes y los alcanzaron en aquel valle. Miryam, al verlos, se puso de pie, montó en su corcel, ciñó la espada, empuñó sus armas y preguntó a Nur al-Din: «¿Cuál es tu situación y cómo se comporta tu corazón en el combate, en la guerra y en el encuentro singular?» Le contestó: «Mi firmeza en el combate es la misma que la de un palo plantado en salvado». A continuación recitó:

¡Miryam! Deja de causarme dolor con tus reproches y no procures matarme con el largo tormento que me das.
¿Cómo he de ser yo un combatiente si me asusto del graznido del cuervo?
Cuando veo un ratón me lleno de terror y el miedo me hace ensuciar los vestidos.
A mí sólo me gusta alancear a solas y la vulva conoce la violencia de mi miembro.
Éste es mi justo punto de vista; quien no lo ve así no está en lo cierto.

Miryam, después de haber oído las palabras y los versos y la composición de Nur al-Din, rompió a reír. Le contestó: «¡Señor mío Nur al-Din! Quédate en tu sitio, pues yo me bastaría, para evitar que te causasen daño, aunque fuesen tan numerosos como los granos de arena». Se preparó en un instante, montó a lomos de su corcel, dio vuelta a las riendas y dirigió la punta de su lanza en dirección de las de los enemigos. El caballo que tenía debajo de ella salió raudo como el viento impetuoso o como el agua cuando escapa por un caño estrecho. Miryam era la persona más valiente de su tiempo y única en su época ya que su padre, cuando era pequeña, le había enseñado a montar a caballo y a sumergirse en medio de los mares de la guerra en plena tiniebla de la noche. Dijo a Nur al-Din: «Sube a tu corcel y quédate detrás mío, pero si fuésemos vencidos preocúpate sólo de no caer, pues nadie puede dar alcance a tu montura». El rey, al ver a su hija, la reconoció perfectamente. Se dirigió al hermano mayor y le dijo: «¡Bartawt! ¡Tú que te apodas Ras al-Qilawt! Ésta es, sin duda alguna, tu hermana Miryam. Nos ataca y nos mueve guerra y combate; sal a su encuentro y acométela. ¡Por el Mesías y la verdadera religión! Si la vences no la mates antes de haberle expuesto la religión de los cristianos. Si vuelve a su antigua fe, tráemela prisionera, pero si no se convierte, mátala del modo más horrible y haz con ella un escarmiento ejemplar; lo mismo harás con ese maldito que la acompaña. Haz en él un castigo ejemplar». Bartawt le replicó: «¡Oír es obedecer!» y salió, en seguida, a medirse con su hermana Miryam. Aquél la acometió y ésta le salió al encuentro; él cargó y ella se le acercó y aproximó. Bartawt le dijo: «¡Miryam! ¿No te basta con haber abandonado la religión de tus padres y abuelos y seguir la religión de los vagabundos que corren por el país, es decir, la religión del Islam? Si no vuelves a la religión de los reyes que fueron tus padres y tus abuelos y no te comportas conforme exige la buena educación, juro por el Mesías y la religión verdadera que he de matarte de mala manera y hacer en ti el peor de los escarmientos!» Miryam rompió a reír al oír las palabras de su hermano y le replicó: «¡Ay de ti! ¡Ay de ti! El pasado no vuelve y quien murió no recupera la vida. Yo te voy a hacer tragar las peores angustias. ¡Juro, por Dios, que no abandonaré la religión de Mahoma, hijo de Abd Allah, cuyo recto camino se ha difundido por doquier y constituye la religión verdadera! No abandonaría la buena senda aunque tuviese que tragar la copa de la muerte».

Sahrazad se dio cuenta de que amanecía e interrumpió el relato para el cual le habían dado permiso.

Cuando llegó la noche *ochocientas noventa y dos*, refirió:

—Me he enterado, ¡oh rey feliz!, de que la luz se transformó en tinieblas ante la faz de Bartawt al oír las palabras de su hermana; le molestaron y le afligieron. Entre ambos se inició el combate, se avivó la guerra y el choque y se acometieron a todo lo largo y ancho del valle haciendo frente al peligro. Todas las miradas llenas de estupefacción estaban clavadas en ellos que evolucionaron un rato y se esforzaron durante largo tiempo; Bartawt acometía a su hermana Miryam con distintas formas de ataque, pero ella las paraba todas y lo rechazaba con arte, gracias a su fuerza, habilidad y conocimientos de caballería. En esta situación siguieron hasta que el polvo cubrió sus cabezas y los contendientes desaparecieron de la vista de los espectadores. Miryam siguió esquivando sin descanso, parando sus ataques, frustrando sus esfuerzos y deshaciendo sus combinaciones hasta que su hermano empezó a perder fuerzas. Entonces le golpeó con la espada en el cuello y el arma quedó reluciente con sus tendones. Dios precipitó su alma al fuego ¡y qué pésima morada es! Hecho esto, Miryam caracoleó por el campo del combate, por la palestra de la guerra y de la lanza y ofreció combate y lucha diciendo: «¿Hay algún guerrero? ¿Hay algún contendiente? Que hoy no se presente ni el cansado ni el impotente; enfréntenseme sólo los paladines enemigos de la religión para que les dé a beber la copa del ignominioso tormento. ¡Adoradores de ídolos! ¡Descreídos! ¡Rebeldes! ¡Éste es el día en que resplandece el rostro de los fieles y se oscurece la faz de los que no creen en el Misericordioso!» El rey, al ver muerto a su hijo mayor, se abofeteó la cara, desgarró sus vestidos, llamó a su hijo mediano y le dijo: «¡Bartus! ¡Tú que te apodas Jar al-Sus! Combate, hijo mío, en seguida a Miryam, la asesina de tu hermano; venga a tu hermano Bartawt y tráemela presa, humillada, vencida». «¡Padre mío! ¡Oír es obedecer!» Ofreció combate a la joven y ella le salió al encuentro cargando contra él. Se combatieron de modo terrible, de una forma más violenta que en el combate anterior. Pero Bartus, dándose cuenta de que era incapaz de matarla, intentó fugarse y huir. No pudo hacerlo, pues ella, con su valor le atajaba cada vez que lo probaba acercándose a él, dándole caza y encerrándolo. Al fin le golpeó con la espada en la nuca y el arma salió reluciente por el cuello obligándole, así, a reunirse con su hermano. Hecho esto, Miryam caracoleó por el campo del combate, por la palestra de la guerra y de la lanza y gritó: «¿Dónde están los caballeros y los valientes? ¿Dónde está el visir tuerto y cojo que practica la religión falsa?» El padre, con el corazón lacerado, con los ojos llenos de lágrimas, exclamó: «¡Has matado a mi segundogénito! ¡Por el Mesías y la religión verdadera!» A continuación llamó a su hijo pequeño y le dijo: «¡Fasyán! ¡Tú que te apodas Salh al-Subyán! Sal, hijo mío, a combatir con tu hermana y venga a tus dos hermanos. Atácala y venga a uno de los dos. Si tú consigues la victoria, mátala del modo más vil». El hermano pequeño salió a hacerle frente y ella avanzó a su encuentro con su habilidad y lo cargó con elegancia, valentía, experiencia de la guerra y de la caballería. Le increpó: «¡Enemigo de Dios! ¡Enemigo de los musulmanes! ¡Voy a reunirte con tus dos hermanos en la peor morada de los infieles!» Sacó la espada de la vaina y de un golpe le cortó el cuello y los dos brazos reuniéndolo con sus hermanos. Dios hizo llegar, inmediatamente, su alma al fuego ¡y qué pésima morada es!

El corazón de los patricios y caballeros que habían acompañado al padre de los tres muchachos muertos, a pesar de ser los más valientes de sus contemporáneos, se llenó de terror ante la señora Miryam y quedaron perplejos; la angustia les sobrecogió e inclinaron la cabeza hacia el suelo, pues estaban seguros de que iban a perecer, morir, quedar envilecidos y arruinados; la llama del furor prendió en su corazón, volvieron la espalda y confiaron en la fuga. El rey, al ver a sus tres hijos muertos y a su ejército derrotado, quedó perplejo y aturdido mientras su corazón se abrasaba con una llama de fuego. Se dijo: «La señora Miryam nos tiene en poca cosa. Si yo me arriesgase y, solo, me enfrentase con ella, es probable que me venciese, me matase de mala manera e hiciese en mí el peor de los escarmientos del mismo modo como lo ha hecho con sus hermanos; ella no tiene nada que esperar de nosotros y nosotros no deseamos su regreso. Lo mejor es que yo conserve mi honor y regrese a la ciudad». El rey dio rienda suelta a su caballo y volvió a la capital. Cuando estuvo de nuevo en el alcázar notó que su corazón ardía por causa de la muerte de sus tres hijos, la derrota de su ejército y la mancha caída sobre su honor. Apenas había transcurrido media hora cuando ya convocaba a los magnates del imperio y a los grandes del reino. Se quejó ante ellos de lo que le había hecho su hija Miryam: había dado muerte a sus hermanos y le había vencido y apenado.

Les pidió consejo y todos le dijeron: «Escribe una carta al Califa de Dios en la tierra, el Emir de los creyentes Harún al-Rasid, e infórmalo de todo el asunto». Escribió a al-Rasid una carta en que decía, después del saludo al Emir de los creyentes: «Tenemos una hija llamada Miryam la cinturonera a la que ha pervertido un prisionero musulmán llamado Nur al-Din, hijo del comerciante Tach al-Din el cairota. Éste la ha raptado una noche y se la ha llevado a su país. Yo ruego de la bondad de nuestro señor, el Emir de los creyentes, que escriba a todos los países musulmanes para que la detengan y nos la devuelvan con un mensajero seguro...»

Sahrazad se dio cuenta de que amanecía e interrumpió el relato para el cual le habían dado permiso.

Cuando llegó la noche *ochocientas noventa y tres*, refirió:

—Me he enterado, ¡oh rey feliz!, de que [la carta proseguía: »...y nos la devuelvan con un mensajero seguro] escogido entre los criados de su excelencia el Emir de los creyentes». Entre otras cosas la carta añadía: «A cambio de vuestro auxilio en este asunto os concederemos la mitad de la ciudad de Roma, la Grande, para que podáis construir en ella mezquitas para los musulmanes y os pague el tributo correspondiente». Una vez escrita la carta, según el consejo de las gentes de su reino y de los magnates del imperio, la dobló y llamó al visir que había nombrado en sustitución del tuerto. Le ordenó que sellase la carta con el sello real; los magnates del reino también estamparon sus sellos después de haber puesto su firma de puño y letra. Dijo al visir: «Si traes a mi hija te cederé un par de provincias de mi imperio y te daré un vestido de Corte con dos orlas bordadas». Le entregó la carta y le ordenó que se dirigiese a la ciudad de Bagdad, morada de la paz, y entregase la misiva en propia mano del Emir de los creyentes. El ministro se puso en camino y cruzó valles y desiertos hasta llegar a la ciudad de Bagdad. Al entrar en ésta descansó durante tres días, al cabo de los cuales preguntó por el alcázar del Emir de los creyentes, Harún al-Rasid. Se lo indicaron. Al llegar pidió audiencia al Emir de los creyentes. Se la concedió. Entró, besó el suelo ante él y le entregó la carta del rey de Francia y le hizo ofrenda de los regalos y ricos presentes propios del rango del Emir de los creyentes. El Califa abrió la carta, la leyó y comprendió el contenido. Mandó, inmediatamente, a sus visires que escribiesen cartas a todos los países musulmanes. Así lo hicieron. En las cartas dieron la descripción de Miryam y de Nur al-Din, el nombre de ambos y comunicaron que eran fugitivos; quienquiera que los encontrase debía detenerlos y enviárselos al Emir de los creyentes. Se advertía que debía hacerse sin demora, dudas ni negligencia. A continuación selló las cartas y las mandó con correos a los gobernadores. Éstos se apresuraron a ejecutar la orden y empezaron a buscar por toda su provincia las personas de esas características. Esto es lo que hace referencia a los reyes y su Corte.

He aquí lo que se refiere a Nur al-Din el cairota y Miryam la cinturonera, hija del rey de Francia: Ambos, inmediatamente después de haber derrotado al rey y a su ejército, emprendieron la marcha hacia Siria. El que todo lo oculta los protegió y llegaron a la ciudad de Damasco. Pero los mensajeros despachados por el Califa habían llegado a la ciudad el día antes y el gobernador había sido informado de que tenía que detenerlos en cuanto los encontrase y hacerlos comparecer ante el Califa.

En cuanto los dos jóvenes entraron en la ciudad de Damasco, se les acercaron los espías y les preguntaron cómo se llamaban. Les contestaron la verdad, les refirieron toda su historia y les explicaron todo lo que les había ocurrido. Los reconocieron, los detuvieron y los condujeron ante el Emir de Damasco. Éste los remitió al Califa que estaba en la ciudad de Bagdad, morada de la paz. Una vez llegados a la capital pidieron audiencia al Emir de los creyentes, Harún al-Rasid. La concedió. Entraron y besaron el suelo ante él. Le dijeron: «¡Emir de los creyentes! Ésta es Miryam la cinturonera, hija del rey de Francia y éste es Nur al-Din, hijo del comerciante Tach al-Din, el cairota; es el prisionero que la ha seducido arrebatándosela a su padre, sacándola de su ciudad y de sus Estados y huyendo con ella a Damasco. Los descubrimos cuando entraban en esta ciudad; les preguntamos sus nombres y nos contestaron la verdad; los hemos traído y aquí están delante tuyo». El Emir de los creyentes miró a Miryam y se dio cuenta de que era esbelta, bien formada, de palabra elocuente, una hermosa entre las gentes de su tiempo, perla única de su época, de voz dulce, firme y resuelta. Miryam besó el suelo al hallarse ante el soberano e hizo los votos de rigor deseándole poderío, bienestar y el fin de todo daño y enemigo. El Califa quedó admirado de sus bellas proporciones, de la dulzura de sus palabras y de la rapidez de su respuesta. Le preguntó: «¿Tú eres Miryam la cinturonera, hija del rey de Francia?» «¡Sí, Emir de los creyentes, imán de los que creen en un único Dios, protector de la fe, primo del señor de los enviados!» Entonces el Califa se volvió hacia Nur al-Din y se dio cuenta de que era un hermoso muchacho, de bella constitución; parecía ser la luna cuando resplandece en el plenilunio. El Califa le preguntó: «¿Tú eres el prisionero Alí Nur al-Din, hijo del comerciante Tach al-Din el cairota?» «Sí, Emir de los creyentes, columna de los que obran rectamente.» «¿Y cómo has raptado a esta muchacha en el propio reino de su padre y has huido con ella?» Nur al-Din empezó a contar al Califa todo lo que le había sucedido desde el principio hasta el fin. Cuando hubo terminado de hablar, el soberano quedó profundamente admirado y fue presa de una alegría indescriptible. Exclamó: «¡Cuántas fatigas ha de sufrir el hombre!»

Sahrazad se dio cuenta de que amanecía e interrumpió el relato para el cual le habían dado permiso.

Cuando llegó la noche *ochocientas noventa y cuatro*, refirió:

—Me he enterado, ¡oh rey feliz!, de que [el Califa] se volvió a la princesa y le dijo: «¡Miryam! Sabe que tu padre, el rey de Francia, me ha escrito acerca de ti, ¿qué tienes que decir?» «¡Califa de Dios en la tierra, mantenedor de la azuna y de los preceptos de su Profeta! ¡Concédate Dios eterna prosperidad y guárdete de todo mal y daño! Tú eres el Califa de Dios en la tierra y yo he aceptado vuestra religión, ya que ésta es la verdadera, la cierta; he abandonado el credo de los infieles que mienten sobre el Mesías y creo en Dios, el Generoso; admito la revelación de su misericordioso enviado, adoro a Dios (¡gloriado y ensalzado sea!) y le tengo por único Dios; me prosterno, humildemente, ante él y le glorifico. Digo, ante el Califa, que atestiguo que no hay dios sino el Dios y doy fe de que Mahoma es el enviado de Dios, el Cual lo mandó con la buena dirección y la religión verdadera para que se hiciera patente sobre todas las religiones por más que pese a los politeístas[6]. ¿Está en tu poder, Emir de los creyentes, acceder a la carta del rey de los infieles y devolverme al país de los incrédulos que asocian dioses al Rey omnisciente, tienen en gran estima a la cruz, adoran los ídolos y creen que Jesús es Dios a pesar de ser una criatura? ¡Califa de Dios! Si haces esto conmigo, el día del Juicio ante Dios me agarraré a los faldones de tu traje y me querellaré contra ti delante de tu primo, el Enviado de Dios, al que Éste bendiga y salve; en ese día las riquezas y los hijos no serán de provecho sino para quien a Dios se acerque con un corazón limpio[7].» El Emir de los creyentes contestó: «¡Miryam! ¡Dios me guardará siempre de hacer tal cosa! ¿Cómo he de entregar yo a una mujer musulmana, que cree en la unicidad de Dios y en su Enviado, a quienes niegan a Dios y a su Enviado?» Miryam dijo: «Atestiguo que no hay dios, sino el Dios; doy fe de que Mahoma es el Enviado de Dios». «¡Que Dios te bendiga, Miryam, y mejore tu fe en el Islam! Como eres musulmana y profesas la unicidad de Dios tienes derechos sobre nosotros a los que no faltaré jamás, aunque para ello tenga que cubrir la tierra de perlas de oro; tranquilízate, regocija tus ojos, respira tranquilamente, pues sólo te han de ocurrir cosas buenas. ¿Estás conforme en que este muchacho, Alí el cairota, sea tu esposo y tú su esposa?» «¡Emir de los creyentes! ¿Cómo no lo he de aceptar por esposo si él me compró con sus riquezas, me ha hecho innumerables favores y ha expuesto su vida, por culpa mía, muchísimas veces?» Nuestro señor, el Emir de los creyentes, la casó con él, le dio la dote y

[6] *El Corán* 9, 33.
[7] *El Corán* 26, 88-89.

mandó llamar al cadí, a los testigos y a los grandes del imperio para que asistiesen a la redacción del contrato matrimonial. Aquél fue un día señalado. Después, el Emir de los creyentes, se volvió hacia el visir del rey de los cristianos que estaba allí presente y le dijo: «¿Has oído sus palabras? ¿Cómo he de devolverla a su padre, infiel, si ella es musulmana y cree en la unidad de Dios? Él le causaría daño y se enfadaría con ella y muy especialmente por haberle matado a sus hijos, ¿puedo yo cargar con tal culpa para el Día del Juicio? Dios (¡ensalzado sea!) ha dicho: "Dios no ha concedido medio a los incrédulos para molestar a los creyentes"[8]. Vuelve junto a tu rey y dile: "Desiste de este asunto y no lo pretendas"». El visir, que era estúpido, contestó al Califa: «¡Juro por el Mesías y la Religión verdadera que no me es posible regresar sin Miryam, aunque ella sea musulmana! Si volviese junto a su padre sin ella, me mataría». El Califa chilló: «¡Coged a este maldito! ¡Matadlo!», y recitó este verso:

Esta es la recompensa de quien se rebela contra su
superior y me desobedece.

A continuación mandó que cortasen el cuello al maldito visir y que lo quemasen. Pero la señora Miryam intervino: «¡Emir de los creyentes! No ensucies tu espada con la sangre de este maldito». Ella desenvainó la suya, le cortó el cuello y la cabeza saltó separada del cuerpo y fue a parar a la morada de la perdición; su refugio fue el infierno ¡y qué pésima morada es! El Califa quedó admirado de la robustez de su brazo y de la firmeza de su ánimo. Después regaló a Nur al-Din un precioso traje de Corte; asignó a los dos esposos una habitación en palacio y les concedió rentas, posesiones y fincas mandando que les entregasen cuantos trajes, tapices y vasos preciosos pudieran necesitar.

Vivieron en Bagdad durante cierto tiempo la más feliz y tranquila de las vidas. Después Nur al-Din deseó ver a su madre y a su padre. Se lo expuso al Califa y le

[8] *El Corán* 4, 140.

pidió permiso para regresar a su país y hacer una visita a sus parientes. El Califa mandó llamar a Miryam; ésta se presentó ante él y el soberano le autorizó a marcharse haciéndole grandes regalos y presentes de valor. Recomendó cada uno de los esposos al otro y luego mandó escribir a los príncipes, a los ulemas de El Cairo, la bien guardada, recomendándoles a Nur al-Din, sus padres y su esposa para que los tratasen con los máximos respetos.

Cuando llegó a Egipto la noticia del regreso de Nur al-Din y se enteró de ello el comerciante Tach al-Din, padre de aquél, se alegró mucho y lo mismo sucedió a su madre. Los magnates, los príncipes y los grandes del reino salieron a recibir a Nur al-Din a causa de la recomendación del Califa. El día de su llegada fue un día solemne, estupendo, maravilloso, en el cual el amante se encontró unido a la amada y en el que el solicitante obtuvo lo que deseaba. En cada uno de los días siguientes se dio un banquete en casa de un Emir, la alegría fue creciendo y trataron a los dos jóvenes con honores siempre crecientes. Cuando Nur al-Din se reunió con su padre y su madre todos se alegraron muchísimo cesando la pena y la angustia. Del mismo modo se alegraron de recibir a la señora Miryam, la trataron con el máximo respeto y le hicieron regalos y presentes todos los emires y grandes comerciantes; cada día tenían una nueva satisfacción y experimentaban una alegría más grande que la de los días festivos.

Siguieron viviendo en la alegría, en medio de dulzuras y con el máximo bienestar comiendo y bebiendo y disfrutando durante un lapso de tiempo, hasta que les alcanzó el destructor de las delicias, el separador de los amigos, el que arruina casas y palacios y puebla el vientre de las tumbas. Abandonaron la vida, pasaron al mundo de los difuntos y se contaron en el número de los muertos. ¡Gloria a Dios, el Viviente, el que nunca muere! En su mano están las llaves del poder y del imperio.

HISTORIA DEL SAIDÍ Y DE SU ESPOSA FRANCA

Se refiere también que el Emir Sucha al-Din Muhammad, gobernador de El Cairo, refirió: «Pasamos una noche en casa de un hombre que era de la región de Said; nuestro huésped nos trató con el máximo respeto. Este hombre, ya muy anciano, tenía la tez de un moreno muy oscuro, mientras sus hijos pequeños eran blancos y sonrosados. Le preguntamos: "Fulano ¿cómo es que estos tres hijos son tan blancos mientras tú eres tan moreno?" Contestó: "La madre de éstos es una mujer franca a la que yo tomé por esposa y con la que me ocurrió una historia prodigiosa". Le dijimos: "Regocíjanos con ella". "Sí."

»Refirió: "Sabed que en este país yo había cultivado y cosechado lino invirtiendo quinientos dinares. Después decidí venderlo, pero no podía obtener más dinero que el invertido. Me dijeron: 'Ve a Akka; tal vez allí consigas un gran beneficio'. En aquella época Akka estaba en poder de los francos. Fui a esta ciudad y vendí parte del lino con pago a seis meses vista. Mientras yo realizaba la venta pasó por mi lado una mujer franca —las mujeres francas tienen por costumbre ir al mercado sin velo— y se acercó para comprar lino. Observé que era de una belleza tal que mi entendimiento quedó perplejo; le vendí algo haciendo rebaja en el precio. Ella lo cogió y se marchó. Al cabo de unos días volvió; le vendí algo haciendo una rebaja en el precio mayor que la primera vez. Empezó a frecuentarme y se dio cuenta de que yo estaba enamorado de ella. Tenía por costumbre hacerse acompañar por una vieja. Yo dije a ésta: 'Estoy enamorado de tu compañera, ¿puedes preparar alguna treta que me permita reunirme con ella?' 'Te lo arreglaré, pero ha de ser en secreto y no ha de salir de nosotros tres: yo, tú y ella. Y además tendrás que gastar dinero.' '¡Aunque tuviera que dar mi vida para reunirme con ella, no sería mucho!'"

Sahrazad se dio cuenta de que amanecía e interrumpió el relato para el cual le habían dado permiso.

Cuando llegó la noche *ochocientas noventa y cinco,* refirió:

—Me he enterado, ¡oh rey feliz!, de que [Sucha al-Din prosiguió:] »Así convino que le pagaría cincuenta dinares y que la vieja le llevaría la cristiana. Él preparó los cincuenta dinares y se los entregó a la anciana. Ésta tomó el dinero y le dijo: "Prepara un sitio en tu casa; esta noche acudirá a tu lado". El Saidí prosiguió: "Me marché, preparé lo que pude: comida, bebida, velas y dulces. Todo esto ocurría en pleno verano. Mi casa daba al mar. Puse tapices en la azotea. La mujer franca acudió: comimos, bebimos. La noche extendió sus tinieblas y dormimos debajo del cielo: la luna nos iluminaba y nosotros contemplábamos cómo se reflejaban los luceros en el mar. Me dije: '¿Es que no tienes vergüenza delante de Dios? (¡gloriado y ensalzado sea!) ¡Tú eres un extranjero, te encuentras bajo el cielo, junto a la orilla del mar y desobedeces a Dios (¡ensalzado sea!), teniendo relación con una cristiana: mereces el tormento del fuego! ¡Dios mío! Atestiguo que me abstendré esta noche de la cristiana por temor tuyo, por miedo de tu tormento'. Pasé la noche hasta la mañana siguiente. Ella estaba enfadada conmigo, se marchó a su casa y yo me dirigí a mi tienda. Me senté en ella y vi cruzar a la joven, indignada, que parecía una luna, y a la vieja. Me sentí perdido y me dije: '¿Quién eres tú para abstenerte de esa mujer? ¿Eres acaso al-Sarí, al-Saqati o Bisr al-Hafi o al-Chunayd al-Bagdadi o al-Fadil b. Iyad?' A continuación me acerqué a la anciana y le dije: '¡Tráemela!' '¡Juro por el Mesías que no volverá a tu lado por menos de cien dinares!' '¡Te daré los cien dinares!' Le entregué los cien dinares y acudió por segunda vez. Cuando la tuve a mi lado me hice las mismas reflexiones que la primera vez, me abstuve de ella y la dejé estar por respeto a Dios (¡ensalzado sea!). A continuación me marché y me dirigí a mi tienda. Al cabo de un rato la vieja, muy enfadada, pasó por mi lado. Le dije: '¡Tráemela!' Replicó: '¡Juro por el Mesías que no te alegrarás con ella en tu casa por menos de quinientos dinares! Si no es así puedes morir de pena'. Esto me asustó y yo me resolví a hacerme con todo el precio del lino y rescatar con ello mi vida. Apenas me había decidido cuando los pregoneros anunciaron: '¡Comunidad de los musulmanes! ¡La tregua que existía entre nosotros ha terminado! Concedemos a los musulmanes aquí presentes la prórroga de una semana para que puedan liquidar sus negocios y marcharse a su país!' La muchacha había dejado de frecuentarme. Yo cobré el precio del lino que me habían comprado a crédito y liquidé el que me quedaba; compré hermosas mercancías y me marché de Akka con el corazón lleno de violento amor y cariño por aquella mujer franca que se había adueñado de mi ser y de mis bienes. Anduve sin descanso hasta llegar a Damasco, en donde vendí las mercancías que había comprado en Akka a un precio muy alto debido a que habían dejado de recibirse con motivo del fin de la tregua. Dios (¡gloriado y ensalzado sea!) me concedió un buen beneficio y yo empecé a comerciar con esclavas cautivas para alejar de mi corazón el recuerdo de aquella franca. Continué este negocio durante tres años, durante los cuales ocurrió a al-Malik al-Nasir[1] con los francos lo que le ocurrió en los combates: Dios le concedió la victoria, hizo prisioneros a todos sus reyes y conquistó los países de la costa con la ayuda de Dios (¡ensalzado sea!). Sucedió lo siguiente: Un hombre vino a verme y me pidió una esclava para al-Malik al-Nasir. Yo tenía una hermosa muchacha y se la mostré. Me la compró por cien dinares, pero sólo me pagó noventa. Faltaban diez que no pudieron encontrar en el tesoro en todo aquel día, pues había gastado todas sus riquezas en la guerra contra los francos. Informaron de esto a al-Malik al-Nasir y éste dijo: 'Conducidle al campo de los cautivos y dejad que

[1] En este caso Saladino.

escoja una de las hijas de los francos a cambio de los diez dinares...'

Sahrazad se dio cuenta de que amanecía e interrumpió el relato para el cual le habían dado permiso.

Cuando llegó la noche *ochocientas noventa y seis,* refirió:

—Me he enterado, ¡oh rey feliz!, de que [al-Malik al-Nasir prosiguió: '...dejad que escoja una de las hijas de los francos a cambio de los diez dinares] que se le deben'. Me condujeron al campo de las cautivas y observé su contenido: vi todas las esclavas y descubrí a la joven franca de la que me había enamorado, reconociéndola al instante: era la mujer de un caballero franco. Dije: '¡Dadme ésta!' Me la entregaron y la llevé a mi tienda. Le pregunté: '¿Me reconoces?' '¡No!' 'Yo soy el comerciante en lino y me pasó contigo lo que me pasó; te quedaste con mi dinero y me dijiste que no volverías a verme por menos de quinientos dinares; pero hoy eres de mi propiedad por sólo diez dinares.' '¡Esto es un misterio de tu religión verdadera! Atestiguo que no hay dios sino el Dios y que Mahoma es el enviado de Dios.' Se convirtió al Islam de modo sincero. Me dije: 'No me acercaré a ella hasta haberla libertado y haber informado al cadí'. Corrí a ver a Ibn Saddad y le conté lo que me había ocurrido. Él me casó con ella. Después pasé con ella la noche y la dejé encinta. El ejército continuó su marcha y nosotros llegamos a Damasco. Habían transcurrido unos cuantos días cuando se presentó un mensajero del rey en busca de los prisioneros y de los cautivos debido a un acuerdo que se había concluido entre los reyes. Todo el mundo devolvió sus esclavos, fuesen mujeres u hombres, y sólo se quedó la mujer que estaba conmigo. Dijeron: 'No nos han devuelto la mujer del caballero Fulano'. Preguntaron por ella, profundizaron en sus pesquisas e investigaciones y se enteraron de que yo la tenía. Me la pidieron. Yo me presenté ante ella fuera de mí, con la cara demudada. Me preguntó: '¿Qué te ocurre? ¿Qué desgracia te ha alcanzado?' Le repliqué: 'Ha venido un mensajero del rey en busca de todos los prisioneros y me piden que te entregue' '¡No te preocupes! Condúceme ante el rey, pues yo sé lo que he de decirle'. La tomé conmigo y la presenté ante el sultán al-Malik al-Nasir. El enviado del rey de los francos estaba sentado a su derecha. Dije: '¡Ésta es la mujer que tengo!' Al-Malik al-Nasir y el mensajero le dijeron: '¿Quieres marcharte a tu país o bien al lado de tu marido? Dios te ha librado —a ti y a los demás— del cautiverio'. Contestó al sultán: 'Yo me he convertido al Islam y he quedado encinta como véis en mi vientre. Los francos no obtendrían ninguna utilidad de mí'. El mensajero le preguntó: 'A quién prefieres, ¿a este musulmán o al caballero Fulano?' Le replicó lo mismo que había dicho al sultán. El mensajero dijo a los francos que le acompañaban: '¿Habéis oído sus palabras?' Contestaron: '¡Sí!' El mensajero me dijo: '¡Coge a tu mujer y vete!' El mensajero despachó un propio quien me alcanzó y me dijo: 'La madre de esa joven la ha enviado un depósito diciendo: 'Mi hija está presa y sin nada. Quiero que le hagas llegar esta caja. Cógela y entrégasela'. Cogí la caja, la llevé a casa y se la entregué. La abrió y encontró sus ropas. Yo hallé, en dos bolsas, mi oro: en una los cincuenta y en otra los cien dinares; estaban atados con mi misma cuerda y no se habia tocado nada. Di gracias a Dios (¡ensalzado sea!). Éstos son los hijos que he tenido con ella. Ella vive aún y es quien ha guisado la comida".

»Quedamos admirados de su historia y de la suerte que había tenido. Pero Dios es más sabio.»

HISTORIA DEL MUCHACHO BAGDADÍ Y DE LA ESCLAVA QUE COMPRÓ

Se refiere también que en lo antiguo del tiempo vivía en Bagdad un hombre que era hijo de gentes en posición desahogada y que había heredado de su padre grandes riquezas. Se enamoró de una esclava y la compró. Él la amaba y ella le correspondía. Él fue gastando dinero por ella hasta que hubo perdido todos sus bienes y no le quedó nada. Buscó algún medio con que poder subsistir, pero no lo encontró. Durante los días en que había sido rico, ese muchacho había frecuentado las tertulias de las gentes aficionadas al canto y había alcanzado un conocimiento cabal. Pidió consejo a un amigo. Éste le contestó: «El arte que sé que conoces mejor es el del canto: dedícate a él con tu esclava y ganarás grandes riquezas, comerás y beberás». Pero esto no gustaba ni al joven ni a la esclava. La muchacha le dijo: «Tengo una idea». «¿Cuál?» «Véndeme y así nos libraremos de esta dificultad los dos; yo viviré regaladamente, ya que mujeres como yo sólo son compradas por gentes pudientes; yo me las ingeniaré para volver a tu lado.» El muchacho la condujo al zoco. El primero que la vio fue un hasimí de Basora. Era un hombre educado, agradable y generoso. La compró por mil quinientos dinares. El dueño de la joven refiere:

«Una vez hube cobrado el dinero me arrepentí y rompí a llorar; la esclava hizo lo mismo y me pidió que anulase la venta. Pero el nuevo dueño no aceptó. Guardé el dinero en la bolsa y no supe adónde dirigirme, ya que mi casa, sin ella, estaba desierta. Lloré, me abofeteé y sollocé como nunca lo había hecho. Entré en una mezquita y me senté a llorar y era tal mi aturdimiento que no me reconocía. Me dormí colocando la bolsa debajo de mi cabeza como si fuese una almohada. Yo no noté nada, pero un hombre la retiró y se marchó rápidamente. Me desperté asustado e inquieto y no hallé el dinero. Me incorporé para perseguirlo pero tenía un pie atado con una cuerda por lo que me caí de bruces y empecé a llorar, a abofetearme y a decirme: "Te has separado de tu alma y has perdido tus bienes".

Sahrazad se dio cuenta de que amanecía e interrumpió el relato para el cual le habían dado permiso.

Cuando llegó la noche *ochocientas noventa y siete,* refirió:

—Me he enterado, ¡oh rey feliz!, de que [el muchacho bagdadí prosiguió:] »Las circunstancias me cegaron: me dirigí al Tigris, me tapé la cara con los vestidos y me arrojé al río. La gente que me vio exclamó: "¡Lo hace a causa de la gran pena que siente!" Se echaron al agua en pos mío, me sacaron y me preguntaron lo que me sucedía. Les expliqué lo que me había pasado. Se entristecieron. Un anciano que estaba entre ellos se acercó y dijo: "Has perdido el dinero, ¿cómo quieres ahora perder el alma? Serías uno de los habitantes del infierno. Ven conmigo para que yo pueda ver tu domicilio". Así lo hice. Llegamos a mi habitación y se sentó a mi lado durante un rato, hasta que yo me hube tranquilizado. Le di las gracias por lo que había hecho y se marchó. Apenas hubo salido estuve a punto de suicidarme pero, acordándome de la última vida y del fuego, salí huyendo de mi casa y me marché a la de un amigo. Le referí lo que me había ocurrido. Él rompió a llorar, tuvo compasión de mí, me dio cincuenta dinares y me dijo: "¡Acepta mi consejo! Vete ahora mismo de Bagdad y toma esta bolsa para tus gastos hasta que tu corazón se haya olvidado de su amor y se haya consolado. Tú sabes redactar, escribir, tienes buena letra y estás bien educado. Vete ante cualquier gobernador, preséntate ante él y ofrécete para servirle ¡tal vez Dios te reúna con tu esclava!" Al oír esto recuperé el valor, mi pena se hizo menor y me marché hacia Wasit, ya que yo tenía parientes en ella. Me dirigí a la orilla del río, vi allí un barco anclado y que los marinos transportaban a él utensilios y telas preciosas. Les pedí que me llevasen con ellos. Contestaron: "Este buque pertenece a un hasimí y no podemos tomarte de esta manera". Les solicité ofreciéndoles dinero. Me dijeron: "Si es así no hay inconveniente. Quítate esos vestidos preciosos que llevas, ponte unos de marinero y quédate a nuestro lado como si fueses uno de nosotros". Volví a la ciudad, compré algunas ropas de marino, me las puse y fui al barco que zarpaba para Basora. Me instalé con los marinos y al poco rato descubrí a mi esclava acompañada por dos muchachas que estaban a su servicio. Calmé la nerviosidad que se había apoderado de mí y me dije: "Ahora oiré su canto hasta llegar a Basora". Al poco rato apareció el hasimí montado a caballo y acompañado por algunos hombres. Embarcaron en el buque y éste zarpó. Sirvieron la comida y el hasimí comió con la esclava; los restantes comieron en el puente de la nave. El hasimí, después, dijo a la muchacha: "¿Cuánto tiempo vas a estar sin cantar, llena de tristeza y llanto? ¡No eres la primera que está separada de quien ama!" Así supe lo que le ocurría a causa de mi amor. Mandó que tendiesen una cortina en un rincón de la nave, colocó a la esclava detrás, y llamó a los que estaban cerca de mí y los invitó a sentarse al otro lado del velo. Pregunté quiénes eran y supe que se trataba de sus hermanos. Les ofreció el vino y las frutas secas que podían necesitar y todas insistieron a la esclava para que cantase, hasta que ésta pidió el alúd, lo afinó, moduló el canto y recitó este par de versos:

> La caravana partió, con quien yo amaba, en medio de la tiniebla nocturna; no se han abstenido de emprender la marcha con el objeto de mis deseos.
>
> Después de la partida de sus monturas arde la brasa del amor en el corazón del amante.

»El llanto la venció: tiró el laúd y dejó de cantar. Los presentes quedaron conmovidos y yo caí desmayado, los allí presentes creyeron que yo era víctima de un ataque de epilepsia: unos recitaron exorcismos en mi oído al tiempo que insistían con delicadeza a la joven para que siguiese. Afinó el laúd, empezó a cantar y declamó:

> Me he detenido a sollozar cuando ya han emprendido la marcha; pero ellos, aunque se alejen y partan, están presentes en el corazón.

»Dijo también:

> Me he detenido ante los restos del campamento para preguntar por ellos: la ciudad estaba vacía, las moradas deshabitadas.

»La joven cayó desmayada y motivó el llanto de todos los presentes. Yo di un grito y caí desmayado. Los marineros se agitaron en torno mío. Un paje del hasimí preguntó: "¿Cómo habéis traído a este poseso?" Se decían unos a otros: "Cuando lleguemos a cualquier pueblo le haremos desembarcar y nos quedaremos tranquilos". Esto me causó una gran pena y un tormento doloroso. Haciendo un gran esfuerzo sobre mí mismo me dije: "No tengo más remedio, si quiero escapar de sus manos, que informarla de que me encuentro a bordo para impedir que me expulsen". Seguimos navegando hasta aproximarnos a una aldea. El dueño del buque dijo: "¡Conducidnos a la orilla!" Desembarcaron todos. La tarde había caído. Yo me dirigí a la cortina, tomé el laúd, toqué algunos acordes y seguí con una música que yo le había enseñado. Después regresé a mi puesto en el barco.

Sahrazad se dio cuenta de que amanecía e interrumpió el relato para el cual le habían dado permiso.

Cuando llegó la noche *ochocientas noventa y ocho*, refirió:

—Me he enterado, ¡oh rey feliz!, de que [el joven prosiguió:] »al poco rato la gente que había desembarcado volvió a la nave. La luna lucía sobre la tierra y el agua. El hasimí dijo a la esclava: "¡Te conjuro por Dios a que no nos amargues la vida!" La muchacha tomó el laúd, lo pulsó con la mano y rompió a sollozar. Creyeron que el alma iba a abandonarle. Después dijo: "¡Por Dios! Mi maestro está con nosotros en esta nave". El hasimí replicó: "Si estuviera con nosotros no le privaría de nuestra compañía, ya que es posible que aliviara tu pena y que pudiéramos oír tu canto. Pero es muy difícil que esté en el buque". "¡No puedo tocar el laúd ni cambiar sus aires estando mi maestro con nosotros!" "¡Preguntaremos a los marinos!" "¡Hazlo!" El hasimí los interrogó y les preguntó: "¿Habéis traído a alguien con vosotros?" "No", contestaron. Yo temí que aquí terminara el interrogatorio por lo que rompí a reír y dije: "¡Sí! Yo soy su maestro y le he enseñado cuando era su dueño". Ella intervino: "¡Por Dios! Estas palabras son de mi dueño". Los pajes se acercaron y me condujeron ante el hasimí. Al verme me reconoció. Exclamó: "¡Ay de ti! ¿Cómo estás así? ¿Qué te ha sucedido para encontrarte en tal estado" Le referí lo que me había ocurrido y rompí a llorar; los sollozos de la muchacha se elevaron desde detrás de la cortina. El hasimí y sus hermanos lloraron amargamente y tuvieron compasión de mí. Dijo: "¡Por Dios! Ni me he aproximado a esta muchacha, ni la he poseído ni he podido oír, hasta hoy, su canto. Yo soy un hombre al que Dios ha concedido una vida desahogada. Vine a Bagdad para oír cantar y reclamar mis rentas al Emir de los creyentes. Realicé las dos cosas y me decidí a regresar a mi patria. Me dije: 'Oirás algunos cantos de Bagdad', y compré esta esclava ignorando cuál era vuestra situación. Pero atestiguo ante Dios que en cuanto llegue a Basora libertaré a esta esclava, la casaré contigo y os asignaré una renta que os será más que suficiente, con la única condición de que cuando desee oír cantar se tenderá una cortina y ella cantará desde detrás. Tú serás mi amigo y comensal". Yo me alegré muchísimo. El hasimí metió la cabeza por la cortina y le preguntó: "¿Estás satisfecha?" La muchacha hizo los votos de rigor y le dio las gracias. El hasimí llamó a un paje y le dijo: "Coge de la mano a este joven, quítale esos vestidos, ponle unos que sean preciosos, perfúmalo y tráelo a nuestro lado". El muchacho me tomó consigo e hizo lo que le había mandado su señor llevándome de nuevo a su lado. Éste me ofreció la misma bebida que tomaban los dos.

»Después, la esclava empezó a cantar las más hermosas melodías y recitó estos versos:

Me han censurado porque mis lágrimas corrían cuando mi amante vino a despedirse.
Pero ellos no han probado ni el gusto de la separación, ni la comezón causada por la tristeza entre mis costillas.
Sólo conoce la pasión el afligido que recorre aquellas tierras con el corazón alicaído.

»Estos versos impresionaron de manera extraordinaria a los reunidos. La alegría del muchacho creció y cogió el laúd a la esclava. Tocó las más hermosas melodías y recitó estos versos:

Pide una gracia si la pides a un hombre generoso que sólo ha conocido la riqueza y el bienestar.
Pedir a un noble es causa de honra; pedir al infame es causa de ignominia
Si no puedes evitar el humillarte, humíllate, cuando menos, pidiendo a los grandes.
El alabar al generoso no constituye ignominia; la ignominia está en que alabes a los menudos.

»Aquellas gentes se alegraron muchísimo y su satisfacción fue en aumento. Yo cantaba un rato y la esclava otro. Así nos acercamos a la orilla y el buque ancló; todos los que estaban a bordo, incluyéndome a mí, desembarcaron; yo estaba ebrio; me senté a orinar y el sueño me venció; los pasajeros volvieron al buque y éste zarpó; no se acordaron de mí, pues estaban ebrios. Yo había gastado mi dinero por la muchacha y no me quedaba nada. Ellos llegaron a Basora. A mí me despertó el calor del sol. Me puse en pie, di vueltas y no vi a nadie. Yo me había descuidado de preguntar al hasimí su nombre, la dirección de su casa en Basora y cómo poder encontrarlo. Me quedé perplejo; parecía que la alegría que había experimentado al encontrar a mi esclava era un sueño. Seguí sin saber qué hacer hasta que pasó ante mí una gran embarcación. Subí a bordo y llegué a Basora. No conocía a nadie en ella ni sabía dónde estaba la casa del hasimí. Me acerqué a un tendero, cogí tinta y papel...

Sahrazad se dio cuenta de que amanecía e interrumpió el relato para el cual le habían dado permiso.

Cuando llegó la noche *ochocientas noventa y nueve*, refirió:

—Me he enterado ¡oh rey feliz!, de que [el joven prosiguió:] »...y me senté a escribir. Mi letra le gustó; se fijó en que mi vestido estaba sucio y me preguntó mi historia. Le dije que yo era un pobre extranjero. Me preguntó: "¿Quieres quedarte conmigo y cada día te daré medio dirhem, te alimentaré y te vestiré a cambio de que me lleves las cuentas de la tienda?" "¡Sí!" Me quedé con él, contabilicé un negocio y asenté las entradas y salidas. Al cabo de un mes aquel hombre se dio cuenta de que sus entradas habían aumentado y sus salidas disminuido. Me dio las gracias por ello y empezó a pagarme cada día un dirhem. Al cabo de un año me invitó a casarme con su hija y a asociarme en el negocio. Acepté. Me uní a mi mujer y permanecí fijo en la tienda, pero tenía el ánimo deshecho y mi corazón estaba triste. El tendero bebía y me invitaba, pero yo me abstenía dada mi aflicción. En esta situación permanecí durante dos años. Cierto día, estando yo en la tienda, apareció un grupo de gente con comida y bebida. Pregunté al tendero qué ocurría. Me dijo: "Hoy es el día de las gentes alegres; músicos, juglares y jóvenes de vida alegre van a la orilla del río para comer y beber junto a los árboles que están en el canal de Ubulla". Me entraron ganas de distraerme y pensé: "Tal vez uniéndome a esas gentes encuentre a quien amo". Dije al tendero: "Me apetece ir". "¡El irte con ellos es asunto tuyo!" Preparé comida y bebida y anduve hasta el canal de Ubulla. Las gentes se desperdigaban y yo quise marcharme con ellos; en aquel momento apareció la nave en que estaban el hasimí y la esclava cruzando el canal. Grité y el hasimí y quienes le acompañaban me reconocieron y me llevaron con ellos. Me dijeron: "¿Aún estás vivo?", y me abrazaron.

Me preguntaron por mi historia y se la referí. Me dijeron: "Nosotros creíamos que te habías ahogado mientras estabas borracho". Les pregunté cómo se encontraba la muchacha. Me refirieron: "Al enterarse de tu desaparición, rasgó sus vestidos, quemó el laúd y empezó a abofetearse y a sollozar. Una vez hubimos llegado con el hasimí a Basora le dijimos: '¡Deja de llorar y de estar triste!' Contestó: 'Yo me vestiré de luto, construiré una tumba junto a esta casa, me quedaré a su lado y dejaré de cantar'. Le permitimos que lo hiciera y aún ahora se encuentra en esta situación". Me llevaron con ellos, llegamos a su casa y la encontré en el estado que me habían descrito. Al verme exhaló un sollozo profundo y yo creí que había muerto. La abracé durante largo rato. El hasimí me dijo: "¡Cógela!" Contesté: "¡Sí! Pero, conforme me prometiste, concédele la libertad y cásame con ella". Así lo hizo. Nos regaló objetos preciosos, muchísimos vestidos, tapices y quinientos dinares. Dijo: "Ésta es la suma que os asigno mensualmente con la condición de que seáis mis contertulios y pueda oír cantar a la muchacha". Después ordenó que nos preparasen una casa y mandó trasladar a ella cuanto necesitábamos. Al llegar vi que había sido recubierta de tapices y alfombras. Conduje allí a la muchacha y me marché a ver al tendero. Le referí todo lo que me había sucedido y le rogué que me permitiese repudiar a su hija, sin atribuirme la culpa. Le devolví la dote y todo lo que me había dado.

»Viví durante dos años con el hasimí. Me hice dueño de grandes riquezas y volví a recuperar la posición que había tenido en Bagdad. Dios, el Generoso, nos evitó las preocupaciones, nos colmó con toda suerte de bienes y puso, como meta de nuestra paciencia, la consecución de nuestro deseo. ¡Loado sea en ésta y en la otra vida!

»Dios es más sabio.»

HISTORIA DE WIRD JAN
HIJO DEL REY CHILAD

Se cuenta también que en lo antiguo del tiempo y en lo más remoto de los siglos y de las épocas, vivía un rey en el país de la India. Era un soberano poderoso, de elevada estatura, de buen aspecto, bien educado, de natural generoso, favorecedor de los pobres y amante de sus súbditos y de todos los habitantes de su reino. Se llamaba Chilad. En su imperio tenía setenta y dos reyes y trescientos cincuenta jueces que le obedecían; tenía además setenta visires y al frente de cada diez soldados ponía un cabo. El más importante de sus visires era una persona que se llamaba Simas, tenía veintidós años y era de buenas costumbres, hermoso, de dulces palabras, perspicaz en las respuestas, experto en todos los asuntos, sabio, reflexivo, jefe a pesar de su corta edad, instruido en todas las ramas de la ciencia y educado. El rey lo quería muchísimo y se sentía atraído hacia él, dado los conocimientos que tenía de elocuencia, retórica y arte político y porque Dios le había concedido el ser misericordioso y bondadoso con sus súbditos.

Aquel rey era equitativo con las gentes de su reino, respetaba a los inferiores, haciendo dones a grandes y chicos, a los que favorecía con regalos, paz y tranquilidad; aligeraba los tributos; apreciaba por igual a grandes y a chicos y los colmaba de beneficios y de atenciones, siguiendo con ellos una hermosa línea de conducta como no había tenido ninguno de sus antecesores. Pero, a pesar de todo, Dios (¡ensalzado sea!) no le había concedido ningún hijo. Esto le preocupaba a él y a las gentes de su reino. Cierta noche en que el rey estaba acostado meditando en el futuro de su Estado se quedó dormido. Viose en sueños regando la raíz de un árbol...

Sahrazad se dio cuenta de que amanecía e interrumpió el relato para el cual le habían dado permiso.

Cuando llegó la noche *novecientas*, refirió:

—Me he enterado, ¡oh rey feliz!, de que [el rey se vio en sueños regando la raíz de un árbol] alrededor del cual había muchos otros. De pronto, de aquel árbol surgió una llamarada que abrasó a todos los que tenía en torno. En este momento el rey se despertó sobresaltado y atemorizado. Llamó a uno de sus pajes y le dijo: «Ve ahora mismo y tráeme rápidamente al visir Simas». El muchacho fue en busca de éste y le dijo: «El rey te llama ahora mismo, pues se ha despertado asustado y me ha ordenado que te hiciera comparecer ante él rápidamente». Simas se levantó al oír las palabras del muchacho, se marchó en busca del rey, se presentó ante éste y lo encontró sentado en la cama. Se prosternó ante él, hizo el voto de rigor deseándole largo poder y bienestar y añadió: «¡Que Dios no te entristezca, rey! ¿Qué es lo que te ha turbado esta noche? ¿Por qué me has llamado con tanta prisa?» El rey le permitió que se sentara y obedeció. El soberano le refirió lo que había visto, diciendo: «Esta noche he soñado algo que me ha turbado: me ha hecho el efecto de que regaba la raíz de un árbol en torno del cual había muchos otros. Mientras yo hacía esto brotó una llamarada de su raíz y quemó a todos los que tenía en torno suyo. Esto me ha asustado, me ha llenado de pánico y me ha hecho despertar. Entonces te he mandado llamar, pues tú sabes muchas cosas, reconozco que tu ciencia es vastísima y muy agudo tu raciocinio». Simas inclinó la cabeza hacia el suelo un momento y después sonrió. El rey preguntó: «¡Simas! ¿Qué ocurre para que sonrías? ¡Dime la verdad y no me ocultes nada!» El visir le contestó: «¡Oh, rey! Dios (¡ensalzado sea!) ha accedido a tus deseos y te tranquiliza, pues este sueño sólo augura toda clase de bien. Dios (¡ensalzado sea!) te concederá un hijo varón que heredará tu reino después que tú le hayas gobernado durante muchos años. Pero hay algo que no quiero aclararte en este momento, pues no conviene comentarlo». El rey se alegró muchísimo, su contento fue creciendo, desapareció el temor y su espíritu se tranquilizó. Dijo: «Si el asunto está así según la óptima interpretación del sueño, termina de completármelo cuando llegue el momento oportuno, ya que aquello que no conviene decir ahora habrá de ser aclarado en cuanto llegue su hora para que mi alegría sea completa. Yo lo único que deseo es complacer a Dios (¡gloriado y ensalzado sea!)». Simas, dándose cuenta de que el rey quería saber toda la interpretación, encontró un pretexto para negársela. Entonces el soberano llamó a los astrólogos y a todos los oneirólogos que había en su reino. Acudieron ante él y les refirió su sueño. Les dijo: «Deseo que me contéis su verdadera interpretación». Uno de ellos se adelantó y pidió permiso al rey para hablar. Cuando se lo concedió dijo: «¡Oh, rey! Tu visir Simas es capaz de interpretar esto, pero por respeto a ti y para calmar tu temor no te ha dado la explicación íntegra. Pero si me permites hablar, hablaré». «¡Habla sin miramientos y di la verdad!» El oneirólogo dijo: «¡Oh, rey! Tendrás un hijo que te sucederá en el reino después de tu larga vida, pero no se comportará con sus súbditos como tú; se apartará de tus normas, los oprimirá y le sucederá lo que al ratón con el gato ¡que Dios, ensalzado sea, nos guarde!» «¿Y cuál es la historia del gato y del ratón?» El oneirólogo dijo: «¡Que Dios conceda larga vida al rey!»

HISTORIA DEL GATO Y DEL RATÓN

El oneirólogo explicó: «Una noche salió un gato a cierto campo en busca de algo que comer. Pero no encontró nada y el frío y la lluvia lo debilitaron. Empezó a meditar en lo que debía hacer. Mientras daba vueltas descubrió, al pie de un árbol, una ratonera. Se acercó, olfateó y ronroneó hasta convencerse de que en el interior había un ratón. Entonces empezó a estudiar cómo podía entrar a cogerlo. El ratón, al darse cuenta, le dio la espalda y empezó a escarbar con manos y pies para obstruir la puerta de la ratonera. Entonces el gato dijo con voz débil: "¡No hagas esto, amigo mío! Yo busco refugio junto a ti y espero que tú tengas compasión de mí y me concedas alojamiento esta noche, pues me encuentro débil; dada mi mucha edad y la pérdida de mis fuerzas soy incapaz de moverme. Esta noche, al salir a este jardín, he invocado la muerte para descansar. Ahora me encuentro junto a tu puerta tiritando por el frío y la lluvia. Te ruego, por Dios, que tengas caridad para cogerme de la mano, hacerme entrar en tu casa y permitir que me refugie en el vestíbulo de tu ratonera, ya que soy extranjero y desgraciado. Se dice: 'Aquel que acoge en su casa a un extranjero desgraciado tendrá por morada el Paraíso en el Día del Juicio'. Tú, amigo mío, te harás acreedor de mi recompensa si me permites pasar esta noche, hasta que amanezca, en tu casa. Después me iré a mis quehaceres".

Sahrazad se dio cuenta de que amanecía e interrumpió el relato para el cual le habían dado permiso.

Cuando llegó la noche *novecientas una,* refirió:

—Me he enterado, ¡oh rey feliz!, de que [el oneirólogo prosiguió:] »El ratón al oír sus palabras le replicó: "¿Cómo he de dejarte entrar en mi madriguera si tú eres mi enemigo natural y tu alimento lo constituye mi carne? Temo que me traiciones, pues tal es tu costumbre; para ti los pactos no existen. Se dice: 'No hay que confiar a un hombre adúltero la mujer hermosa, ni al pobre indigente riquezas, ni la leña al fuego'. Yo no tengo por qué confiarme a ti pues se dice: 'Cuanto más débil es un individuo más fuerte es el odio de la naturaleza'". El gato replicó con voz muy débil, como si estuviese muy mal: "Ciertamente lo que dices forma parte de los proverbios. No te lo niego. Pero te ruego que olvides la antigua enemistad que hay entre nuestras dos especies pues se dice: 'Aquel que perdona a una criatura que es su igual es perdonado por el Creador'. Antes era tu enemigo, pero hoy busco tu amistad. Se dice: 'Cuando quieras hacer de un enemigo tu amigo, trátalo bien'. Yo, hermano mío, te juro y te prometo ante Dios que jamás te causaré ningún daño. Pero, además, no tengo fuerzas para hacerlo. Confía en Dios, practica el bien y admite mi juramento y mi pacto". "¿Cómo he de aceptar el pacto de aquel con el cual ha nacido una enemistad tradicional, de aquel que acostumbra a traicionarme? Si nuestra enemistad fuera por cosas en las que no anduviera por medio la sangre, me sería fácil aceptarlo, pero ésta es una incompatibilidad natural. Se dice: 'Quien pide seguro para sí a un enemigo, hace lo mismo que quien mete la mano en la boca de la víbora'". El gato, encolerizado, replicó: "Mi pecho está oprimido, las fuerzas me faltan. Estoy en la agonía y dentro de poco moriré ante tu puerta ¡caiga mi sangre sobre tu cabeza, ya que tú puedes salvarme de la situación en que me encuentro! Éstas son mis últimas palabras". El ratón se llenó de temor ante Dios (¡ensalzado sea!) y la piedad se apoderó de su corazón. Se dijo: "Quien quiera tener la ayuda de Dios (¡ensalzado sea!), frente a su enemigo, trate a éste bien y con cariño. Yo confío a Dios todo el asunto y voy a salvar al gato de la muerte para conseguir la recompensa de la otra vida". El ratón, entonces, salió en busca del gato y lo metió en su madriguera arrastrando. Permaneció a su lado hasta que hubo recuperado fuerzas, descansado y repuesto un poco. Pero se quejaba de su debilidad, de sus escasas fuerzas y de los pocos amigos que tenía. El ratón lo trataba bien, lo halagaba, tomaba confianza y corría a su alrededor. El gato reptó por la madriguera hasta dominar la salida, pues temía que el ratón se le escapase. Éste, queriendo salir, se acercó al gato como tenía por costumbre. El minino, lo agarró y lo sujetó con sus uñas y empezó a morderlo y maltratarlo: lo agarraba con la boca, le levantaba del suelo, lo tiraba, corría en pos suyo, lo arañaba.

Entonces el ratón pidió auxilio y buscó la salvación en Dios. Empezó a hacer reproches al gato y le dijo: "¿Dónde está la promesa que me has hecho y los juramentos que prestaste? ¿Es ésta la recompensa que me das por haberte introducido en mi madriguera y haberme fiado de ti? ¡Qué razón tenía quien dijo: 'El que pacta con el enemigo no debe buscar su salvación' y

'Quien se confía al enemigo merece la muerte'! Pero confío en mi Creador. Él me salvará de ti". Mientras le ocurría todo esto con el gato que quería atacarlo y despedazarlo, apareció un cazador acompañado por perros de caza. Uno de éstos pasó junto a la boca de la madriguera y oyó que había un gran combate. Creyó que se trataba de una zorra que desgarraba algo. El animal se aprestó para agarrarla, cayó sobre el gato y lo atrajo hacia sí. Éste, al verse entre las manos del perro, tuvo que preocuparse de sí mismo y soltó al ratón vivo y sin heridas. El perro lo hirió, le rompió la nuca y lo tiró, muerto, al suelo. Bien dice, pues, quien dijo: "Quien es misericordioso conseguirá que en su fin Dios tenga misericordia de él; pero el opresor será oprimido a su vez".

»Esto es, ¡oh rey!, lo que sucedió a los dos animales. Por tanto nadie debe faltar a los pactos de aquel que se fía. Al que los traiciona y los rompe le ocurre lo mismo que al gato, ya que el hombre cobra con la misma moneda con que paga y quien hace bien obtiene la recompensa. Pero no te entristezcas, ¡oh, rey!, ni te apenes por ello, pues tu hijo, después de su tiranía e injusticia, tal vez adopte tu buena conducta. Este sabio que es tu visir Simas no ha querido ocultarte nada de lo que te ha dado a entender. Ello es prueba de su sabiduría, ya que se dice "Las gentes más timoratas son las más sabias y las más afortunadas"».

El rey, entonces, los trató con largueza, los honró y los despidió. Él se marchó a su habitación meditando en las consecuencias del asunto. Al llegar la noche fue en busca de una de sus mujeres, la que más respetaba y quería. Pasó con ella la noche. Al cabo de cuatro meses la criatura se movió en su vientre y la mujer tuvo una gran alegría. Informó de ello al rey y éste exclamó: «¡Mi sueño era verídico, por Dios, que concede el auxilio!» Instaló a aquella mujer en el mejor aposento, la honró de modo extraordinario, le hizo grandes dones y le concedió muchas cosas. Después llamó a uno de los pajes y lo envió a buscar a Simas. Al tenerlo ante sí el rey le explicó que su esposa estaba embarazada. Él estaba muy contento y dijo: «Mi sueño se ha hecho verdad y he conseguido mi deseo. Es posible que se trate de un muchacho varón que herede de mí el reino, ¿qué dices, Simas?» Éste calló y no pronunció la respuesta. El rey le preguntó: «¿Por qué veo que no te alegras con mi alegría y que no me contestas? ¿Es que esto no te parece bien, Simas?» El ministro se prosternó ante el rey y dijo: «¡Oh, rey! ¡Que Dios prolongue tu vida! ¿De qué sirve ir a ponerse a la sombra de un árbol si de él brota fuego? ¿Qué alegría tiene quien bebe vino puro si se ahoga? ¿De qué sirve beber agua potable y fresca si se anega? Yo sólo soy esclavo de Dios y tuyo, ¡oh, rey!, pero se dice que hay tres cosas de que no debe hablar el hombre inteligente antes de haberlas realizado: el viajero hasta haber concluido su viaje, el guerrero hasta haber vencido a su enemigo y la mujer en estado hasta haber dado a luz».

Sahrazad se dio cuenta de que amanecía e interrumpió el relato para el cual le habían dado permiso.

Cuando llegó la noche *novecientas dos,* refirió:

—Me he enterado, ¡oh rey feliz!, de que después añadió: «Sabe, ¡oh, rey!, que aquel que habla de algo antes de que haya concluido es igual como el asceta que tenía encima una jarra de manteca». El rey preguntó: «¿Cuál es la historia de ese asceta? ¿Qué le ocurrió?»

HISTORIA DEL ASCETA Y LA JARRA DE MANTECA

«¡Oh, rey! Era un hombre que vivía bajo la protección de un noble de tal ciudad; era un asceta que recibía cada día lo que le daba aquel noble, esto es: tres mendrugos de pan, un poco de manteca y miel. Tenía una jarra en la que reunía cuanto le daban. Así la llenó. La colgó del techo, encima de su cabeza por miedo y precaución. Cierta noche, mientras estaba sentado en la cama con un bastón en la mano, le pasó por la cabeza una idea respecto a la manteca y lo cara que era. Se dijo: "He de vender toda la manteca que tengo y comprar, con su importe, una oveja que confiaré a un campesino. Al cabo del primer año habrá dado a luz un macho y una hembra y al segundo año una hembra y un macho. Este ganado seguirá multiplicándose dando machos y hembras y llegará a ser muy numeroso. Entonces dividiré mi parte, venderé lo que me plazca y compraré tal terreno para plantar un jardín y construir un gran palacio; adquiriré vestidos y trajes, compraré esclavos y doncellas y me casaré con la hija de tal comerciante. Celebraré una boda cual nunca se haya visto, degollaré ovejas, guisaré platos exquisitos, dulces y pastas; invitaré a todos los juglares, artistas y músicos; prepararé flores, perfumes y toda clase de plantas aromáticas e invitaré a ricos, pobres, sabios, nobles y grandes del reino. A todo aquel que me pida algo se lo concederé; prepararé toda clase de comidas y bebidas y ordenaré a un pregonero que grite: '¡Quien pida algo, lo obtendrá!' Después me presentaré ante mi esposa cuando esté sin el velo y disfrutaré de su belleza y hermosura. Comeré, beberé, disfrutaré y me diré: 'Has conseguido tu deseo'. Descansaré de la devoción y el ascetismo. Mi mujer quedará encinta, dará a luz un hijo varón y yo me pondré muy contento con él. Daré banquetes con esmero y le enseñaré la ciencia, la literatura y la aritmética. Haré que su nombre sea célebre entre la gente y me vanagloriaré de él en las tertulias de los grandes personajes. Le ordenaré que haga lo que está establecido y no me desobedecerá; le prohibiré que cometa torpezas o actos reprobables y le prescribiré que sea piadoso, que haga bien y le daré preciosos presentes. Si veo que obedece aumentaré aún mis dones, pero si se inclina hacia el mal, le sacudiré con este bastón".

»En este momento levantó el palo para pegar a su hijo y alcanzó la jarra de manteca que tenía suspendida sobre la cabeza y la rompió. Los pedazos le cayeron encima y la manteca le pringó la cabeza, los vestidos y la barba. Esto constituye un ejemplo. Por esto, ¡oh, rey!, el hombre no debe hablar de algo antes de que suceda». «Dices la verdad. ¡Qué excelente visir eres, puesto que dices la verdad cuando hablas e indicas el bien! Tu posición, junto a mí, es la que tú prefieras y siempre serás bien acogido.» Simas se prosternó ante Dios y el rey e hizo votos por la duración del bienestar de éste. Dijo: «¡Que Dios prolongue tus días, ¡oh, rey!, y aumente tu poder! Sabe que yo no te oculto nada ni en público ni en secreto; que tu satisfacción es la mía y que tu enojo es el mío; no tengo más alegrías que las tuyas y no podría dormir si tú estuvieses enfadado conmigo ya que Dios (¡ensalzado sea!) me ha concedido toda suerte de bienes gracias a tu generosidad. Ruego a Dios (¡ensalzado sea!) que te proteja con sus ángeles y que sea generoso contigo cuando lo encuentres». El rey se puso muy contento con todo esto. Entonces Simas se marchó.

Al cabo de un tiempo, la esposa del rey dio a luz un muchacho varón. Los mensajeros se presentaron ante el rey y le dieron la grata nueva del nacimiento de un hijo. El soberano se alegró muchísimo y dio fervientes gracias a Dios. Exclamó: «¡Loado sea Dios que me ha concedido un hijo cuando ya desesperaba! ¡Él es indulgente y misericordioso con sus esclavos!" A continuación el rey escribió a todas las gentes de su reino para darles cuenta de la noticia e invitarles a que acudiesen a palacio. Acudieron los emires, primates, ulemas y magnates que estaban a sus órdenes. Esto es lo que hace referencia al rey.

He aquí lo que hace referencia a su hijo: Los timbales repicaron y las fiestas se extendieron por todo el reino. Sus súbditos acudieron desde todas las regiones y llegaron los sabios, los filósofos, los letrados y los eruditos. Todos se presentaron ante el rey y cada uno de ellos ocupó su sitio. Entonces el soberano hizo signo a los siete principales ministros, aquellos que presidía Simas, para que hablasen por turno según su propio entender. Empezó su jefe, el visir Simas. Éste pidió permiso al rey para hablar y se lo concedió.

Dijo: «¡Loado sea Dios que nos ha creado de la nada y nos ha traído a este mundo, que concede a los reyes, sus siervos, gente justa y equitativa, el poder y el recto camino poniendo en sus manos el sustento de sus súbditos! Lo ha hecho, en particular, con nuestro rey, el cual ha vivificado nuestro país gracias a los bienes con que Dios lo ha favorecido; nos ha concedido la paz, una vida cómoda y segura y la justicia. ¿Qué rey hace con sus súbditos lo que éste ha hecho con nosotros? Ha cuidado de nuestros asuntos, ha mantenido nuestros derechos y ha hecho justicia entre unos y otros; no se ha descuidado de nosotros y ha evitado los abusos. Una de las gracias que Dios hace a los hombres consiste en que el soberano se preocupe de sus asuntos y los proteja de sus enemigos, puesto que el fin del adversario consiste en triunfar del enemigo y tenerlo a su merced. Muchas personas ofrecen sus propios hijos a los reyes como criados. Así pasan a ocupar la categoría de esclavos con el fin de que los protejan de los enemigos. En cuanto a nosotros ningún enemigo ha hollado el país desde que gobierna nuestro rey. Esto constituye una gran felicidad, una inmensa fortuna que nadie puede describir puesto que es indescriptible. Tú, ¡oh, rey!, eres digno, puesto que has traído tan grandes bienes; nosotros estamos bajo tu protección, bajo la sombra de tu ala. ¡Que Dios te conceda una hermosa recompensa y prolongue tu vida! Antes rogábamos a Dios (¡ensalzado sea!) pidiéndole que te conservase y te concediera un hijo pío que te sirviese de consuelo. Dios (¡gloriado y ensalzado sea!) ha escuchado y accedido a nuestras súplicas...

Sahrazad se dio cuenta de que amanecía e interrumpió el relato para el cual le habían dado permiso.

Cuando llegó la noche *novecientas tres,* refirió:

—Me he enterado, ¡oh rey feliz!, de que [Simas prosiguió: »...Dios ha accedido a nuestras súplicas] y nos ha concedido un consuelo inmediato semejante al que dio a unos peces que se encontraban en un charco de agua». El rey preguntó: «¿Y cuál es la historia de los peces? ¿Qué ocurrió?»

HISTORIA DE LOS PECES Y EL CANGREJO

«Sabe, ¡oh, rey! —refirió Simas— que en cierto lugar había un charco de agua con algunos peces; el agua empezó a disminuir y los peces se pegaron unos al lado de otros; no quedando agua suficiente estuvieron a punto de morir. Dijeron: "¿Qué será de nuestra suerte? ¿Cómo nos las arreglaremos? ¿A quién pediremos consejo para salvarnos?" Uno de los peces, el más sensato e inteligente, dijo: "El único medio que tenemos de salvarnos consiste en rezar a Dios, pero pidamos al cangrejo su opinión, pues es nuestro jefe. Vayamos a su lado para ver cuál es su opinión, puesto que es más sabio que nosotros". Los otros peces encontraron que su idea era buena y fueron todos a ver al cangrejo. Le encontraron recogido en su sitio sin saber nada de lo que les ocurría. Le saludaron y le dijeron: "¡Señor nuestro! ¿Es que no te interesan nuestras cosas, a pesar de que eres nuestro gobernador y nuestro jefe?" El cangrejo les replicó: "¡La paz sea sobre vosotros! ¿Qué es lo que os ocurre? ¿Qué queréis?" Le refirieron su historia y lo que les iba a suceder por causa de la falta de agua, puesto que cuando se secase iban a morir. Dijeron: "Hemos venido aquí y esperamos tu opinión y el consejo que nos pueda salvar, pues tú eres nuestro jefe y eres más inteligente que nosotros". El cangrejo permaneció un rato con la cabeza gacha; después dijo: "No cabe duda de que sois cortos de entendederas, puesto que desesperáis de la misericordia de Dios (¡ensalzado sea!) y del cuidado que tiene para conceder el sustento a todas sus criaturas. ¿Es que no sabéis que Dios (¡gloriado y ensalzado sea!) alimenta sin cuenta a todas sus criaturas? ¿Que antes de crear algo se ha preocupado ya de su alimento? Ha concedido un plazo de vida fija a cada persona y, con su poder divino, ha distribuido el sustento. ¿Por qué hemos de preocuparnos por algo que está escrito en lo desconocido?

Mi opinión es que lo mejor que podéis hacer es rezar a Dios (¡ensalzado sea!). Es preciso que cada uno de nosotros se reconcilie interna y externamente con su Señor y que ruegue a Dios para que nos salve y nos libre de las calamidades ya que Dios (¡ensalzado sea!) no defrauda las esperanzas de quienes confían en Él, ni rechaza la petición de quien pide su mediación. Si sabemos corregirnos, nuestros asuntos mejorarán y obtendremos bienes y beneficios. Llegará el invierno y nuestra tierra, gracias a las rogativas de nuestros devotos, se verá inundada: nos daremos cuenta de que las buenas obras no se pierden. Mi opinión consiste en esperar y en confiar en lo que Dios haga. Si la muerte nos alcanza, como es su costumbre, descansaremos; si nos sucede algo que nos obligue a huir, huiremos y nos marcharemos de nuestra tierra yendo hacia donde Dios quiera". Todos los peces dijeron con una sola voz: "¡Es cierto, señor nuestro! ¡Que Dios te recompense con bien!" Cada uno de ellos se marchó luego a su sitio. Al cabo de pocos días, Dios les concedió una lluvia abundante que llenó la cuenca del charco más de lo que estaba antes.

»Así nosotros, ¡oh, rey!, estábamos desesperados porque no tenías ningún hijo. Ahora, cuando Dios nos ha concedido a nosotros y a ti este hijo bendito, rogamos a Dios (¡ensalzado sea!) para que sea un buen hijo en el cual tú encuentres consuelo y sea un digno sucesor tuyo y que nos conceda con él lo mismo que nos ha concedido contigo. Dios (¡ensalzado sea!) no defrauda a quien a Él se dirige; nadie debe perder la esperanza en la misericordia de Dios.»

Entonces se levantó el segundo ministro, saludó al rey y éste le replicó diciendo: «¡Y sobre vosotros sea la paz!» El ministro empezó: «Al rey se le llama rey únicamente cuando hace dones, es justo, gobierna bien, es generoso y se comporta bien con sus súbditos siguiendo las leyes y las costumbres de éstos; cuando es justo con todos, evita los crímenes, aparta de ellos el daño y se preocupa de atender a los indigentes, cuida de grandes y pequeños y les concede los derechos que les corresponden, hasta el punto de que todos ejecuten sus órdenes. No cabe duda de que el rey que responde a esta descripción es amado por su pueblo y obtiene la preeminencia en este mundo y un puesto de honor y la satisfacción de su Creador en la última vida. Y nosotros, el conjunto de tus esclavos, reconocemos, ¡oh, rey!, que reúnes los requisitos que hemos dicho. Se dice que la mejor de todas las cosas consiste en que el rey sea justo, sabio, experto, esté bien informado y obre según su propio juicio. Nosotros, ahora, disfrutamos de esta felicidad. Antes habíamos caído en la desesperación temiendo que no tuvieras un hijo que heredase tu reino. Pero Dios (¡excelso sea su nombre!) no defraudó tu esperanza, aceptó tu plegaria por la confianza que depositaste en él. ¡Qué buena esperanza fue la tuya! Te ocurrió lo mismo que al cuervo con la serpiente». El rey preguntó: «¿Qué ocurrió? ¿Cuál es la historia del cuervo y la serpiente?»

HISTORIA DEL CUERVO Y DE LA SERPIENTE

El visir refirió: «Sabe, ¡oh, rey!, que había un cuervo que vivía, junto con su esposa, en un árbol llevando la vida más tranquila. Llegaron así hasta la época de la incubación, en plena canícula. Una serpiente abandonó su nido, se dirigió hacia aquel árbol, trepó por las ramas, subió al nido del cuervo, se instaló en él y permaneció durante todos los días del verano; el cuervo se encontraba perseguido y no encontraba un lugar en que instalarse para poder dormir. Al terminar los días de calor, la serpiente se marchó a su madriguera. El cuervo dijo a su esposa: "Demos gracias a Dios (¡ensalzado sea!) que nos ha salvado y nos ha librado de esta desgracia, aunque hayamos quedado privados de alimentos este año, ya que Dios (¡ensalzado sea!) no frustrará nuestra esperanza. Démosle gracias porque nos ha salvado y por la salud que nos ha concedido. Nosotros sólo hemos de confiar en Él. Si Dios lo quiere y vivimos hasta el próximo año, Él nos compensará con otra prole". Al llegar la época de la incubación, la serpiente abandonó su madriguera y se dirigió al árbol. Mientras estaba colgada de una de las ramas y se dirigía al nido del cuervo según tenía por costumbre, se abatió encima de ella un milano que la picoteó en la cabeza y la desgarró. La serpiente cayó al suelo sin sentido; las hormigas se lanzaron encima y se la comieron, quedando el cuervo y su mujer tranquilos; incubaron muchos polluelos y dieron gracias a Dios (¡ensalzado sea!) por haber tenido hijos.

»Ahora, ¡oh, rey!, nos incumbe a nosotros dar gracias a Dios porque te ha concedido a ti y a nosotros ese bendito recién nacido cuando ya habíamos perdido las esperanzas. ¡Que Dios sea generoso contigo en la vida futura y dé un feliz término a tu asunto!»

Sahrazad se dio cuenta de que amanecía e interrumpió el relato para el cual le habían dado permiso.

Cuando llegó la noche *novecientas cuatro,* refirió:

—Me he enterado, ¡oh rey feliz!, de que después se levantó el tercer ministro y dijo: «¡Enhorabuena, rey justo, por el bien presente y futuro, ya que quien es amado por las gentes de este mundo será amado por los moradores del cielo! Dios (¡ensalzado sea!) te ha concedido su afecto implantándolo en el corazón de las gentes de tu reino. ¡A Él sean dadas las gracias! ¡A Él pertenecen todas nuestras loas para que aumenten tus bienes y los que por tu mediación recibimos! Sabe, ¡oh, rey!, que el hombre nada puede si no es mediante la orden de Dios (¡ensalzado sea!). Él es el Donador de todos los bienes; cualquier beneficio que llega a una persona, de Él procede; Él distribuye los favores entre sus siervos como quiere: a unos les concede grandes dones, a otros les carga de trabajo para que consigan su sustento; a unos los ha puesto como jefes; a otros los ha colocado como ascetas en este mundo y sólo lo buscan a Él. Él dijo: "Yo soy Aquel que daña y es útil; curo y hago poner enfermo; enriquezco y empobrezco; mato y doy la vida; todas las cosas están en mi mano y de mí depende el destino". Por esto es necesario que todas las gentes le den las gracias. Y tú, ¡oh, rey!, te cuentas entre aquellos felices, píos, de los que se dice: "El más feliz de los píos es aquel en que Dios ha reunido los bienes de ésta y de la otra vida; aquel que se contenta con lo que Dios le ha concedido y le da las gracias por lo que Él ha decidido". Aquel que falta, que pide algo distinto de lo que Dios ha decretado, se parece al potro salvaje y la zorra». El rey preguntó: «¿Y qué ocurrió? ¿Cuál es su historia?»

HISTORIA DEL POTRO SALVAJE Y LA ZORRA

El visir refirió: «Sabe, ¡oh, rey!, que había una zorra que abandonaba cada día su país para salir en busca de sustento. Mientras cierto día recorría un monte, le llegó la hora del crepúsculo y se dispuso a regresar. Se reunió con otra a la que había visto en el camino y cada una de ellas refirió a su compañera la propia historia con la presa hecha. Una dijo: "Ayer me abalancé sobre un potro salvaje, pues estaba hambrienta: llevaba tres días sin comer. Me alegré de haberlo atrapado, di gracias a Dios (¡ensalzado sea!) por habérmelo facilitado. Me resolví por el corazón, me lo comí, quedé harta y regresé a mi madriguera. Tras tres días en los que no he encontrado nada que comer aún me siento harta". La otra zorra tuvo envidia de que estuviese harta y se dijo: "No me queda más remedio que comer el corazón de un potro salvaje". Dejó de comer durante unos días, se adelgazó, y quedó a dos pasos de la muerte; su actividad y su fuerza disminuyeron y se encerró en la madriguera. Cierto día, mientras se encontraba en ésta aparecieron dos cazadores. Tropezaron con un potro salvaje y pasaron todo el día persiguiéndolo. Después, uno de ellos, le disparó una flecha de gancho que lo alcanzó, penetró en sus vísceras y se le clavó en el corazón. Lo mató enfrente de la madriguera de la zorra citada. Los cazadores le alcanzaron y le hallaron muerto. Sacaron la flecha que le había herido en el corazón, pero sólo sacaron el mango, dejando en el interior el gancho. Al caer la tarde salió la zorra de su madriguera, dando tumbos de lo débil y hambrienta que estaba, y encontró al potro salvaje abandonado junto a su puerta. Se alegró muchísimo, tanto que estuvo a punto de volar de alegría. Dijo: "¡Loado sea Dios que me concede la satisfacción de mi deseo sin fatiga ninguna! No esperaba dar caza ni a un potro salvaje ni a ninguna otra pieza. Dios me ha destinado éste y me lo ha traído hasta mi madriguera". Saltó encima, le desgarró el vientre, metió la cabeza y empezó a husmear por los intestinos hasta alcanzar el corazón; lo comió y lo engulló. Cuando lo tuvo en la garganta, el garfio de la flecha se le clavó y no pudo hacerlo bajar hacia el vientre ni salir de la garganta. Así se dio cuenta de que iba a morir.

»Por esto, ¡oh, rey!, es necesario que el hombre esté satisfecho con lo que Dios le concede; que le dé gracias por sus beneficios; que no pierda la esperanza en su Señor. He aquí que tú, ¡oh, rey!, gracias a tu hermoso propósito y a tus buenas obras te has hecho acreedor del hijo que Dios te ha dado cuando ya desesperabas de tenerlo. Roguemos a Él (¡ensalzado sea!) que le conceda una larga vida, que haga su felicidad duradera y que tu bendito sucesor y heredero, después de una larga vida tuya, cumpla como tú.»

Después se levantó el cuarto visir y dijo: «Si el rey es inteligente, domina las puertas de la sabiduría,...

Sahrazad se dio cuenta de que amanecía e interrumpió el relato para el cual le habían dado permiso.

Cuando llegó la noche *novecientas cinco*, refirió:

—Me he enterado, ¡oh rey feliz!, de que [el visir dijo: »Si el rey es inteligente, domina las puertas] de las leyes, de la política; si tiene buenas intenciones, es justo con sus súbditos, favorece a quien necesita de su generosidad, si es desprendido con quien necesita de ello; si perdona cuando tiene poder para castigar, excepto en las cosas necesarias; si respeta a los jefes y principales personajes, les aligera las cargas, los colma de beneficios; si los protege y observa los pactos que le ligan a ellos, será feliz en este mundo y en el otro. Esto le librará de ellos, le ayudará a consolidar su reino, a triunfar de sus enemigos y a alcanzar sus deseos, además de proporcionarle mayores bienes procedentes de Dios, recibirá su auxilio y su ayuda. Pero si el rey no es así, no escapará a las calamidades y aflicciones que lo agobiarán a él y sus súbditos dada su tiranía con el extraño y el prójimo y le ocurrirá lo mismo que al príncipe peregrino». El rey preguntó: «¿Y cómo fue eso?»

EL REY INJUSTO Y EL PRÍNCIPE PEREGRINO

El visir refirió: «Sabe, ¡oh, rey!, que en un país de Occidente vivía un rey que gobernaba tiránicamente, era injusto, violento, opresor, maltrataba a sus súbditos y a los que entraban en su reino de tal modo que todo aquel que llegaba tenía que soportar que sus gobernadores le arrebatasen los cuatro quintos de sus bienes, quedándose únicamente con el quinto restante. Dios había dispuesto que tuviese un hijo feliz y grato a Él. El muchacho, al ver que las circunstancias de su mundo no eran buenas, lo abandonó y empezó a peregrinar consagrándose a la adoración de Dios (¡ensalzado sea!) desde su más tierna infancia: renunció al mundo y a lo que éste contenía. Inició su peregrinación, consagrado a obedecer a Dios, recorriendo las campiñas y los desiertos, entrando en las ciudades. Al cabo de unos días entró en tal ciudad. Cuando los vigilantes lo vieron, lo detuvieron, lo registraron y sólo le encontraron dos trajes: uno nuevo y otro viejo: le quitaron el nuevo y le dejaron el viejo, después de haberle vilipendiado y humillado. Empezó a quejarse y a decir: "¡Tiranos! Soy un pobre hombre que hace la peregrinación. ¿De qué os puede servir este vestido? Si no me lo dais iré a ver al rey y me quejaré ante él de vosotros". Le replicaron: "Nosotros lo hemos hecho por orden del rey. Pero tú haz lo que bien te parezca". El peregrino siguió adelante hasta llegar al sitio en que se encontraba el rey. Quiso entrar pero los chambelanes se lo impidieron. Volvió atrás y se dijo: "No me queda más remedio que esperar hasta que salga y quejarme a él de mi situación y de lo que me ha sucedido". Mientras estaba esperando que saliera el rey, oyó que uno de los guardias anunciaba su paso. Fue adelantándose poco a poco hasta encontrarse ante la puerta. Antes de que se pudiese dar cuenta ya salía el rey. El peregrino se le puso delante e hizo los votos de ritual deseándole la victoria y le informó de lo que le había sucedido con los guardias; se quejó de su situación y le informó de que era un hombre consagrado a Dios, que había renunciado al mundo y que se había puesto en camino buscando la satisfacción de Dios (¡ensalzado sea!), que recorría la tierra y que todas las gentes a las que se había presentado le habían favorecido según sus posibilidades; que había entrado en ciudades y pueblos y que tal era su situación. Dijo: "Al entrar en esta ciudad esperaba que sus habitantes se portasen conmigo como se portan con los otros peregrinos, pero tus secuaces se me han opuesto, me han quitado uno de mis vestidos y me han castigado con golpes. Preocúpate de mi asunto, cógeme de la mano y entrégame el vestido. No me quedaré en esta ciudad ni una hora". El rey injusto le contestó: "¿Y quién te había indicado que vinieses a esta ciudad si no sabías lo que hacía su rey?" "Cuando yo haya recuperado mi vestido puedes hacer conmigo lo que quieras." El rey injusto, al oír las palabras del peregrino, cambió de humor y replicó: "¡Ignorante! Te hemos quitado el vestido para humillarte, pero desde el momento en que me has armado este griterío, te arrancaré el alma". A continuación mandó que lo encarcelasen. Al entrar en la prisión empezó a arrepentirse de la respuesta que había dado, a reprocharse de no haber callado y salvado la vida. Pero mediada la noche se levantó, rezó una larga oración y dijo: "¡Oh, Dios! Tú eres un juez justo, conoces mi situación y cuanto me ha sucedido con este rey tirano. Yo soy tu servidor y he sido vejado. Pido de tu inmensa misericordia que me libres de la mano de este rey tirano y que tomes venganza de él, ya que Tú no ignoras las maldades de cada opresor. Si sabes que se me ha maltratado castígale con tu venganza esta misma noche y descarga sobre él tu tormento porque tu juicio es justo, porque Tú socorres a todos los afligidos, ¡oh, Tú, que posees el poderío y la grandeza hasta el fin de los tiempos!" Todos los miembros del carcelero temblaron al oír le plegaria de ese desgraciado. Mientras esto ocurría se declaró un incendio en el alcázar en que estaba el rey y ardió con todo lo que contenía hasta llegar a la puerta de la prisión; sólo se salvaron el carcelero y el peregrino. Éste, una vez libre, se puso en viaje acompañado por aquél y así llegaron a otro país. La ciudad del rey injusto fue destruida por completo a causa de la injusticia de su rey.

»En cuanto a nosotros, ¡oh rey feliz!, nos acostamos y nos levantamos haciendo votos por ti y damos gracias a Dios (¡ensalzado sea!) por el favor que nos ha hecho al concedernos tu presencia, pues estamos seguros de tu justicia y de tu buena conducta. Estábamos muy tristes porque no tenías un hijo que pudiera heredar tu reino, pues temíamos que te sucediera un extraño. Pero ahora Dios (¡ensalzado sea!) nos ha favorecido con su generosidad, ha disipado nuestra pena y nos ha llenado de alegría con el nacimiento de este bendito muchacho. Rogamos a Dios (¡ensalzado sea!) que le haga tu pío sucesor, que le conceda gloria, felicidad, bienes constantes y larga vida».

Luego se levantó el quinto ministro y dijo: «¡Bendito sea Dios, el Grande,...

Sahrazad se dio cuenta de que amanecía e interrumpió el relato para el cual le habían dado permiso.

Cuando llegó la noche *novecientas seis,* refirió:

—Me he enterado, ¡oh rey feliz!, de que [el visir dijo: »¡Bendito sea Dios, el Grande,] el que concede los dones píos y da los grandes presentes! Estamos convencidos de que Dios concede sus bienes a quien se los agradece y observa su religión. Tú, ¡oh, rey!, te distingues por esas excelsas virtudes y por la justicia y equidad con que tratas a tus súbditos, lo cual satisface a Dios (¡ensalzado sea!). Por esto, Dios ha aumentado tu poder, ha hecho felices tus días y te ha concedido este hermoso regalo, que es tu hijo feliz, cuando ya desesperabas. Esto nos causa una gran alegría y una satisfacción continua, puesto que antes nos encontrábamos muy preocupados y experimentábamos una pena siempre creciente dado que no tenías hijos. Estábamos pensativos a causa de tu justicia y clemencia para con nosotros y temíamos que Dios hubiese dispuesto tu muerte sin que dejases un sucesor que pudiera heredar el reino. Nuestras opiniones habrían sido distintas, hubiese estallado la discordia y nos hubiese sucedido lo que al cuervo». El rey preguntó: «¿Y cuál es la historia del cuervo?»

HISTORIA DEL CUERVO Y DEL HALCÓN

El visir refirió: «Sabe, ¡oh rey feliz!, que en cierto país había un amplio valle que tenía riachuelos, árboles y frutos; en él los pájaros cantaban las alabanzas del Dios único, todopoderoso, creador de la noche y del día. Entre esos pájaros había cuervos que llevaban la más dulce vida. Su jefe y gobernador era un cuervo indulgente, de buen corazón. Gracias a él vivían en paz y seguridad y su buena organización no permitía que ninguno de los otros pájaros pudiera sobreponérseles. Sucedió que su jefe murió, pues así está dispuesto que ocurra con todos los seres. Los cuervos se entristecieron mucho por él y la pena era aún más, pues no había entre ellos nadie capaz de ocupar su puesto. Se reunieron para deliberar a quién debían nombrar que pudiera presidirlos por su buena conducta. Un grupo de ellos eligió a un cuervo. Dijeron: "Éste es el que nos conviene como rey". Otros discreparon y no le quisieron. Así empezó entre ellos la discusión y la polémica; la discordia creció y después tuvieron que llegar a un acuerdo y pacto: que dormirían toda la noche y que ninguno de ellos madrugaría al día siguiente para ir en busca de su sustento; al contrario: que esperarían a que se hiciese claro y que, en el momento de aparecer la aurora, se reunirían todos en un lugar determinado. Entonces observarían cuál era el pájaro más veloz en el vuelo. Dijeron: "A ése lo elegiremos para el gobierno, lo nombraremos rey y lo encargaremos de nuestros asuntos". Todos estuvieron conformes con esto, lo pactaron unos con otros y quedaron satisfechos. Mientras se encontraban en esta situación apareció un halcón. Le dijeron: "¡Padre del bien! Nosotros te nombramos nuestro gobernador para que te preocupes de nuestros asuntos". El halcón quedó satisfecho con lo que le habían dicho. Les replicó: "Si Dios (¡ensalzado sea!) lo quiere, tendréis un buen bienestar". Una vez lo hubieron elegido, empezó a salir cada día con los cuervos, se quedaba a solas con uno, lo acometía, comía su cerebro y sus ojos y abandonaba el resto. Siguió haciéndolo hasta que sospecharon de él y se dieron cuenta de que habían muerto en su mayor parte. Se convencieron de que iban a morir y se dijeron unos a otros: "¿Qué haremos si ha muerto la mayoría de nosotros sin que nos diésemos cuenta y hemos perdido a nuestros jefes? ¡Hemos de preocuparnos de nosotros mismos!" Al día siguiente huyeron y se alejaron.

»Nosotros temíamos que nos ocurriese algo semejante si teníamos un rey distinto de ti. Pero Dios nos ha concedido este favor enviándote ante nosotros; estamos convencidos de que todo irá bien y de que conseguiremos la paz, la seguridad y el bienestar de nuestro país. ¡Gracias sean dadas a Dios, el Grande! ¡A Él pertenecen las alabanzas, el reconocimiento y los mayores elogios! ¡Que Dios bendiga al rey y a nosotros, el conjunto de sus súbditos, y nos conceda a todos la máxima felicidad y haga su época feliz y próspera!»

A continuación se levantó el sexto visir. Dijo: «¡Que Dios te colme, ¡oh, rey!, de los mejores bienes en esta vida y en la futura! Los antiguos decían que quien reza, observa sus deberes para con los padres y es justo en sus quehaceres, encuentra a su Señor y Éste queda satisfecho de él. Tú nos has gobernado con justicia y has sido afortunado en todas tus actuaciones. Rogamos a Dios (¡ensalzado sea!) que te recompense con creces y te pague por tus buenas acciones. He oído lo que ha dicho este sabio del temor que debíamos experimentar en el caso de que nuestra suerte nos privara del rey o nos deparase uno que no fuese como tú; nuestras querellas aumentarían después de tu muerte y la desgracia sería la secuela de la discrepancia. Si las cosas habían de ser como hemos dicho, era obligación nuestra rogar a Dios

(¡ensalzado sea!) que concediera al rey un hijo feliz que pudiera sucederlo en el momento de su muerte. Hay veces que el hombre ama la vida mundanal y apetece cosas cuyo fin desconoce; por eso no es conveniente que pida a un Señor algo que no sabe las consecuencias que ha de tener, ya que es más fácil que le sean dañosas que útiles, y su petición puede causarle la muerte y afligirle del mismo modo que ocurrió al encantador de serpientes, su esposa, sus hijos y sus familiares».

Sahrazad se dio cuenta de que amanecía e interrumpió el relato para el cual le habían dado permiso.

Cuando llegó la noche *novecientas siete,* refirió:

—Me he enterado, ¡oh rey feliz!, de que el rey preguntó: «¿Y cuál es la historia del encantador de serpientes, su esposa, sus hijos y sus familiares?»

HISTORIA DEL ENCANTADOR DE SERPIENTES

El visir refirió: «Sabe, ¡oh, rey!, que hubo un hombre que se dedicaba a cuidar serpientes; tal era su oficio. Tenía una gran cesta con tres serpientes, pero su familia no lo sabía. Cada día salía con ella a recorrer la ciudad y así se ganaba su sustento y el de sus familiares; por la tarde volvía a su casa, metía a escondidas los reptiles en la cesta y al día siguiente por la mañana volvía a salir para recorrer la ciudad. Ésta era su costumbre inveterada, pero la familia ignoraba lo que contenía la cesta. Cierto día el encantador regresó a su casa como de costumbre. Su esposa lo interrogó y le preguntó: "¿Qué hay en esta cesta?" Le contestó: "¿Qué es lo que quieres de ella? ¿Es que no tenéis víveres más que suficientes para comer? Resígnate con lo que Dios te concede y no me preguntes más". La mujer se calló, pero empezó a decirse: "Es preciso que averigüe lo que contiene esta cesta y sepa lo que hay en ella". Se resolvió a saberlo, se lo explicó a sus hijos y los indujo a que preguntasen con insistencia a su padre por el contenido de la cesta para que los informase. Los chiquillos, convencidos de que contenía algo comestible, empezaron a preguntar cada día a su padre para que les mostrase lo que contenía la cesta. Éste los rechazaba, los tranquilizaba, les prohibía que le hiciesen preguntas. En estas circunstancias transcurrió un tiempo, pero la madre los incitaba a insistir. Entonces se pusieron de acuerdo con ella en que no probarían la comida ni beberían nada con su padre hasta que hubiese accedido a su petición y les hubiese abierto la cesta. Cierta noche llegó el encantador con mucha comida y bebidas. Los llamó para que cenasen con él, pero ellos, puestos de acuerdo, se negaron a acudir y se mostraron enfadados. Empezó a halagarlos con palabras cariñosas y a decirles: "Decid la comida, bebida o los trajes que queréis y os los traeré". Le replicaron: "¡Padre! Sólo queremos que abras esta cesta para ver lo que contiene; de lo contrario nos mataremos". "¡Hijos míos! No sacaréis de ella nada bueno; si la abro sólo recibiréis daño" Entonces se encolerizaron aún más. El padre, al verlos en esta situación, los amenazó y les dijo que iba a apalearlos si seguían así. Sólo consiguió que se enfadasen más y que insistiesen en su petición. El padre, indignado, cogió un palo para castigarlos; huyeron ante él por la casa. La cesta estaba allí delante, pues el encantador no la había escondido en ningún lugar. La madre dejó que el hombre persiguiese a los chiquillos y abrió, con prisas, la caja para ver qué contenía. Las serpientes salieron de la cesta, mordieron a la mujer y la mataron; después recorrieron la casa matando a grandes y pequeños, excepto al encantador que abandonó la casa y se marchó.

»Cuando te hayas dado cuenta de esto, ¡oh rey feliz!, comprenderás que el hombre no ha de desear nada de aquello que Dios (¡ensalzado sea!) le niega; al contrario: ha de contentarse con lo que Dios (¡ensalzado sea!) le destina y le concede. Ahora tú, ¡oh rey de inmensa ciencia, de excelente criterio!), que Dios te refresque los ojos, has tenido un hijo cuando ya desesperabas y tu corazón ha quedado tranquilo. Nosotros rogamos a Dios (¡ensalzado sea!) que haga que sea un heredero justo, que goce de la satisfacción de Dios y de los súbditos».

Después se levantó el séptimo visir y dijo: «¡Oh, rey! He comprendido y estoy convencido de todo cuanto han dicho mis hermanos los visires, sabios y despiertos, de lo que han expuesto ante tu presencia, ¡oh, rey!; de la descripción que han dado de tu justicia, de tu hermosa conducta y de las características que te distinguen de los restantes reyes y por las cuales ellos te han preferido a ti. Pero esto sólo es parte del deber que te incumbe, ¡oh, rey! Yo, por mi parte, digo: ¡Loado sea Dios que te ha concedido sus dones, que te ha concedido el bienestar del reino con su misericordia, que te ha auxiliado a ti y a nosotros con el fin de que le estemos aún más reconocidos! Todo ello ha sido debido a tu existencia y mientras tú te encuentres entre nosotros no temeremos injusticia ni seremos oprimidos ni nadie podrá abatirse sobre nosotros aprovechando nuestra debilidad. Se dice que los mejores súbditos son aquellos que tienen un soberano justo y que los peores son los que tienen por rey a un tirano. Se dice también que vale más vivir con un león carnicero que con un sultán opresor. ¡Loado sea Dios (¡ensalzado sea!), que nos ha hecho don de tu persona y que te ha dado este hijo bendito cuando ya desesperabas por tener avanzada edad! El mejor don de la vida mundanal lo constituye un hijo virtuoso: quien no tiene hijos carece de sucesores y no deja memoria de sí. Tu equidad y tu recto proceder para con Dios (¡ensalzado sea!) han motivado que Éste te conceda un hijo feliz, un hijo que constituye un bendito don de Dios (¡ensalzado sea!) hecho a ti y a nosotros dada tu honesta vida y tu bella resignación. Te ha ocurrido con esto lo mismo que a la araña con el viento».

Sahrazad se dio cuenta de que amanecía e interrumpió el relato para el cual le habían dado permiso.

Cuando llegó la noche *novecientas ocho*, refirió:

—Me he enterado, ¡oh rey feliz!, de que el rey preguntó: «¿Cuál es la historia de la araña y el viento?»

LA ARAÑA Y EL VIENTO

El visir refirió: «Sabe, ¡oh, rey!, que una araña se había instalado en una puerta aislada y alta en la cual había construido su nido. Allí vivía en paz dando gracias a Dios (¡ensalzado sea!) que le había deparado tal lugar tranquilizándola del miedo que tenía a los reptiles. En esta situación vivió durante cierto tiempo dando gracias a Dios por el sosiego de que disfrutaba y por el sustento que recibía continuamente. Pero su Creador quiso ponerla a prueba y expulsarla para ver hasta dónde llegaba su reconocimiento y su paciencia. Desencadenó un viento huracanado de levante que la arrastró junto con su tela y la arrojó al mar. Las olas la arrastraron hacia tierra. Entonces dio gracias a Dios (¡ensalzado sea!) por haberla salvado y empezó a hacer reproches al viento diciendo: "¡Oh, viento! ¿Por qué has hecho esto conmigo? ¿Qué beneficio has obtenido con trasladarme desde aquel lugar hasta éste? Allí, con mi tela en lo más alto de la puerta, me encontraba segura y tranquila". El viento le replicó: "Deja de hacerme reproches, pues yo te devolveré al sitio en que te encontrabas antes". La araña tuvo paciencia en esperar a que la devolviese a su puesto. Pero sopló el viento del norte y no la llevó; luego sopló el viento del sur que la arrastró hacia su casa. Al pasar por ésta la reconoció y se agarró a ella.

»Nosotros, por tanto, rezamos a Dios que ha recompensando al rey por su soledad y su paciencia concediéndole este hijo cuando ya desesperaba y era viejo; que no se lo ha llevado de este mundo sin haberle concedido el consuelo de sus ojos y haberle dado lo que le ha dado: el reino y el poder. Él ha sido indulgente con sus súbditos y los ha colmado de bienes». El rey replicó: «La alabanza a Dios precede a cualquier otra loa y el darle las gracias pasa por delante de cualquier otro agradecimiento. No hay más Dios que Él, el Creador de todas las cosas; Él, que nos ha dado a conocer con la luz de sus signos la inmensa majestad de su poderío; Él concede el reino y el señorío a aquel de sus esclavos que le place; Él elige a quien quiere para nombrarlo su vicario y su representante entre las criaturas. Él prescribe a éstas la justicia, la equidad, la observancia de los ritos y de las tradiciones, el obrar bien y el ser rectos en todos los asuntos según a Él le complace y a ellos es grato. Aquellos que cumplen lo que Dios manda, se conforman con lo que les destina y se muestran sumisos a su señor, se verán libres de los terrores de este mundo y se harán acreedores de una hermosa recompensa en la última vida, ya que Él no descuida de pagar a los benefactores[1]; aquellos que no cumplan lo que Dios manda, que falten de modo flagrante, se rebelen contra su Señor y prefieran la vida mundanal a la última, ésos no dejaran huella de sí en esta vida y no tendrán su parte en la futura, ya que Dios no contemporiza ni con los tiranos ni con los perversos; Él no se olvida de niguno de sus siervos. Éstos, nuestros visires, han hecho mención de nuestra justicia y de nuestro buen comportamiento como causa de que Dios nos haya concedido su auxilio; nos es necesario darle las gracias por sus bienes siempre crecientes. Cada uno de ellos ha dicho lo que Dios le ha inspirado y han competido en darle las gracias, en alabarlo por sus favores y bienes. Yo le doy gracias, ya que soy un esclavo sumiso; mi corazón está en sus manos, mi lengua lo sigue, yo me encuentro siempre satisfecho con lo que decía para mí y para ellos. Cada uno de ellos ha dicho lo que le pasaba por la mente acerca de ese muchacho y ha recordado que esto significa una renovación de su favor para con nosotros desde el momento en que yo ya había llegado a la edad provecta en que se inicia la desesperación y disminuye la certitud. ¡Loada sea Dios que nos ha salvado de las desgracias de la fortuna y del cambio de gobernantes que se suceden como la noche y el día! Esto constituye un gran bien para vosotros y nosotros. Loemos a Dios (¡ensalzado sea!) que nos ha escuchado y nos ha concedido este hijo, del que ha hecho nuestro sucesor en tan ele-

[1] Cf. *El Corán* 9, 121; 11, 117; 12, 90.

vado puesto. Rogamos de su generosidad e indulgencia que haga sus actos felices e inclinados al bien para que seay un rey y un sultán justo y equitativo con sus súbditos, y que con su cuidado, generosidad y bondad los proteja de las desgracias».

Cuando el rey hubo terminado de hablar, los sabios y los doctos se levantaron, se prosternaron ante Dios, dieron gracias al soberano, le besaron la mano y cada uno de ellos se marchó a su casa. Entonces el rey entró en palacio, examinó al muchacho, rezó por él y le puso el nombre de Wird Jan.

Cuando el niño hubo cumplido los doce años, el rey quiso que estudiase todas las ciencias, le construyó un alcázar en el centro de la ciudad, mandó hacer en él trescientas sesenta habitaciones, internó allí al muchacho y ordenó a tres sabios y doctos que no descuidaran de enseñarle durante el día y la noche; que cada día ocupasen una nueva sala y que procurasen que no quedara ni una disciplina por estudiar para que fuese experto en todas las ciencias. Mandó que se escribiesen en la puerta de cada habitación las ciencias que en ella estudiaba y que cada siete días le diesen un informe de lo que había aprendido. Los sabios se presentaron ante el muchacho y no dejaron de enseñarle ni de día ni de noche; no descuidaron de instruirle en ninguno de los conocimientos que tenían. El muchacho demostró tener un entendimiento despierto y una clara disposición, más que la de cualquier otro, para aprender las ciencias. Simas, cada semana, hacía un informe al rey explicándole de lo que su hijo había aprendido sólidamente; de este modo, el mismo rey se instruía en las ciencias y en las bellas letras. Los sabios decían: «¡Jamás hemos visto una persona más dotada que este muchacho! ¡Que Dios te bendiga con él y te conceda el placer de disfrutar de su compañía muchos años!»

Cuando el muchacho hubo cumplido los doce años había aprendido todas las ciencias de un modo perfecto y sobrepasaba a todos los sabios y doctores de su época. Sus maestros lo condujeron ante el rey, su padre, y le dijeron: «Que Dios consuele tus ojos, ¡oh, rey!, con este muchacho de buen agüero. Te lo presentamos después de haberle enseñado todas las ciencias hasta el punto de que no hay ningún sabio ni ningún doctor en nuestra tiempo que haya llegado a donde él ha llegado». El rey se alegró muchísimo, dio gracias a Dios (¡ensalzado sea!) y cayó prosternado ante Él, todopoderoso y excelso, diciendo: «¡Loado sea Dios por sus bienes sin cuento!» Después llamó al visir Simas y le dijo: «Sabe, Simas, que los sabios se han presentado ante mí y me han informado de que mi hijo sabe todas las ciencias, que no queda ni una que no haya aprendido hasta el punto de que ha superado a todos sus predecesores ¿qué piensas, Simas?» Éste se prosternó ante Dios, todopoderoso y excelso, besó la mano del rey y dijo: «El rubí, aunque se encuentre incrustado en la dura roca, ha de iluminar como una antorcha. Tu hijo es una gema y su gran juventud no le impide ser un sabio. ¡Loado sea Dios por lo que ha dado! Si Dios quiere, mañana le interrogaré y le pondré a prueba ante una asamblea en que estarán reunidos los cortesanos, los sabios y los emires».

Sahrazad se dio cuenta de que amanecía e interrumpió el relato para el cual le habían dado permiso.

Cuando llegó la noche *novecientas nueve*, refirió:

—Me he enterado, ¡oh rey feliz!, de que el rey Chilad, al oír las palabras de Simas, mandó convocar en el alcázar regio, para el día siguiente, los sabios más penetrantes, los expertos más inteligentes y los científicos más dotados. Todos acudieron. Cuando estuvieron reunidos ante la puerta del soberano, éste les concedió audiencia. Después compareció Simas, el visir quien besó la mano del hijo del rey. El príncipe se incorporó y se postró ante Simas. Éste le dijo: «No es propio del cachorro de león inclinarse ante una fiera cualquiera; tampoco la luz debe asociarse con las tinieblas». El muchacho replicó: «El cachorro del león se inclina cuando ve al visir del rey». Simas preguntó: «Háblame del eterno absoluto, de sus dos manifestaciones y cuál de éstas es la eterna». El joven replicó: «El eterno, el absoluto, es Dios, todopoderoso y excelso, ya que Él ni ha tenido principio ni tendrá fin; sus dos manifestaciones son: este mundo y la última vida; la eterna de ambas es la última vida». «Has dicho bien y lo admito. Pero desearía que me explicaras cómo sabes que una de sus dos manifestaciones está representada por el mundo y la otra por la última vida.» «Porque el mundo fue creado de la nada y por tanto debe referirse a un primer ser. Dicho mundo constituye un accidente en rápida mutación, por lo cual se hace necesario que exista una recompensa por las obras y esto exige la resurrección de lo perecedero; la segunda manifestación está constituida por la última vida.» Simas le replicó: «Dices la verdad y lo admito. Pero desearía que me explicaras cómo sabes que la manifestación de la última vida es la eterna». «Lo sé desde el momento en que es la morada en que se recompensan las obras hechas por los seres perecederos que ha sido preparada por el Eterno de modo que no tenga fin.» «Dime: ¿cuáles son las gentes de este mundo que merecen mayor consideración por sus obras?» «Aquellos que prefieren la última vida a la presente.» «¿Quiénes son los que prefieren la última vida a la presente?» «Aquellos que saben que se encuentran en una vida perecedera, que han sido creados únicamente para morir y que después de la muerte tendrán que rendir cuentas; aunque hubiera un ser que pudiera vivir eternamente en este mundo, desdeñaría esta vida para conseguir la otra.» «Dime: ¿la última vida podría existir sin la presente?» «Quien no ha tenido vida terrestre carecerá de vida futura. El mundo, sus habitantes y el término de su vida son como aquellos aldeanos a los que un príncipe construyó una casa estrecha, los metió en ella y les mandó que hiciesen un trabajo concediendo un plazo determinado a cada uno de ellos. Cuando uno terminara el trabajo que le había sido encomendado, el vigilante bajo cuya custodia estuviere lo sacaría de aquella angustia; aquel que no cumpliera lo que se le había mandado en el plazo fijado, sería atormentado. Mientras trabajaban empezó a filtrarse miel por las hendiduras; comieron, les complació su sabor y su dulzura, se distrajeron del trabajo que se les había encomendado, se lo echaron a la espalda y se quedaron en aquella angostura y pena a pesar de que sabían que andaban al encuentro del tormento; pero tenían bastante con aquella pequeña dulzura; el encargado expulsaba de la casa a todo aquel cuyo plazo se había concluido. Sabemos que el mundo es una casa ante la cual se queda perpleja la vista; que a sus habitantes se les ha fijado un plazo: aquel que encuentra la poca dulzura que hay en el mundo y que se aficiona a éste, se cuenta entre los perdidos, ya que prefiere la vida presente a la futura; quien prefiere ésta a aquélla y no presta atención a la poca dulzura de esta vida, ése es de los que triunfan.» Simas dijo: «He escuchado lo que has dicho acerca de esta vida y la futura y estoy de acuerdo. Pero creo que se trata de dos autoridades impuestas al hombre, a los que hay que satisfacer a la vez a pesar de que son antitéticas; si la criatura atiende a buscar su subsistencia, esto será dañoso para su alma en el momento del juicio final; si se preocupa sólo de la última vida, esto le es dañoso al cuerpo: no tiene, pues, medio para satisfacer a la vez los dos extremos». El muchacho replicó: «La búsqueda del sustento en esta vida constituye un viático para la última. Me hace el efecto de que esta vida y la otra son dos reyes: uno justo y otro tirano. Las posesiones de este último tienen árboles, frutos y plantas, pero su dueño no deja pasar a ningún mercader sin quitarle su dinero y sus mercancías. Ellos lo soportan gracias al viático que consiguen dada la fertilidad de la tierra. El rey justo manda entonces a uno de los hombres de su tierra, le da grandes riquezas y le ordena que vaya al territorio del tirano para comprar gemas. El hombre se pone en camino con el dinero y entra en aquella tierra. Se dice al rey: "Ha llegado a tus dominios un comerciante que trae grandes riquezas y que quiere comprar gemas". El soberano le hace comparecer y le pregunta: "¿Quién eres? ¿De dónde vienes? Quién te ha traído hasta mis posesiones? ¿Qué deseas?" le responde: "Yo vengo de tal tierra cuyo rey me ha dado dinero y me ha mandado que le compre gemas en este país. He obedecido su orden y he venido". "¡Ay de ti! ¿Es que no sabes lo que hago con los habitantes de mi país? Cada día les arrebato sus bienes. ¿Cómo te has traído el dinero? ¿Desde cuándo?" "No me pertenece nada de ese dinero: es un depósito que tengo hasta que se lo entregue a su dueño". "¡Yo no permitiré que compres tu sustento en mi tierra hasta que te hayas rescatado con todo el dinero..."»

Sahrazad se dio cuenta de que amanecía e interrumpió el relato para el cual le habían dado permiso.

Cuando llegó la noche *novecientas diez,* refirió:

—Me he enterado, ¡oh rey feliz!, de que [el rey tirano dijo: «"Yo no permitiré que compres tu sustento en mi tierra hasta que te hayas rescatado con todo el dinero] o hayas muerto". El comerciante se dijo: "He caído entre dos reyes, pero ya sé que la tiranía de éste alcanza a todos los que viven en su tierra. Si no le doy satisfacción me matará y perderé el dinero, de esto no me escapo, y no podré llevar a término mi encargo. Si le entrego todo el dinero, entonces me dará muerte el rey a quien pertenece; esto es seguro. No tengo más remedio que entregarle una pequeña parte de esta gran suma para que quede satisfecho y así apartar todo peligro de mí y del resto del dinero. Obtendré mi sustento de la fertilidad de esta tierra hasta que haya podido comprar las gemas que necesito. El tirano quedará satisfecho con lo que le dé, yo obtendré mi beneficio de la fertilidad de su tierra y luego regresaré junto al dueño del dinero. Dada su justicia e indulgencia espero que no tendré que soportar ningún castigo por el dinero que me quite este rey y con mayor razón porque será una pequeña cantidad". El comerciante, después de haber pronunciado los votos de rigor, dijo: "¡Oh, rey! Me rescato a mí y a esta suma con una parte pequeña; sirve desde el momento de mi entrada en tu tierra hasta que me marche de ella". El rey aceptó y dejó en paz al comerciante durante un año. Éste compró gemas con todo el dinero de que disponía y partió a reunirse con su dueño. El rey justo simboliza la última vida; las gemas que se encuentran en la tierra del rey injusto son las buenas obras y las acciones pías; el hombre que lleva la riqueza, es aquel que ansía la vida mundanal; la riqueza, es la vida del hombre. Cuando medito en esto me doy cuenta de que quien busca la subsistencia en este mundo no debe descuidar ni un día el rezar para la última vida: satisfará así al mundo explotando su feracidad y a la última vida con el tiempo que emplee en desearla». Simas preguntó: «Dime: ¿el cuerpo y el espíritu participan por igual en el premio y en el castigo o el castigo sólo se destina al concupiscente, al que ha cometido pecados?» El muchacho replicó: «La inclinación por las pasiones y los pecados puede ser causa del premio, si es reprimida y hay arrepentimiento. Pero el asunto está en manos de Quien hace lo que quiere y las cosas se distinguen por sus extremos. Lo cierto es que los alimentos son necesarios para el cuerpo, que no hay cuerpo sin alma y que la limpieza de ésta sólo se consigue teniendo pureza de intención en este mundo y preocupación por lo que es útil en la última vida. Ambos se parecen a dos caballos de carrera o a dos hermanos de leche o a dos socios ligados por el negocio: por la intención se distinguen las buenas acciones. Del mismo modo el alma y el cuerpo están asociados en las obras, en la recompensa y en el castigo. Son como

EL CIEGO Y EL PARALÍTICO

»Un hombre, que era dueño de un jardín, hizo entrar en él a un ciego y un paralítico y les mandó que no hiciesen nada que pudiese causar daño o estropearlo. Cuando los frutos del jardín estuvieron en sazón, el paralítico dijo al ciego: "¡Ay de ti! Veo unos frutos magníficos y que me apetecen, pero no puedo ir en su busca para comerlos. Ponte tú en pie, pues tienes bien las piernas y tráelos: los comeremos". El ciego replicó: "¡Ay de ti! ¿Por qué me los citas cuando yo los ignoraba? No puedo alcanzarlos, puesto que no los veo, ¿cuál será el medio de conseguirlos?" Mientras se encontraba en esta situación llegó el vigilante del jardín que era un hombre inteligente. El paralítico le dijo: "¡Vigilante! Nos apetecen esos frutos, pero, como ves, yo soy paralítico y mi compañero ciego, no ve nada, ¿cómo podemos hacerlo?" "¡Ay de vosotros! ¿Es que no sabéis lo que habéis prometido al dueño del jardín, esto es, que no haríais nada que pudiese causar daño? Quedaos tranquilos y nada hagáis." Le replicaron: "¡Es imposible no comer parte de estos frutos! ¡Explícanos una de tus tretas!" Ellos no desistían de su idea por lo que el otro les dijo: "La solución está en que el ciego se ponga en pie y te lleve sobre su espalda, paralítico, acercándote al árbol en que se encuentran los frutos que te gustan; cuando estés a su lado cogerás lo que puedas alcanzar". El ciego se puso de pie y se puso a cuestas al paralítico; éste empezó a conducirle por el camino que llevaba al árbol; así pudo coger los frutos que le apetecían. Tomaron esto por costumbre hasta dejar sin nada los árboles del jardín. Entonces llegó el dueño y les dijo: "¡Ay de vosotros! ¿Qué es lo que habéis hecho? ¿Es que no os comprometisteis a no arruinar el jardín?" "Ya sabes que no podemos tocar nada, ya que uno es paralítico y no puede ponerse de pie y el otro es ciego y no ve lo que tiene delante. ¿Cuál es nuestra culpa?" "¿Es que creéis que no sé cómo lo habéis hecho y cómo habéis arruinado mi jardín? Es como si hubiese estado contigo, ciego: tú te has puesto de pie y has colocado al paralítico sobre tus espaldas; éste te ha guiado por el camino hasta colocarte junto a los árboles." Entonces el dueño los cogió, los castigó de mala manera y los expulsó del jardín. El ciego es la imagen del cuerpo, puesto que no ve si no es por medio del alma y el paralítico es el alma que no puede moverse sin el cuerpo; el jardín representa las acciones por las que se recompensa a la criatura y el vigilante es el entendimiento que nos manda el bien y nos prohíbe el mal: el cuerpo y el alma están asociados en la pena y en la recompensa». Simas exclamó: «Has dicho la verdad y acepto tu explicación. Dime: ¿cuál es el sabio que según tú merece más loas?» «Quien conoce a Dios y sabe sacar provecho de su ciencia.» «¿Y más exactamente?» «Quien busca la satisfacción de su Señor y evita su ira.» «¿Y quién es el más virtuoso?» «El que conoce mejor al Señor.» «¿Y quién es el más experto?» «Quien es más constante en poner en práctica su doctrina.» «Dime quién es el más puro de corazón.» «Aquel que está más preparado para la muerte, quien piensa más en Dios y tiene menos esperanza, ya que quien se ha acostumbrado a la idea de la muerte es como quien se mira en un espejo puro: conoce la verdad y el espejo aumenta la pureza y el esplendor.» Simas preguntó: «¿Cuál es el mejor tesoro?» «El del cielo.» «¿Cuál de los tesoros del cielo es más hermoso?» «Alabar y ensalzar a Dios.» «¿Cuál es el mejor de los tesoros de la tierra?» «¡Practicar el bien!»

Sahrazad se dio cuenta de que amanecía e interrumpió el relato para el cual le habían dado permiso.

Cuando llegó la noche *novecientas once,* refirió:

—Me he enterado, ¡oh rey feliz!, de que Simas exclamó: «Dices bien y admito tus palabras. Háblame ahora de tres cosas distintas: la ciencia, el discernimiento y la razón, y de la base común que tienen». El muchacho contestó: «La ciencia arranca del estudio, el discernimiento de la experiencia y la razón del pensamiento; las tres se basan y encuentran su lugar común, en la razón. Quien reúne en sí estas tres dotes es perfecto; quien además tiene temor de Dios, se encuentra en el buen camino». «Dices la verdad y lo acepto. Háblame del sabio inteligente, dotado de buen discernimiento, de inteligencia despierta y de razón superior. ¿La pasión y la concupiscencia pueden alterar esas cosas que acabas de citar?» «Estas dos pasiones, cuando se apoderan de un hombre, alteran su ciencia, entendimiento, discernimiento y razón; le transforman en algo así como el águila, ave de presa, que dado su miedo a los cazadores y gracias a su astucia, permanece en lo más alto del cielo. Mientras está ahí, aparece un cazador que extiende su red y una vez ha terminado de hacerlo pone un pedazo de carne. El águila descubre la carne: la pasión y la concupiscencia se apoderan de ella y le hacen olvidar la red que ha visto y la mala situación en que se encuentran todos los pájaros que caen en ella. Se abate desde lo alto del cielo y cae encima del pedazo de carne quedando enredada en la red. El cazador, al ver el águila en la red, queda muy admirado y dice: "Yo había extendido la red para que cayesen palomas y pájaros débiles, ¿cómo ha caído esta águila?" Se dice que el hombre inteligente, cuando es presa de la pasión y la concupiscencia, reflexiona por sí mismo en las consecuencias de su acto; se abstiene de lo que le presentan como cosa grata y con su inteligencia vence a ambas. Él hace con su razón lo mismo que un jinete experto con su caballo: si monta un corcel indócil da fuertes tirones con las riendas hasta que le mete en cintura y le lleva por donde quiere. Quien es tonto y carece de ciencia y discernimiento ve todas las cosas confusas, la pasión y la concupiscencia se enseñorean de él, obra según éstas y se cuenta entre los perdidos: no hay gente que esté peor que él.» Simas dijo: «Así es y lo acepto. Dime, ¿cuándo es útil la ciencia y el entendimiento sirve de valladar a la pasión y a la concupiscencia?» «Cuando aquel que los posee los emplea en la búsqueda del más allá, ya que ambos, la razón y la ciencia, son útiles. Pero quien los posee no debe emplearlos en buscar los bienes mundanales más que en la medida de lo necesario para procurar su sustento y apartar de sí las dificultades; debe emplearlos en buscar los bienes de la última vida.» «Dime cuál es la cosa más digna de ocupar siempre el corazón del hombre.» «Las obras pías.» «Pero si el hombre las hace carece de tiempo para procurarse la subsistencia. ¿Qué ha de hacer para conseguir su pan cotidiano que le es imprescindible?» «El día tiene veinticuatro horas: debe emplear una parte en conseguir la subsistencia, otra para la oración y el reposo y el resto ocúpelo en adquirir la ciencia, ya que el hombre es inteligente pero carece de doctrina. Es como la tierra estéril sobre la cual no se pueden realizar las tareas agrícolas ni la siembra; las plantas no crecen. Si no se prepara para la labor y la siembra, no da fruto alguno; si se prepara para la labor se siembra. Da hermosos frutos. Lo mismo ocurre con el hombre sin ciencia: sólo es útil cuando se le ha sembrado la semilla del saber.» Simas preguntó: «¿Y qué piensas de la ciencia sin razón, ¿qué ocurre?» «Es como los conocimientos que tienen los animales que conocen las horas de comer y beber y el momento de despertarse a pesar de que carecen de razón.» «Has sido conciso en la respuesta, pero estoy conforme con tus palabras. Dime qué he de hacer para estar a cubierto del sultán.» «No le des ninguna oportunidad que pueda utilizar contra ti.» «¿Cómo puedo hacerlo si su poder está por encima mío y las riendas de mis asuntos están en su mano?» «El poder que tiene sobre ti está dentro de sus derechos; si le das lo que le debes no podrá constreñirte.» «¿Cuáles son las obligaciones del visir para con su rey?» «El consejo, el trabajar tanto en público como en privado, tener buen consejo, guardar sus secretos, no ocultarle nada de lo que tenga derecho a saber; distraerse poco de los asuntos que le han sido confiados, procurar que esté satisfecho por todos los medios y evitar su cólera.» «¡Dime cómo se ha de comportar un visir con su rey!» «Si eres visir del rey y quieres estar a salvo presta atención y proponte que tus palabras estén por encima de lo que espera y haz tus peticiones de acuerdo con el rango que ocupas junto a él; procura no adjudicarte un rango del cual no te crea digno, pues creería que esto era una temeridad frente a él. Si, ofuscado por su magnanimidad, te elevas a rangos para los cuales él no te crea apto, te ocurrirá lo mismo que al cazador que cobra las piezas, les quita la piel y emplea ésta para su servicio dejando la carne; luego llega el león y se come la carroña. Cuando sus visitas se multiplican al mismo sitio, se acostumbra al cazador y se familiariza con él. Éste le echa de comer, le acaricia el dorso con la mano y juega con su cola, pues se da cuenta de la mansedumbre, la familiaridad y la tranquilidad de la fiera. Entonces se dice: "Este león se me ha humillado y me pertenece. No veo por qué no he de cabalgarlo y arrancarle la piel como a los otros animales". El cazador cobra ánimo, salta a lomos del león y se prepara. Pero el animal, al darse cuenta de lo que hace el cazador, se enfurece rabiosamente, levanta su mano, derriba al hombre y le mete las garras en los intestinos; sólo le deja después de haberlo destrozado. Puedes comprender que el ministro debe comportarse con su rey según su propia posición, que no debe propasarse por buena que sea la opinión que el soberano tenga de él; de lo contrario despierta los celos del soberano.»

Sahrazad se dio cuenta de que amanecía e interrumpió el relato para el cual le habían dado permiso.

Cuando llegó la noche *novecientas doce*, refirió:

—Me he enterado, ¡oh rey feliz!, de que Simas exclamó: «Dime cómo debe contraer méritos el visir ante el rey». El muchacho replicó: «Correspondiendo a la confianza que se le ha dado, aconsejándole, exponiéndole buenas ideas y ejecutando sus órdenes». Simas intervino: «Has dicho que el visir debe evitar la ira del rey, ejecutar lo que le causa satisfacción y cuidar de lo que se le ha confiado. Pero dime: ¿qué debería hacer el ministro si el rey se complaciese en ejercitar la tiranía, en practicar la injusticia y la opresión? ¿Qué debería hacer el ministro si se veía puesto a prueba por la compañía de un rey tirano? Si el visir intenta disuadirlo de su pasión, de su concupiscencia y de sus ideas no lo conseguirá; si sigue sus caprichos, aprueba su comportamiento y le adula, conseguirá la enemistad del pueblo. ¿Qué dices de esto?» El muchacho replicó diciendo: «¡Oh, visir! Has dicho bien el pecado y la falta que incumbe al ministro si sigue al soberano en sus fallos. En esas circunstancias si el rey consulta al visir sobre ello, éste debe indicarle el camino de la justicia y de la equidad; debe prevenirlo contra la tiranía y la opresión, darle a conocer cuál es la mejor conducta a seguir con sus súbditos, indicándole la recompensa que recibirá en caso de ponerla en práctica y del castigo de que se hará merecedor en caso contrario. Si el rey se inclina y acepta benévolamente sus palabras, habrá conseguido su deseo; si no, el único recurso que tiene consiste en separarse de él con buenos modos, ya que la separación constituirá la tranquilidad de los dos». El visir preguntó: «Infórmame de cuáles son los deberes del rey con sus súbditos y los de éstos con su rey». Replicó: «Los súbditos han de entender el sentido recto de lo que les mande; hacer aquello que es grato al soberano y que satisface a Dios y a su Enviado. El soberano debe al pueblo: defender sus bienes y proteger sus mujeres, del mismo modo que él puede exigir de ellos que le obedezcan, que se empleen en su servicio, respeten sus derechos y le den las gracias por la justicia y beneficios que les concede». Simas intervino: «Has contestado a mi pregunta acerca de los deberes del rey y de los súbditos. Dime: ¿tienen algún otro derecho, además de los que has mencionado, los súbditos sobre el rey?» «¡Sí!» «Los derechos de los súbditos frente al rey son más exigentes que los del rey frente a los súbditos; es más perjudicial que el pueblo deje de observar sus deberes con el soberano que no a la inversa ya que, en el primer caso, se produce la ruina del rey y el fin de su reinado y de su fortuna. Quien es reconocido como rey debe observar tres cosas: las peticiones de la religión, de sus súbditos y de la política. Si los observa su reino será duradero.» «Dime: ¿qué es necesario para mantener el bienestar de los súbditos?» «Observar sus derechos, respetar la tradición, emplear a sabios y doctos para que les enseñen, ser justo con todos, evitar el derramar su sangre, abstenerse de sus bienes, aligerar sus cargas y reforzar su ejército.» «Dime cuáles son los deberes del rey para con el ministro.» El muchacho contestó: «El rey no tiene deberes más imperativos que los que afectan al ministro por tres razones: la primera por las consecuencias que se seguirían a causa de cualquier error suyo y por la utilidad general, para el rey y los súbditos, en el caso de que la opinión del ministro sea exacta; la segunda para que la gente se dé cuenta de la buena posición de que goza el ministro junto al soberano; entonces el pueblo le ve con buenos ojos, respeto y sumisión; tercera: porque el visir, viendo el aprecio en que le tienen el rey y el pueblo, les evitará todo aquello que les pueda ser odioso y les deparará lo que desean». Simas dijo: «He escuchado todo lo que has dicho acerca de las cualidades del rey, del visir y de los súbditos. Estoy de acuerdo contigo. Pero infórmame de qué es necesario para preservar a la lengua de la mentira, de la estupidez, de la maledicencia y de la excesiva prolijidad». El muchacho replicó: «Es necesario que el hombre hable bien y de modo elegante, que no se pronuncie sobre lo que no le compete, se abstenga de la maledicencia, que no refiera lo que otro ha dicho acerca de su propio enemigo, que no intrigue ante el sultán para causar daño al amigo o al enemigo; que no se preocupe de nadie ni de quien espera un beneficio ni del que puede causarle un daño; que se ocupe únicamente de Dios (¡ensalzado sea!) pues es Él, en realidad, quien castiga y premia, que no atribuya a nadie un vicio y que no hable sin conocimiento de causa para evitar incurrir en falta y en pecado ante Dios y en el odio de la gente. Sabe que las palabras son como las flechas: una vez dichas nadie puede retirarlas. Guárdese de confiar un secreto a quien lo ha de divulgar, pues podría incurrir en los perjuicios que trae el conocimiento después de haber confiado en que no se sabría; debe guardar más el secreto ante el amigo que ante el enemigo. Mantener la discreción ante toda la gente constituye una muestra de lealtad». Simas le preguntó: «¿Cómo hay que comportarse con la familia y con los allegados?» «El hombre no encontrará reposo más que obrando rectamente: es necesario que dé a la familia lo que corresponde y a sus amigos lo que les pertoca.» «Dime ¿qué es lo que corresponde a la familia?» «Con los padres hay que ser sumiso y hablarles con dulzura, afabilidad, respeto y deferencia. A los amigos hay que darles consejos, dinero y ayuda en sus asuntos; alegrarse con sus alegrías y procurar no ver sus faltas. Éstos, al darse cuenta de ello, acojerán sus consejos con cariño y se mortificarán por él. Si tienes confianza en tu hermano, concédele tu afecto y préstale ayuda en todos sus asuntos.»

Sahrazad se dio cuenta de que amanecía e interrumpió el relato para el cual le habían dado permiso.

Cuando llegó la noche *novecientas trece,* refirió:

—Me he enterado, ¡oh rey feliz!, de que Simas le objetó: «Yo creo que los amigos son de dos clases: amigos de confianza y amigos para pasar el rato; a los primeros se les debe lo que has dicho, pero ¿y a los otros, a los de pasar el rato?» El muchacho respondió: «De los amigos de circunstancias obtendrás alegrías, distracciones, buenas palabras y agradable compañía. Tú no les prives de tus alegrías; dáselas del mismo modo que ellos te dan las suyas; trátalos como te traten, con rostro sereno y agradables palabras: tu vida será feliz y tus opiniones bien acogidas». Simas dijo: «Ya que nos hemos enterado de todas estas cosas, dime cuáles son los bienes que el Creador ha deparado a sus criaturas, ¿se han distribuido entre el hombre y los animales de modo que cada uno tenga asignado su sustento hasta el fin de sus días? Si así es ¿qué es lo que les lleva a buscar su sustento a fuerza de fatigas cuando saben que lo tienen predestinado y que lo han de conseguir sin duda ninguna, y por tanto sin esfuerzo ninguno? Si no les ha sido predestinado ¿lo obtendrán sólo a copia de un gran esfuerzo? ¿Deben dejar de hacerlo y confiarse a Dios, dejando tranquilos el cuerpo y el alma?» El muchacho replicó: «Creemos que cada uno tiene asignado su sustento para un plazo determinado, pero para obtenerlo hay distintos caminos. Quien va en su busca puede conseguir el reposo renunciando a obtenerlo, pero a pesar de todo el alcanzarlo resulta ser absolutamente necesario. Por tanto hay dos clases de gentes: los que lo consiguen y los que se quedan sin él. La satisfacción de quien lo consigue tiene dos aspectos: el haberlo obtenido y que el esfuerzo desplegado ha sido útil. Quien carece de bienes puede encontrar satisfacción en tres cosas: prepararse para buscar el sustento diario, evitar constituir una carga para la gente y escapar a la maledicencia». Simas dijo: «Háblame de lo que se refiere al que busca el pan cotidiano». «Al hombre le es lícito aquello que Dios le concede y le está prohibido aquello que Dios, Todopoderoso y Excelso, le veda.»

Cuando llegaron a este punto se interrumpió la conversación entre ambos. Simas y todos los sabios allí presentes se incorporaron y se prosternaron ante el muchacho; le alabaron y le felicitaron. El padre le estrechó contra su pecho y a continuación le hizo sentar en el trono del reino diciendo: «¡Loado sea Dios que me ha dado un hijo para consuelo de mis ojos!» El muchacho dijo a Simas y a los sabios allí presentes: «¡Oh, sabio, que conoces los problemas espirituales! Por poco que Dios haya abierto mis ojos a la ciencia creo que me doy cuenta del porqué tú has aceptado las respuestas que te he dado, tanto si he acertado como si no; tal vez tú perdones mis errores. Pero yo quiero interrogarte acerca de algo que soy incapaz de comprender, ante lo cual mi esfuerzo es impotente y que mi lengua no sabe describir, ya que se me presenta tan oscuro como el agua clara que llena un vaso negro. Deseo que me lo aclares de modo que en el futuro no me sea desconocido como lo era en el pasado, ya que del mismo modo como Dios ha hecho nacer la vida a partir del agua, la fuerza, de la comida y la salud del enfermo de las medicinas del médico, del mismo modo ha dispuesto que el ignorante se instruya con la ciencia del sabio. Presta atención a mis palabras.» Simas replicó: «¡Oh, tú, que tienes un entendimiento iluminado, tú que conoces los mejores argumentos! Todos los sabios aquí presentes dan testimonio de tu gran virtud, de tu capacidad de análisis, de tu lógica y de la agudeza de tu inteligencia que has demostrado al contestar a las preguntas que te he hecho. Tú eres más inteligente y más sabio que yo para responder a cualquier cosa que me preguntes, puesto que Dios te ha dado más ciencia que a persona alguna. Pregúntame lo que quieres saber». El muchacho dijo: «Explícame de qué ha hecho el Creador (¡exaltado sea su poder!) el universo si, con anterioridad, no existía nada y en este mundo todo lo que vemos ha sido creado a partir de otra cosa. El Sumo Hacedor (¡bendito y ensalzado sea!) puede crear las cosas de la nada pero ha dispuesto, por voluntad propia, en la perfección de su poder y majestad, el no crear nada si no es a partir de algo». El visir Simas replicó: «Los fabricantes de objetos de arcilla y los demás artesanos no pueden crear nada si no es a partir de algo preexistente, puesto que ellos mismos han sido creados. Pero el Creador, el Hacedor del mundo, bajo este aspecto prodigioso... Si quieres conocer su poder (¡bendito y ensalzado sea!) sobre las cosas existentes, fija tu pensamiento en las distintas criaturas: encontrarás prodigios y signos que denotan su poder: Él puede crear las cosas a partir de la nada; por tanto las ha hecho a partir del vacío más absoluto, ya que los elementos que forman la materia de las cosas no existían. Te lo aclararé para que no tengas la menor duda y te lo ejemplificaré con el prodigio de la noche y el día. Ambos se suceden: cuando desaparece el día y llega la noche aquél se nos oculta y no sabemos dónde se ha instalado; cuando la noche y sus oscuras tinieblas se retiran, reaparece el día y no sabemos dónde se ha instalado la noche. Cuando el sol surge por levante no sabemos de dónde se despliega su luz y cuando se pone ignoramos dónde se refugia en el ocaso. Así son los hechos del Creador (¡gloriado sea su nombre y ensalzado su poder!). Son muchas las cosas que dejan perplejo al entendimiento de las más perspicaces de sus criaturas». El muchacho dijo: «¡Oh, sabio! Tú me has dado a conocer el poder del Creador de un modo irrefutable, pero dime ¿cómo ha dado la vida a sus criaturas?» Simas replicó: «Las criaturas han sido creadas con su verbo que existe desde antes de aparecer el tiempo; con él ha creado todas las cosas». El muchacho objetó: «¡Luego Dios (¡ensalzado sea su nombre y exaltado su poder!) ha querido crear sus criaturas antes de que existiesen!» «Las ha creado por su voluntad mediante el Verbo; si no hubiese tenido el Verbo y hubiese pronunciado una palabra, las criaturas no existirían.»

Sahrazad se dio cuenta de que amanecía e interrumpió el relato para el cual le habían dado permiso.

Cuando llegó la noche *novecientas catorce*, refirió:

—Me he enterado, ¡oh rey feliz!, de que Simas, después de haber contestado a las preguntas anteriores, le dijo: «¡Hijo mío! Nadie podría contestarte de modo distinto al mío a menos de que alterase las palabras de la ley divina y cambiase el aspecto de las verdades que en ella figuran. Tal es la afirmación de que el Verbo tiene un poder especial, pero yo busco refugio en Dios ante esta falsa creencia. Cuando decimos que Dios, Todopoderoso y Excelso, ha creado el universo con su Verbo, queremos significar que Él (¡ensalzado sea!) es Uno en su esencia y en sus atributos y no queremos decir que un Verbo tenga un poder independiente; al contrario: el poder es un atributo de Dios (¡ensalzado sea su poder y excelsa su autoridad!) como lo son el Verbo y otras muchas perfecciones. Él no se describe más que con su Verbo y éste no se concibe sin Él. Dios (¡exaltada sea su loa!) creó con su Verbo a todas las criaturas y sin él no se hubiese creado nada. Creó las cosas con su Verbo verídico y nosotros hemos sido creados con la verdad». El muchacho replicó: «He comprendido lo que se refiere al Creador y al poder de su Verbo que acabas de explicar y lo admito entendiéndolo. Pero te he oído decir que creó las criaturas con su Verbo verídico; ahora bien "verídico" significa lo contrario de falso. ¿Por dónde aparece lo falso? ¿Cómo puede oponerse a la verdad hasta el punto de embrollarla y hacer que se presente confusa a las criaturas forzando a éstas a establecer una distinción entre ambas? El Creador, Excelso y Magnífico ¿ama lo falso o lo odia? Si me respondes que ama la verdad y que con ésta ha creado a sus criaturas y que odia la falsedad ¿por dónde se mezcla ésta a la que detesta el Creador, con la verdad a la que ama?» Simas replicó: «Dios ha creado al hombre con la verdad y éste no tuvo que arrepentirse hasta que la falsedad se mezcló con la verdad y que fue creada al mismo tiempo que ésta; y esto es debido a la capacidad que Dios ha puesto en el hombre y que conocemos como voluntad o inclinación llamada *kasb*. Lo falso se mezcla con lo verdadero y se confunde con él para que pueda ejercerse la voluntad del hombre, su capacidad y el *kasb* que es la parte de libre albedrío concedido al hombre a pesar de lo débil de su naturaleza. Dios ha creado el arrepentimiento para apartarlo de lo falso y confirmarle en la verdad; ha creado el castigo para el caso de que persistiera en permanecer en lo falso». El muchacho preguntó: «Dime cuál es la causa de que lo falso haya podido parangonarse con la verdad y confundirse con ella. ¿Por qué es necesario el castigo hasta el punto de exigir la existencia del arrepentimiento?» Simas replicó: «Dios, al crear al hombre con la Verdad, hizo que éste la amase; entonces no existía ni castigo ni arrepentimiento. Así continuó hasta que Dios le infundió el alma, la cual constituye la perfección de la humanidad a pesar de que ella posea inclinaciones y apetitos. De éstos nació lo falso que se entremezcló con la verdad, con la cual había sido creado el hombre y cuyo amor le había sido infundido. Al llegar a este punto, el hombre, rebelde, se desvió de la verdad y quien se aparta de ésta cae en lo falso». «Entonces ¿lo falso invadió el terreno de la verdad como consecuencia de la rebeldía y la desobediencia?» «Así es, ya que Dios ama al hombre y de tanto amor como le tiene hizo que éste tuviese necesidad de Él, de Él que por esencia es la Verdad. Pero, a veces, el hombre, a causa de la inclinación de su alma hacia las pasiones y por sentirse atraído por la desobediencia, cede y entonces cae en lo falso al rebelarse contra su Señor y merece el castigo. El arrepentimiento hace desaparecer lo falso, le devuelve el amor de la Verdad y le hace acreedor de la recompensa.» El muchacho preguntó: «Explícame el principio de la desobediencia. Si el origen de todos los hombres está en Adán y éste fue creado con la Verdad ¿cómo pudo entrar la desobediencia en su alma? Ésta, después de haberle penetrado en el alma, se asoció con el arrepentimiento, lo cual trajo como consecuencia el premio o el castigo. Vemos que algunas criaturas persisten en la rebeldía, se inclinan hacia lo que Él no ama, faltando así al fin de la creación, que es el amor a la verdad, y haciéndose acreedor de la ira de su Señor. Vemos que otras persisten en dar satisfacción a su Creador y en obedecerlo buscando así su misericordia y la recompensa. ¿Cuál es la diferencia que existe entre ambas clases?» Simas contestó: «La primera vez que la rebeldía hizo mella en el género humano fue a causa de Iblis, que era el ser más noble de cuantos ángeles, hombre y genios, había creado Dios (¡excelso sea su nombre!). Le había impreso el amor y no conocía nada más. Cuando se dio cuenta de que era el único que se encontraba en esta situación se llenó de admiración, prepotencia, orgullo y envanecimiento rompiendo los juramentos y la obediencia que debía a su Señor. Éste, entonces, le puso por debajo de todas las criaturas, lo expulsó de su amor e hizo que en su interior residiese la desobediencia. Iblis, al darse cuenta de que Dios (¡magnificado sea su nombre!) no gustaba de la desobediencia y al ver que Adán seguía la senda de la verdad, del amor y de la sumisión al Creador, se llenó de envidia. Empleó una treta para apartar a Adán de la verdad, para asociarle consigo en el culto a lo falso. Adán incurrió en el castigo por haberse dejado arrastrar a la desobediencia que su enemigo le presentaba disfrazada y por su sumisión a las pasiones. Así, a causa de la aparición de lo falso, transgredió la recomendación de su Señor. El Creador (¡ensalzada sea su loa y santificados sus nombres!), al darse cuenta de la debilidad del hombre y de la rapidez con que se había inclinado hacia su enemigo abandonando la verdad, decidió, en su misericordia, concederle el arrepentimiento con el cual pudiese rescatar su inclinación a la desobediencia y manejar el arma de la contrición para vencer al enemigo, Iblis y a sus ejércitos, volviendo así a la senda de la verdad, según la cual había sido forjado. El Demonio, al darse cuenta de que Dios (¡ensalzada sea su loa y santificados sus nombres!) le había concedido un plazo determinado, se abalanzó rápidamente sobre el hombre, para combatirlo; se le presentó con tretas para sacarlo del beneficio de su Señor y asociarlo en la ira de la cual él y sus ejércitos se habían hecho merecedores. Dios (¡ensalzada sea su loa!) concedió al hombre la posibilidad de arrepentimiento ordenándole que perseverase en la verdad y prohibiéndole la desobediencia y la rebeldía, descubriéndole que en la tierra tenía un enemigo que lo combatía sin descanso noche y día. Por consiguiente, el hombre se hace acreedor de la recompensa si cultiva la verdad, gracias a cuyo amor fue creada su naturaleza, y del castigo si es dominado por la carne y se inclina hacia las pasiones».

Sahrazad se dio cuenta de que amanecía e interrumpió el relato para el cual le habían dado permiso.

Cuando llegó la noche *novecientas quince*, refirió:

—Me he enterado, ¡oh rey feliz!, de que el muchacho siguió preguntando: «Dime con qué fuerza pueden desobedecer las criaturas al Creador si él es Todopoderoso, conforme has dicho y si nada puede vencerlo ni escapar a su voluntad? ¿No te das cuenta de que puede apartar a sus criaturas de la desobediencia y obligarlas al amor eterno?» Simas replicó: «Dios (¡ensalzado sea y magnificado sea su nombre!) es justo, equitativo e indulgente con sus criaturas: les ha enseñado el camino del bien y les ha concedido la capacidad y el poder de hacer el bien que quieran. Si obran en sentido contrario caen en la destrucción y en la desobediencia». El muchacho arguyó: «Pero si el Creador es quien les ha concedido la capacidad mediante la cual pueden hacer lo que quieren ¿por qué no se interpone entre ellos y el mal que quieren hacer desviándolos hacia la verdad?» «Por su gran misericordia y profunda sabiduría. Como anteriormente Iblis había incurrido en su ira y Él no se había apiadado, en el caso de Adán mostró a éste su misericordia concediéndole el arrepentimiento y reconciliándose con él después de que el hombre hubo incurrido en su ira.» «¡Esta es la verdad —exclamó el muchacho— porque Él recompensa a cada uno según sus obras! ¡Dios es el único creador! ¡Él es todopoderoso!» A continuación siguió preguntando: «¿Dios ha creado lo que ama y lo que no ama o sólo ha creado lo que ama?» «Él lo ha creado todo, pero sólo se ha complacido en lo que ama.» «¿Y por qué esas dos cosas, una de las cuales satisface a Dios y quien la hace merece recompensa mientras que la otra le encoleriza y le lleva a desencadenar el castigo para quien la comete?» «Explícame cuáles son esas dos cosas y házmelas entender para que yo pueda hablar de ambas.» «Son el bien y el mal que residen en el cuerpo y el alma.» Simas replicó: «¡Oh, inteligente! Me doy cuenta de que comprendes que el bien y el mal son acciones realizadas por el cuerpo y el alma: el bien se llamó bien porque con él se consigue la satisfacción de Dios y el mal se llamó mal porque con él se provoca la ira de Dios. Es necesario que tú conozcas a Dios y le satisfagas haciendo el bien, puesto que nos ha mandado esto y nos ha prohibido hacer el mal». «Me doy cuenta de que estas dos cosas, quiero decir el bien y el mal, son realizadas por los cinco sentidos que residen en el cuerpo del hombre y en el cual se originan la palabra, el oído, la vista, el olfato y el tacto. Quiero que me expliques si estos cinco sentidos corporales han sido creados todos para el bien o para el mal.» Simas contestó: «Entiende ¡oh, hombre!, la explicación de lo que me has preguntado, pues constituye una prueba clara; colócala en tu mente y empápala en tu corazón. El Creador (¡bendito y ensalzado sea!) creó al hombre con la verdad y le imprimió el amor. Las criaturas han aparecido gracias a su excelso poder que actúa en todos los acontecimientos, a Él (¡bendito y ensalzado sea!) sólo se le puede atribuir un gobierno justo, equitativo y bienhechor; Él creó al hombre para amarlo e infundió en el alma una tendencia hacia la pasión; pero le concedió poder de decisión y le dio esos cinco sentidos para que fuesen causa de su salvación o su condena». «¿Y cómo es eso?» «Dios creó la lengua para hablar; las manos para obrar; los pies para andar; la vista para ver; los oídos para oír y atribuyó a cada uno de estos sentidos cierta capacidad incitándolos a actuar y a moverse, mandándoles que lo hiciesen según lo que a Él le satisface. Lo que le contenta de la palabra es la verdad y la abstención de aquello que es su contrario, o sea, la mentira. Lo que le contenta de la vista es que examine lo que a Él le gusta y la abstención de aquello que es su contrario, o sea, apartarla de lo que detesta como son las pasiones. Lo que le contenta del oído es que éste escuche únicamente la verdad, como los sermones y lo que contienen los libros divinos, y la abstención de aquello que es su contrario, o sea, escuchar lo que causa su ira. Lo que le contenta de las manos es que cojan lo que Dios les ofrece y emplearlo de modo que le satisfaga y que se abstengan de lo contrario, o sea, de coger o emplear aquello a lo que Dios atribuye valor de desobediencia. Lo que le contenta de los pies es que conduzcan hacia el bien, como cuando llevan a aprender, y que se abstengan de lo contrario, o sea de dirigirse a un camino distinto del de Dios. Las restantes pasiones que trabajan al hombre, llegan hasta el cuerpo por voluntad del espíritu. Las pasiones que nacen del cuerpo son de dos clases: las que derivan del instinto de reproducción y las que proceden del vientre. A Dios le satisface el ejercicio del instinto de reproducción mientras se produce de modo lícito y se indigna si se practica ilícitamente. La comida y la bebida, que constituyen los apetitos del vientre, le placen mientras cada uno toma, poco o mucho, aquello que le ha sido permitido y loa a Dios y le da las gracias, pero en cambio se encoleriza si se consume lo que no es lícito. Los demás preceptos acerca de esta materia son falsos. Sabe que Dios ha creado todas las cosas y que sólo le satisface el bien; que ha mandado a cada uno de los miembros del cuerpo hacer lo que le ha impuesto, ya que Él es el Omnisciente, el Sabio.» El muchacho preguntó: «Dios (¡ensalzado sea su poder!) proveyó que Adán comiese del árbol que Él le había prohibido para que sucediera lo que sucedió saliendo así de su obediencia e incurriendo en la rebeldía». Simas le contestó: «¡Sí, oh sabio! Esto lo sabía Dios (¡ensalzado sea!) antes de crear a Adán. Y la explicación de todo ello y la prueba de lo que antecede, es que le advirtió acerca de su comida y le anunció que si comía sería un rebelde y todo ello para ser justo y equitativo, para que Adán no pretendiera excusarse ante su Señor. Como cayó en el precipicio y en el pecado, como la vergüenza y el reproche lo agobiaron, esto se transmitió a sus descendientes. Entonces Dios (¡ensalzado sea!) envió Profetas y Mensajeros a los que donó las Escrituras. Ellos nos enseñaron los preceptos y nos explicaron las exhortaciones y las sentencias que contenían; nos ilustraron y nos aclararon el camino que conduce a la salvación y nos enseñaron lo que debíamos hacer y aquello otro de que debíamos abstenernos. Nosotros tenemos capacidad para obrar libremente. Quien obra dentro de estos límites acierta y alcanza la recompensa; quien las traspasa y obra prescindiendo de sus recomendaciones, desobedece y sale perdiendo en las dos vidas. Tal es el camino del bien y del mal. Tú sabes que Dios es poderoso sobre todas las cosas, y que nos infundió las pasiones porque así le placía y era su voluntad. Pero nos ha mandado que las usásemos de modo lícito para que fuesen causa de bien. Si las utilizamos del modo que está prohibido serán causa de perdición. El bien que recibimos procede de Dios (¡ensalzado sea!); si recibimos un mal, somos nosotros, las criaturas, las causantes; no proviene del Creador. ¡Ensalzado sea Dios de modo prodigioso por esto!»

Sahrazad se dio cuenta de que amanecía e interrumpió el relato para el cual le habían dado permiso.

Cuando llegó la noche *novecientas dieciséis,* refirió:

—Me he enterado, ¡oh rey feliz!, de que el muchacho, hijo del rey Chilad, que había dirigido esas preguntas al visir Simas y había recibido las correspondientes respuestas siguió: «He comprendido lo que me has dicho de Dios (¡ensalzado sea!) y lo que hace referencia a sus criaturas. Pero hay una de estas cosas que me deja extraordinariamente perplejo: me admiro de que los descendientes de Adán vivan tan despreocupados de la última vida y que no piensen en ella dado su amor por el mundo, por más que saben que ellos han de dejarlo y partir de él capitidisminuidos». Simas le contestó: «Sí; los cambios y traiciones que ves que causa el mundo a sus pobladores indica que el afortunado no gozará siempre de su bienestar y que el atribulado escapará a sus penas. Ninguna persona de la tierra está a cubierto de sus cambios; por más poderoso y feliz que sea, su situación cambiará y la muerte le llegará rápidamente: el hombre no puede tener confianza ni sacar provecho de los adornos que en él se encuentran. Cuando nos damos cuenta de esto comprendemos que la gente más desgraciada es la que se deja ofuscar y olvida la última vida. El bienestar de que gozan no equivale al miedo, a la pena y los terrores que experimentarán después de su muerte. Estamos convencidos de que si el hombre supiera lo que le ha de suceder en el momento de la muerte, como ha de separarse de las dulzuras y del bienestar de esta vida, renunciaría al mundo y a lo que contiene. Nosotros estamos seguros de que la última vida es mejor y más útil». El muchacho dijo: «¡Oh, sabio! Has disipado las tinieblas que tenía en mi corazón gracias a tu antorcha resplandeciente y me has conducido al camino que seguiré en pos de la verdad; me has dado una antorcha con la cual podré ver».

Entonces, uno de los sabios presentes, se incorporó y dijo: «En primavera tanto la liebre como el elefante deben buscar el pasto. Os he oído preguntas y explicaciones que jamás había escuchado. Esto me ha inducido a preguntaros alguna cosa. Decidme: ¿Cuál es el mejor regalo del mundo?» El muchacho replicó: «La salud del cuerpo, una ganancia lícita y un hijo pío». «¿Quién es el grande y quién el pequeño?» «El grande es aquel a quien ha de soportar uno más pequeño que él, y el pequeño, aquel que se somete a otro mayor.» «Decidme cuáles son las cuatro cosas comunes a todas las criaturas.» «Son comunes: el comer y el beber; el sueño; apetecer a las mujeres, y la agonía de la muerte.» «¿Cuáles son las tres cosas de las que nadie puede separar la torpeza?» «La estupidez, la mala naturaleza y la mentira.» «¿Cuál es la mejor mentira a pesar de que todas son feas?» «Aquella que es capaz de apartar el mal de quien la dice y hacerle bien.» «¿Cuál es la verdad reprobable por más que todas son hermosas?» «La soberbia y el orgullo de cuanto el hombre posee.» «¿Cuál es la más fea de las cosas feas?» «El hombre que se enorgullece de lo que no le pertenece.» «¿Cuál es el hombre más estúpido?» «Aquel que sólo se preocupa de lo que mete en el vientre.»

Simas dijo: «¡Oh, rey! Tú eres nuestro soberano, pero queremos que asignes el reino a tu hijo para después de tu muerte; nosotros somos siervos y súbditos». Entonces el rey exhortó a quienes estaban presentes, sabios y vulgo, a que se acordaran de lo que habían oído y lo aprendieran; les mandó que acatasen las órdenes de su hijo, pues él le nombraba su heredero y su sucesor en el reino de su padre. Todos sus súbditos: sabios y guerreros; ancianos y niños y demás gente juraron que no le desobedecerían y que no faltarían a lo que les mandara.

Cuando el príncipe cumplió diecisiete años, su padre se puso enfermo gravemente y estuvo a punto de morir. El rey, al darse cuenta de que la muerte le alcanzaba, dijo a sus servidores: «Mi enfermedad es mortal: convocad a mis familiares y a mi hijo; reunid a mis súbditos para que acudan todos». Salieron, avisaron a los allegados y pregonaron la noticia para los demás, ordenando que acudiesen todos. Se presentaron ante el rey y dijeron: «¿Cómo te encuentras, oh, rey? ¿Cómo estás con esta enfermedad?» Les contestó: «Esta enfermedad mía es mortal y me ha tocado la suerte que Dios (¡ensalzado sea!) me había destinado; ahora me encuentro en el fin de estos días de mi mundo y el principio de mis días de la última vida». A continuación se dirigió a su hijo: «¡Acércate!», le dijo. El muchacho se aproximó llorando a lágrima viva de tal modo que casi empapó el lecho. El rey y todos los presentes lloraban también. Éste dijo: «¡No llores, hijo mío! No soy el primero al que le ocurre lo destinado. Esto pasa a todas las criaturas de Dios. Teme a Dios y obra bien para que éste te preceda a la morada a que se dirigen todas las criaturas; no hagas caso de las pasiones y ocúpate en recordar a Dios tanto si estás en pie o sentado, si estás despierto o duermes. Fija la verdad como meta de tus ojos. Éstas son las últimas palabras que te dirijo. Y la paz».

Sahrazad se dio cuenta de que amanecía e interrumpió el relato para el cual le habían dado permiso.

Cuando llegó la noche *novecientas diecisiete,* refirió:

—Me he enterado, ¡oh rey feliz!, de que después que el rey Chilad hubo dado estos consejos a su hijo y le hubo confiado el reino, el muchacho dijo: «¡Padre mío! Te he obedecido siempre; he observado tus recomendaciones, he ejecutado tus órdenes y he buscado satisfacerte. Tú has sido para mí el mejor de los padres ¿cómo he de dejar de practicar lo que te satisface después de la muerte? Después de haberme dado una buena educación te marchas de mi lado y yo no te puedo hacer regresar. Si observo tu consejo seré feliz y tendré una gran suerte». El rey, que se encontraba a punto de apurar la copa de la muerte, le replicó: «¡Hijo mío! Observa estas diez normas y Dios hará que te sean útiles en ésta y en la última vida. Son: Si te encolerizas, sofoca tu ira; si te ocurre una desgracia, ten paciencia; si hablas, di la verdad; si haces una promesa, cúmplela; si juzgas, sé equitativo; si eres poderoso, perdona; sé generoso con tus oficiales; perdona a tus enemigos; cubre de beneficios a tu adversario y abstente de causarle daño. Observa también estas diez máximas que te serán útiles con Dios y con las gentes de tu reino: Si divides, sé justo; si castigas, que sea con razón; si te comprometes a algo, cumple; acepta los consejos; desiste de las cosas inoportunas; obliga a tus súbditos a mantenerse dentro de la ley sagrada de loable tradición; sé un juez equitativo con todas las gentes para que te amen grandes y pequeños y te tema el rebelde y el perverso». A continuación se dirigió a los sabios y emires que estaban allí presentes, confió el reino a su hijo y sucesor y dijo: «¡Guardaos de desobedecer las órdenes de vuestro rey y las de vuestros superiores! Esto tendría como consecuencia la pérdida de vuestra tierra, el desmembramiento de vuestra sociedad, la ruina de vosotros mismos y la pérdida de vuestras riquezas. Vuestros enemigos se alegrarían. Vosotros sabéis qué es lo que me jurásteis; ese mismo juramento os liga con este muchacho; el pacto que existe entre nosotros se hace extensivo a vosotros y él. A vosotros os toca oír y obedecer sus órdenes, puesto que en ello está vuestro bienestar. Sedle fieles tal como fuísteis conmigo y vuestras cosas prosperarán, vuestra situación se hará mejor. Aquí tenéis a vuestro rey y a quien os ha de conceder las gracias. Y la paz». La agonía se apoderó de él y le trabó la lengua. Abrazó a su hijo, le besó y dio gracias a Dios. La muerte se apoderó de él y exhaló el alma. Todos los súbditos y los habitantes de su estado lo lloraron: lo amortajaron, lo enterraron con honor, pompa y solemnidad. Después regresaron con el muchacho, le pusieron el traje real, lo tocaron con la corona de su padre, le colocaron el sello en el dedo y le hicieron sentar en el trono del reino.

El muchacho siguió durante poco tiempo la conducta de su padre siendo justo y bienhechor. Pero el mundo le presentó sus galas y lo atrajo a sus placeres. Empezó a gozar de sus dulzuras y se dejó seducir por sus apariencias. Dejó de observar los pactos que le había recomendado su padre y contra la obediencia que debía a éste se despreocupó de sus súbditos y empezó a recorrer la senda que conduce a la perdición. El amor de las mujeres prendió en él con furia y apenas oía mentar una joven hermosa mandaba a buscarla y se casaba con ella. Así reunió un número de mujeres mayor que el que había dispuesto Sulayman b. Dawud, rey de los hijos de Israel. Algunas veces se aislaba con un grupo de ellas y pasaba así un mes entero sin apartarse de su lado, sin preguntar por su reino ni preocuparse de su gobierno ni examinar las querellas que le elevaban sus súbditos: si le escribían no contestaba. Cuando las gentes vieron la situación en que se encontraba, el desinterés que mostraba por sus asuntos y el abandono en que tenía los negocios del estado y los intereses de sus vasallos, se convencieron de que al cabo de poco tiempo iban a sufrir las desgracias. Esto les dolió y empezaron a murmurar. Unos decían a otros: «Marchemos a ver a Simas que es su primer ministro, contémosle lo que nos sucede y advirtámosle de lo que hace referencia a este rey para que le aconseje; de lo contrario, dentro de poco la desgracia caerá sobre nosotros, pues el rey se ha extraviado en los placeres del mundo y éstos le han enredado en sus lazos». Se presentaron a Simas y le dijeron: «¡Oh, doctor sabio! Este rey ha sido seducido por las dulzuras del mundo y cogido en sus lazos. Deslumbrado por lo falso deja que su reino se pudra pero, con la desintegración de éste, todas las gentes tienen que perder: nuestros asuntos irán a parar al fracaso. La causa de todo reside en que pasamos un mes y más sin verlo y a nosotros no nos llega ninguna orden de él ni de su ministro ni de cualquier otra autoridad; no podemos someterle ningún asunto; él no se preocupa del gobierno ni se entera de la situación de ninguno de sus súbditos dado el abandono que le es propio. Nos hemos presentado ante ti para informarte de la verdad de los asuntos ya que tú eres nuestro jefe y el más perfecto de nosotros. No es necesario que la desgracia se abata sobre una tierra en la que tú vives ya que tú, mejor que nadie, puedes corregir a este rey. Preséntate ante él y háblale: tal vez escuche tus palabras y vuelva a la senda de Dios». Simas se marchó en busca de quien podía hacerle llegar ante el soberano. Le dijo: «¡Excelente muchacho! Te ruego que pidas al rey una audiencia para mí, ya que tengo que someterle un asunto que exige que lo vea, le informe y oiga su respuesta». El muchacho replicó: «¡Señor mío! Hace un mes que no concede a nadie audiencia; durante todo este plazo no le he visto la cara. Pero voy a conducirte ante quien te podrá solicitar la audiencia. Debes ponerte en relación con el paje fulano que está muy cerca de él y le lleva la comida desde la cocina. Cuando vaya a recoger la comida exponle lo que deseas y él hará lo que quieras». Simas se marchó a la puerta de la cocina y se sentó un corto rato. El paje llegó y quiso pasar a la cocina pero Simas le habló diciendo: «¡Hijo mío! Deseo reunirme con el rey para informarle de algo que le afecta. Espero de tu generosidad que cuando haya terminado de comer y haya reposado, le hables y me consigas permiso para entrar pues he de decirle algo que le interesa». El paje replicó: «¡Oír es obedecer!» Cogió la comida, se presentó ante el rey y éste comió y quedó satisfecho. Entonces el paje le dijo: «Simas está en la puerta y desea que le concedas permiso para entrar, pues ha de informarte de un asunto de tu competencia». El rey, inquieto y sobresaltado, ordenó al paje que le hiciera pasar.

Sahrazad se dio cuenta de que amanecía e interrumpió el relato para el cual le habían dado permiso.

Cuando llegó la noche *novecientas dieciocho,* refirió:

—Me he enterado, ¡oh rey feliz!, de que Simas, al llegar ante su presencia, se prosternó ante Dios, besó la mano del rey e hizo los votos de rigor. El soberano le preguntó: «¿Qué te sucede, Simas, que has pedido permiso para verme?» «Hace mucho tiempo que no te veo, señor rey. Tenía muchas ganas, pero sólo ahora contemplo tu rostro. He venido para decirte unas palabras, ¡oh, rey auxiliado por Dios con toda clase de bienes!» «¡Habla! ¿Qué te ocurre?» Simas explicó: «Sabe, ¡oh, rey!, que Dios (¡ensalzado sea!) te concedió en la pubertad tal cantidad de ciencia y de sabiduría como jamás había dado a ninguno de los reyes, tus antecesores; Dios ha contemplado su obra concediéndote el reino. Pero Él no quiere que tú, rebelándote, utilices lo que te ha concedido para una cosa distinta: no intentes hacerle frente con tus tesoros. Es necesario que observes sus preceptos y que te muestres sumiso a sus órdenes. Me he dado cuenta de que desde hace algún tiempo te has olvidado de tu padre y de sus consejos: has rechazado lo que le prometiste y tienes a menos sus amonestaciones y sus palabras; has renunciado a su justicia y a sus máximas; no recuerdas los beneficios que Dios te ha concedido y no los has asegurado dándole gracias». El rey preguntó: «¿Y cómo es eso? ¿Cuál es la causa?» «La causa reside en que tú has dejado de preocuparte de los asuntos de tu reino y de los problemas de los súbditos que Dios te ha confiado para procurarte un poco de esos placeres mundanales que te gustan. Se dice que el bienestar del reino, de la religión y de los súbditos deben estar bajo la vigilancia del rey. Mi opinión, ¡oh, rey!, es que debes meditar en tu futuro y así encontrarás el camino manifiesto que conduce a la salvación. No aceptes esa delicia pequeña y perecedera que conduce al precipicio de la destrucción, pues te acaecería lo que le sucedió al pescador.» El rey preguntó: «¿Y qué le sucedió?»

HISTORIA DEL PESCADOR

Simas relató: «Me he enterado de que un pescador había ido a pescar, como de costumbre, al río. Al llegar a éste y cruzar por el puente vio un pez grande. Se dijo: "No es necesario que me quede aquí. Seguiré este pez dondequiera que vaya hasta que le coja. Así podré dejar de pescar por unos días". Se desnudó, se metió en el agua en pos del pez y se dejó arrastrar por la corriente hasta alcanzarlo y cogerlo. Al volverse descubrió que estaba lejos de la orilla. Observó lo que había hecho con él la corriente de agua, pero no soltó el pez ni intentó regresar; al contrario: arriesgó la vida y sujetando al animal con las dos manos dejó que su cuerpo siguiese el curso de la corriente. Ésta le transportó al centro de un torbellino del cual no conseguía escapar aquel que entraba. Empezó a gritar y a decir: "¡Salvad al que se ahoga!" Acudieron los vigilantes del río y le preguntaron: "¿Qué te sucede? ¿Qué te ha ocurrido para caer en este gran peligro?" Replicó: "¡Yo tengo la culpa por haber abandonado el camino recto que conduce a la salvación y haberme lanzado en pos de la pasión y la muerte!" Le dijeron: "¿Cómo has dejado el camino de la salvación y te has metido en este peligro? Tú sabes desde hace mucho tiempo que todo aquel que cae aquí no se salva. ¿Quién te ha impedido abandonar lo que tienes en la mano y salvarte? Hubieses salvado la vida y no hubieses caído en este peligro del que nadie escapa. Ninguno de nosotros puede rescatarte". El hombre perdió la esperanza de salvar la vida, soltó lo que tenía en la mano, aquello que había despertado su apetito, y murió de mala manera.

»¡Oh, rey! Te he puesto este ejemplo para que te decidas a abandonar esta conducta detestable que te distrae de tus intereses y preocuparte en el gobierno de tus súbditos, que te ha sido confiado; trabaja en la administración de tu reino para que nadie encuentre en ti fallo alguno». El rey preguntó: «¿Y qué es lo que me ordenas que haga?» «Mañana, si te encuentras bien y con salud, permite que el pueblo acuda ante ti, examina su situación, excúsate ante tus súbditos y promételes que gozarán de bienestar y una buena conducta por tu parte». «¡Simas! Has dicho la verdad. Mañana, si Dios (¡ensalzado sea!) quiere, haré lo que me has aconsejado.»

Simas lo dejó e informó a las gentes de lo que le había dicho. Al día siguiente por la mañana el rey salió de sus habitaciones, dio permiso a las gentes para que acudiesen ante él, se disculpó y les prometió que haría lo que deseaban. Quedaron muy satisfechos y se marcharon; cada uno se fue a su casa. Después, una de las mujeres del rey, aquella a la que éste quería y honraba más, se presentó ante él. Vio que había cambiado de color, que estaba pensando en sus asuntos a causa de lo que había oído decir a su primer ministro. Le interrogó: «¡Rey! ¿Qué te ocurre para estar intranquilo? ¿Te quejas de algo?» «Los placeres me han distraído de mis deberes. No puedo descuidar así ni mis intereses ni los de mis súbditos. Si continuara haciéndolo dentro de poco el reino escaparía de mis manos». La mujer le replicó: «¡Oh, rey! Veo que tus gobernadores y ministros te han intranquilizado. Ellos sólo quieren fastidiar y enredar para que no obtengas de tu reino ni delicias ni placeres ni descanso. Quieren que pases tu vida evitándoles sus sinsabores hasta que te consumas de trabajo y fatiga y seas como aquel que se mató a sí mismo por el bien de los demás o como el muchacho y los ladrones». El rey preguntó: «¿Y cómo fue esto?»

EL MUCHACHO Y LOS LADRONES

La mujer refirió: «Dicen que un día salieron siete ladrones a robar como tenían por costumbre. Pasaron junto a un jardín en el que había nueces maduras. Entraron y tropezaron con un muchacho pequeño que estaba plantado ante ellos. Le dijeron: "¡Muchacho! ¿Quieres entrar con nosotros en este jardín, subir a ese árbol, comer nueces hasta hartarte y echarnos algunas?" El muchacho aceptó y entró con ellos.

Sahrazad se dio cuenta de que amanecía e interrumpió el relato para el cual le habían dado permiso.

Cuando llegó la noche *novecientas diecinueve*, refirió:

—Me he enterado, ¡oh rey feliz!, de que [la mujer prosiguió:] »Uno dijo a los otros: "Veamos cuál de nosotros es más pequeño y más ligero. Lo auparemos" Le replicaron: "Ninguno de nosotros es más ligero que el muchacho". Le ayudaron a subir y le dijeron: "¡No toques nada del árbol para evitar que te vean y que te castiguen!" "¿Y cómo lo haré?" "Ponte en el centro y sacude con fuerza rama por rama para que caiga lo que sostiene. Nosotros lo recogeremos. Una vez hayas terminado bajarás y tomarás tu parte de lo que hayamos reunido". El muchacho, una vez hubo subido a lo alto del árbol, empezó a sacudir las ramas: las nueces caían y los ladrones las recogían. Mientras hacían esto apareció a su lado el dueño del árbol; ellos seguían en su faena. Les preguntó: "¿Qué tenéis que ver con este árbol?" "Nada hemos cogido de él. Pasábamos por este lugar y vimos a ese muchacho en la copa. Creyendo que era el dueño le pedimos que nos diese de comer. Entonces empezó a sacudir las ramas de modo que han caído las nueces. Nosotros no tenemos ninguna culpa." El dueño del árbol preguntó al muchacho: "Y tú ¿qué dices?" "¡Esos mienten! Yo te voy a decir la verdad. Han venido juntos hasta aquí y me han mandado que subiera al árbol y que sacudiera las ramas con el fin de que ellos pudieran recoger las nueces. Yo les he obedecido." "¡En menudo lío te has metido! ¿Pero has aprovechado para comer algunas?" "¡No he probado nada!" El dueño del árbol le dijo: "Ahora me doy cuenta de tu estupidez y de tu ignorancia: te has perjudicado a ti mismo para beneficiar a los demás". Volviéndose hacia los ladrones les dijo: "Nada puedo hacer contra vosotros. Marchaos a vuestros quehaceres". Después agarró al muchacho y lo castigó.

»Lo mismo se puede decir de tus ministros y las gentes de tu reino: quieren que te mates arreglando sus asuntos y hacer contigo lo que hicieron los ladrones con el muchacho. El rey replicó: «Lo que dices es verdad y yo creo en tu discurso. Mañana no me presentaré ante ellos; no voy a abandonar mis placeres». Durmió, aquella noche, en la más feliz de las vidas, con su esposa.

Al día siguiente por la mañana el visir reunió a todos los grandes del reino y a los súbditos que estaban con ellos y todos juntos, satisfechos y contentos, se dirigieron a la puerta del rey. Pero éste ni la abrió, ni salió ni les concedió audiencia. Cuando desesperaron de que ésta tuviese lugar dijeron a Simas: «¡Excelente visir! ¡Sabio perfecto! ¿No ves la situación de ese muchacho pequeño, de poco entendimiento? Une a sus defectos la mentira. Fíjate en la promesa que te hizo y cómo falta a ella y no la cumple. Ésta es una falta que hay que sumar a sus pecados. Esperamos que entres por segunda vez y veas cuál es la causa de su retraso y qué le impide salir. Nosotros no nos equivocamos al creer que esto corresponde a su mala naturaleza; ha llegado ya al límite de la dureza». Simas fue en busca del rey, entró y dijo: «¡La paz sea sobre ti, oh, rey! ¿Cómo es que te veo entregado a los pequeños placeres? ¿Por qué abandonas los asuntos importantes que requieren tu atención? Haces como aquel que tenía una camella en cuya leche confiaba. La bondad de la leche le hizo olvidar el sujetar las riendas. Un día, que fue a ordeñarla, no ató las riendas. El animal, al darse cuenta de que estaba suelto, dio un tirón y huyó al campo. Así, el hombre perdió la leche y la camella y el daño que le causó fue mayor que la utilidad que le había dado. Preocúpate, ¡oh, rey!, de lo que te conviene a ti y a tus súbditos, pues no es propio del hombre el estar siempre sentado en la puerta de la cocina dadas sus ganas de comer o estar pegado a las mujeres por la inclinación que hacia ellas siente. Así como el hombre come lo que le basta para calmar el ardor del hambre y bebe lo que es suficiente para quitarle la sed, del mismo modo, al hombre inteligente le bastan dos horas, de las veinticuatro que tiene el día, para estar con las mujeres y debe emplear el resto para cuidar de sus propios intereses y de los intereses de sus súbditos: no debe prolongar el tiempo que pasa con las mujeres ni debe quedarse a solas con ellas más de dos horas. Esto le sería perjudicial para la mente y el cuerpo, pues ellas no le mandan el bien ni lo guían por el buen camino. Es necesario que el hombre no dé crédito ni a sus palabras ni a sus hechos. Me he enterado de que son muchas las gentes que han muerto por culpa de sus mujeres. Entre ellos hay el caso de aquel que murió, estando reunido con su propia mujer, por haberla obedecido en lo que le mandaba». El rey preguntó: «¿Y cómo fue eso?»

EL HOMBRE Y LA MUJER

Simas refirió: «Aseguran que un hombre tenía una mujer a la que amaba y honraba. Atendía a sus palabras y obraba según su opinión. Tenía un jardín que había plantado con sus propias manos. Todos los días iba a cuidarlo y a regarlo. Cierto día su esposa le preguntó: "¿Qué has plantado en el jardín?" Le replicó: "Todo lo que te gusta y deseas. Ahora me ocupo en conservarlo y regarlo." "¿Quieres llevarme y mostrármelo para que yo lo vea y pueda rezar por ti de modo piadoso? Así veré si mi plegaria es escuchada." "Sí. Dame tiempo hasta mañana y yo vendré a buscarte." Al día siguiente tomó consigo a su mujer, se dirigió con ella al jardín y entraron.

»Dos muchachos los vieron desde lejos cuando estaban entrando. Uno dijo al otro: "Este hombre es un adúltero y esa mujer es una adúltera. Han entrado en ese jardín para cometer adulterio. Sigámosle para ver en qué para su asunto". Los dos muchachos se colocaron junto al jardín. El hombre y la mujer entraron en aquél y se instalaron. Aquél dijo a ésta: "Reza por mí la plegaria que has prometido". "No rezaré hasta que hayas satisfecho mi deseo, aquel que las mujeres apetecen de los hombres." "¡Ay de ti, mujer! ¿Es que no tienes bastante conmigo en casa? Aquí temo un escándalo que tal vez perjudique mis intereses ¿es que no temes que alguien nos vea?" "¡No te preocupes de esto! No vamos a cometer nada ilícito ni prohibido. Tienes tiempo para regar el jardín y tú puedes hacerlo en el momento en que quieras." No admitió ni sus excusas ni sus razones y le insistió en que cohabitara con ella. Entonces, el hombre, se tendió a su lado. Los dos muchachos citados, al verlos, les saltaron encima, los cogieron y les gritaron: "No os escapéis, puesto que sois adúlteros: o gozamos de la mujer o presentamos vuestro caso al gobernador". El hombre les replicó: "¡Ay de vosotros! ¡Esta es mi esposa y yo soy el dueño del jardín!" Pero no escucharon sus palabras y se dirigieron hacia la mujer. Ésta gritó pidiendo auxilio a su esposo diciendo: "¡No dejes que estos hombres me deshonren!" Entonces, pidiendo a gritos auxilio, el marido se abalanzó sobre ellos, pero uno se volvió, le hirió con una piedra y le mató. Los dos alcanzaron a la mujer y la violaron.

Sahrazad se dio cuenta de que amanecía e interrumpió el relato para el cual le habían dado permiso.

Cuando llegó la noche *novecientas veinte,* refirió:

—Me he enterado, ¡oh rey feliz!, de que [Simas prosiguió:] »Te hemos referido esta historia, ¡oh, rey!, para que aprendas que el hombre no debe escuchar las palabras de la mujer ni hacerle caso en ninguna cosa ni aceptar su opinión cuando se la consulta ¡ay de ti si revistes el traje de la ignorancia después de tener puesto el manto de la sabiduría y de la ciencia! ¡Ay de ti si sigues una opinión falsa después de haber conocido cuál era la recta y la útil! No busques pequeños placeres que conducen a la corrupción y cuyo fin se encuentra en la perdición siempre creciente y terrible». El rey, al oír estas palabras de Simas, le dijo: «Mañana, si Dios (¡ensalzado sea!) lo quiere, me presentaré ante ellos». El primer ministro acudió ante los grandes del reino allí presentes y les informó de lo que había dicho al rey.

La mujer se enteró de lo que Simas había dicho y se presentó ante el rey. Le dijo: «Los súbditos son los esclavos del rey y ahora acabo de ver que tú, rey, eres esclavo de tus súbditos porque los temes y te asustas del daño que puedan causarte. Lo único que ellos quieren es probarte hasta en lo más recóndito de tu alma: si se dan cuenta de que eres débil, te despreciarán; pero si se dan cuenta de que eres valeroso, te respetarán. Es así como actúan los visires de mal consejo con su rey, ya que sus tretas son muchas. Yo te he puesto al descubierto la verdad de sus maniobras. Si tú les complaces en lo que te piden, te sacarán de tu sitio para hacer lo que les plazca e irán cambiándote de un asunto a otro hasta que te arrojen en la ruina. Te ocurrirá lo mismo que al comerciante con los ladrones». El rey preguntó: «¿Y cómo fue eso?»

EL COMERCIANTE Y LOS LADRONES

La mujer refirió: «Me he enterado de que un comerciante que tenía mucho dinero partió, en viaje de negocios, para vender en una ciudad. Al llegar a ésta alquiló una casa y se instaló en ella. Los ladrones, que estaban observando a los comerciantes para robarles sus mercancías, le vieron. Se dirigieron a la casa de aquél y se las ingeniaron para entrar pero no encontraron ningún procedimiento. Su jefe les dijo: "Yo me bastaré para este asunto". Se marchó, se vistió de médico, cargó a sus espaldas un saco con algunas medicinas y empezó a pregonar: "¿Quién necesita un médico?" Así llegó a la casa del comerciante. Vio que estaba sentado y comiendo. Le dijo: "¿Necesitas un médico?" "No necesito médico alguno, pero siéntate y come conmigo." El ladrón se sentó enfrente y empezó a comer con él. El comerciante era un buen comedor y el ladrón pensó: "He encontrado mi ocasión". Dirigiéndose al comerciante dijo: "Es necesario que te dé un consejo; ya que he recibido tus favores no puedo ocultarte mi advertencia: me he dado cuenta de que eres un hombre que come mucho y esto causa enfermedad en el estómago. Si no te preocupas enseguida de cuidarte, acabarás muriéndote". El comerciante replicó: "Mi cuerpo es robusto, mi estómago digiere con rapidez y aunque sea un buen comedor, no padezco ninguna enfermedad. ¡Alabado sea Dios! ¡Gracias le sean dadas!" El ladrón insistió: "Eso es lo que a ti te parece, pero yo sé que en tu interior hay una enfermedad latente. Si tú me haces caso, cúrate." "¿Y dónde encontraré alguien que sepa curarme?" "El único que cura es Dios; pero un médico como yo trata la enfermedad de acuerdo con sus posibilidades." El comerciante le dijo: "¡Enséñame ahora mismo la medicina y dame un poco!" El ladrón le dio unos polvos que contenían gran cantidad de áloe. Le dijo: "Empléalo esta noche". Lo cogió y, llegada la noche, tomó un poco; se dio cuenta de que tenía buen gusto y no se negó; una vez ingerido experimentó una mayor ligereza. Al día siguiente por la noche regresó el ladrón llevando mayor cantidad que la primera vez. Se la administró. Una vez ingerido vio que le laxaba, pero se aguantó y no se negó a tomarlo. El ladrón, al darse cuenta de que el comerciante daba crédito a su palabra y le tenía confianza, al comprender que no le iba a contradecir, se marchó y regresó con un veneno mortal. Se lo entró. El comerciante lo cogió y lo bebió. Apenas acababa de beberlo, el vientre se deshizo de lo que contenía y los intestinos se le despedazaron quedando muerto. Los ladrones entraron y se apoderaron de todo lo que pertenecía al comerciante.

»¡Oh, rey! Te he referido esto para que no escuches una palabra de ese traidor, pues si le haces caso te sucederán cosas que te llevarán a la ruina». El rey le replicó: «Tienes razón; no me presentaré ante ellos».

Al día siguiente por la mañana se reunieron las gentes, se dirigieron a la puerta del rey y se sentaron. Aguardaron la mayor parte del día y cuando desesperaron de que saliera regresaron junto a Simas y le dijeron: «¡Oh, filósofo! ¡Oh, sabio experto! ¿No te das cuenta de que este muchacho ignorante nos miente cada día más? Lo prudente sería arrebatarle el reino de la mano y sustituirlo por otro; entonces nuestra situación se arreglaría y nuestros asuntos irían por buen camino. Ve a verlo por tercera vez e infórmale de que lo único que nos impide sublevarnos contra él y arrebatarle el reino son los beneficios que su padre nos concedió y las promesas y juramentos que nos tomó. Mañana nos reuniremos todos, hasta el último, con nuestras armas y destruiremos la puerta de la fortaleza: si sale y obra con nosotros conforme queremos, nada malo sucederá pero, en caso contrario, entraremos, lo mataremos y pondremos el reino en manos de otro». El visir Simas se marchó, se presentó ante el rey y le dijo: «¡Oh, rey entregado a los placeres y a las diversiones! ¿Qué es lo que haces contigo mismo? ¡Ojalá supiera quién te extravía así! Si tú eres el propio culpable esto quiere decir que nada queda ya de la piedad, sabiduría y elocuencia que te atribuíamos. ¡Ojalá supiera quién te ha trasladado de la ciencia a la ignorancia; de la fidelidad a la tiranía, de la dulzura a la dureza, del aprecio en que me tenías a apartarte de mí! Te he aconsejado tres veces y no me has hecho caso; te señalo lo que es oportuno y desestimas mi consejo. Dime qué significa este descuido y esta distracción, ¿quién te ha extraviado? Sabe que la gente de tu reino se ha comprometido a presentarse ante ti, matarte y entregar tu reino a otro. ¿Es que puedes hacerles frente a todos y salvarte de sus manos? ¿Es que puedes darte la vida después de muerto? Si tienes poder para hacerlo estás a seguro desde hace tiempo y no necesitas mis palabras. Pero si necesitas conservar la vida mundanal y el reino, vuelve en ti, preocúpate del estado, muestra a las gentes lo serio de tu resolución y preséntales tus excusas, pues quieren despojarte de lo que tienes en tu mano y entregárselo a otro; están resueltos a sublevarse y desobedecer y la prueba de ello es que conocen tu juventud y tu inclinación por las circunstancias y los placeres. La piedra, por más tiempo que haya permanecido dentro del agua, cuando se saca de ésta y choca con otra produce chispas de fuego. Ahora tus súbditos, que son muchos, conspiran contra ti y quieren arrebatarte el reino para entregárselo a otro: con tu muerte conseguirás lo que quieren y ocurrirá lo mismo que sucedió a la zorra y al lobo».

Sahrazad se dio cuenta de que amanecía e interrumpió el relato para el cual le habían dado permiso.

Cuando llegó la noche *novecientas veintiuna,* refirió:

—Me he enterado, ¡oh rey feliz!, de que el rey preguntó: «¿Y cómo fue eso?»

HISTORIA DE LA ZORRA Y EL LOBO

Simas refirió: «Cuentan que cierto día, una manada de zorras salió en busca de comida. Mientras merodeaban con este fin tropezaron con un camello muerto. Se dijeron: "Hemos encontrado algo con lo que podemos vivir largo tiempo. Pero tememos que una de nosotras se querelle con otra y que el fuerte con su fuerza humille al débil y éste perezca. Es necesario que busquemos un mediador que juzgue entre nosotros; le daremos su parte y así el fuerte no podrá imponerse sobre el débil". Mientras celebraban consejo sobre esto se les acercó un lobo. Unas dijeron a otras: "Si os parece bien podemos nombrar al lobo nuestro juez, ya que él es la criatura más fuerte y su padre fue, precedentemente, nuestro sultán. Roguemos a Dios que sea justo con nosotros". Después le salieron al encuentro y le explicaron lo que les ocurría. Le dijeron: "Te nombramos nuestro juez para que, cada día, des a cada una de nosotras lo que necesita para evitar que la más fuerte se imponga a la más débil y unas mueran en manos de otras". El lobo aceptó su propuesta, se preocupó de sus asuntos e hizo el reparto aquel día de modo que les fuera suficiente. Al día siguiente, el lobo se dijo: "Repartir el camello entre estos ineptos no me reporta más que la ración que me dan; si me lo como yo solo, ellos no podrán causarme ningún daño, ya que para mí y mi familia constituyen un rebaño de seres indefensos; ¿quién, pues, me impide apoderarme de todo? Tal vez Dios me haya procurado esta buena ocasión. Lo que más conviene es que me lo reserve para mí prescindiendo de ellas. A partir de ahora ya no les daré nada". Al día siguiente por la mañana las zorras, según tenían por costumbre, se presentaron ante él y le pidieron su ración. Le dijeron: "¡Oh, Abu Sirhan! Concédenos el sustento de cada día". Les contestó: "No tengo nada más que daros". Se separaron de él en un estado muy lastimoso. Dijeron: "Dios nos ha hecho caer en una gran calamidad con este detestable traidor que no respeta a Dios ni lo teme. No tenemos fuerza ni recurso contra él". Una de ellas dijo a las otras: "La dureza del hambre le ha llevado a obrar así; dejémosle que hoy coma hasta hartarse y mañana volveremos ante él". Al día siguiente por la mañana volvieron a presentarse y le dijeron: "¡Oh, Abu Sirhan! Te hemos elegido para que nos gobernaras, para que tú dieras a cada una su ración e hicieras justicia al débil y al fuerte y para que, una vez terminadas las provisiones, te esforzaras en conseguirnos otras. Nosotras permaneceremos siempre bajo tu protección y tu custodia. Pero el hambre nos zahiere, ya que llevamos dos días sin comer: danos nuestra ración; después tú puedes disponer de todo lo demás". El lobo no les contestó; al contrario; se mostró más duro. Intentaron disuadirle, pero no hizo caso. Unas dijeron a otras: "No nos queda más remedio que ir en busca del león, ofrecernos a él, y entregarle el camello. Si él nos concede un poco, será porque le dará la gana y en caso contrario él tiene más derecho que este malvado". Corrieron en busca del león y le explicaron lo que les había sucedido con el lobo. Le dijeron: "Nosotras somos tus esclavas y hemos venido a pedir tu protección para que nos libres de este lobo; nosotras seremos tus siervas". El león, al oír las palabras de las zorras, se sintió lleno de celo ante Dios (¡ensalzado sea!) y las acompañó ante el lobo. Éste, al ver que se acercaba el león, emprendió la fuga. Pero el león lo persiguió, lo alcanzó y le hizo pedazos, permitiendo así a las zorras que recuperasen su presa.

»Esto nos enseña que ningún rey debe descuidar los asuntos de sus súbditos. Acepta mi consejo y cree en la verdad de las palabras que te he dicho. Sabe que tu padre, antes de morir, te recomendó que aceptases los consejos. Éstas son las últimas palabras que te dirijo. Y la paz». El rey replicó: «Te he oído y mañana, si Dios (¡ensalzado sea!) lo quiere me presentaré ante vosotros». Simas se marchó e informó a sus súbditos que el rey había aceptado su consejo y le había prometido que el día siguiente les recibiría.

Cuando la esposa del rey se enteró de las palabras que le había dicho Simas y se cercioró de que el rey iba a presentarse ante sus súbditos, corrió ante el soberano y le dijo: «¡Cuán admirada estoy de la docilidad y de la sumisión que demuestras ante tus esclavos! ¿Es que no sabes que esos ministros son tus esclavos? ¿Por qué los has elevado a ese puesto tan alto que les lleva a imaginarse que son ellos quienes te han regalado el reino, te han conferido el cargo y hecho tales regalos? Ellos no pueden causarte el menor perjuicio. Tu deber consiste en no humillarte ante ellos y en cambio, el suyo, consiste en humillarse ante ti y en ejecutar tus órdenes; ¿cómo puedes asustarte de tal modo ante ellos? Se dice que si no se tiene un corazón fuerte como el hierro no se puede ser rey. A ellos les ha extraviado tu clemencia hasta el punto de que se propasan contigo y dejan de obedecerte cuando en realidad ellos son quienes tendrían que estar constreñidos a tu obediencia y mantenerse sujetos a ti. Si te apresuras a escuchar sus palabras; si los dejas en la situación en que se encuentran y si sin quererlo los satisfaces en la menor de sus necesidades, se transformarán en una carga, apetecerán mayores cosas y esto pasará a ser su costumbre. Si me haces caso no elevarás la posición de ninguno ni escucharás sus palabras ni les darás pie a que se propasen contigo, pues te ocurriría como al pastor y el ladrón». El rey le preguntó: «¿Y qué fue eso?»

HISTORIA DEL PASTOR Y EL LADRÓN

La mujer refirió: «Aseguran que hubo un hombre que era pastor de ganado y que vigilaba a sus animales. Cierta noche se le acercó un ladrón que quería robarle parte de sus bestias. Pero lo encontró vigilándolas, sin dormir por la noche y sin distraerse durante el día. A pesar de que estuvo merodeando toda la noche no consiguió apoderarse de nada. Harto de buscar estratagemas se marchó a la selva, cazó un león, lo desolló, llenó la piel con paja y regresó. Colocó el espantajo en un lugar elevado para que el pastor lo viera y se convenciera de su existencia. Después, el ladrón se presentó ante el pastor y le dijo: "Ese león me envía para que te pida algún animal para cenar". El pastor preguntó: "¿Y dónde está el león?" "¡Levanta la vista! Está ahí plantado." El pastor levantó la cabeza y vio la figura de un león. Creyó que, en efecto, era un león de verdad y se llenó de un gran terror.

Sahrazad se dio cuenta de que amanecía e interrumpió el relato para el cual le habían dado permiso.

Cuando llegó la noche *novecientas veintidós,* refirió:

—Me he enterado, ¡oh rey feliz!, de que [la mujer prosiguió: »El pastor le] dijo al ladrón: "¡Amigo mío! Coge lo que quieras, pues no he de contradecirte". El ladrón cogió los animales que necesitaba y su ambición fue en aumento al ver el miedo del pastor. Acudía ante éste a cada momento y le decía: "El león necesita esto y se propone hacer eso otro" y a continuación cogía el ganado que precisaba. El ladrón siguió tratando al pastor de este modo hasta que hubo acabado con la mayor parte del ganado.

»Te he dicho estas palabras, ¡oh, rey!, para evitar que estos grandes de tu reino, seducidos por tu clemencia y tu buen natural, intenten abusar de ti. El mejor consejo consistiría en que les llegase la muerte antes de que ellos se atreviesen contra ti». El rey aceptó sus palabras y dijo: «Me satisface este consejo y no he de hacer caso de sus opiniones ni he de presentarme ante ellos».

Al día siguiente por la mañana los ministros, los grandes del reino y las gentes principales se reunieron. Cada uno llevaba sus armas. Se dirigieron a la casa del rey para atacarlo, matarlo y elegir a otro. Al llegar ante el alcázar del rey pidieron a los porteros que les abriesen la puerta. No se la abrieron. Entonces mandaron a buscar lumbre para quemar las puertas y entrar. El portero oyó sus palabras, apretó a correr e informó al rey de que las gentes estaban amotinadas junto a la puerta. Siguió: «Me han pedido que abriese, pero me he negado. Entonces han enviado a buscar fuego: quemarán las puertas, entrarán y te matarán ¿qué me ordenas?» El rey se dijo: «He caído en una gran sima». Mandó a buscar a la mujer y ésta compareció. Le dijo: «Simas no me ha anunciado nada que no me haya ocurrido realmente: han llegado los cortesanos y el vulgo dispuestos a matarme a mí y a vosotras. Como el portero no les ha abierto han mandado a buscar lumbre: van a quemar las puertas y arderá la casa con nosotros dentro ¿qué me aconsejas?» «No te preocupes ni te asustes por su revuelta. Esta es la época en que los necios se sublevan contra sus reyes.» «¿Qué me aconsejas que haga? ¿Qué treta hay que emplear en este asunto?» «Opino que debes taparte la cabeza con una venda y hacer ver que estás enfermo. Entonces debes mandar a buscar al visir Simas y hacerlo comparecer ante ti para que vea tu situación. Una vez le tengas delante dile: "Hoy quería mostrarme ante la gente, pero esta enfermedad me lo ha impedido. Infórmales de la situación en que me encuentro y diles que mañana acudiré ante ellos y resolveré sus problemas, y me preocuparé de sus asuntos". Así los tranquilizarás y se calmará su cólera. Mañana manda llamar a diez esclavos de tu padre, resueltos, fuertes y seguros; que hagan caso de tus palabras y obedezcan tu orden; que guarden tu secreto y conserven tu amor. Colócalos junto a tu cabeza y mándales que no entre nadie ante ti a no ser uno en pos de otro. En cuanto pase uno diles: "¡Cogedlo! ¡Matadlo!" Cuando estén de acuerdo contigo para hacerlo, ocupa el trono que tienes en la sala de audiencias y abre la puerta: cuando vean que abres la puerta se tranquilizarán, se acercarán con el corazón sereno y te pedirán permiso para entrar. Permite que entren de uno en uno como te he dicho y ejecuta en ellos tu deseo. Pero es preciso que empieces matando a Simas, que es el más importante de todos, ya que es el primer ministro y el dueño de la situación. Mátalo en primer lugar. Después mátalos a todos, uno en pos de otro, sin dejar ni a uno de los que sabes que han violado su compromiso contigo; haz lo mismo con aquellos de los que temes su poder. Si así lo haces quedarán sin fuerza que oponerte, podrás disfrutar de la paz más completa, tendrás el reino en la mano y harás lo que te plazca. Sabe que no tienes otro recurso mejor que éste». El rey le contestó: «Tu opinión es certera y tu consejo es sensato. He de hacer lo que me has dicho». Mandó que le vendasen la cabeza, fingió estar enfermo y ordenó ir a buscar a Simas. Cuando estuvo ante él, le dijo: «¡Simas! Ya sabes que te aprecio y sigo tu consejo, pues tú eres para mí, por encima de los demás, como un padre y un hermano; sabes que yo acepto todo lo que me mandas. Me aconsejaste que me presentara ante mis súbditos y que me ocupase de sus asuntos. Quedé convencido de lo justo de tu consejo y ayer quise mostrarme ante ellos, pero me ha sorprendido esta enfermedad y no he podido tener sesión. Acabo de enterarme de que las gentes del reino están encolerizadas por no haberme presentado ante ellas y que quieren hacer conmigo un mal que no es propio, puesto que no saben que yo me encuentro enfermo. Sal e infórmales de mi situación, lo que estoy sufriendo y excúsame. Yo atenderé a sus palabras y haré lo que desean. Arréglame este problema y sal garante por mí. Tú has sido mi consejero; antes lo fuiste de mi padre: tu costumbre es arreglar las querellas que existen entre la gente. Si Dios (¡ensalzado sea!) lo quiere, mañana me presentaré ante ellos: es posible que mi enfermedad se cure esta noche dada la pureza de intención y el deseo de bienestar que apetezco para mis súbditos». Simas se prosternó ante Dios, hizo los votos de ritual para el rey, le besó las manos y salió, muy contento, para presentarse a las gentes. Les refirió lo que había oído decir al rey, los disuadió de hacer lo que pretendían; les presentó sus excusas y les comunicó la causa que impedía salir al soberano. Les prometió que al día siguiente se presentaría ante ellos y que haría lo que deseaban. Los amotinados se marcharon a su casa.

Sahrazad se dio cuenta de que amanecía e interrumpió el relato para el cual le habían dado permiso.

Cuando llegó la noche *novecientas veintitrés,* refirió:

—Me he enterado, ¡oh rey feliz!, de que esto es lo que a ellos se refiere.

He aquí lo que hace referencia al rey. Mandó a buscar diez de los más robustos esclavos de su padre, a los que éste había escogido por su fuerza; eran decididos, fríos y muy arrojados. Les dijo: «Sabéis que mi padre os tenía en gran estima, os daba un rango elevado, os concedía benévolamente favores y os honraba. Yo, su sucesor, os colocaré en una posición más elevada aún. Os explicaré el porqué y estaréis a salvo a mi lado, pero he de pediros una cosa: que obedezcáis todas las órdenes que os comunique y guardéis el secreto ante toda la gente. Así os concederé más favores de los que podáis querer, siempre y cuando obedezcáis mi orden». Los diez le contestaron al unísono, coincidiendo: «¡Señor nuestro! Ejecutaremos todo lo que nos mandes y no nos apartaremos en un ápice de lo que nos indiques». Les dijo: «¡Que Dios os recompense! Ahora os explicaré la causa por la que os concedo tantos honores. Sabéis los favores que mi padre concedía a las gentes del reino, cómo las hizo reconocerme por heredero y les conminó a que no rompiesen su juramento y a que no contraviniesen mis órdenes. Ayer visteis lo que hacían al reunirse en torno mío para matarme. Yo quiero hacer en ellos un escarmiento ya que, visto lo de ayer, creo que no desistirán a menos de recibir un castigo ejemplar. Es necesario que os confíe el asesinato de aquellos a los que os señale en secreto con el fin de suprimir la rebeldía y la maldad del país con la muerte de sus jefes y cabecillas. He aquí el procedimiento: yo, mañana, me sentaré en el trono que está en la habitación y les concederé audiencia a uno en pos de otro. Entrarán por una puerta y saldrán por otra. Vosotros diez estaréis ante mí atentos a mis signos. Coged a todo aquel que entre, metedlo en esa habitación, matadlo y esconded su cuerpo». Le contestaron: «Oír tus palabras es obedecer tus órdenes». Entonces les concedió grandes favores, los despidió y se durmió. Al día siguiente los hizo llamar, les mandó que colocasen el trono y él se puso el traje regio. Tomó en la mano el Código y ordenó que se abriese la puerta. Se abrió. Los diez esclavos se colocaron ante él. El heraldo anunció: «¡Quienes ejerzan funciones de gobierno, preséntense ante el tapiz del rey!» Ministros, generales y chambelanes se adelantaron y cada uno ocupó el puesto que le correspondía según su rango. El rey ordenó que entrasen uno del otro en pos. El visir Simas pasó el primero, como tenía por costumbre, por ser el primer ministro. Entró, se colocó ante el rey, pero antes de que pudiera darse cuenta los diez esclavos le habían rodeado, sujetado, metido en la otra habitación y asesinado. Pasaron los restantes visires, luego los sabios y los notables. Mataron a uno tras otro hasta haber terminado con todos. A continuación mandó llamar a los verdugos y les mandó que acuchillasen espada en mano a los más valientes y decididos de las gentes allí reunidas: no quedó con vida ni uno de aquellos de los que sabían que era valiente; sólo escaparon la plebe y el vulgo a los cuales echaron a la calle. Fueron a reunirse con sus familiares. Después el rey se dedicó a sus placeres, se entregó por completo a sus pasiones y se abandonó a la tiranía, al despotismo y a la injusticia hasta el punto de sobrepasar a las gentes malvadas que le habían precedido.

El territorio de este rey poseía minas de oro, plata, rubíes y gemas. Todos los soberanos que vivían a su alrededor envidiaban aquel estado y esperaban que decayese. Uno de los reyes vecinos se dijo: «Deseaba apoderarme del reino que está en manos de ese muchacho ignorante y lo he conseguido gracias a que ha dado muerte a los grandes de su reino, a los valientes y a los héroes que se encontraban en su país. Ésta es la ocasión de desposeerle de lo que tiene, ya que es pequeño y desconoce lo que es la guerra. Carece de razón y no hay nadie junto a él que pueda aconsejarlo o ayudarlo. Hoy mismo abriré la puerta del daño y le escribiré una carta reprochándole lo que ha hecho y burlándome de él. Veremos lo que contestará». Le escribió una carta que decía: «En el nombre de Dios, el Clemente, el Misericordioso». Y después: «Me he enterado de lo que has hecho con tus visires, tus sabios y tus valientes y del peligro al que te has arrojado, ya que no tienes ni fuerza ni poder para defenderte de quien te ataca, pues te has transformado en un tirano y un perverso. Dios me ha concedido que triunfe y te venza. Oye mis palabras y obedece mi orden: constrúyeme un fuerte palacio en medio del mar; si no puedes hacerlo, sal de tu país y ponte a salvo, pues he de enviar contra ti, desde el confín de la India, doce cuerpos de ejército cada uno de los cuales constará de doce mil combatientes: invadirán tu país, saquearán tus bienes, matarán a tus hombres y capturarán tus mujeres. Pondré a su frente a mi visir Badi y le ordenaré que bloquee la ciudad hasta que se apodere de ella. He mandado al muchacho que te lleva este mensaje que sólo espere tres días. Si obedeces mi orden te salvarás, en caso contrario despacharé contra ti lo que te he citado». A continuación selló la carta y se la entregó al mensajero. Éste viajó sin descanso hasta llegar a la ciudad, presentarse ante el rey y entregarle la misiva. El soberano perdió las fuerzas al leerla, el pecho se le oprimió, el asunto desbordó su capacidad y estuvo seguro de su ruina, pues no encontraba a nadie a quien pedir consejo, que le pudiera ayudar o socorrer. Se dirigió a ver a su esposa con el color alterado. Ésta le preguntó: «¿Qué te ocurre, oh, rey?» «Hoy ya no soy rey, sino el esclavo de un rey.» Abrió la carta y se la leyó. Al oírla, la mujer empezó a llorar, sollozar y a desgarrar sus vestidos. El rey le preguntó: «¿Tienes alguna idea? ¿Qué estratagema hay que emplear en este difícil asunto?» Le contestó: «Las mujeres nada sabemos de lo que afecta a la guerra. Las mujeres carecen de fuerza y consejo; la fuerza, el consejo y la astucia en asuntos de esta índole pertenecen a los hombres». El rey, al oír estas palabras, se arrepintió profundamente; se apenó y desesperó de modo sin igual por haber dado muerte a sus ministros y a los altos funcionarios de su estado.

Sahrazad se dio cuenta de que amanecía e interrumpió el relato para el cual le habían dado permiso.

Cuando llegó la noche *novecientas veinticuatro*, refirió:

—Me he enterado, ¡oh rey feliz!, de que [el rey] hubiera preferido morir antes que recibir esa desagradable misiva. Dijo a sus mujeres: «Con vosotras me ha sucedido lo mismo que al francolín con las tortugas». Le preguntaron: «¿Qué ocurrió?»

EL FRANCOLÍN Y LAS TORTUGAS

El rey explicó: «Aseguran que había unas tortugas que vivían en una isla que tenía árboles, frutos y riachuelos. Cierto día pasó por su lado un francolín. Tenía mucho calor y estaba cansado. Entonces dejó de volar y se posó en la isla de las tortugas. Al ver a éstas buscó refugio a su lado y se colocó cerca. Las tortugas pacían por los diversos lugares de la isla. Al terminar regresaron a su casa, abandonando los prados. Al llegar descubrieron al francolín. Lo examinaron y les gustó; Dios le había engalanado ante sus ojos. Alabaron a su Creador, quedaron muy satisfechas con el nuevo animal y se alegraron. Se dijeron unas a otras: "No cabe duda de que es el pájaro más hermoso". Todas le halagaron y le demostraron su afecto. El animal, al ver el cariño que le tenían, se sintió inclinado hacia ellas y se transformó en su amigo. Levantaba el vuelo dirigiéndose a donde quería, pero al caer la tarde regresaba a pasar la noche con ellas. Al día siguiente por la mañana volvía a remontar el vuelo yendo a donde le placía. Tal fue su costumbre y en esta situación vivió un cierto tiempo. Las tortugas, que sólo le veían por la noche, ya que en cuanto amanecía remontaba el vuelo, se marchaba y nada sabían de él, viendo que su ausencia las apenaba dado el gran cariño en que le tenían, se dijeron unas a otras: "Queremos mucho a este francolín que ha pasado a ser nuestro amigo; no podemos soportar el estar separadas de él. ¿Qué recurso podríamos emplear para tenerle siempre a nuestro lado? Ahora remonta el vuelo, permanece ausente durante todo el día y no le vemos más que por la noche". Una de ellas dijo: "¡Hermanas mías! Estad tranquilas; yo haré que no se aparte de nosotras ni por un instante". Cuando el francolín regresó de sus prados y se posó entre ellas, la tortuga taimada se le acercó, le saludó, le felicitó por encontrarse bien y le dijo: "¡Señor mío! Sabe que Dios te ha concedido nuestro afecto; también ha hecho que tu corazón nos quiera y aquí, en este nido, tú eres nuestro amigo; el tiempo más feliz transcurre mientras estamos reunidos y la aflicción más grande llega cuando nos separamos y alejamos, puesto que tú nos dejas al levantarse la aurora y no regresas hasta la puesta del sol. Nosotras nos encontramos en una gran soledad y esto nos duele mucho y nos causa gran pesar". El francolín le contestó: "Sí; también os quiero y os aprecio muchísimo, del mismo modo que vosotras a mí; no me es fácil separarme de vosotras, pero no está en mi mano el dejar de hacerlo ya que soy un pájaro con alas; no puedo estar siempre con vosotras ya que esto es contrario a mi naturaleza. El pájaro que tiene alas no puede estar quieto más que por la noche, cuando duerme. En cuanto aparece el día remonta el vuelo y va por su sustento al lugar que le place". La tortuga le replicó: "Dices la verdad, pero los seres alados no gozan de descanso en la mayoría de los casos ya que el bien que obtienen no alcanza ni a la cuarta parte de la fatiga que experimentan. El mayor deseo del hombre consiste en el bienestar y en el reposo. Dios ha establecido entre nosotros el amor y el afecto y tememos que uno de tus enemigos te cace y mueras: esto nos privaría de ver tu cara". El francolín replicó: "Dices la verdad. ¿Qué opinas? ¿Qué harías en mi caso?" "Mi opinión consiste en cortarte las alas que te permiten volar rápidamente. Así permanecerías descansando entre nosotras, comerías nuestros alimentos y beberías nuestros sorbetes en esta pradera que tiene tantos árboles y frutos tan aromáticos. Viviríamos todos en este lugar tan feraz y cada uno de nosotros gozaría de su amigo". El francolín se inclinó ante sus palabras y apeteció el gozar de reposo. Se arrancó todas las plumas, una tras otra, según el consejo que habían aprobado las tortugas; así se quedó viviendo entre ellas gozando del pequeño bienestar y de la afición perecedera. Mientras se encontraba en esta situación pasó por allí una comadreja; vio al francolín, lo contempló, se dio cuenta de que tenía las alas cortas y que no podía remontar el vuelo. Al ver la situación en que se encontraba se alegró muchísimo y se dijo: "Este francolín tiene mucha carne y pocas plumas". Se acercó a él y le agarró. El francolín pidió auxilio a las tortugas, pero no se lo prestaron; al contrario, se alejaron de él metiéndose cada una en su caparazón. Al ver que la comadreja lo había cogido y lo atormentaba, el llanto las sofocó. El francolín les gritó: "¿Es que sólo sabéis llorar?" Le replicaron: "¡Hermano nuestro! ¡No tenemos fuerzas ni poder ni astucia que nos sirva frente a la comadreja!" Entonces el francolín se entristeció, perdió toda esperanza de escapar con vida y les dijo: "La culpa no es vuestra sino mía, ya que os hice caso y me desplumé las alas con las que podía volar. Merezco la muerte por haberos hecho caso."

»Ahora, mujeres, no puedo censuraros y debo reprenderme a mí mismo por no haberme acordado de que vosotras fuisteis la causa de la falta cometida por nuestro padre, Adán, y que motivó su expulsión del paraíso. Me había olvidado de que vosotras sois el origen de todo mal y por ignorancia, por mi mala conducta y mi estupidez, os he hecho caso y he matado a mis ministros y a los funcionarios de mi reino, aquellos que me aconsejaban en todos los asuntos, que constituían mi fuerza y mi poder en cualquier circunstancia que pudiera preocuparme. Ahora no encuentro a quienes puedan sustituirlo ni veo a quienes puedan ocupar su lugar. ¡He caído en una ruina inmensa!

Sahrazad se dio cuenta de que amanecía e interrumpió el relato para el cual le habían dado permiso.

Cuando llegó la noche *novecientas veinticinco*, refirió:

—Me he enterado, ¡oh rey feliz!, de que [el rey prosiguió:] »...¡Si Dios no me concede a alguien que me guíe con su criterio certero por el camino de la salvación estoy completamente perdido!» Entró en su dormitorio tras haber lamentado a sus ministros y sabios con estas palabras: «¡Ojalá estuvieran a mi lado en este momento tales leones! Bastaría con una hora para que yo pudiera excusarme, verlos, quejarme ante ellos de mi situación, de lo que me ha ocurrido después de su muerte». Sin comer y sin beber siguió sumergido en el mar de sus preocupaciones durante todo el día. Al hacerse de noche se quitó el traje, se vistió con unos harapos, se disfrazó y salió a pasear por la ciudad en espera de oír de alguien una palabra que lo tranquilizara. Mientras recorría sus calles descubrió a dos muchachos que estaban aislados y sentados junto a una pared; tenían la misma edad: doce años cada uno. Oyó que estaban hablando. El rey se aproximó a ellos para poder oír y entender sus palabras. Oyó que uno decía a otro: «¡Escucha, hermano mío, lo que me contó mi padre ayer acerca de lo que le ha pasado en la cosecha! Se ha secado antes de tiempo por falta de lluvia y por las muchas calamidades que han caído en la ciudad». El otro le preguntó: «¿Sabes la causa de tanta desgracia?» «No; pero si tú la sabes, cuéntamela.» «La sé y te la voy a contar: Sabe que uno de los amigos de mi padre me ha dicho que nuestro rey ha matado a sus ministros y a los grandes del reino, no porque éstos hubiesen incurrido en falta, sino por el mucho amor y gran inclinación que siente por las mujeres. Los ministros se lo habían prohibido, pero él no pudo abstenerse y, obedeciendo a sus mujeres, los ha mandado matar, incluyendo a mi padre Simas, ministro suyo y que antes lo había sido de su padre; él se encontraba al frente del gobierno. Pero ya verás lo que Dios hace de él a causa de sus culpas. Él lo vengará.» «¿Y qué puede hacer Dios una vez que están muertos?» «Sabe que el rey de la India extrema, teniendo a menos a nuestro rey, le ha enviado una carta en que le amenaza y le dice: "Constrúyeme un palacio en el centro del mar. Si no puedes hacerlo mandaré contra ti doce cuerpos de ejército cada uno de los cuales constará de doce mil combatientes. Pondré al frente de estas tropas a mi visir Badi, quien te arrebatará el reino, matará a tus hombres y te hará prisionero junto con tu harén". Cuando ha llegado el mensajero del rey de la India remota con este ultimátum, le ha concedido únicamente un plazo de tres días. Sabe, hermano mío, que ese rey es un gigante prepotente, fuerte y decidido, que tiene numerosos súbditos en sus estados. Si nuestro rey no encuentra un expediente para contenerle estará perdido, pues Badi, después de matarlo, se apoderará de nuestros recursos, matará a nuestros hombres y capturará a nuestras mujeres.»

El rey, al oír sus palabras, se sintió emocionado y atraído

hacia ellos. Se dijo: «Este muchacho debe ser un sabio, puesto que ha explicado algo que yo no le he dicho: la carta que acabo de recibir del rey de la India extrema está en mi poder; el secreto me pertenece y yo no se lo he revelado a nadie ¿cómo puede saberlo el muchacho? Pero yo me acercaré a él y le hablaré, rogando a Dios que nuestra salvación llegue por su mano». El soberano se aproximó discretamente al muchacho y le dijo: «¡Querido hijo! ¿Qué es eso que estás diciendo acerca de nuestro rey? Él ha obrado muy mal al dar muerte a sus ministros y a los grandes del reino, pero a decir verdad ha causado el daño a sí mismo y a sus súbditos. Has dicho algo cierto al hablar del asesinato. Pero muchacho ¿de dónde sabes que el rey de la India extrema ha escrito una carta a nuestro rey amenazándolo y diciéndole esas duras palabras que has pronunciado?» «Lo sé gracias a las palabras de los antiguos: "Nada está oculto a Dios, y las criaturas, descendientes de Adán, tienen un alma que les desvela los secretos escondidos".» «Has dicho la verdad, muchacho. Pero ¿nuestro rey tiene alguna astucia o algún medio para salvarse y salvar a su reino de tan gran calamidad?» «¡Sí! Si el rey me mandara a buscar y me interrogara sobre lo que debe hacer para salvarse de su enemigo y librarse de sus insidias, le explicaría cuanto por la fuerza de Dios (¡ensalzado sea!) conduce a la salvación.» «¿Y quién podría decir esto al rey para que te enviase a buscar y te llamara?» «He oído decir que él busca gentes expertas y de buen consejo. Si me mandase a buscar me presentaría con éstas y le expondría aquello en lo que está su salvación y el medio de rechazar la amenaza que pesa sobre él. Pero si él se distrajera de este difícil asunto, se entretuviera con sus mujeres y yo intentara informarle del modo de salvarse, y me dirigiera, espontáneamente, hacia él, mandaría matarme del mismo modo que hizo con aquellos ministros. Conocerle sería la causa de mi muerte; las gentes me tendrían por poca cosa, despreciarían mi inteligencia y caería dentro de la sentencia de aquel que dijo: "Quien tiene más ciencia que razón, por más sabio que sea perece por ignorancia".»

El rey, al oír las palabras del muchacho, quedó convencido de su sabiduría y se cercioró de que su salvación y la de sus súbditos iba a llegarle por su mano. El rey volvió a dirigir la palabra al muchacho y le preguntó: «¿De dónde eres? ¿Dónde está tu casa?» «Este muro conduce a mi casa.» El rey salió del lugar, se despidió del muchacho y regresó contento a su palacio. Una vez en su casa se puso sus trajes, pidió de comer y beber y se abstuvo de las mujeres. Comió, bebió, dio gracias a Dios (¡ensalzado sea!) y le pidió que lo salvara, lo auxiliara, lo perdonara y lo disculpara por lo que había hecho con los sabios y los principales personajes de su reino. Se arrepintió con contrición perfecta ante Dios e hizo votos de ayunar y rezar numerosas oraciones. Después llamó a uno de sus pajes particulares, le describió el lugar en que estaba el muchacho y mandó que fuera a buscarlo y regresara con él tratándole con buenos modos. El esclavo se presentó ante el muchacho y le dijo: «El rey te manda llamar para favorecerte y hacerte una pregunta. Después regresarás con bien a tu casa». El muchacho le replicó: «¿Qué necesita el rey que me manda llamar?» «La causa de que mi señor te convoque consiste en una pregunta y una respuesta.» «Hay que escuchar mil veces la orden del rey y obedecerla otras tantas veces.» Le acompañó hasta palacio. Cuando se halló ante el soberano, se prosternó ante Dios e hizo los votos de ritual por el rey. Éste contestó a su saludo y le ordenó que se sentara. Así lo hizo.

Sahrazad se dio cuenta de que amanecía e interrumpió el relato para el cual le habían dado permiso.

Cuando llegó la noche *novecientas veintiséis,* refirió:

—Me he enterado, ¡oh rey feliz!, de que [el rey] le preguntó: «¿Sabes quién habló ayer contigo?» «¡Sí!» «¿Dónde está?» «Es el que me está hablando en este momento.» El rey le replicó: «¡Dices la verdad, querido!» El soberano ordenó que colocaran un trono al lado del suyo, lo hizo sentar, mandó que le sirvieran de comer y beber y empezaron a hablar hasta que el rey le dijo: «Tú, visir, me hablaste ayer y me comunicaste que tenías un medio para salvarme de la intriga del rey de la India ¿cuál es ese medio?, ¿qué hay que hacer para apartar la amenaza que pesa sobre nosotros? Dímelo y haré de ti el primero que pueda dirigirme la palabra en el reino, te nombraré mi visir, seguiré tu consejo en todo lo que me indiques y te recompensaré de espléndida manera». El muchacho le replicó: «¡Oh, rey! Aconséjate, busca auxilio y concede tu recompensa a las mujeres que te sugirieron dar muerte a mi padre, Simas, y a los restantes ministros». El soberano, al oír estas palabras, se avergonzó, suspiró y le dijo: «¡Querido muchacho! ¿Simas era tu padre tal como dices?» Le contestó: «Simas era, en verdad, mi padre y yo soy su propio hijo». El rey se humilló, derramó abundantes lágrimas y pidió perdón a Dios. Dijo: «¡Muchacho! Lo hice por ignorancia y por el mal consejo y grandes tretas de las mujeres[2]. Te ruego que me perdones y yo te colocaré en el puesto de tu padre, tu rango será superior al suyo. Una vez haya desaparecido la venganza que se abate sobre nosotros, te pondré un collar de oro en el cuello, te haré sentar en el lugar más destacado y mandaré al pregonero que anuncie delante de ti: "Este muchacho excelente ocupará la segunda silla, la que sigue inmediatamente a la del rey". En cuanto a lo que has dicho de las mujeres yo estoy decidido a vengarme de ellas, pero lo haré en el momento en que Dios (¡ensalzado sea!) lo disponga. Para tranquilizar mi corazón, dime qué recurso tienes». El muchacho le replicó: «¡Presta juramento de que no contrariarás mi opinión en lo que te voy a decir y que estoy a seguro de lo que temo!» El rey contestó: «Sea Dios testigo entre nosotros dos de que yo no me apartaré de tus palabras, de que tú serás mi consejero y de que ejecutaré cualquier cosa que me mandes. Dios (¡ensalzado sea!) es testimonio de cuanto digo». El pecho del muchacho se tranquilizó y abrió el campo a las palabras. Dijo: «¡Oh, rey! Mi opinión y mi astucia consisten en esperar el momento en que debe comparecer ante ti el correo en busca de la respuesta, una vez transcurrido el plazo fijado. Cuando le tengas delante y pida la contestación, aléjalo de ti y fija otro día. Entonces se excusará diciendo que su rey le ha fijado cierto número de días como límite y te insistirá basándose en tus palabras. Tú mándale salir y señálale otra fecha, sin decir cuál. Saldrá enfadado de tu presencia, se dirigirá al centro de la ciudad y ha-

[2] Cf. *El Corán* 12, 28.

blará a voz en grito entre la gente diciendo: "¡Gentes de la ciudad! Yo soy el correo del rey de la India extrema; él es un soberano resuelto, capaz de moldear el hierro. Me ha enviado con una carta para el rey de esta ciudad y me ha fijado unos días. Me ha dicho: 'Si no estás aquí después de los días que te he señalado, ejercitaré en ti mi venganza'. Vine, me presenté ante el rey de esta ciudad y le entregué la carta. Después de leerla me comunicó que al cabo de tres días me daría la contestación al mensaje. Para complacerle y por respeto acepté sus palabras. Pasados los tres días me he presentado a pedirle la contestación, pero me ha remitido a otra fecha. Yo no puedo esperar. Voy a partir, a presentarme ante mi señor, el rey de la India extrema, y le informaré de lo que me ha ocurrido. Vosotros, gentes, sois testigos entre yo y él". Cuando te enteres de estas palabras manda a buscarlo, hazle comparecer ante ti y dile con dulzura: "¡Oh, tú, que corres hacia tu fin! ¿Qué es lo que te ha movido a injuriarnos ante nuestros súbditos? Te has hecho merecedor, ante nosotros, de tu muerte inmediata, pero los antiguos decían: 'El perdón es una de las características de los nobles'. Sabe que el retrasar la contestación no es debido a impotencia por nuestra parte, sino a nuestras múltiples ocupaciones y al poco tiempo de que disponemos para escribir a vuestro rey". Pide entonces la carta, léela por segunda vez y cuando termines rompe a reír a carcajada limpia. Dile: "¿No tienes más carta que ésta? También contestaremos a ella". Te replicará: "No tengo ninguna otra carta". Tú repetirás las mismas palabras por segunda y tercera vez. Él contestará: "No tengo ninguna otra". Dile: "Este vuestro rey carece de razón, ya que en esta carta dice unas palabras con las cuales nos incita a enviar nuestro ejército contra él, a saquear su país y arrebatarle el reino. Pero, por esta vez, no le castigaremos por la mala educación que muestra en su carta, ya que es corto de entendimiento y carece de ánimo. Es propio de nuestro poder advertirle primero y amonestarle para que no vuelva a repetir estas fanfarronadas. Si se arriesga y vuelve a reincidir se hará merecedor de un pronto castigo. Pero creo que el rey que te ha enviado es un ignorante y un estúpido que no piensa en las consecuencias, que carece de un visir inteligente y de buen consejo al que poder consultar. Si fuera inteligente habría consultado al visir antes de enviarnos estas palabras que causan risa. Merece una contestación a la altura de su carta y aún más. Entregaré su escrito a uno de los pajes de la cancillería para que le conteste". A continuación envía a buscarme y pregunta por mí. Cuando llegue ante ti, permite que lea la carta y que la conteste». Estas palabras dilataron el pecho del rey; aprobó la opinión del muchacho, le gustó su ardid, le colmó de regalos, le confirió el cargo que había tenido su padre y le despidió contento.

Transcurridos los tres días de plazo que había señalado el correo, éste se presentó ante el rey y le pidió la respuesta. El rey le emplazó para otro día. El mensajero se retiró hasta el fin de la alfombra de la sala y pronunció palabras inoportunas, tal como había previsto el muchacho. Después se marchó al mercado y chilló: «¡Gentes de esta ciudad! Yo soy el mensajero que el rey de la India extrema ha mandado a vuestro rey. Le he traído una carta y él me da largas para entregarme la respuesta. El plazo que me ha fijado nuestro rey ya ha terminado. Vuestro rey no tiene excusa alguna y vosotros sois testigos». El rey, al enterarse de estas palabras, mandó a buscar al mensajero y le hizo comparecer ante él. Le dijo: «¡Oh, tú, que te precipitas a la muerte! ¿No eres tú portador de una carta de rey a rey entre los cuales existen secretos? ¿Cómo te metes entre las gentes y revelas los secretos de los reyes al vulgo? Te has hecho merecedor de castigo, pero vamos a pasarlo por alto para que puedas volver con la respuesta ante ese rey estúpido. Lo más conveniente es que la conteste el más pequeño de los pajes de la cancillería». Mandó llamar al muchacho y éste acudió. El mensajero estaba delante cuando se presentó ante el rey. Se prosternó ante Dios y deseó al soberano larga vida y gran poder. Entonces el rey le tiró la carta y le dijo: «Lee esa carta y redacta, inmediatamente, la respuesta». El muchacho cogió el ultimátum, lo leyó y rompió a reír. Preguntó al rey: «¿Me has mandado a buscar para que conteste tal carta?»

«¡Sí!» «¡Oír es obedecer!» Sacó tintero y papel y escribió:

Sahrazad se dio cuenta de que amanecía e interrumpió el relato para el cual le habían dado permiso.

Cuando llegó la noche *novecientas veintisiete,* refirió:

—Me he enterado, ¡oh rey feliz!, de que [el muchacho escribió:] «En el nombre de Dios, el Clemente, el Misericordioso. ¡Paz sobre quien ha obtenido la seguridad y la misericordia del Clemente! Y después: Te comunico, ¡oh, tú, que te llamas gran rey de nombre, pero que no lo eres!, que hemos recibido tu carta, la hemos leído y hemos comprendido las leyendas y fanfarronadas que contiene. Estamos seguros de tu ignorancia y de las malas intenciones que nos tienes, pero has alargado la mano hacia lo que no puedes conseguir. Si no fuese por la compasión que nos inspiran las criaturas de Dios y tus súbditos, no hubiésemos tardado en colocarte en tu puesto. Tu mensajero se ha dirigido al mercader y ha difundido las noticias de tu carta entre los cortesanos y el pueblo, haciéndose merecedor de nuestro castigo. Le hemos dejado con vida porque hemos tenido misericordia de él y para que tú puedas excusarle; no lo hemos castigado por deferencia hacia ti. Lo que en tu carta hace referencia a la muerte de mis visires, mis sabios y los grandes de mi reino, es verdad y ha sido por razones que sólo a mí me incumben. Pero no he matado ni a uno de mis sabios sin disponer de otros mil de su misma especialidad y más sabios aún, inteligentes y expertos que él. A mi lado no hay ni un muchacho que no esté repleto de ciencia y tengo, en sustitución de cada uno de los muertos, otros de sus mismas cualidades y cuyo número no puede contarse. Cada uno de mis soldados puede hacer frente a uno de tus cuerpos de ejército. Refiriéndonos a la riqueza tengo una fábrica de oro y de plata; tengo tantas gemas como piedras. No te puedo describir ni la belleza ni la hermosura ni los bienes que poseen mis súbditos. ¿Cómo te propasas con nosotros y nos dices: "Constrúyeme un castillo en medio del mar"? Esto constituye algo prodigioso y tal vez nace de tu razón perturbada. Si hubieses tenido juicio habrías calculado la fuerza de las olas y los movimientos del viento y yo te habría construido ese castillo. Aseguras que me vencerás. ¡Dios nos guarde de ello! ¿Cómo puede atreverse contra nosotros un ser como tú y conquistar nuestro reino? Al contrario: Dios (¡ensalzado sea!) me concederá la victoria sobre ti, ya que eres un pecador y un ambicioso sin razón. Sabe que te has hecho acreedor del castigo de Dios y del mío. Pero como yo temo a Dios por lo que afecta a ti y a tus súbditos, no montaré a caballo dirigiéndome contra ti antes de haberte advertido. Si temes a Dios apresúrate a enviarme el tributo de este año, pues de lo contrario no renunciaré a montar a caballo y atacarte al frente de un millón cien mil combatientes, todos ellos valientes, montados en elefantes. Los formaré en torno de nuestro ministro y le ordenaré que os acometa durante tres años, tiempo en consonancia con los tres días que has concedido a tu mensajero; me apoderaré de tu reino, pero no mataré a nadie más que a ti y no cautivaré más mujeres que las de tu harén».

A continuación, el muchacho dibujó su propio retrato en la carta y escribió al lado: «Esta respuesta la ha escrito el más pequeño de los muchachos de la cancillería». La entregó al rey y éste se la pasó al correo, quien la cogió, besó la mano del rey y salió de su palacio dando gracias a Dios y al soberano por su clemencia. Emprendió el viaje admirado de la agudeza que había encontrado en el muchacho. Llegó a su patria el tercer día después de los tres de plazo que le habían fijado. El rey, en aquel momento, se encontraba reunido con su gobierno a causa del retraso del mensajero. Al llegar éste ante él, se prosternó y le entregó la carta. El soberano la cogió y preguntó al mensajero por la causa de su retraso y la situación del rey Wird Jan. Le refirió toda la historia y le contó todo lo que había visto con sus propios ojos y escuchado con sus oídos. El entendimiento del rey quedó admirado y dijo al correo: «¡Ay de ti! ¿Qué noticias son estas que me cuentas de un tal rey?» El mensajero replicó: «¡Rey poderoso! Estoy ante ti: abre la carta, léela y distinguirás la verdad de lo falso». El soberano abrió la misiva, la leyó, contempló el retrato del muchacho que la había escrito y estuvo cierto de que iba a perder el reino: quedó perplejo ante lo que le ocurría. Se volvió hacia sus visires y los grandes de su reino, les informó de lo que sucedía y les leyó la carta.

Temieron y se asustaron de modo terrible y empezaron a tranquilizar el temor del rey con palabras que les salían de la punta de la lengua mientras tenían el corazón destrozado por los latidos. Badi, el gran visir, dijo: «Sabe, ¡oh, rey!, que lo que dicen mis hermanos, los visires, no tiene utilidad. Mi opinión consiste en que escribas a ese rey una carta presentándole tus excusas y diciéndole: "Nos te queremos a ti igual como antes quisimos a tu padre; si enviamos al mensajero con esa carta fue sólo para probarte, para conocer tu firmeza y averiguar tu valentía en los asuntos que requieren ciencia y práctica, en aquellos de índole secreta, y las perfecciones que en ti se encierran. Rogamos a Dios (¡ensalzado sea!) que te bendiga en tu reino, que eleve las defensas de tu ciudad y aumente tu autoridad siempre que tú te preocupes de ti mismo y te ocupes de los asuntos de tus súbditos". La mandarás con otro correo». El rey exclamó: «¡Por Dios, el Grande! ¡En esto existe un gran prodigio! ¿Cómo puede ser ése un gran rey y estar preparado para la guerra después de haber dado muerte a los sabios, a los consejeros y a los jefes del ejército de su reino? ¿Cómo puede tener un reino floreciente y sacar tan gran fuerza después de esto? Pero lo más extraordinario es que los meritorios de su cancillería contesten, en vez del rey, una respuesta como ésta. Yo, por mi mala ambición, he encendido este fuego contra mí y contra las gentes de mi reino; no sé cómo apagarlo si no es siguiendo la opinión de mi visir». Preparó preciosos regalos, muchos esclavos y criados y escribió una carta que decía: «En el nombre de Dios, el Clemente, el Misericordioso. Y después: Poderoso rey Wird Jan, hijo del hermano querido Chilad (¡apiádese Dios de él y conserve tu vida!). Hemos recibido la respuesta de nuestra carta y hemos leído y comprendido lo que contiene; hemos visto en ella lo que nos alegra y esto es el máximo de lo que habíamos pedido a Dios para ti. Le rogamos que aumente tu poder, fortifique los fundamentos de tu reino y te conceda el triunfo sobre los enemigos que buscan tu mal. Sabe, ¡oh, rey!, que tu padre era para mí como un hermano y que entre los dos existían pactos y compromisos durante su vida. Él no recibió de mí más que bien y nosotros recibimos lo mismo. Al morir y ocupar tú el trono de su reino nos llenamos de alegría y satisfacción, pero cuando nos enteramos de lo que habías hecho con los ministros y los grandes del reino, temimos que se enterara algún otro rey que pudiera amenazarte; creyendo que tú habías descuidado tus intereses, la preparación de tus defensas y la atención por los asuntos del reino, te escribimos para advertirte. Al ver que nos has dado una respuesta como ésta, nuestro corazón se ha tranquilizado. ¡Que Dios te permita disfrutar de tu reino y te sirva de ayuda en tus asuntos! Y la paz». A continuación preparó los regalos y se los envió con cien caballeros.

Sahrazad se dio cuenta de que amanecía e interrumpió el relato para el cual le habían dado permiso.

Cuando llegó la noche *novecientas veintiocho,* refirió:

—Me he enterado, ¡oh rey feliz!, de que [los caballeros] viajaron hasta presentarse a Wird Jan. Lo saludaron y le entregaron la carta. La leyó y comprendió su significado. Instaló en el puesto que le correspondía al jefe de los cien caballeros, le trató con deferencia y aceptó el regalo. La noticia se difundió entre la gente y el rey se alegró muchísimo. A continuación mandó llamar al muchacho hijo de Simas. Éste compareció ante él; le trató con miramientos, mandó a buscar al jefe de los cien caballeros, le pidió la carta que le había entregado su rey y se la entregó al muchacho. Éste la abrió y la leyó. El rey se alegró muchísimo y empezó a reprender al jefe de los cien caballeros que le besaba las manos, se excusaba y le deseaba larga vida y eterna felicidad. El rey le dio las gracias por ello, le trató con mucha deferencia e hizo regalos a él y a sus compañeros de acuerdo con su rango; les preparó los presentes que tenían que llevarse y ordenó al muchacho que redactase la contestación. Éste escribió la carta con buen estilo, trató brevemente del capítulo de la reconciliación e hizo hincapié en la corrección del mensajero y de los caballeros que le acompañaban. Cuando hubo terminado la carta se la ofreció al rey. Éste le dijo: «¡Querido muchacho! ¡Léela para que sepamos lo que está escrito!» El joven la leyó en presencia de los cien caballeros. El rey y todos los presentes quedaron admirados de la redacción y del contenido. El soberano la selló, se la entregó al jefe de los cien caballeros y le despidió haciéndolos escoltar por una parte de su ejército hasta los confines de su país. Esto es lo que se refiere al rey y al muchacho.

He aquí lo que hace referencia al jefe de los cien caballeros: Éste estaba perplejo de la razón y de los conocimientos que había visto que poseía el muchacho; dio gracias a Dios (¡ensalzado sea!), que había solucionado con éxito y rapidez su misión y viajó sin parar hasta llegar a la presencia del rey de la India remota. Le ofreció los presentes y regalos, le entregó los dones y le informó de lo que había visto. El rey se alegró muchísimo, dio las gracias a Dios (¡ensalzado sea!), colmó de honores al jefe de los cien caballeros, le agradeció el valor que había desplegado en su misión y lo elevó de rango. Desde entonces vivió en paz, tranquilidad y bienestar. Esto es lo que se refiere al rey de la India remota.

He aquí lo que hace referencia al rey Wird Jan: Se puso con Dios en el camino recto y abandonó la senda de la perdición; se arrepintió sinceramente ante Él por lo que había hecho, abandonó a todas las mujeres y se consagró por completo al cuidado de su reino y se interesó, por temor de Dios, de sus súbditos. Nombró al hijo de Simas visir en sustitución de su padre, y además primer consejero del reino y confidente de sus secretos. Mandó engalanar la capital y todas las ciudades durante siete días y los súbditos se alegraron, desapareciendo el temor y el miedo que sentían. Gozaron de justicia y equidad y elevaron plegarias por el rey y por el visir que había hecho cesar las calamidades que les amenazaban. Después, el soberano preguntó al visir: «¿Qué es, según tu opinión, lo que hay que hacer para consolidar el reino, cuidar de sus súbditos y volver a la situación en que estaba antes mediante el hallazgo de jefes y consejeros?» El visir le replicó: «¡Rey poderoso! Según mi opinión antes que nada debes empezar por apartar el pecado de tu corazón; abandonar los placeres, la disipación y la afición a las mujeres que te dominaba: si vuelves a la senda del pecado te perderás por segunda vez de modo más terrible que la primera». El rey preguntó: «¿Y cuál es el origen del pecado que debo extirpar?» El visir, pequeño por la edad pero mayor por el entendimiento, replicó: «¡Gran rey! Sabe que el origen del pecado consiste en amar a las mujeres, sentir inclinación por ellas y aceptar sus opiniones y consejos, ya que la afición por ellas cambia la sana razón y corrompe la naturaleza más fuerte. Hay pruebas manifiestas que corroboran mis palabras. Si tú meditas en ellas y sigues con atención sus acontecimientos, deducirás un buen consejo para ti y podrás prescindir de todas mis palabras. Tu corazón no debe ocuparse en pensar en las mujeres, debes apartar de tu imaginación su figura ya que Dios (¡ensalzado sea!) nos ha mandado, por boca de su profeta Moisés, el no abusar. Un rey sabio dijo a su hijo: "¡Hijo mío! Cuando me sucedas en el reino no abuses de las mujeres para que tu corazón no se extravíe y tu razón no degenere ya que, en resumen, el abusar de ellas conduce a amarlas y su amor causa la degeneración del intelecto". Prueba de ello es lo que sucedió a nuestro señor Salomón, hijo de David (¡sobre ambos sea la paz!) a quien Dios distinguió con la ciencia, la sabiduría y un gran reino como no había dado a ninguno de sus predecesores. Pero las mujeres fueron la causa de la ofensa de su padre. Hay muchos más casos como éste, ¡oh, rey!; yo te he citado Salomón para que sepas que ningún otro soberano poseyó lo que él, ya que a él le obedecieron todos los reyes de la tierra. Sabe, ¡oh, rey!, que el amor de las mujeres es la causa de todo mal, que ninguna de ellas tiene ideas y que es preciso, al hombre, tratarlas únicamente según la necesidad y no entregarse a ellas por completo: esto conduce a la ruina y a la perdición. Si haces caso de mis palabras, ¡oh, rey!, todos tus asuntos se enderezarán; si no, te arrepentirás cuando de nada te sirva el arrepentimiento». El soberano le replicó: «Ya he abandonado mi excesiva inclinación...»

Sahrazad se dio cuenta de que amanecía e interrumpió el relato para el cual le habían dado permiso.

Cuando llegó la noche *novecientas veintinueve*, refirió:

—Me he enterado, ¡oh rey feliz!, de que [el soberano

le replicó: «Ya he abandonado mi excesiva inclinación y he renunciado a preocuparme de ellas, pero ¿qué haré para castigarlas por lo que han hecho? La muerte de Simas, tu padre, fue causada por sus engaños, pues yo no tenía esa intención. No sé lo que debió pasar en mi mente para que yo estuviera conforme con su asesinato». El rey sollozó y gritó diciendo: «¡Ah! ¡Qué desgracia! ¡He perdido a mi ministro que tenía una opinión certera y un magnífico modo de obrar! ¡He perdido a sus iguales: ministros y jefes del reino cuyos consejos eran siempre buenos!» El visir le replicó: «Sabe, ¡oh, rey!, que la culpa no es sólo de las mujeres, ya que ellas son como una hermosa mercancía que despierta la pasión de todos los que la ven: la venden a quien la quiere y la compra; pero no obligan a comprar a quien no quiere. La culpa es de quien la compra y, muy especialmente, si sabe el peligro que va anejo a la mercancía. Mi padre te lo había advertido antes que yo, pero tú no admitiste su consejo». El rey contestó: «Dicho pecado pesa sobre mí como has dicho, visir, y no tengo más excusa que el recurrir a los divinos decretos». «Sabe, ¡oh rey!, que Dios (¡ensalzado sea!) nos ha creado y nos ha dotado de capacidad de obrar poniendo en nosotros la libertad y el libre albedrío. Si queremos, obramos y si queremos, no obramos. Dios, para que no cayésemos en el pecado, no nos ha mandado hacer el mal. Debemos sopesar cuál es la acción correcta, ya que Él (¡ensalzado sea!), nos manda, únicamente, que hagamos el bien en cualquier circunstancia y nos prohibe el mal. Pero nosotros tenemos la voluntad y hacemos lo que queremos sea bueno o sea malo.» El rey replicó: «Dices la verdad; mi falta consistió en abandonarme a las pasiones. He sido advertido muchas veces sobre esto y tu padre, Simas, me puso en guardia. Pero mi alma concupiscente prevaleció sobre mi razón. ¿Tienes algún medio de evitar que vuelva a incurrir en esta falta y que permita a la razón imponerse sobre las pasiones?» «¡Sí! Veo algo que te impedirá caer en este pecado; consiste en que te desprendas de tu vestido de ignorancia y que te pongas el de la justicia; que desobedezcas a tu pasión y obedezcas a tu Señor volviendo a la conducta del rey justo que fue tu padre; cumple las obligaciones que tienes para con Dios y para con tus súbditos; observa tu religión, protege a tu pueblo, cuídate de ti mismo, no mandes matar a tus súbditos, medita en las consecuencias de los asuntos, abandona tu tiranía, la injusticia, la opresión y la perversión; obra con justicia, equidad y humildad; cumple las órdenes de Dios (¡ensalzado sea!) y muéstrate indulgente con las criaturas que te ha confiado; pórtate bien para que ellos tengan la obligación de elevar sus plegarias por ti. Si haces con constancia esto, tendrás una vida tranquila y Dios te perdonará con su misericordia, hará que te respeten todos los que te vean, tus enemigos desaparecerán y Dios (¡ensalzado sea!) destruirá sus ejércitos: estarás bienquisto con Dios y sus criaturas te respetarán y te amarán». El rey le contestó: «Has devuelto la vida a mis entrañas, me has iluminado el corazón con tus dulces palabras y has devuelto la vista a mi entendimiento después de la ceguera. Estoy resuelto, con la ayuda de Dios (¡ensalzado sea!) a hacer todo lo que me has dicho y a abandonar mi injusticia y las pasiones anteriores; haré pasar mi alma de la angustia al desahogo; del temor, a la tranquilidad. Es preciso que estés contento pues yo, a pesar de mis años, he pasado a ser tu hijo y tú, a pesar de tu poca edad, eres un padre querido. Me es preciso desplegar todas mis fuerzas para hacer lo que mandas. Doy gracias a Dios (¡ensalzado sea!) por su bondad y la tuya ya que Él, contigo, me ha dado favores, un buen guía y una opinión certera, apartando de mí preocupaciones y penas, y concediéndome la salvación de mis súbditos gracias a tu intervención, a tu noble entendimiento y a la justeza de tus planes. Tú, ahora, gobiernas mi reino y el único honor que tengo por encima tuyo consiste en sentarme en el trono. Todo lo que hagas me parecerá bien y nadie se opondrá a tus palabras a pesar de tu corta edad, ya que tú tienes un gran entendimiento y mucha ciencia. Doy gracias a Dios que te destinó para mí, para que me guiases por el camino recto después de haber seguido yo el de la perdición». El visir le contestó: «¡Oh, rey feliz! Sabe que no hay mérito por mi parte al darte los consejos, ya que mi palabra y mis actos son sólo parte de lo que tienes derecho a pedirme puesto que he quedado abrumado por tus favores y no sólo yo, sino, con anterioridad, mi mismo padre quedó colmado por tus innumerables beneficios. Todos nosotros dependemos de tus dones y de tu favor. ¿Y cómo no hemos de confesarlo si tú, ¡oh, rey!, eres nuestro pastor, nuestro juez y nos defiendes de nuestros enemigos? Tú estás encargado de nuestra custodia y nuestra guardia y prodigas los esfuerzos para protegernos. Aunque nosotros diéramos nuestras vidas por obedecerte no pagaríamos la deuda de gratitud que tenemos contigo, pero rogamos humildemente a Dios (¡ensalzado sea!), Aquel que te ha concedido poder y jurisdicción sobre nosotros, que te conceda una larga vida, te dé el éxito en todas tus empresas, que no te ponga a prueba en el curso de tu vida, que te haga conseguir tus deseos, haga que seas temido hasta tu muerte y conceda con generosidad a tus manos para que puedas guiar a todo sabio y vencer a cualquier rebelde; rogamos que haga que todos los sabios y valientes acudan a tu reino y que expulse a los ignorantes y traidores; que evite a tus súbditos la carestía y las penas; que siembre entre ellos la amistad y el afecto y te conceda con su gracia, su generosidad y sus favores ocultos la felicidad en ésta y en la otra vida. Amén. Él es poderoso sobre toda cosa, para Él no existen asuntos difíciles, a Él se vuelve y a Él pertenece el porvenir».

El rey, al oír esta invocación, se llenó de alegría y se sintió completamente inclinado hacia el joven. Le dijo: «Sabe, ¡oh, visir!, que eres para mí como un hermano, un hijo y un padre y que de ti sólo me separará la muerte. Todo lo que poseo puedes gastarlo, y si no tengo sucesor te sentarás en el trono en mi lugar; tú eres más digno que toda la gente de mi reino, y yo te invisto, en presencia de los grandes del estado, y te nombro mi heredero si Dios (¡ensalzado sea!) lo quiere.

Sahrazad se dio cuenta de que amanecía e interrumpió el relato para el cual le habían dado permiso.

Cuando llegó la noche *novecientas treinta,* refirió:

—Me he enterado, ¡oh rey feliz!, de que [el rey prosiguió:] »Den su testimonio de ello los grandes de mi reino con la ayuda de Dios (¡ensalzado sea!)». Después mandó llamar a su secretario. Éste se presentó. Le ordenó que escribiera a todos los grandes del reino para que acudieran ante él y ordenó difundir por la ciudad un pregón para todos los presentes, gente principal y vulgo. Mandó convocar a los emires, a los jefes, a los chambelanes y a todos los funcionarios; hizo lo mismo con los ulemas y los sabios. El rey celebró un consejo solemne y dio un banquete nunca visto: invitó a toda la gente, nobles y pueblo. Todos se reunieron, alegres, y comieron y bebieron durante un mes. Después vistió a todos los miembros de su corte y a los pobres del reino; hizo grandes regalos a los ulemas y escogió, de entre los ulemas y los sabios, un grupo conocido por el hijo de Simas. Los hizo comparecer ante él y ordenó a éste que eligiera siete para hacerlos ministros que dependieran de él, y de los cuales sería el jefe. El muchacho, hijo de Simas, tomó a los más dotados, de mejor entendimiento y de más rápida comprensión; encontró seis con estas características y los presentó al rey quien los invistió con el traje de ministros y les habló diciendo: «Vosotros seréis mis ministros y estaréis bajo la obediencia del hijo de Simas; haréis todo lo que os diga este visir mío y no os apartaréis de ello nunca, aunque sea más joven que vosotros puesto que tiene mayor entendimiento». El rey los hizo sentar en una silla de marquetería según la costumbre de los ministros y fijó sus rentas e ingresos. Les ordenó, a continuación, que eligieran de entre los grandes del reino que se habían reunido con motivo del festín, los que más convenían para el servicio del estado para nombrarlos comandantes de miles, cientos y dieces. Les fijó los sueldos e ingresos como era costumbre hacer con los grandes. Lo hicieron en un mínimo de tiempo. Les ordenó, también, que colmasen de honores al resto de los presentes y que despachasen a cada uno de ellos a sus posesiones tratándolos con respeto y generosidad. Mandó a sus gobernadores que fuesen justos con sus súbditos, les recomendó que tuviesen compasión de pobres y ricos y dispuso que recibieran subsidios de la hacienda del estado según su categoría. Los ministros hicieron votos por la duración de su vida y poder. A continuación mandó engalanar la ciudad durante tres días en acción de gracias a Dios (¡ensalzado sea!), por el auxilio que le había prestado. Esto es lo que hace referencia al rey, a su visir, hijo de Simas, y a la organización del reino, a sus emires y a sus gobernadores.

He aquí lo que se refiere a las mujeres favoritas, concubinas y demás, que habían sido causa, gracias a sus intrigas y engaños, de la muerte de los visires y de la corrupción del reino. El rey, después de despachar a todos los que habían asistido a la audiencia, habitantes de la ciudad o del campo, a su domicilio; después de haber enderezado los asuntos del reino con ese ministro de poca edad y mucho entendimiento que era el hijo de Simas, ordenó que compareciesen los restantes visires. Cuando todos estuvieron ante él, y quedó a solas con ellos, les dijo: «Sabed, visires, que yo me aparté del camino recto, me sumergí en la ignorancia, no hice caso del consejo, falté a pactos y promesas y contradije a las gentes de buen pensar por culpa de las intrigas y engaños de las mujeres, por las falsas apariencias de sus palabras y nimiedades y por haberlas aceptado como si fuesen consejos, a causa de su dulzura y melosidad, cuando en realidad era un veneno mortal. Ahora se me ha hecho palpable que sólo causaban mi ruina y mi perdición. Se han hecho merecedoras de mi castigo y mi punición pero siempre dentro de la justicia, para que sirvan de escarmiento a quien medite. ¿Cuál es el consejo acertado para destruirlas?» El visir, hijo de Simas, le contestó: «¡Oh, gran rey! Ya te he dicho antes que la culpa no es exclusiva de las mujeres sino que la comparten los hombres que les hacen caso, pero las mujeres, merecen en cualquier caso el castigo por dos razones: primera, para cumplir tu palabra, ya que eres el rey más poderoso, y segunda, por haberse atrevido a tenderte sus insidias y haberse metido en lo que ni las importaba ni las convenía hablar. Ellas merecerían la muerte. Pero bástelas con lo que les ha sucedido y, desde ahora, equipáralas en rango a los criados. A ti te incumbe decidir en esto y en lo demás. Uno de los visires aconsejó al rey que hiciese lo que había dicho el hijo de Simas, pero otro se acercó al rey, se prosternó ante él y le dijo: «¡Que Dios prolongue los días del Rey! Si quieres hacer algo para destruirlas haz lo que voy a decirte». «¿Qué quieres decir?»

«Manda a una de tus favoritas que coja a las mujeres que te engañaron, las meta en la habitación en que tuvo lugar el asesinato de los visires y de los sabios y que las encierre en ella. Mandarás que les den un poco de comer y beber, en la cantidad imprescindible para mantenerlas en vida, y no permitirás, en modo alguno, que salgan de la habitación. Cuando muera una de ellas se dejará allí, entre las demás, hasta que haya muerto la última. Éste es el castigo menor, ya que han sido la causa de esta gran calamidad y el origen de todas las aflicciones y sinsabores que han ocurrido en este tiempo. La verdad sobre ellas la ha dicho quien sentenció: "Quien excava un pozo para su hermano cae en él por más que haya durado su inmunidad"». El rey aceptó este parecer y mandó a buscar a cuatro favoritas y a ellas hizo entrega de sus mujeres mandándolas que las metiesen y encerrasen en la habitación del asesinato de los ministros. Las asignó poca comida y escasa bebida. Esto las llevó a entristecerse profundamente y a arrepentirse en grado sumo: Dios les dio la vil recompensa que se merecían en este mundo y les preparó el tormento para la última vida. Siguieron encerradas en ese lóbrego y apestante lugar, en donde cada día moría una: así pereció hasta la última y la noticia se divulgó por todo el país y las provincias.

Así es como terminó la historia del rey, de sus visires y de su pueblo. ¡Alabado sea Dios que causa la muerte de las naciones y resucita los huesos cariados! ¡Él merece la loa, la exaltación y la santificación eternamente!

HISTORIA DE ABU QIR Y ABU SIR

Se cuenta que en la ciudad de Alejandría vivían dos hombres. Uno de ellos era tintorero y se llamaba Abu Qir; el otro era barbero y se llamaba Abu Sir. En el zoco el uno era vecino del otro puesto que la tienda del barbero estaba al lado de la del tintorero. Este último era un malhechor, un embustero y un enredón; parecía que sus sienes habían sido esculpidas en la roca o que se le hubiese extraído del umbral de una sinagoga de judíos. No se avergonzaba del daño que causaba a la gente y tenía por costumbre, cuando alguien le daba ropa para teñirla, pedirle por adelantado el importe haciéndole creer que tenía que comprar los tintes. Entonces le pagaban por anticipado, él cogía el dinero, lo invertía en comer y beber, y, después que se había ido el dueño, vendía la ropa y gastaba su importe en atiborrarse, en beber y en otras cosas. Sólo comía los guisos más exquisitos y bebía los caldos más finos que suben a la cabeza. Cuando comparecía el dueño de la ropa le decía: «Vuelve mañana, antes de la salida del sol, y encontrarás teñido lo que necesitas». El dueño se iba diciéndose: «Un día está cerca del que le sigue». Pasaba la noche y al día siguiente acudía a la cita. Le decía: «Vuelve mañana. Ayer no pude hacerlo pues tenía invitados y he tenido que atender a sus necesidades hasta que se han marchado. Mañana, antes de que salga el sol, tendrás teñida tu tela». Se marchaba y regresaba al tercer día. Le explicaba: «Por lo de ayer, disculpa: mi mujer dio a luz y he estado ocupado todo el día. Pero mañana, sin falta, ven a recoger tu cosa teñida». Cuando regresaba según lo convenido le volvía a dar otra excusa y le juraba.

Sahrazad se dio cuenta de que amanecía e interrumpió el relato para el cual le habían dado permiso.

Cuando llegó la noche *novecientas treinta y una,* refirió:

—Me he enterado, ¡oh rey feliz!, de que no paraba de darle largas y de hacer promesas al cliente hasta que éste se impacientaba y le decía: «¿Cuántas veces me has dicho que mañana estará? ¡Devuélveme mi prenda pues ya no quiero teñirla!» Le contestaba: «¡Hermano mío, por Dios! ¡Me avergüenzo delante tuyo, pero he de decirte la verdad! ¡Dios castiga al que perjudica a la propiedad de los demás!» «¡Infórmame de lo que ha ocurrido!» «Yo había teñido tu ropa a la perfección y la había extendido en una cuerda, pero me ha sido robada y no sé quién es el ladrón.» Si el dueño de la prenda era una persona de bien, le decía: «¡Que Dios me indemnice!» Si era un hombre de mala condición lo injuriaba y lo difamaba, pero no conseguía nada de él, aunque llevara la querella ante el juez. Siguió obrando de este modo hasta que se difundió su fama entre la gente; los unos avisaron a los otros y Abu Qir se hizo proverbial. Todos se abstuvieron de darle trabajo y sólo caía en sus manos el que ignoraba lo que ocurría. A pesar de esto, cada día tenía líos e injurias con las criaturas de Dios. Por esta causa su negocio fue languideciendo y empezó a frecuentar la tienda del barbero Abu Sir, su vecino, a sentarse en el interior, en frente de la tintorería, y a observar si un incauto se paraba ante la puerta con algún objeto que teñir. Entonces, saliendo de la tienda del barbero, le decía: «¡Oh, tú! ¿Qué deseas?» El cliente le contestaba: «¡Toma: tíñeme esto!» «¿De qué color lo quieres?» A pesar de sus malas cualidades era capaz de teñir en cualquier color, pero no obraba rectamente con nadie y por esto la miseria le ahogaba. Tomando la prenda decía: «Dame el importe adelantado. Mañana ven a recogerla». Le pagaba lo que el pedía y se marchaba. En cuanto el cliente se iba a sus quehaceres, Abu Qir corría al mercado, vendía la pieza y con su importe compraba carne, verdura, tabacos, fruta y cuanto le era necesario. Pero cuando veía ante la tienda a uno de los que le habían entregado un objeto para teñir desaparecía y no se dejaba ver. De esta forma permaneció durante años. Cierto día tomó prendas de un hombre desenvuelto, las vendió y se gastó el importe. El propietario empezó a ir a buscarla todos los días, pero no lo encontró nunca en la tienda, ya que en cuanto veía a uno de aquellos que le habían confiado un objeto huía a refugiarse en la tienda del barbero Abu Sir. Aquel hombre, harto de viajes y de no encontrarlo en el local, se presentó ante el cadí y éste le envió con un alguacil a clavar la puerta de la tienda y a sellarla en presencia de un grupo de musulmanes, ya que no había encontrado en ella más que unos cacharros rotos que no valían lo que sus ropas. El alguacil cogió la llave y dijo a los vecinos: «Decid al dueño que venga a traernos las ropas de este hombre y a recoger la llave de su tienda». El cliente y el mensajero se marcharon a sus quehaceres. Abu Sir dijo a Abu Qir: «¿Qué haces? ¿Privas de sus ropas a todos los dientes? ¿Dónde ha ido a parar la ropa de ese hombre desenvuelto?» Le respondió: «¡Vecino! ¡Me la han robado!» «¡Es estupendo! ¡Cada vez que te dan algo te lo roba un ladrón! ¿No serás tú el lugar de cita de todos los ladrones? Creo que mientes. ¡Vecino! ¡Cuéntame tu historia!» «Nadie me ha robado nada.» «¿Y qué haces de las cosas de las gentes?» «Cuando alguien me confía una prenda la vendo y me gasto su importe.» «¿Es que Dios te permite hacer tales cosas?» «Si lo hago es sólo debido a la miseria, ya que mi oficio no da para vivir y yo soy pobre, no tengo nada.» A continuación le expuso lo escaso de sus negocios y sus pocos recursos. Por su parte Abu Sir le dijo que su oficio también daba poco diciéndole: «Yo soy un maestro en él, no tengo igual en esta ciudad, pero nadie viene a cortarse el pelo, porque soy un hombre pobre. ¡Cuánto aborrezco este oficio, hermano!» Abu Qir, el tintorero, replicó: «También yo aborrezco mi oficio dado lo poco que da pero, hermano mío, ¿qué nos retiene en esta ciudad? Ambos podemos marcharnos a recorrer los países de las gentes ya que acreditaremos, con nuestras manos, los respectivos oficios en cualquier región. Si viajamos respiraremos el aire y nos distraeremos de esta gran pena».

Abu Qir no paró de ensalzar los viajes a Abu Sir hasta que éste se decidió a partir. Ambos se pusieron de acuerdo para el viaje.

Sahrazad se dio cuenta de que amanecía e interrumpió el relato para el cual le habían dado permiso.

Cuando llegó la noche *novecientas treinta y dos*, refirió:

—Me he enterado, ¡oh rey feliz!, de que Abu Qir se alegró de que Abu Sir se decidiese a viajar y recitó las palabras del poeta:

> Aléjate de la patria en busca del bienestar. Emprende el viaje, pues éste tiene cinco ventajas:
> Disipa las preocupaciones, facilita el ganarse la vida, aumenta la instrucción, acrece la cultura y da noble compañía.
> Se dice que los viajes requieren fatigas y trabajos, rompen los vínculos y causan grandes molestias.
> Pero también la muerte es mejor que vivir en una casa despreciable, entre calumniadores y envidiosos.

Cuando ambos estuvieron preparados para la marcha, Abu Qir dijo a Abu Sir: «¡Vecino mío! Nos hemos transformado en hermanos y no nos separaremos jamás. Es necesario que recitemos la *fátiha* comprometiéndonos a que aquel de nosotros que gane su sustento atenderá al otro y que todo lo que sobre lo guardaremos en una caja. Al regresar a Alejandría lo repartiremos entre los dos justa y equitativamente». Abu Sir replicó: «Así debe ser». A continuación leyó la *fátiha* comprometiéndose a que el que tuviese trabajo alimentaría al que estuviese en paro. Abu Sir cerró la tienda y entregó las llaves a su dueño. Abu Qir dejó sus llaves en poder del mensajero del cadí y abandonó su tienda cerrada y sellada. Ambos tomaron lo que les era necesario, emprendieron el viaje y se embarcaron en un galeón en el mar salado. Aquel mismo día se dieron a la vela y para colmo de felicidad del barbero resultó que en el galeón no había ningún otro hombre que tuviese su oficio. Iban ciento veinte hombres sin contar el capitán y la tripulación. Una vez hubieron tendido las velas del galeón el barbero dijo al tintorero: «¡Hermano mío! Nos encontramos en alta mar y es necesario que comamos y bebamos; tenemos pocos víveres pero ¡quién sabe si alguien me dirá "¡Barbero! ¡Aféitame!" Yo le afeitaré a cambio de un mendrugo o de media *para* o de un sorbo de agua. Esto nos será útil a ti y a mí». El tintorero replicó: «No hay inconveniente». A continuación apoyó la cabeza y se durmió. El barbero cogió sus utensilios y la jofaina, colocó encima de sus hombros un trapo en lugar de la toalla, puesto que era pobre, y empezó a cruzar entre los pasajeros. Uno de ellos le gritó: «¡Ven, maestro! ¡Aféitame!» Lo afeitó y al terminar el cliente le dio media *para*. El barbero le dijo: «No necesito esta media *para*. Mas si me dieras una rebanada de pan sería el mejor pago para mí en medio de este mar, ya que tengo un compañero y nuestros víveres son escasos. Le dio un panecillo, un pedazo de queso y le llenó la jofaina de agua dulce. El barbero lo cogió y se dirigió junto a Abu Qir. Le dijo: «Coge este pan; cómelo con el queso y bebe del agua que hay en la jofaina». Lo cogió, comió y bebió. Después, Abu Sir, el barbero, volvió a coger sus últiles, se colocó el paño sobre los hombros, la bacía en la mano y volvió a recorrer el galeón cruzando entre los pasajeros. Afeitó a un hombre a cambio de dos panecillos y a otro por un pedazo de queso. Las demandas aumentaban y a todo el que le decía: «¡Aféitame, maestro!», le imponía como condición que le diese dos panecillos y media *para*, ya que en el galeón no había otro barbero. Al atardecer había reunido ya treinta panecillos y treinta medias *para*; tenía queso, aceitunas y huevos de pez. Ocurría que cada vez que pedía algo se lo daban y así llegó a reunir multitud de cosas. Afeitó al capitán y se quejó de los pocos víveres que tenían para el viaje. Éste le contestó: «¡Sé bienvenido! Vente todas las noches con tu compañero y cenaréis conmigo. No os preocupéis mientras dure vuestro viaje con nosotros». Regresó al lado del tintorero y le encontró durmiendo. Le despertó. Cuando Abu Qir se hubo desvelado vio al lado de su cabeza un gran montón de víveres, queso, aceitunas y huevos. Le preguntó: «¿De dónde has sacado esto?» «De la generosidad de Dios

(¡ensalzado sea!).» El tintorero quiso comer, pero Abu Sir le dijo: «¡Hermano mío! No comas de esto y déjalo, pues nos servirá en otra ocasión. Sabe que he afeitado al capitán y me he quejado a él de la escasez de víveres. Me ha contestado: "¡Sé bienvenido! Vente todas las noches con tu compañero y cenaréis conmigo". Esta noche nos toca la primera cena con el capitán». Abu Qir le contestó: «El mar me ha mareado y no puedo levantarme de mi sitio. Déjame cenar con estas cosas y vete solo a la cita con el capitán». «No hay inconveniente en ello.» Se sentó a contemplar cómo comía y vio que cortaba los bocados como si cortase las piedras de un monte; que los engullía como un elefante hambriento de varios días; que tomaba un nuevo bocado antes de haber terminado con el anterior; que los ojos se le desorbitaban como si fuesen los de un ogro al contemplar lo que tenía en las manos y que resollaba como un toro hambriento delante de la paja y de las habas. De repente se acercó un marinero que le dijo: «¡Maestro! El capitán te dice: "Toma a tu compañero y ven a cenar"» Abu Sir dijo a Abu Qir: «¿Vienes?» «¡No puedo andar!» El barbero fue solo. Vio que el capitán estaba sentado y que tenía delante una mesa que contenía veinte o más platos. Él y sus comensales estaban esperando la llegada del barbero y de su compañero. El capitán al verlo le preguntó por su amigo. Le contestó: «¡Señor mío! Está mareado». «No es raro. Ya se le pasará el mareo. Acércate y cena con nosotros, pues te estaba esperando.» El capitán separó un plato y colocó en él guisos de todas clases en tal cantidad que hubiese bastado para diez personas. Cuando el barbero hubo cenado el capitán le dijo: «Llévate este plato para tí y para tu compañero». Abu Sir lo cogió y se lo llevó a Abu Qir. Vio que éste estaba triturando con sus caninos toda la comida que tenía a su alcance, que comía como si fuese un camello y que engullía a toda prisa bocado tras bocado. Abu Sir le dijo: «¿No te había dicho que no comieses? El capitán es muy generoso. ¡Mira que es lo que te envía dado que yo le he explicado que estás mareado!» «¡Dámelo!» Le pasó el plato. Abu Qir lo cogió y se arrojó, ávido, encima de todos los guisos como si fuese un perro furioso, o un león de presa o el buitre *ruj* cuando se abate sobre la paloma o aquel que estando a punto de morir de hambre, ve el alimento y se precipita a comerlo. Abu Sir le dejó, se marchó al lado del capitán y tomó el café con éste. Después regresó al lado de Abu Qir y vio que ya se había comido todo lo que contenía el plato y lo había arrojado vacío.

Sahrazad se dio cuenta de que amanecía e interrumpió el relato para el cual le habían dado permiso.

Cuando llegó la noche *novecientas treinta y tres,* refirió:

—Me he enterado, ¡oh rey feliz!, de que lo recogió, se lo entregó a uno de los servidores del capitán, regresó al lado de Abu Qir y se durmió hasta la llegada de la aurora. Al día siguiente Abu Sir volvió a afeitar. Cada vez que le daban algo lo entregaba a Abu Qir quien se lo comía o se lo bebía; seguía sentado, sin levantarse ni siquiera para hacer sus necesidades. Cada noche le llevaba un plato bien lleno de parte del capitán.

Siguieron en esta situación durante veinte días, hasta que el galeón ancló en el puerto de una ciudad. Ambos desembarcaron del buque, entraron en la ciudad y alquilaron una habitación en la fonda. Abu Sir la amuebló y compró todo lo que necesitaban; llevó carne y la coció mientras Abu Qir dormía sin interrupción, sin despertarse, desde el momento en que se habían instalado. Abu Sir lo despertó y le colocó la mesa delante. Al desvelarse comió y después dijo: «¡No me reprendas! Estoy mareado». Continuó así durante cuarenta días. El barbero, cada día, tomaba sus instrumentos y recorría la ciudad, trabajaba según lo que el destino le deparaba, y volvía a la fonda en la que encontraba durmiendo a Abu Qir. Lo llamaba y cuando se había desvelado le daba de comer: el gandul comía sin estar nunca harto ni satisfecho y después volvía a dormirse. Esta situación continuó durante otros cuarenta días. Abu Sir le decía constantemente: «Incorpórate, descansa y sal a dar un paseo por la ciudad. Es magnífica, estupenda. No hay ninguna otra que se la pueda comparar». Abu Qir, el tintorero, le decía: «¡No me reprendas! Estoy mareado». Abu Sir, el barbero, no le molestaba ni le dirigía ninguna palabra desagradable. El cuadragésimo primer día, el barbero se puso enfermo y no pudo salir. Encargó al portero de la fonda para que les atendiese. Éste les fue facilitando la comida y la bebida. Todo ello sucedía sin que Abu Qir dejase de dormir. Abu Sir continuó molestando al portero de la fonda durante un plazo de cuatro días. Después, la enfermedad del barbero se agravó y perdió el conocimiento. El hambre atormentó a Abu Qir. Se levantó, se puso los vestidos de Abu Sir. Junto a éstos encontró una cierta cantidad de dirhemes. La cogió, encerró en la habitación a Abu Sir y se marchó sin que nadie se diese cuenta, puesto que el portero, que estaba en el zoco, no le vio salir. Abu Qir se dirigió al mercado, se puso magníficos vestidos y empezó a pasear y a visitar la ciudad. Vio que era una villa como jamás había visto otra. Todos sus habitantes iban vestidos únicamente de blanco y azul. Recorrió las tintorerías y vio que sólo teñían tinte azul. Sacó su pañuelo y dijo: «¡Maestro! Coge este pañuelo, tíñemelo y cobra tu salario». «Teñir esto cuesta veinte dirhemes.» Abu Qir le replicó: «En nuestro país cuesta dos dirhemes.» «Pues bien, ve a buscar un tintorero de tu país. Nosotros lo teñiremos únicamente por veinte dirhemes, ni uno menos.» Abu Qir preguntó: «¿De qué color me lo teñirás?» «Azul.» «Yo quiero que lo tiñas de rojo.» «No sé teñir en rojo.» «Pues en verde.» «No sé teñir en verde.» «Pues en amarillo.» «No sé teñir en amarillo.» Abu Qir fue citando color tras color. El tintorero le explicó: «Somos en total cuarenta maestros, ni uno más ni uno menos, en todo nuestro país. Cuando muere uno de nosotros enseñamos el oficio a su hijo; si no deja heredero disminuye nuestro número en uno y si deja dos hijos instruimos a uno solo y si éste muere, enseñamos al hermano. Nuestro oficio, pues, está limitado a nosotros y únicamente sabemos teñir de azul». Abu Qir el tintorero le dijo: «Sabe que soy tintorero y que sé teñir en todos los colores. Deseo que me des un empleo y un salario y yo te enseñaré a teñir en todos los colores para que puedas vanagloriarte de ello por encima de todos los demás tintoreros». Le replicó: «Jamás aceptamos que un extranjero se introduzca en nuestro oficio». «¿Y si abro una tintorería por mi cuenta?» «¡Jamás podrás hacerlo!» Abu Qir le dejó y fue a ver a otro tintorero el cual le dijo lo mismo que el primero. Fue yendo de tintorero en tintorero hasta que hubo visitado a los cuarenta sin que ninguno de ellos le aceptase como oficial o maestro. Entonces corrió a ver al síndico de los tintoreros y le expuso el caso. Éste le replicó: «No aceptamos a ningún extranjero en nuestra profesión». Abu Qir se encolerizó de mala manera y fue a quejarse al rey de aquella ciudad. Le dijo: «¡Rey del tiempo! Soy un extranjero y tintorero de oficio. Me ha pasado esto y aquello con los tintoreros. Yo sé teñir en rojo y en sus distintos matices, como son el rosado y el morado; en verde y en sus distintos matices, como son el verde de hierba, el de alfónsigo, el aceitunado y el de papagayo; en negro en sus distintos matices, como son el de carbón y el de colirio; en amarillo en sus distintos matices, como son el de naranja y el de limón». Siguió citándole matices y añadió: «¡Rey del tiempo! No hay ni uno de los tintoreros de tu ciudad cuyas manos sean capaces de teñir un objeto en tales colores, puesto que sólo saben hacerlo en azul y no me han querido aceptar ni como maestro ni como dependiente». El rey le contestó: «¡Tienes razón! Pero yo te abriré una tintorería y te daré el capital. No tendrás por qué preocuparte de ellos y ahorcaré al que te moleste en la puerta de su tienda». Dio órdenes a los albañiles y les dijo: «Id con este maestro. Recorred con él la ciudad y cuando encuentre un lugar que le guste expulsad al dueño; da igual que se trate de una tienda, de una fonda o de cualquier otro inmueble. Construid una tintorería de acuerdo con su deseo y ejecutad sin rechistar, cualquier cosa que os diga». A continuación, el rey le concedió un hermoso vestido de honor, le dio mil dinares y le dijo: «Gástalos en atender tus necesidades hasta que se haya terminado la construcción». Le regaló dos esclavos para su servicio y un corcel con arneses recamados. Abu Qir se puso la túnica, montó en el caballo: parecía un príncipe. El rey le concedió una casa y mandó que la amueblasen.

Sahrazad se dio cuenta de que amanecía e interrumpió el relato para el cual le habían dado permiso.

Cuando llegó la noche *novecientas treinta y cuatro*, refirió:

—Me he enterado, ¡oh rey feliz!, de que la amueblaron, se instaló en ella y al día siguiente montó a caballo y recorrió la ciudad llevando delante de él a los arquitectos. Fue observando hasta llegar a un lugar que le complació. Dijo: «Éste es un buen sitio». Sacaron a su dueño y lo condujeron ante el rey quien le pagó más de lo que valía su propiedad y quedó satisfecho. Acudieron los albañiles y Abu Qir les dijo: «Construid tal y tal cosa y haced esto y aquello»; así le levantaron una tintorería que no tenía igual. Después se presentó ante el rey y le informó de que estaba terminado el edificio de la tintorería y que sólo necesitaba, para que funcionase, el precio de los colores. El rey le dijo: «Toma estos cuatro mil dinares como capital inicial y muéstrame los resultados de tu tintorería». Cogió el dinero, se fue al zoco y encontró mucho índigo a precio regalado. Compró todos los ingredientes que necesitaba para teñir. El rey le envió quinientos retales de telas. Las tiñó de distintos colores, después de lo cual las colocó delante de la tienda. Las gentes, al pasar por allí, al ver una cosa tan prodigiosa, que nunca la habían visto en su vida, se amontonaron ante su puerta y boquiabiertos le interrogaban y le decían: «¡Maestro! ¿Cuáles son los nombres de estos colores?» Les respondía: «Éste es rojo; éste es amarillo; éste es verde», y se los iba mostrando. Empezaron a llevarle trozos de tela y a decirle: «Tíñenoslo de este color y éste y cobra lo que desees». Cuando hubo terminado de teñir las ropas del soberano las cogió y se dirigió con ellas al diván. El rey, al ver aquellos colores, se alegró y le recompensó espléndidamente. Todos los soldados acudieron a él con ropas y le dijeron: «¡Tíñenos esto!» Él lo teñía de acuerdo con sus deseos y ellos le cubrían de oro y de plata. Se divulgó su nombre y su tintorería se llamó la «Tintorería del Sultán». El bienestar le llegó por todas las puertas y ninguno de los tintoreros podía hablar con él, pero todos acudían, le besaban las manos y se excusaban por su anterior comportamiento, ofreciéndosele diciendo: «¡Tómanos por dependientes!» Pero él no quiso recibir a ninguno de ellos. Adquirió esclavos y criados y reunió grandes riquezas. Esto es lo que a Abu Qir se refiere.

He aquí lo que hace referencia a Abu Sir: «Abu Qir lo dejó encerrado en la habitación después de haberle robado los dirhemes; se marchó dejándole solo, enfermo, sin conocimiento, tendido en la habitación y con la puerta cerrada. Así pasó tres días. El portero de la fonda se fijó en la puerta de la habitación y al darse cuenta de que estaba cerrada, de que no veía a ninguno de los dos hasta el momento de la caída de la tarde y de que no tenía ninguna noticia se dijo: «Tal vez se han ido de viaje sin pagar el alquiler de la habitación o bien han muerto, ¿qué puede haberles pasado?» Se acercó a la puerta, vio que estaba cerrada y oyó en el interior fuertes gemidos mientras que la llave estaba en la cerradura. Abrió, entró y encontró al barbero quejándose. Le dijo: «¡Que no te ocurra ningún daño! ¿Dónde está tu compañero?» «¡Por Dios! Sólo hoy me he repuesto de mi enfermedad y he empezado a gritar sin recibir contestación de nadie. ¡Dios esté contigo, hermano mío! Busca la bolsa que está debajo de mi cabeza, coge cinco medios dirhemes y cómprame algo con lo que pueda alimentarme, pues tengo muchísima hambre.» El portero alargó la mano, cogió la bolsa y vio que estaba vacía. Dijo al barbero: «La bolsa está vacía; no contiene nada». El barbero, Abu Sir, se dio cuenta de que Abu Qir le había robado lo que contenía y había huido. Le preguntó: «¿No has visto a mi compañero?» «Hace tres días que no le veo. Creía que os habíais ido los dos de viaje.» «No nos hemos ido de viaje. Él deseaba apoderarse de mis céntimos, los ha cogido y ha huido al verme enfermo.» Lloró y sollozó. El portero le dijo: «¡Que no te ocurra ningún daño! Dios le dará lo que se merece». El portero de la fonda se fue, le preparó un caldo y un plato de comida y se lo dio atendiéndole solícitamente con cargo a su propio peculio durante un plazo de dos meses hasta que hubo sudado y Dios le hubo curado de la enfermedad que padecía. Se puso de pie y dijo al portero de la fonda: «¡Que Dios (¡ensalzado sea!) permita que pueda recompensarte por el bien que me has hecho que es tanto que sólo Él puede pagártelo!» El portero le replicó: «¡Loado sea Dios que te ha devuelto la salud! Yo he obrado así contigo únicamente con el deseo de obtener la noble faz de Dios». El barbero salió de la fonda, recorrió los zocos y los hados le llevaron hasta el barrio en que estaba la tintorería de Abu Qir. Vio que las telas teñidas estaban allí, junto a la puerta, y que una gran multitud se aglomeraba para contemplarlas. Preguntó a un habitante de la ciudad: «¿Qué lugar es este? ¿Por qué hay tanta gente aquí reunida?» Le contestó: «Es la Tintorería del Sultán. Éste la ha construido para un hombre extranjero llamado Abu Qir. Cuando tiñe un vestido se reúne la gente para contemplar cómo lo hace, ya que los tintoreros de nuestro país no saben teñir en estos colores. A Abu Qir le ha sucedido con los tintoreros de la ciudad lo que le ha sucedido». Le refirió todo lo que había ocurrido a aquél con la gente del ramo y que había ido a quejarse al Sultán: «Éste le llevó sobre la palma de la mano —continuó—, le construyó esta tintorería y le ha dado esto y esto». Así le informó de todo lo que había ocurrido. Abu Sir se alegró y se dijo: «¡Loado sea Dios que le ha favorecido hasta hacer de él un maestro! El hombre tiene disculpa de haberse distraído de ti con la práctica de su profesión. Tú le has hecho favores y le has tratado bien cuando no tenía trabajo. Cuando te vea se alegrará y te tratará con los mismos miramientos con que tú le trataste». Se acercó a la puerta de la tintorería y vio que Abu Qir estaba sentado en un elevado sitial colocado encima de un banco situado junto a la puerta. Llevaba un traje de regia factura y delante suyo había cuatro esclavos y cuatro mamelucos que vestían estupendas ropas; vio obreros y diez esclavos en pie trabajando, ya que al comprarlos les había enseñado el oficio. Abu Qir estaba sentado encima de cojines como si fuese el gran visir o un rey todopoderoso: no hacía nada con las manos y sólo les decía: «¡Haced esto y esto!» Abu Sir se detuvo delante de él creyendo que cuando le viera se alegraría, le saludaría, le trataría con buenos modos y le haría los honores. Pero cuando el ojo del uno vio al del otro Abu Qir le dijo: «¡Miserable! ¡Cuántas veces te he dicho que no te pares ante la puerta de este taller! ¿Es que quieres afrentarme ante la gente, ladrón? ¡Detenedlo!» Los esclavos se le echaron encima y lo cogieron. Abu Qir se puso de pie, cogió un garrote y dijo: «¡Echadlo al suelo!» Le dio cien palos en la espalda. Después le volvieron y le dio otros cien en el vientre diciendo: «¡Miserable! ¡Traidor! Si después de hoy te vuelvo a ver en la puerta de esta tintorería te enviaré al acto al rey quien te entregará al valí para que te corte el cuello. ¡Vete y que Dios no te bendiga!» Se marchó confuso por los golpes y la humillación que había sufrido. Los que estaban presentes preguntaron a Abu Qir el tintorero: «¿Qué ha hecho este hombre?» Les contestó: «Es un ladrón que me roba las ropas de los clientes.

Sahrazad se dio cuenta de que amanecía e interrumpió el relato para el cual le habían dado permiso.

Cuando llegó la noche *novecientas treinta y cinco,* refirió:

—Me he enterado, ¡oh rey feliz!, de que [Abu Qir prosiguió:] »...Me ha robado muchas veces pero yo me decía: "¡Que Dios le perdone! Es un hombre pobre y no quiero molestarle". Pagaba a la gente el importe de sus ropas y le reprendía con buenos modos. Pero él no se ha dado por vencido. Si vuelve otra vez lo remitiré al rey quien lo matará: así la gente podrá vivir a cubierto de sus fechorías». Los allí reunidos empezaron a injuriarle después de haberse ido. Esto es lo que se refiere a Abu Qir.

He aquí lo que hace referencia a Abu Sir: Regresó a la fonda y se sentó a meditar en lo que había hecho con él Abu Qir. No se movió hasta que se le hubo calmado el dolor de los palos. Salió, cruzó los zocos de la ciudad y se le ocurrió ir al baño. Preguntó a uno de sus habitantes: «¡Hermano mío! ¿Por dónde se va al baño?» El otro le preguntó: «¿Qué es un baño?» «Un lugar en que la gente se lava quitándose las suciedades. Es una de las mayores delicias del mundo.» «¡Tienes que ir al mar!» «¡Pero si yo quiero un baño!» «No sabemos lo que es un baño y todos nosotros vamos al mar, incluso el rey si quiere lavarse.» Cuando Abu Sir se dio cuenta de que en la ciudad no había ni un baño y que sus habitantes no sabían lo que era, se fue a ver al rey, entró, besó el suelo ante él e hizo las pertinentes invocaciones. Después le dijo: «Soy un extranjero cuyo oficio es el de bañador. He venido a tu ciudad y he querido ir a un baño, pero no he encontrado en ella ni uno tan siquiera a pesar de que la ciudad tiene un aspecto magnífico. ¿Cómo puede carecer de baño si éstos constituyen lo mejor del mundo?» El rey le preguntó: «¿Qué es un baño?» Le refirió sus características y añadió: «Tu ciudad no será perfecta hasta que disponga de un baño». El rey le contestó: «¡Bien venido!» Le dio un traje de corte que no tenía igual, le regaló un corcel, esclavos, cuatro esclavas y dos mamelucos. Mandó que le preparasen una casa amueblada y le honró más que al tintorero poniendo a su disposición albañiles. Les dijo: «Construid un baño en el lugar que le guste». Recorrió la ciudad hasta llegar a un sitio que le interesó. Les hizo una indicación y los obreros se instalaron allí. Él les fue indicando cómo debían hacerlo y construyeron un baño que no tenía igual. Les mandó que lo decorasen y lo arreglaron de tal modo que dejaba pasmados a todos los que lo veían. Se presentó ante el rey y le informó de que había terminado de construir y decorar el baño. Añadió: «Sólo faltan los muebles». El rey le entregó diez mil dinares y él los tomó, amuebló la casa de baños y colocó las toallas alineadas en las cuerdas. Todos los que cruzaban ante su puerta clavaban en él la vista y se quedaban estupefactos ante su decoración. Las gentes se amontonaron ante aquel edificio que veían por primera vez en su vida. Lo contemplaban y preguntaban: «¿Qué es esto?» Abu Sir les contestaba: «Un baño». Ellos se quedaban boquiabiertos. Calentó el agua, la hizo circular y colocó un surtidor en la pila que dejaba absorto el entendimiento de todos los habitantes de la ciudad que lo veían. Pidió al rey diez mamelucos que aún no hubiesen llegado a la pubertad y se los entregó: eran como lunas. Abu Sir les dio un masaje y les dijo: «¡Haced lo mismo con los clientes!» Perfumó el baño con incienso y mandó a un pregonero que anunciase por la ciudad: «¡Criaturas de Dios! ¡Acudid al baño que se llama «Baños del Sultán»!» Las gentes acudieron a porfía y Abu Sir mandó a los mamelucos que lavasen los cuerpos. Los clientes entraron y salieron ininterrumpidamente, lavándose, durante tres días, sin pagar nada. El cuarto día el rey decidió visitar el baño. Montó a caballo y se dirigió hacia él con los grandes del reino. Se desnudó y entró en la piscina. Abu Sir lo acompañó, le hizo masaje y le quitó toda la suciedad que tenía en el cuerpo y que formaba a modo de mechas; se las iba mostrando y el rey se ponía contento y se pasaba la mano por el cuerpo resbalando por la piel limpia y tersa. Una vez le hubo lavado el cuerpo, mezcló agua de rosas con el agua de la piscina. El soberano se metió en ésta y salió con el cuerpo perfumado y rejuvenecido como jamás lo había tenido. Después lo sentó en el vestíbulo y los mamelucos empezaron a hacerle masaje mientras los pebeteros exhalaban perfume de áloe y ámbar gris. El rey dijo: «¡Maestro! ¿Es en esto en lo que consiste el baño?» «¡Sí!» «¡Por mi cabeza! Mi ciudad ha llegado a ser una capital gracias al baño. ¿Cuánto cobras a cada cliente?» «Cobraré lo que tú me mandes.» El rey ordenó que le entregasen mil dinares y le dijo: «Cobrarás mil dinares a todo aquel que se bañe en tu casa». «¡Perdón, rey del tiempo! No todas las gentes son iguales: hay ricos y pobres. Si yo pidiera mil dinares a todo el mundo me quedaría sin trabajo, pues el pobre no puede pagar esta cantidad.» «¿Y qué harás para cobrar?» «Lo dejaré a la generosidad de cada uno. Todos aquellos que puedan dar, que den. Cobraré a cada uno según sus posibilidades. Si las cosas se hacen así vendrá aquí todo el mundo: los ricos pagarán según su rango y el que sea pobre dará lo que pueda. Si se hace así el baño podrá funcionar y tendrá un gran éxito. Los mil dinares constituyen un regio presente que no todo el mundo puede hacer.» Los grandes del reino dijeron: «Esto es razonable, ¡oh rey del tiempo! ¿Crees que todas las gentes son reyes poderosos como tú?» El rey les replicó: «Decís algo que es verdad, pero este extranjero es pobre y es necesario que lo honremos. Nos ha construido un baño como nunca hemos visto otro igual. Gracias a él nuestra ciudad es una verdadera e importante capital. No estaría por demás mostrarse generoso en su pago». Le dijeron: «Si quieres favorecerlo, sé generoso con tus propios bienes de modo que el modesto precio de un baño sea indicio, para los pobres, de la magnanimidad del rey con el fin de que los súbditos te bendigan. Nosotros, que somos los grandes de tu imperio, no podemos darle los mil dinares. ¿Cómo quieres que puedan dárselos los pobres?» El rey contestó: «¡Grandes del reino! Cada uno de vosotros pagará, por esta vez, cien dinares, un mameluco, una esclava y un esclavo». Contestaron: «Sí: se lo daremos. Pero a partir de hoy todo aquel que entre en el baño sólo le dará lo que pueda». «¡No hay inconveniente!», concluyó el rey. Cada uno de los magnates le dio cien dinares, una esclava y un esclavo. Los grandes que se bañaron ese día con el rey eran cuatrocientos...

Sahrazad se dio cuenta de que amanecía e interrumpió el relato para el cual le habían dado permiso.

Cuando llegó la noche *novecientas treinta y seis,* refirió:

—Me he enterado, ¡oh rey feliz!, de que [los grandes que se bañaron ese día con el rey eran cuatrocientos] por lo cual reunió de una vez cuarenta mil dinares, cuatrocientos mamelucos, cuatrocientas esclavas y cuatrocientos esclavos. Además de estos dones, el rey le regaló diez mil dinares, diez mamelucos, diez esclavas y diez esclavos. Abu Sir se adelantó, besó el suelo delante del soberano y le dijo: «¡Rey feliz! ¡Señor del buen consejo! ¿Qué lugar será suficientemente amplio para contener tanto mameluco, esclava y esclavo?» «He mandado a mi séquito que se porte así para entregarte una gran cantidad de riquezas, pues es posible que pienses en tu país, en tu familia; que quieras reunirte con ellos y desees regresar a tus lares: así habrás recogido en nuestra patria una suma importante de dinero para vivir desahogadamente en el tuyo.» Abu Sir le contestó: «¡Que Dios te proteja, rey del tiempo! Tanto mameluco, esclavo y esclava sólo es propio de los grandes reyes. Preferiría que en vez de todo este ejército mandaras que se me diese dinero líquido, ya que ellos comen, beben y visten y por más dinero que yo gane no será suficiente para atenderlos». El rey se puso a reír y dijo: «¡Tienes razón! Constituyen un verdadero ejército y tú eres incapaz de atenderlos pero ¿me venderías a cada uno de ellos por cien dinares?» «¡Te los vendo a ese precio!» El rey ordenó a su tesorero que le llevase el dinero. Cuando lo tuvo le entregó todo el importe, exacto y completo, y después los regaló a sus anteriores dueños diciendo: «Cada uno de vosotros identificará a su esclavo o a su esclava o a su mameluco y lo recogerá. Esto es un regalo que os hago». Obedecieron las órdenes del rey y cada uno de ellos tomó lo que le pertenecía. Abu Sir le dijo: «¡Que Dios te conceda el descanso, rey del tiempo, del mismo modo que tú me has librado de estos ogros que nadie, más que Dios, puede saciar!» El rey se rio de sus palabras y le dio la razón. Después se marchó llevándose consigo a los grandes del reino y, abandonando el baño, se dirigió al serrallo.

Abu Sir pasó la noche contando el dinero, colocándolo en bolsas y sellándolo. Tenía veinte mamelucos y cuatro criados para el servicio. Al amanecer abrió el baño y mandó pregonar: «¡Todo aquel que entre en el baño para lavarse pagará lo que pueda y le incite su generosidad!» Abu Sir se sentó al lado de la caja y los clientes se amontonaron. Al salir todos los usuarios pagaban lo que podían. Aún no había caído la tarde cuando ya tenía llena la caja de todos los bienes de Dios (¡ensalzado sea!).

La reina quiso ir al baño. Abu Sir, al enterarse, dividió la jornada en dos partes: desde la aurora hasta el mediodía lo abrió para los hombres y desde el mediodía hasta la noche para las mujeres. Cuando llegó la reina colocó una joven detrás de la caja y enseñó a cuatro jóvenes el oficio de bañadoras hasta que hizo de ellas unas profesionales. La soberana quedó admirada del establecimiento; el pecho se le dilató y pagó mil dinares. La fama de Abu Sir se extendió por la ciudad y todos los que entraban le trataban generosamente tanto si eran ricos como pobres. El bienestar le llegó por todas las puertas y se hizo amigo de los auxiliares del rey. Éste acudía un día a la semana y le pagaba mil dinares. Los días restantes acudían los grandes y los humildes. Abu Sir los trataba bien y con cortesía. Cierto día el Capitán del mar del rey entró en el baño de Abu Sir. Éste se desnudó, entró con él en la piscina, le dio masaje y lo trató con toda clase de miramientos. Al salir le preparó sorbetes y café. Cuando quiso pagarle juró que no iba a aceptar nada. El capitán que había recibido sus favores al ver que le trataba tan amablemente y con tanto desinterés quedó perplejo sin saber qué regalar al bañista a cambio de tanta generosidad. Esto es lo que se refiere a Abu Sir.

He aquí lo que se refiere a Abu Qir: Al oír los elogios que todo el mundo hacía del baño y que todos decían: «Este baño es, sin genero de dudas, la delicia del mundo», o bien «¡Fulano! Si Dios quiere vendrás mañana al baño con nosotros. El baño es delicioso», se dijo: «Es necesario que vaya como todo el mundo al baño y que vea ese establecimiento que sorbe el entendimiento de la gente». Se puso el traje más precioso de que disponía, montó en la mula y tomó consigo cuatro esclavos y cuatro mamelucos que le precedieron y le siguieron y se dirigió al baño. Se apeó en su puerta y desde ella notó el olor del áloe y del ámbar; vio que unos entraban y otros salían, que los bancos estaban repletos de grandes y humildes. Entró en el vestíbulo. Abu Sir lo vio, le salió al encuentro y se alegró de saludarlo. Abu Qir le dijo: «¿Es ésta la conducta de un hombre de bien? Yo he abierto una tintorería, he pasado a ser un maestro en mi oficio en el país, he conocido al rey y vivo en la felicidad y en el bienestar. Tú ni has venido a verme, ni has preguntado por mí ni has dicho "¿Dónde está mi compañero?" He sido incapaz de encontrarte a pesar de haberte buscado; he enviado a mis esclavos y a mis mamelucos a indagar por las fondas y por todos los lugares sin que hasta ahora hayan dado con tu pista ni nadie sepa nada de ti». Abu Sir le replicó: «¿Es que no te he visitado? Me has tomado por un ladrón y me has apaleado y difamado delante de la gente». Abu Qir fingió sentirlo y replicó: «¿Qué significan estas palabras? ¿Eres tú aquel a quien he apaleado?» «¡Sí! ¡Yo soy!» Abu Qir juró de mil modos que no le había reconocido y añadió: «Uno que se te parece venía cada día a robarme la ropa de la gente y yo creía que eras tú». Fingió que se arrepentía y palmoteando exclamó: «¡No hay fuerza ni poder sino en Dios, el Grande! Me he portado mal contigo. ¡Si te hubieses dado a conocer diciendo: "¡Yo soy Fulano!" Pero la culpa es tuya que no te has identificado, pues yo estaba agobiado por el exceso de trabajo». Abu Sir le replicó: «¡Que Dios te perdone, compañero! Esto me estaba destinado por el Hado y a Dios incumbe remediarlo. Entra, quítate los vestidos, lávate y regocíjate». «¡Te conjuro a que me perdones, hermano!» «¡Que Dios te preserve de la humillación, pues yo te perdono ya que eso era una calamidad que me estaba reservada desde la eternidad.» Abu Qir le preguntó: «¿De dónde te viene todo este señorío?» «Aquel que te ha favorecido me ha favorecido. Me presenté ante el rey, le hablé del interés que tiene un baño y mandó que se construyera.» «Yo también, como tú, conozco al rey...

Sahrazad se dio cuenta de que amanecía e interrumpió el relato para el cual le habían dado permiso.

Cuando llegó la noche *novecientas treinta y siete,* refirió:

—Me he enterado, ¡oh rey feliz!, de que [Abu Qir contestó: «Yo también, como tú, conozco al rey] y si Dios (¡ensalzado sea!) lo quiere le induciré a que te aprecie y a que te honre más que ahora, ya que él no sabe que tú eres mi compañero. Yo le explicaré que tú eres mi camarada y te recomendaré a él.» «No necesito ninguna recomendación, pues el rey y todos sus cortesanos me tienen afecto y me aprecian. Me ha dado esto y esto.» Le contó toda la historia. Después le dijo: «Quítate los vestidos detrás de la caja y métete en el baño. Yo entraré contigo para darte masaje». Abu Qir se quitó todo lo que llevaba y se metió en el baño. Abu Sir entró al mismo tiempo, le dio masaje, le enjabonó, le vistió y se ocupó de él hasta que salió. Entonces le ofreció el desayuno y los sorbetes mientras toda la gente se quedaba admirada de las muchas atenciones que le tenía. Después Abu Qir quiso pagarle, pero su amigo juró que no le aceptaría nada diciendo: «¡Avergüénzate de tal acto! ¡Tú eres mi compañero y somos iguales!» Abu Qir dijo a Abu Sir: «¡Por Dios, compañero! Este baño es grandioso, pero tiene un defecto». «¿Cuál es?» «Le falta un ungüento compuesto de arsénico y de cal que depila con comodidad. ¡Fabrícalo! Cuando venga el rey ofréceselo y enséñale como depila. Te apreciará mucho y más te honrará.» «¡Tienes razón! Si Dios quiere lo fabricaré.» Abu Qir salió, montó en su mula y se fue a ver al rey. Se presentó ante él y le dijo: «Te he de dar un consejo, rey del tiempo». «¿Cuál es?» «Me he enterado de algo: de que has construido un baño.» «Sí; vino a verme un forastero y se lo he construido del mismo modo que a ti te edifiqué la tintorería: es un baño magnífico que embellece mi ciudad», y le citó todos los ornatos del baño. Abu Qir le preguntó: «¿Y te has bañado en él?» «Sí.» «¡Loado sea Dios que te ha salvado de la maldad de ese depravado, de ese enemigo de la religión que es el bañador!» «¿Qué ha hecho?» «Sabe, ¡oh rey del tiempo!, que si vuelves otro día, morirás.» «¿Por qué?» «El bañador es tu enemigo, el enemigo de la religión. Te ha inducido a construir el baño porque desea envenenarte. Te ha preparado algo. Cuando entres en el baño te lo ofrecerá diciendo: "Este específico, hecho de grasa, es un magnífico depilador". Pero no se tratará de un específico sino de un tóxico poderosísimo, de un veneno mortal. El sultán de los cristianos ha prometido a este depravado que si te mata pondrá en libertad a su esposa y a sus hijos que están encarcelados; éstos son ahora sus prisioneros. Yo también estaba prisionero, con ellos, en su país, pero abrí una tintorería, les teñí la ropa en todos los colores y conseguí que el corazón del Sultán se apiadase de mí. Cuando éste me preguntó: "¿Qué quieres?" le contesté: "La libertad". Me manumitió, me vine a esta ciudad y he visto el baño. Le he preguntado por él y le he dicho: "¿Cómo has conseguido liberarte y liberar a tu esposa y a tus hijos?". Me ha contestado: "Yo, mi esposa y mis hijos seguimos prisioneros hasta que el rey de los cristianos celebró un banquete. Yo fui uno de los que asistieron de pie entre la turbamulta de la gente, pero oí que empezaban a hablar de los reyes y llegaron a mencionar al rey de esta ciudad. Entonces el rey de los cristianos exhaló un suspiro y dijo: 'El único que me asusta, de todo el mundo, es el rey de tal ciudad. Aquel que idee la forma de darle muerte obtendrá de mí lo que desee'. Me acerqué a él y le dije: 'Si me las ingenio para matarlo ¿me libertarás junto con mi esposa y mis hijos?' Me contestó: 'Sí; os libertaré y te daré todo lo que desees'. Me puse de acuerdo con él, me envió en un galeón a esta ciudad y me presenté ante su dueño, quien me ha construido este baño. Ahora no me falta más que darle muerte y regresar junto al rey de los cristianos para que ponga en libertad a mis hijos y a mi mujer y pedir la recompensa". Le pregunté: "¿Y qué medios has ideado para

darle muerte?" Me ha replicado: "Una sencilla astucia, la más sencilla que existe. Cuando venga al baño tendré preparado un depilador envenenado. Al llegar le diré: 'Coge este fármaco y ponte el ungüento en tus partes de abajo, pues te caerá el cabello'. Él lo cogerá, se untará las partes bajas y el veneno actuará de día y de noche hasta que llegue a su corazón, y le dé muerte y adiós". Al oír estas palabras he temido que te ocurriera algo ya que tú me has favorecido. Por eso te he informado». El rey, al oír estas palabras, se enfadó muchísimo y dijo al tintorero: «¡Guarda este secreto!» Se marchó inmediatamente al baño para disipar las dudas con la certitud. Apenas hubo entrado Abu Sir lo desnudó, como tenía por costumbre, se ocupó del soberano y le dio masaje. Después le dijo: «¡Rey del tiempo! He fabricado un depilatorio para utilizarlo en las partes bajas». «¡Tráemelo!» Se lo llevó y el soberano vio que tenía un olor desagradable. Se convenció de que se trataba de un veneno, se indig-
y el rey se marchó descompuesto de ira sin que nadie supiese cuál era la causa, ya que se había encolerizado tanto que no lo había contado a nadie ni nadie se había
nó y gritó a sus esbirros: «¡Detenedlo!» Éstos lo cogieron
atrevido a preguntárselo. El rey se vistió, se dirigió a la audiencia y mandó llamar a Abu Sir que compareció esposado. Después llamó al capitán y cuando tuvo a éste delante le dijo: «Coge a este malvado, colócale en un saco con dos quintales de cal viva, ciérralo en su interior con la cal, toma una barca y sitúate al pie de mi palacio: me verás sentado junto a una ventana. Pregúntame: "¿Le tiro?", y yo te contestaré: "¡Échalo!" Cuando te diga esto le arrojarás para que la cal viva acabe con él y muera abrasado y ahogado al mismo tiempo». «¡Oír es obedecer!», le replicó el capitán. Se llevó a Abu Sir a una isla que estaba delante del alcázar y le preguntó: «¡Oh, tú! Sólo he estado una vez en tu baño y me has honrado muchísimo, has procurado atender a mis necesidades y he quedado muy satisfecho de ti. Tú no me has querido cobrar nada y yo te aprecio muchísimo por todo ello. Cuéntame qué es lo que te ha sucedido con el rey y qué mala jugada le has gastado para que él se haya enfadado contigo y haya ordenado que se te dé esta horrible

muerte». Le replicó: «¡Por Dios! ¡Nada he hecho y no sé cuál es mi culpa para merecer esto!»

Sahrazad se dio cuenta de que amanecía e interrumpió el relato para el cual le habían dado permiso.

Cuando llegó la noche *novecientas treinta y ocho,* refirió:

—Me he enterado, ¡oh rey feliz!, de que [el capitán prosiguió:] «El rey te tenía en una estimación tal como a nadie había tenido con anterioridad. Todos los altos personajes son envidiados. Tal vez alguien haya tenido celos de tu rango y haya hecho insinuaciones malévolas ante el rey para que éste se enfadase contigo de este modo. Pero tú eres el bienvenido y no te ha de alcanzar ningún mal. Ya que tú me has honrado sin saber quién era, yo te voy a salvar pero una vez lo haya hecho permanecerás conmigo en esta isla hasta que zarpe de la ciudad un galeón rumbo a tu país. Yo te embarcaré hacia él.» Abu Sir besó la mano del capitán y le dio las gracias por lo que hacía. Éste tomó la cal viva y la colocó en el saco junto con una piedra del tamaño de un hombre y le dijo: «¡En Dios confío!» A continuación dio una red a Abu Sir y le dijo: «Arroja esta red en el mar. Tal vez pesques algún pez, ya que todos los días he de suministrar pescado a la cocina del rey y hoy no puedo dedicarme a la pesca a causa de la desgracia que te ha ocurrido. Temo que vengan los pinches en busca del pescado y que no lo encuentren. Si tú pescas algo, ellos lo recogerán y yo podré ir a hacer la comedia debajo del alcázar y fingir que te tiro». Abu Sir le dijo: «Yo pescaré y tú márchate; que Dios te proteja».

El capitán colocó el saco en la barca y se dirigió con él al pie del alcázar. Vio al rey sentado junto a una ventana y le dijo: «¡Rey del tiempo! ¿Lo tiro?» «¡Tíralo!», le replicó al tiempo que hacía un gesto con la mano: en el mismo instante relampagueó un objeto que cayó al mar: era, nada menos, que el anillo del rey que estaba encantado, razón por la cual, cuando el soberano se enfadaba con alguien y quería matarlo, le apuntaba con la mano derecha en la que llevaba el anillo: éste lanzaba un relámpago que alcanzaba al señalado y le separaba la cabeza de los hombros: la fidelidad del ejército y el temor de los grandes tenía por origen tal anillo. El soberano, al darse cuenta de que el anillo se le había caído del dedo, calló lo que acababa de ocurrirle y no se atrevió a decir: «Se me ha caído el anillo al mar», temeroso de que el ejército se sublevase y le matase. Esto es lo que al rey se refiere.

He aquí lo que hace referencia a Abu Sir: una vez le hubo dejado el capitán tomó la red, la arrojó al mar y la sacó llena de peces. La arrojó por segunda vez y la volvió a sacar llena de peces. Siguió echándola y siempre salía llena de peces. Así reunió delante suyo un gran montón de pescado. Se dijo: «¡Por Dios! Hace ya mucho tiempo que no como pescado». Limpió uno grande y grueso y dijo: «Cuando venga el capitán le diré: "Fríeme este pescado para comerlo"». Lo limpió con el cuchillo que tenía y lo metió por las branquias en donde tropezó con el anillo del rey, ya que el animal lo había engullido y el destino le había llevado, después, hacia la isla en la cual había caído en la red. Abu Sir tomó el anillo y se lo colocó en el anular sin saber las virtudes que tenía. Los pinches acudieron a pedir el pescado. Al llegar junto a Abu Sir le dijeron: «¡Hombre! ¿Adónde ha ido el capitán?» «No lo sé», replicó al tiempo que les señalaba con la mano derecha y caía, al acto, la cabeza de ambos. Abu Sir quedó sobrecogido por lo que acababa de ocurrir y empezó a decir: «¡Quién supiera qué es lo que les ha matado!» Se preocupó y empezó a meditar en el sello. El capitán regresó y vio una gran montaña de peces, distinguió a los dos muertos y descubrió el anillo en el dedo de Abu Sir. Exclamó: «¡Amigo mío! ¡No muevas la mano en que tienes el anillo, pues si la mueves me matas!» Aquél se extrañó ante la frase «No muevas la mano en que tienes el anillo pues si la mueves me matas.» Al llegar a su lado el capitán, éste le preguntó: «¿Quién ha matado a estos dos pinches?» Abu Sir le replicó: «¡Por Dios, amigo mío, no lo sé!» «Dices la verdad. Pero infórmame de cómo te ha llegado este anillo.» «Lo he encontrado en las branquias de este pez.» «Dices la verdad: yo lo he visto caer, relampagueando, desde el alcázar del rey al agua en el momento en que éste te apuntaba y me decía: "¡Tírale". Al hacerme la seña he tirado el saco y el anillo le ha resbalado del dedo y ha caído al mar. Después este pez lo ha engullido y Dios lo ha conducido hasta ti para que tú le pescases. Tal ha sido tu suerte, pero ¿conoces las virtudes de este anillo?» «No conozco ninguna de ellas.» El capitán le explicó: «Sabe que todas las tropas del rey lo obedecen por el miedo que sienten ante este anillo que está encantado. Cuando el rey se enfada con alguien y quiere matarlo lo apunta con el dedo y la cabeza se le cae de encima de los hombros en el momento en que este anillo despide un relámpago que alcanza a aquel con el que se ha enfadado y muere en el acto». Abu Sir se alegró muchísimo al oír estas palabras y dijo al capitán: «¡Devuélveme a la ciudad!» Le contestó: «Te llevaré ahora mismo, pues ya no temo que el rey se enfade contigo; si tú quieres matarlo basta con que lo señales con la mano y su cabeza caerá ante ti Si quieres matar al rey y a todas sus tropas puedes hacerlo sin dificultad». Lo embarcó en el bote y lo condujo a la capital.

Sahrazad se dio cuenta de que amanecía e interrumpió el relato para el cual le habían dado permiso.

Cuando llegó la noche *novecientas treinta y nueve*, refirió:

—Me he enterado, ¡oh rey feliz!, de que al llegar a ésta se dirigió al palacio del rey, entró en la sala de audiencias y encontró al soberano sentado con las tropas delante. Estaba muy apenado a causa de lo sucedido con el anillo, de cuya pérdida no había informado a ningún soldado. Al ver a Abu Sir le preguntó: «¿Es que no te hemos arrojado al mar? ¿Cómo has hecho para salir?» «¡Rey del tiempo! Cuando mandaste que me arrojaran al mar el capitán me cogió, me condujo a la isla y me preguntó por qué te habías enfadado conmigo. Me dijo: "¿Qué has hecho al rey para que haya mandado darte muerte?" Le repliqué: "¡Por Dios! No sé que le haya hecho ninguna mala faena". Me dijo: "El rey te tenía en muy alta estima. Es posible que alguien que te envidia le haya hablado en contra tuya hasta hacer que se encolerizase contigo. Yo te he visitado en el baño y me has honrado, y así como tú me has atendido en el baño, yo te salvaré y te enviaré a tu país". El capitán colocó en la barca una piedra en sustitución mía y la arrojó al mar. Cuando le hiciste la seña el anillo resbaló de tu mano y se cayó al agua. Un pez lo engulló. Yo estaba pescando en la isla y éste cayó en mis redes con otros muchos. Me dispuse a asarlo y al abrir su vientre encontré el anillo y me lo puse en el dedo. Vinieron los dos pinches a pedirme tu pescado y les apunté —sin saber las propiedades del anillo— y las dos cabezas rodaron por el suelo. Más tarde se presentó el capitán, quien, reconociendo el anillo que llevaba en el dedo, me informó de su encantamiento. He venido a traértelo, puesto que te has portado bien conmigo y me has honrado del modo más completo: el bien que a mí se me hace no se pierde. Cógelo y si te he faltado en algo que merezca la muerte dime cuál es el pecado y luego mátame: no serás culpable por haber derramado mi sangre.» Se sacó el anillo del dedo y se lo entregó al rey.

El soberano, al ver la noble conducta de Abu Sir con él, tomó el anillo, se lo puso en el dedo y volvió a respirar. Se puso en pie delante de él y le abrazó diciendo: «¡ Hombre! Tú eres una de las más nobles personas. No me reprendas y perdóname por lo que te he hecho. Si otra persona, distinta de ti, hubiese entrado en posesión de este anillo, no me lo hubiera devuelto». «¡ Rey del tiempo! Si quieres que te perdone dime cuál es la falta que ha motivado tu cólera hasta el punto de mandar que me matasen.» «¡ Por Dios! Puedes estar seguro de que te tengo por inocente, que no eres culpable de nada desde el momento en que me has hecho tal favor. Pero el tintorero me ha dicho esto y esto», y le explicó todo lo que le había dicho. Abu Sir le explicó: «¡ Rey del tiempo! Yo no conozco al rey de los cristianos, ni en mi vida he visitado su país ni me ha pasado por la mente el matarte. El tintorero era mi compañero y mi vecino en la ciudad de Alejandría. Allí vivíamos en la estrechez y ésta nos hizo abandonarla: leímos juntos la *fátiha* prometiendo que el que de nosotros trabajara alimentaría al desocupado. Con él me ha pasado esto y esto», y le refirió todo lo que le había ocurrido con Abu Qir el tintorero, cómo éste le había robado el dinero mientras estaba enfermo en la habitación que tenían alquilada en la fonda y cómo el portero había tenido que encargarse de su sustento mientras estaba enfermo y hasta que Dios lo curó. Después había salido y recorrido la ciudad con sus utensilios, según tenía por costumbre, y mientras recorría su itinerario había visto una tintorería ante la cual se amontonaba la gente. Distinguió a Abu Qir que estaba sentado allí, en un banco, y había entrado a saludarlo. Con éste le había ocurrido lo que le había ocurrido: golpes e infamia, pues lo había acusado de ser un ladrón y lo había apaleado de manera dolorosa. Abu Sir refirió al rey todo desde el principio hasta el fin. Después añadió: «¡Rey del tiempo! Él es quien me ha dicho: "Haz tal ungüento y ofréceselo al rey, ya que este baño tiene todos los detalles y no le falta más que esto". Sabe, rey del tiempo, que dicho ungüento no daña, ya que nosotros lo utilizamos en nuestro país, en el que forma uno de los elementos indispensables del baño. Yo me había olvidado de él. Al venir el tintorero y al atenderlo me lo ha recordado diciendo: "¡Haz el ungüento!" El rey del tiempo puede mandar a llamar al portero de tal fonda y a los operarios de la tintorería». El rey mandó llamar a estos testigos y cuando los tuvo delante los interrogó y ellos le explicaron lo sucedido. Ordenó ir a por el tintorero diciendo: «¡Traédmelo descalzo, con la cabeza descubierta y con los brazos atados!»

El tintorero estaba sentado en su casa, feliz por la muerte de Abu Sir: no tuvo ni tiempo de darse cuenta de que los esbirros del rey cargaban contra él y lo molían a pescozones. Después lo ataron y lo condujeron ante el rey: vio a Abu Sir sentado junto al soberano y al portero de la fonda y a los operarios de la tintorería de pie ante él. El portero de la fonda le preguntó: «¿Es que no es éste tu compañero, aquel al que robaste la bolsa y al que dejaste abandonado y enfermo en la habitación haciendo con él esto y esto?» Los operarios de la tintorería le dijeron: «¿No es éste aquel al que nos mandaste detener y apalear?» El rey se convenció de la maldad de Abu Qir y de que éste se había hecho merecedor de una tortura peor que la infligida por Munkar y Nakir.

El rey dijo: «¡Cogedlo! ¡Exponedlo a la vergüenza de la ciudad!

Sahrazad se dio cuenta de que amanecía e interrumpió el relato para el cual le habían dado permiso.

Cuando llegó la noche *novecientas cuarenta,* refirió: —Me he enterado, ¡oh rey feliz!, de que [el rey prosiguió:] »...¡Después metedlo en un saco y echadlo al mar!» Abu Sir intercedió: «¡Rey del tiempo! ¡Permite que interceda por él! ¡Yo le perdono todo lo que ha hecho conmigo!» El rey le replicó: «Tú le perdonas tu parte, pero yo no le perdono lo que a mí se refiere». Dio un grito diciendo: «¡Cogedlo!» Lo cogieron, lo expusieron a la vergüenza pública, después lo colocaron en un saco que rellenaron de cal viva y le arrojaron al mar: murió ahogado y quemado al mismo tiempo.

El rey dijo a Abu Sir: «¡Pide y te daré!» «Te ruego que me envíes a mi país, pues no me quedan ganas de continuar aquí.» El rey le dio provisiones, bienes, regalos y presentes; le ofreció un galeón cargado de dones y cuyos marineros eran mamelucos que también le regalaba. Todo esto después de haberle ofrecido el cargo de visir, el cual no aceptó. Se despidió del rey, emprendió el viaje en un galeón cuya carga y pasaje, incluso los marinos, eran de su propiedad particular. Navegaron hasta llegar a la tierra de Alejandría, anclaron junto a la costa y desembarcaron. Uno de sus mamelucos descubrió un gran saco cerca de la orilla del mar. Dijo: «¡Señor mío! Junto a la orilla del mar hay un saco muy pesado, con la boca atada. Ignoro qué es lo que contiene». Abu Sir se acercó, lo abrió y vio en su interior a Abu Qir, al cual el mar había conducido hasta Alejandría. Lo sacó, lo enterró cerca de la ciudad, e hizo una fundación pía para la misma. Sobre la puerta del mausoleo escribió estos versos:

> El hombre se distingue entre sus congéneres por las acciones; las acciones del libre y del generoso son de su mismo carácter.
>
> No te aproveches del ausente, pues éste se aprovechará de ti. Quien charla y murmura es objeto de idéntica conducta.

Huye de las malas palabras y no hables de ellas ni en serio ni en broma.
El perro, si se porta bien, gana las simpatías mientras que el león vive en cadenas por su ferocidad salvaje.
Las carroñas de la tierra flotan en el mar a flor de agua mientras las perlas reposan en el fondo arenoso.
El gorrión nunca se querellaría con el halcón a no ser por lo ligero y lo corto de su entendimiento.
En el aire, en las páginas del viento, está escrito: «Quien hace un favor recibe otro igual».
¡No esperes recoger azúcar de la coloquíntida! El sabor de cada cosa indica su origen.

Abu Sir vivió algún tiempo hasta que Dios lo llamó junto a Sí. Lo enterraron en las proximidades de la tumba de su compañero Abu Qir y por eso dicho lugar se llamó «Abu Qir y Abu Sir» aunque en la actualidad sólo se le conozca por «Abu Qir». Esto es cuanto sabemos de la historia de ambos. ¡Gloria a Dios, el Eterno, por cuya voluntad se suceden las noches y los días!

HISTORIA DE ABD ALLAH DE LA TIERRA Y DE ABD ALLAH DEL MAR

Se cuenta que hubo un pescador llamado Abd Allah. Tenía una familia numerosa, compuesta por la esposa y nueve hijos. Era muy pobre, y sólo poseía su red. Todos los días iba al mar a pescar. Si pescaba poco, lo vendía y gastaba su importe, todo lo que Dios le daba, en atender las necesidades de sus hijos. Si pescaba mucho, había buena comida, compraba frutos y no paraba de gastar sus ingresos hasta que no le quedaba nada, pues se decía: «El sustento de mañana llegará mañana». Cuando su mujer dio a luz fueron diez personas, y aquel día el pescador no tenía absolutamente nada. Su esposa le dijo: «¡Señor mío! ¡Busca algo para darme de comer!» Le contestó: «Voy a ir hoy —con la bendición de Dios (¡ensalzado sea!)— al mar y pescaré a la salud del recién nacido. Veremos su buena estrella». La mujer le dijo: «¡Confía en Dios!» El pescador cogió la red y se dirigió al mar. La echó bajo los auspicios del chiquillo y exclamó: «¡Dios mío! ¡Haz que su sustento sea abundante, no escaso; sobrante, no pequeño! Esperó un poco y la retiró llena de quincalla, arena, guijarros y algas, y ni siquiera un pescado, chico o grande. La tiró otra vez, esperó, y al retirarla tampoco sacó ningún pez. La arrojó la tercera, la cuarta y la quinta veces, pero no sacó tampoco nada. Se trasladó a otro lugar y empezó por pedir su sustento a Dios (¡ensalzado sea!). Siguió repitiendo la misma operación hasta que se terminó el día sin conseguir pescar ni tan siquiera un pececillo. Se quedó admirado y se dijo: «Tal vez Dios (¡ensalzado sea!)

haya creado a este recién nacido sin atribuirle sustento alguno. Esto no había ocurrido nunca: quien hace abrir una boca, cuida de su alimentación. Dios (¡ensalzado sea!) es generoso y providente». Se echó a cuestas la red y regresó apesadumbrado, con el corazón preocupado por la situación de su familia, ya que los había dejado sin comer; le entristecía principalmente su mujer, que estaba parturienta. Mientras andaba, se decía: «¿Qué debo hacer? ¿Qué he de decir esta noche a mis hijos?» Al llegar ante el horno del panadero, vio una aglomeración: eran tiempos de carestía, y la gente tenía pocos ingresos. Todos ofrecían su dinero al panadero, el cual no podía atender a nadie a causa de la aglomeración. El pescador se detuvo a mirar y a oler el aroma del pan recién salido del horno. El hambre que sentía se lo hizo apetecer. El panadero lo miró y le gritó: «¡Acércate, pescador!» Se aproximó, y entonces le preguntó: «¿Quieres pan?» El pescador se calló. El otro insistió: «¡Habla sin vergüenza! Dios es generoso. Si no tienes dinero, te lo daré igualmente y esperaré hasta que te llegue la suerte». «¡Por Dios, maestro! No tengo dinero, pero dame el pan que necesito para mi familia y quédate la red como fianza hasta mañana.» «¡Mezquino! Esta red constituye tu negocio, la puerta de tu sustento. Si me la dejas como fianza, ¿con qué pescarás? Dime la cantidad de pan que necesitas.» «¡Diez medios dirhemes!» Le dio el pan que le había pedido, y, además, diez medios dirhemes, diciéndole: «Coge estos diez medios dirhemes y prepárate algo de comer. Recibes así veinte mitades de dirhemes, que mañana me los devolverás en pescado. Si mañana no pescas nada, ven y te daré otros diez medios dirhemes de pan. Yo esperaré hasta que te alcance la fortuna.

Sahrazad se dio cuenta de que amanecía e interrumpió el relato para el cual le habían dado permiso.

Cuando llegó la noche *novecientas cuarenta y una*, refirió:

—Me he enterado, ¡oh rey feliz!, de que [el panadero prosiguió:] »...Entonces me devolverás en pescado lo que me corresponda.» El pescador replicó: «Que Dios (¡ensalzado sea!) te recompense tanto bien!» Se marchó muy contento y compró lo que le bastaba. Cuando se presentó ante su mujer, la vio sentada intentando calmar a sus hijos, que lloraban de hambre. Les decía: «Ahora vendrá vuestro padre y os traerá de comer». Entró, les sirvió la cena y comieron. El hombre explicó a la mujer lo que le había sucedido, y ésta exclamó: «¡Dios es generoso!» Al día siguiente volvió a cargar la red y salió de su casa, diciendo: «Te ruego, Señor mío, que hoy me concedas algo para que pueda quedar bien con el panadero». Al llegar al mar echó la red, pero no sacó ni un solo pez. Repitió la operación hasta que se terminó el día, pero no obtuvo resultado. Regresó profundamente apenado. En el camino de su casa se encontraba el horno del panadero. Se dijo: «¿Por dónde iré a mi casa? He de acelerar el paso para que no me vea el panadero». Al pasar por delante del horno de éste, vio una gran aglomeración. Avergonzóse al pensar en el panadero y apretó el paso para que no lo viese. Pero éste lo vio y le gritó: «¡Pescador! ¡Ven! ¡Coge tu pan y tu salario, pues te lo descuidas!» Le replicó: «¡Por Dios! No me he olvidado. Pero me avergüenza verte, ya que hoy no he pescado ni un solo pez.» «No te avergüences. ¿Es que no te he dicho que tengas paciencia hasta que te llegue la fortuna?» Y le dio el pan y los diez medios dirhemes. El pescador corrió al lado de su mujer y le explicó lo ocurrido. Ella exclamó: «¡Dios es generoso! Si Él quiere, mañana te llegará la fortuna y le pagarás lo que le debes». Pero esta situación se prolongó durante cuarenta días. El pescador iba cada día al mar y permanecía en la orilla desde la salida hasta la puesta del sol, pero regresaba sin ningún pez; recogía el pan y los medios dirhemes que le daba el panadero, sin que éste le reclamase ni una vez el pescado. No lo hacía esperar como a los demás. Al contrario: le daba los diez medios dirhemes y el pan, y cada vez que el pescador le decía: «¡Hermano mío! ¡Dame la cuenta!», le replicaba: «¡Vete! No es el momento de hacer cuentas antes de que te llegue la fortuna». El pescador rogaba por él a Dios y se marchaba dándole las gracias. El cuadragésimoprimer día dijo a su mujer: «¡Voy a romper la red y a dejar el oficio!» «¿Por qué?» «El mar ya no me da más sustento.

¿Hasta cuándo va a durar esta situación? ¡Por Dios! Me caigo de vergüenza ante el panadero. ¡No volveré a ir a la orilla del mar, para no tener que pasar por delante del horno, ya que no tengo más camino que el que pasa por delante de éste, y cada vez que cruzo me llama y me da el pan y los diez medios dirhemes! ¿Hasta cuándo he de ser su deudor?» Su mujer le replicó: «¡Loado sea Dios, que ha hecho que su corazón se compadezca de ti y te dé el pan cotidiano! ¿Qué es lo que no te gusta de todo esto?» «¡El deberle una gran cantidad de dirhemes, que él me reclamará un día u otro.» «¿Es que te ha dicho algo desagradable?» «¡No! ¡Ni quiere hacer la cuenta! Me dice: "La haremos cuando te llegue la fortuna".» «Pues si te lo reclama, responde: "Te pagaré cuando me llegue esa buena suerte que tú y yo esperamos".» «¿Y cuándo me llegará la buena suerte que esperamos?» «¡Dios es generoso!» «Dices la verdad», concluyó el marido. A continuación cargó la red y se dirigió a la orilla del mar, diciendo: «¡Señor mío! ¡Concédeme el sustento! ¡Aunque sólo sea un pez para podérselo regalar al panadero!» Echó la red al mar y la retiró: pesaba muchísimo y tuvo que esforzarse y cansarse mucho. Al sacarla vio que contenía un asno muerto, hinchado, maloliente. Exasperado, lo sacó de la red y dijo: «¡No hay fuerza ni poder sino en Dios, el Altísimo, el Grande! ¡Ya no puedo más! Yo decía a mi mujer que ya no puedo sacar ni sustento del mar, y añadía: "¡Déjame abandonar este oficio!" Pero ella me insistía: "¡Dios es generoso! ¡Te concederá la fortuna!" ¿Es que este asno muerto constituye la fortuna?» Presa de una gran aflicción, se dirigió a otro lugar para alejarse del mal olor del asno, cogió la red, la arrojó y esperó una hora. Entonces la retiró; se dio cuenta de que pesaba, y se fatigó tanto que llegó a hacerse sangre en las manos. Al sacarla vio que contenía un ser humano, y creyó que se trataba de uno de los genios que el señor Salomón había encerrado en botellas de bronce y arrojado al mar. La botella se debía haber roto con el transcurso del tiempo, y de ella habría salido aquel genio, que había quedado enredado en la jábega. Apretó a correr diciendo: «¡Piedad! ¡Piedad, *efrit* de Salomón!»

El ser humano le contestó desde el interior de la red: «¡Ven, pescador !¡No huyas de mí! ¡Soy un ser humano igual que tú! ¡Líbrame y recibirás la recompensa!» El pescador se tranquilizó al oír estas palabras, se acercó y preguntó: «¿No eres un *efrit* de la clase de los genios?» «¡No! Soy un ser humano que cree en Dios y en su Enviado.» «¿Y quién te ha arrojado al mar?» «Soy una de las criaturas del mar. Estaba paseando cuando tú me has echado la red. Nosotros somos seres que obedecemos los preceptos de Dios y que nos preocupamos por sus criaturas. Si yo no lo temiese ni me asustara ser un rebelde ante Él, te habría despedazado la red; pero yo me conformo con lo que Dios me destina. Si tú me pones en libertad, serás mi dueño y yo seré tu prisionero. ¿Tienes algún inconveniente en ponerme en libertad por amor de Dios y en establecer un pacto conmigo? Tú serás mi dueño, y yo vendré todos los días a este mismo lugar; tú también acudirás. Yo te traeré, como regalo, los frutos del mar, y tú me traerás uvas, higos, melones, ciruelas, granadas y cosas por el estilo. Vosotros tenéis todo esto, y será bien recibido. Nosotros disponemos de coral, perlas, crisolita, esmeraldas, jacintos y gemas. Yo te llenaré de piedras preciosas marinas la cesta en que me traigas las frutas. ¿Qué dices, amigo mío, de todas estas palabras?» El pescador replicó: «La *fátiha* debe ser testigo de todo lo que has dicho». Cada uno de ellos leyó la *fátiha,* y el pescador lo sacó de la red. Éste preguntó: «¿Cómo te llamas?» «Me llamo Abd Allah el marino. Si llegas a este lugar y no me ves, llama y di: "¿Dónde estás, Abd Allah el marino?" Yo apareceré en el acto.»

Sahrazad se dio cuenta de que amanecía e interrumpió el relato para el cual le habían dado permiso.

Cuando llegó la noche *novecientas cuarenta y dos,* refirió:

—Me he enterado, ¡oh rey feliz!, de que [Abd Allah el marino prosiguió:] «¿Cuál es tu nombre?» El pescador replicó: «Me llamo Abd Allah». «Pues tú eres Abd Allah el terrestre, y yo soy Abd Allah el marino. Quédate aquí, que voy a traerte un regalo.» «¡Oír es obedecer!» Abd Allah el marino se sumergió en el mar. El terrestre se arrepintió en aquel instante de haberlo sacado de la red, y se dijo: «¿Cómo puedo saber si va a regresar a mi lado? Tal vez se haya burlado de mí para que lo pusiera en libertad. Si lo hubiera conservado en mi poder, habría podido exhibirlo ante las gentes en la ciudad, habría ganado unos dirhemes y lo hubiese mostrado en casa de los magnates». Siguió arrepintiéndose de haberlo dejado en libertad, diciendo: «La pesca ha escapado de mi mano». Mientras se entristecía por haberlo soltado, Abd Allah el marino regresó a su lado con las manos llenas de perlas, coral, esmeraldas, jacintos y aljófares. Le dijo: «¡Hermano mío! Coge esto y no me reprendas, pues no tenía ninguna cesta para llenar». El terrestre se alegró, cogió las joyas y le dijo: «Todos los días vendré a este lugar antes de la salida del sol». El marino se despidió, se marchó y entró en el mar. El pescador se dirigió a la ciudad, lleno de alegría. No se detuvo hasta llegar al horno del panadero. Dijo a éste: «¡Hermano mío! ¡La suerte nos ha alcanzado! ¡Hazme la cuenta!» «No necesito hacerte la cuenta. Si tienes algo, dámelo, y si no lo tienes, toma lo que necesites para tus gastos y vete sin preocupaciones hasta que te llegue la suerte.» «¡Amigo mío! ¡Dios me ha concedido un amplio bienestar! Tú me has dado una suma importante; por tanto, coge esto.» Le entregó un puñado de perlas, coral, jacintos y aljófares, formado por la mitad de lo que tenía, y le dijo: «Dame algún dinero para que pueda comprar hoy, hasta que consiga vender estas gemas». El panadero le entregó todos los dirhemes que tenía y todo el pan que contenía la cesta que estaba a su lado. Alegre con las joyas, dijo al pescador: «Soy tu esclavo y tu criado» y, colocándose el pan en la cabeza, siguió al pescador hasta su casa, en la que hizo entrega de todo a la esposa y a los hijos de éste. Luego se marchó al mercado y regresó con carne, verduras y toda clase de frutas; abandonó el horno y pasó todo aquel día al servicio de Abd Allah el terrestre, ayudándolo a resolver sus problemas. El pescador le dijo: «¡Hermano mío! Te estás fatigando». «Tal es mi deber, pues me he convertido en tu criado y me has abrumado con tus favores.» «¡Tú eres el que ha sido generoso conmigo, cuando yo me encontraba en la necesidad y en la miseria!» Pasaron juntos la noche, comiendo los mejores guisos. Una vez ligada amistad con el panadero, el pescador informó a su mujer de lo que le había sucedido con Abd Allah el marino. Ella se alegró y le dijo: «Guarda oculto tu secreto, para evitar que las autoridades te detengan». «Lo ocultaré a todo el mundo menos a mi amigo el panadero.» Al día siguiente por la mañana cargóse con un cesto repleto de frutos de todas clases, que había dejado preparado la víspera, y se dirigió con él, antes de la salida del sol, a la costa. Lo dejó en la orilla del mar y gritó: «¿Dónde estás, Abd Allah el marino?» «¡Aquí!», y se presentó delante de él. El pescador le ofreció los frutos, el otro los cogió, se metió en el agua, se sumergió en el mar, y al cabo de una hora reapareció llevando la cesta repleta de toda clase de gemas y joyas. Abd Allah el terrestre se la puso en la cabeza y se marchó. Al llegar al horno, el panadero le dijo: «¡Señor mío! Te he confeccionado cuarenta bollos de pan y te los he enviado a tu casa. Ahora estoy amasando un pan especial, y en cuanto lo haya terminado te lo mandaré también, y luego iré a comprar las verduras y la carne». El pescador sacó tres puñados de las piedras que contenía la cesta y se los entregó. Una vez hecho esto, se dirigió a su casa, depositó la cesta en el suelo y empezó a escoger las gemas más hermosas de cada clase. Luego se marchó al mercado de los joyeros y, deteniéndose ante la tienda del síndico, le dijo: «¡Cómprame estas joyas!» «¡Muéstramelas!» Se las enseñó. El síndico le preguntó: «¿Tienes más?» «¡Una cesta llena!» «¿Dónde está tu casa?» «En tal barrio.» El síndico tomó las gemas y dijo a sus criados: «¡Detenedlo! ¡Es un ladrón, que ha robado el tesoro de la reina, la esposa del sultán!» Mandó que lo apalearan: le ataron las manos a la espalda y lo apalearon. El síndico y todos los mercaderes de joyas se pusieron en movimiento, diciendo: «¡Hemos detenido a un ladrón!» Otros decían: «¡Este depravado es el ladrón de los bienes de fulano!» Otros comentaban: «Éste es el que ha robado todo lo que había en casa de zutano». El pescador se mantenía callado, sin contestar a ninguno de ellos ni dirigirles la palabra. Al final lo llevaron ante el rey. El síndico dijo al soberano: «¡Rey del tiempo! Cuando se robó el collar de la reina, tú nos informaste de ello y nos pediste que descubriésemos al culpable. Yo, esforzándome mucho y con la ayuda de estas gentes, he podido hacerme con él. ¡Helo aquí delante de ti! Éstas son las joyas que hemos encontrado en su poder». El rey dijo al eunuco: «Coge estas gemas, muéstralas a la reina y dile: "¿Son éstas las joyas que se te perdieron?"» El eunuco las cogió y se presentó ante la reina. Ésta, al ver las joyas, se admiró y mandó decir al rey: «Yo he encontrado el collar en su sitio. Éstas no son mis joyas; son más hermosas que las que forman mi collar. No castigues a ese hombre.

Sahrazad se dio cuenta de que amanecía e interrumpió el relato para el cual le habían dado permiso.

Cuando llegó la noche *novecientas cuarenta y tres,* refirió:

—Me he enterado, ¡oh rey feliz!, de que [la reina mandó decir al rey: »...No castigues a ese hombre] y si las vende, cómpraselas para tu hija Umm al-Suud. Con ellas le haremos un collar». El eunuco regresó ante el soberano y le refirió lo que le había dicho la reina. Aquél maldijo al síndico y a todos los joyeros con las maldiciones de Ad y de Tamud. Le replicaron: «¡Rey del tiempo! Nosotros sabemos que éste es un pobre pescador. Nos ha extrañado que fuese dueño de tantas gemas, y hemos creído que las había robado». «¡Malvados! ¿Es que vais a echar en mala parte la gracia de que goza un creyente? ¿Por qué no lo habéis interrogado antes? Tal vez Dios le haya concedido sus dones de un modo imprevisto para él. ¿Cómo habéis podido considerarlo un criminal e infamarlo en público? ¡Marchaos! ¡Que Dios no os bendiga!» Salieron atemorizados. Esto es lo que a ellos se refiere.

He aquí ahora lo que hace referencia al rey. Éste dijo: «¡Que Dios te bendiga, hombre, en todo cuanto te ha dado, y te conceda su protección! Dime la verdad: ¿dónde has conseguido estas joyas? Yo, que soy rey, no tengo ninguna que pueda compararse a ellas». «¡Rey del tiempo! Tengo una cesta llena, y la cosa ha sucedido así y así.» Le explicó su amistad con Abd Allah el marino, y añadió: «Entre nosotros dos existe un pacto: cada día le llevo yo un cesto lleno de frutos, y él lo llena con estas gemas». «¡Hombre! Ésta es tu suerte. Mas la riqueza exige ser poderoso. Yo te defenderé de la avaricia de la gente estos días; pero como es posible que sea depuesto o muera y que quien me suceda te dé muerte por amor a los bienes mundanales o por ambición, quiero casarte con mi hija y nombrarte mi visir y mi sucesor en el reino, con el fin de que no te veje nadie después de mi muerte.» Y añadió: «¡Llevad al baño a este hombre!» Le lavaron el cuerpo, lo vistieron con regios trajes y lo presentaron ante el rey, quien lo nombró su visir. Además, despachó a casa del pescador sus correos, los soldados y todas las mujeres de los magnates. Vistieron a la mujer y a los hijos del pescador con regios trajes, hicieron subir a la primera en una litera, y todas las mujeres de los grandes, los soldados, los correos y los funcionarios la precedieron en el camino que conducía al palacio real. La madre llevaba en sus brazos al niño pequeño. Presentaron los niños mayores al rey, quien los trató con generosidad, los llevó a una habitación y los hizo sentar a su lado. Eran en total nueve varones. El rey carecía de descendencia masculina, pues Dios sólo le había concedido la hija llamada Suud. La reina trató con todos los honores a la esposa de Abd Allah el terrestre, le hizo numerosos favores y la nombró su intendente. El rey mandó extender el contrato de bodas entre Abd Allah el terrestre y su hija; el soberano entregó como dote todas las piedras preciosas y gemas que poseía. Se iniciaron los festejos. El rey ordenó que se engalanase la ciudad con motivo de la boda de su hija. Al día siguiente, cuando Abd Allah el terrestre había ya consumado el matrimonio con la hija del rey y la había despojado de su virginidad, ésta se asomó a la ventana y vio que Abd Allah llevaba en la cabeza un cesto lleno de frutos. Le preguntó: «¿Qué es eso que llevas en la cabeza? ¿Adónde vas?» «Voy a ver a mi amigo, Abd Allah el marino.» «Ahora no es el momento de ir a ver a tu amigo.» «No me gustaría faltar a lo que he acordado con él; creería que soy un mentiroso y me diría: "Las cosas de la vida mundanal te han hecho descuidarte de mí".» «Tienes razón; ve a ver a tu amigo y que Dios te auxilie.» Abd Allah el terrestre cruzó la ciudad y se dirigió al encuentro de su amigo. La gente decía: «Es el yerno del rey, que va a trocar los frutos por gemas». Pero los que no sabían quién era le decían: «¡Hombre! ¿Cuánto cuesta la libra? ¡Ven aquí a venderme!» Abd Allah replicaba: «Espera hasta que regrese a tu lado» para no dejar descontento a nadie. Continuó el camino hasta reunirse con Abd Allah el marino, y le entregó las frutas a cambio de las gemas. Siguió haciendo lo mismo durante algunos días, y al regresar pasaba por el horno del panadero, que encontró siempre cerrado. Así transcurrieron diez días, al cabo de los cuales, y como no viera al panadero por encontrar siempre cerrado el horno, se dijo: «Esto es muy raro. ¡Quién supiera qué ha sido del panadero!» Interrogó a su vecino: «¡Hermano! ¿Dónde está tu hermano el panadero? ¿Qué ha hecho Dios de él?» «¡Señor mío! —le contestó—, está enfermo y no sale de su casa.» «¿Dónde vive?» «En tal barrio.» Abd Allah el terrestre corrió a verlo, preguntó por él y llamó a la puerta. En cuanto hubo llamado, el panadero sacó la cabeza por la ventana y distinguió a su amigo, el pescador, que llevaba en la cabeza una cesta llena. Bajó, le abrió la puerta y lo abrazó. Le preguntó: «¿Cómo te encuentras, amigo mío?» «Cada día paso por el horno, pero siempre lo encuentro cerrado. Por ello he preguntado a uno de tus vecinos, el cual me ha informado de que estabas enfermo. He preguntado dónde estaba tu casa para poder venir a verte.» El panadero replicó: «¡Que Dios te recompense en mi lugar por tantos bienes! No estoy enfermo. Lo que ocurre es que me enteré de que el rey te había detenido porque alguien te calumnió y te acusó de ladrón. Temí por mí mismo, cerré el horno y me escondí». «Es verdad», le replicó el pescador, quien le explicó seguidamente toda su historia y lo que le había sucedido con el rey y con el síndico del mercado de las joyas. Después añadió: «El rey me ha casado con su hija y me ha nombrado su visir. Tú coge lo que contiene esta cesta, ya que es tu parte, y no temas». Después de haberlo tranquilizado se marchó y se dirigió al encuentro del rey con la cesta vacía. El soberano le preguntó: «¡Yerno mío! Parece ser que hoy no te has encontrado con Abd Allah el marino». «Lo he visto, pero todo lo que me ha dado se lo acabo de entregar a mi amigo el panadero, pues éste me ha hecho muchos favores.» «¿Quién es ese panadero?» «Un hombre bondadoso con el que, cuando yo era pobre me sucedió esto y esto; ningún día me dio largas ni me ofendió.» «¿Cómo se llama?» «Abd Allah el panadero; yo me llamo Abd Allah el terrestre, y mi amigo, Abd Allah el marino.» «Yo me llamo —añadió el rey— Abd Allah, y todos los esclavos de Dios[1] son hermanos. Manda a buscar a tu amigo el panadero, y tráelo aquí para que lo nombre mi visir de la izquierda.» Lo mandó llamar, y cuando estuvo ante el rey, éste le dio la toga de visir y lo nombró visir de la izquierda, a semejanza de como había nombrado a Abd Allah el terrestre visir de la derecha.

Sahrazad se dio cuenta de que amanecía e interrumpió el relato para el cual le habían dado permiso.

Cuando llegó la noche *novecientas cuarenta y cuatro,* refirió:

—Me he enterado, ¡oh rey feliz!, de que Abd Allah continuó así durante todo un año: todos los días llevaba la cesta llena de frutos, y regresaba con ella llena de gemas y de perlas. Cuando se hubieron terminado los frutos de los jardines, llevó pasas, almendras, avellanas, nueces, higos y otras frutas secas. Todo lo que llevaba era bien recibido por Abd Allah el marino, quien le devolvía el cesto lleno de joyas, tal como tenía por costumbre. Un día, éste tomó, como de costumbre, la cesta llena de frutos secos, y empezaron a conversar Abd Allah el terrestre —que estaba sentado en la orilla— y el marino —que se mantenía en el agua, pero cerca de la playa—. Hablaron de las tumbas, y el marino dijo: «¡Hermano mío! Dices que el Profeta (¡Dios lo bendiga y le salve!) está enterrado junto a vosotros, en la tierra firme. ¿Conoces su tumba?» «Sí.» «¿En qué lugar se encuentra?» «En Medina, que se llama la ciudad buena.» «La gente de tierra firme, ¿acude a visitarla?» «Sí.» «Tú, hermano mío, ¿la has visitado?» «No, puesto que

[1] El nombre Abd Allah significa, efectivamente, «esclavo de Dios».

era pobre y no tenía dinero para los gastos del camino. Yo sólo me he enriquecido desde que te conozco, desde que tú me favoreces con estos bienes. Ahora tengo el deber de visitarla, después de haber realizado la peregrinación al Templo sagrado de Dios. Sólo me ha impedido hacerlo el afecto que te tengo, ya que no puedo separarme de ti ni un solo día.» «¿Es que pones mi afecto por encima de tu deber, que consiste en visitar la tumba de nuestro señor, Mahoma (¡Dios lo bendiga y lo salve!), el cual debe interceder en tu favor el día en que te presentes ante Dios, Quien debe salvarte del fuego e introducirte en el Paraíso con su mediación? ¿O es por el amor de las cosas terrenas por lo que tú no visitas la tumba de tu Profeta, Mahoma, al que Dios bendiga y salve?» «¡No, por Dios! Para mí lo más importante es la visita a su tumba, y quiero pedir tu beneplácito para realizarla este año.» «Te concedo permiso para que la visites. Cuando estés ante su tumba, salúdalo en mi nombre. Tengo un deseo: el de que te internes conmigo en el mar para que yo pueda conducirte a mi ciudad, llevarte a mi casa, hacerte mi huésped y darte un presente que puedas depositar en la tumba del Profeta (al que Dios bendiga y salve), diciéndole: "¡Enviado de Dios! Abd Allah el marino te manda saludos y te hace este presente, en espera de que intercedas por él para salvarlo del fuego".» Abd Allah el terrestre replicó: «Tú has sido creado en el agua, tienes tu morada en ella y no te perjudica. Si la abandonases y vinieses a tierra, ¿te reportaría algún daño?» «Sí; mi piel se secaría, los vientos de tierra soplarían sobre mí y moriría.» «Pues a mí me ocurre lo mismo: he sido creado en la tierra; si me adentrase en el agua, ésta inundaría mis cavidades, me ahogaría y moriría.» «¡No temas! Yo te daré una pomada, con la cual untarás tu cuerpo, y el agua no te causará daño alguno, aunque permanecieras dentro de ella el resto de tu vida; aunque recorrieras el interior del mar y durmieras y vivieras en él, no te perjudicaría.» «Si es así, no hay inconveniente alguno. Dame la pomada para que me unte con ella.» «Perfectamente.» Abd Allah el marino cogió la cesta, se sumergió en el mar y permaneció ausente durante algún tiempo. Al regresar trajo una grasa que parecía sebo de vaca; tenía un color amarillo como el del oro y un olor agradable. Abd Allah el terrestre preguntó: «¿Qué es esto, hermano?» «La grasa del hígado de un pez que se llama Dandán. Es el pez más grande que existe, y constituye nuestro mayor enemigo. Su tamaño es mayor que el de cualquiera de los animales terrestres, de tal modo que si viese un camello o un elefante, se lo engulliría.» «¡Hermano! ¿Qué es lo que come ese maldito?» «Animales marinos. ¿No has oído el refrán que dice: "El pez grande se come al pequeño?"» «Tienes razón. ¿Hay muchos peces Dandán en el mar?» «Una cantidad tal, que sólo Dios (¡ensalzado sea!) puede contarlos.» Abd Allah el terrestre dijo: «Me asusta bajar contigo al mar. Tal vez me salga al encuentro uno de estos bichos y me devore.» «No temas. Cuando te vea, reconocerá que eres un hombre, se asustará y huirá. Teme más al hombre que a ninguno de los animales del mar, ya que cuando se come a uno de éstos, muere en el acto. La carne humana constituye para él un veneno mortal. Nosotros obtenemos la grasa de su hígado gracias a los hombres. Cuando uno de éstos cae en el mar ahogado, cambia el aspecto del muerto, sus carnes se desgarran, y el Dandán, creyendo que se trata de un animal marino se lo come y muere y nosotros, al encontrar el cadáver del Dandán, sacamos la grasa que contiene su hígado, nos embadurnamos con ella el cuerpo y así recorremos el mar. Si en el lugar en que hay un hombre se encontrasen cien, doscientos mil o más peces de esta clase y oyesen un chillido articulado, todos morirían en el acto...

Sahrazad se dio cuenta de que amanecía e interrumpió el relato para el cual le habían dado permiso.

Cuando llegó la noche *novecientas cuarenta y cinco,* refirió:

—Me he enterado, ¡oh rey feliz!, de que [Abd Allah el marino prosiguió: »...todos morirían en el acto] sin poderse mover del sitio en que se encontraran.» Abd Allah el terrestre exclamó: «¡En Dios me apoyo!» Se quitó la ropa, hizo un hoyo en la orilla del mar, la enterró y luego se untó el cuerpo, de arriba abajo, con aquella grasa. Se metió en el agua, buceó, abrió los ojos y comprobó que no sentía molestias. Empezó a moverse a derecha e izquierda; subía o bajaba a voluntad; se dio cuenta de que el agua del mar se extendía por encima de él como si fuera una tienda, sin perjudicarle. Abd Allah el marino le preguntó: «¿Qué ves, hermano?» «Sólo veo cosas buenas. No me has engañado al decir que el agua no me molestaría.» «¡Sígueme!» Avanzaron juntos de un lugar a otro: veía delante, a la derecha y a la izquierda, montañas de agua, en las cuales distinguió toda clase de peces que jugaban: unos eran grandes; otros, pequeños; unos se parecían a los búfalos; otros, a los bueyes, a los perros y a los hombres; todas las especies huían al ver a Abd Allah el terrestre. Éste preguntó: «¿Por qué huyen de nosotros todos los peces cuando nos acercamos?» «Porque te tienen miedo. Todas las criaturas de Dios (¡ensalzado sea!) temen al hombre.» Abd Allah el terrestre siguió contemplando las maravillas del mar, hasta que llegó a un monte elevado. El terrestre avanzaba por el flanco de la montaña cuando, de repente, oyó un alarido. Se volvió y distinguió una mole negra que se abalanzaba sobre él desde lo alto del monte; tenía el tamaño de un camello, o tal vez aún mayor, y se aproximaba chillando. Preguntó: «¿Qué es esto, hermano?» El marino le replicó: «El Dandán; viene en mi busca, pues quiere comerme. ¡Grítale, hermano mío, antes de que nos alcance y se apodere de mí para devorarme!» Abd Allah el terrestre dio un grito y el pez cayó muerto. Exclamó: «¡Gloria a Dios! ¡Alabado sea! No lo he herido ni con la espada ni con la daga. ¿Cómo la enormidad del cuerpo de esta criatura no puede soportar mi voz y cae muerta?» «¡Por Dios, hermano mío! ¡No te admires! Aunque hubiese aquí mil o dos mil animales de éstos, no podrían soportar la voz humana.» Siguieron avanzando en dirección a una ciudad. Todos sus habitantes eran hembras y no había machos entre ellas. El terrestre preguntó: «¿Qué ciudad es ésta? ¿Quiénes son estas mujeres?» El marino le replicó: «Es la ciudad de las mujeres, ya que todos sus habitantes son mujeres marinas». «Pero entre ellas vivirán hombres.» «¡No!» «¿Y cómo pueden quedar encinta y dar a luz si no hay varones?» «El rey del mar destierra a esta ciudad, en la que no pueden quedar encinta ni dar a luz, a todas las mujeres marinas con las que se enoja; las envía a esta ciudad de la que no pueden salir; si escapan son devoradas por los animales marinos. En las demás ciudades hay varones y hembras.» «¿Pero es que existen en el mar otras ciudades, además de ésta?» «¡Muchísimas!» «¿Y también tienen sultanes?» «¡Sí!» «¡Amigo mío! Veo que en el mar hay muchos prodigios.» «¿Qué cosas has visto para maravillarte? ¿Es que no has oído decir al autor de los refranes: "Las maravillas del mar son más numerosas que las de la tierra?"» «Tienes razón.» Abd Allah el terrestre empezó a examinar con atención a aquellas muchachas y vio que tenían rostros como lunas y cabellos iguales a los de las mujeres de la tierra, en cambio, tenían las manos y los pies en el vientre y estaban provistas de colas parecidas a las de los peces. Su amigo, después de haberle mostrado las habitantes de esta ciudad, lo acompañó a otra, muy poblada, repleta de varones y hembras; éstas se parecían también a las muchachas terrestres, pero tenían cola. Aquellas gentes no compraban ni vendían, como hacen los habitantes de tierra firme; tampoco se vestían: todos iban desnudos y con sus vergüenzas al aire. El terrestre preguntó: «¡Amigo mío! ¿Cómo es que los varones y las hembras llevan sus vergüenzas al descubierto?» «Porque los habitantes del mar no tienen telas.» «¿Y qué hacen cuando se casan?» «¡No se casan! Todo aquel a quien le gusta una mujer satisface en ella su deseo.» «¡Pero si esto es un pecado! ¿Por qué no estipula con ella un contrato, le da una dote y celebra una fiesta nupcial conforme mandan Dios y su Profeta» «Porque no todos somos de la misma religión: hay musulmanes que profesan la unicidad de Dios, cristianos, judíos y de otras religiones. La mayoría de los que se casan son musulmanes.» «Pero vosotros vais desnudos; si entre vosotros no existe la compra-venta, ¿en qué consiste la dote de vuestras mujeres? ¿Es que les dais aljófares y piedras preciosas?» «Para nosotros, las gemas son guijarros y no tienen valor alguno. A aquel que quiere casarse se le pide una determinada cantidad de las distintas clases de peces que deberá pescar: mil, dos mil, más o menos, según sea el acuerdo a que haya llegado con el padre de la esposa. Una vez hace entrega de lo que ésta le ha pedido, se reúne la familia del novio con la novia y se celebra el banquete nupcial. Luego llevan al esposo junto a su mujer. Él se dedica después a la pesca para alimentar a su mujer. Cuando no puede pescar, es ella la que pesca y lo alimenta.» «Y si uno de los dos comete adulterio ¿qué ocurre?» «Si es la mujer la acusada, es desterrada a la ciudad de las mujeres; pero si ha quedado encinta a causa del adulterio, esperan a que dé a luz: si nace una niña la destierran junto con ésta y se la llama "adúltera hija de adúltera" y permanecerá virgen hasta la muerte. Pero si nace un varón le llevan ante el sultán del mar y éste lo mata.» Abd Allah el terrestre quedó maravillado de todo aquello. A continuación, el marino lo llevó a otra ciudad y luego a otra. Así visitaron ochenta ciudades. El terrestre se dio cuenta de que los habitantes de una ciudad no se parecían a los de las demás. Preguntó: «¡Amigo mío! ¿Hay más ciudades en el mar?» «¿Qué piensas de las ciudades y prodigios del mar que te he mostrado? ¡Juro por el noble, misericordioso y clemente del Profeta, que si te mostrase cada día mil ciudades e hiciese esto durante mil años consecutivos, y si en cada ciudad te enseñara mil prodigios, no conseguiría que llegases a ver ni un quilate de los veinticuatro que tienen las ciudades y maravillas del mar. Pero yo sólo te he mostrado nuestros territorios y nuestra tierra.» «¡Amigo mío! Si son así las cosas, me basta con lo que he visto, pues estoy harto de comer peces, y hace ya ochenta días que estoy contigo. Tú sólo me das de comer, mañana y tarde, peces frescos, sin asar ni cocer.» «¿Qué quiere decir cocido o asado?» Abd Allah el terrestre explicó: «Nosotros asamos y cocemos los peces al fuego de distintas maneras, con lo cual hacemos numerosos guisos.» «¿Y dónde podemos conseguir el fuego? Nosotros no sabemos lo que es asar o cocer ni cosas por el estilo.» «Pues nosotros los freímos con aceite de oliva o de sésamo.» «¿Y dónde encontraremos el aceite de oliva o el de sésamo? Nosotros, en el mar, no conocemos nada de lo que dices.» «¡Tienes razón, amigo mío! Pero me has mostrado numerosas ciudades y no me has enseñado la tuya.» «Estamos lejos de mi ciudad, que se encuentra cerca de la región de que venimos. Pero hemos pasado de largo y te he traído aquí porque deseaba que vieras las demás ciudades del mar.» «¡Pues me basta con lo que he visto! Ahora quiero que me enseñes tu ciudad.» «¡Así lo haré!» Lo condujo a su patria, y al llegar a ella le dijo: «Ésta es mi ciudad». El terrestre vio que era una ciudad pequeña en comparación con las que había visto. Entraron en ella, y Abd Allah el marino lo condujo a una cueva y le dijo: «Ésta es mi casa. Todos los edificios de esta ciudad son como el mío, grandes o pequeños, cuevas en la montaña; así son todas las ciudades del mar. Quien quiere construir una casa, va a ver al rey y le dice: "Quiero tener una casa en tal lugar". El rey le cede un grupo de peces, llamados excavadores, a cambio de un número de peces determinados; dichos peces tienen un pico que excava la roca más dura. Se dirigen al monte señalado por el dueño de la casa y excavan en él su domicilio. Por su parte, el propietario va pescando y da de comer a los peces excavadores hasta que han concluido la cueva. Entonces se marchan, y el dueño ocupa su morada. Todos los habitantes del mar hacen lo mismo, no se ayudan los unos a los otros, y sólo se sirven de peces. Y todos ellos son peces. ¡Entra!» El terrestre entró. Abd Allah el marino llamó: «¡Hija mía!», y al momento acudió ésta. Tenía una cara redonda como la luna, largos cabellos, pesadas nalgas, mirada alcoholada y estrecha cintura. Advirtió que iba desnuda y tenía cola. Se dio cuenta de que su padre iba acompañado por el terrestre. Le preguntó: «¡Padre! ¿Quién es este individuo sin cola?» «¡Hija mía! Es mi amigo terrestre, el que me ha facilitado las frutas de tierra que yo te he traído. Ven y salúdalo.» La joven se acercó y lo saludó con lengua elocuente y palabras emocionantes. El padre le dijo: «Sirve víveres al huésped que nos trae la *baraca* con su venida». Le sirvió dos peces grandes; cada uno de ellos parecía un cordero. Le dijo. «¡Come!» Comió a causa del hambre que sentía, pero con cierta desgana, pues ya estaba harto de comer peces. Al cabo de poco apareció la mujer de Abd Allah el marino. Era hermosa, y venía acompañada por dos niños; cada uno de ellos llevaba en la mano un pescado, que desgranaba del mismo modo que hace el hombre con los cohombros. Al ver a Abd Allah el terrestre en compañía de su esposo preguntó a éste: «¿Quién es este individuo sin cola?» Los dos chiquillos, la hermana y la madre se aproximaron al terrestre y empezaron a examinarle el trasero exclamando: «¡Por Dios, que no tiene cola!», y se echaron a reír. Abd Allah el terrestre dijo: «¡Amigo mío! ¿Me has traído aquí para que sirva de objeto de burla a tu mujer y a tus hijos?»

Sahrazad se dio cuenta de que amanecía e interrumpió el relato para el cual le habían dado permiso.

Cuando llegó la noche *novecientas cuarenta y seis*, refirió:

—Me he enterado, ¡oh rey feliz!, de que el marino respondió: «Perdona, hermano, pero es que entre nosotros no hay nadie que carezca de cola; cuando aparece uno sin ella, el sultán se lo lleva para divertirse. No reprendas a mis hijos pequeños ni a mi mujer, pues no tienen conocimiento completo». Abd Allah el marino gritó a su familia: «¡Callad!» Se asustaron y callaron. Luego empezó a tranquilizar a su amigo. Mientras estaban hablando, se presentaron diez hombres fuertes y corpulentos. Besaron el suelo y dijeron: «¡Abd Allah! El rey se ha enterado de que está contigo un ser sin cola, uno de ésos de tierra firme». «¡Sí! Es este hombre. Es amigo mío y lo he traído como huésped. Quiero devolverlo de nuevo a tierra firme.» «¡Nosotros no podemos marcharnos sin llevárnoslo. Si tienes algo que decir, llévalo tú mismo ante el rey. Lo que tengas que decirnos, díselo tú al rey.» Abd Allah el marino exclamó: «¡Hermano mío! Discúlpame, pero no podemos desobedecer al rey. Acompáñame ante él, y yo, si Dios quiere, me esforzaré en salvarte. No temas: en cuanto te vea, se dará cuenta de que eres un ser terrestre, te tratará con miramientos y te devolverá a tierra firme.» Abd Allah el terrestre replicó: «Mi opinión es la tuya. ¡En Dios confío! Iré contigo». El marino acompañó al terrestre ante el rey. Éste, al verlo, se echó a reír y dijo: «¡Bien venido, ser sin cola!» Todos los que rodeaban al soberano rompieron a reír y exclamaron: «¡Sí! ¡Por Dios! ¡Es un descolado!» Abd Allah el marino se acercó al rey y lo informó de quién se trataba, diciendo: «Es un ser de la tierra, amigo mío. No vivirá entre nosotros, ya que sólo le gusta comer pescado frito o cocido. Deseo que me concedas permiso para devolverlo a tierra firme». «Si es así y no ha de vivir entre nosotros, te permito que lo devuelvas a su patria una vez haya gozado de la hospitalidad.» El soberano gritó: «¡Traed la mesa!» Sirvieron distintas clases de pescado en varios guisos, y el terrestre comió para obdecer la orden del rey. Luego dijo éste: «¡Pídeme un favor!» El terrestre pidió: «¡Te ruego que me regales gemas!» «¡Llevadlo al depósito de las gemas y dejadle que escoja cuantas quiera!» Su amigo lo acompañó al depósito de las gemas, y allí escogió él todas las que quiso. Después regresó a la ciudad. Abd Allah el marino le entregó una bolsa, diciendo: «Toma esto en depósito y llévalo a la tumba del Profeta (¡Dios lo bendiga y le salve!)». El terrestre lo tomó sin saber qué contenía. El marino lo acompañó hasta llegar a tierra firme. Por el camino hallaron gentes que cantaban y celebraban una fiesta: los manteles estaban extendidos y cubiertos de peces. Comían, cantaban y estaban muy contentos. Abd Allah el terrestre preguntó al marino: «¿Qué pasa que están tan contentos? ¿Celebran una boda?» «¡No es ninguna boda! Se les ha muerto un familiar.» «¿Es que cuando se os muere alguien os alegráis, cantáis y celebráis banquetes?» «¡Sí! ¿Y vosotros, las gentes de tierra, qué hacéis?» «Cuando se nos muere alguien, nos ponemos tristes y lloramos; las mujeres se abofetean el rostro, y es tanta la pena que sienten, que rasgan sus vestidos.» Abd Allah el marino clavó los ojos en el terrestre y le dijo: «¡Devuélveme el depósito!» Se lo devolvió. Después, el marino dejó al terrestre en su elemento, diciéndole: «Hoy queda roto el afecto y la amistad que por ti sentía. Desde hoy no volverás a verme ni yo te veré». «¿Por qué me dices tales palabras?» «¡Gentes de la tierra! ¿Es que no sois un depósito de Dios?» «¡Sí!» «¿Y cómo no estáis satisfechos cuando Dios recupera su depósito? ¿Por qué tenéis que llorar? ¿Cómo he de entregarte un depósito para el Profeta (¡Dios lo bendiga y lo salve!), si cuando os nace un niño os alegráis por el mero hecho de que Dios (¡ensalzado sea!) le haya infundido, como depósito, el alma, y cuando Él recupera su depósito lloráis y os entristecéis? ¡Para nada necesitamos vuestra amistad!» Lo dejó y se marchó hacia el mar. Abd Allah el terrestre se vistió, cogió las gemas y fue a ver al rey. Éste lo recibió con afecto y se alegró de su llegada. Le preguntó: «¡Yerno! ¿Cómo estás? ¿Por qué has permanecido ausente durante este tiempo?» Abd Allah le refirió toda su historia y los prodigios marinos que había visto. El rey quedó admirado. Luego le explicó lo que le había dicho Abd Allah el marino. El rey le dijo: «Has cometido una falta al contarle tal historia».

Durante una temporada, el terrestre continuó frecuentando la orilla del mar y llamando a Abd Allah el marino. Pero éste no le contestó ni volvió a salir, y así el terrestre perdió la esperanza de volver a verlo.

Abd Allah y el rey, su suegro, vivieron en la más feliz de las vidas y en la mejor de las situaciones hasta que se les presentó el destructor de todas las dulzuras, el separador de los amigos. Todos murieron.

¡Gloria al Viviente, al que no muere, al Poseedor del reino y la soberanía, al que es Poderoso sobre todas las cosas, e indulgente y omnisciente con sus criaturas!

HISTORIA DE HARÚN AL-RASID Y EL JOVEN DE OMÁN

Se cuenta también que el califa Harún al-Rasid estaba cierta noche insomne. Mandó llamar a Masrur y le dijo: «Tráeme a Chafar inmediatamente». Marchó y volvió con él. Cuando le tuvo delante dijo: «¡Chafar! Esta noche soy presa de un insomnio tal que me impide dormir. No sé qué hacer para suprimirlo». Le contestó: «¡Emir de los creyentes! Los sabios dicen que mirarse al espejo, ir al baño y cantar disipan las preocupaciones y las penas». «¡Chafar! Yo he hecho todo eso sin que me aliviase lo más mínimo. ¡Juro por mis puros antepasados que si no consigues algo que me cure, he de cortarte el cuello!» «¡Emir de los creyentes! ¿Harás lo que te indique?» «¿Qué quieres aconsejarme?» «Embárcate, conmigo, en una nave; nos dejaremos llevar por el agua del Tigris hasta un lugar llamado Qarn al-Sirat. Tal vez oigamos algo que nunca hemos oído y veamos lo que nunca hemos visto. Se dice: "La pena se disipa con una de estas tres cosas: ver algo nunca visto, oír algo nunca oído o pisar una tierra nunca hollada". Tal vez esto desvanezca el insomnio que pesa sobre ti, Emir de los creyentes.» Al-Rasid se puso en pie y se marchó con Chafar y su hermano al-Fadl, con el contertulio Abu Ishaq y Abu Nuwás, Abu Dulaf y Masrur el Verdugo.

Sahrazad se dio cuenta de que amanecía e interrumpió el relato para el cual le habían dado permiso.

Cuando llegó la noche *novecientas cuarenta y siete*, refirió:

—Me he enterado, ¡oh rey feliz!, de que entraron en

la guardarropía, se pusieron todos vestidos de comerciante, se dirigieron al Éufrates y embarcaron en una nave recubierta de oro. Se dejaron llevar por el agua hasta el sitio que deseaban. Oyeron que una esclava, acompañada del laúd, cantaba y recitaba estos versos:

> Le digo, mientras el vino está presente y en las ramas gorjea el ruiseñor,
> «¿Hasta cuándo quieres mantenerte apartado de la alegría? Despierta, pues la vida es un préstamo.
> Coge la copa de vino de manos de una joven gacela de largas y encantadoras cejas.
> Plantó en la mejilla una fresca rosa y, de sus tirabuzones, ha brotado una granada.
> Creerías que el arañazo que tiene en la cara es ceniza que desaparece bajo el fuego de la mejilla.
> Los censores me dicen que me consuele pero ¿cuál ha de ser mi excusa si el bozo ya despunta?»

El Califa, al oír esta voz, dijo: «¡Chafar! ¡Qué hermosa voz!» «¡Señor nuestro! Mi oído no ha escuchado jamás un canto más suave ni más hermoso que éste. Pero, señor mío, oír detrás de la pared sólo es oír a medias. Piensa en lo que sería si la escuchásemos detrás de un velo.» «¡Chafar! Acompáñanos. Nos iremos y seremos los gorrones del señor de esta casa. Tal vez consigamos ver con nuestros propios ojos a la cantora.» «¡Oír es obedecer!», replicó el visir. Desembarcaron y pidieron permiso para entrar. Acudió ante ellos un muchacho de buen ver, de palabra dulce y lengua elocuente. Dijo: «¡Sed bien venidos, señores que me favorecéis! Entrad tranquilos y sin preocupaciones». Pasaron. Él los precedía. Vieron que era una casa que tenía cuatro costados con el techo de oro y con paredes recubiertas de lapislázuli. Tenía un pabellón en el cual se encontraba un magnífico estrado encima del cual había cien muchachas que parecían lunas. Las llamó y acudieron todas. El dueño de la casa se volvió hacia Chafar y le dijo: «¡Señor mío! Ignoro cuál de vosotros, con tanta excelsitud, es el más excelso. ¡En el nombre de Dios! Indicadme cuál de vosotros es el más digno de presidir la reunión y en cuanto a los demás, siéntese cada uno según su rango». Los huéspedes se sentaron según su posición y Masrur se quedó de pie dispuesto a servirlos. El dueño de la casa les dijo: «¡Huéspedes! ¿Permitís que os dé algo de comer?» «¡Sí!» Mandó a las criadas que sirviesen la comida. Acudieron cuatro sirvientas con la cintura ceñida llevando mesas cubiertas de los guisos más exquisitos: carnes de corral, pájaros, peces del río, perdices, pollos y palomos. En los costados de la mesa estaban escritos versos apropiados al caso. Comieron hasta quedar hartos. Después se lavaron las manos. El joven dijo: «¡Señores míos! Si tenéis algún deseo, decídmelo para que pueda satisfacerlo». «¡Sí! Nos hemos acercado a tu casa a causa de una voz que hemos oído desde detrás de la valla. Nos gustaría escucharla y conocer a su dueña. Si quieres complacernos en esto, es que eres hombre de buenas costumbres. Después nos marcharemos por donde hemos venido.» «¡De mil amores!» El joven se volvió hacia una esclava negra y le dijo: «¡Tráeme a tu señora Fulana!» La mujer se marchó y regresó con una silla. La dejó, salió de nuevo y volvió acompañada por una joven que parecía la luna llena en su plenitud. La muchacha se sentó en la silla y la esclava negra le entregó un estuche de raso del cual sacó un laúd incrustado de perlas y jacintos y con clavijas de oro.

Sahrazad se dio cuenta de que amanecía e interrumpió el relato para el cual le habían dado permiso.

Cuando llegó la noche *novecientas cuarenta y ocho*, refirió:

—Me he enterado, ¡oh rey feliz!, de que tensó las cuerdas para el *bello canto*. Era tal y como el poeta la describió a ella y al laúd:

> Lo estrechó contra el pecho, como si fuese la madre que abraza a su hijo, y arregló las clavijas.
> Mueve la mano derecha para tocarlo y con la izquierda arregla las clavijas.

Estrechó el laúd contra el pecho, se inclinó sobre él como una madre sobre su hijo y tocó las cuerdas: el instrumento gimió como un niño cuando llama a la madre. Siguió tañéndolo y empezó a recitar estos versos:

> El tiempo se ha portado bien y me ha favorecido con quien amo. ¡Amigo! Haz circular las copas y bebe.
> De un vino que no entró jamás en el corazón de un hombre sin dejarlo conmovido de alegría.
> El céfiro lo ha llevado a su copa ¿has visto alguna vez que la luna llena se levante como una estrella?
> ¡Cuántas noches conversé con la luna que se elevaba por encima del Tigris e iluminaba las tinieblas!
> La luna se inclina hacia la puerta como si, sobre el agua, se inclinase una cimitarra dorada.

Una vez hubo terminado de recitar sus versos rompió a llorar amargamente y todos los que estaban en la habitación hicieron lo mismo con tanta fuerza que estuvieron a punto de morir: todos habían perdido la razón, se desgarraban los vestidos y se abofeteaban la cara impresionados por su hermosa manera de cantar. Al-Rasid dijo: «El canto de esta muchacha indica que es una enamorada separada del amado». El dueño replicó: «Es huérfana de padre y madre». El Califa observó: «Ese llanto no es el que corresponde a quien ha perdido al padre y a la madre, es característico de quien ha perdido al amante». El Califa, emocionado por el canto, dijo a Abu Ishaq: «¡Por Dios! ¡Jamás he visto otra mujer semejante!» Abu Ishaq le replicó: «¡Señor mío! He quedado admirado hasta el extremo de no poder contener mi emoción». A todo esto, al-Rasid no hacía más que mirar al dueño de la casa y contemplar su belleza y bellos modos. Se dio cuenta de que tenía el rostro amarillo. Se dirigió hacia él y le dijo: «¡Muchacho!» «¡Heme aquí, señor mío!» «¿Sabes quiénes somos?» «¡No!» Chafar intervino: «¿Quieres que te digamos el nombre de cada uno?» «¡Sí!» «Éste es el Emir de los Creyentes y primo del Señor de los Enviados», y así siguió diciendo el nombre del resto de los concurrentes. Una vez hubo terminado, al-Rasid intervino: «Me gustaría que me contases cuál es la causa del color amarillo de tu cara: ¿lo has adquirido o es congénito?» «¡Emir de los Creyentes! Mi relato es prodigioso y mi historia portentosa de tal forma que si se escribiera con agujas en la comisura de los ojos constituiría una enseñanza para quien medita.» «¡Cuéntamela! ¡Tal vez tu cura esté en mi mano!»

«¡Emir de los Creyentes! ¡Préstame atención y concédeme el auxilio de tu brazo!» «¡Vamos! ¡Cuéntamela, pues me haces entrar las ganas de oírla!» El muchacho refirió: «¡Sabe, oh Emir de los creyentes!, que soy un comerciante que realiza sus negocios por mar. Procedo de la ciudad de Omán y mi padre fue un comerciante muy rico que disponía de treinta buques que operaban en el mar y le daban un beneficio de treinta mil dinares por año. Era un hombre generoso que me había enseñado a escribir y todo lo que necesita saber una persona. Cuando le llegó el momento de morir, me mandó llamar y me hizo las recomendaciones de rigor. Después, Dios (¡ensalzado sea!) le llevó ante su misericordia. ¡Conceda larga vida al Príncipe de los Creyentes! Mi padre tenía socios que negociaban con su dinero y viajaban por mar. Cierto día en que yo me encontraba sentado en mi domicilio con un grupo de comerciantes, acudió ante mí uno de mis pajes y me dijo: "¡Señor mío! En la puerta hay un hombre que pide permiso para entrar a verte". Le concedí el permiso y entró. Llevaba encima de la cabeza una cosa que estaba tapada. La colocó ante mí y la descubrió: estaba llena de frutos que no eran de la estación, sal y otras maravillas que no se encuentran en nuestro país. Le di las gracias por ello, le regalé cien dinares y se marchó agradecido. Después repartí todo lo que me había traído entre los amigos allí presentes. Pregunté a los comerciantes: "¿De dónde es esto?" Contestaron: "De Basora", y empezaron a elogiar y describirme la hermosura de la ciudad. Pero todos estuvieron de acuerdo en que no existía ciudad más hermosa que Bagdad y que las gentes de ésta eran las mejores. Describieron Bagdad, las buenas costumbres de sus habitantes, la bondad de su clima y la bella posición que ocupaba. Sentí en seguida afición por ella y todas mis esperanzas consistieron en llegar a verla. Vendí fincas y posesiones; cedí mis buques por cien mil dinares; me deshice de esclavos y doncellas y así reuní un millón de dinares, sin contar las gemas y metales preciosos. Fleté un buque, cargué en él mis riquezas y bienes y me puse en camino, viajando sin cesar ni de día ni de noche, hasta que llegé a Basora. Permanecí en esta ciudad un tiempo. Después alquilé un buque, me instalé en él y navegamos, remontando la corriente, durante unos pocos días hasta llegar a Bagdad. Pregunté: "¿Dónde residen los comerciantes? ¿Cuál es el lugar más adecuado para vivir?" Dijeron: "El barrio de Karj". Me dirigí a él y alquilé una casa en el distrito llamado del azafrán. Trasladé a ella todos mis bienes y permanecí allí durante un tiempo. Un día salí a pasear llevando algún dinero. Era un viernes. Me dirigí a la mezquita llamada de al-Mansur; recé en ella la plegaria y después, terminada la oración, me fui, con el resto de la gente, al lugar llamado Qarn al-Sirat: es éste un sitio alto, hermoso y algo elevado sobre la orilla del río. Allí hay miradores. Me acerqué, con los demás, y vi a un jeque que estaba sentado, vestido con hermosas ropas que exhalaban un estupendo aroma; tenía la barba bien arreglada y que se partía en dos encima de su pecho como si fuese un lingote de plata. A su alrededor había cuatro doncellas y cinco pajes. Pregunté a una persona: "¿Cómo se llama este jeque? ¿Cuál es su oficio?" Contestó: "Éste es Tahir b. al-Alaa; posee doncellas. Todo aquél que entra en su casa come, bebe y ve a las hermosas". Dije: "¡Por Dios! Es ya tiempo de que vaya en busca de uno como ése".

Sahrazad se dio cuenta de que amanecía e interrumpió el relato para el cual le habían dado permiso.

Cuando llegó la noche *novecientas cuarenta y nueve*, refirió:

—Me he enterado, ¡oh rey feliz!, de que [el joven prosiguió:] »...Me acerqué a él, ¡oh, Emir de los Creyentes!, lo saludé y le dije: "¡Señor mío! Tengo algo que pedirte". Preguntó: "¿Cuál es tu deseo?" "Desearía ser tu huésped de esta noche." "¡De mil amores! Hijo mío: yo tengo muchas mujeres: pasar la noche con unas de ellas cuesta diez dinares; con otras, cuarenta y aún las hay más caras. Escoge la que desees." Repliqué: "Una de diez dinares la noche". Le pesé trescientos dinares para un mes entero y me confió a un paje. Éste me tomó consigo, me llevó al baño de la casa y me sirvió de un modo incomparable. Al salir del baño me condujo a una habitación y llamó a la puerta. Apareció una doncella y le dijo: "Toma al huésped". Me acogió con una sonrisa y con muestras de agrado y me introdujo en su magnífico departamento chapeado de oro. Examiné a la muchacha y vi que era una luna llena en el día del plenilunio; tenía a su servicio dos esclavas que parecían luceros. Me invitó a sentarme y se colocó a mi lado. Hizo gesto a las criadas y éstas nos acercaron una mesa que contenía toda suerte de carnes: gallinas, codornices, perdices y pichones. Comimos hasta quedar hartos. Jamás en mi vida había comido algo más exquisito. Una vez hubimos terminado, se llevaron aquella mesa y nos trajeron otra repleta de bebidas, flores, dulces y frutas. Así pasé un mes con aquella mujer, al cabo del cual entré en el baño. Después fui en busca del anciano y le dije: "¡Señor mío! Deseo una mujer que cueste veinte dinares por noche". Me replicó: "¡Pesa el oro!" Me marché con el dinero y le pesé seiscientos dinares para todo un mes. Llamó a un paje y le dijo: "¡Coge a tu señor!" Me tomó consigo y me condujo al baño. Cuando salí me llevó ante la puerta de una habitación y llamó. Salió una joven y le dijo: "¡Coge a tu huésped!" Me hizo una excelente acogida. A su alrededor tenía cuatro esclavas, a las que ordenó que sirvieran la comida. Trajeron una mesa repleta de toda clase de guisos. Comí. Cuando hube terminado levantaron la mesa. Entonces ella cogió el laúd y cantó estos versos:

¡Oh, soplos de almizcle, que procedéis de la tierra de Babel! ¡Os conjuro, por mi pasión, a que llevéis mis mensajes!

En esas tierras estuvo la morada de mis amados ¡qué estupendas moradas son ésas!

En ellas se encuentra aquella a la que todos aman
pero de la que nadie obtiene nada.

»Permanecí con ella durante un mes. Después me presenté ante el anciano y le dije: "Deseo una mujer que cueste cuarenta dinares". Replicó: "¡Pesa el oro!" Le pesé mil doscientos dinares y pasé con ella un mes que me pareció un día de tan hermosa como era y lo agradable de su compañía. Al cabo de este tiempo me presenté, al anochecer, ante el jeque. Oí un gran alboroto y voces altas. Le pregunté: "¿Qué ocurre?" Me replicó: "Esta noche es, para nosotros, la más solemne: todas las gentes se divierten. ¿Quieres subir a la azotea y ver a la gente?" "¡Sí!" Subí a la terraza y vi una hermosa cortina detrás de la cual se encontraba un amplio lugar con un estrado. Encima un diván estupendo sobre el cual estaba extendida una muchacha bella, hermosa, bien proporcionada, que dejaba boquiabiertos a cuantos la veían; a su lado estaba un muchacho que le acariciaba el cuello con la mano y la besaba; ella le correspondía. Al verlos, Emir de los Creyentes, no pude contenerme, estaba tan excitado por lo hermoso de su aspecto, que no sabía dónde me encontraba. Al bajar interrogué a la muchacha con la cual yo vivía, después de habérsela descrito, sobre quién era. Me preguntó: "¿Qué tienes que ver con ella?" Contesté: "Me ha arrebatado el entendimiento" Sonrió y dijo: "¡Abu-l-Hasán! ¿Es que la necesitas?" "¡Sí, por Dios! Ella se ha adueñado de mi corazón y mis sentidos." "Pues es la hija de Tahir b. al-Alaa. Es nuestra señora y nosotras somos sus esclavos. ¿Sabes, Abu-l-Hasán, cuánto cuesta pasar un día con ella?" "No." "Quinientos dinares. Ella causa pesares hasta en el corazón de los reyes." "¡Por Dios! He de gastar todas mis riquezas por esa muchacha." Pasé toda la noche luchando con la pasión. Al día siguiente, por la mañana, me dirigí al baño, me puse mis trajes más preciosos y que eran dignos de un rey, me presenté a su padre y le dije: "¡Señor mío! Quiero que me des ésa cuya noche cuesta quinientos dinares". Me contestó: "¡Pesa el oro!" Le pesé quince mil dinares, para un mes, y los cogió. Después dijo al paje: "Condúcelo ante tu señora Fulana". Me tomó consigo y me llevó a una casa tan hermosa que jamás había visto otra igual en toda la faz de la tierra. Entré y vi una adolescente sentada. Al contemplarla me quedé perplejo, Emir de los Creyentes, pues era como la luna en la noche decimocuarta...

Sahrazad se dio cuenta de que amanecía e interrumpió el relato para el cual le habían dado permiso.

Cuando llegó la noche *novecientas cincuenta,* refirió:

—Me he enterado, ¡oh rey feliz!, de que [el joven prosiguió: »...era como la luna en la noche decimocuarta], bella, hermosa, bien proporcionada; su voz agradable afrentaba a los instrumentos musicales. Parecía ser que a ella aludían estos versos:

> Ella hablaba, mientras la pasión jugaba a su alrededor en medio de la tiniebla más profunda de la noche.
>
> "¡Oh, noche! ¿Tendré quien se entretenga conmigo en tus tinieblas? ¿Esta vulva encontrará su consuelo?"
>
> Entonces, suspirando como una persona afligida, triste y llorosa, le tocó el miembro.
>
> La boca muestra su hermosura con el mondadientes y la verga se transforma en un mondadientes ante la vulva.
>
> ¡Musulmanes! ¿Es que no se yergue vuestro miembro? ¿Ninguno de vosotros acude en socorro de quien se queja?
>
> Debajo de mis vestidos se irguió el miembro y le contestó: "¡Aquí estoy! ¡Aquí estoy!"
>
> Deshizo el nudo que sujetaba sus vestido, pero se asustó y preguntó: "¿Quién eres?" Contesté: "Un muchacho que responde a tu deseo".
>
> La gocé con algo tan gordo como su brazo, tal como hace una persona educada que sabe trabajar con los muslos.
>
> Después de haberla poseído tres veces me levanté. Dijo: "¡Que te aproveche!" "¡Y a ti!", repliqué.

»¡Qué hermosas son las palabras de este otro!:

Si ella se presentase ante los politeístas, la tomarían por Dios y abandonarían a sus ídolos.
Si escupiese en el salobre mar, su saliva transformaría en agua dulce a todo el océano.
Si, en Oriente, se mostrase a un monje, éste abandonaría el camino de Oriente y seguiría el de Occidente.

»¡Qué hermosas son las palabras de este otro!:

Le he echado una sola mirada y he quedado perplejo; mis pensamientos más delicados han quedado prendados de sus prodigiosas cualidades.
Su intuición le ha revelado que la amo y esta idea ha hecho sonrojar sus mejillas.

»La saludé y me dijo: "¡Sé bienvenido!" Me cogió de la mano, ¡oh, Emir de los Creyentes!, y me hizo sentar a su lado. De tanto como yo la quería rompí a llorar pensando en el día en que tendría que separarme de ella. Por sus ojos resbalaron, también, las lágrimas y recitó este par de versos:

Me place la noche de la separación, no porque me alegre sino porque es posible que el destino, después, nos vuelva a unir.
Me disgusta el día de la unión, ya que sé que toda cosa tiene su fin.

»Empezó a dirigirme amables palabras mientras yo me ahogaba en el mar de la pasión temiendo ya, cuando estaba a su lado, el dolor del momento en que me vería obligado a separarme de ella, de tan grande como eran mi pasión y mi cariño. Pensando en el dolor de la separación y la partida recité este par de versos:

Pensé en la separación en el momento en que me encontraba a su lado y las lágrimas escaparon de mis pupilas como sangre de dragón.

Empecé a secar mis ojos en su cuello, pues es propiedad del alcanfor secar las lágrimas.

»Mandó a continuación que nos sirviesen la comida. Acudieron cuatro esclavas de senos vírgenes que colocaron ante nosotros guisos, dulces, flores, vinos y todo aquello que era propio de reyes. Comimos, Emir de los Creyentes, y luego nos dedicamos a beber teniendo alrededor flores; estábamos en una sala propia de reyes. Después vino, ¡oh Emir de los creyentes!, una esclava que le entregó una bolsa de raso. La cogió, sacó de ella un laúd, lo apoyó sobre su seno y pulsó las cuerdas: el instrumento gimió como un niño cuando llama a la madre. Recitó este par de versos:

No bebas vino si no te lo ofrece la mano de un cervatillo al que hables con dulzura y que te responda del mismo modo.

El vino no es grato a quien lo bebe a menos de que el copero tenga una mejilla pura.

»Permanecí con ella, ¡oh Emir de los creyentes!, durante un lapso de tiempo hasta que hube dado fin a todos mis bienes. Mientras estaba a su lado sentado pensando en que tenía que abandonarla, mis lágrimas corrían, como ríos, por mis mejillas: ya no distinguía la noche del día. Le dije: "¡Señora mía! Desde que estoy contigo tu padre me ha ido cobrando, cada noche, quinientos dinares. Ahora ya no me queda ni un céntimo, ¡qué bien dijo el poeta!:

La pobreza equivale a vivir en el exilio en la propia patria; las riquezas en el exilio hacen de éste una patria."

»Me replicó: "Sabe que mi padre tiene por costumbre, cuando un comerciante se arruina en su casa, concederle hospitalidad durante tres días. Después lo expulsa y no permite que jamás vuelva a nuestro domicilio. Pero guarda tu secreto y oculta lo que te sucede, pues yo voy a emplear una treta para continuar reunida contigo, si

Dios lo quiere, ya que mi corazón siente gran amor por ti. Sabe que dispongo de todos los bienes de mi padre y que él ignora su importe. Yo te daré cada día una bolsa con quinientos dinares y tú la entregarás a mi padre diciendo: 'Desde hoy en adelante te pagaré el importe de la pensión diariamente'. Cada vez que le pagues, él me entregará el importe a mí y yo te lo volveré a dar a ti. Guardaremos este secreto hasta que Dios quiera". Le di las gracias por todo esto y le besé las manos. Así, Emir de los creyentes, seguí viviendo con ella durante un año entero. Pero cierto día ella azotó a su esclava de modo doloroso y ésta la increpó: "¡Por Dios! He de lacerarte el corazón con un dolor como el que me has causado". La esclava corrió en busca del padre y le informó de nuestro asunto desde el principio hasta el fin. Tahir b. al-Alaa, al oír las palabras de la muchacha se puso en pie al instante y entró en la habitación en que yo me encontraba sentado al lado de su hija. Me dijo: "¡Fulano!" "¡Heme aquí!" "Es costumbre nuestra cuando un comerciante se arruina en nuestra casa, concederle hospitalidad durante tres días. Pero tú ya llevas un año comiendo, bebiendo y haciendo lo que te place." Después, volviéndose a sus pajes, les dijo: "¡Quitadle los vestidos!" Lo hicieron y me entregaron diez dirhemes. El viejo dijo: "¡Sal! No te pegaré ni te insultaré. Sigue tu camino. Si te quedas en esta ciudad perderás la vida inútilmente".

»¡Emir de los Creyentes! Salí, a pesar mío, sin saber adónde ir. Todas las penas del mundo habían encontrado refugio en mi corazón; las dudas me asaltaban. Me dije: "¿Cómo es posible que cuando embarqué para venir aquí dispusiera de un millón, parte del cual procedía del importe de treinta buques, y que ahora lo haya perdido todo en casa de ese viejo de mal agüero? Además me ha expulsado desnudo y con el corazón desgarrado. ¡No hay fuerza ni poder sino en Dios, el Altísimo, el Grande!"

»Permanecí tres días sin probar bocado ni beber; el cuarto día vi un buque que zarpaba hacia Basora. Embarqué en él, me puse de acuerdo sobre el precio del pasaje con su patrón y así navegué hasta esta ciudad. Entré en el zoco muerto de hambre. Un verdulero me vio. Se dirigió hacia mí y me abrazó, pues era amigo mío y también lo había sido de mi padre. Me preguntó cómo me encontraba y yo le expliqué todo lo que me había ocurrido. Me dijo: "¡Por Dios! Quien es inteligente no obra así. Pero dejando lo pasado ¿qué piensas hacer?" Le repliqué: "¡No sé lo que haré!" "¿Quieres quedarte conmigo? Registrarás mis salidas y mis entradas y cada día te daré dos dirhemes, además de la comida y la bebida." Acepté su proposición y permanecí con él, Emir de los Creyentes, durante un año entero vendiendo y comprando. Así llegué a disponer de cien dinares con los que alquilé una habitación en la orilla del río con la esperanza de que llegara una embarcación con mercancías en la que pudiese comprar algo para dirigirme con ello a Bagdad. Un buen día llegaron las naves y todos los comerciantes corrieron hacia ellas para comprar. Los acompañé. Dos hombres salieron del fondo de la nave: les pusieron dos sillas y se sentaron en ellas. Los comerciantes se sentaron para comprar. Los dos dijeron a los pajes: "¡Traed el tapete!" Lo extendieron. Uno cogió un saco del cual extrajo una bolsa: la abrió, la vació encima del tapete y su contenido deslumbró la vista de tantas perlas, coral, rubíes y cornalinas multicolores como contenía.

Sahrazad se dio cuenta de que amanecía e interrumpió el relato para el cual le habían dado permiso.

Cuando llegó la noche *novecientas cincuenta y una,* refirió:

—Me he enterado, ¡oh rey feliz!, de que [el joven prosiguió:] »Después, Emir de los Creyentes, uno de los dos hombres sentados en las sillas se volvió hacia los comerciantes y les dijo: "¡Comerciantes! Hoy no voy a vender esto pues me encuentro cansado". Los compradores fueron pujando hasta llegar a los cuatrocientos dinares. El dueño de la bolsa, que me conocía de antiguo, me dijo: "¿Por qué no hablas y no pujas como hacen los demás comerciantes?" Le repliqué: "¡Por Dios, señor mío! De todo lo que poseía en este mundo sólo me quedan cien dinares". Quedé avergonzado ante él y mis ojos derramaron lágrimas. Me observó y le dolió la situación en que yo me encontraba. Dijo a los comerciantes: "Dad testimonio de que yo vendo todas las gemas y metales preciosos que contiene la bolsa a este hombre por cien dinares, a pesar de que sé bien que esto y esto vale mil dinares. Pero es un regalo que le hago". Me entregó el saco, la bolsa, el tapete y todas las gemas que contenía. Le di las gracias por lo que había hecho y todos los comerciantes presentes lo loaron. Lo cogí todo, me marché al zoco de los joyeros y me senté a vender y a comprar. Entre todas esas piedras había una redonda, obra de artesanos, que pesaba medio *ratl;* era de un color rojo muy intenso y tenía algo escrito, a los dos lados, del tamaño de patas de hormigas. Pero yo no conocía su utilidad. Vendí y compré durante un año entero. Entonces cogí el amuleto y dije: "Hace tiempo que tengo esto pero ni sé lo que es ni para qué sirve". Se lo entregué al corredor, quien fue a ofrecerlo. Regresó y me dijo: "Ningún comerciante ofrece por él más de diez dirhemes". Repliqué: "No lo venderé por esa cantidad". Me lo tiró a la cara y se marchó. Otro día volví a ponerlo en venta, pero su precio no pasó de los quince dirhemes. Enfadado lo cogí de las manos del corredor y lo guardé en mi casa. Un día, mientras yo me encontraba sentado, se acercó hacia mí un hombre quien me saludó y me dijo: "¿Me das permiso para que examine las mercancías que tienes?" "¡Sí!" Yo, Emir de los Creyentes, estaba de malhumor dado que no conseguía vender el amuleto. El hombre removió las mercancías, pero sólo cogió el disco del amuleto. Apenas lo vio, Emir de los Creyentes, se besó la mano y exclamó: "¡Loado sea Dios!" Dirigiéndose a mí me preguntó: "¿Lo vendes?" Mi cólera fue en aumento y dije: "¡Sí!" "¿Por cuánto?" "¿Cuánto quieres pagar?" "¡Veinte dinares!" Creyendo que se burlaba de mí le repliqué: "¡Sigue tu camino!" Pujó y me dijo: "¡Cincuenta dinares!" Yo ni le contesté. Siguió: "¡Mil dinares!" A todo esto, Emir de los Creyentes, yo seguía callado, sin decir nada. Él, riéndose de mi silencio, me preguntó: "¿Por qué no me contestas?" Repliqué: "¡Vete a tus quehaceres!", y estuve a punto de pelearme con él. Él siguió pujando de mil en mil dinares sin que yo le contestara; así llegó a decir: "¿Lo vendes por veinte mil dinares?" "Creo que te estás burlando de mí." Alrededor nuestro se había reunido una multitud que me decía: "¡Véndelo! Si no lo compra, todos nosotros caeremos sobre él, lo moleremos a palos y lo expulsaremos del país". Le pregunté: "¿Lo compras o te burlas?" Me replicó: "¿Lo vendes o te burlas?" "¡Lo vendo!" "¡Pues bien! ¡Que sea por treinta mil dinares! Cógelos y firma la venta." Dije a los presentes: "¡Dad testimonio! Pero lo vendo a condición de que me expliques sus virtudes y utilidad". "Firma la venta y te contaré sus virtudes y utilidades." "¡Te lo vendo!" "Dios sale garantizador de lo que dices." Sacó el oro, me lo entregó y cogió el disco del amuleto guardándolo en el bolsillo. Me preguntó: "¿Estás satisfecho?" "Sí." "¡Gentes! Sed testimonio de que él ha firmado el contrato de venta y ha cobrado los treinta mil dinares que importa." Volviéndose hacia mí me dijo: "¡Desgraciado! ¡Juro por Dios que si hubieses retrasado la venta hubiese seguido pujando hasta cien mil dinares o hasta un millón!" Al oír estas palabras, Emir de los Creyentes, la sangre huyó de mi rostro y subió hasta él, en ese instante, la palidez que estás viendo. Le repliqué: "¡Cuéntame la causa de todo esto! ¿Qué utilidad tiene este disco?" Refirió: "Sabe que el rey de la India tiene una hija; jamás se ha visto mujer más hermosa que ella. Sin embargo cayó enferma de epilepsia. El rey convocó a los altos funcionarios y a los sabios y a los sacerdotes pero no consiguieron curarla. Yo, que estaba presente, le dije: 'Oh, rey! Conozco a un hombre que se llama Sad Allah al-Babilí que es la persona más experta que hay sobre la faz de la tierra en estas cosas. Si crees oportuno enviarme a él, hazlo'. Me replicó: 'Ve.' Le dije: 'Dame un pedazo de cornalina'. El soberano me dio un gran pedazo de cornalina, cien mil dinares y un regalo. Lo cogí y me marché a la tierra de Babel. Pregunté por el anciano y me indicaron dónde se encontraba. Le entregué los cien mil dinares y el regalo y lo cogió. Tomó el pedazo de cornalina, ordenó que llevasen al tallador e hizo este amuleto. El anciano observó los astros durante siete meses para elegir el instante en que debía inscribir los talismanes que has visto. Entonces, yo regresé, con él, junto al rey de la India...

Sahrazad se dio cuenta de que amanecía e interrumpió el relato para el cual le habían dado permiso.

Cuando llegó la noche *novecientas cincuenta y dos,* refirió:

—Me he enterado, ¡oh rey feliz!, de que [el joven prosiguió. »El hombre continuó diciéndome:] "Cuando se lo coloqué a la hija del rey ésta quedó curada al acto. La muchacha, antes, tenía que vivir sujeta por cuatro cadenas, pero aun así cada mañana se encontraba sacrificada a la esclava que había pasado la noche con ella. Pero, desde el instante en que tuvo el amuleto encima, quedó curada. El rey se alegró muchísimo, me dio trajes de corte, me concedió grandes regalos y el amuleto se insertó en el collar de la muchacha. Cierto día, subió con sus esclavas en una embarcación para pasear por el mar. Una de las jóvenes, jugando, alargó la mano hacia la princesa y el collar se rompió y cayó al mar. En aquel mismo momento volvió a apoderarse de la pricesa la enfermedad. El rey experimentó una gran tristeza y me entregó grandes riquezas diciéndome: 'Ve en busca del anciano para que te fabrique un amuleto en sustitución del perdido'. Me puse en camino, pero cuando llegué ya había muerto. Regresé al lado del rey y lo informé de ello. Entonces me envió a mí y a diez personas más a recorrer los países, pues tal vez encontráramos algún remedio. Dios me ha hecho tropezar contigo". Entonces, Emir de los Creyentes, tomó el amuleto y se marchó.

»Tal fue la causa de la palidez que ves en mi cara.

»Después regresé a Bagdad llevando todos mis bienes y me instalé en la casa en que ya había estado. Al día siguiente me vestí y me dirigí al domicilio de Tahir b. al-Alaa en espera de poder ver a quien amaba, pues mi pasión por ella había ido en aumento en mi corazón. Al llegar vi que las ventanas estaban en ruina. Interrogué y pregunté a un paje: "¿Qué ha hecho Dios del jeque?" "¡Amigo! Un año se presentó ante él un comerciante llamado Abu-l-Hasán al-Umaní. Permaneció cierto tiempo con su hija. Pero cuando hubo dilapidado todas sus riquezas, el jeque lo expulsó de su casa con el corazón lacerado. La joven también lo amaba de modo violento. En cuanto se marchó se puso enferma de un modo alarmente, hasta casi morirse. Su padre, al darse cuenta mandó buscar a Abu-l-Hasán por todos los países y prometió entregar cien mil dinares a quien regresase con él. Pero nadie le ha encontrado ni ha hallado rastro de él. La muchacha está a punto de morir". Pregunté: "¿Y cómo se encuentra su padre?" "¡Ha vendido a todas las muchachas de tan grande como es su pesar!" "¿Te indico dónde está Abu-l-Hasán al-Umaní?" "¡Te lo ruego por Dios, amigo mío! ¡Indícame dónde está!" "Ve ante el padre y dile: '¡Alégrate! Abu-l-Hasán al-Umaní espera en la puerta'." El muchacho se marchó trotando como un mulo al que se libera de la muela. Estuvo ausente un momento y regresó acompañado por el anciano. Al verme, regresó al interior y entregó cien mil dinares al paje. Éste los tomó y se marchó haciendo votos por mí. Luego el jeque se acercó, me abrazó, rompió a llorar y dijo: "¡Señor mío! ¿Dónde has estado ausente? Mi hija se muere a causa de esta separación. Entra conmigo en la casa". Una vez en el interior se prosternó dando gracias a Dios (¡ensalzado sea!) y exclamó: "¡Loado sea Dios que nos ha reunido contigo!" A continuación entró en el cuarto de su hija y le dijo: "¡Que Dios te cure de esta enfermedad!" "¡Padre! El ver el rostro de Abu-l-Hasán es lo único que puede curarme." "Si comes, y te bañas, os reuniré." Al oír estas palabras preguntó: "¿Es cierto lo que dices?" "¡Juro por Dios, el Altísimo, que lo que digo es verdad!" "¡Por Dios! ¡Si veo su cara no necesito comer!" El anciano dijo a un paje: "¡Haz que entre tu señor!" Entré. En cuanto me vio, ¡oh Emir de los Creyentes!, cayó desmayada. Al volver en sí, recitó este verso:

> Dios reúne ahora a los amantes después que ambos,
> estando separados, pensaban que no volverían
> a encontrarse.

»Se sentó y dijo: "¡Por Dios, señor mío! No esperaba volver a ver tu rostro sino en sueños". Me abrazó, rompió a llorar y dijo: "¡Abu-l-Hasán! Ahora comeré y beberé". Acercaron la comida y la bebida y yo, Emir de los Creyentes, permanecí con ellos algún tiempo. Ella volvió a ser hermosa como antes. El padre mandó llamar al cadí y los testigos, se puso por escrito el contrato de matrimonio, y dio un gran banquete. Ella es, ahora, mi esposa».

Referido esto el muchacho dejó al Califa para regresar acompañado de un niño de belleza prodigiosa, de talle esbelto y bien proporcionado. Le dijo: «¡Besa el suelo ante el Emir de los Creyentes!» El niño se inclinó ante el Califa y éste quedó admirado de su hermosura y alabó a su Creador.

Después al-Rasid se marchó con su séquito y dijo: «¡Chafar! ¡Esto es maravilloso! ¡Jamás había visto ni oído algo tan portentoso!» Una vez en la sede del califato llamó: «¡Masrur!» «¡Heme aquí, señor mío!» «Reúne en esta sala los tributos de Basora, Bagdad y el Jurasán.» Los reunió: era tan gran cantidad de dinero que sólo Dios hubiese podido contarla. Después el Califa dijo: «¡Chafar!» «¡Heme aquí!» «¡Tráeme a Abu-l-Hasán.» «¡Oír es obedecer!» Le hizo comparecer. El muchacho besó el suelo ante el Califa. Estaba asustado de que le hubiese enviado a buscar y temía haber cometido alguna falta mientras había alojado al Califa en su casa. Al-Rasid le dijo: «¡Umaní!» «¡Heme aquí, Emir de los Creyentes! ¡Que Dios te conceda sus dones eternamente!» «¡Descorre esa cortina!» El Emir de los Creyentes había mandado que se colocasen allí los tributos de las tres provincias y los había hecho cubrir con una cortina. Al descorrer la cortina el entendimiento del Umaní quedó asombrado ante tan grandes riquezas. El Califa preguntó: «¡Abu-l-Hasán! Estas riquezas ¿son mayores que las que te dejaste escapar con el amuleto?» «¡Emir de los Creyentes! ¡Éstas son muy superiores!» Al-Rasid dijo: «¡Todos los que estáis aquí presentes sois testimonios de que regalo esas riquezas a este joven!» El muchacho besó el suelo, confuso y experimentando una gran alegría. Las lágrimas resbalaban de sus ojos y corrían sobre sus mejillas al mismo tiempo que la sangre afluía de nuevo a su rostro que pasó a ser como la luna en la noche de plenilunio. El Califa exclamó: «¡No hay más dios que el Dios, gloriado sea! Él hace que a una cosa la suceda otra y en cambio Él es eterno e inmutable». Cogió un espejo y le hizo mirarse. El muchacho, al ver su rostro, se prosternó y dio gracias a Dios (¡ensalzado sea!). El Califa ordenó que todas las riquezas fuesen llevadas a casa del joven y recomendó a éste que le frecuentase y fuese su contertulio. Visitó con frecuencia al Califa hasta que éste se trasladó al seno de la misericordia de Dios (¡ensalzado sea!). ¡Gloria a Aquel que no muere, que posee el reino y el poder!

HISTORIA DE IBRAHIM B. AL-JASIB Y DE CHAMILA, HIJA DE ABU-L-LAYT, GOBERNADOR DE BASORA

Se cuenta también, ¡oh rey feliz!, que al-Jasib, dueño de Egipto, tenía un hijo. No había muchacho más hermoso que él. Tenía tanto miedo de que le ocurriese alguna desgracia que sólo le permitía salir para rezar la plegaria del viernes. Un día, saliendo de la plegaria, pasó junto a un hombre anciano que tenía muchos libros. Bajó del caballo, se sentó a su lado, rebuscó entre los libros y los examinó. Vio en uno de ellos la figura de una mujer que casi hablaba; jamás, sobre la faz de la tierra, había visto a otra más hermosa que ella: le arrebató el entendimiento y su corazón quedó perplejo. Dijo: «¡Anciano! ¡Véndeme esta estampa!» El librero besó el suelo ante él y dijo: «¡Señor mío! ¡No la cobro!» El joven le entregó cien dinares y cogió el libro en que estaba la imagen. Empezó a contemplarla y a llorar de día y de noche; dejó de comer, beber y dormir. Se dijo: «Si preguntase al librero por el autor del dibujo es posible que éste me informara. Si su modelo estuviese con vida llegaría hasta ella; si, por el contrario, se tratase de una simple fantasía, dejaría de quejarme y no me atormentaría más por algo que no tiene una existencia real».

Sahrazad se dio cuenta de que amanecía e interrumpió el relato para el cual le habían dado permiso.

Cuando llegó la noche *novecientas cincuenta y tres*, refirió:

—Me he enterado, ¡oh rey feliz!, de que el viernes siguiente pasó junto al librero. Éste se puso en pie. Le dijo: «¡Tío! ¡Infórmame de quién es el autor de este retrato!» «¡Señor mío! Lo dibujó un habitante de Bagdad que se llama Abu-l-Qasin al-Sandalí y que vive en un barrio llamado al-Karj. Pero ignoro a quién representa la figura.» El muchacho se marchó y no dijo a ninguno de los habitantes del reino lo que le ocurría. A continuación rezó la oración del viernes y regresó a su casa. Cogió una bolsa y la llenó de piedras preciosas y oro. El valor de las piedras preciosas era de treinta mil dinares. Aguardó la llegada de la mañana, salió sin que nadie lo notase y se unió a una caravana. Vio a un beduino y le dijo: «¡Tío! ¿Qué distancia me separa de Bagdad?» «¡Hijo mío! ¡Dónde estás tú y dónde está Bagdad! Te separa de dicha ciudad una distancia de dos meses.» «¡Tío! Si me haces llegar a Bagdad te daré cien dinares y el caballo que monto, que vale mil dinares.» El beduino le replicó: «Dios sale testigo de lo que decimos. Esta noche te hospedarás en mi tienda». El muchacho aceptó la invitación y pasó con él la noche. Al día siguiente, al aparecer la aurora, el beduino tomó consigo el muchacho y recorrió raudo el camino, pues ansiaba hacerse con el corcel que le había prometido. Viajaron sin cesar hasta que llegaron al pie de los muros de Bagdad. El beduino le dijo: «¡Loado sea Dios que nos ha salvado, señor mío! ¡Ésta es Bagdad!» El muchacho se alegró muchísimo, se apeó del caballo y lo entregó al beduino junto con los cien dinares. Después, cogiendo la bolsa, preguntó por el barrio de al-Karj y la residencia de los mercaderes. El destino lo condujo a un pórtico que tenía diez habitaciones: cinco en frente de las otras cinco. En la parte central había una puerta con dos batientes que tenía una anilla de plata; ante la puerta había dos bancos de mármol recubiertos con los más bellos tapices. En uno de ellos estaba sentado un hombre de noble aspecto y bella figura. Tenía puestos hermosos vestidos y delante de él había cinco mamelucos que parecían lunas. El muchacho, al verlo, recordó la descripción que le había hecho el librero. Saludó a ese hombre el cual le devolvió el saludo, lo acogió bien, lo invitó a sentarse y le preguntó por su situación. El muchacho replicó: «Soy un extranjero y quiero pedir de tu generosidad que me indiques una casa en este barrio en que pueda instalarme». Gritó: «¡Gazzala!» «¡Heme aquí, señor mío!» «Toma contigo unos criados e id a una habitación: limpiadla, poned en ella los tapices y todo lo que sea necesario: vasos y demás enseres para que la ocupe este muchacho de hermosa figura.» La muchacha salió e hizo lo que le había mandado. Después lo acompañó y le mostró su domicilio. El muchacho le preguntó: «¡Señor mío! ¿Cuánto importa el alquiler de esta casa?» «¡Oh, muchacho hermoso de rostro! No te cobraré nada mientras permanezcas aquí.» El muchacho le dio las gracias. Tras esto el jeque llamó a otra muchacha: se presentó una mujer que parecía un sol y le dijo: «¡Trae el ajedrez!» Se lo llevó. Un mameluco extendió el tapete. El anciano preguntó al muchacho: «¿Quieres jugar conmigo?» «¡Sí!» Jugaron varias partidas, pero el muchacho le venció. Le dijo: «¡Juegas bien, muchacho! Eres perfecto. Juro, por Dios, que en todo Bagdad no hay quien pueda vencerme y en cambio tú me has ganado». Después, una vez que hubieron acondicionado la habitación con los tapices y todo lo que podía necesitar, le entregó las llaves y le dijo: «¡Señor mío! ¿No quieres entrar en mi casa y comer de mi pan honrándome así?» El muchacho aceptó y lo acompañó. Al llegar a su domicilio, el joven vio que se trataba de una casa muy hermosa, chapeada en oro, adornada con figuras de todas clases y llena de tapices y vasos de tal belleza que la lengua es incapaz de describirlos. El dueño le hizo los elogios y mandó que sirviesen la comida: llevaron una mesa hecha por los artífices del Yemen y la colocaron; después, sirvieron guisos exquisitos, que no tenían parangón con ningunos otros. El joven comió hasta hartarse. Después se lavó las manos; no hacía más que mirar la casa y los tapices; después se volvió en busca de la bolsa que llevaba pero no la vio. Exclamó: «¡No hay fuerza ni poder sino en Dios, el Altísimo, el Grande! He comido un bocado que valdría uno o dos dirhemes y he perdido una bolsa con treinta mil dinares. Pero pido ayuda a Dios». Después se calló y ya no pudo articular ni una palabra.

Sahrazad se dio cuenta de que amanecía e interrumpió el relato para el cual le habían dado permiso.

Cuando llegó la noche *novecientas cincuenta y cuatro,* refirió:

—Me he enterado, ¡oh rey feliz!, de que el jeque le presentó el ajedrez y le dijo: «¿Quieres jugar conmigo?» «¡Sí!» Jugaron y el jeque le venció. El muchacho le dijo: «¡Has mejorado!», dejó de jugar y se puso en pie. El jeque le preguntó: «¿Qué te sucede, muchacho?» «¡Quiero la bolsa!» El anciano se puso de pie y se la entregó diciendo: «¡Aquí la tienes, muchacho! ¿Quieres seguir jugando conmigo?» «¡Sí!» Jugaron y el muchacho ganó. El viejo observó: «Mientras tenías la razón preocupada por la bolsa, te he vencido. Pero, en cuanto te la he entregado, me has vencido». A continuación añadió: «¡Hijo mío! ¡Dime de qué país eres!» «¡De Egipto!» «¿Cuál es la causa de tu venida a Bagdad?» El muchacho sacó el retrato y dijo: «Sabe, ¡oh, tío!, que soy el hijo de al-Jasib, dueño de Egipto. Encontré este retrato en la tienda de un librero y me robó la razón. Pregunté por su autor y se me replicó: "Es un hombre que vive en el barrio de al-Karj y que se llama Abu-l-Qasim al-Sandalí cuya casa está en el distrito del Azafrán". Cogí un poco de dinero y me vine solo; nadie sabe cuál es mi situación. Dada tu perfecta generosidad espero que me indiques dónde reside para que yo pueda interrogarlo por la causa que lo llevó a dibujar este retrato y por la persona a la que representa. Le daré cualquier cosa que me pida». El anciano le replicó: «¡Por Dios, hijo mío! Yo soy el mismo Abu-l-Qasim al-Sandalí y el modo como los hados te han conducido hasta mí constituye algo prodigioso». El muchacho, al oír sus palabras, se acercó a él y lo abrazó y le besó la cabeza y las manos. Le dijo: «¡Te conjuro por Dios a que me digas de quién es ese retrato!» «¡De mil amores!» El anciano abrió un armario y sacó de él cierto número de libros en que estaba la misma figura. Explicó: «Sabe, hijo mío, que este retrato pertenece a la hija de mi tío que vive en Basora; su padre es el gobernador de la ciudad y se llama Abu-l-Layt; ella se llama Chamila y en toda la faz de la tierra no se encuentra una persona más hermosa; pero se abstiene de los hombres y no puede oír ni mencionarlos en sus tertulias. Yo fui a ver a mi tío con la intención de pedirla por esposa; le di muchas riquezas, pero no aceptó. Cuando se enteró, la muchacha montó en cólera y me mandó decir unas cuantas cosas y entre ellas la siguiente: "Si tienes entendimiento no te quedes en la ciudad; si lo haces perecerás y sobre ti recaerá la culpa de tu muerte". Es una mujer engreída. Me marché de Basora lleno de ideas dolorosas y dibujé la figura que se encuentra en los libros; difundí éstos por todos los países en espera de que alguno cayese en manos de un muchacho hermoso como tú capaz de ingeniárselas para llegar hasta ella; tal vez se enamore. Pienso pedirle promesa de que en este caso me permita verla aunque sea de lejos». Ibrahim b. al-Jasib, al oír estas palabras inclinó un momento la cabeza y meditó. Al-Sandalí le dijo: «¡Hijo mío! Jamás he visto, en Bagdad, un muchacho más hermoso que tú. Creo que si ella te ve se enamorará de ti. Si te es posible reunirte y hacerte con ella, ¿me la dejarás ver por una sola vez aunque sea desde lejos?» «¡Sí!» «Si es así quédate conmigo hasta que te pongas en viaje.» El muchacho replicó: «No puedo quedarme. Mi amor por ella hace que haya en mi corazón una llama siempre en aumento». «¡Ten paciencia! En tres días te prepararé una embarcación para que te traslades a Basora.» El muchacho esperó hasta que le hubo preparado el buque y lo hubo cargado con la comida, bebida y demás cosas que podía necesitar. Al cabo de tres días, el jeque dijo al muchacho: «Prepárate para el viaje, pues la embarcación y todo lo que puedas necesitar está ya dispuesto. El buque me pertenece y los marineros son mis servidores. A bordo encontrarás todo lo que puedas necesitar hasta tu regreso. He recomendado a los marineros que te sirvan hasta que vuelvas sano y salvo». El muchacho se puso en camino, subió a la nave, se despidió del anciano y navegó hasta llegar a Basora. El muchacho sacó cien dinares para dárselos a los hombres del equipaje. Le dijeron: «Nosotros hemos cobrado ya de nuestro señor». Les replicó: «¡Coged el dinero como regalo y yo no le diré nada!» Lo tomaron e hicieron los votos de rigor.

El muchacho entró en Basora y preguntó dónde estaba el alojamiento de los mercaderes. Le contestaron: «En un barrio llamado Jan Hamdan». Se puso en marcha hasta llegar al zoco en que se encontraba la hospedería. Todo el mundo clavaba la mirada en él, de tan hermoso y perfecto como era. Entró en el Jan con un marinero. Preguntó por el portero y se lo indicaron. Vio que era un jeque anciano, respetable. Lo saludó y le devolvió el saludo. Dijo: «¡Oh, tío! ¿Tienes una habitación que sea bonita?» Le contestó: «¡Sí!» Tomó consigo al muchacho y al marinero, abrió la puerta de una habitación con las paredes doradas y le dijo: «¡Muchacho! Ésta es la habitación que te conviene». El joven sacó dos dinares y le dijo: «¡Coge estos dos dinares a cambio de las llaves!» Los aceptó e hizo los votos de rigor. El muchacho mandó al marinero que se marchase a la nave y entró en la habitación. El portero del Jan quedó junto a la puerta para servirlo y le dijo: «¡Señor mío! Tú nos has traído la felicidad». El muchacho le entregó un dinar diciendo: «Tráenos pan, carne, dulces y sorbetes». Lo cogió, se marchó al zoco y regresó. Había comprado por valor de diez dirhemes y le devolvió el cambio. Pero el joven le dijo: «Gástalo para ti». El portero de la fonda se alegró muchísimo. Ibrahim comió una rebanada de pan con un poco de acompañamiento. Dijo al anciano: «Coge lo que sobra para tu familia». Lo tomó y se marchó junto a sus allegados. Les dijo: «No creo que sobre la faz de la tierra haya nadie que sea más generoso y dulce que el muchacho que hoy se ha hospedado en nuestra casa. Si se queda con nosotros nos haremos ricos». El portero del Jan volvió al lado de Ibrahim y vio que estaba llorando. Se sentó, le acarició y besó los pies diciendo: «¡Señor mío! ¿Por qué lloras? ¡Que Dios no te haga llorar!» «¡Tío! Deseo que tú y yo bebamos juntos esta noche». «¡Oír es obedecer!» El muchacho sacó cinco dinares y le dijo: «Compra frutas y sorbetes», y le dio otros cinco dinares añadiendo: «Con éstos compra pastas, flores, cinco gallinas y tráeme un laúd». El anciano salió y compró lo que le había mandado. Dijo a su esposa: «Guísame esto y filtra el vino; que todo lo que hagas sea apetitoso, pues este joven nos abruma con su generosidad». La mujer hizo lo que le mandaba con el máximo cuidado. Después, el anciano lo cogió y se lo llevó a Ibrahim, hijo del sultán.

Sahrazad se dio cuenta de que amanecía e interrumpió el relato para el cual le habían dado permiso.

Cuando llegó la noche *novecientas cincuenta y cinco*, refirió:

—Me he enterado, ¡oh rey feliz!, de que comieron, bebieron y oyeron la música. El muchacho rompió a llorar y recitó:

> ¡Amigo mío! Daría mi alma, todas mis riquezas, el mundo y lo que contiene.
> El jardín del Edén y el Paraíso por un solo instante de unión; el corazón no vacilaría.

Exhaló un gemido doloroso y cayó desmayado. El portero de la fonda suspiró. Cuando volvió en sí le preguntó: «¡Señor mío! ¿Qué te hace llorar? ¿Quién es ésa a la que aludes en los versos? Ella sólo puede ser el polvo de tus pies». El muchacho se puso de pie, cogió un fardo que contenía estupendos vestidos de mujer, y le dijo: «Toma esto para tu esposa». El anciano lo cogió y se lo entregó a su mujer. Ésta fue con el marido al lado del joven; le encontraron llorando. Ella le dijo: «¡Te estás destrozando el corazón! ¡Dinos quién es la hermosa a la que amas! Será tu esclava». «¡Tío! Sabe que yo soy el hijo de al-Jasib, señor de Egipto, y que estoy enamorado de Chamila, hija de Abu-l-Layt, el gobernador.» La esposa del portero de la fonda exclamó: «¡Dios mío! ¡Dios mío! ¡Amigo! Deja de decir tales palabras para que no las oiga nadie, pues pereceríamos. En toda la faz de la tierra no se encuentra una persona más cruel que ella; nadie puede decirle ni el nombre de un joven, ya que ha renunciado a ellos. ¡Hijo mío! ¡Sustitúyela por otra!» El muchacho rompió a llorar al oír estas palabras. El portero le dijo: «Sólo poseo mi vida, pero la arriesgaré por ti dado el cariño que te tengo. Idearé alguna cosa para que puedas conseguir tu deseo». Ambos, marido y mujer, se marcharon de su cuarto.

Al día siguiente por la mañana el muchacho se fue al baño y se puso un traje regio. El portero y su esposa fueron en su busca y le dijeron: «¡Señor mío! Sabe que aquí vive un sastre jorobado que trabaja para la señora Chamila. Ve a verlo y cuéntale lo que te ocurre. Es posible que él te indique el modo de conseguir tus deseos».

El muchacho se marchó a la tienda del sastre jorobado y entró. Le encontró con diez mamelucos que parecían lunas. Los saludó y le devolvieron el saludo. Lo acogieron bien y lo invitaron a sentarse, pues habían quedado perplejos ante su hermosura y belleza. El jorobado al verlo se quedó estupefacto ante el buen aspecto del joven. Éste le dijo: «Quiero que cosas mi bolsillo». El sastre se acercó, tomó una hebra de seda y cosió el bolsillo que el joven había roto a propósito para que se lo remendaran. Una vez lo hubo cosido sacó cinco dinares, se los entregó y regresó a su habitación. El sastre preguntó: «¿Qué habré hecho a este muchacho para que me dé cinco dinares?» Pasó toda aquella noche meditando en la hermosura y generosidad del chico. Éste, al día siguiente, volvió a ir a la tienda del sastre jorobado. Entró y lo saludó. El propietario le devolvió el saludo, lo trató con honor y lo acogió bien. Una vez que estuvo sentado dijo al jorobado: «¡Tío! ¡Cóseme el bolsillo, pues se ha descosido por segunda vez!» Le replicó: «¡Hijo mío! ¡De buen grado!» Se acercó y lo cosió. El muchacho le pagó diez dinares. El jorobado los cogió: estaba estupefacto ante tanta belleza y generosidad. Exclamó: «¡Por Dios, muchacho! Si haces esto debes tener algún motivo; aquí no se trata sólo de coser un bolsillo. Dime la verdad de lo que ocurre. Si estás enamorado de alguno de estos muchachos ¡por Dios! entre ellos no hay ni uno que sea más hermoso que tú y todos son polvo de tus pies: Son tus esclavos y están ante ti. Si no es esto, dímelo». «¡Tío! Aquí no es lugar para hablar. Mi relato es maravilloso y mi historia extraordinaria.» «Si tal es el asunto ven a hablar a solas conmigo.» El sastre se puso de pie, cogió de la mano al muchacho, entró con él en la trastienda y le dijo: «¡Muchacho! ¡Habla!» Le refirió su historia desde el principio hasta el fin. El hombre quedó admirado de sus palabras y le replicó: «¡Muchacho! ¡Ten temor de Dios! Ésa que acabas de citar es una mujer prepotente que se abstiene de los hombres. Guarda, amigo mío, tu lengua, pues de lo contrario morirás». El muchacho rompió a llorar amargamente al oír estas palabras y se agarró al faldón del sastre diciendo: «¡Protégeme, tío! ¡Estoy perdido! He abandonado mis estados, aquellos que pertenecen a mi padre y fueron de mi abuelo; he cruzado, solo, países extraños. ¡No puedo vivir sin ella!» El sastre, al ver como se encontraba, tuvo piedad y dijo: «¡Hijo mío! Yo sólo dispongo de mi vida, pero la arriesgaré por el amor que te tengo, pues has herido mis entrañas. Mañana idearé algo que pueda tranquilizar tu corazón». El muchacho hizo los votos de rigor y regresó a la fonda. Una vez en ésta contó al portero lo que le había dicho el jorobado. Le replicó: «Te hace un favor».

Al día siguiente por la mañana, el muchacho se puso un traje más precioso, cogió una bolsa repleta de dinares, y se marchó a ver al jorobado. Le saludó y se sentó. Después dijo: «¡Tío! ¡Cumple tu promesa!» «Ven ahora mismo, coge tus gallinas bien gordas, tres libras de azúcar candi, dos ánforas llenas de vino y una copa. Deja todo eso en un paquete. Después de la plegaria matutina embarcarás en un bote con un marinero. Le dirás: "Quiero que me lleves debajo de Basora". Si te responde: "No puedo alejarme más de una parasanga", di: "De acuerdo", pero una vez haya zarpado sobórnalo con dinero hasta que te conduzca. El primer jardín que veas una vez llegado, es el de la señora Chamila. Ve a su puerta; verás dos escalones altos cubiertos de brocado; encima de ellos encontrarás sentado a un hombre jorobado como yo. Quéjate a él de tu situación y confíate; tal vez se conmueva de tu caso y te permita verla aunque sea desde lejos. Yo no puedo hacer nada más que esto. Si ese jorobado no se compadece de ti moriremos los dos: tú y yo. Tal es mi opinión. Todos los asuntos dependen de Dios (¡ensalzado sea!).» El muchacho dijo: «¡Pido auxilio a Dios! Lo que Él quiere, sucede. ¡No hay fuerza ni poder sino en Dios!» Se separó del sastre jorobado, se dirigió a su habitación, metió lo que le había dicho en un paquete bien hecho y, al amanecer, se dirigió a la orilla del Tigris. Tropezó con un marinero que estaba durmiendo y lo despertó. Le entregó diez dinares y le dijo: «¡Llévame debajo de Basora!» Le contestó: «¡Señor mío! Ha de ser con una condición: que no nos alejaremos más de una parasanga; si pasásemos, aunque fuera un solo palmo, moriríamos los dos». «¡Sea como bien te parezca!» Subió a bordo y siguieron la corriente. Cuando estuvieron cerca del jardín, el marinero le dijo: «Ya no puedo ir más lejos de aquí; si atravesase este límite, moriríamos los dos». El joven sacó otros diez dinares y le dijo: «Tómalos: servirán para mejorar tu situación». El marinero se avergonzó y dijo: «¡Entrego el asunto en manos de Dios!»

Sahrazad se dio cuenta de que amanecía e interrumpió el relato para el cual le habían dado permiso.

Cuando llegó la noche *novecientas cincuenta y seis*, refirió:

—Me he enterado, ¡oh rey feliz!, de que [el marinero] siguió avanzando. Al llegar junto al jardín, el muchacho se puso en pie muy alegre y de un salto, tan largo como un tiro de lanza, bajó a tierra. El marinero emprendió la huida. El joven se acercó y vio todo lo que el jorobado le había dicho que se encontraba en el jardín; encontró la puerta abierta. En el vestíbulo había un estrado de marfil y sentado encima de éste un jorobado de buen aspecto que llevaba puestos vestidos bordados en oro y empuñaba una maza de plata chapeada de oro. El muchacho se acercó a él apresuradamente, se abalanzó sobre su mano y la besó. Le preguntó: «¿Quién eres? ¿De dónde vienes? ¿Quién te ha hecho llegar hasta aquí, hijo mío?» Aquel hombre había quedado admirado de la hermosura de Ibrahim b. al-Jasib desde el momento en que le había visto. El muchacho contestó: «¡Tío! Yo soy un muchacho ignorante y extranjero». A continuación rompió a llorar. El jorobado se apiadó de él, le hizo subir a sentarse en el estrado, le secó las lágrimas y le dijo: «¡Nada malo te ha de suceder! Si eres deudor, Dios pagará tus deudas; ti temes algo ¡que Dios calme tu temor!» «Nada temo y no tengo deudas, tío. Gracias a Dios y a Su auxilio tengo grandes riquezas.» «¡Hijo mío! ¿Qué es lo que deseas que has arriesgado tu vida y tu belleza para llegar hasta este lugar de perdición?» El muchacho le relató toda su historia y le explicó su asunto. Al oír estas palabras inclinó un momento la cabeza hacia el suelo y le dijo: «¿Ha sido el sastre jorobado quien te ha enviado hasta mí?» «¡Sí!» «Es mi hermano; es un hombre bendito. ¡Hijo mío! Si tu amor y tu afecto no hubiesen hallado sitio en mi corazón, hubieseis muerto tú, mi hermano, el portero de la fonda y su mujer.» A continuación añadió: «Sabe que no hay un jardín como éste en toda la faz de la tierra. Se le llama el "Jardín de la Perla" y jamás en toda mi vida ha entrado nadie en él excepción hecha de mí, del sultán y de su dueña Chamila. Vivo en él desde hace veinte años y jamás he visto llegar a nadie hasta este lugar. Cada cuarenta días viene aquí Chamila en una embarcación. Desembarca rodeada por sus doncellas y viste una túnica de raso cuyos faldones levantan diez esclavas con garfios de oro hasta que entra. Yo no veo nada. Yo, a pesar de que sólo dispongo de mi vida, la arriesgaré por tu causa». El muchacho le besó la mano. El anciano le dijo: «¡Quédate a mi lado hasta que idee alguna cosa!» Cogió al muchacho de la mano y le hizo entrar en el jardín. Ibrahim, al verlo, creyó que se trataba del paraíso: tenía delante árboles que se entrelazaban unos con otros, palmeras esbeltas, aguas que murmuraban y pájaros que cantaban con voces distintas. El anciano lo condujo a un pabellón y le dijo: «Éste es el lugar que ocupa la señora Chamila». El muchacho examinó el lugar y vio que era digno de verse: en él había toda clase de pinturas de oro y lapislázuli y cuatro puertas a las que se llegaba a través de cinco escalones. En el centro había una alberca a la que se bajaba por una escalera de oro que estaba cuajada de toda suerte de gemas. En el centro de la alberca había una fuente de oro con grandes y pequeñas figuras. El agua salía por su boca produciendo, en el momento de resbalar por ella, sonidos distintos que hacían creer a quien los oía, que se encontraba en el paraíso. Alrededor del pabellón discurría una acequia cuyos canalones eran de plata recubierta de brocado; a la izquierda de la acequia se abría una ventana de plata que daba a una torre verde en la que se encontraban toda suerte de animales, gacelas y liebres. A su derecha había otra ventana que daba a un parque en que había toda clase de pájaros que cantaban con voces distintas admirando a todo aquel que los escuchaba. El muchacho al ver todo esto quedó boquiabierto de entusiasmo y se sentó en la puerta del jardín. El guardián se colocó a su lado y le preguntó:

«¿Qué te parece mi jardín?» «¡Es el Paraíso terrestre!» El jardinero rompió a reír, se marchó un rato y regresó con una bandeja que contenía gallinas bien cebadas, buenos guisos y dulces de azúcar. Lo colocó ante el muchacho y le dijo: «Come hasta hartarte».

Ibrahim refiere: «Comí hasta quedar harto. Cuando vio que estaba satisfecho se puso muy contento y exclamo: "¡Por Dios! Así se portan los reyes y los hijos de los reyes, Ibrahim! —me dijo—, ¿qué es lo que llevas en ese paquete?" Lo desaté y dijo: "Quédate con ello, pues te será útil cuando llegue la señora Chamila. Cuando ésta esté aquí no podré darte nada de comer". Se puso en pie, me cogió de la mano y me condujo a un lugar que estaba en frente del pabellón de Chamila. Me preparó un refugio entre los árboles y me dijo: "Súbete aquí. Cuando venga la verás sin que ella te vea. Esto es lo mejor que puedo hacer. ¡Confía en Dios! Si canta, bebe de su canto; cuando se marche regresa por donde has venido, sano y salvo si Dios así lo quiere"».

El muchacho le dio las gracias y quiso besarle la mano, pero el anciano se lo impidió. El joven dejó sus provisiones en el refugio que le había preparado y el jardinero le dijo: «¡Ibrahim! Disfruta del jardín y de todos sus frutos; tu señora no vendrá hasta mañana». El muchacho recorrió el jardín, comió de sus frutos y pasó allí la noche. Al día siguiente por la mañana, cuando apareció la aurora y se hizo de día, Ibrahim rezó la oración matutina. Entonces se presentó el jardinero con el rostro pálido y le dijo: «¡Levántate hijo mío! ¡Sube al refugio! Las mujeres ya llegan para acondicionar el lugar y ella vendrá después.

Sahrazad se dio cuenta de que amanecía e interrumpió el relato para el cual le habían dado permiso.

Cuando llegó la noche *novecientas cincuenta y siete,* refirió:

—Me he enterado, ¡oh rey feliz!, de que [el jardinero prosiguió:] »...¡Ni escupas, ni estornudes, ni tosas, pues pereceríamos los dos!» El muchacho se puso en movimiento, subió al refugio y el jardinero se fue diciendo: «¡Que Dios te conceda la salud, hijo mío!» Mientras el muchacho permanecía quieto, aparecieron cinco esclavas: nadie había visto jamás mujeres tan hermosas como ellas. Entraron en el pabellón, se quitaron los vestidos, lo fregaron y lo limpiaron con agua de rosas, lo perfumaron con áloe y ámbar y lo cubrieron de brocado. Después llegaron cincuenta esclavas con instrumentos de música. Chamila iba entre ellas, en el interior de un palanquín de brocado rojo; las esclavas levantaban sus extremos con garfios de oro. Entraron así en el pabellón sin que el muchacho consiguiera ver ni la punta de su vestido. Se dijo: «¡Por Dios! Todas mis fatigas han sido en vano. Pero he de esperar hasta ver cómo termina el asunto». Las doncellas se acercaron a comer y a beber. Comieron, se lavaron las manos y colocaron una silla para la princesa. Ésta se sentó. A continuación empezaron todas a tocar los instrumentos de música y a cantar con voces delicadas, incomparables. Salió una vieja nodriza que palmoteó y bailó; las muchachas la tiraban de uno y otro lado. Entonces el velo se levantó y salió Chamila riéndose. Ibrahim vio que estaba cuajada de joyas, que llevaba puestos hermosos trajes y que su cabeza estaba ceñida por una corona llena de perlas y aljófares; un collar de perlas rodeaba su cuello y ceñía su talle un cinturón de varitas de esmeralda con un cierre de jacintos y perlas. Las esclavas se pusieron de pie y besaron el suelo ante su dueña que sonreía.

Ibrahim b. al-Jasib refiere: «Cuando la vi perdí el conocimiento y mi razón quedó perpleja, mis facultades obnubiladas ante tanta belleza: en toda la faz de la tierra no había otra igual. Recuperé el sentido llorando y recité este par de versos:

> Te miro sin parpadear con el fin de que los párpados no me priven, ni un instante, de ti.
> Si yo te viera con todas mis miradas los ojos no llegaría a descubrir todas tus bellezas».

La anciana dijo a las jóvenes: «¡Pónganse en pie diez de vosotras y bailen y canten!» Ibrahim al verlo se dijo: «Desearía que bailase la señora Chamila». Una vez hubieron terminado de bailar las diez, se colocaron a su alrededor y dijeron: «¡Señora nuestra! Deseamos que bailes en esta reunión para que llegue al colmo nuestra alegría. Jamás hemos visto un día mejor que éste».

Ibrahim b. al-Jasib se dijo: «¡No cabe duda de que las puertas del cielo se han abierto y de que Dios ha escuchado mi plegaria!» Le dijeron: «¡Por Dios! Jamás te hemos visto con el pecho tan alegre como hoy». Siguieron insistiendo hasta que la princesa se quitó los vestidos y se quedó con una camisa de tejido de oro adornado con toda clase de gemas y mostró unos pechos que parecían granadas. Quitó el velo y apareció una cara que asemejaba la luna en la noche del plenilunio. Ibrahim vio que bailaba con unos movimientos como jamás en su vida había visto, haciendo números prodigiosos y extraordinarios que hacían olvidar el baile de las burbujas dentro de las copas y traían a la memoria el ondear de los turbantes encima de las cabezas. Era tal y como sobre ella dijo el poeta:

> Fue creada como quería hasta el punto de ser fundida en el molde de la belleza: ni más ni menos.
>
> Parece que fue hecha con agua de perlas; por cada uno de sus miembros, aparece la belleza de la luna.

O como dijo otro:

> ¡Qué bailarina cuyo cuerpo es como la rama de sauce! Cuando se mueve casi me arrebata el alma.
>
> Su pie no encuentra reposo cuando baila como si el fuego de mi corazón estuviese debajo de sus plantas.

Ibrahim refiere: «Mientras yo la estaba observando una de sus miradas tropezó con la mía. Al verme su rostro se demudó. Dijo a sus doncellas: "¡Cantad hasta que regrese a vuestro lado!" Cogió un cuchillo que medía medio codo, lo empuñó y se vino hacia mí diciendo: "¡No hay fuerza ni poder sino en Dios, el Altísimo, el Grande!". Cuando estuvo cerca, yo perdí el conocimiento. Al verme, cuando se encontró frente a frente, dejó caer el cuchillo de la mano y exclamó: "¡Gloria a Aquel que cambia los corazones!" Dirigiéndose a mí dijo: "¡Muchacho! Tranquilízate, pues estás a salvo de lo que temías". Empecé a llorar y ella me secó las lágrimas con su mano. Dijo: "¡Muchacho! Cuéntame quién eres y qué es lo que te ha traído hasta este lugar". Besé el suelo ante ella y me aferré al faldón de su traje. Ella repitió: "¡No te sucederá nada malo! ¡Juro, por Dios, que mis ojos no han visto más varón que tú! Dime quién eres"».

Ibrahim refiere: «Le conté toda mi historia desde el principio hasta el fin y ella se quedó admirada. Me dijo: "¡Señor mío! ¡Te conjuro por Dios! ¿Eres Ibrahim b. al-Jasib?" "Sí." Se me echó encima y dijo: "¡Señor mío! Tú eres quien ha hecho que yo me abstuviera de los hombres. Oí decir que en Egipto vivía un joven que no tenía par en hermosura en toda la faz de la tierra. Yo me enamoré de la descripción y mi corazón quedó prendado de su amor ya que conocía tu estupenda belleza. Por ti quedé tal como dice el poeta:

> Mi oído ha precedido en el amor a la vista, pues
> a veces el oído ama antes que la vista.

"¡Gracias a Dios que veo tu rostro! Si se hubiese tratado de otra persona hubiese crucificado al jardinero, al portero de la fonda, al sastre y a aquel que se hubiese puesto bajo su protección". Siguió diciéndome: "¿Qué haré para darte algo de comer sin que lo vean mis esclavas?" Le repliqué: "Yo he traído lo que vamos a comer y a beber". Desaté el paquete ante ella. Cogió una gallina y empezó a coger bocados y a ofrecérmelos. Al darme cuenta de la situación creí que se trataba de un sueño. Le ofrecí el vino y bebimos. Todo esto ocurría mientras ella estaba a mi lado y las esclavas cantaban. Seguimos así desde la mañana hasta el mediodía. Después se puso en pie y dijo: "¡Ven! Prepara una embarcación y espérame en tal sitio hasta que yo llegue. No puedo soportar el estar separada de ti". "¡Señora mía!

Tengo una embarcación que me pertenece y marineros que cobran mi sueldo: me están esperando." "¡Eso es lo que quiero!" Se marchó junto a sus esclavas.

Sahrazad se dio cuenta de que amanecía e interrumpió el relato para el cual le habían dado permiso.

Cuando llegó la noche *novecientas cincuenta y ocho,* refirió:

—Me he enterado, ¡oh rey feliz!, de que [Ibrahim prosiguió: »Se marchó junto a sus esclavas] y les dijo: "¡Vámonos a palacio!" "¿Cómo es que nos vamos a esta hora si tenemos por costumbre permanecer aquí tres días?" "Tengo un gran peso encima, como si estuviese enferma. Temo que esto se agrave." "¡Oír es obedecer!", le replicaron. Se pusieron los vestidos, marcharon a la orilla del río y embarcaron en el bote». El jardinero, que desconocía lo sucedido, se acercó a Ibrahim y le dijo: «¡Ibrahim! ¡No has tenido la suerte de disfrutar de su vista, pues tenía por costumbre permanecer aquí durante tres días. Temo que te haya visto». «Ni me ha visto ni la he visto ni he salido de este refugio.» «¡Dices la verdad, hijo mío! Si te hubiese visto ya hubiésemos muerto los dos. Quédate conmigo hasta que vuelva la próxima semana, consigas verla y quedar satisfecho.» Ibrahim le replicó: «¡Señor mío! Yo tengo dinero y temo por él; además tengo mis servidores y temo que aprovechen mi ausencia». «¡Hijo mío! Me sabe mal dejarte.» Lo abrazó y se despidió de él. El joven se dirigió a la fonda en que se hospedaba y encontró al portero. Cogió sus bienes y el portero le interrogó: «¿Si Dios quiere hay buenas noticias?» «¡No he encontrado medio de conseguir lo que quería! Deseo volver a reunirme con mi familia.» El portero rompió a llorar, se despidió de él, cargó su equipaje y se lo llevó hasta el buque. Después, el muchacho, se dirigió al lugar en que le había dicho que la esperara. Al caer la noche llegó la princesa disfrazada de hombre de guerra, con una barba redonda; el talle, ceñido por un cinturón; llevaba en una mano un arco con flechas y en la otra una espada desenvainada. Le preguntó: «¿Tú eres el hijo de al-Jasib, señor de Egipto?» Le contestó: «Yo soy»

«¿Y qué criminal eres tú que vienes a seducir a las hijas de los soberanos? ¡Ven a hablar con el sultán!»

Ibrahim refiere: «Yo caí desmayado y los marineros se morían de miedo dentro de su piel. La joven, al ver lo que me había sucedido, se quitó la barba, tiró la espada y se sacó el cinturón. Entonces vi que se trataba de la señora Chamila. Le dije: "¡Por Dios! ¡Has destrozado mi corazón!" A continuación grité a los marineros: "¡Apresuraos a zarpar!" Tendieron las velas y navegaron del modo más rápido posible. Pocos días después llegaron a Bagdad. Allí, junto a la orilla, se encontraba un buque. Sus marineros gritaron a los del nuestro: "¡Fulano! ¡Fulano! ¡Os felicitamos por estar a salvo!" Acercaron su embarcación a la nuestra. Observamos y vimos que en aquella venía Abu-l-Qasim al-Sandalí. Al vernos dijo: "¡Esto es lo que yo deseaba! ¡Marchaos con la paz de Dios! Yo quiero conseguir mi propósito". Tenía una vela en las manos. Me dijo: "¡Loado sea Dios que te ha salvado! ¿Has conseguido tu deseo?" "¡Sí!" Acercó la vela hacia nosotros. Chamila, al verle, se puso nerviosa y perdió el color. Al-Sandalí dijo: "¡Seguid con la paz de Dios! Yo voy ahora a Basora para unos asuntos del Sultán. El regalo es para quien está presente". Sacó una caja de dulces y la tiró a nuestro buque. Pero en realidad se trataba de un narcótico».

Ibrahim dijo: «¡Luz de mis ojos! Come de esto». La muchacha le contestó: «¡Ibrahim! ¿Sabes quién es ése?» «¡Sí! Es Fulano.» «Es mi primo. Me ha pedido, con anterioridad, en matrimonio a mi padre, pero yo no lo acepté. Ahora va a Basora y probablemente informará a mi padre de nosotros.» «¡Señora mía! Él no llegará a Basora antes de que nosotros nos encontremos en Egipto.» Pero ninguno de los dos sabían lo que el destino les escondía.

«Yo —refiere Ibrahim— comí unos cuantos dulces. Apenas llegaron al vientre caí al suelo de cabeza. Al llegar la aurora estornudé y el narcótico salió por mi nariz. Abrí los ojos y me encontré desnudo, abandonado en un montón de ruinas. Me abofeteé la cara y me dije: "Esto es una trampa que me ha tendido al-Sandalí". Me quedé sin saber adónde dirigirme; no tenía más que los zaragüelles. Me puse de pie y anduve un poco. El gobernador apareció de pronto con unos cuantos hombres armados con espadas y mazas. Me asusté. Vi un baño en ruinas y me oculté en él. Pero el pie se me enredó en algo. Palpé el pie con la mano y la retiré teñida de sangre. La sequé en los zaragueles sin saber de qué se trataba. Bajé la mano y palpé un muerto cuya cabeza se quedó en mis brazos. La solté y exclamé: "¡No hay fuerza ni poder sino en Dios, el Altísimo, el Grande!" Me oculté en un recoveco del baño. En aquel instante llegaba el gobernador ante la puerta. Dijo a sus hombres: "¡Entrad en este sitio y registrad!" Entraron diez con antorchas. Mi terror era tan grande que me escondí detrás de una pared. Examiné al muerto y vi que se trataba de una adolescente cuya cara era como la luna. Tenía la cabeza en un sitio y el cuerpo en otro. Vestía trajes de gran valor. Cuando la vi el corazón se me quedó aterrorizado. El gobernador gritó: "¡Buscad por todos los rincones del baño!" Entraron en el lugar en que yo me encontraba y uno de los hombres me vio. Se me acercó empuñando un cuchillo de medio codo de largo y al llegar a mi lado exclamó: "¡Gloria a Dios que ha creado un rostro tan hermoso! ¡Muchacho! ¿De dónde eres?" Me cogió de la mano y añadió: "¡Muchacho! ¿Por qué has matado a esta muchacha?" "¡Por Dios! —repliqué—. Ni la he matado ni sé quién la ha matado. Me he metido en este lugar porque me he asustado al veros", y a continuación le referí toda mi historia. Añadí: "¡Te conjuro por Dios a que no me maltrates! Yo sólo me preocupo de mis asuntos". Me detuvo y me condujo ante el gobernador. Éste, al ver mis manos manchadas de sangre, exclamó: "¡No se necesitan más pruebas! ¡Cortadle el cuello!"

Sahrazad se dio cuenta de que amanecía e interrumpió el relato para el cual le habían dado permiso.

Cuando llegó la noche *novecientas cincuenta y nueve,* refirió:

—Me he enterado, ¡oh rey feliz!, de que [Ibrahim prosiguió] »Al oír estas palabras rompí a llorar amargamente y las lágrimas fluyeron a raudales de mis ojos. Recité este par de versos:

Marchamos por la vía que nos ha sido prescrita;
aquel al que se le ha destinado que recorra un
camino, lo sigue.
Quien debe morir en una tierra determinada no
muere en otra distinta.

»Exhalé un gemido y caí desmayado. El corazón del verdugo se apiadó de mí y dijo: "¡Por Dios! ¡Ésta no es la cara de un asesino!" El gobernador insistió: "¡Córtale el cuello!" Me colocaron en el tapete de las ejecuciones, me vendaron los ojos, el verdugo empuñó la espada y pidió permiso al gobernador para decapitarme. Estaba a punto de cortarme el cuello. Yo grité: "¡Ah! ¡Muero en tierra extraña!" De pronto un caballo se acercó al galope y una persona gritó: "¡Dejadlo! ¡Detén tu mano, verdugo!"»

Todo esto tenía por causa algo prodigioso y extraordinario. Era lo siguiente: Al-Jasib, señor de Egipto, había despachado a su chambelán ante el Califa Harún al-Rasid. Le había entregado grandes regalos y una carta en la que le decía: «Mi hijo ha desaparecido hace un año. He oído decir que está en Bagdad. Desearía de la bondad del Califa de Dios que inquiriese sus noticias, que se preocupase de encontrarlo y me lo devolviese con el chambelán». El Califa, una vez leída la carta, había ordenado al gobernador que hiciese las averiguaciones pertinentes. El Califa y el gobernador habían ido preguntando hasta que se dijo a este último: «Está en Basora». Entonces informó de esto al Emir de los creyentes quien escribió una carta, se la entregó al chambelán egipcio y le mandó que marchase a Basora y que tomase consigo unos cuantos servidores del ministro. Dado el afecto que tenía el chambelán por el hijo de su señor, se puso en marcha en seguida y encontró al muchacho sobre el tapete de las ejecuciones. El gobernador, al ver y reconocer al chambelán, corrió hacia él. El chambelán le preguntó: «¿Quién es ese muchacho? ¿Qué le sucede?» Se lo refirió. El chambelán, que en aquel momento no había reconocido al hijo del sultán, dijo: «La cara de este muchacho no es propia de un asesino», y mandó que le quitasen las ligaduras. Le soltaron. Dijo: «¡Acércate, muchacho!» Se aproximó. De tantos terrores como había sufrido había perdido su belleza. El chambelán le dijo: «¡Cuéntame tu historia, muchacho, y qué es lo que significa la asesinada que está a tu lado!» Ibrahim, al fijarse, reconoció al chambelán. Le dijo: «¡Ay de ti! ¿No me conoces? Yo soy Ibrahim, el hijo de tu señor. ¿A lo mejor vienes en mi busca?» El chambelán clavó en él los ojos y le reconoció al instante y se arrojó a sus pies. El gobernador, al ver lo que hacía el chambelán, palideció. Éste le dijo: «¡Ay de ti, tirano! ¿Es que querías asesinar al hijo de mi señor, al-Jasib, el dueño de Egipto?» El gobernador, besando el faldón del chambelán, le dijo: «¡Señor mío! ¿Cómo había de reconocerlo si le he visto con este aspecto y la muchacha asesinada estaba a su lado?» «¡Ay de ti! ¡Careces de aptitudes para el gobierno! Este muchacho tiene quince años y no ha matado ni un gorrión, ¿cómo quieres que mate a una persona? ¿Cómo no te has tomado tiempo para poder interrogarlo?» El chambelán y el gobernador chillaron: «¡Buscad al asesino de la muchacha!» Entraron en el baño por segunda vez, vieron al asesino, lo detuvieron y lo condujeron ante el gobernador y éste lo envió a la casa del Califa. Informado de lo sucedido, mandó matar al asesino. Después hizo comparecer al hijo de al-Jasib. Al verlo ante él, al-Rasid sonrió y le dijo: «¡Cuéntame toda tu historia y lo que te ha sucedido!» Se lo refirió desde el principio hasta el fin. Todo ello le pesó. Llamó a Masrur, el verdugo, y le dijo: «¡Sal ahora mismo, irrumpe en la casa de Abu-l-Qasim al-Sandalí y tráemelo con la adolescente!» Se marchó corriendo, penetró en la casa y encontró a la muchacha atada con sus propios cabellos. Estaba desesperada. Masrur la desató y la condujo, junto con al-Sandalí, ante al-Rasid. Éste, al ver a Chamila, quedó admirado de su belleza. Volviéndose hacia al-Sandalí chilló: «¡Sujetadlo! ¡Cortadle las manos con que ha pegado a esta muchacha! ¡Crucificadlo! ¡Entregad sus bienes e inmuebles a Ibrahim!» Así lo hicieron. Mientras realizaban estas cosas llegó Abu-l-Layt, gobernador de Basora y padre de la señora Chamila, para pedir el auxilio del Califa contra Ibrahim b. al-Jasib, señor de

Egipto y para quejarse por el rapto de su hija. Al-Rasid le replicó: «¡Él ha sido quien la ha librado del tormento y de la muerte!» Ordenó que compareciera Ibn al-Jasib. Cuando llegó dijo a Abu-l-Layt: «¿Te place que este muchacho, hijo del sultán de Egipto, sea el esposo de tu hija?» «¡Oír es obedecer a Dios y a ti, ¡oh Emir de los creyentes!» El Califa mandó llamar al cadí y a los testigos y casó a la muchacha con Ibrahim b. al-Jasib. Regaló a éste todos los bienes de al-Sandalí y le equipó para volver a su país.

Vivió con ella en la más perfecta felicidad y en el mejor bienestar hasta que se les presentó el destructor de las dulzuras, el que separa a los amigos. ¡Gloria al Viviente, al que no muere!

HISTORIA DEL CAMBISTA ABU-L-HASÁN AL-JURASANÍ Y DE SACHARAT AL-DURR

Se cuenta también, ¡oh rey feliz!, que al-Mutadid bi-llah, hombre resuelto y noble, tenía en Bagdad seiscientos visires. No le pasaba inadvertido ningún asunto referente a sus súbditos. Un día salió a pasear con Ibn Hamdún para ver a sus súbditos y oír los nuevos sucesos. Hacía un calor fuerte. Se dirigieron hacia un hermoso azucaque que arrancaba de la calle. Entraron en él. En el fondo del mismo vieron una hermosa casa, alta, que hablaba con elogio de su dueño. Se sentaron en la puerta para descansar. Del interior salieron dos criados como lunas en la noche decimocuarta. Uno de éstos dijo al otro: «¡Si hoy pidiese alguien hospitalidad! Nuestro señor sólo come con dos huéspedes. Pero hemos llegado hasta este momento y sin haber visto ninguno». El Califa quedó admirado de sus palabras y dijo: «Esto es indicio de la generosidad del dueño de la casa. Es necesario que entremos y observemos sus buenas cualidades. Éste será el origen de los beneficios que he de concederle». Dijo al criado: «Pide a tu señor permiso para que entre un grupo de extraños». En aquel tiempo, cuando el Califa quería convivir con sus súbditos, se disfrazaba de comerciante. El criado se presentó ante su señor y le informó. Éste se puso en pie, muy contento, y salió a recibirle. Tenía rostro hermoso, bella figura y vestía una camisa de género de Nisabur y un manto bordado en oro; estaba bien perfumado y en la mano llevaba puesto un anillo de jacinto. Al verlos exclamó: «¡Bien venidos sean los señores que nos honran por completo con su venida!»

Una vez en el interior vieron que aquella casa era capaz de hacer olvidar la patria y la familia: parecía ser un pedazo de paraíso.

Sahrazad se dio cuenta de que amanecía e interrumpió el relato para el cual le habían dado permiso.

Cuando llegó la noche *novecientas sesenta* refirió:

—Me he enterado, ¡oh rey feliz!, de que en el interior había un jardín con toda clase de árboles ante el cual quedaba perpleja la vista, había salas cubiertas con los más preciosos tapices. Se sentaron. Al-Mutadid, observaba la casa y los tapices.

Refiere Ibn Hamdún: «Yo observaba al Califa y me di cuenta de que su cara se demudaba, pues sabía reconocer por su aspecto si estaba triste o enfadado. Al verlo me dije "¡Quién sabe lo que habrá pensado para enfadarse!" Nos acercaron una palangana de oro. Nos lavamos las manos. Trajeron un tapete de seda y colocaron encima una mesa de bambú. Cuando retiraron la tapadera que cubría los recipientes vimos una comida que recordaba a las flores en primavera en el momento de su máximo esplendor, cuando están aisladas o en grupo. El dueño de la casa dijo: "¡En el nombre de Dios, señores! ¡Por Dios! El hambre se me lleva. Honradme comiendo de estos guisos tal y como tienen por costumbre las gentes nobles". El huésped empezó a trinchar una gallina: nos la ofreció riendo, recitando versos, refiriendo historias y hablando de la manera distinguida que es propia de las tertulias». Ibn Hamdún refiere: «Comimos y bebimos. Después nos trasladamos a otro salón que dejaba absorta a la vista y que despedía penetrantes aromas. Nos acercaron una mesa con frutas del tiempo y exquisitos dulces. Nuestra alegría en aumento hizo desaparecer las preocupaciones». Refiere Ibn Hamdún: «Pero a pesar de todo esto el Califa seguía sombrío, sin sonreír ante lo que constituía la alegría del alma, y eso que le gustaban las diversiones y distracciones y amaba desprenderse de las preocupaciones. Yo, que sabía que no era ni envidioso ni inicuo, me dije: "¡Quién supiera cual es la causa de su enojo que impide que desaparezca su mal humor!" Nos acercaron la bandeja con las bebidas, venía en copas de oro, cristal y plata. El dueño de la casa golpeó con una varita de bambú en la puerta de una celosía. Ésta se abrió y salieron de ella tres esclavas de senos vírgenes. cuyo rostro era luminoso como el sol en la cuarta hora del día: una tocaba el laúd, otra el címbalo y la tercera era bailarina. Nos sirvieron las frutas, secas y del tiempo». Refiere Ibn Hamdún: «Entre nosotros y las tres muchachas colocaron un velo de brocado con bordados de seda y anillas de oro. Pero el Califa no prestaba atención a todo esto. El propietario no sabía a quién tenía en su casa. El Califa le pregunntó: "¿Eres un jerife?" Le contestó: "No, señor mío: soy hijo de un comerciante, muy conocido por la gente con el nombre de Abu-l-Hasán Alí b. Ahmad al-Jurasaní". El Califa le preguntó: "¡Oh, hombre! ¿Me conoces?" "¡Por Dios, señor mío! No conozco a ninguno de vosotros"».

Ibn Hamdún intervino: «¡Hombre! Éste es el Emir de los creyentes, al-Mutadid bi-llah, nieto de al-Mutawakkil alá Alláh». El huésped se puso de pie temblando de miedo y besó el suelo ante el Califa. Dijo: «¡Emir de los creyentes! ¡Te conjuro por tus puros antepasados que si has notado que he cometido alguna falta o portado con poca corrección en tu presencia, que me perdones!» El Califa replicó: «Te has portado con nosotros con una generosidad sin igual. Pero hay algo que me molesta. Si me dices la verdad y ésta es comprensible para mi entendimiento, te salvarás; pero si no me la dices te hallaré en falta evidente y te atormentaré del modo más doloroso que nadie haya sufrido». «¡Que Dios me libre de contarte una mentira! ¿Qué es lo que de mí te disgusta, Emir de los creyentes?» «Desde el momento en que he entrado en la casa observo su belleza, su vajilla, sus tapices, su decoración e incluso tus vestidos. Y todo ello lleva el nombre de mi abuelo: al-Mutawakkil alá Alláh.» «Así es, Emir de los creyentes. ¡Que Dios te ayude! La verdad es tu estandarte, la sinceridad, tu satisfacción, y ante ti nadie puede faltar a la verdad.» El Califa le mandó que se sentase y se sentó. Le dijo: «¡Habla!» Replicó: «Sabe, ¡oh Emir de los creyentes (¡que Dios te conceda la victoria y te auxilie con sus gracias!) que no había en Bagdad persona más despierta que mi padre o yo. Préstame tu entendimiento, tu oído y tu vista para que te cuente el origen de eso que me reprochas». «¡Cuenta tu historia!»

Refirió: «Sabe, ¡oh Emir de los creyentes!, que mi padre pertenecía al gremio de los cambistas, al de los drogueros y al de los traperos. Tenía una tienda en cada uno de sus zocos respectivos, además de mercancías de todas clases. Tenía su vivienda en el interior de la tienda del zoco de los cambistas, ya que ésta la dedicaba a la compra-venta. Sus bienes eran innumerables y excedían de cualquier límite. Yo era su único hijo y él me quería y me amaba. Cuando se le presentó la muerte me mandó llamar, y me recomendó que me cuidase de mi madre y que tuviese temor de Dios. Después fue a comparecer ante la misericordia divina. ¡Él prolongue la vida del Emir de los creyentes! Yo me dediqué a los placeres, a comer y a beber y me busqué amigos y compañeros. Mi madre me lo prohibió y me censuró, pero yo no quise escuchar sus palabras, hasta que hube dilapidado todos mis bienes y vendido las fincas. Sólo me quedó la casa en que vivía. Era una bonita casa, Emir de los creyentes. Dije a mi madre: "Quiero vender la casa". Me replicó: "¡Hijo mío! Si la vendes te cubrirás de oprobio y no tendrás lugar en qué refugiarte". "Vale cinco mil dinares. Con su importe compraré otra de mil dinares y el resto lo emplearé para comerciar." Me preguntó: "¿Me vendes la casa por esa cantidad?" "¡Sí!" Se dirigió a un tabique, lo abrió, sacó un jarro de porcelana china que contenía cinco mil dinares. Yo me imaginé que toda la casa era de oro. Me dijo: "¡Hijo mío! No creas que este dinero es de tu padre. Lo heredé yo del mío y lo he guardado para un caso de necesidad. Mientras vivió tu padre no lo necesité". Yo, Emir de los creyentes, cogí el dinero y volví a hacer lo mismo que antes: comer, beber y buscar amigos. Así acabé con los cinco mil dinares sin hacer caso de las palabras ni de los consejos de mi madre. Después le dije: "Quiero vender la casa". "¡Hijo mío! Te prohibo que la vendas, pues sé que la vas a necesitar. ¿Cómo quieres venderla otra vez?" "¡No hables más de la cuenta! ¡He de venderla!" "Véndemela por quince mil dinares y acepta, como condición, el que yo me encargue de tus asuntos." Se la vendí por esa suma y le confié mis asuntos. Después llamó a los administradores de mi padre, dio a cada uno mil dinares, conservó el resto y empezó a tomar y a dar. Me dio una parte del dinero para que comerciase y me dijo: "Instálate en la tienda de tu padre". Hice lo que me ordenó mi madre, Emir de los creyentes, y me dirigí a la habitación que tenía en el zoco de los cambistas. Acudieron mis amigos y empezaron a comprarme y yo a venderles. Obtuve buenos beneficios y mis bienes fueron en aumento. Mi madre, al verme en esta buena situación, me enseñó lo que había atesorado: gemas, metales preciosos, perlas y oro; volvieron a mi poder las fincas que había tenido que vender y mis riquezas crecieron llegando a ser lo que habían sido. En esta situación permanecí algún tiempo. Acudieron los encargados de mi padre y les di las mercancías. Después construí otra habitación en el interior de la tienda. Un día, mientras permanecía allí según tenía por costumbre, Emir de los creyentes, se me acercó una muchacha. Jamás los ojos han visto una mujer más hermosa. Preguntó: "¿Es este el domicilio de Abu-l-Hasán Alí b. Ahmad al-Jurasaní?" Repliqué: "¡Sí!" "¿Y dónde está?" "Soy yo mismo." Mi entendimiento había quedado absorto ante belleza tan grande, Emir de los creyentes. Se sentó y me dijo: "Di a tu criado que me pese trescientos dinares". Le ordené que pesara aquella cantidad: la pesó. Ella la cogió y se marchó mientras yo quedaba embobado. El criado me preguntó: "¿La conoces?" "¡No, por Dios!" "Entonces por qué me has dicho: '¡Pésalo!'" "¡Por Dios! No sé lo que he dicho, pues me he quedado admirado de su belleza y hermosura." El muchacho se puso en pie y la siguió sin que yo lo supiera. Después regresó llorando. En el rostro se veía la huella de un golpe. Le pregunté: "¿Qué te ha sucedido?" "He seguido a la muchacha para ver adónde iba. Al darse cuenta se ha vuelto y me ha dado un golpe que por poco me saca el ojo." Pasé un mes sin verla y sin que viniese. Tenía el entendimiento encariñado en su amor, Emir de los creyentes. Al cabo de un mes volvió y me saludó. Yo casi volé de alegría. Me preguntó por mi historia y dijo: "Tal vez te hayas dicho ¿qué asunto llevará entre manos esta taimada? ¿cómo coge mi dinero y se marcha?" Contesté: "¡Por Dios, señora mía! Mis bienes y mi vida te pertenecen". Se quitó el velo y se sentó a mi lado para descansar. Adornos y joyas jugueteaban sobre su rostro y su pecho. A continuación dijo: "Pésame trescientos dinares". Contesté: "¡Oír es obedecer!" Le pesé los dinares, los cogió y se marchó. Dije al muchacho: "Síguela". La siguió. Regresó atónito[1]. Pasó algún tiempo sin que ella regresase. Un día, mientras yo me encontraba sentado, se me acercó y habló un rato. Después dijo: "Pésame quinientos dinares, pues los necesito!" Estuve a punto de decirle: "¿Y por qué he de darte mis bienes?", pero el exceso de pasión me impidió hablar pues yo, Emir de los creyentes, notaba, cada vez que la miraba, cómo temblaban mis miembros y palidecía mi cara olvidando así lo que quería decirle y pasando a ser como dijo el poeta:

> Bastaba con verla casualmente para quedar aturdido y sin saber qué decir.

»Le pasé los quinientos dinares. Los cogió y se marchó. La seguí yo mismo hasta que llegó al zoco de los joyeros. Se paró ante un hombre y cogió un collar. Al volverse y verme me dijo: "¡Pésame quinientos dinares!" El vendedor, al descubrirme, se puso de pie y me hizo los honores. Le dije: "Dale el collar, pues su importe es cosa mía". "¡Oír es obedecer!", me replicó. La muchacha cogió el collar y se marchó.

Sahrazad se dio cuenta de que amanecía e interrumpió el relato para el cual le habían dado permiso.

Cuando llegó la noche *novecientas sesenta y una*, refirió:

—Me he enterado, ¡oh rey feliz!, de que [el joven prosiguió:] »La seguí hasta que llegó al Tigris y subió a una embarcación. Hice gesto de arrojarme al suelo para besarlo ante ella. Se marchó riendo. Yo me quedé plantado mirándola hasta que hubo entrado en un palacio: era el del califa al-Mutawakkil. Regresé, Emir de los creyentes, con el corazón abrumado por todas las

[1] Hay que sobreentender «por un nuevo golpe».

penas del mundo. Ella se me había llevado tres mil dinares. Me dije: "Me ha cogido mis bienes y me ha encandilado la razón; tal vez me haya amargado la vida por su causa". Regresé a mi casa y referí a mi madre todo lo que me había sucedido. Me dijo: "¡Hijo mío! Después de esto ¡guárdate de ser atrevido! ¡Perecerías!" Una vez estuve de nuevo en mi tienda se presentó el gerente que tenía en el zoco de los perfumistas, anciano entrado en años, y me dijo: "¡Señor mío! ¿Qué ocurre que te veo alterado? Se ve en ti la huella de la angustia. ¡Cuéntame tu historia!" Le referí todo lo que me había sucedido con la muchacha. Dijo: "¡Hijo mío! Ésa es una de las doncellas del Emir de los creyentes; es la favorita del Califa. Piensa que has gastado el dinero en nombre de Dios y no te preocupes por ella. Si vuelve guárdate de intentar entenderte con ella e infórmame para que yo idee alguna cosa con el fin de que no te suceda una desgracia!" Me dejó y se fue. Mi corazón era una llama de fuego. Al cabo de un mes volvió a presentarse: venía muy contenta. Me dijo: "¿Qué es lo que hizo que me siguieses?" "El mucho amor que tengo en mi corazón." Rompí a llorar en su presencia y ella me acompañó, por compasión, con sus lágrimas. Dijo: "¡Por Dios! La pasión que hay en tu corazón no es nada en comparación con la que hay en el mío. Pero ¿qué haré? ¡Por Dios! ¡No puedo verte más de una vez al mes!" Después me entregó una carta y dijo: "Lleva esto a Fulano de tal. Es mi administrador y recoge todo lo que está indicado". Repliqué: "No necesito el dinero. ¡Ojalá mis bienes y mi vida te sirvieran de rescate!" "Ya idearé un medio para que puedas llegar hasta mí aunque me haya de causar fatiga." Se despidió de mí y se marchó. Me fui a ver al anciano droguero y le informé de lo que me había sucedido. Me acompañó hasta el palacio de al-Mutawakkil y vi que, en efecto, era el mismo sitio en que había entrado la muchacha. El droguero se quedó perplejo ante la treta que debía utilizar. Se volvió, descubrió un sastre en frente de una ventana que daba sobre el río y que tenía varios oficiales. Dijo: "Con éste conseguirás tu propósito pero, antes, descose tu bolsillo. Después acércate y dile: 'Cóselo'. Una vez lo haya hecho, págale diez dinares". Repliqué: "¡Oír es obedecer!" Me dirigí al sastre, cogí, antes de llegar, dos piezas de brocado bizantino y le dije: "¡Haz de las dos cuatro vestidos! Dos *farachiyyas* y dos que no sean *farachiyya*". Una vez hubo terminado de cortarlos y coserlos le pagué por su importe mucho más de lo que era costumbre. Después, cuando alargó la mano con los vestidos, le dije: "Quédatelos para ti y para aquellos que trabajan aquí". Me senté allí y permanecí largo rato con él. Le hice confeccionar otros vestidos y le dije: "Cuélgalos delante de tu negocio para que quien los vea los compre". Así lo hizo. Todo aquel que salía del alcázar del Califa quedaba admirado de sus trajes y yo los regalaba incluso al portero. Un día el sastre me dijo: "Quiero, hijo mío, que me refieras la verdad de tu historia, ya que tú me has hecho confeccionar cien vestidos preciosos que valen un pico de dinero y los has regalado, en su mayoría, a la gente. Un comerciante no obra de esta manera; un comerciante calcula hasta el dirhem. ¿Cuál es tu capital que te permite hacer tales regalos? ¿Cuáles son tus beneficios cada día? Dime la verdad para que te ayude a conseguir tu deseo". Añadió: "¡Te conjuro por Dios! ¿Estás enamorado?" "¡Sí!" "¿De quién?" "De una esclava del alcázar del Califa." "¡Que Dios las confunda! ¡A cuantas gentes extravían! ¿Sabes cómo se llama?" "¡No!" "¡Descríbemela!" Se la describí. Exclamó: "¡Ay! ¡Es la tocadora de laúd del califa al-Mutawakkil! ¡Es su favorita! Pero ella tiene un esclavo. Haz que nazca la amistad entre vosotros dos. Tal vez él sea la causa de que puedas llegar hasta ella". Mientras estábamos hablando, el mameluco apareció por la puerta de palacio. Se parecía a la luna en su noche decimocuarta. Delante de él aparecieron los trajes que había confeccionado el sastre: eran de brocado y había de todos los colores. Empezó a examinarlos y a contemplarlos. Después se acercó hacia mí. Me puse de pie y lo saludé. Preguntó: "¿Quién eres?" "Un comerciante." "¿Vendes estos vestidos?" "¡Sí!" Cogió cinco y preguntó: "¿Cuánto cuestan estos cinco?" "Son un regalo que te hago para anudar la amistad entre nosotros dos." Se alegró mucho. Me marché a mi casa, cogí un traje cuajado de aljófares y jacintos de gran valor, pues costaba tres mil dinares, y se lo llevé. Lo aceptó. Me tomó consigo y me condujo a una habitación que estaba en el interior del palacio. Me preguntó: "¿Cuál es tu nombre entre los mercaderes?" "¡Soy uno de ellos!" "Tu asunto me pone en guardia." "¿Por qué?" "Me has regalado muchas cosas y te has apoderado de mi corazón. Para mí es patente que eres Abu-l-Hasán al-Jurasaní, el cambista."

»Rompí a llorar, Emir de los creyentes. Me dijo: "No llores. Aquella por la que lloras siente por ti más pasión que tú por ella. Lo malo es que esto es público entre todas las mujeres de palacio". Añadió: "¿Qué quieres?" "Que me ayudes en mi aflicción". Me citó para el día siguiente y yo regresé a mi casa. La mañana siguiente me dirigí a verlo y entré en su habitación. En cuanto llegó me dijo: "Sabe que ayer, una vez hubo terminado su servicio al lado del Califa, entré en su celda y le referí tu historia. Ha resuelto reunirse contigo. Quédate aquí hasta que termine el día". Allí me quedé. Cuando la noche desplegó sus tinieblas, acudió el mameluco llevando una camisa bordada en oro y una túnica de las del Califa. Me la puso. Después me perfumó y quedé como si fuese el Califa. Me condujo hacia un corredor a ambos lados del cual estaban dispuestas las habitaciones. Dijo: "Éstas son las celdas de las favoritas. Al pasar pondrás, delante de cada puerta, un haba, ya que esto hace, por costumbre, cada noche el Califa.

Sahrazad se dio cuenta de que amanecía e interrumpió el relato para el cual le habían dado permiso.

Cuando llegó la noche *novecientas sesenta y dos*, refirió:

—Me he enterado, ¡oh rey feliz!, de que [el muchacho contó: »...El mameluco prosiguió:] "...Harás esto hasta llegar a la segunda de tu derecha: verás una habitación cuya puerta tiene dintel de mármol. Si quieres llama con tu mano y si quieres cuenta las puertas que son tantas y tantas. Entra en la que tiene tales características: tu amada te verá y te recogerá. Dios ya me facilitará tu salida, aunque tenga que sacarte dentro de un cofre". Me dejó y volvió atrás. Yo empecé a andar y a contar las puertas dejando delante de cada una, un haba. Cuando me encontré en el centro del pasillo oí un gran alboroto y vi la luz de las velas. El cortejo avanzaba y se aproximaba hacia mí. Lo observé y vi que se trataba del Califa que venía rodeado de esclavas que llevaban las velas. Una de ellas dijo a otra: "¡Hermana! ¡Tenemos dos Califas! El que ya ha pasado ante mi habitación, pues he percibido su perfume y, según su costumbre, ha colocado un haba ante mi celda. Pero ahora veo a la luz de las velas el Califa que viene". Le contestó: "¡Es algo raro, pues nadie se atrevería a ponerse las ropas del Califa!" La luz siguió acercándoseme y mis miembros temblaban. Un criado gritó a las criadas: "¡Hacia aquí!" Se dirigieron hacia una de las habitaciones y entraron. Después salieron y siguieron avanzando hasta llegar a la de mi amante. Oí que el Califa preguntaba: "¿De quién es esta habitación?" Le contestaron: "De Sacharat al-Durr". "¡Llamadla!" La llamaron. Salió y besó los pies del Califa. Éste le preguntó: "¿Quieres beber esta noche?" "Si no fuese por tu presencia y por poder contemplar tu rostro, no bebería. Esta noche no me apetece beber." El soberano dijo al tesorero: "¡Dale tal collar!", y a continuación ordenó entrar en su habitación, y las velas pasaron delante de él. Entonces vi, delante de todos, una esclava; la luz de su rostro eclipsaba la de la vela que tenía en la mano. Se acercó hacia mí y preguntó: "¿Quién es éste?" y, cogiéndome, me condujo a una celda. Me preguntó: "¿Quién eres?" Besé el suelo ante ella y le dije: "Te conjuro por Dios, señora mía, a que evites derramar mi sangre y a que tengas piedad de mí y te acerques a Dios salvando mi vida". Rompí a llorar asustado ante la muerte. Me dijo: "No cabe duda de que eres un ladrón". "¡No, por Dios! ¡No soy un ladrón! ¿Es que tengo aspecto de ladrón?" "¡Dime la verdad y yo te pondré a salvo!" "Estoy enamorado y soy ignorante y estúpido. La pasión y mi ignorancia me han llevado a hacer lo que ves hasta el punto de caer en esta desgracia." Dijo: "Quédate aquí hasta que vuelva". Se marchó y regresó con ropas de mujer. Me las puso en aquel rincón y dijo: "¡Sal detrás de mí!" Salí y la seguí hasta llegar a su habitación. Dijo: "¡Entra aquí!" Pasé. Me condujo a un estrado sobre el cual había un gran tapiz y me dijo: "¡Siéntate! No te ha de suceder nada malo; ¿eres Abu-l-Hasán Alí, el cambista?" "¡Sí!" "¡Que Dios preserve tu sangre si dices la verdad y no eres un ladrón! De lo contrario perecerás y, en especial, porque vistes los trajes del Califa y estás perfumado como él. Si eres Abu-l-Hasán al-Jurasaní, el cambista, estás a seguro y nada malo te ha de suceder, puesto que eres el amante de Sacharat al-Durr y ésta es mi hermana. Ella no te olvida ni un instante y nos ha contado cómo te ha cogido el dinero sin que tú te alterases; cómo la seguiste hasta la orilla del río haciendo gesto de arrojarte al suelo ante ella; pero el fuego que arde en su corazón por ti es mayor que el tuyo por ella. ¿Cómo has llegado hasta aquí? ¿Ha sido con su consentimiento o sin él? Ella te ha puesto en peligro. ¿Qué pretendes al encontrarte con ella?" "¡Por Dios, señora mía! Soy yo quien se ha expuesto al peligro. Sólo pretendo reunirme con ella para verla y oírla hablar". "¡Dices bien!" "¡Señora mía! Dios es testigo de lo que digo: no me propongo inducirla al pecado." "¡Si tal es tu intención, Dios te salvará! Mi corazón siente compasión de ti." A continuación dijo a su esclava: "¡Fulana! Ve a ver a Sacharat al-Durr y dile: 'Tu hermana te saluda y te invita. Concédele esta noche, según tienes por costumbre: su pecho está angustiado'". Fue, regresó y explicó: "Tu hermana dice: 'Que Dios me consuele con tu larga vida y haga de mí tu rescate. ¡Por Dios! Si tú me hubieses invitado para cualquier otra cosa hubiese accedido, pero el Califa me ha causado una jaqueca: ya sabes cuál es mi posición respecto a él'". La joven dijo a la esclava: "Vuelve y dile: 'Es necesario que acudas, pues entre nosotras dos hay un secreto'". La muchacha volvió a salir para regresar con ella al cabo de un rato. El rostro de Sacharat al-Durr resplandecía como la luna llena. Su hermana le salió al encuentro y la abrazó. Dijo: "¡Abu-l-Hasán! Acércate y besa sus manos". Yo me encontraba en una dependencia de la habitación. Salí a su encuentro, Emir de los creyentes. Al verme se echó en mis brazos y me estrechó contra su pecho. Me preguntó: "¿Cómo los trajes, el aspecto y el perfume del Califa? ¡Cuéntame qué te ha sucedido!" Le referí lo ocurrido y lo mucho que me había hecho sufrir el miedo y lo demás. Me replicó: "Siento mucho lo que has sufrido por mí. ¡Loado sea Dios que ha dispuesto que todo termine bien y sin conflictos entrando tú en mi casa y en la de mi hermana!" Me condujo a su habitación y dijo a su hermana: "Me he puesto de acuerdo con él en que sólo nos reuniremos de modo lícito. Pero como ha corrido estos peligros y ha pasado tales terrores yo ya no seré, para él, más que tierra hollada por sus pies y polvo de sus sandalias".

Sahrazad se dio cuenta de que amanecía e interrumpió el relato para el cual le habían dado permiso.

Cuando llegó la noche *novecientas sesenta y tres*, refirió:

—Me he enterado, ¡oh rey feliz!, de que [el joven prosiguió:] »La otra intervino: "¡Con tales propósitos Dios (¡ensalzado sea!) os salvará!" "Sí; ya verás lo que hago para conseguir reunirme con él de manera lícita. He de entregarme por completo para conseguirlo." Mientras estábamos hablando se armó un gran barullo. Nos volvimos y vimos que era el Califa que se dirigía hacia su habitación, pues sentía un gran amor por ella. La joven, Emir de los creyentes, me cogió y me metió en una trampa que cerró por fuera y salió a recibir al Califa. Éste se sentó y la muchacha se quedó de pie, ante él, y se puso a su servicio. Mandó que sirviesen las bebidas.

»El Califa amaba a una muchacha que se llamaba Bancha, la madre de al-Mutazz billáh. Pero ésta se había apartado de él y él de ella. La mujer, orgullosa de su hermosura y belleza, no se había reconciliado con él y al-Mutawakkil, orgulloso de su rango de Califa y de su poderío, no se había reconciliado ni humillado ante ella a pesar de tener una llama en el corazón. Se había distraído de ella frecuentando a las demás concubinas, sus iguales, y entrando en sus habitaciones. Como le gustaba la voz de Sacharat al-Durr le mandó que cantara. Ésta cogió el laúd, lo acordó y cantó estos versos:

Me maravilla cómo el destino se ha encargado de separarnos y en cuanto ha desaparecido lo que nos unía, ha quedado tranquilo.
Me he apartado de ti hasta que se dijo: "¡No conoce la pasión!" Y te he visitado hasta que se dijo: "¡No tiene paciencia!"
¡Oh, su amor! Cada noche acrece mi amor. ¡Oh, consuelo del transcurso de los días! ¡Si el día del juicio nos reúne!
Tiene una piel como la seda y su palabra es dulce: no habla ni de más ni de menos.
Y dos ojos a los que Dios dijo: "¡Sed!" y fueron, pero que causan al corazón lo mismo que el vino.

»El Califa, al oírla, quedó profundamente impresionado mientras que yo, por mi parte, Emir de los creyentes, que estaba en el subterráneo, me conmovía y de no ser por la bondad de Dios (¡ensalzado sea!) hubiese gritado y nos hubiésemos perdido. A continuación recitó estos versos:

La abrazo, pero aún después la deseo; después del abrazo, ¿volveremos a estar próximos?
Beso su boca para apagar el ardor de mis labios pero sólo consigo que vaya en aumento la pasión.
Parece como si mi corazón sólo se tranquilizara al ver la mezcla de dos espíritus.

»El Califa estaba impresionado y dijo: "¡Pídeme lo que quieras, Sacharat al-Durr!" "¡Te pido, Emir de los creyentes, que me concedas ser libre, ya que esto te traerá una recompensa!" "¡Eres libre por amor de Dios (¡ensalzado sea!)!" La muchacha besó el suelo ante él.

»El Califa le dijo: "Coge el laúd y cántame algo que aluda a la esclava de cuyo amor estoy prendado. Las gentes buscan mi gracia y yo persigo la suya". Cogió el laúd y recitó este par de versos:

¡Señora de la belleza que has puesto fin a mi continencia! ¡Te he de poseer de cualquier modo!
O humillándome, como es propio del amor, o por la fuerza, como es propio del poder."

»El Califa se emocionó y dijo: "¡Coge el laúd y canta versos que aludan a las tres concubinas que son mis dueñas y me impiden dormir! Una eres tú; la otra, la que me ha abandonado y a la tercera, que no tiene par, no la nombro". La muchacha cogió el laúd y emocionó con su canto recitando estos versos:

Las tres doncellas tienen mis riendas y han ocupado el puesto más alto en mi corazón.
No debo obediencia a ningún ser humano y en cambio las obedezco a ellas que me son rebeldes.
Esto es debido a que el poder del amor, con el que me han vencido, es más fuerte que el mío.

»El Califa quedó muy admirado de lo bien que esta poesía se ajustaba a su caso y se sintió inclinado a reconciliarse con la esclava que lo había abandonado. Salió y se dirigió a su habitación. Una esclava se le adelantó, la informó de que el Califa iba a verla y la mujer salió a recibirle y besó el suelo ante él. Luego le besó los pies. El soberano y ella hicieron las paces. Esto es lo que a ellos se refiere.

»He aquí lo que hace referencia a Sacharat al-Durr: fue a buscarme, llena de alegría, y me dijo: "¡Soy libre gracias a tu bendita visita! Tal vez Dios me ayude en lo que estoy pensando para conseguir reunirme contigo de modo lícito". Repliqué: "¡Loado sea Dios!" Mientras hablábamos llegó su criado y le referimos lo que había sucedido: Dijo: "¡Loado sea Dios que ha hecho que esto tenga un fin feliz! ¡Roguémosle que lo complete concediéndote que salgas salvo!" Mientras hablábamos llegó la hermana de la joven, que se llamaba Fatir. Le dijo: "¡Hermana! ¿Qué haremos para sacarlo del palacio sin daño? Dios (¡ensalzado sea!) me ha concedido la libertad y soy libre gracias a su bendita visita". Fatir le contestó: "No se me ocurre treta alguna para sacarlo a menos de que le vistamos de mujer". Me trajo una túnica femenina y me la puso. Yo, Emir de los creyentes, salí al momento; pero al llegar al centro del palacio, el Califa que estaba sentado y tenía a los criados ante él, me vio y tuvo sospechas. Dijo a sus cortesanos: "¡Corred y traedme a esa mujer que sale!" Una vez me hubieron colocado ante él, levantaron el velo. Al verme me reconoció y me interrogó. Yo le conté la cosa y no le oculté nada. Oída mi historia reflexionó: se dirigió a la habitación de Sacharat al-Durr y le preguntó: "¿Cómo prefieres a un comerciante por encima mío?" La joven besó el suelo ante él y le refirió la verdad de toda la historia desde el principio hasta el fin. Al oír sus palabras, su corazón se llenó de clemencia y piedad por ella, la disculpó por sus aventuras amorosas, y se marchó. El criado entró y le dijo: "¡Tranquilízate! Tu amante ha contado lo mismo, palabra por palabra, en el momento de ser conducido ante el Califa".

»El Califa regresó, me hizo comparecer ante él y me preguntó: "¿Qué te ha inducido a ser tan atrevido en la sede del califato?" "¡Emir de los creyentes! —repliqué—, me han movido a ello la ignorancia, la pasión, y la confianza en tu clemencia y en tu generosidad". Rompí a llorar y besé la tierra ante él. Entonces dijo: "¡Os perdono a los dos!" Me ordenó que me sentara y así lo hice. Mandó llamar al cadí Ahmad b. Alí Dawud y me casó con ella. Dispuso que trasladasen a mi casa todo lo que ella tenía en su habitación y me la llevaron, como esposa, a su habitación. Al cabo de tres días salí y transporté todo aquello a mi casa. Lo que ves, Emir de los creyentes, en mi casa y que te ha molestado, constituye su equipo. Un día me dijo: "Sabe que al-Mutawakkil es un hombre generoso, pero temo que se acuerde de nosotros o que algún envidioso haga que nos recuerde. Quiero hacer algo para ponernos a cubierto de esto". Pregunté: "¿Y de qué se trata?" "Quiero pedirle permiso para realizar la peregrinación y arrepentirme de mi profesión de cantante." "Sí, de acuerdo con lo que dices." Mientras estábamos hablando llegó un mensajero del Califa que venía a buscarla, ya que a él le gustaba mucho su canto. Acudió a palacio y se puso a su servicio. Le dijo: "No te apartes por completo de nosotros". Le contestó: "¡Oír es obedecer!" Un día la mandó llamar a palacio, como de costumbre, y acudió. Pero regresó antes de lo que yo esperaba con los vestidos desgarrados y llorando. Me asusté y dije: "¡Somos de Dios y a Él volvemos!", pues creía que el Califa mandaba detenernos. Añadí: "Al-Mutawakkil ¿se ha enfadado con nosotros?" Replicó: "¡Y dónde está al-Mutawakkil! ¡Su gobierno ha terminado y sus huellas han desaparecido!" "¡Cuéntame lo que ha sucedido!" "Estaba sentado detrás de la cortina. Bebía teniendo al lado a al-Fath b. Jaqán y a Sadaqa b. Sadaqa cuando su hijo al-Muntasir, acompañado por una pandilla de turcos, le ha asesinado, transformando la alegría en tristeza y la buena suerte en llantos y gemidos. Yo y las esclavas hemos huido y Dios nos ha salvado". Me puse en pie al acto, Emir de los creyentes, y huí hacia Basora, ciudad en la que me alcanzó la noticia del principio de la guerra entre al-Muntasir y al-Mustain. Entonces transporté a esa ciudad a mi mujer y mis bienes.

»Tal es mi historia, Emir de los creyentes: sin añadir ni quitar una letra. Todo lo que ves en mi casa con el nombre de tu abuelo, al-Mutawakkil, son los regalos que nos hizo, ya que el origen de nuestros favores procede de tus nobles antepasados. Vosotros sois gentes generosas y ruinas de desprendimiento».

El Califa se alegró muchísimo de esto y quedó admirado de su relato. «Mostré al Califa a mi mujer y a los hijos que había tenido con ella: todos besaron el suelo ante él. El Emir de los creyentes quedó admirado de su belleza. Pidió tinta y nos escribió una exención del pago de la contribución territorial durante veinte años.»

El soberano se marchó contento y lo tuvo por contertulio hasta que el destino los separó y fueron a habitar en las tumbas después de haber ocupado los palacios. ¡Gloria al Rey Indulgente!

HISTORIA DE QAMAR AL-ZAMÁN
Y DE SU AMADA

SE cuenta también, ¡oh rey feliz!, que en el tiempo antiguo vivía un comerciante llamado Abd al-Rahmán al que Dios había concedido una hija y un hijo. A la hija le puso por nombre Kawkab al-Sabbah dada su gran belleza y hermosura y al hijo le llamó Qamar al-Zamán, dada su hermosa figura. Al darse cuenta de lo hermosos, bellos y bien proporcionados que Dios los había hecho, tuvo miedo del mal de ojo que pudieran causarles los que los vieran, de la lengua de los envidiosos, de las tretas de los desaprensivos y de las añagazas de los perversos. Por tanto, durante catorce años los guardó escondidos en un palacio sin que los viera nadie más que sus padres y la esclava que había puesto a su servicio. El padre les enseñaba a leer El Corán y les explicaba cómo Dios lo había revelado. Lo mismo hacía la madre: así ésta lo enseñaba a la niña y el padre al niño. Aprendieron de memoria El Corán; aprendieron a escribir, y a contar. Sus padres les enseñaron las ciencias y las artes y de este modo no necesitaron ningún maestro. Cuando el muchacho llegó a la edad de la pubertad, la madre dijo a su esposo: «¿Hasta cuándo vas a mantener oculto a la vista de la gente a tu hijo Qamar al-Zamán? ¿Es una hembra o un varón?» «¡Es un varón!» «Pues si es varón ¿por qué no le llevas contigo al zoco y lo instalas en la tienda para que las gentes le vayan conociendo y se enteren de que es tu hijo? Le enseñarás a vender y a comprar y si te ocurre una desgracia las gentes sabrán que es tu hijo y él podrá hacerse cargo de tu herencia.

Si tú murieses en la situación actual y el muchacho dijese a la gente: "Soy el hijo del comerciante Abd al-Rahmán" nadie lo creería. Le replicarían: "Jamás te hemos visto y no sabíamos que él tuviese un hijo". Entregarían tus bienes al juez y tu hijo se quedaría sin nada. Lo mismo ocurriría con nuestra hija. Me propongo presentarla en sociedad: tal vez alguien de su misma posición la pida en matrimonio y se case con ella dándonos así una gran alegría». El marido le replicó: «Temía que alguien les causase mal de ojo...

Sahrazad se dio cuenta de que amanecía e interrumpió el relato para el cual le habían dado permiso.

Cuando llegó la noche *novecientas sesenta y cuatro,* refirió:

—Me he enterado, ¡oh rey feliz!, de que [el marido replicó: «Temía que alguien les causase mal de ojo] y por eso he obrado así. Los quiero mucho y el amor es muy celoso. ¡Qué bien dijo el autor de estos versos!:

> Por ti tengo celos de mi mirada, de mí mismo,
> de ti, del sitio en que estás y del tiempo.
> Si tú te pusieses, eternamente, en el lugar de mis
> ojos, yo no me cansaría de tu vecindad.
> Si tú estuvieses a mi lado hasta el día del juicio,
> no me bastaría».

La esposa le dijo: «¡Confía en Dios! Aquel a quien Dios protege no sufre ningún daño. Llévalo, hoy mismo, contigo a la tienda». La madre le puso un magnífico vestido y así lo transformó en una seducción para quien lo veía y en un pesar en el corazón de los amantes. El padre lo tomó consigo y lo llevó al zoco. Todo aquel que lo veía quedaba enamorado: se acercaban a él, le besaban la mano y lo saludaban mientras el padre insultaba a aquellos que le seguían con el propósito de verlo. Unos decían: «El sol ha surgido por tal sitio y brilla en el zoco». Otros clamaban: «¡La luna ha salido por tal sitio!» Los de más allá gritaban: «¡Ha llegado el cuarto creciente que indica la fiesta de los servidores de Dios!» Empezaron a aludir al muchacho en sus palabras y a hacer votos por él. El padre estaba avergonzado ante lo que decía la gente y no podía impedir que hablasen. Injuriaba a su madre y la maldecía, puesto que ella había sido la causa de la salida del muchacho. El padre se volvió y contempló la multitud que se apiñaba delante y detrás de ellos. Entonces siguió avanzando hasta llegar a la tienda, la abrió, hizo que su hijo se sentase ante él y observó la multitud que obstruía por completo el camino. Cualquiera que cruzaba ante ellos, yendo o viniendo, se detenía ante la tienda para contemplar aquel rostro hermoso y desde aquel instante, no podía marcharse. Hombres y mujeres estaban ante él haciendo realidad las palabras de quien dijo:

> Has creado la belleza para que nos sedujera y nos dijiste: «¡Oh, vosotros, que me adoráis! ¡Temedme!»
> Tú eres bello y amas la belleza, ¿cómo, pues, no han de amarla tus siervos?

Cuando el comerciante Abd al-Rahmán vio que la gente se aglomeraba ante él y que hombres y mujeres formaban filas que contemplaban a su hijo, se llenó por completo de vergüenza y se quedó perplejo ante lo que le sucedía, sin saber qué hacer. De pronto apareció un derviche trashumante, en cuyo rostro se veían las huellas propias de los adoradores de Dios: se acercó hacia él saliendo de un rincón del mercado, se aproximó al muchacho recitando versos y derramando abundantes lágrimas. Al ver a Qamar al-Zamán sentado, como si fuese una rama de sauce, surgido de un montículo de azafrán, lloró copiosamente y recitó este par de versos:

> Acabo de ver una rama sobre una duna que parece la luna cuando resplandece.
> Pregunto: «¿cómo se llama?» Me ha contestado: «Lala». Respondo: «Para mí, para mí», y rechaza diciendo: «¡No! ¡No!»[1]

[1] Juego de palabras entre *la la,* perla; *li li,* "para mí, para mí" y *la la,* no.

El derviche avanzó poco a poco acariciándose la calva con la mano derecha; la multitud le dejaba pasar por el respeto en que le tenía. Al fijarse en el muchacho quedó prendado de él su entendimiento y su vista. A él se ajustaban las palabras del poeta:

> Mientras aquel hermoso se encontraba en su sitio, surgía de su rostro la luna que marca la ruptura del ayuno.
> De pronto apareció un anciano respetable que avanzó poco a poco.
> En su cara se veían las huellas del ascetismo.
> Había sufrido el transcurso de los días y las noches y había profundizado en lo lícito y en lo ilícito.
> Había amado a hombres y mujeres y se había adelgazado hasta quedar como un palillo.
> Hasta quedar sólo huesos carcomidos dentro de la piel.
> En tal arte era portentoso: a pesar de viejo parecía joven.
> Virgen en el amor de las mujeres, pero en ambas especies era un gran experto.
> Zaynab, a su lado, era lo mismo que Zayd[2].
> Enloquecía y amaba a las bellas, se lamentaba sobre los campamentos abandonados y lloraba sobre sus ruinas.
> Por su gran pasión crees que es una rama a la que la brisa azota de aquí para allá.
> La dureza es propia de la naturaleza de la piedra.
> Era muy experto, despierto y sagaz en el arte del amor.
> Conocía lo fácil y lo difícil y abrazaba por igual a la gacela y al garzón y se enamoraba a la vez del canoso y del imberbe.

Se acercó al muchacho y le dio una raíz de arrayán. El padre metió la mano en el bolsillo y sacó dirhemes

[2] **Nombres propios respectivamente de hembra y de varón.**

en cantidad suficiente diciéndole: «Quédate con esto, derviche, y sigue tu camino». Cogió el dinero y se sentó en el banco de la tienda en frente del muchacho. Empezó a observarlo, a derramar lágrimas, y a suspirar ininterrumpidamente. Sus lágrimas parecían surgir de una fuente. La gente lo miraba y lo criticaba. Algunos decían: «Todos los derviches son unos corrompidos». Otros: «El corazón de este derviche está enamorado de este muchacho». El padre, al ver esta situación, le dijo: «¡Hijo mío! Levántate que cerramos la tienda y regresamos a casa. Hoy no tenemos necesidad ni de vender ni de comprar. Dios (¡ensalzado sea!) recompensará a tu madre por lo que ha hecho con nosotros. Ella es la causante de todo esto». A continuación añadió: «¡Derviche! ¡Levántate para que pueda cerrar la tienda!» El derviche se puso de pie. El comerciante cerró la tienda, tomó consigo al muchacho y se marchó. La gente y el derviche los siguieron hasta llegar a su casa. El muchacho entró en ella. El padre se volvió hacia el derviche y le dijo: «¿Qué quieres, derviche? ¿Por qué lloras?» «¡Señor mío —le contestó—. Esta noche quiero ser tu huésped. El huésped es el huésped de Dios (¡ensalzado sea!).» «¡Sé bienvenido, huésped de Dios! ¡Entra derviche!»

Sahrazad se dio cuenta de que amanecía e interrumpió el relato para el cual le habían dado permiso.

Cuando llegó la noche *novecientas sesenta y cinco,* refirió:

—Me he enterado, ¡oh rey feliz!, de que [el padre] en su interior, se dijo: «Este derviche se ha enamorado del muchacho y quiere cometer una torpeza. Esta noche he de matarlo y esconder su tumba. Pero si no comete ninguna torpeza, tendrá su parte como le corresponde por ser huésped». Hizo entrar al derviche y a Qamar al-Zamán en la misma habitación y dijo, en secreto, al primero: «¡Hijo mío! ¡Siéntate al lado del derviche y en cuanto yo os deje a solas provócalo y juega con él! Si te pide una acción torpe yo, que estaré vigilando desde la ventana que da a la habitación, lo veré, correré hacia él y lo mataré».

El muchacho, una vez a solas con el derviche en la habitación, se sentó a su lado. El derviche empezó a mirarlo, a suspirar y a llorar. Cuando el muchacho le dirigía la palabra, le contestaba con dulzura, temblando, se volvía hacia él y suspiraba y lloraba aún más. Así se comportó hasta la llegada de la noche. Entonces comió con los ojos clavados en el muchacho, pero sin dejar de llorar. Cuando hubo transcurrido el primer cuarto de la noche y se puso fin a la conversación, por ser ya el momento de dormir, el padre del muchacho dijo a éste: «¡Hijo mío! ¡Quédate al servicio de tu tío, el derviche, y no le contraríes!» Cuando se disponía a salir, el derviche dijo: «¡Señor mío! ¡Llévate a tu hijo o duerme con nosotros!» «¡No! ¡Mi hijo dormirá contigo! Tal vez necesites algunas cosas y mi hijo puede solucionártelo permaneciendo a tu servicio.» El padre salió, los dejó a solas y se instaló en la habitación que tenía la ventana que daba al cuarto en que estaban el derviche y el muchacho. Esto es lo que se refiere al comerciante.

He aquí lo que hace referencia al muchacho: Éste se acercó al derviche y empezó a provocarlo y a hacerle insinuaciones. El derviche se indignó y dijo: «¿Qué significan estas palabras, hijo mío? Busco refugio en Dios frente a Satanás (¡lapidado sea!). ¡Dios mío! ¡Esto está prohibido y no te satisface! ¡Apártate de mí, muchacho!» El derviche se levantó del sitio en que se encontraba y se sentó lejos del adolescente. Pero éste le siguió, se le echó encima y le dijo: «¡Derviche! ¿Por qué te privas del placer de unirte conmigo? Mi corazón te ama». El enojo del derviche creció y le replicó: «¡Si no te abstienes de molestarme llamaré a tu padre y lo informaré de lo que sucede!» «Mi padre ya sabe que soy de esta manera y no puede impedirlo. Por tanto hazme caso ¿por qué te abstienes de mí? ¿Es que no te gusto?» «¡Por Dios, muchacho! ¡No lo haría aunque se me cortara con las espadas más afiladas!» Y a continuación recitó estos versos:

> Mi corazón ama a los bellos, sean varones o hembras: no soy un impotente.
> Pero los veo por la mañana y por la noche y no soy ni sodomita ni fornicador.

Rompió a llorar y añadió: «¡Ábreme la puerta para que pueda seguir mi camino! No me quedo aquí para dormir». Se puso de pie; pero el muchacho se acercó hacia él y le dijo: «Fíjate en el brillo de mi rostro, en el color sonrojado de mis mejillas, en lo delicado de mi cuerpo y en la delicadeza de mis labios». Le mostró una pierna capaz de avergonzar al vino y a quien lo escancia y le clavó una mirada capaz de hacer inofensivo el conjuro de un mago. Era de una belleza portentosa, de un encanto irresistible. Tal como dijo un poeta:

> Desde que se incorporó e intencionadamente descubrió una pierna reluciente cual perla, no lo he olvidado.
>
> No os admiréis si para mí ha llegado ya el día de la resurrección: cuando se destapa la pierna llega el día de la resurrección.

A continuación el muchacho le mostró el pecho y le dijo: «¡Observa mis pechos! Son más hermosos que los de las mujeres y mi saliva es más dulce que el azúcar de caña. Déjate de abstinencia y mortificación, abandona la devoción y el ascetismo, aprovecha para unirte conmigo, goza de mi belleza y nada temas: estás a cubierto de cualquier desgracia, déjate de esas estupideces que no son más que una mala costumbre». Le mostró los encantos que guardaba ocultos e intentó hacerle perder las riendas del entendimiento con sus piruetas. Pero el derviche apartaba la vista de él e imploraba: «¡En Dios busco refugio! ¡Avergüénzate, hijo mío! ¡Esto es algo prohibido! ¡No lo haré ni tan siquiera en sueños!» El muchacho se hizo el insistente, razón por la cual el derviche buscó la alquibla y empezó a rezar. Entonces el chico lo dejó, esperó que hiciese las dos prosternaciones de ritual y el amén y quiso acercarse de nuevo hacia él. El derviche inició una nueva oración e hizo dos nuevas prosternaciones. E hizo lo mismo por tercera, cuarta y quinta vez. El muchacho le espetó: «¿Qué significa esta oración? ¿Es que quieres salir volando encima de las nubes? ¡Estás estropeando nuestro placer rezando a todo lo largo de la noche cara a la alquibla!» El muchacho se le arrojó encima y empezó a besarle entre los ojos. El derviche le dijo: «¡Hijo mío! ¡Expulsa de ti al diablo y obedece al Misericordioso!» «¡Si no haces conmigo lo que quiero llamaré a mi padre y le diré: "El derviche quiere cometer conmigo una torpeza". Acudirá y te dará una paliza que separará la carne de los huesos.»

Todo esto ocurría y el padre lo veía con sus propios ojos y lo oía con sus propios oídos. Así se convenció de que el derviche no era un pervertido. Se dijo: «Si este derviche fuese un malvado no soportaría todo este sufrimiento». El muchacho siguió fastidiando al derviche y cada vez que intentaba orar se lo impedía. El buen hombre se enfadó de mala manera y le golpeó. El muchacho rompió a llorar. El padre entró, le secó las lágrimas y empezó a consolarlo. Dijo al derviche: «¡Hermano! Si tan casto eres ¿por qué llorabas y suspirabas al ver a mi hijo? ¿Es que hay alguna causa para ello?» «¡Sí!» «Pues yo, al darme cuenta de que llorabas al verle, creí que era debido a un mal instinto. Por ello mandé al muchacho que hiciese todo esto, para ponerte a prueba. Estaba decidido, si veía que lo solicitabas, a entrar y matarte. Pero al ver lo que ha sucedido me he dado cuenta de que tú eres un hombre pío en extremo. Te conjuro, por Dios, a que me cuentes la causa de tu llanto.» El derviche suspiró y contestó: «¡Señor mío! No toques la herida». «¡Es necesario que me lo cuentes!»

El derviche refirió:

«Sabe que soy un derviche que recorro los países y las regiones con el fin de meditar en la obra del Creador de la noche y del día. Un viernes entré en la ciudad de Basora cuando empezaba a amanecer.

Sahrazad se dio cuenta de que amanecía e interrumpió el relato para el cual le habían dado permiso.

Cuando llegó la noche *novecientas sesenta y seis,* refirió:

—Me he enterado, ¡oh rey feliz!, de que [el derviche prosiguió:] »...Las tiendas ya estaban abiertas; en ellas se encontraban toda suerte de mercancías, comidas y bebidas, pero estaban desiertas: allí no había ni un hombre, ni una mujer ni una chica ni un muchacho; en las calles y en las plazas no había, tan siquiera, ni un perro ni un gato; no se oía ni un rumor ni se veía un alma. Me quedé admirado de todo esto. Me dije: "¡Ojalá supiera adónde ha ido a parar la gente de esta ciudad, sus gatos y sus perros! ¿Qué habrá hecho Dios de ellos?" Yo tenía hambre, por lo que cogí un pan caliente en un horno, me metí en una tienda de aceites, extendí manteca y miel sobre el pan y lo comí. Luego entré en una tienda de sorbetes y bebí lo que quise; descubrí un café abierto: me metí: vi los potes, repletos de café, sobre el fuego, sin que nadie los vigilase. Bebí hasta quedar harto y me dije: "¡Esto es algo prodigioso! Parece como si la muerte se hubiese presentado de improviso ante los habitantes de la ciudad y hubiesen muerto en este instante o bien es que temen que les caiga encima una desgracia y han huido sin poder, tan siquiera, cerrar las tiendas". Mientras pensaba en esto oí el sonido de una música. Me asusté y me escondí durante un rato mirando a través de una hendidura: descubrí unas doncellas que parecían ser lunas: avanzaban hacia el zoco de dos en dos, desveladas, y con el rostro a la luz del día. En total había cuarenta parejas o sea ochenta esclavas. Seguía una joven montada en un corcel que apenas podía moverse de tanto oro, plata y joyas como llevaba. También aquella joven iba con el rostro descubierto y adornada con los más bellos aderezos; vestía telas preciosas y llevaba puesto un collar de gemas. Sobre el pecho le caía otro de oro y las manos, cubiertas de brazaletes, brillaban como luceros. Sus pies estaban ceñidos por ajorcas de oro cuajados de gemas. Las esclavas iban delante y detrás suyo a su derecha y a su izquierda. La precedía una joven que ceñía una gran espada cuya empuñadura era de esmeraldas y cuyo tahalí era de oro incrustado de aljófares. La adolescente, al llegar frente al lugar en que yo me encontraba tiró de las riendas del corcel y dijo: "¡Muchachas! He oído un ruido en el interior de esa tienda. ¡Registradla! Tal vez se haya escondido ahí alguien dispuesto a vernos mientras vamos con el rostro descubierto". Registraron la tienda que se encontraba en frente del café en que yo me hallaba oculto y temeroso. La vi salir con un hombre. Le dijeron: "¡Hemos encontrado a este hombre que está ante ti". La doncella dijo a la que ceñía la espada:

"¡Córtale el cuello!" Se acercó a él y le cortó el cuello dejándolo tendido en el suelo. A continuación se pusieron en marcha. Al ver esto me asusté. Pero mi corazón se había enamorado de aquella joven. Al cabo de un rato aparecieron los habitantes de la ciudad y aquellos que poseían una tienda ocuparon su sitio en ella mientras que la gente recorría los mercados reuniéndose en torno del muerto para curiosear. Yo salí del lugar en que me encontraba escondido sin que nadie se diese cuenta, pero ya no era dueño de mi corazón que se había enamorado de aquella adolescente. Pregunté con disimulo quién era pero nadie supo darme noticia. A continuación salí de Basora con el corazón enamorado y lleno de pesar. Al ver a tu hijo me he dado cuenta de que se trata de la persona que más se parece a aquella adolescente: me la ha hecho recordar y ha avivado el fuego de mi pasión y ha encendido la llama del amor. Esta es la causa de mi llanto».

Volvió a llorar a lágrima viva y dijo: «¡Señor mío! ¡Te conjuro, por Dios, a que me abras la puerta para que pueda seguir mi camino!» Le abrió la puerta y se marchó. Esto es lo que a él se refiere.

He aquí lo que hace referencia a Qamar al-Zamán: Una vez hubo oído las palabras del derviche, quedó prendado de amor por aquella adolescente: la pasión se apoderó de él y el cariño y el desvarío le enseñorearon. Al día siguiente por la mañana dijo a su padre: «Los hijos de los comerciantes viajan por todos los países con el fin de conseguir su deseo. No hay ni uno de ellos a quien su padre no le prepare las mercancías y le envíe con ellas de viaje para que obtenga beneficios. ¿Por qué razón, padre, no me preparas unas mercancías con las cuales pueda marcharme de viaje en busca de mi felicidad?» «¡Hijo mío! Los comerciantes que tienen poco capital hacen viajar a sus hijos con el fin de que obtengan beneficios, ganancias y las oportunidades que da el mundo. Pero yo tengo muchísimo dinero y no ambiciono tener más. ¿Cómo, pues, he de mandarte lejos si no puedo estar separado de ti ni un solo instante? Tu belleza, hermosura y prestancia son únicas y temo que te ocurra alguna desgracia.» «¡Padre! No te queda más remedio que preparar algunas mercancías para que me ponga en viaje, pues de lo contrario, cuando menos lo esperes, huiré aunque sea sin dinero y sin mercancías. Si quieres complacerme, prepara las mercancías para que me pueda poner en viaje y recorrer los países de la gente.» El padre, al verlo decidido a partir, informó a su esposa de lo que ocurría y le dijo: «Tu hijo quiere que le prepare mercancías para ir a recorrer los países extranjeros a pesar de que el estar separados constituye una pena». La madre le replicó: «¿Y qué es lo que te sabe mal de todo esto? Si tal es la costumbre de los hijos de los comerciantes: todos están orgullosos de sus viajes y de los beneficios que obtienen». «¡Pero es que la mayoría de los comerciantes son pobres y buscan aumentar sus bienes! En cambio mis bienes son muy grandes.» «El tener más dinero no perjudica. Si tú no se lo consientes, yo le prepararé las mercancías con mis propios bienes.» El padre le replicó: «La separación me preocupa: es la peor de las angustias». «Nada hay de malo en una ausencia que reporta beneficios. De lo contrario nuestro hijo se escapa: tendremos que buscarlo y no lo volveremos a ver quedando afrentados ante la gente.» El comerciante quedó convencido por las palabras de su esposa y preparó mercancías por valor de noventa mil dinares para su hijo. La madre le entregó una bolsa que contenía cuarenta gemas de gran valor y de las cuales, la peor, costaba quinientos dinares. Le dijo: «¡Hijo mío! Guarda estas gemas pues pueden serte útiles». Qamar al-Zamán cogió todo esto y se puso en camino hacia Basora...

Sahrazad se dio cuenta de que amanecía e interrumpió el relato para el cual le habían dado permiso.

Cuando llegó la noche *novecientas sesenta y siete,* refirió:

—Me he enterado, ¡oh rey feliz!, de que [Qamar al-Zamán se puso en camino hacia Basora] después de haber colocado las joyas en una bolsa y de haberse atado ésta a la cintura. Marchó sin cesar hasta que sólo le faltaba para llegar a Basora una jornada. Los beduinos le acometieron, lo despojaron de todo y mataron a sus hombres y sus criados y él tuvo que dormir entre los muertos y ensuciarse el rostro con sangre para que lo creyeran muerto. Lo abandonaron y nadie se le acercó. Se apoderaron de las riquezas y se marcharon. Cuando los beduinos hubieron desaparecido, Qamar al-Zamán se levantó de entre los muertos y reemprendió la marcha sin tener consigo más que las gemas que llevaba colgadas de la cintura. Así entró en Basora en un viernes, en el preciso momento en que la ciudad se encontraba desierta tal como había dicho el derviche. Vio los zocos vacíos y las tiendas abiertas, repletas de mercancías. Comió, bebió, y paseó. Mientras hacía esto oyó una música y se ocultó en una tienda hasta que aparecieron las muchachas. Las examinó. Al ver a la adolescente que iba a caballo fue víctima del amor y el deseo; presa de la pasión y el desvarío hasta el punto de no poder ponerse de pie. Al cabo de un rato reapareció la gente y llenó los mercados. El muchacho se dirigió al zoco, se aproximó a un joyero y sacó una de las cuarenta gemas que valía mil dinares. Se la vendió y regresó a su puesto en el cual pasó la noche. Al día siguiente por la mañana cambió sus vestidos, entró en el baño y salió de él como si fuese la luna llena. Después vendió cuatro gemas por cuatro mil dinares y empezó a pasear por las calles de la ciudad vestido con los más preciosos trajes hasta llegar al zoco. Aquí encontró un barbero. Entró en su tienda, se hizo afeitar la cabeza y trabó amistad con el dueño. Le dijo: «¡Padre mío! Yo soy extranjero en este país. Ayer, al entrar en la ciudad, la encontré vacía, sin nadie: no había en ella ni hombres ni genios. A continuación vi unas muchachas entre cuyo cortejo iba montada a caballo una adolescente», y así le explicó lo que había visto. El barbero le preguntó: «¡Hijo mío! ¿Has contado a alguien más esta noticia?» «¡No!» «¡Hijo mío! ¡Guárdate de pronunciar estas palabras delante de cualquier otra persona, ya que no toda la gente sabe callar y guardar el secreto! Tú eres pequeño y temo que las palabras vayan de unas gentes a otras hasta llegar a los interesados que te matarían. Sabe, hijo mío, que nadie ha visto lo que tú has visto ni se conoce fuera de esta ciudad. Los habitantes de Basora mueren con este pesar: cada viernes, al amanecer, atan a perros y gatos para impedirles salir por los zocos y todos los habitantes de la ciudad entran en las mezquitas y cierran las puertas por dentro; ni tan siquiera uno solo de ellos puede pasar por el zoco ni asomarse a una ventana. Nadie conoce la causa de esta desgracia. Pero esta noche, hijo mío, interrogaré a mi mujer por la causa de todo esto, ya que ella es nodriza, tiene entrada en las casas de los grandes y sabe las noticias de esta ciudad. Si Dios (¡ensalzado sea!) lo quiere, ven mañana y te contaré lo que me haya dicho.» El muchacho cogió un puñado de oro y dijo: «¡Padre mío! Coge este oro y entrégaselo a tu mujer: ella es para mí una madre». Cogió otro puñado de oro y le dijo: «¡Y éste es para ti!» El barbero le contestó: «¡Hijo mío! Quédate sentado en tu sitio para que vaya a ver a mi esposa, la interrogue y regrese a tu lado con la verdad del asunto». Lo dejó en la tienda, corrió al lado de su esposa y la informó de lo que ocurría con el muchacho. Añadió: «Quiero que me cuentes la verdad de todo lo que ocurre en la ciudad para que yo pueda referírselo a ese joven comerciante que desea saber la causa real por la que hombres y animales se abstienen de entrar en los zocos los viernes por la mañana. Creo que se trata de un enamorado que es generoso y liberal. Si se lo explicamos vamos a recibir un gran bien». La mujer le replicó: «Ve en su busca y dile "Acompáñame a hablar con tu madre, que es mi esposa. Ella te envía un saludo y te dice: 'La cosa está decidida'"». El barbero regresó a la tienda y encontró a Qamar al-Zamán sentado esperándolo. Le explicó lo que ocurría y le dijo: «¡Hijo mío! Acompáñame a hablar con tu madre, que es mi esposa, pues ella te dice que la cosa está resuelta». Lo tomó consigo y lo condujo a casa de su esposa. Ésta lo acogió bien y lo hizo sentar a su lado. El joven sacó cien dinares y se los entregó diciendo: «¡Madre mía! ¡Dime quién es esa adolescente!»

La mujer del barbero refirió: «¡Hijo mío! Sabe que el rey de la India envió al sultán de Basora una perla. Éste quiso que la agujereasen e hizo comparecer a todos los joyeros. Les dijo: "Quiero que me agujereéis esta perla: daré, a quien lo consiga, cualquier cosa que pida, pero si la estropea lo decapitaré". Asustados respondieron: "¡Rey del tiempo! La perla se estropea fácilmente y son pocos los que puedan hacerlo bien, ya que lo más probable es que se rompa: no nos obligues a hacer algo de lo que no somos capaces. Nuestras manos no son capaces de agujerear esta perla, pero nuestro síndico es más experto que nosotros". El rey preguntó: "¿Y quién es vuestro síndico?" Le contestaron: "El maestro Ubayd; es la persona más hábil en el oficio, posee grandes riquezas y excelentes conocimientos. Hazlo comparecer y mándale que la agujeree". El rey le mandó a buscar y le ordenó que la horadase y le dijo las mismas condiciones. La cogió y la horadó conforme quería el soberano. Éste le dijo: "¡Maestro! ¡Pídeme lo que quieras!" "¡Rey del tiempo! —le replicó— Concédeme tiempo hasta mañana." Solicitaba este aplazamiento porque quería pedir consejo a su esposa y ésta es la adolescente que has visto en el cortejo. El joyero la quiere apasionadamente y de tanto cariño como la tiene no hace nada sin consultarla. Por esto era por lo que había aplazado la petición de la recompensa. Al llegar al lado de su mujer le dijo: "He horadado al rey una perla y me concede lo que pida. Yo le he pedido un plazo para poder consultarlo ¿qué es lo que quieres que le pida?" Le replicó: "Tenemos riquezas que el fuego es incapaz de destruir. Si me amas, pide al rey que haga pregonar por las calles de Basora que los habitantes de la ciudad deben entrar los viernes en las mezquitas dos horas antes de la oración; que no deben quedar en la ciudad ni grandes ni chicos de no ser dentro de sus casas o en las mezquitas; que las puertas de las casas y de las mezquitas deben estar cerradas mientras las tiendas siguen abiertas. Yo montaré, entonces, a caballo con mis esclavas y recorreré la ciudad sin que nadie me vea ni desde las ventanas ni desde las verjas. Mataré a todo aquel con quien tropiece". El joyero corrió ante el rey y le pidió esto. El soberano le concedió lo que solicitaba e hizo pregonar a los habitantes de la ciudad el bando correspondiente.

Sahrazad se dio cuenta de que amanecía e interrumpió el relato para el cual le habían dado permiso.

Cuando llegó la noche *novecientas sesenta y ocho,* refirió:

—Me he enterado, ¡oh rey feliz!, de que [la mujer

prosiguió:] »...Éstos objetaron: "Tememos que los gatos y los perros dañen nuestras mercancías". Entonces, el rey mandó que los viernes dichos animales quedasen sujetos hasta que la gente terminara de rezar la oración. Así, esa joven sale cada viernes dos horas antes de la oración y recorre con sus esclavas como séquito, las calles de Basora sin que nadie pueda cruzar el zoco ni asomarse a las ventanas o las verjas. Tal es el motivo. Yo te he revelado quién es la muchacha. ¿Tu propósito, hijo mío, era saber lo que ocurría o bien reunirte con ella?» «¡Madre mía! Quiero reunirme con ella.» «Dime de qué tesoros dispones.» «¡Madre mía! ¡De las más valiosas gemas! Tengo de cuatro clases distintas: unas que valen quinientos dinares la pieza; otras setecientos y mil dinares la pieza.» «¿Y puedes permitirte gastar cuatro?» «¡Las daría todas!» «Levántate, hijo mío, vete a tu casa y toma una gema de las que valen quinientos dinares. Pregunta luego por la tienda del maestro Ubayd, el síndico de los joyeros, y ve a verlo. Le hallarás sentado en la tienda vistiendo magníficos trajes, teniendo a los operarios a sus órdenes. Salúdalo, siéntate en la tienda, saca la piedra y dile: "¡Maestro! Coge esta piedra y hazme un anillo de oro; no lo quiero grande; no debe pesar más de un mizcal y debe ser una obra perfecta". Luego le entregarás veinte dinares, darás un dinar a cada operario y te quedarás un rato con él hablando. Si se te acerca algún mendigo, dale un dinar y muéstrate generoso para que el joyero se llene de amor por ti. Luego déjalo, vete a tu casa y pasa la noche. Al día siguiente coge cien dinares y dáselos a tu padre, el barbero, que es pobre.» El muchacho contestó: «Así lo haré». Salió de su casa y corrió hacia su domicilio; cogió una gema de quinientos dinares y corrió al zoco de los joyeros. Preguntó por la tienda del maestro Ubayd, el síndico, y se la mostraron. Una vez hubo llegado a la tienda descubrió a un hombre respetable, que endosaba preciosos vestidos; tenía a sus órdenes cuatro operarios. Les dijo: «¡La paz sea sobre vosotros!» Le devolvió el saludo, lo acogió bien y lo invitó a sentarse. Una vez hubo tomado asiento, le mostró la gema y dijo: «¡Maestro! Quiero que me engarces esta piedra en un anillo de oro cuyo peso no ha de ser superior a un mizcal y debe estar bien trabajado». Sacó veinte dinares y añadió: «Toma esto para el trabajo; aún falta el salario». A continuación dio a cada operario un dinar. Éstos le tomaron amor y lo mismo sucedió con el maestro Ubayd, quien se sentó a conversar con él. Cada vez que se le acercaba un pobre le daba un dinar. Todos estaban admirados de su generosidad. El maestro Ubayd tenía en su casa los mismos utensilios que en la tienda, ya que tenía por costumbre, cuando quería hacer algo prodigioso, trabajar en su domicilio para que los operarios no pudiesen aprender el modo de hacer los trabajos delicados. En esos casos, la adolescente, su mujer, se sentaba ante él. El joyero, al tenerla delante, la miraba y hacía las más maravillosas obras de arte dignas sólo de los reyes. Fue, pues, a confeccionar el anillo en la casa. La esposa, al verlo, le preguntó: «¿Qué quieres hacer con esta gema?» «Engarzarla en un anillo de oro. Vale quinientos dinares.» «¿Para quién?» «Para un muchacho que es comerciante. Tiene un tipo magnífico, ojos que causan heridas, mejillas de fuego; boca como el anillo de Salomón; pómulos como anémonas; labios de coral; cuello como el de las gacelas. Es de color blanco rosado, simpático, fino, generoso. Ha hecho tal y tal cosa», y así unas veces le hablaba de su belleza y hermosura y otras de su generosidad y perfección. Siguió refiriéndole sus gracias y sus buenas costumbres hasta que la joven se enamoró de él. ¡No hay hombre más cretino que aquel que habla a su mujer de la belleza, perfección y de la generosidad de otro hombre! Cuando la pasión se hubo apoderado de ella por completo le preguntó: «¿Tiene alguna de mis bellezas?» «¡Posee todas tus gracias y es tu igual incluso en la edad! Si no temiera ofenderte te diría que es mil veces más hermoso que tú.» La mujer se calló, pero en su corazón ya ardía la llama de la pasión. El orfebre siguió refiriéndole sus innumerables encantos hasta terminar de hacer el anillo. Entonces se lo entregó a su mujer la cual se lo puso: ajustaba exactamente en su dedo. Dijo: «¡Señor mío! Mi corazón apetece este anillo y desearía quedarme con él sin tener que quitármelo del dedo». «Pues ten paciencia: su dueño es muy generoso y voy a pedirle que me lo venda. Si accede te lo traeré y si no, le compraré otra gema igual y te haré otro.»

Sahrazad se dio cuenta de que amanecía e interrumpió el relato para el cual le habían dado permiso.

Cuando llegó la noche *novecientas sesenta y nueve,* refirió:

—Me he enterado, ¡oh rey feliz!, de que esto es lo que hace referencia al joyero y a su mujer.

He aquí lo que se refiere a Qamar al-Zamán: Pasó la noche en su domicilio y al día siguiente por la mañana cogió cien dinares y fue a ver a la vieja, la esposa del barbero. Le dijo: «¡Toma estos cien dinares!» Le replicó: «¡Dáselos a tu padre!» Se los entregó al barbero. A continuación la vieja preguntó: «¿Hiciste lo que te dije?» «¡Sí!» «Ve a ver al síndico de los joyeros. Cuando te entregue el anillo, colócalo en la yema del dedo y quítatelo en seguida diciendo: "¡Maestro! Te has equivocado. El anillo me viene estrecho". Te dirá: "¡Comerciante! ¿Quieres que te lo ensanche?" Responde: "No necesito que lo ensanches. Quédatelo y dáselo a una de tus esclavas". Saca entonces una gema que cueste setecientos dinares y dile: "Coge esta piedra, trabájala y hazme un anillo que sea más hermoso que éste". Le darás treinta dinares y a cada uno de los operarios le entregarás dos. Añadirás: "Estos dinares son para el trabajo; aún falta el salario". A continuación vuelve a tu casa y pernocta. Mañana por la mañana ven aquí con doscientos dinares y yo terminaré de urdir la trampa.»

El muchacho salió en busca del joyero. Éste le acogió bien, le hizo sentar en la tienda. Una vez se hubo instalado preguntó: «¿Has terminado el encargo?» «¡Sí!», y sacó el anillo. El muchacho lo metió por la yema del dedo pero lo sacó en seguida diciendo: «¡Maestro! ¡Te has equivocado! ¡Es demasiado estrecho para mi dedo!», y se lo arrojó. El joyero replicó: «¡Comerciante! ¿Quieres que lo ensanche?» «¡No, por Dios! Quédatelo como regalo y dáselo a una de tus esclavas. No vale nada: sólo cuesta quinientos dinares; no vale la pena volver a trabajarlo por segunda vez.» Sacó una gema que costaba setecientos dinares y dijo: «¡Hazme un anillo para ésta!» Le entregó treinta dinares y dio dos dinares a cada operario añadiendo: «¡Señor mío! Cuando me hayas hecho el anillo cobrarás tu salario. Esto es sólo para el cincelado; el trabajo lo pagaré después». Le dejó y se marchó. El joyero y los operarios quedaron estupefactos ante la generosidad de Qamar al-Zamán. Ubayd corrió en busca de su esposa y le dijo: «¡Fulana! ¡Jamás he visto un muchacho más generoso que ése y tú tienes una suerte magnífica, ya que me ha regalado el anillo y me ha dicho: "Dáselo a una de tus esclavas"», y así le refirió toda la historia. A continuación añadió: «Me imagino que este muchacho no es hijo de un comerciante sino de rey o de sultán». Pero cuanto más lo alababa más crecía la pasión, el amor y el desvarío de su mujer. Ésta se puso el anillo y el joyero engarzó la segunda piedra en un aro un poco mayor que el primero. Al terminar el trabajo, la mujer se lo puso en el dedo, encima del primero, y dijo: «¡Señor mío! ¡Fíjate qué bien me van los dos anillos! ¡Desearía que ambos fuesen míos!» «¡Ten paciencia! Es posible que te compre el segundo.» Transcurrida la noche se marchó a su tienda. Esto es lo que a él se refiere.

He aquí lo que hace referencia a Qamar al-Zamán: al día siguiente por la mañana se marchó a ver a la anciana, la esposa del barbero, y la entregó los doscientos dinares. Ésta le dijo: «Ve a ver al joyero. Cuando te dé el anillo colócalo en el dedo, sácalo en seguida y di: "Te has equivocado, maestro. El anillo es demasiado grande. Un maestro como tú cuando recibe a un cliente como yo que le confía un encargo, debe tomar la medida. Si me hubieses tomado la medida del dedo no te hubieses equivocado". A continuación saca una piedra de las que cuestan ochocientos dinares y dile: "Toma esta gema, hazme otro anillo y da éste a una de tus esclavas". Le entregarás cuarenta dinares y darás a cada operario tres dinares. Dile: "Esto es por el cincelado, y el salario te lo pagaré después". Espera a ver lo que te dice y ven a verme con trescientos dinares que darás a tu padre para que le puedan servir de auxilio inmediato, ya que es un hombre pobre». «¡Oír es obedecer!», contestó el muchacho. Marchó en busca del joyero. Éste le acogió bien, le invitó a sentarse y le entregó el anillo. El joven lo colocó en el dedo y lo sacó en seguida. Le dijo: «¡Maestro! Es necesario que un hombre como tú, cuando se presenta un cliente como yo que le confía un encargo, tome la medida. Si me hubieses tomado la medida del dedo no te hubieses equivocado. Quédatelo y dáselo a una de tus esclavas». A continuación sacó una piedra que costaba ochocientos dinares y le dijo: «Coge ésta y hazme un anillo a la medida de mi dedo». El joyero replicó: «Dices la verdad y tienes toda la razón», y le tomó la medida. El muchacho sacó cuarenta dinares y le dijo: «Esto es por el cincelado. El salario te lo pagaré después». El joyero le replicó: «¡Señor mío! ¿Cómo te he de cobrar si tus beneficios son enormes?» «No tiene nada que ver.» Habló un rato con él y cada vez que se le acercaba un pobre le daba un dinar. Después lo dejó y se marchó. Esto es lo que a él se refiere.

He aquí lo que hace referencia al joyero: se marchó a su casa y dijo a su mujer: «¡Qué generoso es ese joven comerciante! ¡Jamás he visto a nadie que sea más generoso, hermoso o que tenga un modo de hablar más dulce!» Empezó a citar todas sus virtudes y su generosidad y exageró en su elogio. La mujer le increpó: «¡Careces de tacto! Si tiene tantas cualidades y te ha dado dos anillos de gran valor es preciso que le invites, que prepares un festín y seas cariñoso con él. Si se da cuenta de que le tratas con afecto y le traes a nuestra casa es posible que obtengamos mayores beneficios. Si no quieres tenerle como huésped, invítalo y yo le haré los honores». El marido le replicó: «¿Es que me tienes por avaro para decirme tales palabras?» «No, no eres avaro pero careces de tacto. Invítale esta noche a cenar y no vengas sin él. Si se niega, conjúrale recurriendo a jurar por el repudio[3] e insiste.» «¡Oír es obedecer!» El orfebre hizo el anillo, durmió y al día siguiente se fue al mercado y se instaló. Esto es lo que a él se refiere.

He aquí lo que hace referencia a Qamar al-Zamán: cogió trescientos dinares y fue a ver a la anciana y le entregó la suma para el marido. La mujer le dijo: «Es posible que él te invite a cenar esta noche. Si pasas la noche en su casa, mañana ven a contarme lo que te ha

[3] Nombre de una fórmula solemne de repudio que consiste en decir: «Quede repudiada mi mujer si no hago tal y tal cosa».

ocurrido y tráeme cuatrocientos dinares para dárselos a tu padre». «¡Oír es obedecer!», replicó el muchacho, el cual, cada vez que se le terminaba el dinero, procedía a vender una de las piedras. Se marchó a la tienda del joyero. Éste se puso en pie, lo recibió con los brazos abiertos, lo saludó y se entretuvo con él. Después sacó el anillo y vio que le iba a la medida. El muchacho le dijo: «¡Que Dios te bendiga, maestro de los orfebres! Me va bien, pero la piedra no me satisface...

Sahrazad se dio cuenta de que amanecía e interrumpió el relato para el cual le habían dado permiso.

Cuando llegó la noche *novecientas setenta*, refirió:

—Me he enterado, ¡oh rey feliz!, de que [el joven dijo: »...Me va bien, pero la piedra no me satisface] ya que tengo gemas más hermosas. Regálasela a una de tus esclavas». Al decir esto sacó otra piedra, cien dinares y le dijo: «Cóbrate tu salario y no nos reprendas, ya que te hemos causado fatiga». El joyero le replicó: «¡Mercader! La fatiga ha quedado compensada con lo mucho que nos has regalado; mi corazón ha quedado prendado de tu amor y no puedo separarme de ti. Te conjuro, por Dios, a que seas mi huésped esta noche; compláceme». «No hay el menor inconveniente, pero he de ir a la posada para advertir a mis criados e informarlos de que no dormiré allí con el fin de que no me esperen.» «¿En qué posada te hospedas?» «En tal.» «Pues iré a buscarte allí» «No hay inconveniente.»

El joyero fue a buscarlo antes del ocaso para evitar que su mujer se enfadara con él si le veía entrar en la casa sin su huésped. Tomó al joven consigo, lo llevó a su domicilio y ambos se sentaron en una habitación que no tenía par. La joven le había visto entrar y había quedado prendada de él. Ambos hablaron hasta que llegó la hora de la cena. Comieron y bebieron. Después les sirvieron el café y los sorbetes y no dejaron de conversar hasta que llegó el momento de la plegaria vespertina. Rezaron lo que era canónico. Después se les presentó una muchacha con dos tazas de bebida. Las tomaron e inmediatamente después les venció el sueño y quedaron dormidos.

Entonces entró la joven, quien los encontró dormidos. Miró la cara de Qamar al-Zamán y su entendimiento quedó perplejo ante tanta belleza. Dijo: «¿Cómo puede dormir aquel que ama a una belleza?» Le besó en la nuca, se sentó a horcajadas sobre su pecho y de tanta pasión como sentía colmó de besos sus mejillas hasta el punto de irritarlas y hacer que se pusieran más encarnadas y sus pómulos se pusieron relucientes. Se inclinó sobre sus labios y los chupó sin tregua hasta que brotó la sangre en su boca. Pero esto ni apagaba su llama ni el ardor que la devoraba: siguió besándolo, abrazándolo y pegando pierna sobre pierna hasta que apareció la aurora y se extendió la luz de la mañana. En aquel momento metió cuatro tabas en el bolsillo de Qamar al-Zamán, se separó de él y se retiró. A continuación envió a una esclava con unos polvos parecidos al rapé. Los colocó en la nariz de los dos hombres, los cuales estornudaron y se despertaron.

La esclava les dijo: «Sabed, señores, que es la hora de la plegaria ritual. Levantaos para la oración de la aurora». A continuación les acercó la palangana y el aguamanil. Qamar al-Zamán dijo: «¡Maestro! Ya es hora: hemos dormido más de la cuenta». El joyero le replicó: «¡Señor mío! En esta habitación se tiene el sueño pesado. Siempre que duermo en ella me ocurre lo mismo. Tienes razón». El muchacho hizo las abluciones y al pasar el agua por la cara, las mejillas y los labios le abrasaron. Exclamó: «¡Qué maravilla! Si el aire de la habitación es pesado y hemos dormido profundamente, ¿por qué me abrasan las mejillas y los labios?» Añadió: «¡Maestro! Mis mejillas y mis labios me abrasan». «Supongo que es a causa de los mosquitos.» «¿Y a ti te ocurre lo mismo que a mí?» «No; pero siempre que tengo un huésped como tú, se queja por la mañana de las picaduras de los mosquitos. Pero esto ocurre únicamente a los huéspedes que como tú, son imberbes. Cuando se trata de hombres con barbas, los mosquitos no se acercan a ellos. Mi barba es la que me ha protegido de los mosquitos. Parece ser que los mosquitos no aman a las personas con barba.» «¡Tienes razón!», replicó. La esclava les sirvió luego el desayuno, lo tomaron y salieron juntos. Qamar al-Zamán corrió a ver a la anciana. Ésta, al verlo, le dijo: «Veo en tus mejillas las huellas de tu buena suerte. Cuéntame lo que has visto». «No he visto nada. He cenado con el dueño de la casa en una habitación; he rezado con él la oración de la noche y luego nos hemos dormido y no nos hemos despertado hasta la mañana.» La vieja rompió a reír y le dijo: «No son ésas las señales que tienes en las mejillas y en los labios». «Son los mosquitos que había en la habitación los que me han puesto así.» «Tienes razón pero ¿al dueño de la casa le ha pasado lo mismo?» «No; pero me ha dicho que los mosquitos de aquella habitación no pican a las personas con barba; sólo molestan a los imberbes; que siempre que pasa la noche con un huésped imberbe, éste se levanta por la mañana quejándose de las picaduras de los mosquitos; en cambio, cuando tiene barba, no le sucede nada.» La mujer del barbero le replicó: «Tienes razón. Pero ¿has visto alguna otra cosa más?» «He encontrado en mi bolsillo cuatro tabas.» «¡Muéstramelas!» Se las dio. Las cogió y rompió a reír. Le dijo: «Tu amada te ha colocado las cuatro tabas en el bolsillo». «¿Y cómo lo ha hecho?» «Te dice por señas: "Si fueses un enamorado no te hubieses dormido. Los que aman no tienen sueño. Pero tú eres muy pequeño y estás en la edad de jugar con estas tabas ¿quién te ha incitado a amar a las bellas?" Ella se ha aproximado a ti durante la noche, te ha encontrado dormido, te ha estropeado las mejillas con sus besos y te ha metido estos signos. Pero como esto no ha sido suficiente, te enviará a buscar por medio de su esposo, quien te invitará esta noche. Si aceptas, no tengas prisa en dormirte. Después ven a verme con quinientos dinares y cuéntame lo que te haya sucedido. Yo completaré la trampa.» «¡Oír es obedecer!», le contestó. El muchacho se marchó a su posada. Esto es lo que a él se refiere.

He aquí lo que hace referencia a la mujer del joyero. Preguntó a su esposo: «¿Se ha ido el huésped?» «Sí; pero Fulana: los mosquitos lo han atormentado esta noche y le han señalado la cara y los labios. He quedado avergonzado ante él». «Tal es la costumbre de los mosquitos de nuestra habitación: sólo les gustan los imberbes. Invítalo esta noche.» El joyero fue a la posada en que vivía el muchacho lo invitó y le llevó de nuevo a su salón. Comieron, bebieron, rezaron la oración de la noche y después entró la esclava y dio una taza a cada uno.

Sahrazad se dio cuenta de que amanecía e interrumpió el relato para el cual le habían dado permiso.

Cuando llegó la noche *novecientas setenta y una,* refirió:

—Me he enterado, ¡oh rey feliz!, de que la bebieron y se quedaron dormidos. La joven acudió y exclamó: «¡Carne de horca! ¿Cómo durmiéndote pretendes que estás enamorado? ¡Los amantes no duermen!» Montó a continuación a horcajadas encima de su pecho y no paró de inclinarse sobre él besándolo, mordiéndolo, chupándolo y divirtiéndose hasta la mañana. En este momento le metió un cuchillo en el bolsillo y envió en seguida a la esclava para que los despertase. El muchacho tenía las mejillas inflamadas de fuego por el ardor y los labios como el coral a causa de los mordiscos y de los besos. El joyero le preguntó: «¿Te han molestado los mosquitos?» Contestó: «No», ya que como sabía lo que iba a decir no valía la pena quejarse. Después encontró el cuchillo en el bolsillo, pero no dijo nada. Una vez hubo desayunado y tomado el café, abandonó la casa del joyero, marchó a su fonda, cogió quinientos dinares y corrió al lado de la vieja a la que informó de lo que había visto. Le dijo: «Me he dormido en contra de mi voluntad y al amanecer sólo he encontrado un cuchillo en mi bolsillo». La vieja replicó: «¡Que Dios te proteja la próxima noche! Ella te dice: "Si te duermes otra vez te degollaré". Volverás a ser invitado la próxima noche y si te duermes te degollará». El muchacho preguntó: «¿Qué debo hacer?» «Cuéntame lo que comes y bebes antes de dormirte.» «Ceno lo que la gente tiene por costumbre; después de la cena entra la esclava y da una taza a cada uno de nosotros. En cuanto tomo la taza me duermo y no me despierto hasta la mañana.» «La treta se encuentra en la taza. Cógela, pero no la bebas hasta que haya tomado la suya el dueño de la casa y se haya dormido. Cuando la esclava te la entregue di: "Dame agua". Ella irá a buscar el jarro. Mientras tanto vacía la taza detrás del cojín y finge dormir. Cuando llegue con el jarro creerá que tú te has dormido después de haberte tomado el contenido de la taza. Se alejará de tu lado y al cabo de un rato ya verás lo que te traerá la suerte. ¡Pero guárdate de contravenir mis órdenes!» Contestó: «¡Oír es obedecer!», y se marchó a la posada. Esto es lo que a él se refiere.

He aquí lo que hace referencia a la esposa del joyero: Dijo a su esposo: «Debe honrarse al huésped durante tres noches. ¡Invítalo por tercera vez!» El joyero fue a buscarlo, lo invitó, lo tomó consigo y le hizo entrar en el salón. Una vez hubieron cenado y rezado la oración vespertina, se presentó la esclava y dio una taza a cada uno. El dueño de la casa la tomó y se quedó dormido. Qamar al-Zamán no la bebió. La esclava preguntó: «¿No la bebes, señor mío?» Contestó: «¡Tengo sed! ¡Tráeme el jarro!» La mujer salió en busca de la jarra y entre tanto el joven vació la taza detrás de la almohada y fingió dormir. La esclava, al regresar, le vio durmiendo y corrió a avisar a su señora de lo que sucedía. Le dijo: «En cuanto ha bebido la taza se ha quedado dormido». La esposa se dijo: «¡Es preferible que muera a que siga viviendo!» Cogió un cuchillo bien afilado. Entró en la sala y dijo: «¡Estúpido! Por tres veces no has prestado atención a las señales; por eso, ahora, voy a abrirte el vientre». El joven, al ver que se acercaba a él con el cuchillo en la mano, abrió los ojos y se puso en pie riendo. La mujer le dijo: «Esos signos no los has entendido por tu propia razón sino gracias a las indicaciones de una persona astuta. Cuéntame gracias a quién lo has sabido». «Ha sido una vieja con la cual me ha ocurrido esto y esto», y le refirió toda la historia. La mujer le dijo: «Mañana, al salir de nuestra casa, irás a ver a la vieja y le dirás: "¿Te queda alguna treta más de este calibre?" Si te contesta: "Sí", dile: "Pues afánate en unirme con ella públicamente". Si te contesta: "No sé más tretas. Ésta es la última", déjala. Mañana por la noche irá mi marido a invitarte. Acude con él y cuéntame lo que te haya dicho. Yo sabré lo que tengo que hacer». El muchacho contestó: «No hay inconveniente». Pasó con ella el resto de la noche abrazándola, estrechándola y haciendo con ella lo que la preposición con su régimen, lo que el lazo de unión con las palabras que une y dejando excluido al marido del mismo modo que la nunación del estado constructo. En esta situación continuaron hasta la mañana. La mujer le dijo: «Yo no puedo pasarme sin ti ni una noche ni un día ni un mes ni un año. Quiero que te quedes conmigo el resto de la vida, pero has de tener paciencia hasta que haya gastado a mi esposo una de esas tretas que dejan boquiabiertas a las personas inteligentes, con lo que conseguiré nuestro propósito. Haré que le entren tales dudas que me repudiará, me casaré contigo y me marcharé a tu país llevándome todas sus riquezas y tesoros. Yo me las ingeniaré para arruinar su casa y borrar sus huellas. Escucha mis palabras y obedéceme en lo que te diga sin contradecirme». «¡Oír es obedecer! —replicó el muchacho—; no tengo que contrariarte.» «Pues vuelve a tu fonda y si mi marido acude a invitarte contéstale: "Hermano: los hombres son pesados y cuando se frecuentan en demasía se cansa tanto el generoso como el avaro ¿cómo he de ir a tu casa todas las noches y hemos de dormir los dos en el salón? Si tú no estás harto de mí es posible que lo esté tu harén, ya que yo soy la causa de que te mantengas apartado de él. Si tú deseas frecuentar mi trato lo mejor será que alquile una casa al lado de la tuya y entonces tú pasarás una noche en mi casa hasta que llegue la hora de acostarse y yo pasaré la siguiente en la tuya hasta la misma hora. En ese momento yo me marcharé a mi domicilio y tú irás a reunirte con tu harén. Esta opinión es mejor que la de permanecer toda la noche alejado de tus mujeres". Cuando le hayas dicho esto vendrá a pedirme consejo y yo le indicaré que puede desahuciar al vecino, ya que la casa que éste tiene alquilada nos pertenece. Una vez te hayas instalado en la casa, Dios nos facilitará el resto de la treta.» A continuación añadió: «Vete y haz lo que te digo.» «¡Oír es obedecer!», replicó el muchacho. Y la dejó. Una vez solo se puso a dormir. Al cabo de un rato se presentó una criada que despertó a los dos. El joyero, al desvelarse, preguntó: «¡Comerciante! ¿Te han importunado los mosquitos?» «¡No!» «Tal vez ya te hayas habituado.» Desayunaron, tomaron el café y se marcharon a sus ocupaciones.

Qamar al-Zamán fue a ver a la vieja y la informó de lo que le había ocurrido.

Sahrazad se dio cuenta de que amanecía e interrumpió el relato para el cual le habían dado permiso.

Cuando llegó la noche *novecientas setenta y dos*, refirió:

—Me he enterado, ¡oh rey feliz!, de que [Qamar al-Zamán] dijo: «Ella me dijo esto y esto y yo le contesté tal cosa y tal otra. ¿Tienes algún medio gracias al cual pueda reunirme con ella de modo público?» La vieja le replicó: «¡Hijo mío! Aquí se terminan mis tretas y se acaban mis trampas». Entonces el muchacho la dejó y se dirigió a la fonda. Por la tarde el joyero acudió a invitarlo. Pero el muchacho le contestó: «No puedo acompañarte.» «¿Por qué? Yo te aprecio y no puedo seguir separado de ti. Te conjuro, por Dios, a que vengas conmigo.» «Pues si tu deseo consiste en continuar gozando de mi trato y conservar la amistad que entre nosotros existe, búscame una casa al lado de la tuya; entonces, si quieres, pasaré contigo la velada, pero cuando llegue la hora de ir a dormir, cada uno de nosotros se retirará a su habitación y dormirá en ella.» El joyero le replicó: «Poseo una casa junto a la mía. Acompáñame esta noche y mañana te la vaciaré». Lo acompañó, cenaron, rezaron la oración de la noche y el marido vació la taza que contenía el narcótico y se durmió. En la taza de Qamar al-Zamán no había ningún soporífero, por lo cual la bebió y no se durmió. La joven acudió, se sentó a su lado y pasó con él la noche hasta la mañana siguiente mientras el marido permanecía extendido como si fuese un muerto. Cuando se despertó, mandó a buscar a su inquilino y le dijo: «¡Oh, hombre! Vacíame la casa, pues la necesito». El otro le contestó: «De buen grado». Se la vació y el joyero instaló en ella a Qamar al-Zamán. Éste realizó el traslado de todos sus enseres y aquella noche el joyero fue su huésped. Al terminar la velada se retiró a su casa. Al día siguiente, la muchacha mandó a buscar a un experto arquitecto. Éste acudió y ella le fue ofreciendo dinero hasta que el hombre accedió a construir un pasadizo secreto que condujera desde su casa a la de Qamar al-Zamán colocando una puerta subterránea. Así, sin que el muchacho lo sospechara, ella se le presentó de repente con dos sacos de dinero. Le preguntó: «¿Por dónde has venido?» Le mostró el subterráneo y añadió: «¡Guarda estos dos sacos de dinero!» Se quedó con él jugando y disfrutando hasta la mañana. Entonces le dijo: «Espera hasta que le haya despertado y enviado a la tienda; después volveré a tu lado». El muchacho se quedó esperándola. Ella regresó al lado de su esposo y lo despertó. Se levantó, hizo las abluciones, rezó y se marchó a la tienda. Una vez hubo salido, la mujer cogió cuatro bolsas y corrió, por el corredor, al lado de Qamar al-Zamán. Le dijo: «¡Toma este dinero!» Se quedó un rato con él y después cada uno se marchó a sus quehaceres: ella regresó a su casa y Qamar al-Zamán se dirigió al zoco. Cuando volvió, a la caída de la tarde, a su domicilio, encontró en él diez bolsas de gemas y otras cosas. El joyero, al regresar, lo recogió, lo llevó a su habitación y pasó la velada con él. Luego, como de costumbre, se presentó la criada quien les dio su bebida; el dueño se quedó dormido pero Qamar al-Zamán no, ya que el contenido de su taza era inofensivo, no contenía narcótico. Luego apareció la adolescente que se dedicó a jugar con él, mientras la criada dedicaba toda la noche a trasladar los bienes del joyero a casa de Qamar al-Zamán a través del subterráneo. Así continuaron hasta la mañana. Una vez fue de día la criada despertó a su señor y les dio de beber café. Cada uno se marchó a sus quehaceres.

El tercer día, la joven sacó un cuchillo que pertenecía a su esposo, que éste había labrado con sus propias manos y que costaba quinientos dinares. Ningún otro cuchillo podía comparársele por su fina labor. Los clientes se lo habían disputado de tal modo que el joyero lo había encerrado en una caja y había resuelto no venderlo a ninguna criatura. La mujer dijo al joven: «Coge este cuchillo, ponlo en tu cinturón y dile: "¡Maestro! Mira este cuchillo. Lo he comprado hoy. Dime si he hecho un buen negocio o no". Él lo reconocerá, pero lleno de vergüenza no te dirá: "Éste es mi cuchillo". Si te pregunta: "¿Dónde lo has comprado? ¿Cuánto te ha costado?" responde: "He visto a dos marineros turcos que se peleaban. Uno ha preguntado al otro: '¿Dónde has estado?' y le ha contestado: 'Con mi amante. Cada vez que voy a verla me da dinero, pero hoy me ha dicho: 'Ahora no tengo a mano ni un solo dirhem. Quédate con este cuchillo que es de mi esposo'. Lo he cogido y quiero venderlo'. El cuchillo me ha gustado y al oírle decir lo que ha dicho le he preguntado: '¿Me lo vendes?' Me ha replicado: 'Cómpralo' y me lo he quedado por trescientos dinares. Me gustaría saber si es caro o barato". Fíjate en lo que te diga: luego habla con él un rato, despídete y ven corriendo a verme. Me encontrarás sentada esperándote, en la puerta del subterráneo y me entregarás el cuchillo». Qamar al-Zamán la contestó: «¡Oír es obedecer!» Cogió el cuchillo, lo colocó en su cinturón y se marchó a la tienda del joyero. Al llegar lo saludó. El otro lo acogió bien y lo invitó a sentarse. Vio que llevaba el cuchillo en el cinturón y quedó admirado. Se dijo: «Éste es mi cuchillo ¿cómo habrá llegado hasta este comerciante?» Empezó a meditar y a decirse: «¡Ojalá supiera si es mi cuchillo o sólo uno que se le parece!» Entonces Qamar al-Zamán lo sacó y le dijo: «¡Maestro! Coge este cuchillo y examínalo». El joyero, al tenerlo en las manos, lo reconoció perfectamente, pero se avergonzó de tener que decir «Éste es mi cuchillo».

Sahrazad se dio cuenta de que amanecía e interrumpió el relato para el cual le habían dado permiso.

Cuando llegó la noche *novecientas setenta y tres,* refirió:

—Me he enterado, ¡oh rey feliz!, de que [el joyero] le preguntó: «¿Dónde lo has comprado?», y el muchacho le refirió todo lo que le había dicho la joven. Le contestó: «Por ese precio es barato, ya que vale quinientos dinares». El fuego de los celos había prendido en su corazón y las manos le fallaban en su trabajo. El joven habló con él, que se encontraba sumergido en el mar de sus pensamientos: si el muchacho le decía cincuenta palabras, él le contestaba con una sola. Tenía el corazón atormentado; el cuerpo nervioso y el pensamiento apenado. Había quedado como dice el poeta:

> No he comprendido ni una palabra cuando han
> querido hablarme o bien me han hablado y yo
> tenía el pensamiento ausente.

Me encuentro sumergido sin reposo en el mar
de las preocupaciones y no acierto a distinguir
el varón de la hembra.

Al ver el muchacho el cambio que en él se había operado le dijo: «Ahora debes estar ocupado», se despidió y regresó rápidamente a su domicilio. La muchacha ya le estaba esperando en la puerta del pasadizo. Le preguntó: «¿Has hecho lo que te he dicho?» «¡Sí!» «¿Y le has dicho lo que te enseñé?» «Me ha contestado que era barato, ya que cuesta quinientos dinares, pero se ha alterado. Entonces yo me he ido y no sé lo que ha ocurrido después.» «¡Dame el cuchillo y no te preocupes de más!» La mujer tomó el cuchillo, lo colocó en su sitio y se sentó. Esto es lo que a ella se refiere.

He aquí lo que hace referencia al joyero: en cuanto se hubo marchado Qamar al-Zamán, prendió más el fuego de su corazón, aumentaron las sospechas y se dijo: «Es preciso que vaya a buscar el cuchillo y que resuelva la duda en una certeza». Se dirigió a su casa y se presentó ante su esposa resoplando como una serpiente. La mujer le preguntó: «¿Qué te ocurre, señor mío?» «¿Dónde tienes mi cuchillo?» «¡En su caja!», y golpeándose el pecho con la mano añadió: «¡Qué pena! ¿Te has peleado con alguien y vienes a buscarlo para clavárselo?» «¡Trae el cuchillo! ¡Quiero verlo!» «¡No te lo daré hasta que me hayas jurado que no vas a matar a nadie!» Lo juró y entonces la mujer abrió la caja y se lo mostró. El marido lo examinó exclamando: «¡Esto es algo prodigioso!», y dirigiéndose hacia ella añadió: «¡Tómalo y colócalo en su sitio!» «Sí; pero cuéntame la causa de todo esto.» El marido le explicó: «He visto en poder de nuestro amigo un cuchillo igual que éste», y le refirió toda la historia añadiendo a continuación: «Al verlo en la caja la duda ha sido sustituida por la certeza». «¡Tú has pensado mal de mí, has creído que era la amante del marino y que yo le había dado el cuchillo!» «Es cierto: en este asunto he dudado. Pero al ver el cuchillo ha desaparecido la sospecha que había en mi corazón.» La mujer le replicó: «¡Hombre! ¡No te queda ningún bien!» El marido siguió presentándola excusas hasta que la dejó satisfecha y entonces regresó a su tienda.

Al día siguiente la mujer entregó a Qamar al-Zamán el reloj de su esposo que éste había hecho con sus propias manos: nadie disponía de otro igual. Le dijo: «Ve a la tienda, siéntate a su lado y dile: "He vuelto a ver al mismo marino que ayer. Tenía en la mano un reloj y me ha dicho: '¿Me compras este reloj?' Le he preguntado: '¿Y de dónde viene?' Me ha contestado: 'He estado con mi amante y me ha dado esto'. Se lo he comprado por cincuenta y ocho dinares. Míralo ¿es barato o caro?" Fíjate en lo que te dice. Después despídete, ven corriendo y devuélvemelo». Qamar al-Zamán se fue e hizo lo que le había mandado. El joyero al verlo le informó: «Esto vale setecientos dinares», y se llenó de sospechas. El muchacho lo dejó, corrió al lado de la mujer y le entregó el reloj. El marido llegó resoplando y preguntando: «¿Dónde está mi reloj?» «Ahí lo tienes.» «¡Tráemelo!» Se lo llevó; al verlo exclamó: «¡No hay fuerza ni poder sino en Dios, el Altísimo, el Grande!». La mujer le preguntó: «¡Hombre! ¡Aquí no estás sin una razón! ¡Cuéntamelo!» «¡Qué te he de decir! Estoy perplejo ante tales hechos», y a continuación recitó los siguientes versos:

¡Por Dios! Estoy perplejo ante mi caso y las tristezas me llegan por donde menos espero.
Tendré paciencia hasta que la paciencia sepa que he soportado cosas más amargas que el acíbar.
La amargura de mi paciencia no es como la del acíbar, puesto que he soportado algo más ardiente que la brasa.
Las cosas no van como yo querría, pero el Dueño de los asuntos me ha mandado tener la bella paciencia.

A continuación añadió: «¡Mujer! He visto que nuestro amigo el comerciante tenía primero un cuchillo el cual reconocí por haber sido ideado su trabajo por mi entendimiento y por no tener par en su ejecución. Me contó una historia que me angustió el corazón. Vine aquí y lo he visto. Hoy es la segunda vez: se presenta con un reloj.

Su filigrana era invención de mi entendimiento y en todo Basora no se encuentra otra igual. El muchacho me cuenta una historia que atormenta el corazón. Estoy perplejo y no sé lo que me sucede». La mujer le replicó: «Lo que se desprende de tus palabras es que tú has creído que yo era la amiga y la amante de ese comerciante y que le había dado tus enseres. Tú has creído posible que yo te traicionara y has venido a traicionarme. ¡Si no hubieses encontrado el cuchillo y el reloj en mi poder hubieses creído en mi traición! ¡Hombre! Si tú piensas eso de mí no continuaré siendo tu compañera a las horas de comer el alimento y de beber el agua. Te aborrezco del modo más terrible». El marido empezó a halagarla hasta dejarla tranquila y, arrepentido de las palabras que le había dirigido, regresó a su tienda y se sentó.

Sahrazad se dio cuenta de que amanecía e interrumpió el relato para el cual le habían dado permiso.

Cuando llegó la noche *novecientas setenta y cuatro*, refirió:

—Me he enterado, ¡oh rey feliz!, de que [el joyero] se encontraba muy nervioso y pensativo. Pensó que lo que le ocurría no podía ser peor y no sabía si creerlo o no. Al caer la tarde regresó a su casa solo, sin llevar consigo a Qamar al-Zamán. Su mujer le preguntó: «¿Dónde está el comerciante?» Replicó: «¡En su casa!» «¿Es que se ha enfriado la amistad que había entre los dos?» «¡Por Dios! ¡Le odio dado lo que me ha sucedido por su causa!» «Ve y tráelo si quieres serme agradable.» Se levantó, fue a buscarlo, entró en su casa, vio por todas partes cosas que eran suyas y las reconoció. El fuego prendió en su corazón y empezó a suspirar. Qamar al-Zamán le preguntó: «¿Qué te ocurre que te veo pensativo?» El joyero se avergonzó de tener que contestar: «Tú tienes mis enseres: ¿Quién te los ha entregado?», y le contestó: «Estoy de malhumor. Acompáñame a mi casa: nos distraeremos». Le replicó: «¡Déjame en mi sitio! No te acompaño». Pero el joyero insistió y se lo llevó. Cenaron y pasaron juntos la velada. El joven habló con el joyero, pero éste permanecía inmerso en el mar de sus pensamientos y por cada cien palabras que le dirigía el joven respondía con una sola. Después se les acercó la criada con dos tazas como tenía por costumbre: el comerciante la tomó y se durmió, pero no ocurió lo mismo con el muchacho, ya que en la taza de éste no había ningún narcótico. Tras esto la mujer se presentó ante Qamar al-Zamán y le preguntó: «¿Qué piensas de este cornudo que está ebrio en su ignorancia y desconoce las tretas de las mujeres? Es preciso que le engañe hasta el momento en que me repudie. Mañana me disfrazaré de esclava e iré en pos tuyo hasta su negocio. Le dirás: "¡Maestro! Hoy he entrado en el Jan de al-Yasirchiyya y he encontrado esta mujer: la he comprado por mil dinares. Mírala: ¿es barata o cara?" A continuación me destaparás el rostro y los senos y me mostrarás a él. Luego cógeme y condúceme a tu casa: yo pasaré a la mía por el subterráneo con el fin de ver cómo resulta nuestro asunto con él».

Pasaron juntos la noche, tranquilos, serenos, alternando y disfrutando hasta la aurora. Después, la mujer se retiró a sus habitaciones y la joven despertó a su señor y a Qamar al-Zamán. Se incorporaron, rezaron la oración de la mañana, desayunaron y tomaron café. El joyero se marchó a su tienda y Qamar al-Zamán entró en su casa. Inmediatamente apareció la joven por el pasadizo disfrazada de esclava y, en realidad, tal era su origen. El muchacho se dirigió a la tienda del joyero y ella le siguió: anduvieron sin cesar hasta llegar al negocio del joyero. Le saludó y se sentó. Dijo: «¡Maestro! Hoy he entrado en el Jan de al-Yasirchiyya para distraerme y he visto esta esclava en manos del corredor. Me ha gustado y la he comprado por mil dinares. Me dispongo a disfrutar de ella. Mírala ¿es barata o cara?» Le quitó el velo que le cubría la cara. El marido vio a su esposa vestida con los más preciosos trajes, adornada con sus mejores galas, alcoholada y arreglada del mismo modo como lo hacía en su casa, delante de él. La reconoció perfectamente por la cara, los vestidos y las joyas que él había labrado con su propia mano; vio los anillos que había fabricado poco antes para Qamar al-Zamán en su dedo y estuvo cierto de que se trataba de su esposa por todas partes. Le preguntó: «¿Cómo te llamas, esclava?» Contestó: «Halima». Su esposa también se llamaba Halima. Ella, pues, le había dicho el mismo nombre. Se quedó admirado y le preguntó: «¿Por cuánto la has comprado?» «Por mil dinares.» «La has comprado por nada ya que los anillos, los vestidos y las joyas que lleva valen más de mil dinares.» «¡Que Dios te conceda buenas noticias! Desde el momento en que te gusta me la llevo a casa.» «¡Haz tu deseo!» El muchacho se la llevó a su casa y ella, por el pasadizo, entró en la suya. Esto es lo que se refiere a la mujer.

He aquí lo que hace referencia al joyero: el fuego había prendido en su corazón. Se dijo: «Iré a ver a mi esposa. Si está en casa, esa esclava es una que se le parece. ¡Excelso sea Aquel que no tiene semejante! Si no está en casa es que era ella en persona sin duda alguna». Se puso en pie, corrió a su casa y la encontró sentada vestida con sus trajes y adornos tal como la había visto en la tienda. El joyero, dando una palmada, exclamó: «¡No hay fuerza ni poder sino en Dios, el Altísimo, el Grande!» La mujer le preguntó: «¡Oh, hombre! ¿Es que te has vuelto loco o qué ocurre? Éstas no son tus costumbres. Algo debe sucederte». «Si lo deseas te lo contaré, no te preocupes.» «¡Habla!» «Nuestro amigo el comerciante ha comprado una esclava cuya cintura, estatura, nombre y vestidos son iguales a los tuyos; se te parece en todos los detalles: en el dedo lleva tus mismos anillos y sus joyas son iguales que las tuyas. Cuando me la ha mostrado he creído que se trataba de ti y me he quedado perplejo ante lo que me sucedía. ¡Ojalá no hubiésemos visto jamás a ese comerciante ni nos hubiésemos hecho sus amigos! ¡Ojalá no hubiese abandonado su país ni le hubiéramos conocido! ¡Me ha amargado la vida que hasta entonces me discurría tranquila y ha sido causa de que mi buena fe haya desaparecido y de que me haya entrado la duda en el corazón!» La mujer le replicó: «Fíjate en mi cara: tal vez yo haya estado con él, él sea mi amante y yo, puesta de acuerdo con él, me haya disfrazado de esclava para que él me mostrase ante ti y tenderte así una trampa». «¿Qué significan estas palabras? —replicó el marido—. ¡Yo no te considero capaz de hacerme tal cosa!» Pero el joyero ignoraba lo que son las tretas de las mujeres y lo que son capaces de hacer con los hombres. No había oído las palabras de quien dijo:

> Un corazón enamoradizo de las bellas tan pronto se presenta en el joven como en el ya canoso.
> Layla me atormenta a pesar de que está lejos: las preocupaciones y los peligros reviven.
> Si me preguntas por las mujeres yo te informaré, pues soy médico experto en sus enfermedades.
> Cuando encanece la cabeza de un hombre o disminuyen sus riquezas, no consigue su amor.

Otro dijo:

> Sublévate contra las mujeres: ésta es la mejor obediencia: jamás triunfará el hombre que entregue a las mujeres sus riendas.
> Ellas le impedirán que alcance la perfección en sus dotes aunque permanezca estudiando la ciencia durante mil años.

Otro dijo:

> Las mujeres son demonios creados para nosotros. ¡Refugiémonos en Dios contra las tretas de los demonios!
> Quien viene herido por su amor pierde toda su resolución en las cosas que afectan al mundo y a la fe.

La mujer añadió: «Yo estoy aquí, en el alcázar. Ve a verlo ahora mismo, llama a su puerta e ingéniatelas para entrar, en seguida, ante él. Una vez en su presencia verás a su lado a la esclava que se me parece (¡excelso sea Quien no tiene semejante!). Si no encuentras a la esclava a su lado querrá decir que yo soy la esclava que has visto con él y tu mal pensamiento para conmigo será verdad». «Tienes razón», le replicó el marido. La dejó y salió. La mujer atravesó el subterráneo, se sentó en el domicilio de Qamar al-Zamán y le informó de lo que ocurría, añadiendo: «Ábrele la puerta en seguida y haz que me vea». Mientras hablaban llamaron a la puerta. Preguntó: «¿Quién está en la puerta?» «¡Tu amigo! Me has mostrado tu esclava en el zoco y yo me he alegrado por ti. Pero mi alegría no ha sido completa. Abre la puerta y déjamela ver.» El muchacho contestó: «¡No hay inconveniente!» Le abrió la puerta y el joyero vio a su esposa sentada al lado de Qamar al-Zamán. Aquélla se levantó y besó su mano y la del muchacho. El joyero la observó, habló con ella un rato y vio que no se diferenciaba en nada de su esposa. Exclamó: «¡Dios crea lo que quiere!» Salió con el corazón cargado de sospechas, llegó a su casa y allí encontró a su esposa sentada, ya que le había precedido por el pasadizo, en cuanto él había salido por la puerta.

Sahrazad se dio cuenta de que amanecía e interrumpió el relato para el cual le habían dado permiso.

Cuando llegó la noche *novecientas setenta y cinco,* refirió:

—Me he enterado, ¡oh rey feliz!, de que [el joyero llegó a su casa y encontró a su esposa que le había precedido] y se había sentado en el alcázar. La mujer le preguntó: «¿Qué has visto?» «La he encontrado junto a su señor y ella se te parece.» «¡Vete a tu tienda y déjate de malos pensamientos! No pienses mal de mí.» «Así lo haré, pero no me reprendas por lo sucedido.» «¡Que Dios te perdone!» El marido le besó la mano derecha y la izquierda y se marchó a la tienda. La mujer corrió a través del pasadizo junto a Qamar al-Zamán llevando cuatro bolsas. Le dijo: «Prepárate inmediatamente para salir de viaje y disponte a llevar sus bienes sin dilación. Entretanto yo buscaré una treta». El muchacho salió y compró mulos, cargó los fardos, preparó una litera y compró mamelucos y criados haciéndolos salir de la ciudad sin ningún obstáculo. Fue a buscar a la mujer y le dijo: «Yo he terminado mis asuntos». «Pues yo —replicó la mujer— ya he transportado los bienes y tesoros que le quedaban a tu casa. No le he dejado ni poco ni mucho de lo cual pueda sacar provecho. Y todo lo he hecho por amor hacia ti, amado de mi corazón. Yo te rescataría mil veces con mi marido. Ahora es preciso que vayas a despedirte de él y le digas: "Voy a marcharme dentro de tres días y he venido a despedirme. Hazme la cuenta de lo que te debo por el alquiler de la casa para que te lo envíe y me quede con la conciencia tranquila". Fíjate en la respuesta que te dé, vuelve y transmítemela. Ya no aguanto más: he intrigado contra él y le he enojado para que me repudiase y en cambio cada vez lo veo más enamorado. Lo mejor que podemos hacer es marcharnos a tu país». El muchacho replicó: «¡Estupendo! ¡Que los sueños se conviertan en realidad!» Corrió a la tienda del joyero, se sentó a su lado y le dijo: «¡Maestro! Me iré dentro de tres días y he venido para despedirme de ti y para que hagas la cuenta de lo que te debo por el alquiler de la casa. Te lo pagaré y me quedaré con la conciencia tranquila». El joyero le replicó: «¿Qué significan tales palabras? ¡Por Dios! No te cobraré nada por el alquiler de la casa: tú nos has traído la *baraca* y ahora nos dejas tranquilos con tu marcha. Si no me estuviese prohibido me opondría y te impediría que volvieses al lado de tu familia y a tu país». Se despidió de él y ambos se pusieron a llorar amargamente, de modo sin igual. El joyero cerró en aquel mismo momento la tienda y se dijo: «Es necesario que yo acompañe a mi amigo», y a cualquier sitio a que iba el muchacho le acompañaba el joyero. Qamar al-Zamán, al entrar en su casa, encontró a la mujer. Ésta se puso de pie ante ellos y se dispuso a servirlos. Cuando el joyero entró en su casa halló a su mujer. Y así siguió viéndola en su casa, cuando entraba en ésa, y en la de Qamar al-Zamán, cuando iba a ver a éste. Esta situación duró tres días. Al cabo de éstos la mujer dijo al muchacho: «Todos los tesoros, bienes y tapices que posee los he trasladado aquí. Sólo le queda la esclava que os servía los sorbetes, pero yo no puedo separarme de ella, ya que es pariente mía y confidente de todos mis secretos. Me dispongo, pues, a apalearla y a pelearme con ella. Cuando acuda mi esposo le diré: "No continuaré al lado de esta esclava y no permaneceré en la misma casa en que esté ella. Cógela y véndela". Se la llevará consigo y la venderá. Tú la comprarás para que podamos llevárnosla». El muchacho replicó: «No hay inconveniente». La mujer apaleó a la esclava, y cuando llegó el marido vio que ésta estaba llorando. Le preguntó por la causa del llanto y le respondió: «Mi señora me ha apaleado». El joyero entró a ver a su esposa y la preguntó: «¿Qué ha hecho esta maldita esclava para que la apalees?» «¡Oh, hombre! Sólo he de decirte una palabra: yo no puedo continuar viendo a esta esclava. Tómala y véndela o bien repúdiame.» «No te he de contradecir.» El marido tomó consigo a la esclava, se dirigió hacia su tienda y pasó delante de Qamar al-Zamán. Su esposa, en cuanto vio que salía con la muchacha, ya le había precedido por el pasadizo y se había reunido con el joven y éste la había metido en la litera antes de que apareciese el viejo joyero. Al llegar éste y ver Qamar al-Zamán a la muchacha preguntó: «¿Quién es esta esclava?» «Es mía; es la que nos escanciaba la bebida, pero ha desobedecido a su señora, ésta se ha enfadado y me ha mandado que la venda.» «Sí; desde el momento en que ha incurrido en el enojo de su señora no puede quedarse en su casa. Véndemela a mí para que yo, con ella, respire tu ambiente y haga de ella la criada de mi esclava Halima.» «No hay inconveniente: tómala.» «¿Por qué precio?» «Nada te he de cobrar, pues nos has cubierto de favores.» El muchacho la aceptó y dijo a Halima: «¡Besa la mano de tu señor!» Salió de la litera, besó la mano del joyero y volvió adentro, siempre bajo la mirada del esposo. Qamar al-Zamán le dijo: «¡Te encomiendo a Dios, maestro Ubayd! ¡Libra mi conciencia de toda responsabilidad!» El otro le replicó: «¡Que Dios te perdone y te conduzca, sano y salvo, junto a tu familia!» El joyero, una vez despedido, se marchó a su tienda llorando, pues le dolía tener que separarse de Qamar al-Zamán, ya que éste había sido un buen amigo y la amistad tiene sus derechos. Pero por otra parte se alegraba, pues cesaban las sospechas que había concebido acerca de su mujer desde el momento en que el muchacho se marchaba y ninguna de ellas se había hecho realidad. Esto es lo que a él se refiere.

He aquí lo que hace referencia a Qamar al-Zamán: la mujer le dijo: «Si quieres escapar salvo llévanos por un camino poco frecuentado».

Sahrazad se dio cuenta de que amanecía e interrumpió el relato para el cual le habían dado permiso.

Cuando llegó la noche *novecientas setenta y seis,* refirió:

—Me he enterado, ¡oh rey feliz!, de que el muchacho respondió: «¡Oír es obedecer!» Tomó una ruta que no era la habitual que seguía la gente y no paró de viajar de país en país hasta llegar a las fronteras del territorio egipcio. Aquí escribió una carta y se la envió con un correo a su padre. Éste, el comerciante Abd al-Rahmán, estaba sentado en el zoco, entre los comerciantes, teniendo una llama encendida en el corazón por encontrarse separado de su hijo, ya que desde el día de su partida no había tenido ninguna noticia. Mientras se encontraba en esta situación se acercó el correo. Preguntó: «¡Señores míos! ¿Está entre vosotros el comerciante que se llama Abd al-Rahmán?» «¿Qué quieres de él?» «Le traigo una carta de su hijo Qamar al-Zamán, al que he dejado en Al-Aris.» El comerciante se puso alegre y contento y sus amigos se alegraron por él y lo felicitaron por el buen desenlace. Tomó la carta y leyó: «De Qamar al-Zamán al comerciante Abd al-Rahmán. Te saludo a ti y a todos los comerciantes que pregunten por mí. ¡Loado sea Dios por sus favores! Hemos vendido y comprado; hemos obtenido beneficios y regresamos con salud, salvos y sanos». Esta carta abrió la puerta a la alegría y el padre preparó banquetes, aumentó sus muestras de hospitalidad y las invitaciones, mandó acudir a los músicos y se entregó a la alegría más completa. Cuando su hijo llegó a al-Salihiyya, su padre le salió al encuentro acompañado por todos los comerciantes. Lo acogieron bien y el padre lo abrazó y lo estrechó contra su pecho rompiendo a llorar hasta desmayarse. Al volver en sí le dijo: «¡Hoy es un día bendito, hijo mío, ya que el Todopoderoso Protector nos ha reunido!», y a continuación recitó las palabras del poeta:

> La vecindad del amado nos llena de la alegría más completa, mientras la copa de la felicidad circula entre nosotros.

Eres bien venido y sigues siendo bien venido tú,
luz del tiempo y plenilunio de los plenilunios.

La gran alegría hizo que las lágrimas se desbordasen de sus ojos y recitó este par de versos:

La luna del tiempo resplandece sin velos y tiene
lugar su orto cuando regresa de sus viajes.
El color de sus cabellos es el mismo que el de la
noche de la ausencia, pero el surgir del sol se
realiza a través de sus vestidos.

Los comerciantes se acercaron hacia él, lo saludaron y vieron que llegaba acompañado de numerosos fardos, criados y una litera en el centro de un gran círculo. Tomaron la litera y la condujeron a su casa. Cuando salió la mujer de su litera el padre se convenció de que constituía una seducción para quienquiera que la viese. Prepararon para ella el piso superior que parecía un tesoro del cual se hubiesen quitado los talismanes. La madre, al verla, quedó prendada de ella y creyó que se trataba de una reina, una de las esposas de los reyes. Se alegró mucho y la interrogó. Le contestó: «Soy la esposa de tu hijo». «Desde el momento en que él se ha casado contigo es necesario que nosotros demos una gran fiesta en honor tuyo y de mi hijo». Esto es lo que a ella se refiere.

He aquí lo que hace referencia al comerciante Abd al-Rahmán: cuando se hubo dispersado la gente y cada uno se hubo marchado a sus quehaceres se reunió con su hijo y le preguntó: «¡ Hijo mío! ¿Qué significa esta esclava que traes? ¿Por cuánto la has comprado?» «¡ Padre! No es una esclava. Ella ha sido la causa de mi ausencia.» «¿Y cómo es eso?» Qamar al-Zamán refirió: «Esta mujer es la que describió el derviche la noche que pasó con nosotros. Desde aquel momento todas mis esperanzas se dirigieron hacia ella y si pedí salir de viaje sólo fue por su causa. En el camino me atacaron los beduinos y se apoderaron de todas mis riquezas y sólo yo pude llegar a Basora. Me ha sucedido esto y esto», y así se lo refirió todo a su padre desde el principio hasta el fin.

Al terminar su relato el padre preguntó: «¡Hijo mío! ¿Te has casado con ella después de todo esto?» «No; pero le he prometido que me casaría con ella.» «¿Y tienes el propósito de casarte con ella?» «Si tú me mandas que lo haga, lo haré; en caso contrario no me casaré.» El padre le dijo: «Si te casas con ella yo me desentiendo de ti en este mundo y en la última vida y me enfadaré contigo de modo terrible. ¿Cómo te has de casar con ella cuando ha hecho tales faenas a su esposo? Lo mismo que ha hecho, por ti, a su esposo, te lo hará a ti si le interesa otro hombre. Es una traidora y el traidor no merece confianza. Si me desobedeces me enfadaré contigo, pero si haces caso de mis palabras te buscaré una muchacha más hermosa que ella, pura y limpia, y te casaré con ella, y aunque tenga que gastar todos mis bienes daré una fiesta de bodas como nunca se haya visto y me vanagloriaré de ti y de ella. Es preferible que la gente diga: "Fulano se ha casado con la hija de Zutano" a que "Se ha casado con una esclava sin antepasados conocidos"». El padre siguió rogando al muchacho que no la tomara por esposa citándole moralejas, anécdotas, poesías, proverbios y sermones adecuados al caso. Qamar al-Zamán replicó: «¡Padre mío! Si las cosas son así, yo no tengo ningún compromiso que me obligue a casarme con ella». En cuanto hubo pronunciado estas palabras, el padre le besó entre los ojos y dijo: «Tú eres, en verdad, mi hijo y juro por tu vida, hijo mío, que he de encontrarte por esposa una muchacha que no tenga par». A continuación el comerciante Abd al-Rahmán confinó a la esposa de Ubayd, el joyero, y a su esclava en sus habitaciones. Las encerró, y encargó a una esclava negra que les llevase la comida y la bebida. Le dijo: «Tú y tu esclava permaneceréis encerradas en este palacio hasta que encuentre quién os compre y os venda. Si desobedecéis te mataré a ti y a tu esclava, ya que eres una traidora y en ti no hay bien alguno». La mujer le contestó: «Haz tu deseo, pues yo soy merecedora de todo lo que hagas conmigo». Abd al-Rahmán cerró la puerta y recomendó las dos a su mujer diciendo: «Que nadie suba hasta ellas, ni tan siquiera a hablar, de no ser la esclava negra que les ha de entregar la comida y la bebida a través de la ventana del palacio». La mujer y su esclava se dedicaron a llorar y a arrepentirse por lo que habían hecho a Ubayd. Esto es lo que a ellas se refiere.

He aquí lo que hace referencia al mercader Abd al-Rahmán: envió a los casamenteros para que buscasen una muchacha de buena situación y noble ascendencia para su hijo. Buscaron sin cesar. Cuando hallaban una, oían hablar en seguida de otra más hermosa y así llegaron hasta la casa del jeque del Islam. Vieron que la hija de éste no tenía par en todo Egipto, que era hermosa, bella, bien proporcionada y mil veces más guapa que la mujer de Ubayd, el joyero. Informaron de esto a Abd al-Rahmán. Éste y los notables acudieron ante el padre de la muchacha y la pidieron por esposa. Pusieron por escrito el contrato de bodas y celebraron una gran fiesta. Después se celebraron banquetes. El primer día invitó a los alfaquíes y celebraron una fiesta con gran pompa: al día siguiente invitó a todos los comerciantes: entonces repicaron los tambores, sonaron las flautas, se adornaron las calles y los pasajes con candiles y cada noche acudieron toda suerte de juglares para realizar toda clase de entretenimientos. Cada día daba un banquete a una clase de personas y así invitó a todos los sabios, emires, abanderados y altos funcionarios. Las fiestas continuaron ininterrumpidamente durante cuarenta días. Durante cada una de ellas el comerciante recibió a la gente teniendo a su hijo al lado para que disfrutara viendo cómo comían en torno de los manteles. Era una fiesta sin par. El último día invitó a los pobres y a los indigentes, extraños o del país; llegaron en turbamulta y comieron. El comerciante los observaba teniendo a Qamar al-Zamán a su lado. Entonces entró el jeque Ubayd, el esposo de la muchacha, confundido con el resto de los pobres. Estaba desnudo y cansado y sobre su rostro se veían las huellas del viaje. El muchacho lo reconoció al verlo y dijo a su padre: «¡Mira, padre, ese pobre hombre que entra por la puerta!» Clavó la vista en él y vio que estaba cubierto de harapos, que llevaba como chilaba un retal que valdría dos dirhemes y que su pálido rostro estaba cubierto de polvo: parecía ser un peregrino deshecho; gemía como un enfermo necesitado, avanzaba con paso vacilante y ora se inclinaba a la izquierda, ora a la derecha. En él se cumplían las palabras del poeta:

> La pobreza desacredita siempre al hombre del mismo modo como la palidez del sol en el momento del ocaso.
> Discurre entre las gentes a hurtadillas y cuando se queda a solas derrama abundantes lágrimas.
> Si está ausente, nadie se preocupa de él; cuando está presente nunca le toca nada.
> ¡Por Dios! Cuando el hombre es puesto a prueba por la pobreza, entre sus propios familiares es un extraño.

O como dijo otro:

> El pobre puede andar pero todas las cosas estarán contra él; la tierra le cerrará sus puertas.
> Verás que es odiado a pesar de que no haya cometido falta alguna; tropezará con la enemistad sin saber sus causas.
> Los mismos perros, cuando ven a un rico, le hacen fiestas y mueven la cola.
> Pero si un día ven a un pobre desgraciado le ladran y le desgarran con sus dientes.

¡Qué bellas son las palabras del poeta!:

> Si la fuerza y la fortuna acompañan al muchacho, los disgustos y las preocupaciones se mantienen lejos.
> El amado, sin necesidad de promesas, se mantiene a su lado cual parásito y el espía hace de alcahuete.
> La gente afirma que sus pedos son un canto y si se trata de una flatulencia claman: «¡Qué bien huele!»

Sahrazad se dio cuenta de que amanecía e interrumpió el relato para el cual le habían dado permiso.

Cuando llegó la noche *novecientas setenta y siete*, refirió:

—Me he enterado, ¡oh rey feliz!, de que el muchacho le dijo: «¡Fíjate en ese pobre hombre!» Abd al-Rahmán le preguntó: «¿Quién es, hijo mío?» «El maestro Ubayd, el joyero, el esposo de la mujer que tenemos encarcelada.» «¿Es éste aquel de quien me has hablado?» «¡Sí! Lo conozco muy bien.»

La causa de su aparición era la siguiente: después de haberse despedido de Qamar al-Zamán se dirigió a su tienda. Le hicieron un encargo y lo aceptó. Esto le tuvo ocupado todo el resto del día. Al caer la tarde cerró la tienda, se dirigió a su casa, colocó la mano sobre la puerta y ésta se abrió. Entró y no encontró ni a su esposa ni a la esclava. Se dio cuenta de que la casa estaba en las peores condiciones. A ella correspondían las palabras de quien dijo:

> Era una floreciente colmena de abejas que, al abandonarla el enjambre, quedó vacía.
>
> Como si hoy ya no floreciese con sus moradores o como si sus moradores hubiesen sido arrebatados de pronto por la muerte.

Al darse cuenta de que la casa estaba vacía se volvió a derecha e izquierda y la recorrió como si estuviese loco; pero no encontró a nadie. Abrió la puerta de sus tesoros y no halló ni sus bienes ni sus valores. Entonces, reponiéndose de su embriaguez y despertándose de su aturdimiento, comprendió que había sido su mujer quien le había enredado con sus tretas hasta traicionarlo. Ante lo que le ocurría rompió a llorar, pero guardó el secreto para que ninguno de sus enemigos pudiera alegrarse y para que ninguno de sus amigos tuviera de qué entristecerse, pues se dio cuenta de que si se difundía el secreto iba a quedar cubierto de oprobio y sujeto a las burlas de la gente. Se dijo: «¡Fulano! Esconde las desgracias y los pesares que te afligen. Debes hacer como quien dijo:

Si el pecho del hombre es estrecho para guardar un secreto, más estrecho aún es el pecho de aquel a quien se confía».

A continuación cerró la puerta de su casa, se marchó a la tienda y confió ésta a uno de sus operarios diciéndole: «Mi amigo, el joven comerciante, me ha invitado a ir con él a Egipto para distraerme y me ha jurado que no se pondrá en marcha sin llevarme a su lado junto con mi mujer. Tú, hijo mío, serás el administrador de la tienda y si el rey os pregunta por mí le dirás: "Se ha ido con su esposa a la casa sagrada de Dios"».

El joyero vendió algunos de sus enseres, compró camellos, mulos y mamelucos y además una esclava a la que metió en una litera. Al cabo de diez días salió de Basora. Sus amigos acudieron a despedirlo y él se puso en camino. Las gentes creían que llevaba consigo a su esposa y que iba a realizar la peregrinación. Todo el mundo se puso contento, puesto que Dios les libraba de tener que mantenerse encerrados en sus casas y las mezquitas todos los viernes. Algunos decían: «¡Que Dios no permita que vuelva a Basora otra vez! Así no tendremos que volver a encerrarnos en nuestras casas y mezquitas todos los viernes». Esta mala costumbre había causado un gran pesar en los habitantes de Basora. Otro decía: «Creo que no regresará a Basora por las imprecaciones que le dirigen sus habitantes». Otro: «Si vuelve vendrá en mala situación». Los habitantes de la ciudad se alegraron muchísimo con su partida, ya que habían sufrido un gran pesar: hasta los gatos y los perros se quedaron tranquilos.

Al llegar el viernes, el pregonero difundió el aviso por la ciudad, como tenía por costumbre, de que entraran en la mezquita dos horas antes de la oración o que se ocultaran en sus casas; que lo mismo debía hacerse con perros y gatos. El pecho de los ciudadanos quedó oprimido. Se reunieron todos y se dirigieron a la audiencia; se plantaron ante el rey y le dijeron: «¡Rey del tiempo! El joyero se ha ido, con su esposa, a realizar la peregrinación a la Casa Sagrada de Dios. Al desaparecer la causa que nos obligaba a encerrarnos ¿por qué vamos a hacerlo ahora?» El rey exclamó: «¿Cómo se ha puesto en viaje ese traidor sin informarme? Cuando regrese del viaje lo arreglaré todo para bien. Id a vuestras tiendas y vended y comprad: queda levantada la prohibición». Esto es lo que hace referencia al rey y a los habitantes de Basora.

He aquí lo que hace referencia al maestro Ubayd, el joyero: viajó durante diez jornadas y le ocurrió lo mismo que le había sucedido a Qamar al-Zamán antes de entrar a Basora: los beduinos de los alrededores de Bagdad le acometieron, le despojaron y le robaron todo lo que llevaba consigo. El joyero tuvo que hacerse el muerto para salvarse. Una vez se hubieron marchado los beduinos se puso en pie y empezó a andar, desnudo, hasta llegar a una ciudad. Dios hizo que la gente se apiadase de él y que cubriera sus vergüenzas con un pedazo de ropa remendada. Empezó a mendigar y a buscar el alimento de país en país hasta que así llegó a El Cairo, la bien guardada. El hambre lo abrasaba. Recorrió los zocos mendigando. Un habitante de la ciudad le dijo: «¡Pobre! Ve a la casa de la boda. Come y bebe ya que hoy, allí, se ha puesto la mesa para los pobres y los forasteros». Contestó: «No conozco el camino que conduce a la casa en que se celebra la fiesta». «¡Sígueme y te la mostraré!» Le siguió hasta llegar. Le dijo: «Ésta es la casa de la fiesta: entra y no temas, pues en la casa en que se celebra el acontecimiento no hay chambelanes». Qamar al-Zamán lo vio en el momento en que entraba, lo reconoció e informó a su padre. A continuación el comerciante Abd al-Rahmán dijo a su hijo: «¡Hijo mío! Déjalo ahora, pues es posible que tenga hambre. Déjalo comer hasta saciarse y permítele que repose. Después le llamaremos». Ambos aguardaron hasta que hubo terminado de comer, quedó satisfecho, se lavó las manos y bebió el café y los sorbetes azucarados mezclados con almizcle y ámbar y se disponía a salir. Entonces, el padre de Qamar al-Zamán lo mandó a buscar. El mensajero le dijo: «¡Forastero! Ven a hablar con el comerciante Abd al-Rahmán». Preguntó: «¿Y quién es este comerciante?» «¡El que da la fiesta!» Volvió atrás pensando que le iba a dar una limosna.

Al llegar ante el comerciante se dio cuenta de que al lado de éste estaba su amigo Qamar al-Zamán. Lleno de vergüenza cayó desmayado. El muchacho se acercó a él, lo cogió en sus brazos, lo saludó llorando a lágrima viva y le hizo sentar a su lado. Su padre le espetó: «¡Careces de tacto! ¡Esta no es forma de recibir a los amigos! Mándale antes al baño y haz que le entreguen una túnica como corresponde a su rango. Después le sentarás a tu lado y hablaréis». Llamó a unos criados y les ordenó que le condujesen al baño y le envió una túnica tomada de sus propios vestidos que valía mil dinares o más. Le lavaron el cuerpo, le pusieron la túnica y quedó de tal modo que parecía ser el jefe de los comerciantes. Todos los presentes preguntaron a Qamar al-Zamán, mientras se encontraba en el baño, por él, diciendo: «¿Quién es éste? ¿De dónde le conoces?» Contestó: «Éste es mi amigo, aquel que me alojó en su casa y al cual debo innumerables favores, ya que me trató con todos los honores. Es persona de buena condición y alto rango. Es joyero de oficio y no tiene par en él. El rey de Basora le quiere muchísimo, ocupa un lugar muy alto en su Corte y su palabra es escuchada». Se excedió en su elogio y añadió: «Ha hecho conmigo tal y tal cosa hasta el punto de que ante él me encuentro cohibido y no sé cómo recompensarle para corresponder a los favores que me ha hecho». Siguió elogiándolo para hacerle crecer ante los presentes y conseguir que ante los ojos de éstos fuese un hombre respetable. Le dijeron: «Todos nosotros le trataremos con el respeto que se debe a tu cargo. Pero querríamos saber la causa de su venida a El Cairo, por qué ha abandonado su país y qué ha hecho Dios con él para que haya llegado en este estado». Qamar al-Zamán les contestó: «¡Gentes! ¡No os maravilléis! ¿Es que el hombre no está sometido al poder y a la voluntad de Dios? Mientras esté en este mundo no se salvará de las desgracias. Bien ha dicho quien ha escrito estos versos:

> El tiempo destroza a los hombres: no seas de esos
> a los que aturden los cargos y destinos.
> Guárdate de los resbalones, evita las desgracias

y date cuenta de que el destino conduce a la pronta pérdida.
¡Cuánto bienestar desaparece con la más pequeña desgracia! En el cambio de cualquier cosa siempre hay una causa.

»Sabed que yo entré en Basora en peor estado y con peores tribulaciones. Este hombre ha entrado en El Cairo con sus vergüenzas cubiertas con dos harapos, pero cuando yo entré en su ciudad cubriéndome mis vergüenzas de delante con una mano y las de detrás con otra, sólo encontré el auxilio de Dios y de este noble hombre. La causa fue que los beduinos nos desnudaron y me arrebataron camellos, mulos y fardos; que mataron a mis pajes y a mis hombres y que yo tuve que dormir entre los muertos. Creyeron que yo era uno más de éstos y se fueron olvidándose de mí. Entonces me incorporé, y me puse en camino, desnudo, hasta llegar a Basora. Este hombre me recibió, me vistió, me alojó en su casa y me dio dinero. Todo lo que he traído sólo procede del favor de Dios y de la generosidad de este hombre. Cuando me puse en camino me dio muchas cosas y he vuelto a mi país con el corazón satisfecho. Al despedirme de él se encontraba en buena posición, en el bienestar. Tal vez el tiempo después de mi partida le haya llevado alguna desgracia que lo haya forzado a abandonar su familia y su patria y le haya sucedido lo mismo que a mí me ocurrió. No sería extraordinario. Ahora es obligación mía recompensarlo por los generosos favores que me ha hecho y hacer con él lo que indica quien dice:

¡Oh, tú, que piensas bien del destino! ¿Es que sabes lo que hace el destino?
Si quieres obra bien, pues el individuo viene pagado según sus actos.»

Mientras hablaban de este modo o de otro semejante, reapareció el maestro Ubayd que parecía ser el jefe de los mercaderes. Todos se pusieron de pie, lo saludaron y le hicieron sentar en la presidencia. Qamar al-Zamán dijo: «¡Amigo mío! ¡Que tu día sea bendito y feliz! No me cuentes algo que me ha ocurrido antes que a ti. Si los beduinos te han despojado y se han apoderado de tus bienes has de comprender que éstos sirven de rescate a los cuerpos. No te apenes, pues yo llegué desnudo a tu país y tú me vestiste y me honraste. Tú me has hecho grandes favores y yo te recompensaré...

Sahrazad se dio cuenta de que amanecía e interrumpió el relato para el cual le habían dado permiso.

Cuando llegó la noche *novecientas setenta y ocho*, refirió:

—Me he enterado, ¡oh rey feliz!, de que [Qamar al-Zamán prosiguió: »...Tú me has hecho grandes favores y yo te recompensaré] y obraré contigo del mismo modo que tú obraste conmigo o de modo aún mejor. Tranquilízate y refresca tus ojos». Siguió tranquilizándolo e impidiéndole hablar para evitar que mencionase a su esposa y lo que ella había hecho con él. Le refirió sermones, ejemplos, versos, anécdotas, relatos e historias para consolarlo hasta que el joyero comprendió las alusiones que le hacía Qamar al-Zamán para guardar secreto. Calló lo que guardaba, se consoló con las historias y anécdotas que oía y recitando los versos del poeta:

> En la frente del destino está escrita una línea; si vieses su contenido éste haría derramar lágrimas de sangre a tus pupilas.
>
> Jamás saluda el destino con la diestra si al mismo tiempo la siniestra no escancia la copa de la muerte.

A continuación Qamar al-Zamán y su padre, el comerciante Abd al-Rahmán, lo condujeron a una habitación del harén y se quedaron a solas con él. El comerciante Abd al-Rahmán le dijo: «Si te hemos impedido hablar ha sido sólo por miedo de quedar avergonzados nosotros y tú. Pero ahora que estamos a solas infórmanos de lo que te ha ocurrido con tu esposa y con mi hijo». Le refirió toda la historia desde el principio hasta el fin, y una vez terminado su relato el huésped preguntó: «¿La culpa es de tu esposa o de mi hijo?» «¡Por Dios! Tu hijo no tiene culpa ninguna, puesto que los hombres apetecen las mujeres y son las mujeres las que deben negarse a los hombres. La falta sólo recae sobre mi esposa que me ha traicionado y que ha hecho conmigo tales cosas». El comerciante, salió, se quedó a solas con su hijo y le dijo: «¡Hijo mío! Hemos puesto a prueba a la esposa y nos damos cuenta de que es una traidora. Ahora me propongo ponerlo a prueba a él y averiguar si es hombre de honor y virtud o bien un villano». «¿Cómo lo harás?» «Le voy a proponer que se reconcilie con su mujer: si acepta la reconciliación y la perdona, lo acometeré con la espada y lo mataré; después la mataré a ella y a su esclava, ya que en la vida del hombre vil y de la adúltera no hay ningún bien. Pero si la rehuye, lo casaré con tu hermana y le daré más riquezas que las que tú le has quitado.» Volvió al lado del joyero y le dijo: «¡Maestro! El tratar con las mujeres requiere gran tolerancia; quien las ama ha de tener un pecho ancho, ya que ellas encandilan a los hombres y los atormentan para ponerse por encima de ellos gracias a su belleza y hermosura; así se hacen las importantes y desprecian a los hombres y muy en especial cuando se dan cuenta del amor que las profesa el marido. En este caso los rechazan con orgullo, coquetería y actos reprobables de toda clase. Si el hombre se enfadase cada vez que ve en su esposa algo reprobable, no podría existir la convivencia entre ambos. Sólo puede estar de acuerdo con ellas quien es muy tolerante y tiene mucha paciencia. Si el hombre no soporta a su esposa y acepta con indulgencia sus tretas, no tiene éxito en su convivencia con ella. Se dice sobre las mujeres: "Si estuviesen en el cielo, el cuello de los hombres se volvería hacia ellas" y "Quien puede vengarse y perdona recibirá la recompensa de Dios". Esa mujer es tu esposa y tu compañera y ha convivido largo tiempo contigo: es necesario que la perdones; en la convivencia esto constituye una de las señales del triunfo. Las mujeres tienen un entendimiento y una religión deficientes: si obran mal se arrepienten. Si Dios quiere no volverá a hacer lo que te ha hecho. Mi opinión es que tú debes reconciliarte con ella y yo te restituiré riquezas mayores de las que tenías. Si te quedas a mi lado seréis los dos bien venidos y sólo tendréis aquello que os haga agradable la vida. Si quieres regresar a tu país yo te daré lo que ha de satisfacerte. La litera está a punto: coloca en ella a tu mujer y a su esclava y márchate a tu país. Las querellas entre marido y mujer son frecuentes: a ti te incumbe solucionar las cosas y evitar tener que recorrer el camino difícil». El joyero preguntó: «¡Señor mío! ¿Dónde está mi mujer?» «En este alcázar: sube hasta ella y sé indulgente, por mí, y no la atormentes. Cuando mi hijo llegó y quiso casarse con ella se lo prohibí: la coloqué en ese alcázar, cerré la puerta tras ella y me dije: "Tal vez venga su esposo y yo se la entregaré: ella es hermosa y una mujer como ésta no puede ser olvidada por el cónyuge". Ha sucedido lo que había pensado y doy gracias a Dios (¡ensalzado sea!) por haberte reunido con tu esposa. Yo, por mi parte, he prometido y casado a mi hijo con otra mujer: estos banquetes y convites forman parte de la fiesta de bodas y esta noche le entregaré su mujer. Aquí tienes la llave del palacio en que está tu esposa: cógela, abre la puerta, entra a verla, saluda a su esclava y disfruta con ella: os llegará la comida y la bebida. No te separes hasta haberte saciado de ella». El joyero le replicó: «¡Que Dios te pague por mí con toda suerte de bien, señor mío!» Cogió la llave y subió muy contento. El comerciante creyó que estas palabras le habían gustado y que había quedado satisfecho: cogió la espada y le siguió hasta un sitio en donde el joyero no podía verlo. Se paró a mirar lo que ocurría entre él y su esposa. Esto es lo que hace referencia al comerciante Abd al-Rahmán.

He aquí lo que hace referencia al joyero: entró en la habitación en que se encontraba su esposa y la encontró llorando amargamente, pues pensaba en que Qamar al-Zamán se había casado con otra mujer. La esclava le decía: «¡Cuántas veces te aconsejé, señora mía, diciéndote que de ese muchacho no recibirías ningún bien y que debías dejar de frecuentarlo! Pero tú no hiciste caso de mis palabras, arrebataste todos los bienes a tu esposo y se los entregaste a tu amante; después abandonaste tu puesto, quedaste prendada de su amor y te viniste con él a este país. Tras todo esto él te ha arrojado de su pensamiento y se ha casado con otra mujer haciendo que tu amor por él te condujese a la cárcel». La dueña le dijo: «¡Cállate, maldita! Si él se ha casado con otra algún día pensará en mí. Yo no sé consolarme de las noches pasadas con él y, en todo caso, me tranquilizan las palabras de quien dijo:

¡Señores míos! ¿Pensáis en aquel que sólo os tiene a vosotros en la mente?
¡Dios haga que nunca olvidéis la situación de aquel, que por vuestro amor, se olvida de sí mismo!

»Es necesario que él recuerde mi compañía y mi trato. Ya preguntará por mí. Yo no desisto de su amor ni me aparto de su afecto. Aunque muera en la cárcel, él será mi amor, mi médico y yo sólo deseo que vuelva a mi lado para disfrutar con él».

El esposo, al oírla pronunciar estas palabras, irrumpió y la increpó: «¡Traidora! ¡Tu pasión por él es la misma que siente el demonio por el Paraíso! Tú tenías todos estos vicios sin que tuviese la menor idea. Si hubiera sabido que tenías uno sólo, no te hubiese soportado ni un instante a mi lado. Pero ya que ahora quedo perfectamente enterado de ello es necesario que te mate aunque ello me cueste la vida, miserable». La agarró con las dos manos y recitó este par de versos:

¡Oh, hermosas! ¡Habéis borrado mi amor sincero con vuestras faltas y no os habéis preocupado de mis derechos de amante!
¡Cuántas veces el amor me ha ligado a vosotras! Pero después de estas penas renuncio a la concordia.

Le apretó la garganta y se la rompió. La esclava gritó: «¡Ah, señora!» El joyero la increpó: «¡Libertina de vicios! ¡Tú tienes la culpa de todo puesto que sabías lo que hacía y no me informabas!» Agarró a la esclava y la estranguló. Todo esto ocurría mientras que el mercader, agarrando la espada con la mano, plantado detrás de la puerta, lo escuchaba con sus propios oídos y lo veía con sus mismos ojos. Una vez estrangulada en el alcázar del mercader, el joyero Ubayd se llenó de preocupaciones y temió las consecuencias de su acto. Se dijo: «Si el comerciante se entera de que las he matado en su casa, me dará muerte sin remedio. Ruego a Dios que me haga morir en la fe». Se quedó perplejo, sin saber qué hacer. Mientras se encontraba en esta situación apareció el comerciante Abd al-Rahmán y le dijo: «No te preocupes. Te mereces escapar con vida. Mira la espada que tengo en la mano: estaba resuelto a matarte si te hubieses reconciliado y compuesto con ella; después hubiese matado a la esclava. Desde el momento en que has hecho esto eres bien venido y aceptado. Como recompensa te casarás con mi hija, la hermana de Qamar al-Zamán». El comerciante lo tomó consigo y salieron. Mandó llamar a las lavadoras de cadáveres e hizo correr la noticia de que Qamar al-Zamán, el hijo del comerciante Abd al-Rahmán, había importado con él dos esclavas desde Basora y que ambas habían muerto. Las gentes acudieron a darle el pésame diciendo: «¡Que tú vivas largo tiempo y que Dios te recompense por su pérdida!» Las lavaron, las amortajaron y las enterraron. Nadie se enteró de lo que había sucedido en realidad. Esto es lo que se refiere al joyero Ubayd, a su esposa y a la esclava.

He aquí lo que hace referencia al comerciante Abd al-Rahmán: mandó llamar al jeque del Islam y a todos los notables y dijo: «¡Oh, jeque del Islam! Escribe el contrato de matrimonio de mi hija Kawkab al-Sabbah, con el maestro Ubayd, el joyero. Ya he recibido la dote entera y completa». Puso por escrito el contrato. Después les sirvieron los sorbetes y celebraron una sola fiesta por el matrimonio de la hija del jeque del Islam con Qamar al-Zamán y de su hermana Kawkab al-Sabbah con el maestro Ubayd el joyero, y ambas fueron conducidas en la misma silla de manos y en la misma tarde a sus esposos. Éstos fueron acompañados hasta sus esposas. Introdujeron a Qamar al-Zamán ante la hija del jeque del Islam y al maestro Ubayd ante la hija del comerciante Abd al-Rahmán. El joyero, al llegar ante su novia, vio que era mil veces más hermosa y más bella que su esposa y le arrebató la virginidad. Al día siguiente por la mañana, fue al baño con Qamar al-Zamán. El joyero permaneció en la casa de aquél, un tiempo en que vivió contento y satisfecho. Después, deseando regresar a su país, se presentó ante el comerciante Abd al-Rahmán y le dijo: «¡Tío! Deseo regresar a mi país pues en él tengo posesiones y rentas. He dejado como substituto a uno de mis operarios y ahora deseo volver, vender mis propiedades y regresar a tu lado ¿me permites que me marche a mi patria para hacerlo?» «¡Hijo mío! Te lo consiento y no te censuro por estas palabras: el amor a la patria es indicio de fe y quien no se encuentra bien en ella no se encuentra tampoco bien en los restantes países. Si te marchas sin tu mujer es posible que una vez allí te apetezca quedarte y no sepas qué hacer: si no salir de allí o regresar al lado de tu esposa. Lo mejor es aconsejarte que te lleves a tu esposa y después, si quieres regresar a nuestro lado, regresa con ella: ambos seréis bienvenidos, pues nosotros no conocemos el repudio, ninguna de nuestras mujeres se casa dos veces ni se aparta de su marido atolondradamente». El joyero replicó: «¡Tío! Temo que tu hija no quiera acompañarme a mi país». «¡Hijo mío! Nuestras mujeres no llevan la contraria a sus esposos y ni una sola se pelea con él.» «¡Que Dios os bendiga a vosotros y a nuestras mujeres!» El joyero corrió a buscar a su esposa y le dijo: «Quiero regresar a mi país ¿qué opinas?» «Mi padre me ha gobernado mientras era virgen; desde el momento en que me he casado la autoridad ha pasado a manos de mi esposo; yo no te contradiré.» «¡Que Dios te bendiga a ti y a tu padre! ¡Que Dios se apiade del vientre que te ha llevado y de los riñones que te engendraron!» Él liquidó sus asuntos y preparó los cosas necesarias para el viaje. El suegro le hizo muchos regalos y ambos se despidieron. Tomó consigo a su esposa y emprendió el viaje. Caminaron sin cesar hasta llegar a Basora. Los parientes y amigos salieron a recibirlos creyendo que llegaban del Hichaz. Unas gentes se alegraron con su llegada y otras se entristecieron. Se decían: «Como de costumbre nos va a forzar todos los viernes a encerrarnos en las mezquitas y en las casas y nos hará atar gatos y perros». Esto es lo que a ellos se refiere.

He aquí lo que hace referencia al rey de Basora: cuando se enteró de que el joyero había llegado se enfadó, mandó a buscarlo, le hizo comparecer ante él y le riñó diciéndole: «¿Cómo marchas sin decirme que vas de viaje? ¿Es que yo no podía darte algo para que te sirviera de auxilio en la peregrinación hacia la casa sagrada de Dios?» «¡Perdón, señor mío! ¡Juro por Dios que no he realizado la peregrinación sino que me ha ocurrido esto y esto!», y le refirió todo lo que le había sucedido con su esposa y el comerciante Abd al-Rahmán, el egipcio; cómo este le había casado con su hija y siguió diciendo: «La he traído a Basora». El rey exclamó: «¡Por Dios! Si no temiese a Dios (¡ensalzado sea!) te mataría y me casaría con esa noble muchacha, aunque para ello tuviese que gastar los tesoros de la riqueza, ya que ella sólo es digna de los reyes. Pero Dios te la ha asignado a ti. ¡Que Él te bendiga con ella! ¡Que siempre vivas bien con ella!» A continuación hizo regalos al joyero y éste se marchó. Vivió con su mujer durante cinco años, al cabo de los cuales compareció ante la misericordia de Dios (¡ensalzado sea!) El rey la pidió en matrimonio pero ella no aceptó diciendo: «¡Oh, rey! En mi parentela jamás se ha vuelto a casar una mujer después de la muerte de su marido. Yo, después de la muerte del mío, no me casaré con nadie, ni tan siquiera contigo aunque me mates». El rey ordenó que le preguntasen: «¿Quieres volver a tu país?» Le contestó: «Si haces un bien serás recompensado». El soberano reunió todos los bienes del joyero, añadió de su propio peculio la cantidad que exigía su rango y la hizo escoltar por uno de sus visires, célebre por su bondad y su probidad, y quinientos caballeros. El visir la acompañó hasta dejarla en casa de su padre. En ella vivió, sin volver a casarse, hasta su muerte. Después murieron todos.

Si esta mujer no aceptó sustituir a su esposo, después de muerto, por un sultán ¿cómo ha de poder compararse con quien cambia en vida del propio marido a éste por un muchacho de origen y rango desconocidos y muy especialmente lo hace fornicando fuera de la Ley? La locura de quien cree que todas las mujeres son iguales no tiene remedio.

¡Gloria a Quien posee el reino y el poderío, al Viviente, al que no muere!

HISTORIA DE ABD ALLAH B. FADIL, GOBERNADOR DE BASORA, Y DE SUS HERMANOS

Se cuenta también, ¡oh rey feliz!, que cierto día el Califa Harún al-Rasid, inspeccionando el censo de contribuciones, vio que había entrado en el erario público el de todos los países y regiones excepción hecha de la de Basora, que no había llegado aquel año. Por esta causa reunió el consejo de ministros y ordenó: «¡Traedme el visir Chafar!» Éste acudió. El Califa le dijo: «Ha llegado a hacienda la contribución de todos los países, excepción hecha de la de Basora: de esta región no se ha recibido nada.» «¡Emir de los creyentes! —le contestó—. Es posible que al gobernador de Basora le haya ocurrido algo que le impida enviar el dinero.» «Han pasado ya veinte días de la fecha tope de percepción de la contribución y en dicho plazo podría haberse excusado o enviado el dinero.» «¡Emir de los creyentes! Si te parece bien, envíale un mensaje.» «Envíale tú al contertulio Abu Ishaq al-Mawsulí.» «¡Oír es obedecer a Dios y a ti, oh Emir de los creyentes!» A continuación Chafar se marchó a su casa, mandó llamar a Abu Ishaq al-Mawsulí, el contertulio, escribió un nombramiento regio y le dijo: «Ve y preséntate ante Abd Allah b. Fadil, gobernador de la ciudad de Basora y averigua qué es lo que le ha impedido enviar el tributo. Después cobra el importe total y absoluto de las contribuciones de Basora y tráemelo inmediatamente, pues el Califa ha visto que han llegado las contribuciones de todas las regiones menos la de Basora. Si ves que el tributo no está a punto y que te presenta sus excusas, tráelo contigo para que las presente con su propia lengua ante el Califa». Abu Ishaq le contestó que oír era obedecer.

Tomó consigo cinco mil caballeros que formaban parte de las tropas del visir y viajó sin descanso hasta llegar a Basora. Abd Allah b. Fadil se enteró de su llegada y salió a recibirlo con sus propios soldados. Le acogió, entró con él en Basora y le instaló en su palacio, mientras que las tropas restantes se alojaron en tiendas que levantaron fuera de la ciudad e Ibn Fadil les asignó todo lo que podían necesitar. Una vez hubo entrado Abu Ishaq en la sala de audiencias y hubo ocupado su sitio hizo que Abd Allah b. Fadil se sentase a su lado y los magnates se sentaron a su alrededor según su rango. Después de haberlo saludado, Ibn Fadil preguntó: «¡Señor mío! ¿Hay alguna causa que te haya hecho venir?» «¡Sí! He venido a reclamar la contribución. El Califa ha preguntado por ella ya que ha transcurrido el plazo en que tenía que haber llegado.» «¡Señor mío! ¡Ojalá tú no te hubieses fatigado ni tenido que soportar la dureza del viaje! El importe de la contribución justo y cabal está preparado y había resuelto enviarlo mañana. Pero ya que tú has venido te lo entregaré a ti una vez que hayas gozado durante tres días de mi hospitalidad. El cuarto día te daré el tributo. Pero ahora nuestro deber nos obliga a ofrecerte un regalo por tu bondad y por la del Emir de los Creyentes.» «¡No hay inconveniente!»

Abd Allah levantó la sesión y acompañó a Abu Ishaq a un salón de su casa que no tenía par. Ofreció a éste y a sus compañeros una mesa llena de comida. Comieron, bebieron, disfrutaron y se alegraron. Una vez retirada la mesa se lavaron las manos y sirvieron el café y los sorbetes. Se quedaron conversando hasta que hubo transcurrido el primer tercio de la noche. Entonces colocaron un estrado de marfil incrustado de oro reluciente sobre el cual se durmió. El gobernador de Basora durmió sobre otro estrado colocado junto al de Abu Ishaq. Pero el insomnio venció al enviado del Emir de los creyentes que empezó a meditar en los metros y en la composición de la poesía, ya que él era uno de los contertulios más apreciados por el Califa; Abu Ishaq tenía mucho arte en la composición de versos y en el relato de anécdotas. Siguió despierto, componiendo versos, hasta la media noche. Mientras se encontraba así, Abd Allah b.

Fadil se puso de pie, se colocó el cinturón, abrió un armario, sacó de él una correa, cogió una vela encendida y salió por la puerta del alcázar pensando que Abu Ishaq dormía.

Sahrazad se dio cuenta de que amanecía e interrumpió el relato para el cual le habían dado permiso.

Cuando llegó la noche *novecientas setenta y nueve*, refirió:

—Me he enterado, ¡oh rey feliz!, de que éste quedó admirado de verle salir, se dijo: «¿Adónde irá Abd Allah b. Fadil con este látigo? Tal vez tenga la intención de castigar a alguien: he de seguirle y ver lo que hace esta noche». Abu Ishaq se puso en pie y salió, detrás de él, poco a poco, para que no lo descubriese. Vio que Abd Allah abría la puerta de un armario, sacaba de él una mesa con cuatro platos de comida, pan y una jarra de agua. Tomó la mesa y la jarra y siguió su camino. Abu Ishaq lo siguió, escondiéndose, hasta que entró en una habitación. Entonces Abu Ishaq se metió en la parte de dentro de la puerta y empezó a mirar a través de la misma: vio que se trataba de una amplia sala recubierta de tapices preciosos; en el centro de la misma había un trono de marfil chapeado en oro brillante. Dos perros estaban atados al trono con sendas cadenas de oro. Abd Allah colocó la mesa a un lado, se remangó los brazos y desató al primer perro que empezó a plegarse ante su mano, a colocar su cara en el suelo como si lo besase ante él y a emitir débiles gemidos con escasa voz. Abd Allah lo ató, lo echó por el suelo, volteó el látigo y lo dejó caer sobre él dándole una dolorosa paliza, sin compasión, mientras que el perro se contorsionaba sin conseguir librarse. Siguió azotándole hasta que cesaron los gemidos y perdió el conocimiento. Entonces recogió al perro y lo ató en su sitio. Después cogió el segundo perro e hizo con él lo mismo que con el primero. A continuación sacó un pañuelo y empezó a secarles las lágrimas y a consolarles diciendo: «¡Por Dios! ¡No me reprendáis! ¡Por Dios! Ni lo hago por propia voluntad ni me es fácil. Tal vez Dios os conceda una escapatoria y un medio para salir de esta situación», y siguió rogándoles. Todo esto ocurría mientras Abu Ishaq el contertulio se mantenía plantado oyendo y viendo con sus propios ojos y admirándose de una tal situación. A continuación les ofreció la mesa con la comida y los alimentó con sus propias manos hasta que quedaron hartos. Les limpió la boca, les acercó la jarra de agua y les dio de beber. Tras esto tomó la mesa, la jarra y la vela y se dispuso a marcharse: Abu Ishaq le precedió, llegó hasta su lecho y se hizo el dormido. Abd Allah ni le vio ni supo que le había seguido y le había observado: colocó la mesa y la jarra en la alhacena, entró en la sala, abrió la puerta del armario, colocó el látigo en su sitio, se quitó sus ropas y se durmió. Esto es lo que a él se refiere.

He aquí lo que hace referencia a Abu Ishaq: Pasó el resto de la noche pensando en la razón de tal asunto y como no podía conciliar el sueño por lo muy admirado que estaba se decía: «¡Ojalá supiera la causa de una tal cosa!», y siguió estupefacto hasta la mañana. Entonces se levantaron, rezaron la oración de la aurora, les sirvieron el desayuno, comieron, bebieron el café y se dirigieron a la audiencia. Abu Ishaq estuvo preocupado por este acontecimiento durante todo el día, pero lo ocultó y no preguntó nada a Abd Allah. La noche siguiente hizo con los dos perros lo mismo: los azotó, luego se reconcilió con ellos y les dio de comer y de beber. Abu Ishaq lo había seguido y visto hacer lo mismo que la primera noche y lo mismo pasó la tercera. Después, el cuarto día, Abd Allah entregó el importe de la contribución a Abu Ishaq el Contertulio. Éste la cogió y se puso en viaje sin hacer el más pequeño comentario. Así llegó a Bagdad y entregó las contribuciones al Califa. Éste le preguntó por la causa del retraso. Le contestó: «¡Emir de los creyentes! Vi que el gobernador de Basora tenía ya preparado el tributo y se disponía a enviarlo: si me hubiese retrasado un solo día lo hubiese encontrado en el camino. Pero he visto que Abd Allah al-Fadil realizaba algo prodigioso. Jamás en mi vida, Emir de los creyentes, he visto algo parecido». «¿De qué se trata, Abu Ishaq?» «Le he visto hacer esto y esto», y le explicó lo que había hecho con los dos perros. Siguió: «Le he observado durante tres noches seguidas, hacer lo mismo: pegar a los perros y después tratarlos bien, consolarlos y darles de comer y de beber. Yo le he contemplado desde un sitio en que no podía verme». El Califa inquirió: «¿Le has preguntado la causa?» «¡Por vida de tu cabeza, Emir de los creyentes! ¡No!» «¡Abu Ishaq! Te mando que regreses a Basora y me traigas a Abd Allah b. Fadil con los perros.» «¡Emir de los creyentes! Discúlpame, puesto que Abd Allah b. Fadil me ha tratado con los máximos honores y yo me he enterado de tal situación por casualidad, sin tener intención, y te lo he referido. ¿Cómo he de regresar hasta él y te lo he de traer? Si volviese a su lado se me caería la cara de vergüenza. Es preferible que envíes a otro mensajero con una comunicación tuya: te lo traerá con sus perros.» «Si envío a una persona distinta es posible que niegue la cosa y diga: "No tengo perros". Pero si te mando a ti y tú le dices: "Te he visto con mis propios ojos" no podrá negarlo: es necesario que tú vayas y lo traigas junto con los perros; si no lo haces te mataré.»

Sahrazad se dio cuenta de que amanecía e interrumpió el relato para el cual le habían dado permiso.

Cuando llegó la noche *novecientas ochenta*, refirió:

—Me he enterado, ¡oh rey feliz!, de que [Abu Ishaq respondió:] «¡Oír es obedecer al Emir de los creyentes! ¡Que Dios nos auxilie, pues es el mejor de los ayudantes![1] ¡Qué razón tuvo quien dijo: "La mayor desgracia del hombre es la lengua"! ¡Yo me he traicionado a mí mismo, puesto que te lo he contado! Pero escríbeme una orden y yo iré a buscarlo y te lo traeré.» El Califa puso la orden por escrito y Abu Ishaq se dirigió a Basora. Al presentarse ante su gobernador, éste le preguntó: «¡Que Dios nos guarde de la desgracia de tu retorno, Abu Ishaq! ¿Cómo es que te veo regresar tan rápidamente? ¿Faltaba algo en la contribución y el Califa no lo ha aceptado?» «¡Emir Abd Allah! Mi vuelta no tiene nada que ver con que el tributo sea deficiente. Estaba bien, y el Califa lo ha aceptado. Espero de ti que no me hagas reproches, pues he cometido una falta respecto a ti. Lo que me acaba de suceder me lo tenía destinado Dios

[1] Cf. *El Corán* 3, 167.

(¡ensalzado sea!).» «¿Qué te ha sucedido, Abu Ishaq? ¡Cuéntame! Tú eres amigo mío y no te he de hacer reproches.» «Sabe que mientras estuve contigo te seguí durante las tres noches consecutivas: tú te levantabas mediada la noche, castigabas a los perros y regresabas. Yo quedé admirado de ello, pero sentí vergüenza de tener que interrogarte. Le he referido, impensadamente y sin tener intención, la cosa al Califa y éste me ha obligado a volver a tu lado con esta orden de su puño y letra. Si yo hubiese sabido que la cosa iba a terminar así, no se lo hubiese referido. Pero el destino ha querido que pasara.» Siguió disculpándose ante el gobernador. Éste le replicó: «Ya que has sido tú quien lo ha contado, yo confirmaré tus palabras ante el Califa para que no crea que has mentido, ya que eres amigo mío. Pero si se hubiese tratado de otra persona, lo hubiese negado y desmentido. Yo te acompañaré y llevaré conmigo los dos perros, aunque esto me cueste la vida y sea el fin de mis días». Abu Ishaq exclamó: «¡Que Dios te proteja del mismo modo como tú me proteges ante el Califa!» El gobernador preparó un regalo digno del Emir de los creyentes, sujetó a los dos perros con cadenas de oro y colocó a cada uno de ellos en el lomo de un camello. Viajaron hasta llegar a Bagdad. Abd Allah se presentó ante el Califa y besó el suelo. El soberano le permitió que se sentara. Se sentó. Después mandó comparecer a los perros. El Califa preguntó: «¿Qué son estos dos perros, Emir Abd Allah?» Los dos animales empezaron a besar el suelo ante él, a mover la cola y a llorar como si se quejasen. El Califa se quedó admirado y le dijo: «¡Cuéntame la historia de estos dos perros: por qué les pegas y tras los golpes los tratas con tanto honor!» «¡Emir de los creyentes! Éstos no son perros sino dos hombres jóvenes, hermosos, bellos y bien proporcionados. Ambos son mis hermanos, hijos de mi padre y de mi madre.» «¿Y cómo siendo seres humanos se han transformado en perros?» «Si me concedes tu venia, Emir de los creyentes, te contaré la verdad de todo el asunto.» «¡Refiérela y guárdate de mentir, característica ésta de los hipócritas! Refiéreme la verdad que constituye la tabla de salvación y el distintivo de los hombres píos.»

«Sabe, ¡oh Vicario de Dios!, que cuando yo te refiera su historia, ellos serán mis testigos: si yo miento me desmentirán y si digo la verdad la confirmarán.» «¡Pero estos perros no pueden hablar ni responder! ¿Cómo han de dar testimonio en tu favor o en contra?» Abd Allah se dirigió a ellos diciendo: «¡Hermanos míos! Si refiero algo falso levantad vuestra cabeza y abrid bien los ojos. Pero si digo la verdad, inclinad la cabeza y cerrad los ojos».

A continuación refirió: «Sabe, ¡oh Califa de Dios!, que nosotros somos tres hermanos de la misma madre y del mismo padre. Nuestro padre se llamaba Fadil; tenía este nombre porque su madre dio a luz dos gemelos: uno de ellos murió recién nacido y sólo quedó el segundo con vida, razón por la cual su padre le llamó Fadil. Le educó de la mejor manera posible y, ya mayor, lo casó con nuestra madre y él murió. Su primer hijo fue éste, al que llamó Mansur; quedó encinta de nuevo y dio a luz este otro hermano al que llamó Nasir; nuevamente encinta me dio a luz a mí y me llamaron Abd Allah. Nos cuidó hasta que fuimos mayores y llegamos a la edad de la pubertad. Después murió y nos legó una casa y una tienda repleta con telas de todos los colores y de las más variadas procedencias: indias, bizantinas, jurasaníes, etc., y además sesenta mil dinares. Una vez muerto nuestro padre lo lavamos, le construimos un magnífico mausoleo y le enterramos en la misericordia de su Señor. Rezamos por su salvación, recitamos El Corán e hicimos limosnas en su nombre durante cuarenta días. Después, yo reuní a los comerciantes y a las gentes notables, les di un banquete y al terminar la comida les dije: "¡Comerciantes! El mundo es perecedero y la última vida eterna. ¡Gloria al Eterno aun después de la muerte de sus criaturas! ¿Sabéis para que os he reunido en mi casa en este día bendito?" Contestaron: "¡Gloria a Dios que conoce lo desconocido!" Les dije: "Mi padre ha muerto legándome grandes riquezas. Pero temo que pudiera deber algo a uno de vosotros o tener deudas, préstamos o cualquier otra cosa. Mi propósito consiste en satisfacer las obligaciones que mi padre tenía contraídas con el resto de la gente. Aquel a quien deba alguna cosa que diga: "Soy acreedor de esto y esto" y yo se lo pagaré para descargar la memoria de mi padre". Los comerciantes me replicaron: "¡Abd Allah! Esta vida no vale lo que la última; no somos amigos de mentiras; todos sabemos distinguir lo lícito de lo ilícito, tememos a Dios (¡ensalzado sea!) y no queremos comer las riquezas del huérfano. Sabemos que tu padre (¡que la misericordia de Dios sea con él!) dejaba siempre sus bienes a la gente y que no tenía contraídos compromisos con nadie. Nosotros le oímos decir siempre: 'Temo por los bienes de la gente' y mientras rezaba rogaba: 'Dios mío, en Ti pongo mi confianza y mi esperanza: no me hagas morir teniendo deudas'. Entre sus virtudes estaba la de que si debía a alguien algo se lo pagaba sin darle largas; en cambio, si alguien le debía algo, no lo reclamaba; le decía: 'Paga cuando te vaya bien'. Si se trataba de un pobre se mostraba generoso con él y lo libraba de su preocupación; si tratándose de alguien que no era pobre, moría, decía: '¡Que Dios le perdone por aquello que me debía!' Todos nosotros atestiguamos que no nos debía nada". Yo les contesté: "¡Que Dios os bendiga!", y a continuación me volví a éstos, mis dos hermanos, y les dije: "¡Hermanos! Nuestro padre no debía nada y nos ha legado riquezas, telas, la casa y la tienda. Somos tres hermanos y a cada uno de nosotros nos corresponde un tercio de los bienes. ¿Estáis de acuerdo en que no hagamos particiones y que continuemos asociados comiendo y bebiendo por partes iguales o preferís que repartamos las telas y los bienes y cada uno se haga cargo de su parte?"»

Volviéndose a los dos perros les preguntó: «¿Fue así, hermanos míos?» Bajaron la cabeza y cerraron los ojos como si dijesen «Sí».

Siguió refiriendo: «Entonces, Emir de los creyentes, hice venir un tasador oficial del séquito del cadí. Repartió entre nosotros los bienes, las telas y todo lo que nos había dejado nuestro padre. Hicieron que la casa y la tienda me correspondiesen a mí a cambio del dinero que me tocaba. Quedamos satisfechos. La casa y la tienda quedaron, pues, en mi poder y ellos tomaron su parte en telas y dinero. Yo abrí la tienda, coloqué en ella telas y compré con el dinero que me había correspondido, además de la casa y de la tienda, más mercancías. Así llené el local y me instalé para comprar y vender. Mis dos hermanos compraron ropas, alquilaron una nave y marcharon, por mar, a recorrer los países de la gente. Yo dije: "¡Que Dios los ayude!" Obtuve beneficios y, además, la tranquilidad que no tiene precio. En esta situación pasé un año entero durante el cual Dios fue generoso conmigo, pues adquirí grandes riquezas hasta el punto de rehacer, yo solo, el capital que nos había legado nuestro padre. Cierto día, mientras estaba sentado en mi tienda recubierto por dos trajes de piel, uno de cibelina y otro de ardilla —era invierno y el frío apretaba—, vi que llegaban mis dos hermanos teniendo únicamente sobre el cuerpo una camisa hecha harapos; sus labios, de tanto frío, estaban blancos y los dos temblaban. Al verlos me sentí deprimido y me entristecí...

Sahrazad se dio cuenta de que amanecía e interrumpió el relato para el cual le habían dado permiso.

Cuando llegó la noche *novecientas ochenta y una*, refirió:

—Me he enterado, ¡oh rey feliz!, de que [Abd Allah prosiguió:] »...y la razón escapó de mi cabeza, corrí hacia ellos, los abracé y rompí a llorar por el estado en que se encontraban; entregué al uno la piel de cibelina y al otro la de ardilla, los hice entrar en el baño y les envié, mientras se encontraban en éste, sendas túnicas de comerciante, que costaban mil dinares. Una vez lavados, cada uno se puso su túnica. Los llevé a mi casa. Me di cuenta de que tenían mucha hambre. Les preparé la mesa de comer. Comieron y yo les acompañé tratándoles con cariño y consolándolos».

Entonces, volviéndose hacia los dos perros, les preguntó: «¿Ha ocurrido así, hermanos míos?» Los animales inclinaron la cabeza y cerraron los ojos.

Siguió: «¡Califa de Dios! Después yo los interrogué y les dije: "¿Cómo os ha ocurrido esto? ¿Dónde están vuestras riquezas?" Me contestaron: "Viajamos por el mar y entramos en una ciudad llamada Kufa, en donde empezamos a vender el pedazo de tela que valía medio dinar por diez dinares; el que costaba un dinar, por veinte y así conseguimos una gran ganancia. Compramos el pedazo de tela de seda persa por diez dinares, cuando en Basora el mismo cuesta cuarenta dinares. Luego entramos en una ciudad llamada al-Karj: vendimos, compramos y obtuvimos grandes beneficios reuniendo grandes riquezas", y así fueron citándome países y ganancias obtenidas. Yo les pregunté: "Si habéis visto tanto bienestar y beneficio ¿cómo es que os veo regresar desnudos?" Suspiraron y contestaron: "¡Hermano nuestro! Debemos haber tropezado con el mal de ojo y yendo de viaje nunca se está a seguro. Una vez tuvimos reunidas riquezas y bienes, cargamos nuestros efectos en un buque y viajamos por el mar con el propósito de volver a la ciudad de Basora. Navegamos durante tres días. Al cuarto vimos que el mar subía y bajaba, se embravecía y cubría de espuma, se agitaba, se enfurecía y las olas entrechocaban, despidiendo chispas como llamas de fuego y los vientos contrarios hicieron chocar al navío a que nos llevaba contra la punta de un escollo: se hundió, naufragamos y perdimos en el mar todo lo que llevábamos. Luchamos en la superficie del agua durante un día y una noche: después Dios nos envió otra nave que nos recogió a bordo. Así fuimos de país en país, mendigando y alimentándonos con lo que obteníamos de limosna. Sufrimos grandes penas y tuvimos que quitarnos nuestros vestidos y venderlos para alimentarnos, para así acercarnos a Basora; antes de llegar a esta ciudad tuvimos que apurar mil pesares: si hubiésemos salvado todo lo que teníamos hubiésemos traído riquezas susceptibles de compararse con las de un rey. Pero Dios lo tenía decretado así". Les dije: "¡Hermanos míos! No os apesadumbréis: los bienes sirven para rescatar los cuerpos y escapar a salvo constituye un botín. Desde el momento en que Dios dispuso que escaparais con vida, esto constituye la máxima satisfacción: riqueza y pobreza son espectros fugaces. ¡Qué bien dijo el autor de este verso!:

> ¡Si el cuerpo del hombre escapa de la muerte, las
> riquezas no son más que el recorte de las uñas!"

»A continuación añadí: "¡Hermanos míos! Consideremos que nuestro padre ha muerto hoy y nos ha legado todas las riquezas que yo poseo: estoy conforme en repartirlas con vosotros a partes iguales". Mandé comparecer al tasador oficial del cadí, le mostré todos mis bienes y los repartió entre nosotros: cada uno tomó un tercio. Les dije: "¡Hermanos míos! Dios concede al hombre su sustento cuando se queda en su país. Cada uno de vosotros abrirá una tienda y se instalará en ella para comerciar: lo que está en lo Oculto tiene que suceder". Los ayudé a abrir la tienda, se la llené de mercancías y les dije: "¡Vended y comprad! Guardad vuestras riquezas y no gastéis nada. Encontraréis todo lo que podáis necesitar: comida, bebida, etc., en mi casa". Continué siendo generoso con ellos: vendían y compraban durante el día, pasaban la noche en mi casa y yo no consentía que gastasen nada de su dinero. Cada vez que me sentaba a hablar con ellos me hacían el elogio de los países extranjeros y me describían las ganancias que habían obtenido y me incitaban a que les acompañase en un viaje por los países de la gente».

A continuación preguntó a los dos perros: «¿Fue así, hermanos míos?» Bajaron la cabeza y cerraron los ojos confirmando lo que decía.

Siguió: «¡Califa de Dios! Siguieron rogándome y citándome los grandes beneficios y ventajas que se obtenían con los viajes y tentándome para que los acompañara. Les dije: "He de ir con vosotros para complaceros". Formé sociedad con ellos, nos hicimos con toda suerte de telas preciosas, alquilamos un buque y cargamos en él las mercancías para comerciar y todo lo que necesitábamos. Zarpamos de la ciudad de Basora hacia el mar tempestuoso, cuyas olas entrechocan; quien entra en él puede considerarse perdido y quien de él sale es como un recién nacido. Navegamos sin descanso hasta divisar una ciudad: vendimos, compramos y obtuvimos una gran ganancia. Desde ésta nos dirigimos a otra y no paramos de viajar de país en país y de ciudad en ciudad, vendiendo, comprando y realizando beneficios hasta tener en nuestro poder enormes riquezas. Pero llegamos a una montaña. El capitán echó el ancla y nos dijo:

"¡Pasajeros! ¡Saltad a tierra! ¡Salvaos de este día! ¡Buscad! ¡Tal vez encontréis agua!" Todos los que iban a bordo desembarcaron y yo con ellos. Nos dedicamos a buscar agua y cada uno de nosotros fue en una dirección. Yo subí a la cima de la montaña. Mientras andaba vi una serpiente blanca que se apresuraba a huir perseguida por una culebra negra, de aspecto terrible y de horrorosa vista, que le daba alcance. La culebra la alcanzó, la atormentó, la sujetó por la cabeza y enroscó su cola a la de la serpiente. Ésta chilló. Yo me di cuenta de que la había cazado y me llené de compasión: desprendí una piedra de granito de cinco *ratl* o más de peso, se la dejé caer en la cabeza y se la destrozó. Antes de que pudiera darme cuenta la serpiente se transformó en una muchacha joven, bella, hermosa, reluciente, perfecta y bien proporcionada que parecía ser la luna cuando brilla. Se acercó hacia mí, me besó las manos y me dijo: "Que Dios te proteja con dos velos: uno para defenderte de la vergüenza en este mundo y el otro para evitar que te alcance el fuego de la última vida el día de la gran reunión, el día en que no servirán ni las riquezas ni los hijos nada más que a quienes vayan a Dios con el corazón sano"[2]. A continuación añadió: "¡Oh, hombre! Tú has protegido mi honor y tienes sobre mí el derecho que te concede el haberme favorecido. Es necesario que te recompense". A continuación señaló con la mano el suelo, éste se hundió y ella bajó por la fisura. Después la tierra se cerró de nuevo. Así me di cuenta de que se trataba de un genio. En cuanto a la culebra, el fuego la había devorado reduciéndola a cenizas. Me quedé admirado. Regresé al lado de mis compañeros y les expliqué lo que había visto. Pasamos la noche y al día siguiente el capitán levó el ancla, desplegó las velas, soltó los cables y zarpamos. Perdimos de vista la tierra y no paramos de navegar durante veinte días: no vimos ni tierra ni pájaros, terminándose nuestra agua. El capitán nos dijo: "¡Gentes! Se ha terminado el agua dulce". Le contestamos: "Condúcenos a tierra: tal vez encontremos agua". Replicó: "¡Por Dios! ¡He perdido el

[2] Cf. *El Corán* 26, 88-89.

camino e ignoro la ruta que pudiera conducirme a tierra!" Esto nos afligió profundamente, rompimos a llorar y rogamos a Dios (¡ensalzado sea!) que nos guiase en el camino. Pasamos aquella noche en la peor situación. ¡Qué bien dijo el poeta!:

> ¡Cuántas noches he pasado en una aflicción capaz de encanecer el cabello de un niño de pecho!
> Pero apenas llegada la mañana, Dios ha concedido su auxilio y un pronto triunfo.

»Al amanecer el día siguiente, levantarse la aurora y aparecer la luz, descubrimos un monte elevado. Al verlo nos alegramos muchísimo y nos congratulamos. Llegamos hasta él y el capitán dijo: "¡Gentes! ¡Id a tierra y buscad agua!" Todos nos dedicamos a buscar agua, pero no la encontramos. Esto nos llenó de una gran pena a causa de la escasez del agua. Yo subí a lo más alto del monte y descubrí detrás una circunferencia amplia que estaba a una hora o más de camino. Llamé a mis compañeros. Acudieron. Cuando los tuve a mi lado les dije: "¡Mirad esa circunferencia que está detrás del monte! Distingo en ella una ciudad de elevados edificios, sólidas construcciones, fuertes murallas y torres, colinas y praderas. En ella, sin duda, no faltan ni el agua ni los bienes. Acompañadme: nos llegaremos hasta la ciudad, recogeremos el agua y compraremos los víveres, la carne y la fruta que necesitemos y regresaremos". Me contestaron: "Tememos que las gentes de esa ciudad sean cafres, politeístas y enemigos de la religión. Se apoderarán de nosotros y quedaremos prisioneros en su mano o bien nos matarán. Nosotros mismos seríamos la causa de nuestra muerte, puesto que nos habríamos entregado a la ruina y a los peligros. Nunca hay que alabar al incauto, ya que él se expone a los peores peligros tal y como dijo un poeta:

> Mientras la tierra sea tierra y el cielo cielo no habrá de qué alabar al obcecado aunque escape salvo.

»"Nosotros no arriesgaremos nuestra vida". Les dije: "¡Gentes! Yo no tengo autoridad sobre vosotros. Tomaré conmigo a mis hermanos y me dirigiré a esa ciudad". Mis hermanos me replicaron: "Tememos las consecuencias de este asunto: no te acompañaremos". Repliqué: "Pues yo he decidido ir a esa ciudad. En Dios me apoyo y aceptaré lo que me destine. Esperadme hasta que haya ido y vuelto".

Sahrazad se dio cuenta de que amanecía e interrumpió el relato para el cual le habían dado permiso.

Cuando llegó la noche *novecientas ochenta y dos*, refirió:

—Me he enterado, ¡oh rey feliz!, de que [Abd Allah prosiguió:] »Los dejé y me puse en marcha hasta llegar a la ciudad. Vi que estaba maravillosamente construida, que su arquitectura era magnífica, sus murallas altas; sus torres, fuertes, y sus alcázares, elevados; las puertas eran de hierro chino y estaban adornadas y esculpidas de manera tal que el entendimiento se quedaba perplejo. Cuando crucé la puerta vi un banco de piedra en el que estaba sentado un hombre que tenía en el brazo una cadena de bronce amarillo y de ésta colgaban catorce llaves. Comprendí que aquel hombre era el portero de la ciudad y que ésta tenía catorce puertas. Me acerqué y le dije: "¡La paz sea sobre vos!", pero no me contestó. Lo saludé por segunda y tercera vez, pero no me contestó. Coloqué mi mano en su hombro y le dije: "¡Oh, éste! ¿Por qué no me contestas? ¿Estás durmiendo? ¿Eres sordo? ¿O es que no eres musulmán y te abstienes de saludarme?" Pero no se movió. Lo examiné y vi que era de piedra. Dije: "¡Esto es algo prodigioso! Esta piedra está esculpida como si fuese un ser humano: no le falta más que hablar". Lo dejé y entré en la ciudad. Vi a un hombre de pie, junto al camino. Me acerqué a él, lo contemplé y vi que era de piedra. Seguí recorriendo las calles de aquella ciudad y cada vez que veía un hombre, me acercaba hacia él, le examinaba y veía que era de piedra. Tropecé con una mujer vieja que llevaba en la cabeza un hato de ropa para lavar: me aproximé, la examiné y vi que ella y el hato de ropa que llevaba en la cabeza eran de piedra. Entré en el mercado: contemplé a un vendedor de aceite: delante estaban colocadas toda suerte de mercancías; queso, etcétera; pero todo era de piedra. Examiné el resto de los vendedores que estaban sentados en sus tiendas; observé gentes de pie y sentados, hombres, mujeres y niños; pero todos eran de piedra. De aquí pasé al mercado de los comerciantes: todos se encontraban sentados en sus negocios y éstos estaban repletos de mercancías pero todo era de piedra; las ropas parecían ser telas de araña; yo las examiné: cada vez que tocaba un vestido de tela, éste quedaba reducido a polvo en mis manos. Descubrí unas cajas. Abrí una y encontré oro en bolsas. Cogí las bolsas que se deshicieron mientras el oro quedaba tal cual era. Cargué con todo el que pude y empecé a decirme: "Si mis hermanos estuviesen aquí conmigo podrían coger oro hasta hartarse y gozar de estos tesoros que no tienen dueño". Tras esto entré en otra tienda y vi que tenía aún más oro, pero yo ya no podía cargar con más del que llevaba. Salí de aquel zoco y me dirigí a otro; desde éste fui a un tercero y seguí yendo de un zoco a otro pudiendo ver las criaturas más distintas: pero todas ellas eran de piedra incluso los perros y los gatos eran de piedra. Entré en el zoco de los orfebres y encontré a unos hombres sentados en sus tiendas que tenían ante ellos sus mercancías: unas a la vista y otras en cajas. Al ver esto, Emir de los creyentes, abandoné todo el oro que llevaba conmigo, cargué todas las gemas que podía llevar y saliendo de él me dirigí al de los joyeros. Vi a éstos sentados en sus tiendas con cajas repletas de toda clase de joyas: jacintos, diamantes, esmeraldas, rubíes, etcétera; había gemas de todas las clases mientras los propietarios de las tiendas eran de piedra. Tiré todas las gemas que llevaba y cargué todas las joyas que podía lamentándome de que mis hermanos no estuviesen conmigo para que cogiesen también las que les gustasen. Salí del mercado de los joyeros y pasé delante de una gran puerta, hermosa y adornada del mejor modo. Detrás de ella había unos bancos en los que estaban sentados criados, soldados, servidores y funcionarios vestidos con preciosos trajes; pero todos eran de piedra: toqué uno de ellos y sus ropas se le cayeron de encima como si fuesen una tela de araña. Crucé la puerta y me encontré en un palacio sin igual, muy bien hecho. En él hallé una sala de audiencias repleta de grandes visires, notables y emires. Todos estaban sentados en sus sillas, pero eran de piedra. Descubrí luego un trono de oro rojo incrustado de perlas y joyas; encima estaba sentado un hombre vestido con riquísimos trajes y que ceñía su cabeza con una corona de Cosroes que tenía engarzadas las gemas más preciosas que desprendían rayos como si fuesen los del día. Me acerqué a él: también era de piedra. De la sala de audiencias me dirigí a la puerta del harén. Entré y me hallé en una reunión de mujeres; en esa sala había un trono de oro rojo cuajado de perlas y aljófares y, sentada encima una mujer, una reina que tenía su cabeza ceñida por una corona con las más preciosas gemas. A su alrededor había mujeres que parecían lunas sentadas en sillas; vestían telas riquísimas de múltiples colores y de pie, allí mismo, estaban los eunucos con las manos cruzadas sobre el pecho: parecía que estuviesen plantados para servir. Aquella sala dejaba admirado el entendimiento de quien la veía dada su decoración, la belleza de sus bajorrelieves y los tapices. Colgadas de ella se veían maravillosas lámparas de cristal de roca purísimo y de cada una de éstas colgaba una gema inigualable, sin precio. Yo, Emir de los creyentes, tiré todo lo que llevaba conmigo, empecé a coger aquellas joyas y cargué con todas las que pude: pero estaba perplejo y no sabía qué es lo que tenía que cargar o dejar, ya que aquel lugar me parecía ser un tesoro magnífico. Descubrí, luego, una puertecita abierta detrás de la cual aparecía una escalera. Crucé la puerta, subí cuarenta peldaños y oí que un ser humano recitaba El Corán con voz débil. Avancé en la dirección de la voz hasta llegar a la puerta del castillo. Allí encontré una cortina de seda con tiras de oro, bordada con perlas, coral, jacintos, pedazos de esmeralda y aljófares que resplandecían como los luceros. La voz salía de detrás. Me acerqué, la levanté y apareció ante mí la puerta de una habitación adornada de tal modo que hacía quedar perplejo al entendimiento. Crucé la puerta, y me encontré en un departamento que parecía ser un tesoro en la propia faz de la tierra. En su interior había una muchacha que parecía el sol resplandeciente en medio del cielo sereno. Vestía preciosos vestidos y estaba adornada con las gemas más preciosas. Era de belleza y hermosura prodigiosas, talle pequeño, bien proporcionada, perfecta, muy esbelta, nalgas pesadas, saliva capaz de curar a un enfermo y párpados lánguidos, tal como si ella hubiese sido la aludida por quien dijo:

> Saludo a las formas que encierra el vestido y a las rosas de los jardines de sus mejillas.
> Parece que hayan colgado las Pléyades de su frente y que el resto de los luceros de la noche constituyan el collar que está sobre el pecho.
> Si se pusiese un vestido de puras rosas, los pétalos de éstas causarían sangre en su cuerpo.
> Si escupiese en el mar, y eso que el mar es salado, el sabor del mar sería más dulce que la miel.
> Si concediese su amor a un anciano decrépito y apoyado en un bastón, ese anciano sería capaz de desgarrar al león.

»¡Oh, Emir de los creyentes! Al ver a aquella joven quedé prendado y me acerqué a ella. Vi que se encontraba sentada en un estrado elevado y que recitaba el libro de Dios, Todopoderoso y Excelso, de memoria. Su voz parecía el rechinar de las puertas del paraíso cuando las abre Ridwán y las palabras que salían de entre sus labios se ensartaban como las gemas. Su rostro era de una belleza prodigiosa, tal y como dijo el poeta de una parecida:

> »¡Oh, tú, que emocionas con tu lengua y tus cualidades! Mi amor y mi pasión crecen por ti.
> Hay en ti dos cosas que consumen a los enamorados: las melodías de David y la imagen de José.

»Al oír cómo entonaba la recitación de El Corán, mi corazón, bajo su mirada asesina, dijo: "Paz, he aquí la palabra del Señor de la misericordia[3]". Pero me trabu-

[3] Cf. *El Corán* 36, 58.

qué en las palabras y no acerté a decir "Paz". Mi entendimiento y mi mirada habían quedado absortos y estaba tal como dijo el poeta:

La pasión no me agitó hasta que perdí la palabra;
y no entré en el valladar sin derramar mi sangre.
No he prestado oído a nuestro censor más que
para dar testimonio de quien amo con la palabra.

»Después, despojándome del terror de la pasión, le dije: "¡La salud sea sobre ti, noble señora, perla escondida! ¡Que Dios haga durar las bases de tu felicidad y acrezca los pilares de tu gloria!" Contestó: "¡Y sobre ti sean la salud, el bienestar y los dones, oh Abd Allah, oh Ibn Fadil! ¡Sé bien venido y bien llegado, amigo mío, refresco de mis ojos!" Le repliqué: "¡Señora mía! ¿Cómo sabes mi nombre? ¿Quién eres? ¿Qué ha ocurrido a la gente de esta ciudad para quedar cambiada en piedra? Deseo que me expliques la verdad de todo esto, pues estoy admirado de una tal ciudad entre cuya gente ya no se halla ningún ser vivo a excepción tuya. Te conjuro, por Dios, a que me cuentes la historia verídica de eso". Me replicó: "Siéntate, Abd Allah, pues yo, si Dios (¡ensalzado sea!) lo quiere, te informaré y te relataré mi historia y la de esta ciudad y sus habitantes con todo detalle. ¡No hay fuerza ni poder sino en Dios, el Altísimo, el Grande!" Me senté a su lado.

»Ella refirió: "Sabe, ¡oh, Abd Allah! (¡que Dios tenga misericordia de ti!), que soy hija del rey de esta ciudad. Mi padre es ese que has visto sentado en la audiencia, en el trono elevado; aquellos que están a su alrededor son los grandes de su imperio y los magnates de su reino. Mi padre era muy poderoso y gobernaba a un millón ciento veinte mil soldados. El número de príncipes de su reino se elevaba a veinticuatro mil, cada uno de los cuales mandaba y era funcionario y tenía bajo su jurisdicción mil ciudades y eso sin contar los pueblos, aldeas, castillos, fortalezas y caseríos. Los emires nómadas que le obedecían eran mil, cada uno de los cuales tenía a sus órdenes veinte mil caballeros. Poseía además riquezas, tesoros, gemas, joyas que ningún ojo ha visto y que nadie ha oído mencionar…

Sahrazad se dio cuenta de que amanecía e interrumpió el relato para el cual le habían dado permiso.

Cuando llegó la noche *novecientas ochenta y tres*, refirió:

—Me he enterado, ¡oh rey feliz!, de que [Abd Allah prosiguió: »La joven siguió diciendo:] "Vencía a los reyes, aniquilaba a los héroes y valientes en la guerra y en el campo de combate. Los prepotentes le temían y los reyes de Persia se humillaban ante él, pero a pesar de todo, era un descreído que asociaba otras divinidades a la de Dios y adoraba a los ídolos prescindiendo de Él. Todos sus soldados eran descreídos que adoraban a los ídolos, prescindiendo del Rey Omnisciente. Cierto día ocurrió lo siguiente: estaba sentado en el trono de su reino y tenía a su alrededor a sus grandes. Sin que se diese cuenta entró una persona, quien con la luz de su cara iluminó la audiencia. Mi padre la miró y vio que se trataba de un hombre que vestía una túnica verde, era alto, con unas manos que le llegaban más abajo de las rodillas. Tenía un aspecto respetable y digno, y su rostro irradiaba luz. Apostrofó a mi padre: '¡Tirano! ¡Impostor! ¿Hasta cuándo seguirás extraviado en la adoración de los ídolos prescindiendo de adorar al Rey Omnisciente? Di: 'Atestiguo que no hay Dios sino el Dios y que Mahoma, es su siervo y su enviado'. Acepta el Islam junto con tu pueblo y deja de adorar a los ídolos, pues ellos no son útiles ni sirven como intercesores. Sólo Dios merece ser adorado; Él, que ha elevado los cielos sin necesidad de columnas y ha extendido la tierra por misericordia, para con sus siervos'. Mi padre le replicó: '¿Quién eres tú ¡oh hombre!, que te niegas a adorar los ídolos hasta el punto de hablar de esta manera? ¿Es que no temes que los ídolos se enfaden contigo?' 'Los ídolos son piedras cuyo enojo no me ha de perjudicar y cuya satisfacción no me ha de ser útil. Manda que me traigan el ídolo al que adoras y ordena a cada uno de tus súbditos que te traiga el suyo. Cuando estén presentes todos vuestros ídolos, rezad y pedidles que se enfaden conmigo; yo, por mi parte, rezaré a mi Señor para que se enoje con vosotros: veréis la diferencia que hay entre el enojo del Creador y el de sus criaturas, puesto que vosotros habéis hecho vuestros ídolos y ellos han servido de alojamiento a los demonios que son quienes os hablan desde el interior de sus estatuas. Vuestros ídolos han sido creados mientras que mi Dios es el Creador, Aquel a quien nada puede detener. Si se os muestra la Verdad, seguidla; si se os muestra la falsedad, abandonadla'. Le replicaron: '¡Danos una prueba de tu Señor para que la veamos!' Les replicó: '¡Dadme pruebas de vuestros ídolos!' El rey mandó que todo aquel que adorase un ídolo lo llevase. Todos los soldados presentaron su ídolo en la audiencia. Esto es lo que a ellos se refiere.

»"He aquí lo que me sucedió: 'Yo estaba sentada detrás de una cortina desde la que podía ver la audiencia de mi padre. Tenía un ídolo de esmeralda verde cuyo cuerpo era del mismo tamaño que el de un ser humano. Mi padre me lo mandó a pedir y yo se lo envié a la audiencia en donde lo colocaron al lado del de mi padre. El ídolo de éste era de rubí; el del visir, de diamantes; los de los jefes del ejército y de los altos funcionarios eran de jacinto, de áloe pardo, de ébano, de plata, de oro; cada uno tenía un ídolo de acuerdo con lo que le permitía su posición; los soldados y los súbditos los tenían de piedra, madera, carbón, barro; los ídolos tenían distintos colores: los había amarillos, encarnados, verdes, negros y blancos. Aquella persona dijo a mi padre: 'Reza a tu ídolo y a ésos para que se enojen conmigo'. Colocaron en fila, en la audiencia, a todos los ídolos: al de mi padre le pusieron en un trono de oro y el mío a su lado, en la presidencia. A los demás los colocaron según el rango del dueño que lo adoraba. Mi padre se puso en pie, se prosternó ante su ídolo y le dijo: '¡Dios mío! ¡Tú eres el señor generoso; no hay ídolo superior a ti! Sabes que esta persona ha venido ante mí para ofenderte y burlarse de ti: asegura que tiene un Dios que es más fuerte que tú y nos ordena que dejemos de adorarte y adoremos a su Señor. ¡Enfádate con él, dios mío!' Siguió implorando al ídolo pero éste ni le contestó ni le replicó una sola palabra. Mi padre añadió: 'Tu costumbre no es ésta, dios mío, pues tú me contestas cuando yo te hablo ¿cómo, pues, te veo callado y sin contestar? ¿Es que estás distraído o durmiendo? ¡Despierta! ¡Auxíliame! ¡Habla!' Lo sacudió con la mano, pero no replicó ni se movió de su sitio. Aquel hombre dijo a mi padre: '¿Qué ocurre? No veo que tu ídolo te conteste'. 'Supongo que debe de estar distraído o durmiendo'. '¡Enemigo de Dios! ¿Cómo adoras a un ser que no habla y es incapaz de hacer nada? ¿Cómo no adoras a mi Señor que está próximo y contesta, está presente y no se oculta ni se descuida ni duerme; a Él no alcanzan los pensamientos, ve y no es visto y es poderoso sobre toda cosa. Tu dios es impotente no puede, tan siquiera, apartar el peligro que le acecha y Satanás (¡lapidado sea!) se le mete dentro para extraviarte y perderte. Su demonio está ausente ahora: adora a Dios y atestigua que no hay dios sino Él; que no hay ser adorado sino Él; que sólo Él merece ser adorado; que no hay bien si de Él no proviene. Éste, tu dios, no puede apartar de sí el peligro, ¿cómo, pues, ha de poderlo apartar de ti? Observa, con tus propios ojos, su impotencia'. Se acercó y empezó a golpearle en el cuello hasta que cayó al suelo. El rey se indignó y dijo a los presentes: '¡Este ateo ha abofeteado a mi dios! ¡Matadlo!' Quisieron ponerse en pie para apalearlo, pero ninguno de ellos pudo levantarse del sitio en que estaba. Volvió a exponerles el Islam pero no se convirtieron. Entonces les dijo: '¡Os voy a mostrar el enojo de mi Señor!' Le replicaron: '¡Muéstranoslo!' Extendió las manos y exclamó: '¡Dios mío! ¡Señor mío! ¡En Ti confío y espero! Escucha la plegaria que hago contra esas gentes descreídas que comen tus frutos y adoran a otro distinto de Ti: ¡Oh, Verdad! ¡Oh, Todopoderoso! ¡Oh, Creador de la noche y del día! Te ruego que cambies a esas gentes en piedra. Tú eres todopoderoso y nada puede impedírtelo. Tú puedes hacer cualquier cosa'. Dios transformó todas las gentes de esta ciudad en piedras. Yo, cuando vi la prueba, me convertí ante la faz de Dios y me salvé de lo que les sucedió. Aquella persona se acercó a mí y dijo: 'Dios te había predestinado la felicidad. Tal era su voluntad'. Empezó a instruirme y yo presté juramento y el pacto ante él. Tenía entonces siete años de edad y ahora tengo treinta. A continuación le dije: 'Todo lo que hay en la ciudad y todos sus habitantes han quedado transformados en piedra de acuerdo con tu pía plegaria. Yo me he salvado al convertirme en tus manos. Tú eres mi maestro. Dime tu nombre, préstame tu auxilio y provéeme de alimento'. Me contestó: 'Me llamo Abu-l-Abbás al-Jidr.' Con su propia mano me plantó un granado que creció, dio hojas, floreció y dio el fruto en un instante. Me dijo: 'Come de lo que Dios (¡ensalzado sea!) te concede y adóralo con propósito sincero'. A continuación me expuso las leyes del Islam, los requisitos para la oración, el modo de realizar la adoración y la recitación del Corán. Hace ya veintitrés años que yo adoro a Dios en este sitio: el árbol da cada día una granada que yo como y me sirve de alimento de cuando en cuando. Al-Jidr (¡sobre él sea la paz!) viene a verme cada viernes y él es quien me ha dicho tu nombre y me ha dado la buena nueva de tu llegada a este lugar. Ha añadido: 'Cuando se presente, trátalo bien, obedécelo y no lo contradigas: Sé su mujer pues él será tu marido. Ve con él a donde él quiera'. Al verte te he reconocido. Tal es la historia de la ciudad y de sus habitantes. Y la paz".

»A continuación me mostró el granado que tenía un fruto. Ella se comió la mitad y me dio la otra: jamás he probado cosa más dulce ni más pura ni más apetitosa que aquella granada. A continuación le pregunté: "¿Te satisface cumplir lo que te ha mandado tu maestro al-Jidr (¡sobre él sea la paz!): ser mi esposa y que yo sea tu marido; acompañarme a mi país y residir en la ciudad de Basora?" Replicó: "¡Sí! Si Dios (¡ensalzado sea!) lo quiere, yo escucharé tus palabras y obedeceré tu orden sin rechistar". Yo le juré cumplir el pacto y ella me condujo al tesoro de su padre. Cogimos de él todo lo que podíamos cargar, salimos de la ciudad y marchamos hasta llegar junto a mis hermanos. Vi que estaban buscándome. Me dijeron: "¿Dónde estabas? Te has retrasado y estábamos preocupados por ti". El capitán del barco me dijo: "¡Comerciante Abd Allah! El viento nos es favorable desde hace un rato, pero tú nos has impedido zarpar". Le contesté: "No hay ningún daño en ello. Tal vez el retraso nos sea favorable ya que mi ausencia ha tenido su provecho y he alcanzado con ella la suma de mis esperanzas. ¡Qué bien dijo, por Dios, el poeta!:

> Cuando me dirijo a una tierra en busca de bienes,
> ¿cuál de estas dos cosas conseguiré?:
> El bien que busco o el mal que me busca.

»Les dije: "Ved qué es lo que me ha sucedido en esta ausencia". Les mostré los tesoros que llevaba y les expliqué lo que había visto en la ciudad de piedra. Les dije: "Si me hubiéseis obedecido y acompañado hubiéseis conseguido muchas de estas cosas".

Sahrazad se dio cuenta de que amanecía e interrumpió el relato para el cual le habían dado permiso.

Cuando llegó la noche *novecientas ochenta y cuatro,* refirió:

—Me he enterado, ¡oh rey feliz!, de que [Abd Allah prosiguió:] »Me respondieron: "¡Por Dios! Si te hubiésemos acompañado no nos hubiésemos atrevido a presentarnos ante el rey de la ciudad". Contesté a mis dos hermanos: "No hay ningún mal en ello: lo que tengo nos basta para todos y eso es nuestra suerte". Dividí lo que llevaba en tantas partes como los que allí estábamos y las di al capitán y a mis hermanos. Yo me quedé con una parte: igual a la de los demás. Regalé lo que era más que suficiente a los criados y a los marineros. Se alegraron e hicieron votos por mí. Todos quedaron satisfechos con lo que les había dado, excepción hecha de mis dos hermanos. Éstos cambiaron de humor y se cegaron. Yo me di cuenta de que la avaricia se había apoderado de ellos y les dije: "¡Hermanos míos! Creo que lo que os he dado no os satisface. Pero yo soy vuestro hermano y vosotros sois mis hermanos: entre nosotros no existe ninguna diferencia y mis riquezas y las vuestras forman un todo único. El día en que yo me muera sólo vosotros debéis heredarme". Seguí halagándolos. Después hice embarcar a la muchacha en el galeón, la hice ocupar un camarote, le envié algo de comer y fui a sentarme y hablar con mis hermanos. Me dijeron: "¡Hermano nuestro! ¿Cuál es tu intención con esta muchacha tan hermosa?" "Me propongo casarme con ella en cuanto lleguemos a Basora; daré una gran fiesta nupcial y la poseeré allí." Uno de ellos dijo: "¡Hermano mío! Sabe que esa muchacha tan hermosa y tan bella me ha arrebatado el corazón. Deseo que me la entregues para ser yo quien se case con ella". El segundo me dijo: "Yo soy el otro y me encuentro igual. Entrégamela para que me case con ella". Les repliqué: "¡Hermanos míos! Me ha hecho prometer y jurar que yo me casaría con ella. Si yo se la entregase a uno de vosotros faltaría a la promesa que existe entre los dos y tal vez se disgustase ya que ella ha venido conmigo con la sola condición de que yo me casaría ¿cómo, pues, he de casarla con alguien distinto? Si vosotros la amáis yo la amo más que vosotros y ella me corresponde y no la entregaré jamás a ninguno de vosotros. Pero cuando lleguemos, salvos, a la ciudad de Basora os buscaré a dos muchachas de la mejor sociedad: os casaré con ellas, pagaré la dote de mis propios bienes, daré una sola fiesta nupcial y consumaremos los tres el matrimonio en la misma noche. Apartaos de esta muchacha, pues ella constituye mi lote". Ambos se callaron y yo pensé que habían quedado conformes con mis palabras. Navegamos en dirección de la tierra de Basora. Yo enviaba a la joven comida y bebida y ella no salía de su camarote de la nave mientras yo dormía con mis hermanos, en el puente del galeón. En esta situación navegamos sin cesar durante un plazo de cuarenta días hasta que estuvimos a la vista de la ciudad. Nos alegramos de nuestra llegada. Yo seguía confiando y estaba seguro de mis hermanos puesto que sólo Dios (¡ensalzado sea!) conoce lo desconocido. Me dormí aquella noche y mientras estaba sumergido en el sueño no me di cuenta de que mis hermanos, éstos, me transportaban en sus manos: uno me cogía por las piernas y otro por los brazos, ya que ambos se habían puesto de acuerdo para arrojarme al mar a causa de aquella muchacha. Me di cuenta de que era transportado en brazos y les dije: "¡Hermanos míos! ¿Por qué hacéis tal cosa conmigo?" Me replicaron: "¡Mal educado! ¿Cómo vendes nuestro afecto por una muchacha? Por eso te arrojamos al mar" —y a continuación me echaron al agua».

Volviéndose hacia los dos perros les preguntó: «¡Hermanos míos! ¿Es cierto o no lo que he dicho?» Bajaron la cabeza y empezaron a gemir como si confirmasen sus palabras. El Califa quedó admirado.

Continuó: «¡Emir de los Creyentes! Una vez me hubieron arrojado al mar bajé hasta el fondo, pero el agua me sacó a la superficie. Sin que yo me diese cuenta un gran pájaro, del tamaño de un hombre, se abalanzó sobre mí, me cogió y remontó el vuelo conmigo por los aires. Abrí los ojos y me encontré en un palacio bien construido, de altos edificios, adornado con magníficos bajo relieves y del cual colgaban gemas de variadas formas y colores. Había allí unas muchachas en pie, con las manos cruzadas sobre el pecho. Entre ellas, sentada en un trono de oro incrustado de perlas y aljófares, vistiendo trajes a los que un hombre no podía dirigir la mirada por el gran resplandor que daban las gemas, se encontraba una mujer. Un cinturón de joyas a cuyo precio no hay riquezas que alcancen, ceñía su talle; en la cabeza llevaba una corona de tres vueltas que dejaban perplejas a la razón y al entendimiento y que arrobaban el corazón y la vista. El pájaro que me había llevado me soltó y se transformó en una muchacha que parecía el sol resplandeciente. Clavé la mirada en ella y me di cuenta que era la que había encontrado en el monte bajo forma de serpiente y a la cual había acometido la culebra enroscándola con su cola; yo, al darme cuenta de que la vencía y dominaba, la había matado con la piedra. La mujer que estaba sentada en el trono le preguntó: "¿Por qué has traído aquí a este ser humano?" Respondió: "¡Madre mía! Éste me ha salvado de perder el honor entre las hijas de los genios". A continuación volviéndose a mí preguntó: "¿Sabes quién soy?" "¡No!" "Soy aquella que estaba en tal monte y a la que acometía una culebra negra que quería destrozar mi honor. Tú la mataste". Yo dije: "Ciertamente vi una serpiente blanca junto a la culebra". "Yo era la serpiente blanca. Pero en realidad soy la hija del Rey Rojo, soberano de los genios. Me llamo Saida y esa que está sentada es mi madre que se llama Hubaraka y es la esposa del Rey Rojo. La culebra que me acosaba y quería arrebatarme la honra era el Visir del Rey Negro, llamado Darfil, hombre de pésima educación. Ocurrió que él me vio, y se enamoró de mí pidiéndome por esposa a mi padre. Mi padre le envió un mensajero que le dijo: '¿Quién eres tú, pedazo de visires, para casarte con las hijas de los reyes?' Entonces se indignó y juró que me violaría a pesar de mi padre. Empezó a seguir mis huellas y a perseguirme a dondequiera que yo fuese, pues tenía el propósito de atentar contra mi honra. Grandes guerras y fuertes encuentros tuvieron lugar entre él y mi padre, pero éste no pudo vencerlo pues era un tirano prepotente y cada vez que le ponía en un aprieto y estaba a punto de capturarlo se le escapaba. Mi padre no pudo hacer nada y yo tenía que ir adoptando cada día formas y colores distintos. Pero cada vez que yo tomaba un nuevo aspecto, él tomaba el opuesto; cuando yo huía a un país, él aspiraba mi olor y me perseguía a aquella tierra; así sufrí grandes fatigas. Finalmente me metamorfoseé en serpiente y me dirigí a aquel monte; pero él adoptó la forma de culebra, me siguió y yo caí en su poder. Me atacó y me enfrenté con él hasta que consiguió fatigarme y ponerse encima mío, pues tenía el propósito de hacer en mí lo que le placía. Pero llegaste tú, lo atacaste con la piedra y lo mataste. Entonces, yo tomé la figura de una muchacha y me mostré ante ti diciéndote: 'El bien que se hace no se pierde más que con los hijos del adulterio'. Al ver que tus dos hermanos hacían contigo tal faena y que te arrojaban al mar he corrido a tu lado y te he salvado de la muerte. Mi padre y mi madre te han de honrar". A continuación añadió: "¡Madre mía! Hónralo del mismo modo que él ha protegido mi honor". La madre dijo: "¡Bienvenido, oh, ser humano! Tú nos has hecho un favor que merece ser reconocido". Mandó que me entregasen una túnica preciosísima que costaba un pico de dinero y me dio gran cantidad de joyas y metales preciosos". Me acompañaron ante el soberano que estaba en su audiencia: le vi sentado en un trono. Ante él se encontraban los genios y los servidores. Mi vista quedó deslumbrada al examinarlo, de tantas joyas como llevaba encima; él, al verme, se puso en pie y lo mismo hicieron sus soldados por respeto hacia él. Me saludó, me acogió bien, me honró de modo inigualable y me dio regalos de todo lo que disponía. A continuación dijo a uno de su séquito: "Cógelo, acompáñalo junto a mi hija y dile que lo conduzca al lugar de donde vino". Me devolvieron junto a Saida, su hija, y ésta cargó conmigo y con mis bienes y remontó el vuelo. Esto es lo que a mí y a Saida se refiere.

»He aquí lo que hace referencia al capitán del galeón: éste se despertó al oír el chasquido que hice cuando me lanzaron al agua. Preguntó: "¿Qué es lo que sucede en el mar?" Mis dos hermanos rompieron a llorar y empezaron a darse golpes en el pecho diciendo: "¡Qué pérdida! ¡Nuestro hermano ha caído en el mar mientras quería satisfacer una necesidad a un lado del galeón!" Después se apoderaron de mis riquezas y discutieron para ver cuál de los dos había de quedarse con la muchacha. Cada uno de ellos decía: "¡Sólo yo he de poseerla!" La querella continuó sin pensar ni en el hermano que se ahogaba, ni en el remordimiento que debían sentir por él. Mientras se encontraban en esta situación Saida descendió conmigo en el centro del galeón.

Sahrazad se dio cuenta de que amanecía e interrumpió el relato para el cual le habían dado permiso.

Cuando llegó la noche *novecientas ochenta y cinco*, refirió:

—Me he enterado, ¡oh rey feliz!, de que [Abd Allah prosiguió:] »...Mis hermanos, al verme, me abrazaron, se alegraron de mi llegada y empezaron a decir: "¡Hermano nuestro! ¿Cómo te encuentras después de lo que te ha ocurrido? Nuestro corazón estaba preocupado por ti". Pero Saida los increpó: "Si hubiéseis tenido afecto por él en vuestro corazón y le hubiéseis amado no le hubiéseis echado al mar mientras dormía. ¡Escoged la muerte que preferís!" Los agarró y quiso matarlos. Ambos chillaron diciendo: "¡Por tu honor, hermano nuestro!" Yo intercedí y le dije: "¡Apelo a tu honor! ¡No mates a mis dos hermanos!" "¡Es absolutamente necesario que los mate, pues son dos traidores!" Yo seguía apaciguándola y calmándola hasta que dijo: "Por ti no los mataré, pero los voy a embrujar". Sacó un recipiente, lo llenó con agua de mar y pronunció unas palabras que no comprendí. Después añadió: "Salid de vuestra figura humana y adoptad la perruna". Los roció con el agua y quedaron transformados en perros, tal como los ves, ¡oh, Califa de Dios!»

A continuación se volvió a los animales y preguntó: «¿Es cierto lo que he dicho, hermanos míos?» Inclinaron la cabeza como si dijesen: «Es la pura verdad».

Siguió: «¡Emir de los Creyentes! Después de haberlos metamorfoseado en perros dijo a quienes estaban en el galeón: "Sabed que éste, Abd Allah b. Fadil, ha pasado a ser mi hermano y que yo pasaré a verlo cada día, una o dos veces. Encantaré a todo aquel que lo desobedezca, se rebele contra él, le levante la mano o la lengua; con ése haré lo mismo que con estos dos traidores, pues lo transformaré en perro y hasta el fin de sus días no encontrará modo de escapar". Todos le dijeron: "¡Señora mía! Todos nosotros somos sus esclavos y criados. No le desobedeceremos". A continuación me dijo: "Una vez llegues a Basora, harás inventario de todos tus bienes y si falta algo me lo dirás. Yo te lo devolveré cualquiera que sea la persona que se haya apoderado de ello y cualquiera que sea el lugar en que esté; transformaré en perro al ladrón. Una vez que hayas puesto a seguro tus bienes colocarás un collar a cada uno de estos dos perros y los atarás a los pies de la cama; los tendrás en la misma prisión y cada noche, a la media noche, irás a su lado y apalearás a cada uno de ellos hasta que pierdan el sentido. Si pasa una noche sin que los apalees acudiré yo y te daré a ti la paliza y después a ellos". Contesté: "¡Oír es obedecer!" Añadió: "Ahora átalos con cuerdas hasta que llegues a Basora". Puse en el cuello de cada uno una soga, los até al mástil y ella se marchó a sus quehaceres. Al día siguiente llegamos a Basora y los comerciantes acudieron a recibirme. Me saludaron pero ninguno de ellos me preguntó por mis hermanos. Empezaron a examinar a los perros y me dijeron: "¡Fulano! ¿Qué harás con estos dos perros que traes?" Les contesté: "Los he cuidado durante el viaje y los he traído conmigo". Se rieron de ellos y no reconocieron que eran mis hermanos. Los coloqué en una habitación y ocupé aquella noche en deshacer los fardos que contenían las telas y las gemas. Los comerciantes, con el fin de saludarme, seguían en mi casa y yo me distraje y no apaleé a mis hermanos ni los até con cadenas ni los atormenté. Así me dormí. Pero sin darme cuenta apareció la señora Saida, hija del Rey Rojo, quien me espetó: "¿No te había dicho que les colocases al cuello cadenas y que dieses una paliza a cada uno de ellos?" Me agarró, sacó un látigo y me azotó hasta que perdí el conocimiento. Después se marchó al lugar en que estaban mis hermanos y los azotó hasta que estuvieron a punto de morir. Dijo: "Cada noche darás, a cada uno, una paliza como ésta. Si pasa una sola noche sin que los maltrates, yo te azotaré a ti". Yo le contesté: "¡Señora mía! Mañana colocaré cadenas en sus cuellos y la próxima noche los azotaré y no dejaré de hacerlo ni una sola noche". Ella me insistió en que debía pegarles. Al día siguiente, por la mañana, no me atreví a colocar cadenas en su cuello. Fui a ver a un orfebre y le mandé que les hiciese cadenas de oro. Las hizo. Yo las cogí, las coloqué en su cuello y los até como me había mandado. Al día siguiente los azoté, bien a pesar mío. Esto ocurría bajo el califato de al-Mahdí, el tercero de los Banu Abbás. Yo era bien visto por él, pues le había mandado regalos: me nombró gobernador y delegado suyo en Basora. Así continué durante largo tiempo después del cual me dije: "Tal vez su enojo se haya enfriado", y una noche dejé de castigarlos. Pero ella acudió y me dio una paliza tan fuerte que no la olvidaré en mi vida. Desde entonces no he dejado de azotarles a todo lo largo del califato de al-Mahdí. Cuando murió éste y tú le sucediste me concediste la confirmación en mi cargo de gobernador de la ciudad de Basora. Así han transcurrido doce años durante los cuales yo, cada noche, los he azotado bien a pesar mío; después de darles la paliza los acaricio, me disculpo y les doy de comer y beber mientras ellos siguen encadenados. Ninguna de las criaturas de Dios (¡ensalzado sea!) conocía su existencia hasta que tú me enviaste a Abu Ishaq el cortesano, por el asunto de las contribuciones. Éste descubrió mi secreto, regresó a tu lado, te lo explicó y volviste a enviármelo por segunda vez en busca mía y de los perros. Yo he oído y obedecido tu orden, y he acudido con ellos ante ti. Me has preguntado por la verdad del asunto y te la he referido. Tal es mi historia».

El Califa Harún al-Rasid quedó admirado de la situación de los dos perros y preguntó: «En la actualidad ¿has perdonado a tus dos hermanos los perjuicios y el daño que te causaron o no?» «¡Señor mío! ¡Que Dios los perdone! Por mi parte están libres de culpa en ésta y en la otra vida. Soy yo quien necesita que ellos me perdonen, ya que durante doce años les he dado cada noche una paliza.» El Califa dijo: «¡Abd Allah! Si Dios (¡ensalzado sea!) lo quiere, he de esforzarme en ponerlos en libertad y devolverlos a su prístina figura de hombres: os reconciliaré y viviréis el resto de vuestra vida como hermanos bien avenidos. Del mismo modo que tú les has perdonado ellos te perdonarán. Llévalos contigo, ve a tu habitación, esta noche no los golpees y mañana sólo recibiréis bien». «¡Señor mío! ¡Por vida de tu cabeza! Si dejo de azotarlos una sola noche, acude la señora Saida y me da a mí la paliza: yo no tengo el cuerpo para soportar golpes». «¡No temas! Te daré una carta de mi puño y letra para que la entregues a la señora Saida cuando se presente. Al leerla te perdonará y eso será mérito suyo. Si no obedece mi orden confía tu asunto a Dios y deja que te dé una paliza como si te hubieses descuidado de azotarlos una noche; te pegará por esta causa. Pero si así ocurre y me desobedece seré yo, el Emir de los Creyentes, quien tendré que vérmelas con ella.» El Califa escribió en una hoja de unos dos dedos y después de haberlo escrito la selló y dijo: «¡Abd Allah! Cuando aparezca Saida dile: "El Califa, el rey de los hombres, me manda que deje de azotarlos, me ha escrito esta carta y te envía sus saludos". Dale el escrito y no temas ningún daño». El Califa le hizo prometer y jurar que no los pegaría. Abd Allah cogió los perros, se marchó a su habitación y se dijo: «¡Ojalá supiera qué es lo que hará el Califa frente a la hija del sultán de los genios! Si le desobedece me va a dar una paliza esta noche. Pero tendré paciencia con mis palos y daré reposo a mis hermanos por esta noche, aunque por su causa tenga que ser atormentado». Siguió meditando: «Si el Califa no estuviese bien seguro no me hubiese impedido apalearlos».

Entró en su habitación, quitó los collares del cuello de sus hermanos y exclamó: «¡En Dios busco apoyo!» Empezó a tranquilizarlos diciéndoles: «No os ocurrirá nada malo: el quinto Califa de los Banu al-Abbás se ha empeñado en libertaros y yo ya os he perdonado. Si Dios (¡ensalzado sea!) lo quiere, ha llegado el momento y esta noche bendita os veréis libres. ¡Alegraos y poneos contentos!» Al oír estas palabras empezaron a gemir del mismo modo que los perros...

Sahrazad se dio cuenta de que amanecía e interrumpió el relato para el cual le habían dado permiso.

Cuando llegó la noche *novecientas ochenta y seis*, refirió:

—Me he enterado, ¡oh rey feliz!, de que [al oír estas palabras empezaron a gemir como los perros] y a frotar sus pies con las mejillas como si hiciesen votos por él y se humillasen. Abd Allah se entristeció y empezó a acariciarles el lomo con la mano. Así llegó la noche. Cuando pusieron la mesa les dijo: «¡Sentaos!» Se sentaron y comieron con él en la mesa. Los criados se habían quedado estupefactos al verlo comer con los perros y decían: «¿Está loco o carece de razón? ¿Cómo puede comer el gobernador de Basora con los perros, cuando es un personaje más importante que un visir? ¿Es que no sabe que el perro es un animal inmundo?» Empezaron a observar a los animales y vieron que comían, con discreción, a su lado. No sabían que eran sus hermanos. Siguieron mirando a Abd Allah y a los dos animales hasta que hubieron terminado de comer. A continuación Abd Allah se lavó las manos; los perros extendieron las suyas y se las lavaron. Todos los allí presentes se rieron y quedaron admirados de ellos y decían: «Jamás en nuestra vida hemos visto perros que coman y al terminar se laven las manos». Los dos se sentaron en cojines al lado de Abd Allah b. Fadil. Nadie se atrevió a preguntar y la cosa continuó así hasta la medianoche. Entonces despidió a los criados que se fueron a dormir y él y los perros se acostaron en sus estrados. Los criados se decían unos a otros: «Se ha puesto a dormir y los perros se han quedado con él». Otros decían: «Desde el momento en que come con ellos en la mesa no hay inconveniente en que duerman con él. Así se comportan los locos». No comieron nada de la comida que había quedado en el mantel diciendo: «¿Cómo hemos de comer las sobras de los perros?» Cogieron la mesa y lo que contenía y lo tiraron, añadiendo: «¡Está impura!» Esto es lo que a ellos se refiere.

He aquí lo que hace referencia a Abd Allah b. Fadil: antes de que pudiera darse cuenta se hendió la tierra y apareció Saida quien le preguntó: «¡Abd Allah! ¿Por qué no los has apaleado esta noche? ¿Por qué les has quitado los collares del cuello? ¿Lo has hecho para rebelarte ante mí o por echar de menos mi orden? Pero yo te voy a apalear y a transformarte en un perro igual que ellos». «¡Señora mía! ¡Te conjuro por la inscripción que está grabada en el anillo de Salomón, hijo de David (¡sobre ambos sea la paz!) para que tengas piedad de mí hasta que te haya contado la causa! Después haz conmigo lo que quieras.» «¡Habla!» Refirió: «La causa de que no les haya pegado es la siguiente: el rey de los hombres, el Emir de los Creyentes, Harún al-Rasid, me ha ordenado que no los azotase esta noche y me ha obligado con juramentos y promesas a no hacerlo. Él te envía un saludo y me ha dado este escrito de su puño y letra ordenándome que te lo entregue. Yo he obedecido y cumplido su orden, pues la obediencia al Emir de los Creyentes es una obligación. Aquí tienes el mensaje: cógelo, léelo y después haz conmigo lo que quieras». Me dijo: «¡Dámelo!» Se lo entregué. Lo abrió y lo leyó. Vio que tenía escrito:

«En el nombre de Dios, el Clemente, el Misericordioso. Escribe el rey de los hombres, Harún al-Rasid, a la hija del Rey Rojo, Saida. Y después: Este hombre ha perdonado a sus dos hermanos y ha renunciado al derecho que tenía sobre ellos: yo he dispuesto que se reconcilien y cuando se llega a la concordia se levanta el castigo. Si vosotros, genios, os oponéis a nuestras leyes, nosotros, hombres, conculcaremos las vuestras; pero si aceptáis nuestras costumbres acataremos las vuestras y ejecutaremos vuestros deseos. He dispuesto que no debes causarles más penas. Si crees en Dios y en su Enviado debes obedecer pues a mí me incumbe el asunto. Si los perdonas yo te recompensaré con aquello que mi Señor me permita. Indicio de tu obediencia será el que levantes el embrujo que pesa sobre estos dos hombres para que mañana puedan acudir ante mí salvos. Si no los desembrujas lo haré yo, a pesar tuyo, con el auxilio de Dios (¡ensalzado sea!)»

Una vez hubo leído la carta dijo: «¡Abd Allah! Nada haré antes de ir a ver a mi padre, y haberle mostrado el escrito del rey de los hombres. Volveré, en seguida, con la contestación». Señaló con la mano el suelo, éste se hendió y ella se sumergió. Cuando se hubo marchado, el corazón de Abd Allah voló de alegría y exclamó: «¡Que Dios haga poderoso al Emir de los Creyentes!»

Saida se presentó ante su padre, lo informó de lo que ocurría y le mostró la carta del Emir de los Creyentes. El Rey Rojo la besó, la colocó sobre su cabeza, la leyó y comprendió el contenido. Le dijo: «¡Hija mía! Las órdenes del rey de los hombres deben cumplirse y sus decretos hay que acatarlos: no podemos desobedecerlo. Ve junto a esos dos hombres, desembrújalos ahora mismo y diles: "Estáis bajo la protección del rey de los hombres". Si éste se enfada con nosotros nos aniquilará hasta el último: no nos obligues a soportar lo que no podemos». «¡Padre mío! Pero si el rey de los hombres se enfada con nosotros ¿qué puede hacernos?» Le replicó: «¡Hija! Puede dominarnos de varios modos: en primer lugar es un ser humano y está por encima de nosotros, en segundo, es el Vicario de Dios; en tercero es constante en las dos arracas de la plegaria de la aurora. Aunque se reuniesen, para combatirlo, todos los genios de las siete tierras no podrían emplear contra él sus trampas. Si él se enfadase con nosotros, rezaría dos arracas en la plegaria de la aurora, lanzaría contra nosotros un único grito y nos reuniríamos ante él, sumisos: somos como las ovejas en manos del matarife. Si quiere mandarnos que nos pongamos en marcha hacia una tierra inhóspita, no podemos demorarnos. Si desobedeciéramos su orden, pereceríamos todos abrasados sin encontrar escapatoria. Lo mismo nos ocurre ante cualquier fiel que rece con constancia las dos arracas de la autora: su voluntad nos obliga. No causes nuestro fin por dos hombres: corre y desembrújalos antes de que incurramos en la cólera del Emir de los Creyentes».

La muchacha regresó junto a Abd Allah b. Fadil y lo informó de lo que le había dicho su padre añadiendo: «Besa, en representación nuestra, las manos del Emir de los Creyentes y procura conseguir que quede satisfecho de nosotros». A continuación sacó una taza, la llenó de agua, pronunció unos conjuros y unas palabras ininteligibles, los roció con agua y dijo: «¡Abandonad vuestra figura perruna y adoptad la humana!»

Los dos se transformaron en hombres como antes, quedando libres del embrujo. Dijeron: «¡Atestiguo que no hay dios, sino el Dios! ¡Atestiguo que Mahoma es el enviado de Dios!» A continuación ambos se precipitaron a besar las manos y los pies de su hermano pidiéndole perdón. Les replicó: «¡Perdonadme vosotros!» Ambos se arrepintieron de modo sincero y exclamaron: «El maldito demonio nos ofuscó y nos perdió con la codicia. Nuestro Señor nos ha castigado como merecíamos, pero el perdón es signo de generosidad». Halagaron a su hermano al tiempo que lloraban y se arrepentían de lo que había sucedido. A continuación Abd Allah les preguntó: «¿Qué hicísteis con mi esposa, aquella que yo había traído de la ciudad de la piedra?». Replicaron: «Cuando Satanás nos ofuscó y te arrojamos al mar discutimos entre nosotros. Cada uno decía: "Yo me casaré con ella". La joven oía nuestras palabras y veía nuestro altercado; así comprendió que te habíamos arrojado al mar. Salió de su habitación y dijo: "No os peleéis por mí: yo no seré de ninguno de vosotros: si mi marido se ha ido al mar yo le seguiré". Se arrojó al agua y murió». Abd Allah dijo: «¡Ha muerto mártir! ¡No hay fuerza ni poder sino en Dios, el Altísimo, el Grande!» Rompió a llorar amargamente y les dijo: «¡No habéis obrado bien al hacer tal cosa y al privarme de mi mujer!» Contestaron: «Nosotros hemos pecado y nuestro Señor nos ha castigado por nuestra falta. Esto es algo que Dios nos había destinado antes de nuestro nacimiento». Abd Allah aceptó sus excusas. Saida intervino: «¿Te han hecho tales cosas y aún los perdonas?» «¡Hermana mía! Quien puede castigar y perdona recibe la recompensa de Dios». «¡Ten cuidado, pues son dos traidores!»

Sahrazad se dio cuenta de que amanecía e interrumpió el relato para el cual le habían dado permiso.

Cuando llegó la noche *novecientas ochenta y siete,* refirió:

—Me he enterado, ¡oh rey feliz!, de que Saida se despidió de él y se marchó a sus quehaceres.

Abd Allah y sus hermanos pasaron el resto de la noche comiendo, bebiendo, distrayéndose y muy contentos. Al día siguiente por la mañana los condujo al baño, hizo que cada uno de ellos se pusiese una túnica que valía un pico de dinero y después pidió la mesa de comer. Desayunó con ellos. Los criados, al verlos y darse cuenta de que se trataba de sus hermanos, los saludaron y dijeron al Emir Abd Allah: «¡Señor nuestro! ¡Que Dios te guarde por haberte reunido con tus dos queridos hermanos! ¿En dónde han estado durante este tiempo?» «Los habéis visto bajo forma de perros. ¡Loado sea Dios que los ha librado de su cárcel y del tormento doloroso!» Los tomó consigo y los condujo a la audiencia del Califa Harún al-Rasid. Se presentó ante éste, besó el suelo, hizo los votos de rigor deseándole larga duración del poder y del bienestar y el cese de todo daño o desgracia. El Califa le saludó: «¡Bienvenido, Emir Abd Allah! ¡Cuéntame lo que te ha sucedido!»

Refirió: «¡Emir de los Creyentes! ¡Que Dios aumente tu poder! Yo, tomando conmigo a mis hermanos, me dirigí a mi departamento, tranquilo por la suerte de ambos gracias a tu intervención, ya que habías salido fiador de su liberación. Me dije: "Los reyes jamás fracasan en aquello en que se empeñan; su celo los auxilia". Les quité los collares, me confié a Dios y comí con ellos en la misma mesa.

Los servidores, al ver que comía con seres en forma de perros, creyeron que yo estaba mal de la cabeza. Se dijeron, unos a otros: "Tal vez está loco ¿cómo puede comer con perros el gobernador de Basora, cuando él es más importante que los visires?" Tiraron la comida que había quedado y dijeron: "No comemos las sobras de los perros". Tenían a menos mi razón y yo oía sus palabras sin contestarles, dado que ellos no sabían que se trataba de mis hermanos. Cuando llegó la hora de acostarse los despedí y me dormí. Sin que pudiera darme cuenta la tierra se hendió y surgió Saida, la hija del Rey Rojo: estaba furiosa conmigo y sus ojos eran como fuegos». Así siguió contando al Califa todo lo que le había sucedido con ella y con su padre y cómo les había sacado de su figura perruna transformándolos en seres humanos. A continuación añadió: «¡Helos aquí, ante ti, Emir de los Creyentes!» El Califa se volvió y contempló dos jóvenes que parecían lunas. Dijo: «¡Que Dios te recompense por mí, oh, Abd Allah, por haberme informado de las virtudes, que ignoraba! Si Dios lo quiere jamás en toda mi vida dejaré de rezar un par de arracas antes de la aparición de la aurora». A continuación reprendió a los dos hermanos de Abd Allah b. Fadil por lo que habían hecho con anterioridad. Se disculparon ante el Califa. Les dijo: «Daos la mano y perdonaos. ¡Que Dios os perdone lo pasado!» Volviéndose a Abd Allah añadió: «¡Abd Allah! Los nombro tus ayudantes. Cuida de ellos». Recomendó a los dos hermanos que obedecieran a su hermano, les cargó de dones y, después de concederles innumerables regalos, les mandó que regresasen a la ciudad de Basora.

Salieron contentísimos de la audiencia del Califa mientras que éste quedaba muy satisfecho de la ventaja que había conseguido con todo este movimiento, esto es: las virtudes anejas al rezo de las dos arracas antes de la aparición de la aurora. Murmuraba: «Razón tuvo quien dijo: "Las desgracias de unos llevan la fecilidad a otros"». Esto es lo que hace referencia a ellos y al Califa.

He aquí lo que hace referencia a Abd Allah b. Fadil: dejó la ciudad de Bagdad en compañía de sus hermanos cubierto de honor y favores. Viajaron hasta llegar a la ciudad de Basora. Los grandes y los nobles salieron a recibirlos y engalanaron la ciudad. Les hicieron entrar en medio de un cortejo y las gentes hacían votos por él, quien, a su vez, distribuía el oro y la plata. Todos hicieron fervientes palabras por su persona, pero nadie hizo caso de sus hermanos. El corazón de éstos se llenó de celos y de envidia a pesar de que Abd Allah les trataba con tanto miramiento como si fuesen ojos enfermos de tracoma. Pero cuantas más atenciones les tenía, más aumentaba su desprecio y su envidia. Se ha dicho en este sentido:

> He tratado con atención a toda la gente. Pero es difícil tratar con atención a quien envidia.
> ¿Pues cómo hay que tratar a quien envidia el bienestar si sólo le ha de satisfacer el fin de éste?

A continuación dio a cada uno de ellos una esclava incomparable, los rodeó de criados, eunucos, pajes y esclavos blancos y negros; cuarenta de cada clase; entregó a cada uno cincuenta caballos de pura raza, soldados y séquito; les concedió rentas y tributos y los nombró sus asistentes. Les dijo: «¡Hermanos míos! Vosotros sois mis iguales y no hay diferencia entre nosotros.

Sahrazad se dio cuenta de que amanecía e interrumpió el relato para el cual le habían dado permiso.

Cuando llegó la noche *novecientas ochenta y ocho,* refirió:

—Me he enterado, ¡oh rey feliz!, de que [Abd Allah prosiguió:] »...El poder pertenece, después de Dios y del Califa, a mí y a vosotros: vosotros gobernaréis Basora, tanto si yo estoy presente como ausente, y vuestras disposiciones serán ejecutivas. Pero ¡temed a Dios en vuestro gobierno y guardaos de cometer injusticia, pues si éstas son constantes causan la ruina! Practicad la justicia, pues si se ejercita con reiteración trae la prosperidad. No seáis injustos con los vasallos, pues si los fuérais os maldecería y la noticia llegaría hasta el Califa: la ignominia nos cubriría. No permitáis que se cometa injusticia con nadie y si ambicionáis los bienes de la gente, arrebatadme los míos en la cantidad que preciséis: no se os oculta lo que en los versículos del Corán se dice sobre la injusticia. ¡Qué bien dijo el autor de estos versos!:

> La injusticia se encuentra latente en el alma del hombre y sólo la impotencia la oculta.

El inteligente no se embarca en un asunto si no
ve que ha llegado el tiempo oportuno.
La lengua del perspicaz reside en el corazón mientras el corazón del ignorante está en su boca.
Quien no es mayor que su entendimiento muere
en manos de lo que es más despreciable.
La verdadera naturaleza del hombre está oculta,
pero a través de sus actos se descubre lo escondido.
Quien no es de buena tela no muestra la bondad
por su boca.
Quien en sus acciones imita al estúpido será igual
a éste en la ignorancia.
Quien informa a la gente de su secreto consigue
que sus enemigos se lancen contra él.
Basta al hombre con preocuparse de lo que le interesa y dejar lo que no le importa».

Siguió amonestando a sus hermanos mandándoles que ejercitasen la justicia y se abstuviesen de la iniquidad; creía que gracias a los buenos consejos que les daba llegarían a amarlo. Después, teniendo confianza en ellos, los cargó de honores. Pero a pesar de todos los honores aumentaron su envidia y los celos.

Sus hermanos Nasir y Mansur se reunieron. El primero dijo al segundo: «¡Hermano mío! ¿Hasta cuándo hemos de permanecer a las órdenes de nuestro hermano Abd Allah que goza de tanta autoridad y prestigio? Después de haber sido comerciante ha llegado a ser un personaje; en cambio, nuestra posición no ha aumentado, nada nos queda y no tenemos valor alguno: él se burla de nosotros al nombrarnos sus asistentes. ¿Qué razón de ser tiene esto? ¿a qué estamos a su servicio y a sus órdenes? Mientras él se encuentre bien y en auge nosotros no podremos conseguir nada. Alcanzaremos nuestro objetivo si lo matamos y nos apoderamos de sus riquezas y sólo podremos poseerlas después de su muerte. Si lo matamos conseguiremos el señorío y nos apoderaremos de todo lo que hay en sus depósitos: aljófares, gemas y tesoros. Después los repartiremos, prepararemos un regalo para el Califa y le pediremos el gobierno de

Kufa: tú serás gobernador de Basora y yo lo seré de Kufa; o bien tú lo serás de Kufa y yo lo seré de Basora. Entonces cada uno de nosotros tendrá rango y poder. Pero no podremos conseguirlo sin matarlo». Mansur contestó: «Tienes razón en lo que dices, pero ¿qué haremos para matarlo?» «Uno de nosotros dará un banquete en su casa. Lo invitaremos y lo serviremos con el máximo cuidado. Transcurriremos la velada hablando, contándole historias, chistes y anécdotas hasta que su corazón se fatigue por la larga velada. Le prepararemos un lecho para que duerma, y una vez haya conciliado el sueño caeremos sobre él, lo estrangularemos y lo arrojaremos al río. Al amanecer diremos: "Su hermana, la genio, vino, mientras estaba sentado con nosotros, y le dijo: '¡Pedazo de hombre! ¿Qué poder tienes para ir a quejarte de mí al Emir de los creyentes? ¿Crees que lo tememos? Igual que él es un rey, nosotros somos reyes y si no mejora su educación a nuestro respecto le mataremos del modo más infame. Yo te mato para ver qué se saca de la mano del Emir de los creyentes'. A continuación lo agarró, se hendió la tierra y desapareció con él. Al verlo caímos desmayados y al recuperar el conocimiento no hemos podido saber qué es lo que ha hecho con él". Mandaremos un mensajero al Califa para que le informe y él nos nombrará para substituirlo. Al cabo de un tiempo le enviaremos un precioso regalo y le pediremos el gobierno de Kufa. Uno de nosotros se quedará en Basora y el otro irá a Kufa. Gozaremos en paz del territorio, mantendremos atemorizados a los súbditos y conseguiremos nuestro deseo.» «¡Lo que dices es perfecto, hermano!» Ambos se pusieron de acuerdo para dar muerte a su hermano y Nasir preparó un banquete. Dijo a Abd Allah: «¡Hermano mío! Yo soy tu hermano y deseo que me complazcas: acude junto con Mansur a una comida en mi casa con el fin de que yo pueda gloriarme de que se diga: "El Emir Abd Allah cenó en casa de sus hermano Nasir". Abd Allah le contestó: «No hay inconveniente, hermano, pues no hay diferencia entre nosotros dos y tu casa es mi casa. Sólo el vil rechazaría la invitación a una comida». Volviéndose a su hermano Mansur le preguntó: «¿Me acompañarás a casa de tu hermano Nasir? Gozaremos de su hospitalidad y le complaceremos». «¡Hermano mío! ¡Por vida de tu cabeza que no he de acompañarte si no me juras que después de salir de casa de mi hermano Nasir acudirás a mi casa y gozarás de mi hospitalidad! ¿O es que Nasir es tu hermano y yo no? Igual como le complaces a él me debes complacer a mí.» «No hay el menor inconveniente y lo haré de buen grado. Una vez haya salido de casa de tu hermano visitaré la tuya. Si él es mi hermano tú también lo eres.» Nasir besó la mano de Abd Allah, salió de la audiencia y preparó el banquete. Al día siguiente, Abd Allah montó a caballo, tomó consigo a un grupo de sus soldados y a su hermano Mansur y marchó al domicilio de su hermano Nasir. Entró y se sentó junto con sus acompañantes y su hermano. El huésped colocó las mesas y los acogió bien. Comieron, bebieron, disfrutaron y se distrajeron. Quitaron las mesas y los platos, y se lavaron las manos. Pasaron el día comiendo, bebiendo, divirtiéndose y jugando hasta la llegada de la noche. Después de cenar rezaron la plegaria del ocaso y de la noche y se sentaron a conversar. Mansur contaba historias y Nasir contaba historias mientras Abd Allah las escuchaba. Se encontraban solos en el palacio, pues el resto de los soldados se había ido a otro lugar. No pararon de contar chistes, historias, relatos y anécdotas hasta que el corazón de su hermano Abd Allah se fatigó por lo largo de la vela y el sueño le venció.

Sahrazad se dio cuenta de que amanecía e interrumpió el relato para el cual le habían dado permiso.

Cuando llegó la noche *novecientas ochenta y nueve*, refirió:

—Me he enterado, ¡oh rey feliz!, de que le pusieron en el lecho y él se desnudó y se durmió. Los dos hermanos se tendieron a su lado, en otro lecho, y esperaron hasta que quedó profundamente dormido. Al cerciorarse de que estaba sumergido en el sueño, se pusieron en pie y se arrodillaron a su lado. Abd Allah se despertó, los vio encima del pecho y les preguntó: «¿Qué es esto, hermanos?» Le replicaron: «No somos tus hermanos ni te conocemos, mal educado. Es preferible que mueras a que sigas viviendo.» Colocaron sus manos en el cuello y lo estrangularon: perdió el mundo de vista y se quedó sin movimiento. Creyendo que había muerto y encontrándose el alcázar junto al río, lo arrojaron al agua. Al caer Dios mandó en su auxilio un delfín. Este animal tenía por costumbre ir al pie del palacio, ya que su cocina tenía una ventana que daba al mar y el delfín acudía a recoger los desechos que flotaban junto al agua. El delfín frecuentaba aquel lugar. Aquel día habían tirado muchos restos a causa del banquete y había comido más que ningún otro día adquiriendo así una gran fuerza. Cuando oyó el chapoteo de la caída del cuerpo en el agua acudió rápidamente y encontró a un ser humano. Quien todo lo dirige lo guió: lo cargó en su lomo, cruzó por en medio del agua y no dejó de nadar hasta alcanzar la otra orilla y dejarlo tendido en tierra. El lugar en que le había abandonado se encontraba en un camino transitado. Pasó por allí una caravana, sus miembros lo vieron tendido junto al agua y dijeron: «Este es un ahogado al que el mar ha arrojado a la orilla». Todos los miembros de aquella caravana se reunieron para observarlo. El jefe de la misma era un hombre de bien, que dominaba las ciencias y era un experto médico y un excelente fisonomista. Les preguntó: «¡Gentes! ¿Qué es lo que ocurre?» Le contestaron: «Aquí hay un náufrago que está ahogado». El jeque se acercó a él, lo contempló y dijo: «¡Gentes! Este joven tiene vida; es hijo de gente muy distinguida, bien educada, poderosa y que vive en el bienestar. Si Dios lo quiere aún hay esperanza». Lo recogió, le puso una túnica, lo calentó, curó y trató con cariño durante tres jornadas hasta que volvió en sí. Pero era víctima de temblores y la extrema debilidad lo consumía. El jefe de la caravana le medicaba con unas hierbas que él conocía. Siguieron viajando durante treinta días y alejándose de Basora el mismo número de jornadas. El jeque lo cuidaba. Entraron en una ciudad llamada Awch que se encuentra en el país de los persas y se hospedaron en una fonda. Le prepararon un lecho y se acostó; pero pasó la noche quejándose. Las gentes se inquietaron por sus gemidos. Al día siguiente el portero de la fonda se presentó ante el jefe de la caravana y le preguntó: «¿Quién es ese enfermo que traes? Nos inquieta». «Lo vi en el camino, junto al mar: es un náufrago. Le he cuidado pero no tengo éxito y aún no se ha curado.» «Preséntalo a la piadosa Rachina.» «¿Quién es esa piadosa Rachina?» «Aquí vive una santa mujer virgen que se llama la piadosa Rachina. Cada vez que tenemos un enfermo lo llevamos ante ella. Pasa una sola noche y al día siguiente se encuentra curado, como si no hubiese estado enfermo.» El jeque de la caravana dijo: «¡Guíame hasta ella!» Le replicó: «¡Coge a tu enfermo!» Lo cogió. El portero de la fonda lo precedió hasta llegar a un oratorio. Vio allí personas que entraban con donativos y otras que salían contentas. El portero de la fonda entró hasta llegar ante una cortina. Dijo: «¡Con permiso, piadosa Rachina! ¡Acepta este enfermo!» Contestó: «¡Mételo detrás de esta cortina!» El portero dijo a Abd Allah: «¡Entra!» Ése entró, la miró y vio que se trataba de su esposa, la que había recogido en la ciudad de piedra. La reconoció y le reconoció. La saludó y le saludó. Le preguntó: «¿Quién te ha traído hasta este lugar?» Le explicó: «Cuando vi que tus hermanos te arrojaban al agua y se querellaban por mí, me tiré al mar. Mi jeque, al-Jidr abu-l-Abbás, me alcanzó y me trajo a este oratorio concediéndome permiso para curar a los enfermos. Hizo pregonar por la ciudad: "Todo aquel que esté enfermo, acuda a la piadosa Rachina". Me dijo: "Permanece en este oratorio hasta el momento en que llegue tu esposo". Yo acepté; a todo enfermo que venía, le colocaba las manos encima y al día siguiente amanecía curado. Mi fama se extendió por el mundo, he recibido presentes de las gentes, tengo grandes riquezas, gozo de fama y honor y toda la gente de este país ruega por mí en sus oraciones». Tras esto le impuso las manos y quedó curado por un decreto de Dios (¡ensalzado sea!). Al-Jidr seguía acudiendo a visitarla la noche de cada viernes; el día en que Abd Allah se había reunido con su esposa era viernes. Al caer la noche, después de una buena cena, se sentaron los dos a esperar la llegada de al-Jidr. Éste acudió, los sacó del oratorio y los dejó en el alcázar de Abd Allah b. Fadil en Basora y se marchó. Al día siguiente por la mañana el joven se encontró en el alcázar y lo reconoció. Oyó que la gente estaba alborotada: se asomó por la ventana y vio que sus dos hermanos habían sido crucificados sobre un madero.

He aquí la causa de esto último: Al día siguiente, después de haber arrojado al mar a su hermano, rompieron a llorar y a decir: «La mujer genio ha raptado a nuestro hermano». Prepararon un regalo y lo enviaron al Califa informándole de la noticia y pidiéndole el gobierno de Basora. El soberano los hizo presentar, los interrogó y le explicaron lo que hemos mencionado. El Califa se puso furioso y al caer la noche rezó las dos arracas de antes de la aparición de la aurora, tal y como tenía por costumbre, y llamó a las banderías de los genios. Acudieron sumisos ante él. Les preguntó por Abd Allah y le juraron que ninguno de ellos le había hecho daño. Dijeron: «No tenemos noticia de él». Saida, la hija del Rey Rojo, informó al Califa de toda la historia. Entonces los despidió. Al día siguiente sometió a Nasir y a Mansur al tormento del palo y ambos confesaron. El Califa se indignó con ellos y dijo: «¡Llevadlos a Basora y crucificadlos ante la puerta del palacio de Abd Allah!» Esto es lo que a ellos se refiere.

He aquí lo que hace referencia a Abd Allah: Éste mandó que enterrasen a sus dos hermanos, marchó a Bagdad y explicó al Califa desde el principio hasta el fin de su historia y lo que sus hermanos habían hecho con él. El Califa se admiró de todo, hizo comparecer al juez y a los testigos y mandó escribir el acta de su matrimonio con la muchacha que había recogido en la ciudad de piedra. Tuvo relaciones con ella y ambos se instalaron en la ciudad de Basora hasta que se presentó el destructor de las dulzuras, el separador de los amigos. ¡Gloria al Viviente, al que no muere!

HISTORIA DE MARUF EL ZAPATERO

Se cuenta, ¡oh rey feliz!, que en la ciudad de El Cairo —la bien protegida— vivía un hombre que remendaba zapatos viejos. Se llamaba Maruf. Tenía una mujer llamada Fátima y apodada al-Urra. Se le dio este apodo porque era libertina, pérfida, desvergonzada y muy intrigante. Dominaba a su marido, y no perdía ocasión para cubrirlo de injurias y maldiciones. El marido temía su maldad y se asustaba de sus malas artes, pero como era hombre inteligente se avergonzaba por su honor. Si ganaba mucho, lo gastaba para su mujer, y si ganaba poco, se vengaba en su propio cuerpo la misma noche, destruyendo su salud y haciendo de la noche una de las páginas del libro del destino. Era, tal como dijo el poeta:

> ¡Cuántas noches he pasado con mi mujer del peor modo posible!
> ¡Ojalá antes de presentarme ante ella le hubiese dado un tóxico y la hubiese envenenado!

He aquí una de las muchas cosas que le ocurrieron con su mujer. Ésta le dijo: «¡Maruf! Quiero que esta noche me traigas *kunafa* con miel de abejas». Le contestó: «¡Ojalá Dios (¡ensalzado sea!) me facilite su adquisición y pueda traértela esta noche! Hoy no tengo dinero; pero nuestro Señor proveerá». «¡No entiendo esas palabras!

Sahrazad se dio cuenta de que amanecía e interrumpió el relato para el cual le habían dado permiso.

Cuando llegó la noche *novecientas noventa,* refirió:

—Me he enterado, ¡oh rey feliz!, de que [la mujer de Maruf prosiguió:] »...Tanto si lo facilita como si no, has de traerme *kunafa*, la que tiene miel de abeja; si vienes sin la *kunafa* he de hacer que tu noche sea como la suerte que tuviste cuando te casaste conmigo y caíste en mi mano.» Él replicó: «¡Dios es generoso!» Salió con miedo en el cuerpo, rezó la oración de la mañana y abrió la tienda, mientras decía: «Te ruego, Señor mío, que me concedas algo con que comprar la *kunafa*, librándome del daño de esa libertina en la próxima noche». Permaneció sentado en la tienda hasta el mediodía, pero no recibió ningún encargo. Se llenó de terror al pensar en su esposa. Se puso en pie, cerró la tienda y quedó perplejo ante lo que le sucedía por culpa de la *kunafa*, ya que no tenía ni para comprar un pedazo de pan. Pasó ante la tienda de un pastelero, quedó estupefacto, y sus ojos se cubrieron de lágrimas. El pastelero, al verlo, le preguntó: «¡Maestro Maruf! ¿Qué te ocurre, que lloras? ¡Cuéntame lo que te sucede!» Le explicó la historia y añadió: «Mi esposa es una fiera y me ha pedido *kunafa*. He permanecido en la tienda hasta medio día, pero no he ganado ni para un pedazo de pan, y le tengo miedo». El pastelero se echó a reír y dijo: «¡No temas! ¿Cuántas libras quieres?» «¡Cinco!» Le pesó las cinco libras y le dijo: «Tengo la manteca, pero no dispongo de miel de abejas; en cambio tengo caramelo, que es mejor que la miel de abejas. ¿Qué inconveniente hay en que, en vez de miel, sea caramelo?» Maruf se avergonzó, pues tenía que pedirle que esperase a cobrar. Le dijo: «Dame el caramelo». El pastelero frió la *kunafa* con la manteca, la sumergió en caramelo, y el guiso quedó dispuesto para servirse a los reyes. Le preguntó: «¿Necesitas pan y queso?» «¡Sí!» Tomó cuatro medios dirhemes de pan, uno de queso y la *kunafa*, que valía diez. Le dijo: «Maruf: te llevas quince medios dirhemes. Ve junto a tu esposa, disfruta y quédate este medio dirhem para los gastos del baño; ya me daras el dinero dentro de uno, o dos o tres días o cuando puedas. No seas severo con tu mujer, pues yo esperaré hasta que los dirhemes que tengas sean superiores a tus gastos». Maruf cogió la *kunafa*, el pan y el queso, y se marchó haciendo votos por él y con el espíritu tranquilo. Decía: «¡Gloria a Ti, Señor mío! ¡Cuán generoso eres!» Se presentó ante su mujer, y ésta le preguntó: «¿Has traído la *kunafa*?» «Sí». Y se la dio. La mujer la miró y vio que era caramelo. Le dijo: «¿Es que no te he dicho: "Tráela con miel de abejas"? Has hecho todo lo contrario de lo que deseaba, y la has traído con caramelo de azúcar de caña». Se excusó y le dijo: «La he comprado a crédito». «¡Son vanas palabras! ¡Sólo comeré la *kunafa* si está hecha con miel de abejas!» La mujer, indignada con la *kunafa* se la arrojó y le dijo: «¡Levántate, espíritu de contradicción, tráeme de la otra!» Le dio un puñetazo que le hizo saltar un diente. La sangre corrió hasta el pecho, y se puso tan furioso que golpeó a su mujer en la cabeza. Ella lo agarró por la barba y empezó a gritar: «¡Musulmanes!» Los vecinos entraron, libraron sus barbas de las manos de la mujer y cubrieron a ésta de injurias e improperios. Le dijeron: «Todos nosotros nos conformamos con comer *kunafa* hecha de caramelo de azúcar. ¿Por qué te muestras tan dominante con este pobre hombre? Esto es una falta de tu parte». Siguieron insistiendo hasta que reconciliaron a los dos esposos. Pero en cuanto se hubo marchado la gente, la mujer juró que no comería *kunafa*. El hambre dominaba al remendón, quien se dijo: «Ella ha jurado que no la comerá pero yo sí me la comeré». La mujer, al verlo comer exclamó: «¡Ojalá se convirtiera en veneno y te estropeara el cuerpo!» Él replicó «No será como dices». Siguió comiendo, riéndose y diciendo: «Tú has jurado que no comerás de esto. Pero Dios es generoso, y si Él lo quiere, mañana por la noche te traeré *kunafa* con miel de abejas y te la comerás tú sola». Siguió consolándola, mientras ella lo maldecía, no paró de injuriarlo e increparlo hasta la mañana. Al amanecer se dispuso a pegar al marido. Éste le dijo: «Espera a que regrese sin la *kunafa*». Salió hacia la mezquita, rezó, se fue a la tienda, la abrió y se sentó. Apenas acababa de instalarse cuando aparecieron dos alguaciles enviados por el juez. Le dijeron: «¡Ven a hablar con el cadí! Tu mujer ha presentado una querella contra ti. Ella es así y asá». La reconoció y dijo: «¡Que Dios (¡ensalzado sea!) la castigue!» Se puso en pie y los acompañó hasta encontrarse ante el cadí. Vio allí a su mujer con el brazo vendado y el velo teñido de sangre. Estaba en pie, llorando y secando sus lágrimas. El juez le dijo: «¡Oh, hombre! ¿Es que no temes a Dios? (¡ensalzado sea!) ¿Cómo apaleas y partes el brazo a esta mujer? ¿Cómo le arrancas un diente y la tratas así?» El marido replicó: «Si le he pegado y arrancado un diente, condéname. Pero la historia es ésta y ésta, y los vecinos nos han reconciliado». Le refirió todo desde el principio hasta el fin. El cadí era un hombre de bien: sacó un cuarto de dinar y le dijo: «¡Oh, hombre! Coge esto dale la *kunafa* con miel de abejas y reconciliaos». «¡Entrégaselo a ella!» Ella lo cogió, y el juez dijo: «¡Mujer! Obedece a tu marido. ¡Hombre! Ten compasión con ella». Salieron reconciliados de delante del cadí, y la mujer tomó un camino y el marido otro, que lo condujo a la tienda. Se sentó. Poco después aparecieron los alguaciles, que le dijeron: «¡Paga nuestros honorarios!» «El cadí no me ha cobrado nada antes, al contrario, me ha dado un cuarto de dinar». «Nosotros nada tenemos que ver con lo que el cadí te haya dado o te haya quitado. Si no nos pagas nuestros honorarios, los cobraremos a la fuerza.» Lo arastraron al zoco, vendió sus utensilios, les entregó medio dinar y entonces se marcharon. El remendón apoyó la mejilla en su mano y se sentó, triste, ya que carecía de instrumentos con que trabajar. Mientras se encontraba así, se le presentaron dos hombres de mal aspecto, que le dijeron: «¡Hombre! Ven a hablar con el cadí: tu mujer ha presentado una querella contra ti». Les replicó: «¡El juez nos ha reconciliado!» «Nosotros venimos de parte de otro juez; tu mujer se ha querellado ante el nuestro». Se puso en pie mascullando injurias contra su mujer. Al verla, le dijo: «¡Hija legítima! Pero, ¿es que no nos hemos reconciliado?» «¡Entre nosotros dos no hay reconciliación posible!» El marido se acercó al juez, le refirió la historia y añadió: «El juez Fulano nos ha reconciliado hace un momento». El cadí la increpó: «¡Desvergonzada! Si os habéis reconciliado, ¿por qué has venido a querellarte ante mí»? «¡Es que después me ha vuelto a pegar!» «Bueno: reconciliaos, tú no volverás a pegarle, y ella no volverá a desobedecerte.» Se reconciliaron. El juez añadió: «¡Paga los honorarios a los alguaciles!» Él los pagó y regresó a su tienda. La abrió y se sentó como un beodo, pues estaba completamente trastornado. Mientras se encontraba así, acudió un hombre, que le dijo: «¡Maruf corre, escóndete! Tu mujer ha presentado una querella ante el Tribunal Supremo, y sus esbirros vienen en tu busca». Cerró la tienda y huyó en dirección a Bab al-Nasr. De la venta de sus enseres e instrumentos le habían quedado cinco medios dirhemes de plata. Compró cuatro de pan y uno de queso, mientras huía. Todo esto ocurrió en invierno, al mediodía. Cuando ya se encontraba entre los montículos de desperdicios, lo sorprendió una lluvia torencial que empapó su ropa. Entró en al-Adiliyya y encontró un lugar en ruinas y un depósito destrozado y sin puerta. Penetró en él para resguardarse de la lluvia, ya que todas sus cosas estaban empapadas de agua. Las lágrimas resbalaban por sus mejillas; deprimido por lo que le había pasado, decía: «¿Adónde huiré para escapar de esta desvergonzada? ¡Te ruego, Señor mío, que me conduzcas a alguien que me lleve a un remoto país, de modo que ella no conozca mi camino!» Mientras se encontraba sentado llorando, se hendió la pared y salió de ella una persona de elevada estatura y de un aspecto tal que producía esalofríos. Le preguntó: «¡Oh, hombre! ¿Qué te sucede para intranquilizarme así esta noche? Yo habito este lugar desde hace cien años, y jamás he visto a nadie entrar en él y hacer lo que tú has hecho. Exponme tu deseo y yo satisfaré tus necesidades. Mi corazón siente compasión por ti». Maruf preguntó: «¿Quién y qué eres?» «Soy el habitante de este sitio.» El remendón le explicó todo lo que le había sucedido con su esposa. El otro le preguntó: «¿Quieres que te lleve a un país cuyo camino sea desconocido por tu esposa?» «¡Sí!» «Súbete en mis hombros.» subió y lo transportó desde el ocaso a la aurora, hasta dejarlo en la misma cima de un monte elevado.

Sahrazad se dio cuenta de que amanecía e interrumpió el relato para el cual le habían dado permiso.

Cuando llegó la noche *novecientas noventa y una*, refirió:

—Me he enterado, ¡oh rey feliz!, de que [después] le dijo: «¡Ser humano! Desciende de la cima de este monte;

te encontrarás en el umbral de una ciudad: entra en ella; tu mujer no sabrá el camino ni podrá alcanzarte». Lo dejó y se marchó. Maruf se quedó perplejo y aturdido hasta la salida del sol. Se dijo: «Me pondré en marcha y bajaré del monte a la ciudad. Seguir aquí no tiene interés alguno». Bajó a la falda del monte y se encontró ante una ciudad de altas murallas, elevados alcázares y lujosos edificios: constituía el encanto de todos los que la contemplaban. Entró por la puerta de la misma y vio que ésta regocijaba el corazón entristecido. Recorrió el zoco. Los habitantes de la ciudad lo miraban. Formaron círculo en torno a él y examinaron sus vestidos, ya que no se parecían a los de ellos. Uno de los habitantes le preguntó: «¡Oh, hombre! ¿Eres extranjero?» «¡Sí!» «¿De dónde?» «De la feliz ciudad de El Cairo.» «¿Hace mucho que la has dejado?» «Ayer al mediodía.» Aquel hombre se echó a reír y clamó: «¡Gentes! ¡Venid! ¡Ved a este hombre! ¡Oíd lo que dice!» Preguntaron: «¿Qué dice?» «Asegura que es de El Cairo y que ayer al mediodía salió de la ciudad.» Todos se rieron y las gentes se aglomeraron. Dijeron: «¡Hombre! ¿Estás loco para decir tales palabras? ¿Cómo aseguras que dejaste El Cairo ayer al mediodía si ahora estás aquí? Entre nuestra ciudad y la de El Cairo hay un año entero de marcha». Les replicó: «Yo no estoy loco; lo estáis vosotros. Yo he dicho la verdad: este pan es de Egipto, y aún está fresco». Les mostró el pan y empezaron a examinarlo y admirarlo, ya que no se parecía al pan de su país. El gentío iba en aumento. Decían: «Esto es pan de El Cairo, miradlo». Maruf se hizo célebre en aquella ciudad: unos lo creían, mientras que otros se burlaban de él. Entonces se acercó un comerciante; iba montado en una mula y lo seguían dos esclavos. Lo dejaron pasar y dijo: «¡Gentes! ¿No os avergonzáis de reuniros en torno a este hombre forastero y de burlaros y reíros de él? ¿Qué os sucede con él?» Siguió riñéndolos hasta que los grupos se disolvieron sin que nadie se atreviese a contestarle. Luego dijo a Maruf: «¡Acércate, amigo mío! Ésos no han de causarte ningún daño, no tienen vergüenza». Lo llevó consigo y lo condujo a una casa amplia y lujosa. Le hizo sentarse en un estrado regio y dio órdenes a los esclavos. Éstos abrieron una caja, sacaron una túnica de comerciante muy valiosa y se la hizo poner. Maruf era de buen ver, y con ella daba la sensación de ser el síndico de los mercaderes. Después, el comerciante pidió la mesa y la colocaron ante él; contenía preciosos platos y guisos de todas clases. Comieron y bebieron. Le preguntó: «¡Hermano mío! ¿Cómo te llamas?» «Me llamo Maruf, y soy zapatero remendón.» «¿De qué ciudad eres?» «De El Cairo.» «¿De qué barrio?» «¿Es que conoces El Cairo?» «Soy uno de sus hijos.» «Soy de Darb al-Ahmai.» «¿Y a quién conoces de ese barrio?» «A Fulano y a Zutano», y le citó a mucha gente. Le preguntó: «¿Conoces al jeque Ahmad al-Attar?» «Somos vecinos, pared por pared.» «¿Está bien de salud?» «¡Sí!» «¿Y cuántos hijos tiene?» «Tres: Mustafá, Muhammad y Alí.» «¿Y qué ha hecho Dios de sus hijos?» «Mustafá está bien, es un sabio maestro; Muhammad es droguero y ha abierto una tienda al lado de la de su padre; se ha casado, y su mujer ha dado a luz un hijo que se llama Hasán.» «¡Que Dios te alegre siempre con buenas noticias!», interrumpió el mercader. Maruf siguió: «Alí fue mi compañero de infancia, y siempre jugábamos juntos, nosotros íbamos, disfrazados de cristianos, a las iglesias de éstos; robábamos sus libros y los vendíamos; con lo que sacábamos comprábamos cosas. Una vez los cristianos nos vieron y nos cogieron con un libro. Se quejaron a nuestras familias y dijeron a su padre: "Si no impides que tu hijo nos perjudique, nos quejaremos al rey". Los tranquilizó y dio a Alí una soberbia paliza que fue causa de que huyese y no se supo adónde había ido. Hace ya veinte años que está ausente, y no se sabe nada de él». El mercader le replicó: «Pues yo soy Alí, el hijo del jeque Ahmad al-Attar; tú, Maruf, eres mi amigo». Ambos se saludaron. El mercader siguió: «¡Maruf! Cuéntame la causa de tu venida desde El Cairo a esta ciudad». Le refirió la historia de su esposa, Fátima al-Urra, y lo que había hecho con él, y añadió: «Cuando sus malas artes se abatieron sobre mí, huí en dirección a Bab al-Nasr. La lluvia me mojó, y me metí en un almacén en ruinas situado en al-Adiliyya. Me senté a llorar. El habitante de aquel lugar se presentó ante mí: era un *efrit* de los genios. Me interrogó y le expliqué mi situación. Me hizo subir en sus hombros y voló conmigo durante toda la noche entre la tierra y el cielo. Después me depositó en el monte y me informó de la existencia de la ciudad. Entré en ella, la gente se agrupó a mi alrededor y me interrogó. Les contesté: "Yo salí ayer de El Cairo". No me querían creer. Pero llegaste tú, alejaste a la gente que tenía a mi alrededor y me trajiste a esta casa. Tal es la causa de mi marcha de El Cairo. ¿Y tú, por qué has venido aquí?»

Refirió: «El atolondramiento —tenía siete años— se apoderó de mí. Desde entonces voy dando vueltas de país en país y de ciudad en ciudad. Así llegué a ésta, que se llama Ajtiyan al-Jatán. Vi que sus habitantes son personas generosas e indulgentes, que conceden sus favores al pobre, lo auxilian y dan crédito a todo lo que dice. Les dije: "Soy comerciante y he llegado antes que mis mercancías. Deseo un lugar en el que poder depositar mis efectos". Me vaciaron un almacén. Añadí: "¿Hay alguno de vosotros que pueda prestarme mil dinares hasta que lleguen mis mercancías? Le devolveré lo que me haya prestado, pues ahora mismo necesito algunas cosas". Me dieron lo que quería. Me dirigí al zoco de los comerciantes y allí vi algunas mercancías, que compré. Al día siguiente las vendí y gané cincuenta dinares; compré otras. Empecé a frecuentar el trato de la gente, me mostré generoso, me gané su aprecio y me dediqué a comprar y vender. Mis riquezas crecieron. Sabe, hermano mío, que el autor de los refranes dice: "El mundo es engaño e intriga: en los países en que nadie te conoce, puedes hacer lo que quieres". Si tú dices a todo aquel que te lo pregunte que eres pobre y remendón, que has huido de tu mujer y que sólo ayer saliste de El Cairo, no te creerán y te tomarán a chacota mientras permanezcas aquí. Si dices: "Un *efrit* me ha transportado" huirán de tu lado y nadie se acercará a ti. Dirán: "Éste es un hombre embrujado, y todo el que se acerque a él recibirá daño". Esta propaganda nos perjudicará a los dos, pues saben que yo soy de El Cairo». Maruf preguntó: «¿Qué he de hacer?» «Yo te enseñaré, si Dios (¡ensalzado sea!) lo quiere, cómo te has de comportar. Mañana te daré mil dinares y una mula, en la que montarás: un esclavo te precederá hasta que llegues a la puerta del zoco de los mercaderes. Entrarás. Yo me encontraré sentado entre los demás. En cuanto te vea, me pondré en pie, te saludaré, besaré tu mano y te trataré con todos los honores. Cada vez que yo te pregunte por una clase de telas y te diga: "¿Has traído de tal clase?", contestarás: "¡Muchísima!" Si me preguntan por ti, yo te alabaré y te haré aparecer como persona importante ante sus ojos. A continuación les diré: "Alquiladle un depósito y una tienda". Te describiré como persona rica y generosa. Si se te acerca un pobre, le das cuanto puedas. Creerán mis palabras, quedarán convencidos de tu importancia y de tu generosidad y alcanzarás aprecio. Después te invitaré a ti y a todos los comerciantes, para que te conozcan y tú los conozcas...

Sahrazad se dio cuenta de que amanecía e interrumpió el relato para el cual le habían dado permiso.

Cuando llegó la noche *novecientas noventa y dos*, refirió:

—Me he enterado, ¡oh rey feliz!, de que [Alí prosiguió:] »"...así podrás vender y comprar, tomar y dar, y al cabo de poco tiempo serás dueño de grandes riquezas.» Al día siguiente por la mañana le entregó mil dinares, le hizo ponerse una túnica y montar en un corcel, y le entregó un esclavo. Le dijo: «¡Que Dios te libre pronto de todo! Ya que tú eres mi compañero, debo tratarte con honor. No te preocupes, deja de pensar en la conducta de tu mujer y no la menciones a nadie». Maruf le replicó: «¡Que Dios te pague tanto bien!» Montó en la mula, y el esclavo lo precedió hasta dejarlo en la puerta del zoco de los comerciantes. Todos éstos se encontraban sentados, y Alí, entre ellos. Al verlo, se puso en pie y se arrojó en sus brazos exclamando: «¡Qué día bendito es éste, comerciante Maruf! ¡Haces buenas obras y traes favores!» Le besó la mano delante de todos los comerciantes, y exclamó: «¡Hermanos míos! ¡Os presento al comerciante Maruf!» Lo saludaron, y Alí empezó a hacer su elogio y a darle importancia ante sus ojos. Lo hizo bajar de la mula y todos lo saludaron. Alí fue hablando a solas con cada mercader, haciendo el elogio de su compañero. Le preguntaron: «¿Es un mercader?» «Sí, es uno de los mayores; no hay ninguno tan rico como él, ya que sus bienes, los de su padre y los de sus abuelos, son famosos entre los comerciantes de El Cairo. Tiene socios en la India, el Sind y el Yemen, y es famoso por su generosidad. Reconoced su valor y colocadlo en su puesto; poneos a su servicio. Sabed que no ha venido a esta ciudad para comerciar, sino para distraerse viendo los países de la gente. Él no necesita ir al extranjero para obtener beneficios y ganancias, ya que el fuego no puede destruir los bienes que posee. Yo soy uno de sus criados.» Siguió haciendo su elogio hasta que los comerciantes lo consideraron muy superior a ellos y empezaron a contarse sus cualidades unos a otros. Luego se acercaron y le ofrecieron bocadillos y sorbetes, hasta que llegó el síndico de los mercaderes. El comerciante Alí empezó a decirle, delante de los demás: «¡Señor mío! ¿Has traído tal tipo de tela?» Él contestó: «¡En gran cantidad!» Aquel mismo día, Alí había mostrado a Maruf distintas clases de telas de gran valor, y le había enseñado los nombres de los tejidos caros y baratos. Uno de los comerciantes le preguntó: «¡Señor mío! ¿Has traído tela amarilla?» «¡En gran cantidad!» «¿Y de color rojo como la sangre de gacela?» «¡En gran cantidad!» A todos los que le preguntaban por algo, les contestaba: «¡En gran cantidad!» Entonces dijo uno: «¡Comerciante Alí! Si tu compatriota quisiera traer mil piezas de telas valiosas, ¿las traería?» Y Alí replicó: «Las traería de uno cualquiera de sus depósitos y no se notaría en él disminución alguna». Mientras se encontraban sentados, pasó un pobre, el cual dio la vuelta al ruedo de comerciantes: unos le dieron medio dirhem; otros, una moneda, y la mayoría no le dio nada. Así llegó hasta Maruf, el cual cogió un puñado de oro y se lo entregó. El mendigo hizo los votos de rigor y se marchó. Los comerciantes se quedaron admirados y dijeron: «Éstos son dones propios de reyes: le ha dado oro sin cuento. Si no fuese una persona que vive en el mayor bienestar y dispone de grandes riquezas, no habría dado al mendigo un puñado de oro». Al cabo de un rato se le acercó una mujer pobre. Maruf cogió otro puñado de oro y se lo entregó. La mujer se marchó haciendo los votos de rigor y lo refirió a los pobres. Éstos acudieron ante él, uno después de otro. Cada vez que se le presentaba un pobre, cogía un puñado de oro y se lo entregaba. Así terminó con los mil dinares. Entonces dio una palmada y exclamó: «¡Dios nos basta, pues es el mejor de los intercesores!» El síndico de los comerciantes le preguntó: «¿Qué te ocurre, mercader Maruf?» Él contestó: «La mayoría de los habitantes de esta ciudad son pobres y miserables. Si lo hubiera sabido, me habría traído en la alforja una gran cantidad de dinero para dárselo a los pobres. Temo que mi ausencia se prolongue, y no es propio de mi natural el no responder a los pobres. Pero ya no me queda más oro. Si se presenta un pobre, ¿qué le diré?» Le replicó: «Dile: "Que Dios te ampare"». «No es ésta mi costumbre, y la pena me embarga por ello. ¡Si tuviera mil dinares para hacer limosna hasta que lleguen mis cosas!» El otro dijo: «¡No hay inconveniente!», y mandó a uno de sus criados que le llevase mil dinares. Se los entregó, y él siguió dando limosnas a todos los pobres que pasaban por su lado, hasta que el almuédano llamó a la oración del mediodía. Entraron en la mezquita, rezaron la oración y Maruf arrojó lo que le quedaba de los mil dinares, por encima de la cabeza de los que rezaban. La gente lo miró e hizo los votos de rigor. Los comerciantes estaban admirados de su desprendimiento y generosidad. Luego se dirigió a otro comerciante, le pidió prestados otros mil dinares y los distribuyó también. El comerciante Alí observaba lo que estaba haciendo, pero no podía hablar. Esta situación siguió así hasta que el almuédano anunció la oración de la tarde. Entró en la mezquita, rezó y distribuyó el resto de dinero. Cuando cerraron la puerta del mercado, había tomado en préstamo cinco mil dinares. Todo aquel que le había prestado decía: «Si quieres más dinero mientras llegan tus mercancías, yo te lo prestaré, y si quieres telas puedes disponer de ellas, ya que tengo muchas».

Por la noche, el comerciante Alí lo invitó a él y todos los comerciantes; le hizo sentar en la presidencia y sólo le habló de telas y joyas. Cada vez que le citaban algo, contestaba: «Lo tengo en abundancia».

Al día siguiente se dirigió al mercado y empezó a visitar a los comerciantes; tomó dinero en préstamo y lo distribuyó entre los pobres. Siguió haciendo lo mismo veinte días, durante los cuales llegó a recibir en préstamo sesenta mil dinares; pero no llegaban las mercancías ni la ardiente peste. La gente empezó a preocuparse por sus bienes, y dijo: «Las mercancías del comerciante Maruf no llegan. ¿Hasta cuándo tomará en préstamo para darlo a los pobres?» Uno de ellos dijo: «Lo mejor es hablar con su compatriota, el comerciante Alí». Corrieron a éste y le dijeron: «¡Comerciante Alí! Las mercancías de Maruf no han llegado». Él contestó: «Esperad, pues no cabe duda de que llegarán dentro de poco». Luego, se quedó a solas con su amigo y le dijo: «¡Maruf! ¿Qué significan estas acciones? ¿Te he dicho que tostases el pan o que lo quemases? Los comerciantes están inquietos por sus bienes, y me han dicho que te llevan prestados sesenta mil dinares, que tú has tomado y distribuido entre los pobres. ¿Cómo liquidarás a la gente si no compras ni vendes nada?» Maruf le replicó: «¿Qué ocurre? ¿Qué son sesenta mil dinares? Cuando lleguen las mercancías, les daré lo que quieran, oro o plata». «¡Dios es grande! ¿Pero es que tienes mercancías?» «¡Muchas!» «¡Que Dios y los hombres te castiguen por tu frescura! ¿Es que te he enseñado tales palabras para que me las repitas a mí? Lo explicaré a la gente.» «Ve y no hables en demasía. ¿Es que acaso soy un pobre? Mis mercancías ascienden a mucho. Cuando lleguen, cada uno tomará el doble de lo que me ha prestado. Yo no las necesito.» El comerciante Alí, exasperado, exclamó: «¡Mal educado! Te haré ver lo que cuesta mentirme sin avergonzarse». «Haz lo que te parezca; ellos esperarán hasta que lleguen mis mercancías, y recibirán sus préstamos con los intereses.» Dicho esto, Maruf lo dejó y se marchó. Alí se dijo: «Antes lo he elogiado. Si ahora lo vitupero, quedaré como un embustero, por lo que me podrán aplicar el proverbio: "Quien alaba y luego vitupera, miente dos veces"». Quedó perplejo sobre lo que debía hacer. Los comerciantes acudieron a él y le preguntaron: «¡Alí! ¿Le has hablado?» «¡Gentes! Tengo vergüenza. Yo le he dejado mil dinares y no puedo pedírselos. Vosotros, al darle el dinero, no me habéis consultado ni me habéis dicho palabra. Reclamádselo, y si no os lo devuelve, quejaos al rey de la ciudad. Decidle: "Es un insolvente y nos ha engañado". El rey os librará de él.» Corrieron ante el soberano y lo informaron de lo ocurrido. Dijeron: «¡Rey del tiempo! Estamos perplejos ante lo que nos sucede con ese comerciante cuya generosidad va en aumento. Hace tal y tal cosa. Reparte a puñados entre los pobres todo lo que toma en préstamo; si se tratara de un pobre, no se hubiese permitido dar el oro a manos llenas a los indigentes; y si fuera un hombre de buena posición, la llegada de sus mercancías nos lo habría confirmado. Pero nosotros no hemos visto sus mercancías, a pesar de que él pretende tenerlas y dice que sólo se ha adelantado a su llegada. Cada vez que le citamos una clase cualquiera de ropa, dice: "¡Tengo muchísima!" Ha transcurrido ya un plazo prudencial sin que aparezcan sus mercancías, y él nos debe sesenta mil dinares, que ha repartido, íntegramente, entre los pobres, que le dan las gracias y hacen el elogio de su generosidad». Aquel rey era avaro, más codicioso que Ashab. Al oír mencionar la generosidad y el desprendimiento de Maruf, la codicia lo cegó y dijo a su visir: «Ese comerciante ha de tener grandes riquezas, pues de lo contrario no sería tan generoso. Sus mercancías llegarán sin duda alguna; entonces reunirá a esos comerciantes y los colmará de bienes. Pero yo tengo más derecho que ellos. Quiero tratarlo bien y demostrarle afecto hasta que lleguen sus mercancías. Así, lo que hayan de quitarle esos comerciantes se lo quitaré yo y lo casaré con mi hija; de esta forma juntaré sus bienes a los míos». El visir le dijo: «¡Rey del tiempo! Yo creo que es un impostor; el impostor es quien arruina la casa del codicioso».

Sahrazad se dio cuenta de que amanecía e interrumpió el relato para el cual le habían dado permiso.

Cuando llegó la noche *novecientas noventa y tres*, refirió:

—Me he enterado, ¡oh rey feliz!, de que [el rey dijo:]

«Lo pondré a prueba y sabré si es impostor o persona sincera; si ha sido educado en el desahogo, o no.» «¿Cómo lo probarás?» «Tengo una gema. Lo mandaré a buscar y haré que comparezca ante mí. Cuando esté sentado, lo trataré con honor y le entregaré la gema. Si la reconoce y sabe su precio quiere decir que es persona de bien y de posición desahogada. Si no la reconoce, sabremos que es un impostor y un charlatán y lo mataré del modo más infame.» El rey mandó buscar a Maruf y lo hizo presentar. Una vez ante él, lo saludó y le devolvió el saludo; luego lo hizo sentar a su lado. Le preguntó: «¿Eres tú el comerciante Maruf?» «¡Sí!» «Los comerciantes aseguran que les debes sesenta mil dinares. ¿Es verdad lo que dicen?» «¡Sí!» «¿Y por qué no les das su dinero?» «Que esperen hasta que lleguen mis mercancías, y les daré el doble: si quieren oro, les daré oro; si prefieren plata, se la daré, y si desean mercancías, las tendrán; a quien me haya prestado mil, le daré dos mil como recompensa por haberme salvado la faz ante los pobres, pues yo tengo grandes riquezas.» El rey le dijo a continuación: «¡Comerciante! Coge esta gema, mira de qué clase es, y tásala». Le entregó una piedra del tamaño de una avellana, que el rey había comprado por mil dinares; como no tenía otras, la sobrevaloraba. Maruf la cogió con la mano, la estrujó entre el pulgar y el índice y la rompió, ya que la gema era delicada y frágil. El rey le preguntó: «¿Por qué has roto la gema?» Maruf rompió a reír y replicó: «¡Rey del tiempo! ¡Esto no es una gema! ¡Esto es un pedazo de mineral que vale mil dinares! ¿Cómo puedes decir que es una gema? Una gema cuesta, cuando menos, setenta mil dinares, y esto no es más que un pedazo de piedra. Todo aquello que no llega al tamaño de una nuez, carece de valor para mí y no me interesa. ¿Cómo tú, que eres rey, dices que esto es una gema cuando en realidad es un pedazo de mineral que vale mil dinares? Pero tenéis disculpa, ya que sois pobres y no poseéis tesoros de valor». El rey le contestó: «¡Comerciante! ¿Tienes gemas como ésas de las que hablas?» «¡Muchas!» La avaricia del rey fue en aumento, y le dijo: «¿Me darás gemas verdaderas?» «Cuando lleguen mis mercancías te daré muchas, de cualquier clase que me las pidas; te las regalaré.» El rey se alegró y dijo a los comerciantes: «Id a vuestros quehaceres y esperad hasta que lleguen las mercancías. Entonces volved: yo os daré lo que os pertenezca». Los comerciantes se marcharon. Esto es lo que hace referencia a Maruf y a los comerciantes.

He aquí ahora lo que se refiere al rey: recibió al ministro y le dijo: «Trata con miramientos al comerciante Maruf. Tómalo contigo, habla con él y dile que se podría casar con mi hija: así nos haremos con los tesoros que posee». El visir objetó: «¡Rey del tiempo! El aspecto de este hombre no me gusta, y creo que es un falsario y un embustero. Quítate eso de la cabeza y no pierdas a tu hija en vano». El visir, con anterioridad, había pedido al rey que lo casase con su hija. El rey había querido casarla, pero la muchacha, al enterarse, no había accedido. El rey lo increpó: «¡Traidor! Tú no quieres mi bienestar porque anteriormente me pediste a mi hija y ella no aceptó casarse contigo. Por eso ahora quieres cortar el camino de su matrimonio. Tú querrías que mi hija quedase en barbecho hasta que tú pudieras casarte con ella. Pero oye esto: tú no tienes nada que ver en este asunto. ¿Cómo puede ser impostor y embustero si ha tasado la gema en el mismo precio en que la he comprado, y la ha roto porque no le gustaba y porque dispone de muchas otras gemas? Cuando se presente ante mi hija, verá que es bella, le sorberá el seso y le dará gemas y tesoros. Tú quieres impedir que mi hija y yo nos hagamos con esos tesoros». El visir calló, pues temía que el rey se encolerizase con él. Se dijo: «Azuza los perros contra el rebaño». Fue en busca del comerciante Maruf y le dijo: «La majestad del rey te ama; tiene una hija muy hermosa y bella y quiere casarla contigo. ¿Qué opinas?» «Que no hay inconveniente alguno en ello, pero ha de esperar hasta que lleguen mis mercancías, pues la dote de las hijas de los reyes es crecida, y su rango exige que dicha dote sea apropiada a su categoría. En este momento no tengo dinero. Que espere hasta que lleguen las mercancías, pues tengo grandes riquezas y he de gastar en la dote cinco mil bolsas; además, necesitaré otras mil para distribuirlas entre los pobres y los indigentes la noche en que consume el matrimonio; mil más para darlas a los que formen parte del cortejo, sin contar las mil que he de emplear en dar comidas a los soldados y otras personas. Necesito, además, cien gemas para dárselas a la princesa el día siguiente de la noche de bodas, y otras cien para distribuirlas entre criados y eunucos; a cada uno le daré una. Y todo esto para enaltecer el rango de la novia. Quiero, además, vestir a mil pobres desharrapados y hacer limosnas. Todo esto es imposible si no me llegan las mercancías. Yo tengo bienes tan grandes, que una vez aquí mi equipaje, no me preocuparán esos gastos.» El visir corrió a informar al rey de lo que había dicho. El soberano le replicó: «Si tal es su intención, ¿cómo puedes decir que es un impostor y un embustero?» «¡Pues sigo diciéndolo!» El rey se enfadó con él, lo reprendió y le dijo: «¡Por vida de mi cabeza! Si no dejas de decir esas palabras, te mataré. Ve a su lado y tráelo ante mí, pues yo me entenderé con él». El visir fue a buscarlo y le dijo: «¡Ven a hablar con el rey!» «¡Oír es obedecer!» Una vez ante el soberano, éste le dijo: «No te disculpes de esa manera, pues mis tesoros están repletos. Quédate con las llaves, gasta lo que necesitas, da lo que quieras, viste a los pobres, haz lo que te plazca y no te preocupes por mi hija y las esclavas. Cuando lleguen tus fardos, darás a tu esposa lo que tu generosidad te aconseje. Nosotros esperaremos que lleguen tus efectos para recibir la dote nupcial. Entre nosotros dos no hay diferencia alguna». Luego ordenó al jeque del Islam que escribiese el contrato de matrimonio de la hija del rey con el comerciante Maruf. Después se dedicó a preparar la fiesta y mandó engalanar la ciudad y redoblar los tambores; se pusieron las mesas con toda clase de guisos y acudieron los músicos. El comerciante Maruf se encontraba sentado en una silla frente a los músicos, juglares, bufones, ilusionistas y magos. Daba órdenes al tesorero, diciéndole: «¡Trae oro y plata!» Le llevaban lo que él pedía, y él recorría las filas de los espectadores y daba un puñado a cada músico; era generoso con pobres e indigentes y vestía a los desharrapados. Era una fiesta de campanillas en la que el tesorero apenas tenía tiempo para ir del tesoro a la casa. El corazón del visir estaba a punto de estallar de ira, pero no podía hablar. El comerciante Alí estaba admirado del despilfarro de tanta riqueza. Dijo al comerciante Maruf: «¡Que Dios y los hombres caigan sobre tu sien! ¿Es que no te basta con haber dilapidado los bienes de los comerciantes? ¿Tienes que acabar ahora con las riquezas del rey?» El comerciante Maruf le replicó: «¡Nada te importa! Cuando lleguen mis mercancías, se lo devolveré al rey con creces». Siguió despilfarrando el dinero y se dijo: «¡Maldita peste! Lo que sea, será. No puede escaparse al destino». Las fiestas duraron cuarenta días. El día cuadragésimo primero se formó el cortejo nupcial para acompañar a la novia. Delante de ella iban todos los emires y soldados. Al llegar ante Maruf, éste empezó a arrojar oro a manos llenas por encima de las cabezas de las personas. Se formó un cortejo enorme, al cual distribuyó gran cantidad de dinero. Lo condujeron ante la reina. Maruf se sentó en un estrado alto. Quitaron los velos, cerraron las puertas, salieron y lo dejaron a solas con la novia. Maruf dio una palmada y se sentó, triste, durante un rato, mientras daba palmadas. Decía: «¡No hay fuerza ni poder sino en Dios, el Altísimo, el Grande!» La reina le preguntó: «¡Señor mío! ¡Ten tranquilidad! ¿Por qué estás preocupado?» «¡Cómo no he de estar preocupado si tu padre me ha puesto en un aprieto y me ha hecho una faena igual a la de aquel que quema la cosecha estando verde!» «¿Qué es lo que te ha hecho mi padre? ¡Dímelo!» «Me ha presentado a ti antes de que lleguen mis mercancías. El menor de mis deseos consistía en distribuir cien gemas a tus esclavas, a una por cabeza, de modo que se alegraran y dijesen: "Mi señor me ha dado una gema la noche en que ha consumado el matrimonio con mi señora". Con ello pretendía aumentar tu prestigio y acrecentar tu nobleza. No tengo por qué ser parco en dar joyas, desde el momento en que dispongo de muchas.» La princesa le replicó: «No te preocupes ni te entristezcas por esta causa. Por mí no te aflijas, pues esperaré a que lleguen tus mercancías. No te atormentes por mis esclavas: quítate los vestidos y disfruta. Cuando lleguen las mercancías nos haremos con esas y otras gemas». Maruf se puso de pie, se quitó los vestidos, se sentó en la cama, buscó la excitación y empezó a entusiasmarse: colocó la mano en la rodilla de la muchacha y ésta se sentó en su regazo y le colocó los labios en la boca. Así llegó la hora en que el hombre olvida al padre y a la madre; Maruf la estrechó, la abrazó contra su pecho y le chupó los labios hasta que corrió la miel de su boca. Colocó la mano bajo el axila derecha y los miembros de los dos, todos, temblaron ansiando la unión; la acarició entre los senos, se desplazó entre sus muslos, se hizo ceñir con sus piernas, realizó las dos operaciones y chilló: «¡Oh, padre de los dos velos!» Frotó la yesca, encendió la mecha y la apuntó hacia la brújula; prendió fuego, y derribó la torre por sus cuatro costados. Así tuvo lugar el acontecimiento por el cual no se pregunta. La muchacha exhaló el alarido de rigor...

Sahrazad se dio cuenta de que amanecía e interrumpió el relato para el cual le habían dado permiso.

Cuando llegó la noche *novecientas noventa y cuatro*, refirió:

—Me he enterado, ¡oh rey feliz!, de que [la muchacha exhaló el alarido de rigor] y el comerciante Maruf le arrebató la virginidad. Aquella noche no puede contarse entre las vividas porque juntó la unión con la bella, abrazos, excitaciones, besos y caricias hasta la mañana. A la mañana siguiente, Maruf se dirigió al baño, en el que se puso una túnica regia, y al salir se dirigió a la audiencia del rey. Todos los presentes se pusieron de pie ante él y lo recibieron con respeto y honor; lo felicitaron y pidieron para él toda suerte de bendiciones. Se sentó al lado del rey y preguntó: «¿Dónde está el tesorero?» Le contestaron: «Aquí, ante ti». Dirigiéndose a él, añadió: «Trae trajes de Corte y dáselos a los visires, a los emires y a los altos funcionarios». El tesorero le llevó todo lo que le había pedido y se sentó; daba a todo aquel que se le acercaba y regalaba a cada persona según su rango. En esta situación siguió durante veinte días, sin que llegaran sus mercancías ni cosa alguna. Entonces, el tesorero, puesto en el máximo aprieto, aprovechó una ausencia de Maruf para presentarse ante el rey. Éste y el visir estaban sentados. El tesorero besó el suelo ante el soberano y le dijo: «¡Rey del tiempo! He de informarte de algo, pues me reprenderías si no lo hiciera: sabe que el tesoro está exhausto, que no quedan riquezas, salvo unas pocas, y que dentro de diez días se habrán terminado por completo». El rey dijo: «¡Visir! Las mercancías de mi yerno se retrasan, y no tenemos noticias de ellas». El visir se echó a reír y exclamó: «¡Que Dios sea indulgente contigo, rey del tiempo! Ignoras voluntariamente el modo de obrar de ese impostor embustero. ¡Juro por vida de tu cabeza que no hay mercancías ni peste que nos libre de él! Te ha ido engañando hasta gastar tus riquezas y casarse con tu hija, sin tener nada. ¿Hasta cuándo te despreocuparás de ese embustero?» «¡Visir! ¿Qué hay que hacer para saber la verdad?» «¡Rey del tiempo! El secreto del hombre sólo lo conoce la mujer. Envía a buscar a tu hija para que se coloque detrás de la cortina y yo pueda interrogarla sobre la verdad, para que ella lo examine y nos informe de su situación.» «¡No hay inconveniente! ¡Por vida de mi cabeza! Si se comprueba que es un impostor y embustero, le daré una muerte infamante.» Tomó consigo al visir, entró con él en el salón y mandó a buscar a su hija. Ésta fue a colocarse detrás de la cortina. Todo ocurría en ausencia del esposo. Cuando llegó, preguntó: «¡Padre mío! ¿Qué quieres?» «¡Habla con el visir!» «¡Visir! ¿Qué pretendes?» El ministro contestó: «¡Señora mía! Sabe que tu esposo ha dilapidado los bienes de tu padre y se ha casado contigo sin pagar la dote; siempre nos hace promesas y retrasa su cumplimiento; de sus mercancías no tenemos ni noticia. En resumen: queremos que nos informes». La princesa replicó: «Palabras le sobran, en todo momento se acerca a mí y me promete joyas, tesoros y telas preciosas, pero yo no he visto aún nada». «¡Señora mía! Esta noche puedes decirle: "Infórmame de la verdad y no temas, pues ya eres mi esposo y yo no haré nada contra ti. Dime cuál es la situación verdadera y yo idearé algún medio para que salgas con bien de ello". Muéstrale gran amor y cariño. Ya nos informarás del resultado». Contestó: «¡Padre mío! Yo sé cómo he de ponerlo a prueba». Y se marchó.

Después de la cena entró su marido, Maruf, como tenía por costumbre. La princesa se puso en pie, lo cogió del brazo, le sedujo de manera completa y lo engañó con las mil tretas que las mujeres emplean cuando quieren algo de un hombre. Siguió deslumbrándole y dirigiéndole palabras más dulces que la miel hasta que le robó el entendimiento. Cuando se dio cuenta de que Maruf estaba completamente embobado, le dijo: «¡Amigo mío! ¡Refresco de mis ojos! ¡Fruto de mi corazón! ¡Que Dios no me atormente privándome de ti, y que el tiempo no nos separe jamás! Tu amor reside en mi corazón y el fuego de tu pasión abrasa mis entrañas. Jamás te he desobedecido. Desearía que me informases de la verdad, ya que los engaños de la mentira no son útiles y no perduran a todo lo largo del tiempo. ¿Hasta cuándo engañarás y mentirás a mi padre? Temo que descubra tu asunto antes de que nosotros hayamos podido urdir una treta. Te maltratará. Cuéntame la verdad, y sólo te sucederán cosas que te alegren. Una vez me hayas referido cuál es la verdadera situación, no habrá nada que te perjudique. Tú pretendes ser un comerciante rico y con mercancías; pero ya hace mucho tiempo que dices: "Mis mercancías, mis mercancías", sin que tengamos ninguna otra noticia de ellas. Tu cara refleja tu preocupación por esta causa. Si tus palabras no son verdad, dímelo y yo idearé un medio con el cual puedas salvarte, si Dios lo quiere». Maruf le contestó: «¡Señora mía! Yo te diré la verdad, y luego haz lo que quieras». «Dime la verdad, pues la verdad constituye el navío de la salvación. Guárdate de mentir, pues la mentira infama a su autor. ¡Qué bien dijo el poeta!:

> Debes decir la verdad, aunque la verdad te abrase
> como el fuego prometido.
> Procura que Dios quede contento de ti, pues la
> criatura más estúpida es aquella que irrita al
> Señor y contenta al siervo.»

Maruf refirió: «Sabe, señora mía, que yo no soy comerciante ni tengo mercancías de ninguna clase. En mi país era un remendón y tenía una esposa llamada Fátima al-Urra, con la cual me ha sucedido tal y tal cosa». Le contó toda la historia, desde el principio hasta el fin. La princesa se echó a reír y le dijo: «¡Eres muy experto en el arte de mentir y enredar!» «¡Señora mía! ¡Que Dios (¡ensalzado sea!) te conserve la vida para esconder las faltas y desligar las penas!» La princesa le dijo: «Sabe que has enredado a mi padre y lo has deslumbrado por completo, hasta el punto de que me ha casado contigo por avaricia. Tú has dilapidado sus bienes, mientras el ministro te ha censurado. ¡Cuántas veces ha hablado contra ti a mi padre, diciendo!: "¡Es un impostor, un embustero!" Pero mi padre no daba crédito a lo que decía, porque él me había pedido en matrimonio y yo no había aceptado. Pero ha transcurrido bastante tiempo y mi padre se encuentra incómodo. Me ha dicho: "¡Confiésalo!", y yo lo he hecho y he descubierto lo que estaba oculto. Por esta causa, mi padre quiere castigarte. Pero tú eres mi esposo y yo no te perjudicaré. Si contase tu historia a mi padre, quedaría convencido de que eres un embustero y lioso y de que buscas a las hijas de los reyes y dilapidas sus riquezas. Tu falta no obtendría su perdón, te mataría sin remedio, y las gentes se enterarían de que yo me había casado con un impostor y embustero. Esto constituiría una ignominia para mí. Si mi padre te matara, es posible que necesitara casarme con otro, y esto yo no lo consentiría, aunque tuviese que morir. Levántate, ponte un traje de mameluco, coge de mi dinero cincuenta mil dinares, monta en un corcel y márchate a un país al que no alcance la autoridad de mi padre. Dedícate al comercio, escríbeme una carta y mándala con un correo para que me la entregue en secreto. Así sabré en qué país estás y te enviaré cuanto pueda para aumentar tus bienes. Si muere mi padre, te enviaré un mensajero y entrarás aquí con pompa y honor. Y si mueres tú o muero yo y pasamos a la misericordia de Dios (¡ensalzado sea!), el día de la Resurrección nos reuniremos. Esto es lo más indicado. Mientras tú y yo estemos bien, no cortaré la correspondencia ni el envío de bienes. Levántate antes de que amanezca: no sabrías qué hacer, y la ruina se abatiría sobre ti». Maruf contestó: «¡Señora mía, dame el abrazo de la despedida!» «¡No hay inconveniente!» Se unió a ella, se lavó, se puso un traje de mameluco y mandó a los caballerizos que le ensillaran uno de los mejores caballos. Le ensillaron un corcel. Maruf se despidió de la princesa y salió de la ciudad al fin de la noche. Todos los que lo veían creían que era uno de los mamelucos del sultán que salía de viaje por razones de servicio. Al amanecer acudieron al salón el rey y el visir. Aquél mandó buscar a la princesa, la cual acudió y se colocó detrás de la cortina. Preguntó: «¡Hija mía! ¿Qué dices?» «¡Que Dios ennegrezca el rostro de tu visir, pues el propósito de éste era ennegrecer el mío ante mi esposo!» «¿Y cómo es eso?» «Ayer, antes de que yo pudiera decirle esas palabras, entró Farach, el eunuco, con una carta, y dijo: "Al pie de la ventana del alcázar esperan diez mamelucos, que me han dado esta carta. Me han dicho: 'Besa las manos de mi señor, Maruf, el comerciante, y entrégale esta carta. Nosotros somos los mamelucos que acompañaban las mercancías. Nos hemos enterado de que se ha casado con la hija del rey y hemos venido a informarlo de lo que nos ha sucedido en el camino'". Maruf la ha leído. Decía: "De los quinientos esclavos, a la excelencia de nuestro dueño, el comerciante Maruf. Y despierte, pues hemos de informar: Cuando nos abandonaste, los beduinos nos atacaron y nos combatieron. Disponían de dos mil caballos, mientras que nosotros sólo éramos quinientos. La lucha que sostuvimos con los beduinos fue tremenda; ellos nos impedían seguir el camino, y hemos empleado treinta días en combatirlos. Ésta es la causa de nuestro retraso.

Sahrazad se dio cuenta de que amanecía e interrumpió el relato para el cual le habían dado permiso.

Cuando llegó la noche *novecientas noventa y cinco,* refirió:

—Me he enterado, ¡oh rey feliz!, de que [la princesa dijo: »"...la carta proseguía:] "...Se han apoderado de doscientos fardos de telas y han matado cincuenta mamelucos". Al leerlo exclamó: "¡Que Dios los defraude! ¿Por qué habrán combatido a los beduinos por doscientos fardos de mercancías? ¿Qué importan doscientos fardos? Por eso no tenían que haberse retrasado. Doscientos fardos cuestan siete mil dinares. He de ir a su lado para darles prisa. Lo que han cogido los beduinos no disminuye en nada el valor de la caravana y no me perjudica en absoluto; podía haberlo dado de limosna". Dicho esto, se ha marchado, riendo, de mi lado, sin preocuparse por los bienes perdidos ni por los mamelucos muertos. Mientras se marchaba, he mirado por la ventana del alcázar y he visto a los diez mamelucos que le llevaron la carta: parecían lunas. Cada uno de ellos vestía una túnica que costaba mil dinares. Mi padre no tiene mamelucos que puedan compararse a aquéllos. Después se marchó a reunirse con la caravana, acompañado de los mamelucos que le han traído la carta. ¡Loado sea Dios que me ha impedido pronunciar las palabras que me mandaste! Se hubiera burlado de mí y de ti, y quizá me hubiera mirado con desprecio y odiado. La falta, por entero, es de tu visir, que ha hablado acerca de mi marido con palabras inconvenientes». El rey le contestó: «¡Hija mía! Los bienes de tu esposo son inmensos, y no piensa en esto. Desde el día en que entró en nuestro país, da limosna a los pobres. Si Dios quiere, dentro de poco llegará con la caravana y recibiremos grandes bienes». Empezó a tranquilizar a su hija y a reprender al ministro. El engaño se prolongaba. Esto es lo que hace referencia al rey.

He aquí ahora lo que se refiere al comerciante Maruf: montó a caballo y cruzó tierras y desiertos. Estaba perplejo y no sabía a qué país dirigirse. El dolor de la separación le hacía sollozar; la pasión y el sufrimiento lo atormentaban. Recitó estos versos:

El tiempo ha traicionado nuestra unión: nos hemos separado; el corazón se desgarra y arde por la crueldad.
Los ojos lloran por la separación de los amados. Esto es la separación; ¿cuándo se producirá el encuentro?
¡Oh, tú, cuyo rostro brilla como la luna resplandeciente! Yo soy aquel a quien vuestro amor ha desgarrado el corazón.
¡Ojalá no hubiese estado unido a ti ni un mo-

mento! Después de nuestra bella unión, he probado la miseria.
Maruf no ha dejado de amar a Dunya. Aunque tenga que morir de pasión, ¡viva ella muchos años!
¡Oh, resplandor del Sol luminoso! Aproxímate al corazón de Maruf, que arde de amor.
¿Volverán a reunirnos los días y disfrutaremos de la alegría y del encanto?
¿Nos reunirá el alcázar de la amada y abrazaré en él la rama que crece sobre la duna?
¡Oh, tú, hermoso rostro de luna que resplandeces cual sol! ¡Ojalá tu rostro brille siempre con sus galas!
Estoy contento con el amor y su peso, puesto que la felicidad en el amor es, al mismo tiempo, dolor.

Una vez hubo terminado de recitar estos versos rompió a llorar amargamente: todos los caminos se cerraban ante su casa; prefería la muerte a la vida; estaba tan perplejo, que andaba como un borracho. Avanzó sin cesar hasta el mediodía, en que llegó a un pueblo pequeño. Vio allí a un labrador que araba la tierra con dos bueyes. Maruf tenía mucha hambre. Se dirigió al labrador y le dijo: «¡La paz sea sobre ti!» Él le devolvió el saludo, y añadió: «¡Bien venido, señor mío! ¿Eres uno de los mamelucos del sultán?» «¡Sí!» «Apéate aquí para que te conceda hospitalidad.» Maruf comprendió que se trataba de una persona generosa, y replicó: «¡Hermano mío! Veo que no tienes nada para darme de comer. ¿Cómo, pues, me invitas?» El labrador le contestó: «¡Señor mío! Los bienes se encuentran. Apéate; la aldea está cerca: iré y te traeré la comida y el pienso para tu caballo». «Desde el momento en que el pueblo está cerca, yo mismo me llegaré hasta él en el mismo tiempo que tú; en el zoco compraré lo que desee para comer.» Le replicó: «¡Señor mío! El pueblo es muy pequeño y no tiene zoco ni hay compraventa en él. Te ruego, por Dios, que te hospedes en mi casa. Yo iré y volveré en seguida.» Maruf se apeó. El campesino lo dejó y fue al pueblo en busca de comida.

Maruf se sentó para esperarlo. Se dijo: «He distraído a este pobre hombre de su trabajo. Pero ya que me quedo, labraré la tierra en su lugar hasta que vuelva, y así recuperará el tiempo que le hago perder». Cogió el arado, guió a los bueyes y aró poco, porque el arado tropezó con algo. Los animales se pararon. Los azuzó, pero no pudieron seguir avanzando. Se fijó en el arado y vio que estaba enredado en una anilla de oro. Quitó la tierra que la cubría y vio que la anilla estaba sujeta al centro de una losa de mármol que tenía el tamaño de una muela. Se esforzó hasta conseguir levantarla del sitio en que se encontraba: apareció un piso con una escalera. Bajó por ella y se encontró en un lugar que parecía un baño con cuatro pabellones. El primero estaba repleto, desde el suelo hasta el techo, de oro; el segundo estaba lleno de esmeraldas, perlas y coral, desde el suelo hasta el techo; el tercero estaba repleto de jacintos, rubíes y turquesas; el cuarto estaba lleno de diamantes, de las más preciosas gemas y de toda clase de joyas. En la cabecera de aquel sitio había una caja del cristal más puro, llena de joyas sin par; cada una de ellas tenía el tamaño de una nuez. Encima de la caja había un pequeño estuche, del tamaño de un limón, que era de oro. Al verlo quedó admirado y se alegró muchísimo. Exclamó: «¡Ojalá supiera qué es lo que hay en esa caja!» La abrió y encontró un anillo de oro en el cual estaban escritos nombres y talismanes que parecían trazos de hormiga. Frotó el anillo y oyó a alguien que decía: «¡Heme aquí, heme aquí, señor mío! ¡Pide y te será dado! ¿Quieres construir un pueblo o arruinar una ciudad? ¿Matar a un rey o excavar el curso de un río, o alguna cosa por el estilo? Todo lo que desees ocurrirá, con el permiso del Rey Omnipotente, del Creador de la noche y del día». Le replicó: «¡Criatura de mi Señor! ¿Quién eres? ¿Cuál es tu historia?» Explicó: «Yo soy el criado de este anillo y estoy al servicio de su dueño. Realizaré cualquier deseo que tengas, y no intentaré disculparme de lo que me mandes. Yo soy el sultán de gentes de los genios, y mis ejércitos suman setenta y dos tribus, cada una de las cuales cuenta con setenta y dos mil individuos; uno de cada mil manda a mil genios; cada genio manda a mil criados;

cada criado manda a mil demonios, y cada demonio manda a mil duendes. Todos están a mis órdenes, y nadie puede contradecirme. Yo estoy sujeto a este anillo y no puedo desobedecer a su dueño: tú lo posees, y, por tanto, soy tu criado. Pide lo que quieras, pues escucharé tus palabras y obedeceré tus órdenes. Siempre que me necesites, sea en tierra o en mar, frota el anillo y me encontrarás a tu lado. ¡Guárdate de frotarlo dos veces consecutivas! Me abrasarías con el fuego de los hombres, me aniquilarías y te arrepentirías. Te he explicado mi situación. Y la paz».

Sahrazad se dio cuenta de que amanecía e interrumpió el relato para el cual le habían dado permiso.

Cuando llegó la noche *novecientas noventa y seis,* refirió:

—Me he enterado, ¡oh rey feliz!, de que Maruf le preguntó: «¿Cómo te llamas?» Abu-l-Saadat.» «¡Abu-l-Saadat! ¿Qué lugar es éste? ¿Quién te ha encantado en este estuche?» «¡Señor mío! Este lugar es un tesoro que se llama tesoro de Saddad b. Ad, el cual construyó Iram dat al-Imad[1]; en ningún país se ha construido otra ciudad parecida. Yo fui, mientras vivió, su criado. Éste fue su anillo, que depositó en su tesoro. Y te ha tocado en suerte.» Maruf le preguntó: «¿Puedes sacar lo que hay en este tesoro a la faz de la tierra?» «¡Sí! Es la cosa más fácil.» «¡Pues saca todo lo que hay en él y no dejes nada!» El criado señaló con la mano al suelo y éste se hendió. Aquel ser desapareció bajo tierra y permaneció ausente un pequeño espacio de tiempo. Luego pajes jóvenes, graciosos y de rostro hermoso, salieron llevando a cuestas cestos de oro completamente repletos de oro. Los vaciaron, se marcharon, regresaron con otros y siguieron transportando oro y gemas sin interrupción. Aún no había pasado una hora cuando dijeron: «¡Ya no queda nada en el tesoro!» Luego reapareció Abu-l-Saadat, quien dijo: «¡Señor mío! Me he convencido de que hemos trasladado todo lo que había en el tesoro». Maruf le preguntó: «¿Quiénes son estos hermosos muchachos?» «Mis hijos. Este trabajo no exigía el tener que reunir

[1] Cf. *El Corán* 89, 6.

a los criados, ya que mis hijos han podido satisfacer tu deseo y se han honrado sirviéndote. Pide lo que quieras, además de esto.» «¿Puedes traerme mulos y cajas, colocar estas riquezas en las cajas y trasladar las cajas a lomos de los mulos?» «¡Es la cosa más fácil!» Lanzó un grito estridente, y sus hijos se volvieron a presentar. Eran ochocientos. Les dijo: «Metamorfoseaos unos en mulos y otros en bellos mamelucos, de tal modo que el menor de vosotros no tenga par junto al rey de reyes; otros se transformarán en arrieros, y otros, en criados». Hicieron lo que les había mandado. Luego llamó a los siervos y éstos acudieron ante él. Ordenó que unos se transformasen en caballos con arreos de oro incrustados de aljófares. Maruf, al ver aquello, exclamó: «¿Y dónde están las cajas?» Las colocaron delante. Añadió: «Colocad el oro y las gemas debidamente ordenados». Le obedecieron y lo cargaron en trescientos mulos. Maruf preguntó: «Abu-l-Saadat, ¿puedes traerme fardos de las telas más preciosas?» «¿Las quieres egipcias, chinas, bizantinas, indias o persas?» «Trae cien fardos de telas de distintos países, cargados en cien mulos.» Le contestó: «Concédeme un plazo, a fin de que prepare a mis servidores para hacerlo y dé orden a los distintos grupos para que vayan a las ciudades y traiga cada uno los cien fardos de tela. Luego se metamorfosearán en mulos y transportarán las mercancías». «¿Qué plazo de tiempo?» «¡Las tinieblas de una noche! Antes de que aparezca el día, tendrás todo lo que has pedido.» «¡Te concedo el plazo!» A continuación les mandó que levantasen una tienda. Así lo hicieron. Se sentó y le sirvieron la mesa. Abu-l-Saadat dijo: «¡Señor mío! Siéntate en la tienda. Estos hijos míos, los que tienes ante ti, te guardarán. No temas nada. Yo voy a reunir a mis vasallos para enviarlos a cumplir tu deseo». Abu-l-Saadat se marchó a sus quehaceres.

Maruf se sentó en la tienda. Tenía ante sí la mesa y a los hijos de Abu-l-Saadat, que habían adoptado figura de mamelucos, criados y eunucos. Mientras estaba sentado de esta manera, llegó el campesino con una gran cazuela de lentejas y un saco lleno de cebada. Vio la tienda levantada y los mamelucos de pie y con las manos sobre el pecho. Creyó que había llegado el sultán y acampado en aquel lugar. Se quedó perplejo y se dijo: «Si lo hubiese sabido, habría degollado dos gallinas y las habría asado con grasa de vaca para honrar al sultán». Quiso volver atrás para degollar a las dos gallinas y hacer con ellas los honores al sultán. Pero Maruf lo vio y gritó a los mamelucos: «¡Traédmelo!» Lo llevaron con la cazuela de lentejas y lo colocaron ante él. Maruf preguntó: «¿Qué es esto?» Le contestó: «Tu almuerzo y el pienso de tu caballo. No me reprendas, pues yo no sabía que el sultán iba a venir a este lugar. Si lo hubiese sabido, habría degollado mis dos gallinas y habría preparado un magnífico festín». Maruf replicó: «El sultán no ha venido, pero yo soy su yerno. Como estaba enfadado con él, me ha mandado a sus mamelucos. Éstos nos han reconciliado y ahora voy a volver a la ciudad. Tú me has preparado esta comida sin saber quién era, y yo acepto la invitación aunque se trate de lentejas: sólo comeré aquello a que me invites». A continuación mandó que colocasen la cazuela en el centro de la mesa y comió hasta quedar harto. En cambio, el campesino se llenó el vientre de todos los exquisitos guisos. Después Maruf se lavó las manos y dio permiso a los mamelucos para que comiesen. Se abalanzaron sobre lo que quedaba en la mesa y comieron. Maruf, cuando hubo terminado con la cazuela de lentejas, la llenó de oro y dijo: «¡Llévala a tu casa y ven conmigo a la ciudad, en donde te honraré!» El campesino cogió la cazuela llena de oro, azuzó a los bueyes y se marchó a su pueblo creyendo ser un rey.

Maruf pasó la noche en paz y tranquilidad. Unas muchachas, las esposas del tesoro, tocaron instrumentos y bailaron ante él. Pasó una de aquellas noches que no vuelve a repetirse en el curso de la vida. Al día siguiente, y antes de que pudiera darse cuenta, se levantó una nube de polvo que, al disiparse, permitió ver mulos cargados de fardos. En total eran setecientos, que transportaban telas. Junto a ellos, como arrieros, había pajes, esportilleros y antorcheros. Abu-l-Saadat apareció, como capataz, montado en una mula precedida por un palanquín con cuatro alforjas repletas de gemas. Al llegar ante la tienda, se apeó de la mula, besó el suelo y dijo: «¡Señor mío!

La cosa está completamente concluida y perfecta. Este palanquín contiene una túnica que vale un tesoro y que no tiene igual entre los vestidos de los reyes. Póntela, sube al palanquín y mándanos lo que desees». «Abu-l-Saadat —replicó—, quiero escribir una carta, que llevarás a la ciudad de Jityan al-Jitán. Te presentarás ante mi tío, el rey, como si fueses un atento correo.» «¡Oír es obedecer!» Maruf escribió la carta y la selló. Abu-l-Saadat la cogió y corrió hasta hallarse ante el rey. Oyó que éste decía: «¡Visir! Tengo el corazón apenado por mi yerno, y temo que los beduinos lo maten. ¡Ojalá supiera hacia dónde ha ido para poder mandar a las tropas que lo sigan! ¡Ojalá me hubiese informado antes de marcharse!» El visir replicó: «¡Que Dios sea indulgente contigo por el descuido en que vives! ¡Por vida de tu cabeza! Ese hombre se ha dado cuenta de que estábamos alerta y, temiendo una desgracia, ha huido. Es un embustero y un impostor». Entonces entró el correo: besó el suelo ante el rey e hizo los votos de rigor por la larga duración de su poder, bienestar y vida. El rey le preguntó: «¿Quién eres? ¿Qué deseas?» Contestó: «Soy un correo que te envía tu yerno. Está a punto de llegar con la caravana, y por mi mediación te envía una carta. Ésta es.» El rey la cogió y leyó: «Paz completa a nuestro tío, el rey poderoso. Me acerco con la caravana. Sal a recibirme con las tropas». El rey exclamó: «¡Que Dios ennegrezca tu rostro, visir! ¡Cuánto has atentado contra el honor de mi yerno, acusándolo de impostor y embustero! Pero ahora llega con la caravana. ¡Tú eres un traidor!» El visir, completamente avergonzado, bajó la cabeza. Replicó: «¡Rey del tiempo! Si dije tales palabras, fue debido a lo mucho que tardaba en llegar la caravana. Temía que se perdieran las riquezas que había dilapidado.» «¡Traidor! ¿Qué representan mis bienes ahora que ha llegado la caravana? Me va a dar mucho más a cambio de ellas». El rey mandó engalanar la ciudad, se presentó ante su hija y le dijo: «¡Buenas noticias para ti! Tu esposo va a llegar pronto con la caravana. Me ha enviado una carta anunciándolo. Voy a salir a recibirlo». La hija del rey se admiró de aquella situación y se dijo: «¡Esto es algo admirable! ¿Ha querido burlarse y reírse de mí, o bien me ha puesto a prueba diciéndome que era pobre? ¡Loado sea Dios por no haber despreciado su posición!» Esto es lo que al rey se refiere.

He aquí lo que hace referencia al comerciante Alí, el egipcio. Al ver que engalanaban la ciudad, preguntó por la causa. Le dijeron: «Maruf, el yerno del rey, llega con la caravana». Exclamó: «¡Dios es el más grande! ¿Qué significa esta astucia? a mí se me presentó huyendo de su esposa y pobre. ¿De dónde sacará la caravana? Tal vez la hija del rey haya ideado alguna estratagema por temor del escándalo. Nada es imposible a los reyes. ¡Que Dios (¡ensalzado sea!) lo proteja y no lo humille!»

Sahrazad se dio cuenta de que amanecía e interrumpió el relato para el cual le habían dado permiso.

Cuando llegó la noche *novecientas noventa y siete,* refirió:

—Me he enterado, ¡oh rey feliz!, de que los demás comerciantes se alegraron muchísimo porque iban a recuperar su dinero.

El rey reunió a sus tropas y salió. Abu-l-Saadat había regresado al lado de Maruf y le había informado de la entrega de la carta. Éste le dijo: «¡Carga los fardos!» Los cargaron. Maruf se puso una túnica que valía un tesoro y montó en el palanquín: era mil veces más imponente y digno que un rey. Después de recorrer la mitad del camino, el rey salió a su encuentro con las tropas. El soberano, al llegar a su lado, vio la túnica que vestía y que viajaba en un palanquín. Se acercó a él y lo saludó, y lo mismo hicieron todos los magnates del reino. Quedó patente que Maruf era veraz y no había mentido. Entró en la ciudad en medio de un cortejo que habría hecho estallar la vejiga de la hiel de un león. Los comerciantes corrieron ante él y besaron el suelo. El comerciante Alí le dijo: «¡Has hecho una buena faena y la has llevado por propia mano, jeque de los impostores! Pero te lo mereces. ¡Que Dios (¡ensalzado sea!) te acreciente sus favores!» Maruf se echó a reír. Una vez dentro del serrallo, se sentó en el trono y dijo: «Colocad los fardos de oro en el tesoro de mi tío, el rey. Traed aquí los fardos de tela». Se los llevaron, empezó a abrir fardo tras fardo y sacó lo que contenían. Así se abrieron los

setecientos fardos. Escogió las mejores piezas y dijo: «Llevadlas a la reina para que las distribuya entre sus esclavas. Coged esta caja de gemas para que las distribuya entre criadas y criados». Después empezó a repartir, entre los comerciantes que le habían prestado dinero, telas por el doble del importe de su deuda. Si le habían dado mil, pagaba en telas por importe de dos mil o más. Después se dedicó a repartir entre pobres e indigentes. El rey lo veía con sus propios ojos pero no podía oponerse. Siguió dando y regalando hasta haber repartido los setecientos fardos. Entonces se volvió hacia los soldado mil, pagaba en telas por importe de dos mil o más.
jacintos, perlas, corales, etcétera. Daba las gemas a puñados y sin número. El rey exclamó, por fin: «¡Hijo mío! Basta ya de tales dones: quedan pocos fardos». Le contestó: «¡Pero aún tengo muchos!» Así quedó claro que había dicho la verdad, y no hubo nadie que pudiera desmentirlo. Maruf sólo pensaba en dar, ya que los criados le proporcionaban cuanto pedía. Al cabo de un rato se presentó el tesorero. Se dirigió al rey y dijo: «¡Rey del tiempo! El tesoro está lleno y no puede contener los fardos que quedan, ni el oro, ni las gemas. ¿Dónde lo colocamos?» El soberano le indicó otro lugar.

Su esposa, la princesa, estaba loca de alegría al ver aquello; admirada, se decía: «¡Quién supiera de dónde ha sacado tantos bienes!» Los mercaderes estaban contentos por los regalos y hacían votos por él. El comerciante Alí se decía: «¡Quién supiera cómo habrá intrigado y mentido para llegar a poseer todos estos tesoros! Si fuesen de la hija del rey, no los repartiría entre los pobres. Pero, ¡cuán bellas son las palabras de quien dijo!:

> Cuando da el rey de reyes, no preguntes por la causa.
> Dios da a quien quiere. Permanece, pues dentro del margen de la educación.»

Esto es lo que a él se refiere.

He aquí lo que hace referencia al rey. Éste quedó profundamente admirado de la generosidad y desprendimiento de Maruf. Más tarde, éste se presentó a su esposa, quien salió a recibirlo sonriente y contenta; le besó la mano. Le preguntó: «¿Te burlabas de mí o me ponías a prueba al decir "soy pobre y huyo de mi esposa"? ¡Loado sea Dios por no haber faltado a mis deberes para contigo! Tú eres mi amado, y nadie me es más caro que tú, seas rico o pobre. Quiero que me digas qué pretendías con tales palabras». «Pretendía ponerte a prueba para saber si tu amor era sincero, o si sólo se debía a las riquezas y a las seducciones del mundo. Me he convencido de que tu amor es sincero, y como me quieres de verdad, sé bien venida, pues ahora conozco tu valor.» Maruf se aisló y frotó el anillo. Abu-l-Saadat se presentó y dijo: «¡Heme aquí! ¡Pide lo que quieras!» Deseo una túnica magnífica para mi esposa y joyas estupendas entre las que se encuentre un collar con cuarenta gemas sin par.» «¡Oír es obedecer!», y en seguida le llevó lo que le había pedido. Después de despedir al criado, cogió las joyas y la túnica, se presentó ante su mujer y colocó todo ante ella. Le dijo: «Cógelo y póntelo. Es un regalo de bienvenida». La princesa, al verlo, perdió la razón de alegría. Entre las joyas se encontró dos ajorcas de oro cuajadas de gemas, que habían sido hechas por magos; pulseras, pendientes y anillos de gran valor. Se puso la túnica y las joyas y dijo: «¡Señor mío! Quiero guardarlo para las fiestas». «¡Póntelas para diario! ¡Tengo tantas!» Las criadas la vieron una vez vestida. Se alegraron mucho y fueron a besar las manos de Maruf. Éste las dejó, y cuando estuvo a solas, frotó el anillo. Apareció el criado, a quien dijo: «Tráeme cien túnicas con sus adornos». «¡Oír es obedecer!» Y le llevó las túnicas, con sus correspondientes adornos. Las cogió y llamó a las criadas. Éstas se acercaron a él. Dio una túnica a cada una de ellas; se las pusieron y quedaron como huríes: la reina, entre ellas, parecía la Luna, y sus esclavas, las estrellas.

Una de las criadas explicó al rey lo ocurrido. Éste acudió a visitar a su hija y la contempló: quedó absorto al ver a la princesa y a sus esclavas. Estaba profundamente admirado. Salió, mandó llamar al visir y le dijo: «¡Ha ocurrido tal y tal cosa! ¿Qué dices del asunto?» «¡Rey del tiempo! Esta situación no es propia de los comerciantes. Los comerciantes guardan las piezas de algodón largos años, y sólo las venden para obtener beneficios. ¿Desde cuándo los comerciantes tienen una generosidad como la suya? ¿Desde cuándo pueden tener riquezas y gemas tales que no se encuentran sino en pequeña cantidad junto a los reyes? ¿Cómo se han de encontrar tales fardos entre los comerciantes? Esto tiene que tener una causa, y si me haces caso, se te hará patente la verdad del asunto.» «¡Te haré caso, visir!» «Ve con él, trátalo con afecto, habla y dile: "¡Yerno! Tengo intención de ir contigo y el visir, sin nadie más, a un jardín para distraernos". Una vez en el jardín, serviremos la mesa del vino, yo me las ingeniaré y le serviré de beber. Cuando haya bebido el vino, perderá la razón y la discreción. Le preguntaremos por la verdad, y él nos informará de sus secretos. El vino es un traidor. ¡Qué bien se dijo!:

> Cuando lo bebimos y él reptaba en su marcha
> hacia la sede de los secretos, le dije: "¡Detente!"
> Temía que sus rayos se enseñoreasen de mí, y mi
> oculto secreto se hiciese patente a mi contertulio.

»Cuando nos haya contado la verdad de su asunto, nosotros estaremos por encima de él y haremos de él lo que queramos. Yo temo que su modo de obrar sea perjudicial para ti. Tal vez aspire al poder; una vez conseguido el ejército con la generosidad y la dádiva, te destituirá y te arrebatará el reino.» El rey le replicó: «Dices verdad».

Sahrazad se dio cuenta de que amanecía e interrumpió el relato para el cual le habían dado permiso.

Cuando llegó la noche *novecientas noventa y ocho*, refirió:

—Me he enterado, ¡oh rey feliz!, de que aquella noche quedaron de acuerdo sobre el asunto.

Al día siguiente por la mañana, el rey se dirigió al salón y se sentó. Los criados y los palafreneros acudieron, preocupados, ante el rey. Éste les preguntó: «¿Qué os ha sucedido?» Le contestaron: «¡Rey del tiempo! Los palafreneros han almohazado los caballos y han dado el pienso a éstos y a los mulos que trajeron los fardos. Pero al amanecer hemos visto que los mamelucos han robado los caballos y los mulos. Hemos registrado los establos, pero no hemos encontrado ni caballos ni mulos. Hemos entrado en la sala de los mamelucos y no hemos encontrado a nadie en ella. No sabemos cómo han podido huir». El rey se admiró de esto, ya que creía que eran auténticos caballos, mulos y mamelucos, e ignoraba que eran siervos del criado encantado. Exclamó: «¡Malditos! ¿Cómo mil bestias y quinientos mamelucos, sin contar los criados, han podido huir sin que os enteréis?» «No sabemos qué es lo que nos ha ocurrido para que pudieran huir.» Dijo: «¡Marchaos y en cuanto salga vuestro señor del harén, dadle la noticia de ello!» Abandonaron al rey y se sentaron, perplejos ante el asunto. Mientras se encontraban sentados en esta posición, Maruf salió del harén. Al verlos entristecidos, les preguntó: «¿Qué noticias hay?» Le contaron lo que había ocurrido. Les replicó: «¿Y qué valor tienen para que os aflijáis? ¡Seguid vuestro camino!» En vez de enfadarse y preocuparse, se echó a reír. El rey clavó la mirada en el visir y le dijo: «¿Qué clase de individuo es éste para quien el dinero no tiene ningún valor? Esto ha de tener, necesariamente, una causa». Hablaron con Maruf un rato, y el rey dijo: «¡Yerno! Con el fin de divertirnos, quiero ir a un jardín contigo y el visir, ¿qué dices?» «¡No hay inconveniente!» Se pusieron en camino y se dirigieron a un jardín, en el que había toda clase de frutos en sus dos especies, ríos que corrían, árboles esbeltos, pájaros que cantaban. Entraron en un palacio que quitaba las penas del corazón, y se sentaron a hablar. El visir contaba magníficas historias y refería graciosas anécdotas y relatos impresionantes. Maruf lo escuchó con atención hasta que llegó la hora de comer. Colocaron la mesa con la comida y sirvieron el jarro de vino. Comieron, se lavaron las manos, y el visir llenó la copa y se la entregó al rey. Éste la vació. La llenó por segunda vez y dijo a Maruf: «Toma la copa de licor ante la cual se humilla con respeto el inteligente». Maruf preguntó: «¿Qué es esto, visir?» «La joven canosa, la soltera virgen; la que trae la alegría al pensamiento, y sobre la cual ha dicho el poeta:

Los pies de los infieles la han estrujado en redondo,
y ella se ha vengado en la cabeza de los árabes.
Te lo escancia un incrédulo que es la Luna llena
en las tinieblas, cuyas miradas constituyen la
máxima incitación al pecado.

»¡Qué magníficamente dijo uno!:

El vino y el copero, cuando éste se incorporaba
descubriéndolo ante los contertulios, parecían
El Sol que danza en la aurora y al cual la Luna
de la tiniebla puntea con las estrellas de los
Gemelos.
Era tan fino y delicado, que parecía correr, como
el espíritu, por los miembros.

»¡Qué bello es lo que dijo otro poeta!:

Una Luna perfecta pasó conmigo la noche abra-
zándome; el Sol no se puso en la esfera de las
copas.
Yo pasé la noche contemplando cómo el fuego,
ante el cual se inclinan los magos, se inclinaba,
ante mí, desde el jarro.

»Otro ha dicho:

Corre por sus miembros como corre la salud cuando vence a la enfermedad.

»Otro ha dicho:

Me maravilla que hayan muerto sus exprimidores
dejándonos, a nosotros, agua de vida.

»¡Qué estupendas son estas palabras de Abu Nuwás!:

¡Deja de censurarme, pues la censura constituye
un estímulo, y cúrame con aquello que es causa
de mi enfermedad!

Es un líquido amarillo, al que nunca alcanzan las tristezas: si una piedra lo tocase, se llenaría de alegría.

Mientras la noche cerraba, la muchacha se puso en pie con la jarra, y el resplandor de su luz iluminó toda la casa.

Circuló entre jóvenes ante los cuales se humilla el destino y a quienes éste sólo acomete como quieren.

Lo servía la mano de una mujer vestida de hombre y que tiene dos amantes: el invertido y el adúltero.

Di a quien pretende conocer la ciencia: "Has aprendido una cosa, y has prescindido de muchas".

»Pero el más estupendo de todos es el poema de Ibn al-Mutazz:

Que una lluvia densa y pertinaz riegue la Chazira, rica en sombras y árboles, y el convento de Abdún.

Frecuentemente me desvelaban para la bebida matinal, cuando aparecía el fleco de la aurora y el gorrión no volaba.

Las voces de los monjes del convento en sus plegarias, metidos en sus hábitos negros cantaban en la aurora.

Entre ellos, ¡cuántas figuras hermosas con ojos alcoholados que coquetamente bajaban los párpados sobre la pupila negra!

Me visitó uno, envuelto en camisa de noche; apresuraba el paso por temor y discreción.

Tapicé con mi mejilla humildemente el camino que seguía, y arrastré mis faldones en pos de sus huellas.

Brillaba la luna del menguante hasta casi descubrirnos; la Luna parecía el recorte de una uña.

Ocurrió lo que ocurrió; no he de recordarlo. Piensa bien y no preguntes nada.

»¡Qué bien dijo uno!:

> He pasado a ser el hombre más rico del género humano con la alegría de una nueva.
> Tengo oro fundido y lo mido a copas.

»¡Qué bien dijo el poeta!:

> ¡Juro por Dios que no existe más alquimia que la del vino! Todo lo que se diga acerca de ello es mentira.
> Un quilate de vino sobre un quintal de penas, transforma y cambia la tristeza en alegría.

»Otro ha dicho:

> Las copas de cristal que trajeron vacías, pesaban hasta que fueron llenadas del vino puro.
> Entonces se hicieron tan ligeras, que casi volaban con el viento. Así los cuerpos se aligeran con el espíritu.

»Otro ha dicho:

> La copa y el vino tinto tienen gran virtud y merecen que no se olviden sus derechos.
> Cuando muera, enterradme junto a una cepa, para que después de mi muerte sus raíces rieguen mis huesos.
> No me enterréis en un desierto, pues temo, una vez muerto, no volver a probarlo.»

El visir lo incitaba a que bebiera, le hizo la apología del vino y le recitó los versos que conocía y las anécdotas de bebedores, hasta que inclinó a Maruf a sorber del borde de la copa. No tuvo necesidad de más explicaciones: siguió llenando la copa, y el otro, bebiendo, disfrutando y alegrándose, hasta que perdió la razón y no pudo distinguir lo falso de la verdad. El visir, al comprobar que la embriaguez había alcanzado el máximo y excedía de todo límite, dijo: «¡Comerciante Maruf!

¡Por Dios que estoy admirado! ¿De dónde te vienen tales gemas, que ni los reyes ni los Cosroes tienen iguales? Jamás en nuestra vida hemos visto un comerciante que tenga mayores riquezas o que sea más generoso que tú. Obras con acciones propias de reyes, y no de comerciantes. ¡Te conjuro por Dios a que me lo expliques, para que yo conozca tu poder y tu rango!» Siguió azorándolo y engañándolo, hasta que Maruf, que tenía el entendimiento ausente, declaró: «Yo no soy comerciante ni hijo de reyes», y le refirió toda la historia, desde el principio hasta el fin. El visir exclamó: «¡Te conjuro, por Dios, señor mío, Maruf, a que me muestres ese anillo, para que pueda ver cómo está hecho». Maruf, completamente borracho, se quitó el anillo y dijo: «Cogedlo y examinadlo». El visir lo cogió, lo manoseó y preguntó: «Si lo froto, ¿acudirá el criado?» «¡Sí, frótalo! Se presentará ante ti y lo verás.» Lo frotó, y una voz dijo: «¡Estoy ante ti, señor mío! Pide y se te dará. ¿Quieres destruir una ciudad, o fundarla, o matar a un rey? Ejecutaré, sin rechistar, cualquier cosa que pidas». El visir señaló a Maruf y dijo al criado: «Coge a ese perdido y abandónalo en la tierra más salvaje y desierta, para que no encuentre qué comer ni beber, y muera de hambre y perezca de pena sin que nadie se entere». El criado lo agarró y se echó a volar entre el cielo y la tierra. Maruf, al verse así, quedó convencido de que iba a morir y de que se encontraba en pésima situación. Rompió a llorar y dijo: «Abu-l-Saadat, ¿adónde me conduces?» «Voy a abandonarte en un lugar desierto, hombre poco instruido. Quien posee un talismán como ése, ¿permite que la gente lo examine? Te has ganado lo que te sucede. Si no temiese a Dios, te dejaría caer desde una altura de mil brazas, y no llegarías a tierra sino después de haber sido desgarrado por los vientos.» Calló y no le dirigió la palabra hasta llegar a una región desierta. Allí lo abandonó, regresó y lo dejó solo en una tierra inhóspita.

Sahrazad se dio cuenta de que amanecía e interrumpió el relato para el cual le habían dado permiso.

Cuando llegó la noche *novecientas noventa y nueve,* refirió:

—Me he enterado, ¡oh rey feliz!, de que esto es lo que a él se refiere.

He aquí ahora lo que hace referencia al visir: Una vez se hubo apoderado del anillo, dijo al rey: «¿Qué piensas? Te dije que éste era un embustero e impostor, pero no me quisiste hacer caso». «Tenías razón, visir mío. ¡Que Dios te conceda salud! Dame el anillo para que lo examine.» El visir se volvió hacia él, encolerizado, le escupió en la cara y lo increpó: «¡Tonto! ¿Cómo he de dártelo para seguir siendo tu criado, ahora que me he convertido en tu señor? ¡No te dejaré con vida!» Frotó el anillo y apareció el criado, a quien dijo: «¡Carga con este estúpido y arrójalo en el mismo sitio en que abandonaste al impostor de su yerno!» El criado lo cogió y remontó el vuelo. El rey le dijo: «¡Criatura de mi Señor! ¿Cuál es mi culpa?» «No lo sé. Mi dueño me ha mandado que lo haga y no puedo desobedecer al que posee el anillo del talismán.» Siguió volando hasta dejarlo en el mismo sitio en que se encontraba Maruf. Lo abandonó y se marchó. Maruf lo oyó llorar; se acercó al rey, éste le explicó lo sucedido y ambos se sentaron a llorar por lo que les sucedía; no encontraron ni comida ni bebida. Esto es lo que a ellos se refiere.

He aquí ahora lo que hace referencia al visir. Después de haberse deshecho de Maruf y del rey, salió del jardín, mandó buscar a todos los soldados, convocó una audiencia, explicó lo que había hecho con Maruf y el rey e informó de la existencia del anillo. Les dijo: «Si no me nombráis sultán, mandaré al criado del anillo que os ataque y os abandone en una tierra inhóspita, en la cual moriréis de hambre y de sed». Le replicaron: «No nos causes daño, pues nos satisface el que seas nuestro sultán, y no desobedeceremos tus órdenes». Bien a pesar suyo, se pusieron de acuerdo para nombrarlo sultán. Éste les concedió trajes de honor y empezó a pedir a Abu-l-Saadat todo lo que quería. El genio se lo llevaba en el acto. Luego se sentó en el trono, y los soldados le prestaron acatamiento. Mandó decir a la hija del rey: «Prepárate, pues esta noche te poseeré ya que estoy enamorado de ti». La princesa se echó a llorar por la pérdida de su padre y de su marido, y le mandó decir: «Espera a que haya transcurrido el plazo legal de viudedad. Después se formalizará el contrato matrimonial y dispondrás de mí de modo lícito». Le contestó: «Yo no conozco ni plazo legal ni dilación alguna. No necesito ningún contrato ni distingo entre lícito e ilícito. Esta misma noche he de poseerte». La princesa le respondió: «¡Sé bien venido! ¡No hay inconveniente!» Pero era sólo una treta. Al recibir la respuesta, se alegró y su pecho se dilató, ya que amaba mucho a la princesa. Luego mandó distribuir alimentos entre toda la gente. Les dijo: «Comed estos alimentos, que son un banquete de bodas, ya que me propongo poseer esta misma noche a la reina». El jeque del Islam objetó: «¡No te es lícito poseerla hasta que haya transcurrido el plazo legal de viudedad y se haya formalizado el contrato matrimonial!» Él replicó: «Yo no conozco ni plazo legal ni demora alguna. ¡No hables en demasía!» El jeque del Islam se calló, pues temía su maldad. Dijo a los soldados: «Éste es un incrédulo, que no tiene ni religión ni rito». Al llegar la tarde se presentó a la princesa. La encontró vestida con sus más preciosos trajes, y engalanada con sus mejores joyas. Al verlo salió a recibirlo sonriendo y le dijo: «¡Qué noche bendita! Si hubieses dado muerte a mi padre y a mi marido hubiese sido aún más hermosa para mí». Le replicó: «¡Los he de matar sin remedio!» Le hizo sentar y empezó a bromear con él fingiendo tenerle cariño. El visir perdió la razón al ver sus caricias y sonrisas cuando ella lo engañaba con sus gracias para lograr apoderarse del anillo, y transformar su alegría en pena que cayese sobre su cabeza. Hacía con él estos hechos siguiendo la opinión de quien dijo:

Con mi astucia he obtenido lo que no se alcanza
con las espadas.
Y he regresado con un botín de dulces frutos.

La pasión se apoderó de él con estas caricias y sonrisas y ansió unirse a ella. Pero cuando se aproximó, la princesa se alejó y rompió a llorar diciendo: «¡Señor mío! ¿No ves al hombre que nos está mirando? Te conjuro, por Dios, a que me ocultes ante sus ojos. ¿Cómo vas a unirte conmigo si alguien nos mira?» El visir se puso furioso y preguntó: «¿Dónde está el hombre?» «¿Es que no ves cómo saca la cabeza por la gema del anillo y nos mira?» Creyendo que el criado los estaba mirando, se echó a reír y dijo: «¡No temas! Éste es el criado del anillo y está bajo mis órdenes». «¡Tengo miedo a los *efrits*! Quítatelo y arrójalo lejos de mí.» Se lo quitó, lo dejó encima de la almohada y se acercó a la princesa; ésta lo rechazó de un puntapié en el corazón y lo tumbó por el suelo, desmayado: llamó a los criados, que acudieron al momento, y les dijo: «¡Sujetadlo!» Cayeron sobre él cuarenta esclavos, y la princesa corrió a coger el anillo que estaba sobre la almohada. Lo frotó y apareció Abu-l-Saadat, quien dijo: «¡Heme aquí, señora mía!» Le dijo: «¡Coge a este descreído, mételo en la cárcel y ponle grillos bien pesados!» Lo encerró en la cárcel del tormento y al regresar preguntó ella: «¿Adónde has llevado a mi padre y a mi esposo?» Contestó: «Los he dejado en una tierra inhóspita». «¡Te mando que me los traigas ahora mismo!» «¡Oír es obedecer!» Remontó el vuelo y cruzó los aires hasta llegar al país desierto. Descendió y los encontró sentados, llorando y quejándose el uno al otro. Les dijo: «¡No temáis! ¡Os traigo una alegría!» Les refirió lo que había hecho el visir y añadió: «Lo he encarcelado yo mismo obedeciendo órdenes de la princesa. Luego ésta me ha ordenado que os lleve». Se alegraron con sus palabras. Los cogió y remontó el vuelo con ellos. Antes de que hubiese transcurrido una hora, los dejaba ante la hija del rey. Ésta se puso de pie, saludó a su padre y a su esposo, los hizo sentar y les ofreció comida y dulces. Al día siguiente le puso a su padre una túnica preciosa e hizo vestir a su esposo con otra igual. Dijo: «¡Padre mío! Siéntate en tu trono de rey conforme hacías antes, y nombra a mi esposo tu visir de la derecha; informa a tus soldados de lo que ha ocurrido, saca al visir de la cárcel, ajustícialo y luego incinéralo; es un incrédulo, que ha querido poseerme como diversión, prescindiendo del rito del matrimonio, y se ha declarado incrédulo, sin profesar religión alguna. Tú ama a tu yerno y nómbralo tu visir de la diestra». Le contestó: «¡Oír es obedecer, hija mía! Pero dame el anillo o entrégalo a tu esposo». «No te conviene ni a ti ni a él. El anillo se quedará conmigo. Es posible que yo lo proteja mejor que vosotros. Pedidme cualquier cosa que deseéis y yo la solicitaré, para vosotros, del criado del anillo. No temáis nada en absoluto mientras yo viva; una vez muerta, podéis hacer lo que queráis con el anillo.» El padre replicó: «Es una idea muy acertada, hija mía». Tomó consigo al yerno y se dirigió a la sala de audiencias. Los soldados habían pasado la noche muy tristes pensando en la hija del rey dado lo que había hecho con ella el ministro que la había poseído por placer, sin casarse con ella, y por el daño que había causado al rey y su yerno. Temían que la ley del Islam fuese violada, ya que era patente para ellos que se trataba de un incrédulo. Se reunieron en la audiencia y acometieron al jeque del Islam diciendo: «¿Por qué no le has impedido poseer a la reina por placer?» Les contestó: «¡Gentes! Es un hombre incrédulo y posee el anillo. Ni yo ni vosotros podemos hacer nada contra él. Dios (¡ensalzado sea!) le dará lo que se merece. Callaos para que no os mate». Mientras los soldados, reunidos en la audiencia, pronunciaban estas palabras, el rey y su yerno Maruf entraron en la sala.

Sahrazad se dio cuenta de que amanecía e interrumpió el relato para el cual le habían dado permiso.

Cuando llegó la noche *mil,* refirió:

—Me me enterado, ¡oh rey feliz!, de que los soldados, al verlos, se alegraron muchísimo de su llegada, se pusieron en pie y besaron el suelo ante ellos. El rey se sentó en el trono, les refirió la historia y desapareció la angustia que sentían. Mandó engalanar la ciudad y ordenó que le llevasen al visir, que estaba en la cárcel. Al cruzar ante los soldados, éstos lo maldijeron y lo insultaron; lo reprendieron hasta que llegó ante el rey. Éste lo mandó ejecutar. Así lo hicieron, y luego lo quemaron: corrió al infierno en el peor de los estados. ¡Qué excelentes son las palabras de quien dijo!:

> ¡Que el Misericordioso no se apiade del polvo de sus huesos, y que Munkar y Nakir lo conserven siempre!

A continuación el rey nombró a Maruf su visir de la diestra. El transcurso del tiempo les fue favorable, y la vida les trajo alegrías. Así vivieron durante cinco años. Al sexto murió el rey, y la princesa nombró sultán a su esposo en sustitución de su padre, pero no le entregó el anillo. Durante este tiempo había quedado encinta y había dado a luz un muchacho de prodigiosa hermosura, espléndidamente bello y perfecto. Siguió en el seno de las nodrizas hasta que cumplió cinco años. Entonces su madre contrajo una enfermedad mortal. Mandó llamar a Maruf y le dijo: «Estoy enferma». Le contestó: «¡Curarás, amada de mi corazón!» «Tal vez muera: no necesito recomendarte que cuides de tu hijo, pero en cambio sí he de decirte que guardes el anillo, por ti y por el muchacho.» «¡Aquel a quien Dios guarda, no sufre ningún daño!» La princesa se quitó el anillo y se lo entregó. Al día siguiente fue a la misericordia de Dios (¡ensalzado sea!). Maruf, que era rey, se dedicó al gobierno. Cierto día agitó el pañuelo, y los soldados salieron de su presencia para marcharse a su casa. Maruf entró en el salón y se sentó hasta que hubo terminado el día y llegó la noche con sus tinieblas. Entonces, según tenían por costumbre, se presentaron ante él los grandes del reino, sus contertulios, y pasaron la velada con él disfrutando y distrayéndose hasta la medianoche. Entonces le pidieron permiso para retirarse, y él se lo concedió. Se marcharon a su casa, y luego se presentó ante él una esclava destinada al servicio del lecho; le preparó el estrado, le quitó la túnica y le puso el traje de noche. Maruf se acostó, y la mujer empezó a hacerle masaje en los pies hasta que el sueño lo venció. La esclava salió, se dirigió a su habitación y se durmió. Esto es lo que a ella se refiere.

He aquí lo que hace referencia al rey Maruf. Mientras dormía, notó que tenía algo a su lado, en la cama. Se despertó aterrorizado y exclamó: «¡En Dios busco refugio frente a Satanás (¡lapidado sea!)». Abrió los ojos y vio a su lado una mujer de mal aspecto. Le preguntó: «¿Quién eres?» Le contestó: «¡No temas! Yo soy tu esposa, Fátima al-Urra». La miró a la cara y la reconoció por lo sucio de la misma y por los largos colmillos. Le preguntó: «¿Por dónde has llegado hasta mí? ¿Quién te ha traído hasta este país?» «¿En qué país estamos ahora?» «En la ciudad de Jityan al-Jitán, pero tú, ¿cuándo has dejado El Cairo?» «¡Ahora mismo!» «¿Cómo ha sido?»

Le refirió: «Sabe que después de haberme querellado contigo —pues Satanás me incitaba a causar tu pérdida— y de haberte acusado ante los jueces, éstos mandaron buscarte, pero no te encontraron; preguntaron por ti, pero nadie te había visto. Al cabo de dos días me arrepentí y comprendí que la culpa era mía; pero de nada me servía ya el arrepentimiento. Esperé unos días, llorando por encontrarme separada de ti. Disponía de poco, por lo cual me vi obligada a mendigar para conseguir alimento. Pedí a todos, ricos y pobres. Desde el momento en que me abandonaste, sólo he comido el pan de la humillación y me he encontrado en el peor de los estados. Todas las noches me sentaba en el lecho a llorar, por encontrarme separada de ti y por las muchas humillaciones, desprecios, dificultades y fatigas que sufría desde el momento de tu partida». Siguió contándole todo lo que le había sucedido, y él la escuchaba absorto. Ella, al fin, dijo: «Deambulé todo el día pidiendo, pero nadie me dio nada. Cuando me acercaba a alguien y le pedía un pedazo de pan, me insultaba y no me daba nada. Al caer la noche me fui a dormir sin cenar. El hambre me abrasaba y me afligía lo que había sufrido. Me senté a llorar. Entonces apareció ante mí una persona, que me dijo: "¡Mujer! ¿Por qué lloras?" Contesté: "Tenía un marido que se preocupaba por mí y atendía a mis deseos. Pero ha desaparecido, y no sé dónde está. Desde entonces he soportado las durezas de la vida". Preguntó: "¿Cómo se llama tu esposo?" "Maruf." "Lo conozco. Sabe que tu esposo es ahora el sultán de una ciudad, y si quieres que te conduzca a su lado, lo haré." "¡Estoy bajo tu custodia! ¡Condúceme hasta él!" Me cogió, remontó el vuelo entre el cielo y la tierra y me trajo a este alcázar. Aquí me ha dicho: "Entra en esa habitación. Encontrarás a tu esposo durmiendo en el lecho". He entrado y te he visto con todo este rango. Tenía la esperanza de que no me hubieses abandonado, ya que soy tu compañera. ¡Loado sea Dios que me ha reunido contigo!» Maruf replicó: «¿Yo te he abandonado, o tú? Has ido querellándote de juez en juez y has acabado por querellarte ante el mismísimo Tribunal Supremo, lanzando en pos mío, desde la ciudadela, a Abu Tabaq. Huí, bien a pesar mío». Siguió contándole todo lo que le había ocurrido hasta llegar a Sultán y casarse con la hija del rey. Le explicó que ella había muerto y le había dejado un hijo de siete años de edad. La mujer le dijo: «Ha sucedido lo que Dios (¡ensalzado sea!) tenía decretado. Yo me he arrepentido y confío en ti. No me olvides y permite que coma en tu casa el pan de la limosna». Siguió humillándose ante él, hasta que consiguió enternecer su corazón. Le dijo: «¡Arrepiéntete del mal y quédate conmigo! Sólo recibirás cosas que te alegren. Pero si cometes alguna fechoría, te mataré sin piedad. No pienses en querellarte ante el Tribunal Supremo o en despachar tras de mí, desde la ciudadela, a Abu Tabaq. Soy sultán: las gentes me temen, y yo sólo temo a Dios (¡ensalzado sea!). Tengo un anillo a mi servicio: en cuanto lo froto, se presenta ante mí el criado, que se llama Abu-l-Saadat, y me trae cuanto le pido. Si quieres volver a tu país, te daré lo suficiente para toda la vida y te enviaré en seguida a tu patria. Si quieres permanecer a mi lado, te encerraré, sola, en un alcázar, que recubriré con tapices de seda, y pondré veinte criadas a tu servicio. Te daré exquisitos alimentos, telas preciosas, y serás una reina que vivirás el mayor bienestar hasta que mueras tú o muera yo. ¿Qué prefieres?» Contestó: «Quiero quedarme contigo». Le besó la mano y se arrepintió del mal hecho. Él destinó un alcázar para ella sola, le asignó esclavas y eunucos y se transformó en una reina.

El muchacho iba a verla con frecuencia. Pero la mujer lo detestaba porque no era hijo suyo. El muchacho, al darse cuenta de que lo despreciaba y lo miraba encolerizada, dejó de ir a verla y la despreció.

Maruf se dedicó a amar a las esclavas hermosas y no volvió a pensar en Fátima al-Urra, ya que ésta era una vieja con canas, de mal aspecto, fría y más fea que una serpiente estriada pero, en especial, porque le había hecho mucho daño. El autor del proverbio dice: «La maldad corta de raíz el deseo y siembra el odio en la tierra del corazón». ¡Qué bien dice el poeta!:

> Procura guardar de la ofensa los corazones pues es difícil que vuelvan después de haberlos apartado.
>
> Si el amor desaparece de un corazón, es como el vidrio: una vez roto, no tiene remedio.

Maruf le había concedido hospitalidad por su buen natural y se había mostrado generoso con ella buscando la satisfacción de Dios (¡ensalzado sea!).

Entonces, Dunyazad dijo a su hermana Sahrazad: «¡Qué hermosas son estas palabras, que absorben el corazón de las miradas encantadoras! ¡Qué estupendos son estos libros prodigiosos y estas anécdotas admirables!» Sahrazad contestó: «¡Pues eso no es nada en comparación con lo que os contaré la próxima noche, si vivo y el soberano me concede la vida!»

Al día siguiente, la aurora difundió su luz y el rey se levantó, con el pecho dilatado, en espera del resto de la historia. Se dijo: «¡Por Dios! No la mataré antes de haber oído el resto de su historia». Se dirigió a la audiencia, y el visir, como tenía por costumbre, acudió con la mortaja debajo del brazo. El rey se dedicó a gobernar a la gente durante todo el día, y después se marchó al harén y entró en la habitación de su esposa Sahrazad, la hija del visir, como tenía por costumbre.

Sahrazad se dio cuenta de que amanecía e interrumpió el relato para el cual le habían dado permiso.

Cuando llegó la noche *mil una*, que es la última del libro, el rey se fue a su harén y entró en la habitación de su esposa Sahrazad, la hija del visir. Su hermana Dunyazad le dijo: «¡Termina de contarnos la historia de Maruf!» «¡De mil amores, si el rey permite que hable!» El soberano le dijo: «Te permito que la cuentes, pues estoy ansioso de oír el resto».

Sahrazad refirió: «Me he enterado, ¡oh rey feliz!, de que Maruf no se preocupaba personalmente de su esposa para la práctica del matrimonio y sólo le pasaba alimentos por respeto a la faz de Dios (¡ensalzado sea!). Fátima, al ver que se abstenía de tener relaciones conyugales con ella y que en cambio se aficionaba a otras, lo odió y se llenó de celos. El demonio la tentó sugiriéndole la idea de apoderarse del anillo, matarlo y proclamarse reina en su lugar. Cierta noche salió y se dirigió desde su alcázar al de su esposo, el rey Maruf. El destino y los hados ineludibles quisieron que lo encontrara durmiendo con una de sus favoritas, muy hermosa, bella y bien proproporcionada. Su piedad era tan grande que se quitaba el anillo del dedo, por respeto a los nobles nombres que tenía grabados, cuando quería cohabitar, y no se lo volvía a poner hasta después de haberse purificado. Su esposa, Fátima al-Urra, no se había movido de su departamento hasta saber que cuando cohabitaba se quitaba el anillo y lo dejaba encima de la almohada hasta después de purificarse, y que tenía por costumbre, una vez realizado el acto sexual, mandar a la favorita que se marchase para salvaguardar el anillo. Al entrar en el baño cerraba la puerta de sus habitaciones y no las abría hasta haber salido del baño, recogido el anillo y colocado éste en el dedo. Después de esto podía entrarse en el alcázar sin dificultad. Fátima se había enterado de todo esto. Salió por la noche dispuesta a entrar en su habitación mientras estuviese sumergido en el sueño y robar el anillo sin que la viera. Pero en el momento en que ella salía, el hijo del rey entraba en el retrete, a oscuras, para satisfacer una necesidad: se había sentado, en la oscuridad, en la tabla y había dejado la puerta abierta. Cuando Fátima abandonó sus habitaciones, la vio andar precipitadamente en dirección a las de su padre. Se dijo: «¡Ojalá supiera para qué sale esta bruja de sus habitaciones, en medio de las tinieblas nocturnas y se dirige al alcázar de mi padre! Debe haber alguna causa». Salió en pos de ella y siguió sus pasos sin que lo viera. El muchacho disponía de una pequeña espada de joyas, y siempre que iba a la audiencia de su padre, la llevaba ceñida porque estaba orgulloso de ella. El padre, al verlo, se reía de él y le decía: «¡Sea lo que Dios quiera, hijo mío! Tu espada es grande, pero no la has utilizado en el combate ni has cortado con ella ninguna cabeza». El muchacho le contestaba: «¡Cortaré algún cuello que lo merezca!» El padre se reía de sus palabras. Mientras andaba detrás de la esposa de su padre desenvainó la espada y la siguió hasta que entró en una habitación. El muchacho se quedó en la puerta y empezó a observarla mientras ella buscaba y decía: «¿Dónde habrá puesto el anillo?» Entonces comprendió lo que buscaba. El muchacho tuvo paciencia hasta que ella, una vez lo hubo encontrado, exclamó: «¡Aquí está!» Lo cogió y se dispuso a salir. El príncipe se escondió detrás de la puerta. La vieja, una vez hubo cruzado la puerta, examinó el anillo, empezó a manosearlo y quiso frotarlo. Pero el muchacho levantó la mano con la espada y la decapitó; lanzó un grito y cayó muerta. Maruf se despertó y vio a su esposa tumbada y sangrando; su hijo traía en la mano la espada desenvainada. Le preguntó: «¿Qué ha pasado, hijo mío?» «¡Padre mío! Cuántas veces has dicho: "Tu espada es grande, pero no la has utilizado en el combate ni has cortado con ella ninguna cabeza". Yo te contestaba: "¡Cortaré el cuello de quien lo merezca!" Y he cortado un cuello que merecía ser cortado», y le contó toda la historia. El padre buscó el anillo y no lo encontró; siguió buscándolo en el cuerpo de la muerta, hasta encontrarlo dentro de la mano crispada. Lo cogió y dijo: «¡Tú, sin duda ni vacilación, eres mi hijo! ¡Que Dios te conceda felicidad en ésta y en la última vida, del mismo modo que me has librado de esta desvergonzada! Sus propios esfuerzos han causado su pérdida. ¡Qué bien dijo el autor de estos versos!:

> Si Dios presta su auxilio al hombre, éste obtiene su deseo en todas las cosas.
> Si el hombre no obtiene el auxilio de Dios, lo primero que lo perjudica es su propio esfuerzo».

El rey Maruf llamó a gritos a sus servidores, y éstos acudieron corriendo. Les explicó lo que había hecho su esposa, Fátima al-Urra, y les mandó que la cogieran y la depositasen en cualquier lugar hasta que llegara el día. Hicieron lo que les había mandado. Luego la confió a unos criados. Éstos la lavaron, la amortajaron, le abrieron una tumba y la enterraron: así, había venido de El Cairo para morir y ser enterrada. ¡Qué bien dijo el poeta!:

Marchamos según lo que nos ha sido prescrito,
y aquel a quien se le ha prescrito una suerte,
la sigue.
Aquel que debe morir en una tierra, no morirá
en otra distinta.

¡Qué hermosas son estas otras palabras del poeta!:

Cuando me dirijo a un país en busca de bienes,
no sé la suerte que me cabrá:
Si el bien al que aspiro, o el mal que me busca.

Después, el rey Maruf mandó buscar al labrador que le había concedido hospitalidad mientras él huía. Cuando llegó, lo nombró su visir de la diestra y el primero de sus consejeros. Se enteró de que tenía una hija, de prodigiosa hermosura y belleza, de buenas costumbres, de ilustre origen y de excelentes dotes. Casó con ella, y al cabo de cierto tiempo, casó a su hijo. Y pasó el tiempo en la más dulce de las vidas; el destino les fue favorable, y gozaron de alegrías hasta que les llegó el destructor de las dulzuras, el separador de los amigos, el que aniquila las ciudades más florecientes y deja huérfanos a muchachos y muchachas. ¡Gloria al Viviente, al que no muere! ¡En su mano están las llaves del reino y del poderío!

Durante este período, Sahrazad había dado al rey tres hijos. Al terminar esta historia se puso en pie, besó el suelo ante el rey y dijo: «¡Oh, rey del tiempo! ¡Oh, tú, que eres único en esta época y momento! Yo soy tu esclava, y llevo ya mil y una noches contándote las historias de las generaciones pasadas y las amonestaciones de los antiguos. ¿Puedo manifestar un deseo a tu majestad?» «¡Pide y te será dado, Sahrazad!» Ésta llamó a las nodrizas y a los eunucos y les dijo: «¡Traed a mis hijos!» Los llevaron inmediatamente: eran tres varones; uno andaba solo; otro, a gatas, y el tercero era un lactante. Sahrazad los cogió y los colocó ante el rey, besó el suelo y dijo: «¡Rey del tiempo! Éstos son tus hijos. Te pido que me dejes vivir en atención a estas criaturas. Si me matas, estos niños quedarán sin madre y no encontrarás una mujer que los eduque como se debe». El rey se puso a llorar y estrechó a sus hijos contra el pecho. Dijo: «Sahrazad. Ya te había perdonado mucho antes de que viniesen estos niños, pues he comprobado que eres casta, pura, noble y digna. ¡Que Dios te bendiga a ti, a tu padre, a tu madre, a tus antepasados y a tus descendientes! Dios es testigo de que yo te libraré de cualquier cosa que pueda disgustarte». Sahrazad besó las manos y los pies del rey, se puso muy contenta y le dijo: «¡Que Dios prolongue tu vida y acrezca tu poder y dignidad!» La alegría se propagó por palacio y se difundió por toda la ciudad. Fue una noche que no se cuenta entre las terrenales, y más radiante que la luz diurna. Al día siguiente, el rey, contento y feliz, mandó llamar a todas las tropas. Éstas acudieron. Regaló un magnífico y estupendo traje de Corte a su visir, el padre de Sahrazad, y le dijo: «¡Que Dios te proteja, ya que me has dado por esposa a tu noble hija, la cual ha sido causa de que me arrepienta de haber dado muerte a las hijas de la gente. Me he dado cuenta de que es pura, casta, noble y digna. Dios me ha dado con ella tres hijos varones. ¡Loado sea Dios por tan grandes bienes!»

Regaló trajes de Corte a visires, emires y grandes del reino. Mandó engalanar la ciudad durante treinta días y eximió a los habitantes de la ciudad de nuevas contribuciones: todos los gastos corrieron a cargo del tesoro del rey. Engalanaron magníficamente la ciudad como jamás se había hecho hasta entonces. Redoblaron los tambores y sonaron las flautas y todos los demás instrumentos. El rey hizo grandes dones y regalos; dio limosnas a pobres e indigentes y extendió su generosidad a todos los súbditos y habitantes de su reino. El rey y sus estados vivieron en el bienestar, la felicidad, las dulzuras y la paz, hasta que compareció el destructor de las dulzuras, el que aniquila a las comunidades.

¡Gloria a quien no muere en el transcurso del tiempo, Aquel a Quien no alteran los cambios, que no sufre vicisitudes y es único en los atributos de la perfección.

¡La bendición y la paz sean sobre el imán de su señorío, el escogido entre sus criaturas, nuestro señor Mahoma, Señor de los hombres! ¡Le rogamos, por su mediación, que nos conceda un buen fin!

HISTORIA DE ALÍ BABÁ Y DE LOS CUARENTA LADRONES

Se cuenta —pero Dios conoce mejor los sucesos ocurridos a las naciones de lo pasado y a los pueblos de lo pretérito— que en un tiempo remoto y en una época lejana vivían en una ciudad del Jurasán persa, dos hombres que eran hermanos uterinos. Uno de ellos se llamaba Qasim, y el otro, Alí Babá. Al morir el padre de ambos les dejó una pobre herencia, y escasos bienes. A pesar de la pequeña cuantía del legado de su padre, se lo repartieron con equidad y justicia, sin querellas ni discusiones. Después de haber realizado la partición de la herencia de su progenitor, Qasim contrajo matrimonio con una mujer rica, dueña de fincas, jardines, viñedos y tiendas repletas de preciosas mercancías, de numerosos objetos de valor. Empezó a tomar y a dar, a vender y comprar, y su situación se fue haciendo cada vez más desahogada. Los hados le fueron favorables, y alcanzó renombre entre los comerciantes y rango entre las personas más acomodadas de la ciudad.

Alí Babá casó con una mujer pobre, que no poesía ni un dirhem ni un dinar, ni casas, ni tierras. En poco tiempo perdió todo lo que había heredado de su padre, con lo que llegaron la estrechez con sus angustias, la pobreza con su agobio, y las preocupaciones. Abatido por su situación, se veía incapaz de encontrar un medio con el que poder recuperarse y atender a sus necesidades. Era un hombre sabio, juicioso, instruido y educado. Recitó estos versos:

Me dice: «Gracias a tu ciencia, estás entre los seres humanos, como si fueras la noche de la luna llena».
Respondo: «Dejaos de habladurías, pues no hay ciencia sin poder».
Si me hipotecaran con toda mi ciencia, con todos mis cuadernos y el tintero por el sustento de un solo día, se rechazaría la hipoteca y me tirarían los cuadernos y el tintero.
La situación y la vida del pobre está llena de disgustos:
En verano no encuentra sustento; en invierno se calienta al lado del brasero.
Los perros se encaran con él en el camino, y los más viles lo rechazan.
No puede quejarse a nadie de su situación, pues en toda la tierra no se encuentra quien lo comprenda.
Si tal es la vida del pobre, lo mejor es que transcurra en el cementerio.

Cuando hubo terminado de recitar, meditó acerca de su situación, en el lugar en que debía buscar apoyo y a recapacitar en lo que debía hacer para atender a sus necesidades y en el medio con el cual iba a obtener su sustento. Se dijo: «Si compro, con el dinero que me queda, un hacha y un asno, me marcho al bosque y corto leña que después traigo y vendo en el mercado de la ciudad, tal vez consiga, con su precio, lo que ha de poner fin a mi miseria y lo que me ha de permitir atender a las necesidades de mi familia». Y como esta idea le pareció buena, decidió comprar el asno y el hacha. Al día siguiente llevaba tres asnos, cada uno de los cuales parecía una mula. Se dirigió al bosque, pasó el día entero cortando leña y haciendo hatos, y al llegar la tarde la cargó en los asnos, emprendió el camino de la ciudad y se dirigió al zoco. Vendió la leña, y con su importe atendió a sus necesidades y a las de su familia. Su tristeza se disipó, y su preocupación disminuyó. Dio gracias a Dios, lo alabó y se durmió con el corazón contento, tranquilo y confiado. Al día siguiente por la mañana fue de nuevo al monte e hizo lo mismo que el día anterior. Cada día, al amanecer, se dedicaba a este trabajo: se dirigía al monte, y al anochecer iba al zoco de la ciudad en el que vendía la leña, y con su importe atendía a las necesidades de su familia. Llegó a tomarle cariño a este oficio.

Siguió este estado de cosas hasta que cierto día, mientras estaba en el monte dedicado a hacer leña vio que se levantaba una nube de polvo que cubría el horizonte. Al disiparse vio unos jinetes que parecían fieros leones, cubiertos de armas, vestidos con cotas de malla, espada al cinto, lanza en ristre y arcos en la espalda. Alí Babá temió que le ocurriese algo, se aterrorizó, se asustó, corrió hacia un árbol muy elevado, se encaramó en él y se ocultó entre sus ramas para escapar de ellos, pues le habían parecido ladrones. Oculto entre las frondosas ramas clavó en ellos la pupila.

El narrador añade, al referir esta historia prodigiosa y este asunto impresionante, maravilloso: Una vez estuvo Alí Babá en la copa del árbol contempló a los jinetes con ojos expertos y se dio cuenta de que eran ladrones, salteadores de caminos. Los contó y vio que eran cuarenta, todos montados en magníficos corceles. El temor y la ansiedad de Alí Babá fueron en aumento, la yugular le palpitó, tragó saliva y no supo qué hacer.

Los caballeros se detuvieron, descabalgaron de sus corceles y les dieron de comer a cada uno de éstos un saco de cebada. Luego, cada uno cogió el saco, que llevaba atado a la grupa, y se lo cargó a la espalda. Todo esto ocurría bajo la mirada de Alí Babá, que los estaba contemplando desde la copa del árbol. El jefe se dirigió hacia un recoveco del monte. Había allí, en un lugar cubierto de vegetación, una puerta de acero, que no se veía por la gran cantidad de arbustos y espinas, de tal modo que Alí Babá ni tenía noticia de su existencia ni la había visto ni tropezado con ella jamás. Los ladrones se detuvieron al llegar a la puerta. El jefe dijo, con su voz más fuerte: «¡Sésamo, abre tu puerta!» En el mismo instante en que pronunciaba estas palabras, se abrió la puerta, y luego entró el capitán, seguido por los ladrones que llevaban los sacos. Alí Babá se admiró de lo que hacían, y empezó por deducir que aquellos sacos debían estar llenos de plata pura y de oro amarillo acuñado. Y así era, puesto que los ladrones constituían una pandilla de salteadores de caminos que asaltaban alquerías y poblachos vejando a sus habitantes. Cada vez que se apoderaban de una caravana o asaltaban una alquería, llevaban el botín a aquel lugar apartado, oculto y disimulado. Alí Babá siguió encima de la copa del árbol en que estaba escondido y no hizo movimiento alguno; al contrario, siguió con la vista fija en los ladrones y observando todo lo que hacían. Los vio salir, precedidos por su jefe, con las alforjas vacías, que ataron a la grupa del caballo respectivo, tal como la habían traído; luego les pusieron las riendas, montaron y se fueron por el mismo camino por el que habían llegado, corriendo sin cesar hasta alejarse y perderse de vista. Todo había ocurrido sin que Alí Babá rechistase; no bajó de la copa del árbol hasta que se hubieron alejado y perdido de vista. Refiere el narrador: cuando Alí Babá estuvo seguro de sus maldades, cuando se hubo tranquilizado y perdido el miedo, bajó del árbol, se acercó a la pequeña puerta y se detuvo ante ella, meditando y diciéndose: «Si digo: "¡Sésamo, abre tu puerta!", del mismo modo que lo ha hecho el jefe de los ladrones, ¿se abrirá la puerta o no?» Se adelantó, pronunció aquellas palabras, y la puerta se abrió. Y esto ocurría porque aquel lugar había sido construido por los genios, por los *marid,* y estaba encantado y sujeto a grandes talismanes. Por ello, las palabras «¡Sésamo, abre tu puerta!», eran el conjuro que acababa con el encantamiento y abría la puerta. Alí Babá, al ver que se había abierto, entró. Apenas acababa de cruzar el umbral, la puerta se cerró detrás de él. Esto lo asustó, le aterrorizó y pronunció aquellas palabras que no hacen enrojecer a quien las dice: «¡No hay fuerza ni poder sino en Dios, el Altísimo, el Grande!» En seguida recordó la fórmula: «¡Sésamo, abre tu puerta!» y cedió el miedo y el pánico que se habían apoderado de él. Se dijo: «No me preocupa que se cierre la puerta, mientras conozca el conjuro para abrirla». Avanzó un poco, creyendo que todo estaría a oscuras, pero se encontró en una amplia e iluminada habitación de mármoles, bien edificada, sostenida por columnas, y de hermosa construcción. Había allí todos los guisos y bebidas que pudieran apetecerse. Desde esta sala pasó a una segunda, más grande y amplia que la primera, en que se encontraban tales riquezas, prodigios y maravillas, que quien las hubiera visto se habría quedado estupefacto. Los propios narradores se habrían cansado de describirlos, dadas las grandes cantidades de lingotes de oro puro, de plata, de dinares acuñados y de dirhemes, que contenía. Todo en montones, como si se tratase de arena o guijarros que no se pueden contar. Después de haber recorrido esta sala prodigiosa, descubrió otra puerta, que daba acceso a una tercera habitación, más hermosa y más linda que la segunda. Contenía los mejores trajes, y estaban representados los de todas las regiones y países; había además las piezas de algodón más caras y de mejor calidad; trajes de seda y de estupendo brocado. Pero no se trataba de una sola clase, sino que en aquel lugar se encontraban reunidas telas de todas las regiones de Siria o de los más remotos países de África, e incluso de China, del Sind, de Nubia y de la India. Después llegó a la sala de las gemas y de las piedras preciosas, en la que había perlas y pedrerías cuyo número no se podía evaluar ni contar, ya fuesen jacintos o esmeraldas, turquesas o topacios; las perlas formaban verdaderas montañas, los rubíes al lado del coral. Pasó luego a una sala, la última, que contenía especias, sahumerios y perfumes. Estos productos estaban representados en las mejores variedades y calidades. Se notaba el olor del áloe y del almizcle; el aroma del ámbar y de la algalía era fuerte; el de las especias y el ámbar gris, penetrante; el perfume de las colonias y del azafrán, intenso; el sándalo estaba abandonado como leña de quemar, y las raíces aromáticas, arrinconadas como madera sin valor.

Alí Babá, al ver tales riquezas y tesoros, quedó estupefacto y perplejo. Permaneció inmóvil y pensativo durante un rato, y luego se dedicó a examinar detenidamente las perlas, y tan pronto cogía las más hermosas como las dejaba por las gemas, al ver que eran mejores; otras veces apartaba pedazos de brocado o el brillante oro; ora se entretenía ante los juegos de lisa seda, ora en aspirar el aroma del áloe y los perfumes. Pensó que aunque aquellos ladrones hubiesen dedicado largos años en acumular aquellas riquezas, no era posible que hubieran logrado reunir ni siquiera una ínfima parte de las que allí se encontraban. No cabía la menor duda de que aquel tesoro era anterior incluso a la misma existencia de los ladrones, y a su hallazgo por éstos. Sea como fuere, lo poseían de modo ilegal e injusto. Si aprovechaba la ocasión y se apoderaba de una parte de aquellos bienes no cometería ningún delito ni podría ser censurado, y mucho menos siendo tales las riquezas que no podían contarse ni evaluarse, por lo cual no advertirían nada. Resuelto ya a ello, empezó a coger parte del oro y a llevar afuera sacos de dinares. Cada vez que quería entrar o salir decía: «¡Sésamo, abre tu puerta!» y la puerta se abría. Cuando hubo terminado de acarrear las riquezas, las cargó en sus asnos, cubrió las bolsas de oro con un poco de leña y guió los animales hacia la ciudad, hasta que llegó a su casa, lleno de alegría, con el pensamiento tranquilo. El narrador refiere: una vez en ella, Alí Babá cerró la puerta, para estar seguro de que no entraría la gente, ató los asnos en el establo y empezó a descargar un saco, lo subió hasta donde se encontraba su esposa y lo colocó delante de ésta; después bajó y regresó con otro, y así saco tras saco, hasta que los hubo subido todos. La mujer estaba perpleja al ver lo que hacía. Al tocar una de las bolsas y ver que estaba llena de dinares de color amarillo, se descompuso, pues creyó que su esposo había robado aquellos bienes. Lo increpó: «¿Qué has hecho, desgraciado? Para nada necesitamos lo que no es nuestro, ni hemos de apetecer los bienes de los demás. Yo estoy contenta con lo que Dios me ha concedido, y satisfecha de ser pobre y agradecida por lo que me ha dado. No apetezco lo de los otros, ni deseo poseer bienes ilícitamente». «¡Mujer! ¡Tranquilízate y alégrate, pues yo tampoco apetezco lo que está prohibido. Todas estas riquezas las he encontrado en un tesoro, y he aprovechado la ocasión, las he cogido y me las he traido.» Le explicó todo lo que le había ocurrido con los ladrones, desde el principio hasta el fin, pero de nada serviría volver a repetirlo. Después, cuando hubo terminado de contárselo, le recomendó que tuviese cuidado con la lengua y guardase el secreto. La mujer, al oír esto, se admiró muchísimo de ello, perdió el miedo, se le dilató el pecho y se puso alegre. Alí Babá vació las bolsas en medio de la habitación, y el oro formó una verdadera montaña. La joven quedó estupefacta y empezó a contar los dinares. Él le dijo: «¡Ay de ti! No acabarías de contarlos ni en dos días. Eso no sirve para nada ni es necesario hacerlo ahora. Me parece que lo mejor que podemos hacer es cavar una fosa y enterrar esta fortuna, pues temo que esto se descubra y se divulgue nuestro secreto». «Si no quieres contarlos, es en cambio necesario que los pesemos para saber aproximadamente su cuantía.» «Haz lo que te parezca, pero temo que la gente se entere de ello y que nos pese cuando de nada nos sirva el arrepentimiento.» La mujer no le hizo caso, ni se preocupó de sus palabras; al contrario: salió a pedir prestadas unas medidas pues ella, dada su pobreza y la insignificancia de su situación, no las tenía. Se dirigió a casa de su cuñada, la esposa de Qasim, para pedirle prestada una medida. «¡De mil amores!», le contestó. Cuando se levantó para ir a buscarla, pensó: «La mujer de Alí Babá es pobre, y no tiene costumbre de medir. ¡Quién supiera qué granos tiene hoy que necesita medirlos!» Quiso enterarse, y para ello colocó un poco de cera en el fondo de la medida, a fin de que quedasen pegados algunos granos. Luego se la entregó. La mujer de Alí Babá la cogió, dio las gracias a su cuñada por el favor que le hacía y se marchó corriendo a su casa. Al llegar a ésta, empezó a medir el oro y vio que había diez medidas. Se alegró mucho de ello e informó a su marido. Entretanto, éste había cavado una amplia fosa, enterró en ella el oro y la volvió a cubrir de tierra. La mujer de Alí Babá se apresuró a devolver la medida a su cuñada.

He aquí lo que hace referencia a la mujer de Qasim: Cuando se hubo marchado la mujer de Alí Babá, dio vuelta a la medida y descubrió un dinar, que había quedado pegado en la cera. Se maravilló mucho de ello, pues sabía lo muy pobre que era Alí Babá. Permaneció un rato perpleja, y cuando se convenció de que lo que habían medido era realmente oro, dijo: «¿Alí Babá pretende ser pobre y cuenta el oro con medidas? ¿De dónde ha sacado tales bienes? ¿Cómo ha podido hacerse con tan grandes riquezas?» La envidia entró en su corazón y le abrasó las entrañas. Cuando llegó su marido, la encontró abatida. Qasim tenía por costumbre el ir todos los días a su tienda y pasar en ella la tarde, ocupado en vender y comprar, tomar y dar. Aquel día su esposa creyó que se retrasaba, de tan grande como era su preocupación, pues la envidia la mataba. Finalmente, cuando cayó la tarde, y la noche desplegó sus tinieblas, Qasim cerró la tienda y se marchó a su casa. Al entrar vio a su esposa sentada, con el ceño fruncido y llorando. Como la quería mucho, le preguntó: «¿Qué te ha sucedido, alegría de mis ojos, fruto de mis entrañas? ¿Por qué estás triste y lloras?» «¡Tú eres corto, careces de valor! ¡Ojalá me hubiese casado con tu hermano, pues aunque aparenta ser pobre, se finge desamparado y pretende carecer de bienes, tiene riquezas cuya cuantía sólo Dios conoce, ya que sólo los cuenta por medidas. Tú, en cambio, pretendes vivir bien y desahogado y te vanaglorias de ser rico, cuando, en realidad, en comparación con él no eres sino un pobre, ya que cuentas tus dinares uno a uno, te contentas con pocos y dejas para él el mayor número.» Le refirió todo lo que le había ocurrido con la esposa de Alí Babá; cómo ésta le había pedido en préstamo una medida y cómo se la había dado, no sin antes poner en el fondo un poco de cera, a la cual había quedado adherido un dinar. Qasim, al oír aquello y ver con sus propios ojos el dinar pegado en el fondo de la medida, se convenció del bienestar de su hermano y no se alegró, antes al contrario, la envidia se apoderó de su corazón y lo inclinó hacia el mal, ya que el envidioso se parece a un negro malvado. Él y su esposa pasaron la noche preocupados, de tan grandes como eran su pena, su aflicción y su preocupación no pegaron el párpado ni el ojo. El sueño no se les acercó y no durmieron; todo lo contrario, permanecieron desvelados y dando vueltas toda la noche, hasta que llegó la mañana; hasta que aclaró y se hizo de día. Qasim, después de haber rezado la oración de la aurora, se dirigió a casa de su hermano y entró de improviso en ella. Alí Babá le dio la bienvenida y lo acogió de la manera más atenta, mostrándose alegre y afable. Lo hizo sentar en un lugar preferente. Qasim, cuando hubo ocupado el sitio, le preguntó: «¡Hermano mío! ¿Por qué aparentas ser pobre y mísero, si posees riquezas que no las puede destruir el fuego? ¿Cuál es el motivo de tu aislamiento y de tu vida humilde, a pesar de que dispones de tantos bienes y puedes hacer mayores gastos? Las riquezas sólo tienen utilidad si el hombre las aprovecha. ¿Acaso no sabes que la avaricia está considerada como un defecto y un vicio, y es propia de las naturalezas más viles y censurables?» «¡Ojalá fuera como dices! Pero soy pobre, y todos mis bienes se reducen a mis asnos y mi hacha. Tus palabras me maravillan. Desconozco su causa y no comprendo nada.» «¡No vengas con argucias y mentiras! —replicó Qasim—. ¡No puedes engañarme, pues se ha descubierto tu asunto y hecho público lo que ocultabas!» Le mostró el dinar que había quedado pegado en la cera, y añadió: «Hemos encontrado esto en la medida que nos pedisteis. Si no fuesen muchos vuestros bienes, no la hubieseis necesitado ni contaríais el oro por medidas». Alí Babá comprendió que se había descubierto lo que ocultaba, a causa del poco conocimiento de su mujer, que se empeñó en medir el oro. Había obrado mal al hacerle caso, pero, ¿qué corcel no se cae?, y ¿qué espada india es la que nunca falla? No podía negar lo que por negligencia se había divulgado. En aquellas circunstancias lo correcto era revelar el misterio y explicar a su hermano lo que le había sucedido, máxime teniendo en cuenta que las riquezas eran tales que superaban la más desbordada fantasía, y que su parte no iba a ser menor aunque la dividiese con su hermano y asociado, pues no conseguirían agotarlo aunque vivieran cien años y gastaran sin cesar. Por ello, contó a su hermano la historia de los ladrones, y le refirió todo lo que le había ocurrido con ellos, cómo había entrado en el tesoro y cómo había transportado parte de la riqueza y todas las gemas y ropas que había querido. Luego añadió: «¡Hermano mío! Todo lo que traiga pertenecerá a los dos y lo repartiremos por igual. Si quieres mayor cantidad te la daré, pues tengo la clave del tesoro. Sacaré todo lo que me plazca, sin que haya quien se oponga o me lo impida». Qasim replicó: «Esta partición no me satisface. Quiero que me indiques el sitio en que está el tesoro y me enseñes el conjuro que lo abre, ya que me has intrigado y deseo verlo, entrar como tú y coger todo lo que me plazca. Iré, veré lo que hay y cogeré lo que me guste. Si no satisfaces mis deseos, te denunciaré al gobernador de la ciudad, lo informaré de toda tu situación y éste hará lo que no te ha de gustar». Alí Babá, al oír estas palabras replicó: «¿Por qué me amenazas con llevarme ante el gobernador de la ciudad? Yo no te contradiré y te enseñaré lo que quieras conocer. Mi única preocupación la constituyen los ladrones, ya que temo que te causen daño. Pero el que tú entres en el tesoro no me perjudica ni me favorece. Coge todo lo que te guste, pues aunque te cargases a reventar no te llevarías todo lo que contiene, y lo que en él quede será muchas veces mayor que lo que cojas». Le enseñó el camino del monte, el lugar en que se encontraba el tesoro, y las palabras del conjuro: «¡Sésamo, abre tu puerta!» Luego añadió: «¡Aprende bien estas palabras y procura no olvidarlas, pues temo que los ladrones te tiendan una trampa como consecuencia de este asunto». Cuando Qasim conoció el lugar del tesoro, aprendió el camino y supo las palabras para abrirlo, se separó muy contento de su hermano, sin pensar más en sus consejos y advertencias. Regresó a su casa con el rostro sereno y lleno de alegría. Contó a su mujer lo que le había sucedido con Alí Babá, y añadió: «Mañana por la mañana, si Dios quiere, iré al monte y volveré a tu lado con riquezas mayores que las que trajo mi hermano, ya que tus reproches me han herido e intranquilizado. Quiero hacer algo que te satisfaga plenamente». Preparó diez mulas, colocó encima de cada una de ellas dos cajas vacías y cargó los instrumentos y cuerdas que iba a necesitar. Se durmió con la intención de dirigirse al tesoro y apoderarse de todas las riquezas y bienes que contuviera, sin dar participación a su hermano. Al despuntar la aurora, se levantó, preparó sus mulas y se echó a andar delante de ellas, hasta llegar al monte. Entonces se guió por las señales que le había descrito su hermano para encontrar la puerta, hasta que la descubrió en un recoveco del monte, entre hierbas y plantas. En cuanto la vio, apresuróse a decir: «¡Sésamo, abre tu puerta!» La puerta se abrió, y se admiró muchísimo por ello. Se lanzó precipitadamente al interior del tesoro ansioso de apoderase de las riquezas. En cuanto hubo cruzado el umbral, la puerta se cerró detrás de él, como de costumbre. Qasim recorrió las tres salas, y no paró de ir de una a otra hasta que hubo pasado por todas. Se quedó estupefacto de los prodigios que veía y absorto ante las maravillas que encontraba, tanto, que por poco perdió la razón de alegría. Ansió apoderarse de todas las riquezas sin excepción, y después de haber andado de derecha a izquierda y de haber revuelto un rato los utensilios y los dirhemes que deseaba, quiso marcharse. Cogió un saco de oro, se lo cargó y se dirigió con él hacia la puerta. Intentó pronunciar las palabras clave para que ésta se abriera, quiso decir: «¡Sésamo, abre tu puerta!», pero su lengua no pudo articular la frase, pues la había olvidado por completo. Se sentó para recordarla, pero no consiguió dar con ella, ni verla en su imaginación: la había olvidado por completo. Dijo: «¡Cebada, abre tu puerta!» La puerta no se abrió. Dijo: «¡Trigo, abre tu puerta!» La puerta no se movió. Siguió: «¡Guisante, abre tu puerta!», pero la puerta siguió cerrada. Siguió citando nombres de granos hasta que hubo pasado revista a todos los cereales, sin que la expresión «¡Sésamo, abre tu puerta!» acudiera a su mente. Cuando vio que de nada le servía citar todas las clases de granos, tiró el oro que llevaba a cuestas y se sentó para tratar de recordar el nombre que le había dicho su hermano. Pero no acudió a su memoria. Transcurrió un rato, durante el cual fue presa de gran inquietud y preocupación. Y todo sin conseguir que el nombre acudiese a su memoria. Empezó a entristecerse y a arrepentirse de lo hecho, cuando de nada le servía la contrición. Exclamó: «¡Ojalá me hubiese contentado con lo que me ofrecía mi hermano y no hubiera dado cabida en mi pecho a los ambiciosos deseos que ahora son la causa de mi perdición!» Se abofeteó la cara, se mesó la barba, desgarró sus vestidos y se cubrió la cabeza de polvo, mientras lloraba a lágrima viva; ora gritaba y sollozaba con su voz más fuerte, ora lloraba silenciosamente. Pasaron las horas sin que él cambiase de situación, el tiempo siguió su curso, los minutos que transcurrían le parecían siglos. Permanecía inmóvil, lleno de miedo y terror, y así llegó a desesperar de la salvación. Exclamó: «¡Estoy perdido sin remedio, pues no hay modo de escapar de esta estrecha prisión!» Esto es lo que a él se refiere.

He aquí lo que hace referencia a los ladrones: encontraron una caravana en la que viajaban los comerciantes con sus mercancías, la atacaron y robaron grandes riquezas. Inmediatamente después se dirigieron al tesoro para depositar en él el botín, según tenían por costumbre. Al acercarse descubrieron los mulos cargados con las cajas, y sospecharon algo. El capitán dio órdenes, y cargaron contra ellos como si fuesen un solo hombre. Los animales huyeron y se dispersaron por el monte y los ladrones ya no se preocuparon más de ellos. Detuvieron sus caballos, echaron pie a tierra y desenvainaron las espadas, para hacer frente si era necesario, a los dueños de los mulos. Al no ver a nadie en la puerta del tesoro, se acercaron a ésta. Qasim, al oír el trote de los caballos, prestó atención a las voces y comprendió que eran los ladrones de que le había hablado su hermano. Con la esperanza de poder escapar, se preparó a huir y se ocultó detrás de la puerta, dispuesto a echar a correr. El capitán de los ladrones se adelantó y dijo: «¡Sésamo, abre tu puerta!». La puerta se abrió en seguida, y Qasim arrancó a correr para huir de la desgracia en busca de la salvación. En su escapada tropezó con el capitán y lo derribó por el suelo; siguió corriendo entre los ladrones y esquivó al primero, al segundo y al tercero, pero como eran cuarenta, no pudo escapar a todos. Uno de ellos lo alcanzó y le dio tal lanzada en el pecho, que la punta del arma apareció brillando por la espalda. Qasim murió en medio de estertores. Ésta es la recompensa del ambicioso, del que emplea con sus amigos la traición y el engaño. Los ladrones entraron en el tesoro, y al advertir que había sido tocado, se indignaron terriblemente y creyeron que Qasim, el asesinado, era su enemigo, y que él había cogido lo que faltaba. Sin embargo, no acertaban a explicarse cómo había conseguido llegar hasta aquel lugar desconocido, apartado y oculto a los ojos de la gente; ignoraban cómo había descubierto el conjuro que abría la puerta, ya que ellos, aparte de Dios (¡loado y ensalzado sea!), eran los únicos que lo conocían. Al ver a Qasim tendido, muerto, sin movimientos se alegraron y desapareció su inquietud, ya que nadie más que él podía haber entrado en el tesoro. Exclamaron: «¡Alabado sea Dios, que nos ha librado de este maldito!» Después, y con la intención de escarmentar con él e intimidar a cualquier otro, cortaron su cuerpo en cuatro partes y las colgaron detrás de la puerta, para que sirviese de ejemplo a todos aquellos que se atrevieran a penetrar en dicho lugar. Luego se marcharon, y la puerta se cerró detrás de ellos. Montaron a caballo y emprendieron su camino. Esto es lo que a ellos se refiere.

He aquí lo que hace referencia a la esposa de Qasim: estuvo todo el día esperando el regreso de su marido, impaciente y deseosa de conseguir todo lo que apetecía de la vida mundanal, y dispuesta a recrearse palpando y contemplando el dinero. Al atardecer, y en vista de que no regresaba, se dirigió a casa de Alí Babá y le explicó que su esposo se había marchado al monte muy de mañana, y que aún no había regresado, por lo que temía que le hubiera pasado alguna desgracia. Alí Babá la calmó y le dijo: «No te intranquilices. Cuando tarda, por algo será. Tal vez no quiera entrar de día en la ciudad por temor a ser descubierto. Ya verás como viene por la noche. No tardarás mucho en verlo llegar a tu lado con el dinero. Por mi parte, cuando vi que estaba resuelto a ir al monte, me abstuve de subir, conforme tengo por costumbre, para no cohibirlo con mi presencia, pues habría creído que quería espiarle. Nuestro Señor le facilitará lo difícil y todo terminará bien. Vuelve a tu casa y no temas nada. Si Dios quiere, sólo te sucederán cosas buenas, pues lo verás regresar a tu lado salvo y rico». La esposa de Qasim regresó a su casa sin demasiadas esperanzas, y se sentó, meditabunda, con el corazón lleno de pesares por la ausencia de su marido. Negros presentimientos la asaltaron, y sólo pensó en calamidades hasta la puesta del sol, hasta que se hizo oscuro y la noche desplegó sus tinieblas pero Qasim no regresaba. La mujer se mantuvo en silencio, despierta y esperando inútilmente. Cuando hubo transcurrido el primer tercio de la noche, desesperó de su regreso y empezó a llorar y a sollozar aunque absteniéndose de los gritos y de los alaridos que dan las mujeres por temor a que los vecinos se enteraran y le preguntasen el porqué de su llanto. Pasó toda la noche en vela, sollozando, inquieta, intranquila, preocupada, desesperada, triste, en el peor de los estados. Al llegar la aurora corrió a casa de Alí Babá y le dijo que su hermano no había regresado. Le habló llena de tristeza, llorando a lágrima viva y en un estado que no puede describirse. Alí Babá exclamó: «¡No hay fuerza ni poder sino en Dios, el Altísimo, el Grande! Hasta ahora había dudado del motivo de su ausencia. Iré a ver qué le ha ocurrido, y te diré la verdad. ¡Quiera Dios que aquello que lo retiene no sea un daño o una desgracia, sino un bien!» Preparó en seguida sus asnos, cogió el hacha y salió al monte, como todos los días. Al aproximarse a la puerta del tesoro, no ver los animales y encontrar, en cambio, manchas de sangre, perdió la esperanza que tenía de encontrar a su hermano y se convenció de que había muerto. Se acercó, aterrorizado, a la puerta, sospechando lo que había ocurrido. Dijo: «¡Sésamo, abre tu puerta!» Al abrirse, vio el cuerpo de Qasim partido en cuatro trozos, colgados detrás de la puerta. Se le puso la carne de gallina, le castañetearon los dientes, los labios se le contrajeron, y por poco se desmaya. Se entristeció muchísimo, por lo ocurrido a su hermano y exclamó: «¡No hay fuerza ni poder sino en Dios, el Altísimo, el Grande! ¡Somos de Dios, y a Él volvemos! ¡No hay modo de escapar a lo que está escrito! Aquello que se ha dispuesto, en lo oculto que ocurra al hombre, le ocurre». Pero como vio que el llanto y la tristeza no servirían de nada en aquellas circunstancias, y que lo mejor sería tomar una resolución y llevarla a cabo, decidióse a amortajar y enterrar a su hermano, pues era un deber para él y, además, una de las obligaciones canónicas del Islam. Tomó los cuatro pedazos en que estaba dividido el cuerpo, los cargó en los asnos, los cubrió con algunas ropas y tomó los objetos del tesoro que más le gustaron, precisamente los de menos peso y más valor. Después completó la carga con leña y esperó hasta que se hiciera de noche. Entonces se dirigió a la ciudad, y entró en ella en un estado más lamentable que el de la madre que acaba de perder a su hijo, pues no sabía qué hacer con el muerto ni qué era lo mejor. Sumergido en un mar de ideas, siguió avanzando con sus asnos hasta llegar a la casa de su hermano. Llamó a la puerta y le abrió una esclava negra, abisinia, que servía como criada. Era una de las esclavas más guapas, y por el talle la más esbelta; sus dientes eran pequeños; su aspecto dulce; tenía los ojos negros, y era perfecta en todas sus partes. Pero lo mejor de todo es que era mujer de buen consejo, de entendimiento penetrante, de gran resolución, y de un valor igual al del hombre cuando era necesario, e incluso superaba en inventiva al hombre más experto y avisado. Realizaba a plena satisfacción los trabajos domésticos que le estaban confiados.

Alí Babá, al entrar en el patio le dijo: «Ha llegado tu hora, Marchana, necesitamos tu consejo en un asunto que te explicaré delante de tu señora. Acompáñame para oír lo que voy a decirte». Dejó los asnos en el patio y subió a ver a la esposa de su hermano. Marchana lo siguió, perpleja e intrigada por lo que acababa de oír. La mujer de Qasim, al verlo, le dijo: «¿Qué traes, Alí Babá? ¿Buenas o malas noticias? ¿Dejó alguna huella o no dejó rastro de sí? ¡Apresúrate a tranquilizarme y a apagar el fuego que hay en mi corazón!» Al ver que tardaba en contestarle, comprendió la verdad y empezó a sollozar. Alí Babá le dijo: «¡Contén los gritos y no levantes la voz! Temo que la gente oiga nuestra historia y sea la causa de la perdición de todos». Le explicó todo: cómo había encontrado a su hermano muerto, con el cuerpo partido en cuatro pedazos, colgados detrás de la puerta del tesoro. Luego añadió: «Hazte cargo de que nuestros bienes, nuestras personas y nuestras familias son un pequeño don que Dios nos ha concedido. La suerte y la desgracia van con nosotros. Es necesario que le demos las gracias cuando da, y que tengamos paciencia cuando nos pone a prueba. La desesperación no devuelve la vida al muerto ni soluciona la tristeza. Has de tener paciencia, pues sólo así alcanzarás el bien y la salud. Es preferible resignarse a las disposiciones de Dios, a desesperarse y oponerse a ellas. Ahora, la mejor solución, la más apropiada, consiste en que yo sea tu marido, que entres en mi familia y te cases conmigo. Mi mujer no te causará enojos, ya que es inteligente y modesta, piadosa y temerosa de Dios. Todos formaremos una sola familia. Gracias a Dios, poseemos tales riquezas que estamos a cubierto del trabajo, de la preocupación y de la búsqueda de nuestro sustento cotidiano. ¡Gracias sean dadas al Generoso por lo que da, y loado sea por lo que concede!» La mujer de Qasim, al oír las palabras de Alí Babá, dejó de desesperarse, abandonó su profunda aflicción, cortó el llanto y se secó las lágrimas. Le respondió: «Seré tu esclava obediente y tu criada servicial. Te haré caso en todo lo que creas prudente, pero ¿qué hemos de hacer con este muerto?» «Deja que del muerto se encargue tu criada Marchana, pues conozco la rapidez de su pensamiento, la agudeza de sus ideas y su certera opinión. Ya ideará algo.» Después de esto, Alí Babá se separó de ella y se marchó a sus quehaceres.

La joven Marchana al oír las palabras de Alí Babá y percatarse de que su señor estaba muerto y cortado en cuatro pedazos descubrió con su agudeza la causa de todo y tranquilizó a su señora, diciéndole: «No te preocupes. Confía en mí, pues ya idearé algo que permita conservar nuestro secreto». Salió y se dirigió a la tienda de un farmacéutico que vivía en la misma calle. Era éste un jeque muy anciano, célebre por sus conocimientos en las distintas ramas de la Medicina y de la Ciencia; decían que era muy experto en la preparación de las medicinas, y que conocía a la perfección los medicamentos simples y compuestos. Le pidió una pomada que sólo se recetaba en caso de enfermedades graves. Le preguntó: «¿Quién de tu casa necesita este ungüento?» «Mi señor, Qasim. Ha cogido una grave enfermedad que lo ha postrado en cama; está completamente imposibilitado.» El especiero se levantó, le entregó el ungüento y le dijo: «Tal vez Dios, con este remedio, le devuelva la salud». La joven cogió la pomada, le pagó generosamente y regresó a su casa. Al día siguiente, por la mañana, volvió a la farmacia y pidió una medicina que sólo se administraba cuando ya se habían perdido todas las esperanzas. El farmacéutico le preguntó: «¿No hizo efecto el ungüento de ayer?» «¡No, por Dios! Mi señor se encuentra en las últimas, y lucha entre la vida y la muerte. Mi señora no hace más que llorar y gemir.» El hombre le entregó la medicina, y ella la cogió, le pagó su importe, y se dirigió a casa de Alí Babá, al que puso al corriente de la estratagema que había ideado. Recomendó a éste que multiplicase las visitas a casa de su hermano y que diera muestras de tristeza y dolor. Alí Babá lo hizo así, y cuando los vecinos lo vieron entrar y salir de casa de su hermano dando muestras de gran tristeza, le preguntaron qué le pasaba. Les explicó la enfermedad de su hermano, la gravedad en que estaba. La noticia se esparció por la ciudad, y la gente la comentó. Al día siguiente, antes de que amaneciera, Marchana recorrió las calles de la ciudad hasta pasar junto a un hombre que era cordonero, llamado el jeque Mustafá; era muy anciano, de cabeza gorda, bajo, y con barba y bigotes largos. La gente sabía que tenía la constumbre de ser el primero en el zoco en abrir la tienda. La joven se acercó a él, lo saludó con corrección y respeto y le puso un dinar en la mano. El jeque, al ver el color de la moneda, lo acarició un rato con la mano y le dijo: «¡Señora de las esclavas! Explícame cuáles son tus deseos, para que los realice». «¡Jeque! Coge hilo y aguja, lávate las manos, ponte las sandalias, deja que te vende los ojos, echa a andar y ven conmigo a hacer un trabajo delicado, que te permitirá ganar los bienes de este mundo y del otro y que no te va a causar el menor daño.» «Si me pides algo que ha de ser del agrado de Dios y de su Enviado, lo haré con gusto y no te contradiré; pero si se trata de algo incorrecto, de un delito, de un pecado o de una falta, no te pienso hacer caso, y ya puedes buscar a otro para que te satisfaga.» «¡Por Dios, jeque Mustafá! Es algo lícito y permitido. Nada has de temer.» Y al decir esto, le puso en la mano otro dinar. El hombre, al verlo, se sintió ya incapaz de negarse o poner peros. De un salto se puso en pie y le dijo: «Estoy a tu servicio y haré todo lo que me mandes». Cerró la puerta de la tienda, cogió todo lo que necesitaba: hilo, aguja y demás útiles de coser mientras Marchana preparaba un trapo para vendar al hombre, a fin de que no supiera adónde lo llevaba. Lo cogió de la mano y empezaron a andar por calles y callejas; el cordonero iba ligeramente rezagado, como el ciego. No sabía adónde lo llevaban ni para qué. Anduvieron juntos sin parar. La joven doblaba unas veces a la derecha y otras a la izquierda, y alargaba el camino con el fin de desorientarlo y de que no supiese adónde lo llevaba. Así anduvieron hasta llegar a la casa del difunto Qasim. Llamó suavemente a la puerta y abrieron en seguida. Entró acompañada del jeque Mustafá, subió con él y lo dejó en el lugar en que estaba el cadáver de su señor. Entonces le quitó la venda que cubría los ojos del viejo Mustafá. Éste al tener destapados los ojos vio que se hallaba en un lugar desconocido; al contemplar el cuerpo del asesinado, se llenó de temor y empezó a temblar. Marchana le dijo: «No temas, jeque, pues no te ha de suceder nada malo. Lo único que te pedimos es que cosas de la mejor manera posible los miembros de este cadáver y que unas sus partes hasta formar un todo con el cuerpo». Le ofreció tres dinares, que el jeque Mustafá cogió y se metió en el bolsillo, mientras se decía: «Ha llegado el momento de tener valor y actuar con acierto. No sé dónde estoy ni conozco las intenciones de esta gente; si desobedezco, me castigarán; lo más prudente es hacer lo que ellos quieran. Sea como fuere, soy inocente de la sangre de este hombre asesinado, y la venganza le incumbe a Dios (¡glorificado y ensalzado sea!) Al coser un cuerpo no se comete ningún pecado ni se es merecedor de castigo». Se sentó y se puso a coser las distintas partes del muerto y a unirlas hasta formar un cuerpo entero. Marchana, tan pronto como el hombre hubo terminado el trabajo, se puso de pie, le vendó los ojos de nuevo y bajó con él a la calle. Fue de calleja en calleja, dio vueltas de un lado para otro, lo llevó a su tienda antes de que la gente, empezara a salir de sus casas. Nadie los vio. Al llegar a la tienda, le quitó la venda de los ojos y le dijo: «Calla este hecho: Ten cuidado y no expliques a nadie lo que has visto; no hagas el indiscreto en aquello que no te incumbe, pues podría ocurrirte algo desagradable». Le dio otro dinar y se marchó. Al llegar a su casa dijo que le trajeran agua caliente y jabón y se dedicó a lavar el cuerpo de su señor hasta dejarlo limpio de sangre; después le puso un vestido y lo tendió en su lecho. Entonces mandó llamar a Alí Babá y a su esposa. Cuando los tuvo delante, les explicó lo que había hecho y les dijo: «Ahora anunciad la muerte de mi señor, Qasim, e informad de ella a la gente». Las mujeres empezaron a llorar, a gemir, a prorrumpir en ayes, a sollozar, a lamentarse, a gritar y a abofetearse la cara, hasta que los vecinos las oyeron. Los amigos acudieron a dar el pésame, y el llanto y los sollozos fueron en aumento los gritos crecieron y el barullo subió de punto. Por toda la ciudad se extendió la noticia de la muerte de Qasim. Los allegados se condolieron por su pérdida, y los enemigos injuriaron su memoria. Al cabo de un rato llegaron, según es costumbre, los lavadores del cadáver, pero Marchana les dijo que ya estaba lavado, embalsamado y amortajado, si bien les pagó más de lo que habrían cobrado por su trabajo. Se marcharon tranquilos, sin entender aquello, aunque también sin preguntar lo que no les importaba. Más tarde llevaron las parihuelas, bajaron el cadáver, lo colocaron en ellas y lo llevaron al cementerio. Las gentes asistieron al entierro y Marchana y las mujeres fueron detrás, llorando y sollozando hasta llegar al camposanto. Cavaron una fosa y lo enterraron (¡apiádese Dios de él!) La gente regresó, se separó y volvió a sus quehaceres. Así pudo ocultarse cómo había muerto Qasim, y nadie sospechó la verdad, pues la gente creyó que había sucumbido de muerte natural.

Transcurrido el plazo legal de viudedad, Alí Babá se casó con la mujer de su hermano, se escribó el contrato de matrimonio, y éste fue consumado. La gente encontró bien este acto, y lo atribuyeron al mucho cariño que Alí Babá tenía a su hermano. Alí Babá trasladó sus enseres y riquezas a casa de su nueva mujer, y se quedó a vivir en ella con sus dos esposas, también trasladó allí las riquezas que había sacado del tesoro. Para atender la tienda de su difunto hermano pensó en el hijo que Dios le había concedido, y que ya tenía doce años. El muchacho había servido a un comerciante, había aprendido el oficio con él, y era ya persona entendida. Entonces el padre necesitó alguien a quien confiar la tienda, le retiró del lado de aquel comerciante y se la entregó para que vendiese y comprase, todas las mercancías y los objetos con que la había dejado su tío prometiéndole que lo casaría si andaba por el camino del bien y del éxito, si seguía la senda de la justicia y de la bondad. Esto es lo que a ellos se refiere.

Veamos ahora qué hacían los ladrones. Después de un corto lapso de tiempo volvieron al tesoro, entraron y, al no encontrar el cuerpo de Qasim comprendieron que más de uno conocía aquello, que el difunto tenía compañeros, y que su secreto se había divulgado entre la gente. Esto les llenó de preocupación y pena. Comprobaron si se habían llevado algo del tesoro, y vieron que les faltaba una gran suma. Fuera de sí por la ira, su jefe les dijo: «¡ Héroes ! ¡ Paladines de la guerra y del combate ! Ha llegado el momento de la venganza. Creíamos que había entrado aquí un solo individuo, pero lo cierto es que se trata de varios, cuyo número y morada desconocemos. Hemos expuesto nuestras vidas y nos hemos lanzado al combate para reunir estas riquezas, y ahora otros se aprovechan de ellas sin fatiga. Esto es algo enorme, intolerable. Hay que idear algo que nos permita apoderarnos de nuestros enemigos y vengarnos terriblemente de ellos: les he de matar con este sable aunque ello me cueste la vida. Ha llegado el momento de actuar, de mostrar la hombría, la audacia y la actividad. Dividíos en grupos, entrad en la ciudad y los pueblos, recorred las poblaciones y las comarcas, buscad noticias y preguntad si hay algún pobre que se haya enriquecido o algún occiso que haya recibido sepultura. Tal vez encontréis indicios que os lleven hasta vuestro enemigo y Dios os reúna con él. Necesitamos especialmente uno que sea astuto y falso, que esté orgulloso de ser hombre, para que marche solo a la ciudad, ya que nuestro enemigo es, sin duda ni vacilación uno de sus habitantes. Uno de vosotros se disfrazará de mercader, y entrará en la ciudad en busca de noticias; preguntará por los sucesos y acontecimientos recientes; por los que han muerto o han sido asesinados en este pequeño lapso de tiempo, por sus familiares, por sus casas y cómo han ocurrido las desgracias. Tal vez encuentre indicios que lo lleven a lo que busca, pues un asesinato no se oculta. Es seguro que la noticia se habrá extendido por el país, que se hablará de ello entre grandes y chicos. El que capture a nuestro enemigo o nos informe del lugar en que se halla, se habrá hecho acreedor de una magnífica recompensa. Lo ascenderé, le aumentaremos de grado y lo nombraré mi sucesor. Pero si fracasa en su intento y no consigue lo que prometa, frustrando con ello nuestras esperanzas, lo tendremos por tonto, ignorante, corto de entendederas, inhábil e irreflexivo, lo castigaremos por haber actuado mal, por el fracaso de sus esfuerzos, y le daremos muerte, pues no necesitamos un hombre que carece de hombría, y no nos es útil quien no es perspicaz, pues sólo puede ser un ladrón hábil el hombre de entendimiento despierto, que domina todas las ramas del engaño; no digáis de ése, "¡Qué valiente!" ¿Quién de vosotros se ofrece para tan difícil y peligrosa misión?» Sus hombres, al oír la arenga del jefe, aprobaron su idea y aceptaron las condiciones que había expuesto, sin contradecirlo y jurándose que las respetarían. Uno de ellos, alto y grueso se ofreció a recorrer ese camino complicado y peligroso y aceptó explícitamente las condiciones aprobadas por todos. Lo honraron, elogiaron su valor y su ofrecimiento, alabaron sus nobles propósitos y su resolución, le agradecieron su hombría y su coraje y se admiraron de su fuerza y audacia. El jefe le recomendó tranquilidad y resolución en el obrar, y habilidad en las tretas, engaños y añagazas. Le explicó que debía entrar en la ciudad disfrazado, exteriormente, de comerciante que va en busca de negocios, aunque en su interior llevase la firme resolución de espiar. Cuando el jefe hubo terminado de hacerle sus recomendaciones, él y los ladrones lo dejaron solo y se marcharon. El ladrón que se había ofrecido a librar a sus compañeros se vistió de comerciante, adoptó el aspecto de éstos y esperó que llegara el día para dirigirse a la ciudad. Al descorrerse las tinieblas y aparecer la aurora fue con la bendición de Dios (¡ensalzado sea!) hacia la ciudad, entró en ella, recorrió sus calles y plazas y cruzó sus zocos y sus callejas cuando la mayoría de gente estaba aún sumergida en las delicias del sueño. Anduvo sin parar hasta que fue a desembocar al zoco del *hach* Mustafá el cordonero, que ya había abierto la tienda y estaba sentado, cosiendo unas sandalias puesto que, como hemos dicho, se levantaba temprano, bajaba al zoco y tenía la costumbre de abrir antes que los demás vecinos. El espía se acercó a él, lo saludó con buenas palabras y lo trató con delicadeza y respeto. «¡Dios te bendiga en tu ocupación y aumente el respeto que se te debe! —le dijo—. Eres el primero de los inquilinos del zoco que abre la tienda.» El jeque Mustafá le replicó: «¡Hijo mío! Vale más ser diligente en la busca del sustento que en el sueño. Ésta es mi costumbre de todos los días». «Pero jeque, me maravilla lo bien que coses a esta hora, antes de la salida del sol, a pesar de tu poca vista, de tu mucha edad y de la escasez de luz.» El jeque Mustafá, al oír estas palabras, se volvió, enfadado, hacia él, lo miró con dureza y le dijo: «Creo que no eres de esta ciudad. Si fueses uno de sus habitantes no habrías dicho tales palabras, puesto que ricos y pobres me conocen por la agudeza de mi vista, y soy célebre entre grandes y pequeños por lo bien que conozco el oficio de cordonero, hasta el punto de que un grupo me escogió ayer para que les cosiera un muerto, en un lugar en que apenas había luz. Y lo cosí a la perfección, lo cual me hubiera sido imposible sin mi agudeza visual». El ladrón, al oír estas palabras, se alegró de haber conseguido su propósito, y comprendió en seguida, que el decreto divino lo había conducido hasta tropezar con lo que buscaba. Le dijo, aparentando sorpresa: «¡Te habrás equivocado, jeque! Habrás cosido una mortaja, ya que jamás he oído decir que se cosa a los muertos». «¡No he dicho sino la verdad! Pero veo que te propones fisgonear los secretos de la gente; si tal es tu intención, apártate de mí y tiende tus trampas a otro. Tal vez creas que hablo mucho, pero me llaman «El callado», y no pienso revelar lo que quiero guardar secreto; no te contaré nada más de este asunto.» El ladrón acabó de convencerse de que aquel muerto era el hombre al que habían matado en el tesoro. Dijo al viejo Mustafá: «¡Jeque! Para nada me interesa tu secreto, y es preferible que guardes silencio, ya que se dice: "Guardar el secreto, es propio del carácter de los píos". Lo único que quiero es que me indiques la casa del muerto. Tal vez sea uno de mis parientes o conocidos, y en ese caso es necesario que yo dé el pésame a la familia, ya que he estado mucho tiempo fuera de esta ciudad, e ignoro lo que ha ocurrido en ella durante mi ausencia». Metió la mano en el bolsillo, sacó un dinar y lo colocó en la mano de Mustafá. Éste lo rechazó, diciendo: «Me preguntas algo que no puedo contestar, ya que me condujeron a la casa del difunto después de haberme tapado los ojos con una venda, e ignoro el camino que conduce a ella». «Yo te he dado ya el dinar, tanto si puedes satisfacer mi deseo como si no. Cógelo y Dios te lo bendiga; no tienes por qué devolverlo. Pero entre las cosas posibles está el que tú te sientes un rato a meditar en el camino que te hicieron andar mientras tenías los ojos tapados.» «No puedo hacerlo, a menos que me tapes los ojos con una venda, del mismo modo que me hicieron entonces. Me acuerdo cómo me cogieron por la mano, me condujeron, me hicieron dar vueltas y me hicieron detener. Así quizá pueda guiarte al lugar que deseas.» El ladrón se felicitó al oír estas palabras, dio otro dinar al jeque Mustafá y le dijo: «Haremos lo que has dicho». Ambos se pusieron en pie. El anciano cerró su tienda, y el ladrón le vendó los ojos y, tomándolo por la mano, empezó a andar con él. El jeque Mustafá iba unas veces hacia la derecha, otras hacia la izquierda, y a ratos lo precedía. Hizo lo mismo que había hecho con la joven Marchana, hasta llegar a una calle, en que dio unos cuantos pasos y se detuvo, diciendo al ladrón: «Creo que fue aquí». El bandido le quitó la venda de los ojos. El hado quiso que el cordonero se detuviera delante de la casa del difunto Qasim. El ladrón le preguntó: «¿Conoces al dueño de este edificio?» «¡No, por Dios! Esta calle se halla lejos de mi tienda, y no conozco a la gente del barrio.» El ladrón le dio las gracias, le entregó otro dinar y le dijo: «¡Vete con Dios!» El jeque Mustafá regresó contento a su tienda por haber ganado tres dinares. El ladrón examinó la casa y vio que la puerta se parecía a las de todas las casas del barrio. Temiendo confundirse, cogió yeso e hizo en ella una pequeña señal blanca que le sirviera para identificarla. Contento, seguro de que había cumplido la misión encomendada y que sólo faltaba tomar venganza, regresó junto a sus compañeros, que estaban en el monte. Esto es lo que a él se refiere.

He aquí lo que hace referencia a la joven Marchana: Cuando se hubo levantado y rezado la oración de la aurora, como tenía por costumbre, arregló sus cosas y salió a comprar los alimentos y bebidas que necesitaba. Al volver del mercado vio que en la puerta de la casa había una señal blanca. La contempló, le extrañó y la intrigó. Se dijo: «Es posible que sea un juego de niños o una marca hecha por los muchachos del barrio, pero también puede ser una señal puesta por un antiguo enemigo o un vil envidioso, con mala intención y con un propósito vituperable. Lo mejor será confundirlo y frustrar su nefasto plan». Cogió un pedazo de yeso y trazó en la puerta de sus vecinos señales parecidas a la que el ladrón había hecho. Así señaló unas diez puertas del barrio. Después entró en su casa y no dijo nada de lo que acababa de hacer. Esto es lo que a ella se refiere.

En cuanto al ladrón, al reunirse con sus compañeros en el monte se mostró contento y les dio la buena noticia de que había realizado sus deseos al descubrir a su enemigo, y que pronto podrían vengarse de él. Les refirió cómo había encontrado, de paso, a un cordonero que había cosido a un muerto, y que aquél lo había conducido a la casa de éste; cómo había señalado a ésta para evitar confusiones y quedar más tranquilo. El jefe le dio las gracias, lo alabó por su valor y se alegró mucho. Dijo a los ladrones: «Dividíos en grupos, poneos trajes de ciudadanos corrientes, esconded vuestras armas, dirigíos a la ciudad, entrad en ella por distintos lugares y reuníos en la mezquita mayor. Entretanto, yo y este hombre, quiero decir el espía, buscaremos la casa de nuestro enemigo. Cuando la encontremos, y nos cercioremos volveremos a reunirnos con vosotros en la mezquita y celebraremos consejo en ella para resolver lo que hay que hacer. Nos pondremos de acuerdo acerca de lo que sea mejor: asaltar la casa de noche o lo que sea». Los ladrones, al oír sus palabras, las encontraron apropiadas y justas y aceptaron sus deseos. Se dividieron en grupos, se pusieron trajes corrientes y bajo ellos ocultaron la espada, tal como les había mandado el capitán. Entraron en la ciudad por distintos lugares, temerosos de que sus habitantes los descubrieran, y se reunieron en la mezquita principal, de acuerdo con lo convenido. El capitán y el espía se dirigieron a la calle en que vivía su enemigo, y al llegar a ella, el capitán vio una casa con una señal blanca. Preguntó a su compañero si era aquélla la que buscaban, y él le contestó que sí. El capitán se volvió hacia otra casa y vio también una señal blanca. Le preguntó: «¿Cuál de las dos es la que nos interesa? ¿La primera o la segunda?» El ladrón quedó perplejo y no supo qué responder. El capitán dio entonces unos cuantos pasos y vio varias puertas más con la misma señal. «¿Has sido tú quien ha señalado todas estas casas, o sólo has marcado una?» «¡Sólo he marcado una!» «¿Y cómo es que ahora hay diez?» «¡No comprendo cómo puede ser!» «¿Puedes distinguir entre todas estas casas la que has señalado tú?» «No; ahora se parecen todas las casas; todas las puertas tienen el mismo aspecto, y todas las señales son iguales.» El capitán, al ver que era inútil continuar allí, y que aquella vez no había medio de vengarse, y que su esperanza se había frustrado, regresó con aquel hombre a la mezquita y mandó a sus compañeros que volviesen al monte, recomendándoles que fuesen por distintos caminos, tal como habían hecho a la ida. Al encontrarse todos en el monte, en el lugar de costumbre, les explicó todo, y cómo aquel compañero había sido incapaz de distinguir la casa de su enemigo. Añadió: «Ahora es necesario que cumplamos la sentencia dictada, de acuerdo con las condiciones estipuladas». Lo aceptaron sin pestañear, y el propio ladrón, que era valiente y duro de corazón, no se volvió atrás al oír aquellas palabras ni se mostró cobarde. Al contrario: avanzó, resuelto y sin temor, y dijo: «En realidad soy merecedor de la pena de muerte; éste es el castigo de mi poca previsión y escasa astucia, ya que he sido incapaz de cumplir lo que se me había pedido. No me apetece continuar viviendo y prefiero morir que vivir infamado». El capitán desenvainó la espada, y, de un golpe, le cortó el cuello. La cabeza cayó, separada del tronco. Luego dijo: «¡Hombres de guerra y de combate! ¿Quién de vosotros es el valiente, el bravo, el de corazón resuelto y cabeza serena que se ofrece ahora para realizar esta difícil empresa? Que no se ofrezca el incapaz ni el débil, pues no he de aceptarlo. Debe presentarse el avispado, el muy bravo, el de pensamiento recto y gran habilidad». Uno de aquellos hombres, llamado Ahmad «el encolerizable», muy alto, grueso, de aspecto aterrador, mala catadura, rostro moreno, de mala figura, con bigotes semejantes a los del gato cuando se apresta a caer sobre el ratón y barba parecida a la de un chivo cuando está entre la cabra y el cordero, se adelantó y dijo: «¡Comunidad de mis iguales! ¡Para tal hazaña, sólo yo os convengo! Si Dios quiere os traeré noticias seguras y os conduciré al domicilio del enemigo». El capitán dijo al que se ofrecía para realizar la hazaña: «No irás si previamente no aceptas las condiciones ya establecidas. Si fracasas, serás decapitado. Si vuelves victorioso, te aumentaremos el rango, te honraremos, te ascenderemos, te daremos mayor importancia y tendrás toda clase de bienes». A continuación Ahmad «el encolerizable», se disfrazó de mercader, entró en la ciudad antes de que amaneciera y se dirigió directamente al barrio del jeque Mustafá el cordonero, pues ya iba orientado gracias a las palabras de su compañero. Lo encontró sentado en la tienda. Lo saludó, se instaló a su lado, le habló con amabilidad y dirigió hábilmente la conversación hasta hacerle explicar el asunto del muerto y cómo lo había cosido. Ahmad «el encolerizable» le pidió que lo guiase a la casa. El jeque Mustafá se negó, y rehusó continuar hablando; pero cuando vio el dinero no pudo contrariarlo, ya que las monedas son una flecha certera y un intercesor al que no se rechaza. Entonces se dejó vendar igual que anteriormente, lo condujo hasta la casa del difunto Qasim y se detuvo delante de ella. Le quitó la venda, que le cubría los ojos, le entregó el dinero prometido y dejó que se marchara. Ahmad «el encolerizable» al encontrarse ante su objetivo, temió confundirse más tarde, y, en previsión de ello, marcó la puerta de la casa con una pequeña señal roja, que pintó en un lugar poco visible, pensando que nadie la vería. Después regresó junto a sus compañeros y les contó lo que había hecho, lleno de alegría, sin dudar del éxito y convencido de que nadie vería la señal, por ser pequeña y estar muy disimulada. Esto es lo que a ellos se refiere.

He aquí lo que se refiere a la joven Marchana: Se levantó temprano y, como de costumbre, salió a comprar carne, verduras, frutas, frutos secos y demás cosas necesarias para la casa. Al regresar del mercado la señal roja no le pasó inadvertida, antes al contrario, cayó bajo su vista y la contempló. La encontró rara, le llamó la atención y pensó con su agudeza y mucho entendimiento que la había hecho algún enemigo o un vecino envidioso, para hacer daño a la gente de la casa. No vaciló en marcar de rojo, con señales de la misma forma, las casas de los vecinos, y las pintó en el mismo sitio que había elegido Ahmad «el encolerizable». La joven no dijo nada para no intranquilizar o perturbar a su señor. Esto es lo que a ella se refiere.

Entretanto, el ladrón, que se había reunido con sus compañeros, les refirió lo que le había ocurrido con el cordonero, y cómo éste lo había guiado hasta la casa de su enemigo, cuya puerta había marcado con una señal roja para poder reconocerla. El capitán ordenó a sus hombres que se vistieran como el vulgo, que escondiesen las armas debajo de los trajes, y que entraran en la ciudad por distintos caminos. Añadió: «Os reuniréis en tal mezquita, y permaneceréis en ella hasta que nos unamos a vosotros». Él se marchó con Ahmad «el encolerizable» en busca de la casa en cuestión, para ver cuál era. Al llegar a la calle ya sabida, Ahmad «el encolerizable» fue incapaz de reconocerla dado el gran número de señales colocadas en las puertas. Al comprobarlo se avergonzó y no supo qué decir. El capitán, al darse cuenta de que era incapaz de encontrar la casa, bajó la cabeza, frunció el ceño y se enojó terriblemente. Pero la necesidad lo obligó a disimular, de momento, su enfado. Regresó con el ladrón, que marchaba cabizbajo, a la mezquita. Al reunirse con sus compañeros, les ordenó que regresasen al monte. Se separaron, y, en distintos grupos, regresaron a su feudo. Se sentaron en consejo, y entonces el capitán les refirió lo sucedido, y que los hados no les habían ayudado a tomar venganza, pues aquel día se había puesto al descubierto la vergüenza e incapacidad de Ahmad «el encolerizable», el cual se había demostrado incapaz de reconocer la casa de su enemigo. Luego desenvainó la espada, y de un mandoble en el cuello echó a rodar su cabeza, la separó del cuerpo, y Dios despachó su alma a toda prisa hacia el fuego (¡qué pésima morada!). El capitán meditó en el asunto y se dijo: «Mis hombres son buenos para combatir, alancear, saquear, verter sangre y hacer incursiones, pero no tienen idea de lo que son las tretas y las añagazas. Si los mando uno detrás de otro para solucionar este problema, los perderé a todos sin utilidad ni beneficio. Lo mejor es que vaya yo personalmente a solucionar este difícil asunto». Informó de ello a los ladrones, y les dijo que iba a ir él, personalmente, a la ciudad. Le contestaron: «Este asunto es tuyo, y la autoridad también. Haz lo que te parezca». Entonces se cambió de vestidos, y al amanecer se dirigió a la ciudad en busca del jeque Mustafá el cordonero, del mismo modo que habían hecho sus dos mensajeros. Al encontrarlo, se acercó a él, lo saludó, le habló de buena forma y llevó la conversación hasta comentar lo acaecido al asesinado, y no paró de tirarle de la lengua y ofrecerle dinero hasta que el jeque Mustafá se avino a su deseo, y el capitán obtuvo lo que deseaba, o sea, el conocimiento del domicilio de su enemigo por el procedimiento ya citado. Cuando el viejo lo dejó ante la casa, le dio una recompensa mayor que la que le había prometido y lo despidió. Después se fijó en el edificio, lo examinó y no le fue necesario poner ninguna señal, puesto que contó las puertas que había en la calle, hasta llegar a la de la casa que le interesaba; se aprendió el número de memoria, examinó sus ventanas y sus arcos y se fijó en todos los detalles hasta conocerla a la perfección. Entretanto, se paseaba por la calle para que sus vecinos no se extrañaran al verlo allí tanto rato. Luego volvió junto a sus compañeros, les explicó lo que había hecho, y les dijo: «Sé cuál es la casa de nuestro enemigo, y, si Dios lo quiere, ha llegado la hora de nuestra venganza. He meditado acerca de cómo hemos de entrar y atacarlo. Os lo voy a contar. Si os parece bien lo pondremos en práctica, y si no lo aprobáis, el que tenga algo mejor que lo mío, que lo exponga y explique lo que bien le parezca». Les refirió lo que había pensado y lo que quería hacer. Los ladrones lo aprobaron, se pusieron de acuerdo y prometieron, bajo juramento, que ninguno de ellos quedaría rezagado respecto a su compañero en busca de la venganza. Entonces envió un grupo de ellos a un pueblo cercano y les mandó comprar cuarenta grandes pellejos de cuero. Despachó el resto de sus hombres a las aldeas vecinas para que comprasen veinte mulos. Cuando hubieron adquirido todo lo que les había mandado, se presentaron ante él. Hicieron en cada pellejo una hendidura suficiente para que pudiese entrar un hombre, y cada ladrón se metió en un odre con un puñal en la mano. Una vez estuvieron todos dentro, metidos en esa cárcel tan estrecha, cosió el capitán las aberturas, las dejó como habían estado, ensució los pellejos con aceite, para que quienes los vieran pensasen que estaban llenos de este líquido y los cargó de dos en dos a lomos de una mula. Los dos pellejos restantes los llenó de aceite verdadero y los colocó en uno de los animales. En total había veinte mulas cargadas: diecinueve de hombres, y una de aceite, ya que los ladrones, después de la pérdida de sus dos compañeros, a los que dio muerte el capitán, habían quedado reducidos a treinta y ocho. Cuando terminó estos preparativos, se puso al frente de la recua de mulos y entró en la ciudad cuando ya había caído el sol, cuando era tarde y había desaparecido la luz. Buscó la casa de Alí Babá y la reconoció en el acto. Al llegar ante ella tropezó con Alí Babá, el cual estaba sentado en un banco en la calle; en el banco había un tapiz, y se apoyaba en una magnífica almohada. Se fijó en él y vio que estaba contento, feliz y tranquilo por el bienestar y desahogo en que vivía. Al llegar junto a él lo saludó correctamente, con educación, humildad y respeto. Le dijo: «No soy de este país, mi patria está lejos, y mi morada apartada. He comprado aceite, y espero venderlo en esta ciudad. Pero he entrado tarde, me ha sido imposible llegar antes, a causa de la distancia y el mal estado del camino, y he encontrado cerrados los mercados. Me he puesto en marcha, perplejo, en busca de un lugar o refugio en que poder pernoctar con mis animales, pero no lo he encontrado; he andado hasta pasar, ahora, por tu lado. En cuanto te he visto, he dado gracias a Dios, porque ha solucionado mi problema y me ha hecho conseguir mi propósito. La generosidad se hace bien patente en tu gracioso rostro, y la hombría brilla en tus ojos honrados. No cabe duda de que eres hombre de bien y de mérito, piadoso y bueno. ¿Puedes darnos cobijo por esta noche a mí y a mis mulas? Te harás merecedor de que te recompense y que te haga un buen regalo. Además, serás recompensado por el Generoso, el Favorecedor, el que paga un bien con otro bien, el que borra las maldades con el perdón. Mañana por la mañana, si Dios quiere, bajaré al mercado, venderé mi aceite y me separaré de ti, agradeciéndote el favor y alabándote». Alí Babá replicó: «¡Bien venido sea el caminante! ¡Hoy eres nuestro huésped bendito, y nos satisface esta noche feliz!» Alí Babá era noble y generoso, magnánimo, de buenas costumbres y cualidades. De intenciones puras, sólo pensaba bien de la gente. Creyó lo que había inventado el falso comerciante; no se le ocurrió que pudiera ser el capitán de los ladrones del monte, ni lo reconoció, a pesar de haberlo visto una vez, aunque con un aspecto distinto. Llamó a su esclavo Abd Allah y le mandó que hiciese entrar las mulas. Éste cumplió su orden, y el capitán entró en pos de sus animales para descargar los odres. Él y Abd Allah los bajaron de las mulas y los alinearon junto a la pared en el patio de la casa. Después, el esclavo cogió las mulas, las metió en el establo y les dio cebada. El capitán quería pasar la noche en el patio, junto a los odres, negándose a entrar en la habitación con la excusa de que temía causar molestias a las gentes de la casa cuando en realidad era para poder llevar a cabo su propósito y poder realizar la perfidia que le había llevado junto a Alí Babá. Pero éste no le consintió que lo hiciese, lo conjuró a que entrase, y lo hizo de tal forma que casi lo arrastró. Al ver que era imposible seguir negándose, entró con él. El capitán se encontró en una amplia y espaciosa sala, cuyo suelo era de distintas clases de mármol. A su alrededor, unos enfrente de otros, había divanes recubiertos con los más preciosos tapices y tapetes, y en la testera del salón, un diván, mayor que los demás, cubierto de regia seda; sus peldaños estaban plateados, y las cortinas, bordadas. Alí Babá lo hizo sentar en este diván, mandó encender las velas y envió recado a Marchana, informándola de que tenía un huésped y ordenándole que preparase los mejores alimentos para la cena. Después se sentó junto al recién llegado, le hizo compañía y le dio conversación hasta que llegó la hora de la cena. Entonces pusieron los manteles y sirvieron los guisos en vasos de plata y de oro. Colocaron la mesa delante del capitán y éste comió de todos los guisos en compañía de Alí Babá. Luego quitaron la mesa, sirvieron vino añejo, y la copa fue pasando de una mano a otra. Cuando hubieron terminado y estuvieron hartos de comer y beber, reanudaron la charla y así estuvieron parte de la noche. Llegada la hora de dormir y de acostarse, el capitán se levantó y bajó al patio, diciendo que antes de retirarse quería tapar a sus animales, si bien lo que quería era hablar con sus hombres. Se acercó al primero, que estaba, como ya hemos dicho, en el interior del primer pellejo, y le dijo en voz baja: «Cuando os tire, desde la ventana, un guijarro, desgarrad el pellejo con el puñal y reuníos conmigo». Dijo lo mismo al segundo, al tercero y a los demás hasta terminar con el último.

Alí Babá se proponía ir al baño a la mañana siguiente, por lo que recomendó a Marchana que le preparase la toalla que le era necesaria y que se la diera a Abd Allah, así como que le hiciera caldo de carne para bebérselo al salir del baño. Le recomendó, asimismo, que tratase bien al huésped, que le mullese la cama y que lo atendiese personalmente, de acuerdo con las reglas de la hospitalidad. Le contestó que así lo haría, y Alí Babá se fue a la cama, se acostó y se durmió.

Veamos ahora lo que hacía el capitán de los ladrones y digamos que es Dios quien concede la ayuda. Cuando se hubo puesto de acuerdo con sus compañeros y cómplices y hubo maquinado con ellos lo que había que hacer, subió en busca de Marchana y le preguntó por su dormitorio. Ésta tomó una vela y le condujo a una habitación llena con los más hermosos tapices, con el lecho sábanas y todos los objetos que podía necesitar durante la noche. Marchana se fue luego a la cocina para hacer lo que la había mandado su señor: preparó la toalla y los objetos necesarios para el baño, y los entregó a Abd Allah. Después encendió el fuego debajo de la cacerola. Mientras hacía esto, la luz del candil iba disminuyendo poco a poco por falta de aceite, hasta que se apagó por completo. Buscó la aceitera y vio que estaba vacía; además, se había terminado la cera. Quedó perpleja, ya que necesitaba luz para terminar de preparar el caldo. Abd Allah, al verla así, le dijo: «No te inquietes ni te preocupes porque se haya terminado el aceite de la casa, pues lo tenemos en abundancia. ¿Has olvidado que los pellejos del comerciante forastero están llenos de aceite? Los han puesto en el patio. Baja, coge lo que quieras, y por la mañana le pagaremos su importe». Marchana, al oír estas palabras, encontró que la idea era buena, le dio las gracias por el magnífico consejo, bajó con la jarra y se acercó a los pellejos. Los ladrones estaban ya hartos de la larga permanencia en tan estrecha prisión, estaban fatigados de tener la espalda doblada; respiraban fatigosamente y tenían los miembros descoyuntados y los huesos molidos; no podían aguantar más esta situación y les era imposible continuar encerrados. Al oír la voz de Marchana creyeron, en su ignorancia, que era la de su jefe, puesto que la flecha del destino iba a alcanzarlos y la orden de Dios iba a cumplirse. Uno de los ladrones preguntó: «¿Ha llegado el momento de salir?»

Refiere el narrador de esta historia admirable, de este relato emocionante, extraordinario: Marchana, al oír la voz de un hombre que hablaba en el interior del odre, se asustó muchísimo; tembló de terror y se aterrorizó de mala manera. Otra mujer se habría desmayado o gritado, pero ella tenía un corazón valiente y una imaginación rápida. Se dio cuenta en seguida de lo que sucedía y pensó, en menos de un abrir y cerrar de ojos, que aquellos hombr... iban con mala intención. Ideó en seguida ...enía hacer, puesto que si gritaba o se mo- ... remedio, así como su señor y todos los ...a casa. Se abstuvo de lamentos y algazara ...ner en práctica la trampa que se le había ocurrido: bajó la voz y contestó al primer ladrón: «Espera un momento. Falta muy poco tiempo». Se acercó al segundo odre, y el ladrón que lo ocupaba le preguntó lo mismo que el primero. Le contestó de la misma forma que al anterior. Los ladrones le preguntaban el uno detrás del otro y ella les contestaba y los invitaba a tener paciencia. Así llegó hasta los pellejos que contenían el aceite, y que eran los últimos de la fila. Cuando vio que éstos se empeñaban en seguir callados pensó que no debían contener hombres. Los movió, y al convencerse de que estaban llenos de aceite, abrió uno, llenó la jarra, volvió a la cocina y encendió el candil. A continuación preparó un gran caldero de cobre rojo, bajó con él al patio, lo llenó de aceite, lo colocó sobre el fuego y puso mucha leña debajo, hasta que el aceite hirvió. Entonces bajó con el caldero y fue vertiendo una jarra de aceite en la boca de cada pellejo; el líquido fue matando a los ladrones en cuanto les llegaba a la cabeza. Así los aniquiló a todos. Al comprobar que todos habían muerto, regresó a la cocina y terminó de hacer el caldo de carne que le había mandado su señor. Concluido su trabajo, apagó el fuego y la lámpara y se sentó a espiar al capitán.

Éste, al entrar en la habitación que se le había preparado, cerró la puerta, apagó la vela y se tendió en la cama como si durmiera, a pesar de que seguía despierto, en espera del momento oportuno de caer sobre los habitantes de la casa. Cuando le pareció que todos estaban durmiendo, se levantó en silencio y se asomó a observar. Al no ver luces ni oír ningún ruido, creyó que los moradores de la casa dormían. Cogió un guijarro y lo tiró al patio, de acuerdo con lo convenido con sus compañeros. Esperó un poco para dar tiempo a que salieran de los odres; pero como siguieron callados y no se movían ni se oía rumor alguno, quedó perplejo. Desde la ventana tiró otro guijarro sobre los pellejos, pero éstos siguieron mudos y sin hacer ningún movimiento. Esto lo intrigó, y volvió a tirar, por tercera vez, otra piedra. Esperó, sin resultado, la salida de sus ladrones. Perdió la paciencia, el miedo hizo mella en su corazón, y bajó a ver qué les había ocurrido y el porqué de su silencio.

Percibió un olor desagradable y el tufo de aceite quemado, con lo que aumentaron su terror y su miedo. Recorrió la fila, dirigiendo la palabra a uno después de otro, pero no contestó ninguno. Entonces movió los pellejos, los agitó y miró en su interior: vio a sus hombres achicharrados. Al comprobar que alguien había sacado aceite de uno de los odres, comprendió la manera cómo habían muerto y la causa de su fallecimiento. Esto lo afligió mucho y lloró copiosamente por haber perdido a sus compañeros. Temiendo que lo detuviesen, se decidió a huir y a escapar antes de que le cerrasen el camino. Abrió la puerta del jardín, trepó por la pared, saltó a la calle y huyó como alma que lleva el diablo. Iba cabizbajo, fatigado de pena y con el corazón lleno de mil pesares.

Marchana lo observaba desde su escondrijo. Al comprobar que había huido, cerró la puerta del jardín que había abierto el ladrón y regresó a su habitación. Esto es lo que a ella se refiere.

He aquí lo que se refiere a Alí Babá: Cuando Dios hizo aparecer la mañana y ésta iluminó con su luz y se hizo claro y el sol saludó a la más hermosa de las criaturas, Alí Babá despertó de su sueño y de las dulzuras del reposo. Se vistió y se dirigió al baño. Su esclavo Abd Allah iba detrás de él con los útiles para el lavado y la toalla que le era necesaria. Entró en el baño, se lavó y descansó en la más completa satisfacción y felicidad, sin saber lo que había pasado en su casa durante la noche ni el peligro del que Dios le había salvado. Al terminar de lavarse se puso otra vez los trajes y regresó a su domicilio. Al entrar en el patio vio que los pellejos seguían en el mismo sitio, y se admiró. Preguntó a Marchana: «¿En qué piensa ese comerciante forastero, que tarda tanto en marchar al mercado?» «¡Señor mío! Dios te ha destinado para una larga vida y te ha dado mucha suerte, pues esta noche te has salvado de un gran peligro, y Dios te ha librado a ti y a tus familiares de la destrucción y de una muerte vil, gracias a tu pureza de intención. Ha hecho caer en una fosa a aquellos que la habían cavado para sepultarte en ella, castigando sus malas intenciones. La falsedad trae siempre consigo la desgracia y la muerte prematura. He dejado todas las cosas tal como estaban, para que veas con tus propios ojos lo que te había preparado, a traición, aquel fingido comerciante, y el valor de tu esclava Marchana. ¡Anda, contempla lo que hay en el interior de esos pellejos!» Alí Babá se acercó, y al ver en el interior del odre que tenía más próximo un hombre que empuñaba un puñal, palideció, cambió de humor y se echó atrás del susto. La joven le dijo: «No temas, pues ese hombre está muerto». A continuación le mostró los restantes pellejos, en el interior de cada uno de los cuales había un hombre muerto, con un puñal en la mano. Quedó un rato atemorizado, mirando unas veces a Marchana y otras a los pellejos. Estaba estupefacto, amilanado, sin saber lo ocurrido. Exclamó: «¡Apresúrate a explicármelo todo! ¡Sé breve! Lo que he visto me ha llenado de temor». «Espera un poco y no levantes la voz, para que los vecinos no se enteren de aquello que no interesa que se difunda. Tranquilízate, ve a tu habitación y siéntate en tu sillón para descansar. Yo te llevaré el caldo de carne que te he hecho, te lo beberás y desaparecerá el terror que te ha sobrevenido.» Después se dirigió a la cocina, le llevó el caldo, se lo dio, y él se lo bebió. Luego empezó a hablar: «Ayer me mandaste que te preparase los útiles propios del baño y que te hiciera caldo de carne. Mientras estaba ocupada en cumplir tus órdenes, se apagó la lámpara por falta de aceite. Busqué la jarra del aceite, la encontré vacía y me quedé perpleja, sin saber qué hacer. Pero Abd Allah me dijo: "No te preocupes por eso, pues tenemos mucho aceite en casa. Baja, coge lo que necesites de los pellejos del comerciante que duerme en nuestro domicilio, y mañana le pagaremos su importe". Considerando que su consejo era bueno, bajé con la jarra. Al acercarme a los pellejos, oí en su interior la voz de un hombre, que preguntaba: "¿Ha llegado el momento de salir?" Comprendí en seguida que aquello era una trampa, y le contesté, sin temor: "Ya falta muy poco". Recorrí todos los pellejos y vi que en el interior de cada uno de ellos había un hombre, que me preguntaba exactamente lo mismo o me dirigía palabras semejantes. Yo iba dando la misma contestación y así llegué a dos pellejos que estaban llenos de aceite. Llené la jarra, encendí la lámpara, cogí un gran caldero, lo llené de aceite y lo puse al fuego; cuando hubo hervido, lo vertí por la boca de cada odre hasta que murieron todos los ladrones, a consecuencia del aceite caliente, conforme tú has podido comprobar. Luego apagué la lámpara y me senté a observar lo que hacía aquel comerciante traidor, pérfido y embustero. Vi que desde su ventana tiraba piedras para despertar a sus hombres, y que repetía esto varias veces. Pero como no se decidían a salir y él quería verlos, bajó a averiguar la causa por la que seguían quietos, y los encontró a todos muertos. Entonces, temió que a él le detuviesen o le matasen, por lo que trepó por la pared del jardín, saltó a la calle y huyó. Yo no quise despertarte para no alborotar a la gente de la casa, y he esperado a que regresaras del baño para explicártelo todo. Esto es lo que me ha sucedido con esos traidores, pero Dios es más sabio. Ahora es necesario que te diga algo que me ocurrió hace poco y que hasta ahora te he ocultado. Hace unos días, al volver del mercado, vi que en la puerta de nuestra casa había una señal blanca. Al contemplarla me intranquilicé, me inquieté y me di cuenta de que la había hecho un enemigo, con la idea de hacernos daño. Para confundirlo, pinté la misma señal en la puerta de las casas de nuestros vecinos. Al día siguiente vi que habían hecho una señal roja en la puerta de nuestra casa, y yo puse una señal idéntica en la puerta de nuestros vecinos. Te he ocultado esto por temor a alarmarte. Es seguro que las señales las pusieron los hombres que están muertos: son los ladrones con los que tropezaste en el monte. Desde el momento en que supieron el camino de nuestra casa, no nos han concedido reposo ni descanso y mientras quede sobre la faz de la tierra uno solo, correremos el riesgo de caer en sus trampas. No cabe duda de que ese que ha huido se esforzará en darnos muerte. Es necesario que vigilemos. Yo permaneceré despierta y alerta».

Refiere el narrador: Alí Babá, al oír las palabras de su esclava Marchana se maravilló muchísimo de lo que les había ocurrido, del extraordinario suceso que habían vivido. Dijo a Marchana: «He escapado de este peligro y me he salvado de este riesgo gracias al Creador, al Favorecedor, al Benefactor, que nos protege con su gracia, y a tu inteligencia penetrante, a tu buen entendimiento». Le dio las gracias por lo bien que había obrado, por su valor, por su reflexión penetrante y por su buen consejo. Le dijo: «Desde este instante eres completamente libre ante la faz de Dios, pero siempre te seremos deudores y te recompensaré por todo. Como has dicho bien, no cabe duda de que ésos son los ladrones del bosque. ¡Loado sea Dios, que nos ha salvado de ellos! Ahora es necesario enterrarlos y ocultar lo que nos ha ocurrido». Llamó a su esclavo Abd Allah y le mandó que le llevasen los picos. Cogió uno, dio otro al esclavo y empezaron a abrir una gran fosa en el jardín; luego trasladaron los cuerpos de los ladrones, los arojaron a la fosa y los cubrieron de tierra hasta que desapareció su rastro por completo. Vendió los mulos en el mercado en distintas fechas, y lo mismo hizo con los pellejos. Esto es lo que a ellos se refiere.

En cuanto al capitán de los ladrones: al escapar de la casa de Alí Babá huyó al bosque y entró en el tesoro en el más lamentable de los estados, llorando su soledad y su aislamiento. Se sentó, triste, a reprenderse por el fracaso de sus esperanzas, por la derrota de su plan, por la pérdida de sus hombres. La vida se le hizo aborrecible y deseó la muerte, diciendo: «¡Ay de vosotros! ¡Ah héroes del tiempo, hombres de combate y de lucha! ¡Ah, caballeros en la lid de la guerra! ¡Ojalá hubiéseis muerto en medio del combate y de la batalla! ¡Habríais encontrado digno fin, en la liza! Pero haber muerto de este modo infame constituye una ofensa, y yo, desgraciado de mí, soy el causante de la muerte de aquellos a los que rescataría, si pudiera, con mi propia vida. ¡Ojalá se me hubiese escanciado el vaso de la muerte antes de tener que presenciar esta calamidad! El Señor —Todopoderoso y excelso— sólo me concede la vida para tomar venganza, lavar la afrenta y vengaros terriblemente, de un enemigo al que he de hacer probar el mal de la tortura y el castigo más grande. Yo me bastaré para hacer esto, a pesar de mi soledad. Aquello que no pueden conseguir muchos hombres, he de realizarlo yo solo si Dios quiere». Pasó toda la noche en un caos de ideas, preocupado y buscando el engaño que le había de permitir alcanzar su objetivo. Veló sin gozar de las dulzuras del sueño, y amaneció sin tener apetito. Siguió esforzando su mente para idear una trampa, pensó en cómo había de conseguir su objeto, meditó en lo que debía hacer en esta coyuntura para alcanzar su deseo y curar su enfermedad. Cuando se hizo de día se vistió de comerciante y se dirigió a la ciudad para alquilar una habitación y abrir una tienda en el zoco de los mercaderes. Trasladó a ésta, desde el tesoro, en varias veces, objetos de mucho valor, hermosas y magníficas telas, bordadas en oro, entre las cuales había piezas de tela india, paños sirios, vestidos de brocado, preciosos trajes, aderezos de seda y gemas. Todo ello había sido robado en distintos países. Procedía de los bienes de las criaturas de Dios que habían sido depositados en el tesoro. Después se sentó en su tienda y se dedicó a vender y a comprar, a tomar y a dar a la gente. Empezó vendiendo a precios bajos, a rebajar el importe, a aceptar lo que la gente le ofrecía y a complacerla en lo que pedía. Así se hizo célebre, se divulgó su nombre, se difundió su manera de actuar, se hizo notoria su conducta, acudieron a su tienda las personas importantes, y se aglomeraron ante ellos los humildes. Él recibía a la gente con amabilidad y cortesía, la trataba con dulzura y afabilidad, le mostraba un rostro sonriente, buenas costumbres, graciosas palabras y hermosas respuestas. Así consiguió que todos lo apreciasen. Pero todo ello era contrario a su natural, puesto que era duro, grosero, ignorante e inhumano; que estaba acostumbrado al combate, al saqueo, a la matanza y al robo. Pero la necesidad tiene sus leyes, y lo forzó a hacer esto. El Todopoderoso —excelso y grande—, que dispone lo que quiere y ordena sus deseos a la criaturas, quiso que la tienda de este traidor estuviese frente a la del hijo de Alí Babá, que se llamaba Muhammad. Como eran vecinos, los vínculos de la convivencia nacieron entre ambos, y, a causa de esto, se conocieron e intimaron, sin que el uno supiese quién era el otro ni de dónde procedía. Entre los dos se estableció una corriente de afecto y cariño, y llegaron a no poder estar separados.

Un día, Alí Babá fue a visitar a su hijo Muhammad y a ver el zoco de los comerciantes. Encontró al mercader forastero sentado al lado de su hijo. El capitán le reconoció desde el momento en que lo vio y estuvo seguro de encontrarse en presencia del enemigo en cuya búsqueda había ido. Se alegró mucho, y entonces tuvo la seguridad de que conseguiría su deseo y alcanzaría su propósito: tomar venganza. Pero ocultó sus intenciones, procurando permanecer inmutable y cuando Alí Babá se fue, interrogó sobre él a su hijo, aparentando que no lo conocía. Muhammad le contestó: «Es mi padre». Al enterarse de esto, fue a sentarse más frecuentemente aún en la tienda del muchacho, multiplicó sus atenciones para con él y se esforzó en tratarlo bien, aparentando tenerle afecto, cariño, amor y amistad. Lo invitaba a comer, le daba banquetes y fiestas y lo llevaba a sus veladas. No soportaba el estar separado de él en las tertulias y en las fiestas, le regalaba objetos preciosos y le hacía magníficos presentes. Todo lo hacía en vistas a conseguir lo que tenía pensado y para realizar el engaño y la traición que meditaba. Muhammad se dio cuenta de sus muchos favores, de lo agradable de su compañía, de su amistad, de su incesante cariño, de que el afecto que le profesaba había alcanzado su grado sumo, y de que el amor que le tenía era muy grande. Creía que todo ello procedía de su buena intención, que era sincero, y que no podía prescindir de él ni de día ni de noche. Refirió a su padre los favores que debía al comerciante forastero, el mucho amor y cariño que éste le mostraba; que era un hombre rico, generoso, magnánimo y uno de los principales personajes. Excediéndose en su apología, le dijo que lo invitaba a comer guisos exquisitos en cualquier momento, y que le hacía costosos regalos. Su padre le dijo: «Pues es necesario, hijo mío, que tú le correspondas, que le prepares un banquete y que lo invites. Lo harás el viernes, cuando salgáis juntos de la mezquita, después de la oración del mediodía, y paséis por delante de casa, invítalo a entrar. Yo habré preparado lo necesario para hacer agradable la estancia a tan ilustre huésped».

El viernes al mediodía, el capitán se dirigió a la mezquita en compañía de Muhammad. Una vez rezada la oración colectiva, salieron juntos, dispuestos a visitar la ciudad. Pasearon sin descanso hasta que llegaron a la calle de Alí Babá. Al cruzar ante la puerta de la casa, Muhammad invitó a su compañero a que entrase a comer, diciéndole: «Ésta es nuestra casa». El capitán rehusó esgrimiendo varias excusas, pero el muchacho lo insistió, lo conjuró y no cejó hasta conseguir que aceptara. «Complaceré tu deseo por exigirlo así las leyes de la amistad y para darte gusto; pero ha de ser con una condición: no has de poner sal en la comida, puesto que aborrezco mucho este condimento y no puedo comerlo ni aspirar su olor.» «Esto es muy fácil, y si tu estómago no la soporta, se te ofrecerá únicamente comida sin sal.» El ladrón se alegró al oír esto, ya que su mayor deseo consistía en entrar en aquella casa, y todo lo que hacía era pura comedia, a fin de conseguir mejor su propósito y alcanzar su objetivo. Entonces estuvo seguro de que iba a tomar venganza; se cercioró de que iba a aplicar el talión. Se dijo: «Dios los ha hecho caer, sin remedio, sin duda, en mis manos». En cuanto pisó el umbral y entró en la casa, Alí Babá salió a recibirlo, lo saludó con la mayor corrección y cortesía, lo hizo sentar en la testera del salón, pues lo tenía por un distinguido comerciante, y no podía sospechar que era el dueño del aceite, ya que había cambiado de aspecto y de figura. No le pasó por la mente que había metido al lobo entre el ganado, al león entre las ovejas. Se sentó a hablar con él y a hacerle los honores.

Entretanto, su hijo, Muhammad, iba a ver a Marchana y le recomendó que no pusiese sal en los guisos, ya que su huésped no podía soportarla. Esto la contrarió, pues ya tenía hecha la comida, y la obligaba a guisar de nuevo para que no hubiese sal. Esta circunstancia la extrañó y la inquietó. Quiso ver quién era aquel hombre que no necesitaba la sal, que no tenía el mismo paladar que los demás mortales, puesto que una cosa parecida no se había oído contar jamás. Atardecía cuando acabó de cocinar. Marchana y Abd Allah llevaron la mesa y la colocaron delante de los reunidos. Entonces dirigió una mirada al comerciante forastero y lo reconoció en seguida, ya que era muy buena fisonomista y tenía una excelente memoria. Se cercioró de que era el capitán de los ladrones. Mirando atentamente, descubrió debajo de sus faldones la empuñadura de una daga. Se dijo: «Ahora comprendo por qué este maldito se ha negado a compartir la sal con mi señor. Quiere darle muerte, pero le parecería mal y le repugnaría hacerlo después de haber compartido la sal. Pero, con el permiso de Dios (¡ensalzado sea!), no conseguirá su propósito, pues no permitiré que lo lleve a cabo». Volvió a sus quehaceres, y Abd Allah se encargó del servicio. Comieron todos los platos, y Alí Babá hizo los honores a su huésped y le invitó a comer. Cuando estuvieron hartos se llevaron la mesa y les sirvieron el vino, las tapas, los dulces, la fruta y los licores; comieron pasteles y frutas, y después se pasaron la copa de uno a otro. El maldito les servía de beber, pero él se abstenía de acompañarlos, pues quería emborracharlos y él estar sereno, sin emborracharse, con todo su entendimiento, para poder llevar a cabo su propósito. Cuando estuvieran ebrios y se quedaran dormidos, aprovecharía la ocasión para derramar su sangre y matarlos con el puñal. Después escaparía por la puerta del jardín, como había hecho anteriormente. En esto aparecieron Marchana y Abd Allah. La muchacha llevaba una camisa de tejido de Alejandría, una aljuba de regio brocado y otros preciosos vestidos; un cinturón de oro, trenzado con joyas, ceñía su talle y hacía resaltar las caderas; llevaba una redecilla de perlas en la cabeza, y alrededor del cuello un collar de esmeraldas, jacintos y coral. Debajo aparecían sus senos, semejantes a dos frutos de granados. Las joyas y los trajes realzaban su belleza, que parecía el capullo de una flor de primavera o la luna en la noche del plenilunio. Abd Allah vestía también regiamente y llevaba en la mano una pandereta que tocaba, mientras la joven bailaba como las gentes del oficio. Alí Babá, al verla, se alegró y sonrió. Le dijo: «¡Bien venida la bella muchacha, la criada preciosa! ¡Por Dios, que has hecho bien! Ahora nos apetecía ver bailar para dar completo término a nuestra satisfacción y a nuestra alegría, para distraernos y hacernos felices. Luego dijo al capitán: «Esta muchacha no tiene par. En todo es experta; excelente en el servicio, no hay nada que se le oculte en las distintas ramas de la buena crianza. Es guapa, encantadora, de certera opinión y rapidez de pensamiento. No hay ninguna que se pueda comparar con ella en nuestro tiempo. Le debo grandes favores, y me es más querida que una hija. Fíjate, señor, en la belleza de su cara, en la elegancia de su talle, lo bien que baila, la gracia de sus inflexiones y en la agilidad de sus movimientos». El capitán no escuchaba sus palabras, pues estaba fuera de sí, encolerizado y triste, por la entrada de aquellas dos personas, que estropeaban la maquinación que había preparado contra los habitantes de aquella casa y hacían fracasar la traición y la villanía en que había pensado. Marchana bailó tan bien como una bailarina profesional. Llevó las cosas hasta el punto de sacar el puñal que llevaba en el cinto y seguir danzando con él en la mano, tal como es costumbre entre los árabes. Unas veces ponía la punta encima de su pecho, otras en el de Alí Babá, en el de su hijo Muhammad o en el del capitán. Luego, tomando la pandereta de las manos de Abd Allah, se la presentó a Alí Babá, haciéndole señas para que le diese algo. Él le puso un dinar. Luego la pasó a su hijo, Muhammad, quien le dio otro dinar. Se aproximó al capitán con la pandereta en una mano y el puñal en la otra. El hombre quiso darle algo y metió la mano en el bolsillo. Mientras se encontraba en esta posición, ocupado en sacar los dirhemes necesarios, la joven le clavó el puñal en el pecho, y el bandido murió en medio de estertores. Dios se apresuró a enviar su alma al fuego (¡qué pésima morada!). Alí Babá y su hijo, al ver lo que había hecho, se levantaron apresuradamente y gritaron: «¡Traidora! ¡Hija adulterina! ¡Pérfida! ¡Innoble! ¿Por qué has cometido esta vituperable acción? ¿Qué te ha incitado a este acto miserable? Nos afliges de tal modo que no lo olvidaremos jamás, que será causa de nuestra muerte, de la pérdida de nuestra vida. Pero antes he de castigarte, maldita, y si escapas con vida del juez, no escaparás de nuestras manos». Ella replicó inmutable: «Tranquilizaos, no tengáis miedo. Si tal hubiera de ser la recompensa por haberos salvado, no habría quien se ofreciese a hacer el bien. No os apresuréis a malpensar de mí para que luego no tengáis que arrepentiros. Oíd mi relato, y después haced conmigo lo que queráis. Ese hombre no era un comerciante, según afirmaba y vosotros creíais. Era el capitán de los ladrones del bosque, el que antes había pretendido ser vendedor de aceite y metió aquí hombres en pellejos para daros muerte y exterminaros. Al fracasar en su treta, al perder la esperanza y la confianza en el éxito, tuvo que huir y abandonar la casa. Pero esto no le sirvió de escarmiento ni lo amilanó, sino que aumentó su rabia y odio contra mí y contra vosotros, y siguió resuelto a hacer el mal. Para conseguir su propósito y llegar a su meta, abrió una tienda en el zoco de los mercaderes y la llenó de mercancías preciosas, caras. Por medio de malas artes, de trampas ocultas, de acciones descreídas enredó y engañó a mi señor Muhammad, mostrándole un falso cariño y un amor insincero. Fue tras él con disimulo hasta que le fue posible entrar en vuestra casa y sentarse con vosotros a la mesa. Entonces se dispuso a aprovechar la ocasión para traicionaros, para daros la peor de las muertes y borrar vuestro rastro, confiando en conseguirlo gracias a lo bien afilado de sus armas y a la fuerza de su brazo y de su mano. Pero no hay fuerza ni poder sino en Dios, el Altísimo, el Grande. ¡Loado sea Dios, que lo ha hecho morir prematuramente por mis manos! Registradlo, y veréis si son ciertas mis palabras». Le levantó los faldones y les mostró el puñal que llevaba escondido entre sus ropas. Ambos, al oír su respuesta y el discurso con que les contestaba observaron con mucha atención la faz del pérfido y embustero comerciante, y reconocieron en él al vendedor de aceite y al ver el puñal se convencieron de que Dios los había salvado de un gran peligro y que había hecho perecer aquel cuerpo por mediación de su esclava Marchana. Seguros ya de la veracidad de las palabras de ésta, aumentó en ambos la estima en que la tenían. Le dieron las gracias por una acción tan noble y alabaron la actitud de su intuición. Alí Babá le dijo: «Anteriormente te he abrazado y te he prometido una recompensa mayor. Éste es el momento de cumplir lo prometido, y de llevar a buen término mi juramento si es que a ti te place lo que ha tiempo traigo pensado para recompensarte el bien que nos has hecho y pagarte tus bellas acciones. Quiero casarte con mi hijo Muhammad. No me contradigáis». El muchacho aceptó: «¡Oír es obedecer lo que has pensado y decidido! No te contradiré en lo que has dispuesto, aunque fuese algo que me disgustase o molestase. Pero el matrimonio con Marchana constituye mi máximo anhelo, el colmo de mis deseos». Y así era en realidad, pues él la amaba desde hacía tiempo, su pasión por ella había alcanzado el punto culminante, pues era hermosa, bella, bonita y perfecta; poseía talento natural, buenas costumbres y era de origen noble y buena ascendencia.

Se dispusieron a enterrar al capitán: le cavaron una amplia fosa en el jardín, lo depositaron en ella y así se reunió con sus criminales y malditos compañeros. Ninguna de las criaturas de Dios se enteró de estas cosas tan extraordinarias, de estos acontecimientos portentosos.

He aquí lo que ocurrió con su tienda: la hacienda pública, al ver que estaba ausente largo tiempo y que no se sabía nada de él, ni se encontraba rastro, se incautó de los bienes que contenía y de los objetos que guardaba.

Cuando quedaron tranquilos y confiados, cuando estuvieron seguros en su casa y se arreglaron los asuntos; cuando volvió la alegría y se marcharon los pesares, Muhammad casó con la joven Marchana, se extendió el contrato matrimonial ante el cadí de los musulmanes, le hizo el primer regalo de bodas y se obligó a entregarle el segundo. Las gentes acudieron a porfía, se celebraron las fiestas, permanecieron sin dormir en las noches de algazara y dieron grandes banquetes y convites. Acudieron los principales juglares, cantores y cómicos hasta que al fin la dejaron a solas con él y la desfloró. Las fiestas duraron tres días.

Un año después de estos acontecimientos, Alí Babá se decidió a volver al tesoro, que no había querido visitar de nuevo después de la muerte de su hermano, por temor a que los ladrones le tendiesen una emboscada. Dios había aniquilado a treinta y ocho hombres por mediación de Marchana, además del capitán. Pero Alí Babá creía que aún quedaban dos hombres, puesto que en el monte había contado cuarenta. Por ello se abstuvo de ir durante todo este lapso de tiempo, temiendo que los dos restantes le tendiesen una trampa. Pero como no supo más de ellos ni dieron señales de vida, se convenció de que habían muerto y se decidió a volver en compañía de su hijo, para mostrarle el tesoro y enseñarle el secreto mediante el cual podía entrarse en él. Al llegar a sus inmediaciones vió que había mucha hierba, que los arbustos y espinos habían crecido en la vecindad de la puerta y borrado el camino. Dedujeron de ello que hacía mucho tiempo que no entraban en el tesoro hombres ni genios y que nadie lo había tocado desde entonces, así como que habían muerto los otros dos ladrones. Desapareció el miedo que aún tenían y siguieron acercándose. Alí Babá cogió el hacha y cortó la hierba y los espinos, hasta que consiguió abrir un paso y pudo llegar a la puerta. Entonces dijo: «¡Sésamo, abre tu puerta!» La puerta se abrió, y Alí Babá entró en el tesoro con su hijo y mostró a éste las riquezas, maravillas, prodigios y objetos que contenía. El muchacho se quedó completamente admirado. Recorrieron las salas, dieron vueltas y más vueltas por ellas y se hartaron de tocar las joyas y las gemas. Luego regresaron llevándose lo que más les gustaba, o sea, lo de poco peso y mucho valor. Volvieron a su casa contentos y satisfechos por los bienes adquiridos y sucesivamente fueron llevándose del tesoro lo que era más de su agrado.

Vivieron en la más dulce y feliz de las vidas hasta que les visitó el destructor de las dulzuras, el separador de las multitudes, el aniquilador de los palacios y el constructor de las tumbas.

ni dieron señales de vida, se convenció de que habían muerto y se decidió a volver en compañía de su hijo, para mostrarle el tesoro y enseñarle el secreto mediante el cual podía entrarse en él. Al llegar a sus inmediaciones vio que había mucha hierba, que los arbustos y espinos habían crecido en la vecindad de la puerta y borrado el camino. Dedujeron de ello que hacía mucho tiempo que no entraban en el tesoro hombres ni genios y que nadie lo había tocado desde entonces, así como que habían muerto los otros dos ladrones. Desapareció el miedo que aún tenían y siguieron acercándose. Alí Babá cogió el hacha y cortó la hierba y los espinos, hasta que consiguió abrir un paso y pudo llegar a la puerta. Entonces dijo: «¡Sésamo, abre tu puerta!» La puerta se abrió, y Alí Babá entró en el tesoro con su hijo y mostró a éste las riquezas, maravillas, prodigios y objetos que contenía. El muchacho se quedó completamente admirado. Recorrieron las salas, dieron vueltas y más vueltas por ellas y se hartaron de tocar las joyas y las gemas. Luego regresaron, llevándose lo que más les gustaba, o sea, lo de poco peso y mucho valor. Volvieron a su casa contentos y satisfechos por los bienes adquiridos y sucesivamente fueron llevándose del tesoro lo que era más de su agrado.

Vivieron en la más dulce y feliz de las vidas hasta que les visitó el destructor de las dulzuras, el separador de las multitudes, el aniquilador de los palacios y el constructor de las tumbas.